Dahili ve Cerrahi Hastalıklarda Bakım

Editörler
Prof. Dr. Ayfer KARADAKOVAN
Prof. Dr. Fatma ETİ ASLAN

2. CİLT

DÖRDÜNCÜ BASKI

AKADEMİSYEN
KİTABEVİ

AKADEMİSYEN
KİTABEVİ

© Copyright 2017

Bu kitabın, basım, yayın ve satış hakları Akademisyen Kitabevi A.Ş.'ne aittir. Anılan kuruluşun izni alınmadan kitabın tümü ya da bölümleri mekanik, elektronik, fotokopi, manyetik kağıt ve/veya başka yöntemlerle çoğaltılamaz, basılamaz, dağıtılamaz. Tablo, şekil ve grafikler izin alınmadan, ticari amaçlı kullanılamaz. Bu kitap T.C. Kültür Bakanlığı bandrolü ile satılmaktadır.

ISBN
978-605-9354-83-7

Yayın Koordinatörü
Yasin Dilmen

Takım ISBN
978-605-9354-81-3

Sayfa ve Kapak Tasarımı
Rahime DİLMEN

Kitap Adı
Dahili ve Cerrahi Hastalıklarda Bakım

Yayıncı Sertifika No
25465

Editörler
Prof. Dr. Ayfer KARADAKOVAN
Prof. Dr. Fatma ETİ ASLAN

Baskı ve Cilt
Özyurt Matbaacılık

UYARI

Bu üründe yer alan bilgiler sadece lisanslı tıbbi çalışanlar için kaynak olarak sunulmuştur. Herhangi bir konuda profesyonel tıbbi danışmanlık veya tıbbi tanı amacıyla kullanılmamalıdır. *Akademisyen Kitabevi* ve alıcı arasında herhangi bir şekilde doktor-hasta, terapist-hasta ve/veya başka bir sağlık sunum hizmeti ilişkisi oluşturmaz. Bu ürün profesyonel tıbbi kararların eşleniği veya yedeği değildir. *Akademisyen Kitabevi* ve bağlı şirketleri, yazarları, katılımcıları, partnerleri ve sponsorları ürün bilgilerine dayalı olarak yapılan bütün uygulamalardan doğan, insanlarda ve cihazlarda yaralanma ve/veya hasarlardan sorumlu değildir.

İlaçların veya başka kimyasalların reçete edildiği durumlarda, tavsiye edilen dozunu, ilacın uygulanacak süresi, yöntemi ve kontraendikasyonlarını belirlemek için, okuyucuya üretici tarafından her ilaca dair sunulan güncel ürün bilgisini kontrol etmesi tavsiye edilmektedir. Dozun ve hasta için en uygun tedavinin belirlenmesi, tedavi eden hekimin hastaya dair bilgi ve tecrübelerine dayanak oluşturması, hekimin kendi sorumluluğundadır.

Akademisyen Kitabevi, üçüncü bir taraf tarafından yapılan ürüne dair değişiklikler, tekrar paketlemeler ve özelleştirmelerden sorumlu değildir.

GENEL DAĞITIM
Akademisyen Kitabevi A.Ş.

Halk Sokak 5 / A
Yenişehir / Ankara
Tel: 0312 431 16 33
siparis@akademisyen.com

www.akademisyen.com

YAZARLAR

Yazarlar ünvan ve soyisime göre alfabetik sıralanmıştır...

Prof. Dr. Fatma ETİ ASLAN
Bahçeşehir Üniversitesi Sağlık Bilimleri Fakültesi

Prof. Dr. Aysel BADIR
Koç Üniversitesi, Hemşirelik Yüksekokulu

Prof. Dr. Sakine BOYRAZ
Adnan Menderes Üniversitesi, Hemşirelik Fakültesi

Prof. Dr. Nursan DEDE ÇINAR
Sakarya Üniversitesi, Sakarya Sağlık Yüksekokulu

Prof. Dr. Ayfer KARADAKOVAN
Ege Üniversitesi Hemşirelik Fakültesi

Prof. Dr. Fatma DEMİR KORKMAZ
Ege Üniversitesi Hemşirelik Fakültesi

Prof. Dr. Sema KUĞUOĞLU
Acıbadem Üniversitesi Sağlık Bilimleri Fakültesi

Prof. Dr. Nermin OLGUN
Hasan Kalyoncu Üniversitesi Sağlık Bilimleri Fakültesi

Prof. Dr. Sezgi ÇINAR PAKYÜZ
Celal Bayar Üniversitesi Sağlık Yüksekokulu

Prof. Dr. Özge UZUN
Emekli Öğretim Üyesi

Prof. Dr. Meryem YAVUZ
Ege Üniversitesi Hemşirelik Fakültesi

Doç. Dr. Ayşe ÇİL AKINCI
Medeniyet Üniversitesi, Sağlık Yüksekokulu

Doç Dr. Dilek AYGİN
Sakarya Üniversitesi, Sakarya Sağlık Yüksekokulu

Doç. Dr. Gülhan COŞANSU
İ.Ü. Florence Nightingale Hemşirelik Fakültesi

Doç. Dr. Ayşe ERGÜN
Marmara Üniversitesi Sağlık Bilimleri Fakültesi

Doç. Dr. Ümmü Yıldız FINDIK
Trakya Üniversitesi, Sağlık Bilimleri Fakültesi

Doç. Dr. Şenay KAYMAKÇI
Yakın Doğu Üniversitesi Sağlık Bilimleri Fakültesi

Doç. Dr. Sıdıka OĞUZ
Marmara Üniversitesi Sağlık Bilimleri Fakültesi

Doç. Dr. Fatma ORGUN
Ege Üniversitesi Hemşirelik Fakültesi

Doç. Dr. Türkan ÖZBAYIR
Ege Üniversitesi Hemşirelik Fakültesi

Yard. Doç. Dr. Selda ÇELİK
Sağlık Bilimleri Üniversitesi

Yard. Doç. Dr. Bilgi GÜLSEVEN
Marmara Üniversitesi Sağlık Bilimleri Fakültesi

Yard. Doç. Dr. Havva SERT
Sakarya Üniversitesi, Sakarya Sağlık Yüksekokulu

Yard. Doç. Dr. Fahriye VATAN
Ege Üniversitesi Hemşirelik Fakültesi

Eğitim ve alanda emek veren tüm meslektaşlarımıza ve öğrencilerimize............

Prof. Dr. Fatma Eti Aslan   Prof. Dr. Ayfer Karadakovan

ÖNSÖZ

Küreselleşmenin tüm hizmet alanlarında getirdiği değişimlere ayak uydurabilmek için hizmet verenlerin gelişimlerini sürdürmesi kaçınılmaz bir gereksinimdir. Sağlık hizmetlerinde bakım, tedavi ve teknolojideki gelişimler doğrultusunda eğitim alan ve hizmet veren tüm ekip üyelerinin güncel literatürü izlemesi ve bunu bakıma yansıtması beklenmektedir. Bunların gerçekleştirilebilmesi için kanıta dayalı bakım ve uygulamaların kullanım için sunulması ve paylaşılması gereklidir. Bilişim teknolojilerindeki ve olanaklarındaki gelişmelerle birçok bilgiye ulaşmak olanaklıdır. Ancak güncel literatürün ve kanıtların incelenmesi ile büyük emeklerle hazırlanan basılı yayınlar sağlık hizmeti sunanlar için vazgeçilmez gereçlerdir. Bu gerekçelerle uzun soluklu ve büyük emeklerle hazırlanan *Dahili ve Cerrahi Hastalıklarda Bakım* kitabının ilk baskısı 2008 yılında yapılmış ve öğrencilerimizin, eğitim ve uygulama alanında hizmet veren meslektaşlarımızın yararlanması için sunulmuştur. İlk baskıdan sonra gelen geri bildirimler doğrultusunda güncellemeleri yapılan kitap 2011 yılında 2., 2014 yılında 3. baskısını gerçekleştirmiştir.

Sağlık alanında eğitim veren birçok kurumda öğrenci ve öğretim üyelerinin eğitimde kullanacakları kapsamlı bir yayın olmasının yanı sıra mezuniyet sonrası alanda çalışan meslektaşlarımızın başvurabileceği bir kitap olarak alanında uzman çok sayıda öğretim üyesinin katkıları ile geliştirilmiştir. Son literatür ve veriler doğrultusunda tekrar güncellemesi yapılan kitabımızın 4. baskısını sizlere sunmaktan büyük bir mesleki onur duyuyoruz. Sizlerden gelen istekler doğrultusunda kullanım kolaylığı için bu baskıyı iki cilt olarak sunmayı planladık. Kitabın hazırlanmasında emek veren tüm yazarlarımıza, Akademisyen Kitapevinden Yasin Dilmen ve ekibine, kitabımızın hazırlık ve güncelleme aşamasında destek veren yakınlarımıza ve ailelerimize teşekkür ederiz.

Şubat 2017

Prof. Dr. Ayfer Karadakovan
Ege Üniversitesi

Prof. Dr. Fatma Eti Aslan
Bahçeşehir Üniversitesi

İÇİNDEKİLER

ÜNİTE 1 Sağlık Bakımında Temel Kavramlar 1

1. Sağlık Bakımındaki Gelişmeler ve Bakım Uygulamaları .. 3
Doç. Dr. Ayşe ERGÜN
Prof. Dr. Fatma ETİ ASLAN
Yard. Doç. Fahriye VATAN
Prof. Dr. Nermin OLGUN
Prof. Dr. Sema KUĞUOĞLU

2. Taburculuk Planlaması ve Evde Bakım 25
Doç. Dr. Ayşe ERGÜN

3. Kritik Düşünme ve Etik Karar Verme 35
Prof. Dr. Nursan DEDE ÇINAR
Prof. Dr. Sema KUĞUOĞLU
Prof. Dr. Ayfer KARADAKOVAN

4. Sağlık Eğitimi ve Sağlığın İyileştirilmesi 47
Doç. Dr. Fatma ORGUN

ÜNİTE 2 Sağlık Bakımında Biyolojik ve Psikososyal Kavramlar 59

5. Denge Stres ve Adaptasyon 61
Prof. Dr. Sakine BOYRAZ
Prof. Dr. Fatma ETİ ASLAN
Doç. Dr. Dilek AYGİN

6. Kültürler Arası Hemşirelik 77
Prof. Dr. Sema KUĞUOĞLU

7. Kronik Durumlar 91
Yard. Doç. Dr. Bilgi GÜLSEVEN
Doç. Dr. Sıdıka OĞUZ

8. Yaşlılık ve Geriatri Hemşireliği 105
Prof. Dr. Ayfer KARADAKOVAN

ÜNİTE 3 Sağlık Bakımında Fizyopatolojik Kavramlar 127

9. Ağrı 129
Prof. Dr. Fatma ETİ ASLAN

10. Sıvı Elektrolit Dengesi ve Bozuklukları 151
Doç. Dr. Şenay KAYMAKÇI

11. Şok 169
Doç. Dr. Şenay KAYMAKÇI

12. Onkoloji 185
Prof. Dr. Fatma ETİ ASLAN
Prof. Dr. Nermin OLGUN
Prof. Dr. Özge UZUN

13. Ölüm ve Ölüme Yaklaşan Hastaya Yaklaşım 213
Prof. Dr. Nermin OLGUN

ÜNİTE 4 Cerrahi Bakım 223

14. Ameliyat Öncesi Bakım 225
Prof. Dr. Meryem YAVUZ

15. Ameliyat Dönemi Bakım 241
Doç. Dr. Türkan ÖZBAYIR

16. Ameliyat Sonrası Bakım 281
Prof. Dr. Fatma ETİ ASLAN

17. Günübirlik Cerrahi 309
Prof. Dr. Meryem YAVUZ

ÜNİTE 5 Solunum Sistemi 325

18. Solunum Fonksiyonlarının Değerlendirilmesi 327
Prof. Dr. Nermin OLGUN
Prof. Dr. Fatma ETİ ASLAN
Yard. Doç. Dr. Havva SERT

19. Üst Solunum Sistemi Hastalıkları 335
Prof. Dr. Nermin OLGUN
Yard. Doç. Dr. Havva SERT

20. Toraks ve Alt Solunum Sistemi Hastalıkları 343
Prof. Dr. Nermin OLGUN
Prof. Dr. Fatma ETİ ASLAN
Doç. Dr. Ayşe ÇİL AKINCI

ÜNİTE 6 Kalp ve Dolaşım Sistemi 389

21. Kalp ve Dolaşım Sisteminin Değerlendirilmesi 391
Prof. Dr. Aysel BADIR

22. Ritim ve İletim Bozuklukları 411
Prof. Dr. Aysel BADIR

23. Koroner Arter Hastalıkları 433
Prof. Dr. Aysel BADIR
Prof. Dr. Fatma DEMİR KORKMAZ

24. Yapısal Enfeksiyöz ve Enflamatuar Kalp Hastalıkları 475
Prof. Dr. Fatma DEMİR KORKMAZ

25. Kalp Hastalıklarına Bağlı Komlikasyonlar 499
Prof. Dr. Aysel BADIR

26. Vasküler Hastalıklar ve Periferik
Dolaşım Bozuklukları 513
Prof. Dr. Fatma DEMİR KORKMAZ

27. Hipertansiyon 547
Prof. Dr. Aysel BADIR

ÜNİTE 7 Hematolojik Sistem 561

28. Hematolojik Sistemin Değerlendirilmesi 563
Prof. Dr. Sakine BOYRAZ

29. Hematolojik Hastalıklar 577
Prof. Dr. Sakine BOYRAZ

30. Kan Ürünler Kan Tranfüzyonu ve Kemik İliği
Transplantasyonu 609
Prof. Dr. Sezgi ÇINAR PAKYÜZ

ÜNİTE 8 Sindirim Sistemi 623

31. Sindirim Sisteminin Değerlendirilmesi 625
Prof. Dr. Sezgi ÇINAR PAKYÜZ

32. Ağız ve Üst Gastrointestinal Sistem Hastalıkları 637
Doç. Dr. Türkan ÖZBAYIR
Prof. Dr. Sezgi ÇINAR PAKYÜZ

33. Mide ve Duodenum Hastalıkları 655
Prof. Dr. Sezgi ÇINAR PAKYÜZ
Doç. Dr. Türkan ÖZBAYIR

34. Bağırsak ve Rektum Hastalıkları 679
Prof. Dr. Sezgi ÇINAR PAKYÜZ
Prof. Dr. Fatma DEMİR KORKMAZ

35. Gastroentestinal Stomalar 689
Prof. Dr. Fatma DEMİR KORKMAZ

ÜNİTE 9 Metabolik ve Endokrin Sistem 707

36. Karaciğer Hastalıkları 709
Prof. Dr. Nermin OLGUN
Prof. Dr. Fatma ETİ ASLAN
Doç. Dr. Ümmü YILDIZ FINDIK

37. Safra Kesesi Ve Pankreas Hastalıkları 743
Prof. Dr. Fatma ETİ ASLAN
Doç. Dr. Ümmü YILDIZ FINDIK

38. Diabetes Mellitus 767
Prof. Dr. Nermin OLGUN
Prof. Dr. Fatma Eti ASLAN
Doç. Dr. Gülhan COŞANSU
Yard. Doç. Dr. Selda ÇELİK

39. Endokrin Hastalıkları 805
Prof. Dr. Nermin OLGUN
Prof. Dr. Fatma ETİ ASLAN

40. Adrenal Bez Hastalıkları 829
Prof. Dr. Nermin OLGUN

ÜNİTE 10 Üriner Sistem 841

41. Üriner Sistemin Değerlendirilmesi 843
Prof. Dr. Ayfer KARADAKOVAN

42. Üriner Sistem Hastalıkları 857
Prof. Dr. Ayfer KARADAKOVAN
Doç. Dr. Şenay KAYMAKÇI

ÜNİTE 11 Meme Hastalıkları 915

43. Meme Hastalıkları 917
Doç. Dr. Şenay KAYMAKÇI

ÜNİTE 12 İmmün Sistem 945

44. İmmün Sistemin Değerlendirilmesi 947
Prof. Dr. Ayfer KARADAKOVAN

45. İmmün Sistem Hastalıkları 955
Prof. Dr. Ayfer KARADAKOVAN

ÜNİTE 13 Dermatoloji 983

46. Derinin Değerlendirilmesi 985
Prof. Dr. Ayfer KARADAKOVAN

47. Dermatolojik Hastalıklar 995
Prof. Dr. Ayfer KARADAKOVAN

48. Yanıklar 1017
Prof. Dr. Meryem YAVUZ

49. Plastik ve Rekonstrüktif Cerrahi 1047
Prof. Dr. Meryem YAVUZ

ÜNİTE 14 Duyu Sistemi 1057

50. Göz Hastalıkları 1059
Doç. Dr. Şenay KAYMAKÇI

51. İşitme ve Denge Sorunu Olan Hastanın Yönetimi 1079
Prof. Dr. Fatma DEMİR KORKMAZ

ÜNİTE 15 Sinir Sistemi 1101

52. Sinir Sisteminin Tanılama Yöntemleri 1103
Prof. Dr. Ayfer KARADAKOVAN

53. Bilinç Düzeyi Değişiklikleri 1121
Prof. Dr. Ayfer KARADAKOVAN

54. **Sinir Sistemi Hastalıkları** 1127
Prof. Dr. Ayfer KARADAKOVAN

55. **Sinir Sisteminin Dejeneratif ve Onkolojik Hastalıkları** 1169
Prof. Dr. Ayfer KARADAKOVAN
Doç. Dr. Türkan ÖZBAYIR

56. **Nörolojik Travmalar** 1197
Doç. Dr. Türkan ÖZBAYIR

ÜNİTE 16 Kas İskelet Sistemi 1225

57 **Kas İskelet Sistemi Fonksiyonlarının Değerlendirilmesi** 1227
Prof. Dr. Meryem YAVUZ

58 **Kas İskelet Sistemi Hastalıkları** 1239
Prof. Dr. Meryem YAVUZ

59 **Romatizmal Hastalıklar** 1313
Prof. Dr. Sakine BOYRAZ

Kaynaklar 1331

Sözlük 1337

İndeks 1357

ÜNİTE 9

Metabolik ve Endokrin Sistem

36. Karaciğer Hastalıkları
37. Safra Kesesi ve Pankreas Hastalıkları
38. Diabetes Mellitus
39. Endokrin Hastalıkları
40. Adrenal Bez Hastalıkları

36. KARACİĞER HASTALIKLARI

Prof. Dr. Nermin OLGUN
Prof. Dr. Fatma ETİ ASLAN
Doç. Dr. Ümmü YILDIZ FINDIK

Giriş

Karaciğer bozuklukları tüm Dünya da yaygın bir sorundur. Virüsler veya alkol gibi toksik maddelere maruz kalmakla oluşur. Diğer bir karaciğer bozukluğu ise kanserdir. Hepatosellüler karsinoma tedavisi güç ve sıklıkla öldürücü olan oldukça malignant bir tümördür. Tüm Dünya da görülme sıklığı açısından farklı rakamlar verilmektedir. Örneğin Amerika Birleşik Devletleri (ABD)'nde tüm kanserlerin %1'inden daha az görülürken dünyanın diğer bazı bölümlerinde kanser vakalarının %50'sini oluşturur. Bu farklılığın karaciğer kanseri için predispozan (hazırlayıcı) faktör olan hepatit B virüsünden kaynaklandığı düşünülmektedir. Karaciğer kanseri karaciğerden kaynaklanabilir veya diğer organ kanserleri karaciğere metastaz yapabilir.

Karaciğer fonksiyonu komplekstir ve karaciğer fonksiyon bozukluğu tüm vücut sistemlerini etkiler. Bu nedenle karaciğer fonksiyonları bilinmeli, kompleks tanı ve tedavi altında olan hastaların bakımında tanılama ve bakım konusunda beceri sahibi olunmalıdır. Aynı zamanda karaciğer bozukluklarının tedavisinde kullanılan teknolojik gelişmeleri de öğrenmelidir.

a. Anatomi ve Fizyoloji

Vücudun en büyük organı olan karaciğer metabolizmadaki birçok maddeyi üreten, depolayan değiştiren ve vücuttan atan kimyasal fabrika gibi düşünülebilir. Bu işlevinde karaciğerin yeri çok önemli, çünkü karaciğer besinlerle zenginleştirilmiş kanı direk gastrointestinal alandan alır ve daha sonra bu besinleri depolar veya metabolik gereksinimler için kullanılmak üzere kimyasallara dönüştürür. Karaciğer özellikle şeker ve protein metabolizmasının düzenlenmesi için çok önemlidir. Karaciğer gastrointestinal alandaki yağların sindirilmesi ve emilmesinde önemli rol oynayan safrayı üretir ve sekrete eder. Kan akımından artık maddeleri çıkarır ve onları safraya gönderir. Karaciğer tarafından üretilen safra sindirim için kullanılana kadar geçici olarak safra kesesinde depolanır.

Karaciğerin Anatomisi

Karaciğer kaburgaların arkasında karın boşluğunun üst sağ kısmında yer alır. 1.500 gram ağırlığındadır ve dört lobdan oluşur. Bağ dokunun ince tabakası her lobu sarar ve lobları aşarak karaciğeri lobül olarak isimlendirilen küçük bölümlere ayırır.

Karaciğerin iç ve dış kan dolaşımı onun fonksiyonunda büyük bir önem taşır. Karaciğere gelen kanın yaklaşık %75'i bağırsaklardan venaporta ile gelen venöz kandır. Bu kan besinlerden zengindir. Gelen kanın diğer kısmıysa oksijenle zengin olup çölyak arterden ayrılan hepatik arter yoluyla gelir. Bu iki kan kaynağının terminal kolları birleşerek ortak kılcal damar yataklarını ve karaciğerin sinüslerini oluşturmaktadır. Böylece, arter ve ven damarlarından gelen kan karaciğer hücreleri olan hepatositlere yayılır. Sinüsler her bir karaciğer lobülünün merkezinde bulunan ve santral ven olarak isimlendirilen venlere boşalır. Santral venler karaciğerden çıkan damar kanalını oluşturan ve diyafragmaya yakın olan alt damar boşluğuna boşalan hepatik veni oluşturmak için birleşir. Sonuç olarak karaciğere akan kanın venaporta ve hepatik arter olmak üzere iki kaynağı, hepatik ven olarak da sadece tek çıkış yolu vardır.

Hepatositlerden başka karaciğerde retiküloendotelyal sistem (RES)'e bağlı olan fagositik hücreler de bulunur. RES hücrelerini içeren diğer organlarsa dalak, kemik iliği, lenf bezi ve ciğerlerdir. Karaciğerde bu hücreler Kupffer hücreleri diye bilinir. Temel fonksiyonları karaciğere ana kan akımı aracılığıyla giren bakteriler gibi partiküllü maddeleri ortadan kaldırmaktır.

Karaciğerde arter ve venlerden başka safra yolları da vardır. Safra yolları ince kılcal damarlar (safra kapilleri Canaliculi) halinde karaciğer hücreleri arasında başlar ve birleşerek daha büyük safra kanallarını oluşturur, sonuçta sağ ve sol loblardan gelen safra yolları da birleşerek ana safra kanalı olarak karaciğerden çıkar. Safra kapilleri karaciğer hücrelerinden atıkları alır ve onları daha geniş safra kanallarına taşıyarak en sonunda hepatik kanalı oluşturur. Karaciğerden gelen hepatik kanal ve safra kesesinden gelen duktus sistikus birleşerek koledok kanalı adını alır ve ampulla vateriden Duodenuma açılır.

Karaciğerin Görevleri

Glikoz Metabolizması

Karaciğer glikoz metabolizması ve kan glikoz konsantrasyonunun düzenlenmesinde temel bir rol oynar. Yemekten sonra glikoz kandan karaciğer tarafından alınır ve karaciğer hücrelerinde depolanan glikojene dönüştürülür. Ardından glikojen tekrar glikoza dönüştürülerek kanın normal glikoz seviyesini sürdürebilmesi için kan dolaşımına serbest bırakılır. Glukoneogenezis adlı işlemle karaciğer sentez yaparak ek glikoz oluşturabilir. Bu işlem için karaciğer, proteinlerin yakılmasıyla veya kasların çalıştırılmasıyla üretilen laktat kırılmasından oluşan amino asitleri kullanır.

Amonyak Dönüştürülmesi

Glukoneogenezis için proteinlerden amino asit kullanımı sonucu yan ürün olarak amonyaklar olur. Karaciğer metabolik olarak üretilen amonyakları üreye dönüştürür. Bağırsaklarda bakteriler tarafından üretilen amonyaklar da kan yoluyla kandan üre sentezi için karaciğere gelir. Karaciğer potansiyel toksin olan amonyağı idrarla atılabilen üreye dönüştürür.

Protein Metabolizması

Karaciğer protein metabolizmasında da önemli rol oynar. Gamma globülin dışında albümin, alfa ve beta globülinler, kanı pıhtılaştıran faktörler, özel taşıma proteinleri ve bir çok plazma lipoproteinleri dahil hemen hemen tüm plazma proteinlerini sentez eder. Protrombin ve diğer pıhtılaşma faktörlerinin bazıları için K vitamini gerekir. Amino asitler protein sentezinde yapı taşları olarak görev yapar.

Yağ Metabolizması

Karaciğer yağ metabolizmasında da aktiftir. Yağ asitleri enerji üretimi ve keton yapımı için parçalanır. Ketonlar kan dolaşımına girebilen, kas ve diğer dokular için enerji kaynağı oluşturabilen küçük bileşiklerdir. Metabolizma için glikoz bulunmadığında, açlık sırasında ya da kontrolsüz diyabette yağ asitleri keton cisimlerine parçalanır. Yağ asitleri ve onların metabolik ürünleri aynı zamanda kolesterol, lesitin, lipoprotein ve diğer karışık lipitlerin sentezi için de kullanılır. Bazı durumlarda lipitler karaciğer hücrelerinde birikip yağlı karaciğer denilen anormal bir durum oluşturabilirler.

Kan Pıhtılaşması

Fibrinojen, Protrombin, faktör V ve VII yapımı karaciğerde olur. Ayrıca antikoagülan olan heparin, karaciğer, dalak, böbrek ve bağırsak mukozasıyla bazofil lökositlerde bulunur.

Vitamin ve Demir Depolanması

A, D, E, K ve B-kompleks vitaminlerin bazıları karaciğerde büyük miktarlarda toplanabilir. Bu nedenle A vitamini eksikliği 2 yıl, D ve B12; kobalamin vitamini eksikliği ise 3-4 ay kadar kompanse edilir. Karaciğer ayrıca B1 vitamini; tiyamin, B2 vitamini; riboflamin niyasin ve pantotenik asiti demir ve bakır gibi belirli maddeleri de depo eder. Karaciğerin bu tür maddelerden zengin olması nedeniyle karaciğer ekstresi birçok beslenme bozukluklarının tedavisinde kullanılmaktadır.

İlaç Metabolizması, Detoksifikasyon ve Koruma

Karaciğer barbituratlar, opioidler, sedatifler, anesteziler ve amfetaminler gibi birçok ilacı metabolize eder. Metabolizma genelde ilaçların etkisini yitirmesiyle sonuçlanır. İlaç metabolizmasında önemli yollardan biri ilacın daha çözünebilir madde olabilmesi için glukronik veya asetik asit gibi değişik bileşiklerle birleştirilmesidir. Bu sayede toksik ürünler daha az toksik olur ve böbreklerden kolay atılabilir hale gelir. Karaciğer Yetersizliklerinde karaciğerin bu fonksiyonu azaldığı için morfin ve barbituratların etki ve toksisite dereceleri artar. Aynı zamanda karaciğer androjen, östrojen, aldesteron ve steroid gibi bazı hormonların yıkım yeridir. Karaciğer fonksiyon bozukluklarında karşı cinse ilişkin hormonlar yıkılamayacağı için hastada karşı cins özellikleri belirginleşmeye başlar. Ayrıca aldesteronun yıkılamayışına bağlı olarak sodyum ve su tutulumu artar ve ödem gelişir.

Safra Oluşumu

Safra sürekli olarak karaciğer hücreleri tarafından oluşturulur ve safra kanalına boşalır. Yemekler arasında bu kanalın duodenumdaki ağzı kapalıdır ve safra depo edildiği yer olan safra kesesine akar. Yemek ağza girince kanalın duodenuma açıldığı yerdeki oddi sfinkteri gevşer, mide kapsamı duodenuma geçtiğinde ise bağırsak mukozasından kolesistokinin (CCK)hormonu salgılanarak safra kesesini kasılmasına neden olur ve oddi sfinkteri açılarak safra duodenuma akıtılır.

İnce bağırsağa gelen içerikte de yağ bulunması safra salınımını uyarır. Safranın görevi; atılması gereken maddeleri atar. Sindirim faaliyeti olarak; yağları emülsiyon haline getirir, safra tuzlarıyla birleşen yağ asitlerini suda erir hale getirir ve yağların sindirim ürününün emilimini sağlar. Safra tuzları ince bağırsaklardaki lipazı aktive eder, safra tuzlarının eksikliğinde yağ emilimi bozulur ve dışkı ile sabun şeklinde çok miktarda yağ çıkarılır. Aynı zamanda yağ emiliminin bozulması yağda eriyen A, D, E, K vitaminlerinin emilimini de aksatır.

Genel olarak safra hafif alkalidir. Karaciğerde pH'sı 8.0-8.6 iken safra kesesinde 7.0-7.6 dır. Acımsı tatta, altın sarısı veya yeşilimsi renkte, yoğunluğu yüksek bir sıvıdır. Günde 500-1000mlt kadar salgılanarak safra kesesinde biriktirilir. Safranın %97'si sudur. Suyun yanında sodyum, potasyum, kalsiyum, klor ve bikarbonat gibi elektrolitlerden oluşan safra, aynı zamanda lesitin, yağ asitleri, kolesterol, organik tuzlar, bilirubin ve safra tuzları içerir.

Bilirubin Yapımı

İntrauterin yaşamda eritrositler 3. aydan 5. aya kadar karaciğer, dalak ve timusta yapılır. Daha sonraları bu görevi kemik iliği üstlenir. Ancak karaciğerin potansiyel olarak eritrosit yapımı görevi vardır. Özellikle büyük kan kayıplarında karaciğerde kan yapma görevine katılır. Karaciğerin başka görevi eritrositlerin yıkım yerlerinden biri olmasıdır. Yüz yirmi günlük yaşam süresini tamamlayan eritrositler lenf bezleri, dalak, karaciğer, kemik iliği gibi RES organlarında yıkılır. Bilirubin, hemoglobinlerin RES hücreleri tarafından parçalanmasıyla ortaya çıkan pigmenttir. Karaciğer hücreleri bilirubini kandan alarak glukronik asitle birleştirerek kimyasal olarak değiştirir. Konjuge direk bilirubin olarak da isimlendirilen bu birleştirilmiş bilirubin karaciğer hücreleri tarafından safra kanallarına dökülür. İnce bağırsakta bilirubin ürobilinojene dönüştürülür. Ürobilinojenin bir kısmı dışkı olarak atılırken diğer kısmı bağırsak mukozası tarafından emilerek portal kana verilir.

Kandaki bilirubin miktarı karaciğer hastalığı, safra akımının engellendiği zaman veya kırmızı kan hücrelerinin aşırı yok edilmesi durumunda artabilir.

Kan Depolama ve Filtrasyon
Karaciğer vücut kanının 1/3'ünü depolayabilir. Bu nedenle kan kayıplarında karaciğerdeki kan da diğer depolardaki gibi dolaşıma katılarak kan hacmini artırmaya çalışır. Karaciğer kupffer hücreleri tarafından RES fonksiyonlarından biri olan fagositozu gerçekleştirir. Portal kan ile gelen bakterilerin %99'unu tutarak sistemik dolaşıma verilmesini engeller. Böylece gelen portal kan süzülür, filtre edilir.

Isı Regülasyonu
Isı reseptörleri uyarılınca, kaslarda ve karaciğerde kimyasal reaksiyonların hızlanması veya azalması ile ısı korunmaya çalışılır.

b. Değerlendirme ve Öykü Alma
Değerlendirmede, yaşam biçimi, davranış şekilleri, beslenme alışkanlıkları ile ilgili öykü alınır ve tüm vücut sistemlerinin fonksiyonlarını değerlendirmek için de fizik muayene yapılır. Karaciğer fonksiyonu test sonuçları normal çıkmamışsa, hasta karaciğer hastası gibi değerlendirilebilir. Bu durumda sağlık öyküsü hastanın hepatotoksik maddelere veya infeksiyonlara maruz kalması üzerinde yoğunlaşır. Enfeksiyon ajanlarına maruz kalma riskini artıran uyuşturucu kullanımı, cinsel deneyimleri, mesleği, seyahat durumu gibi yaşam biçimi davranışları araştırılır. Risk faktörlerini belirlemek aynı zamanda, hastanın geçmiş tıbbi öyküsü, asetominofen gibi karaciğer fonksiyonlarını bozan ilaçların kullanımı, ailede hemokromatozis, Wilson hastalığı gibi genetik karaciğer hastalıkları öyküsü araştırılır. Ayrıca öykü, karaciğer hastalığı ile ilgili sarılık, yorgunluk, kaşıntı, abdominal veya epigastrik ağrı, ateş, iştahsızlık, kilo kaybı, ödem, idrar ve dışkıda kan veya farklı tipte dışkılama olup olmadığı, ciltte peteşi, ekimoz, kişilik değişiklikleri, uyku bozuklukları, erkekte libido azlığı, kadınlarda amenore gibi belirti ve bulguların gözden geçirilmesini içerir.

Fizik Muayene
Fizik muayenede genel görünüm, boy, kilo, yaşam bulguları, ciltte kanama bulguları, periferik ödem ve kıllanmanın araştırılması gerekir. Karaciğer muayenesi, abdominal asit kontrolü yapılır ve bulgular değerlendirilir. Karaciğerin doğru çalışmamasından kaynaklanan fiziki belirtiler için hasta muayene edilir. Cilt, mukoza ve göz akında sarılık olup olmadığı kontrol edilir. Ekstremitelerde kas atrofileri, ödem ve cilt sıyrıkları değerlendirilir. Hastanın cildi peteşi veya ekimoz alanları, arteryal örümcek ve palmar eritem için gözden geçirilir. Endokrin bozukluklardan dolayı erkek hastalarda tek ya da iki taraflı jinekomasti ve testis atrofisi kontrol edilir. Hastanın bilinç ve nörolojik durumu değerlendirilir. Genel titreme, asteriks, zayıflık ve ifade bozukluğunun olup olmadığını öğrenmek için hasta kontrol edilir. Karaciğer palpasyonunda hepatomegali bulguları değerlendirilir.

Tablo 36.1: Karaciğer Safra Yolları Sisteminde Yaşa Bağlı Ortaya Çıkan Değişiklikler

- Özellikle kadınlarda karaciğerin hacmi ve ağırlığında sürekli azalma
- Kan akımında azalma
- Yaralanma sonrası karaciğer onarılması veya yerine konulmasında azalma
- Azalmış ilaç metabolizması
- Hepatit B yüzey antijeninin yavaş temizlenmesi
- İlaç temizleme kapasitesinde azalma
- Safrada kolesterol atımının artması nedeniyle safra taşları görülme sıklığında artma
- Yemekten sonra safra kesesi büzülmesinin azalması
- Safra hastalığının değişik klinik şekillerinin ortaya çıkması
- Safra yolu hastalıklarıyla ilgili daha ciddi komplikasyonlar

c. Tanı Testleri ve Değerlendirilmesi
Karaciğer Fonksiyon Testleri
Karaciğer fonksiyon testleri, karaciğerin parankimasının %70'den fazlası hasar görünceye kadar anormal bulgu vermeyebilir. Fonksiyonlar genellikle serum enzimleri, albümin ve globülinler gibi proteinlerin serum konsantrasyonu, bilirubin, amonyak, pıhtılaşma faktörleri ve lipitler açısından ölçülür.

Ama karaciğer bozukluğu sadece bu testlerle ölçülemez. Serum aminotransferazlar (transaminazlar) karaciğer hücreleri hasarlarının duyarlı göstergeleri olarak hepa-

Metabolik ve Endokrin Sistem

tit gibi karaciğer hastalığının belirlenmesinde kullanılır. Alanin aminotransferaz (ALT); Serum Glutamik Pürivik Transaminaz (SGPT) olarak da bilinir, Aspartat aminotransferaz (AST); Serum Glutamik Oksalat Transaminaz (SGOT) olarak da bilinir ve Gamma Glutamil Transferaz (GGT); G-glutamil transpeptidaz olarak da isimlendirilir. Bunlar karaciğer hastalıkları için en sık kullanılan testlerdir. Tablo 36.2 de karaciğer fonksiyonlarını değerlendirilmesinde kullanılan testler verildi.

Karaciğer Biyopsisi

Karaciğer biyopsisi, genelde iğne aspirasyonu yoluyla karaciğer dokusunun küçük bir parçasının çıkartılmasıdır. Yaygın karaciğer hastalıklarının hücre yapıları ve aktivitelerinin incelenmesine yardımcı olur. Karaciğer biyopsisi özellikle klinik bulgular ve laboratuar testlerinin tanıyı koyamadığı durumlarda kullanılır. Biyopsiden sonra en büyük komplikasyonlar kanama ve peritonittir. Biyopsi yapılmadan önce pıhtılaşma faktörleri kontrol edilme-

Tablo 36.2: Karaciğer Fonksiyon Testleri

Test	Normal Değerleri	Klinik Fonksiyonları
Pigment Çalışmaları Serum bilirubin (direkt-konjuge) Serum bilirubin (indirek-unkonjuge) Serum bilirubin (total) İdrarda bilirubin İdrarda ürobilinojen Dışkıda ürobilinojen	2.0-8 mmol/L 0-12 mmol/L 3.5-20.5 mmol/L 0(0) 0.09-4.23 mmol/24 st 0.0680.34mmol/24 st	Karaciğerin direk ve salgıladığı bilirubini ölçer. Karaciğer, safra yolu anormalliklerinde görülür, sarılıkla ilişkilidir. Tıkanma sarılığında direk, hemolitik sarılıkta indirek bilirubin artar
Protein Çalışmaları Total serum protein Serum albümin Serum globülin **Serum protein elektroforezi** Albümin 1-Globülin 2-Globülin -Globülin 1-Globülin Albümin/Globülin(A/G) Oranı	70-75 g/L 40-55 g/L 17-33 g/L 40-55 g/L 1.5-2.5 g/L 4.3-7.5 g/L 5-10 g/L 6-13 g/L A>G ya da 1:1-2.5-1	Proteinler karaciğerde yapılır. Farklı karaciğer hastalıklarında seviyeleri etkilenir. Albümin: Siroz Kronik hepatit Ödem, asit Globülin: Siroz Karaciğer hastalığı Kronik Obstrüktif sarılık Viral hepatit A/G oranı kronik karaciğer hastalığında tersine döner (albümin azalır, globülin artar)
Protrombin zamanı	12-16 saniye	Karaciğer hastalıklarında karaciğer hücresi sentez yapamadığı için uzar. Ciddi karaciğer hasarında K vitaminiyle normale dönmez.
Serum alkalen fosfataz	Farklı yöntemlere göre değişir;2-5 Bodanski IU 20-90 U/L 30C de	Kemik, karaciğer, böbrek ve intestinal sistemde yapılır ve safra yollarına salgılanır. Karaciğer hastalıklarında veya safra yolu tıkanıklıklarında artar
Serum aminotransferaz veya transaminaz çalışmaları AST (SGOT) ALT (SGPT) GGT LDH	10-40 ünite 5-35 ünite 10-48 IU/L 100-200 ünite	Bu enzimler hücre hasarı olduğunda açığa çıkar. Karaciğer hücre hasarlarında seviyeleri artar. Safra kesesi kolelityazisi belirteçleridir. Alkol kullanımında yükselir.
Serum amonyak	150-250 mg/dL	Karaciğer amonyağı üreye dönüştürür. Karaciğer yetmezliğinde amonyak seviyesi artar ve hepatik komaya neden olabilir
Kolesterol HDL LDL	Erkekte: 35-70 mg/dL Kadında:35-85 mg/dL LDL<130mg/dL	Kolesterol seviyeleri safra yolu tıkanıklıklarında artar parankimal karaciğer hastalıklarında azalır

li ve bozukluklar tedavi edilmelidir. Karaciğer biyopsisi perkütan olarak ultrason yardımıyla yapılabilir veya internal juguler ven üzerinden sağ hepatik damara floroskop kontrolü altında girilerek yapılabilir. Karaciğer biyopsisi laparoskopla da yapılabilir. Perkütan yolla karaciğer biyopsisi sırasındaki bakım uygulamaları aşağıdaki rehberde özetlendi.

Diğer Tanı Testleri
Karaciğer ve safra yollarının normal yapısı veya bozukluklarını belirlemek için ultrasonografi, bilgisayarlı tomografi ve manyetik resonans görüntüleme (MRI) kullanılır. Karaciğer hacmi, hepatik kan akımı ve tıkanmayı belirlemek için radyoizotop karaciğer taraması kullanılabilir. Laparoskopi, küçük bir karın kesiğine fiber-optik endoskop takılması yoluyla karaciğer ve diğer pelvis yapılarını incelemek için kullanılır.

d. Karaciğer Fonksiyon Bozuklukları
Karaciğer fonksiyonlarında bozulma karaciğer parenkimal hücrelerinin hasar görmesi sonucu ortaya çıkar. Doğrudan primer karaciğer hastalıklarından kaynaklandığı gibi dolaylı olarak safra akışının tıkanması veya karaciğer dolaşım bozukluğuna bağlı da ortaya çıkabilir. Karaciğer fonksiyon bozukluğu akut veya kronik olabilir. Ancak kronik bozukluğa daha çok rastlanır. Karaciğer hastalıklarının sonuçları çok sayıda ve çeşitlidir. Tedavisi güçtür.

Etiyoloji
Etyoloji nedene bağlı olarak değişiklik gösterir.

Epidemiyoloji
Viral infeksiyonlar, ilaçlar ve toksinler, İskemik, otoimmün veya infeksiyöz süreçler sonucu oluşan safra yolu lezyonları, özellikle alkole bağlı olarak gelişen ağır beslenme

Tablo 36. 3: Karaciğer Biyopsisi Rehberi

Bakım uygulamaları	Nedeni
İşlem Öncesinde 1.1. Pıhtılaşma testleri sonuçlarının ve uygun donor kanın hazır olup olmadığının kontrol edilmesi 2.2. Hastanın imzalı izninin olup olmadığının kontrol edilmesi 3.3. Biyopsiden hemen önce hastanın nabzı, solunumu ve kan basıncının ölçülüp kaydedilmesi 4.4. Hastaya işlem ile ilgili açıklamalar yapılması; işlemin aşamaları, ne hissedeceği, işlem sonrası rahatsızlıkları, aktivitenin kısıtlanması ve takiplerin yapılması ile ilgili.	Karaciğer hastalığı olan birçok hastanın pıhtılaşma sorunu ve kanama riski vardır. Biyopsi öncesi değerlendirmeler hastanın esas hastalık belirtilerini karşılaştırmaya ve işlemden sonra durum değerlendirmesi yapılmasına temel oluşturur. Açıklamalar korkuları yok eder ve işbirliğini sağlar.
İşlem Sırasında 1.5. İşlem sırasında hastaya yardımcı olunması 2.6. Hastanın üst karın bölgesinin sağ kısmının açılması 3.7. Hastaya birkaç kere derin nefes alıp vermesi ve en sonunda nefes verdikten sonra nefesini tutmasının söylenmesi, bu sırada hekim hemen interkostal subkostal yolla biyopsi iğnesini karaciğere uygular, aspire eder ve geri çeker. 4.8. Hastaya nefes almaya devam etmesinin söylenmesi.	İşlem sırasında hastanın sakinleştirilmesi ve desteklenmesi güvenlik duygusunu geliştirmek açısından çok önemlidir İğnenin uygulanırken deri temizlenecek ve o bölgeye anestezi uygulanacaktır. Nefesi tutma göğüs duvarını ve diyaframı hareketsiz kılar; böylece diyaframın delinmesinden kaçınılır ve karaciğerin yırtılması en aza indirilmiş olur.
İşlem Sonrasında 1.9. Biyopsiden hemen sonra hastaya sağ tarafına doğru yatmasının söylenmesi; kaburga boşluğu kenarına yastık konulması ve hastanın bu pozisyonda birkaç saat uzanarak ve hareketsiz kalmasının tembih edilmesi. Hastaya öksürmemesi ve gerilmemesi gerektiğinin söylenmesi 2.10. Hastanın nabzı, solunumu ve kan basıncının hastanın durumu sabitleşene kadar ilk bir saat içinde 10-15 dakika aralıklarla, sonraki 1-2 saat için de her yarım saatte bir ölçülmesi ve kaydedilmesi 3.11. İşlem sonrasında taburcu olacaksa hastaya ilk hafta içinde ağır yükler ve yorucu işlerden kaçınması gerektiğinin öğretilmesi	Bu pozisyonda karaciğer kapsülü delinme bölgesinde göğüs duvarına doğru sıkıştırılır ve böylece delikten kan veya safra akımı engellenir. Yaşam bulgularındaki değişiklikler karaciğer biyopsisinin en sık karşılaşılan komplikasyonu olan kanama veya safra peritonitini gösterebilir. Hareket kısıtlamaları biyopsi yapılan bölgenin kanama riskini azaltır.

bozuklukları ve doğumsal enzim eksiklikleri, Birden fazla kaynaktan kan almasına karşın oksijen gereksiniminin yüksek olması nedeniyle karaciğer şok ve sistemik venöz konjesyon durumlarında oluşan Hipoksi, hipersensitivite, karaciğerin primer tümörleri etiyolojik faktörleri arasında yer almaktadır.

Klinik Belirtiler

Karaciğer hastalıklarının en önemli ve en yaygın belirti ve bulguları;

- Artan bilirubin konsantrasyonundan ortaya çıkan sarılık,
- Hastalanmış karaciğer içinde dolaşım bozukluğuna bağlı portal hipertansiyon, assit (karında sıvı toplanması), varislerin oluşumu ve ciddi gastrointestinal kanama sonucu oluşan sodyum ve su retansiyonu,
- Belirli vitaminleri metabolize eden hasar görmüş karaciğer hücrelerinin çalışamaması nedeniyle oluşan besin yetersizlikleri sonucunda santral ve periferik sinir sisteminde fonksiyon bozukluğu ve anormal kanama eğilimi,
- Karaciğerin hastalanmasıyla oluşan protein metabolizmasındaki bozukluk nedeniyle serumda amonyak birikimine bağlı hepatik ensefalopati ve koma

Sarılık

Retiküloendotelyal sistemde açığa çıkan yağda çözünebilir indirekt bilirubin, karaciğere gelip suda çözünebilir direk bilirubin haline dönüşür ve safra ile duodenuma dökülür. Böylece safra yollarına ve buradan da duodenuma direkt bilirubin ulaşır. İdrar ile ürobilin şeklinde, gaita ile de sterkobilin şeklinde vücuttan atılır.

Sarılık, bilirubin konsantrasyonu kanda anormal şekilde arttığı zaman tüm vücut dokularının sarı veya sarı-yeşil renge dönüşmesidir. Klinik olarak serum bilirubin seviyesinin 2,5 mg/dl.'yi geçtiği zaman belirgin olur.

Sarılığın birçok çeşidi vardır; hemolitik, hepatosellüler, obstrüktif veya kalıtsal hiperbilirubinemiden olabilir.

Hemolitik Sarılık

Kırmızı kan hücrelerinin aşırı yıkılması sonucu ortaya çıkar ve bunun sonucunda plazma bilirubinle çok kısa sürede dolar ve karaciğer normal çalışmasına rağmen aşırı miktardaki indirek bilirubinin hepsini direk bilirubin haline dönüştürüp atılımını sağlayamaz. Hemolitik anemide bu tip sarılık görülür. Bu hastalarda indirek bilirubin, idrar ve dışkıda ürobilinojen düzeyi artar. Hiperbilirubinemi çok aşırı olmadığı sürece sarılığa bağlı belirti ya da komplikasyon ortaya çıkmaz. Ancak bilirubin düzeyi 20-25mg/dL' nin üzerine çıktığında beyin hücrelerine zarar verebilir.

Hepatosellüler Sarılık

Hasar görmüş karaciğer hücrelerinin kandan normal indirek bilirubin miktarını direk bilirubine dönüştürememe ve safra yollarına atamamasıyla oluşuyor. Bu hücresel hasar viral hepatitleri oluşturan Enfeksiyon nedeniyle, bazı ilaçlara bağlı kimyasal toksisite veya alkol kullanımına bağlı olabilir. Hepatosellüler sarılıklı hastalar orta ya da ciddi düzeyde hastadırlar. İştahsızlık, bulantı, halsizlik, yorgunluk, zayıflık ve kilo kaybı olabilir. Bazı vakalarda sarılık görülmeden bilirubin ve idrarda ürobilinojen düzeyi yükselir. Hücresel nekrozun göstergesi olan AST ve ALT düzeyleri artar. Enfeksiyon varsa, hasta baş ağrısı, titreme ve ateşten yakınır. Karaciğer hücre hasarının nedenine ve sürecine bağlı olarak hepatosellüler sarılık tamamıyla geriye dönüşlü olabilir veya olmayabilir.

Obstrüktif Sarılık

Bu tip sarılık safra kesesinde taş, tümör oluşumu veya genişlemiş bir organ tarafından yapılan baskı sonucu indirek bilirubin ve safranın bağırsağa akamaması; kolestaz sonucu oluşur. Fenotiyazin, antitiroit ilaçları, sülfonilüreler, trisiklin antidepresan ajanlar, androjen ve östrojen kolestatik ajan olarak bilinir. Obstrüksiyon ister intrahepatik, ister ekstrahepatik olsun bilirubin bağırsağa akamaz karaciğerde birikir ve kan yoluyla bütün vücuda taşınır. Cilt, mukoz membran ve sklerada da kendini gösterir. Bağırsaklarda safra miktarının azalmasına bağlı dışkının rengi açık veya kil rengidir. Cilt yoğun olarak kaşınır, yatıştırıcı banyolar yararlı olur. Bağırsaklarda safra yokluğuna bağlı yağlı besinlere karşı entolerans ve dispepsi gelişebilir. Bilirubin ve alkalen fosfataz düzeyleri artmıştır. AST, ALT ve GGT orta düzeyde artar.

Kalıtsal Hiperbilirubinemiye Bağlı Sarılık

Çeşitli kalıtsal bozukluklar sonucu serum bilirubin seviyesinde artma sarılığa neden olur. Gilbert Sendromu bir ailesel bozukluktur ve indirek bilirubin düzeyinin artışı ile karakterizedir. Serum bilirubin düzeyleri artmasına karşın karaciğer öyküsü ve fonksiyon testleri normaldir. Hemoliz yoktur.

Diğer sarılık yapan durumlar; kronik idiyopatik sarılık olarak bilinen Dubin-Jhonson Sendromu, kronik ailesel direk hiperbilirubinemi ile karakterize Rotar's Sendromu, direk bilirubinin retansiyonuna bağlı hamilelikte görülen iyi huylu sarılıktır.

Portal Hipertansiyon

Hasar görmüş karaciğer üzerinden akan kanın engellenmesi kan basıncının portal damar sistemi boyunca aşırı şekilde artmasına neden olur. Portal hipertansiyon yaygın olarak hepatik sirozla ilişkili olmasına karşın siroz dışı karaciğer hastalıklarında da oluşur. Portal hipertansiyonda splenomegali yaygın bir bulgudur. Portal hipertansiyonun iki önemli sonucu da assit ve varis oluşumudur.

Assitte abdominal boşluk içinde sıvı birikir. Sıklıkla karaciğer hasarının bir sonucu olarak, bazı durumlarda kanser, böbrek hastalığı ve kalp Yetersizliğinde de görülebilir. Varisler portal sistem içine drene olan tüm venlerin basıncının artması sonucu gelişir. Bu venlerin yırtılması sonucu da sıklıkla üst gastrointestinal kanaldan büyük kanamalar oluşur. Ayrıca Kan pıhtılaşması ile ilgili anormallikler olur ve ciddi karaciğer hastalığı olan hastalarda kanamalar artar. Portal hipertansiyonun klinikte rastlanan en önemli komplikasyonu özofagus varis kanamalarıdır. Bu nedenle Portal hipertansiyonu olan hastanın tedavi ve bakımı özofagus varislerinin tedavisi ve kanamanın önlenmesi veya kanama başlamışsa durdurulması yönündedir.

Assit
Etiyoloji
- Albümin sentezinin azalması ile periton boşluğunda sıvı toplanması,
- Karaciğer içinde doku değişikliği nedeniyle kan akışının engellenmesi sonucu portal basıncın artması,
- Karaciğer lenf sıvısı oluşumunun artması,
- Periton zarının reabsorbsiyon yeteneğinin azalması,
- Böbrek kan akımındaki değişiklikler ve hiperaldosteronizm nedeniyle sodyum tutulumunun artması ve ADH'da artma sonucunda su atılımının azalmasıdır.

Patofizyoloji
Belirli etiyolojik faktörlerin varlığına karşın assit oluşturan mekanizma hala tam olarak anlaşılamamıştır. Karaciğer hasarının sonucu olarak 15 litre veya daha üzerinde büyük miktarda albüminden zengin sıvı periton boşluğu içinde birikebilir.

Klinik Belirtiler
Assitte yaygın olarak abdominal bölgenin genişlemesi ve kilo kaybı belirtileri görülür. Hasta solunum sıkıntısı ve büyüyen karnından rahatsızdır. Karın duvarında stria ve genişlemiş venler görülebilir. Sıvı ve elektrolit dengesizliği yaygındır. Karın bölgesinin perküsyonuyla assit değerlendirilir. Sırtüstü yattığında asit yanlara dağılır. Abdominal bölgenin ve kilonun günlük olarak ölçülmesi asit takibi ve tedavinin etkinliğini değerlendirmek için önemlidir.

Tedavi
Assit'in tedavisinde beslenme önemlidir. Tedavinin amacı sıvı tutulumunu azaltmak için negatif sodyum dengesidir. Sofra tuzu, tuzlu yemekler, tuzlu yağ ve margarin ve tüm bilinen konserve ve donmuş besinlerden kaçınılmalıdır.

Assitli hastaların %90'ında sodyum kısıtlamasıyla beraber diüretik kullanımı başarılı olur. Özellikle glomerul filtrat hızı düşmüş, sodyum atımı ve diüretiklere yanıtı azalmış hastalarda yatak istirahatı yararlı bir tedavidir.

Parasentez periton boşluğundan steril trokar veya kanül yardımıyla sıvının alınmasıdır. Assit miktarı solunum sıkıntısı, kan damarlarına ve abdominal organlara baskı, ağrı ve rahatsızlık yaratacak kadar artarsa parasentez uygulanır. Parasentez uygulanacak hastaya işlem anlatılır. Mesanesi boş olmalıdır. Gerekli steril malzeme ve sıvı boşaltılacak kap yatak başına getirilir. Bölge tespit edilip antiseptiklerle temizliği yapılır. Anestezik madde uygulanır.

Trokar veya kanül yerleştirilir ve bir tüp aracılığıyla sıvı boşaltılacak kaba bağlanır. Bir defada bir iki litreden daha fazla sıvı alınmamalıdır. Boşalan sıvı görünüm ve miktar olarak değerlendirilir, kaydedilir ve analiz için örnek laboratuvara gönderilir. Ponksiyon bölgesi kateter çekildikten sonra steril pansuman ile kapatılır. Sıvının alınması plazma proteinlerinden özellikle albüminin kaybına neden olur. Sıvı boşaltılması sonucu karıniçi basıncının ani olarak düşmesi sonucu abdominal kan damarlarının dilatasyonu, dolaşım kollapsı ve şoka neden olabilecek bir kan volümü göllenmesi ortaya çıkar. Kaybedilen proteinleri yerine koymak amacıyla parasentez sonrası plazma ve tam kan verilebilir.

Assitli hastada diğer tedavi yöntemleri arasında, sıvıyı periton boşluğundan sistemik dolaşıma yöneltmek için peritonevenöz şant takılabilir. Bu yöntem çok karışık ve şant başarısızlığı ihtimalinin çok yüksek olması nedeniyle daha az kullanılmaktadır.

Bakım
Assiti olan hastada karıniçi basıncın artmasına bağlı diyafragmanın basınç altında kalması ile solunum şeklinde değişme olur. Assit nedeniyle oluşan gerginlik, ödem ve hareketsizlik nedeniyle cilt bütünlüğü bozulur. Bu nedenle assiti olan bir hasta hastanede yatıyor ise; günlük olarak aldığı çıkardığı sıvı izlenir, karın çevresi ve kilosu ölçülür, yatak içinde solunumunun rahat olacağı pozisyonda desteklenir, cilt bütünlüğü korunur. Elektrolit dengesi, tedaviye yanıtı ve ensefalopati belirtilerini değerlendirmek için serum amonyak ve elektrolit seviyeleri sürekli izlenir. Parasentez yapılan hastada, işlem sırasında hastanın yaşam bulguları ve rengi kontrol edilmeli ve işlem sonrası da bu kontroller hastanın durumu stabil olana kadar sürdürülmelidir. İşlem öncesi ve işlem sonrası karın çevresi ve kilo izlemi yapılır. İşlem sonrası kanama, aşırı sıvı sızıntısı ve Enfeksiyon belirtileri izlenir.

Assiti olan hasta evde izleniyorsa; hastaya öz-bakım becerilerinin öğretilmesi gerekir. Hasta ve ailesi hastaneden çıkmadan önce tedavi planı, tüm alkollü içkilerden sakınılması, sodyumdan düşük beslenilmesi, ilaçlarını reçete edildiği gibi kullanması ve her hangi yeni bir ilaç kullanmadan önce hekimine danışmaları konularında bilgilendirilmelidirler. Ayrıca hasta ve ailesi cilt bakımı, günlük kilo kontrolü, komplikasyonlarla ilgili belirti ve bulguların izlenmesi ve kaydedilmesi konularında eğitilmelidir. Hasta yalnız yaşıyor ve evde kendi bakımını sağlayamayacak durumda ise yanına bir yardımcı sağlanmalıdır.

Özofagus Varisleri

Epidemiyoloji
Siroz ya da varisleri olan hastaların yaklaşık üçte birinde özofagus varislerinden kanama oluşur. İlk kanamada ölüm oranı yaklaşık %45-50 civarındadır ve sirozlu hastalarda ölümün ana nedenlerinden biri kanamadır. Her kanama ile birliktede ölüm oranı artar.

Etiyoloji
Özofagus varis kanamaları, oluşan hemorajik şok nedeniyle serebral, hepatik ve renal perfüzyonun azalmasına bağlı yaşamı tehdit eden bir durumdur. Kanama sonrası ortaya çıkan amonyak düzeyindeki artış da ensefalopati riskini artırır. Genellikle dilate venler portal basınç artmadıkça kanamazlar. Ancak bir ağırlık kaldırma, dışkılamada zorlanma, öksürme, hapşırma veya kusma durumlarında, alkol gibi özofagusu irite eden içecekler ve iyi çiğnenmemiş besinlerin alımında ya da mide içeriğinin özofagusa gelmesiyle kanama oluşabilir. Aynı zamanda salisilat veya her hangi bir ilacın alımı da özofagus mukozasını hasara uğratarak kanamaya yol açabilir. Özofagus varis kanaması çoğunlukla ani başlayan dalga şeklinde bir kanamadır. Hastada göğüs ağrısı, bulantı kusma değerlendirilir. Özgeçmişinde hastanın alerjileri, alkolizm, karaciğer hastalığı, gastrit, duodenal ülser veya birden fazla kanama öyküsünün olması özofagus varis kanamalarına zemin hazırlar

Patofizyoloji
Özofagus varisleri geniştir. Varisler genelde alt özofagusun mukoza altında bulunur, bununla birlikte özofagus boyunca gelişebilir ve mide içine kadar genişleyebilirler. Bu hemen hemen her zaman portal hipertansiyondan kaynaklanır. Portal vende artmış obstrüksiyon nedeniyle intestinal yoldan ve dalaktan gelen kan sağ atriyuma dönmek için kendine yeni damarlar açar. Kolleteral dolaşım olarak da isimlendirilen bu damarlar özellikle midenin üstünde ve özofagusun altındadır. Bu kolleteral damarlar esnek değildir, eğri büğrü ve kolayca kanayabilirler.

Klinik Belirtiler
Özofagus varisi olan kanamalı hastada hematemez, hepatomegali, splenomegali, karında assit toplanması, huzursuzluk, uyuşukluk, bilinç ve fiziki durumunda genel kötüleşme, melena, terleme, solukluk, hipotansiyon, metabolik asidoz, kanamaya bağlı doku perfüzyonunda azalma olabilir.

Tanı
Hemoglobin, hematokrit, lökosit, SGPT, SGOT, LDH gibi enzimlerde yetmezliğe bağlı artış, BUN, kreatinin düzeyinde yükselme beklenir. Kan grubu ve karşılaştırması yapılır. Dışkıda gizli kan kanama sonrası 21 gün pozitif çıkar. Serum amonyak düzeyi, Protrombin zamanı (PT), Parsiyal tromboplastin zamanı (PTT) ve pıhtılaşma zamanına bakılır. Kanayan bölgeyi belirlemek için baryum sülfat verilerek üst gastrointestinal sisteme ait seri röntgen filmleri, ultrasonografi, bilgisayarlı tomografi (CT) ve angiografiyle beraber özofaguskopi ve endoskopi yapılır. Akciğer filmi çekilir. Karaciğer sintigrafisinde karaciğer güve yeniği görünümünde görünür. Genişlemiş karın damarları ve hemoroitler belirlendiği zaman portal hipertansiyondan şüphelenilir. Belirgin olarak büyümüş dalak ve assit varlığı da portal hipertansiyonu düşündürür. Portal ven basıncı direk veya dolaylı yoldan ölçülebilir.

Tedavi
Kanama hemorajik şok geliştirebilmesi nedeniyle acil girişimde bulunulması gereken bir durumdur.

İlaç Tedavisi: Aktif kanaması olan hastaya ilk olarak vazopresin (Pitressin) verilebilir. İlacın etkinliği dikkatle izlenir. Vazopresin antidiüretik etkisinden dolayı hiponatremi yapabilir. Koroner arter hastalığı olanlarda koroner damarları daraltıcı etkisi nedeniyle kullanılması sakıncalıdır. Vazopresinin yan etkisini azaltmak için nitrogliserin ile beraber kullanılabilir. Somatostatin ve octreotide (Sandostatin) kanamayı durdurmak için daha etkili olabilir. Bazı hastalarda propranolol ve nadololün özofagus varis kanamalarını durdurmada yararlı olduğu gözlenmiştir. İsosorbit gibi nitratların da portal basıncı azalttığı belirtilmektedir.

Endoskopik Skleroterapi: Bu yöntemde trombüs ve sklerozu artırmak amacıyla, sklerozan madde fiberoptik endoskop yoluyla kanayan özofagus varislerine enjekte edilir. Tedaviden sonra hastada kanama olup olmadığı kontrol edilmelidir.

Özofagus BandajTedavisi: Bu yöntemde, elastik bir bandaj endoskopik boru üzerinden varisi sarmak için doğrudan varis üzerine uygulanır. Varisin sarılması kanamayı etkili bir şekilde durdurulması için endoskopik skleroterapi kadar yararlıdır.

Transjugular İntrahepatik Portosistemik Şant (TIPS)): TIPS yönteminde portal hipertansiyonu azaltmak için bir kanül transjugular yolla portal sisteme bağlanır. Genişleyebilen stent takılır ve bu stent portal dolaşım ve hepatik damar arasında intrahepatik şant görevini yapar.

Cerrahi Yönetim: Kanamayı azaltmak ve özofagus varislerini tedavi etmek için çeşitli cerrahi işlemler uygulanır. Splenorenal, mesokaval ve portkaval damar şantları portal basıncı azaltmak için devaskülarizasyonla özofagus transeksiyonu bu işlemlerin bazılarıdır. Cerrahi by-pass işlemleri; portal dolaşımda cerrahi yolla basıncı azaltma da kanamayı önleyebilir. Devaskülarizasyon ve transeksiyon; kanayan bölgenin yüksek basınçlı portal sistemden ayrılmasını sağlayan yöntemlerdir ve varis kanamasının acilen durdurulması için kullanılır.

Balonla Tampon: Kanamayı kontrol için balon tampon kullanımı yararlı olabilir. Bu işlemde kardiya üzerine ve kanayan varislere karşı çift tamponla basınç uygulanır. Balon tamponlar (özofagus kompresyon tüpü: Sengstaken Blakemore tüpü) sık sık kullanılmasına karşın bazı tehlikeleri vardır. Balon tampon uygulanmış hasta ciddi komplikasyon riskinden dolayı asla yalnız bırakılmamalıdır. Hasta sürekli ve yakından izlenmelidir. Hastanın tüpü çekip çıkarmaması için önlemler alınmalıdır.

Sengstaken-Blakemore Tüpü Uygulaması
Hazırlık
- Hastaya işlem hakkında bilgi verilir
- Balonun sağlamlığı kontrol edilir
- Uygun pozisyon verilir

Uygulama
- Burun ve farenks mukoza anestezisi yapılır
- Hastaya sokulacak bölümler gliserin ile kaygan hale getirilerek tüp burundan sokulur
- Mide balonu 150-200ml hava ile şişirilir, hemen klampe edilir, yanlışlıkla açılmaması için girişi flasterle kapatılarak emniyete alınır. Tüp dikkatlice direnç hissedilene kadar geri çekilir ve buruna tespit edilir. Özofagus balonu 35-45 mm Hg'lık basınç ile şişirilir; basınç manometresi ile kontrol yapılır. Altı saat sonra basınç 30-35 mm Hg'ya indirilir, 24 saat sonra tekrar 25-30 mm Hg basınç uygulanır.

Kontrol
- Tüp üç günden daha fazla bırakılmaz
- Sürekli basınç kontrolü yapılır; her altı saatte bir basınç beş dakika için sıfıra indirilir,
- Kanama kontrolü düzenli olarak midenin yıkanması ile (çay, buzlu su) yapılır,
- Özofagus balonunun üstündeki tükürük aspire edilir,
- Ağız-burun bakımı yapılır,
- Tüpün çıkarılması
- Kanama durduktan sonra, yıkama sıvısında kan görülmezse özofagus balonunun havası boşaltılır. Yapışıklıkları çözmek için bir yudum çay içirilir. Tüp mideye doğru biraz kaydırılır; 24 saat bu şekilde gözlem altında bırakılır. Yeni bir kanama olmazsa mide balonu boşaltılır, tüp dikkatlice geri çekilir.

Özofagus Varis Kanamalarında Tedavi ve Bakım
- Yaşam bulguları kontrol edilir,
- IV yol açılır, %09'luk NaCl, tam kan veya eritrosit suspansiyonu gibi gerekli olan intravenöz sıvılar verilir,
- Oral verilmez, gerekli ise mide lavajı yapılır,
- Santral venöz basınç (SVB) izlenir,
- Özofagus kompresyon tüpü (Sengstaken Blakemore tüpü) takılır,
- Oksijen tedavisi uygulanır,
- Kanamayı kontrol altına almak için gerekirse vazopresin (sandostatin, somotostatin) ve K vitamini verilir,
- Serum elektrolitleri ve arteriyel kan gazları izlenir,
- Hemoglobin ve hematokrit izlemi yapılır,
- Kapiller geri doluş izlenir,
- Deri turgoru izlenir,
- Gerekirse analjezik verilir,
- Mümkün olduğunca yapılan tüm işlemler hastaya açıklanır,
- Genel olarak hastanın fiziki durumu gözlenir, duygusal tepkileri ve zihinsel durumu değerlendirilir. Özofagus kanaması tamamen durduktan sonra hemen ağızdan beslenmeye geçilmez, öncelikle parenteral beslenme başlatılır. Genelde kusma ve distansiyonu önlemek için mide mümkün olduğu kadar boş tutulur ve bunun için de gastrik aspirasyon başlatılır. Kan basıncı sık-sık kontrol edilir,
- Kanama durup hastanın durumu sabitleştikten sonra tekrar kanamaya neden olabilecek nedenler konusunda hastaya açıklamalar yapılır. Bu bağlamda fazla ıkınmaması, besinleri iyice çiğnememesi, irite edici yiyecek ve içeceklerden kaçınması, hücre yıkımını arttırdığı için aspirin gibi salisilat grubu ilaçlar almaması, mide mukozasını tahriş eden ilaçlar almaması, çok sıcak, çok soğuk yiyecekler yememesi, alkol alımından kaçınması söylenir.

Hepatik Ensefalopati ve Koma
Hepatik ensefalopati kanda amonyak ve diğer toksik metabolitlerin birikmesi sonucu karaciğerin tamamen çalışmaması durumunda ortaya çıkan yaşamı tehdit eden bir durumdur. Hepatik koma hepatik ensefalopatinin en ileri aşamasıdır. Portal sistemik ensefalopati, genelde sirozlu portal hipertansiyon ve portal sistemik şant olan hastalarda görülür.

Epidemiyoloji
Karaciğer sirozlu hastaların yaklaşık %35'i hepatik komadan ölür.

Etiyoloji
En büyük amonyak kaynağı gastrointestinal (Gİ) yollardaki kan proteinleri ve beslenme içindeki enzimler ve bakterilerin sindirimidir. Bu kaynaklardan gelen amonyak gastrointestinal sistem (GİS) kanaması, beslenmede yüksek proteinli gıdalar alınması, bakteri infeksiyonları ve üremi sonucu artar. Aynı zamanda amonyum tuzları da artar. Alkaloz veya hipokalsemi durumunda artan amonyak GİS ve böbrek tubuluslarından absorbe edilir.

Patofizyoloji
Bozulan karaciğer hücreleri amonyağı detoksifiye edemediği ve üreye dönüştüremediği için amonyak seviyesi kan dolaşımında birikir. Kanda artmış amonyak seviyesi Hepatik ensefalopati ile sonuçlanan beyin disfonksiyonu ve hasarına neden olur.

Klinik Belirtiler
Hepatik ensefalopatinin en erken belirtileri zihinsel değişiklikler ve motor bozukluklardır. Hastanın kafası karışabilir ve ruh halinde değişiklikler gözlenebilir. Huzursuzluk oluşur. Nöromusküler işlev bozukluğu/flaping tremor gibi asteriksler Nefeste fötor hepatikus oluşur. Başlangıçta apati, huzursuzluk, ajitasyon gözlenirken ileri dönemlerde yer ve zamana tamamıyla oryantasyon bozulur.

Tanı
Değerlendirme ve tanı bulguları; Elektroensefalogram (EEG) genel azalma, beyin dalgalarının genişliğinde artış ve karakteristik trifazik dalgaları gösterir.

Tedavi
Diyette proteinlerin kısıtlanması ve bağırsak içindeki bakteriler için neomisin sülfat gibi antibiyotiklerin verilmesiyle serum amonyak seviyesi azaltılır. Aynı zamanda serum amonyak düzeyini azaltmada laktüloz kullanılır. Laktüloz alan hastaların günde iki veya üç yumuşak dışkılama yapması istenir.

Bakım
Yaralanma, kanama ve infeksiyonu önlemek için güvenli bir ortam oluşturulur. Hekim isteminde yer alan tedavi uygulanır ve olası komplikasyonlar için hasta izlenir. Hastanın hepatik komaya girmesini kolaylaştıran faktörlerin bilinmesi ve bunlara yönelik uygun önlemlerin alınması gerekir.

Azotlu bileşiklerin yapımında gerekli olan maddeleri azaltmak amacıyla diyette günlük 40-60 gr olacak şekilde protein kısıtlanır, aynı zamanda azotlu bileşiklerin yapımını azaltmak amacıyla lavman uygulanır veya bağırsak temizliği yapılır. Çünkü konstipasyon ve kanama azot oluşumunu artırır. Kolon bakterileri tarafından yapılan azotlu bileşiklerin yapımını azaltmak için neomisin verilebilir.

Barsaklardan amonyak emiliminin önlenmesi için laktüloz verilir. Laktüloz kolon bakterileri ile fermente olan ve kolonun pH'sını azaltan bir disakkarittir. Düşük pH amonyağı tutarak emilimini engeller. Laktüloz alan hastada ilacın aşırı kullanımına bağlı diyare gelişebileceği için hasta yakından gözlenir. Hastanın durumuna ilişkin bilgi verilmesi amacıyla hasta ailesiyle iletişim kurulur, hastanın bakımının bir parçası olan tedavi ve işlemler açıklanarak aile desteklenmiş olur. Hasta hepatik ensefalopati ve komadan iyileşirse rehabilitasyonu muhtemelen uzar. Bu dönemde hasta ve ailesine bu ciddi komplikasyon ve tedavisiyle ilgili bilgi verilmesi ve yardım edilmesi gerekir.

Hepatik koma sonrası evde bakım için hastaya özbakımın öğretilmesi gerekir. Bu bağlamda; hastaya az proteinli ama çok kalorili diyet uygulanması öğretilmeli, hayvansal ürünler yerine bitkisel ürünler tercih edilmelidir.

Diğer Bulgular
Ödem ve Kanama
Karaciğer fonksiyon bozukluğu olan çoğu hastada hepatik albümin üretiminin düşmesinden kaynaklanan hipoal-büminemi nedeniyle ödem oluşur. Karaciğer tarafından kan pıhtılaşma faktörlerinin üretimi de düşer ve bu durum yaraların kanamasına, burun kanaması, ekimozlara ve GİS kanamalarına yol açar.

Vitamin Eksikliği
Çeşitli pıhtılaşma faktörlerinin üretimindeki düşüklük K vitaminin eksikliğinden de kaynaklanabilir. Diğer A, D, E gibi yağda çözünebilir vitaminlerin ve beslenme ile alınan yağların emilmesinde de bozukluk olabilir. A vitamini, B1 vitamini (tiyamin), B2 vitamini (riboflamin), B6 (piridoksin), C vitamini ve K vitamini eksiklikleri de görülür.

Metabolik Bozukluklar
Glikoz metabolizması eksikliği görülebilir. Yemekten hemen sonra kan glikoz seviyesi anormal şekilde artabilir. İlaçlar daha zor metabolize edildiği için dikkatli kullanılmalıdır. Aynı zamanda karaciğer bozukluğunda, karaciğer hormonları normal olarak metabolize edemediği için birçok endokrin bozukluklar da ortaya çıkar.

Kaşınma; Pruritus ve Diğer Cilt Değişiklikleri
Safra tuzlarının dokuda depolanmasından dolayı karaciğer hastaları aşırı derecede kaşınırlar. Hastaların cildinde çeşitli değişiklikler görülebilir.

Tablo 36. 4: Hepatik Ensefalopatinin Klinik Evreleri ve Olası Hemşirelik Tanıları

Evre	Belirtiler	Bulgular ve EEG Değişiklikleri	Hemşirelik Tanıları
1	Bilinç seviyesi normaldir, apati, huzursuzluk, ajitasyon gece-gündüz uyku ritminin bozulması, kişilik değişikliği, davranış değişikliği, öfori veya depresyon gibi emosyonel değişiklik, düşünme yeteneğinin ve konsantrasyon yeteneğinin azalması, yuvarlayarak konuşma	Asteriks, yazma ve resim yapma yeteneğinin bozulması, EEG normaldir	Aktivite intoleransı Öz bakım eksikliği Uyku bozukluğu
2	Uyku halinde artma, laterji, zamana, kişilere ve yere oryantasyon bozukluğu.	Asteriks, fötör hepatikus, yavaşlamış EEG	Sosyal ilişkilerde bozulma Rollerini yerine getirmede etkisizlik Yaralanma riski
3	Stupor (yanıt alınmayabilir), zamanın çoğunda uyur, mental konfüzyon,	Asteriks, derin tendon reflekslerinde artma, ekstremitelerde rijidite, anormal EEG	Beslenme dengesizliği Hareket bozukluğu Sözel iletişimde
4	Koma gelişmiştir. Ağrılı uyaranlara yanıt alınmayabilir.	Asteriks yoktur. Derin tendon refleksleri yoktur. Ekstremitelerde flaccidity, anormal EEG	Aspirasyon riski Gaz değişiminde bozulma Doku bütünlüğünde bozulma Duyusal algılarda bozulma

Özellikle alkolik karaciğer sirozunda; arteryal örümcek; kılcal damarların belirginleşmesi, palmar eritem; avuç içlerinde kızarıklık belirgindir. Kıllanmada azalma, erkeklerde jinekomasti; memelerin büyümesi ve testis atrofisi ortaya çıkabilir.

e. Viral Karaciğer Hastalıklarında Bakım
Viral Hepatit

Hepatit; Enfeksiyon ve Enfeksiyon dışı çok sayıda nedene bağlı olarak karaciğer hücrelerinde gelişen inflamasyon, hasar ve fonksiyon bozukluğunu ifade eden çok geniş bir tanımdır. Viral hepatitler tüm Dünya için önemli bir sağlık sorunudur. Hepatit A Virüsü (HAV)'nün sosyo-ekonomik durumu farklı toplumlarda insanların %70-90'ını infekte ettiği, Hepatit B Virüsü (HBV) ile karşılaşma oranının dünyanın değişik yerlerinde %10-90 arasında bulunduğu ve HBV taşıyıcılarının sayısının tüm Dünya da 400-500 milyon olduğu, Hepatit C Virüsü (HCV)'nün ise yaklaşık olarak tüm insanların %1'ini etkilediği göz önüne alınacak olursa insanların büyük bir çoğunluğu yaşamları boyunca değişik hepatit virüsleri ile karşılaşabilmektedir. Virüsler dışındaki etkenlerle de akut hepatit oluşabilir. Histopatolojik bulgular etiyolojiye göre belirgin bir değişiklik göstermez. Portal alanlarda ve özellikle parankimde lenfositik bir infiltrasyon ile daha çok tek hücreler halinde hepatosit nekrozu, klasik akut hepatitlerin ortak bulgusudur.

Bugüne kadar tanımlanmış virüs tipleri;
- Hepatit A Virüsü (HAV)
- Hepatit B Virüsü (HBV)
- Hepatit C Virüsü (HCV)
- Hepatit D Virüsü (HDV)
- Hepatit E Virüsü (HEV)
- Hepatit G Virüsü (HGV)

Viral Hepatitlerin Klinik Dönemleri

Prodromal dönem; genellikle birdenbire şiddetli iştahsızlık, bitkinlik, bulantı, kusma ve ateş ile başlar. Sigaradan tiksinme iştahsızlığın karakteristik bir erken göstergesidir. Ürtikere benzer lezyonlar ve artralji özellikle hepatit B'de olmak üzere görülebilir. 3-10 gün sonra idrar renginde koyulaşma, daha sonra sarılık *(ikterik dönem)* görülür. Bu noktada sistemik belirtiler geriler ve hasta sarılığın ağırlaşmasına rağmen kendini daha iyi hisseder. Sarılık 1-2 hafta içinde zirveye ulaşır, daha sonra 2-4 hafta içinde iyileşme dönemine girer ve gerilemeye başlar.

Normal serum bilirubin seviyesi 0.2-1.0mg/dl'dir. Serum bilirubin seviyesi 2.5 mg/dl üzerine çıktığında, sarılık klinik olarak belirgin hale gelir ve ilk olarak skleralarda görülür. Skleraların sararması, genellikle serum bilirubin düzeyi 2.0-2.5 mg/dl'yi geçtiğinde fark edilir.

Karaciğer genellikle büyük, hassas, yumuşak ve düz kenarlıdır. Hastaların %15-20'sinde hafif splenomegali vardır. Komplikasyonsuz olgularda kronik karaciğer hastalığına ilişkin bulgular yoktur.

Bulgular infeksiyöz hepatit (hepatit A) da ve özellikle çocuklarda daha silik seyreder.

Laboratuvar Bulguları

- Hastalığın en önemli bulgusu aminotransferazlarda (AST, ALT) aşırı yükselmedir. Prodromal evrenin başında yükselmeye başlar, sarılık maksimum olmadan zirveye ulaşır ve iyileşme döneminde yavaşça düşer.
- İdrarda safra sarılıktan önce ortaya çıkar ve erken fark edilmesi tanıya götüren en önemli ipucudur.
- Hiperbiluribineminin derecesi değişkendir.
- Alkali fosfataz genellikle hafif artmıştır.
- Protrombin zamanında uzama olağan değildir ve varlığı hastalığın ağır olduğunu gösterir.
- Lökosit sayısı normal veya düşüktür

Hepatit A Virüsü

Hepatitis A Enterovirüs ailesinden olan Ribonükleik asit (RNA) virüsü tarafından gerçekleştirilir.

Epidemiyoloji

HAV enfeksiyonu gelişmekte olan ülkelerde sıklıkla çocukluk çağı hastalığıdır. Gelişmiş ülkelerde ise koruyucu sağlık hizmetlerindeki yeterliliğe bağlı, sınırlı salgınlar halinde ve sıklıkla da ileri yaş gruplarında görülür. Puberte öncesi dönemde hastalık adeta sıradan viral bir enfeksiyon gibi seyreder, kısa sürede, 7-10 günde girişim gerektirmeksizin kendiliğinden iyileşir. Bu yaş grubunda hastalığın fulminant seyretmesi oldukça nadir (% 0.1) görülen bir gelişmedir. Oysa yaş ilerledikçe immünitenin virüslü hücreye reaksiyonunun şiddeti de artar ve bu oran % 3-4'lere kadar artar. Puberte öncesi geçirilen enfeksiyon sırasında gelişen HAV fulminansında, HBV ve HCV'nin aksine mortalite daha düşüktür (% 40). Ancak, daha ileri yaşlarda oranlar eşitlenmektedir.

Etiyoloji

HAV insanlara özgüdür ve hastalıklı insan dışkısı ile sağlıklılara bulaşır. Virüs fekal-oral yolla, genelde virüs bulaşmış yemek veya içeceklerle vücuda girer. Bazen cinsel yolla da bulaştırılabilir. İstiridye gibi kirli sulardan yakalanan yumuşakçaların çiğ veya kısmen pişmiş olarak yenilmesi de başka bir geçiş yolu olabilir.

Tablo 36. 5: Virüslerin Bazı Özellikleri

ÖZELLİK	HAV	HBV	HCV	HDV	HEV	HGV
Virüs	RNA, tek sarmal, picorna, 27 nm	DNA, çift sarmal, hepadna, 42nm	RNA, tek sarmal, flavivirüs, 50nm	RNA, viroid, tek sarmal, 37nm (replikasyon yeteneği yok)	RNA, tek sarmal, calicivirüs 32nm	RNA
Kuluçka dönemi	15-45 gün	30-180 gün	15-180 gün	30-180 gün	14-65 gün	15-145 gün
Yaş	Çocuk, genç	Her yaş	Her yaş	Her yaş	Çocuk, genç	Her yaş
Bulaşma	Fekal-Oral	Parenteral, perinatal, cinsel	Parenteral, yakın ilişki	Transfüzyon, HBV enfeksiyonu olanlarda	Fekal-Oral	Parenteral
Akut atak	Genellikle hafif, yaş ile değişken	Hafif/Ağır	Hafif, tekrar sık	Hafif/Ağır, Konfeksiyonda fulminan	Hafif (!) Kolestatik	Bilinmiyor
Akut - marker	HAV IgM	HBc - IgM	HCV - RNA	HDV - IgM/IgG	HEV - IgG	
Yaygın karaciğer nekrozu	Seyrek	Seyrek	Evet	Evet	Evet	Seyrek
Taşıyıcılık	Yok	Evet	Evet	Evet	Hayır	Bilinmiyor
Kronikleşme	% 0	% 5-10	> % 85 fulminan hepatit olabilir	% 45-85	% 0	Olası: viremi kalıcıdır ancak hepatit kesin değildir.
Hepatosellüler kanser riski	Yok	Var	Var	Kendi başına yok	Yok	Bilinmiyor
Mortalitesi	%1	Değişken %10'u bulabilir	Fulminan hepatit görülebilir	% 2-5 fulminan, mortalite tam bilinmiyor	%1, gebelerde %10-20	Bilinmiyor
Korunma	Hijyen, İmmün serum globülin, aşı	Hijyen, hepatit B globülin, aşı	Hijyen,	Hijyen, sanitasyon	Hijyen,	Hijyen,

Patofizyoloji

Dışkı ile en çok virüs saçımı, yani en yüksek infeksiyozite dönemi; belirti ve bulguların henüz başlamadığı, virüse karşı özel antikorların (Anti-HAV IgM) serumda belirlenmesinden 10-14 gün önce, kuluçka döneminde gelişir. Sarılık başladıktan en çok bir hafta sonrasına kadar bulaştırıcılık devam eder. IgG'nin koruyucu etkisi ile gebelikte geçirilen infeksiyondan fetüs etkilenmez.

Klinik Belirtiler

Olguların çoğu subkliniktir. Çocukların 1/10'unda, erişkinlerin ise 2/3'ünde ikterik seyreder. Özellikle üç yaş altındaki çocuklarda belirtiler çok hafiftir ya da hiç yoktur. Daha büyük yaşlarda başlangıcı HBV ve HCV'ye göre daha gürültülüdür; yüksek ateş ile gribal infeksiyonlara benzer bir tablo ile seyreder. Mide bulantısı, karın ağrısı, ardından birkaç gün içinde idrarın renginin koyulaşması, deri ve göz aklarının sararması görülebilir. Hasta ayrıca sigara ve diğer güçlü kokulara karşı tiksinme duyabilir.

Gribe benzer belirtilerle gelen hastalar, dikkatli öykü alınması ve fizik muayene yapılmadığında, genellikle hatalı tedavi yaklaşımlarına maruz kalırlar. Belirtileri gizlemesi ve önemsiz subjektif yararlanım sağlaması dışında ne işe yaradığı bilinmeyen antihistaminik ilaçlar, analjezikler, anti-enflamatuvarlar ve bazı antibiyotikler gibi antigribal tedavilerin büyük çoğunluğu hepatotoksik etki ile hepatitli hastalarda tabloyu daha da ağırlaştırabilir. Hastaların bazılarında üç aya varabilen kolestaz görülebilirse de oldukça iyi seyirlidir. HAV nedenli hepatitlerin % 3-20'sinde tekrarlar görülebilirse de tam iyileşme sağlanır.

Tanı Yöntemleri

Karaciğer ve dalak birkaç gün için genişleyebilir. Öte yandan sarılık dışında çok az bulgusu vardır. Serolojik testler ile antikorlar taranarak tanı konur.

İlk saptanan antikor Anti-HAV IgM'dir. Bu antikor akut infeksiyonu gösterir. Belirtiler ile birlikte IgG antikoru giderek yükselir. Anti-HAV IgG (+) olması daha önce hepatit A virüsü ile karşılaşılmış olduğunu ve bağışıklığı gösterir. Akut infeksiyondan sonra virüs kaybolur. Tanı konulduğunda genellikle bulaşıcılığı kaybolmuş olur.

Virüs serumda, gaitada ve karaciğerde sadece akut dönemde bulunur. Hastalığın prognozu iyidir. Kronik taşıyıcılık göstermez, kronik aktif hepatit ve siroz gelişiminde rol oynamaz. Mortalite gebelerde daha yüksek olmakla birlikte genellikle %01'in altındadır.

Tedavi

İstirahat dışında özel bir tedavisi yoktur. Komplike olmayan olgularda yatak istirahatı gerekli değildir. Tanıdan emin olunan olgularda iki-üç gün süreli düşük dozda kortikosteroid tedavisine iyi yanıt verir.

Hastalıklı insanlarla temastan sonraki iki hafta içinde IM olarak 0.02-0.06 mg/kg dozda verilen standart immün globülin (Ig) preparatları % 90 koruyucudur, temas halinde olan aile bireylerine verilmelidir. Hastalığın hafif geçirilmesini sağlar. Bulaş sonrasında Ig yapılınca hem pasif, hem de hastalık hafif olarak geçirildiği için aktif bağışıklama sağlanmış olur. Standart Ig, dört-altı ay koruduğu için endemik bölgelere seyahat edecek olanlara önerilir.

Bakım

Hastaların izole edilmesi yayılımı önleme açısından çok az öneme sahiptir. Enfeksiyonun önlenmesinde en etkili yol, infekte kişilerin su, yiyecek benzeri kaynakları kontamine etmelerini önlemek ve el yıkamadır. Hastanın tabak kaşığı ayrılmalı, kullandığı tuvalet sık aralarla çamaşır suyu ile dezenfekte edilmelidir. Hasta çok fazla yorulmamak koşulu ile günlük faaliyetlerini sürdürebilir, normal beslenmesini alır, bulantısı olduğu dönemde antiemetik verilebilir.

Aktif bağışıklama da inaktive rekombinant aşısı vardır. Yeterli sayı ve aralıkta yapılmış bağışıklamadan sonra yaklaşık 20 yıl kadar koruyuculuk sağlamaktadır. Koruyucu antikor düzeyi 20 mIU/ml'dir. Aşı deltoid kasına uygulanır. Ancak devamı getirilecekse, yani bu aşının 20 yıl sonraki rapeli yapılacak, her 20 yılda bir de sürdürülecekse uygulanması önerilmelidir. Aksi halde, hastalığın çok hafif geçirileceği çocukluk döneminde güvenli olarak korunan insana sonraki yıllarda hatırlatma dozları yapılmazsa, hastalığın ağır geçirildiği erişkinlik yıllarında etkenin ve bağışıklamanın tüm acımasızlığına maruz kalınır. Aşının; önceleri 0-1-6 ya da 10. aylar arasında üç kez yapılmaktaysa da bazı araştırmalarda, 0-6. veya 12. aylarda olmak üzere iki kez uygulanması halinde yeterli bağışıklığı sağlayabildiği gösterilmiştir. Erişkin ve pediatrik popülasyon arasında uygulama dozlarında farklılık vardır; 0-6 veya 0-12 şemalarında >18 yaş için 1440 EU dozundaki, 1-18 yaş için ise 720 EU dozundaki preparatlar kullanılır. Aşı; çocuklar, kreş personeli, askerler, homoseksüel erkekler, endemik bölgelere seyahat edenler ve intravenöz ilaç kullanma alışkanlığı olanlara uygulanır. Özellikle salgınların olduğu toplumlarda yaşayan çocuklar rutin olarak aşılanmalıdır.

Hepatit A özellikle hijyen koşullarının iyi olmadığı ülkelerde sıklıkla görülür Hepatitin bulaşma yolları konusunda halkın eğitimi, özellikle okul ve kışlalarda vb. sürekli eğitim ve denetim uygulamalarının yapılması önemlidir. Bulaşmış sularla yıkanan sebze ve meyvelerin ve iyi pişirilmeyen yemeklerin yenmesi, mutfakta kullanılan araç-gereçlerin kirli sularla yıkanması ve yemek hazırlayan kişilerin taşıyıcı ya da ellerinin mikroplu olması bulaşma açısından risk yaratır. Bu bağlamda; seyyar satıcılar tarafından hazırlanan ve açıkta satılan besinler, lokantalarda sunulan yiyecekler, bebeklere bakan anne veya bakıcıların hazırladıkları mamalar, fabrikalar, okullar, hastaneler gibi kuruluşlardaki yiyeceklerin hazırlanması ya da sunulması sırasında bulaşma olması toplu olarak veya bireysel hastalanmalara yol açabilir.

Hepatit A için Risk Grupları

- Çocuk yuvaları, kreşler, okullarda bulunan çocuklar ve buralarda görevli olan personel
- Temizlik koşullarının kötü olduğu bölgelere seyahat edenler,
- Sağlık çalışanları, laboratuvar personeli,
- Askeri personel,
- Hapishanede bulunanlar ve görevliler,
- Kan nakli yapılanlar ve hemodiyaliz hastaları,
- Yakınları hepatit A hastalığı geçirenlerdir.

Hepatit A Hastalığından Korunma

- Aile bireyleri arasında hastalığın yayılımını önlemek için yatak takımları, havlu, çatal, bıçak, kaşık, bardak gibi araç-gereçlerin ortak kullanılmaması ve yeterli temizliğinin sağlanması,
- Hastanın dışkı ve idrarının açıkta bırakılmaması, tuvaletlerin çamaşır suyu veya kireç kaymağı ile dezenfekte edilmesi,
- Az gelişmiş ülkelere seyahat edilecekse, yalnızca şişe sularının içilmesi, sebze-meyve ve çorba gibi su ile hazırlanan ya da yıkanan gıdaların tüketilmemesi,
- Temizliğinden emin olunmayan musluk suyunun içilmemesi ve bu sudan oluşan buzun kullanılmaması ve bu su ile diş fırçalanmaması,
- Yeterli sanitasyon, temizlik ve kişisel hijyenin sürdürülmesi, yemeklerden önce ve tuvaletten sonra ellerin su ve sabun ile iyice yıkanması
- Soyulmamış meyvelerin, salataların, haşlanmamış sebzelerin yıkanmadan yenmemesi ve istiridye, midye gibi çiğ deniz ürünlerinden sakınılması,
- Sokaklarda temizlik kurallarına dikkat edilmeden hazırlanmış yiyecek ve içeceklerin yenilmemesi gerekir.

Hepatit B Virüsü (HBV)

Hepatit B virüsü (HBV) ile oluşturulan karaciğerin Enfeksiyon hastalığıdır.

Epidemiyoloji

Dünyanın en önemli sağlık sorunlarından birisidir. Yüz HBV infeksiyonlu hastadan 95'i gelişmekte olan ülkelerdendir. Dünya da iki milyardan fazla birey bu virüsle karşılaşmış, bunlardan 1.6 milyarında iyileşme gelişmiş, ancak yaklaşık 400-450 milyon kişide Enfeksiyon sürekli hale gelmiştir. Bu 450 milyon kronik olguya her yıl 50 milyon kişinin katılacağı tahmin edilmektedir. Ülkemizde yaklaşık olarak üç milyon kişinin HBV'nin kronik taşıyıcısı olduğu tahmin edilmektedir. Kronikleşme olasılığı yeni doğan döneminde % 90'ın üzerinde iken yedi yaş altı grupta % 25, yedi yaş üstü olgularda ise % 5-10'dur. Bebeklerde tüm olguların % 40 kadarı, erişkinlerin ise % 0.5'i sonuçta hepatosellüler kansere (HSK) ilerlemektedir. HBV, HCV ile birlikte bilinen en kanserojen virüstür. HBV ile ilişkili hastalıklardan yılda en azından bir milyon ölüm olduğu tahmin edilmektedir.

Taşıyıcılık, kronikleşme, siroz ve hepatosellüler karsinoma oluşturabilme riskleri bulunan HBV enfeksiyonunun viral hepatitler içinde ayrı bir yeri vardır

Etiyoloji

HBV'nin bulaşma yolları
1. Parenteral bulaşma
   - Kan ve kan ürünleriyle temas ve transfüzyon,
   - Kontamine iğne, enjektör, bistüri, sonda uygulaması,
   - Hemodiyaliz,
   - Damardan uyuşturucu kullanımı,
   - Oral veya diş cerrahisi,
   - Akapunktur, döğme, kulak delme, tıraş, diş fırçalama gibi işlemlerdir.
2. Perinatal
3. Horizontal
4. Cinsel temas

I. Parenteral Bulaşma: İV uyuşturucu bağımlıları, hekim, hemşire, laborant gibi kanla direk teması olan sağlık personeli ve enfekte kan ile sık temas eden diğer meslek gruplarında görülür. Aynı zamanda virüsle bulaşmış kan, kan ürünleri, pıhtılaşma faktörleri verilen, perkütan girişim yapılan hastalar risk altındadır. Ülkemizde sağlık personelinde %40 olarak Anti-Hbs-Ag bulunmuştur.

2. Perinatal Bulaşma: Perinatal bulaşma, yüksek oranda HBV taşıyıcılığının bulunduğu bölgelerde en önemli bulaş yoludur. Taşıyıcı anneden, çocuğa geçiş, genellikle doğum sırasında veya doğumdan sonra HBV ile infekte maternal sıvılarla bebeğin teması ile olur. Doğum sırasında bulaş, cilt sıyrıkları, mukoza penetrasyonu, vajinal kanaldan geçiş sırasında anne kanının yutulması, sezeryan sırasında anne kanıyla temas ile plasenta hasarı sonucu fetal, maternal dolaşımın karışması gibi nedenlerle ortaya çıkar. İntrauterin bulaşma ise nadirdir (%5-10). Yenidoğan döneminde virüsün alınması, İmmün sistemin henüz gelişmemiş olması nedeni ile sıklıkla kronikleşme ile sonuçlanmaktadır.

3. Horizontal Bulaşma: Kardeşler, akrabalar, arkadaşlar arasında ve özellikle de aynı evde yaşayanlar arasında yakın temas, tıraş makinesi, jilet, havlu, diş fırçası, banyo malzemeleri gibi ortak bazı malzemelerin kullanılması ile kan, tükürük ve seröz sıvıların hasarlı cilt veya mukozaya teması sonucu olduğu düşünülmektedir. Yatılı okul, kışla, hapishane, yurt gibi kalabalık yaşam şartları, kötü hijyen ve sosyo-ekonomik durum HBV bulaşma oranını arttırmaktadır.

4. Cinsel Bulaşma: Homoseksüeller arası cinsel temas HBV için en riskli cinsel bulaş şeklidir. HBV Enfeksiyon riski partner sayısının artmasına paralel olarak 1 ila 11 kat artar.

Bu sayılan nedenler HBV bulaşının sadece % 60'ını açıklayabilmektedir. Hasta kanının bir damlasındaki HBV sayısı, Human İmmunodeficiency Virus (HIV) ile infekte olan bireyden 100 kat daha fazladır; dolayısıyla HBV, HIV'den 100 kat daha çok bulaşıcıdır. Ayrıca, Dünya da bir günde HBV enfeksiyonu nedeniyle ölenlerin sayısı, Acquired Immune Deficiency Syndrome (AIDS) nedeniyle ölenlerin sayısından da fazladır. Dünya nüfusunun yarısına yakını HBV ile infekte olmuşken, HIV ile infekte birey sayısı şimdilik 50 milyonun altındadır. Kontamine iğne batmasından sonra Enfeksiyon riski HIV için % 0.30.5, HBV için ise % 7-30'dur. Türkiye'de her 100 kişiden 5-7'si, HBV taşıyıcısı olup, en azından 1/3'ü HBV ile karşılaşmışken, HIV enfeksiyonlu sayısı ise bin civarındadır.

HBV İnfeksiyonu Risk Grupları
1. HBsAg taşıyıcısı annelerin bebekleri,
2. HBsAg taşıyanların cinsel eşleri ve aile bireyleri,
3. Homoseksüeller ve genelev çalışanları,
4. Damardan uyuşturucu bağımlıları,
5. Hemodiyaliz hastaları,
6. Multiple transfüzyon yapılan hastalar,
7. İmmun Yetersizlikli hastalar,
8. Bakım evlerinde veya yurt, hapishane gibi toplu yaşam ortamlarında yaşayanlar,
9. Sağlık personelidir.

Patofizyoloji
Hepatit Virüsü ile ilgili en az 3 farklı antijen-antikor sistemi bulunur.

1. **HBsAg:** s yüzey antijeni varlığı akut B tipi hepatitini ve kanın infekte olduğunu gösterir. Hastalığın klinik ve biyokimyasal özellikleri belirmeden 16 hafta önce yani kuluçka döneminde ortaya çıkar, iyileşme döneminde kaybolur. Anti-HBs ise haftalar veya aylar sonra belirir, klinik iyileşmeden sonra ortaya çıkar ve ömür boyu varlığını korur. Bazı hastalarda HbsAg akut infeksiyondan sonra devam eder ve anti-HBs gelişmez. Bu hastalarda genellikle kronik hepatit gelişir ve bu kişiler virüsün asemptomatik taşıyıcıları haline gelirler. Kanda HBsAg pozitifliği HBV ile infeksiyonu gösterirken, Anti-HBs pozitif olduğunda HBV'ye bağışıklık kazanılmış anlamındadır.

2. **HBcAg:** c core (çekirdek) antijeni, hepatit B virüsü sonrası hastalığın klinik olarak ortaya çıkışı ile belirir ve giderek azalır veya yaşam boyu devam eder. Anti-HBs ile birlikte bulunmasının daha önce Hepatit B geçirildiğini göstermesi dışında özel bir anlamı yoktur. Kronik HbsAg taşıyıcılarında da bulunur. HbsAg'nin kaybolması ile anti-HBs'nin belirmesi arasındaki ara dönemi gösterebilir.

3. **HBeAg:** e infektivite antijeni, sadece HbsAg pozitif serumda bulunur. Varlığı kanın infeksiyonunun fazla olduğunu ve kronikleşme olasılığının yüksek olduğunu gösterir. Buna karşılık anti-Hbe varlığı infeksiyonun daha düşük seviyeli olduğunu gösterir. HBV için serumda antijen ve antikorların yanısıra HBV DNA'sına bakılarak hastalığın durumu hakkında değerlendirme yapılabilir. HBV, yalnızca serumda değil, hemen tüm vücut sıvılarında bulunur. Olguların %90 kadarında akut infeksiyondan birkaç ay sonra anti HBsAg IgG gelişir. Bu olgularda virüs temizlenir; yeniden infeksiyon, kronikleşme ve taşıyıcılık gibi durumlar görülmez. Taşıyıcılar, serumlarında anti HbcAg bulunan; ancak, serolojik olarak anti HBsAg oluşturamamış bireylerdir. Taşıyıcıların biyopsilerinde hepatositlerin sitoplazmalarında çok miktarda üretilen HBsAg'nin neden olduğu *buzlu cam görünümü* izlenir. Kronik hepatitli olguların bir kısmında bunlara ek olarak HBeAg de serumda bulunur. Hastalığı bulaştırabilen bu kişilerde HBV DNA'sı ve DNA polimerazı da serumda saptanabilir.

Hastalığın kronikleşmesine yol açan koşullar tam olarak bilinmemektedir. Taşıyıcılık oranı da ülkeden ülkeye çok değişiklik göstermektedir. Gelişmiş ülkelerde taşıyıcılık oranları %1'in çok altındadır. Afrika'da %20'yi geçebilen bu oran Türkiye'de %5-10 olarak bildirilmektedir. Anti-HBSAg, koruyucu niteliktedir; aşılar, bunun oluşmasını sağlamaya yöneliktir.

Klinik Belirtiler
Hepatit B virüsü ile temas eden herkes hastalık bulgularını göstermeyebilir. Hastaların %75-80'inde hiçbir belirti görülmez. Virüsle temas eden her on kişiden birinde virüs çoğalmaya devam eder. Taşıyıcı olarak isimlendirilen bu kişiler kendilerini sağlıklı olarak hissetmelerine karşın çevreye virüs yayarlar. Hastalığın seyri iki döneme ayrılabilir.

I. Preikterik (prodromal) dönem: HBV hepatiti başlangıcı genellikle gürültüsüz ve sinsidir; halsizlik, iştahsızlık, bulantı, kusma, sigaraya ve yağlı yiyeceklere tahammülsüzlük ve bazı olgularda ateş görülür. Artralji+baş ağrısı+ürtiker ile karakterize "Caroli Triadı" ile başlayabilir. İmmün kompleks hastalığı belirtileri de sıktır; vaskülit, artralji, artrit ve PAN gelişebilir. PAN'lı olguların % 50'ye yakınında HBsAg (+) bulunmuştur. Bu dönem en çok 10 gün kadar sürer.

2. İkterik dönem: Olguların sadece % 15-25 kadarında bu dönem görülür. Önce göz akları, sonra da cilt ve mukozalarda belirgin sarılık gelişmeye başlar. Hastalık ilerlemesine rağmen ateş ve diğer belirtiler gerilediğinden hasta kendini daha iyi hissedebilir. Bazen bulantı, kusma, halsizlik, iştahsızlık daha da artar. Kolestatik olgularda dışkı rengi gittikçe açılır, akolik dışkı; "camcı macunu" görünümü alır. İdrarda bilirubin çok miktarda bulunsa da kolestatik dönemde urobilinojen çıkışı yoktur. Sarılığın arttığı dönemde karaciğer 2-6 cm kadar büyük, ağrılı ve yumuşak olarak palpe edilir. Bu dönem olgudan olguya değişen uzunlukta, bazen haftalarca sürebilirse de genelde bir üç haftada sona erer.

HBV infeksiyonu seyrinde en korkulan tablo, fulminant seyirdir. Gelişme riski % 1 kadardır. Karaciğer nekrozu, fonksiyonlarında ileri derecede bozulma ve ensefalopati ile özel bir tablodur. Mortalitesi en gelişmiş merkezlerde bile % 90'lardadır. Erken-akut döneme göre iyileşme döneminde gelişmesi mortaliteye daha fazla artırır. Protein malnütrisyonu, asit-baz dengesizliği, ilave enfeksiyonlar, diyabet, tirotoksikoz ve gebelik hazırlayıcı faktörlerdir. İnatçı kusma, fötor hepatikus, flapping tremor, bilinç bulanıklığı, asit, ajitasyon ve koma başlıca klinik bulguları oluşturur. Protrombin zamanı çok uzamıştır, ateş yükselir, kanama eğilimi başlar. Hipotansiyon ve apne nöbetleri terminal bulgulardır.

Hastalığın iyileşme döneminde bazı entelektüel hastalarda; yorgunluk, halsizlik, iştahsızlık ve sağ hipokondrium ağrısı gibi bazı belirtiler ortaya çıkabilmektedir. Bu tabloya "Post hepatit Sendromu" adı verilmektedir. Daha çok psikolojik sorunlara bağlı olan bu tablo bir yıl kadar sürmektedir.

Tanı

Tanı için viral serolojik göstergelerden yararlanılır. HBsAg virüs ile temastan sonra yükselir, altı aydan uzun süre devam ederse hastalık kronikleşir. HbeAg belirtiler ile başlar, Anti-HBs bir süre sonra saptanmaya başlar.

Hepatit B virüsü tanısında "buzlu cam" hepatositlerin görülmesi yardımcı olur. Ancak akut hepatit B tipi hepatitte bu bulgu nadir olup, kronik HBV daha spesifiktir. Hepatit B virüsü subklinik taşıyıcılık şeklinde, akut hepatit, kronik hepatit, siroz ve hepatoselüler karsinoma kadar çok çeşitli tablolarda karşımıza çıkabilir. Akut dönemde ALT ve AST değerleri birkaç bin üniteye kadar çıkar. Her iki bilirubin fraksiyonu da artar. Suda eriyebildiğinden Direkt Bilirubin, kanda 2 mg/dl'yi aşınca idrarda (Rosin miyarı ile) belirlenebilir. Kolestatik dönemde idrarda ürobilinojen çıkışı (Ehrlich miyarı ile belirlenebilir) yoktur. Kolestazın hepatik mi, ekstrahepatik mi olduğunu anlamak için Coller testi yapılabilir; K1 vitamini ile uzamış haldeki protrombin zamanı kısalıyorsa, problem post hepatiktir.

Prognoz; Kronikleşme %5-10 arasındadır. Hafif persistan hepatit, siroza giden kronik aktif hepatit ve subklinik kronik taşıyıcılık şekillerinde de bulunabilir. Kronik hepatit B infeksiyonu hepatoselüler karsinoma da dönüşebilir.

Hepatit B Taşıyıcılığı; Belirgin olarak ya da farkına varılmadan geçirilen bir hepatit B virüs infeksiyonundan sonra, hastalığa ait hiçbir belirti veya bulgu olmayıp, kanlarında hepatit virüsü 6 aydan daha uzun süre saptanan kişilere hepatit B taşıyıcısı denilmektedir. Hastalık belirti ve bulguları olmadığı için bunlara "sağlıklı taşıyıcı" veya "belirtisiz hepatit B taşıyıcısı" denebilir. Ancak belirtisiz ve sağlıklı görünen bu taşıyıcılarda da kronik hepatit ve siroz gelişme olasılığı bulunmaktadır. B virüsü taşıyıcısı, kanı ve diğer vücut sıvıları ile hastalığı başkalarına bulaştırabileceğini bilmelidir. Kan vermemeli, korunmasız olarak bağışık olmayan kişilerle cinsel ilişkiye girmemelidir. B virüs taşıyıcısı gebeyse, bebeklerine bu virüsü bulaştırabileceklerini bilmelidirler.

Tedavi

Tedavinin amacı bulaşıcılığı en aza indirmek, karaciğer iltihabını düzeltmek ve belirtileri azaltmaktır. Hepatit B virüs enfeksiyonunun sürecine göre tedavide bazı değişiklikler görülür.

Akut HBV İnfeksiyonunun Tedavisi: Günümüzde akut HBV enfeksiyonunun tedavisini sağlayacak herhangi bir ilaç bulunamamıştır. Hastaya herhangi bir diyet uygulanmasının önemi yoktur. Bulantısını uyarmayacak, kolay sindirilebilir, katkı maddesi içermeyen bir beslenme önerilmelidir. Önemli olan, gereksiz ilaç tedavisinden kaçınılmasıdır. Tedaviye eklenecek analjezik, antiemetik, antibiyotik gibi çoğu ilaçların varolan tabloyu daha da ağırlaştıracağı unutulmamalıdır. Cilt altında safra tuzlarının birikmesi nedeniyle oluşan kaşıntı için kolestiraminin önerilebilir. Dispeptik yakınmalılara enzim preparatlarının kısmen yararlı olabileceği söylenebilse de vitamin preparatlarının hastalık seyrine etkisi yoktur. İyileşme süreci virüs-organizma ilişkisi ile belirlenen akut HBV infeksiyonu, iyileşecekse kendiliğinden seyreden ve serokonversiyon ile tam iyileşmesi olan bir hastalıktır. Dolayısı ile hastalığın hekim tarafından girişim yapılmaksızın sadece izlenmesi yeterlidir. Dikkatli olunacak konu, komayı hazırlayıcı faktörlerin zaman içinde gelişip gelişmediğinin kontrolü ve var ise ortadan kaldırmaya çalışılmasıdır. Örneğin uzun süreli kabızlığın önlenmesi, ideali günde en az bir kez yumuşak dışkılamanın sağlanmasıdır. Bunun için en uygun seçenek laktüloz olabilir; amaca ulaşmak için günde altı ölçeğe kadar çıkılabilir.

Kronik HBV İnfeksiyonu Tedavisi: Karaciğer transaminazlarının yüksek (> 100 IU/ml), HBV DNA (+), karaciğer histopatolojisinde lobüler yapısı bozulmuş, fibrozis gelişmeye başlamış, klinik olarak agresif seyreden kronik aktif hepatit olgularında immünstimulan, antiproliferatif ve antiviral etkinliği bulunan İnterferon tedavisi ve antiviral ilaç kombinasyonları kullanılmaktadır. Öncelikle hastanın tanımlanan tabloya uyumu araştırılır. Hasta genç erişkin ya da orta yaşta ise, altı aydan daha uzun süreli bilinen HBsAg (+), HBeAg ve düşük düzeyde HBV DNA (+), ALT ve AST normalden iki kat yüksek, karaciğer histopatolojisi orta ve yüksek aktivite gösteren kronik aktif hepatit ise, ancak sirotik değilse, tiroidit gibi otoimmüne yapacak başka bir hastalığı yoksa kardiyovasküler ağır sorunları yok ise interferon (Roferon-A, Intron) tedavisine alınabilir.

Bakım

Hepatit B de hasta bakımı hepatit A da olduğu gibi semptomlara yöneliktir. Hastanın serumunda HBsAg(-) oluncaya kadar kan ve kan sıvılarıyla ilgili önlemler alınır. Hastanın aktiviteleri kısıtlanır, yatakta dinlenmesi ve yeterli besin alımı sağlanır. Hasta hastanede yatıyorsa, psikolojik destek sağlanır, hijyen alışkanlıkları kontrol edilir ve gerekli düzenlemeleri yapılır. Hastaların izole edilmesinin önemi yoktur. Gereksiz transfüzyonlardan kaçınılmalı, ücretli kan donörleri yerine gönüllü kan donörleri tercih edilmelidir. Hasta evindeyse, cinsel ilişkiden ve yorgunluktan kaçınmalıdır. Virüs kaynatma veya solüsyonlarla öldürülmediğinden kan ile bulaşmış malzemelerin otoklavda steril edilmesi gerekir. Serum hepatiti bulunan hastanın tükürük, vajinal sekresyon, ejakülasyon sıvısı, ter, idrar gibi vücut sıvılarında virüs bulunduğundan cinsel ilişki ile bulaştığının bilincinde olmak gerekir.

Hasta kan ve organ bağışı yapmaması söylenmeli, kanlı materyallerini yok etmesi öğretilmeli, İğneler/enjektörler, jiletler ya da diş fırçalarını ortak kullanılmamalı ve hastanın cinsel partneri tam olarak Hepatit B immünglobülin (HBIG) ve aşı ile bağışıklık kazanana kadar prezervatif kullanılmalıdır.

Pasif Profilaksi;(HBIG): anti-HBc ve anti-HBs negatif olanların temaslarında, yaklaşık üç-dört aylık hızlı ve kısa süreli profilaksi sağlar. Hepatit B immünglobülin Hepatit B'ye karşı yüksek düzeyde antikor taşır. Ancak pahalı olması kullanımını kısıtlamaktadır.

HBsAg pozitif kan taşıyan iğnelerin kaza ile batırıldığı durumlarda 24 saat içinde 0.06 ml/kg IM ve bir ay sonra tekrar aşılama ile birlikte yapılmalıdır. Erken verildiği zaman etkilidir, fakat parenteral olarak virüse maruz kalmanın ilk bir haftası içinde iğne ile veya cinsel ilişki gibi parenteral olmayan bir şekilde maruz kalmada iki hafta içinde verildiği zaman da hala etkilidir. HbsAg pozitif anneden doğan çocuklarda %70 oranında kronik hepatit B infeksiyonu gelişimini önlemektedir. Bu amaçla 0.5 ml IM olarak doğum sonrası 12 saat içinde aşı ile birlikte yapılmalıdır.

Aktif Profilaksi;HBV Aşısı: HBV, kendine karşı geliştirilmiş çok başarılı bir aşısı bulunan nadir hepatit virüsüdür. Aşılamada evrensel amaç, Dünya da doğal bağışıklılar dışında hiçbir aşısız bireyin bırakılmamasıdır. Bu nedenle, HBV aşısı, Türkiye gibi birçok batılı ülkede rutin bebeklik aşıları içine alınmıştır. Aşılama öncesi bebeklere hiçbir tarama yapılması gerekli değildir. Aşılama sonrasında bebek risk grubu içinde bulunmuyor ise antikor kontrolü ekonomik değildir. Erişkinlerde de ön tarama bilimsel olarak koşul değildir.

Türkiye'de yapılması eğilimi vardır. Eğer yapılacaksa sadece Anti-HBc total taranmalıdır. Aşı sonrası antikor aranması olanak var ise yapılabilir. Bunun için en uygun zaman, son aşıdan bir-iki ay sonrasıdır. Koruyucu antikor titresi 10 mIU/ml'nin üzerinde olmalıdır. Diyaliz hastaları ve diğer immün sistemi baskılanmış kişilerde aşıya immün yanıt düşük orandadır. Aşılamaya karşın erişkinlerin % 4-6'sında, şişmanlık, ileri yaş, sigara içilmesi, soğuk zincire uyulmaması, erkek cinsiyette olmak gibi nedenlerle başarısızlık söz konusudur. Bu durumda şema tekrarlanır.

Aşılamada anti-HBc ve anti-HBs negatif olan yüksek risk grupları, ilk olarak hedef alınmalıdır. Aşılanma genellikle pahalı bir yöntemdir. HBs-Ag pozitif anneden doğan bebeklere, HBs-Ag pozitif kanla temas edenlere hepatit B immünglobülin ile birlikte ve hasta bireyin düzenli cinsel partnerine aşılama önerilir.

Hepatit B infeksiyonu ortaya çıktıktan sonra aşılamanın etkinliği yoktur. Profilaksi amaçlı aşılama tüm yeni doğanlara ve adölesanlara yapılmalıdır. Bu tür aşılama programı ile birlikte hepatit B virüs taşıyıcılarının sayısı ve hastalığın ortaya çıkışı azaltılmış olur. Hepatit B'ye karşı mevcut aşılarla % 95 gibi yüksek bir oranda bağışıklık sağlanır. Bu bağışıklık en az 5 yıl devam eder. Hepatit B aşısı çok güvenilir bir aşıdır. Piyasada bulunan aşılar arasında pratik olarak önemli bir fark yoktur. Aşılama ideal olarak birer ay arayla 2 doz ve ilk aşıdan 6 ay sonra 3, doz yapılarak uygulanır. İlk aşılama programından sonra 5 yılda bir tek dozda aşı tekrarlanması önerilmektedir.

Hepatit B virüs enfeksiyonlu anneden yeni doğana, doğumdan sonraki ilk 24 saat içinde bir bölgesine bir doz aşı, diğer tarafa 0.5 ml Hepatit B immünglobülin (HBIG) yapıl-

...ndır. Bu kombinasyon ile risk altındaki bebekler % 94 oranında Enfeksiyon gelişiminden korunabilmektedir. HBIG bulunamaması halinde ise tek başına aşılama ile erişilen koruyuculuğun kombinasyona yakın olduğu belirlenmiştir. Bu bebeklerin bağışıklaması 0.-1-2-12 şeması ile sürdürülür.

Kontamine iğne batması durumunda da ilk 48 saatte, olanaksız ise ilk yedi gün içerisinde aşı ve HBIG (0.02-0.06 ml/kg) uygulanmalıdır. Sonraki aylarda da 0-1-2-12 şeması sürdürülmelidir.

Kontamine cerrahi aletlerin ve cerrahi ortamda kullanılan örtülerin antiseptiklerle yüzeyel dezenfeksiyonu mümkün değildir. Çünkü, HBV, bulaştığı cansız objelerde örneğin kurumuş kanda bir hafta kadar canlılığını korumaktadır. Bu aletler kan ile uzun süreli temas halinde bulunacakları için mutlaka kuru hava sterilizatörlerinde (Pasteur fırınında) en azından bir saat süre ile 180₀C'da sterilize edilmelidir. Bu düzenek yok ise aletler 20 dakika süre ile kaynatılmalıdır. Endoskop gibi kırılgan, cam içeren aygıtlar ise ideali etilen oksid sterilizasyonundan geçirilmeli, bu olanak yok ise 15 dakika % 0.1 gluteraldehid ile steril edilmelidir.

Hepatit B aşısı önerilen kişi ve gruplar: Sağlık personeli ve hastane çalışanları, hematoloji-onkoloji ve hemodiyaliz ünitesi hastaları ve çalışanları, zeka geriliği olan ve bu bireylerin izlendiği merkezlerde çalışanlar, persistan antijenemisi olan bireylerle aynı evde yaşayan veya yakın ilişki kuranlar risk taşır. Aynı zamanda HBsAg pozitif anneden doğan bebekler, kan bankası ve kan ürünleri yapan merkez çalışanları, mahkumlar, intravenöz uyuşturucu ve ilaç kullananlar ve cinsel yaşantıları nedeni ile hayat kadınları ve homoseksüeller risk taşırlar.

Hepatit C Virüsü (HCV)

HCV, lipid zarflı, 60 nm büyüklüğünde tek sarmal (+) RNA'lı, kloroforma duyarlı bir virüstür.

Epidemiyoloji

Tüm Dünya da sık rastlanan HCV 1989 yılında tanımlanmıştır. %50-70 oranında kronikleşmesi nedeniyle önemli bir sağlık sorunudur. Dünya da yaklaşık olarak 300 milyon kişinin HCV ile infekte olduğu tahmin edilmektedir. Anti-HCV pozitifliği ise, Dünya da ortalama %0.5-1 arasında iken Türkiye'de yapılan araştırmalarda Anti-HCV (+) % 1-2 arasında bulunmuştur.

Etiyoloji

HCV bulaşma yolu parenteral, seksüel, horizantal, vertikal olmak üzere HBV'ye benzemektedir. İV ilaç bağımlıları, hemofili hastaları, transplant alıcıları, hemodiyaliz hastaları risk altındadır. Kan ve kan ürünlerinin transfüzyonu ile bulaştırılır, cinsel temas ile geçiş tartışmalıdır. Türkiye'ye göre İV ilaç bağımlısı sayısının daha yüksek olduğu ve dolayısıyla Anti-HCV pozitifliğinin yüksek bulunduğu Japonya, İtalya ve Kamerun gibi ülkelerde yapılan araştırmalarda sıklık, yaş ile artmaktadır. Sperma, idrar, dışkı, tükürük ve anne sütü non-infeksiyöz kabul edilmektedir, bunlarda virüs bulunsa da Enfeksiyon oluşturacak düzeyde değildir. HBV'ye göre infeksiyozite ve antijenemi düzeyi çok düşüktür. Bu nedenle temel olarak parenteral temas ile bulaştığı kabul edilebilir. HCV yönünden araştırılmadan kan transfüzyonu yapılan olgularda %10 civarında transfüzyon sonrası HCV bulaşması olmakta, transfüzyon sayısı ve kullanılan ürüne göre bu risk daha da artmaktadır.

Cinsel ilişki ile bulaşmasında; ilişki şiddeti, birden çok ve çeşitli sosyal yapıdaki cinsel partner, İV ilaç bağımlılığı, eş zamanlı olarak cinsel temasla bulaşan ve mukozayı bozmuş bir hastalığın bulunması gibi ek faktörler de göz önünde bulundurulmalıdır. Bu nedenle salt cinsel ilişki ile bulaştan kesin olarak söz edilmesi doğru değildir.

Anneden bebeğe vertikal bulaş gösterilmiştir. Yüksek viral yüklü annelerden gebelik süresinde; intrauterin veya doğum sırasında; vertikal % 10-30 olasılıkla bulaş gerçekleşmekle birlikte, özellikle viral yükü düşük annelerden doğan bebeklere bulaş gerçekleşmemektedir. Dolayısıyla vertikal bulaş HBV'ye oranla daha düşüktür. Bebekler doğum sonrasında değerlendirilirken Anti-HCV değil, HCV RNA yönünden araştırılmalıdır.

HBV ye göre daha düşük risk olmasına karşın sağlık personeli de HCV açısından risk grubundadır. Tüm kronik karaciğer hastalıklarının % 34'ünün, kronik viral hepatitlerin ise % 45'inin HCV'ye bağlı olduğu bildirilmektedir

Patofizyoloji

HCV alındıktan bir hafta sonra kanda belirlenebilir bir viremi yapar. Bundan haftalar sonra enzim patolojileri, aylar sonra da Anti-HCV yanıtı görülür. HBV'nin aksine direkt sitopatik etkisi olma olasılığı fazla olan bir virüstür. İnfekte bir insanda bir anda pek çok türü bir arada bulunabilmekte, bu nedenle bir öncekine karşı gelişen immüniteden kaçabilmekte, varlığını sürdürüp tedaviye yanıt olasılığını azaltmaktadır. Bu şekilde sürekli değişmesi, antikor ile nötralizasyonun sağlanamadığı ve yeni hepatosit bulaşlarının önlenemediği düşünülmektedir.

Klinik Belirtiler

Bulantı ve kusmanın baskın olduğu silik başlangıçlı bir hastalıktır; akut dönemde de belirtiler hafif şiddettedir. Tiroidit, nefrit, trombositopeni gibi otoimmün patolojiler sıktır. Kronik olgularda karaciğer ultrasonografisinde karaciğer steatozu görülür. Hepatosellüler karsinom gelişim riski HCV'de HBV'ye göre daha fazladır. Aplastik anemi, agranülositoz diğer komplikasyonlarıdır.

Tanı

Kan transfüzyonu öyküsü vardır. HCV infeksiyonu tanısında esas olarak Anti-HCV ELİSA antikor testleri, RİBA test gibi destekleyici testler, PCR ile HCV-RNA tayini kullanılmaktadır. Hepatit A ve B serolojik testlerinin negatif olması HCV infeksiyonunu düşündürür. Transaminazlar yüksektir. Diğer nedenlerin ortadan kaldırılması ve HCV'nin pozitif bulunması ile tanı konur.

Tedavi

Akut ve kronik olguların tedavisinde interferon +Ribavirin ya da Timozin yararlıdır.

Bakım

Dinlenme önemlidir. En önemli sorun kronikleşme oranının çok yüksek olmasıdır. HCV'ye karşı spesifik immünglobülin ve aşı yoktur. Akut C hepatitli olguların yaklaşık %25'i iyileşir, %25 olguda ise serum ALT düzeyi normaldir. Anti-HCV ile HCV-RNA pozitiftir. Kronikleşme eğilimi %50-80 arasında değişir. Kronik hepatit C'li hastaların %20'sinde siroz gelişir. Hepatit C virüsüne bağlı sirozda hepatoselüler karsinom riski mevcuttur. HCV oluşturan etkenlere yönelik korunma sağlanır. Gereksiz kan transfüzyonlarından kaçınılır, donör kan ve kan ürünleri HCV infeksiyonu yönünden taranır. Bunların HCV'den arındırılması, organ donörlerinin taranması, risk gruplarının eğitimi korunmada önemlidir.

Hepatit D Virüsü (HDV)

Tek başına patojen olmayan, sadece HBV varlığında görülebilen defektif bir RNA virüsüdür.

Epidemiyoloji

HDV olgularda fulminans (% 2-20) ve kronikleşme (% 2-7) oranı düşüktür.

Etyoloji

Akut B infeksiyonu ile birlikte veya kronik hepatit B'ye eklenmiş süperEnfeksiyon şeklinde karşımıza çıkar. İlaç bağımlılarında yakalanma olasılığı daha yüksektir. En önemli bulaşma yolu parenteraldır.

Klinik Belirtiler

Koenfeksiyonda akut B ve Delta hepatitleri birlikte izlenir. Klinik olarak hepatit D virüsü enfeksiyonu şiddetli bir akut B hepatiti şeklinde, kronik B virüsü taşıyıcılarının akut alevlenmesi şeklinde veya agresif seyreden kronik hepatit B şeklinde görülür. HBV ile aynı belirti ve bulgulara sahiptir.

Tanı

Öncelikle Anti-HBc IgM, sonra Anti-HDV IgM yüksek titrede (+) bulunur. % 2-10 olguda HBsAg (-)'leşir. Anti-HDV IgG önceleri (-) iken sonra (+) bulunur. İki ALT piki ile özeldir. HBV infeksiyonu varken sonradan edinilen superinfeksiyonda ise prognoz ağırlaşır, stabil haldeki HBV taşıyıcısında relaps ve fulminant seyir (% 10-20) gelişir, kronikleşme riski artar (% 70-95). Anti-HBc IgM (-) veya düşük titrede (+)'dir.

Tedavi

Spesifik bir tedavi yaklaşımı yoktur. Kronik HBV tedavisinden daha uzun süreli ve yüksek dozda interferon tedavisi denenmektedir.

Bakım

Diğer hepatitlerde olduğu gibidir. Hepatit D virüsüne karşı özel bir aşı yoktur. Ancak hepatit B'ye karşı aşılama, kişiyi D virüsü hepatitine karşı da korumaktadır.

Hepatit E Virüsü (HEV)

HAV infeksiyonuna oldukça benzeyen klinik belirti ve bulgularla seyreden, Caliciviridae içinde yer alan pozitif tek sarmal bir RNA virüsüdür. Diğer enterovirüsler gibi 27-34 nm çapında, zarfsız bir RNA virüsüdür.

Epidemiyoloji

Özellikle yağmurlu sonbahar aylarında su salgınları yapmaktadır. Tüm klinik özellikleri HAV'a çok benzerse de mortalitesi HAV'dan 10 kat daha fazladır. Özellikle gelişmekte olan ülkelerde akut epidemik salgınlardan sorumludur. Türkiye'de seroprevalans Güney Doğu Anadolu bölgesine gidildikçe artmaktadır (İzmir % 3.5, Diyarbakır % 34). Gebelerde Enfeksiyon daha ağır seyreder, özellikle ilk üç ayda mortalite de % 25 kadardır. Kronikleşmez. Profilakside HAV gibi standart Ig kullanımının yararı kesin değildir.

Etyoloji

Hepatit A Virüsü gibi kontamine besinler ve özellikle su yolu ile oral yoldan bulaşır.

Klinik Belirtiler

HAV infeksiyonuna oldukça benzeyen klinik belirti ve bulgularla seyreder. Enfeksiyon sırasında hiperakut dönemde IgM ile birlikte IgG de (+)'leştiği için sadece IgG aramak yeterlidir.

Tedavi

Özel bir tedavisi yoktur.

Bakım

Diğer hepatitlerde olduğu gibidir. Hepatit E virüsüne karşı özel bir aşı yoktur.

Hepatit G ve GB Virüsü-C
Risk faktörleri Hepatitis C ile aynıdır. GBV-C/HGV infeksiyonuyla ilerleyen karaciğer hastalığı arasında kesin bir ilişki yoktur. HCV'ye yapısal benzerlik gösteren, flavivirüsler içinde yer alan ve parenteral bulaşan bir virüstür. Özellikle hemodiyaliz hastaları ve İV ilaç bağımlılarında antikor pozitifliği fazla ise de kronikleşmesi konusu aydınlatılamamıştır.

f. Viral olmayan Karaciğer Hastalığı ve bakımı
Toksik Hepatit
Virüslü hepatite benzer.

Etiyoloji
Karaciğere toksik etki yapan kimyasalların alınması ile ortaya çıkar. Tetraklorid, fosfor, kloroform ve altın bileşikleri gibi belirli kimyasallar karaciğerde toksik etki yaratır.

Klinik Belirtiler
Anoreksiya, mide bulantısı kusma genel belirtileridir. Fizik muayenede sarılık ve hepatomegali de saptanır. Hastanın ateşi yükselir ve hasta bitkin hale düşer. Sürekli kanlı kusma olabilir. Pıhtılaşma bozuklukları artabilir ve cilt altında kanamalar görülebilir. Ciddi gastrointestinal belirtiler vasküler kollapsa yol açabilir. Deliryum, koma ve nöbetler gelişir ve birkaç gün içinde karaciğer transplantasyonu yapılmazsa hasta fulminant hepatik Yetersizlikten ölebilir.

Tanı
Toksik madde belirlenmesi ile konur.

Tedavi
Etkili antidotları yoktur. Karaciğer transplantasyonu ve bazı tedavi seçenekleri mümkündür.

Bakım
Sıvı ve elektrolit dengesi sürdürülür ve kan transfüzyonu yapılır.

İlaç Kullanımına Bağlı Hepatitler
Etiyoloji
Her hangi bir ilaç karaciğer fonksiyonlarını etkileyebilir. Örneğin ağrı kesici ve ateş düşürücü olan asetominofenin akut karaciğer Yetersizliğine neden olduğu tanımlanmıştır. Aynı zamanda anestezik ilaçlar, antiromatizmal ve kasiskelet sistemi hastalıklarında kullanılan ilaçlar, antikonvülzan ve Antitüberküloz ilaçların karaciğer hasarına yol açtığı bilinmektedir.

Klinik Belirtiler
Ateş, vücutta lekeler anoreksiya mide bulantısı görülür. Daha sonraları sarılık ve koyu idrar görülebilir. İlaç vücuttan atıldığı zaman belirtiler zamanla kaybolur. Bununla birlikte reaksiyonlar ciddi hatta öldürücü olabilir. Her hangi bir ilaç alımından sonra ateş, döküntü ya da kaşıntı oluşursa ilaç hemen durdurulmalıdır.

Tanı
Alınan ilacın belirlenmesi ile konur.

Tedavi
Alınan ilacın antidotu varsa uygulanır. Semptomlara yönelik tedavi yapılır.

Bakım
Alınan ilaç vücuttan atılana kadar hasta yakın gözlem altında tutulur.

Fulminan Karaciğer Yetersizliği
Fulminant karaciğer Yetersizliği öncelikle sağlıklı kişilerde ortaya çıkan karaciğer fonksiyonlarında görülen ani ve aşırı bozukluk sendromudur.

Epidemiyoloji
Fulminan karaciğer yetersizliğinin prognozu kronik karaciğer Yetersizliğinden daha kötüdür. Bununla birlikte fulminant Yetersizlikte karaciğer lezyonları etiyolojiye bağlı değişmekle birlikte yaklaşık olarak %50-85 oranında geriye döner. Ortalama yaşam şansı %20 dir.

Etiyoloji
Akut viral hepatit, siroz, yüksek dozda alınan toksik madde ve ilaçlar nedeniyle oluşabilir. İlk sarılık belirtilerinden itibaren 8 haftada gelişir. Genellikle A;B,C.D tipi akut viral hepatitlere bağlı olarak gelişir. Diğer nedenler arasında asetominofen gibi toksik ilaçlar, karbon tetraklorid gibi kimyasallar, Wilson hastalığı gibi metabolik bozukluklar ve Budd-Chiari sendromu gibi büyük hepatik venlerde oluşan obstrüksiyona bağlı yapısal değişiklikler yer alır.

Klinik Belirtiler
Sarılık ve iştahsızlık hastada görülen ilk belirtilerdir. Daha sonra ensefalopatiye kadar giden bir süreç izlenir. Fulminant karaciğer Yetersizliğinde genellikle pıhtılaşma bozuklukları, böbrek yetersizliği, sıvı elektrolit bozuklukları, enfeksiyon, hipoglisemi ve serebral ödem görülür. Sıklıkla hiperakut, akut ve subakut karaciğer Yetersizliği olarak üç dönem halinde görülür. Hiperakut dönem karaciğer Yetersizliği 0-7 gün sürer, ensefalopati başlamadan önce sarılık görülür. Akut karaciğer Yetersizliği 8-28 günler arasında, subakut karaciğer Yetersizliği de 28-72 günler arasında görülür.

Tanı

Protrombin seviyesinin düşmesi, serum biluribin yüksekliği, amonyak yüksekliği, serum albümin düzeyinde azalma oluşur. Hastanın kliniğinde ilk değişiklikler kişilik ve uyku bozukluklarıdır. Deliryum ve mani gelişebilir. Hastalığın ilerlemesiyle bilinç kapanır. Solumun Yetersizliği ve kardiyak sorunlar gibi sekonder komplikasyonlarla hasta kaybedilebilir.

Tedavi

Hipovolemi, asidoz, alkaloz, hipoglisemi sorunlarına yönelik sıvı tedavisi ve glikoz verilir. Özellikle hipoglisemi bulguları izlenir. Bu hastalarda glikoz metabolizması ileri derecede bozulduğu için devamlı % 10 glikoz infüzyonu (saatte 100 ml) hayat kurtarıcıdır ve hasta başka bir yere nakledilirken de glikoz infüzyonuna devam edilmelidir. GİS kanamaları tabloyu daha da ağırlaştıran gelişmelerdir, H_2 reseptör blokörleri ya da sukralfat ile mide mukozası korunmalıdır. GİS ve renal kayıp sonucunda gelişen hipokalemiyi tedavi etmek amacıyla potasyum verilir. Ancak potasyum verilirken hastanın idrar çıkışı izlenmelidir. Böbrek Yetersizliği belirtileri izlenir, Gelişebilecek hipokalsemi nedeniyle Ca glukonat verilir. Gelişebilecek bir diğer komplikasyon beyin ödemidir. İntrakranial basıncın azaltılması için hastaya beş dakika içinde bitecek şekilde 1 g/kg Mannitol infüzyonu kullanılabilir. İ.V. flumazenil (anexate) uygulanmasının yararı tartışmalıdır. Koagülopati nedeni ile gelişen kanamalar taze donmuş plazma ile tedavi edilir. Faktör V düzeyi iyice düşerse acil transplantasyon uygulanır. Antibiyotik başlanır. Fulminans gelişimi halinde laktüloz lavmanlarının yararı yoktur. Bakteriyel infeksiyonların önlenmesi için oral (nazogastrik sondadan) norfloksazin tedavisine başlanır. Bir süper-enfeksiyon belirtisi var ise hastaya güvenle 3. kuşak sefalosporin ve vankomisin kombinasyonu uygulanabilir. Komanın başlangıcında hastalarda görülen ajitasyonlar için düşük dozda morfin ya da pentobarbital yararlıdır. Fulminant karaciğer Yetersizliğinde en etkin tedavi karaciğer transplantasyonudur.

Bakım

Hastanın yoğun bakım ünitesinde takip edilmesi gerekir. Yaşam bulguları sık aralarla takip edilir. Aldığı çıkardığı sıvı takibi yapılır. Santral venöz basınç (SVB) kateteri ve foley kateteri takılır. Nazogastrik tüp (NGT) takılır ve hastada mide mukozasında erozyona neden olabileceğinden aktif aspirasyon ve yüksek basınçlı dekompresyon uygulanmaz. Hasta sakinleştikten sonra başı 30-40 cm yükseltilmiş olarak yatırılır. Hastada kanama belirti ve bulguları izlenir. K vitamini uygulanır. Sıklıkla gelişebilen bir diğer komplikasyon akciğer ve üriner sistem enfeksiyonlarıdır. Enfeksiyonlara karşı korunmalı ve enfeksiyon belirti-bulguları takip edilmelidir.

Karaciğer Sirozu

Siroz normal karaciğer dokusunun karaciğer yapısı ve fonksiyonlarını engelleyen yaygın fibrozla yer değiştirmesiyle karakterize edilen kronik bir hastalıktır. Karaciğerde hepatosellüler nekrozu takiben yaygın fibrozis ve rejenerasyon nodülleri oluşur.

Etiyoloji

Viral hepatit, alkol, metabolik nedenler, ilaçlar ve toksinler sayılabilir. Bu etiyolojik faktörlere göre siroz isimlendirilir.

Alkolik Siroz: En yaygın nedeni kronik alkolizmdir, portal alanlarda skar dokusu görülür. Sirozun en yaygın tipidir. Uzun süreli ve düzenli alkol kullanımın rolü vardır. (etanol olarak 5 yıl için günde 160 gram, 10 yıl için günde 40-60 gram). Kadınlarda daha hızlı gelişir. Karaciğerde alkol metabolizmasıyla ilgili enzim sistemleri genetik faktörlere bağlı olarak değişiklik gösterir. Örneğin sarı ırkta düşük dozda dahi reaksiyon oluşturabilir. Alkolik karaciğer hastalığı klinik ve patolojik olarak siroz, alkolik hepatit ve karaciğer yağlanması şeklinde oluşabilir ve bu tablolar tek tek ya da aynı hastada bir arada bulunabilir.

Post Nekrotik Siroz: Akut viral hepatitlerin gecikmiş bir sonucu olarak harap olan hücrelerin yerinde bağ dokusu artışıyla giderek siroz oluşur. . Şeritler halinde skar dokuları görülür.

Biliyer Siroz: İntrahepatik safra yollarında harabiyet sonucu safra koledok yolu ile duodenuma akıtılamaz ve birikerek doku değişikliği ve siroza neden olur. Karaciğer ve safra yollarında skarlar oluşur. Genel olarak kronik safra tıkanıklıkları ve Enfeksiyon sonucu oluşur. Primer ve sekonder olarak sınıflandırılır. Asemptomatik hastalar genellikle tesadüfen bulunan alkalen fosfataz yüksekliği ile saptanır. İlk başlayan semptom kaşıntıdır. Hepatomegali saptanır. Sarılık kaşıntıdan 6 ay ile 2 yıl sonra saptanır. Hastalığın tedavisine yönelik etkili bir ilaç yoktur. Kortikosteroidlerin tedavide yeri yoktur. İleri evreye ulaşmış ve bilirubin düzeyi 8-9 mg/dl'ye yükselmiş hastalarda en etkili tedavi karaciğer transplantasyonudur.

Kardiyak Siroz: Karaciğerin kronik konjesyonu sonucu meydana gelir. Başlıca nedenler arasında uzun süren sağ kalp yetersizliği, triküspit kapak hastalığı, kardiyomyopati ve konstriktif perikardit sayılabilir. Klinikte önde gelen bulgular assit, splenomegali, hepatomegalidir. Tedavide diüretikler kullanılır. Ancak kardiyak lezyonun düzeltilmesi esastır.

Wilson Sirozu: Normalde bakır kanda bir çeşit proteine bağlı olarak dolaşır. Bu protein türü olmadığı zaman bakır kanda serbest kalır ve dokularda, karaciğerde, gözde birikir. Bakır tahriş edici etkisi nedeniyle karaciğer hücrelerinde dejenerasyona ve siroza neden olur. Bakırın kornea çevresinde birikmesi sonunda kayser halkası gelişir. Genetik olan bu hastalıkta tedaviye rağmen olumlu sonuçlar alınamaz.

Kriptojenik Siroz: Değinilen siroz etiyolojilerinin hiçbirinin bulunmadığı siroz olgularına kriptojenik siroz adı verilir. Özellikle yaşlı hastalarda görülür ve başka amaçlarla yapılan tetkikler sırasında ortaya çıkar.

Patofizyoloji

Alkol tüketimi sirozun ana nedenlerinden biri olarak gösterilmektedir. Karbon tetraklorid, arsenik, klorinid naftalin, fosfor gibi bazı kimyasallar da sirozun nedenlerindendir. Siroz parankim dokusunun azalması, rejenerasyon nodüllerinin oluşması, bağ dokusunun artması, vasküler yapının bozulması ile karakterize, ilerleyici, yaygın bir karaciğer iltihabı gelişimine neden olmaktadır. Hasar görmüş karaciğer hücreleri zamanla skar dokusuna dönüşür. Çoğu hasta 40-60 yaş arasındadır.

Klinik Belirtiler

Erken; Kompanse Dönemde Görülen Bulgular: Aralıklı orta düzeyde ateş, arteryal örümcekler, kızarmış avuç içleri görünümünde palmar eritem, açıklanamayan burun kanamaları, ayak bileklerinde ödem, sindirim zorluğu, hazımsızlık, kilo kaybı, anoreksiya, diyare veya konstipasyon, karın ağrısı, özellikle sağ üst kadranda ağrı, hepatomegali ve splenomegali erken dönemde görülen bulgulardır.

Geç; Dekompanse Dönemde Görülen Bulgular: Assit, sarılık, güçsüzlük, kas zayıflığı, sürekli orta düzeyde ateş, azalmış trombosit sayısına bağlı kanama eğilimi, spontan morarmalar, hipotansiyon, kıllanmada azalma, beyaz tırnaklar, menstrüel bozuklukları, empotans, periferik ödem, yüzeyel abdominal venlerde genişlemeler, hemoraid, jinekomasti, bilinç bulanıklığı, anormal karaciğer fonksiyon testleri, anemi, lökopeni ve trombostopeni sirozun ilerlemiş dönemlerinde ortaya çıkar. Kompanse siroz bazen hiçbir belirti vermeden rutin fiziki incelemeyle teşhis edilebilir. Dekompanse sirozun belirtileri karaciğerin proteinleri sentez edememesi, pıhtılaşma faktörleri ve portal hipertansiyonun gösterge-lerinden kaynaklanır.

Karaciğer Büyümesi; Hepatomegal: Sirozun başlangıcında karaciğer genişler ve hücreleri yağlarla dolar. Bu nedenle karın ağrısı görülebilir.

Portal Tıkanma ve Assit: Karaciğer fonksiyonunun kronik Yetersizliğinde ve portal dolaşımın tıkanmasında olabilir. Hazımsızlık ve bağırsak fonksiyonlarında değişim görülebilir.

Enfeksiyon ve Peritonit: Assidi olan siroz hastalarının %8'inde gelişir. bakteriyel peritonit gelişebilir. Bu durum spontan olarak gelişir ve klinik belirtiler görülmeyebilir. Sirozun ilerlediğini gösterir ve mortalite %50 civarındadır. Sirozlu hastada ani gelişen ateş ve karın ağrısı olduğu zaman mutlaka bu komplikasyon akla gelmelidir. Tanı için parasentez gerekir. Peritoniti tedavi etmek ve tekrarlarını önlemek için antibiyotik tedavi etkilidir.

Gastrointestinal Varisler: Karaciğerden kanın dolaşımının engellenmesi GI sistemde paralel kan damarlarının oluşmasına yol açar. Sonuç olarak sirozlu hastada genişlemiş karın damarları oluşur. Bu damarlar kolayca yırtılabilir ve kanayabilir.

Ödem: Sirozun geç görülen belirtilerinden biri de kronik karaciğer bozukluğundan kaynaklanan ödemdir. Plazma albümin konsantrasyonunun düşmesi ödem oluşmasında hazırlayıcı faktördür. Ödem genellikle tüm vücudu etkiler ancak alt ve üst ekstremiteler ve sakral bölgeler daha sıklıkla etkilenir.

Vitamin Eksikliği ve Anemi: Genellikle A, C, K gibi vitaminlerin yapımı, kullanımı ve depo edilmesindeki yetersizlik nedeniyle eksiklikleri yaygındır, özellikle K vitamini eksikliğinde hemorajik pnömoni görülür. Yetersiz gıda alımına bağlı kronik gastrit ve bozulmuş GIS fonksiyonu karaciğer bozukluğu sirozlu hastalarda anemiye neden olur. Anemi, beslenme durumundaki bozukluk ve sağlık durumunun bozulması hastada ciddi yorgunluğa yol açar ve hasta günlük yaşam aktivitelerini yerine getiremez.

Oryantasyon Bozukluğu: Hepatik ensefalopati ve Hepatik komadaki hastada mental durumunda oryantasyon bozukluğu ortaya çıkar. Nörolojik değerlendirmede hastanın genel davranışları, algılama kabiliyeti, zaman ve mekana uyum sağlaması ve konuşmasında kötüleşme görülür.

Tanı

Karaciğer hastalığı ve tedavinin şekline laboratuar bulguları sonucunda karar verilir. Karaciğerin fonksiyonları çok fazla ve karışık olması nedeniyle karaciğer fonksiyonları hakkında bilgi sağlayacak çok fazla test vardır. Hastanın bu testlerin niçin yapıldığını ve iletişim sağlama yollarını bilme gereksinimi vardır.

AST hastaların %90'ında ALT ise ancak hastaların %65'inde normalin üzerinde bulunur. Aşırı parankimal karaciğer bozukluğunda serum albümin düzeyi düşerken serum globülin düzeyi artar. Protrombin zamanı uzar. Bilirubindeki artış ise kötü prognozun göstergesidir. Enzim testleri karaciğer hücre hasarını göstermek için yapılır. Ultrasonografi ile karaciğer sınırlarında düzensizlik, portal hipertansiyon, hepatoselüler karsinom ve safra taşları saptanabilir.

Endoskopi özofagus varislerinin varlığı ve derecesinin saptanmasında kullanılır. Peritonoskopi karın içine laparoskopla girilerek görüntülenir ve gerekirse biyopsi alınabilir CT, MRI ve radyoizotop karaciğer taramaları karaciğer hacmi, hepatik kan akımı ve tıkanmayla ilgili bilgi verir. Kesin tanı laparoskopi ve karaciğer biyopsisi ile konur. Biyopsi ile fibrozis ve rejenerasyon nodülleri saptanır. Hepatoselüler nekroz gözlenir. Örneğin hepatit B virüsü ile infekte hepatositlerde buzlu cam manzarası, alkolik sirozda yağlanmanın gösterilmesi, Wilson sirozunda dokuda bakır birikiminin gösterilesi için biyopsi gerekir. Ancak biyopside intraperitoneal kanama gibi komplikasyonlar görülebilir. Arteryal kan gazları oksijenlenme kapasitesi ve hipoksiyi gösterir.

Tedavi

Genelde semptomlar üzerine yapılır. Gastrointestinal sistem rahatsızlıkları ve kanamayı azaltmak amacıyla antiasitler verilir. Genel beslenmeyi sürdürmek, hasara uğramış karaciğer hücrelerinin iyileşmelerini kolaylaştırmak amacıyla vitamin ve beslenme desteği sağlanır. Assiti azaltmak ve ödemi çözmek için aldaktone gibi potasyum tutucu diüretikler aynı zamanda sıvı elektrolit dengesini sağlamak için diğer diüretiklerle birlikte kombine bir şekilde verilir. Uygunsuz kullanımı böbrek Yetersizliği oluşturabilir. Hastanın aldığı çıkardığı takibi yapılır.

Ödemi çözmek için tuzsuz albümin de uygulanabilir. Ancak bu durumda hidrostatik basınç fazla artarak varis kanamalarına neden olabilir. Sirozda oluşan fibrozisi tamamen iyileştirme olanağı olmamasına rağmen bazı önlemler süreci durdurabilir ya da yavaşlatabilir. Hasta kesinlikle alkol almamalıdır. Hasta özellikle akut dönemde yeterince dinlenmelidir. Serum elektrolitleri ve özellikle hiperpotasemi olasılığı nedeniyle nabız aritmiler yönünden dikkatle izlenmelidir. Sirozda karaciğerdeki kupffer hücrelerinin yetersizliği, antikor ve globülin azlığı nedeniyle hastalar infeksiyona yatkındırlar. Yüksek ateş Enfeksiyon belirti-bulguları izlenerek hastalar infeksiyonlardan korunmalıdır. Enfeksiyon gelişimi hepatik komaya gidişi de kolaylaştırır. Pruritis; kaşıntı kanda bilirubin artmasına bağlı olarak gelişir.

Derinin lokal olarak soğutulması, mentollü losyonlar, antihistaminikler kaşıntıyı azaltabilir. Safra tuzlarını bağlamak için kolesteramin verilebilir.

Tedavide en etkili yöntem karaciğer transplantasyonudur. Cerrahi girişim de oldukça büyük riskler taşır. Mortalite artışının en önemli göstergesi protrombin zamanında uzama ve serum albümin düşüklüğüdür.

Diyet; ensefalopati yoksa 1gr/kg protein alımı önerilir. Amonyak düzeyi yüksekse protein 2040 grama kadar kısıtlanabilir. Ayrıca yeterli kalori alımı (2000-3000 kalori) önerilir. Serum proteinlerinin azalması, portal hipertansiyon, aldosteron ve ADH salınımının artması nedeniyle ödem gelişmektedir. Bu nedenle Na ve su kısıtlanmalıdır. Diyet planlanırken hastanın iştahsız, bulantı-kusması olduğu göz önüne alınmalıdır. Hastaya yemek öncesinde ağız bakımı verilmelidir.

g. Karaciğer Tümörleri

Karaciğer tümörleri selim ya da habis olabilirler. Selim karaciğer tümörleri oral kontraseptiflerin yaygın bir şekilde kullanılmasına kadar pek yaygın değildi. Günümüzde oral kontraseptiflerin kullanımı ile kadınların doğurganlık yıllarında çok sık görülmektedir.

Habis karaciğer tümörleri primer ve metastatik; sekonder olmak üzere iki şekilde ele alınır.

Primer Karaciğer Tümörleri

Primer karaciğer tümörlerinin çok azı karaciğer orijinlidir. Genellikle hepatit B,C infeksiyonları ve siroz gibi kronik karaciğer hastalıklarıyla beraber olmaktadır. Hepatoselüler Karsinoma (HCC) en yaygın primer karaciğer kanseri türüdür. Fakat Amerika Birleşik Devletleri (ABD)'nde nadir olarak görülmektedir. HCC genellikle hızlı gelişme gösterir ve metastazlarından dolayı cerrahi olarak çıkarılamazlar.

Primer karaciğer kanserinin diğer tipleri **kolanjioselüler,** hepatoselüler ve kolanjioselüler ile birleşmiş kanser türleridir. Erken tanı konursa çıkartılmaları mümkün olabilir. Ancak erken tanı olası değildir. Siroz, Hepatit B ve C'nin yaptığı kronik Enfeksiyon ayrıca vinylchloride, arsenik gibi bazı kimyasal toksinlere maruz kalma HCC nedeni olarak düşünülmektedir. Bu özellikle kimyasal toksinlere maruziyet alkol kullanımıyla birleştiğinde risk artmaktadır. Sigara içme de risk faktörü olarak tanımlanmaktadır.

Bazı kanıtlar Aspergillus Florus mantarının bir metaboliği olan aflatoksinin HCC için bir risk faktörü olabileceğini göstermektedir. Bu özellikle HCC'nin endemik olduğu Asya ve Afrika için doğrudur. Aflatoksin ve diğer benzer küfleri yerfıstığı ve hububat gibi yiyecekleri kontamine edebilir ve hepatit B ile karsinojen etkisi yapabilir. Kontaminasyon riski tropik ve subtropik iklimlerde bu yiyeceklerin buzdolabına koyulmadan saklandığında çok fazla olur.

Metabolik ve Endokrin Sistem

Çizelge 36. 1: Karaciğer Fonksiyon Bozuklukları Olan Hastanın Bakım Planı

Hemşirelik girişimleri	Amaç	Beklenen sonuçlar
Hemşirelik Tanısı : Yorgunluk letarjiye bağlı aktivite intoleransı **Hedef :** Yorgunlukta azalma ve aktivitelere katılımda artış sağlamak			
1. Aktiviteye dayanıklılık ve yorgunluk seviyesinin değerlendirilmesi 2. Yorgun olduğu zaman aktiviteler ve hijyen konusunda yardım edilmesi 3. Hastanın yorgun olduğu zaman dinlendirilmesi 4. İstenilen aktivite ve hareketleri yapmada yardım 5. Karbonhidrat ve protein alımının sağlanması 6. A, B kompleks, C ve K vitaminleri gibi destek vitaminlerinin verilmesi	1. Daha etkili girişim saptamak için temel oluşturmak 2. Hastanın tolere edebileceği ölçüde egzersiz ve hijyenini sağlamak 3. Karaciğeri ve enerji düzeyini korumak 4. Hastanın belirli seçilmiş aktiviteleri yerine getirmesini sağlamak 5. İyileşmesi için protein ve enerjisi için kalori gereksinimini sağlamak 6. İlave besinleri sağlamak	• Aktivitelere katılır • Aktivitelere katılır ve fiziksel sınırlılıkları içinde egzersizleri tedrici olarak artırır • Gücü ve iyilik hali artar • Karın ağrısı ve rahatsızlığı olmaz • Uygun dinlenme periyotları ile aktivitelerini planlar • Ordır edilen vitaminleri alır
Hemşirelik Tanısı : Abdominal distansiyon ve iştahsızlığa bağlı dengesiz beslenme vücudun gerektirdiğinden az beslenme **Hedef :** Pozitif nitrojen dengesi, daha fazla kas kaybının olmaması, besinsel gereksinimlerin karşılanması			
1. Diyet öyküsü ve günlüğüyle gıda alımı ve beslenme durumunun, günlük kilo ölçümünün ve laboratuar verilerinin değerlendirilmesi 2. Yüksek karbonhidrat ve protein alımının sağlanması 3. Düşük sodyumlu besinlerin seçilmesinde hastaya yardım edilmesi 4. Öğün zamanı yatağın baş kısmının yükseltilmesi 5. Yemekten önce ağız bakımı ve yemek zamanı ortamın hoş olmasının sağlanması 6. Küçük miktarlarda ama sık-sık yemek verilmesi (günlük 6 öğün şeklinde) 7. Hastanın yemek ve destek ürünleri yemesi için teşvik edilmesi 8. Alkolün verilmemesi 9. Bulantı, kusma, diyare ya da konstipasyon için uygun ilaçların verilmesi 10. Konstipasyon varsa daha fazla sıvı alımı ve egzersiz yapılmasının teşvik edilmesi	1. Besin alımındaki eksiklikleri ve uygun beslenme durumunun tanımlanması 2. Enerji için kalori, iyileşme için protein sağlama 3. Ödem ve asitsi azaltmak 4. Assit ve karıniçi basınç nedeniyle oluşan dolgunluk hissini ve abdominal gerginliği azaltmak 5. Olumlu çevre yaratmak ve ağızdaki kötü tadı gidererek iştahı artırmak 6. Şişkinlik, dolduk hissini azaltmak 7. İştahı ve iyilik halini sürdürmek 8. Boş kalori alımını engellemek ve alkolün zararlı etkisinden uzaklaşmak 9. İştahı azaltan gastrointestinal belirtileri ve rahatsızlıkları azaltmak 10. Normal barsak alışkanlıklarını sürdürmek, Abdominal rahatsızlık ve distansiyonu azaltmak	• Sıvı retansiyonu olmadan kilo alır ve beslenme durumu gelişir • Beslenme ayarlamasının nedenlerini açıklar • Siroz ve hepatitte orta düzeyde, karaciğer yetmezliğinde düşük düzeyde protein gereksinimi ve yüksek karbonhidratlı besinleri tanımlar • İştahı gelişir • Ağız bakımını yapar • İştahı artar, sık öğünü ve küçük miktarları tanımlar • Protein kısıtlamasına sadık kalır, yüksek kalorili diyet alımını gösterir • Diyette izin verilen besin ve sıvıları tanımlar • Ödem ve asit olmadan kilo alır • İyilik hali ve iştahı artar • Alkol almaz • Ordır edilen Gastrointestinal bozukluk için ilaçlarını alır • Düzenli barsak alışkanlığında normal gastrointestinal fonksiyonlar görülür
Hemşirelik Tanısı : sarılık ve ödem nedeniyle oluşan kaşıntıya bağlı cilt bütünlüğünde bozulma **Hedef :** Bası ülseri gelişimini önlemek için basıncı ve cilt bütünlüğünü bozan yaralanmaları azaltmak			
1. Ödem ve kaşıntıya bağlı rahatsızlığın değerlendirilmesi 2. Sarılık ve ödem seviyesinin kaydedilmesi 3. Hastanın tırnaklarının düz ve kısa tutulması 4. Sık cilt bakımı yapılması sabun ve alkollü losyonlardan kaçınılması 5. Her iki saatte bir yumuşatıcılarla masaj yapılması 6. Alternatif basınç azaltıcı araç gereçlerin veya havalı yatak kullanılması 7. Sert deterjanların kullanılmasından kaçınılması 8. Cilt bütünlüğünün her 4-8 saatte bir kontrol edilmesi 9. Sodyumun kısıtlanması 10. Her dört saatte bir egzersiz yaptırılması ve mümkünse ödemli ekstremitelerin yükseltilmesi	1. Uygun aralıklarla değerlendirme yapılmasını sağlamak 2. Girişimlerin etkinliğini değerlendirmek ve değişiklikleri araştırmak için temel sağlamak 3. Kaşıntıdan ortaya çıkan tahriş ve enfeksiyonu önlemek 4. Cildin kuruluğunu önlerken cilt üzerinde biriken atıkları temizlemek 5. Ödemin azalmasını sağlamak 6. Çıkıntılı ve kemikler üzerindeki basıncı en aza indirmek 7. Cildin iritasyonu ve sürtünmesini azaltmak 8. Ödemli cilt ve dokuların beslenmesinin sağlanması ve travma ve bası yaralarının önlenmesi 9. Ödemin azaltılması 10. Ödemin azalmasını sağlamak	• Cilt bütünlüğünde kızarıklık, bozulma ve yaralanma görülmez • Hasta kaşıntısının azaldığını bildirir • Kaşıntıya bağlı ciltte yaralanma olmaması • Cildi kurutmayan sabun ve losyonları kullanır ve bunun nedenlerini açıklayabilir. • Kendi kendine düzenli olarak yatak içinde döner ve vücudunda ödemin azaldığı görülür. • Cildin hiçbir yerinde yara görülmez • Ödem azalmıştır ve normal cilt turgoru görülür.
Hemşirelik Tanısı : Pıhtılaşma mekanizmasındaki bozukluk ve bilinç düzeyinde değişikliğe bağlı yüksek yaralanma riski **Hedef :** Yaralanma riskini azaltmak			
1. Bilinç ve algılama düzeyinin değerlendirilmesi 2. Güvenli çevre sağlanması; yatak kenarlarının kaldırılması, 3. Oryante hastanın sık aralarla gözlenmesi, sınırlayıcı materyal kullanımından sakınılması 4. Jilet gibi keskin aletlerin kaldırılması 5. Her bir dışkının renk, yoğunluk ve miktar açısından gözden geçirilmesi 6. Endişe, epigastrik dolgunluk, zayıflık ve rahatsızlık semptomları için tetikte olunması	1. Hastanın kendini korumaya yönelik faaliyetlerini sağlamak ve kendine korumaya yönelik yeterliliklerini tanımlamasına yardımcı olmak; hepatik fonksiyonla ilgili oryantasyon bozukluğu araştırılabilir. 2. düşme ve yaralanmaları en aza indirmek 3. Uyaran verirken zararlarından hastayı korumak ve oryante hastada kısıtlamalar rahatsızlık verebilir 4. Kesik ve kanalardan kaçınmak 5. Gastrointestinal yollardan kanamanın araştırılmasını sağlamak 6. Kanama ve şokun erken bulgularının görülmesi için 7. Kanamanın erken bulgularının araştırılmak	• Kişi, yer, zamana, oryantedir. • Halüsinasyonları yoktur. Hastaneden çıkabilir ve yardımsız hareket edebilir. • Ekimoz, kesik veya hematomları yoktur. • Jilet ve kesici aletler yerine elektrikli tıraşp makinesi kullanır • Gastrointestinal yollardan açık kanama görülmez • Rahatsızlık, epigastrik dolgunluk ve şok ve hemorajinin diğer belirtileri görülmez. • Gastrointestinal kanamayı gösteren test sonuçları negatiftir. • Morarma ve hematomu gösteren belirtiler yoktur • Yaşam bulguları normaldir.

36. Karaciğer Hastalıkları

7. Kanama belirtileri için her dışkı ve kusmanın test edilmesi 8. Ekimoz, burun kanaması, peteşi ve dişeti kanama bulgularının gözlenmesi 9. Sık aralıklarla (hastanın durumuna göre her 1-4 saatte bir) yaşam bulgularının kaydedilmesi 10. Hastanın sakin tutulması ve hareketliliğinin kısıtlanması 11. Özofagus balon tamponu uygulamasında doktora yardım edilmesi 12. Kan nakli sırasında gözlem yapılması 13. Kusmanın içeriği, zamanı ve miktarının ölçülmesi ve kaydedilmesi 14. Ordır edilen K vitamininin verilmesi 15. Kanama zamanlarında hastayla beraber kalınması 16. Kanama durduğu zaman ordır edilen soğuk içeceklerin verilmesi 17. Travmaya karşı önlem alınması 18. İlaçların dikkatli verilmesi ve yan etkilerinin izlenmesi	8. Bozulmuş pıhtılaşma mekanizmasını saptamak 9. Hipovolomi ve hemorajik şokun bulgularını temelini saptamak 10. Kanama ve yaralanmalarını en aza indirmek 11. Kanamanın hemen tedavi edilmesi için anksiyeteli ve hırçın hastada tüpün travmaya neden olmadan girişini sağlamak 12. Transfüzyon reaksiyonlarını araştırmak için (özofagus varis kanamalarında çok fazla transfüzyon yapılmasına bağlı risk artar) 13. Kan kayıpları ve kanamanın değerlendirilmesine yardım etmek 14. Pıhtılaşma için gereken vitamini sağlamak 15. Hastanın gereksinimlerini saptamak, anksiyetesini azaltmak ve takibini sağlamak 16. Özofagus ve gastrik kan damarlarının vazokonstrüksiyonunu sağlayarak kanama riskini azaltmak 17. Hastanın güvenliğini sağlamak 18. Normal olarak ilaçları metabolize etme yeteneği bozulan karaciğere ikincil yan etki riskini azaltmak	• Aktif kanama olursa sakin olur ve dinlenmesini sürdürür. • Kanamayı tedavi eden önlemleri ve transfüzyon nedenlerini tanımlar • Travmalardan korunmak için önlemler alır (yumuşak diş fırçaları kullanır, burnunu nazikçe siler, çarpma ve düşmelerden sakınır, defekasyon sırasında zorlanmadan kaçınır) • İlaçların yan etkilerini açıklar • Tüm ilaçlarını ordır edildiği gibi alır • Tüm ilaçları kullanma nedenlerini açıklar • Tedavi seçeneklerine uyumludur

Hemşirelik Tanısı : Görünümde, cinsel işlevde ve rol fonksiyonunda değişikliklerle ilgili beden imajında bozulma
Hedef : Beden imajı ve özgüveniyle ilgili hastanın duygularını dile getirmesi

1. Dış görünümdeki değişikliklerin değerlendirilmesi 2. Hastanın bu değişikliklerle ilgili duygularının dile getirmesine yardım edilmesi 3. Hasta ve ailesinin daha önceki başa çıkma stratejilerinin değerlendirilmesi 4. Hastaya dış görünümü iyileştirmek için ve daha önceki cinsel ve rol fonksiyonlarına alternatifler aramak için yardım edilmesi 5. Kısa vadeli hedeflerin belirlenmesi konusunda hastaya yardım edilmesi 6. Bakımla ilgili karar vermesinde hastaya yardım edilmesi ve cesaretlendirilmesi 7. İlave destek sağlamak adına kaynakların araştırılmasında hastaya yardım edilmesi 8. Alkol ve ilaç kullanımı gibi kendisine zarar veren daha önceki alışkanlıklarını belirleme konusunda hastaya yardım edilmesi	1. Görünüşündeki değişikliklerin etkisini tanılamak için bilgi sağlamak, seksüel fonksiyonu, hasta ve ailesi üzerine rolü 2. Hastanın endişelerini açıklaması ve tanımlamasını sağlamak, bu endişeleri başkalarıyla paylaşması konusunda cesaretlendirmek 3. Hasta ve yakınlarının geçmişte etkili olan başa çıkma stratejilerini kullanmalarına izin vermek 4. Hastaya alternatifleri açıklaması konusunda cesaretlendirilirken güvenli rol ve fonksiyonlarını sürdürme konusunda cesaretlendirmek 5. Pozitif olarak tekrar gücünü kazanması ve öz saygısını arttırmayı başarmak 6. Hastanın yaşam kontrolünü sürdürmek ve iyilik hali ve öz saygısını geliştirmek 7. Hastanın olanaklarını tanımlamasına yardımcı olmak ve gerektiğinde diğerlerinden yardım almak 8. Daha sağlıklı yaşayabilmesi için bu maddelerin zararlı etkilerini tanımlamak ve kabul etmek	• Görünüşü, yaşam ve yaşam tarzındaki değişikliklerle ilgili endişelerini ifade eder. • Önemli bulduğu kişilerle endişelerini paylaşır. • Geçmişte kullandığı etkili başa çıkma stratejilerini kullanır. • Görünüş, yaşam ve yaşam tarzındaki değişikliklerle ilgili geçmişteki etkili başa çıkma stratejilerini kullanır. • İyi giyinme ve hijyenini sürdürür. • Kısa süreli hedeflerini tanımlar ve onları başarmak için stratejiler geliştirir. • Kendisi ve bakımı hakkında karar verilmesinde aktif rol alır. • Zararlı maddeleri açıklar • Hastalık öncesi yaşam tarzında zararlı olan alışkanlıklarını ifade eder. • Çatışma, kızgınlık ve anksiyetesini sağlıklı olarak açıklar

Hemşirelik Tanısı : Büyümüş hassas karaciğer ve asit oluşumu ile ilgili kronik ağrı ve rahatsızlık
Hedef : Hastanın rahatlığını artırmak

1. Hastanın karnında ağrı varsa yatakta dinlenmesinin sağlanması 2. Ordır edilen antispazmodik ve sedatif ilaçların verilmesi 3. Ağrı ve rahatsızlığın oluşumu ve niteliğinin gözlemlenmesi ve kaydedilmesi 4. Ordır edilmişse sodyum ve sıvı alımının azaltılması 5. Hastanın parasentez için hazırlanması ve işlem sırasında desteklenmesi	1. Karaciğerin korunması ve metabolik gereksinimlerini azaltmak 2. Gastrointestinal yolların iritasyonunu, abdominal ağrı ve rahatsızlığı azaltmak 3. Durumun ayrıntılı araştırılması ve girişimlerin değerlendirilmesini sağlamak 4. Asit oluşumunu en aza indirmek 5. Abdominal rahatsızlığı azaltacak asitin boşaltılmasını sağlamak	• Varsa ağrı ve rahatsızlığını ifade eder. • Ağrısı varsa aktivitelerini azaltır ve yatak içinde dinlenmesini sürdürür. • Endikasyon varsa ve odır edilmişse antispazmodik ve sedatiflerini alır. • Ağrı ve abdominal rahatsızlığının azaldığını bildirir. • Asiti tedavi etmek için gerekirse önerilen ölçüde sodyum ve sıvı alımını azaltır. • Karın çevresi ve kilo değişikliklerinin azaldığı görülür. • Parasentezden sonra rahatsızlığının azaldığın bildirir

Hemşirelik Tanısı : Asit ve ödem oluşumuna bağlı sıvı miktarında artış
Hedef : Normal sıvı miktarını sağlamak

1. Ordır edildiği gibi sodyum ve sıvı alımının kısıtlanması 2. Ordır edildiği gibi diüretikler, potasyum ve protein desteğinin verilmesi 3. Hastanın durumuna göre her 1-8 saat aralıklarla aldığı çıkardığı sıvıların kaydedilmesi 4. Karın çevresi ve kilonun her gün ölçülmesi ve kaydedilmesi 5. Sodyum ve sıvı kısıtlamasının neden gerektiği konusunda açıklama yapılması	1. Asit ve ödem oluşumunu en aza indirmek 2. Sıvının böbrekler yoluyla atılımını sağlamak, normal sıvı ve elektrolit dengesini sürdürmek 3. Tedavinin etkinliğini değerlendirmek ve yeterli sıvı alımını sağlamak 4. Asit oluşumu ve sıvı birikimindeki değişiklikleri izlemek 5. Hastanın sıvı kısıtlamasını anlaması ve iletişim kurmasını sağlamak	• Önerildiği gibi sıvıyı kısıtlar ve sodyumdan düşük diyet alır • Yan etkilerin ortaya çıkışını beklemeden endikasyon varsa diüretik, potasyum ve protein alır. • İdrar çıkışı artar. • Karın çevresi azalır. • Kilo artışı olmaz. • Sodyum ve sıvı kısıtlamasının nedenlerini tanımlar.

Metabolik ve Endokrin Sistem

6.Hastanın parasentez için hazırlanması ve işlem sırasında desteklenmesi	6. Parasentezin geçici olarak asit miktarını azaltmasını sağlamak	•Asitte azalmayla birlikte kilo azalmasıda görülür.

Hemşirelik Tanısı : Karaciğer fonksiyonlarında bozukluk ve artan serum amonyak düzeyine bağlı düşünce sürecinde bozukluk
Hedef : Mental durumun geliştirilmesi; güvenliliğin sürdürülmesi

1.Ordır edildiği gibi protein alımının kısıtlanması 2.Sık aralarla az miktarlarda karbonhidratlarla beslenmesi 3.Enfeksiyondan korunması 4.Ortamın ılık tutulması ve cereyan olmamasının sağlanması 5.Yatak kenarlarının kaldırılması 6.Ziyaretçilerin kısıtlanması 7.Hastanın güvenliliğinden emin olmak için dikkatli gözetim yapılması 8.Opium ve barbitüratlardan kaçınılması 9.Bilinç durumunu kontrol etmek için hastanın aralıklarla (her 2-4 saatte bir) uyandırılması	1.Amonyak kaynaklarını azaltmak 2.Enerji için proteinlerin kullanılmasını önlemek ve uygun karbonhidratların tüketimini sağlamak 3.Metabolik gereksinimlerdeki artışı en aza indirmek 4.Metabolik gereksinimlerdeki artışa bağlı titremeyi en aza indirmek 5.Aktif nöbetteki ve hepatik komadaki hastayı korumayı sağlamak 6.Hastanın aktivite ve metabolik gereksinmelerini en aza indirmek 7.Yeni belirtilerin yakından izlenmesini sağlamak ve konfüze hastalarda oluşabilecek travmaları en aza indirmek 8.Opioid ve barbitüratların metabolize eden karaciğerin azalmış yeterliliğini sekonder aşırı doz ilaç alımını önlemek ve hepatik komanın belirtilerinin gizlenmesini önlemek 9.Hastaya uyaran vermek ve bilinç seviyesinin gözlenmesi için fırsat sağlamak	•Protein kısıtlamasına uyar •Çevredeki olaylara ve aktivitelere ilgisini gösterir. •Normal dikkat süresini gösterir. •Uygun şekilde korunmaya katılır ve izler. •Kişiye yer ve zamana oryantedir. •Endikasyon varsa yatakta kalır. •Üriner ve fekal inkontinans görülmez. •Nöbet görülmez.

Hemşirelik Tanısı : Bozulmuş vücut ısısı riski: siroz veya hepatitin enflamatuar sürecine bağlı hipertermi
Hedef : Enfeksiyonun olmadığı normal vücut sıcaklığının sürdürülmesi

1.Her 4 saatte bir düzenli vücut sıcaklığının kaydedilmesi 2.Sıvı alımının teşvik edilmesi 3.Vücut ısısı arttığında soğuk bez veya buz torbası uygulanması 4.Ordır edildiği gibi antibiyotik verilmesi 5.Enfeksiyona maruz kalmaktan kaçınılması 6.Vücut ısısı arttığı zaman hastanın dinlendirilmesi 7.Karın ağrısı ve hassasiyetinin kontrol edilmesi	1. Ateşin nedenini araştırmak ve girişimleri değerlendirmek 2.Terleme ve ateş nedeniyle oluşan sıvı kayıplarını düzeltmek ve hastanın rahatlığını artırmak 3.Ateşi azaltmak ve hastanın rahatlığını sağlamak 4.Enfeksiyonu tedavi etmek için antibiyotiklerin uygun serum konsantrasyonlarını sağlamak 5.Vücut ısısı ve metabolik hız artışı ve enfeksiyon riskini en aza indirmek 6.Metabolik hızı azaltmak 7.Bakteriyal peritonit oluşumunu kontrol altında tutmak	•Titreme ve terleme görülmez, normal beden ısısını gösterir. • Uygun sıvı alımını gösterir. • Lokal ya da sistemik enfeksiyon görülmez

Hemşirelik Tanısı : Asit, karın şişmesi, göğüs boşluğundaki sıvı nedeniyle göğüs hareketlerinin kısıtlanmasına bağlı etkisiz solunum
Hedef : Solunumun iyileştirilmesi

1.Yatağın baş kısmının en az 30 derece açıyla yükseltilmesi 2.Aktiviteler ve dinlenme sırasında yardım edilerek hastanın gücünün korunması 3.Her iki saatte bir pozisyon değiştirilmesi 4.Parasentez ve torosentez sırasında yardım edilmesi; işlem ve amacının hastaya açıklanması, hastanın parasentezden önce mesanesinin boş olmasının sağlanması, işlem sırasında pozisyonun sürdürülmesi ve desteklenmesi, aspire edilen sıvının miktarı ve özeliklerinin kaydedilmesi, öksürük, dispne veya nabız hızının gözlenmesi	1. Diyafram üzerine abdominal basıncı azaltmak, toraksın ve akciğerlerin genişlemesini sağlamak 2. Metabolik ve Oksijen gereksinimlerini azaltmak 3. Akciğerlerin tüm alanlarının oksijenlenmesi ve genişlemesini sağlamak 4. Parasentez ve torasenteze bağlı hastanın korkularını gidermek, işleme hastanın uyumunu sağlamak, mesane, organ ve doku yaralanmalarını önlemek	• Solunumunun rahatladığını deneyimler. • Nefes darlığının azaldığını bildirir. • İyilik hali ve gücünün artığını bildirir. • Normal solunum sayısı (12-18 /dk) nı gösterir ve ilave sesler görülmez. • Solunum sıkıntısı olmadan göğüs kafesi genişler. • Normal arter kan gazlarını gösterir. • Pulse oksimetre ile yeterli oksijen saturasyonu görülür. • Konfüzyon ya da siyanoz yoktur.

Ortak Tanı: Gastrointestinal kanama
Hedef : Hastanın gastrointestinal kanama geçirmemesini sağlamak

1.Hastanın Gastrointestinal kanaması olup olmadığının kontrol edilmesi ve eğer varsa; önemli belirti ve bulguların her 4 saatte bir veya daha sık gözden geçirilmesi, vücut ısısı ve bilinç düzeyinin her 4 saatte bir veya daha sık kontrolü, dışkılamanın gözden geçirilmesi, kusma varsa kanlı olup olmadığının kontrolü, hematokrit ve hemaglobin değişikliklerin kontrol edilmesi 2.Karın içi basıncı artıracak hareketlerden kaçınılması; öksürme ve aksırmadan kaçınılması, yatak içinde dönerken hastaya yardım edilmesi, gerekli tüm araç gerecin hastanın yakınında tutulması, konstipasyonun önlenmesi için önlem alınması, küçük öğünler halinde yemek verilmesi	1. Kanama ve hemorajinin erken belirti ve bulgularını saptamak 2. Özofagus veya gastrik varislerin kanama ve yırtılmalarına yol açan intra abdominal basınçta artışı en aza indirmek	• Kanama ve hemoraji görülmez • Yaşam bulguları hasta için kabul edilebilir değerlerdedir. • Gastrointestinal yollardan kanama bulguları yoktur. • Hematokrit ve hemoglobin seviyeleri kabul edilebilir sınırlardadır. • İntra abdominal basınç artışı ve zorlanma olmadan döner ve hareket eder. • Barsak hareketlerinde zorlanma olmaz. • Kanama ve hemoraji için agresif tedavi yapılmışsa tekrar kanama olmaz. • Hasta ve ailesi tedavinin nedenlerini açıklar. • Hasta ve ailesi uygun olan destekleri tanımlar. • Hasta ve ailesi tekrarlayan kanamanın belirti ve bulgularını tanır ve gerekli faaliyetleri tanımlar.

3.Endikasyon varsa; ilaçlar, intravenöz sıvılar, blakemore tübü gibi malzemelerin hazır bulundurulması 4.Gastrintestinal kanamayı iyileştirmek için tedavi ve işlemlere yardım edilmesi 5.Saatte bir solunumun kontrol edilmesi ve özofagus tamponu gerekirse; solunum komplikasyonları riskinin en aza indirilmesi 6.Eğer gerekliyse diğer tedavi modelleri için hastanın fiziksel ve psikolojik hazırlanması 7.Kanamanın tekrarlanma ihtimali için hastanın kontrol edilmesi 8.Ailenin hastanın durumuyla ilgili bilgilendirilmesi 9.Hasta kanamadan bir kez iyileşmişse; hasta ve ailesine dikkat edilmesi gereken gastrointestinal kanama belirti ve bulgularının anlatılması	3.Hastada yırtılmış özofagus ve gastrik varislerden kanama olduğunda ilaçlar ve araç gereci hazır bulundurmak 4.Gastrointestinal kanama ve hemorajide blakemore tüpü takılması, ilaç ve sıvıların verilmesi gibi acil önlemleri sağlamak 5. Blakemore tüpü nedeniyle asfiksi gibi oluşacak solunum komplikasyonlarını değerlendirmek 6.Hemoraji deneyimleyen hasta endişeli ve korkuludur. Hemorajinin kontrol altında tutulmasına ve anksiyetenin en aza indirilmesine yardım etmek 7.Gastrointestinal kanamayı durdurmada kullanılan tüm tedavilerde olabilecek tekrar kanama riskini değerlendirmek 8. Hastanın durumu hakkında aile bireyleri endişeli olabilir. Onların endişelerini azaltacak bilgi ve daha etkili başa çıkmalarını sağlamak 9. Tekrar kanamayı gösteren gizli belirti ve bulguları tanımlamak	
Ortak Tanı: Hepatik ensefalopati **Hedef :** Hastanın güvenli ve yara almadan iyileştirilmesi		
1.Bilinç durumunun 4-8 saatte bir kontrol edilmesi; hastanın zaman, mekan ve kişiye oryantasyonunun değerlendirilmesi, hastanın aktivite düzeyi, rahatsızlık ve endişe düzeyinin kontrolü; el titremelerinin (asteriks) izlenmesi, hastanın günlük el yazısı veya küçük figür çiziminin alınması ve kaydedilmesi, derin tendon refleksleri gibi nörolojik belirtilerinin değerlendirilmesi 2.Sedatif, hipnotik, analjezikler gibi hepatik ensefalopatiyi hızlandıracak ilaçların izlenmesi 3.Laboratuvar verilerini özellikle serum amonyak seviyesinin izlenmesi 4.Hastanın nörolojik ve bilinç durumunda herhangi bir değişiklikle ilgili hekimin bilgilendirilmesi 5.Endikasyon varsa, diyette protein miktarının azaltılması 6.Serum amonyak seviyesini azaltmak için ordır edilen ilaçların verilmesi 7.Solunum durumunun değerlendirilmesi ve komplikasyonların önlenmesi için önlemlerin alınması 8.Hastanın cildinin ve dokularının basınç ve hasarlanmadan korunması	1.Hastanın Bilişsel durumu hakkında bilgi sağlamak ve değişikliklerini araştırmak 2.Hepatik ensefalopati gelişmesi için yüksek riskli hastalarda yaygın hazırlayıcı faktör olan ilaçları izlemek 3.Hepatik ensefalopati ve komayla ilişkili artmış serum amonyak seviyesini izlemek 4.Hepatik ensefalopatinin erken tedavisi ve hepatik komanın önlenmesini sağlamak 5.Proteinin amonyağa dönüşmesini ve proteinin yakılmasını azaltmak 6. Serum amonyak seviyesini azaltmak 7.Hepatik koma gelişen hasta solunum komplikasyonları için riskli olduğundan gerekli önlemlerin alınmasını sağlamak 8.Komalı hasta cilt yaralanmaları ve bası ülseri oluşumu için risk altında olduğu için hastayı korumak	•Hastanın çevresinde olanların farkında olur, uyanık ve dikkatlidir. •Kişi, yer ve zamana oryantedir.• Huzursuzluk ya da ajitasyon görülmez. •Bilişsel fonksiyonlarında oryantasyon bozukluğu yoktur. El yazısıyla yazabilir. •Hepatik ensefalopatiyi tedavi etmek veya önlemede kullanılan tedavinin nedenlerini açıklar. •Uygun kalori alır ve protein kısıtlamasına uyar. •Ordır edildiği gibi ilaçları alır. •Solunum sesleri normaldir. Ek sesler duyulmaz. •Cilt bütünlüğünde bozulma veya basınç bulguları olmaksızın cilt ve dokular doğaldır.

Metastatik Karaciğer Tümörleri

İlerlemiş tüm kanserlerin yaklaşık yarısında karaciğere metastaz olur. Portal sistem ya da lenfatik kanallarla ya da karın tümörünün direkt uzantısıyla habis tümörler en sonunda karaciğere ulaşırlar. Ayrıca karaciğer bu kötü huylu tümörlerin gelişimi için uygun bir yerdir. Bir karın organında kanserin ilk belirtisi çoğunlukla karaciğer metastazının görülmesidir. Tanı amaçlı cerrahi ya da otopsi yapılmadıkça primer tümör hiçbir zaman tanımlanamaz.

Klinik Belirtiler

Karaciğerde ilk kanser bulgusu ağrıdır; sağ üst kadran, epigastrium ya da sırtta keskin bir ağrı, kilo kaybı, güç kaybı, anoreksiya ve anemi de olabilir. Karaciğer büyümüş ve palpasyonda kenarları düzensiz hissedilebilir. Karaciğer hilum'undaki habis nodüllerin basıncıyla safra kanalları tıkanırsa sarılık olur. Bu nodüller portal venleri tıkar ya da tümörlü doku peritoneal kavitede oluşursa asit gelişir.

Tanı

Karaciğer kanser tanısı klinik bulguları ve bulgulara, öykü ve fiziksel muayene ayrıca laboratuvar ve radyolojik incelemeler doğrultusunda konur. Serum bilirubin, alkali fosfataz, AST, GGT ve laktik dehidrogenez seviyelerinde artma olabilir. Lökositoz, eritrositoz, hipokalsemi hiperkalsemi ve hipokolesterolemi görülebilir.

Bir tümör belirteci olan alfa-tetraprotein (AFP)'in serum seviyesi primer karaciğer tümörlü hastaların %30 - 40'da yükselir. Sindirim kanalı kanserleri belirteci olan karsinoembriyonejik antijen (CEA) seviyesi artabilir. Bu iki belirteç karaciğer kanserinin metastatik ya da primer olup olmadığını ayırt etmede yararlıdır. Primer karaciğer kanserli birçok hastada tanı koyulduğunda başka alanlara metastaz vardır. Metastazlar öncelikle akciğerlere, bölgesel lenf düğümleri, adrenaller, böbrekler, kalp, pankreas ve mideye olabilir. Karaciğer taramaları, bilgisayarlı tomografi (CT) taramaları, ulrasonografi incelemeleri, manyetik resonans görüntüleme (MRI), arteriografi ve laparoskopiden tanı çalışmalarından yararlanılabilir. Bu yöntemler tümörün boyutlarını belirlemede kullanılabilir. Pozitif emisyon tomografi (PET) karaciğer metastatik tümörünün yayılım alanını değerlendirmede kullanılmaktadır. Tümörün histolojik tanılaması görüntüleme yardımıyla ve laparoskopik yöntemle alınan biyopsi ile yapılabilir. İğne ya da ince iğne biopsisi ile tümörün lokal ya da sistemik yayılımı olabilir ancak bu enderdir. Bazı klinisyenler tümörün çıkartılabileceği düşünülüyorsa bu işlemlerin yapılmaması gerektiğine inanırlar. Tercihen primer HCC tanısının laparotomi esnasında frozen ile doğrulanmasıdır.

Tedavi

Bazı hastalarda karaciğer tümörünün cerrahi olarak çıkarılması mümkün olmasına karşın karaciğer kanserinde önemli bir neden olan sirozda cerrahi tedavi uygulanınca risk artmaktadır. Karaciğer kanser tedavisinde radyoterapi, kemoterapi ve palyatif invaziv işlemler yaygın olarak kullanılmaktadır. Bu tedavilerin yaşam süresini uzatabilmelerine, ağrı ve rahatsızlığı gidererek yaşam kalitesini artırmalarına karşın esas etkileri hastalığı hafifletici olmalarıdır.

Radyoterapi: Karaciğer tümörleri için dıştan radyoterapinin kullanılması normal hepatositlerin radyasyona duyarlılığıyla sınırlı kalmıştır. 2500 ile 3000 cGy üzerindeki dozlar radyasyon hepatitine neden olabilir. Karaciğer tümörlerinde daha etkili yöntemler;
(1) Özellikle antijenlere bağlı tümör ataklarında, intravenöz ve intraarterial antibiotiklerin, radyaizotopların enjeksiyonu,
(2) Yüksek yoğunluktaki internal radyoterapi; radyasyonun direkt olarak tümörlü hücrelere verilmesidir.

Kemoterapi: Kemoterapi yaşam kalitesi ve yaşam süresini uzatmakta kullanılmaktadır. Aynı zamanda hepatik tümörlerin cerrahi olarak çıkarılması sonrası adjuvant tedavi olarak da kullanılmaktadır. Primer ve metastatik karaciğer tümörlü hastalarda antineoplastik ajanların uygulanmasında kullanılan iki yöntem; sistemik ve bölgesel infüzyon kemoterapisidir.

İmplante edilebilir bir pompa aracılığı ile karaciğer içindeki hepatik artere yüksek konsantrasyonda kemoterapi uygulanabilmektedir. Bu yöntem hastanın evinde de yapılabilen güvenli, kontrollü ve sürekli tedaviyi sağlamaktadır. Son çalışmalar daha etkin rahatlama ve sağkalım süresinin arttığını göstermektedir.

Perkütan Safra Direnajı: Perkütan safra veya transhepatik direnaj, tedavi edilemeyen tümörleri ya da cerrahi riskleri olduğu düşünülen hastalarda ki karaciğer, pankreas ya da safra kanalı tümörlerinde safra kanallarının açılmasına yardım etmek için kullanılır. Fluoroskopi altında bir kateter karın duvarından ve duedonumun içinden sokulur, tıkanıklık geçilerek yerleştirilir. Bu işlemler safra direnajını tekrar sağlamak ve tıkanıklığın gerisinde biriken safradan kaynaklanan basınç ve ağrının hafifletilmesinde, kaşıntı ve sarılığın azaltılmasında kullanılmaktadır. Sonuç olarak hasta rahatlatılır, yaşam kalitesi artırılır ve yaşam süresi uzatılır.

Kateter takıldıktan sonraki birkaç gün boyunca dış drenaja açık tutulur. Safra; miktar, renk, kan ve birikmiş yıkım ürünleri yönünden yakından izlenir.

Perkütan safra direnajı komplikasyonları sepsis, safra sızıntısı, kanama ve kateterde debris birikmesi veya tümörün büyümesinden dolayı safra sisteminin tekrar tıkanmasıdır. Bu nedenle hasta vücut ısısında yükselme, üşüme, kateter etrafından safra drenajı, yaşam bulgularında değişiklikler, safra yolları tıkanıklığının belirtisi olan artan ağrı ve basınç, kaşıntı ve sarılığın tekrarı yönünden gözlenir.

Cerrahi Dışı Diğer Tedaviler: Karaciğer metastazlarını tedavi etmek için lazer hipertermi kullanılmaktadır. Isı normal dokuyu koruyarak tümörlü dokunun yıkımına neden olacak birkaç yöntemle tümörlere uygulanmaktadır. Radyofrekanslı termal uygulamada bir iğne elektrodu görüntüleme yöntemi rehberliğinde karaciğer tümörüne yerleştirilir. Radyofrekanslı enerji izole edilmiş iğne ucundan geçer, sıcaklık verir ve koagulasyon nekrozu ile hücrenin ölümüne neden olur.

İmmünoterapi: Araştırmaları sürdürülen diğer bir tedavi yöntemidir. Bu tedavide karaciğer kanserli hastaya antitümör reaksiyonuna giren lenfositler verilir. Standart tedavisi başarısız olan metastatik karaciğer tümörlü hastalarda istenen sonuç olan tümör gerilemesi görülmüştür.

Transkateter Arteriyal Embolizasyon: Tümöre giden artere küçük embolik ya da kemoterapik ajanlar enjekte edilmesiyle küçük tümörlere arteriyal kan akımının kesilmesidir. Bu tedavide tümör alanında iskemi ve nekroz oluşur. Çok sayıda küçük lezyonlar için ultrason rehberliğinde alkol enjeksiyonu tümör hücrelerinin dehidratasyonunu ve nekrozunu sağlar.

Cerrahi Tedavi: Karaciğer fonksiyonunun cerrahi sonrası iyileşme için yeterli olduğu düşünüldüğünde HCC'nin cerrahi rezeksiyonu seçilecek bir tedavidir. Metastaz sınırlı olduğunda ve primer alan tamamen eksize edilebildiğinde metastazda da hepatik rezeksiyon uygulanabilir.

Bununla birlikte karaciğer metastazı nadiren sınırlı ve tektir. Karaciğer hücrelerinin yeniden oluşum kapasitelerinden yararlanılmasıyla karaciğerin %90'ı başarılı bir şekilde çıkarılabilir. Ancak siroz varlığı karaciğerin yenilenme yeteneğini sınırlamaktadır.

Karaciğer tümörünün evresi cerrahi tedavi kararı ve boyutlarını belirlemeye yardım etmektedir. Karaciğer tümörlerinin sınıflama sistemine Tablo 36.6'da yer verildi.

Cerrahiye hazırlıkta hastanın beslenme, sıvı ve genel fiziksel durumu değerlendirilir ve mümkün olan en iyi fiziksel durumu sağlamak için girişimlerde bulunulur. Yapılacak işlemlerle ilgili açıklama ve cesaretlendirme hastanın cerrahi girişime hazırlanmasına yardım eder. Bu hastalarda ayrıntılı tanısal çalışmalar yapılmaktadır. Spesifik çalışmalar karaciğerin taranması, karaciğer biyopsisi, kolanjiografi, selektif hepatik anjiografi, perkütanöz iğne biyopsisi, peritonoskopi, laparoskopi, ultrason, CT taramaları, MRI, kan testleri, serum alkali fosfataz, AST, GGT ve izoenzim düzeyinin belirlenmesini içerir.

Lobektomi: Karaciğer tümöründe karaciğer lobunun çıkarılması yaygın uygulanan bir cerrahi işlemdir. İşlem sırasında hepatik arter ve portal ven kan akımını engellemek gerekirse hipotermi kullanılabilir.

Kriyocerrahi: Kriyocerrahi (Kriyoablasyon)' de tümörler -196$_0$C sıvı nitrojenle yok edilmektedir. Kriyocerrahi yönteminde laparotomi esnasında hastalıklı dokuyu yok etmek için iki veya üç kez dondurma ve eritme periyodu uygulanır. Bu yöntem tek başına ya da HCC'de hepatik rezeksiyona yardımcı olarak ve radikal cerrahi eksizyona uygun olmayan kolorektal metastazlarda uygulanır. Kriyocerrahinin etkinliği değerlendirme aşamasındadır.

Karaciğer Transplantasyonu: Karaciğerin çıkarılması ve yerine sağlıklı bir vericiden alınan organın yerleştirilmesi karaciğer kanserinin bir diğer tedavi yöntemidir. Transplantasyon sonrası vakaların % 70- 85'inde primer karaciğer kanserinin tekrarladığı belirtilmektedir. Tekrar sonrası sağkalım süresi kısadır. Rejeksiyonu önlemek için uygulanan immunosupresif tedavi primer karaciğer kanseri tekrarını artırabilir. Sekiz santimden küçük tümörlü hastalarda transplantasyon sonrası prognoz iyidir. Fakat sekiz santimden büyük çaplı tümör veya multifokal ya da vasküler invazyon varsa prognoz iyi değildir.

Bakım

Karaciğer kanseri cerrahisinde metabolik anormallikler dikkatli bakım gerektirir. Glikojenin azalmasından kaynaklanan kan şekeri seviyesindeki ani düşüşü önlemek için ilk 48 saatte sürekli %10 glikoz infüzyonu gerekebilir. Aşırı kan kaybı olabilir. Bu nedenle hasta kan ve intravenöz sıvı infüzyonuna gereksinim duyar. Hasta sürekli izlem ve ilk iki-üç gün karın ve torasik cerrahi sonrasına benzer bakım gerektirir.

Kriyocerrahi geçiren hasta hipotermi, hemoraji ve safra sızıntısı için sürekli izlenir. Myoglobinüri doku nekrozunun bir sonucu olarak oluşabilir. Hidrasyon, diürez ve ilaç uygulamaları (allopurinol) ile toksik ürünlerin atılımına yardım edilir. Bulguları gidermek için radyoterapi veya kemoterapi uygulanacaksa hasta tedavilerden birini veya her ikisini almaktayken ve safra drenaj sistemi takılıyken evine gönderilebilir. Hastanın bakıma katılmasının gerekliliği ve evde bakımda ailenin rolü nedeniyle eğitim gereksinimi önemlidir.

Tablo 36. 6: Karaciğer Tümörlerinde TNM Sınıflaması

Primer Tümör (T)
TX -Primer tümör tanılanmaz.
T0- Primer tümör kanıtı yoktur.
TI-Vasküler ivazyonsuz sınırlı tümör.
T2-5cm den küçük çoğul tümör ya da vasküler invazyonlu sınırlı tümör.
T3-5cm den daha büyük veya portal veya hepatik ana venleri içeren tümör.
T4-Safra kesesinden başka komşu organlara direkt ivazyonlu veya visseral periton perferasyonlu tümör.

Bölgesel Lenf Nodlar (N)
NX-Bölgesel lenf nodları tanılanamaz.
N0-Bölgesel lenf nodu metastazı yoktur.
NI-Bölgesel lenf nodu metastazı var.

Uzak Metastaz (M)
MX-Uzak metastaz tanılanamaz.
M0-Metastaz yoktur.
MI-Uzak metastaz.

Evre Gruplaması

Evre			
Evre I	TI	N0	M0
Evre II	T2	N0	M0
Evre III A	T3	N0	M0
Evre III B	T4	N0	M0
Evre IIIC	Herhangi bir T	NI	M0
Evre IV	Herhangi bir TI	Herhangi bir N	MI

Öz Bakımın Öğretilmesi: Hastaya kemoterapinin olası yan etkileri ve komplikasyonlarına ilişkin bilgi verilir. Spesifik kemoterapi rejiminin arzu edilen ve edilmeyen etkilerini tanıması ve rapor etmesi öğretilir. Aynı zamanda hastayı ve tümörün kemoterapi ve radyoterapiye tepkisini değerlendirmek için evde bakım ziyaretlerinin önemi de anlatılır.

Hasta kemoterapiyi hastaneye yatmadan alıyorsa, kemoterapi infüzyonunun kontrolünde ve infüzyonun değerlendirilmesinde hasta ve ailenin rolü açıklanır. İnfüzyon pompası ya da alanına zarar verebilecek aktivitelerden sakınması için önlem alması söylenir. Ancak mümkün olduğunca rutin aktivitelere başlaması içinde cesaretlendirilir. Safra drenaj sistemi takılı hasta ve ailesi evde kateterin yerinden çıkacağından korkarlar. Çünkü kateter kolayca yerinden çıkabilir. Hasta ve ailesi kateter bakımı hakında da eğitime gereksinim duyar. Onların kateteri nasıl temiz ve kuru tutacaklarına, kateter ve giriş yerini nasıl değerlendireceklerine yönelik bilgi gereksinimleri vardır. Kateterin yıkanması kateter açıklığını korumak ve atıkları uzaklaştırmak için steril serum fizyolojik solüsyonu veya su kullanabilecekleri söylenir.

Safra sistemi veya kateteri yıkama esnasında aseptik yöntemin kullanımı ve önemi öğretilmeli. İrrite edici duodenal içeriklerin safra kanalına ya da katatere girişini önlemek için yıkama esnasında dikkatli olması, komplikasyon belirtileri ve/veya sorun ortaya çıktığında hemşire ve hekime haber vermesi söylenir.

Sürekli Bakım: Evde bakım kanserli hastanın aile ve arkadaşlarla tanıdık bir ortamda olmasını sağlar. Karaciğer kanseriyle ilgili kötü prognozdan dolayı evde bakım hemşiresi prognoz ve ortaya çıkabilecek belirti ve bulgularla baş etmesi için aile ve hastaya yardımda yaşamsal rol oynar.

Evde bakım veren hemşire hastanın fiziksel ve psikolojik durumunu, ağrıyı hafifletme yeterliliğini, beslenme durumunu, tedavi komplikasyonlarının varlığını ya da hastalığın ilerleyişini değerlendirir. Eğer gerekirse ev ziyaretleri sırasında kemoterapi pompasının fonksiyonunu, infüzyon alanını ve safra direnaj sistemini değerlendirir. Evde bakım veren hemşire etkili bir ağrı kontrolü sağlamak ve halsizlik, kaşıntı, yetersiz beslenme, sarılık ve diğer alanlara metastaz bulguları gibi olası problemlerin kontrolü için diğer sağlık ekibi üyeleri , hasta ve ailesi ile işbirliği yapar. Hastane bakımıyla ilgili karar vermede hasta ve aileye yardım eder. Hasta ve aile üyelerinin yaşam sonu tercihleri ile ilgili tartışma yapması için cesaretlendirilmeleri gerekir.

h. Karaciğer Transplantasyonu

Karaciğer transplantasyonu başka bir tedavi şekli olmayan, yaşamı tehdit eden son evredeki karaciğer hastalığını tedavi etmek amacıyla kullanılan bir tedavi yöntemidir. Transplantasyon işlemi hastalıklı karaciğerin tamamen çıkarılıp, sağlıklı karaciğerin aynı anatomik yere yerleştirilmesidir. Bu işleme ortotopik karaciğer transplantasyonu (OLT) denir. Karaciğerin çıkarılması yeni karaciğer için yer açar. Böylece olabildiğince normale yakın hepatik vaskülarite ve safra kanallarının anatomik olarak yeniden oluşmasına izin verilir.

Karaciğer transplantasyonunun başarısı başarılı immunosupresyona bağlıdır. İmmunosupresyon amacıyla yaygın olarak kullanılmakta olan immunosupresanlar; cyclosporine (Neoral), kortikosteroidler, azathioprine (Imuran), mycophhenolate mofetil (Cell Cept), OKT3 (monaklonal antikoru), tacromilus (FK 506, Prograf), siromilus; ramisin olarak bilinir (Rapamune) ve antithymociyte globulindir. İmmunosupresif ajanların en etkili kombinasyonunu bulmak ve daha az yan etkili yeni ajanları belirlemek amacıyla çalışmalar devam etmektedir.

Transplantasyon yapılmış organların reddini azaltmada immunosupresyon başarılı olmasına karşın, karaciğer transplantasyonu rutin bir işlem değildir. Çünkü cerrahi girişim süresinin uzun olması, immunosupresif tedavi gerektirmesi, infeksiyon, kan damarları ve safra kanalının tekrar oluşumunda karşılaşılan teknik zorluklarla ilgili komplikasyonlar günümüze değin aşılamamış sorunlardır. Primer karaciğer hastalığından kaynaklanan ve uzun süre devam eden sistemik problemler preoperatif ve postoperatif dönemi riske sokabilir. İlerlemiş komplikasyonları tedavi etmek için yapılan önceki karın cerrahisi girişimleri trasplantasyon işlemini riske sokar. İmmunosupresif tedavilerdeki gelişmeler ve venöz bypass'ın bazı vakalarda kullanılması nedeniyle bugün karaciğer transplantasyon işlemi ilk uygulandığı dönemlerdeki kadar sınırlı değildir.

Karaciğer transplantasyonundaki genel endikasyonlar; irrevesible ilerlemiş kronik karaciğer hastalığı, ani hepatik bozukluk, metabolik karaciğer hastalıkları ve bazı hepatik kanserlerdir.

Karaciğer transplantasyonu endikasyonu olan bazı hastalıklar; viral hepatit, ilaç ve alkolün yol açtığı karaciğer hastalığı ve Wilson hastalığı gibi hepatoselüler karaciğer hastalığı ve primer safra sirozu, sklerozan kolanjit ve safra atrozisi gibi kolestatik hastalıklardır.

Karaciğer transplantasyonu düşünülen hastada preoperatif ve postoperatif bakımı etkileyen birçok sistemik problem olur. Hastada şiddetli kanama ve hepatik koma geliştiğinde transplantasyon daha güç olduğundan işlemin bu evreye gelmeden uygulanması gerekir.

Karaciğer transplantasyonu, bozuklukları tedavi etmek için yapılan deneysel bir işlemden çok, belirlenmiş terapatik yöntem olarak tanımlanmaktadır. Sonuç olarak karaciğer transplantasyonlarının yapıldığı merkezlerin sayısı artmaktadır. Transplantasyona gerek duyan hastalar bu merkezlere gönderilmektedir. Hasta ve aileyi karaciğer transplantasyonuna hazırlayabilmeleri için sağlık profesyonellerinin transplantasyon sürecini anlamaları gerekir.

Cerrahi İşlem

Donör karaciğeri diğer yapılardan ayrılır. Safra kanalı duvarlarına zarar vermemesi için safra boşaltılır, karaciğer koruyucu ile kaplanıp soğutulur. Donör karaciğeri alıcıya yerleştirilmeden önce potasyum ve hava kabarcıklarını çıkarmak için soğutulmuş Ringer Laktat solusyonu ile yıkanmalıdır.

Kan damarları ve safra kanalının anastomozu donör karaciğeri ile verici karaciğeri arasında yapılır. Safra kanalı rekonstruksiyonu donör ve verici ana safra kanallarının uç uca anastomozu ile yapılır. Safranın dışa drenajını sağlamak için bir T-tüp yerleştirilir. Safra kanallarının hastalıkları ya da yokluğu nedeniyle uç uca anastomoz mümkün değilse jejunumun bir halkası ile greftin ana safra kanalı arasında uç yan anastomoz yapılır. Bu durumda safra drenajı jejunuma akacağından T-tüp gerekmeyecektir..

Karaciğer transplantasyonunda cerrahi girişim süresi uzundur. Çünkü karaciğeri iflas etmiş hastada çoğunlukla portal hipertansiyon ve sonuç olarak bağlanması gereken birçok kollateral damar vardır. Cerrahi işlem esnasında aşırı kan kaybı olabilir. Eğer önceden şant uygulanmışsa yeni karaciğere yeterli portal ven kan akımını sağlamak için cerrahi olarak yeri değiştirilmelidir. Uzun süren cerrahi işlem sırasında hasta ailesine cerrahi girişimin seyri ve hastanın durumu ile ilgili bilgileri düzenli olarak vermek ve yardımcı olmak gerekir.

Komplikasyonlar

Teknik sorunlar ya da infeksiyondan dolayı postoperatif komplikasyon oranı yüksektir. Postoperatif komplikasyonlar; kanama, rejeksiyon ve infeksiyondur. Safra anastomozunun tıkanması ve yetersiz safra drenajı oluşabilir. Diğer olası komplikasyonlar tromboz ve stenozdur.

Kanama

Postoperatif dönemde koagulapati ve portal hipertansiyon sonucu kanama olabilir. Kanama donör karaciğerinin iskemik yaralanmasına ve dolayısıyla da fibrinolizise neden olur. Bu dönemde kan kaybından dolayı hipotansiyon sekonder olarak oluşur. Trombosit, taze donmuş plazma ve diğer kan ürünlerinin verilmesi gerekir.

İnfeksiyon

Karaciğer transplantasyonundan sonra başta gelen ölüm nedeni infeksiyondur. Pulmoner ve fungal infeksiyonlar yaygındır. Rejeksiyonu önlemek için gerek duyulan immünosupresyon, infeksiyona karşı hassasiyeti artırır. Nazokomial infeksiyonları önlemek için damar yolları, idrar, safra ve diğer drenaj sistemlerinin bakımı aseptik yöntemle yapılmalıdır.

Rejeksiyon

Transplantasyonda rejeksiyon önemli bir sorundur. Nakledilmiş karaciğer immun sistem tarafından yabancı antijen olarak algılanır. Bu durum immun tepkiyi tetikler ve saldırgan T lenfositlerinin aktivasyonuna yol açarak nakledilmiş karaciğerin yıkımına neden olur. İmmunosupressif ajanlar bu tepkiyi ve nakil karaciğerin reddini önlemek için uzun süre kullanılırlar. Bu ajanlar, immunokompetent T lenfositlerinin aktivitesini engelleyerek efektör T hücrelerinin üretilmesini önlemektedir.

Bir-beş yıl sağ kalım süresi yeni immunosupresif ilaçların kullanılmasına bağlı olarak artmakla birlikte bu tedaviler yan etkisiz değildir. Transplantasyonda yaygın olarak kullanılan siklosporinin en büyük yan etkisi nefrotoksisitedir. Bu problem doza bağlı olarak ortaya çıkar ve siklosporin uygun şekilde azaltılırsa renal Yetersizlik geri döndürülebilir. Kortikosteroidler, azathioprine, mycophenolate mofetil, rapamycin, antithymocyte globulin ve OKT3 immunosupresyon amacıyla ve rejeksiyonu önlemek ya da daha sonraki rejeksiyonu tedavi etmek için başlangıç tedavisi olarak kullanılabilir. Şüpheli rejeksiyon vakalarını değerlendirmek için karaciğer biopsisi ve ultrason gerekebilir. Karaciğer transplantasyonu başarısız olursa, genellikle tekrar nakil girişiminde bulunulur. Fakat başarı oranı ilk transplantasyondan düşüktür.

Bakım

Transplantasyonu düşünen hasta ve ailesi tedavi, mali kaynakların kullanımı, tıbbi merkeze daha yakın olmak için başka bir yere yeniden yerleşme gibi güç kararlar almakla, aynı zamanda hastanın uzun süreli sağlık problemleriyle başa çıkmak zorundadır. Bu yüzden hasta ve aile karaciğer transplantasyonunu düşünürken ve uygun karaciğer haberini beklerken oldukça streslidirler. Hasta ve ailenin bu duygularından haberdar olunması, emosyonel ve psikolojk duruma uyum sağlayabilmeleri için desteklenmeleri gerekir.

Preoperatif Bakım

Eğer geriye dönüşümsüz, şiddetli karaciğer fonksiyon bozukluğu tanısı koyulmuşsa, hasta transplantasyon için aday olabilmektedir. Hastanın transplantasyon adayı olup olmayacağını belirlemek için birçok ayrıntılı tanısal değerlendirme yapılacaktır. Sağlık bakım ekibi üyeleri hasta ve ailesine işlemler, başarı şansı, riskleri, uzun süreli immunosupresif tedavinin yan etkilerini kapsayan tam bir açıklama yapmalıdır.

Hastaya ve ailesine yaşam boyu immünosupresyon dahil yakın izlem ve terapatik rejime uyum sağlama gereği açıklanır. Hasta aday olarak kabul edildiğinde nakil merkezinde bekleme listesine alınır ve bilgileri Birleşik Organ

Paylaşımı (BOP) bilgisayar sistemine girilir. Böylece adaylar uygun organlarla eşleştirilir. Canlı donörden karaciğer segmenti alınmadıkça, transplantasyon için karaciğer diğer bir kişinin ölümüyle bulunabilir.

Bu kişi genellikle şiddetli beyin yaralanması ve beyin ölümü gerçekleşmemiş sağlıklı birisidir. Böylece hasta ve ailesi stresli bir bekleme sürecine girer. Uygun bir karaciğer bulunana kadar hastanın her zaman hazır beklemesi gerekir. Bu süre zarfında karaciğerin fonksiyonu bozulabilir ve hasta primer karaciğer hastalığından kaynaklanan diğer komplikasyonlara maruz kalabilir. Günümüzde donör organlarının az olmasından dolayı çoğu hasta transplantasyonu beklerken ölmektedir.

Transplantasyonda başarı şansını artırmak için, malnutrüsyon, asit birikimi ve sıvı elektrolit dengesizliği cerrahi girişim öncesi tedavi edilir. Karaciğer fonksiyon bozukluğu fulminant hepatik Yetersizlik gibi hızlı bir başlangıca sahipse hastanın karar vermek, seçenekleri ve sonuçlarını değerlendirmek için fazla zamanı yoktur. Bu hastalar sık sık komaya girer ve transplantasyonla ilgi karar aile tarafından verilir.

Koordinatör hemşire nakil ekibinin bütünleyici bir üyesidir ve karaciğer transplantasyonu için hastayı hazırlamada önemli bir rol üstlenir. Hasta ile nakil ekibi arasında bağlantıyı sağlar. Hasta bakımı ve değerlendirilmesinde diğer hemşire ve sağlık ekibi üyelerine kaynak olarak da hizmet verir.

Karaciğer Transplantasyonunda Yeni Stratejiler

Canlı donörün karaciğerinden bir parça alınarak uygulanan yetişkinde segmental karaciğer transplantasyonu tıbbi ve etik sorulara açık nispeten yeni bir yöntemdir.

Bağışla İlgili Konular

Donör seçiminde iki anahtar konu vardır.
- Karaciğer segmentinin canlı donörü gönüllü, baskısız ve maddi destek almamış olması gerekir.
- Potansiyel donörün kendi riskini artırabilecek tıbbi şartlar için değerlendirilmesi gerekir. Çünkü segmental karaciğer transplantasyonu donör için önemli risklere açıktır.

İlgili diğer konular riskleri, hakları, donör ve alıcının eğitimini kapsamaktadır. Potansiyel alıcı için kabul edilebilir riskler ve haklar olmalıdır. Ek olarak hem donörün hem alıcı ve ailesinin eğitim süreci memnun edici olmalıdır. Aynı zamanda donör için bilgilendirilmiş onam da alınmalıdır.

Postoperatif Bakım

İmmunosupresif ilaçlar bedenin doğal savunmasını azalttığından hasta mümkün olduğunca bakterisiz, virüssüz ve mantarsız bir ortamda tutulur. Erken postoperatif dönemde pulmoner, renal, nörolojik ve metabolik fonksiyonlar, arteriyal ve pulmoner arter basınç değeri sürekli izlenir. Hastanın hemodinamik durumunu ve intravasküler sıvı volümünü değerlendirmek için kardiyak output, santral venöz basınç, pulmoner kapiller wedge basıncı, arteriyal ve venöz kan gazları oksijen saturasyonu, oksijen gereksinimi ve yayılımı, idrar miktarı, kalp atım hızı ve kan basıncı ölçüm ve değerlendirmeleri yapılır. Karaciğer fonksiyon testleri, elektrolit seviyeleri, pıhtılaşma durumu, göğüs filmi, elektrokardiyogram (EKG) ve idrar ile safra drenajını içeren sıvı çıktısı yakından izlenir. Karaciğer glikojen depolama, protein sentezi ve pıhtılaşma faktörlerinden sorumlu olduğundan bu maddelerin izlenmesi ve postoperatif dönemde hemen yerine koyulması gerekir.

Uzun süreli cerrahi işlem, anestezi, hareketsizlik ve postoperatif ağrının artaya çıkardığı atelektazi ventilasyon/perfüzyonda bozulma nedeniyle hasta postoperatif erken dönemde endotrekeal ve mekanik ventilasyona gereksinim duyar. Gerektikçe aspirasyon yapılır ve nemlilik sağlanır.

Yaşam bulguları stabilize olduğunda ilgi ve dikkat bu kompleks cerrahinin ortaya çıkardığı sorunları gidermeye yöneltilir. Endotrakeal tüp çıkarılır. Atelektazi riskini azaltmak için spirometre kullanımı konusunda hasta bilgilendirilir. Hareketsizliğe bağlı komplikasyonları önlemek için hastanın yataktan çıkmasına ve tolere edebileceği kadar hareket etmesine ve kendi bakımına katılmasına yardım edilir. Karaciğer fonksiyon bozukluğu ve rejeksiyon belirti ve bulguları yakından izlenmeli. Preoperatif dönemin başında başlatılan eğitim cerrahi sonrası devam etmelidir.

Bakım

- Hasta postoperatif 24 - 48 saat boyunca ventilatörde olabilir. Diyafragma altındaki insizyon ağrı ve ödeme neden olabilir, hastanın hareketlerini sınırlayabilir Ayrıca bu hastalara göğüs tüpü koyulabilir. Bakım bu özellikler gözönünde bulundurularak planlanmalıdır.
- Uzun süren cerrahi işlem boyunca kan ürünlerinin fazla miktarda uygulanması nedeniyle fazla sıvı yüklemesi olabilir. Bu yükleme pulmoner ödem ve konjestif kalp Yetersizliğine yol açabilir. Bu konuda dikkatli olunmalıdır.
- Erken postoperatif dönemde koagülopati ve trombositopeni olabilir. Ayrıca nakil işleminin kendisi çok sayıda vasküler anostomozdan dolayı kanama kaynağı olabilir. Bu nedenle kanama riskinin büyük olduğu unutulmamalıdır.
- İmmünosupresif ilaçların seviyesinin korunması rejeksiyonun önlenmesine yardım eder. Ancak immünosupresanların miktarının her hasta için farklı olabileceği unutulmamalıdır.

- Yara drenajının obstrüksiyonu, asit ve kan birikimi karın içi basıncın artmasına neden olabilir. Safra akımının engellenmesi karaciğer ve safra sistemine zarar verebilir.
- Hem hastanın hem de önemli diğer kişilerin kolongiogram, karaciğer biyopsisi ve batın ultrasonografisi gibi işlemler hakkında eğitimi gereklidir. Hasta fulminan karaciğer Yetersizliği gibi acil nakil gerektirmedikçe eğitimin önemli kısmı cerrahi öncesi yapılmalıdır

Hasta Eğitimi

1. Tedavinin Sürdürülmesi: Hastaya her bir ilacın ne için önemli olduğu, zamanında almanın yararı ve unutulduğunda ve zamanında alınmadığında ne yapılacağı açıklanmalıdır.

2. Diyet Düzenlenmesi: Çoğu hasta diyet kısıtlaması ile eve gitmemesine rağmen düşük sodyumlu diyete gereksinim duyabilirler. Bütün hastalar yara iyileşmesine yardımcı besleyici bir diyete gereksinim duyarlar.

3. Enfeksiyon Belirtileri: Ateş, öksürük, keyifsizlik, bulantı kusma, baş ağrısı veya beklenmeyen diğer semptomların varlığında ne yapılması gerektiği açıklanmalı.

4. Reddetme (Rejeksiyon) Belirtileri: Hasta karaciğer fonksiyonlarında herhangi bir değişiklikte örneğin sarılıkta, hemen hekimine bilgi vermelidir. Hastanın rejeksiyon belirtisi olabilen karaciğer fonksiyon testlerindeki herhangi bir değişimi bilmesi gerekir.

5. Aktivite ve Egzersizler: Hasta aktivitelerine yavaşça geri dönmeli. Bununla birlikte normal fiziksel aktivitelerde oldukça fazla kısıtlamalar vardır. Daha fazla güç gerektirenler hekim izni gerektirir.

Evde Bakımın Sürdürülmesi

Öz Bakımın Öğretilmesi: Nakil başarısında sağlık kalitesini artırmak için uzun süreli önlemlerle ilgili olarak hasta ve ailesinin eğitimi çok önemlidir. Hasta ve ailesi kullandığı immunosupresif ajanların etkilerini ve verilme yöntemlerini, sürekli terapötik rejime bağlı kalmaları gerektiğini anlamalıdırlar. İlaçları ne zaman ve nasıl alacakları konusunda yazılı ve sözlü bilgiler verilmelidir. İlaçsız kalma ya da dozun atlanılmasından sakınılmalı. Hasta nakil ekibinin konsültasyonunu gerektirecek problemleri gösteren belirti ve bulgular hakkında bilgilendirilmelidir. T-tüpü olan hastaya tüp bakımını nasıl yapacağı öğretilmelidir.

Sürekli Bakım

Kan testlerinin izlemi ve nakil ekibinin ziyaretlerinin önemi vurgulanmalıdır. Karaciğer ve böbrek fonksiyonlarını değerlendiren diğer kan testleriyle birlikte immünosupresif ajanların kan düzeylerine de bakılır. İlk aylarda haftada iki veya üç kez kan testi gerekebilir. Hastanın durumu stabilize olunca kan testleri ve nakil ekibinin ziyaretleri azaltılır. Transplantasyonda uzun süreli kullanılan kortikosteroid tedavisiyle artan katarakt ve glokom vakalarından dolayı rutin göz muayenelerinin önemi vurgulanmalıdır. İmmunosupresyon nedeniyle diş tedavilerinden önce profilaktik antibiyotik verilmesi, düzenli ağız bakımı ve diş bakımı yaptırması önerilir. Başarılı bir transplantasyonun bile hastayı normale geri döndürmemesine karşın, hastaya rejeksiyon ve Enfeksiyon önlenirse, transplantasyon öncesinden daha normal bir yaşam ve uzun sağkalım süresi olduğu söylenmelidir. Karaciğer transplantasyonu sonrası birçok kişi başarılı ve verimli yaşamlar sürdürmektedir. Gebelik trasplantasyondan bir yıl sonra düşünülebilir. Başarılı sonuçlar rapor edilmiştir. Ancak bu gebelikler anne ve bebek için büyük risk olarak düşünülmektedir.

i. Karaciğer Abseleri

Karaciğer abseleri ameobik ve pyojenik olarak iki kategoride tanımlanmıştır. Ameobik karaciğer abselerinin en yaygın nedeni Entamoeba histolitica'dır. Ameobik karaciğer abseleri gelişmekte olan ülkelerin tropik ve subtropik bölgelerinde daha çok sanitasyon ve hijyen kurallarına uyulmamasından oluşur. Pyojenik abseler daha az görülmektedir. Ancak ameobik türe göre gelişmiş ülkelerde daha yaygındır.

Patofizyoloji

Safra ya da gastrointestinal (GI) kanalın herhangi bir bölgesinde Enfeksiyon geliştiğinde Enfeksiyon ajanları safra sistemi, portal ven, hepatik arter ya da lenf sistemiyle karaciğere ulaşır. Bakterilerin çoğu hemen yok edilir ancak bazıları yerleşip çoğalacak bir yer bulur. Bakteriyal toksinler komşu karaciğer hücrelerini yok eder ve ortaya çıkan nekrotik doku Enfeksiyon ajanlarına karşı koruyucu duvar gibi işlev görür.

Bu sırada lökositler infekte olmuş alana göç ederler. Canlı ve ölü lökositler, karaciğer hücreleri ve bakterileri içeren sıvıyla dolu bir abse oluşturur. Bu tip pyojenik abseler küçük, tek ya da birden fazla olabilir. Kolanjitis ve karın travmaları pyojenik karaciğer absesine neden olan durumlara örnek verilebilir.

Klinik Belirtiler

Üşüme titremeyle birlikte görülen yüksek ateş, kırıklık, anoreksiya, bulantı, kusma ve kilo kaybı olabilir. Hasta şiddetli karın ağrısından ve sağ üst kadranın hassasiyetinden şikayetçi olabilir. Hepatomegali, sarılık, anemi, plevral efüzyon gelişebilir. Sepsis ve şok önemlidir ve yaşamı tehdit edebilir. Eskiden belirsiz klinik bulgulardan, tanısal alet yetersizliğinden ve absenin yetersiz cerrahi drenajından ölüm oranı %100'dü. Ultrasonografi, CT, MRI taramaları, karaciğer taramaları, erken tanı ve absenin cerrahi drenajı ölüm oranını büyük ölçüde azalttı.

Tanı

Kan kültürleri alınır ancak Enfeksiyon ajanları ayırt edilemeyebilir. Tanılamaya yardım ve Enfeksiyon ajan kültürü için ultrasonografi, CT, MRI yardımıyla karaciğer absesinin aspirasyonu yapılabilir.

Tedavi

Abseyi boşaltmak ve iyileşmeyi hızlandırmak amacıyla pyojenik absenin perkütanöz drenajı yapılmaktadır. Sürekli drenaj için bir kateter yerleştirilebilir. Hasta kateter bakımıyla ilgili eğitilmelidir.

Bakım

Bakım hastanın fiziksel durumuna ve uygun görülen tıbbi tedaviye göre planlanır. Abse drenajı uygulanan hastalara drenaj izlemi ve deri bakımının öğretilmesi gereklidir. Drenaj kontrolü ve hastayı diğer Enfeksiyon kaynaklarından korumak için stratejiler belirlenmelidir. Hastanın fiziksel durumundaki değişiklikleri izlemek amacıyla yaşam bulguları düzenli aralıklarla ölçülür ve yorumlanır. Yaşam bulgularında bozulma, absenin büyüdüğünü ya da açıldığını gösteren ağrı gibi yeni sorunların başlaması derhal rapor edilmelidir. Önerildiği şekilde intravenöz (IV) antibiyotik verir. Lökosit sayısı ve diğer laboratuvar testleri infeksiyonun kötüleştiğini göstermesi açısından yakından izlenir. Hasta taburcu edilirken belirti ve bulguların kontrolü, hekime rapor edilmesi gereken belirti ve bulgular, drenaj kontrolü ve antibiyotiklerin önerildiği gibi alınmasının önemi konusunda bilgilendirilir.

Sonuç olarak karaciğer bozuklukları günümüzde yaygındır. Buna karşın karaciğer fonksiyonu komplekstir ve karaciğer fonksiyon bozukluğu tüm vücut sistemlerini etkiler. Bu nedenle karaciğer fonksiyonları bilinmeli, kompleks tanı ve tedavi altında olan hastaların bakımında tanılama ve bakım konusunda beceri sahibi olunmalıdır.

37.
SAFRA KESESİ VE PANKREAS HASTALIKLARI

Prof. Dr. Fatma ETİ ASLAN
Doç. Dr. Ümmü YILDIZ FINDIK

Giriş
Safra taşları ve pankreas fonksiyon bozukluklarını içeren sağlık sorunları yaygındır. Karaciğer hastalıklarıyla safra sistemi bozukluklarının yakın bağlantısını anlamak için safra ve pankreasın yapı ve fonksiyonlarını bilmek gereklidir. Akut ya da kronik safra sistemi ya da pankreas hastalığı olan hastalar; safra kesesi ve pankreas bozukluklarının tedavisinde kullanılan tanısal işlemler ve girişimlerle ilgili bilgi sahibi sağlık profesyonellerinin bakımına gereksinim duyarlar.

I. Safra Kesesi
a. Anatomi ve Fizyoloji
Safra Kesesi Anatomisi ve Fizyolojisi
Safra kesesi armut şeklinde, içi boş, kese görünümünde, 7.5 - 10 santim (cm) uzunluğunda karaciğerin ön yüzünde, hafif altta bulunur ve gevşek bağ dokusuyla karaciğere bağlanır. Safra kesesinin kapasitesi 30 ile 50 mililitre (ml)'dir. Duvarı düz kaslardan oluşur. Sistik kanalla ortak safra kanalına bağlanır.

Safra Kesesinin Fonksiyonu
Safra kesesi, safra için depo görevi yapmaktadır. Yemekler arasında oddi sfinkteri kapandığında, karaciğer hücreleri tarafından yaklaşık 500-1000ml üretilen safra, safra kesesine dolar. Depolama sırasında safradaki suyun büyük bir kısmı safra kesesi duvarlarından geri emilir. Bu nedenle safra kesesi safrası 5-10 kez daha konsantredir. Yiyecekler duodenuma girdiğinde safra kesesi kasılır ve oddi sfinkteri gevşer. Oddi sfinkterinin gevşemesi safranın bağırsağa akmasını sağlar. Oddi sfinkterinin duvarından salgılanan kolesistokinin-pankreozimin (CCK-PZ) bu sfinkterin gevşemesi sağlanır. Safra su, sodyum, potasyum, kalsiyum, klor ve bikarbonat gibi elektrolit ve önemli miktarda lesitin, yağ asitleri, kolesterol, bilirubin ve safra tuzlarından oluşmaktadır. Safra tuzları kolesterolle birlikte distal ileumdaki yağların emilsiyonuna yardım eder. Sonra karaciğere geri dönmek üzere buradan emilir ve portal ven aracılığı ile tekrar safra içine girer. Hepatositlerden safraya, safradan bağırsaklara ve bağırsaklardan da tekrar geriye hepatositlere giden bu yola *enterohepatik sirkülasyon* denir. Enterohepatik sirkülasyon-dan dolayı barsağa giren safra tuzlarının sadece küçük bir kısmı gaita ile atılır. Bu azalma karaciğer hücrelerinden safra tuzlarının aktif sentezi için gereklidir.

Safra akışı engellenirse bilirubin ve eritrositlerin yıkımıyla oluşan pigmentler barsağa giremez. Sonuç olarak kanda bilirubin seviyesi ve bunun sonucunda renal ürobilinojen salınımı artar. Dışkıda salgı azalmıştır. Safra kesesi bozukluklarında meydana gelen birçok belirti ve bulgunun nedeni bu değişikliklerdir.

b. Safra Kesesi Hastalıkları
Safra sisteminin inflamasyonu, taşlar ve safra kanallarını tıkayan karsinoma safra sistemini ve normal safra drenajının duedonuma akmasını engeller. Safra taşları safra sisteminin en yaygın bozukluğudur. Bütün safra kesesi inflamasyonlarının, safra kesesi taşlarıyla, ilişkili olmamasına karşın, akut kolesistitli hastaların %90'dan fazlasında safra taşı vardır. Safra taşı olan 15 milyon Amerikalının ağrısı yoktur ve safra kesesi taşlarının farkında değildirler. Safra kesesi hatalıkları ile ilgili terminolojiye tablo 37.1'de yer verildi.

Tablo 37. 1: Safra Kesesi Hastalıkları ile İlgili Terminoloji

Kolesistit: Safra kesesinin inflamasyonu
Kolelitiazis: Safra kesesinde taş olması
Kolesistektomi: Safra kesesinin çıkarılması
Kolesistostomi: Safra kesesinin açılması ve drenajı
Koledekotomi: Koledok kanalının açılması
Koledekolitiazis: Koledok kanalında taşların olması
Koledekolitotomi: Koledok kanalının açılması ve taşların çıkarılması
Koledekoduodenostomi: Koledokun duodenuma anastomozu
Koledekojejinostomi: Koledokun jejunuma anastomozu
Litotripsi: Şok dalgalarıyla safra taşlarının kırılması
Laparoskopik kolesistektomi: Safra kesesinin laparoskopik olarak çıkarılması
Lazer kolesistektomi: Lazer ışınları kullanarak safra kesesinin çıkarılması

Kolesistit
Safra kesesinin akut inflamasyonudur. Ağrı ve hassasiyet, sağ omuza veya sternumun orta bölgesine yayılır, üst abdominal bölge rijiditesine, bulantı ve kusmaya sebep olur. Bunlar inflamasyonun bilinen genel belirtileridir. Safra kesesi prülan sıvı ile dolarsa safra kesesi ampiyemi gelişir.

Akut kolesistit vakarının % 90'dan fazlasının nedeni taşlı kolesistittir. Taşlı kolesistitte safra kesesi taşları safra akımını engeller. Safra kesesi içinde kalan safra kimyasal reaksiyon başlatır; otoliz ve ödem oluşur. Safra kesesindeki kan damarları sıkışır ve vasküler akım durur. Perferasyonla birlikte safra kesesi kangreni oluşur. Bakterilerin akut kolesistitte daha az rolü vardır. Yine de safra infeksiyonu hastaların yaklaşık % 60'da Escherichia coli, Klepsiella türleriyle ve diğer enterik organizmalarla sekonder olarak meydana gelir. Bakteriyal kontaminasyon ve lokalize inflamasyonun sistemik belirtisi 38'nin üstünde ateştir. Üst abdominal kadran ağrısı, sarılık ve ateş Chotcot triadı olarak bilinmektedir. Bilier sistemin aktif enfeksiyonu olan akut kolanjit olarak tanımlanır.

Taşsız kolesistit safra taşı tıkanıklığı bulunmayan akut safra kesesi inflamasyonudur. Büyük cerrahi işlemler, ciddi travmalar ya da yanıklardan sonra oluşur. Kolesistitin bu türüne eşlik eden diğer faktörler torsiyon, safra kanalının tıkanması, safra kesesinin primer bakteriyal infeksiyonları ve fazla miktarda kan transfüzyonudur.

Taşsız kolesistitin sıvı-elektrolit dengesizliği ve iç organlardaki bölgesel kan dolaşımında ki değişikliklerden dolayı ortaya çıktığı düşünülmektedir. Safra stazı oluşumunda, safra kesesinin kontraksiyonunun olmaması sonucu ortaya çıkan safra vizkositesinde artışın rol oynadığı düşünülmektedir. Büyük cerrahi işlemler ve travmalarla oluşan taşsız kolesistitin tanısı güçtür.

Tablo 37. 2: Kolelitiaziste Yaygın Risk Faktörleri

1. Obezite,
2. Kadınlar; özellikle birden fazla doğum yapanlar ve Amerikan yerlisi veya ABD güneybatı hispanik etnik kökenden olanlar,
3. Vücut ağırlığında sık değişmeler,
4. Hızlı kilo kaybı; safra taşlarının hızla gelişmesine ve semptomatik hastalık riskine sebep olur,
5. Yüksek dozda östrojen ile tedavi (prostat kanseri),
6. Düşük doz östrojen tedavisi
7. İleal rezeksiyon veya hastalık
8. Kistik fibrois
9. Diyabetes mellitus
10. Parenteral beslenme

Kolelitiazis-Safra Taşları

On yedinci yüzyılda yapılan arkeolojik çalışmalara göre 4000 yıldan beri safra taşlarına bağlı hastalıkların olduğu tespit edilmiştir. Taşlar genellikle safra kesesinde safranın katı unsurlarından oluşurlar. Büyüklük, şekil ve yapı bakımından farklılık gösterirler. Tablo 37.2'de safra taşı risk faktörlerine yer verildi.

Epidemiyoloji

Çocuklarda ve genç yetişkinlerde yaygın değildir. 20 yaşından yukarı olanlarda yapılan bir otopsi araştırmasında kadınlarda %17, erkeklerde %8 oranında safra taşı saptanmıştır. Ancak 40 yaş sonrasında yaygınlaşır. Kolelitiazis sıklığı 70 yaş üzerindekilerde % 50, 80 yaş üzerinde olanlarda % 50'nin üzerindedir.

Patofizyoloji

Safra taşlarının pigmentten ve kolesterolden oluşan iki majör tipi vardır. Pigment taşlarının konjuge olmamış pigmentlerin taş şeklinde çökmesinden oluştuğu düşünülür. Bu taşlar Amerika Birleşik Devletleri (ABD)'nde vakaların 1/3'nü oluşturur. Siroz, hemoliz ve safra kanalı infeksiyonu olan hastalarda pigment taşları gelişme riski fazladır. Pigment taşları erimeyebilirler ve cerrahi olarak çıkarılmalıdır.

Kolesterol taşları ABD'de safra kesesi hastalıklarının çoğunun nedenidir. Buna karşın Türkiyede tüm bireyleri kapsayan safra taşı oluşum nedenleri ile ilgili bir veriye rastlanmadı. Normal safra bileşiği olan kolesterol suda erimez, eriyebilirliği safra asitleri ve lesitine (Fosfolipitler) bağlıdır. Safra taşına eğilimli hastada safra asit sentezi azalırken karaciğerde kolesterol sentezi artmaktadır. Doymuş kolesterolün fazlası taş şeklinde çökmektedir. Kolesterol-doymuş safra, safra kesesi taşlarının oluşumu için hazırlayıcı bir faktördür

Kolesterol safra kesesinde inflamatuar değişikliklere yol açan bir irritan olarak işlev görür. Kolesterol taşları ve safra kesesi hastalıkları kadınlarda erkeklerden beş kez daha fazla gelişir. Kadınlar genellikle 40 yaşın üstünde, çok doğum yapmış ve şişmandırlar. Taş oluşum sıklığını oral kon-traseptifler, östrojen ve lipid düşürücü bir ilaç olan clofibrate arttırmaktadır. Bu maddelerin safra kolesterol saturasyonunu artırdığı bilinir. Taş oluşumu sıklığı yaşla hepatik kolesterol sentezinin artması ve safra asit sentezinin azalmasının bir sonucu olarakta artmaktadır.

Klinik Belirtiler

Safra taşları belirtisiz olabilir; ağrı oluşturmayabilir, sadece hafif gastrointestinal belirtiler gösterebilirler. Bu tür taşlar cerrahi girişim esnasında ya da ilgisiz sorunların değer-lendirilmesinde tesadüfen belirlenebilir.

Safra taşlarında, safra kesesi hastalığının kendinden ve safra kanallarının bir safra taşıyla tıkanmasından kaynaklanan olmak üzere iki tür belirti görülebilir. %90'ında sistik kanalın yada koledokun obstruksiyonu ile biliyer kolik meydana gelir. Belirtiler akut veya kronik olabilir. Şişkinlik hissi, mide dolgunluğu gibi epigastrik rahatsızlıklar ve karnın sağ üst kısmında belirsiz ağrı görülebilir. Bu rahatsızlık, kızarmış ve yağlı yiyecekler açısından zengin bir öğünden sonra ortaya çıkabilir.

Ağrı ve Biliyer Kolik: Eğer safra yolları bir safra taşı tarafından tıkanmışsa safra kesesi şişer, iltihaplanır ve sonunda infekte olur. Buna akut kolesistit denir. Hastanın vücut ısısı yükselir ve karında elle hissedilebilen bir kütle görülebilir. Biliyer kolik karnın sağ üst kısmında şiddetli ağrı ile gelişebilir, bu ağrı sırta veya sağ omuza yayılabilir, genellikle bulantı ve kusma ile birliktedir ve ağır bir yemekten birkaç saat sonra görülür. Hasta huzursuzca hareket eder ve rahat bir pozisyon bulamaz. Bazı hastalarda ağrı, kolik tarzından ziyade süreklidir. Bu tür bir biliyer kolik nöbeti safra kesesinin kasılmasından kaynaklanır. Safra kesesinin iç kısmı şiştiğinde sağ dokuzuncu ve onuncu kaburga kıkırdağı bölgesinde karın duvarına temas eder. Derin nefes alındığında bu durum belirli bir hassasiyete yol açar ve tam nefes alımını engeller. Akut kolesistit ağrısı analjezik gerektirecek kadar şiddetli olabilir. Morfinin Oddi sfinkterinin spazmını arttırdığı Meperidinin ise, santral sinir sistemi (SSS)'ne toksik etki yapan metabolitler içerdiği düşünülür. Bu nedenle kullanımdan kaçınılır.

Safra taşı alındığında ve safra kanalını tıkamadığında safra kesesi boşalır ve nispeten kısa bir süre içinde iltihaplanma süreci sona erer. Taş safra kanalını tıkamaya devam ederse genel peritonit ile birlikte abse, nekroz ve delinme meydana gelebilir.

Sarılık: Safra kesesi hastalığında fazla görülmeyen sarılığa, genellikle ortak safra kanalının tıkanmasının neden olduğu düşünülür. Duodenuma ulaşımı kesilen safra, kan tarafından emilerek deri ve mukozaya sarı renk verir. Sarılık serum bilirubin seviyesi 5mg/dl aştığında oluşmaktadır. Buna genellikle deri kaşıntısı eşlik eder.

İdrar ve Dışkı Renginde Değişiklikler: Safra pigmentlerinin böbrekler yoluyla atılması idrara çok koyu bir renk verir. Artık pigmentlerin renklendirmediği dışkı grimsi, macunsu ve genellikle kil renkli olarak tanımlanır.

Vitamin Eksikliği: Safra akışının engellenmesi, yağda çözülen A, D, E ve K vitaminlerinin emilmesini de engeller. Bu nedenle, biliyer tıkanma uzun süreli olduğunda K vitamini eksikliğinden kaynaklanan kanamalar olabilir.

Tanı

Karın Röntgeni: Safra taşı düşünülüyorsa karın röntgeni çekilebilir. Fakat safra taşlarının sadece %15 ila %20'si bu tür bir radyolojik çalışmada görülebilecek derecede yoğunlaşmıştır.

Ultrasonografi: Tanı seçeneği olarak ultrasonografi, oral kolesistografi'nin yerini almıştır. Çünkü hızlı ve hassas bir ölçümdür ve karaciğer fonksiyon bozukluğu ve sarılığı olan hastalarda kullanılabilir. Hastayı iyonize radyasyona maruz bırakmaz. Ultrasonografi hastanın gece yemek yediği ve böylece safra kesesinin şiştiği durumda en doğru sonuçları verir. Ultrason kullanımı ses dalgalarının yansımasına dayanmaktadır. Ultrasonografi ile safra kesesindeki taşlar veya genişlemiş ortak safra kanalı tespit edilebilir.

Kolesintigrafi: Kolesintigrafi, akut kolesistit tanısında başarıyla kullanılmaktadır. Bu işlemde damardan radyoaktif bir madde verilir. Radyoaktif madde hepatositler tarafından alınır ve biliyer yoldan hızla boşaltılır. Biliyer yol bundan sonra taranır ve safra kesesi ile biliyer yolun görüntüleri elde edilir. Bu test ultrasonografiden daha pahalıdır, daha fazla zaman alır, hastayı radyasyona maruz bırakır ve safra taşlarını tespit edemez. Kullanımı, ultrasonografinin sonuç vermediği vakalarla sınırlandırılabilir.

Kolesistografi: Tercih edilen test olarak kolesistografinin yerini ultrasonografinin almış olmasına rağmen halen ultrasonografi donanımının mevcut olmadığı veya ultrason sonuçlarının belirleyici olmadığı durumlarda kullanılmaktadır. Oral kolanjiografi, safra taşlarını tespit etmek ve safra kesesinin doldurma kapasitesini değerlendirmek için, içeriklerini konsantre etmek, küçültmek ve boşaltmak için uygulanabilir. Hastaya iyot içeren kontrast madde verilir. Normal safra kesesi bu radyoopak madde ile dolar. Safra taşı varsa röntgen filminde gölge olarak görülürler.

Kontrast Maddeler: İaponoic asit (Telepque), iodipamide meglumine (Cholografin) ve sodyum ipodate (Oragrafin) dir. Bu ilaçlar röntgen çekiminden 10 ila 12 saat önce verilir. Safra kesesinin kasılmasını ve boşalmasını engellemek için kontrast madde verildikten sonra hastaya ağızdan herhangi bir şey almasına izin verilmez.

Hastaya iyot veya deniz ürünlerine alerjisi olup olmadığı sorulur. Alerji yoksa röntgenin alınmasından bir gece önce kontrast ajan hastaya ağızdan verilir. Sağ üst midenin röntgeni alınır. Safra kesesinin normal biçimde dolup boşaldığı ve taş içermediği görülürse safra kesesi hastalığı ihtimali elenir. Safra kesesi hastalığı varsa, safra taşlarının yol açtığı tıkanmadan dolayı safra kesesi görüntülenemeyebilir. İlk denemede safra kesesinin görüntülenemediği durumda, kontrast ajanın ikinci dozuyla oral kolesistogram tekrarı gerekebilir. Sarılıklı hastada kolesistografi yararlı değildir. Çünkü, sarılık varlığında radyoopak boya karaciğerden safra kesesine gelmez.

Endoskopik Retrograde Kolanjiopankreatografi (ERCP): ERCP, sadece laparotomi ile görünebilen yapıların doğrudan görüntülenebilmesine olanak tanımaktadır. Hepatobilier sistemin muayenesi, özefagus içinden duodenuma sokulan yan görünümlü esnek fiber optik endoskopla yürütülür. İşlem süresince endoskopun geçmesi için yüz üstü sol lateral pozisyondan başlayarak birçok pozisyon değişikliği gereklidir.

ERCP sırasında duktal taşların varlığını ve yerini değerlendirmek için fluoroskopi ve çoklu röntgen kullanılır. Bu yöntemle safra taşının alınması için Endoskop içinden ortak safra kanalına kateterin dikkatle sokulması en önemli adımdır. Bu işlemde, endoskobu gastrointestinal yapılara biliyer ağaç dahil zarar vermeden yerleştirebilmek için hastanın işbirlikçi olması gerekmektedir. İşlemden önce hastaya işlem ve hastanın bu işlemdeki rolüne dair açıklamalar yapılır. Hastanın işlemi kabul ettiğine dair imzası alınır. Hasta, işlemden önce birkaç saat boyunca ağızdan bir şey almaz. Bu prosedürde orta düzeyli sakinleştirici kullanılır, bu nedenle hasta yakından gözlemlenmelidir. Çoğu endoskopi uzmanı opioid ile benzodiazepine karışımı kullanır. Duodenal peristaltizmi engellemek ve kateter yerleştirmesini kolay-laştırmak amacıyla glukagon ve antikolinerjik ilaçlar da gerekebilir. Solunum ve merkezi sinir sistemi rahatsızlıkları, hipotansiyon, aşırı sedasyon ve glukagon verilmişse kusma belirti/bulguları yakından izlenmelidir. İşlemden sonra yaşam bulguları, gittikçe artan karın ağrısı, kusma, ateş, titreme gibi perferasyon ve enfeksiyon belirtileri izlenir. Ayrıca verilen ilaçların yan etkileri, lokal anesteziden sonra öğürme ve öksürme refleksleri de kontrol edilir.

Perkütanöz Transhepatik Kolanjiografi(PTK): Bu yöntemde, boya doğrudan biliyer kanala enjekte edilir. Biliyer sisteme fazla miktarda verilen boyanın konsantrasyonu sebebiyle, karaciğer içindeki hepatik kanallar, ortak safra kanalının tamamı ve safra kesesi dahil sistemin bütünü açıkça görülür.

Bu işlem karaciğer Yetersizliği ve sarılık varlığında bile kullanılabilir. Karaciğer hastalığının sebep olduğu sarılığı biliyer tıkanmadan ayırt etmede, safra kesesi alınan hastanın mide-bağırsak bulgularını incelemede, safra kanalları içindeki taşların yerini belirlemede ve biliyer sistemdeki kanseri teşhis etmede yararlıdır.

PTK tok karna orta derece sakinleştirici kullanılarak uygulanır. Hastaya lokal anestezi ve İV sakinleştirici verilir. Kanama riskini en aza indirgemek için pıhtılaşma parametreleri ve trombosit sayısı normal olmalıdır. Safra sisteminin tıkanması nedeniyle oluşabilen bakteriyel kolonizasyonu önlemek amacıyla antibiyotikler verilir. Bir lokal anestezik ajan sürüldükten sonra esnek bir iğne, sağ kaburganın hemen altından, orta klavikular çizginin sağ tarafından karaciğere sokulur. Safra boşaltılması veya kontrast madde enjekte edilmesi kanala girişi kolaylaştırır. Kanal açıklığını incelemek amacıyla ultrason kullanılabilir. Safra boşaltılır, bakteriyoloji ve sitoloji için örnek alınır. Safra sistemini doldurmak için suda çözülen bir kontrast madde enjekte edilir. Fluoroskopi işlemi sırasında hastaya farklı röntgen projeksiyonları alınacak şekilde pozisyon verilir. Röntgen görüntüleri daha uzaktaki kanalların anormalliklerini belirleyebilir ve bir kanal daralmasının uzunluğunu veya çoklu kanal daralmalarını gösterebilir. İğne çıkarılmadan önce, iğnenin geçtiği yerden peritoneal boşluğa sızıntıyı engellemek ve böylece safra peritoniti riskini en aza indirgemek amacıyla kesedeki boya ve safra aspire edilir.

Manyetik Rezonans Kolanjio-Pankreatografi (MRCP): Şüpheli safra kanalı taşlarının tespitinde güvenilirliği yüksek non invazif, risk oranı düşük bir tanı yöntemidir.

Tedavi

Ağrı ve kolesistiti azaltmak amacıyla tıbbi tedavi uygulanır. Bunun için destekleyici tedavi ve uygun beslenme düzenlenir. Gerekirse ilaç tedavisi, endoskopik işlemler veya cerrahi girişimle kolesistit nedeni ortadan kaldırılır.

Cerrahi dışındaki tedavilerin cerrahi girişimlere bağlı riskleri elime etme avantajı vardır. Ancak litotripsi ve safra taşlarının çözülmesi dahil cerrahi olmayan girişimlerin çoğu safra kesesi sorunlarına sadece geçici çözüm getirirler.

Beslenme: Akut kolesistitli hastaların yaklaşık % 80'i dinlenme, intravenöz sıvılar, nazogastrik aspirasyon, analjezik ve antibiyotiklerle tedavi edilebilmektedir. Hastanın

Tablo 37.3: Safra Sistemi Hastalıklarının Tanısında Kullanılan Yöntemler

Yöntem	Amaç
Kolesistografi, kolonjiografi	Safra kesesi ve safra kanalını görüntülemek
Laparoskopi	Trokar ile karaciğerin ön yüzeyini, safra kesesini ve mezenteri görüntüleme
Ultrasonografi	Karın organlarının boyutlarını ve kütle varlığını göstermek
Manyetik rezonans görüntüleme (MRI)	Neoplazmaları tespit etmek: kist, abse ve hematomaları teşhis
Endoskopik retrograt kolanjiopankreatografi (ERCP)	Endoskopi ile biliyer yapıları ve pankreası görüntüleme
Serum alkalin fosfat	Kemik hastalığı olmadığında biliyer kanal tıkanıklığını ölçmek
GGT, GGTP, LDH	Biliyer staz belirtileri; alkol bağımlılığında da yükselir
Kolesterol seviyeleri	Biliyer tıkanmada yükselir; parankimal karaciğer hastalığında düşer

> **UYARI**
>
> Bu işlemden sonra komplikasyon oranı düşük de olsa, hasta kanama, peritonit ve septisemi belirtileri yönünden yakından izlenmelidir.

durumu kötüye gitmedikçe, akut belirtiler ortadan kalkana ve tam değerlendirme yapılabilene kadar cerrahi girişim ertelenir.

Akut kolesistit atağından hemen sonra beslenme genellikle yağdan fakir sıvılarla sürdürülür. Hasta, yağsız süt içine yüksek protein ve karbonatlı besinler karıştırabilir. Tolere edildiği oranda pişmiş meyveler, pirinç, yağsız et, patates püresi, gaz yapmayan sebzeler, ekmek, kahve veya çay eklenebilir. Hasta yumurta, krema, domuz eti, kızarmış yiyecekler, peynir ve salata sosları, gaz yapıcı sebzeler ve alkolden uzak durmalıdır. Yağlı yiyeceklerin akut kolesistit atağına sebep olabileceği hastaya hatırlatılmalıdır. Belirsiz mide-bağırsak yakınmaları olan ve sadece yağlı yiyecekleri tolere edemeyen hastalarda beslenmenin düzenlenmesi başlıca tedavi şekli olabilir.

Destekleyici Tedavi: Kolesterolden oluşmuş küçük safra taşlarını çözmede ursodeoksikolik asit (UDCA) veya chenodeoksikolik asit kullanılmaktadır. Chenodiol'e göre UDCA'nın daha az yan etkisi vardır ve aynı etkiyi elde etmek için daha düşük dozda verilebilir. Kolesterolün sentezini ve salgılanmasını engelleyerek safranın doyma oranını azaltır. Mevcut taşların boyutu küçültülebilir. Küçük taşlar çözülebilir ve yeni taşların oluşumu engellenebilir. Birçok hastada taşları çözmek için 6-12 aylık tedavi ve bu süre içinde hastanın gözlemlenmesi gereklidir. Etkili ilaç dozu vücut ağırlığına göre hesaplanır. Bu tedavi yöntemi cerrahi girişimi kabul etmeyen veya cerrahi girişimin riskli kabul edildiği hastalarda kullanılır.

Ciddi, belirtisi fazla olan, safra kanalı tıkanması veya pigment taşları olan hastalarda bu tedavi uygulanamaz. Cerrahi riskleri kabul edilebilir seviyede olan hastalar için laparoskopi veya açık kolesistektomi daha uygundur.

Kolelitiazis-Safra Taşlarında Farklı Tedavi Yöntemleri

Safra Taşlarının Çözülmesi: Safra kesesine (mono-octonin veya methyl tertiary butyl eter; MTBE) gibi bir çözücü verilmesiyle taşların çözülmesi sağlanabilir. Çözücü doğrudan safra kesesine giden damardan kateter veya tüp ile, cerrahi girişimle alınamayan taşların çözülmesi için T-tüpü içinden tüp veya drenaj ile, ERCP endoskobu veya transnasal biliyer kateter yardımıyla verilebilir.

Transnazal biliyer kateter ağızdan ortak safra kanalına sokulur. Bu sayede taşlar izlenirken ve taşları çözmek için kimyasal çözücüler verilirken hasta normal olarak yiyip içebilir. Taşları çözmede kullanılan bu yöntemin kullanımı yaygın değildir.

Ekstrakorporal Şok Dalgaları; Litotripsi (ESWL): Safra taşlarının alınması için kullanılmaktadır. Litotripsi kelimesi taş anlamına gelen "lithos" ve sürtünme anlamına gelen "trip-

sis" kelimelerinden gelmektedir. Bu noninvaziv işlemde safra kesesindeki veya ortak safra kanalındaki taşları parçalamak için tekrarlı şok dalgaları kullanılır. Enerji vücuda sıvı dolu bir çantadan ya da hasta su dolu bir küvetteyken iletilebilir. Birleşen şok dalgaları parçalamak üzere taşlara yönlendirilir.

Taşlar aşama aşama kırıldıktan sonra taş parçaları safra kesesinden veya ortak safra kanalından spontan olarak geçerler, endoskopi ile alınırlar veya oral safra asidi veya çözücülerle çözülürler. Bu işlemde kesi yapma veya hastanede kalma gerekmediğinden hastalar genellikle ayakta tedavi görürler ve genelde birkaç oturum gerekir. Laparoskopik kolesistektominin yaygın kullanımıyla birlikte safra kesesi taşlarının tedavisinde bu yöntemin kullanımı azalmıştır.

Intrakorporal Litotripsi: Safra kesesi veya ortak safra kanalındaki taşlar lazer titreşim teknolojisi kullanılarak kırılabilir. Fluoroskopi yardımıyla bir lazer titreşimi taş ile dokuyu ayırt edebilen cihazlar kullanılarak yönlendirilir. Lazer titreşimi taş yüzeyindeki plazmanın hızla genleşmesini ve parçalara ayrılmasını sağlar ve mekanik şok dalgası ortaya çıkar.

Elektrohidrolik lithotripside iki elektrotlu bir sonda kullanılır; bu elektrotlar seri titreşimler halinde elektrik kıvılcımları verir ve safra taşlarının etrafındaki sıvı ortamın genişlemesine ve taşların parçalanmasına yol açar. Bu yöntem *çengel* veya balon kateter sistemi kullanılarak deriden ya da endoskop ile doğrudan görüntüleme yapılarak kullanılabilir. Taş boyutu, lokal anatomi, kanama ve teknik zorluklara bağlı olarak birden fazla uygulanması gerekebilir. Biliyer genişlemeye izin vermek ve ortak safra kanalında taş birleşmesini engellemek için nozabiliar tüp kullanılabilir. Bu yaklaşımla, safra taşları endoskopik olarak, perkütanöz veya cerrahi olarak temizlenene kadar hastanın klinik durumunda gelişme sağlanmasına zaman tanınabilir.

Safra Taşlarının Enstrümantasyonla Çıkarılması:
Koledokta rezidüel taşların görülme oranı %1.4-4 arasındadır. T- tüp aracılığıyla işleme başlanır ve değişik açılı ve kalınlıktaki dormia basketle koledoka girilerek taş çıkarılır. Diğer bir yöntem Endeskopik ERCP ile papilla, oddi sfinkteri, submukozal liflerin açılması sağlanarak taşların duedonuma kendiliğinden düşmesinin sağlanmasıdır.

Cerrahi Tedavi

Safra kesesi hastalığının ve safra taşlarının cerrahi tedavisi inatçı belirtilerden kurtulmak, safra koliği sebebini ortadan kaldırmak ve akut kolesistiti tedavi etmek için uygulanır. Hastanın belirtileri kaybolana kadar cerrahi işlem ertelenebilir veya hastanın durumu gerektirirse acil işlem olarak uygulanabilir.

Klasik cerrahi yaklaşımlarla safra kesesinin alınması, 100 yıldan fazla bir süre standart tedavi olarak düşünülmüştür. Fakat günümüzde safra kesesi hastalıklarının tedavisinde önemli değişiklikler meydana gelmiştir. Laparoskopik kolesistektomi kullanımı giderek yaygınlaşmaktadır. Sonuç olarak cerrahi riskler, hastanede kalış süresi ve standart cerrahi ile ilişkili uzun iyileşme sürecinde azalma olmuştur.

Laparoskopik Kolesistektomi

Laparoskopik kolesistektomi ile safra taşlarının tedavisine yaklaşım önemli oranda değişmiştir. ABD'de yılda yaklaşık 700.000 hasta kolesistektomi için cerrahi işleme gerek duymaktadır ve bunların % 80 - % 90'ı laparoskopik kolesistektomiye adaydır. Ancak, Türkiye de bu konuda istatiksel bir veriye rastlanmadı.

Ortak safra kanalının safra taşı ile tıkandığı düşünülüyorsa, laparoskopi'den önce kanalı incelemek için sfinkterotomi ile ERCP uygulanabilir.

Laparoskopik cerrahide fiber optik teknoloji kullanımıyla ilgili bölümün incelenmesi, çıkarılması/onarılması gibi süreçler gerçekleştirilir. Bu süreçleri gerçekleştirmede çeşitli donanımlara, araç ve gerece gereksinim vardır.

Donanımlar: Laparoskopik cerrahi ünitesi, insüflatör, ışık kaynağı, kamera kontrol ünitesi, teleskop, monitör, aspiratör, videoskopik cerrahi seti, operasyon masasıdır.

Gereçler: İnsüflatör iğnesi (Verres), trokarlar, grasper, disektör, makas, elektro koter uçları ve bipolar, aspirasyon ve irigasyon gereçleri, endo klipler, endo stapler, sütürlar, extra corporeal sütür, intra corporeal sütür, zumi gibi manipülasyon gereçleridir. *Aletler* grubunda ise çamaşır pensi, portegü, spekülüm, tenekülüm, sondalar, iplik makası, novac küret, dişli/dişsiz penset, bistüri sapı, ring forseps, mosquito, tas ve küvetler sayılabilir.

Hiçbir cerrahi işlem risksiz değildir. Laparoskopik cerrahi basit ve güvenli bir yöntem olarak bilinmesine karşın; olası yan etkilere/komplikasyonlara sahiptir. Ayrıca genel anestezi altında uygulanan tüm işlemlerde hastalar benzer risklere sahiptir. Bu nedenle laparoskopik cerrahi işlem için hasta seçim ve hazırlığı dikkatli bir yaklaşım gerektirir.

Laparoskopik işlemler her ne kadar hastanın yaşamını güvence altına alarak yapılsa da; gaz embolisi, vagal reaksiyon, ventriküler aritmiler, hiperkapni ve asidoz gibi pnömoperitenial komplikasyonlar; trokar yerleştirilmesi sırasında mesane, aort, iliak arter, vena kava yaralanması, mide bağırsak perforasyonu, abdominal duvar yaralanmaları veya yara infeksiyonları, işlemin uygulandığı bölgeye özgü sekonder komplikasyonlar işlem sırası ve sonrasında ortaya çıkabilecek sorunlardır.

Sağlık bakımının her alanında olduğu gibi laparoskopik cerrahide de olası riskleri azaltmak için hasta bakımı ekip yaklaşımını gerektirmektedir. Laparoskopik cerrahi ekibinin vazgeçilmez üyeleri arasında cerrah, cerrahi hemşiresi,

Açık ve Laparoskopik Cerrahinin Karşılaştırılması

Parametreler	Açık Cerrahi	Laparoskopik Cerrahi
Hastanede kalış süresi	3-10 gün	1-2 gün
İşe /normal yaşama dönüş	Aylar sonra	1-2 hafta
Ağrı	İlk 72 saatte şiddetli	İlk birkaç saatte orta şiddette
Enfeksiyon riski	Fazla	Az
Maliyet	Fazla hastanede kalış süresi, işgücü kaybı,	Az (tıbbi teknolojik cihazlar %20 daha pahalıdır)
Enfeksiyon olasılığı		
Kozmetik yön	İnsizyon alanında büyük nedbe var	3-4 küçük kesi, nedbe yok
İnsizyonel herni olasılığı	Var	Hemen hemen yok
Yapışıklık olasılığı	Var	Çok az
Tanı/ tedavi kalitesi	Hekimin çıplak gözle gördüğü patolojiler saptanır	İşlem yapılan alan 15-20 kez büyütülerek görüldüğü için çok küçük tümör ve patolojiler saptanır. Ancak organların büyütülerek gösterilmesi gerçek büyüklüklerin algılanmasını zorlaştırır. Ayrıca iki gözle aynı anda görme ve derinlik duygusunun eksikliği bu işlemin zayıf yönleri olarak düşünülebilir.

37. Safra Kesesi ve Pankreas Hastalıkları

anestezist ve teknisyen sayılabilir. Laparoskopik cerrahi, cerrahi hemşireliğine yeni boyut getirmiş, ekip anlayışının gerekliliğini daha da belirginleştirmiştir. İşlemden önce hastaya, açık karın cerrahisi gerekebileceği ve genel anestezi verileceği söylenir. Laparoskopik kolesistektomi, karın duvarında umbilicus'da açılan küçük bir kesik veya delikle uygulanır. Laparoskop'un sokulmasını kolaylaştırmak ve cerrahın karın yapısını görmesine yardım etmek için karın boşluğuna karbon dioksit verilir. Fiber optik gözlem aygıtı ile küçük bir umbilikal kesikten girilir. Operasyon alanına diğer cerrahi enstrümanların yerleştirilmesi için başka çeşitli delik ve küçük kesikler de açılır. Cerrah biliyer sistemi laparoskopdan görür; gözlem aygıtına bağlanan bir kamera iç karın bölgesinin görüntüsünü alıp televizyon ekranına verir. Safra kanalı kesildikten sonra anatomiyi değerlendirmek ve taşları tespit etmek için ortak safra kanalı ultrason veya kolanjiografi ile görüntülenir. Safra arteri serbest ve parça parça kesilir. Safra kesesi hepatik yataktan ayrılır ve kesilir. Safra ve taşlar aspire edilerek alındıktan sonra safra kesesi karın boşluğundan çıkarılır. Büyük taşları çıkarmak veya ezmek için taş forsepsleri de kullanılabilir. Laparoskopik işlemin, minimal inzisyon (3-4 küçük kesi), hızlı iyileşme, hızlı normal aktivite ve işe dönüş, dolayısıyla bakım maliyetinde ağrı ve postoperatif kas spazmında, yara ile ilgili hematom, enfeksiyon gibi komplikasyonlarda azalma estetik yönden hasta açısından daha kolay kabul görme gibi avantajlarının yanısıra; kanamayı kontrol etmenin daha güç olması, inflamasyon ve yapışıklıkların işlemi güçleştirmesi, maliyetin yüksek olması, sosyal güvenlik kuruluşlarının maliyeti karşılamaması, teknolojik yönden ileri düzeyde aletlerin kullanımının zorunlu olması gibi dezavantajları da vardır.

Hasta Hazırlık ve Bakımı: Laparoskopik cerrahi işlem öncesi hastanın hazırlık ve bakımı tüm sağlık bakım uygulamalarında olduğu gibi yazılı onam alınmasıyla başlar. Hasta uygulanacak bu işlemin yararları, riskleri ve alternatif tedavi yöntemlerine ilişkin bilgilendirilmeli ve sonra yazılı onam alınmalıdır.

İşlem öncesi hastanın hazırlık ve bakımı hasta ve uygulanacak işlemin özelliğine göre yapılır. Bu bağlamda ciddi kardiyopulmoner sorunu olan hastaların ayrıntılı anestezi değerlendirmesi yapılır. Enfeksiyon hastalığı varsa bu durum tedavi edilinceye kadar işlem ertelenir. Kanama zamanı uzamış olan hastalarda K vitamini tedavisi uygulanır.

Tanı ve tedavi amaçlı laparoskopik işlemlerde genellikle bağırsak temizliği gerekli değildir. Ancak gastrointestinel sisteme uygulama yapılacaksa temizlik gerekir. Laparoskopik cerrahide bu yönteme özgü birçok bilinmeyen nedeniyle hastalarda yoğun anksiyete gözlemlenebilir.

Anksiyete Nedenleri Arasında ise;
- İnsizyonumun büyüklüğü ne olacak?
- Ağrım ne kadar olacak?
- Hastanede ne kadar kalacağım?
- Normal fonksiyonlarıma ve işime ne zaman dönebilirim?
- Bu işlemde maliyet ne olacak?
- Bu maliyeti benim sosyal güvenlik kurumum karşılayabilecek mi?

Sorularına yanıt bulamamanın yer aldığı belirtilmektedir. Hastaya yapılacak işleme yönelik açıklama yapılmalı ve hastanın soruları yanıtlanmalıdır.

Ayrıntılı anamnezde hastanın ilaç ve alkol kullanım durumu değerlendirilir.

Çünkü alkol karaciğer fonksiyonlarında bozulma, fagositozda azalma, protein sentezinde bozulma, adrenokortikoid yanıtta ve ilaç atımında azalmaya neden olarak

Laparoskopik Cerrahi Sonrası Erken Dönemde Bakım	
Girişim	**İşlem / Gerekçe**
Pozisyon	Travmalardan koruma Solunumun sürdürülmesi
KVF sürdürülmesi	Nabız, kan basıncı izlemi
Yaşam bulgularının izlenmesi	Kemoreseptörlerin baskılanması ani pozisyon değişikliklerine toleransı azaltır. Yavaş pozisyon değişimi Stabil oluncaya kadar 15 dakikada bir izlem
Kanama kontrolü	İç ve dış kanama belirtilerinin izlemi
Aldığı çıkardığı izlem	İntravenöz sıvı ve saatlik idrar miktarı izlemi
Bilinç düzeyi kontrolü	Travmalardan koruma Solunum yolu obstrüksiyonunu önleme
Cilt, renk, ısı ve neminin kontrolü	Soğuk soluk nemli cilt şok belirtisi Siyanoz ve dolaşım bozukluğu hipoksi belirtisi olabilir.

toksikasyon, malnütrisyon, pıhtılaşma mekanizmasında bozulma, trombosit agregasyonunda azalma ve kanamaya yol açabilir. İlaçlardan antikoagülanlar pıhtılaşma bozukluğu, kanama ve hipovolemik şoka, trankilizanlar vazodilatasyon ve kan basıncında düşmeye, thiazid grubu diüretikler elektrolit dengesinde bozulma, potasyum ve su kaybı, sıvı volüm eksikliği, hipokalemi, aritmi, kardiyak arrest ve mental konfüzyona, steroidler; adrenal bez korteksinde baskılanmaya, adrenal Yetersizlik ve stres tepkisinde azalmaya, non-steroid antienflamatuarlar; pıhtılaşma mekanizmasının bozulmasına, trombosit agregasyonunun engellenmesi ve kanamaya yol açabilirler.

İşlem Sırası: Laparoskopik cerrahi işlem sırasında tıbbi araç ve gerece yönelik sorunların önlenmesi için ameliyathane hemşiresi ve ekibin diğer üyeleri işleme başlamadan önce tüm araç gereci kontrol etmeli ve fonksiyone olduklarından emin olunmalı, uygulamada gerekebilecek yardımcı aletler steril durumda ve işlem odasında bulundurulmalıdır. İşlem esnasında anestezi bölümünün ve hemşire masasının aydınlatılması dışında ameliyathane ışıklarının söndürülmesi hem konsantrasyonu arttırır hem de monitörün izlenmsini kolaylaştırır. Teleskop ve elektrik kablolarının yanlış kullanımı sonucu lens çatlaması/ kırılması ve fiberoptik kablolar kırık olasılılğ açısından periyodik olarak kontrol edilmelidir. Çünkü bu aletlerde ortaya çıkacak sorunlar anestezinin uzamasına ve hastann gereğinden fazla anestezi almasına neden olabileceği gibi işlemin başarısını da tehlikeye sokmaktadır.

Özellikle abdominal laparoskopik cerrahide, alanı daha iyi görebilmek için kullanılan karbondioksit (CO2) gazı yerine ilk olarak atmosfer basıncı daha sonra oksijen ve azotprotoksit kullanılmış ancak bu gazlar koter kullanıldığında yanıcı/ patlayıcı etki oluşturduğundan kullanımdan kaldırılmıştır. Kullanılan CO2 gazının avantajları arasında; kolay elde edilmesi, karın boşluğundan kolay absorbe olması ve kolay atılması, koter kullanıldığı durumlarda yangın söndürücü özelliğinin olması sayılabilir. Abdominal duvarı kaldırmak ve genişletmek amacıyla uygulanan karbondioksit ensüflasyonu için kullanılan CO2 silindirinin çalışır durumda olmalı ve silindirdeki CO2 miktarının kontrol edilmelidir. Ensüflatör, istenilen intraperitoneal basınca göre ve dakikada altı litrelik bir akış sağlamak üzere ayarlanır.

Lazer cihazının çalışıp çalışmadığı kontrol edilir ve ısınması için yeterli zaman sağlanır. Gerçek doku / organ rengini görebilmek için kamera beyaza ayarlanır ve lenslerde renk/ görüntü değiştirmesin ve bulanıklık azalsın diye endoskop önceden ısıtılır.

İnsizyon yerlerinden aletlerin geçişini kolaylaştırmak amacıyla steril suda eriyebilen yağlı jel hazırlanır. Yapılacak işleme uygun pozisyon verilmeli ve vücut boşlukları desteklenmelidir.

İşlem Sonrası: Laparoskopik cerrahide postoperatif iyileşme süresinin kısa olması bu işlemin primer avantajı olarak düşünülebilir.

Laparoskopik cerrahi uygulanan hastalarda iyileşme dönemi hızlı olmakla birlikte; bu hastalara da erken ve geç dönemde olmak üzere genel postoperatif bakım ilkeleri uygulanır.

Derlenme Ünitesinden Ayrılma Kriterleri
- Genel anestezinin etkisi geçmiş olmalı
- Yaşam bulguları stabil olmalı
- Bedenin herhangi bir yerinden aşırı drenaj olmamalı
- Hastanın bilinci açık olmalı
- İdrar miktarı normal olmalı
- Gönderileceği klinik bilgilendirilmeli

Laparoskopik Cerrahi Sonrası Geç Dönemde Bakım: Bu dönemde genellikle hastaların bilinci yerine gelmiş ve oral alımı tolere eder durumdadırlar. Bu nedenle oral beslenme ve ilaç alabilirler, ayağa kalkıp kısa yürüyüşler yapabilirler.

Taburculuk Eğitimi: Laparoskopik cerrahide bilinç yerine geldikten, oral alım tolere edildikten sonra hastalar genellikle taburcu edilirler. Taburculuk kriterleri; bağımsız ve halsizlik olmadan yürüyebilme, bulantı ve kusma olmaksızın oral beslenmeyi sürdürebilme, problemsiz idrar yapabilme ve evde size yardımcı olacak birinin bulunmasıdır. Taburculuk eğitimi kapsamında hastalara;

Postoperatif birinci gün kendini iyi hissetmiyorsa, insizyon yerinden kanama/ drenaj varsa, ağrı ve bulantı varsa, iştahı yoksa, hareket etmede güçlük çekiyorsa komplikasyon olasılığından şüphe edilir ve bu belirtilerin varlığında hastaneyi araması söylenir.

Özellikle anestezinin etkisi geçtikten sonra abdominal laparoskopik cerrahi uygulanan hastalar semi-fawler pozisyona getirilir. İşlemden sonra 24 saat içinde insizyon yerinde ağrı olabilir. Bunu gidermek için önerilen analjezikleri alabileceği söylenir. İşleme bağlı omuza vuran ağrının varlığında, bu bölgeye sıcak uygulama yapabileceği söylenir. Eğer laparoskopik inguinal herni onarımı yapıldıysa eve gittikten sonra hemen uzanması dinlenmesi ve kasıklarına buz paketi ile soğuk uygulama yapması söylenir.

İnsizyon bölgesi; İnsizyon bölgesindeki pansuman materyalini değiştirmeye gerek yoktur. Ancak kirlenirse ya da hasta kendisi değiştirmek isterse bunu yapabileceği söylenir.

Aktivite; Cerrahiden sonra ilk bir hafta aktif egzersizler ve koşu yapmaması, ikinci hafta da evden dışarı çıkma, alışveriş yapmaya izin verilir.

Vücut ısısı; Vücut ısısını her gün kontrol etmesi, normalin üzerindeki vücut ısısını ilgili ekibe bildirmesi söylenir.

Yaklaşık işlemden 15-20 gün sonra işine dönebileceği, yaklaşık bir hafta sonra araba kullanabileceği, işlemden 48- 72 saat sonra duş alabileceği söylenir.

Laparoskopik Cerrahi Aletlerinin Bakımı: İngiliz Gastroenteroloji Birliği' nin tanımladığı laparoskopik alet ve aksesuarlarını bilme ve kullanma, kullanılan ilaçlara etki ve olası yan etkilerini anlama, acil tıbbi araç gereçleri bilme ve kullanma, dezenfektan, elektro cerrahi araç gereç ve X Ray kullanımında tehlikelerden haberdar olma ve vücut boşluklarında güvenle kullanma" görev ve sorumlulukları Avrupa Birliği tarafından da kabul edilmiştir.

Soğuk ışık kaynağından çıkan ışık soğuk olarak iletiliyorsa fiber optik kablosunun kamera giriş ucunda yüksek ısı oluşur. Bu nedenle fiberoptik kablo distal ucunun ışık kaynağı açıkken uzun süreli cerahi örtüleri ile direkt temasından kaçınılmalıdır.

Fiberoptik sistemlerin en büyük dezavantajı aşırı bükülme, çarpma ve zedelenmeye bağlı olarak ortaya çıkabilecek çubukların kırılması ve ışık iletiminin kaybıdır. Aletin kablosu açılı kıvrım yaptırmadan dairesel şekilde korun-malıdır. Teleskop ve ışık kabloları, lens çatlamaları veya fiberoptik kablolarda kırık varsa belirlemek için periyodik kontrolleri yapılmalıdır. Buğulanmayı önlemek için teleskop sıcak serum fizyolojikle ıslatılmış gazlı bezle silinmeli veya antifog kullanılmalıdır.

Doku yanığı gibi istenmeyen komplikasyonları en aza indirmek için her hastadan sonra tüm aletler incelenmelidir. Koter uçlarının kirlenmemesi, düşmemesi ve diğer aletlerle temasını engellemek için ameliyat masasına steril yeşil bir torba konmalı ve koter bunun içinde tutulmalıdır.

Laparoskopik Cerrahide Çevre Güvenliğinin Sağlanması: Giriş esnasında trokar üzerindeki gaz musluklarının kapalı olmasına dikkat edilmelidir. Aksi halde girerken hızla gaz kaçağı olur. İntraabdominal basıncın 20 mmhg' ya çıkması durumunda aritmi olabileceğinden anestezist uyarılmalıdır.

Cerraha aletler verilirken uç kısımları aşağıya dönük olmalıdır. Bu şekilde olası yaralanma ve kirlenme önlenmelidir. Özellikle ucu sivri aletleri cerraha verirken ucunun içerde olmasına dikkat edilmelidir.

Laparoskopik Cerrahide İnfeksiyonun Önlenmesi: Laparoskopik cerrahi işlemler sırasında kullanılan aletler üretici firmanın önerilerine göre parçalara ayrılarak temizlenir ve steril/ dezenfekte edilir. Laparoskopik cerrahi aletlerin sterilizasyonu ve dezenfeksiyonu hastanelerin yönetim uygulamaları yönünde değişir. Laparoskopik aletlerin büyük çoğunluğunda tercihen etilen oksit gazı kullanılır ancak havalandırılmasının iyi yapılması gerekmektedir. Endoskop gibi narin aletlerde ise soğuk sterilizasyon kullanılır. Ameliyathane hemşiresinin bu amaçla kullanılan sterilizasyon / dezenfeksiyon yönetmelerini bilmesi gerekir.

Verres iğnesinde keskin ve yay hareketi iyi olmalıdır. İyi temizlenmezse yerleştirilen organlarda harabiyete neden olabilir. Ameliyathane hemşiresi serum fizyolojik dolu enjektör ile verres iğnesinin açık olup olmadığını kontrol eder.

Laparoskopik Cerrahiye Bağlı Sorunlar: Laporoskopik cerrahi sonrası genelde hasta ayılma odasından ayrılmadan önce varsa nazogastrik tüp ve üriner kateter çıkarılır. Bu dönemde hastalar trokar yerine bağlı *ağrı*, anestetik ajan ve narkotik analjeziklerden kaynaklanan *bulantı*, diyafragmanın karbondioksit irritasyonu sonucu veya yanlış pozisyon / uzun süreli trandelenburg pozisyonuna bağlı *omuz ağrısı* ve entübasyon sonucu *boğaz yanmasından* yakınırlar. Omuz ağrısına diyafragmanın karbondioksit irritasyonu neden olduğu kadar, yanlış pozisyon verme veya uzun süreli trandelenburg pozisyonda kalma da neden olabilmektedir.

İşlem sonrası karındaki karbondioksitin boşalmasının tamamlanması ağrıyı ortadan kaldırabilir. Karın içinden karbondioksit tamamen çıkmazsa bulantı, kusma ve omuzlarda ağrı olabilir. Yüksek dozda karbondioksit gazı verilirse kalp atımında bozukluk, hiperkapni ve solunum asidozu meydana gelir. Bununla birlikte pulmoner emboli ve miyokard infarktüsüne bağlı omuz ağrısına karşı da dikkatli olmak gerekir.

Laparoskopik cerrahi sonrası sık görülen komplikasyonlardan biri de postoperatif tromboembolitik hastalıklardır. Cerahi girişim sırasında ters trandelenburg pozisyonu, karın içi basıncın artması, genel anestezinin venöz stazı artırması, laparoskopik sürece bağlı bazı özellikler ile cerahi girişim süresini uzatan teknik güçlükler, şişmanlık veya koledokolityazisin venöz tromboz riskini arttırdığı, laparoskopik kolesistektomi geçiren hastalarda derin ven trombüsü ve pulmoner emboli gelişme riskinin yüksek olduğu bilinmektedir.

Ayrıca teknik problemlerle ilgili olmayan ölümlerin büyük bir kısmının kardiyovasküler problemlerle ilgili olduğu, laparoskopik cerrahi sonrası meydana gelen tromboembolizmin mortalite sayısını artırdığı belirtilmektedir.

Yine cerrahi işlem sırasındaki elektrokoter hataları karın ağrısı, iştahsızlık veya postoperatif 2-3. günde ateş ile artaya çıkan geç postoperatif perforasyonlara neden olmaktadır.

Laparokopik işlem sırasında sorunlarla karşılaşılırsa klasik karın cerahi işlemine dönmek gerekebilir; bu vakaların % 2 ila % 8'inde meydana gelir. Bu değişiklik akut kolesistit hastalarında yaklaşık % 20 oranında görülür. Hastaların dikkatle gözlemlenmesi ve komplikasyon bakımından düşük riske sahip hastaların belirlenmesi açık karın cerahisi değişikliği riskini azaltır. Fakat laparoskopik işlemlerin daha yaygın kullanılmasıyla bu tür olaylarda artış olabilir. Laparoskopik kolesistektomi'den sonra en ciddi komplikasyon safra kanalı hasarıdır.

Hastanede kalma süresi kısa olduğundan ameliyat sonrası ağrı kontrolünü ve iştah kaybı, kusma, ağrı, distansiyon, ve ateş yükselmesi gibi karın içi semptomları belirlemeye yönelik bilgi verilmelidir. Laparoskopik kolesistektominin iyileşmesi hızlıdır fakat hastalar sonrasında uykulu olur. İşlem sırasında kullanılan karbon dioksitin bu bölgelere ilerlemesi nedeniyle sağ omuzda veya skapular alanda ağrı meydana gelirse 15-20 dakika ısıtıcı ped kullanma, yürüme ve yatakta oturma önerilebilir.

Açık Kolesistektomi
Preoperatif Hazırlık: Safra kesesinin röntgenlerine ek olarak göğüs filmi, elektrokardiogram ve karaciğer fonksiyon testleri yapılabilir. Protrombin seviyesi düşükse, K vitamini verilebilir. Kan ürünleri cerrahi işlem öncesi uygulanmalıdır. Beslenme gereksinimleri göz önünde bulundurulur; beslenme bozukluğu varsa yara iyileşmesini desteklemek ve karaciğer hasarını engellemek için IV protein ve glikoz desteği gerekebilir. Safra kesesi cerrahisine hazırlık diğer tüm üst karın laparotomi ve laparoskopi hazırlıklarına benzer. Dönme ve derin solunuma dair bilgiler ve açıklamalar cerahi öncesi verilir. Cerrahi sonrası olası komplikasyonlar pnömoni ve atelektazidir. Bu komplikasyonları önleyebilmek için erken dönemde derin solunum egzersizleri ve aktivitelere başlanmalıdır. Açık kolesistektomi uygulanacaksa, drenaj tüplerinin, nazogastrik tüplerin ve sıvı aspirasyon cihazlarının kullanılabileceği hastalara söylenmelidir.

Bu işlemde genelde sağ kaburga altından bir insizyonla girilir. Safra kanalı ve arter bağlandıktan sonra safra kesesi alınır. İşlem akut ve kronik kolesistit için uygulanır. Bazı hastalarda safra kesesi yatağına yakın bir yere dren yerleştirilebilir ve safra sızıntısı olduğunda sızıntı buradan dışarı çıkarılabilir. Drenaj türü hekimin tercihine göre seçilir. Genelde, cerrahi girişimden sonra ilk 24 saat içinde sadece az bir miktar serözanginos sıvı boşalır ve sonra dren çıkarılır. Ancak safra sızıntısı varsa dren bırakılır. Açık cerrahi işlem sırasında T-tüpü kullanımı günümüzde yaygın değildir. sadece komplikasyon durumunda kullanılır. Safra kanalı hasarı bu işlemin ciddi bir komplikasyonudur. Ancak laparoskopik yaklaşıma göre daha az görülür.

Mini-Kolesistektomi: Mini-kolesistektomi, safra kesesinin küçük bir insizyondan alındığı cerrahi işlemdir. Gerekirse insizyon genişletilerek büyük safra kesesi taşları alınır. Dren gerekmeyebilir. Bu tür işlemlere gidilmesinin temel sebebi olarak hastanede kalma süresinin kısa olmasına bağlı gider azlığı belirtilmektedir. Tüm safra sistemi yapılarının görülmesini engellediğinden bu işlemin uygulanmasına ilişkin tartışmalar vardır.

Koledokostomi: Koledokostomi, genellikle taşların çıkarılması amaçlı olarak ortak kanala insizyon açılmasını kapsar. Taşlar çıkarıldıktan sonra ödem ortada kalkana kadar safranın dışarı akması için genellikle bir tüp yerleştirilir. Bu tüp, yer çekiminden yararlanılan drenaj tüpüne bağlanır.

Cerrahi Kolesistostomi: Kolesistostomi, hastanın durumu kapsamlı cerrahi girişim için uygun olmadığında veya akut inflamatuar reaksiyonların şiddetli olduğu durumlarda kullanılır. Safra kesesi cerrahi işlemle açılır, taşlar, safra ya da infekte drenaj çıkarılır ve drenaj tüpü sağlamlaştırılır. Drenaj tüpü, safranın tüp çevresinden sızmasını veya peritoneal boşluğa kaçmasını engellemek için drenaj sistemine bağlanır. Düşük riskine rağmen cerrahi hastalık sürecine bağlı olarak kolesistostomide ölüm oranı %20 - %30 olarak bildiril-mektedir.

Perkütanöz Kolesistostomi: Sepsis veya şiddetli kalp, böbrek, akciğer ve karaciğer yetersizliği olan hastalar olan, cerrahi girişim ve genel anestezi için uygun olmayan hastalarda akut kolesistit tedavisi ve tanısı için kullanılmaktadır. Lokal anestezi altında ince bir iğne, ultrason ve bilgisayarlı tomografi yardımıyla karın duvarı ve karaciğer ucundan safra kesesine sokulur. İğnenin yeterli şekilde yerleştirilmesi için safra boşaltılır ve safra yolunu genişletmek için safra kesesine bir kateterle girilir. Bu işlem kullanıldığında ağrı, sepsis ve kolesistit belirti ve bulgularında azalma görülür. İşlemden önce, sırasında ve sonrasında antibiyotikler verilir.

Yaşlılık ve Safra Sistemi Hastalıkları
Yaşlılarda safra yolu hastalığında cerrahi girişim en çok kullanılan tedavi yöntemidir. Yaşla birlikte hepatik salgıda kolesterol artışı ve safra asidi sentezindeki azalma sebebiyle safrada kolesterol saturasyonu artar.

Safra taşı görülme sıklığı yaşla birlikte artsa da yaşlı hasta tipik ateş, ağrı, üşüme ve sarılık belirtilerini göstermeyebilir. Yaşlılarda oligüri, hipotansiyon, mental değişiklikler, taşikardi ve taşipne gibi safra yolu hastalığı belirti ve bulguları septik şok belirti ve bulguları ile birlikte görülebilir veya bunlardan fazla olabilir.

Önceden var olan kronik hastalıklar sebebiyle yaşlı hastalarda cerahi riskli olmasının yanı sıra, safra sistemi hastalığının kendisinden kaynaklanan ciddi komplikasyonlara bağlı ölüm oranı da yüksektir. Safra sisteminin *yaşamı* tehdit eden hastalığı nedeniyle acil cerrahi girişim uygulanan yaşlı hastada ölüm ve komplikasyon riski artar.

Kolesistektomide Bakım Planı
Değerlendirme
Kolesistektomi nedeniyle cerrahi girişim uygulanacak olan hasta genellikle aynı günün sabahı hastaneye gelir. Tanı testleri kabulden bir hafta veya daha uzun bir süre önce yapılır. Hastaya sigara içmemesi söylenir. Pıhtılaşma ve diğer biyokimyasal süreçleri değiştirebilecek aspirin ve benzeri ilaçları almaması söylenir.

Değerlendirmeler hastanın solunum durumuna yoğunlaş-malıdır. Eğer klasik bir cerrahi girişim planlandıysa işlem sırasında gereken yüksek karın insizyonu derin solunumu engelleyebilir. Hastanın sigara kullanma durumu solunum problemleri, yüzeyel solunum, inatçı ve etkisiz öksürme ve beklenmeyen solunum sesleri varlığı değerlendirilir. Kabul öncesi testler sırasında beslenme öyküsü ve genel muayene ile beslenme durumunu değerlendirilir. Hastanın beslenme durumu hakkında bilgi edinmek için önceki laboratuar sonuçları da incelenir.

Tanı

Hemşirelik Tanısı: Tüm değerlendirme verilerine dayanarak cerrahi girişim uygulanacak hastanın hemşirelik tanıları aşağıdakileri içerebilir:

- Cerrahi insizyona bağlı *akut ağrı ve rahatsızlık*,
- Eğer klasik kolesistektomi tercih edilmişse, yüksek karın insizyonuna bağlı olarak *gaz değişiminde bozulma*,
- Ortak safra kanalındaki taşları almak için T-tüpü veya başka bir drenaj cihazı kullanılmışsa, cerrahi girişimden sonra safra drenajındaki değişikliğe bağlı olarak *deri bütünlüğünde bozulma*,
- Yetersiz safra salgılanmasına bağlı vücut gereksiniminden *az beslenme*,
- Yara bakımı, gerekirse beslenme değişiklikleri, ilaçlar, ateş, kanama, kusma belirti ve bulguları ile ilgili öz bakım aktiviteleri hakkında *bilgi yetersizliği*.

İlgili Sorunlar/Olası Komplikasyonlar

Değerlendirme verilerine bağlı olarak olası komplikasyonlar;
- Kanama
- Safra sızıntısına bağlı mide-bağırsak yakınmalarıdır.

Planlama ve Hedefler

Hasta için hedefler ağrı giderme, yeterli solunum, sağlam deri ve uygun safra drenajı, yeterli beslenme, komplikasyon olmaması ve öz bakım uygulamalarını anlamasıdır.

Girişimler

Cerrahi Girişim Sonrası Bakım: Anestezinin etkisi geçtikten sonra hasta semi-fawler pozisyonuna getirilir. İntravenöz sıvılar verilebilir ve mide distansiyonunu gidermek için nazogastrik tüp kullanılabilir. Su ve diğer sıvılar yaklaşık 24 saat içinde verilir ve bağırsak sesleri normale döndükten sonra yumuşak bir diyete başlanır.

Ağrıyı Giderme: Safra kesesi cerrahisinde kaburga altı insizyon yeri, hastanın dönme ve hareket etmeden kaçınmasına, etkilenen tarafı sarmasına ve yüzeyel solunuma sebep olabilir. Cerrahi sonrası komplikasyonları önlemek için akciğerlerin tam ekspansyonu ve gittikçe artan aktivite gereklidir. Ağrıyı azaltmak ve rahatlığı sağlamak için analjezik kullanılmalıdır.

Bunun dışında hastanın dönmesine, öksürmesine, derin nefes almasına ve belirtildiği şekilde hareket etmesine de yardım edilir. Bu uygulamalar sırasında insizyon bölgesinin bir yastık kullanarak desteklenmesi ağrıyı azaltabilir.

Solunumu İyileştirmek: Safra kesesi cerrahisi uygulanan hastalar, üst batın insizyonu olan tüm hastalar gibi özellikle akciğer komplikasyonlarına yatkındır. Bu nedenle akciğerleri tam olarak genişletmek ve atelektaziyi önlemek için hastaya saat başı derin nefes alması ve öksürmesi anımsatılmalıdır. Akciğerlerin genişlemesine olanak sağladığından hastanın başı yükseltilmeli ve hafif fawler pozisyonu verilmelidir. Spirometrenin erken ve sürekli kullanımı da solunum fonksiyonunu iyileştirmede yardımcı olabilir. Erken ambulasyon ile hem akciğer hem de tromboflebit gibi diğer komplikasyonlar engellenir. Yaşlı ve obez hastalarda akciğer komplikasyonu görülme olasılığı daha fazladır.

Cilt Bakımı ve Safra Drenajının Sağlanması: Nazogastrik ve T tüp drenajının renk ve nitelik açısından izlenmesi ve cilt irritasyonu ve bulaşmayı önlemek için kapalı bir sistem olarak drenajın devam ettirilmesi önemlidir. İnsizyon bölgesinde cilt temiz tutulmalı ve T-tüp'den sızması olası drenajlardan korunmalıdır. Drenajın cilde zarar vermemesi için sık sık kateter çevresindeki sargılar değiştirilmelidir. Hastaya drenajı kolaylaştıran yarı fawler pozisyonu verilmelidir. Safra drenajı uygun şekilde sürdürülmezse tıkanıklık safranın karaciğere geri dönmesine, kan akımına karışmasına ve böylece sarılığın oluşmasına neden olur. Apse, fistül, safra drenaj tıkanıklığı ve safranın peritonial kaviteye sızması belirtileri izlenmelidir. Her 24 saatte bir hemşire drenaj miktarını, renk ve niteliğini değerlendirmelidir. Drenajdan bir kaç gün sonra drenler drenajın duedonuma başlaması ve sindirime yardım etmesi için yemeklerden bir saat öncesi ve sonrası kapalı tutulur. Dreaj tüpleri 7-14. günde çıkartılmaktadır. Drenaj tüpleri ile eve gönderilen hastalara tüp bakımı hakkında bilgi verilmelidir.

Yeterli Beslenme: Etkin bir beslenme planı yapılmalıdır. Hasta tercihleri göz önünde bulundurularak az yağlı karbonhidrat ve proteinden zengin bir diyet düzenlenmelidir. Bulantı ve kusma kontrol altına alınmalıdır. T-tüp varsa yemeklerden bir saat önce ve sonra klemplenmelidir. Sık sık ağız bakımı verilmesi hastanın yeme isteğini olumlu yönde desteklemektedir. Hasta sindirim bozukluğu belirtileri açısından gözlenmelidir.

Komplikasyon Belirtilerinin İzlenmesi ve Öz Bakım: Hemşire kanama belirtileri açısından insizyon bölgesini ve drenleri sık sık değerlendirmelidir. Abdominal duyarlılık ve rijidite izlenmelidir.

Hastanın öz-bakım aktivitelerini desteklemek için hasta ile anksiyeteyi azaltan ve iyileşmeyi destekleyen etkin bir iletişim kurulmalıdır. Hastaya insizyon, pansuman ve drenlerin bakımı uygulamalı olarak öğretilmelidir. Tedavi planı hakkında hasta bilgilendirilmeli ve yağ oranı az beslenmeyi sürdürmesi ve diyare oluşumunu arttıran yiyeceklerden sakınması konusunda uyarılmalıdır. Koyu renk idrar, cilt ve sclerada sarılık, açık renk gaita, midede ekşime, şişkinlik ve enfeksiyon belirtilerinin izlenmesi hasta ve ailesine anlatılmalıdır.

2. Pankreas
a. Anotomi ve Fizyoloji

Üst abdominal bölgede yer alan pankreas 15 cm uzunluğunda 60-140 gram ağırlığında ekzokrin ve endokrin fonksiyona sahip bir organdır. Ekzokrin fonksiyonu pankreatik lipaz, amilaz ve tripsin enzim sekresyonlarını içerir. Bu enzimler pankreatik kanal aracılığı ile gastrointestinal kanala dökülür. Pankreasın endokrin fonksiyonu ise, insülin, glukagon ve somastatin hormonlarının yapımını içeri. Bu hormonlar direkt kan akımına salınır.

Ekzokrin Fonksiyon

Pankreasın ekzokrin sekresyonları pankreatik kanalda toplanır ve bu kanal ana safra kanalı ile birleşerek water ampullası hizasında duodenuma açılır. Ampullayı çevreleyen oddi sfinkteridir. Sfinkter pankreas ve safra kesesinden gelen sekresyonların duodenuma giriş hızını kısmen kontrol eder. Ekzokrin pankreas sekresyonları yüksek protein içerikli ve zengin sıvı-elektrolitli sindirim enzimleridir. Sekresyonların sodyum bikarbonatın konsantrasyonu yoğundur ve alkalendir. Bu özelliği ile duodenuma gelen asitli mide sıvısını nötrleştirir. Enzim sekresyonları karbonhidratların sindirimine yardım eden *amilaz*, proteinlerin sindirimine yardım eden *tripsin* ve yağların sindirimine yardım eden *lipaz* dır. Daha karışık besinlerin sindirimini sağlayan başka enzimler de salgılanır.

Gastrointestinal bölge orjinli hormonlar ekzokrin pankreatik sıvı sekresyonunu uyarır.

Sekretin pankreastan gelen bikarbonat sekresyonunu, kolesistokinin (CCK) sindirim enzim sekresyonunu uyaran hormonlardır. Ekzokrin pankreatik sekresyon nervus vagustan etkilenir.

Endokrin Fonksiyon

Pankreasın endokrin fonksiyonu pankreas dokusu içinde yer alan 0.7-1 milyon küçük endokrin bezden oluşan langerhans adacıklarında gerçekleşir. Langerhans adacıklarında alfa, beta ve delta hücreleri vardır. Beta hücrelerinden insülin, alfa hücreleri glukagon, delta hücreleri ise somostatin hormonunu salgılar. Salgılanan hormonlar emilen gıdaların hücresel beslenmede kullanılmalarını veya depolanmalarını sağlar.

İnsülin: İnsan pankreası günde ortalama 40-50 ünite insülin üretmektedir. İnsülinin asıl görevi glikozun karaciğer, kas ve diğer doku hücrelerine girmesini sağlayarak kan şekerini düşürmektir. Glikoz buralarda glikojen olarak depolanır ya da enerji için kullanılır. İnsülin aynı zamanda yağın yağ dokusunda birikmesine ve proteinlerin çeşitli vücud dokularında sentezine yardımcı olur. İnsülin yokluğunda glikoz hücre içine giremez, kanda birikir ve idrarla atılır. Bu durum Diabetes mellitus alarak adlandırılır.

Diabetes mellitusta, insülin azlığı/yokluğu nedeniyle alınan karbonhidratlar içindeki glikoz enerji için kullanılamaz, depolanmış yağ ve proteinler glikozun yerine enerji olarak kullanılır ve sonucunda vücut kütlesinde kayıp meydana gelir (Bkz Ünite IX, Bölüm 42. Diabetes mellitus). Kandaki glikoz seviyesi pankreastan salgılanan insülin hızını düzenler.

Glukagon: Glukagonun başlıca etkisi karaciğerde glikojeni glukoza çevirerek kan şekerini yükseltmektir. Glukagon kan glikoz seviyesi düşüşüne tepki olarak pankreas tarafından salgılanmaktadır.

Somatostatin: Somatostatin hipofizden büyüme hormonunun ve pankreastan glukagonun salınmasını engelleyerek hipoglisemi etkisi yapar.

Karbonhidrat Metabolizmasının Endokrin Kontrolü

Karbonhidratların metabolize olmasıyla ve glikoneogenezis yoluyla proteinlerden üretilen glikoz vücudun enerji gereksinimi karşılamaktadır.. Glikoz geçici olarak karaciğer, kas ve diğer dokularda glikojen olarak depolanır. Endokrin sistem kan glikoz seviyesini glikoz sentez hızını, depolanmasını ve kan akımına geçiş hızını düzenleyerek kontrol eder. Hormon aktivasyonuyla kan şekeri normalde yaklaşık 100mg/dl' de tutulur. Kan şekeri seviyesini yükselten hormonlar glukagon, epinefrin, adrenokortikosteroid, büyüme hormonu ve tiroit hormonudur. Pankreasın endokrin ve ekzokrin fonksiyonları birbiriyle ilişkilidir. Esas ekzokrin fonksiyonu enzimlerin duodenuma girmesiyle sindirimi kolaylaştırır.

Pankreas sekresyonlarını kontrol ederek yiyecek maddelerinin sindirimine yardımcı olan sekretin ve CCK gastrointestinal bölgeden salgılanan hormonlardır. Sinirlerle ilgili faktörlerde pankreatik enzim sekresyonunu etkiler. Pankreastaki önemli fonksiyon bozukluğu enzim sekresyonu düşmeden, yağ ve protein sindirimi bozulmadan önce olur. Pankreatik enzim sekresyonu normalde günde 15002500 ml'dir.

Yaşlanmaya Bağlı Değişiklikler

Yaşla birlikte pankreasın boyutunda küçük değişiklikler olur. Yetmiş yaşından daha büyük hastalarda fibröz materyallerde ve yağlanmada bir artış vardır. Yaşla birlikte bazı lokal arteriosikloratik değişimler olur. Pankreatik lipaz, amilaz ve tripsin sekresyon hızında ve bikarbonat atılımında azalma olur. Mide boşalımının gecikmesi ve pankreatik yetersizlikten dolayı yaşla birlikte normal yağ emilimi bozulur, kalsiyum emiliminde azalma olur. Bu değişikliklerin bilinmesi normal yaşlı kişide tanısal testleri yorumlamada ve diyet danışmalığı yapmada önemlidir.

b. Pankreas Hastalıkları

Pankreatit

Pankreatit pankreasın inflamasyonu olup ödemden nekroza kadar değişik şiddette patolojik değişikliklerle seyredebileceği gibi, fibrozis ve bunun sonucunda geriye dönüşümsüz endokrin ve ekzokrin fonksiyon bozukluğu ile de sonlanabilen ciddi bir hastalıktır. Pankreatit'in çeşitli aşama ve şekillerini tanımlamada veya sınıflandırmada kullanılan en temel sistemler bu hastalığı akut ve kronik olarak ayırır. Akut pankreatit yaşamı tehdit eden komplikasyonlar ve ölüm oranı nedeniyle tıbbi açıdan aciliyet gerektirirken, kronik pankreatit çoğunlukla ekzokrin ve endokrin dokunun % 80 - 90'ı yok olana kadar fark edilmez. Akut pankreatit komplikasyonlar gelişmediği sürece kronik pankreatite yol açmaz. Tipik olarak akut pankreatitli erkek hastalar 40 - 45 yaşlarındadır ve alkolizm geçmişi vardır, kadın hastalar ise, 50 -55 yaşlarındadır ve safra sistemi hastalığı geçmişleri vardır.

Pankreas inflamasyonuna yol açan mekanizmalar bilinmemektedir. Fakat pankreatit genellikle pankreasın otosindirimi olarak tanımlanır. Genelde pankreas kanalının tıkandığına ve buna pankreasın ekzokrin enzimlerinin aşırı salgılanmasının eşlik ettiğine inanılır. Bu enzimler pankreasta inaktif iken safra kanalına girer, burada aktive olur ve safra ile birlikte pankreas kanalına geri dönerek pankreatite yol açar.

Akut Pankreatit

Epidemiyoloji

Akut pankreatit hafif, kısıtlayıcı rahatsızlıktan hiçbir tedaviye yanıt vermeyen ölümcül bir hastalığa dönüşebilir. Hafif akut pankreatit ödemle karakterizedir ve iltihap pankreas ile sınırlıdır. Minimal organ fonksiyon bozukluğu vardır. Normale dönüş genellikle altı ay içinde gerçekleşir. Bunun pankreatit'in hafif bir şekli olduğu düşünülse de hasta genellikle akut olarak hastadır ve şok, sıvı ve elektrolit dengesizliği ile sepsis riski altındadır.

Salgı bezinin enzim sindiriminin tam ve yaygın olması şiddetli pankreatit özellikleridir. Doku nekrozu başlar ve hasar retroperitoneal dokulara yayılır. Lokal komplikasyonlar pankreas kisti, abse, ve pankreas içinde veya yakınında akut sıvı toplanmasıdır. Akut respiratuar distres sendromu, şok, yaygın intravasküler koagulopati ve plevral efüzyon sık görülen sistemik komplikasyonlardandır. Akut pankreatit insidansı 38/100000 olup mortalitesi %2-10 arasında değişmektedir.

Etiyoloji

Akut pankreatit gelişiminde en sık belirlenen nedenler safra taşları, alkolizm ve travmadır. Uzun süreli alkol kullanımı genellikle akut pankreatit vakalarıyla ilişkilendirilir ama ilk akut pankreatit olayı meydana gelmeden önce genellikle hastada tanı konmamış kronik pankreatit mevcuttur. Daha az yaygın diğer pankreatit sebepleri, kabakulak virüsünün bir komplikasyonu olan pakreatit gibi viral ve bakteriyel enfeksiyonlardır. Duodenitten kaynaklanan water ampullasının spazm ve ödemi pankreatite sebep olabilir. Gerilemiş karın travması, peptik ülser hastalığı, iskemik damar hastalığı, hiperlipidemi, hiperkalsemi ve kortikosteroid kullanımı, tiazid diüretikler ve oral kontraseptikler de pankreatit vakalarındaki artışla ilişkilendirilir. Akut pankreatit, yakın zamanda geçirilmiş cerrahi girişimi takiben meydana gelebilir. Akut idiopatik pankreatit, toplam pankreatit vakalarının % 20'sini oluşturur. Ayrıca, az oranda kalıtımsal pankreatitte vardır.

Yaşlanmaya Bağlı Değişiklikler

Akut pankreatit tüm yaşlarda insanları etkiler. Ancak, akut pankreatit nedeniyle ölüm oranı yaş arttıkça yükselir. Ayrıca komplikasyon türü yaşla birlikte değişiklik gösterir. Genç hastalarda lokal komplikasyon eğilimi vardır; çoklu organ Yetersizliği yaşla artar. Sebep muhtemelen yaşla birlikte majör organların fizyolojik fonksiyonlarındaki azalmadır. Akciğerler ve böbrekler gibi önemli organ fonksiyonlarının yakından izlenmesi çok önemlidir. Yaşlılarda akut pankreatit ölümlerini azaltmak için yoğun tedavi gerekebilir.

Patofizyoloji

Pankreasın kendi proteolitik enzimleri özellikle tripsin tarafından sindirilmesi akut pankreatit'e sebep olur. Akut pankreatit'li hastaların % 80'inde biliyer kanal hastalığı varken, safra taşı olan hastaların sadece % 5'inde pankreatit vardır. Safra taşları ortak safra kanalına girer ve water ampullasında yerleşerek pankeras sıvısının akışını engeller ya da safranın ortak safra kanalından pankreas kanalına geri gitmesine sebep olur, böylece pankreas içindeki kuvvetli enzimleri harekete geçirir. Normalde pankreas salgıları duodenum lümenine ulaşana kadar bunlar pasif kalırlar. Enzimlerin aktifleşmesi vazodilatasyon, damar geçir-genliğinde artış, nekroz, erezyon ve kanamaya yol açar.

Akut pankreatitli hastalarda ölüm oranı %10 cıvarındadır ve bunun nedenleri şok, anoksi, hipotansiyon veya sıvı ve elektrolit dengesizlikleridir. Akut pankreatit atakları tam iyileşmeyle sonuçlanabilir, kalıcı hasar olmadan tekrarlayabilir ya da kronik pankreatite dönüşebilir. Pankreatit tanısıyla hastaneye kabul edilen hasta akut hastadır.

Akut alkolik pankreatitin şiddeti ve ölüm oranına dair tahminler genellikle Ranson kriterleri ile değerlendirilir. Bu amaçla akut Fizyoloji ve Kronik Sağlık Değerlendirme Sistemi (APACHE)' de kullanılabilir.

Klinik Belirtiler

Hastaları tıbbi yardım alamaya iten başlıca pankreatit belirtisi şiddetli karın ağrısıdır. İnflamasyonlu pankreasın iritasyonu ve ödemine bağlı oluşan sinir uçları uyarısı karın ağrısı, hassasiyet ve sırt ağrısına neden olur. Pankreas kapsülünün gerginliğinde artma ve pankreas kanallarının tıkanması da ağrıyı arttırır. Ağrı başlangıçta genellikle akuttur, ağır bir öğünden ve alkol alımından 24 ila 48 saat sonra tipik olarak epigastrium'da başlar ve yaygın olup yerinin belirlenmesi zor olabilir. Genellikle öğünlerden sonra daha şiddetlidir ve antiasitlerle geçmez. Ağrıya; karında distansiyon, elle hissedilebilir fakat iyi tanımlanamayan karın kütlesi ve peristaltizimde azalma eşlik edebilir. Pankreatit sebepli ağrıya sıklıkla bulantı ve kusma da eşlik eder.

Karında gerginlik vardır. Sert ve tahta benzeri karın gelişebilir ve genellikle bu durum kötüye işarettir. Peritonit olmadığında karın yumuşak kalabilir. Yanda veya göbek çevresinde ekimoz şiddetli pankreatit belirtisi olabilir. Bulantı ve kusma akut pankreatitte yaygındır. Kusma genellikle gastrik içeriklidir fakat safra da içerebilir. Vücut ısısında yükselme, sarılık, mental bulanıklık ve ajitasyon da görülebilir.

Doku ile peritoneal boşluğa kaybedilen büyük miktardaki protein bakımından zengin sıvının sebep olduğu şok ve hipovolemiye bağlı hipotansiyon tipik bir belirtidir. Hastada hipotansiyona ek olarak taşikardi, siyanoz ve soğuk, nemli cilt de gelişebilir. Akut renal Yetersizlik yaygındır.

Solunum güçlüğü ve hipoksi yaygındır ve hastada yaygın akciğer infiltrasyonu, dispne, takipne ve anormal gaz hacimleri oluşabilir. Myokardial depresyon, hipokalsemi, hipergilisemi ve yaygın intravasküler koagulopati (DIC) de akut pankreatit ile birlikte görülebilir.

Tanı

Akut pankreatit tanısı karın ağrısı öyküsü, bilinen risk faktörlerinin varlığı, fiziksel muayene bulguları ve tanı bulgularına dayanır. Akut pankreatit tanısı konulurken serum amilaz ve lipaz seviyeleri kullanılır. Bu vakaların % 90'ında serum amilaz ve lipaz seviyesi genellikle 24 saat içinde normal üst seviyenin üç katına çıkar. Serum amilaz genellikle 48-72 saat içinde normale döner. Serum lipaz seviyesi 7-14 gün yüksek kalabilir. İdrar amilaz seviyesi de yükselir ve serum amilaz seviyesinden daha uzun süre yüksek kalır. Lokosit sayısı genellikle yüksektir. Hipokalsemi çoğu hastada mevcuttur ve pankreatit şiddeti ile iyi korelasyona sahiptir. Bazı akut pankreatitli hastalarda hiperglisemi, glikozüri ve serum bilirubin seviyesinde yükselme olur. Pankreatiti benzer bulgularla ortaya çıkan rahatsızlıklardan ayırt etmek ve plevral efüzyonu tespit etmek için karın ve göğsün röntgeni çekilebilir. Ultrason ve bilgisayarlı tomografi taramaları, pankreas çapındaki genişlemeyi belirlemek ve pankreas kisti, absesi veya psödokistleri tespit etmek için kullanılır.

Hastayı kanama açısından izlemek için hematokrit ve hemoglobin seviyelerine bakılır. Parasentez veya peritoneal lavaj ile elde edilen perinoteal sıvı fazla miktarda pankreas enzimleri içerebilir. Pankreas hastalarının dışkıları genellikle bol miktarda, soluk ve kötü kokuludur. Dışkının yağ içeriği % 50 ile % 90 arasında değişir; normalde ise yağ %20'dir. Akut pankreatit değerlendirmesinde ERCP nadiren kullanılır. Çünkü hastaya acil tıbbi girişim gerektiğinden ERCP'ye zaman yoktur.

Tedavi

Akut pankreatit'li hastanın tedavisi belirti ve bulguları giderme ve komplikasyonları engellemeye temellenir. Pankreas uyarımını ve pankreas enzimlerinin salgılanmasını sınırlamak için oral beslenme durdurulur. Özellikle rahatsızlığın yol açtığı aşırı stresten dolayı güçten düşen hastalarda parenteral beslenme tedavinin önemli bir parçasıdır. Bulantı ve kusmayı azaltmak, ağrılı karın distansiyonunu ve paralitik ileus'u önlemek ve mideden hidroklorik asidi uzaklaştırmak için nazogastrik aspirasyon yapılır. Cimetidin [Tagament] ve ranitidin [Zantac] gibi histamine-2 (H2) antogonistler HCl salgısını ve dolayısıyla pankreas aktivitesini azaltmak için verilebilir.

Cerrahi Girişim: Akut pankreatite cerrahi girişim olasılığı yüksektir. Bu nedenle pankreatit tanısına yardım etmek, pankreas drenajını sağlamak veya nekrotik pankreası çıkarmak veya doku almak için laparotomi uygulanır. Pankreas cerahisi sonrası nekrotik dokuları çıkarmak amacıyla dren yerleştirebilir.

Bakım
Akut Dönemde Bakım

Ağrı Kontrolü pankreas salgısını daha da uyarabilecek huzursuzluğu en aza indirmek ve yeterli ağrı tedavisi sağlamak için akut pankreatit süresince yeterli analjezi sağlanmalıdır. Morfin ve morfin türevlerinden genellikle kaçınılır çünkü bu ilaçların oddi sfinkterinin spazmına yol açtığı düşünül-mektedir. Meperidin (Demerol) sık order edilen bir ilaçtır. Çünkü bu ilacın sfinkter spazmına yol açma olasılığı daha azdır. Kusmayı önlemek için antiemetikler verilebilir.

Sıvı hacmini aynı seviyede tutmak ve renal yetersizliği engellemek için sıvı ve kan kaybının giderilmesi ve albümin seviyesinin düzeltilmesi gereklidir. Hasta genellikle kritik durumdadır ve yoğun bakım ünitesinde izlenir. Burada hemodinamik gözlem ve arteriyel kan gazı gözlemi başlatılır. Enfeksiyon varsa antibiyotik verilir. Hiperglisemi oluşursa insülin gerekebilir.

Normal Solunumun Sürdürülmesi: Pulmoner infiltrasyon ve efüzyon artışı ile atelektazi riskleri nedeniyle yoğun solunum desteği gerekebilir. Az sayıda akut pankreatit hastasında röntgen bulguları normal olsa bile hipoksemi oluşabilir. Solunuma yardım nemlendirilmiş oksijen kullanımını, entübasyon ve mekanik ventilasyonu, arteriyel kan gazlarının yakın izlemini gerektirir.

Safra Drenajı: Endoskopi ile pankreatik kanala yerleştirilen stent ve safra yolu drenleri pankreas drenajını yeniden sağlamak için kullanılmaktadır. Bu yaklaşım ağrıyı azaltabilir ve kilo almayı sağlayabilir.

Postakut Dönemde Bakım

Akut pankreatit kontrol altına alındıktan sonra antiasitler kullanılabilir. Oral yolla yavaş yavaş düşük yağlı ve düşük proteinli besinler verilmeye başlanır. Kafein ve alkol diyetten çıkarılır. Eğer pankreatit olayı tiazin diuretik, kortikosteroid veya oral kontraseptif kullanımına bağlı ortaya çıkmışsa bu ilaçlar kesilir. Hastanın izleminde pankreatitin seyrini belirlemek, abse veya psödokisti değerlendirmek için ultrason, röntgen veya ERCP kullanılır. ERCP akut pankreatitis'in sebebini belirlemek ve ortak safra kanalından safra taşlarını çıkarmak ve endoskopik sfinkterotomi yapmak içinde kullanılır.

Akut Pankreatitte Bakım Planı
Değerlendirme

Sağlık öyküsünde karın ağrısı ve rahatsızlığının varlığı ve özellikleri üzerinde durulur. Ağrının varlığı, yeri, beslenme ve alkol alımıyla ilgisi ve ağrı giderme önlemlerinin etkisi değerlendirilir. Hastanın beslenme ve sıvı durumu, safra kesesi atakları ve alkol kullanımını değerlendirmek de önemlidir. Bulantı, kusma, ishal ve yağlı dışkıyı içeren mide-bağırsak sorunları öyküsü araştırılır. Karın bölgesi ağrı, hassasiyet, defans ve bağırsak sesleri açısından değerlendirilir, sertliği ve yumuşaklığı not eder. Solunum sayısı, özelliği ve solunum seslerini değerlendirmek de önemlidir. Bulguların ciddiyetin-den ve hastalığın şiddetinden endişe duyan hasta ve ailesinin duygusal ve psikolojik durumu ve başa çıkma yöntemleri de değerlendirilir.

Tanı
Hemşirelik Tanıları: Akut pankreatitli hastanın değerlendirme verilerine dayanarak olabilecek hemşirelik tanıları;
- İnflamasyon, ödem, pankreas distansiyonu ve peritoneal irritasyona bağlı *akut ağrı*.
- Şiddetli ağrı, pulmoner infiltrasyon, plevral efüzyon ve atalektaziye bağlı *yetersiz/etkisiz solunum*.
- Gıda alımında azalma ve metabolizmadaki artışa bağlı *vücut gereksiniminden az/ yetersiz beslenme*
- Yetersiz beslenme durumu, yatak istirahatı, drenajlar ve cerrahi yaraya bağlı *cilt bütünlüğünde bozulmadır*.
- *İlişkili Sorunlar/Olası Komplikasyonlar*

Değerlendirme verilerine dayanarak ortaya çıkabilecek komplikasyonlar;
- Sıvı ve elektrolit dengesizliği
- Pankreas nekrozu
- Şok ve çoklu organ yetersizliği kan glukoz seviyesinde dengesizliktir.

Planlama ve Hedefler
Hastalar için başlıca hedefler ağrı ve rahatsızlığı azaltma, normal solunum fonksiyonunu, yeterli beslenmeyi ve cilt bakımını sağlama ve komplikasyonların olmamasıdır.

Girişimler
Ağrı ve Rahatsızlığı Azaltma: Ağrıdan sorumlu olan patolojik süreç pankreasın oto-sindirimi olduğundan tedavinin amaçları pankreas enzimlerinin salgılanmasını ve dolayısıyla ağrıyı azaltmaktır. Akut pankreatit ağrısı çok şiddetlidir ve etkili analjezik kullanımını gerektirir. Meperidin (Demerol) tercih edilen ilaçtır; morfin sülfaktandan kaçınılır çünkü, oddi sfinkterinin spazmına yol açar. Sekretin oluşumunu ve salgılanmasını azaltmak için oral beslenme yapılmaz. Sıvı dengesini eski durumuna getirmek ve bu durumda tutmak için hastaya parenteral sıvılar ve elektrolitler verilir. Mide salgılarını aspire etmek ve distansiyonu azaltmak için nazogastrik aspirasyon yapılır. Nazogastrik tüpten kaynaklanan rahatsızlığı azaltmak ve ağız kuruluğunu gidermek için sık ağız hijyeni ve bakımı uygulanır. Hasta yatak istirahatinde tutularak metabolik hız azaltılır. Hasta odasının yiyecek kokularından arındırılması da önemlidir. Böylece pankreatik ve gastrik enzimlerin salgılanması azalır. Supine pozisyon ağrıyı arttırmaktadır. Karın kaslarının gevşemesini sağlamak için hasta bir yanına döndürülüp dizler fleksiyon pozisyonuna getirilmelidir. Hastada ağrı şiddeti artarsa pankreasta kanama ya da analjezik dozu yetersizliği düşünülmeli ve bu durum hekime rapor edilmelidir.

Akut pankreatitte şiddetli ağrı, sıvı ve elektrolit dengesizliği ve hipoksi hastanın mental durumunu bozar. Bu nedenle sıvı alımda sınırlama, gastrik aspirasyon ve yatak istirahati gerekliliği konusunda sık ama basit açıklamalar yapılmalıdır.

Normal Solunumun Sürdürülmesi: Karında distansiyonu azaltmak ve akciğer ekspansiyonunu arttırmak için hasta semi-fawler pozisyonunda tutulur. Atalektazi ve solunum sekresyonlarının birikmesini engellemek için sık sık pozisyon değişikliği gereklidir. Akciğer değerlendirmesi ve pulse oksimetre veya arterial kan gazları izlemi, solunum durumundaki değişiklikleri belirlemede önemlidir, böylece erken tedavi başlatılabilir. Hastaya öksürme ve derin nefes alma egzersizleri konusunda bilgi verilerek, her iki saatte bir öksürmesi ve derin solunum egzersizlerini yapması için hasta cesaretlendirilir.

Beslenmenin Düzenlenmesi: Akut pankreatitli hastada yiyecek ve oral sıvı alımına izin verilmez. Ancak vücut ısısında yükselme, cerrahi girişim ve dren varlığı gibi hastanın beslenme durumunu bozan/ değiştiren faktörleri belirlemek önemlidir. Laboratuvar test sonuçları ve günlük ağırlık ölçümleri beslenme durumunu izlemek için yararlıdır.

Parenteral beslenme gerekebilir. Parenteral beslenme yanı sıra serum glikoz seviyesi her dört-altı saatte bir değerlendirilir. Akut belirti ve bulgular azaldıkça aşamalı olarak oral beslemeye başlanır. Akut ataklar arasında karbonhidrat açısından zengin, yağ, kafein, sigara, gaz üreten yiyeceklerden ve protein oranı düşük diyet uygulanır. Hasta ağır yemeklerden ve alkollü içeceklerden uzak durmalıdır.

Cilt Bütünlüğünü Korumak: Yetersiz/dengesiz beslenme, yatak istirahati ve huzursuzluk bası yaraları ve doku bütünlüğünde bozulmaya yol açabilir. Ayrıca cerrahi girişim sonrası çeşitli drenler ya da açık cerrahi insizyon vardır. Bu nedenle hasta cilt bütünlüğü bozulması ve Enfeksiyon riski altındadır. İnsizyon ve drenaj bölgeleri infeksiyon, iltihap ve yaralanma açısından dikkatle incelenir. Yara bakımı uygulanır ve sağlam derinin drenajla teması önlenir.

İlişkili Sorunlar/Olası Komplikasyonları Önleme: Bulantı, kusma, vücut sıvısının vasküler bölümden peritoneal boşluğa hareket etmesi, vücut ısısında yükselme ve gastrik aspirasyon kullanımı sebebiyle sıvı ve elektrolit bozuklukları yaygın komplikasyonlardır. Deri turgoru ve mukoz membran nemliliğini izleyerek hastanın sıvı ve elektrolit durumunu değerlendirilir. Hasta her gün tartılır ve aldığı sıvılar ile idrar, nazogastrik sıvı ve ishalden oluşan çıkardığı sıvı miktarı ölçülür. Ayrıca yüksek ateş ve yara drenajı gibi hastanın sıvı ve elektrolit dengesini etkileyebilecek diğer faktörlerin değerlendirilmesi de önemlidir: Karında asit birikmesi açısından hasta değerlendirilir ve asit şüphesi varsa karın çevresi günlük olarak ölçülür.

Hipovolemik şoku engellemek ya da tedavi etmek amacıyla intravenöz sıvılar kan ürünleri ve albümin verilebilir. Dolaşım durması ve şok riskinden dolayı acil ilaçların hazır bulundurulması gerekebilir. Hipovolemik şok ve renal Yetersizliğin belirtisi olabileceğinden kan basıncında ve idrar miktarındaki düşüş derhal rapor edilmelidir. Serum kalsiyum ve magnezyum seviyelerinde düşme olabilir. Titreme, kas seyirmesi, chvostek veya troussea belirtileri gelişebilir. Bu durumun derhal tedavi edilmesi gerekir. Akut pankreatitli hastalarda pankreas nekrozu başlıca ölüm nedenidir.. Nekroz gelişen hasta kanama, septik şok ve çoklu organ Yetersizliği riski altındadır. Pankreatik nekrozu belirlemek için cerrahi yara debridmanı veya çoklu drenajlar uygulanabilir. Pankreatik nekrozlu hasta genellikle kritik durumdadır ve yoğun bakım ünitesinde bakım görmesi gerekir. Yaşam bulguları ile diğer belirti ve bulguların dikkatle izlemi yanında verilen sıvılar, ilaçları ve kan ürünlerinin etki/yan etkilerinin de izlemi gerekir.

Akut pankreatit ile birlikte şok ve çoklu organ Yetersizliği meydana gelebilir. Hipovolemi veya peritoneal boşlukta sıvı birikimi sonucu hipovolemik şok ortaya çıkabilir. Hemorajik pankreatite bağlı hemorajik şok oluşabilir. Pankreasın bakteriyel infeksiyonu ile septik şok görülebilir. Sıvı ve elektrolit dengesizlikleri, asit-baz dengesizliği ve dolaşıma toksik maddeler salgılanması sebebiyle kalp fonksiyon bozukluğu meydana gelebilir. Şiddetli pankreatitte miyokard infartüsü, perikardit, perikardiyal efüzyon sıklıkla karşılaşılan kardiyak komplikasyonlardır. Nörolojik değişiklikler kalp-damar, renal ve solunum bozukluğunun erken belirtileri olabilir. Hastanın durumunda ve tedavideki seri değişikliklere yanıt vermeye hazırlıklı olunmalıdır. Ayrıca aileyi hastanın durumu ve gelişimi hakkında bilgilendirmek ve hastayla birlikte olmak için zaman tanımak gerekir. Akut pankreatitte alfa hücre hasarı nedeniyle salgılanması artan glukagon yada beta hücre hasarı nedeniyle salgılanması azalan insülin ile ilişkili hiperglisemi gelişebilir. IV insülin uygulaması ve sık sık serum glukoz düzeyinin kontrol edilmesi gerekebilir.

Taburculuk Eğitimi ve Evde Bakımın Öğretilmesi
Hastalara Öz Bakımın Öğretilmesi

Akut pankreatitli hasta kritik durumdadır. Güç kazanmak ve önceki aktivite seviyesine dönmek için uzun bir süre gerekir. Genelde akut pankreatitte hasta haftalar / aylarca halsizlik yaşayabilir. Şiddetli akut rahatsızlık nedeniyle bu dönemde yapılan açıklamalar ve talimatların büyük kısmı hasta tarafından anımsanmayabilir. Bu nedenle sık sık tekrarlanması gerekir. Hastaya akut pankreatit nedenleri anlatılır ve yağlı yiyeceklerden, ağır yemeklerden ve alkolden uzak durması gerektiği söylenir. Hasta ve ailesine akut pankreatit belirti ve bulgular ile hekime derhal bildirmeleri gereken olası komplikasyonlara ilişkin yazılı ve sözlü bilgi verilmesi önemlidir.

Eğer akut pankreatite safra taşı ve safra kesesi hastalığı gibi bir safra kanal hastalığı sebep olmuşsa gereken diyet değişiklikleri hakkında ek bilgi verilmesi gerekir. Eğer pankreatit alkol kullanımına bağlı gelişmişse alkol kullanımını tamamen kesmenin önemini hatırlatılır.

Bakımın Sürekliliği

Genellikle evde bakım için başvuru kaynağı verilir; bu sayede hastanın fiziksel ve psikolojik durumu ve tedaviye uyumu değerlendirilir. Ayrıca evin durumu da değerlendirilip sıvı alımı, beslenme ve alkolden kaçınma talimatları pekiştirilir.

Akut atak geçtikten sonra bazı hastalar alkol almaya başlayabilirler. Bu nedenle alkol kullanımından uzak durmada yardımcı olacak kaynaklar ve destek grupları hakkında açık ve belirgin bilgiler verilir.

Değerlendirme
Hastadan Beklenen Sonuçlar

1. Ağrı ve rahatsızlıkta azalmanın rapor edilmesi
   a. Aşırıya kaçmadan, belirtildiği şekilde analjezik ve antikolinerjik kullanır
   b. Belirtildiği şekilde yatak istirahatini sürdürür
   c. Karın ağrısını azaltmak için alkolden uzak durur
2. Solunum fonksiyonunda artış olur
   a. Yatakta sık sık pozisyon değiştirir
   b. En azından saat başı öksürür ve derin nefes alır
   c. Normal solunum oranı ve şeklini uygular, akciğer tam genişler, solunum sesleri normaldir
   d. Vücut ısısı normaldir ve solunum yolu infeksiyonu yoktur
3. Beslenme, sıvı ve elektrolit dengesi normaldir
   a. İshalde azalma olur
   b. Karbonhidrattan zengin, düşük proteinli besinler tüketir
   c. Alkol kullanımını kesmesinin gereğini açıklar
   d. Belirtilen sınırlar içinde yeterli sıvı alır
   e. Saatlik idrar miktarı yeterlidir

Kronik Pankreatit
Epidemiyoloji

Aşırı ve uzun süreli alkol kullanımı tüm vakaların yaklaşık %70'inden sorumludur. Kronik pankreatitin görülme oranı alkoliklerde, içki içmeyenlere oranla 50 kat daha fazladır.

Etyoloji

Batı toplumlarında alkol tüketimi ve Dünya çapında kötü beslenme kronik pankreatitin başlıca sebepleridir. Uzun süreli alkol tüketimi pankreas salgılarında aşırı protein bulunmasına yol açar ve bunun sonucu olarak pankreas kanallarında protein tıkaçlar ve taşlar meydana gelir. Alkolün ayrıca pankreas hücreleri üzerinde doğrudan toksik etkisi de vardır.

Patofizyoloji

Kronik pankreatit inflamatuar bir hastalıktır ve pankreasın anatomik ve fonksiyonel yıkımıyla karakterizedir. Sürekli Pankreatit ataklarıyla hücrelerin yerine fibröz dokular alır ve pankreas içindeki basınç artar. Bunun sonucunda da, pankreas, ortak safra kanalları ve duedenum tıkanır. Ayrıca kanalların epitelinde atrofi, Enflamasyon meydana gelir. Pankeasın salgı hücreleri tahrip olur.

Klinik Bulgular

Kronik pankreatit üst karın ve sırtta tekrarlanan şiddetli ağrı atakları ve buna eşlik eden kusma ile karakterizedir. Ataklar çok ağrılıdır. Yüksek dozlarda opioidler bile rahatlama sağlayamaz. Hastalık ilerledikçe tekrarlanan ağrı atakları daha şiddetli, sık ve uzun sürelidir. Bazı hastalar sürekli şiddetli ağrı yaşarlar; diğerlerinde ağrı monoton, huzursuz edici ve sabittir. Kronik yapısı ve ağrı şiddeti sebebiyle opioid bağımlılığı riski pankreatitte fazladır.

Kronik pankreatitte kilo kaybı büyük bir sorundur; hastaların %75'inden fazlasında ciddi kilo kaybı vardır, sebebi genellikle anoreksiya ve yemenin başka bir atağa sebep olacağı korkusuyla besin alımında azalmadır. Hastalığın ilerleyen dönemlerinde, pankreas fonksiyonun sadece %10'u kaldığından emilim bozukluğu meydana gelir. Sonuç olarak özellikle protein ve yağ sindirimi bozulur. Yağ sindirimi bozulduğu için dışkı sıklaşır, köpüklüdür, kötü kokuludur ve yağ oranı fazladır. Buna *steatore* adı verilir. Hastalık ilerledikçe pankreas kireçlenebilir ve kanallar içinde kalsiyum taşları oluşabilir.

Tanı Yöntemleri

Pankreas; pankreas ve biliyer kanallar hakkında ayrıntılı bilgi verdiğinden ERCP kronik pankreatit tanısında en yararlı tanı yöntemidir. Bu yöntem pankreatik karsinomu diğer hastalıklardan ayırt etmede de yararlıdır. Manyetik rezonans, bilgisayarlı tomografi ve ultrason gibi çeşitli görüntüleme yöntemleri pankreatit rahatsızlıklarından şüphe edilen hastalarda tanı koymada kullanılır. Pankreas kistini belirlemek için bilgisayarlı tomografi ve ultrason kullanılır.

Glikoz tolerans testi, pankreas hücre fonksiyonunu değerlendirir; bu pankreasın cerrahi işlemle alınması kararı için gerekli bir bilgidir. Diyabetlilerde anormal glikoz tolerans testi olabilir. Akut pankreatitli hastanın aksine serum amilaz ve lökosit sayısı yüksek olmayabilir.

Tedavi

Kronik pankreatit tedavisi nedene ve hastanın durumuna göre değişir. Tedavide amaç, akut atakları engellemek ve kontrol etmek, ağrıyı ve rahatsızlığı azaltmak, pankreatitin endokrin ve ekzokrin yetersizliğini gidermektir.

Cerrahi Dışı Tedaviler: Cerrahi girişimi kabul etmeyen, cerrahi risk taşıyan, hastalığı ve bulguları cerrahi girişimi gerektirmeyen hasta için cerrahi olmayan yöntemlerin kullanılması gerekebilir. Ağrıyı kontrol altına almak ve tıkanıklığı gidermek, pankreas kanalındaki taşları almak ve darlıkları açmak için endoskopi yararlı olabilir.

Karın ağrısı ve rahatsızlığının tedavisi akut pankreatite benzer. Ama genelde opioid içermeyen analjezikler üzerinde durulur. Kalıcı, geçmeyen ağrı genellikle ağrı tedavisinin en zor yanıdır. Hekim, hemşire ve diyetisyen hasta ve ailesine alkolden ve hastanın karın ağrısı ve rahatsızlığına yol açtığını fark ettiği diğer gıdalardan uzak durmanın gerekliğini açıklamalıdır. Hastanın alkol kullanmaya devam etmesi durumunda başka bir yöntemin işe yarayamayabileceği hastaya belirtilir.

Pankreatik hücrelerdeki fonksiyon bozukluklarından kaynaklanan Diabetes mellitus diyet, insülin ve oral anti-diyabetik ilaçlarla tedavi edilir. Sindirim yetersizliği ve steatoreli hastada pankreas enzim katkısı gerekebilir.

Cerrahi Tedavi: Cerrahi girişim genellikle karın ağrısı ve rahatsızlığını gidermek, pankreas salgılarının drenajını eski haline getirmek ve akut pankreatit ataklarının sıklığını azaltmak için gerçekleştirilir.

Uygulanan cerrahi girişim türü hastalığın pankreas içindeki lokalizasyonu, diyabet, ekzokrin yetersizliği, safra kanalı darlığı ve psödokist gibi pankreasın anatomik ve fonksiyonel bozukluk düzeyine bağlıdır.

Ameliyatın gerekip gerekmediğine ve hangi işlemin uygulanacağına karar verirken göz önünde bulundurulan diğer faktörler hastanın sürekli alkol kullanımı ve ameliyattan sonra beklenen, endokrin ve ekzokrin değişikliklerinin hasta tarafından yönetilip yönetilemeyeceğidir.

Pankreatikojejunostomi: Roux-en-Y olarak da bilinir. Bu işlemde anastomoz yan yanadır veya pankreas kanalı jejunum ile birleşerek pankreas salgılarının jejunuma drene olmasını sağlar. Bu işlemin uygulandığı hastaların % 80'inden fazlasında ağrı altı ay içinde kaybolur ama hastalık ilerledikçe ağrı çoğu hasta geri döner. Farklı derecede ve tipteki hastalıklar için water ampulla'sı sfinkter revizyonundan pankreasın mideye dahili drenajına, stent yerleştirme, pankreasın kesimi veya alınmasına kadar farklı cerrahi işlemler uygulanabilir. Kronik pankreatit ağrısını gidermek için Whipple rezeksiyonu uygulanır. Bu işleme pankreatikoduodenektomi de denir.

Total pankreatektomi geçiren hastaların pankreas endokrin fonksiyonunu korumak için pankreatik hücrelerin oto-transplantasyonu veya implantasyonu yapılmaktadır.

Safra kesesi hastalığına bağlı olarak kronik pankreatit gelişmişse, tıkanan ortak kanalı incelemek ve taşları çıkarmak için cerrahi tedavi uygulanır. Cerrahi tedavi sırasında aynı zamanda safra taşları da alınır. Ayrıca, Oddi sfinkteri ve water ampullasına sfinkterektomi de uygulanabilir. Böylece ortak safra kanalı ve pankreas kanalının drenajı sağlanır. Bu uygulamada T tüpü ortak safra kanalına yerleştirilir, safrayı toplamak için bir drenaj sistemi kullanılır.

Bakım

Cerrahi sonrası bakım diğer safra sistemi cerrahi işlemleri ile aynıdır. Kronik pankreatitte uygulanan cerrahi girişimden sonra hastalar kilo alabilirler ve beslenme durumlarında iyileşme görülebilir; iyileşme emilim bozukluğunun düzeltilmesi yanı sıra yemeye bağlı ağrının da azalmasından olabilir. Fakat hastanın cerrahi öncesi fiziksel kondisyonunun zayıf olması sebebiyle cerrahi işlemden sonra hastalık ve ölüm oranları yüksektir. Hasta alkolü tamamen bırakmazsa, cerrahi işlemden sonra bile ağrı ve sindirim bozukluğu devam edebilir.

Pankreas Kistleri; Psödokistler

Epidemiyoloji

Psödokistler akut pankreatit komplikasyonu olarak ortaya çıkar.

Etiyoloji

Alkolik pankreatitli hastalarda psödokistler daha yaygın görülür.

Patofizyoloji

Psödokistler fibröz dokuyla çevrelenir, içinde pankreatik salgı ve nekrotik doku vardır. Bunlara pankreatik psödokist adı verilir. Pankreas kistlerinin en yaygınıdır. Daha nadir görülen diğer kistler doğuştan gelen anormallikler sonucunda ve kronik pankreatit veya pankreas travmasında ikincil olarak ortaya çıkabilirler.

Klinik Belirtileri

En sık görülen bulgular ağrı, bulantı, kusma ve kilo kaybıdır.

Tanı Yöntemleri

Pankreas kisti ve psödokist'lerin tanısı ultrasonografi, bilgisayarlı tomografi ve ERCP ile yapılır. Pankreasın anatomisini tanımlamak ve pankreatik drenajın açıklığını

37. Safra Kesesi ve Pankreas Hastalıkları

Çizelge 37.1: Akut Pankreatitli Hastanın Bakım Planı Örneği

Girişimler	Nedeni	Beklenen sonuçlar

Tanı: Ödem, pankreas ditansiyonu ve peritoneal iritasyona bağlı *akut ağrı ve rahatsızlık*
Hedef: Ağrı ve rahatsızlığın azaltılması

Girişimler	Nedeni	Beklenen sonuçlar
1. Hastanın ağrı ve rahatsızlık şiddetine göre uygun doz ve sıklıkta meperidin (Demerol) verilir.	1. Meperidin merkezi sinir sistemi(MSS)'ni etkileyerek hastanın ağrı algısını azaltır.. Morfin oddi sfinkterinin spazmına yol açtığından kullanılmaz.	➢ Ağrıda azalma ➢ Ağrı ve rahatsızlık artmadan hareket eder ve döner ➢ Rahatça dinlenir ve uzun süre uyur
2. Analjezik kullanmadan önce ve sonra ağrı ölçeği kullanılarak ağrı değerlendirilir	2. Ağrının değerlendirilmesi ve kontrolü önemlidir. Çünkü ağrı metabolizmayı hızlandırır. Bu da pankreas ve mide asitlerinin salgısını arttırır.	➢ Daha az ağrı, rahatsızlık ve kramp gelişir ➢ Ağrının azaldığını hisseder ➢ İyiliğinde ve sağlık bakım ekibine güvende artış olur
3. Ağrı azalmadığında veya ağrı şiddeti arttığında rapor edilir.	3. Ağrı pankreas enzim sekresyonunu artırabilir ve pankreatik kanama belirtisi de olabilir.	
4. Hastaya rahat edebileceği pozisyon verilir. İki saatte bir yatak içinde döndürülür ve farklı pozisyon verilir.	4. Sık pozisyon değişikliği basınç bölgelerinde basıncı azaltır, pulmoner ve vasküler komplikasyonları önlemede yardımcı olur.	
5. Ağrıyı gidermek için gevşeme, derin solunum, dikkat dağıtma gibi nonfarmakolojik yöntemler kullanılır	5. Nonfarmakolojik yöntemlerin kullanımı analjezik etkisini arttırır. Kapı kontrol teorisine göre kutanöz uyarımın ağrı yollarını kapatmaktadır.	
6. Hastanın önceki ağrı deneyimi ve başetme yöntemleri belirlenir.	6. İlgilendiğinizi göstermek endişeyi azaltabilir	

Hedef: Pankreas uyarımına bağlı ağrının azaltılması

Girişimler	Nedeni	Beklenen sonuçlar
1. Antikolinerjik ilaçları order edildiği şekilde verilir.	1. Antikolinerjik ilaçlar mide ve pankreas salgısını azaltır	
2. Oral beslenme yapılmaz.	2. Pankreas salgısı besin ve sıvı alımıyla artar	
3. Hasta yatak istirahatında tutulur.	3. Yatak istirahatı metabolizmayı yavaşlatır ve böylece pankreas ve mide salgı sekresyonu azalır.	
4. Sürekli nazogastrik drenaja devam edilir. a. Belli aralıklarla mide sekresyonları ölçülür. b. Mide sekresyonlarının rengi ve yapışkanlığı izlenip kaydedilir. c. Nazogastrik tüpün serbest drenaja izin verecek nitelikte olduğundan emin olunmalıdır.	4. Nazogastrik aspirasyon gastrik içeriği alır ve mide sekresyonlarının duodenuma girerek sekresyon mekanizmasını uyarılmasını önler. Barsakların dekompresyonu da solunum sıkıntısını gidermede yararlıdır	

Tanı: Nazogastrik tüpe bağlı *rahatsızlık*
Hedef: Nazogastrik entübasyonun oluşturduğu rahatsızlığın azaltılması

Girişimler	Nedeni	Beklenen sonuçlar
1. Burun delikleri dışına suda çözülen kayganlaştırıcı madde sürülür	1. Burun delikleri iritasyonunu önler	➢ Nazogastrik tüpün girdiği yerde deri ve burun dokuları sağlamdır
2. Hasta aralıklı olarak döndürülür; nazogastrik tüpte basınçtan kaçının	2. Tüpün özefageal ve gastrik mukoza üzerindeki basıncını azaltır.	➢ Burun deliklerinde ve orofarenks'de ağrı veya iritasyon yoktur
3. Ağız hijyeni ve alkolsüz gargara solüsyonları verilir	3. Orofarenks iritasyonunu ve kuruluğunu azaltır	➢ Ağız ve nazofareks mukozası temiz ve nemlidir
4. Nazogastrik kullanma sebebini açıklayın	4. Hastanın drenaj, nazogastrik tüp ve aspirasyon cihazlarını kullanabilmesine yardımcı olur.	➢ Susuzluğun ağız hijyeniyle azaldığını söyler ➢ Nazogastrik tüp ve aspirasyon cihazlarının kullanım sebebini açıklar

761

Metabolik ve Endokrin Sistem

Tanı: Dengesiz / yetersiz beslenme ve pankreas sekresyonlarında azalmaya ilaveten; akut durum ve vücut ısısında artış nedeniyle beslenme gereksiniminde artmaya bağlı *besin gereksiniminde atma*
Hedef: Yeterli ve Dengeli Beslenmeyi Sürdürme

1. Mevcut beslenme durumu ve artan gereksinimi değerlendirilir. 2. Serum glikoz seviyesini izleyin ve belirtilen şekilde insülin verin 3. Intravenöz sıvı ve elektrolit ile parenteral beslenme uygulayın 4. Tolare edildiğinde yüksek karbonhidratlı, düşük proteinli ve düşük yağlı diyet verin 5. Hastaya alkolü bırakmasını ve destek gruplarına başvurmasını söyleyin 6. Aşırı kahve ve baharatlı yiyecekler kullanmama konusunda hastaya danışmanlık verilmelidir 7. Günlük kilo izlemi yapılır.	1. Pankreas sekresyonlarındaki değişiklik normal sindirimi etkiler. Akut hastalık, infeksiyon ve vücut ısısında artış metabolizma gereksinimini artırır. 2. Pankreasın endokrin fonksiyonunda bozulma serum glikoz seviyesini artırır. 3. Oral beslenme olmadığında sıvı, elektrolit ve besinlerin parenteral verilmesi sıvı, kalori ve besin alımında önemlidir. 4. Bu besinler, pankreasın salgısını uyarmadan kalori alımını arttırır. 5. Alkol alımı pankreasa daha da zarar verir ve akut pankreatit ataklarını tetikler 6. Kahve ve baharatlı yiyecekler pankreas ve mide sekresyonlarını arttırır 7. Bu sayede bir temel değer ve istenen ağırlık ölçüsü belirlenir	*Normal vücut ağırlığını korur *Başka kilo kaybı olmaz *Normal serum glikoz seviyesini korur *Kusma ve ishalde azalma olur *Normal dışkı ve bağırsak hareketi bildirilir *Yüksek karbonhidratlı ve düşük yağ ve proteinli besinler tüketir *Alkol kullanmaz *Kahve ve baharat sınırlamasının sebebini açıklar *Alkol destek gruplarına katılır *Normal ağırlığa ulaşır ve bunu korur

Tanı: Şiddetli ağrı, pulmoner infiltrasyon, plevral efüzyon ve atalektaziye bağlı *normal solunumu sürdürememe*
Hedef: Normal solunumu sürdürme

1. Solunum sesleri sayısı, özelliği, pulse oksimetre ve arterial kan gazları değerlendirilir. 2. Semi-fawler pozisyonda tutulur. 3. Derin nefes alması ve öksürmesi öğretilir ve uygulatılır. 4. İki saatte bir dönmesine ve pozisyon değiştirmesine yardımcı olunur. 5. Metabolizma hızı azaltılır. a. Önerildiği şekilde antibiyotik verilir. b. Hasta havalandırması iyi bir odaya yerleştirilir. c. Hipoksiyi önlemek için gerektiği şekilde nazal oksijen verilir. d. Gerekirse hipotermi battaniyesi kullanılır.	1. Akut pankreatit; retroperitoneal ödem, diyaframın yükselmesi, plevral efüzyon ve akciğer ventilasyonunda yetersizliğe sebep olur. Karın içi infeksiyon ve zorlu solunum metabolizmayı hızlandırır. bu durumda da akciğer rezervini arttırıp solunum yetmezliğine sebep olur 2. Diyaframdaki basıncı azaltır ve akciğerlerin daha çok genişlemesine izin verir 3. Derin nefes alma ve öksürme hava yollarını temizler ve atalektaziyi önler. 4. Sık pozisyon değiştirmek akciğerlerin tüm loblarının havalanmasına ve drenajına yardım eder 5. Pankreatit, vücut ısısında yükselme, taşikardi ve hızlı solunuma sebep olan şiddetli peritoneal ve retroperitoneal tepkiye yol açar. Hastayı havalandırması iyi bir odaya almak ve oksijen tedavisi ile desteklemek solunum sisteminin iş yükünü ve doku oksijen kullanımını azaltır. Vücut ısısını ve nabzı düşürmek metabolizma hızını azaltır.	➢Solunum oranı ve şekli normaldir ve akciğer tam genişler ➢Solunum sesleri normaldir ve anormal solunum sesler yoktur ➢Arterial kan gazları ve pulse oksimetre normaldir ➢Yataktayken semi-fawler pozisyonunda kalır ➢Yatakta sık sık pozisyon değiştirir ➢En az saat başı öksürür ve derin nefes alır ➢Vücut ısısı normaldir ➢Solunum infeksiyonu veya bozukluğu belirti ve bulgusu yoktur ➢Çevreye duyarlıdır

İlişkili Sorunlar: Sıvı ve elektrolit dengesizliği, hipovolemi, şok
Hedef: Sıvı ve elektrolit durumda iyileşme, hipovolemi ve şokun önlenmesi

1. Deri turgoru, mukoz membran, idrar çıktısı, yaşam bulgular, ve hemodinamik parametreler değerlendirilerek sıvı ve elektrolit durumunu belirlenir. 2. Kusma, ishal, nazogastrik drenaj, aşırı diaforez gibi sıvı ve elektrolit kaybı kaynakları değerlendirilir. 3. Varsa şokla mücadele edilir. a. Hasta klasik tedaviye tepki vermiyorsa reçete edildiği şekilde kortikosteroid verilir b. İdrar miktarı değerlendirilir. 50 mL/saatte tutmaya çalışılır.	1. Sıvı ve elektrolit desteğinin miktarı ve türü kan basıncının durumu, serum elektrolit ve kan üre nitrojen seviyelerinin laboratuvar değerlendirmeleri ve hastanın durumunun değerlendirilmesine bağlıdır. 2. Nazogastrik aspirasyon, şiddetli diaforez, kusma, ve hastanın diyette olması sebebiyle elektrolit kayıpları meydana gelir 3. Yaygın akut pankreatit, periferal vaskülar kolaps ve şoka sebep olabilir. Kan ve plazma karın boşluğunda toplanır, hipovolemi ve şok gelişir. Nekrotik pankreastan gelen toksinler de şoka sebep olabilir.	-Mukoz membranlar nemlidir ve normal deri turgor'u vardır. -Kan basıncı normaldir. Postural; ortostatik hipotansiyon bulgusu yoktur. -İdrar hacmi yeterlidir. -Nabız ve solunum normaldir.. -Dikkatli ve uyanıktır. -Kan basıncı ve kan gazları normaldir. -Tetani, karpopedal spazm gibi kalsiyum eksikliği belirtisi veya bulgusu görülmez -Kusma, ishal, veya diaforez ile ek sıvı veya elektrolit kaybı olmaz. -Ağırlık stabilize olur. -Karın çevresinde artış olmaz. -Karına dokunulduğunda sıvı dalgası hissedilmez.

4. Kan ürünleri, sıvılar ile sodyum, potasyum ve klorid gibi elektrolitler verilir. 5. Plazma, albümin, ve kan ürünleri verilir. 6. Hazırda intravenöz kalsiyum glukonat bulundurulur. 7. Karın bölgesi asit oluşumu yönünden değerlendirilir. a. Karın çevresi her gün ölçülür b. Günlük kilo izlemi yapılır c. Sıvı dalgası için karnı dokunarak inceleyin	4. Hemorajik pankreatitli hastalar fazla miktarlarda kan ve plazma kaybederler, bu da dolaşım ve kan hacmini azaltır. 5. Kan, plazma ve albümin katkısı dolaşımdaki kan hacminin etkinliğine yardım eder. 6. Kas kasılmasını engellemek için kalsiyum verilebilir. 7. Akut pankreatitte karın boşluğunda plazma toplanır. Bu durum da kan hacmini azaltır	- Yetersizlik göstergesi olmaksızın organ fonksiyonu stabilizedir.

değerlendirmek için ERCP kullanılabilir. Pankreatik psödokistler büyük boyutlarda olabilir. Posterior peritonun arkasındaki lokalizasyon sebebiyle genişledikleri zaman bitişik olan mide ve kalın barsağın sınırlarına girer ve yerlerini değiştirirler. Sonuçta basınç veya ikincil Enfeksiyon yoluyla semptomlar üretirler ve drenajları gerekir.

Tedavi
Kendiliğinden kaybolmayan kistler cerrahı olarak drene edilebilir. Mide-bağırsak kanalına veya deriden ve karın duvarından dışarı drenaj sağlanabilir.

Bakım
Dışarı drenaj uygulamasında drenaj miktarının fazla olması ve enzim içeriği sebebiyle dokuya zarar verme olasılığı vardır. Bu yüzden drenaj bölgesi çevresindeki derinin zarar görmesi önlenmelidir. Zarar görmeden önce uygulanırlarsa yağlar cildi korur. Başka bir yöntemde sindirim salgıları aspire edilebilir. Böylece cildin sindirim enzimleriyle teması önlenir. Ayrıca bu yöntemde aspirasyon tüpünün yerinden çıkmaması ve aspirasyonun engellenmemesi için dikkatli olunması gerekir. Drenajı sürdürmek ve deriyi korumak için enterostomal terapiste danışılabilir.

Pankreas Kanseri
Epidemiyoloji
Pankreas kanseri Dünya genelinde giderek artmaktadır. Ülkelerin çoğunda insidans 20. yüzyılın son yarısında artmaya başlamış ve yılda her 100.000 kişide 10-12 ye varan oranlara ulaşmıştır. Gelişmiş ülkelerde görülme sıklığı son 40 yılda iki-üç kat artmıştır. Amerika Birleşik Devletleri (ABD)'nde pankreas kanseri kanser ölümleri arasında beşinci sıradadır. Yaşla birlikte artar ve en çok 50-70'li yaşlar arasında ortaya çıkar.

Etiyoloji
Sigara, endüstriyel kimyasallara ve zehirli maddelere maruz kalma, fazla miktarda yağ ve et tüketimi pankreas kanseriyle ilişkilendirilir. Ancak rolleri tam olarak bilinmemektedir. Sigara kullanımı arttıkça pankreas kanseri riski artar. Diabetes mellitus, kronik pankreatit ve katılımsal pankreatit de pankreas kanseri ile ilişkilendirilir. Pankreas kanseri diğer kanserlerin metastazından da kaynaklanabilir. Herediter pankreatiti olan hastalarda yaşam boyu risk %40 olarak belirtilmektedir.

Patofizyoloji
Kanser pankreasın baş, gövde veya kuyruk herhangi bir kısmında ortaya çıkabilir.

Klinik Belirtileri
Klinik bulguların özelliği lezyonun lokasyonu, fonksiyon gösterip göstermemesi, insülin salgılayan pankreas adacık hücrelerinin dahil olup olmamasına bağlıdır. Pankreas kanserlerinin yaklaşık %75'i pankreas başından kaynaklanır ve klinik bulguları belirleyicidir. Pankreasın hem adenom hem de karsinomları adacık hücreleri hiperinsülinizm sendromundan sorumludur. Bu bulgular belirsizdir ve hastalar hastalığın son dönemine kadar sağlık bakımı arayışına girmeyebilirler. İlk tanı konduğunda hastaların %80-85'inde ilerlemiş, cerrahi olarak çıkarılamayan tümörler vardır. Ancak hastalığın aşamasına bakılmaksızın pankreatik karsinomada beş yıllık sağkalım oranı sadece %25'dir.

Hastaların %90'ından fazlasında üst ve orta karında, sırtın orta kısmında ağrı, sarılık veya her ikisi mevcuttur. Bunlar açıklanamayan nedenle vücut ağırlığının %5'inde fazlasının kaybıyla birlikte pankreatik karsinomanın klasik bulguları olarak düşünülürler. Fakat genellikle hastalık çok ilerleyene kadar ortaya çıkmazlar. Bulgular herhangi bir mide-bağırsak fonksiyonuyla ilişkili değildir ve tanımlanması genellikle zordur. Bu rahatsızlıklar pozisyon veya hareketle ilişkili değildir. Genellikle ilerleyici ve şiddetlidir, opioid kullanımı gerektirir. Geceleri daha şiddetlidir. Oturarak ve ileri yaslanarak ya da sırt üstü yatarak ağrı azaltılabilir.

Pankreas kanserinde habis hücreler genellikle peritoneal boşluğa yayılarak metastaz olasılığını arttırır. Asit oluşumu yaygındır. Glukozüri, hiperglisemi ve anormal glikoz toleransı ile insülin Yetersizliği bulgusu vardır. Bu yüzden diyabet pankreas karsinomunun erken belirtisi olabilir. Yemek sıklıkla epigastrik ağrıyı artırır ki bu genellikle sarılık ve kaşıntı oluşumundan önce ortaya çıkar. Bulantı ve kusma duodenal obstruksiyona ve tümörün retrogastrik sinir pleksusunu invaze etmesi nedeniyle oluşan gastroparezise bağlı gelişebilir.

Tanı
Pankreas tümörlerini tespit etmek için manyetik rezonans görüntüleme ve bilgisayarlı tomografi kullanılır. Pankreas karsinomu tanısıda ERCP de kullanılır. ERCP sırasında elde edilen hücreler incelenmesi için laboratuara gönderilir. Mide-bağırsak röntgen filmleri pankreatik kütlenin komşu organlardaki şekil bozukluklarını gösterebilir.

Perkutanöz iğne aspirasyonu, pankreas biyopsisi, pankreas tümörü tanısında ve tümörü rezeke edilemeyen hastalarda tanıyı onaylamak için kullanılır. Bu işlemde dış karın duvarından pankreatik kütleye bir iğne ile girilir ve iğne bilgisayarlı tomografi, ultrason, ERCP ve diğer görüntüleme yöntemleri ile yönlendirilir. Alınan doku örneği kanser hücreleri açısından incelenir. Perkütanöz biyopsi tanı açısından değerli bir araçtır ama bazı potansiyel sakıncaları vardır. Bunlar, küçük tümörler ve iğne yönteminde kanserli hücrelerin alımı gerçekleşmezse hatalı negatif sonuç elde edilir. Bunu önlemek için bölgeye düşük dozlu radyasyon uygulanabilir. Perkutanöz transhepatik kolanjiografi, pankreas hücresinin neden olduğu safra kanalı tıkanıklıklarını tespit etmek için kullanılabilecek başka bir yöntemdir. CA 19-9, CEA, DU-PAN-2 gibi çeşitli tümör belirteçleri pankreas kanseri tanısı için kullanılabilir. Ancak bu yöntem pankreas karsinomu açısından belirleyici değildir. Bu tümör belirteçleri hastalık gelişimini belirlemede yararlı göstergelerdir.

Anjiografi, bilgisayarlı tomografi ve laparoskopi tümörün cerrahi olarak alınıp alınamayacağını belirlemek için kullanılabilir. Diğer organlarda metastatik hastalık olup olmadığını belirlemek için ultrasonografi kullanılmaktadır.

Tedavi
Tümör tipik olarak pankreas başındaki tümörlerde olduğu gibi lokalize veya rezeke edilebilecek durumda ise bunu almak için uygulanan cerrahi işlem genellikle uzun sürelidir. Fakat lezyonun tamamen çıkarılmasını içeren kesin cerrahi tedavi genellikle mümkün değildir. Sadece %10-20'lik görece küçük bir hasta grubu erken dönem hastalıkla yakalanır ve cerrahi rezeksiyon için uygun aday olabilir. Çünkü tanı konduğunda tümör çok büyümüştür ve özellikle karaciğere, akciğere ve kemiklere metastaz olabilir. Tedavi sıklıkla palyatif önlem niteliğindedir.

Pankreas tümörleri standart radyasyon intraoperatif tedavisine karşı dirençli olabilir. Tümörü küçültmek için İntraoperatif radyasyon tedavisi (IORT) kullanılabilir. IORT ağrı azaltmada da etkilidir. Radyoaktif kaynakların doku arası kullanımı da mümkündür. Ancak komplikasyon oranı yüksektir.

Bakım
Ağrı kontrolü ve beslenme gereksinimlerinin karşılanması, rahatsızlığı gidermek önlemlidir.. Bu nedenle bakımın amacı cilt bakımı, sarılık, iştahsızlık ve ciddi kilo kaybına bağlı ağrı ve rahatsızlığı azaltmaktır. Özel yataklar yararlıdır ve kemik çıkıntıları basınçtan korur. Pankreas kanseriyle bağlantılı ağrı şiddetli olabilir ve opioid kullanımını gerektirebilir. Şiddetli, artan ağrısı olan hastalarda hasta kontrollü analjezi düşünülmelidir. Kötü prognoz ve yaşam süresinin kısa olması nedeniyle yaşamın sonuna dair tercihler konuşulur ve yerine getirilir.

Taburculuk Eğitimi ve Evde Bakımın Öğretilmesi
Hastalara Öz Bakımın Öğretilmesi: Hastaya ve ailesine verilecek özel eğitim hastalığın aşaması ve hasta tarafından yapılan tedavi tercihlerine göre değişir. Hasta kemoterapi almayı seçerse, bakım kullanılan ajanların yan etkilerini ve komplikasyonlarını önleme üzerine temellenir. Tıkanmayı giderme ve safra drenajını sağlama amacıyla cerrahi uygulanmışsa eğitimde drenaj sisteminin bakımı ve kompliksyonların izlenmesi üzerinde durulur. Bildirilmesi gereken değişiklikler hakkında aileye bilgi verilir.

Bakımın Sürekliliği: Pankreas kanseri ve hastalığın psikolojik etkisiyle ilgili rahatsızlıklar ve fiziksel sorunlarla başa çıkabilmeleri için evde bakım konusunda hasta ve ailesine başvuru kaynakları verilir. Evde bakım hemşiresi hastanın fiziksel durumunu, sıvı ve beslenme durumunu, cilt bütünlüğünü ve ağrı kontrolünün yeterliliğini değerlendirir. Hasta ve ailesine cilt bozukluklarının önlenmesi, ağrı, kaşıntı ve iştahsızlığın giderilmesine yönelik eğitim yapılır. Hastanın rahatsızlığını giderme, bakıma yardımcı olma ve hastanın yaşam sonu isteklerine uygun davranma adına palyatif tedavi ele alınmalı ve planlanmalıdır. Gerekirse hospisler kullanılabilir.

Pankreas Başı Tümörleri
Epidemiyoloji
Pankreas tümörlerinin % 75'i pankreas başında oluşur.

Etyoloji
Tıkanmaya sebep olan tümörler pankreas, ortak safra kanalı ve water ampulla'sından kaynaklanabilir.

Patofizyoloji
Pankreasın bu bölgesindeki tümörler ortak safra kanalını tıkar; bu noktada kanal pankreas başından geçerek pankreas kanalıyla birleşir ve water ampulla'sını duodenum'a boşaltır.

Klinik Belirtiler
Safra akışının engellenmesi sarılık, kil rengi dışkı ve koyu renkli idrara sebep olur. Gıdaların ve yağda çözülen vitaminlerin sindirilmesinde bozulma nedeni tümörün safra akımını engellemesidir. İştahsızlık, kilo kaybı ve huzursuzluk, karın rahatsızlığı ve ağrısı, kaşıntı görülebilir. Bu belirti ve bulguların varlığında pankreas başı kanserinden şüphe edilir.

Tümör tıkanmasına bağlı sarılık ile ortak safra kanalındaki taşa bağlı tıkanmanın neden olduğu sarılık ayırt edilmelidir ki ikincisi genellikle aralıklıdır, zaman zaman safra akar ve sarılık kaybolur. Ayrıca taşlar tipik olarak daha önce safra kesesi rahatsızlığı bulguları olan obez, özellikle kadın hastalarda görülür.

Tanı
Tanı çalışmaları duodenografi, hepatik ve çöliak arter kateterli anjiografi, pankreas taraması, perkutanöz transhepatik kolanjiografi, ERCP ve pankreasın perkütanöz iğne biyopsisini içerebilir. Pankreas biyopsisi sonuçları tanıda yardımcı olabilir.

Tedavi
Kapsamlı cerrahi girişim uygulanabilmesi için genellikle uzun süren bir hazırlık aşaması gerekmektedir. Çünkü hastanın beslenme ve fiziksel durumu iyi değildir. Çeşitli karaciğer ve pankreas fonksiyon testleri uygulanır. Genellikle proteinden zengin diyet verilir. Cerrahi öncesi hazırlık yeterli sıvı alımı, K vitaminiyle protrombin seviyesinin düzeltilmesi ve cerrahi sonrası komplikasyonları en aza indirmek için aneminin tedavisini içerir. Parenteral beslenme ve kan ürünleri tedavisine gereksinim duyulur.

Sarılığı gidermek ve belki kapsamlı tanısal değer-lendirmeye zaman yaratmak için safra yoluna şant uygulanabilir. Tümörün komşu dokulara ve bölgesel lenf nodlarına yayıldığına dair belirti yoksa total pankreatektomi gerekebilir. Pankreatikoduodenektomi; Whipple işlemi veya rezeksiyonu, rezeke edilebilir pankreas başı kanseri için kullanılır. Bu işlem safra kesesinin, midenin merkezden uzak kısmının, duodenumun, pankreas başının çıkarılmasını ve ortak safra kanalı ve kalan pankreas ve midenin jejunuma anostomozunu içerir. Bu sayede safranın jejunuma akışı sağlanır. Tümör rezeke edilemediğinde safra akışı jejunuma yönlendirilerek sarılık giderilebilir: bunu yapmak için jejunum safra kesesine ağızlaştırılır. Bu işlem kolesistojejunostomi olarak bilinir.

Pankreatektomi veya pankreatikoduodenektomi geçiren hastaların bakımı kapsamlı mide-bağırsak ve biliyer ameliyat geçiren hastaların bakımına benzer. Hastanın fiziksel durumu genellikle iyi değildir. Bu durum da cerrahi sonrası kanama, vasküler kollaps ve hepatorenal Yetersizlik komplikasyon riskini arttırır. Beslenme desteği ve cerrahi yöntemlerdeki gelişmelere bağlı olarak cerrahi sonrası mortalitede azalma gözlenmektedir. Nazogastrik tüp, aspirasyon ve parenteral beslenme ile mide-bağırsak kanalının dinlenmesi ve yeterli beslenmenin desteklenmesi sağlanır.

Bakım
Cerrahi öncesi ve sonrası bakımın amacı, komplikasyonları önleme ve hastanın mümkün olduğunca rahat bir yaşama ulaşması ve bunu sürdürmesini sağlamadır. Sıvı ve kan ürünlerinin verilmesi ve arteriyel basıncın izlenmesi gerekir. Hasta erken postoperatif dönemde mekanik ventilasyonda dır. Yaşam bulguları, arteriyel kan gazları, pulse oksimetre, laboratuar sonuçları ve idrar miktarındaki değişiklikler dikkatle izlenmelidir. Hastanın beslenme durumu ve kanama riski göz önünde bulundurulmalıdır. Uygulanan cerrahi işlemin türüne bağlı olarak malabsorbsiyon sendromu ve diyabetus mellitus olabilir.

Cerrahiden sonraki dönemde sağlık bakım ekibinin odak noktası hastanın ve ailenin fizyolojik durumu olsa da psikolojik ve duygusal durumu da göz önünde bulun-durulmalıdır. Hastaya büyük ve riskli bir cerrahi girişim uygulanmıştır ve kritik durumdadır. Bu nedenle endişelidir. Bu kapsamlı cerrahi işlemin kısa ve uzun dönem etkileri kesin değildir. Hasta ve ailesinin kritik ve stresli cerrahi öncesi ve sonrası dönemde duygusal desteğe ve anlayışa gereksinimi vardır.

Taburculuk Eğitimi ve Evde Bakımın Öğretilmesi
Hastalara Öz Bakımın Öğretilmesi; hasta, evde bakım için dikkatli ve detaylı olarak hazırlanmalıdır. Uygulanan cerrahi girişime bağlı sindirim enzim yetersizliği ve hiperglisemi nedeniyle hasta ve ailesine diyet ve ilaçların gerekliliği, pankreatik enzim ve vitamin desteğinin devam etmesinin ve düşük yağlı diyet uygulamanın önemi anlatılır.

Hasta ve ailesine ağrı ve rahatsızlığı giderme stratejileri, drenleri varsa kullanma ve cerrahi insizyon bölgesinin bakımı öğretilir. Hasta ve ailesi hasta kontrollü analjezi kullanımı, parenteral beslenme, yara bakımı, cilt bakımı ve drenaj kullanımı hakkında bilgiye gereksinim duyar.

Acilen bildirilmesi gereken komplikasyon belirti ve bulguları yazılı olarak verilmeli, ayrıca sözlü olarak anlatılmalıdır.

Hasta taburcu olduktan sonra evde uzun süreli bakım gerekebilir. Evde bakım personeline hasta ve ailesine verilmiş olan eğitim hakkında bilgi vermek önemlidir.

Bakımın Sürekliliği: Evde bakım hemşiresi hastanın fiziksel ve psikolojik durumunu, ailenin ve hastanın gerekli bakımı uygulayabilme becerisini değerlendirir. Ayrıca, hastanın beslenme durumunu değerlendirmek ve parenteral beslenme kullanımını izlemek önemlidir. Hasta ve ailesiyle hospis hizmetleri konuşulur ve gerektiğinde yönlendirme yapılır.

Günümüzde safra sistemi hastalıkları ve özellikle kanserleri sık görülmekte, çoğunlukla cerrahi yolla tedavi edilmekte ve bu hastalar profesyonel bakıma gereksinim duymaktadırlar. Çünkü bu sistemdeki işlevsel bozukluklar tüm organizmayı etkileyebilmekte morbidite ve mortaliteye neden olabilmektedir.

38.
DİABETES MELLİTUS

Prof. Dr. Nermin OLGUN
Prof. Dr. Fatma Eti ASLAN
Yar. Doç. Dr. Gülhan COŞANSU
Doç. Dr. Selda ÇELİK

Giriş

Diabetes Mellitus, insülin hormonunun yetersizliği, yokluğu ve/veya eksikliği sonucu oluşan hiperglisemi glikozüri ve bunlara eşlik eden birçok klinik ve biyokimyasal bulgu ile seyreden, oluşturduğu komplikasyonlar nedeniyle organ ve işlev kayıplarına yol açarak, yaşam süresi ve kalitesini etkileyen, iş gücü kayıplarıyla sosyal ve ekonomik yükü ağır olan, kronik bir metabolizma hastalığıdır. Diabetes mellitus bütün toplumlarda ve ırklarda görülen tüm yaş gruplarını ilgilendiren ve Dünya da en sık karşılaşılan kronik hastalıktır. Dünyada 1985 yılında 30 milyon olan diyabetli sayısı 2003 yılında 194 milyona, 2007 yılında 246 milyona, 2012 yılında 371 milyona ulaşmıştır. 2030 yılında bu sayının 522 milyon olacağı, her 100 erişkinin yaklaşık 8'inin diyabetli olduğu, bu hızla devam ederse çok yakında her 10 kişiden 1'inin diyabetli olacağı tahmim edilmektedir. Hastalığın ilk yıllarda asemptomatik olması nedeni ile gerçek prevalansın saptanması, kayıtları en iyi olan toplumlarda bile mümkün olmamaktadır. Bundan dolayı, gelişmiş ülkelerde bile bilinen diyabetlilerin bilinmeyen diyabetlilere oranı neredeyse eşittir.

Amerika Birleşik Devletlerinde yapılan çalışmalarda 20-74 yaş grubu toplumda diyabet prevalansı %6,6 bulunmuş ve bilinmeyen diyabet olgularının %50 civarında olduğu bildirilmiştir. Ülkemizde, 1997-1998 yılarında yapılan'Türkiye Diyabet Epidemiyoloji Araştırma Projesi **(TURDEP-I)"** gerçekleştirilmiş ülke genelinde 540 merkezden (270 mahalle **ve 270** köy) **rastgele** seçilen 20 yaş ve üzeri 24.788 kişi incelenmiş ve çalışma sonuçlarına göre diyabet prevalansı %7.2, IGT %6.7, hipertansiyon %30 ve obezite %22 bulunmuştur. Ocak 2010- Haziran 2010 tarihleri arasında **TURDEP-]** çalışmasının tekrarı niteliğinde **TURDEP-II** çalışması planlanmış aynı yöntem kullanılarak aynı merkezlerde çalışma gerçekleştirilmiştir. TURDEP-II çalışması sonuçlarına göre, diyabet prevalansı %13.7,izole bozulmuş açlık glukozu (BAG) ve bozulmuş glukoz toleransı (BGT) sırasıyla % 14.7, %7.9 ve kombine pre-diyabet prevalansı %8.2'dir. Obezite oranı %36 ve hipertansiyon oranı %31.4'tür. **TURDEP**-1 den itibaren geçen **12** yıllık süreçte Türkiye'de **diyabet sıklığı** %90, BGT %106, obezite %40 ve merkezi obezite %35 oranında artmış bununla birlikte hipertansiyon görülme sıklığı %11 oranında azalmıştır. Bu süre zarfında, ortalama kilo, boy, bel ve kalça ölçüleri sırasıyla erkeklerde 8 kg,1cm, 7 cm ve 3 cm; kadınlarda da 6 kg, 1 cm, 6 cm ve 7 cm artmıştır.

Dünya Sağlık Örgütünün 1998'deki raporuna göre, nüfusun yaş ortalamasının gittikçe artması, sağlıksız beslenme, hareketsiz bir yaşam tarzı ve obezite diyabetin son yıllardaki kaygı verici artışına sebep olmaktadır. Yaşam tarzı büyük ölçüde değişikliğe uğramış Türkiye gibi endüstrileşmekte ve gelişmekte olan ülkelerde tip 2 diyabetin görülme sıklığı hızla artmaktadır.

a. Diabetes Mellitusun sınıflandırılması
Diabetes Mellitusun Fizyolojisi ve Fizyopatolojisi

Pankreasın endokrin fonksiyonlarından sorumlu olan langerhans adacıkları; içine hormonların salgılandığı küçük kapillerler çevresinde organize olmuş, her biri yaklaşık 0,3 mm çapında ve bir-iki milyon adettir.

Langerhans adacıkları 4 tip hücreye sahiptir.
1. **Alfa Hücreleri:** %20-25 ini oluşturur ve glukagon salgılar
2. **Beta Hüreleri:** %70'ini oluşturur ve insülin salgılar
3. **Delta Hüreleri:** %5-10'unu oluşturur ve somatostatin salgılar
4. **Pankreatik Polipeptit Hücreler:** % 1 -2' sini oluşturur işlevi tam olarak bilinmemektedir.

Glikojenin Karaciğer ve Kaslarda Depolanması

Glikoz hücre içine girdikten sonra, ya enerji sağlamak için hemen kullanılır ya da enerjiye gereksinim olmadığı durumlarda glikojen olarak depolanır. Enerji sağlamak üzere kullanılacaksa yıkılır ve bu olaya **glikoliz**, glikojen şeklinde depolanmasına ise **glikogenez** adı verilir. Glikoz karaciğer ve kasta glikojen şeklinde depolanır. Gereksinim durumunda kastaki depo glikojen enerji için kullanılmazken karaciğerde depo edilen glikojen 24 saate kadar enerji gereksinimini karşılayabilir. Glikojenin glikoza yıkılarak gerçekleştirilen bu olaya **glikogenezis** denir. Hücreler glikojen ile doyma noktasına ulaştıklarında glikozun fazlası karaciğer ve hücrelerinde yağa çevrilerek **trigliserid** şeklinde depo edilir. Çeşitli nedenlerle karbonhidrat yeterli düzeyde alınamadığı ve kullanılamadığı durumlarda ya da insülinin azlığı/yokluğu veya periferik insülin direnci gibi glikozun hücre içine girişini engelleyen durumlarda ya da 24 saatten uzun süren açlıklarda enerji gereksinimini karşılamak üzere yağ ve aminoasitler kullanılır. Yağ ve aminoasitlerin glikoza yıkılmaları olayına **glikoneogenezis** adı verilir.

İnsülinin Karbonhidrat Metabolizması Üzerine Etkisi

Karbonhidrat içeren besinler alındıktan sonra, glikoz kana emilir ve pankreastan insülin salınarak glikozun tüm dokular, kaslar, karaciğer ve yağ dokusu tarafından alınması, depolanması ve kullanılmasına yol açar. Glikozun büyük bölümü karaciğerde glikojen halinde depolanır. Karaciğer hücrelerine fazla miktarda glikoz girerse, insülin bu fazla glikozun yağ asitlerine dönüşümünü hızlandırır. Yağ asitleri trigliserid olarak yağ dokusunda depolanır. İnsülin karaciğer enzimlerini azaltarak glikoneogenezi azaltır.

İnsülinin Yağ Metabolizması Üzerine Etkisi

İnsülin yağ dokusunda yağların depolanmasına yol açar. Karaciğerde üretilen yağ asitleri, depo edilecekleri yağ hücrelerine taşınırlar. İnsülin yağ hücrelerindeki depo trigliseridlerin hidrolizine neden olan lipazı bastırarak ve glikozun hücre membranından yağ hücreleri içine taşınmasını hızlandırarak orada depolanmasına neden olur.

İnsülin yokluğunda yağların yıkımı ve enerji için kullanımı artar, bu ketoasidozun en önemli nedenidir. İnsülin azlığında lipaz hızla aktive olur, depo trigliseridler yıkılarak yağ asitleri ve gliserol kana verilir ve enerji için kullanılır. Plazmada aşırı yağ asitlerinin bulunması bir bölümünün fosfolipid ve kolesterole dönüşümünü arttırır. Bu da ilerlemiş diyabet vakalarında hızla ateroskleroz gelişimine yol açar. Yağların aşırı yıkımı ketoz ve asidoza neden olur.

İnsülinin Protein Metabolizması ve Büyüme Üzerine Etkisi

İnsülin protein sentez ve depolanması üzerine etkilidir. İnsülin eksikliği proteinlerin tüketilmesine ve plazma proteinlerinin artmasına neden olur. İnsülin yokluğunda protein sentezi ve depolanması durur, katabolizma artar. Aminoasitlerin aşırı yıkımı ile idrarda üre atılımı artar ve diyabetlilerin kas dokusunda kayıplar nedeniyle aşırı zayıflama olur.

Enerji Metabolizmasını Etkileyen Diğer Hormonlar

Bu hormonların tümü insüline karşıt hormonlardır ve kan şekerini yükseltici etkileri vardır.

Büyüme Hormonu ve Kortizol: Hipoglisemiye yanıt olarak salgılanırlar. Yağların kullanımını artırır ve glikozun hücreler tarafından kullanılmasını inhibe ederler.

Adrenalin: Akut stres durumunda salgılanır. Plazma glikoz konsantrasyonu ve yağ konsantrasyonunu artırır. Karaciğerde glikoneogenezise neden olur ve açığa çıkan çok miktardaki glikoz kana verilir.

Glukagon: Karaciğerde depo glikojeni yıkarak ve glikoneogenezisi artırarak kan glikozunun yükselmesine neden olur.

Diabet ile ilgili sınıflamalar ilk kez 1979 yılında Amerikan Ulusal Diyabet Veri Grubu (NDDG) tarafından yapıldı. Dünya Sağlık Örgütü (DSÖ) 1985 yılında diyabetin geniş bir sınıflamasını yaptı. Daha sonra Amerikan Diyabet Birliği; American Diabetes Association (ADA) ve Avrupa Diyabet Politikası Belirleme Grubu; European Diabetes Policy **Group** (EDPG) tarafından tanı göstergeleri gözden geçirilerek yeni diyabet sınıflaması için öneriler sunuldu. Günümüzde 1998 yılında DSÖ tarafından oluşturulan glisemi bozukluğunun etiyolojik ve klinik açıdan sınıflaması kullanılmaktadır. Diyabet tek bir faktörün rol oynadığı bir hastalık olmayıp, klinik ve genetik açıdan heterojen olan bir dizi hastalığı bir araya getirdiği görüşü giderek kabul görmektedir. Hem Tip 1 hem Tip 2 diyabetin görülme sıklığında coğrafik ve etnik farklılıklar bulunmakta, çevresel ve genetik faktörlerin etkisinin de önemi üzerinde durulmaktadır.

Tip I Diabetes Mellitus

Pankreas beta hücrelerinin hasarı ya da total kaybına bağlı olarak gelişen mutlak insülin eksikliği ile ortaya çıkan ve insüline bağımlı olan diyabet tipidir. Tip 1 diyabet etyopatogenezinden sorumlu birçok etiyolojik faktör tanımlanmaktadır. Adacık doku kaybına bağlı nedenler içinde en önemlisi, otoimmün saldırı nedeniyle ortaya çıkan beta hücre hasarıdır.

Tip I diyabetin klinik bulgu vermesinden kısa bir süre önce akut olarak beta hücrelerine yönelik otoimmun destrüksiyon geliştiği bilinmektedir. Beta hücrelerde immün toleransın bozulmasına neden olan etkenlerin başında virüsler, toksinler ve bazı gıda maddeleri gelir. Tip 1 diyabet yaşamın ilk altı ayında nadiren görülür. Dokuz aydan itibaren artmaya başlar ve bu artış 12-14 yaşına kadar devam eder. Genetik yatkınlığı olan bir çocukta 5-15 yaşları arasında tetiği çeken bazı olgularda, Sonbahar-Kış aylarında özellikle kabakulak, konjenital rubella gibi virütik üst solunum yolu infeksiyonları, diyet, toksinler, stres gibi etkenler immün mekanizmayı başlatan faktörlerdir.

Tip 1 diyabet sürecini otoantikor ölçümü ile metabolik anormallikler henüz başlamadan erken dönemde ortaya çıkarmak olasıdır. Daha nadir olarak pankreatit, pankreas kanseri, konjenital pankreas hipoplazisi ve pankreatektomi Tip 1 diyabet nedenleridir. Tip 1 diyabetli kişilerin %80-85'inin diğer aile bireylerinde diyabetli bulunmamakla birlikte birinci derece yakınları için relatif risk 1/20'dir. Anne diyabetli olduğunda çocuklarında diyabet ortaya çıkma ihtimali %2-3 iken baba diyabetli olduğunda bu risk %4-6'ya çıkmaktadır. Bu farkın nedeni bilinmemektedir.

38. Diabetes Mellitus

Tablo 38.1: Diabetes Mellitusun Sınıflaması

Tip 1 Diyabet
- *İmmun Nedenli*
- *Nedeni Bilinmeyen*

Tip 2 Diyabet
- *Periferik İnsülin Direncinin Ön Planda Olduğu*
- *İnsülin Sekresyon Yetmezliğinin Ön Planda Olduğu*

Gestasyonel Diyabet

Diğer Tipler
- *İnsülin Fonksiyonunda Genetik Bozukluklar*
- *Beta Hücre Fonksiyonunda Genetik Bozukluklar*
- *Pankreas Hastalıkları*
- *Endokrin Hastalıklar*
- *İlaçlar ve Diğer Kimyasal Maddeler*
- *İnfeksiyonlar*

Kaynak: American Diabetes Association (2013). Diagnosis and Classification of Diabetes Mellitus. Diabetes Care 36 (supp)S67-S74.

Tip 1 diyabet etiyolojisinde genetik faktörlerin rolü ile ilgili en önemli kanıt monozigotik ikizlerden birinde diyabet olduğunda diğerinde % 10-55 arasında diyabet gelişme riski olmasıdır. Yakın zamanda yapılan çalışmalarda yaşam boyu riskin monozigotik ikizler için % 70, dizigotik ikizler için %10 olduğu hesaplanmıştır. Tip 1 diyabetli hastaların %90'ında **Human** Leucocytic Antigen (HLA) DR3 ve/veya DR4 pozitifliği saptanmakta, buna karşın bu antijenler bakımından pozitif bireylerin %20-30'unda Tip 1 diyabet gelişmektedir. Bunun yanında normal bireylerin %30-35'inde DR3/DR4 pozitifliği saptanmaktadır. Genel olarak **immune-complex antigen** (ICA) pozitif akrabalarda 5 yıl içinde Tip 1 diyabet gelişme riski %25, **ICA** ile birlikte Indol-3-Acetic Acid (IAA) pozitif ise bu oran % 50'ye yükselmektedir. Tip 1 diyabetin oldukça uzun bir latent dönem sonunda ortaya çıkması, fetal ve perinatal olayların etiyolojideki rolü olabileceğini düşündürmektedir.

Bu rolün en klasik örneği rubella embriyopatisidir. Konjenital rubellalı çocukların uzun dönemli izlemleri hastaların %20'sinde 30 yıl içinde Tip 1 diyabet geliştiğini göstermektedir. Yine son yıllarda Tip 1 diyabetli çocukların annelerinde enterovirus antikorlarının sağlıklı çocuklarınkine göre anlamlı ölçüde yüksek olduğu saptanmıştır. İntrauterin infeksiyonlara ek olarak anne-çocuk kan grubu uyuşmazlığının da özellikle beş yaşından küçük çocuklarda olmak üzere Tip 1 diyabet gelişme riskini arttırdığına dikkat çekilmektedir. Yapılan analizler Tip 1 diyabet gelişme riskinin inek sütünün erken dönemde (ilk 3 ay) başlanması yanında miktar ve süreyle de ilişkili olduğununu ve küçük yaşta(<5 yaş) ortaya çıkan Tip 1 diyabet üzerine beslenme şeklinin daha çok etkide bulunduğunu göstermektedir.

Bu verilere rağmen inek sütü ile Tip 1 diyabet ilişkisi henüz tümüyle kesinlik kazanmamıştır. Bununla birlikte Amerikan Pediatri Akademisi 1994'de bir rapor yayınlayarak Tip 1 diyabet aile öyküsü olan çocuklara ilk bir yılda inek sütü veya inek sütü proteini içeren ürünlerin verilmemesini önermiştir. Tip1 diyabetle ilişkili diğer bir beslenme faktörü niztrozaminler veya nitritlerdir. Genellikle hazır besinlerin uzun ömürlü olması için katkı maddesi olarak kullanılan bu maddelerin hücrelerdeki nicotinamide adenine dinucletide (NAD) içeriğini azaltarak toksik bir rol oynadığı üzerinde durulmaktadır.

Tip I diabeti başlatıcı faktörler; perinatal viral infeksiyonlar, anne-bebek kan grubu uyuşmazlığı, inek sütü proteini, nitrozaminlerdir. Hızlandırıcı faktörler ise; sık Enfeksiyon geçirme, soğuk iklim, hızlı büyüme ve strese yolaçan yaşam olaylarıdır. Enfeksiyon hastalıkları ya otoimmün inflamasyonu başlatarak ya da doğrudan beta hücre ölümüne yolaçarak Tip 1 diyabet gelişmesi üzerinde etkili olmaktadır. Tip 1 diyabetin önlenmesi ile ilgili henüz genetik bir girişim söz konusu değildir. Bu nedenle en önemli primer önleme çalışmasını Tip 1 diyabetli yakını olan veya yatkınlık oluşturan genotipe sahip kişilerde inek sütünün beslenmeden çıkarılmasıdır.

Tip I Diabetes Mellitusun Klinik Dönemleri

Preklinik Dönem; Genetik olarak yatkın bireylerde çevresel faktörlerin beta hücrelerine karşı otoimmün aktivasyonu tetiklemesinden klinik belirtiler ortaya çıkıncaya kadar geçen süredir. Bu dönemde antikor pozitifliği; ICA, GAD65 veya IA2 ve birinci faz insülin sekresyonu bozukluğu Tip 1 diyabet için riskin %90'ın üzerinde olduğunu gösterir

Erken Klinik Dönem; Klinik belirtilerin, hiperglisemininin ve immun belirteçlerin ortaya çıkışından başlayarak beta hücre rezervinin tamamına yakın bölümünün tükenmesine (C peptid düzeylerinin 0.1ng/ml'nin altına inmesi) kadar geçen klinik süredir.

Klinik Dönem; Klinik belirtilerin tam olarak yerleştiği ve beta hücre rezervinin düştüğü (0.1ng/ml) dönemdir. Otoantikor titreleri azalmıştır. Hiperglisemiye bağlı HbA1c, fruktozamin gibi glikozillenme ürünleri artmıştır. Mutlak eksojen insüline gerek vardır. Glisemi ayarı güçtür ve ketoasidoz, hipoglisemi gibi akut komplikasyonlar daha sık görülür.

İleri Klinik Dönem; Endojen C peptid düzeyleri azalır, kronik mikroanjiyopati ve makroanjiyopati komplikasyonları ortaya çıkar. Otoimmünite oldukça azalır.

Çocukluk çağında Tip 1 diyabet ya hızlı gelişen diyabetik ketoasidoz bulguları ile ya da "üç P bulgusu" denilen poliüri, polidipsi, polifaji gibi klasik bulgular ile kendini gösterir. Hastaların çoğunda diyabet bulgularının süresi üç haftadan kısadır. Bu klasik bulgulara ek olarak noktüri, kilo kaybı, halsizlik, yakın zamanda "grip" benzeri hastalık geçirme gibi bulgular da görülür. Genel olarak küçük çocuklarda diyabet bulguları hızlı gelişir ve ketoasidoz daha sıktır.

Tip 2 Diabetes Mellitus

Dünya da en sık rastlanan diyabet tipidir. Tüm diyabetlilerin yaklaşık %90'ı Tip 2 diyabetlidir. Epidemiyolojik çalışmalar çocukluk dönemi dahil her yaşta sıklığının arttığını göstermekle birlikte genellikle 40 yaş üzerinde ilk yakınmalar başlar, görülme sıklığı yaşlanma ile paralel artış gösterir. Gelişme sürecinde olan toplumlarda hastalık kadınlarda daha sık görüldüğü halde gelişmiş toplumların çoğunda önemli bir fark yoktur. Siyah ırkta her yaş ve cinste beyazlara göre daha fazladır.

Aile öyküsü hemen hepsinde olmasına karşın hastalık henüz tek bir genetik zemine oturtulamamıştır. Bununla birlikte birinci derece akrabada Tip 2 diyabet olan bir insanın yaşamı boyunca herhangi bir anında tip 2 diyabete yakalanma riski %40 dır. Tek yumurta ikizlerinde birinde diyabet ortaya çıktığında diğerinde de Tip 2 diyabet görülme durumu hemen hemen %100 dür. Hastaların çoğu obezdir, obezitenin artması insülin direncinin artmasına neden olur. Norveçte yapılan prospektif bir çalışmanın 10 yıllık izlem sonuçlarına göre; normal vücut ağırlığında veya zayıf olan insanlarda tip 2 diyabet görülme sıklığı %0 iken obezlerde %13' e varmaktadır. Bunlarla birlikte, toplumsal gelişme ve şehirleşmenin getirdiği değişiklikler, kilo artışı, fiziksel inaktivite, beslenme düzensizliği tip 2 diyabetin görülme sıklığının artmasına yol açmaktadır. Tip 2 diabetes mellitusun etiyolojisinde rol oynadığı ileri sürülen 3 faktör vardır.

Birincisi; karaciğerden açlık durumunda salınan glikozun gereksinimden fazla olması nedeni ile oluşan hiperglisemidir. Hiperglisemiye, özellikle obez hastalarda gelişen periferik insülin direnci katkıda bulunmaktadır.

İkincisi; hiperglisemi ile baş edebilmek için pankreasın beta hücrelerinin gösterdiği aşırı çaba sonucu gelişen bazal hiperinsülinizmdir. Hiperinsülinizmde de doku seviyesinde insülin direnci oluşmaktadır.

Üçüncüsü ise; beta hücresinin iflasıdır. Bu aşamada insülin salınımının bozulduğu, bazal hiperinsülinizme karşın intravenöz olarak verilen glikoza akut faz insülin yanıtının olmadığı saptanır.

Bu faktörler sonucu insülin sekresyonunun bozulmasına karşın, yağların yıkımı ve dolayısıyla keton cisimlerinin oluşumunu önleyecek kadar yeterli insülin vardır. Bu nedenle Tip 2 diyabette diyabetik ketoasidoz (DKA) oluşmaz. Bununla birlikte kontrolsüz Tip 2 diyabette hiperglisemik hiperozmolar nonketotik sendrom (HHNS) gelişebilir.

Yavaş seyirli Tip 2 diyabetlilerin yaklaşık %75'i rutin laboratuvar testlerinde tesadüfen tanılanır. Tanılanmayan ve tedavi edilmeyen Tip 2 diyabetlilerde göz, böbrek, damar hastalıkları gibi uzun süreli komplikasyonlar gelişebilir. Tip 2 diyabette obezite insülin direnci ile doğrudan ilişkili olduğundan, diyabetlinin kilo vermesi öncelikli hedefler arasındadır.

İnsülin direncini kırmada egzersizin de çok olumlu etkisi vardır. Beslenme programı ve egzersizin düzenlenmesi sonucu kan glikoz düzeyi kontrol altına alınamazsa Oral Antidiyabetik (OAD) ilaçlar, gerekirse insülin tedaviye eklenebilir. Hastalık halleri, cerrahi girişim gibi durumlarda geçici olarak insüline gereksinim olabilir.

Gestasyonel Diabetes Mellitus Gestasyonel diyabet ilk defa gebelik sırasında ortaya çıkan her derecedeki glikoz tolerans bozukluğudur. İnsülin direncine neden olan Growth Hormon (GH), Kortikotropin Relasing Hormon (CRH), human plasental laktojen ve progesteron gibi plesanta hormonlarının salgılanmasından dolayı genellikle gebeliğin ikinci veya üçüncü trimastrinde hiperglisemi gelişir. Tüm gebeliklerin yaklaşık %2-5'inde görülür. Gebelik yaşı 25 yaştan büyük, obez, birinci derece yakınlarında diyabet öyküsü olan ve öncesinde 4 kg'ın üzerinde iri bebek doğuran tüm kadınların 24-28 haftalar arası Oral Glikoz Tolerans Testi (OGTT) yaptırmaları önerilir. Testin 8-12 saat açlıktan sonra sabah saatlerinde ve 75 gr glukoz ile yapılması gerekir. Değerlendirmede aşağıdaki değerlerden en az birinin varlığı GDM tanısı için yeterlidir.

Açlık ≥92mg/dL (5,1 mmol/L)
1. Saat ≥ 180 mg/dL (10 mmol/L)
2. Saat ≥153 mg/dL (8,5 mmol/L)

Gestasyonel diyabetik kadınların doğumdan altı hafta sonra OGTT testleri tekrar edilmeli ve glikoz tolerans bozukluğunun derecesi saptanmalıdır. Gestasyonel diyabette özellikle makrosomi; anormal büyük bebek nedeniyle perinatal komplikasyonlar normalden daha fazla görülür. Gestasyonel diyabet vakalarında başlangıç tedavi, beslenme programı ve kan glikozunu izlemektir. Bu şekilde hiperglisemi kontrol altına alınamazsa insülin kullanılır. Gebelerde OAD ilaçlar kullanılmamalıdır. Gebelik sırasında AKŞ ≤105mg/dl yemekten iki saat sonra ≤120 olması hedeflenir. Çünkü anne karnındaki bebek hiperglisemi-

Tablo 38.2: Tip 2 Diyabetes Mellitus Gelişmesi Açısından Yüksek Risk Taşıyan ve Diyabet Taraması Yapılması Gereken Gruplar

- Diyabet taramalarının bir sağlık kuruluşunda yapılması önerilir. Toplum temelli taramalar maliyet - etkinlik ve etkililik açısından önerilmez.
- Farklı nedenlerle hastaneye gelen erişkin bireylerde risk faktörlerinin değerlendirilmesi büyük önem taşır.
- Tarama için AKŞ veya OGTT (75 gr. glikozla) kullanılabilir. Yüksek riskli bireylere OGTT ile tarama tavsiye edilir.
- Birey 45 yaş ve üzerinde ve Beden Kitle İndeksi (BKİ) 25 kg/m^2 ise mutlaka kan glikozuna bakılmalıdır. Test normal çıkarsa 3 yılda bir tekrarlanır.
- 45 yaşın altında olanlarda ya da BKİ 25 kg/m^2 olanlara aşağıda belirtilen ilave risk faktörleri göz önünde bulundurularak test yapılır.
- Fiziksel aktivite yetersizliği; Kırsal alandan kente göç etmiş, aktif yaşamdan sedanter yaşam stiline geçmiş ve batı tarzı yaşam biçimini benimsemiş gruplar,
- Birinci derece akrabalarda diyabet öyküsü; Tip 2 diyabetiklerin birinci derecede akrabaları (ebeveyn, kardeş ve çocukları) ve MODY tip diyabetikler,
- Daha önce gestasyonel diyabet (GDM) ya da gestasyonel bozulmuş glukoz intoleransı (GIGT) geçirmiş olan veya iri bebek (doğum tartısı 4 kg) doğuran kadınlar,
- Metabolik sendrom komponentlerini (insülin direnci, santral tipte obezite, hipertansiyon, dislipidemi) gösteren gruplar; Beden Kütle İndeksi (BKİ) >27, Bel çevresi erkekte >94cm, kadında >80cm, Bel/Kalça oranı erkeklerde >1, kadınlarda >0.85 ise santral tip obezite kabul edilir.
- Kan Basıncı ≥140/90 mmHg,
- İnsülin rezistansı veya insülin eksikliğine yol açabilen başka bir hastalığı olan bireyler
- Diüretik, beta bloker, kortikosteroid, doğum kontrol ilacı gibi diyabetojenik ilaçları kullanmak zorunda olanlar,
- Aşırı karbonhidrat alanlar,
- Açlık plazma glikozu ≥ 100mg/dl,
- Glikozürisi bulunan bireyler,
- HDL-kolesterol: erkek <40mg/dl, Kadın < 50 mg/dl ve / veya trigliserid düzeyinin 250 mg/dl olması,
- Polikistik Over Sendromu,
- Daha önceden IGT ya da IFG tanısı almış olan bireyler,
- İnsülin direnci ile ilişkili acanthosis nigricans diğer klinik durumları olan bireyler,
- Vasküler hastalık öyküsü olan bireyler Tip 2 diyabet açısından risklidirler ve taranmalıdırlar.

Kaynak: American Diabetes Association (2005). Clinical practice recommandation 2005, Diabetes Care 28 (suppl 1). 1- 79. (yazar tarafından geliştirilmiştir).

---

lerden daha olumsuz etkilenir. Doğumdan sonra annenin kan glikozu %30 oranında normale döner, yaklaşık %30-40'ında glikoz tolerans bozukluğu görülür. Bu grupta bir de obezite varsa 10 yıl içinde Tip 2 diyabet gelişir.

Diğer Sendrom ve Durumlarla İlgili Diabetes Mellitus

Bu grup içine Tip 1 ve Tip 2 diyabet ile ilişkili olmayan ve etiyolojileri bilinen diyabet tipleri girmektedir. Bu grup daha öncesinde Sekonder diyabet olarak da isimlendirilmekteydi.

Pankreas hastalıkları, feokromasitoma, akromegali, hiperaldesteronizm, Cushing sendromu gibi hormon bozuklukları, kortikosterod, tiazid grubu gibi ilaçlar, insülin reseptör anomalileri, genetik sendromlar gibi birçok durum ve sendromla ilgili olarak sekonder diyabet gelişmektedir.

Klinik Belirtileri

Genellikle tüm diyabet tiplerinde 3 P belirtisi denilen; poliüri, polidipsi ve polifaji görülür. Fazla miktarda idrar yapma anlamında kullanılan poliüri aynı zamanda vücuttan fazla miktarda sıvı ve elektrolit kaybedilmesine neden olur. Poliüri sonucu çok su içme anlamına gelen polidipsi ortaya çıkar. İştahın artması ve çok yemek yeme anlamında kullanılan polifajide insülin yetersizliği nedeniyle kullanılamayan karbonhidratların yerine yağ ve proteinler kullanılır.

Dokular için yeterli enerji sağlanamadığında yorgunluk ve halsizlik oluşur. Ayrıca gözici damarlarda glikoz yoğunluğuna bağlı sıvı volümünün artması nedeniyle görme bozuklukları, immün sistemin baskılanmasına bağlı infeksiyonlara eğilim, yaraların iyileşmemesi, sinirlerin etkilenmesi nedeniyle el ve ayaklarda uyuşma ve hissizlik ortaya çıkar. DKA gelişmişse Tip 1 diyabet başlangıcında ani kilo kaybı, bulantı, kusma ve karın ağrısı vardır.

Tanı

Giderek artan sıklığı, önemli komplikasyonlara yol açması ve pahalı bir hastalık olması nedeniyle diabetes mellitusun daha erken dönemde tanınması amacıyla 1997 yılında ADA ve daha sonra DSÖ çalışmalar başlatmış; sonuçta diyabetin tanı ve sınıflamasında yeni değişikliklere gidilmiştir. Değişiklikler 2004 yılında yeniden düzenlenmiştir. Diyabetin tanısı, klasik belirtiler ve komplikasyonların varlığında kolaylıkla konabilir. Erken tanı ve bazı laboratuvar yöntemlerinin doğru kullanılması, sonuçlarının uygun olarak değerlendirilmesi tanıda önemlidir. Diyabetin en basit tanısı en az ardışık iki kez alınan ve venöz plazmada kan şekerinin 126 mg/dl. veya daha yüksek olması ile konur. Günün herhangi bir saatinde açlık veya tokluk durumuna bakmaksızın venöz kan şekerinin 200 mg/dl. üzerinde olması veya polidipsi, poliüri, polifaji gibi belirtilerin oluşuyla da tanı konur.

Diyabet tanısında en sık AKŞ ve OGTT kullanılmaktadır. Normalde AKŞ değeri 80-110 mg/dl.dir ve plazmada 126 mg./dl.ve üzeri ise güvenilir olarak diyabet tanısı konabilir. Eğer kapiller veya venöz kan kullanılıyorsa 110 mg./dl. değeri alınmalıdır. Kesin tanı koymak için açlık kan glikoz değeri en az iki kez ölçülmelidir. Erişkenlerde tanı için kol veninden alınan venöz kan örneğinden ölçüm yapılmalıdır. Kan alınırken aşırı venöz staza sebep olacağından turnikeyi uzun süre kolda tutmaktan kaçınılmalıdır. Kan glikoz ölçümü kapiller kanda da yapılabilir.

Tokluk Kan Şekeri (TKŞ); yemek yedikten 2 saat sonra plazma glikoz konsantrasyonunun 200 mg./dl.den fazla olması diyabetin varlığını gösterir. Tanı koymak için TKŞ kullanıldığında 3 gün boyunca kısıtlanmamış en az 150 mg/gün karbonhidrat içeren diyet yaptıktan sonra yapılmalı ve değerlendirilmelidir. Ayrıca glikoz toleransını bozacak ilaçların alınması, stres veya hastalık halinde yapılmaması gerekir. Ancak tanı için AKŞ ölçümü tercih edilmelidir.

OGTT; diyabetin tanısı için kullanılan duyarlı bir testtir. OGTT karbonhidratlara karşı tolerans durumunu belirlemek için kullanılan tanı ve tarama testidir. Tip 2 diyabet ve bozulmuş tolerans tanısında kullanılmalı ama tip 1 diyabet tanısında kullanılmamalıdır.

OGTT Endikasyonları

1. Tarama testinde açlık kan glikozunun 100-125 mg./dl arasında bulunması,
2. Obezite ve ailede diyabet öyküsü bulunan bireyler,
3. Ailesinde MODY tipi diyabet bulunan bireyler,
4. Doğum tartısı 4 kg.üzerinde iri bebek doğurmuş kadınlar,
5. Açıklanamayan nöropati, retinopati, erken ateroskleroz, koroner damar hastalığı, periferik damar hastalığı olanlar,
6. Cerrahi işlem, travma, miyokard infaktüsü gibi stresli durumlarda hiperglisemi veya glikozüri saptanan kişilerde akut durum geçtikten sonra glikoz metabolizmasını değerlendirmek için,
7. Metabolik Sendrom düşünülen bireyler,
8. Reaktif hipoglisemiye uyan yakınmaları olan bireyler,
9. Genel gestasyonel diyabet taramasıdır.

OGTT Hazırlığı

- OGTT testinden en az 3 gün süre ile insülin sekresyon veya etkisini arttırmak üzere, günlük en az 150 gr.karbonhidrat içeren diyet alınmalı,
- İnfeksiyon, başka akut hastalık, ağır stres, uzun sürmüş inaktivite veya aşırı fiziksel aktivite bulunmamalı,
- Kortikosteroitler, oral kontraseptifler, diüretikler, difenil hidantoinler, psikotroplar, tiroksin, beta blokerler, nikotinik asit gibi ilaçlar testten en az 1 hafta önce kesilmeli,
- Malabsorbsiyonlarda, ağır karaciğer ve böbrek yetersizliklerinde, hipopotesemi durumunda, Addison hastalığı, cushing sendromu, hipertiroiti, akromegali ve feokromasitoma gibi hastalıkların aktif dönemlerinde test yapılmamalı,
- Testten önce 8-16 saat aç kalınmalıdır.

OGTT Testinin Yapılışı

Hasta 8-16 saat açlığı takiben rahat sakin bir odaya alınmalıdır. AKŞ ölçümünden sonra 300 ml.su içinde eritilmiş 75

Tablo 38.3: ADA Diabetes Mellitus ve Bozulmus Glikoz Toleransı Tanı Kriterleri Önerileri

I. Diyabet Tanısı

1. A1c $\geq$ 6.5*
   (laboratuar ortamında ve standardize yöntemlerle çalışılmalıdır)
   veya
2. **Açlık Plazma Glikozu $\geq$ 126 mg/dl**
   En az 8 saatlik açlık sonrası
   veya
3. 75 gr Oral Glukoz Tolerans Testi (OGTT) 2. saat değeri $\geq$ 200 mg/dl
   veya
4. Klasik hiperglisemi semptomları ya da hiperglisemi krizi ile random plazma glikozu $\geq$ 200 mg/dl

II. Prediyabet Tanısı

1. **Açlık Plazma Glikozu: 100-125 mg/dl:**
   Bozulmuş Açlık Glikozu (BAG)
   veya
2. **75 gr OGTT 2. saat değeri : 140-199 mg/dl:**
   Bozulmuş Glikoz Toleransı: (BGT)
   veya
3. A1c: %5.7-6.4

* A1c ancak uluslar arası standardize edilmiş yöntemlerle ölçüm yapıldığında tanı testi olarak kullanılabilir. Ülkemizde henüz A1c testleri standardize edilemediği için tek başına tanı testi olarak kullanımı önerilmez. Ayrıca A1c testi anemi, hemoglobinopati ve gebelik durumunda tanı testi olarak kullanılmaz

Bu tablo American Diabetes Association (2013). Diagnosis and Classification of Diabetes Mellitus. Diabetes Care 36 (supp)S67-S74. ve Ulusal Diyabet Kongresi konsensus Grubu, Diyabet tanı ve tedavi rehberi 2011'den yararlanılarak yazar tarafından oluşturulmuştur.

mg.glikoz 5 dk.da içirilir. DSÖ 1985 kriterlerine göre yalnızca OGTT'den sonraki 2.saatte kan alınması yeterlidir. Ancak IGT 'nın düşünüldüğü vakalarda açlıkta, 30. 60. 90. ve 120. dakikalarda kan örneği alınır. Reaktif hipoglisemi düşünülenlerde ise test 5 saate kadar uzatılabilir. Test sırasında hastalar su dışında içecek ve yiyecek almamalı, sigara içmemeli ve aşırı hareket etmemelidirler. Test sonuçları Tablo 38.3 ve 5 de görüldüğü gibi normal glikoz toleransı, IGT ve diyabet olarak yorumlanmalıdır.

B. Diabetes Mellitusun Yönetimi

Diyabet tedavisi hedefleri, öncelikle diyabetli bireyin bireysel yönetimini (self- management) sağlayarak bunun sonucunda ideal glisemi ayarlarına ulaşmak, diyabete özgü belirtileri gidermek, akut ve kronik komplikasyonların ortaya çıkışını, ilerlemesini önlemek veya geciktirmek, pankreasın beta hücre fonksiyonlarını korumayı sağlamak ve hastanın yaşam kalitesini artırarak yaşam süresini uzatmaktır.

Diyabet ve tedavisi, günlük yaşamı birçok yönleri ile etkilemektedir. Bu yüzden tedavi planında mutlaka hasta ve ailesi yer almalıdır.

Başarılı bir diyabet yönetimi hasta tarafından düzenlenen ve kendi yetkinliği, eğitimi ve kendine bakım sonuçlarının yine kendisi tarafından değerlendirilmesine dayanmaktadır. Başarılı diyabet yönetimi aşağıdaki temel öğelerin dikkatli koordinasyonu ve sentezi ile olasıdır.

1. Beslenme tedavisi
2. Düzenli egzersiz programı
3. Hastanın kendini izlemesi (self-monitoring); kan şekeri ve ketonların kontrolü
4. İlaç tedavisi (OAD, İnsülin)
5. Eğitim

Beslenme Tedavisi

Beslenme tedavisi, başarılı bir diyabet tedavisinin en önemli parçasıdır. ADA 1994 yılında yayınladığı diyabette beslenme prensipleri ve önerilerinde, beslenme tedavisinin felsefesini ve terminolojisini değiştirmiş ve diyet tedavisi yerine Tıbbi Beslenme Tedavisi (TBT) terimi kullanılmaya başlanmıştır. TBT nin başarılı olması hastanın eğitime katılması ve uyumlu bir ekip çalışmasını gerektirir.

Diyabet tedavisinin temeli olan beslenme tedavisinin amaçları;

- Aktivite düzeyi, oral antidiyabetikler veya insülinle dengelenmiş beslenme programı ile glisemiyi mümkün olduğu kadar normale yakın seviyede tutmak ve bu düzeyi korumak,
- Uygun serum lipid düzeylerini sağlamak,
- Yetişkinler için ideal vücut ağırlığına ulaştıracak ve koruyacak, çocuklarda yeterli düzeyde büyüme, gelişme hızını sağlayarak; gebelik ve laktasyon döneminde artan metabolik gereksinimleri karşılayacak düzeydeki enerji gereksinimini ve vitaminler, mineraller tüm esensiyal besi maddelerini sağlamak,
- İnsülinle tedavi edilen diyabetlileri, hipoglisemi gibi akut komplikasyonları, ve nöropati, nefropati, hipertansiyon ve kardiyovasküler hastalıklar gibi kronik komplikasyonlar ve egzersizle ilişkili problemleri önlemek ve tedavi etmek,
- Diyabetli kişinin yaşamı boyunca uygulayabileceği bireye özel beslenme düzenini sağlayarak, yaşam kalitesini yükseltmektir.

Tıbbi beslenme tedavisi, bireyin yaşına, cinsine, çocuk, gebe, yaşlı, hiperlipidemi gibi özel durumuna, sosyoekonomik ve kültürel düzeyine, beslenme alışkanlıklarına, eğitim düzeyine, diğer hastalıkların varlığına ve tedavi şekline göre değişebilmektedir. Yani beslenme programı bireye özeldir. TBT' nin başarılı olması için beslenme eğitimi hastaya aktarılmalı ve bilginin pratiğe dönüştürülmesi sık vizitlerle izlenmeli, sorunların çözümünün hasta ile birlikte sağlanması gerekir. Diyabet ekibi yaptırımcı değil, yönlendirici bir rol oynamalıdır. Tip 1 ve Tip 2 diyabette insülin salgı kapasitesinde ve dolayısıyla tedavideki farklılıklar, TBT'de verilecek önerilerin öncelik sırasını değiştirir. Tip 1 diyabet tedavisinde temel ilke, bireyin beslenme alışkanlığına göre öğün planlaması yaparak bu planı insülin tedavisi, yemek ve egzersiz modelleri ile entegre etmektir. Tip 2 diyabette ise, glisemi regülasyonu ile birlikte lipid ve kan basıncı düzeylerinin de kontrolünü sağlamaktır. Tip 2 diyabetli hastaların %85'i ideal ağırlığın üzerindedir. Tedavide öncelikli hedef hastanın ideal ağırlığına ulaşmasıdır. İdeal vücut ağırlığının saptanmasında Beden Kitle İndeksi (BKİ) kullanılmaktadır. Hastanın ulaşması istenilen BKİ tespit edilir. Hastanın ideal ağırlığı hesaplanır ve ideal vücut ağırlığına göre günlük kalori miktarı hesaplanır. Tip 2 diyabetli hastalara günlük enerjileri üç ana, iki veya üç ara öğüne bölünerek verilmelidir. Hastaların günlük enerji ihtiyacının %65'i ana öğünlerden %35'i ara öğünlerden sağlanmalıdır. Tip 1 diyabetlilere 3 ana, üç-beş ara öğün olmak üzere altı-sekiz öğüne bölünerek verilmelidir. Diyabetli hastaların gereksinimi olan enerji ve besin öğeleri tespit edildikten sonra, beslenme programının düzenlenmesinde besin değişim listeleri kullanılır. Değişim listeleri, enerji ve besin öğeleri yönünden birbirlerine yakın olan yiyeceklerin aynı grupta toplanması ile oluşur. Hasta kendisine önerilen yiyeceği, aynı grupta bulunan başka bir yiyecekle yer değiştirebilir. Hasta ile birlikte bir menü örneği üzerinde hastanın değişim listelerinden yararlanarak değişiklikleri nasıl yapacağı anlatılır.

Metabolik ve Endokrin Sistem

Tablo 38.4: Diabetes Mellituslu Hastada Tanılama Aşamaları

SUBJEKTİF VERİLER

Öykü
- *Geçirilmiş Hastalıklar:* Kabakulak, kızamık, coxsackie virüs gibi virus enfeksiyonları; yeni geçirilmiş travma, enfeksiyon ya da stres; hamilelik, 4 kg'dan iri bebek doğurma, kronik pankreatit, cushing sendromu, akromegali
- *Önerlen Beslenme ve Egzersiz Programına Uyumu*
- *Sigara ve Alkol Kullanımı*
- *İlaç Tedavileri:* İnsülin veya oral antidiyabetik ilaçların kullanımı ve tedaviye uyumu, glikokortikoid, düretik veya phenytoin kullanımı
- *Cerrahi ya da Diğer Tedaviler:* Yeni geçirlmiş herhangi bir cerrahi girişim
- *Diyabet ile İlgili Belirtiler:* Hiperglisemi ve hipoglisemi belirtileri
- *Evde Kan glikozu İzleme Sonuçları*
- *Diyabetin Komplikasyonlarıyla İlgili Belirtileri ve Yönetimi:* Ketoasidoz ve hipoglisemi gibi akut komplikasyonların nedeni, sıklığı ve şiddeti, göz, böbrek, sinir, gastrointestinal, genitoüriner, seksüel ve mesane fonksiyonları. Diyabetle ilgili kardiyak, Serebrovasküler, periferik damarlar ve ayak komplikasyonları ve tedavisi
- *Diyabet Tedavisini Etkileyebilen Yaşam Tarzı, Kültürel, Psikososyal ve Ekonomik Faktörler*
- *Fonksiyonel Sağlık Örüntüleri*
- *Sağlık Algılaması-Sağlık Yönetimi:* Ailede diyabet öyküsü, halsizlik.
- *Beslenme-Metabolizma:* Beslenme düzeni ve kilosu; çocuk ve adölesanlarda büyüme ve gelişme, obezite, diyete uyum, susama, iştah artışı, bulantı ve kusma, kilo kaybı (Tip 1'de), kilo artışı (Tip 2'de), önceden veya şu anda mevcut olan enfeksiyonları, özellikle cilt, ayak, diş ve genitoüriner enfeksiyonlar; kaşıntı, özellikle ayaklardaki yaralarda geç iyileşme
- *Boşaltım:* Konstipasyon veya diyare, sık idrara çıkma, noktüri, inkontinans
- *Aktivite-Egzersiz:* Kas zayıflığı, aktivite entoleransı
- *Bilişsel Algılama:* Karın ağrısı, baş ağrısı, bulanık görme, ekstremitelerde karıncalanma veya hissizlik, İrritabilite
- *Cinsellik-Üreme:* İmpotans, sık vajinal enfeksiyonlar, libido kaybı. Kontrasepsiyon, üreme ve seksüel öykü
- *Yaşam Tarzı:* Diyabet yönetimini etkileyebilen yaşam tarzı, kültürel, psikososyal, eğitimsel ve ekonomik faktörler

OBJEKTİF VERİLER

Fiziksel Muayene
- *Genel:* Nefeste çürük meyve kokusu, dehidratasyon
- *Cilt Bütünlüğü:* Kuru, esnekliğini kaybetmiş cilt, bacaklarda koyu renkli lezyonlar, özellikle ayaklarda ülserler, cilt enfeksiyonları, insülin enjeksiyon bölgeleri.
- *Kardiyovasküler:* Kardiyak Muayene, Dinleyerek ve palpe edilerek nabızların muayenesi, ekstremitelerde soğukluk, kılların azalması.
- *Nörolojik:* Katarakt, vitreus hemorajisi, reflekslerde değişiklik, vibratör ve monoflament kullanarak duyu muayenesi
- *Kas-İskelet:* Kas zayıflığı
- *Fundoskopik Muayene*
- *Oral Muayene*
- *Tiroid palpasyonu*
- *Abdominal muayene;*Hepatomegali için
- *Cilt muayenesi* : Acanthosis nigricans ve insülin enjeksiyon bölgeleri için
- *Nörolojik muayene*

- *Ayak Muayenesi:* Lezyonlar, enfeksiyon belirtileri, nabızlar
- *Kan Basıncı:* Ortostatik değişiklikleri saptamak için otururken ve ayakta kontrol
- *Beden Kitle İndeksi:* Boy ve kilo; çocuk ve adölesanlarda normlarla karşılaştırma

Laboratuar Değerlendirme
- HbA1c
- Total Kolesterol, HDL Kolesterol, Trigliserid ve LDL Kolesterolü içeren açlık lipid profili
- *Mikroalbüminüri:* En az 5 yıldır diyabet olan Tip 1 diyabet hastalarında, tüm tip 2 diyabet hastalarında ve 5 yıldan daha uzun süredir diyabet olan puberte dönemindeki çocukların başlangıç taramasında
- *Serum Kreatinin:* Erişkinlerde, çocuklarda eğer proteinüri varsa
- *Tiroid Sitümülan Hormon(TSH):* Tüm Tip 1 diyabet hastalarında ve klinik bulgu varsa Tip 2 de
- *EKG:* Klinik olarak endikasyon varsa erişkinlerde
- *Keton, protein, sediment için idrar analizi*

Öneriler
- Üreme yaşındaki kadınlar için aile planlaması
- Endikasyon varsa, TBT
- Diyabet eğitimcisi, sağlanamıyorsa, hekim ya da uygulama personeli
- Endikasyon varsa, davranış terapisi
- Endikasyon varsa, ayak bakım uzmanı
- Diğer uzmanlar ve uygun görülen hizmetler

American Diabetes Association.(2005) Standards of medical care in diabetes. *Diabetes Care*. 28(suppl 1), 9 (yazar tarafından geliştirilmiştir).

38. Diabetes Mellitus

> **Tablo 38.5: Glisemik Kontrol için ADA 2005 Önerileri**
>
> *Glisemik kontrol*
> A1C<%7.0
> Açlık kapiller plazma glikozu 70-130mg/dl (5.0-7.2mmol/l)
> Tokluk kapiller plazma glikozu<180mg/dl (<10.0mmol/l)
> Kan basıncı   <130/80 mmHg
> *Lipidler*
> LDL   <100mg/dl (<2.6 mmol/l)
> Trigliserid   <150mg/dl (<1.7 mmol/l)
> HDL   >40mg/dl (>1.1 mmol/l)
>
> **Glisemik hedefler için anahtar kavramlar**
>
> - Glisemik kontrolün temel hedefi A1C'dir
> - Hedefler bireysel olmalıdır
> - Çocuk hamile ve yaşlı gibi belirli popülasyonlar özel olarak düşünülmelidir
> - Sık ve ciddi hipoglisemisi olan hastalarda glisemik hedefler daha esnek tutulmalıdır.
> - Normal veya normale en yakın kan şekeri ile birlikte hemoglobin A1C değerinin < = %7 olmasını hedefleyen bir tedavi planı yapılmalıdır (normal A1C değeri %4-6)
> - Açlık glikoz hedeflerine ulaşılmasına karşın A1C hedefleri karşılanmıyorsa TKŞ hedeflenmelidir.

Kaynak: American Diabetes Association (2010). Standards of Medical Care in Diabetes, Diabetes Care 33 (suppl 1), 11-61.

TBT'de Günlük Enerjinin Bileşimi

Protein: Diyabetik bireyin protein gereksinimi diyabetik olmayanlarla aynıdır. Günlük enerjinin %10-20'si proteinden sağlanmalıdır. Günlük protein tüketim miktarı, yetişkinler için 0.8 gr/kg, adölesanlar için 1.5-2.5 gr/kg.dır. Önerilen proteinin %50'si hayvansal, %50'si bitkisel kaynaklardan sağlanmalıdır.

Yağ: Diyetteki kalorinin %80-90 karbonhidrat ve yağlardan sağlanmalıdır. Diyabetli hastalarda doymuş yağlar kalorinin %10'undan, toplam yağ %30'dan kolesterol miktarı da 300 mg/gün den daha az olarak belirlenmelidir.

Karbonhidrat: ADA ve İngiliz Diyabet Birliği (British Diabetes Association: BDA)'nın önerilerine göre enerjinin %50-60'ı karbonhidratlardan sağlanmalıdır. Genellikle diyabetli bireylerin beslenmesinde basit şekerler kompleks karbondihratlara oranla hızlı emildikleri ve hiperglisemiye neden oldukları için kısıtlanırlar. Kompleks karbonhidratlarla birlikte, diyetin posa içeriği de artırılmalıdır.

Posa: Bitkisel kaynaklı yiyeceklerin içinde yer alan posa çözünür ve çözünmez posa olarak iki gruba ayrılır. Kolon kanseri gibi birçok gastrointestinal hastalıkların önlenmesinde ve tedavisinde bağırsak çalışmasını düzenleyerek, konstipasyonu önlediğinden buğday kepeği gibi çözünmez posa tüketimi önemlidir.

Elma, greyfurt, limon gibi meyveler, yulaf kepeği, kurubaklagiller çözünür posa içermektedir. Çözünür posa içeren maddeler karbonhidratların sindirimini ve emilimini yavaşlatarak post prandiyal kan şekerinin yükselme hızını düşürür, insüline olan gereksinimi azaltır, tokluk hissi vererek beslenme programının uygulanmasını kolaylaştırdığı gibi kilo verme ve ideal ağırlığın korunmasını sağlar, özellikle çözünür posanın, kolesterolün ve Düşük Dansiteli Lipoprotein (LDL)'in düşürülmesinde olumlu etkisi vardır.

Günlük beslenme programında yer alan en az 15-20 gr posa tüketilmesi konusundaki öneriler diyabetli bireyler için çok daha önemli olmaktadır. Her hangi bir kontrendikasyon olmadığı sürece kepekli ekmek, pirinç yerine bulgur, meyve suyu yerine meyve, günde iki porsiyon sebze yemeği, öğünlerde bol salata, gerekirse her gün kuru baklagiller tüketilebilir.

Tatlandırıcılar: Şeker yerine kullanılabilirler. Şekerle aynı tadı veren, sağlık açısından sakıncası olmayan düşük kalorili veya kalori içermeyen yapay maddelerdir.
İki grupta incelenir.

1- Enerji içeren tatlandırıcılar; sukroz, fruktoz, mısır şurubu, maltoz, maltodekstin, desktroz, bal, şeker alkolleri; sorbitol, mannitol, ksilitol, maltizol, eriritol, laktitol, isomalt, hidrojene nişasta hidrolizatı.

2- Enerji içermeyen tatlandırıcılar; sakarin aspartam, asesulfam potasyum, sukroloz sıklamattır.

İdeal tadlandırıcı, günlük yaşamda çay ve tatlılar içine konulan ve sukroz olarak da bilinen şekerin duyusal özelliğini içeren, kullanılırken ve kullanıldıktan sonra ağızda acı veya metalik tat bırakmayan, hoş bir tada sahip olmalıdır. Amerikan Gıda ve İlaç Teşkilatı (**Food and Drug Administration:** FDA) enerji değeri olmayan tadlandırıcıların diyabetik hastalar tarafından kullanımının emniyetli olduğunu bildirmektedir.

Sodyum: Diyabetli olan ve olmayan bireyler için sodyum miktarı aynıdır. Sodyumla glikozun birlikte transportu kan şekerinin yükselmesine, hipertansiyon ve nefropatiye neden olabileceği için tuz alımı sınırlandırılmalıdır. Amerikan Kalp Birliği sodyum tüketimini genel popülasyon için 3000 mg/gün'den düşük olarak önerirken, Amerikan Yüksek Kan Basıncı Eğitim Programı Çalışma Grubu ise 2400 mg/günden düşük olarak önermektedir. Hafif ve orta hipertansiyonu olanlara önerilen sodyum miktarı 2400mg./günden düşük iken, Hipertansiyon ve nefropati varlığında sodyum tüketimi 2000 mg./günden düşük olmalıdır.

Alkol: Genel toplum için alkol ile ilgili öneriler, diyabetli bireyler için de geçerlidir. Alkolün glisemi üzerine etkisi, kendinden çok yiyecek tüketimi ile ilişkilidir. Alkol, glikoza metaboliza olmaz ve glikoneogenezi inhibe eder. Düzenli beslenmeyen, öğün atlayan diyabetli bireylerde alkol, hipoglisemiye neden olabilir. Alkol yüksek enerji değerine sahiptir; 1 gr.alkol 7 kcal verir. Glisemi kontrolü sağlanamayan, şişman, lipid profili bozuk, nefropatisi olan, sık hipoglisemi yaşayan, gebe ve emzikli diyabetliler asla alkol kullanmamalıdırlar. Kontrolü iyi olan, komplikasyonu olmayan bilinçli hastalara belirli koşullar altında 60 ml/gün alkole izin verilebilir. Ancak alkol alımıyla birlikte yiyecek tüketimi kısıtlanmamalıdır.

Vitamin ve Mineraller: İyi kontrollü diyabetli hastaların vitamin gereksinimleri normal sağlıklı bireyler ile aynıdır. Günlük beslenme planı dışında vitamin ve mineral desteği gerekmemektedir. Kötü kontrollü olan diyabetli hastalarda, infeksiyon, malabsorbsiyon ve diğer komplikasyon var ise vitamin ilaveleri gerekebilir.

Egzersiz

Diyabetli bireyler için aktivite ve egzersiz tedavi planının önemli bir kısmını oluşturur. Bu nedenle diyabetli bireylerde aktivite ve egzersizin yararları, riskleri ve önlemleri hakkında bilgi sahibi olunması gerekir.

Egzersizin Yararları

Tip 1 Diyabetliler için; İnsülin gereksinimini azaltır ve etkisini arttırır. Yemek sonrası; postprandiyal kan glikoz düzeyini azaltır, ketonemiyi azaltır, kas gücünü arttırır, kardiyovasküler sistemi olumlu yönde etkiler, hiperlipidemiyi azaltır ve kendine güveni arttırır.

Tip 2 Diyabetliler için; Kan glikoz düzeyini düşürür ve kontrolü sağlar, periferal insülin duyarlılığını arttırır, kan lipid profilini düzeltir, hipertansiyonu azaltır, kilo kontrolünü sağlar, eklem hareketlerini arttırır, kas gücünü arttırır, kendine güveni arttırır ve yaşam kalitesini yükseltir.

Yapılan çalışmalar diyabetlilerin düzenli egzersiz yapmaları durumunda iyilik halinin ve yaşam kalitelerinin arttığını göstermektedir. Yüzme, bisiklete binme, tempolu yürüyüş, koşma gibi egzersiz tipleri, düzenli olarak sürdürülmek koşulu ile, maksimal oksijen tüketimini (VO2max) ve kardiak atım hacmini arttırmakta, kalp hızını yavaşlatmakta ve total yağ kitlesini küçültmekte ve böylece kardiovasküler risk faktörlerini de kontrol altına alabilmektedir. Egzersiz programının yarar sağlayabilmesi için, en az haftada üç kez 20-30'ar dakika sürdürülmeli ve yaşa uygun maksimal kalp hızının %70'ine (Maksimal kalp hızı=220-yaş) ulaşılmalıdır. Egzersizden önce ısınma hareketleri yapılmalıdır, egzersizin yoğunluğu yavaş yavaş arttırılmalı ve hipoglisemi riskini önlemek için insülin veya OAD ilaçları yeniden düzenlenmelidir.

Ancak Tip 2 diyabetli hastalarda egzersizin riskleri ve kontrendikasyonları da vardır. Kötü kontrollü diyabetiklerde, insülin sekresyon kapasitesi yetersiz kaldığı için varolan hiperglisemi egzersiz sonrasında daha da ağırlaşır, ketozis ve ketoasidoz gelişir. Bu nedenle kötü kontrollü diyabetiklerde (AKŞ >240 mg/dl) egzersiz kontrendikedir. Hipoglisemi egzersizin en önemli yan etkisidir; sadece egzersiz süresince değil, saatler sonra bile ortaya çıkabilmektedir. İnsülin kullanan hastalarda egzersizden 24 saat sonra gelişen ciddi hipoglisemiler görülmektedir. Ayrıca makrovasküler ve mikrovasküler komplikasyonların varlığı da egzersiz konusunda kısıtlamalar, bazen kontrendikasyonlar oluşturmaktadır. İnfarktüs riski nedeniyle sessiz miyokardial iskemi, postural hipotansyon, dehidratasyon riski nedeniyle periferik nöropati, proteinürinin artması riski nedeniyle nefropati egzersiz programına bazı kısıtlamaları getirmektedir.

Mikrovasküler komplikasyonlardan proliferatif retinopati ise valsalva manevrası gibi kafa içi basıncı arttıran hareketleri içeren egzersizlerde kanama riski taşıdığından, egzersiz için tam bir kontrendikasyon oluşturmaktadır. Güvenli bir egzersiz programı hazırlanması için, hastaya iyi bir sistemik muayene yapılmalı, kan şekeri ayarının durumu ortaya konulmalı mikro ve makrovasküler komplikasyonlar araştırılmalı, aynı zamanda hastanın sosyal olanaklarına uygun programlar önerilmelidir. Egzersiz kullanılan ilaçların etkisinin en yüksek olduğu dönemde yapılmamalıdır. Aynı zamanda aç karnına yapılan egzersiz de kan şekerini yükselteceğinden uygun değildir. Egzersizin kahvaltıdan ya da akşam yemeğinden 1 saat sonra yapılması en uygun zamandır.

Dehidratasyonu önlemek için egzersizden önce, egzersiz sırasında ve sonrasında sıvı alınmalıdır. Orta ağırlıkta ve uzun süren egzersizlerden sonra hipoglisemi gelişebilir. Bu durumda hemen basit karbonhidratlar verilmelidir. Egzersiz sırasında aktif olan ekstremiteye insülin uygulanmamalıdır. Egzersiz için uygun giysi seçilmeli, özellikle ayakkabı ve pamuklu çorapların seçimi yürüyüş yapacak veya nöropatisi olan hastalar için çok önemlidir.

Egzersizin tipi, sıklığı, yoğunluğu, süresi ve egzersiz sırasında yapması gerekenler hakkında kapsamlı bir plan hazırlanmalı, hasta egzersiz öncesi kan şekeri kontrolü yapması, hipoglisemi ve hirperglisemiye karşı önlem alması beslenme egzersiz ilişkisine uygun davranması ve açlık döneminde egzersiz yapmaması, uygun ayak malzemeleri seçerek egzersize başlaması konusunda eğitilmelidir.

Kan Şekeri ve Ketonların Kontrolü

Metabolik Kontrol: Kan glikoz düzeylerinin dolaylı ve dolaysız yöntemlerle izlenerek hedeflenen aralıkta seyretmesi için gerekli davranışsal ve terapotik kararların alınması, kan glikoz sonuçlarının lipid ve keton düzeyleri gibi bazı parametrelerle neden-sonuç ilişkisidir.

Teknik gelişmelerle birlikte laboratuara ek olarak, diyabetlilerinde kendi kendilerine kan ve idrar şekerlerini kolayca, güvenilir olarak ve kısa sürede ölçebilmeleri sağlanmıştır. Diyabetin tedavisi ve kontrolünde beklenen sonuç, diyabetlinin bireysel yönetimini sağlayabilmesi ve kan glikozunu normale yakın değerlerde tutarak oluşabilecek kronik ve ilerleyici özellikteki dejeneratif komplikasyonların engellenmesi, yaşam kalitesinin iyileştirilmesidir.

Evde Glisemiyi İzlemenin Yararları

Kolay, ucuz glisemik kontrolün sağlanması ve sürdürülmesine yardım eder. Hipoglisemilerin erken tanılanması ve önlenmesine yardım eder. İnsülin ve OAD doz ayarını kolaylaştırır. Daha serbest ve güvenli yaşam, daha serbest beslenme programı sağlar. Ketoasidoz gelişme sıklığı, hastanede yatış sıklığı ve süresi azalır. Kronik komplikasyonlar azalır, yaşam kalitesi artar. Diyabetlinin eğitimine ve sorumluluk almasına yardımcı olur. İlaç, beslenme programları ve egzersiz modifikasyonlarının yapılmasını sağlar.

Evde Kan Glikozunu İzleme

Günümüzde evde kan şekeri takibi glikometre denilen küçük ölçüm cihazları ile yapılmaktadır. *Glikometreler;* pil ile çalışırlar, büyüklüğü, şekli ve ağırlıkları değişir, her markanın kendine özgü çubukları vardır, her marka cihazın doğru uygulama ve bakımının öğrenilmesi için eğitim gerekir. Glikometre ve çubuk seçiminde basitlik, doğruluk ve ucuzluk esas alınmalıdır. Cihazın güvenilirliği her yeni kutu açıldığında kontrol çubuğu /kontrol sıvıları ile kontrol edimeli; aynı kan örneğinde ölçümler arasındaki fark %5 i geçmemeli, glikometre ile yapılan ölçüm labaratuvar değerlerine göre en fazla %15 değişim göstermelidir.

Glikoz Test Sonuçlarını Etkileyen Faktörler: Strip üzerindeki kan yeterli olmalı; her marka strip için gerekli olan kan miktarı belirlidir. Strip üzerindeki kan uygun dağılım göstermeli, glikometrenin camı temiz olmalı, striplerin kullanım tarihi geçmemeli, stripler uygun şekilde saklanmalı; Test materyalleri ısı ve nemden etkilenir, bu nedenle kuru ve serin yerde tutulmalı, doğrudan güneş ışığından sakınılmalı, pencere kenarına, soba veya radyatörün üstüne veya yanına konulmamalıdır. Glikometrelerin kod ayarları doğru olmalı, hastanın parmağı üzerinde yiyecek ya da alkol, su bulunmamalıdır.

Glikoz Ölçüm Saatleri: Kan şekeri ölçüm saatleri, kullanılan insülinin tipi, OAD kullanımı ve / veya besin alımı saatlerine göre değişiklik gösterir; NPH insülini sabah alıyorsa, kan şekeri ölçümü sabah kahvaltısından önce ve akşam yemeğinden önce ölçülmelidir. Regüler insülin kullanıyorsa, enjeksiyondan üç-dört saat sonra test yapılır. Kahvaltı öncesi veriliyorsa, öğle yemeği öncesinde, akşam yemeği öncesi veriliyorsa yatmadan önce ölçüm yapılmalıdır.

OAD alan hastalarda kan glikoz düzeyinin en hızlı değişiklik gösterdiği sabah ve akşam yemekleri öncesi, sadece TBT ile kontrol edilen diyabetlilerde, sabah kahvaltısından önce ve bir ana öğünden iki saat sonra bakılır. Yenilen besinlerin ve OAD'lerin kan şekeri üzerindeki etkisini saptamak için ve /veya açlık kan şekeri normal tip 2 diyabetlilerde TKŞ ölçülmelidir.

Kan Glikozu Ölçüm Sıklığı: Gebe diyabetliler, brittle diyabetliler, ilave hastalığı olan diyabetliler, hipoglisemi belirtilerini hissetmeyen diyabetliler, yeni tanı konmuş insülin kullanmayan diyabetliler günde dört-yedi kez ölçüm yapmalıdır. İyi kontrollü diyabetlilerde; haftada bir-iki gün günde dört kez veya her gün farklı bir zaman dili içersinde; haftada bir gün gece saat 03.00 te, TBT veya OAD alan iyi kontrollü tip 2 diyabetlilerde ise; haftada bir-iki gün aç iken ve gece yatmadan önce kan şekeri ölçümü yeterlidir. Diyet ve OAD kullanan tip 2 diyabetli kötü kontrollü ise; kontrol sağlanana kadar her gün açlıklarda, ana öğünlerden iki saat sonra gece yatmadan önce ve haftada bir-iki gün gece 03:00 te kan şekerine bakılmalıdır.

Hedef Kan Glikozu Aralığı: Bir hasta için hedeflenen kan glikoz değerleridir. Hastanın yaşına, metabolik durumuna, evdeki kan glikoz izleminin düzenli olup olmamasına, hipoglisemi bilinçsizliğine göre değişir. Genç, komplikasyonsuz bireyde normale yakın değerler hedeflenirken, yaşlı ve evde düzenli izlem yapamayan diyabetlide böbrek eşiğinin altı; <180 mg/dl yeterli olabilir. Gebe diyabetiklerde; AKŞ 60-95, TKŞ 130 mg/dl'nin altında olacak şekilde daha sıkı kontrol hedeflenir.

Yoğun insülin tedavisi gören kişilerde hedef değerlerin normale yakın değerler olması istenir. Bu durumda daha sık kan şekeri izlemi gerekir. Doz değişimleri üç gün aralarla yapılmalı, doz değişikliği %10'u geçmemeli, bir defada yapılan değişiklik iki üniteden fazla olmamalıdır. İnsülin doz değişikliğinde beslenme ve egzersiz ile ilgili ilkeler göz önünde bulundurulmalıdır. Alınan 10-15 gr karbonhidrat 1 ünite regüler insülin eklenmesiyle karşılanabilir.

Kan Glikozu Ölçümünün Uygulanışı: Malzemeler hazırlanır diyabetli bireyin yanına gidilir, yapılacak işlem diyabetliye açıklanır, eldiven giyilir, kan almak için delinecek parmak temizlenir, eğer uygunsa parmağı ılık su ve sabunla yıkamak tercih edilir veya parmak alkol ile temizlenir.

Alkolle temizlenmişse kuruması beklenmelidir. Parmak delinmeden önce yeterli miktar kan sağlanması için; eller ılık suyla yıkanır, parmaklar sallandırılır, delinecek parmak aşağı doğru sıkıştırılır, parmak ucu kalın olan orta kısımdan değil yan kısmından delinir, uygun miktar kana ulaşana kadar el kalp seviyesinin altında tutulur. Kanla taşınan infeksiyonları önlemek için parmak disposıble bir deliciyle delinir, glikoz test stribine kan değdirilir ve glikometrenin işlemi için üretici firmanın önerileri takip edilir. Kan akımını durdurmak için delinen parmağın üzerine kuru pamuk bastırılır, Glikoz test sonuçları elde edildikten sonra delici alet veya lansetler kesici alet kutusuna atılır. Glikoz test stripleri, pamuk ve eldivenler kirli torbasına atılır. Kayıt tarihi, zamanı ve glikoz test sonuçları hasta dosyasına ya da tabelasına yazılır, kan glikoz düzeyi hedeflenen değerlerin altında veya üstünde ise, uygun girişimde bulunulur. Diyabetli birey ve ailesine kan şekeri sonuçlarının nasıl kaydedileceği ve bu sonuçlara göre yapabilecekleri değişiklikler öğretmelidir.

İdrarda Şeker Ölçümü
Kan şekeri 160-180 mg/dl'nin üzerinde ise glikoz idrara çıkmaya başlar. İdrarda şeker ölçümü hipoglisemiyi göstermez. İdrarda şeker ölçümünün eş zamanlı kan şekerini yansıtabilmesi için "ikinci idrar" da bakılması gerekir. Zorunlu olmadıkça başvurulmayan bir yöntemdir.

Keton Ölçümü
Mutlak veya göreceli insülin eksikliğinde yağ dokularının sentezi azalıp yıkımı artacağından kanda keton cisimleri olan asetoasetat, betahidroksibütirat, asetat birikir ve idrarla atılır.

Ketoasidoz Belirti ve Bulguları: Hızlı derin, kussmaull solunumu, bulantı-kusma, karın ağrısı, nefes veya idrarda meyve veya aseton kokusu, ciddi dehidratasyon, konfüzyondur. İnsülin enjeksiyonunun atlanması, bozulmuş insülin preparatları, kalemleri ya da pompalarının kullanılması durumunda mutlak insülin eksikliği görülür. Enfeksiyon hastalıkları, ağır fiziksel ve psikolojik stresler gibi durumlarda dokuların insüline direnci artacağından göreceli insülin eksikliği oluşur.

Keton Testlerinin Yapılma Zamanı: Her hangi bir zamanda alışılmamış bir kan şekeri yüksekliğinde, davranış değişiklikleri gözleniyorsa, örneğin kavgacı bir diyabetli tam tersi veya sessiz olabilir, Tip 1 diyabetli kendini hasta hissediyorsa, Tip 2 diyabette nadir görülmekle birlikte kan glikozu çoğu zaman yüksek seyrediyor ve /veya kişi kendini hasta hisssediyorsa keton bakılmalıdır.

Keton Düzeyi Belirleme: Kanda kan glikozu ölçüldükten hemen sonra yalnızca çubuğunu değiştirerek 30 saniye içinde kanda keton düzeyi belirlenir. Bu ölçüm ile idrar seviyesinden daha düşük düzeydeki keton belirlenebilir. İdrarda keton ölçülmesinde; taze idrar örneğinde veya anlık durumu öğrenmek için "ikinci idrar" da keton ölçülür. Türkiye' de Gluketur ve Ketodiastix adlı iki çeşit çubuk kullanılmaktadır. Çubuk idrara daldırılıp hemen çıkarılır 60 (Gluketur) ve 15 (Ketodiastix) saniye sonra varsa mor rengin tonları çubuk kutusundaki skala üzerinden kontrol edilerek eser, hafif, orta, yüksek şeklinde düzey belirlenir.

Keton Varsa; Egzersiz sakıncalı, istirahat gereklidir. Bol fakat yavaş hızda, küçük porsiyonlarla ağızdan su, soda, az miktarda diyet kola gibi sıvılar alınır. İnsülin saati yakınsa insülin dozu arttırılarak, değilse vücut tartısının 10-20 de biri kadar regüler insülin kas içine yapılır. Kusma varsa damar yolu açılır. Fazla yağ, az karbonhidrat içeren ketojenik diyetten kaçınılmalıdır.

Glikozilenmiş Hemoglobin: HbA1c
HbA1c, hemoglobine bağlanan glikozu ifade eder. Eritrositlerin yaşam süresi yaklaşık 120 gün olduğundan bu süre boyunca gerçekleşen kan şekeri düzeylerine bağlı olarak değişim gösterir. Genellikle son iki-üç aydaki veya geniş anlamda 1-12 haftalık kan şekeri düzeylerinin ağırlıklı ortalamasını yani metabolik kontrolü yansıtır. HbA1c diyabet tedavisinin etkili olarak sürdürülmesinde ana hedef ve komplikasyonlar için risk parametresidir. Kan şekeri ortalamalarını 35 mg/dl lik dilimi HbA1c yi yaklaşık %1 yükseltir.

Lipidler
Diyabette yüksek kan şekeri ile birlikte özellikle "makroanjiyopatik" adı verilen kalp-damar sistemine ait komplikasyonların en önemli nedeni lipid yüksekliğidir. Genetik faktörler ve yaşam alışkanlıkları kadar kan şekeri yüksekliği de lipidlerin yükselmesini doğrudan etkiler bu nedenle en az yılda bir kontrol edilmelidir. 12 saatlik açlıktan sonra bakılan kolesterol 190 mg/dl, trigliserid 140 mg/dl nin altında olmalıdır.

Oral Antidiyabetik Tedavi (OAD)
OAD ilaçlar insülin salgılama yeteneği henüz tükenmemiş, tip 2 diyabet yönetiminin özellikle ilk dönemlerinde uygulanan temel tedavi yöntemidir. Tip 2 diyabetlilerin %80'inin obez olması ve hastalığın başlangıcında hiperinsülineminin varlığı nedeniyle ilk seçenek kilo vermeyi sağlamak ve insülin duyarlılığını arttırıcı OAD ilaçlar olmalıdır.

Sülfonilüreler (SU)
İlk kullanılan OAD'lerdir. Etkileri, pankreastaki beta hücrelerinden endojen insülin sekresyonunu artırmak, karaci-

ğerden glikoz çıkışını azaltmak, hedef dokular olan karaciğer, kas ve yağ dokularında glikoz kullanımını artırmaktır. Sulfonilürelerin etkili olması için fonksiyon gören beta hücresi gereklidir. Tamamı karaciğerde metabolize olurken yalnız tolbutamid ve tolazamid sadece karaciğerde inaktive olur.

Klorpropamidin idrarla atıldığından ve etkisi uzun olduğundan yaşlılarda ve böbrek işlevi bozulmuş hastalarda uzun süreli hipoglisemi riskini arttırır. Hipoglisemi nedeniyle hastaneye yatanlarda mortalite oranı %4,3'tür. İkinci kuşak SU birinci kuşak SU'lerden 100 kat daha güçlü etkilidir ve hızla emilir ve daha çok karaciğerde metabolize olur. Alerjik reaksiyonlar ve diğer yan etkiler daha seyrektir. Tedaviye kısa etkili ilaçlarla ve küçük dozla başlanarak yavaşça artırılmalıdır. Hastaların %10-20'sinde primer yanıtsızlık, %5-10'unda sekonder yanıtsızlık vardır. Non obez tip 2 diyabetiklerde SU'ler ilk seçenektir. (Gliben tb., Diamikron tb. vb.) SU grubu OAD'leri kullanacak hastaların seçiminde; ilaçların antidiyabetik aktiviteleri, başlangıç etkisinin hızı, etki süresi, metabolizması, atılım yolu, avantaj ve dezavantajları göz önünde tutulmalıdır. Hastalar kullanma ilkeleri, yan etkileri, hipoglisemiyi önleme ve tedavi etme konularında eğitilmelidir.

Biguanidler; Metformin

Hipoglisemik değil, antihiperglisemik etkilidir. Etkileri, iştahı azaltmak, hepatik glikoz üretimini azaltmak, bağırsaktan glikoz emilimini azaltmak, glikozun kas ve yağ dokusuna alımını artırmaktır. En önemli yan etkisi; diyare, kusma gibi gastrointestinal intoleranstır. Bu istenilmeyen etkiler ilacı düşük dozda yemekler ile birlikte verilerek önlenebilir. İştah azaltıcı etkisi nedeniyle özellikle obez Tip 2 diyabetlilerde kullanılır. Türkiye'de 500-850mg; glucophage, glukofen ve gliformin tabletler halinde bulunur. Monoterapi ya da sülfanilüre ile kombinasyon tedavisi olarak uygulanır. Böbrek karaciğer hastalıklarında kontrendikedir ve laktik asidoz riski vardır.

Alfa Glikozidaz İnhibitörleri

Bağırsaklardaki karbonhidrat emilimini intestinal kanalın fırçamsı kenarında bulunan alfa glikozidaz enzimi inhibe ederek geciktirir ve yemeklerden sonra kan şekeri yükselmesini engeller. Obez ve beslenme programına uyumu zayıf olan, hiperglisemisi hafif seyreden Tip 2 diyabetlilerde tercih edilmelidir. Yan etkisi gastrointestinal problemlerdir. Monoterapi ya da sülfanilüre ile kombine uygulanır ve TKŞ'ni düşürürler.

Meglitinidler; Repaglinid, Nateglinid

SU benzeri ilaçlardır. İnsülin salınımını arttırırlar. SU'lerden farkı etki sürelerinin çok kısa olmasıdır. 1 saatte doruk değere ulaşır ve süratle atılırlar, post prandiyal hiperglisemiyi önlerler.

Glitazonlar; Troglitazon, Piaglitazon

İnsülin direnci üzerine etkilidirler. Hepatotoksisite, periferik ödem, kilo artışı, anemi, LDL kolesterol düzeylerinde yükselme görülebilir. Konjestif kalp Yetersizliği ve karaciğer fonksiyon bozukluklarında kullanılmamalıdır.

Tablo 38.6: OAD İlaçların Çeşitleri, Etkileri ve Kullanım Özellikleri

Etken Madde	Günlük Dozu	Alış Sıklığı	Etki Süresi	Kullanım Özelliği
Sülfonilüreler				
Gliklazid	40-320 mg	1-2 kez/gün	10-15 saat	Bu grup ilaçların tümü yemekten önce alınmalıdır
Glibenklamid	2.5-15 mg	1 kez/gün	20-24 saat	
Glipizide	2.5-40 mg	1-3 kez/gün	12-14 saat	
Talbutamid	500-2000 mg	3 kez/gün	6-10 saat	
Klorpropamid	100-500 mg	1 kez/gün	24-72 saat	
Glimepride	1-8 mg	1-2 kez/gün	12-24 saat	
Biguanidler Metformin	500-3000 mg	1-3 kez/gün	6-10 saat	Yemekle birlikte veya yemekten sonra
Alfa - glikozidaz inhibitörleri Akarboz	50-600 mg	3 kez/gün	6-10 saat	Ana öğünlerde yemeğin ilk lokması ile birlikte
Meglitinide Repaglinid Nateglinid	0.5-1.6 mg 90-360 mg	3 kez/gün 3 kez/gün	5 saat 3-4 saat	Yemekten 5-15 dk. önce veya yemekle birlikte
Thiazolidinedione Piaglitazon	14-45 mg	1-2 kez/gün	16-24 saat	Yemeklerleçok ilişkisiolmamakla birlikte yemeklerden 30 dk.sonra alınması etkiyi artırır.

Kaynak: American Diabetes Association (2005). Standards of Medical Care in Diabetes, Diabetes Care 28 (suppl 1), 4-36 (yazar tarafından geliştirilmiştir).

İnsülin Tedavisi

İnsülin pankreasın langerhans adacıklarındaki beta hücrelerinden salgılanan bir proteindir. En önemli görevi enerji için kullanılan glikozun hücre içine transportudur. Best ve Banting tarafından 1921 yılında keşfedilmesiyle diyabet tedavisinde önemli bir adım atılmıştır.

İnsülinin Vücut Dokularına Etkileri

Protein sentezini artırır, aminoasitlerin hücre içine girişini uyarır, tüm vücut dokularında özellikle karaciğer, kas ve yağ dokusunda glukozun hızla alınması, depolanması ve kullanılmasını, yağ asitleri ve ketonların kullanılmasını sağlar, karaciğer ve kas glikojeninden glikoz üretimi ve karbonhidratların dışında glikoz oluşumunu baskılar.

İnsülin Tedavisini Gerektiren Durumlar

Tip 1 diyabet, gestasyonel diyabet, OAD lere yanıt alınamayan Tip 2 diyabet, akut ve kronik komplikasyonların varlığı, hiperglisemi ile birlikte glikozüri, cerrahi girişim, travma, ağır enfeksiyon ve stres durumlarında ve pankreatektomi yapılmış tüm hastalarda kullanılır.

İnsülin Tipleri, Etki Süreleri, Uygulama Yöntemleri

Rekombinant DNA teknolojisinin 1980'lerde geliştirilmesine kadar insülin, domuz ve sığır pankreas dokularının pürifikasyonu ile elde ediliyordu. Günümüzde ise insan kökenli insülinler yaygın olarak kullanılmaktadır. İnsülinler etkilerinin başlangıç zamanına ve etki sürelerine göre ayrılırlar. Geçmişte insülin etki dinamiği förmüllere zinc(lente) ve protamin (NPH) eklenmesiyle değiştirilirken günümüzde insülin aminoasit yapısının değiştirilmesi ile (insülin analogları) insülinlerin etkileri değiştirilmektedir. İnsülinler enjektör, insülin kalemi, deri altı kateter, derialtı pompası ve intraperitoneal pompa gibi araçlarla vücuda verilir. Etki sürelerine göre insülin tipleri Tablo 38.7'de görülmektedir.

Çok Kısa Etkili İnsülinler (humolog, novorapid): IV, SC, IM yolla uygulanır. Yemekle veya yemek sonrası yapılabilir, postprandial hiperglisemiyi iyi kontrol eder, yemek sonrası geç hipoglisemi riski azdır, ara öğün gerektirmez.

Kısa Etkili İnsülinler: Berraktır, katkı maddesi içermez, kullanmadan önce çalkalama veya karıştırma gerektirmez. IV, SC, IM yolla uygulanır.

Orta Etkili İnsülinler (NPH): İnsülini daha uzun etkili hale getirmek için değişik katkı maddeleri kullanıldığından bulanıktır. Her kullanımdan önce homojen bir konsantrasyon oluşması için yavaş ve dikkatlice karıştırılmalıdır. Aksi halde protein yıkımına yol açabilir.

Uzun Etkili İnsülinler: Çoklu doz enjeksiyonlarda bazal insülin gereksinimini karşılamada kullanılır. Türkiye'de

Tablo 38.7: Halen kullanılmakta olan insulin tipleri ve etki profilleri aşağıda gösterilmişir (TEMD2009)

İnsülin tipi	Jenerik adı	Piyasa adı	Etki başlangıcı	Pik etki (saat)	Etki süresi (saat)
Kısa etkili (Humarı regülei)	Kristalize insan insülin	Aelrapid HM Humulin R	30-60 dk	2-4 st	5-8 st
Hızlı etkili (Prandial analog)	Çinilisin insülin Lispro insülin Aspart insülin	Apidra Humalog NovoRapid	15 dk	30-90 dk	3-5 st
Orta Etkili (Humarı NPH)	NPH insan insülin	Humulin N İnsulatard HM	1-3 st	8 st	12-16 st
Uzun etkili[*1] (Bazal analog)	Glargin insülin Deternir insulin	Lantus Levermir	1 st	Piksiz[*]	20-26 st
Hazır karışım human (Regular+NPH)	%30 kristalize + %70 NPH insan insülin	Humulin M 70/30 Mixtard HM 30	30-60 dk	Değişken	10-16
Hazır karışım analog (Lispro+NPL)	%25 insülin lispro + %75 insülin lispro protamin %50 insülin lispro + %50 insulin lispro protamin	Humalog Mix25 Humalog Mix50	10-15 dk	Değişken	10-16
Hazır karışım analog (AsparUNPA)	%30 insülin aspart + %70 insülin aspart protamin	NovoMix 30	10-15 dk	Değişken	10-16

(*) Uzun etkili (bazal) analog insülinler eşdeğer etkili değildir. Bazal insülin olarak glargin kullanıldığında insülin gereksinimi, detemir'e göre %l0-15 daha azdır. Buna karşın detemir insülinin kilo aldırıcı etkisi glargin'e göre (0.5-1 kg) biraz daha azdır.
(**) Detemir- insülin düşük dozlarda verildiğinde etki süresi kısalır, bu nedenle özellikle tip 1 diyabetlilerde, bazal insülin gereksinimi <0.35 IU/kg/giin ise ikinci bir bazal doz gerekebilir.
Kaynaklar Türkiye Endokrinoloji ve Metabolizma Derneği (TEMD) Diabetes Mellitus CaTişma ve Eğitim Grupları. (2009). Diabetes Mellitus ve Komplikasyonlarıntn Tanı Tedavi ve I/lem Klavuzu.(4. Baskı). İstanbul, Türkiye Endokrinoloji ve Metabolizma Derneği.

uzun etkili insülin olarak glargine; lantus ve levemir: detemir bulunmaktadır.

Karışım İnsülinler: SC, IM yolla uygulanır, kısa etkili ve NPH karışımdır. 10/90, 20/80, 30/70, 40/60, 50/50 oranlarında vardır. İnsülin oranları zamanla değişebileceğinden çocukluk ve adölesan dönemde önerilmemektedir.

Diyabetli bireyin yaşı, yağ kütlesi, puberte, kullanılan doz, enjeksiyon yeri, egzersiz ve beslenme planı **insülin etki süresini etkiler.** İnsülin flakonlarında bulunan sıvının her mililitresinde 100 ünite insülin vardır. Bu U-100 insülin olarak adlandırılır. Anlaşılmıyor karşılar.

İnsülinin Saklanmas: İnsülinler 2-8 °C arasında, buzdolabında saklanır, açıldıktan sonra buzdolabında üç ay saklanabilir, açılmış ya da açılmamış insülin oda ısısında (15°C - 30°C) bir ay kalabilir. Kalem insülinlerin kartuşu oda ısısında 3 hafta buzdolabında 3 ay saklanabilir. İnsülinler araba, uçak bagajına konmamalı, çevre ısısı çok yüksek ortamlarda buz aküleri kullanılmalıdır. Renk değişikliği, kristalleşme olursa, partiküller görülürse kullanılmamalıdır. Şişe üzerindeki son kullanma tarihi geçmiş olmamalıdır. Kullanılmayan insülinler buzdolabında saklanmalı, fakat asla dondurulmamalıdır.

İnsülin Tedavi Yöntemleri

Tip 1 diyabette günlük insülin ihtiyacı 0.5 1 U/kg iken, Tip 2 diyabette 0.2-0.5 U/kg olarak hesaplanır. Günlük insülin dozu, mümkün olan en iyi glisemik kontrolü sağlayan insülin dozudur. İnsülin gereksinimini; yaş, kilo, puberte evresi, diyabet süresi, karbonhidrat alım miktarı ve dağılımı, egzersiz düzeyi, günlük yaşam ve kan glukoz değerleri etkiler. İdeal kilosundaki diyabetli bireyin, günlük insülin gereksinimi kilosuna göre hesap edildikten sonra bu doz bölünür.

Hastadan hastaya değişebilmekle birlikte günlük dozun % 20-30'u bazal insülinin sağlanması için geri kalanı 10-12 g karbonhidrat içerdiği için her öğünde 1 Ü kısa etkili insülin verilmesi şeklinde öğün öncesine eklenir. Enfeksiyon veya fiziksel aktivite sırasında insülin dozunda ayarlama yapılması gerektiğinde bir defada bir-iki üniteden fazla değişiklik yapılmamalıdır. Günde iki doz karışım insülin kullanılıyorsa doz değişikliği yapmadan önce en az üç-beş gün beklenmelidir. Kahvaltıdan sonra kan glikozu yükseldiğinde, kahvaltıdan önce verilen kısa etkili insülin, akşam yemeğinden sonra yüksekse, akşam yapılan kısa etkili insülin, sabah kan şekeri yüksekse, akşam veya gece yapılan orta etkili insülin dozu arttırılmalıdır.

Geleneksel insülin tedavisinde günde tek doz veya iki doz, yoğun insülin tedavisinde ise üç-dört doz insülin uygulaması yapılır. Tip 2 diyabetli hastalar genellikle daha yaşlıdır ve bu nedenle öz bakım ve kendi kendine takip becerileri daha düşük olduğundan yoğun insülin tedavisine uyumları daha zordur. Ancak 1987-1998 yıları arasıda 5102 tip 2 diyabetli hastada yapılan İngiltere Prospektif Diyabet Çalışması'nda (UKPDS) yoğun tedavinin glikoz kontrolü ve komplikasyonlar üzerine etkisi araştırılmış ve çalışma sonuçlarına göre mikrovasküler komplikasyonların %25 oranında azaldığı, HbA1c'deki %1 lik azalmaya karşılık komplikasyon riskinde %35 azalma olduğu görülmüştür.

İnsülin Pompası

Sürekli subkutan insülin infüzyonu (Continuous Subcutaneous Insulin Infusion: CSII), Tip 1 diyabetli hastalarda uygulanan yoğun bir insülin tedavisi yöntemidir. Genellikle karın duvarına yerleştirilen küçük bir iğneden deri altına sürekli hızlı etkili insülin infüzyonu sağlayan pille çalışan küçük bir infüzyon pompası kullanılır. Pompa seçilmiş bazal bir hızda insülin infüzyonu yapmak üzere programlanmıştır.

Ayrıca her yemekten önce hızın artırılması için elle programlanabilir. Hasta dozu ayarlamak için günde birkaç kez kan glikozunu ölçer. Bu yöntemle sağlanan kontrol daha güvenilirdir. Pompa tedavisinde kontrol sağlandıktan sonra hipoglisemik episodlar aralıklı enjeksiyon yöntemine göre daha az görülür. Pompa implantları ve periton içine portal sisteme insülin verilmesi daha iyi sonuçlar verebilir. Ancak Enfeksiyon riski sözkonusudur.

İnsülin Tedavisinin Yan Etkileri

Dawn (Şafak) Fenomeni: Plazma glikozunun kahvaltıdan önceki saatlerde yükselmesi eğilimini belirtir. Tip 1'li hastalarda ve bazı tip 2 diyabetlilerde abartılıdır. Geceyarısı büyüme hormonundaki artışa bağlı olarak karaciğerde glikoz yapımındaki artış nedeniyle açlık glikoz düzeyleri yükselir.

Somogy Fenomeni: Tip 1 diyabetli bazı hastalarda nokturnal hipogliseminin ardından açlık hiperglisemisi ve plazma ketonlarında rebound etkide artış görülebilir Gerektiğinde saat iki ile dört arasında hastanın kan glikozu izlenmelidir. Gece yatarken orta etkili insülin uygulaması hem şafak hem de somogy fenomenini önler.

Lokal Alerjik Reaksiyonlar: İnsülin enjeksiyonları yapılan bölgede lokal allerjik reaksiyonlar insan insülinleri ile daha az görülür. Bu reaksiyonlar ani yanma ve ağrıya yol açabilir, birkaç saat sonra lokal eritem, kaşıntı ve endürasyon meydana gelebilir. Endürasyon bazen günlerce kalabilir. Reaksiyonların çoğu birkaç hafta enjeksiyona devam edildiğinde kendiliğinden kaybolur ve spesifik bir tedavi gerektirmez. Bazen antihistaminikler gerekebilir.

Yaygın İnsülin Alerjisi: Tedavi kesilip aylar ya da yıllar sonra yeniden başlatılırsa seyrek olarak gelişebilir. Tüm insülin tipleriyle ortaya çıkabilir. Enjeksiyondan kısa süre sonra gelişir. Ürtiker, anjiyodem, kaşıntı, bronkospazm, dolaşım kollapsıdır. Antihistaminik yanında steroid ve adrenalin de gerekebilir. Tedavi zorunlu ise duyarsızlaştırma yapılmalıdır.

İnsülin Direnci: Günlük insülin gereksiniminin 200 Ü'nin üzerine çıkmasıdır. Plazma insülin bağlama kapasitesinde belirgin artış görülür. En az altı ay insülin tedavisi uygulanan hastaların çoğunda insüline karşı antikor gelişir. Saflaştırılmış insülin preparatlarında göreceli antijenlik sığır > domuz > insandır. Dolaşımdaki antikorlar serbest insülinin farmakokinetiğini etkilese de genellikle tedavi olumsuz etkilenmez. Remisyon spontan olabilir ya da steroid tedavisi uygulanabilir.

Enjeksiyon Bölgesinde Lokal Yağ Atrofisi ya da Hipertrofisi: Genellikle insan insülinlerinde nadir görülür. Lipoatrofi enjeksiyon yapılan bölgelerde yağ dokusunun kaybıdır. Cilt altında çökmeler şeklinde izlenir. Lipohipertrofi insülin enjeksiyonu bölgesindeki cilt altı yağ dokusunda oluşan fibröz, sert şişliklerdir. Lipoatrofi veya lipohipertrofi oluşan bölgenin dinlendirilmesi ve enjeksiyon bölgesinin değiştirilmesiyle iyileşme sağlanır. Enjeksiyon bölgeleri arasında en az 1 cm aralık bırakılması lipodistrofi oluşumunu önleyecektir.

Kilo Artışı: İnsülin tedavisi sırasında fark edilmeyen hipoglisemiler açlık hissini arttırabilir ve ek kalori alımına sebep olabilir. Kan şekerinin düzenli izlenmesi ve tedavinin düzenlenerek hipoglisemilerin önlenmesi kilo alımını engeller.

İnsülin Ödemi: Genellikle insülin tedavisine başlandığında, göz kapakları ve alt ekstremitelerde oluşan ödemdir. Nadir görülür, genellikle insülin dozu azaltılır, diüretikler kullanılır. Bu durumda tuz alımının azaltılması ve sıvı dengesinin korunması için hasta eğitilmeli ve izlenmelidir.

İnsülin Enjeksiyonu Uygulaması
Enjeksiyon işlemine başlamadan önce; insülinlerin markası, tipi, konsantrasyonu, son kullanma tarihi, görünümleri kontrol edilmelidir. Kullanım süresi geçmiş, partikül içeren, kristalleşmiş, donmuş insülinler kullanılmamalıdır.

İnsülinlerin karıştırılması
İnsülinler karıştırılırken enjektöre önce kısa etkili insülin daha sonra orta veya uzun etkili insülin çekilmelidir. Böylece kısa etkili insülin şişesinin orta etkili insülin ile kontamine olması ve kısa etkili özelliğini kaybetmesi önlenmiş olur. Kısa etkili insülin ile NPH insülin gerek aynı enjektör içinde gerekse aynı şişede karıştırılabilir. Kısa etkili insülin hiçbir zaman Lente insülin ile aynı şişede saklanamaz. Aksi takdirde kısa etkili insülin orta etkili hale dönüşür. NPH ve Lente insülin aynı enjektörde veya şişede karıştırılmamalıdır.

Enjeksiyon Bölgeleri
Hızlı ve uniform insülin absorbsiyonu sağlaması nedeniyle en iyi enjeksiyon bölgesi karındır. Baldırların ön yüzü, kalçaların üst dış kadranı, kolların dış yüzü: İnsülinin kas içine verilme riski nedeniyle küçük çocuklarda tavsiye edilmez.

Enjeksiyon Yöntemi
İnsülin enjeksiyonu yapılırken enjeksiyon yerinin alkolle silinmesine gerek yoktur. Genel olarak insülin enjeksiyonu bir hafta-bir ay aynı bölgeye yapılır. İnsülin emilimini olumsuz etkileyen lipohipertrofiyi önlemek için enjeksiyonun aynı noktaya yapılmamasına dikkat edilmelidir. Lipohipertrofi gelişmişse enjeksiyon bölgeleri her hafta değiştirilmelidir. İnsülin enjeksiyon bölgeleri değiştirilirken; sabahları kola, akşamları karına, geceleri bacağa insülin yapmak gibi insülin yapılan zaman ile insülin yapılan bölgenin paralel olmasına dikkat edilmelidir.

Enjeksiyon derin subkutan dokuya yapılır, iğne ucuna insülin ile dolması için 1 Ü hava dışarı verilir, deri genişçe işaret ve baş parmak arasında kavranır, 45o açı ile deriye girilir ve enjekte edilir. Deri altı dokusu iğne uzunluğundan kalınsa 90o açı ile yapılır. İğne geri çekilmeden 10'a kadar sayılır veya 15 saniye beklenir. Deri kıvrımı bırakılır. İğne geri çekildikten sonra basınç yapılır, ovuşturulmaz. İnsülin çok hızlı emileceği ve enjeksiyon ağrılı olabileceği için kas

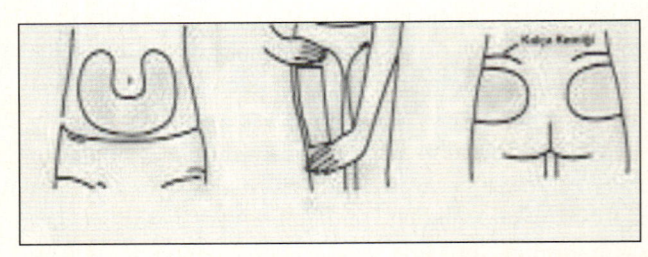

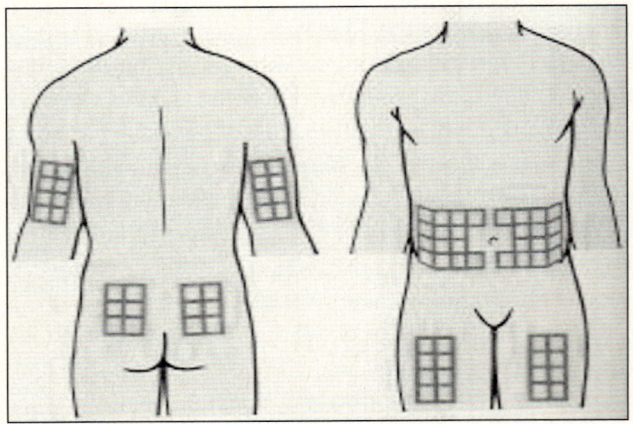

Şekil 39.1: İnsülin Uygulama Bölgeleri

içi enjeksiyondan sakınılmalıdır. Standart insülin enjektörlerinin iğnesi 12.7 ve 8 mm, insülin kalemlerinin iğnesi de 12.7, 10, 8, 6, 5, ve 4 mm'dir. Kısa iğneler ile kas içine enjeksiyon riski azalır. Enjeksiyon uygulama bölgelerinin rotasyon ile değiştirilmesi gerekir.

Enjektörler: Tekrar kullanımı sırasında iğne uçları körleşebilir, üzerindeki silikon kılıf sıyrılabilir ve daha fazla acı verir. Mikrotravma yaparak lipohipertrofi riskini arttırır. Enjektörler kesinlikle başkasıyla ortak kullanılmamalıdır. Enjektör iğneleri kıvrılarak atılmalıdır.

İnsülin Kalemleri: İnsülin dolu olduğu için insülin çekmeye gerek kalmaz. Yeni iğne takıldığında iğnenin ucuna insülin dolması için 1-2 Ü dışarı verilmelidir. Orta etkili insülin yaparken her defasında iğneyi enjeksiyondan önce kalem ucuna yerleştirmek gerekir. Kalemler ev dışında ve okulda uygulama için çok kullanışlıdır. Kısa, orta etkili ve karışım insülinleri için yapılabilir. Lente ve ultralente insülinler kristal yapıları nedeniyle kalemler için uygun değildir. Penset, Novolet, Humaject gibi disposible kalemler 3 ml insülin kartuşu içerirler.

Otomatik enjeksiyon aletleri (BD inject-Ease): İğneden korkanlar için kullanışlıdır. Dolu flakon (100 Ü) aletin içine yerleştirilerek kilitlenir ve tetik çekilerek otomatik olarak uygulanır. Enjeksiyon derinliği ayarlanabilir, iğnenin görülmemesi ve iğnenin süratle deriye girmesi kolaylık sağlar.

Kendi kendine enjeksiyon yapabilme yaşı değişir. Çocuğun emosyonel olgunluğu ve bilişsel gelişimi ile ilgilidir. Okul çağı ve adölesanlara öğretilebilir. Ebeveynler de enjeksiyon yapabilmelidir. Sosyal aktivitelerin çocuğun kendi enjeksiyonlarını yapabilmesine katkısı vardır. Enjeksiyon becerisi aralıklarla kontrol edilmelidir. Enjeksiyon bölgeleri kırmızılık, enfeksiyon ve distrofi yönünden kontrol edilmelidir.

İnsülin Tedavisi Yapılan Diabetes Mellituslunun Eğitimi

Diyabet hemşiresi insülin tedavisine başlamadan önce hastayı iyi değerlendirmeli, yanlış inançları ve uygulamaları belirleyerek düzeltilmesini sağlamalı, hastasına doğru enjeksiyon uygulaması konusunda yeterli bilgi ve beceri kazandırmalıdır. Kendi kendine kan şekerini izlemesini sağlayarak metabolik kontroldeki iyileşmeyi fark ettirebilmelidir. Hemşire sürekli izlem, danışmanlık ve eğitimi gerçekleştirerek tedavideki başarıyı arttırır.

İnsülin tedavisi uygulanan diyabetli bireye; insülin tipleri ve isimleri, insülinin güvenli koşullarda saklanması, doğru insülin dozlarının uygulanması, insülin emilim, dağılım ve yararlılığını etkileyen faktörler;

İnsülin karışımları, tipi, dozu, konsantrasyonu, deri altı kan akımı, enjeksiyon yeri, derinliği, değişimi, evde kan glukozunun izlemi ve yorumu, insülin uygulama tekniği, insülin, egzersiz-beslenme ilişkisi, hastalık, seyahat gibi özel durumlarda insülin tedavi ilkeleri, insülin komplikasyonlarını bilme, korunma ve tedavi ilkeleri, acil yöntemleri bilme ve başvurma, insülin tedavisini bildiren kimliği taşıma konularında eğitim yapılmalıdır.

Eğitim

Diyabetik hasta eğitimi; diyabetli bireyin yaşamını, diyabetli olmayan bireyler gibi sürdürmesini sağlayacak yaşam biçimi değişikliğini içerdiğinden "Bireysel Yönetim Eğitimi" olarak da isimlendirilir. On yıl süresince diyabet eğitim programlarının uygulandığı gruplarda, ayak amputasyonlarının %13'den %7 oranına düştüğü görülmüştür. Eğitim alan hastaların hastanede tedavi gördükleri gün sayısı 5.4 gün/yıl'dan 1.7 gün/yıl süresine azalmıştır. Ayrıca hastaneye yatan hasta sayısında %33'lük bir azalma olduğu görülmüştür. Komplikasyonu olan %27 hastanın komplikasyonlarına neden olan bilgi eksikliği olduğu saptanmıştır.

Günümüzde diyabetli bireylerin eğitimi sağlık ekip üyeleri tarafından farklı biçimlerde sürdürülmektedir. *"Çok iyi bir teknolojiye, ilaçlara ve kontrol sistemlerine sahibiz, fakat hastalarımıza bunları nasıl kullanacaklarını anlatamıyoruz"* 1997 de yapılan Uluslar arası Diyabet Federasyonu; International Diabetes Federation (IDF) toplantısında söylenen bu söz ile de bu işin çok da kolay olamayacağı ifade edilmektedir.

Diyabet bilindiği gibi yaşam boyu süren bir hastalıktır. Burada diyabete uyumu dolayısıyla metabolik kontrolü sağlama ve komplikasyonları önleme veya azaltma hedeflenmektedir. Hedefe ulaşmak için vazgeçilmez üçlü uygun medikal tedavi, beslenme programı ve egzersiz programıdır. Bu üçlünün yaşam boyu devam ettirilmesi için **eğitim** vazgeçilmezdir. Unutulmaması gereken diyabet iyi bir eğitim ve yönetim ile önlenebilir, kontrol altına alınabilir.

Diyabet eğitimi diyabet alanında donanımlı hekim, hemşire, diyetisyen, eczacı, psikolog, sosyal çalışmacı gibi sağlık profesyonelleri tarafından yapılmalıdır. Diyabet eğitimi diyabetlilere hem yaşam kurtarıcı bilgilerin öğretilmesi hem de esas olarak kendi kendine tedavi becerisi kazandırılması amacına yöneliktir. Diyabetli bireylerin tedavisi ile uğraşan her ünite hastaların kategorilerine göre bir eğitim müfredatı belirlemeli, amaçlar listesi oluşturmalı, eğitim yöntemlerini ve sorumlu personelleri saptamalı, eğitimin ne zaman, nerede yapılacağını ve eğitimin nasıl değerlendirileceğini belirlemelidir.

Eğitimin başarılı olabilmesi için; Sağlık çalışanları, diyabetli bireyleri kendi bakımlarını yönetmeleri konusunda cesaretlendirmelidir. Diyabetli bireyin güveni kazanılmış olmalıdır. Eğitime etkin olarak katılmalı, istekli katılmalı veya istekli kılınmalıdır. Diyabeti daha etkili yönetmek, komplikasyonları önlemek ya da geciktirmek için diyabet **yönetim becerilerini öğrenmek** ve **yaşam biçimini değiştirmek** gereklidir. Bu bağlamda diyabetli bireyin gereksinimlerini iyi değerlendirebilmek için; hastalığın durumu, yaş, cins, sosyal, ekonomik, algılama, inanç yaşam biçimi, yetenekleri, becerisi, tutumu gibi bireysel özellikleri öğrenilmelidir. Hedefler gerçekçi, ulaşılabilir, uygulanabilir, kolay ölçülebilir, kısa süreli ve sınırlı olmalıdır. Bilgiler kısa öz ve yeterli aktarılmalıdır. Eğitime hasta ile birlikte yakınları da katılmalıdır.

Eğitime yeterli zaman ayrılmalı, eğitim sürekli olmalı ve hedeflere ulaşılıp ulaşılmadığı değerlendirilmelidir. Eğitim için kullanılacak TV, radyo, broşür, konferans, uygulama vb. kaynaklar hastaya uygun olmalı ve doğru kullanılmaları sağlanmalıdır. Sağlık hizmeti verenler eğitim verebilecek şekilde donatılmalıdır. Eğitim ekibi tutarlı, istekli, bilgili, güvenilir, yumuşak ve saygın olmalıdır. Hastaların sorularına yeterli zaman ayrılmalı, hasta ve eğiticiler belli bir düzen içinde denetlenmelidir. Hastanın denetlenmesinde yargılama değil, duygu paylaşımı esas alınmalıdır.

Diabetes Mellituslu Eğitiminin Temel Bileşenleri

Yaşamsal beceriler: Hipo ve hiperglisemi yönetimi, hastalık durumunda yönetim, ilaç uygulama, kendi kendini izleme, ayak bakımı.

Bilinmesi Gereken Konular: Hastalık süreci, beslenme yönetimi, fizik aktivite ve egzersiz, ilaç yönetimi, kendi kendine izlem, akut komplikasyonlar, kronik komplikasyonlar, risk azaltma, hedef belirleme, problem çözme, psiko-sosyal uyum, gebelikte diyabetin yönetimi, diyabetlinin hakları ve sosyal destek kaynakları

Diyabet Egitimi Süreci

Diyabet egitimi diyabetli ve egitici arasında karsilikli etkilesim ve işbirlikçi ilişkilere dayalıdır.

Eğitimin Aşamaları: Diyabetlinin eğitim gereksinimleri belirlenir. Bu nedenle bazı özellikler tanılanmalı ve tanılama sürekli olmalıdır. Bunlar; tıbbi öyküsü, kültürel etkiler, sağlık inançları ve tutumları, diyabet bilgisi, öz bakım becerileri, öğrenme isteği, hazır oluşluğu, bilişsel algıları, fiziksel engelleri, gelir durumudur.

Diyabetlinin amacı tanımlanır. Eğitsel ve davranışsal girişimler uygulanır. Diyabetliye tanımlanan amaca ulaşması için yardım edilir. Esnek öğretim programları uygulanır. Diyabetliden uyulması istenen tedavinin karmaşıklığı arttıkça, diyabete uyumu azalır.

Davranış ve yaşam biçimi değişiklikleri için danışmanlık becerileri kullanılır. Görüşme için rahat ve güvenli bir ortam hazırlanır. Dostça ilişki kurulur, beden dili kullanılır. Açık uçlu sorular sorulur. Eğitime aktif katılması için cesaretlendirilir. Doğru olan uygulamaları için ödüllendirilir. Az ve öz bilgi verilir, basit bir dil kullanılır. Gereksiz yönde ümitlendirilmez. Birey adına karar verilmez. Sonuç olarak tanımlanan yönetim amaçlarına ulaşılıp ulaşılmadığı değerlendirilir.

Diabetli Bireyin Beklentileri: Diyabetli birey eğitimin kendi deneyimleri ile bağlantılı olmasını ister. Eğitime etkin olarak katılmak ister. Eğitimde çeşitlilik ister. Olumlu geribildirim verilmesini ister. Kişisel kaygısı vardır, güvenli bir ortama gereksinim duyar. Herkesten farklı bilgi, görgü ve deneyime sahip özgün bir birey olarak görülmek ister. Özgüveninin korunmasını ister ve eğitimcilerden beklentileri yüksektir.

Diabet Eğitim Programı Konuları

Diyabet eğitim programı; diyabeti anlamak, diyabet nasıl tedavi edilir, hipoglisemi ve hiperglisemi, beslenme ile uyum, diyabet ve egzersiz, insülin uygulama teknikleri, diyabetin kontrolü ve izlenmesi, kan şekerini ölçme teknikleri, bireysel danışmanlık, diyabetin komplikasyonları, diyabetlinin hedefleri, diyabetli ayak bakımı ve özel durumlarda bakım konularını içermelidir.

Eğitilmiş Diabetlinin Değerlendirilmesi

Hastalık sürecini ve tedavi seçeneklerini açıklayabilmeli, beslenme yönetimini yaşam tarzı haline getirebilmeli, fiziksel aktiviteyi yaşam tarzı haline getirebilmeli, eğer kullanıyorsa kullandığı ilacın tedavi edici etkisini bilmeli, kan şekeri ve idrarda keton düzeyini izlemeli ve sonuçlarını diyabetin kontrolü için kullanabilmeli, akut komplikasyonların önlenmesi, tanımlanması ve tedavisini bilmeli, kronik komplikasyonları davranış değişimi ile önleyebilmeli, tanı ve tedavisi konusunda bilgili olmalı, günlük yaşamında problem çözme ve sağlığı geliştirme hedefleri olmalı, psiko-sosyal uyumu günlük yaşamına katabilmeli, gebelikten önce ve gebelikte diyabetini yönetebilmelidir.

Eğitici Eğitimi

Eğiticiler diyabet eğitimi ve yönetimi konusunda yeterli bilgiye sahip olmalıdır. Bu nedenle yapılandırılmış bir kurs programına ve sürekli eğitim programlarına katılmaları gereklidir.

Eğitici eğitimi programında da; diyabetin tanımı, diyabetin belirti ve bulguları, risk faktörleri, hipo ve hiperglisemi belirti ve bulguları ve acil girişimler, kan şekerinin izlenmesi, ilaç yönetimi, egzersiz, beslenme sorunları öğün ve ara öğün önerileri yer almalıdır.

Eğitim Sonunda Yanıtlanması Gereken Sorular
- Diyabetli hastalığının yönetiminde sorumluluk alıyor mu?
- Tedavisinin faydaları ile ilgileniyor mu?

- Majör tedavi engellerini algılıyor mu?
- Hasta, insülin tedavisi test sonuçlarını yorumlama, beslenme egzersiz, yaşam biçimi değişiklikleri ile ilgili ve hastalık olası durumunda bireysel yönetimi ile ilgili gerekenleri yapıyor mu?
- Hasta hipoglisemiyi önleme ve tedavi etme konusunda etkili bireysel yönetimi gerçekleştirebiliyor mu?
- Etkili bir biçimde tıbbi beslenme tedavisini ve ilaç tedavisini sürdürebiliyor mu?
- Kan ve idrarını düzenli olarak test ediyor mu ve sonuçlara uygun bakım düzenlemelerini yapıyor mu?
- Diyabetin hastanın yaşam biçimi üzerine olumsuz etkileri var mı?
- Hastanın diyabete bağlı anksiyetesi, depresyonu, kötümserliği vb. duyguları var mı?
- Ailesinden, arkadaşlarından ve yakın çevresinden yeterli destek görüyor mu?
- Hastanın kan glikoz değerleri konusunda hedefleri gerçekçi mi?
- Hasta uygun hedefleri elde ediyor mu?
- Hasta düzenli tıbbi izlemi kabul ediyor mu ve sürdürüyor mu?

Sonuç olarak diyabet bakım kalitesini geliştiren, kişinin bireysel yönetimini başarmasını sağlayan temel yaklaşım eğitimdir. Hastanın ne söylediğini dinleyerek, amacı belirli, problem çözücü tavır içinde, dinamik öğrenme ve becerme ve beceri geliştirmeye yönelik eğitimler programlamak diyabet hemşiresinin rol ve sorumlulukları içerisinde yer almaktadır.

c. Diabetes Mellitusun Akut Komplikasyonları

Kontrolsüz kan glikoz düzeyleri, kısa süreli; akut veya uzun süreli metabolik komplikasyonlara, bazen ölüme neden olabilir. Bu problemlerin çoğu önlenebilir veya problemler tanımlanır ve hemen tedavi edilirse azaltılabilir.

Kan glikoz seviyelerinin kontrolsüz olarak olması gereken değerlerin dışına çıkması ile oluşan hipoglisemi ve hiperglisemi diyabetin akut komplikasyonlarıdır.

Hipoglisemi

Hipoglisemi, glikozun plazmada 60 mg/dl, kapiller tam kan örneğinde 50 mg/dl altına düşmesi olarak tanımlanabilirse de bazı diyabetliler kan şekerleri daha yüksek olduğunda bile hipoglisemi belirtilerini algılayabilirler. Örneğin 300 mg/dl'den 150 mg/dl'ye hızlı olarak düşmesi sonucu hipoglisemi belirtileri algılanabilir. Yaşlılarda 100 mg/dl'den daha düşük bir kan şekeri hipoglisemiyi düşündürür.

İnsülinle tedavi edilen diyabetliler, iyi eğitim almamış, beslenme ve insülin ayarlamaları iyi yapılmamışsa hipoglisemiye girebilmektedirler. Yoğun insülin tedavilerinde glikoz düzeyinin daha düşük değerlerde olması hedeflendiğinden hipogliseminin sıklığı daha fazladır. Yapılan çalışmalarda insülin ile tedavi edilen diyabetlilerde ölüm nedenlerinin %4'ünü hipoglisemilerin oluşturduğu belirlenmiştir. Sülfonilüre kullanımına bağlı hipoglisemi sıklığı %20 civarında bildirilmiştir. Ayrıca Tip 2 diyabetlilerde aşikar diyabet ortaya çıkmadan önceki yıllarda postprandiyal hipoglisemi de sık görülmektedir.

Etiyoloji

Çok fazla insülin veya OAD ilaçların alınması, çok az yiyecek alınması; ana veya ara öğünlerin atlanması, kaçırılması veya yanlış zamanlarda yenmesi, aktivite artışı, ilaç değişikliği, insülin enjekte edilen bölgenin değişmesi, insülinin derine yapılması, insülin yapılan bölgenin enjeksiyon sonrası fazla kullanılması, alkol kullanılması, kadınlarda menstruasyon başlaması, sindirim güçlüğü ve

Tablo 38.8: Hipoglisemi Bulguları ve Tedavisi

Şiddeti	Klinik Bulgular	Tedavi
Hafif	*Hafif nörojenik ve nöroglikopenik bulgular.* Açlık hissi, titreme, sinirlilik, huzursuzluk, terleme, dudakta ve ciltte karıncalanma solukluk, baş ağrısı, çarpıntı hissi ve taşikardi. Dikkat ve algılamada azalma	Meyva suyu, şekerli limonata, Hipoglisemi çok hafifse ve normal yemek zamanından 15-30 dk önce olmuşsa planlanan yemeğini yiyebilir..
Orta	*Orta derecede nöroglikopenik ve nörojenik bulgular.* Başağrısı, karın ağrısı, davranış değişikleri, saldırganlık, çift veya bulanık görme, konfüsyon, uyuşukluk, konsantrasyon ve yürüme güçlüğü, konuşma zorluğu, taşikardi, dilate, pupil, solukluk, terleme	10-20 gram hızlı emilen karbonhidrat ve arkasından ara öğün verilir.
Ağır	*Şiddetli nöroglikopeni.* Aşırı yönelim bozukluğu, oryantasyon bozukluğu, cevap yetersizliği, bilinç kaybı, fokal veya jeneralize Konvülsiyon	*Hastane dışında:* Glukagon (SC, IV, IM.) yapılır. • < 5 yaş: 0.5 mg • > 5 yaş: 1.0 mg. Cevap yoksa 10 dk içinde bir kez tekrarlanır. Daha sonra karbonhidrat verilir ve yakın takibe alınır.

(Yazar tarafından geliştirilmiştir).

mide boşalmasının gecikmesi, nonselektif beta blokerler, aspirin, pentamidin, kinin, haloperidol, paraaminobenzoik asit, klorpromazin gibi ilaçların kullanımı hipoglisemiye neden olur.

Klinik Belirtiler

Hipoglisemi belirtileri, Tablo 38.8'de görüldüğü gibi hipogliseminin hafif, orta veya ciddi olup olmamasına bağlı olarak değişebilir. Hipoglisemi genellikle aniden ve özellikle de, yemeklerden önce, ağır bir egzersiz sırasında veya sonrasında, insülin etkisinin en üst noktaya çıktığı saatlerde, bazen uyku sırasında görülür. Hipoglisemi belirtilerini hissetme diyabetliler arasında farklılık gösterebilir. Ancak çoğu diyabetli her zaman aynı hipoglisemi belirtilerini hisseder.

Tanı

Hipoglisemi tanısı için sadece kan glikoz düzeyinin düşük olması yeterli değildir. Geleneksel anlamda hipoglisemi "Whiple Triadı" ile tanımlanmaktadır. Bu triada göre, kan glikoz düzeyinin düşük olması (biyoşimik kriter <55 mg/dl), klinik belirti ve bulguların varlığı ve glikoz verilerek normal kan glikoz seviyesine ulaşılınca bulguların düzelmesi durumu görülür.

Koma halinde acile gelen hastalardan hemen kan ve idrar örnekleri alınır. Daha önceden diyabet tanısı almamışsa, kan glikozu ve olası nedenleri dışlamak için karaciğer ve böbrek fonksiyon testleri yapılır. İnsülinomalarda proinsülin düzeyinin insülinden %30 daha fazla bulunması ve IV insülin verilirken ölçülen C peptid düzeylerine bakılarak insülinoma tanısını kesinleştirir. Bu tetkikten sonra Bilgisayarlı Tomografi (BT) ve Manyetik Rezonans Görüntüleme (MRI) gibi yöntemlerle adenomun yeri saptanır.

Tedavi

Hafif ve orta derece hipoglisemi tedavisi 10-20 gr hızlı emilen karbonhidrat ağızdan alınması, arkasından daha yavaş emilen karbonhidrat içeren ara öğün yenmesi ile yapılır. 10-20 gr karbonhidrat kan glikoz düzeyini ortalama 30-60 mg/dl yükseltir. Şiddetli hipoglisemi tedavisinde ise glukagon veya intravenöz glükoz solüsyonları kullanılır. Hipoglisemi tedavisi sonrasında kan şekerinin bir süre daha izlenmesi ve normoglisemi sağlandığından emin olunması gereklidir. Hipoglisemi bulguları ve Tedavisi Tablo 38.8'de özetlendi. Hafif-Orta hipoglisemi belirtilerinde hasta bilinçli ve yutabiliyorsa 10-20 gr karbonhidrat verilir; 4-8 adet kesme şeker, 100 ml meyve suyu veya kola, üç çay kaşığı bal veya şekerli su genellikle 10-15 dakikada kan şekerini yükseltirken aynı miktar karbonhidrat içeren yarım fincan dondurma, 1 su bardağı süt ve çikolata bar 1-1.5 saat sonra kan şekerini yükseltir. Bu nedenle öncelikle hızlı emilen karbonhidratlar seçilmelidir.

Yanıtsız yutamayan veya yutmak istemeyen hastalarda tedavi; Intramuskuler (IM) veya Subkutan (SC) olarak Glukagon uygulanabilr veya hastanede %20'lik glikoz perfüzyonu verilebilir.

Bakım

Nazogastrik veya gastrik tüple beslenen hastalarda soda, gazoz gibi likit glikoz ve su verilir, beslenme tüpünü tıkayabileceğinden dolayı meyve suyu kullanılmamalıdır. Eğer hasta komada ise; hava yolu açıklığı sağlanır, damar yolu açılır, kardiyopulmoner sistem değerlendirilir. Glikometre ile kan glikozu ölçülür. Mesaneye ve mideye kateter yerleştirilir, aldığı çıkardığı takibi yapılır, arteryel kan gazlarına bakılır. Gerekirse oksijen inhale edilir. 30 dakika aralarla yaşam bulguları kontrol edilir. Bir-iki saat aralarla biyokimyasal tetkikler tekrarlanır. SVB izlemi ile dehidratasyon izlenir. Yaşlı hastalarda mortalite %5-10' dur.

Hipoglisemide Hasta ve Aile Eğitimi

Önlenmesine Yönelik: Evde bireysel kan glikoz izleminin düzenli yapılması ve yorumlanması, öğünlerin içerik ve zamanına dikat edilmesi, atlanmaması, geciktirilmemesi, egzersiz ile uygun olarak insülin ve gıda alımının düzenlenmesi, aktivite artırıldığında insülin dozunun azaltılması, ilave karbonhidrat alınması söylenir. Glukagon setinin sürekli yanında taşınması, diyabet kimliğinin taşınması, glikoz tabletleri ya da birkaç kesme şeker bulundurulması, Enfeksiyon durumlarında insülin dozunda nasıl değişiklik yapılması gerektiği ve iletişim kurulacak telefon numaralarının öğretilmesini içermektedir.

Tedavisine Yönelik: Hipoglisemi belirti ve bulgularının tanınması, bilincin açık olduğu dönemde oral glikoz içeren tablet ya da sıvıların ve ilave öğünün alınması, glukagon kullanımı ve hipogliseminin olası nedenlerinin kaydedilmesine yönelik girişimleri kapsamaktadır.

Hipoglisemi ve Bazı Özel Durumlar

Yaşlı diyabetlilerin çoğu hipogliseminin belirti ve bulgularını hissetmeyebilir. Bu nedenle özellikle insülin veya sülfanilüre grubu OAD kullanan yaşlı diyabetlilerde uygun sıklıkta kan şekeri ölçümü yapılmalı ve bireye özgü hedef değerler belirlenmelidir.

Anne karnındaki bebek hiperglisemi, yüksek keton düzeyi ve kan şekerindeki oynamalardan hipoglisemiye göre daha fazla etkilenir. Bu nedenle gebe diyabetlilerde kan şekeri düzeyi olabildiğince diyabetli olmayan bir gebe ile aynı seviyelerde tutulmalıdır. Bununla birlikte gebe diyabetliler düşük kan şekerine alışır ve hipoglisemiyi fark edemeyebilirler ve hafif ya da orta derecede hipoglisemiler daha sık görülür. Bu nedenle kan şekeri düzeyinin izlenmesindeki önem daha da artar. Gebe diyabetlilere glukagon yapmak gerekiyorsa önce yarım doz yapılır, 10 dakika içinde yanıt alınamazsa kalan doz tekrar verilir. Bu durum gebe diyabetlilerin yakın çevresine açıklanmalıdır.

Diyabetliler yalnızken ağır egzersizlerden kaçınmalı, egzersiz için mutlaka birilerinin olduğu spor salonları veya yüzme havuzları tercih edilmeli, bisiklete binme ve koşuda mutlaka bir arkadaşla birlikte olmalıdır. Egzersizden önce bir ara öğün almalı, egzersiz sırasında hipoglisemi belirtileri hissediliyorsa, egzersize ara verilmeli, hemen kan şekeri ölçülüp çabuk etkili bir karbonhidrat alınmalıdır. Egzersize devam edilmek isteniyorsa 15 dk dinlenip bir ara öğün alındıktan sonra devam edilmelidir. Yoğun bir egzersizin etkisi 18 saate kadar uzayabilmektedir, bu nedenle egzersizden sonra da kan şekeri ölçülmeye devam edilmelidir. Egzersiz sırasında hipoglisemi atakları olan ve/veya gece hipoglisemileri olan diyabetlilerde cinsel ilişki sırasında hipoglisemi riski daha yüksektir. Bu durumda insülin ve beslenme düzeyi ayarlanmalıdır.

Alkollü olmakta cinsel ilişki sırasında sonrasında hipoglisemi riskini arttırır. Alınan alkol miktarı ve aç karnına alkol almak hipoglisemi geçirme olasılığını arttırır. Alkol kan şekeri düşmeye başladığında karaciğerden glikoz salınımını azaltır. Bu nedenle gece alkol alındıktan sonra birkaç saat bir şey yenmez ise, sabahın erken saatlerinde önemli bir hipoglisemi riski olabilir. Alkol alırken öğünleri kaçırmamak ve düzenli atıştırmak önemlidir. Hipoglisemi belirtileri sarhoşluğa benzediği için çevredekiler tarafından hipogliseminin tanınması güçleşebilir. Bu nedenle diyabetlinin çevresindeki bireyler bilgilendirilmelidir. Bir gece önceden fazla miktar alkol alındıysa sabah kan şekeri düşük bulunabilir, gerekirse insülin dozu ayarlanmalı ve mutlaka kahvaltı yapılmalıdır.

Hipoglisemi sırasında oluşan taşikardi eğer bir kalp rahatsızlığı varsa tehlikeli olabilir. Bu durumda düzenli kan şekeri izlenmelidir. Kan şekerinin hafifçe yüksek olması hipoglisemiye tercih edilebilir.

Diyabetik Ketoasidoz (DKA)

DKA, hiperglisemi, hiperketonemi ve asidoz ile seyreder. Genellikle Tip 1 diyabetli hastalarda ortaya çıkarsa da bazı özel durumlarda Tip 2 diyabetlilerde de görülmektedir. Vakaların %10'u ilk tanı, %90'ı daha önce diyabetik olduğu bilinenlerde görülmektedir. Diyabetlilerin %8.6 sı DKA nedeniyle hastaneye yatmakta ve %5.4'ü de yoğun bakıma gereksinim duymaktadır. DKA saatler veya günler içinde ortaya çıkar, belirtileri gittikçe ağırlaşır. Hiperglisemi belirti ve bulgularının erken farkedilmesi ve tedaviye uyumun sağlanması ile DKA önlenebilir.

Etiyoloji

İnsülinin kesilmesi veya yapılmaması, günü geçmiş veya bozulmuş insülin kullanımı gibi mutlak insülin eksikliğine bağlı olarak ya da stresler, hastalık halleri, alkolizm, gebelik, hipertroidi, cushing sendromu gibi bazı faktörlerde insülin gereksiniminin artmasına bağlı olarak DKA gelişimi kolaylaşır. Diyabetik ketoasidoz, glikoz, yağ ve protein metabolizmasının kompleks bir bozukluğu olup semptom ve bulgular primer olarak karbonhidrat ve yağ metabolizması bozukluğuna bağlıdır. İnsülin eksikliği, insülin karşıtı hormonların artması ve dehidratasyon en önemli faktörlerdir. Oluşan belirgin hiperglisemi ozmotik diüreze, idrarla aşırı miktarda su, Na ve K kaybına, karaciğerde keton sentezi ve salınmasında artışa bağlı asidoz ile hacim azalmasına yol açar. Başlıca keton cisimleri olan asetoasetik asit ve beta-hidroksibütirik asit atılımında belirgin artışlar sodyum ve potasyum kaybına neden olur. Asetoasetik asitin spontan dekarboksilasyonundan oluşan aseton plazmada birikir ve solunum ile atılır. DKA'da anormal ketogenez insülinin yağ dokusundan salınan serbest yağ asiti ve karaciğerde serbest yağ asitinin oksidasyonu ve ketogenezi üzerindeki normal düzenleyici etkisinin kaybolmasından kaynaklanır.

Klinik Belirtileri

Asidoz tablosuna ilişkin belirtiler daha önce diyabetli olduğu bilinmeyen bir kişide günler hatta haftalar önce başlar ve yavaş yavaş ilerler. Ancak tip 2 diyabetlilerde 12-18 saat gibi kısa sürede de ortaya çıkabilir. Kötü kontrollü diyabetlilerde ağız kuruluğu, halsizlik, iştahsızlık gibi klasik semptomlar vardır ve bunlar katabolik duruma ve dehidratasyona bağlıdır. Belirgin kilo kaybı olur. Daha ileri evrelerde bulantı ve kusma eklenir. Bu durum dehidratasyonu daha da ağırlaştırır. Bulantı ve kusma; keton cisimlerinin santral etkilerine, birlikteki elektroklit denge bozukluğu sonucu ortaya çıkan gastrik staza ve ileusa bağlıdır. Kas krampları hipopotasemiye bağlıdır. Karın ağrısı, paralize bağırsakta sıvı birikmesine bağlı distansiyon önemli belirtilerden biridir ve akut karın özelliklerini taşıyabilir. Genç hastalarda ketoasidozun tedavisi sonucu bu bulgular hızla geriler. Ketoasidozun bulguları hipotansiyon, dehidratasyon, taşikardi, aseton kokusu ve hiperventilasyondur.

Tanı

Asidoz (arteriyal pH <7.30), anyon açığı artışı, serum ketonu pozitif, serum bikarbonatı 15 mEq/L saptanır. Hiperglisemi düzeyi >250-300 mg/dl dır. Alkolizm, gebelik ve uzun açlıkta hiperglisemi olmayabilir. İlerleyen saatlerde potasyum düzeyi düşer. Tanı testlerinde AKŞ, Sodyum potasyum, klor gibi elektrolitler, kan gazları, plazma ve idrar ketonuna bakılır. Anyon açığı ve ozmolorite durumu değerlendirilir. Nedeni tetikleyici faktörleri belirleyen

Metabolik ve Endokrin Sistem

Tablo 38.9: Diyabetik Ketoasidozlu Hastanın Bakımı

Sorun	Girişimler
Hiperglisemi	• Hasta için uygun sıklıkta açlık-tokluk kan şekeri, idrarda şeker, aseton takibi yapılacak • Hiperglisemi belirtileri izlenecek • Aldığı-çıkardığı sıvı ve kilo kontrolü yapılacak • Dehidratasyon belirti-bulguları yönünden izlenecek • Sakıncası yoksa oral sıvı alımı arttırılacak • Boyu, kilosu ve günlük aktivite düzeyi ile uyumlu besin alımı sağlanacak • Uygun egzersiz programı planlanarak aktivite düzeyi arttırılacak (yeni geçirilmiş göz içi kanamalarında ve idrarda aseton (+) olduğunda egzersiz önerilmez istirahat gereklidir). • İlaç tedavisi doktor istemine uygun ve düzenli olarak sürdürülecek • Hastanın gereksinimi doğrultusunda planlanmış eğitim uygulanacak • Tedavi ve bakıma hastanın katılımı ve uyumu sağlanacak
Bulantı-kusma	• Çıkartılar miktar, içerik, renk açısından kayıt edilecek • Bilinç kapalıysa aspirasyonu önlemek için pozisyon verilecek • Sıvı-elektrolit takibi yapılacak • Her kusmadan sonra ağız bakımı verilecek • Hekim istemine göre antiemetik verilecek, elektrolit replasman tedavisi sürdürülecek • Bulantı-kusma geçinceye kadar ağızdan beslenmeyecek
Elektrolit dengesizliği (K, Na, Cl)	• Yaşam bulguları (özellikle nabız hızı ve ritimi) kontrol edilecek • Plazma elektrolit değerleri izlenecek • Hiponatremi, hipopotasemi ve hipokloremi belirtileri yönünden hasta izlenecek • Hekim istemine göre elektrolit replasman tedavisi yapılacak • Nedene yönelik girişimler planlanıp uygulanacak
Sıvı volümünde (dehidratasyon)	• Yaşam bulguları izlenecek • Aldığı-çıkardığı izlenecek • Elektrolitleri izlenecek • Dehidratasyon belirtileri izlenecek • Cilt kuru ve temiz tutularak travmalardan korunacak • Aralıklı ağız bakımı verilerek oral mukoza korunacak • Hekim istemine göre parenteral ve oral sıvı alımı düzenlenecek
Vücut ısısında değişiklik (hipertermi)	• Vücut ısısı ve diğer yaşam bulguları izlenecek • Enfeksiyon şüphesi varsa kültür (kan, idrar, balgam vb.) örneği alınacak • Fazla giyinmesi ve örtünmesi engellenecek ve ortam ısısı ayarlanacak • Soğuk uygulama yapılacak • Hekim istemine göre antipiretik verilecek • Hekim istemine göre nedene yönelik tedavi sürdürülecek
Gereksinimden az beslenme	• Hasta bilinçsiz ise; hekim istemi ile nazogastrik sonda takılacak • Hasta bilinçli ise; bulantı-kusma geçince oral beslenmeye geçilecek • Diyetisyenle işbirliği yapılarak uygun kaloride beslenme planı sağlanacak • Beslenme konusunda eğitilecek
Hipoglisemi	• Düzenli olarak kan şekeri izlenecek • Hipoglisemi belirtileri gözlenecek • Kan şekeri 230 mg/dl ise yavaş olarak dekstroz perfüzyonuna başlanacak • Bulantı geçer geçmez oral beslenmeye başlanacak • Bilinçsiz ise nazogastrik sonda takılacak

(Yazar tarafından geliştirilmiştir).

Testler için; boğaz kültürü, kan kültürü ve sedimenti, kan sayımı, akciğer filmi ve Elektrokardiyografi (EKG) çekilir.

Tedavi

Diyabetik ketoasidoz tedavisinin temel hedefleri, sıvı elektrolit dengesinin sağlanması, kan şekerinin düşürülmesi ve altta yatan sorunların tedavisidir.

Sıvı Tedavisi: İzotonik NaCl olarak ilk altı saatte 6 lt, sonraki sekiz saatte 2 lt, devamındaki sekiz saatte de 1 lt olarak planlanır. İki saat sonra sistolik kan basıncı 100 mmHg altında ise tedaviye yeni serumlar eklenir. Kalp hastalığı varsa Santral Venöz Basınç (SVB) izlenir. Özellikle yaşlılarda sıvı yüklenmesine karşı dikkatli olunur.

İnsülin Tedavisi: Regüler insülin 0.3ünite /kg/saat dozu ile yaklaşık 20 ünite yükleme dozu yapılır. Sonrasında 0.1 ünite/kg/saat hesabıyla yaklaşık 48 ünite saatte idame tedavisine geçilir. 2 saat içinde istenen iyileşme olmazsa; infüzyon sistemi kontrol edilir, çift doz uygulanır. Kan şekeri normale dönünce dozlar azaltılır ya da arası açılır.

Potasyum: replasmanına insülin tedavisinden itibaren 20 mmol /saat verilir. Potasyum düzeyi 4mmol/L'den düşük ise, uygun dozda tedaviye devam edilir. 6.0 mmol /L'nin üzerine çıktığında infüzyon durdurulur. 2 saatte bir potasyum kontrolü yapılır. EKG düzenli olarak izlenir. pH düzeyi 6,9'un altında ise, **bikarbonat** tedavisine başlanır. 20 mmol potasyum ile 100 mmol bikarbonat 30 dakikada verilir. 30 dakika sonra potasyum ve kan gazı ölçülür.

Enfeksiyon Tedavisi İçin; idrar testi, akciğer grafisi, kan kültürü istenir. Lökositoz ve vücut ısısına güvenilmez. Emin olunmasa da antibiyotik kullanılır. Kan şekeri 230 mg/dl'nin altında ise; Glikoz-İnsülin-Potasyum (GİK) solusyonu uygulamaya başlanır: 500 ml %10'luk dekstroz + 24 ünite insülin + 20 mmol K; 80 ml / saat hızda, insülin dozu değiştirilerek kan şekeri 180-230 mg/dl arasında tutulur. Ağızdan beslenmeye başlayınca insülin SC olarak verilir. Hasta komada ise NG tüp uygulanır. Üç saat içinde idrara çıkmazsa mesane sondası konur. Komada, hiperozmolar durumda veya diğer risk faktörleri varsa heparinize edilir.

Hiperglisemik Hiperozmolar Nonketotik Koma (HHNK)

Diyabetin ketoasidoz olmaksızın ileri derecede hiperglisemi, plazma hiperosmolalitesi, dehidratasyon ve mental değişikliklerle karakterize bir komplikasyondur. Mortalite oranı %40-70'dir. Hastaların çoğu orta yaşın üzerindedir. Hiperglisemik diüreze bağlı sıvı kaybını karşılayacak kadar yeterli su içmemeleri sonucu ortaya çıkar.

Glikoz yapımı ile atımı arasında bir dengesizlik vardır. Hiperglisemiden sorumlu hormon DKA'da olduğu gibi glukagondur. Portal vende glukagon / insülin oranının yüksekliği karaciğerde glukoneogenezisi ve glikojenolizi artırır ve aşırı hiperglisemiye neden olur. HHNK durumunda hipergliseminin yol açtığı osmotik diürez, su kaybı, dehidratasyon ve hiperosmolariteye neden olur. Dehidratasyon ve hipovolemi glukagon, kortizol ve katekolaminler gibi kontrregülatuvar hormonların salınımı artırır, diğer taraftan hipopotasemi insülin salımını bozarak hiperglisemiyi ağırlaştırır. Ayrıca hipovolemi sonucunda renal kan akımı ve idrar hacminin azalmasıyla gluko klirensi de azalır. İntrasellüler dehidratasyon sonucu Santral Sinir Sistemi (SSS) fonksiyonlarının bozulmasına yol açar. Sıvı alımı ve idrar hacmi daha da azalır ve glisemi yükselmeye devam eder.

Etiyoloji

Pnömoni, septisemi, üriner infeksiyon, gastroenterit ve akut viral enfeksiyonlar, miyokard infartüsü, serebrovasküler olaylar, üremi, kusma, insülin tedavisinin kesilmesi, diüretikler, simetidin, klorpromazin ve çeşitli sitotoksik ajanların alnması HHNK oluşumunu kolaylaştırır.

Klinik Belirtiler

Hastada poliüri, polidipsi, halsizlik, ileri derecede dehidratasyon nedeniyle, baş dönmesi, yorgunluk, ağızda, ciltte kuruluk ve kızarıklık, deri turgorunun azalması, kilo kaybı, göz kürelerinde yumuşama, ortostatik hipotansiyon görülür. Gastrik distansiyon, ileus, hematemez, nörolojik belirtiler arasında tremor vardır. Biliç düzeyi hafif bozukluk ile derin koma arasında değişir.

Tanı

Plazma glikoz konsantrasyonu DKA'dan daha yüksektir (600-1200 mg/dl), plazma osmolalitesi yükselmiştir, >360 mOsm/l, plazma HCO3 ve arteriyel pH değerleri genellikle normaldir. Glikozüri fazladır, ketonüri çok az veya yoktur. Serum sodyum düzeyi yüksek, normal ya da düşük olabilir. Serum potasyumu dikkate alınmaksızın, total vücut potasyum kaybı 400-1000 mEq civarındadır. Kan üre azotu ve kreatinin düzeyleri yükselmiştir.

Tedavi

Sıvı Tedavisi: Sıvı açığı DKA' dan fazla 10 lt veya daha fazla olabilir

İnsülin Tedavisi: 10-30 ünite regüler insülin IV veya ½ IV, ½ IM/ her 4 saate bir kan şekeri 250 mg/ dl oluncaya kadar

Potasyum Tedavisi: K>5 mEq/L olacak şekilde 10-20 mEq / saat hızında verilir

Bikarbonat Tedavisi: Yapılmaz veya gerekli olmaz

Diğer Tedaviler: Enfeksiyon varsa uygun antibiyotikler, tromboembolitik olaylardan korunmak için düşük doz heparin verilir.

Bakım

HHNK' lı hastalarda diyabet dışı sorunlar DKA'ya göre daha sıktır ve bu hastalar genellikle yaşlı hastalardır. Genel bakım prensipleri DKA'ya benzer. Ancak sıklıkla bilinç bulanıklığı da birlikte görüldüğü için bilinci kapalı hastanın bakımının bilinmesi ve uygulanması gerekir.

d. Diabetes Mellitusta Uzun Dönem Komplikasyonları

Uzun yıllardır diyabet olan, özellikle kan şekeri kontrolünü sağlayamayan diyabetlilerde kronik komplikasyonlar adını verdiğimiz bazı komplikasyonlar ortaya çıkabilir.

Kronik komplikasyonların ortaya çıkışı ile kan şekeri kontrolünün yakın ilişkisi vardır.

1983-1993 yılları arasında 1441 tip 1 diyabetli ile yapılan çalışmanın sonuçlarına göre; yoğun insülin tedavisi; günde dört kez insülin kullanan ve kan şekerinin daha sık aralarla kontrol edildiği diyabetlilerde diyabet kontrolünün iyileşmesine bağlı olarak diyabete bağlı göz bozukluğu olan retinopatide %34-76 diyabete bağlı sinir harabiyeti olan nöropatide %60 ve diyabete bağlı böbrek hastalığı olan nefropatide %35-56 oranında azalma saptanmıştır.

Bu sonuçlar göstermiştir ki kan şekeri daha iyi kontrol edilen diyabetlilerde, diyabete bağlı göz, böbrek ve sinir bozuklukları çok geç ortaya çıkmakta, daha yavaş ilerlemekte ve daha hafif seyretmektedir. Bu çalışmanın sonuçları tedavide çığır açmış, tedavinin hedeflerini saptama, hastayı izleme konusunda yeni hedefler oluşturmuştur. Kan şekeri kontrolü yanında yüksek tansiyon, kan yağları, lipid, kolesterol, trigliserid değerleri ve beslenme şekli de kronik komplikasyonların ortaya çıkışında önem taşır.

Diyabet iyi takip ve tedavi edilmediğinde yıllar içinde çeşitli organların ve sistemlerin çalışmasını etkileyebilmektedir. Kanda aşırı miktarda biriken şeker çoğunlukla kan dolaşımı sistemi içinde kaldığından küçük ve büyük damarları ve sinirleri etkilemektedir. Küçük kan damarları yani kılcal damarların hasara uğraması durumunda **mikrovasküler** bozukluklar, büyük kan damarları yani ana damarların hasara uğraması durumunda **makrovasküler** bozukluklar, periferik sinirlerin hasara uğradığı durumlarda **diyabetik nöropati,** ayaklarda ortaya çıkan bozukluklar için de **diyabetik ayak** tan söz edilir.

Makrovasküler bozukluklar; **a**teroskleroz **olarak bilinen hızlanmış** damar sertliği olarak da tanımlanabilir. Burada damarlarda ateroskleroz, hipertansiyon, kalbi besleyen koroner damarlarda; iskemik kalp hastalıkları, miyokard infarktüsü, beyin damarlarında tıkanma ve kanamaya bağlı olaylar; inme, iskemik felç gibi serebrovasküler atak vardır. **Mikrovasküler bozukluk ise;** Gözün damar tabakası retinanın bozuklukları ; **Diyabetik Retinopati, b**öbreklerdeki kılcal damar hasarına bağlı bozukluklar ; **Diyabetik nefropati, p**eriferik sinirlerde görülen harabiyet sonucu ; **Diyabetik nöropati** ve **Diyabetik ayak** olarak ortaya çıkar.

Makrovasküler Komplikasyonlar

Makrovasküler komplikasyonlar büyük damarlarda meydana gelen değişiklikleri tanımlamak için kullanılır. Kalpte Koroner Arter Hastalığı (KAH), İskemik Kalp Hastalığı (İKH) ve Miyokard İnfarktüsü (MI), periferik arterlerde Periferik Arter Hastalığı (PAH) Serebrovasküler sistemde Serebrovasküler Hastalık (SVO-inme, iskemik felç) görülür. Bu komplikasyonlar Tip 2 diyabette önde gelen ölüm sebebidir. Ölüm riski aynı yaşlarda diyabetlilere göre iki-dört kat fazladır. Diyabetlilerin %75'i kardiyovasküler bir hastalık sebebiyle ölmektedir. Diyabetlilerde ateroskleroz daha erken başlar, daha hızlı ve Arteryal alanda daha yaygın ilerler. Miyokard infarktüsü ve koroner by-pass sonrası yaşam azalmıştır.

Makrovasküler Komplikasyonlarda Risk faktörleri

Hiperlipidemi, hipertansiyon, hiperinsülinemi, diyabetik nefropati /mikroalbüminüri, sigara içme, obezite ve ailede İKH öyküsüdür

Kronik Komplikasyonları Erken Tanılamak için;

- *Tanı Sırasında:* Aile öyküsü, kişisel öykü, sigara içimi sorulmalı,
- *Her Kontrolde*: Kan basıncı, vücut ağırlığı, glisemik kontrol değerlendirilmeli,
- *6 Ayda Bir*: HbA1C bakılmalı
- *Yılda Bir Kez*: Total kolesterol, HDL kolesterol, trigliseritler, idrarda albümin; negatif ise mikroalbüminüri ölçümü, kardiyovasküler riskler için EKG ve diğer incelemeler monoflament ile ayakta duyu testi değerlendirilmelidir.

Mikrovasküler Komplikasyonlar
Diabetik retinopati

Diyabete bağlı göz bozuklukları öncelikle çocuklarda ve gençlerde, insülin kullanan diyabetlilerde ortaya çıkar. İlk beş yılda genellikle bir bozukluk olmamaktadır. Göz hastalığı ya da retinopati, yetişkinlerdeki körlük ve göz bozukluğunun önde gelen sebebidir. 15 yıl boyunca diyabetik olan, şekeri kontrolsüz kişilerin %2'si kör olurken, %10'unda ağır görme bozukluğu gelişir. Tip 1 diyabetlilerde tanıdan 10 yıl sonra retinopati görülme oranı %50'dir. Tanıdan 20 yıl sonra Tip 1 diyabetlilerin tümünde Tip 2 diyabetlilerin ise, yaklaşık %60' ında retinopati ortaya çıkar Diyabetik retinopati, göz küresinin arkasında ve aynı zamanda en iç tabakası olan gözün retina (ağ) tabakasındaki damarların hasarıdır.

Görmenin gerçekleşebilmesi için ağ tabakadaki görme hücrelerinin görsel olarak uyarılması ve bu uyarının görme yolları vasıtasıyla beyindeki görme merkezine iletilmesi gerekir. Kısaca ağ tabaka görme yollarının başlangıcında yer alır; burada meydana gelen değişiklikler görmemizi çeşitli derecelerde etkileyebilir. Bu değişiklikler erken dönemde kılcal damarlarda tıkanıklıklar, damar duvarlarından sızıntılar, daha geç dönemlerde anormal yeni damar oluşumları şeklinde ortaya çıkar. Tedavi edilmediğinde görmeye zarar verebilir.

Diabetik Retinopatiyi Etkileyebilen Risk Faktörleri

Diyabetik retinopatinin ortaya çıkmasında çeşitli faktörlerin rolü vardır. Bunlardan en önemlilerini şöyle sıralayabiliriz.

Diyabetin Süresi: Diyabet süresinin artmasıyla diyabetik retinopati gelişme riski de artar.

Kan Şekeri Ayarı: Diyabetik retinopatinin hem ortaya çıkmasında hem de ilerlemesinde en önemli etken olduğu yapılan çeşitli çalışmalarda da ortaya çıkarılmıştır. Yani kan şekeri kontrolü ne kadar iyi olursa komplikasyonların ortaya çıkması azalacak ve ilerlemesi yavaşlayacaktır.

Hipertansiyon: Tek başına retina damarlarında bozukluklara, tıkanmalara neden olabilir. Diyabetik hastalarda retinopatiyi olumsuz yönde etkilediği düşünülmektedir.

Gebelik: Gebelik retinopati seyrini hızlandırabileceğinden, diyabetik retinopatisi olan kadınların yakından izlenmeleri gerekmektedir. En iyisi planlanan gebeliklerin öncesinde gözdibi muayenesi yapılmasıdır.

Görmeyi tehdit edecek retinopati varlığında, lazer tedavisi uygulanarak retinopati kontrol altına alınmalıdır. Plansız gebeliklerde ise, ilk 3 ayda gözdibi muayenesinin mutlaka yapılması ve izlenmesi gerekmektedir. En önemli konu ise, mutlaka gebelik dönemi için hedeflenen kan şekeri değerlerinin sağlanmasıdır.

Puberte: Pubertede de diyabetik retinopati görülme sıklığı ve seyrinin hızlandığı öne sürülmektedir. Burada hormonal değişiklilerin yanı sıra diyabet süresinin artmasının ve kan şekeri ayarındaki düzensizliklerin rolü olabilir.

Diyabet tanısı konduğundan hemen sonra, bulanıklaşan görme yaygındır. Bu çoğunlukla, bu dönemde kandaki glikoz seviyesinin yüksek olmasındandır. Kan glikoz seviyesinin istenilen düzeylere inmesi (hedef değerler) birkaç hafta alabilir. Eğer kan glikoz seviyesi hedef değerlere indiğinde görme bulanıklığı halen devam ediyorsa mutlaka göz dibi muayenesi yaptırılmalıdır. Retinopati çoğunlukla ileri düzeye gelene kadar belirti göstermez ve bundan sonra tedavi daha da güçleşir. Bu nedenle diyabet tanısı konduktan sonra yapılacak göz dibi muayenesi retinopatinin erken tanısı için önemlidir.

Tanı

Gözdibi Muayenesi: Uygun bir göz muayenesi, duvar çizelgesi üzerindeki harfleri okumaktan daha fazlasını içerir. Bu muayene fundoskopi (gözdibi muayenesi) olarak adlandırılır. Gözdibi muayenesi için gözbebeğini (pupilla) genişletmek gerekir. Bu işlem için çeşitli göz damlaları vardır. Genellikle damla damlatıldıktan 15-30 dakika arasında gözbebeği göz dibinin görülmesine olanak sağlayacak şekilde genişler.

Gözbebeği normalde karanlıkta ve loş ışıkta büyür, aydınlıkta küçülür. İlaç damlatıldığında gözbebeği aydınlıkta küçülemeyeceği için, aydınlıkta göz kamaşır. Bu nedenle göze gözbebeğini büyüten bir ilaç damlatıldığı zaman araba kullanılmamalıdır. Bu etki geçicidir. Güneş gözlüğü takmak yardımcı olabilir. Kullanılan ilacın cinsine göre birkaç saatten en fazla bir güne kadar uzayabilir. Göz muayenesi sonucu göz hekimi retinopatinin gelişip gelişmediğini, gelişmiş ise hangi derecede retinopati geliştiğini saptayabilir. Bu muayene ağrılı değildir. Retinopatinin derecesine bağlı olarak retinopatinin ağırlığı ve neden olduğu şikayetler değişebilir. Gözdibinde kanamalar olsa bile erken evrelerde hastaların hiçbir yakınması olmayabilir. Bu nedenle şikayetleri olsun olmasın diyabetliler en az yılda bir gözdibi muayenelerini yaptırmalıdırlar. İlk yapılan gözdibi muayenesinde hastalık saptanırsa gözdibi damarlarının ilaçlı filmi çekilir. Buna Fundus Fluoresan Anjiografisi denir. Bu tetkik te ağrılı değildir. Kolayca yapılabilmektedir.

Göz Muayene Sıklığı: Tip 1 diyabetlilerde, diyabetin başlangıcından 5 yıl sonra ya da puberte sonrasında, yılda bir kontrol edilmelidir. Tip 2 diyabetlilerde tanı konduğunda ve sonrasında yılda bir kontrol edilmelidir. Gebelikten önce, her trimesterin başında, endike ise daha sık doğumdan sonra üçüncü ya da altıncı ayda kontrol edilmelidir.

Diyabetik Retinopatinin Önlenmesi: Diyabetik retinopatiye bağlı körlük, gelişmiş ülkelerde 20-74 yaş arası grupta görülen körlük oranları arasında önemli bir yer tutar. Bu yaş grubunda görülen körlüklerin yaklaşık olarak %20' sinden sorumludur. Ancak bu önlenebilir bir körlük nedenidir. Diyabetlilerde yaşam kalitesini etkileyebilecek görme azalması, erken tanı ve zamanında tedavi ile engellenebilir. Bu nedenle tip 2 diyabetlilerde diyabet tanısı konduğu andan itibaren gözdibi muayenesi yapılmalıdır.

Tip 1 diyabette ise, 10 yaşın altındakilere diyabetik retinopati açısından gözdibi muayenesi şart değildir, ancak 12 yaşından itibaren gözdibi muayenesi gerekmektedir. Her hangi bir sorun saptanmadığı durumlarda muayenenin yılda bir kez tekrarlanması yeterlidir. Gözdibinde retinopati saptananların ise daha sık aralarla izlenmeleri gerekir.

Diyabetik retinopati tek başına bir göz hastalığı değildir. Vücutta kanlanması olan her organı tutabilen sistemik bir hastalığın gözdeki bulgusudur. Bu nedenle seyrinde diyabetlinin kan şekeri kontrolü çok önemlidir. Kan şekeri kontrolü iyi olmayan bir hastada yalnızca gözdibi muayenesi veya lazer tedavisini gerektirecek evreye geldiğinde tek başına bu tedavi yarar sağlamayacaktır.

Tedavi

Lazer Tedavisi: Anjiografide gözdibi damarlarında kanama, serum sızması, yeni damar oluşumu gibi bulgular saptanırsa **lazer tedavisi** yapılır. Radyasyon aracılığı ile kuvvetlendirilmiş ışık anlamına gelen lazer ile günümüzde diyabetik retinopatinin tedavisinde önemli başarılar sağlanmıştır. Görme sorunu olan birçok diyabetli lazer tedavisinden çekinmekte ve gözlük kullanarak bu sorunlarını çözümleyebileceklerini düşünmektedirler. Bu tedavi şeklinde, hasta bir cihaza baktırılır ve verilen lazer ışını ile retina damarları tedavi edilir.

Lazer tedavisi ile gözdibi bozuklukları tamamen iyileştirilmez, yeni bozuklukların ortaya çıkması veya ilerlemesi önlenir. Lazer tedavisi çoğalan retinopatisi olan diyabetlilerin %80'inde görmeyi aynı düzeyde tutar ve bazen iyileştirir. Makulapatisi olan %60 için ise, lazer tedavisi daha kötüye giden durumu önler veya en azından bunu geciktirir.

Lazer tedavisinden sonra hastaların çoğu hafifçe gözlerinde kamaşma olduğunu tarif etmekte ve görmelerinin etkilendiğinden söz etmektedirler. Bu nedenle tedavi sonrası yalnız olmamaları, mümkünse güneş gözlüğü takmaları ve evlerine bir yakını ile birlikte gitmeleri daha uygun olacaktır. Tedavi sonuçlarının ortaya çıkması üç dört ay alabilir. Bazı kişilerde tedavi sonrası maküler ödem gelişebilir. Bu geçici olarak görmenin kötüleşmesine neden olabilir. Birçok kez lazer tedavisi olan hastalarda görmelerinde bazı kayıplar olabilir bunun nedeni lazer tedavisinin retinadaki anormal damarları yakarken, aynı zamanda retinanın sağlıklı kısımlarına da hasar vermesidir. Bazen periferik görme alanı olarak adlandırılan görmenin sınırları azalabilir. Bu merkezi görme iyi olsa bile, araba kullanmak emniyetli olmayabilir anlamına gelmektedir. Kişiler hafif aydınlıkta veya gece görmede zorluk çekebilirler, renkleri karıştırabilirler, gözleri kamaşabilir veya ışığı yanıp söner görebilirler.

Bununla birlikte lazer tedavisi gören birçok insan, çok az görme bozukluğuna sahiptir ve normal hayatlarına devam eder, daha önceki gibi çalışabilir ve araba kullanabilir.

Lazer tedavisinin yapılma zamanı geçtiğinde iyileştirici etkisi daha da azalmaktadır. Daha ileri evrelerde gözün camsı cisminde kanama olursa, vitrektomi ameliyatı ve doğrudan göz içine lazer yapılır.

Vitrektomi: Hemoraji birkaç hafta içinde geçmez veya kişide lazer tedavisi ile giderilemeyecek olan çoğalan retinopati veya retina ayrılması olursa vitrektomi ameliyatı yapılır. Bu ameliyat genellikle genel anestezi ile yapılır ve hastanede kalmayı gerektirir. Sonuçlar retinanın durumuna göre farklılık gösterebilir.

Diabetli Hastaların Katarakt Oluşumu: Katarakt gözün lens kısmının sertleşmesi ve bulutlu olması halidir. Diyabetli bireylerde, diyabetli olmayanlara göre erken yaşta katarakt oluşması ihtimali fazladır. Görme ile ilgili yapmak istediği şeyleri yapamaz duruma geldiğinde katarakt tedavi edilmelidir. Katarakt tedavisi cerrahidir. Lokal veya genel anestezi ile yapılır ve diyabetli bireyler için ameliyat tamamen güvenlidir. Katarakt lazer tedavisini engelleyebileceğinden lazer tedavisi düşünülmeden önce mutlaka katarakt problemi halledilmelidir.

Bakım

Hasta Eğitimi: Diyabetli hastalar semptomlu ya da semptomsuz olarak gelişebilecek ve görme kaybına yol açabilecek retinopati ve diyabet kontrolü ile retinopati arasındaki olası ilişkiler konularında bilgilendirilmeli, retinopatinin doğal gidişi ve tedavisi tartışılmalı, rutin izlemenin önemi vurgulanmalıdır.

Hastalar ile tartışılması gereken bir diğer konu diyabetik nefropatidir. Çünkü nefropati retinopati gelişimini hızlandırabilir, prognozu kötüleştirebilir. Bu nedenle proteinürili hastalarda erken dönemde uygun beslenme ve hipertansiyonun kontrol altına alınması ile tedavi başlatılmalıdır. Yine hipertansiyon, hiperlipidemi, kardivasküler hastalıklar, eklem kontraktürleri ve retinopati arasındaki ilişkiler tartışılmalıdır. Diyabetik hastalar kontakt lensleri güvenle kullanabilirler. Kullanılıp atılan lensler tercih edilmelidir. Diyabetli hastaların araba kullanıp kullanamayacakları retinopatinin derecesine bağlıdır ve genelde nonproliferatif retinopatili hastalar izlem altında olmak koşuluyla sürücülük yapabilirler. Retinopatili hastalar en orta dereceli formda bile, görme kaybını azaltmada, lazer tedavisinin erken dönemde yapılmasının yararları tedavinin akut ve uzun dönemdeki yan etkileri ya da total körlük gelişmişse görme, konuşma ve psikososyal rehabilitasyon programları konusunda bilgilendirilmelidir.

Diabetik Nefropati

Böbrekler, idrarı oluşturan zararlı maddelerin vücuttan atıldığı organdır. Yani kandaki tüm zararlı maddeleri süzen bir filtre olarak görev yaparlar. Böbreklerin içindeki kılcal damar yumaklarına gelen kan, bu maddelerden arındıktan sonra yine vücut kan dolaşımına dönmektedir. Diyabetik böbrek hastalığı dediğimiz **diabetik nefropati** de kılcal damar yumakları kanı tam olarak temizleyemezler ve / veya böbreklerin geçirgenliği arttığı için damar içinde kalması gereken bazı maddelerin idrar yoluna kaçmasına neden olurlar. Diyabetin önemli olan ve yaşam kalitesini bozan komplikasyonlarından nefropati diyabetlilerin yaklaşık %20-50'sinde görülmektedir. ABD'de son dönem böbrek hastalığının en sık nedenidir. Tip 1 diyabetiklerin %30-40'ında, tip 2 diyabetiklerinse %5-10'nun da diyabetik nefropatiye rastlanmaktadır. Erkeklerde kadınlara göre 1.7 kat daha fazladır. Ülkemizde de Türk Nefroloji Derneği Ulusal kayıt Sistemine göre 1991 yılında hemodiyalize giren hastaların %4.7 si diyabete bağlı böbrek Yetersizliği iken 1999 yılında %16,5'a çıkmıştır.

Diyabetlilerin böbreklerinin hasta olduğunu hissetmeleri için epeyce bir uzun sürenin geçmesi gerekmektedir. Düzenli kontrol muayenelerinin amacı erken, herhangi bir yakınmanın bulunmadığı dönemde hastalığın tanısını koyarak geriye döndürebilmektir. Diyabetik nefropatinin tedavisinde bulunduğu evreye göre değişiklikler gösterir. Diyabetik nefropati gelişiminde şu evreler izlenmektedir.

Hiperfiltrasyon; Aşırı Süzme: Bu aşamada böbrekler adeta fazla mesai yapıp zararlı maddelerin tümünü vücuttan atmaya çalışırlar Diyabetin erken döneminde bu aşırı süzmeye tip 1 diyabetlilerin %70'inde tip 2 diyabetlilerin %30'unda rastlanır, ancak bunların %50'sinden azında böbrek Yetersizliği gelişir. Bu aşamada hastada herhangi bir belirti yoktur. Ultrasonografi ile incelendiğinde bu kişilerin böbrekleri normalden büyüktür. Tip 1 diyabetlilerin %20-40'ında GFR (Glomerul filtrat hızı:böbreklerin süzme hızı) yüksekliği görülür. İyi bir tedavi ile kan şekerinin istenen değerlerde tutulması böbrek boyutlarının ve GFR'nin normale gelmesini sağlayacaktır.

Sessiz Evre; Normoalbüminüri Evresi: Bu evrede GFR yüksekliği devam eder ancak idrarda albümin normal orandadır. Egzersiz sırasında mikroalbüminüri görülebilir, glomerullerde yapısal değişiklikler görülebilir. 5-15 yıl kadar sürer, ilk evreden ayırmak zordur.

Nefropati Başlangıç Evresi; Mikroalbüminüri Evresi:
Mikroalbüminüri "albümin" denilen proteinin düşük miktarda idrarla atılmasıdır. Diyabetli olmayan kişiler günde idrarla 25 mg'ın altında albümin atarken diyabetli kişiler günde idrarla 30-300 mg arasında albümin atmaya başlayınca böbrek hastalığının **mikroalbüminüri** dönemine gelmişlerdir. Bu aşamada da hiçbir belirti görülmez. Ancak idrarda yapılacak mikroalbüminüri testiyle (sabah ilk idrar, gecelik idrar veya 24 saatlik idrar) durum ortaya çıkacaktır. İdrarda mikroalbüminüri çıkmışsa böbrek kılcal damar yumaklarında harabiyet vardır ve bu durum kandaki proteinlerin idrar yollarına geçmesine olanak sağlar. Böbrek içindeki basıncın da yüksek olması protein çıkışını kolaylaştırır. Bu dönemde hekim önerisi ile kullanılacak bazı ilaçlar (bazı tansiyon düşürücü ilaçlar) hem genel kan basıncını hem de böbrek içi basıncı düşürerek kılcal damar yumaklarından oluşan süzme ünitesine gelecek hasarı azaltacaklardır. Sonuçta da idrarla albümin atılması azalacaktır. Kan basıncı normal olsa bile böbreklerin korunması amacıyla bu tür ilaçların kullanılması yarar sağlar. Tedavi boyunca da belirli aralıklarla mikroalbüminüri düzeyinin izlenmesi gerekir.

Bu dönemde böbreklerin korunması amacıyla alınacak önlemler arasında ilk sırada kan basıncının ayarlanması ve hipertansiyonun önlenmesi, kan basıncının 130/85 mmHg'nın altında tutulmasıdır. Beslenmede tuz miktarının kısıtlanması, egzersiz yapma, kan şekerini kontrol altında tutma ve beslenmede alınan protein miktarını azaltma önlemleri hipertansiyon tedavisine katkıda bulunur. Aynı zamanda kullanılan ilaçlar da (ağrı kesiciler, antibiyotikler, film çekme sırasında kullanılan radyoaktif maddeler) böbreklere zarar verebilir. Bu nedenle herhangi bir ilacı kullanmadan önce mutlaka danışılmalıdır. Eğer mesane dolu olduğu halde idrar yapamama, idrar tutamama, idrar kaçırma gibi sıkıntılar varsa bunlar konuşulmalıdır, aksi halde bu şikayetlerin giderilememesi böbreklerdeki hasarın artmasına neden olabilir

Klinik Nefropati Evresi; *Makroalbüminüri Evresi:*
Böbrekteki kılcal damar yumağı hasarının artmasıyla birlikte böbreklerden atılan protein miktarı artar. Günde 3.5 gr'ın üstünde olan protein atımı "nefrotik sendrom" olarak isimlendirilir. Albüminin bir görevi kanın sıvı kısmının damar içinde kalmasını sağlamaktır. İdrarla bol miktarda kaybedilen albümin miktarının kanda azalması, kanın sıvı kısmının damar dışına çıkmasına neden olup ödemlerin gelişmesine yol açacaktır. Bu dönemde geri dönüş olmadığı gibi özellikle tip 1 diyabetli olanlarda son dönem böbrek Yetersizliğine gidiş önlenemez.

Bu dönemde ellerde ve ayaklarda şişmeler, karında, akciğerler ve kalp çevresinde sıvı birikimi sonucu yorgunluk ve nefes darlığı gözlenir. Bu aşamadaki korunmada da yine en önemli etken kan şekeri beraberinde kan basıncının kontrolünün sağlanmasıdır. Bunların yanısıra kilo fazlalığı varsa zayıflama, her gün düzenli bir egzersiz yapma ve beslenmede tuzu azaltmak gelmektedir.

Son Dönem Böbrek Yetersizliği Evresi; *ESRD:*
Makroalbüminüri oluşan hastaların 4-5 yıl sonra %50'sinde GFR yarı yarıya azalmakta ve yaklaşık 3 yıl içinde de ESRD gelişmektedir. Bu evrede kanda üre düzeyi yükselmiştir. Diyaliz tedavisi veya transplantasyon uygulanması gerekir.

Bakım
Diabetik Nefropatiden Primer ve Sekonder Koruma Önlemleri: Tuz alımının azaltılması, diyette protein kısıtlaması, düzenli egzersiz ve kilo verme, diyete uyum glisemi ve kan basıncı kontrolünün sağlanması, sigara ve alkol kullanımının engellenmesi için diyabetlide gerekli yaşam biçimi değişikliklerini sağlamalıdır. Ayrıca diyabetik nefropatinin erken tanısında önemli yeri olan mikroalbüminüri ölçümü tip 2 diyabetlilerin tümünde, 12 yaşından sonra tanılanmış tip 1 diyabetlilerde diyabet süresi 5 yıldan fazla olan diyabetlilerde her yıl düzenli olarak yapılması konusunda diyabetli hasta ve ailesini bilgilendirmelidir.

Diabetik Nöropati

Diyabete bağlı sinir hasarı ya da **Nöropati;** diyabetin uzun yıllar sonra, özellikle kontrolsüz seyrettiğinde sinir sisteminde oluşturduğu hasarlardır. En sık görülen organ hasarıdır. Ayakları, bacakları, kolları, elleri, gözleri, kalbi, mide ve bağırsaklar başta olmak üzere sindirim sistemini etkilemektedir. Nöropati diyabetli kişilerin yarısından fazlasını etkiler. Hastalığın süresi uzadıkça gelişme olasılığı artar. Nöropatinin tam nedeni bilinmemekle beraber kan şekerinin yüksekliği veya insülin yetersizliğinin en önemli etkenler olduğu düşünülmektedir. Ayrıca, damarlarda oluşan değişiklikler nedeniyle organlara yeterince oksijen sağlanamaması nöropatiyi arttıran bir etken olarak gösterilmektedir. Genel olarak HbA1c değerlerinin yüksek seyretmesi ve sinirlerde bir şeker olan sorbitol birikmesinin nöropati gelişmesinde etken olabileceği düşünülmektedir.

Nöropatinin belirtileri, vücudumuzun etkilenen bölgesine göre değişiklik göstermektedir. Vücudumuzda 2 tip sinir bulunmaktadır. Bunlar; motor/duyusal ve otonomik sinirlerdir. Motor ve duyusal sinirler vücudumuzdaki tüm kasların hareketini kontrol eder, sıcaklık, dokunma ve acı duyularını hissetmemizi sağlarlar. Otonomik sinirler ise, bizim kontrolümüzde olmadan otomatik olarak vücut fonksiyonlarını düzenlerler.

Otonomik sinirler, akciğerlerden nefes alıp verme, salgı bezlerinden terleme, idrar kesesinden idrar yapma, üreme organlarından cinsel fonksiyonlar, sindirim sisteminden sindirim ve atılma, adrenal bezlerden stres durumunda hormon salgılama, kalp tarafından kalp hızını ayarlama, göz kasları tarafından göz bebeğini açıp kapama hareketlerini yapma gibi vücudumuzun irade dışı çalışan tüm otonomik fonksiyonlarını düzenlemektedirler. Nöropati her iki tip sinirde de oluşabilmektedir.

Klinik Belirtiler

Nöropati sonucu elleri ve ayakları ilgilendiren sinir lifleri tutulmuşsa, halsizlik, uyuşma, karıncalanma, ağrı ve kas kaybı ortaya çıkabilir. Nöropati belirtileri yanma veya uyuşukluk gibi hafif şikayetlerden hissizliğe ve özellikle geceleri artan şiddetli ağrılara kadar farklılık gösterebilir. Nöropati atakları saatlerce ya da sürekli olarak aylarca veya yıllarca devam edebilir.

Nöropati ayakta kasları tutarak kaslarda zayıflığa yol açar ve ayak tabanında ağırlık dağılımının bozulmasına neden olur. Beden ağırlığının önemli bir kısmı ayağın ön bölümü tarafından taşınmaya başlar ve bu bölgede kalın bir kallus (nasır) oluşur. Yürüme sırasında bu nasır ile kemik arasında sıkışan yumuşak dokuda ülserler (yaralar) gelişir. Ayrıca duysal sinirleri etkileyen nöropati, hissizliğe, ağrı ve ısı algılanmasının bozulmasına neden olarak diyabetlilerin kimyasal ve fiziksel travmaları fark edememesine, bunun sonucu olarak da ayak yaralanmalarında artışa yol açabilir. Otonom nöropati sonucu ortaya çıkan terleme azalması deri kuruluğuna ve deride çatlamalara yol açarak ayakta ülser gelişmesini kolaylaştırır.

Tüm diyabetli bireylerin %2.5'inde görüldüğü kabul edilen bir diyabetik nöroartropati olan Charcot eklemi, duyu kaybı olan ve tekrarlayan travmalar sonucu oluşan kırıklar nedeniyle gelişmektedir. Ayağın ağrısız şekil bozukluğudur.

Nöropatinin vücudumuzdaki otonom sinirleri tutan "sessiz" seyreden tipine otonom nöropati denir. Erken tanı ve tedavi sinirlerdeki harabiyeti yavaşlatabilir veya durdurabilir.

Eğer sindirim sistemi etkilendiyse, ishal, mide bulantısı veya hiçbir şey yenmediği halde midede dolgunluk hissedilebilir. Eğer idrar kesesi etkilendiyse, hiçbir ağrı veya baskı hissetmeden idrar uzun saatler tutulabilir. Tam tersi olarak da idrar yaparken zorlanma veya sık sık idrara çıkma şikayeti de olabilir. Üreme organları etkilenen erkek diyabetlilerde, impotans olarak isimlendirilen iktidarsızlık, bayan diyabetlilerde orgazma ulaşmada zorluk yaşanabilir.

Eğer kalbi besleyen sinirler etkilenmişse önemli sorunlar ortaya çıkabilir; Vücut egzersize iyi yanıt vermeyebilir veya istirahat halinde bile diyabetli kendini yorgun hissedebilir. Bu durum daha fazla egzersiz yapma ile düzeltilemez. Postural hipotansiyon dediğimiz bir durum gelişir. Bu sırada yatar veya oturur pozisyondan ayağa kalkarken tansiyon olması gerekenden daha fazla düşer ve bunun sonucu halsizlik ve baş dönmesi hissedilebilir.

Kardiyak denervasyon sendromu gelişebilir. Bu problem kalp atımlarımda düzensizlik, koroner arter daralması ve ani ölüme neden olabilir. Bu kalp problemlerine sahip olanlar ameliyatta genel anestezi sırasında risk altındadırlar ve anestezisin bu durumdan haberdar olması gerekmektedir. Kalbin ağrı hissi kaybolabilir. Bu da kalp krizinin ilk belirtisi olan ağrıyı hissedememe sonucu acil tedavi için başvurmada gecikmeye ve hayatı tehdit edici kalp krizine neden olabilir.

Tedavi

Ağrılı ya da ağrısız olsun diyabetik nöropatinin tedavisi hipergliseminin tedavi altına alınması ile başlar. Ağrılı nöropatide yapılacak girişimler kan glikozunun kontrol altına alınmasının yanı sıra uygun analjeziklerin kullanımı, ağrıyı arttıran durumların kontrol altına alınmasını ve varsa depresyonun kontrol altına alınmasını içerir. Mononöropatide görülen ağrı şiddetli olmakla birlikte genellikle kendiliğinden geçer, ağrılı dönemde aspirin gibi hafif analjeziklerin kullanılması yeterli olur.

Kronik ağrılı nöropatide aspirin, asetominofen ya da ibuprofen gibi basit analjeziklerin devamlı kullanılması etkili olabilir. Eğer ağrı bu ilaçlarla geçmiyorsa tercih edilmesi gereken diğer analjezik kodeindir. Ağrının birkaç ay ya da yıl sürmesi durumunda narkotik analjezik kullanımından kaçınılmalı ve tedavide narkotik analjezikler etkin olduğunda, kanser ağrı tedavisinde olduğu gibi düzenli aralıklarla sürekli olarak analjezik alınmalıdır. Böylece ağrının tekrarlanması önlenmiş olacaktır.

Bakım

Nöropatilere bağlı olarak meydana gelen kas atrofilerine yönelik olarak pasif hareketler ve gerekirse fizik tedavi uygulanmalıdır. Alt ekstremitelerdeki duyu kaybı nedeniyle hastalar ayak travması riski ile karşı karşıyadırlar. Bu nedenle periferal nöropatili hastalar travmalardan korunmalı, uygun ayak bakımı verilmeli, ayaklar rutin aralıklarla muayene edilmeli ve bu konuda hastalara kapsamlı eğitim verilmelidir. İleri derecede duyu kaybı olan hastalar beden ağırlığını eşit olarak dağıtabilecek el yapımı özel ayakkabılar giymelidirler. Tüm diyabetli hastalara hafifte olsa göğüs ağrısı ya da solunum sıkıntısı belirtilerini hissettiklerinde mutlaka hekim ya da hemşireye başvurmaları gerektiği konusunda bilgi verilmeli, hipotansiyon, hiperlipidemi, sigara, stres, obezite gibi modifiye edilebilir diğer risk faktörleri hastalar ile tartışılarak kontrol altına alınmaya çalışılmalıdır.

Diabetik Ayak

Alt ekstremitelerde sinir hasarı ve/veya periferik damar tıkanıklıkları sonucu gelişen Enfeksiyon ülser veya derin dokularda görülen harabiyettir. Diyabetik ayak hastanın yaşam kalitesini belirgin şekilde azaltırken aynı zamanda yaşamını da tehdit eden, sosyoekonomik maliyeti arttıran önemli bir halk sağlığı sorunudur. Diyabetli hastalar en sık diyabetik ayak sorunları nedeniyle hastaneye yatırılmaktadır. Diyabetlilerin %5-15'i hayatlarının bir döneminde amputasyona maruz kalmakta, travmatik olmayan alt ekstremite amputasyonlarının %50'si diyabetiklilere yapılmakta, diyabetik amputasyona maruz kalan hastaların %09'dan fazlası hastanede iken ölmektedir.

Diyabetik ayak problemleri önlenebilir komplikasyonlardır. ; tanıdan itibaren düzenli izleme ve diyabetlinin eğitilerek koruyucu davranışların kazandırılması önemlidir; diyabet ekibinin üyesi olarak hemşire koruyucu bakımı planlayıp sürdürebilecek en uygun adaydır. Hemşirelerin bu konuda yeterli bilgi ve beceri ile donatılmaları, bu özelliklerini diyabetliye yansıtabilmeleri için uygun bakım ortamının sağlanması gereklidir.

Tablo 38.10: Wagner Sınıflama Sistemi

Derece	Lezyon
0	*Açık lezyon ülser yoktur, risk faktörü yüksektir zedelenme, incinme vardır.
1	*Yüzeyel ülser enfeksiyon yoktur.
2	*Ülser tendon yada kemik seviyesine kadar derin olabilir, enf. Selülit yoktur.
3	*Ülserasyon tendon yada kemik seviyesine kadar uzanır, apse ve osteomyelit.
4	*Ayağın ön kısmı yada topukta lokalize gangren
5	*Tüm ayakta gangren, nekroz oluşmuştur.

Tablo 38.11: Ayaktaki Risk Kategorilerinin Belirlenmesi

Kategori	Koruyucu Duyu	Ülser	Deformite	İzlem
0	Var	Yok	Yok	1/ yıl
1	Yok	Yok	Yok	2/ yıl
2	Yok	Var	Yok	4/ yıl
3	Yok	Var	Var	1/ ay
4	Yok	Var/yok	CHARCOT	1/ ay

Diabetik Ayak Açısından Yüksek Riskli Hastalar

İntrinsik Faktörler: Duyusal veya otonomik nöropati, vasküler hastalık, ayakta yapısal Deformite, sınırlı eklem hareketi, 65 yaş ve üstü, immünoterapi, nefropati, körlük, obezite, önceki ülserasyon hikayesi ve düzensiz glisemik kontroldür.

Ekstrinsik Faktörler: Minör travmalar, aşırı plantar basınç, dar ayakkabıya bağlı basınç, aşırı sürtünme, termal yaralanma, sıcak-soğuk, kimyasal yanıklar, iş kazaları, infeksiyon, temel ayak bakımı eksikliği, hijyen eksikliği ve sigara içmedir.

Klinik Belirtiler

Tip 2 diyabetlilerin yaklaşık %50'sinde nöropati vardır ve ayakları risk altındadır. Nöropati belirtileri; karıncalanma, yanma, parestezi, hiperestezi, sıcak-soğuk duyu kaybı, dokunma duyusu kaybı, kaslarda atrofi ve motor fonksiyon kaybıdır. Nöropati belirtileri ayak ülserinin erken habercisi olarak düşünülür. Bu nedenle ayakta nöropati bulguları araştırılmalı ve koruyucu duyu devamlı olarak test edilmelidir.

Ayak Ülseri: Diyabetik ülserlerin %40'ı nöropatik, %25'i vasküler, %35'i ise her iki durumun birlikteliği ile oluşmaktadır. Nöropatiye bağlı olarak ağrı duyusunun kaybı, cildin kuruması, deformite oluşumu nedeniyle ayak travma ve benzeri mekanik etkilerden korunamaz, ülser oluşur. Aynı zamanda diyabete bağlı olarak büyük damarlarda oluşan anjiyopati sonucunda bacaklarda ve ayaklarda doku beslenmesi bozulur. Beslenme bozukluğu nedeniyle ülserlerin iyileşmesi gecikir ve Enfeksiyon oluşumu hızlanır.

Diyabetik Ayak Ülserlerinin Sınıflaması: Diyabetik ülserlerde Wagner'in sınıflama sistemi (a:nöropatik, b:iskemik, c:nöroiskemik) kullanılmaktadır. Buna göre;

Ayak Muayenesi: Ağrı, karıncalanma, yanma, hassasiyet, duyu kaybı, ayakta ülser oluşumu sorulur. Ayak derisinde ısı kontrolü, renk değişikliği, ödem, atrofi, deride terleme kaybı nedeniyle kuruluk, çatlak, nasır ve ayak ülseri olup olmadığı değerlendirilir. Ayakta duyu testi yapılır. Periferik sinir harabiyeti nedeniyle oluşan duyu kaybı bir monoflament yardımı ile belirli noktalara basınç verilerek test edilir. 10 gr basınç veren bu flamentle yapılan değerlendirmede duyu kaybı varsa hastanın ayağı tehlikededir. Bu test için monoflament bulunamıyorsa, hep aynı olmak koşulu ile bir tükenmez kalem ucu da kullanılabilir. Ayak deformiteleri tanılanır. Diyabete bağlı olarak gelişen çekiç parmak, pençe parmak, hallux valgus, hallux limitus, equnus, ön ayak amputasyonu, diz altı amputasyon, charcot deformitesi, düşük ayak vb deformitelerin olup olmadığı değerlendirilir. Vasküler değerlendirme yapılır. Ayağın rengi ve ısısının yanı sıra dorsalis pedis ve tibialis posterior nabızları alınır. "Kuvvetli", "Zayıf" ve "Alınamıyor" olarak değerlendirilir ve kaydedilir. Ayak muayene bulgularının ışığı altında hangi risk grubuna girdiğine karar verilir.

Ayakkabının Değerlendirilmesi: Hasta kontrole her geldiğinde mutlaka giydiği ayakkabı da değerlendirilmelidir. Ne tür ayakkabı giydiği, ayağına uygun olup olmadığı, eski ya da yeniliği, içinin temizliği değerlendirilip hasta dosyasına kaydedilmelidir.

Hasta Eğitimi ve Bakım

Diyabetik hastanın eğitimi, diyabetik ayak yarasının önlenebilirliği ve tedavisi açısından en önemli unsurdur. Eğitim hastaya her vizitte hekim ve/veya diyabet eğitim hemşiresi tarafından belirli bir program içersinde verilmelidir. Diyabetik ayak eğitiminde hastaya öğretilmesi gereken beceriler ve öneriler şunlardır:

Kendi Kendine Muayene Etme: Hastanın hergün kendisi veya bir yakını tarafından ayakları göz, el ve ayna yardımı ile kontrol edilmelidir. Ayak derisi; nasır, kızarıklık, bül ya da açık yara konusunda, tırnak muayenesi; kalınlaşma, içe batma, parmak araları; maserasyon, tinea pedis, pençeleşme olup olmadığı konusunda kontrol edilmelidir. Hergün el sırtı ile ayaklarının ısısını kontrol etmeli, aynı zamanda derin hassasiyet kontrolünü yapmalı, her hangi bir farklılıkta mutlaka istirahat etmelidir.

Deri Bakımı: Ayaklar hergün ılık su ile yıkanmalı, nasır ve sertlikler ponza taşı ile inceltilmeli, parmak araları tanpon şeklinde kurulanmalı, ayak ıslak iken yağlı krem sürülmeli, parmaklara masaj yapılmalıdır.

Tırnak Bakımı: Tırnaklar düz olarak kesilmeli, derinin kesilmemesine dikkat edilmeli, kalın tırnaklar yumuşatıldıktan sonra kesilmeli ve görme problemi varsa kesinlikle kendi tırnağını kesmemeli.

Ülser Bakımı: Sabunlu su ile yıkama, durulama, temiz bir bezle kurulama, varsa lokal antiseptik uygulama, çok ince sargı ile ülseri kapama, yaralı ayağı yükselterek, koltuk değneği kullanarak ve yatak istirahatı ile dinlendirme.

Günlük Yaşam Aktiviteleri: Yalınayak yürümemeli, evde özel sandalet giymeli, uzun yürüyüşler yapmamalı, iki çift ayakkabı ve terliği olmalı, ayakkabının iç tabanlığı altı ayda bir değiştirilmeli, tamir ve boyası ihmal edilmemeli, yeni ayakkabı 2 haftalık alıştırma programı ile giyilmeli, günlük ayak muayenesini yapmalıdır.

Ayakkabılar: Rahat ayakkabılar giyilmelidir. Ayakkabıların içinde yabancı cisim olup olmadığı her sabah giyilmeden önce kontrol edilmelidir. Mümkünse iki günden fazla aynı ayakkabı giyilmemelidir. Ayakkabılar aktif bir günde 3-4 saatten fazla giyilmemelidir. Ayakkabılar özellikle öğleden sonra alınmalı, kalın bağcıklı ve bantları olan ayakkabılar satın alınmamalıdır.

Ayakta şekil bozuklukları varsa özel yapım ayakkabılar kullanılmalı ve/ veya ayakkabı içleri desteklenmelidir. Seçilecek ayakkabı çok dar ya da çok bol olmamalı, başparmak ayakkabı ucuna değmemelidir. Seçilecek ayakkabılar yeterli derinlikte, genişlikte olmalı, aşırı yüksek topuklu ayakkabılar kullanılmamalıdır. Eğer hasta kendisi göremiyorsa ayakkabılarını aileden birisine kontrol ettirmelidir. Hasta ayakkabıcıya diyabetik olduğunu söylemeli ve mümkünse başparmak kısmı geniş, deri ayakkabılar alınmalıdır.

Çoraplar: Gözenekli, yumuşak, sıkmayan çoraplar giyilmelidir. Duyusal nöropatisi olanlarda her gün değiştirilmeli, çoraplarda; yırtık, renk değişikliği, kırışıklık olmamalı, ayağa büyük gelmemelidir. Deride drenaj, kanama vb problemlerin erken saptanması açısından beyaz çoraplar tercih edilmelidir. Aşırı yıpranmış ya da tamir edilmiş çoraplar mekanik travma riski taşıdığından kullanılmamalıdır. Çoraplar iritan olmayan deterjanlarla yıkanmalı, iyice durulanmalı, düz bir yüzeyde kurutulmalı, asılarak kurutulacaksa lastik kısmından, külotlu çoraplarda bel kısmından asılmalı, topuk ve burundan asılmamalıdır.

Yapılmaması Gerekenler: Sigara içilmemeli, ayak sıcak su torbası, sıcak lamba, soba, elektrikli ısıtıcılardan uzak durmalıdır. Jartiyer ve sıkı lastikli çorap kullanılmamalı, parmaklar arasında şeritli olan sandaletler giyilmemelidir. Nasırlar ve kabuklar kesilip koparılmamalı, bunlar için kimyasal madde kullanılmamalıdır. Yüksek topuklu ve sivri burunlu ayakkabılar kullanılmamalı, yeni alınan ayakkabı bir saatten fazla kullanılmamalı, ayakkabı açılana kadar aralıklarla giyilip çıkarılmalıdır. Özellikle sıcak yerlerde çıplak ayakla dolaşılmamalıdır. Ayak ayak üstüne atılarak uzun süre oturulmamalı, çorapsız ayakkabı giyilmemelidir.

Diabetik Ayak İnfeksiyonları ve Tedavileri

Tinea Pedis: Parmak aralarında görülen fungal infeksiyondur. Kaşıntı, kanama ve soyulma yaygındır. Antifungal pudra ve spreylerle tedavi edilir.

Tinea Ungulum: En sık görülen tırnak ülseridir. Distalde başlayıp tırnak yatağına doğru hızla yayılan ülserde sarı beyaz plaklar görülür. Tedavisi, clotrimazole, miconazole ya da mystatin ile yapılır.

Enfeksiyon ve Sepsis: Diabetik hastalarda Enfeksiyon artması polimorfonükleer hücrelerin fagositik aktivitelerinin bozulmasına bağlıdır. Diyabetik ayak infeksiyonları genellikle polimikrobiktir ve derin doku kültürlerinde çoğu üç-beş farklı bakteriyel organizma ürer. Ağır diyabetik ayak infeksiyonlarının çoğunda hem aerob hem de anaerob organizmalar ürer. Bir çalışmada anaerobik organizmalar kültürlerin % 90'ında tespit edilmiştir. Kötü kokan drenaj ve dokularda gaz varlığı genellikle miks bir polimikrobial infeksiyonu öngörür. En sık görülen bakteriler stafilakokus aerous ve beta hemolitik streptokoklardır.

Diabetik ayak infeksiyonlarında yaradan alınan kültüre göre tedavi yönlendirilmelidir. Ancak kültürün sonucunu beklerken diyabetik ayak infeksiyonunun risk derecesi değerlendirilerek antibiyoterapiye hemen başlanmalı, kültür sonucuna göre gerekirse değişiklik planlanmalıdır. Genellikle en sık tercih edilen grup ampisin, klindamisin, gentamisini içeren kombinasyonlardır. Orta ve ileri evre ayak infeksiyonları diyabetik hastaların 1/3 ile 2/3'ünde yaygın osteomiyelit bulunabilir. Ayak osteomiyeliti genellikle yüzey ülserasyonlarının kronik infeksiyonundan kaynaklanır.

Osteomiyelit tedavisi, genellikle en az dört-altı haftalık yönlendirilmiş antimikrobial tedaviyi gerektirir.

Gazlı Gangren: Sepsis yumuşak dokularda gaz oluşumuna neden olur. Klinik tabloya lökositoz ve ateş eklenebilir. IV antibiyotik tedavisinin yanı sıra yoğun insülin tedavisi kullanılmalıdır.

Charcot Eklemi: Sakat bırakma potansiyeli olan, nöropati sonucu gelişen diyabetik ayak lezyonlarından biridir. Genellikle 50 yaş üzerinde ve uzun süredir DM olanlarda görülür.

Bacaklarda ileri düzeyde periferik nöropatisi ve otonomik nöropatiye ilişkin belirtileri olan hastalarda sık görülür. Nörovasküler ve nörotravmatik değişiklikler etkendir. Spinal kord lezyonları eklemlerde trofik değişikliğe yol açmaktadır. Bir başka teoride, duyarlılığını yitirmiş eklemlerde algılanamayan tekrarlayan travmaların etken olduğu belirtilmiştir.

Bunların yanı sıra nöropatik hastalarda periferal vazodilatasyon ve arteriovenöz şant oluşumunun artışı kemiğin yapısını bozmaktadır. Doku perfüzyonunun bozulması ve minör travmalar sonucu ülserasyon gelişmeside charcot eklemine neden olmaktadır. Ülser ve deformasyon içermeyen ayağın ünilateral şişmesi ile başlar. Hafif travma öyküsü olan ayak, sıcak ve kırmızıdır. Manipülasyonla krepitus fark edilir.

Nabızlar sıçrayıcı özelliktedir. Bu dönemde hasarlı bölgeye ağırlık verilmemelidir. Daha sonra kemiklerde hasar ve fraktürler görülür. Periosteal yeni kemik oluşumu görülür. Kemiklerde hasar ve fraktürler sonucu gelişen ayak deformiteleri dikkati çeker. Ayak tabanı çöker ve ayak golf sopası görünümü alır bu safhada özel kalıplı ayakkabılar ve bazen bilgisayarlı tomografi gerekir. Son safhada, ülserler artar enfekte olup gangren ve amputasyona yol açabilir. Tedavide asıl amaç hasta ayağı üzerine ağırlık vermekten korumaktır. Tedavi süresi 8-12 haftadır. 1 yıla kadar süren immobilizasyonda önerilmektedir. Akut fazda ayağı ağırlık yükünden korumanın yanı sıra indometazin gibi antienflamatuarlar kullanılır. Ayak ve ayak bileği stabilizasyonu sağlanabilir.

Ödem varsa diüretikler verilir. Arka ayak bileği ve topuk bölgesindeki fraktürler cerrahi tedavi gerektirir. Fraktürler sonucu deformite gelişen ayağı korumak için el yapımı özel ayakkabılar kullanılır. Hastalar 6-8 haftada bir izlenmelidir. Hastaya egzersiz için yürüme önerilmez. Yüzme bisiklete binme egzersizler önerilmelidir. Yaşamsal aktiviteler için gerektikçe yürünmelidir. Sonuç olarak; Düzenli olarak ayağın ve ayak bakım malzemelerinin izlenmesi, yüksek riskli gruplarda koruyucu önlemler ve eğitim, ayak lezyonları oluştuğunda multidisipliner yaklaşım, perivasküler hastalık-ların erken tanısı, ülser öyküsü olanların sürekli izlenmesi ve amputasyonların ve ayak ülserlerinin düzenli kaydı, kapsamlı ve etkin bir ayak bakımı sağlar.

Diabetes Mellituslu Hastanın Bakımında Özel Durumlar

Diabetes Mellituslu Cerrahi Hasta

Diyabetli hastaların %50' sinde yaşamlarının bir döneminde en az bir defa cerrahi girişim gerekebilir. Genel olarak diyabetlilerde de cerrahi girişim endikasyonları nondiyabetlilerde ki gibi ise de kardiyovasküler ve oftalmolojik kökenli sebepler daha fazladır. Ayrıca böbrek ve pankreas transplantasyonu, penil prostatik uygulama, ülser debridmanı ve amputasyon gibi bazı durumlar diyabete özel cerrahi girişim sebepleri arasındadır. Elektif cerrahi uygulanan diyabetlilerde insülinin keşfinden önceki yıllarda % 50 olan mortalite ve morbitide oranı günümüzde nondiya-betiklerdekine yaklaşmış olup % 2 civarındadır. Diyabetlilerde cerrahi girişim sonrası komplikasyon gelişme sıklığı olmayanlara göre daha fazladır. Ölümlerin yaklaşık %30'u kardiyovasküler komplikasyonlardan, %16'sı sepsisten olur.

Cerrahi girişimin yarattığı stresin, kan glukoz kontrolünü güçleştirmesi, diyabetli hastaların genellikle ileri yaş, şişmanlık, beslenme bozukluğu, ateroskleroz gibi cerrahi girişim için genel risk faktörlerine sahip olması, diyabete bağlı olarak mikroanjiyopati, nöropati gibi kronik komplikasyonların gelişmesi ve diyabetli hastalarda lökosit fonksiyonlarının azalması cerrahi girişimde risk yaratan faktörlerdendir.

Tip 2 diyabetli hastalar çoğunlukla 40 yaşın üzerinde ve şişmandırlar. Yaşlanma süreci tek başına, damarsal değişikliklere ve savunma sisteminin zayıflamasına neden olur. Şişmanlık durumunda ise yağ dokusuna kan akımının azalması ve Enfeksiyon gelişimi söz konusudur. Kan glikoz kontrolü sağlanamayan hastalarda beslenme bozukluğu gelişebilir. Çünkü bu hastalarda glikoz kullanımının azalması nedeniyle, protein ve yağ enerji olarak kullanılır ve bu besinlerin depoları azalır, negatif nitrojen dengesi gelişebilir. Cerrahi girişimin yarattığı stres ise hipergliseminin ağırlaşmasına ve beslenme durumunun daha da bozulmasına neden olabilir. Diyabette orta ve büyük arterler dışında kapiller damarlarda da değişiklikler olmaktadır.

Kapiller damarları daraltıcı ve tıkayıcı değişiklikler cilt ve cilt altı dokulara kan akımını azaltır. Böylece oksijen, besin maddeleri ve lökositlerin insizyon bölgesine ulaşması azaldığı için yara iyileşmesi engellenebilir. Ayrıca kapiller damarlardaki değişiklikler nedeniyle, böbrek ve göz fonksiyonlarında da bozukluklar ortaya çıkar. Diyabete bağlı olarak gelişen nöropati ise periferik ve otonom sinirleri etkileyerek birçok organ ve sistemin fonksiyonlarını bozar ve cerrahi girişim riskini arttırır. Yapılan çalışmalarda hipergliseminin lökosit fonksiyonlarını inhibe ederek ve kollajen yapımını bozarak yara iyileşmesini geciktirdiği gösterilmiştir. Gliseminin 200 mg/dl nin altında tutulmasıyla granülosit adherensi ve fagositozis iyileşmektedir. Deneysel çalışmalarda asidozun da lökosit kemotaksisi ve fagositozunu bozduğu, hipergliseminin iskemik beyin hasarını arttıran potansiyel risk olduğu gösterilmiştir. Görüldüğü gibi cerrahi girişimin yarattığı stres, hiperglisemiyi arttırarak diyabetli hastada metabolik kontrolü güçleştirirken; yaş, şişmanlık, damarsal değişiklikler, savunma sisteminin zayıflaması gibi diğer risk faktörleri ise yara iyileşmesini zayıflatmaktadır.

Diyabetli bir hastada anestezi seçimi de önemlidir. Seçilecek anestetik madde, cerrahi girişim tipine, hastanın klinik durumuna bağlıdır. Anestetik maddelerin kan şekerini yükseltici etkileri vardır. Eter ve klaroform gibi eskiden kullanılan anestetik maddeler kan şekerini önemli ölçüde yükseltirken, halothane, isoflurane gibi daha yeni anestetikler az oranda yükseltirler. Anestezi tiplerinin de kan şekeri üzerindeki etkileri farklıdır. Özellikle epidural ve spinal anestezi gibi bölgesel anestezi uygulamaları genel anesteziye göre daha az oranda hiperglisemiye yol açar ve hasta uyanık olduğu için hipoglisemi/ hiperglisemi belirtilerini haber verebilir. Ayrıca, bölgesel anestezide bulantı ve kusmaya neden olan narkotikler verilmediği için cerrahi girişim sonrasında, normal beslenmeye daha erken geçilebilir. Ancak, diyabetli hastalarda genel anestezi de, hastayı yakından izlemek koşuşuyla rahatlıkla uygulanabilir.

Cerrahi girişimin yarattığı stres, cerrahi girişimin türü ve süresi ile ilgilidir. Abdominal cerrahi girişimler en fazla stres yaratan uygulamalardır.

Bu nedenle diyabeti olan bireylerin, ameliyat öncesi ve sonrası özel bir bakım ve tedaviye gereksinimleri vardır. Bakım ve tedavi, diyabetin tipine, cerrahi girişimin acil ya da elektif oluşuna ve süresine göre değişir.

Cerrahi Girişim Öncesi Bakım

Cerrahi girişimin insan organizmasına yüklediği değişiklikler; diyabetik olmayan bireylerde sorun yaratmaz. Ancak stres durumunda diyabetlilerde insülin antagonisti hormonlardaki artış vücuttaki hormonal dengeyi bozarak, insülinin salınımını azaltır. Ayrıca diyabet komplikasyonları da cerrahi girişimi riskli hale getirmektedir. Bu nedenle diyabetli hastaların cerrahi girişim öncesi değerlendirmesi ve hazırlığı ayrıca bir önem taşımaktadır. Diyabetli hastalarda cerrahi girişim öncesi diyabetle ilgili komplikasyonların olup olmadığı araştırılmalıdır. Bu amaçla aşağıda belirtilen sistemlerin değerlendirilmesi gerekir

Kardiyak Fonksiyonlar: Hastanın öyküsünde, fizik muayenesinde ya da elektrokardiografi (EKG) sinde iskemi lehine şüpheler varsa eforlu EKG, ekokardiyagrafi, talyum sintigrafisi, anjiografi ile ileri tetkikler planlanmalı, gerekli uygun tedavi ile cerrahi girişime güvenli bir ortam sağlanmalıdır.

Renal Fonksiyonlar: Renal fonksiyonların değerlendirilmesi sıklıkla üre, kreatinin, tam idrar analizi ile yapılır, bazı durumlarda kreatinin klirensi gerekebilir. Diyabetik nöropatisi olanlarda anjiografi için kullanılan ilaçların kontrolü ve hidratasyonu sağlanarak verilmeli, nefrotoksik antibiyotiklerden kaçınılmalı, mutlak endikasyonlarında renal fonksiyonlar ve ilacın serum seviyesi kontrol edilmelidir. Nefropatisi olan hastalarda sıvı elektrolit dengesizliği kolaylıkla gelişebilir. Böbrek fonksiyonlarının bozulması özellikle hiperkalemi ve hiperfosfatemi gelişmesine neden olabilir. Bu nedenle ameliyat öncesi dönemde hastalar, sıvı elektrolit dengesi yönünden değerlendirilmelidir.

Serebral Fonksiyonlar: Diyabet süresi 10 yılın üzerinde olan, özellikle majör cerrahi girişim yapılacakların serebral fonksiyonları değerlendirilmelidir. Nörolojik semptomları olanlarda tetkikler karotis darlığı açısından derinleştirilmelidir. Periferik ve otonom nöropati varlığı mortalite ve morbiditeyi etkilediğinden mutlaka araştırılmalıdır. Otonomik nöropatisi olan hastaların cerrahi girişim öncesi dönemde belirlenmeleri çok önemlidir. Otonomik nöropatinin belirtileri arasında, çabuk doyma, az terleme, postüral hipotansiyon, empotans, gastroparezi, diyare yer almaktadır. Otonomik nöropati, ağrısız miyokard enfarktüsü ve aspirasyona neden olabilen gastroperazis adı verilen mide hareketlerinin yavaşlamasına neden olabilir.

Solunum Fonksiyonları: Sigara içenlere cerrahi girişimin bir ay öncesinde sigara içmemesi önerilir. Solunum fonksiyonları yeterli olmayanlara solunum egzersizleri yaptırılmalıdır.

Gastrointestinal Fonksiyonlar: Diyabet süresi 10 yılı aşanlarda otonomik nöropatiye bağlı gelişen gastrik atoni, kronik konstipasyon ya da diyare görülebilir. Kilo kaybı, diyare ya da kusma hastanın beslenmesini engellediğinden parenteral beslenme gerekebilir; prokinetik ajanlar denenir. Yapılan retrospektif değerlendirmelerde safra taşına bağlı safra kesesi perforasyonlarının diyabetililerde daha sık olduğu; bu durumda mortalitenin %20 daha fazla arttığı bildirilmiştir. Pankreatit ve pankreas kanserleri diyabetililerde daha sıktır.

Vasküler Fonksiyonlar: Cerrahi girişim öncesi tromboembolik olaylar da gelişebilir. Diyabetililerde damar yapısının düzensizliği, kanın koagülabilitesindeki artış tromboemboliye zemin hazırlar. Cerrahi girişim sonrası olası komplikasyonları azaltmak için preoperatuvar dönemde iyi hidrasyon ve optimal metabolik kontrol sağlanmalı, antibiyotik ve tromboemboli profilaksisi yapılmalıdır. Anemi varsa düzeltilmelidir.

İnfeksiyon: Diyabetililerde Enfeksiyon sıktır, atipiktir ve tanısı daha zordur. Gizli infeksiyonları tedavi edilmeden cerrahi girişim yapmak mortalite ve morbiditenin artmasına yol açabilir. Bu nedenle Enfeksiyon varlığının değerlendirilmesi önem kazanmaktadır.

Elektif Cerrahi Girişim: Cerrahi girişim elektif olarak yani planlı olarak gerçekleştirilecekse, hastalar cerrahi girişimden birkaç gün önce hastaneye yatırılarak değerlendirilmelidirler. Glisemi düzeyleri 120-180 mg/dl, HbA1c değeri < %8 olan hastalara cerrahi girişim uygulanabilir. Lokal anestezi ile yapılan batın ve toraks boşluğunun açılmadığı, ameliyattan üç-dört saat sonra oral gıdaya geçilebilen ve süresi iki saati geçmeyen tüm ameliyatlar minör cerrahi girişimlerdir. Bu grubun oluşturduğu metabolik inbalans ihmal edilebilir düzeydedir.

Oysa vücut boşluklarının açıldığı büyük cerrahi işlemlerde insülin karşıtı olan epinefrin, glukagon, kortizol ve büyüme hormonlarının salınımının artması sonucu katabolizma hızlanmaktadır. Bu nedenle operasyon öncesi dönemde glisemi, hidrasyon ve elektrolit kontrolü yanısıra beslenme düzeni, kardiyak, renal, pulmoner fonksiyonlar değerlendirilmeli; olası diyabet komplikasyonları araştırılmalıdır.

Cerrahi girişim öncesi tüm diyabetli hastalara insülin uygulanmaktadır. Bu özellikle büyük bir cerrahi girişim geçirecek hastalar için geçerlidir. TBT ve egzersiz ile kontrol edilen diyabetililerde de stres hormonlarının salınımı nedeniyle insülin verilmesi gerekebilir. Hasta en geç cerrahi girişimden önceki gün hastaneye yatırılır. Bütün orta ve uzun etkili insülinleri ya da oral hipoglisemik ilaçları kesilir. Klorpropamidin yarı ömrü uzun olduğu için, ameliyattan en az 36 saat önce kesilmelidir. Hastanın gereksinimlerine göre intravenöz (IV) Regüler insülin verilir. Cerrahi girişimden 12 saat önce hasta aç bırakılır. Hastanın gece yarısından sonra aç bırakılması yeterli değildir. Çünkü diyabetli bir hastada, tanısı konmamış gastroperazis nedeniyle, gıdaların midede kalış süresi uzadığı için, anestezi verilmesi sırasında aspirasyon pnömonisi gelişme riski artar.

Ayrıca 12 saat önce orta etkili insülin ve oral hipoglisemikler kesilerek, kan şekeri değerlerine göre IV insülin infüzyonuna başlanır. Bu yöntemde insülin infüzyon hızını ayarlamak için bir-iki saatte bir kan şekeri ölçülür. İnsülin, plazma ya da kana ilave edilmemelidir. Çünkü bu ürünler enzim içerdikleri için, insülinin etkisini bozarlar. İnsülin, IV infüzyon şeklinde uygulanırken, içinde potasyum bulunan %5 Dekstroz kullanılmalıdır.

Dekstroz açlıkta hipoglisemi oluşumunu önler. Potasyum ise glikozun hücre içine girmesini kolaylaştırır ve insülin tedavisine bağlı olarak hipokalemi gelişmesini önler. Hastanın almakta olduğu toplam kısa ve orta etkili insülin dozunun yarısı cerrahi girişim sabahı subkutan (SC) ve % 5 dekstroz solüsyonu saatte 150-200 ml olarak verilir. Hastanın kan şekeri 200 mg/dl nin üzerinde ise toplam insülin dozunun 2/3 ü, cerrahi girişim öncesi cilt altına yapılır. Geri kalan insülin dozu, hastaya ayılma odasından çıkmadan önce uygulanır. Ancak, hastanın kan şekeri düzeyine göre ek olarak kısa etkili insülin uygulanabilir. Yapılan çalışmalar cerrahi girişim öncesi ya da sonrası insülinin, IV ya da SC olarak uygulanmasının birbirine üstünlüğü olmadığını göstermektedir.

Ancak, cerrahi girişim süresince IV insülin uygulanan hastalarda, kan glikoz kontrolünün daha iyi sağlandığı gözlenmiştir. Son çalışmalar, cerrahi girişim zamanının metabolik kontrolü etkilemediğini ileri sürmekle birlikte, açlık durumunda metabolik dengenin sağlanması güçleşeceğinden diyabetli hastaların sabah erken saatte cerrahi işlem için alınmaları önerilmektedir.

Acil Cerrahi Girişim: Diyabetlilerde acil girişim non-diyabetlilere göre daha sık uygulanır ve tüm cerrahi girişimlerin %5 nin acil şartlarda yapıldığı bildirilmiştir. Acil cerrahi girişim sıklığının sebepleri akut vasküler olaylar ve infeksiyonlardır. Acil majör girişimlerin 1/3'ü akut apandisit nedeniyle yapılmaktadır. Minör cerrahi girişimlerinde %40'ı alt ekstremilerde yapılan insizyon, debridman ya da amputasyonlardan oluşmaktadır.

Acil cerrahi girişim gerektiren hasta hastaneye kabul edildiğinde, metabolik dengede ise elektif cerrahi girişimde uygulanan yöntemler geçerlidir. Genellikle SC insülin uygulanmasına son vererek, IV insülin uygulamasına başlanır. Ancak hasta o günkü insülin dozunu almışsa hipoglisemi açısından dikkatli olunmalı, kan şekeri dikkatli bir şekilde ölçülmeli ve 120 mg/dl'nin altında ise glikoz verilmelidir.

Acil cerrahi girişim özellikle Tip 1 diyabetli hastalar için önemlidir. Hemşire acil servise gelen hastayı değerlendirmeli ve hastanın hastaneye gelmeden önce rutin insülin dozunu alıp almadığını öğrenmelidir. Hastadan idrar ve kan örnekleri alınarak, idrarda keton kanda ise glikoz, elektrolit ve pH değerlerinin belirlenmesi için laboratuvara gönderilmelidir. Hasta ketoasidozda ise cerrahi girişim ertelenmelidir.

Ancak ertelenemiyorsa, cerrahi girişim sırasında saatte bir kan glikoz, potasyum, fosfor ve hidrojen iyonu değerlendirilerek ketoasidoz kontrol altına alınmalıdır. Diyabetik ketoasidozdaki bir hastada apandisit ya da kolesistiti taklit eden yüksek ateş, karın ağrısı, bulantı, kusma gibi belirtiler görüldüğünde uygun ketoasidoz tedavisine başlanmalıdır. Acil üniteye başvuran diyabetli hastalarda kanama dışındaki tüm acillerde hastayı değerlendirmek ve resüsite etmek için üç-beş saat vardır; kan şekeri, hidratasyon ve elektrolitler bu süre içinde düzeltilmelidirler.

Organ perforasyonları, abseleri, ekstremite gangrenleri, amfizematöz kolesistit sıklıkla DKA ile komplike olabileceği gibi akut batın olmadığı halde yalnızca DKA tablosunda da çok şiddetli karın ağrısı ve duyarlılık olacağı unutulmamalıdır; öncelikle glisemi, elektrolitler, kan pH'sı kontrol edilmeli, tam idrar analizi yapılmalıdır. Hidrasyonu tetkik edilerek varsa sıvı elektrolit açığı giderilmelidir.

Diyabetik ketoasidoz olanlarda operasyon dört-altı saat ertelenebilir. Ancak ertelemenin getireceği sepsis riski de daima gözönünde bulundurulmalıdır. Derhal sıvı, insülin ve potasyum infüzyonuna başlanır. İnfüzyon hastanın durumuna, dekompansasyon derecesine göre ayarlanır. Glisemi saatlik izlenir; 200mg/dl düzeyine çekildiğinde sıvıya dekstroz ilave edilir. Ciddi asidozda bikarbonat verilebilir.

Cerrahi Girişim Sırasında Bakım

Cerrahi girişim süresince tedavinin amacı, normal elektrolit ve kan glikoz düzeylerini sağlamaktır. Ameliyat süresince insülin SC ya da IV yolla verilebilir. Subkütan insülin uygulaması minör elektif cerrahide, sürekli intravenöz infüzyonu ise majör cerrahide tercih edilmektedir.

Cerrahi girişim sırasında hipoglisemi gelişmesini önlemek, hiperglisemi gelişmesini önlemekten daha önemlidir. Çünkü hipoglisemi, beyin fonksiyonlarının bozulmasına, kalp fonksiyonlarının azalmasına, insizyon alanında kanamaya ve ölüme neden olabilir. Cerrahi girişim sırasında normal kabul edilen kan glukoz değerleri; Yetişkinler için 180-180 mg/dl, Çocuklar için 120-220 mg/dl ve beş yaşından küçükler için 150-250 mg/dl. dir. Anestezi uygulanan hastalarda, kan glukoz ölçümü yapılmadan hipoglisemiyi saptamak çok zordur. Hipoglisemi genellikle taşikardi gözyaşı akması, terleme ve kan basıncında yükselme gibi belirtilere yol açar. Ancak bu belirtiler anestezi uygulanan hastada, anestezinin yetersizliği şeklinde yanlış yorumlanabilir. Bu nedenle, saatte bir kan glikoz değerleri ölçülmeli ve 120 mg/dl'den düşük ise ek IV glikoz ve uygun insülin infüzyonuna başlanmalıdır.

Böbrek yetersizliği olan hastalar da hipoglisemiye yatkınlardır. Çünkü insülinin %30'u böbreklerde yıkılır. Bu nedenle, böbrek yetersizliği olan hastalarda bu fonksiyon gerçekleşmediği için, insülinin etki süresi uzamıştır. Yetersiz glikoz alan hastalarda da hipoglisemi gelişebilir. Eğer sıvı kısıtlaması varsa, normal kan glikoz düzeyini sağlamak için, yüksek konsantrasyonda glikoz verilmelidir.

Diyabetli hastaların, ameliyat sırasındaki sıvı gereksinimleri bireysel gereksinimlerine göre değişir. %5 ya da %10'luk dekstroz solüsyonları tercih edilmekle birlikte, gerektiğinde sodyum klorür solüsyonları da kullanılabilir. Ancak sodyum klorür solüsyonları kan glikoz düzeylerinin hatalı düşük çıkmasına neden olabilir. Diyabetli hastalarda ringer laktat solüsyonu da laktatın glikoza dönüşerek hiperglisemiyi artıracağından dikkatli kullanılmalıdır. Cerrahi girişim sırasında hastanın gereksinimine göre elektrolit verilebilir. İnsülin, glikozla birlikte potasyumun da hücre içine girmesine neden olduğu için, cerrahi girişim sırasında potasyumun yakından izlenmesi gerekir. Cerrahi girişim sırasında diyabetli hastaya verilecek pozisyon önemlidir. Çünkü periferik damar hastalığı ya da nöropatisi olan hastalar, basınç ve gerilmeye bağlı olarak yaralanmaya yatkındırlar. Bunun dışında, hasta diyalize giriyorsa, diyaliz yerinin de korunması gerekir.

Bu nedenle ameliyathanede sirküle hemşirenin hastaya pozisyon verirken bunları göz önüne alması gerekir. Tip 2 diyabetli, metabolik regülasyonu iyi (HbA1c> %8) bir hastada majör cerrahi uygulanacaksa; hasta operasyondan beş-yedi gün önce hastaneye yatırılarak metabolik durum ve diyabetik komplikasyonları değerlendirilmeli, gerekiyorsa düzenlenmelidir. 0.3- 0.4 Ü/ kg/ gün dozunda orta etkili insülin konvansiyonel olarak (günlük dozun 2/3 ü sabah, 1/3 ü akşam) uygulanır. Hasta ilk vaka olarak cerrahi girişime alınmalıdır. Cerrahi girişim süresince Glukoz+ İnsülin+ Potasyum infüzyonu (GİK) uygulanır.

Tip 1 Diabetlilerde Ameliyat Şekli Gözetmeksizin Uygulanacak Tedavi Protokolü: Minör ya da majör cerrahi ayırımı yapmadan hastada GİK protokolü uygulanır. Hasta ilk vaka olarak cerrahi girişime alınır; sabah ki insülin dozu uygulanmadan GİK solüsyonu başlanır. Cerrahi girişim süresince saatlik glisemi düzeyi izlenir.

GİK solüsyonu beş saatte bir değiştirilmelidir. Hasta oral gıdaya geçene dek sürdürülür; ilk öğünle birlikte başlangıç tedavi şemasına dönülür. Yirmidört saati aşan infüzyon uygulamalarında elektrolit tayini, özellikle potasyum düzeyi izlemi yapılmalıdır.

GİK Protokolünde amaç; oral beslenmeye geçene kadar, glisemiyi 150- 200 mg/dl civarında tutarak, hastayı hipoglisemiye sokmadan beslenmesini sağlamak. GİK solüsyonunun hızı kan glikoz düzeyine göre belirlenir. Bazen de glikoz solüsyonu ve insülin ayrı damar yollarından verilebilir.

Cerrahi Girişim Sonrası Bakım

Cerrahi girişim sonrası morbidite riski diyabetiklerde %15-25 arasında değişmektedir. Sıklıkla karşılaşılan morbidite yara infeksiyonudur. Yara iyileşmesinde gecikme, üriner sistem infeksiyonları takibeden mortibilite sebepleridir. Ölüm riski olan komplikasyonlar ise miyokard infaktüsü, akciğer embolisidir. Bu komplikasyonları en aza indirmek için cerrahi girişim öncesi hazırlıkların iyi yapılması, solunum egzersizi ve erken mobilizasyon önerilir. Ayrıca cerrahi sonrası dönemde beslenmedeki düzensizlik ve yetersizlik, farklı glisemi düzeyleri, cerrahi stres, ağrı ve immobilizasyon insülin gereksinimini artıracak; bu da akut metabolik komplikasyonları hızlandıracaktır.

Cerrahi Girişim Sonrası Bakım ve Tedavinin Amaçları:
Yaşam bulgularını stabil hale getirmek, kan glukoz kontrolünü sağlamak, yara infeksiyonunu önlemek ve iyileşmeyi sağlamaktır. Bu amaçlara ulaşabilmek için, hastanın kan glikoz düzeyinin iki-dört saatte bir belirlenmesi gerekir. Hastaya cerrahi girişim öncesi dönemde insülin SC olarak yapılmışsa, hasta oral beslenmeyi tolere edince yeterli kalori sağlanmalıdır. Hasta, oral beslenmeyi tolere edemezse ya da hastanın ağızdan almaması gerekiyorsa, IV glikoz infüzyonuna devam edilmelidir.

SC insülin uygulamasına, hastanın cerrahi girişim öncesi tedavi programına göre başlanabilir. Orta etkili insülin dozu, hastanın kan glikoz düzeyi, günde tükettiği kalori miktarı ve aktivitesine göre ayarlanmalıdır. Cerrahi girişim sırasında insülin IV yoldan sürekli olarak verilmişse, girişim sonrası hasta oral beslenmeyi tolere edene kadar bu uygulamaya devam edilmelidir.

İnsülin infüzyonu hızı iki-dört saatte bir belirlenen kan glikoz düzeylerine göre ayarlanır. Hasta ağızdan beslenmeyi tolere ettiği zaman, insülin infüzyonuna son verilerek SC insülin uygulamasına geri dönülebilir. Ancak, insülin infüzyonuna son vermeden 30 dakika önce, kısa etkili insülin enjeksiyonunun yapılması önerilmektedir.

Böylece SC insülinin etkisi başlayana kadar akut insülin Yetersizliği önlenmiş olur. Cerrahi girişim sonrası dönemde, insizyon bölgesi Enfeksiyon açısından kontrol edilmelidir. Hastalar cerrahi girişimden birkaç gün sonra taburcu olabileceklerinden, hastaya enfeksiyon belirtilerini ve kan glikoz düzeyini 80-180 mg/dl arasında tutmasının önemi anlatılmalıdır. Hastada cerrahi girişim sonrası dönemde Enfeksiyon gelişirse, insülin dozu arttırılmalı ve Enfeksiyon tedavi edilmelidir. Hastaya majör cerrahi girişim uygulanmışsa ve bu nedenle hasta haftalarca ağızdan besin alamayacaksa, total parenteral beslenmeye başlanmalı ve IV insülin infüzyonu uygulanmalıdır.

Cerrahi girişim sonrası dönemde Enfeksiyon gelişimini önlemek için kateterizasyon işleminden kaçınmak ve aseptik tekniğe uygun yara bakımı vermek gereklidir. Diyabetli hastanın cerrahi girişim öncesi uygun bakımının sağlanması ile sonrası dönemi rahat geçirmesi sağlanacaktır. Başarının anahtarı seçilecek tedavi yönteminden daha çok, hastanın yakın izlemi ile metabolik dengenin sağlanmasıdır.

Sonuç olarak diyabetlilerin %50' sinin yaşamlarının bir döneminde cerrahi girişim geçirmeleri gerekebilir. Genel olarak cerrahi girişim gerektiren hastalıklar diyabetli olmayanlar gibidir; ancak diyabette daha sık görülen kardiyovasküler ve oftalmik kökenli sorunlar cerrahi girişim uygulanma sıklığını arttırır. Ayrıca diyabetlilerde cerrahi girişim sırasında ki stresin kan glikoz kontrolünü güçleştirmesi, diyabete özgü genel risk faktörleri ve komplikasyonlar da cerrahide riski arttırmaktadır. Bu risklerin önceden belirlenmesi ve gerekli önlemlerin alınması olası cerrahi riskleri azaltacaktır.

Hastalık Durumlarında Diabetes Mellitus Tedavisi

İyi kontrol edilen diyabetli bireylerin Enfeksiyon hastalıklarına yakalanma riski diğer bireylerden farklı değildir. Bunun yanında kötü kontrollü hastalarda; Enfeksiyon riski artar, enfeksiyonlar daha hızlı yayılır, tüberküloz gibi sık görülmeyen Enfeksiyon riski artar. Normalde patojen olmayan ajanlarla da Enfeksiyon riski artar, antibiyotiklere cevap azalır.

Hastalıkların diyabet üzerine etkisi değişkendir. Viral üst solunum yolu infeksiyonları gibi infeksiyonlar kan glikozu üzerine çok az etkide bulunurlar, kan şekerini düşürebilirler. Gastroenterit gibi kusma ve ishal ile seyreden hastalıklar kan şekerini yükseltebilirler. Birçok viral ve bakteriyel Enfeksiyon belirgin insülin direncine neden olur. Hastalık durumlarında diyabetli bireylerde saptanan hastalıklar diyabetli olmayanlar gibi tedavi edilmeli, asetominofen gibi ilaçlar semptomatik tedavi için verilmeli, evde dinlenmeleri sağlanmalı, yeterli sıvı ve besin almaları için çaba gösterilmelidir. Bu genel önlemlerin dışında hastalık durumlarında insülin tedavisi ayarlanmalıdır. İlk yapılacak olan her zamanki insülin dozlarına devam etmektir, her yemekten önce kan şekeri bakılmalı ve idarda keton tayini yapılmalıdır. Kan şekerine göre yemek öncesi insülin dozları 1-2 ünite arttırılmalıdır. Kan şekeri 220-240 mg/dl'den yüksek ve idrarda keton varsa 0.1 U/kg ekstra kısa etkili insülin yapılmalıdır. Kan şekeri hala yüksekse bu doz iki-üç saat sonra tekararlanabilir. Daha yüksek dozlar sonraki saatlerde hipoglisemiye neden olabileceğinden asla 0.1 U/kg'dan daha fazla ekstra kısa etkili insülin yapılmamalıdır.

Genel durumu iyi olmayan ve kusan hastaların bir hastaneye başvurması gereklidir. Gastroenterit durumlarında eğer kan şekeri düşükse ve keton negatifse hastaya azar azar şeker içeren sıvılar verilir ve insülin dozu azaltılır.

Sonuç olarak, diabetes mellitus bütün toplumlarda ve ırklarda görülen, tüm yaş gruplarını ilgilendiren ve Dünya da en sık karşılaşılan kronik bir hastalıktır. Ayrıca nüfusun yaş ortalamasının gittikçe artması, sağlıksız beslenme, hareketsiz bir yaşam tarzı ve obezite diyabetin son yıllardaki kaygı verici artışına sebep olmaktadır. Diabetes mellitusun kronik bir hastalık olması, hastaya bu sağlık sorunuyla yaşamayı öğretmede hemşireye büyük sorumluluklar yüklemektedir. Bu gereksinimin en azında ülkemiz için anlaşıldığı ve bu konuda girişimlerin olduğu bilinmektedir.

38. Diabetes Mellitus

Çizelge 38.1: Diyabetes Melituslu Hastalarda Bakım Planı

Hemşirelik girişimleri	Gerekçe	Beklenen sonuçlar
Hemşirelik tanısı: Hiperglisemiyibağlı aşırı sıvı kaybı ve yetersiz sıvı alımısonucu sıvıvolüm eksikliği **Amaç:** Sıvı volümdengesini sağlamak		
1. Dehidratasyon belirti ve bulguları yönünden Takip etmek: Poliüri, Polidipsi, Deri turgorunda azalma, Mukoz membranlarda kuruluk, Kilo kaybı (%5 kg/gün) 2. Dehidratasyon bulguları hekime bildirmek 3. Serun elektrolitlerini takip etmek (Na, K, CL, HCO3) 4. Öğün öncesi ve gerektikçe kan şekeri takipi yapmak 5. Aldığı çıkardığı sıvı takibi yapmak 6. Yaşam bulguları izlemek 7. Hekim istemine göre oral ve ya İV sıvı vermek 8. Hekim istemine göre insülin ve/veya OAD ilaçları vermek 9. Ağız bakımı vermek	1. Diyabete bağlı komaları önlemek 2. Dehidratasyon tedavi etmek 3. Elektrolitdengesizliğini önlemek 4. Hiperglisemeyikontrol altına almak 5. Sıvı dengesizliğini belirlemek 6. Sıvı eksikliğini saptamak 7. Eksik sıvıyı yerinekoymak 8. Hiperglisemsyş tedavi etmek 9. Ağız kokularını gidermek	Sıvı volüm dengesizliğini gösteren dehidratasyon Belirtilerinin olmaması.
Hemşirelik tanısı: Glikoz Matebolizmasının bozulması nedeniyle vücudun gereksiniminden daha az veya daha fazla beslenme sonucu ortaya çıkan beslenme değişikliği **Amaç:** Uygun beslenmesini sağlamak ve sürdürmek		
1. Hastanın diyet uzmanı ile görüşmesi sağlamak 2. Önerilen beslenme planına uyması için eğitilecek ve desteklenecek	1. Yaş, kilo ve günlük gereksinimlerine uygun beslenme planının yapılması 2. Metabolik değişikliklerini kontrol altında tutulması ve sağlıklı bir yaşam sürdürmesini sağlamak	Uygun beslenmesi sağlanmış ve Sürdürülmekte olması
Hemşirelik tanısı: Hipoglisemine bağlı yaralanma/düşme **Amaç:** Düşme/yaralanma riski önlemekveya en aza indirmek, nprmal şekeri düzeyeni sürdürmek		
1. Başağrısı, Açlık hissi. Soğuk terleme, Çarpıntı/taşikardi, Bulanık görme, Mental Durumunda değişiklik, Tremor, Konfüzyon, Bilinç kaybını izlemek 2. Hipoglisemi belirtileri ve bulguları olduğunda hemen kan kaybını izlemek 3. Kan şekeri 70 mg/dl altında ve bilinci yerinde ise aşağıdaki girişimleredn birisi uygulanır - Küçük kesme şeker(2-3 adet bir su bardağında eritilmiş) - Meyve suyu kola vb. (Bir buçık su bardağı) - Kuru üzüm, kurabiye, pasta, çikolata, tatlı büskivi vb. Kan şekeri 70 mg/dl altında ve bilinci yerinde değilse - IV damar yolu açmak - 50-10 ml %20 dekstroz 10'dk da IV olarak vermek - Glukagon 1 mg SC vermek bulantı, kusma yününden takip etmek 4. Kan şekerini 15 dk. Sonra tekrarölçmek - Kan şekeri 70 mg/dl altıda ise 70 mg/dl üzerinde olana kadar yukarıda belirtilen tedavileri devam etmek 5. Kan şekeri 70 mg/dl veya daha yüksek ve yemek saattine1 st'den fazlavarsa ara öğün vermek Saatine1 st'den fazlavarsa ara öğün vermek 1 st'den az vakit varsa normal öğün vermek. 6. Hastayı aşağıda belirtilen hipoglisemi bulguları yönünden her10 dk. Bir 3 defa değerlendirmek; mental durumda değişiklik, uyku hali, bilinç kaybı konvülsiyonvarsa hakime bildirmek 7. Hipoglisemi bulçuları yok, her şey normal ise kan şekeri kontrolünü ritimdeki şekilde takip etmek 8. Hipogliseminin nedenleri belirlenerek nedene yönelik eğitim yapmak	1. Hipoglisemiyi erken tanımak için hipoglisemi Belirti ve bulguları izlemek 2. Hipoglisemiyi tanımak 3. Hipoglisemiyi tedavi etmek 4. Normal kan düzeyini sürdürmek 5. Kan şekeri düzeyi ve beslenme ilişkisini sürdürmek 6. Ciddi hipoglisemibelirtilerini değerlendirmek Komayı önlemek 7. Kan şekeri profilini izlemek 8. Tekrar hipoglisemi gelişimini önlemek	Kan şekeri normal sınırlar içinde Düşme/ yaralanma riski önlenmiş veya en aza inmiş olması
Hemşirelik tanısı: Periferik vasküler yetmezliğibağlı doku oksijenlenmesinin azalma sonucu enfeksiyon gelişmesi **Amaç:** Varolan infeksiyonların tadavi sürecini hızlandırmak, olması infeksiyonları önlemak		
1. IV giriş yeri, injeksiyon yeri veya cildin herhangi bir yerinde kızarıklık, şişlik 2. Sıcak, vücut ısısındaartışı izlemek 3. Kültür için örnek olmak 4. Hekim istemine göre antibiyodik vermek 5. Yara varsa uygun sıklıkla pansuman yapmak	1. İnfeksiyon belirti ve bulguları izlemek 2. İnfeksiyon etkisini saptamak 3. İnfeksiyonu tedvi etmek 4. Yara iyileşmesini sağlamak	İnfeksiyonyok veyainfeksiyon olasığı en az düzeyde olması

ÜNİTE 9

803

Metabolik ve Endokrin Sistem

Çizelge 38.1: Diyabetes Melituslu Hastalarda Bakım Planı (Devamı)

Hemşirelik: Hastalık süresi ve tedaviye uyumsuzluk
Amaç: Tedaviye uyumunu sağlamak

1. Beslenme, egzersiz, ilaç kullanımı ve metabolik kontrol değerlerini izlemek 2. Bütün işlemler ve tedaviler hakkında açıklama yapmak 3. Korkularını ifade etmesi içim fırsat sağlamak yararlanabilecek olması ekonomik ve sosyal kaynakları değerlendirmek 4. Kendi kendine kan şekeri ölçmesi, OAD ilaçlarını alması insülin uygulamasını değerlendirmek 5. Psikiyatriden konsültasyon istenecek	1. Önerilen tedavi programını uyumu değerlendirmek 2. Diyabet yönetimini kolaylaştırmak 3. Uyum sağlaması için desteklemek 4. Diyatbetlinin kendi kendini izlemesi için Bağımsızlığını desteklemek 5. Diyabet yönetimini etkileyecek ruhsal durumunu Değerlendirmek	Etkili uyum mekanizmalarını göstermesi

Hemşirelik tanısı: Bilgi kaynağına ulaşmama, hastalığı kabullenmeme veya yanlış inançlara bağlı hastalık ve tedavisi ile ilgili bilgi eksikliği
Amaç: Yeterli eğitimi sağlayarak uygun öz bakım alışkanlıklarını kazandırmak

1. Bilgi düzeyini belirmek, Diyabet seyri tedavisi ve komplikasyonlarıyla ilgili temel hastalık bilgisi, Öğün aralıkları besin içeriği günlük kalori miktarı karbonhidrat, yağ, protein oranı, tuz, alkol ve kafein tüketiminin azaltılması, bol lifli gıdalar alınması konusunda beslenme eğitimi, OAD ilaçalar ve insülinlerin etkileri, dozu, zaman, uygulaması, yemek ve egzersizle ilişkisi, yan etkileri, Egzersiz düzeyi uygun egzersiz programları, uygulama süresi, egzersiz sırasında dikkat edilecek noktalar, Acil durumlar. Hipoglisemi, hiperglisemi ve ketoasidoz, Komplikasyonlar, Kendi kendine izleme, şeker, ve aseton takibi, nomalden sapmalar ve takip sıklıkları, Ayak, diş ve cild bakımı, alkol ve sigara kullanma, rutin kontrollergibi sağlığı geliştirici davranışları öğrenmek	1. Hasta ve hasta yakınlarının gereksinimleri karşılanacak kapsamda ve uygun yüntenlerle eğitim vermek	Diyabet, tedavisi ve bakımı hakkında bilgili Kendi kendine bakım için gerekli alışkanlıkları Kazanmış olmalı

39.
ENDOKRİN HASTALIKLARI

Prof. Dr. Nermin OLGUN
Prof. Dr. Fatma ETİ ASLAN

Giriş

Endokrinoloji; hormon salgılayan bezler, hormonlar ve hormonların hedef dokularıyla işlevlerini inceleyen bir bilim dalıdır. Endokrin sistemin ana fonksiyonu metabolizmayı, sıvı -elektrolit dengesini, kan basıncını, glikoz-lipid-karbonhidrat-kemik metabolizmaları gibi iç ortam fizyolojisini, büyüme ve gelişmeyi, beslenme ve diğer dış değişkenlere uyum ile üreme, seksüel gelişim, yaşlılık ve davranışı düzenlemektir. Endokrin sistem ve sinir sistemi homeostazı sürdürmek için birlikte çalışırlar. Karşılıklı ilişki içinde vücut fonksiyonlarında bütünlüğü ve kontrolü sağlarlar.

Endokrin bezlerin hiperfonksiyon veya hipofonksiyon ile karakterize fonksiyon bozuklukları, vücudun tüm organlarını etkileyebilen ve önemli hastalıkları meydana getiren klinik tablolarla ortaya çıkar. Bu nedenle endokrin sistemde ortaya çıkan bozuklukların zamanında tanılanması ve uygun bakımın verilmesi çok önemlidir.

a. Anatomi ve Fizyoloji

Endokrin sistemin anatomi ve fizyolojisinin anlaşılması için, temel organ olan hipotalamus ve hipofizin yapısı, hormonları ve fonksiyonlarının açıklanması gerekir.

Hipotalamusun Anatomi ve Fizyolojisi

Hipotalamus, beynin hormon üretebilen özelleşmiş bir bölgesidir. Kendisine komşu olan hipofiz bezi üzerinde durdurucu veya salgılatıcı etkiler meydana getirir. Hipotalamus bezinde sinir hücreleri mevcuttur, ancak bu hücreler diğer sinir hücrelerinden farklı olarak hormon üreterek bu hormonları kana verme özellikleri ile tanınırlar. Bu hücrelerin salgıladıkları hormonlara genel adıyla "Nörohormonlar" adı verilir. Özelleşmiş bu hücreler kendi aralarında gruplara ayrılırlar. Öyle ki salınan bazı hormonlar hipofiz bezinin "Adenohipofiz" adı verilen alt lobuna etki ederken diğer bazı hormonlar ise "Nörohipofiz" adı verilen ikinci alt birimine etkirler.

Hipotalamus ısı, enerji, otonomik düzenlemelerin yanı sıra hipofiz salgılarının kontrolünü de yapar. Hipotalamus-hipofiz ile birlikte büyüme, laktasyon, sıvı homeostazı ve tiroit bez, adrenal bez ve gonadların fonksiyonlarını kontrol eder. Retiküler aktive edici sistem, limbik sistemden uyarılar alır. Benzer şekilde koku uyarılarını ve görsel uyarıları da alır, sonra bunları endokrin sistemin çeşitli bölümlerine yönlendirir. Bazı hipotalamik nöronlar arka hipofiz hormonlarını, bazısı ise serbestleştirici ve inhibe edici hormonları salgılarlar. Arka hipofiz hormonları arka hipofizden dolaşıma boşalırlar. Serbestleştirici ve inhibe edici hormonlarsa adenohipofize gitmek üzere median eminenste hipotalamo-hipofizyel portal dolaşıma geçerler. Adenohipofizdeki tirotrof, kortikotrof, gonadotrof, somatotrof ve

Tablo 39. 1: Hipotalamus Bezinin Salgıladığı Hormonlar ve Görevleri

- <u>TRH :</u> Tiroid salgılatıcı hormondur. Hedef bölgesi, hipofiz bezinin adenohipofiz lobunun tiroit hormonunu üretip salgılayan hücreleridir. Bu hücreler kendilerine gelen TRH ile bağlanarak Tiroid adı verilen bir hormon üretmeye başlarlar
- <u>GnRH :</u> Gonad hormonlarını salgılatan hormondur. Bu hormon üretildikten sonra hipofiz bezine ulaşarak kendini bağlayabilen reseptörlerin bulunduğu, gonad hormonlarını üreten hücrelere bağlanırlar. Bağlanmasına ardışık olarak bu hücreleri aktive edip, gonadların (eşey hücrelerinin) aktivitesini kontrol eden hormonların sentezlenmesini sağlarlar.
- <u>PRH :</u> Prolaktin salgılatıcı hormondur. Hipofiz bezinde, dişilerde meme bezlerini kontrol eden hormonların salgılandığı hücreler vardır. PRH bu hücrelerin aktivasyonunu düzenler ve prolaktin hormonunun salgılanmasına neden olur.
- <u>CRH :</u> Kortikotropik hormonunu salgılatıcı hormondur. Hipofiz bezinde, böbrek üstü bezlerini etkileyen hormonların üretildiği hücreler vardır. Bu hücreler ACTH adı verilen bir hormon üretirler. Ancak bu hücrelerin aktivasyonu CRH hormonlarına bağlıdır.
- <u>GH - RH :</u> Büyüme hormonunu salgılatıcı hormondur. Bu hormon yine hipofiz bezinde bulunan ve büyüme için gerekli hormonları salgılayan hücreleri aktive eder.

Bu hormonların yanısıra hipotalamustan, hipofiz hücrelerinin aktivasyonunu engelleyen hormonlarda salınmaktadır. Bu hormonlar " İnhibe eden hormonlar " adını alırlar.

- <u>GHR - IH :</u> Bu hormon GH - RH' nın tersine büyüme hormonunu üreten hücrelerin aktivasyonunu engellerler.
- <u>CR - IH :</u> CR - IH hormonu ise, böbreküstü bezlerini aktive eden hormonları üretip salgılayan hipofiz bezi hücrelerini durdurur.
- <u>PRH - IH :</u> Hipofiz bezi prolaktin üretiminden sorumlu hücrelerin aktivasyonu bu hormon tarafından engellenir.

Darendeli M. Hipotalamus. http://www.genbilim.com/hipotalamus.htm. (Erişim tarihi: 18.2.2006) (yazar tarafından geliştirilmiştir).

mammatrof hücrelerin her biri sırasıyla tiroit sitümülan hormon (TSH), follikül sitümülan hormon (FSH), lüteinizan hormon (LH), adrenokortikotropik hormon (ACTH), büyüme hormonu (GH) ve prolaktin salgılarlar.

Aynı zamanda hipotalamusta üretilen ve hipofizdeki salgılamayı aktive eden veya durduran hormonlarla hipofiz bezi hormonları arasında kontrol mekanizmaları mevcuttur. Bu mekanizmalar hormonların kandaki artışı ile doğrudan ilişkilidir. Örneğin tiroit bezini uyaran hormon olan TSH' nın kandaki düzeyi arttığında bu hormon hipotalamus üzerine etki ederek tiroit salgılatıcı hormon (TRH) üreten hücreleri durdurur ve TRH' nın salınmasını engeller, dolayısıyla TRH hipofize gönderilmediği takdirde hipofizdeki TSH üreten hücrelerin durması söz konusudur. Böylelikle TSH salınamaz ve kandaki düzeyi düşürülmüş olur. Ancak TSH' nın kandaki düzeyi düştüğünde mekanizma tekrar harekete geçer ve hipotalamustan tekrar TRH salınmasına neden olur. Çünkü TSH' nın kandaki düzeyi düşük olması, TRH salınımı üzerinde pozitif etki oluşturur.

Hipofizin Anatomi ve Fizyolojisi

Hipofiz bezi hipotalamusa komşudur ve beynin diensefalon; orta beyin bölgesinde yer alır. Boyutu oldukça küçük, yaklaşık bir nohut tanesi kadardır ve bir sap aracılığı ile beyine bağlanmıştır. Hipofiz bezinin salgıladığı hormonlar oldukça önemli görevleri yerine getirirler. Büyümeden üremeye, su emiliminden kan basıncı dengesine kadar birçok organın kontrolünü sağlayan hormonları üretir ve kana verir.

Hipofiz bezi önde bulunan adenohipofiz ve arkada bulunan nörohipofiz olmak üzere iki bölümden oluşan bir salgı bezidir. Bu salgı bezi beyin sapında bulunup kafa kemiklerinden sfenoid kemiği cisminin üst yüzeyinde bulunan ve Türk Eğeri adını alan çukurcuğun içine yerleşmiştir. Adenohipofizde başlıca üç çeşit epitel hücresi bulunur. Bu hücrelerden asidofil olanlar salgı hücrelerinin yaklaşık % 40'ını oluştururlar. Bu hücrelerden büyüme hormonu ve prolaktin salgılanır. Bazofil hücreler salgı hücrelerinin yaklaşık % 10'unu oluşturur. Bu hücrelerden ACTH, FSH, LH ve TSH salgılanır. Kromofob hücreler salgı hücrelerinin % 50'lik bölümünü oluştururlar. Bu hücrelerin salgı yapmadıkları ancak gerek duyulduğu zaman asidofil ya da bazofil hücrelere dönüşüp onların salgılarını salgıladıkları düşünülmektedir. Adenohipofiz, hipofiz sapı içerisinde yer alan hipotalamikohipofizer portal sistem aracılığı ile hipotalamusun denetimi altında bulunmaktadır. Hipofizin arka bölümünü oluşturan nörohipofiz, pituisit denilen hücrelerden ve hipotalamustan gelen sinir liflerinin burada sonlanan uçlarından ve zengin bir damar ağından kurulmuştur. Nörohipofizde salgılanan hormonlar aslında hipotalamustaki sinir hücrelerinde sentez edilirler, daha sonra hipofiz sapından geçen sinir lifleri aracılığı ile nörohipofize taşınır ve burada salgılanırlar. Pituisitler bu salgıları toplarlar ve depolarlar. Gerektiğinde kana verirler.

Nörohipofizde biriken ve gerektiğinde kan dolaşımına verilen hormonlar vazopressin ve oksitosindir. Endokrin sistem "gland" adı verilen çeşitli bezlerden oluşur. Latince kökenli olan "gland" sözcüğü, salgı yapan bez anlamında kullanılır.

Vücudumuzda kan dolaşımı dışına salgılarını gönderen dış salgı bezleri; ekzokrin ve biyolojik olarak aktif maddelerini kan dolaşımına gönderen iç salgı bezleri; olmak üzere iki tip salgı bezi vardır. Dış salgı bezleri salgılarına örnek olarak; tükürük, mide suyu, anne sütü, meme ve ter gösterilebilir. Bu salgı bezleri salgılarını kanalları yoluyla deri yüzeyine veya gastrointestinal sistem içerisine verir. Örneğin; tükürük bezlerinden çıkan tükürük, tükürük kanalı aracılığıyla ağız boşluğuna akıtılır.

İç salgı bezlerinde ise kanallar yoktur. Salgılar doğrudan kana salgılanır ve uzak dokulara kadar iletilir. Endokrin organlar ya da bezler bilgileri ulaştırmada hormon adı verilen salgıları kullanır. Hormon Yunanca da '*uyaran, harekete geçiren*' anlamına gelmektedir. Aynı zamanda hormon; '*bir bezde sentezlenip, herhangi bir sinirsel ya da hormonsal uyarı ile kana salıverilen kimyasal maddelerdir veya organların faaliyetlerini düzenleyen kimyasal ileticilerdir*' şeklinde de tanımlanır.

Hormonların Etkileri

Hormon ve nörotransmitterler bazen birbirlerinin yerine geçip etki gösterebildikleri gibi bazen aynı hücrede birlikte de bulunabilirler. Hormonlar endokrin, nörokrin, parakrin ve otokrin yollarla etkili olabilirler.

Hormon molekülleri protein, peptid, katekolamin, steroid ve iyotlanmış tirozin derivaleri olabilir. Plazmada kimyasal yapılarına göre albümin gibi genel bir bağlayıcı veya transkortin gibi özel bir bağlayıcı taşıyıcı moleküle bağlanarak ya da serbest olarak taşınabilirler. Hedef hücreleri özel bir hücre grubu ve ya doku olabildiği gibi tiroit hormonun birçok vücut bölgesine etkilemesi gibi çok daha geniş bir alan da olabilir.

Hormon reseptörleri; plazma membranında, sitoplazmada, nükleusta olabilir. Hormon kendi reseptörlerini etkileyebildiği gibi bir başka hormonun reseptör sayısını, duyarlılığını, taşıyıcılara bağlanmasını, metabolizmasını etkileyebilir. Hormonlar kendi yapısına özgü olayı ya da organı etkiler, diğerine karışmaz. Hormonlar enerji kaynağı olarak kullanılmaz.

Hormonların Sınıflandırılması
Hormonlar Yapı Olarak Üç Ana Sınıfa Ayrılır
I Protein ve Polipeptitler: Ön ve arka hipofiz bezi hormonları, pankreastan salgılanan insülin ve glukagon, paratiroit bezinden salgılanan paratiroit hormonudur. Bunlar aynı zamanda suda eriyebilen hormonlardır.

Tablo 39. 2: Endokrin Bezler, Hormonlar ve Fonksiyonları

Bezler	Hormonlar	Etkileri
Hipofiz Ön lob	Büyüme (GH)	Kas ve kemiklerin büyümesini uyarır, protein sentezi ve yağ metabolizmasını sürdürür, karbonhidrat metabolizmasını azaltır
	Adrenokortikotropik hormon (ACTH)	Adrenalkorteksten steroid üretimini uyarır
	Tiroid sitümülan hormon (TSH)	Tiroid hormonlarının sentezini ve sekresyonunu uyarır
	Folikül sitümülan hormon (FSH)	Kadınlarda overlerde ovumun büyümesini ve overlerden östrojen salgılanmasını uyarır, erkekte sperm üretimini ve testislerde spermin olgunlaşmasını sağlar
	Luteinizan hormon (LH)	FSH ile birlikte ovülasyonu sağlar. Ovariyal siklüsün ikinci yarısını kontrol ederek korpus luteumdan progesteron sağlar. Erkekte testosteron salgılanmasını, testis interstisyel dokunun gelişimini uyarır
	Prolaktin	Meme dokusunun büyümesini ve laktasyonu uyarır
	Melanosit sitümülan hormon (MSH)	Adrenel korteksi, pigmentasyonu uyarır.
	Antidiüretik hormon (ADH, vazopresin)	Böbrek distal tübulüslerinden ve toplayıcı kanallardan su geri emilimini artırır, böylece idrar miktarı azalır.
Arka lob	Oksitosin	Memelerden laktasyon sırasında sütün meme boşluğuna akışını kolaylaştırır, uterus kontraksiyonunu güçlendirir, spermlerin üreme sistemi içinde taşınmasını uyarır
Tiroid (foliküler hücreler) Tiroid (C hücreleri)	Tiroksin (T4) Triiodothyronine (T3) Triiyotironin Kalsitonin	Metabolik hızı artırır; protein, yağ ve karbonhidrat metabolizmasını, katekoleminlere cevabı artırır. Fetüs ve yeni doğanın büyüme ve gelişmesi için gereklidir. Kan kalsiyum ve fosfat düzeylerini düşürür
Paratiroit bezler Adrenal korteks	Parathormon (PTH) Mineralokortikoidler (aldesteron)	Serum kalsiyumunu düzenler Böbreklerden potasyum kaybını ve sodyum geri emilimini sağlar
	Glikokortikoidler (kortizol)	Tüm beslenme metabolizmasında etkilidir. Kan glikoz seviyesini düzenler, büyümeyi etkiler, anti enflamatuar etkiye sahiptir ve stresin etkilerini azaltır
Medulla	Androgen	Minimal intrensek androjen etkisine sahiptir. Periferde testosteron ve dihydrotestosteronu dönüştürür
	Epinefrin (adrenalin %80) Norepinefrin (noradrenalin %20)	Sempatik sinir sistemi için nörotransmiter olarak çalışırlar. Kan basıncını yükseltir; kaslara enerji gerektiğinde glikojeni glikoza çevirir; kalp hızını artırır, kardiyak kontraktiliteyi artırır, bronşiolleri dilate eder
Overler	Östrojen Progesteron	Kadın seks organları ve sekonder seks karakterlerinin gelişimini etkiler Menstrüel siklüsü etkiler; uterus duvarının büyümesini uyarır; hamileliği sürdürür.
Testisler	Testosteron	Erkek seks organları ve sekonder seks karakterlerinin gelişimini etkiler; sperm üretimine yardım eder
Pankreas Langerhans adacıkları	İnsülin	Karbonhidrat, protein ve yağ metabolizmasını hızlandırır, kas karaciğer ve adipoz dokunun hücre membranlarından glikozun taşınmasını kolaylaştırarak kan glikoz seviyesini düşürür
	Glukagon	Glikogenoliz ve glikoneogenezisi uyararak kan glikoz konsantrasyonunu artırır
	Somatostatin	İnsülin, glukagon, büyüme hormonu ve birkaç gastrointestinal hormonun (Gastrin, sekretin) salgılanmasını azaltır, glikozun bağırsaklardan emilimini geciktirir.

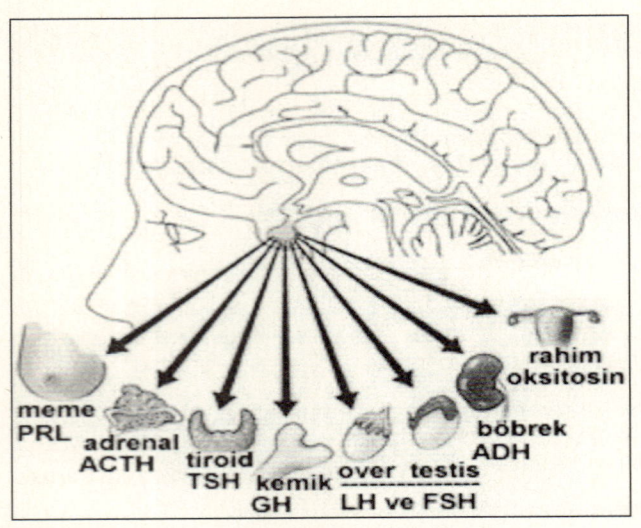

Şekil 39.1: Hipofiz Bezi Hormonları Ve Etkilediği Organlar.
Kaynak:Tiroid bezi hakkında genel bilgiler. http://www.hormonlar.com/tiroit.html (Erişim tarihi: 18.2.2006)

2. Steroidler: Adrenal korteksten salgılanan kortizol, aldesteron, overlerden salgılanan östrojen, progesteron, testislerden salgılanan testosteron ve plasentadan salgılanan östrojen ve progesteron hormonlarıdır. Bunlar aynı zamanda yağda eriyebilen hormonlardır.

3. Tirozin Amino Asidi Türevleri: Tiroid bezinden salgılanan tiroksin ve triiyodotironin ve adrenal medulladan salgılanan epinefrin ve nonepinefrin hormonlarıdır.

Hormonların Düzenlenmesi

Endokrin sistemde hipofiz ve hipotalamus olmak üzere iki büyük bez vardır. Endokrin fonksiyonları direkt ve indirekt olarak sinir sistem ile bağlantılı olan hipotalamus tarafından kontrol edilir. Hormonlar düzenli bir şekilde ve planlı olarak çalışması ve sürdürülmesinde kimyasal olaylar ve sinir sistemi kontrolleri rol oynar.

I. Kimyasal Kontrol: Hormonların çeşitli uyaranlara bağlı olarak gün içinde plazma düzeyleri dalgalanmalar gösterir. Hormon salınım kontrolü, hedef doku üzerindeki aktivitesini sabit tutacak negatif feed-back (geri bildirim) mekanizmalar ile gerçekleşir. Hormolar endokrin bezlerde özel hücreler tarafından salgılanan doğrudan kana geçer ve kan yoluyla etkileyecekleri organlara gider. Kandaki hormonlar kullanıldıktan sonra parçalanır ve atılır. Kandaki hormon düzeyi düşünce hipofizin ön lobundan salgılanan trofik hormonlar, düzeyi düşen hormonun yeniden salgılanmasını sağlar. Trofik hormonun salgılanması ise, hipotalamus tarafından salgılanan "**relaising** hormon" tarafından kontrol edilir. Hedef organın aktivitesi uygun bir düzeye ulaştıktan sonra, endokrin beze hormonun salgılanmasını yavaşlatacak şiddette geribildirim sinyalleri gönderir.

2. Sinir Sistemi Kontrolü: Hormonların düzenlenmesinde hem otonomik hem de santral sinir sisteminin etkisi vardır. Santral sinir sistemi vücudun iç ve dış ortamından gelen uyaranlara reaksiyon verir. Bu reaksiyonların büyük bir kısmı otonomik sinir sistemi ile hipotalamusa geçer, oradan da hipofize ulaşır. Hipofiz hormonları da hedef endokrin bezleri uyarır. Örneğin susayınca antidiüretik hormon uyarılır ve tubuluslardan suyun geri emilimi artar, stres durumunda adrenokortikoid hormon salgılanarak artan enerji gereksinimi depolardan karşılanır.

b. Öykü Alma

Endokrin sistem tüm vücut fonksiyonlarını etkilediğinden endokrin sistem bozukluklarında çok çeşitli belirti ve bulgular görülür. Bu belirti ve bulgular hedef alınan dokunun fonksiyonlarının artması veya azalması ile ilgilidir. Hastanın tüm vücut sistemleri gözden geçirilerek değerlendirilmesi gerekir.

Fizik Muayene

Fizik muayenede genellikle vücut sistemlerinin değerlendirilmesi yapılır. Endokrin bezlerden yalnızca tiroit bezinin elle muayenesi mümkündür. Diğer bezler palpe edilemezler. Bu doğrultuda fizik muayenede; hastanın genel görünümü, vücut şekli, yağ dağılımı, büyüme durumu, kilosu değerlendirilir. Yaşam bulguları; vücut ısısı, nabız hızı ve ritimi, solunum sayısı ve kan basıncı ölçülür. Cilt muayenesinde; cilt pigmentasyon, turgor, dehidratasyon, sıcaklık ve deri bütünlüğü açısından gözlenir.

Ayrıca vücut kıllarındaki değişiklikler, tırnaklarda kalınlaşma ve büyüme kusurlarının olup olmadığı araştırılır, kadın ve erkekte genital organların muayenesi, büyüklük, görünüm, şekil değişiklikleri, memelerin boyut ve görünüşleri muayene edilir. Nörolojik değerlendirmede; duyu, ağrı, refleksler, kas tonüsü değişiklikleri, hastanın kekelemesi, zorlanması, boğuk ses ve ses kısıklığı gibi konuşma kusurları araştırılır.

Hipertiroitizmde ayak arkasından kontrol edilen **aşil tendon refleksi** reaksiyonu daha hızlı, hipotiroitizmde ise normalin çok altında ve yavaştır. Toksik diffüz guatr denilen **Basedow-Graves Hastalığı** ve hipertiroitizmde gözlerde ekzoftalmi oluşur.

c. Tanı İşlemleri

Endokrin bozukluğundan şüphe edilen hastalarda çok sayıda tanı testleri yapılmaktadır. Uygulanan bu testler üç büyük grup altında toplanabilir; kandaki hormon düzeyini belirlemek için kan testleri, böbrekler yolu ile idrarda atılan hormon ve hormonların son ürünlerini ölçmek için idrar testleri yapılır. Üçüncü grup olarak da endokrin bozukluklarının tanılamasında uyarıcı ve baskılayıcı testler kullanılır. Her bir bezin hiper ve hipo fonksiyonunda meydana gelen değişimleri belirlemek amacıyla yapılması gereken testlere, ilgili hastalığın incelendiği bölümde yer verildi.

d. Hipofiz (Pitiuter) Bezi Hastalıkları

Hipofiz bezi hastalıkları, hipofizin ön ve arka lobunun etkilenmesi buralardan salgılanan hormonların aşırı sekresyonu (hipersekresyon) veya yetersizliği (hiposekresyon) sonucu ortaya çıkar. Ön ve arka lobun anormallikleri birbirinden bağımsız olarak oluşur.

I. Hipofiz Ön Lob Hastalıkları

Etiyoloji

Ön lob hastalıklarının nedenleri arasında; ön lobun fonksiyonel ve fonksiyonel olmayan tümörleri, hipofiz infarktüsü, genetik bozukluklar ve travma yer alır.

Patofizyoloji

Hipofiz bozukluklarında üç temel patolojik durum ortaya çıkar.
1. Hipofizin hipofonksiyonu;hipopitüiterizm
2. Hipofizin hiperfonksiyonu;hiperpitüiterizm
3. Tümör kütlesinin büyüyerek beyin dokusuna lokal baskı yapması.

Hipopitüiterizm

Hipofiz ön lobundan salgılanan hormonların bir ya da birden fazlasının yetersizliği durumudur. Tüm hipofiz hormonlarının Yetersizliğine panhipopitüiterizm, erişkinde ise Simmon hastalığı adı verilir. Bu durumda önce büyüme ve gonadotropin hormonlar (LH ve FSH), sonra TSH ve ACTH hormonlarının yetersizliği görülür. Konjenital olarak büyüme hormonunun ve beraberinde ACTH yetersizliği veya erken yaşlarda kafa travması, menenjit ve kraniyal tümör nedeniyle gelişen **Dwarfizm; cücelik** te genel olarak vücut bölümleri orantılı olarak küçük kalır. 10 yaşındaki bir çocuk dört-beş yaşlarındaki bir çocuğun, 20 yaşına vardığı zaman ise 7-10 yaşındaki bir çocuğun vücut ölçülerine erişir. Seksüel gelişim gecikmesine karşın normaldir. Zeka düzeyleri normaldir.

Etiyoloji

Hipopitüiterizmin etiyolojik faktörleri arasında; inflamatuar hastalıklar, anevrizma veya kanama sonucu oluşan damar lezyonları, hormon Yetersizlikleri, hipotalamus-hipofiz bölgesine yönelik cerrahi girişimler ya da ışınlama ve hipofizin fonksiyonel adenomları, infiltratif ve metastatik hastalıkları yer almaktadır.

Klinik Belirtiler

Eksikliği görülen hipofiz hormonuna göre değişiklik gösterir.

Bunlar;
- Büyüme hormonu (GH) eksikliğinde; halsizlik, çabuk yorulma, santral obezite, kas gücü ve egzersiz kapasitesinde azalma
- Luteinizan hormon (LH) ve folikül sitümülan hormon (FSH) eksikliği; kadınlarda oligo-amenore (mensturasyon miktarında azalma), infertilite, meme atrofisi, pubik ve aksiler kıllarda azalma, sıcak basması ve disparonia (cinsel ilişkide ağrı) erkeklerde libidoda azalma ve empotans, infertilite, sıcak basması, Sekonder seks karakterlerinde gerileme ve testislerde yumuşama görülebilir.
- Tiroid sitümülan hormon (TSH) eksikliğinde; halsizlik, kas güçsüzlüğü, soğuk intoleransı, kabızlık, kilo artışı, apati, deride kuruma ve kabalaşma görülür.
- Adrenokortikotropik hormon (ACTH) eksikliğinde; halsizlik, iştahsızlık, kilo kaybı, bulantı ve kusma, hipoglisemi, apati, pubik ve aksiler kıllarda azalma
- Vazopressin eksikliğinde; poliüri, polidipsi ve noktüri görülür.

Tanı

Öykü, fizik muayene ve eksik olan hormonun saptanması ile konur.

Tedavi

Tedavide; nedene yönelik olarak; tümör varsa çıkarılır, yetersiz hormon salgılanmasında ise, eksik hormon yerine konulur. Tedavi ömür boyu sürecek şekilde planlanmalıdır. Stres, enfeksiyon ve ameliyat öncesi gibi durumlarda kortikosteroid dozu 2-3 misli arttırılmalıdır.

Bakım

Hasta hastanede yatarken ortaya çıkan semptomlara yönelik uygun bakım sürdürülür. Evde özellikle uygulayacağı tedavi programı ve özellikleri ile ilgili eğitim yapılır.

Hiperpitüiterizm

Hipofiz ön lobundan salgılanan hormonların hipersekresyonudur. Çoğunlukla ACTH ve büyüme hormonu ile ilgilidir.

Etiyoloji

Etiyolojik faktör genellikle hipofizin fonksiyonel adenomlarıdır.

Patofizyoloji

ACTH fazla salgılandığında cushing sendromu, prolaktin fazla salgılandığında hiperprolaktinemi ve büyüme hormonu fazla salgılandığında jigantizm ve akromegali görülür.

Hiperprolaktinemi

Prolaktinin fazla salgılanmasıdır ve en önemli neden hipofiz tümörleridir. Kadınlarda erkeklerden daha sık görülür. Prolaktin hipotalamusun salgıladığı dopamin tarafından baskılanır. Östrojenler prolaktin seviyesini uyarır. Prolaktin seviyesi gebelik sırasında yükselerek, göğüslerin gelişimini artırır. Postpartum prolaktin süt oluşumunu artırır.

Klinik Belirtiler

Kadınlarda amenore ile birlikte veya tek başına laktasyon uyarımı, ovulasyonun baskılanmasıdır. Düzenli mens görülse bile infertilite vardır. Erkeklerde libido kaybı, empotans ve infertilite görülür. Gonodotropik hormonlar ve testosteron beraberce düşük bulunur.

Tanı

Sabah aç karnına prolaktin ölçümü yapılır. Serum prolaktin düzeyi 200ng/ml'nin üzerinde ise, hipofiz tümörleri (prolaktinoma) düşünülür. Kesin tanı için bilgisayarlı tomografi (CT) veya nükleer manyetik rezonans (MRI) ile araştırılır. Küçük tümörler bu yöntemler ile saptanamadığında altı aylık aralarla prolaktin ölçümü ve yılda, bir görüntüleme yöntemleri ile inceleme yapılarak hasta değerlendirilir.

Tedavi

Prolaktinoma dışında yükselen prolaktin düzeylerinin tedavisi, nedene yöneliktir. Prolaktinoma vakalarında ilaç ve cerrahi tedaviler uygulanır.

Bakım

Hastada ortaya çıkan semptomlara ve yapılan cerrahi işlemlere yönelik uygun bakım sürdürülür.

Büyüme Hormonunun Hipersekresyonu

Büyüme hormonu (GH)'nun aşırı anabolik etkisi sonucu vücutta fiziksel değişiklikler olur. Puberteden önce GH artışı jigantizm, erişkin dönemde ortaya çıkarsa akromegali olarak isimlendirilir. Aradaki fark; puberteden önce büyüme kıkırdakları kapanmamıştır, hasta devimsi görüntüye sahiptir. Jigantizmde boy 240-270cm. ye ulaşabilir. Büyüme kıkırdakları kapandıktan sonra hasta boyuna değil enine doğru büyür.

Akromegali

Genellikle orta yaşta ortaya çıkar, kadın ve erkeklerde görülme oranı aynıdır. Görülme sıklığı milyonda 34 civarındadır.

Etiyoloji

En sık görülen GH salgılayan hipofizer adenomdur. Hipofiz karsinomu ya da hipotalamik GH salgılatan faktör sekrete eden karsinoid tümörler nadir görülmektedir.

Klinik Belirtiler

Yüz görünümü kabalaşmış, yumuşak dokular supraorbital köşeler kalınlaşmış ve burun büyümüştür. Dudaklar kalınlaşmış, çene öne doğru çıkmıştır (prognatizm). Dişler aralıklı olup dil büyümüştür (makroglossi). Aşırı terleme ve kadınlarda erkek tipi kıllanma (hirsutizm) vardır. Eller geniş kürek gibi, el sıkarken ellerin yumuşaklığı hissedilir. Vertebralarda büyüme ve kifoz vardır. Yük taşıyan eklemlerde erken yaşta artrit görülebilir. Koroner arter hastalığı, hipertansiyon ve diyabet normal popülasyona göre daha sık görülür ve bu hastalarda mortalite nedenidir. kardiyomiyopati de görülebilir. Baş ağrısı görme alanı defektleri kraniyal sinir palsileri gibi hipofiz tümörüne bağlı bulgular görülebilir. Seste kalınlaşma larinkste büyüme ve ses tellerinde kalınlaşma olur. Bu değişiklikler çok yavaş gelişir, 10-20 yıldan önce fark edilmez ve fiziksel değişiklikler geriye dönüşümsüzdür.

Tanı

Hastalarda GH yükselmiştir. Glikoz yükleme testi sonucunda normal kişilerde suprese olan GH akromegalik kişilerde suprese olmaz. Görme alanı muayenesinde periferik görme alanı daralması hemianopsi (yarım görme alanı) saptanır. Hipofiz MR'ı ya da CT'si ile adenomun görüntülenmesi yapılır. Direkt grafide sella büyük olarak görülür. Serum kalsiyum, fosfor ve glikoz düzeyi yüksek ve diyabet görülebilir. Hipofiz Yetersizliği tablosu gelişmişse; ACTH, kortizol, T3, T4, LH, FSH: kadınlarda östradiol ve erkeklerde testosteron düşük bulunur.

Tedavi

Amaç belirti ve bulguların azaltılması, somatik ve metabolik değişikliklerin düzeltilmesidir. Cerrahi, tıbbi ve radyoterapi ile mikroadenomların %90'ında iyilik sağlanır. Daha büyük tümörlerde başarı oranı düşüktür. Cerrahi tedavi ile GH oranı düşürülemezse tedaviye radyoterapi eklenir.

Bakım

Hastada görülen semptomlara ve uygulanan tedaviye yönelik uygun bakım sürdürülür.

2. Hipofiz Arka Lob Hastalıkları

Hipofizin arka lobundan salgılanan hormonlar ADH ve oksitosindir. ADH' nın az miktarlarda salgılanması böbreklerden su tutulmasını artırıcı etki yaparken yüksek miktarlarda salgılanması vücudun her yerindeki arteriyolleri daraltarak arteryal basıncı artırır. Bu nedenle ADH' nın diğer adı vazopresindir. ADH su dengesini düzenlemede yardımcı olur ve güçlü bir vazokonstriktördür. ADH yetersizliği fazla miktarda düşük yoğunlukta idrar yapımına neden olur.

Diabetes İnsipitus

Diabetes insipitus ADH salgılanmasının yetersizliği sonucu ortaya çıkar.

Etiyoloji

Nörolojik nedenler; ailevi Diabetes insipidus otozomal dominant geçiş gösterebilir ya da DİDMOAD (Diabetes insipidus, Diabetes mellitus, Optik atrofi ve Deafness-sağırlık) sendromunun bir parçası olarak görülebilir. Edinsel nedenler; travma, hipofiz cerrahisi, hipofiz bölgesi tümörleri, tüberküloz, sarkoidozis, ensefalit ve menenjittir. Nefrojenik nedenler ise; metabolik (hipokalemi, hiperkalsemi), kronik böbrek yetersizliği, lityum toksisitesi, post obstrüktif üropatiler ve Diabetes mellitus dur.

Patofizyoloji

Kranial veya nörolojik olarak merkezi sistemde yeterli miktarda ADH salgılanamaz veya nefrojenik nedenlerle ADH'a renal yanıt yetersiz kalır.

Klinik Belirtiler

Tüm hastalarda aşırı susama (polidipsi), 24 saatte 4-20 litre su içme eğilimi vardır ve soğuk su içmeyi severler. Aşırı miktarda idrar (poliüri); 24 saatte 15-18 litre idrar çıkarabilirler. Anoreksi kilo kaybı, yorgunluk vardır.

Tanı

İdrar yoğunluğu 1005 veya altında, osmolarite 200m Osm/kg altındadır. Poliüri nedenlerini ortaya koymak için *"Susuzluk testi"* yapılır. Bu testte hastaya 8-12 saat ;vücut ağırlığının %3'ünü kaybedinceye kadar, su verilmez. Testin başında hasta tartılır. Vücut ağırlığı, kan basıncı, idrar miktarı ve yoğunluğu, plazma idrar ozmolaritesi her saat başı ölçülür. Vücut ağırlığı % 3'ün altına düştüğünde teste son verilir. Merkezi Diabetes insipitusta idrar miktarı azalmaz idrar yoğunluğu ve osmolaritesinde yükselme görülmez, serum osmolaritesi artar. Nefrojenik Diabetes insipitusta benzer sonuçlar alınır. Psikojenik Diabetes insipidusta idrar miktarı azalır, idrar yoğunluğu ve osmolaritesi artar, serum osmolaritesi değişmez.

Diabetes insipitusta yapılan diğer testler "hipertonik tuzlu su testi" (osmotik uyarı testi) ve "vazopressin testi"dir. Hipertonik tuzlu su testinde %3 NaCl, 10ml/kg başına 45 dakika içinde damar yoluyla verilir ve bu sırada **arginin vasopresin (AVP)** ölçülür. Merkezi ve Nefrojenik Diabetes insipidusta idrar miktarı, yoğunluğu ve osmolaritesi değişmez. Vazopressin testinde plazma ve idrar ozmolaritesi ölçülür, sıvı alımı kesilir ve saatte bir idrar ozmolaritesi ve kilosu ölçülür. Kilo kaybı %3 olunca plazma ozmolaritesi ölçülerek yeterli dehidratasyon sağlanıp sağlanmadığına bakılır. Yeterli dehidratasyonda plazma ozmolaritesi 288mOsm/kg üzerinde olmalıdır. Sonra 5 ünite sulu vazopressin veya bir miliekivalan desmopressin cilt altına veya 10 miliekivalan desmopressin nazal sprey şeklinde verilir.

Vazopressin sonrası toplanan bir saatlik idrarda ve bir saat sonraki idrarda osmolarite ölçülür. Merkezi Diabetes insipitus'ta idrar miktarı azalır ve yoğunluğu yükselir. Nefrojenik Diabetes insipitus'ta ise, idrar miktarı, yoğunluğu ve osmolaritesi değişmez. ADH ölçümü radyoimmünoassay (RIA) gibi yöntemlerle yapılır. Buna göre ADH seviyesi merkezi Diabetes insipidus'da düşük, nefrojenikte normal ya da yüksek düzeyde bulunur.

Tedavi

Tedavinin amacı; vazopressin eksikliğini tamamlama, yeterli sıvı alımını sağlama, kraniyal patoloji olduğunda uygun tedavi ile patolojiyi düzeltmedir. Merkezi Diabetes insipidusta sentetik ADH anoloğu olan desmopressin (DDAVP) genellikle burundan veya ağızdan verilir. Minirin solüsyon (0.1-0.2 ml) günde bir veya iki defa nazal yol ile verilir. Hastanın nezle olduğu durumlarda ilaç emilimi etkisiz kalabilir. Doz fazla geldiğinde ise, su zehirlenmesi belirtileri olabilir. Nefrojenik Diabetes insipidusta tuz kısıtlaması ile birlikte diüretik kullanılması ile idrar miktarı azaltılır.

Bakım

Diabetes insipidustan şüphe edilen hasta gerekli tanı testlerini yaptırması konusunda cesaretlendirilir. Kraniyal lezyon saptandığında uygulanacak cerrahi tedavi ile ilgili hasta ve ailesi desteklenir. Klinikte yatan hastalara düzenli kilo kontrolü yapılır. Vasopresinin vazokonstrüksiyon yapıcı etkisi nedeniyle vasopresin tedavisi uygulanan hastalarda koroner arter hastalığı olup olmadığı araştırılır. Hastaya kimliğini ve tanısını belirten kartını yanında taşıması önerilir.

e.Tiroidin Fonksiyonel Hastalıkları

Tiroid eski Yunanca kökenli bir kelime olup "kalkan" anlamına gelmektedir. Tiroid bezi, boynun ön alt tarafında, nefes borusu üzerinde yer almaktadır. Sağ ve sol olmak üzere iki kısımdan (lop) oluşmaktadır. Normalde her lop ortalama 4 cm uzunluğunda ve 12 cm genişliğindedir. Tiroid lobları yassı şekilli olup, altta geniş ve üste doğru sivri koni şeklindedir. İki yan lob, ortada isthmus adlı bir köprü ile birleşir ve H görünümü verir. Bez çok fazla kanlandığı için koyu kırmızı renkte görülür.

Tiroid bezi yutma esnasında gırtlak ile beraber yukarı-aşağı hareket eder. Endokrin bezlerin en büyüğü olan tiroit bezinin ağırlığı ortalama 25-30 gr dır. Arterleri inferior ve superior tiroit arterleridir. Venleri ise arterler ile aynı isimli venler ve tiroit mediadır. Bu beze gelen sempatik sinir lifleri ganglion cervicale superius, medium ve inferius'tan, parasempatik lifler ise nervus vagus'tan gelir.

Tiroidin Fonksiyonu ve Disfonksiyonu

Tiroid bezi folliküler bir yapıya sahip olup bu folliküllerde esas folliküler hücreler ve parafolliküler hücreler (C hücreleri) bulunur. Tiroid hormonu protein yapısındadır. Tirozin amino asidi üç-dört adet iyot molekülü ile birleşince tiroit hormonları oluşur. Tiroid hormonları folliküller içinde tiroglobüne bağlı olarak depolanır.

Folliküden değişik kontrol mekanizmalarının etkisi altında vücut metabolizmasını uyararak tiroksin (T4; yapısında 4 iyot atomu vardır) ve triiyodotironin (T3; yapısında 3 iyot atomu içerir); parafolliküler hücrelerden ise kalsitonin (kan kalsiyum seviyesini düşürür) salgılanır. T3'ün aktivitesi yüksek fakat kısa ömürlüdür, T4 ise aktivitesi düşük, uzun etkilidir ve periferde T3'e dönüşerek aktivitesini arttırabilir.

Bu hormonlar yaşamsal fonksiyonların oluşumu ve devamı için gereklidirler. Bunun yanı sıra vücut metabolizmasında da temel rol oynarlar. Tiroid hormon salgısı başlıca TSH ile kontrol edilir. TSH ise TRH ile kontrol edilir.

Tiroid Hormonu ve İyot

İyot, tiroit bezinin görevini yerine getirmesi için gereklidir. Tiroid hormonlarının sentezi, yeterli miktarda iyodun tiroit içine girmesine, tiroit içinde normal işleyen iyot metabolizmasına ve normal tiroglobulin sentezine bağlıdır. Tiroid hormonları tiroit bezinde sentezlenir ve iyot içerirler. Tiroid hormonu sentezinde ilk aşama iyodun biriktirilmesidir. Bu enerji gerektiren bir işlemdir ve iyot plazmadakine oranla 10.000 kez konsantre edilir. Daha sonraki basamakta iyot tiroglobuline kovalent olarak bağlanır. İyot hidrojen peroksit olarak oksitlenerek pozitif yüklü bir iyodür iyonu oluşturulur ve bu da tiroglobulindeki spesifik tirozinlerle reaksiyona girerek monoiyodtirozinleri oluşturur. Bu reaksiyon tiroperoksidaz tarafından katalize edilir. Monoiyodotirozinler aynı şekilde ikinci bir reaksiyon daha geçirerek diiyodotirozinleri oluştururlar. Bunu iyodotirozinlerin tironinleri oluşturmak üzere birleşmeleri takip eder. İki diiyodotirozinden bir tiroksin (T4), bir monoiyodotirozin ile bir diiyodotirozinin birleşmesinden ise triiyodotironin (T3) oluşur. İki monoiyodotirozin birleşmez, birleşirlerse de inaktif bir bileşik oluşur.

Tiroid hormonların oluşumunda anahtar rol oynayan iyot, tükettiğimiz gıdaların içerisinde bulunmaktadır. İyodun aşırı alımı, otoimmün tiroit hastalığı dediğimiz bağışıklık sistemi ile ilişkili hastalığa zemin hazırlayabilmektedir. İyot eksikliği olan bölgelerde, iyot sofra tuzuna ve ekmeğe ilave edilmekte ve günlük alımı 300-700 m EgIL ulaşabilmektedir. Türkiye'de pek çok yörede iyot eksikliği olduğu göz önünde bulundurulursa iyotlu sofra tuzu alımı önemi ortaya çıkmaktadır. Tiroid hormonları tiroitde sentezlenip, tiroit hücresi proteinlerine bağlanarak depolanır ve gereksinim halinde kan akımına geçer. Tiroid hormonu iyodu kandan alıp hücrelerinde depolama becerisi çok yüksektir. İyot iyonları burada iyot moleküllerine dönüştürülür ve bir amino asit olan tiroksin ile reaksiyona girerek tiroit hormon oluşur.

Tiroid hormonlarının büyük bir kısmı bağlayıcı proteinlere bağlı olarak dolaşır. Proteine bağlı tiroit hormonunun yaklaşık %75'i tiroksin bağlayıcı globüline (TBG) bağlanır. Geri kalan tiroit hormonu bağlanma gücüne göre sırasıyla T4-bağlayan prealbümin (transtyretin, TTR) %15 ve geriye kalan kısmı da albümine bağlanır. Kandaki plazma proteinlerine bağlı olarak dolaşan tiroit hormonlarının hepsine birden "proteine bağlı iyot"(PBI) denir.

Tiroid Hormonlarının Düzenlenmesi

Vücutta metabolik aktiviteyi normal düzeyde sürdürmek için, tiroid hormonunun her zaman uygun miktarlarda salgılanması gerekir. Bunu sağlamak için hipotalamus ve ön hipofiz bezi yoluyla işleyen özel bir feedback mekanizmaları tiroit salgı hızını kontrol eder.

Tiroid bezinden T3 ve T4 sekresyonu, tiroit sitümülan hormon (TSH ya da tirotropin) tarafından kontrol edilir. TSH'nın ön hipofiz bezinden salgılanması bir hipotalamus hormonu olan tirotropin serbestleştirici hormon (TRH) tarafından kontrol edilir. TSH, tiroit hormonunu serbestleşme hızını kontrol eder. Diğer taraftan TSH serbestleşmesi, kandaki tiroit hormonu tarafından belirlenir. Eğer kandaki tiroit hormon konsantrasyonu azalırsa, T3 ve T4'ün salınımının artmasını sağlayan TSH serbestlenir ve normal seviye yakalanır. Tiroid hormonunun artması ile oksijen yakılması, vücut ısısı, nabız, sistolik kan basıncı, hassasiyet, lipolizis ve kilo kaybı artarken kandaki kolesterol düzeyi azalır.

Tiroksin ve Triiodotironinin Fonksiyonu

Tiroid hormonunun öncelikli fonksiyonu hücresel metabolik aktiviteyi kontrol etmektir. T4 vücut metabolizmasını sabit durumda tutabilmek için nispeten zayıf bir hormondur. T3, T4'e göre yaklaşık beş kat daha hızlı metabolik etkiye sahiptir. Bu hormonlar, oksijen tüketimine yardımcı olan özellikli enzimlerin seviyesini artırarak metabolik süreci hızlandırır. Tiroid hormonları hücre çoğalmasını etkiler ve beynin gelişmesinde önemlidir. Tiroid aynı zamanda normal büyüme için gereklidir. Tiroid hormonları hücresel metabolizma üzerindeki geniş çaptaki etkileri nedeniyle vücuttaki önemli organları etkilemektedir.

Kalsitonin

Kalsitonin, veya thyrocalcitonin tiroit bezi ve daha az olmak üzere paratiroitler ve timus'tan salgılanan diğer bir polipeptid hormondur. Plazma kalsiyum konsantrasyonu yükseldiği zaman salgılanır. Başlıca hedefi kemiktir. Kalsiyumun kemiklerde depolanmasını hızlandırarak plazmadaki düzeyini düşürür. Gerçek biyolojik rolü bilinmemektedir.

Tiroid Bezinin Değerlendirilmesi

Hastada kitle bulgusuna bağlı olarak ses kısıklığı, yutma güçlüğü, özellikle substernal guatrda solunum yollarında tıkanma görülür. Tiroid bezi trakeaya fikse olduğundan yutkunma ile hareket eder. Hasta yutkunurken hareket eden bezin büyüklüğü incelenir. Sonra boyun ekstansiyona getirilip tiroit bezi ön ve arkadan muayene edilir. Lobların büyüklük ve genişliği santimetre olarak ölçülür. Ayrıca palpasyonla tiroit yüzünün düz, düzensiz, lobüllü, nodüler olup olmadığı ve kıvamı belirtilir. Ağrı olup olmadığı sorulur. Servikal LAP maligniteyi gösterebilir. Substernal kitleler trakeada deviasyona neden olabilir.

Tiroid fonksiyonlarını araştıran yöntemler çok gelişmiştir. Bu testler iyi seçilerek kullanılırsa, vakaların büyük bir çoğunluğunda hem tiroid bezinin fonksiyonel durumunu değerlendirmek, hem de bir fonksiyon değişikliği varsa bunun nedenini belirlemek mümkün olur. Tiroid hastalarının çoğunda ya fazla ya da yetersiz miktarda hormon üretimi söz konusudur. Bu tip hastalarda sıklıkla guatr mevcuttur. Ancak, diğer yandan, guatrı veya tiroit bezinde nodülü olan hastaların büyük bir çoğunluğunda da tiroit fonksiyonları normal sınırlardadır. Bazı hastalarda ise nodül olup fazla miktarda hormon salgılayan tiroit bezi bulunmaktadır.

Tiroid bezinin hormonal durumunu ortaya koymak için laboratuar verilerine gereksinim vardır.

Laboratuar testleri tiroit hastalığının tanısı ve tedavi altında olan tiroit hastasının izlenmesi için uygulanmalıdır.

Laboratuvar Çalışmaları

Serum Hormon Düzeylerinin Ölçülmesi (T3, T4, Serbest T3 ve T4 Seviyesi, TSH): Hastaya içirilen radyoaktif iyodun belirli zamanlarda tiroitte tutulma oranı araştırılır. TSH, tiroit hastalığı şüphesi olan hastada ilk bakılması gereken parametredir. Bu test, genellikle hipotiroiti ve hipertiroiti hastasının tanımlanmasını sağlar.

Serumdaki normal TSH değeri 0.38-6.15 mE/mL dir. Azalmış TSH düzeyleri tiroit bezinin çok çalıştığını yani hipertiroitizmi işaret ederken, artmış TSH düzeyleri tiroit bezinin az çalıştığının yani hipotiroitizmin göstergesidir. Yine T4 ve T3 hormonlarının normal sınırın altında veya üstünde olması tiroit bezinin iyi çalışmadığını gösterir. Çok nadir de olsa, bazı ilaçlar ve bazı tiroitle ilişkili olmayan hastalıklar da TSH düzeylerinin değişmesine neden olabilir. Normal olmayan TSH düzeyi varlığında serbest T3 (sT3) ve serbest T4 (sT4) tiroit hormon düzeylerine bakmak gerekir. Azalmış TSH düzeyi ile birlikte artmış sT3 ve/veya sT4 düzeyleri hipertiroitizmi işaret eder. Bunun tam tersi durum, yani artmış TSH düzeyi ile birlikte azalmış sT4 ve(veya) sT3 düzeyi hipotiroitizmde söz konusudur.

Tiroid hormonlarının bir kısmı kan dolaşımında tiroit hormonlarını bağlayan proteinlere bağlanarak taşınırlar. Doku düzeyinde etkin olan hormonların, bu proteinlere bağlı olmayan, sT3 ve sT4 olarak adlandırılan hormonlar olduğuna inanılmaktadır. Doğumda ya da doğum kontrol hapları kullanımında toplam tiroit hormon düzeyleri artsa da sT3 ve sT4 düzeyleri normal düzeylerde kalır.

Sintigrafi: Damardan teknesyum denilen bir ilaç verilerek tiroit bezinin filminin çekilmesidir. Sintigrafi ile nodülün sıcak mı, soğuk mu olduğu anlaşılır. Sintigrafi sadece nodülü olan ve TSH'sı düşük olan hastalara yapılır. Tiroid sintigrafisi, tiroit bezinin boyutları, şekli ve varsa mevcut nodülün doğası hakkında bilgi verir. Normal tutulumu, tiroit hipofonksiyonunda, soğuk tutulum, tiroit hiperfonksiyonunda sıcak tutulum görülür. Solid nodül; sintigrafi ile soğuk olduğu saptanırsa malignite lehine, sintigrafi ile sıcak olduğu saptanırsa hipertiroiti lehine karar verilir. İlave olarak kistik nodül saptanabilir.

Ultrasonografi: Ultrasonografi, ses dalgaları ile görüntü elde edilen görüntüleme yöntemidir. Tiroid hastalıklarının tanımlanmasında yardımcı olan en etkili yöntemlerden biridir. Tiroid bezi ultrasonografisi özellikle bezin boyutları, şekli ve varsa nodülün ya da nodüllerin büyüklüğü ve yapısı hakkında bilgi verir. Ayrıca ilaç tedavisinde olan hastalar için bezin veya nodülün ne kadar küçüldüğünün veya küçülmediğinin daha iyi anlaşılmasını sağlar.

Nodül kan akımının Doppler ultrason ile incelenmesi nodüllerin iyi huylu veya kötü huylu olup olmadığı konusunda ek bilgi verir.

Biyopsi: Tiroid bezinin biyopsisi oldukça yaygın kullanılmaktadır. Özellikle tiroit bezinde tek nodülü olan hastalarda nodülün doğasını, kanser olup olmadığını ortaya koymak açısından çok değerlidir.

Nodülü olan tüm hastalara yapılır. Bu yöntem ile ince uçlu bir iğne eşliğinde tiroit bezinin normal olmayan kısmına girilerek mikroskobik boyutta hücreler örnek amacıyla alınır. Normal enjektörlerle yapılır.

Damardan kan alınır gibi tiroit bezindeki nodülden parça alınır. Korkulmaması gerekir. Cerrahi bir işlem değildir. Bazen biyopsi ile yeteri kadar parça veya hücre gelmeyebilir. O zaman biyopsiyi tekrarlamak gerekir. Alınan hücreler patoloji bölümünde incelenerek kanser ve iltihap olup olmadığı araştırılır. Bu işlem basit, hızlı, ağrısız olduğu gibi tiroit hastalığının tanısında oldukça etkindir. Her ne kadar cerrahi, tiroit nodül doğasını kesin olarak ortaya koyan yöntem ise de, biyopsi %85-90 oranında nodülün karakteri; iyi huylu kötü huylu olup olmadığı konusunda fikir verir. Ancak tiroit biyopsisinin başarısını biyopsiyi yapan ve biyopsi örneğini inceleyen kişilerin deneyimi belirler. Özellikle soğuk nodüllerde endikedir. Biyopsi sonucuna göre ilaç tedavisi veya cerrahi işlem kararı verileceğinden mutlaka yapılması gereken bir uygulamadır. Diğer tanı yöntemleri arasında; bazal metabolizma ve aşil refleksi ölçülür. Serum tiroglobün seviyesine bakılır. Tiroid otoimmünite testleri yapılır, Radyoaktif iyot tutulumu, TSH ile tiroit stimülasyon testi, proteine bağlı iyot ölçümü yapılır. Serum kolestrolu hipertiroitide azalır, hipotiroitide artar. Serumda kalsitonin düzeyinin ve tiroit hormonu replasmanında doz yeterliliğinin araştırılması yer alır.

Tiroid Fonksiyonu Anormallikleri
Normal fonksiyon gören tiroit bezi, **ötiroit tiroit bezi** olarak adlandırılmaktadır.

Epidemiyoloji
Tiroid bezi hastalıkları oldukça sık görülmektedir. Dünya da yaklaşık 200 milyon insanda tiroit hastalığı bulunmaktadır. Tiroit hastalıklarının birçoğunun günümüzde tedavisi vardır. Tedavi edilmemiş tiroit hastalıkları ise ciddi ve kalıcı sorunlara neden olabilmektedir.

Türkiye'de her 10 kişiden 3'ünde görülen tiroit hastalığı tüm endokrin hastalıklarda olduğu gibi kadın hastalarda daha sık görülmektedir. Farklı illerde okul çağında yapılan taramaların sonucuna göre tiroit hastalığının görülme sıklığı yüzde beş ile yüzde 56 arasında değişmektedir.

Türkiye için ciddi bir sorun olarak değerlendirilmekle birlikte uygun iyotla zenginleştirilmiş sofra tuzu kullanımının yaygınlaşması ile iyot yetersizliğinden kaynaklanan hastalıklar azalmaktadır.

Etiyoloji
Vücutta yaşamsal bir işlevi üstlenen tiroit bezinin işlevleri; kalıtım, mikroplar, radyasyon, ısı değişiklikleri, iyot eksikliği ya da fazlalığı, yaşlanma, kullanılan ilaçlar ve kanser gibi faktörlere bağlı olarak bozulabilmektedir.

Patofizyoloji
Vücudun en temel işlevlerini yöneten tiroit bezine ait sorunlar; tiroit hormonlarının az çalışması, fazla çalışması veya bez içinde oluşan kitlelerdir. Tiroid bezi sorunları sıklıkla otoimmun özelliktedir. Otoimmun hastalık, vücudun kendi dokularından birine bilinmeyen nedenlerle yabancılaşması ve bu "yabancı" dokuyu bağışıklık sistemiyle vücuttan uzaklaştırmaya yönelik girişimler yapması sonucu oluşan hastalıktır. Bağışıklık sistemi vücudun aslında kendine ait olan bu dokusunu tahrip ettikçe dokunun işlevleri aksamakta ve buna bağlı sorunlar ortaya çıkmaktadır.

Tiroid hastalığı gelişme riski; iyod eksikliği olan bölgede yaşayan veya yeterli iyod almayanlarda, ailesinde tiroit hastalığı olanlarda, diabetes mellitus, romatoid artrit ve pernisiyöz anemisi olanlarda, gebe kadınlar ve yeni anne olanlarda, 60 yaşın üzerindeki kadınlarda, 70 yaşın üzerindeki erkeklerde, kanser nedeniyle baş ve boyuna radyoterapi yapılanlarda ve lityum, amiodoron ve interferon gibi ilaçları kullananlarda yüksektir. Tiroid fonksiyonu anormallikleri; hipotiroitizm ve hipertiroitizm olarak ortaya çıkmaktadır.

Hipotiroitizm
Tüm metabolizmayı etkileyen tiroksin (T4) triiyodotironin (T3) ve hormonlarının eksikliği sonucu gelişir. Hipometabolik, hipoaktif bir durumdur. Klinik tablo hafif hipotiroitiden, şiddetli miksödeme kadar değişebilir. Hipotroidizm klinik olarak çocuklarda ortaya çıkarsa kretinizm; erişkinde miksödem olarak adlandırılır.

Kretinizm: Konjenital tiroit hormonu Yetersizliği vardır. Annenin gebelikte fazla antitiroit olması ya da fazla doz iyot almaya bağlı olabilir. Konjenital hipotiroitide tiroit bezi aplazisi, hipoplazisi ve tiroit enzim sentez defektleri olabilir. Bu çocuklar doğumda normaldir. Daha sonra büyüme gelişme geriliği görülür. Üç aydan itibaren büyüme geriliği fark edilir. Bu hastalarda nazolabial oluklar görülmez, cilt kuru, sarı renklidir.

Orantısız cücelik, zeka geriliği, seksüel gelişim geriliği, vardır. Baş büyük elmacık kemikleri çıkık burun basıktır. Göz kapakları şiş yanaklar sarkıktır, karın şiştir, dişler çıkmaz ya da geç çıkar, metabolizma azalmasına bağlı solunum azalması, hipotansiyon anemi, enfeksiyonlar görülür. En önemli ölüm nedeni sekonder infeksiyonlardır.

Miksödem: Genellikle yaşlılarda kış aylarında görülür ve acil tedavi gerektirir. Uzun süreli devam eden Hipotroidzmin ağır tablosudur. Erişkinlerde tiroit hormon sentezinde azalma vardır. Haşimato cerrahi, eksizyon, etken olabilir.

Miksödem Koması tirotoksik krizden daha sık görülür. Genellikle uzun süreli hipotiroitisi olan yaşlı kişilerde soğuğa maruz kalma, enfeksiyonlar ve santral sinir sistemi depresanlarının kullanımı olayı agrave edebilir. Hastalarda bradikardi, hipotansiyon, hipotermi, hipoglisemi, ventilasyon bozukluğu, karbondioksit narkozu, kardiovasküler kollaps görülür.

Epidemiyoloji

Neonatal tarama programları ile konjenital hipotiroitizm sıklığı 1/4000 bulunmuştur. Kadınlarda erkeklerden daha sık görülür, yaşlanmayla sıklığı artar, aşikar hipotiroitizm görülme sıklığı her 1000 kişide 1-18 kişidir. Hipotiroiti ayrıca şeker hastalarında, anemisi, romatoid artriti olanlarda sık görülür. Hipotiroiti gelişme riski her yaşta var olmasına karşın risk yaş ilerledikçe artar ve 60 yaşından sonra yüzde 2-4 oranında hipotiroiti görülür. Kanda kolesterol, trigliserit gibi yağ düzeyleri yüksek olanlarda, ayrıca depresyonu olan hastalarda, çocuğu olmayan veya adet düzensizliği olan kadınlarda da hipotiroiti aranmalıdır.

Etiyoloji

Tiroid yetersizliğine bağlı; primer hipotiroiti: Tiroidektomi sonrası, radyoaktif iyot tedavisi sonrası, iyot eksikliğine bağlı uzun süre ekspektoran kullanımı, hashimoto tiroititi, idyopatik miksödem gibi otoimmün hastalıklar, iatrojenik olarak; lityum, amiodoran, antitiroit ilaçların alınması ve tiroit sentezindeki enzimlerin konjenital eksikliği nedeniyle ortaya çıkabilir. *Hipofiz ya veya hipotalamus kaynaklı; sekonder hipotiroiti:* Hipofiz adenomu, granülomatöz hastalıklar, hipofiz cerrahisi ya da radyoterapi nedeniyle oluşur.

Klinik Belirtiler

Hipotiroiti yavaş ve sinsi ilerleyicidir, hiçbir belirti görülmeyeceği gibi görülen klinik bulgular **vücut metabolizmasının azalmasına bağlıdır** ve hemen tüm organların işlevleri yavaşlamıştır.

Bunun sonucunda bağırsak hareketlerinin yavaşlamasına bağlı **kabızlık,** metabolizma yavaşlamasıyla ısı üretiminin azalmasına bağlı **soğuğa tahammülsüzlük** ve vücut ısısının düşmesi, unutkanlık, uykuya eğilim, sakarlık, yavaş konuşma **gibi zihinsel işlevlerin yavaşlaması, kolay yorulma**, kilo alma, kaslarda sertlik ve kramplar, kalbin az çalışmasına bağlı **nabzın yavaşlaması**, kan üretiminin azalmasına bağlı **kansızlık**, kolesterolün az harcanmasına bağlı **kan kolesterol seviyelerinin artması**, su tutulumuna bağlı **ödemler**, su tutulumuna bağlı olarak bilek kanalından geçen sinirin sıkışmasına bağlı oluşan **karpal tünel sendromu** sık görülenler arasında yer alır.

Üreme çağında olan kadınlarda en sık görülen bulgular **adet düzensizliği** şeklindedir. Gecikmeli adet görme veya uzun süreli adet görememe direkt hipotiroitiye bağlı olabileceği gibi, hipotiroiti sonucunda artan TRH hormonunun prolaktin hormonu salgısını uyarmasıyla ortaya çıkan hiperprolaktinemi ile de ilgili olabilir. Genel görünümde; künt, ifadesiz yüz ve boy kısa, deri ve saçlar kuru, seyrek, el, bacaklar, yüz, göz çevreleri şiş ve dil büyüktür. Boyunda guatr olabilir.

Tanı

Fizik Muayene ile; cilt kuru, mat ve soğuktur. Periferik ödem vardır, dil büyüktür, konuşma yavaşlamıştır, unutkanlık, dikkat azalması, derin tendon reflekslerinde azalma, bradikardi, hipotansiyon, kardiyomegali, perikardiyal efüzyon, vitiligo, kalp yetersizliği, karpal tünel sendromu görülebilir. Muayene bulguları arasında ek olarak; kas güçsüzlüğü, depresyon bulunabilir.

Laboratuvar Bulgularında; serumda T4 ve TSH düzeylerine bakılır. Tüm hipotiroitilerde serum T4 düzeyi düşük bulunur. TSH düzeyi ise, primer hipotiroitiden yüksek, Sekonder hipotiroitiden normal ya da düşüktür. Serum kolesterol ve laktat dehidrogenaz değerleri yüksektir. EKG değişiklikleri mevcuttur (T dalgası düz ya da ters). Tarama amacıyla yapılan **TSH hormon ölçümünün yüksek bulunması** (>4 IU/L) sonrasında yapılan s**T4 ölçümünün düşük bulunması** tanıyı koydurur. Genellikle bu aşamada daha ileri inceleme yapmadan tedaviye başlanmakla beraber bazı durumlarda **antitiroit antikorları** ölçümü yapılarak olayın otoimmün olup olmadığı belirlenir.

Anti-TPO ve anti- TG antikorlar yüksek ise hipotiroiti Hashimoto tiroititi nedeniyle oluşmuştur. Tam kan sayımı yapılan hipotiroitili hastaların % 30-40'ında anemi, % 15'inde demir eksikliği saptanır. Ayrıca B12 vitamin eksikliği de olabilir. Kreatinin fosfokinaz (CPK) ve prolaktin (PRL) düzeyleri yüksek olarak bulunabilir. PRL düzeyleri tüm hastalarda yüksek değildir ve hipotiroitideki menstruasyon düzensizliklerinden sorumlu değildir. PRL düzeylerinde orta derecede bir yükseklik oluşur ve tiroit hormonu tedavisiyle düşer. Eğer hasta ötiroit hale geldiği halde prolaktin yine yüksek ise diğer nedenler araştırılır.

Gizli Hipotiroiti durumunda hipotiroiti henüz tam gelişmeden önce tanı konabilir. Bu amaçla TSH tarama testi yüksek bulunduğunda kan sT4 seviyesi normal sınırlar içerisinde bulunur. Hipofiz bezi TSH salgısını artırarak tiroit bezini daha çok çalışmaya zorlamakta ve bu nedenle sT4 henüz normal sınırlar içerisinde bulunmaktadır.

Belli bir süre sonunda tiroit bezi daha fazla çalışamayacak ve TSH hormonu tiroit bezini ne kadar zorlarsa zorlasın kan seviyelerini normal sınırlar içerisinde tutacak üretimi yapamaz ve sT4 seviyesi düşük bulunur. Tiroid fonksiyon bozukluklarının sık görülmesi, kolay tanı konması, tarama yönteminin ucuz ve oldukça hassas olması ve durumun kolay tedavi edilebilir olması nedeniyle günümüzde hiçbir sorun olmasa dahi 35 yaşından itibaren beş yılda bir, 60 yaşından sonra iki yılda bir hassas TSH ("ultrasensitif TSH") kan ölçümüyle tarama yapılması önerilmektedir. Yine hemen her türlü endokrinolojik bozukluk şüphesinde yapılan incelemelere TSH ölçümünün de eklenmesi sık görülen bu durumun tanısı açısından önemlidir.

Tedavi

Hipotiroiti ömür boyu tedavi edilmesi gereken bir hastalıktır. Çok nadir olarak Hashimoto tiroititli hastalarda % 10-20 oranında kendiliğinden düzelme olabilir. Hipotiroiti tedavisi kanda eksik olan tiroit hormonlarının normale gelmesi için tiroit hormon tabletleri verilerek yapılır. Piyasada tiroit hormonu bulunan ilaçlar Levotiron ve Tefor isimleriyle satılmaktadır. Bu iki ilaç benzer ilaçlardır ve biri bulunamazsa diğeri kullanılabilir.

Levotiron veya Tefor günlük, ağızdan, hap şeklinde alınır ve hastalığın şiddetine göre değişmekle birlikte genellikle 25mg/doz/gün ile başlanır. TSH düzeyleri normale gelinceye kadar doz, her iki-üç haftada bir 25-50mg artırılarak devam edilir. Kullanılan ortalama doz 112mg/gün dür. Hasta belirli aralıklarla kontrole çağrılarak ilacın dozu ayarlanır. Tedavide hedef T4 düzeylerini normale getirmek ve TSH düzeyinin normal sınırlar içinde olmasını sağlamaktır. İlaç tedavisi ömür boyu sürecek bir tedavidir ve kesilmemelidir. Altı ay bir yılda bir TSH düzeyine baktırmak gerekir. Bazen ilacın dozunu artırmak veya azaltmak gerekebilir.

Gebe kalan hipotiroit kadınlarda ilacın dozunu ayarlamak gerektiğinden mutlaka gebeliğin ilk ayı içinde kontrol gerekir. Tefor ve Levotiron ilacı aç karna alınmalıdır. Emilimini bozabileceğinden aynı öğünde başka ilaçlar alınmamalıdır. Özellikle demir ilaçları, algel, talcid gibi antasitler veya kalsiyum ilaçları tiroit ilaçlarının emilimini bozarlar. Hashimoto tiroititi olan hastalar mutlaka iyotsuz tuz yemelidir. Kalp hastalığı olan hipotiroitili hastalarda bu ilaçlar yan etki yapabileceğinden sık kontrol gerekir.

Özellikle hashimoto tiroititlilerde anti-TPO ve anti-tiroglobulin antikorları yüksek olarak bulunur. Bu antikorlar hastalığı yapan veya oluşturan protein yapısındaki maddelerdir. Tedavi ile bunların düzeylerinde azalma olmaz. Bunların düzeyini azaltacak bir ilaç da henüz yoktur. Bu antikorlara tanı konduğunda bakılması gerekir. Daha sonra tedavi takibinde bakılmasına gerek yoktur. Son yıllarda selenyum alınmasının bu antikorları azalttığı saptanmışsa da henüz araştırma aşamasındadır.

Plazma kolesterol ve serum TSH düzeyinin normal seviyelere düşmesi, etkili bir tedavi uygulandığını gösterir. Klinik belirti ve bulguların izlenmesi tedavide iyi bir yol göstericidir. Tedavi altında olan hastaların düzenli aralıklarla hormon düzeylerini kontrol ettirmeleri gerekmektedir. Hormon tabletlerinin gereğinden fazla ya da yüksek doz alınması hipertiroitizm yakınmalarının ortaya çıkmasına neden olmaktadır.

Ciddi hipotiroitizm ya da miksödem tanısı olan hastalar, uygulanan tedaviye tepki olarak oluşabilecek miyokard iskemisi ya da infarktüsü açısından dikkatle izlenmelidir. Opium türevleri, sedatifler ve trankilizan grubu ilaçlar, ciddi hipotiroitili bireylerde öldürücü miksödem komasına yol açabilir. Bu durumda yaşamı tehdit eden en önemli bulgular; hipotermi, hipotansiyon ve hipoventilasyondur.

Bakım

Hastanın özgeçmişi ve hipotiroitizm belirti ve bulgularının doğrultusunda kapsamlı öyküsü alınır. Özellikle kilo alımı, menstrüel sorunlar, soğuk intoleransı ve kabızlık sorunları hakkında bilgi toplanır. Hastanın solunum biçimi, yaşam bulgularında değişiklikler, cilt turgoru ve hareketlerinde yavaşlama olup olmadığı mental düzeyi değerlendirilir. Bulgulara göre hemşirelik tanıları saptanır.

- Metabolik enerji üretiminin azalmasına bağlı aktivite intoleransı; Amaç; aktivite toleransını geliştirmek, günlük yaşam aktivitelerini yerine getirirken daha az yorulduğunu ifade etmeli.
- Metabolik gereksinimlerden daha fazla besin alımına bağlı uygunsuz beslenme; Uygun beslenmesini sağlamak, kilo almamalı veya tiroit hastalığı olmadan önceki kilosuna dönmeli
- Metabolik hızın yavaşlamasına bağlı beden ısısında değişiklik, hipotermi; soğuğa toleransını geliştirmek, el ve ayakları ılık olmalı, normal beden ısısını sürdürmeli, soğuğa bağlı komplikasyonu olmamalı
- Gastrointestinal fonksiyonlarda depresyon ve hareketsizliğe bağlı kabızlık; normal bağırsak fonksiyonların kazanması ve zorlanmadan sürdürebilmesi
- Kuruluk ve ödeme bağlı cilt bütünlüğünde bozulma; cilt yaralanması riskini azaltmak, nemli, sağlıklı cilt görüntüsü
- Kalbin yavaş çalışmasına bağlı kardiyak outputta azalma; Normal kardiyak outputu sürdürmek, nabız, kan basıncı normal sınırlarda olmalı, dispne, ödem ve ritim bozuklukları görülmemeli
- Azalmış serebral oksijenlenmeye bağlı düşünce sürecinde değişiklik; düşünce sürecinin iyileştirilmesi, hasta kişi, yer ve zamana oryante olmalı ve mental fonksiyonlarında iyileşme olduğunu ifade etmeli
- Enerji azlığı, fiziksel ve düşünce sürecinde değişikliklere bağlı beden imajında değişiklik; beden imajını iyileştirmek, kişisel görünüşü iyiye gitmeli, bedeni hakkında olumlu düşünmeli
- Yorgunluğa bağlı özbakım eksikliği; özbakımını geliştirmek, hasta kendi bakımıyla ilgili sorumluluk almalı ve daha az yorularak bakımını sürdürdüğünü ifade etmeli
- Yaşam boyu sürecek hastalığı ve tedavi planı ile ilgili bilgi eksikliği; planlanan tedavi ile ilgili bilgi sağlamak, tedaviyi kabul etmesi ve tedavi planına uyum göstermesi.

Aktivite İntoleransı için; Hastada yeterli solunum sağlamak ve atelektaziyi önlemek için derin soluk alma ve öksürme egzersizleri öğretilir. Solunumun derinliği, şekli, hızı, kan gazları izlenir. Hasta Miksödem gibi ciddi komplikasyon belirtileri yönünden izlenir. Yaşam bulguları, kan basıncı sık sık kontrol edilir. Aşırı sedasyona neden olabileceği için sedatif, barbitürat gibi ilaçların kullanılması engellenir. Hasta sevdiği aktiviteleri yapması konusunda cesaretlendirilir.

Uygunsuz Beslenme; Bu hastalarda iştah zayıf olsa bile kilo alma eğilimleri vardır. Hormon replasman tedavisi etkisini birkaç hafta içinde gösterir. Kilo artışı devam ediyorsa kalori sınırlaması yapılır ve dengeli beslenme konusunda bilgilendirilir ve cesaretlendirilir.

Hipotermi İçin; Soğuk intoleransı hipotiroitinin çok fazla rahatsız eden bir etkisidir. Hastaya ekstra giysi ve battaniye verilerek ısınması sağlanır. Oda ısısı rahat edeceği bir seviyede tutulur. Cereyandan korunur. Termofor, sıcak su torbaları gibi araçlarla lokal ısıtma yapılmaz.

Konstipasyon İçin; Normal bağırsak fonksiyonlarını sürdürmeye yönelik lifli gıdalar alması, sıvı kısıtlaması sınırları içinde sıvı alması, ve tolere edebileceği ölçüde hareketlerini artırması konusunda cesaretlendirilir.

Cilt Bütünlüğünde Bozulmaya Yönelik; Hijyenine yardımcı olunur. Uygun losyon ve kremler uygulanarak cildi nemlendirilir. Basıncı azaltmak için uygun pozisyon değişimleri sağlanır. Cildi kurutucu banyolardan kaçınılır.

Azalmış Kardiyak Output İçin; Uzun süre hipotiroitisi düzeltilmemiş hastalarda ateroskleroz ve kalp hastalıkları gelişir. Hastada dispne ve ödem artışı gibi kalp Yetersizliği belirti ve bulguları izlenir. Hormon replasman tedavisine başladıktan sonra hasta aşırı kardiyak uyarıya bağlı bazı riskler oluşur. Hasta göğüs ağrısı tarif edebilir. Sürekli olarak nabzın ritmi ve hızı izlenir.

Mental Fonksiyonlardaki Değişikliklere Yönelik; Hastanın yer zaman ve kişilere uyumu sağlanır, mental sürecindeki bu değişimlerin hastalığına bağlı olduğu hasta ve ailesine açıklanır. Hastanın bilişsel ve mental süreci ve tedaviye olan tepkisi yakından izlenir.

Beden İmajındaki Değişimlere Yönelik; Hipotiroiti ile ilişkili olan donuk, apatik görünüm ve kilo artışı hastaya çok sıkıntı verebilir. Hastanın endişeleri kabul edilmeli fakat kendine çeki düzen vermesi ve görünüşüne dikkat etmesi konusunda cesaretlendirilmelidir. Bu değişimlerin tedavi ile düzeleceği kendisine söylenir.

Öz Bakım Yetersizliğine Yönelik; Hipotiroitili hastalar hormon replasman tedavilerini yaşamları boyunca almak zorundadırlar. Bu hastaya açıklanır ve belirli aralarla değerlendirilir. Hastaya kullandığı ilacın adı, dozu, yan etkileri açıklanır. Aşırı hormon replasmanına bağlı ortaya çıkabilecek taşikardi, kilo kaybı, sinirlilik gibi hipertiroiti belirtileri öğretilir ve hasta eğitimi kaydedilir.

Hipotiroiti genellikle hastanede bakımı gerektirmez. Fakat hasta başka nedenlerden dolayı hastaneye yattığında belirtilerin gizlenebileceği akılda tutulmalı ve özellikle ev ortamında hipotiroiti ile ilgili belirti ve bulgular konusunda hasta ve ailesi bilgilendirilmelidir. Belirtiler ortadan kalksa bile ilaçların düzenli alınması gerektiği hasta ve ailesine anlatılır. Hastanın mental durumunda bozukluk olduğunda ailenin bu konuda bilgilendirilmesi önemlidir. Gerektiğinde bilgiler yazılı olarak verilir; ilaçların kullanımı, beslenme programı ve kontrole gelmeleri gereken tarihlerin yazılması önem taşır.

Hipertiroitizm

Hipertiroiti tiroit bezinin aşırı çalışmasıdır ve aynı zamanda tirotoksikoz olarak da isimlendirilir.

Epidemiyoloji

Hipertiroitizm Diabetes mellitus'tan sonra en sık görülen endokrin sistem hastalığıdır.

Etiyoloji

Tiroid bezinin aşırı çalışması nedeniyle oluşan fazla miktarda tiroit hormon salınımı sonucu veya aşırı dozda tiroit hormonu verilmesi sonucu ortaya çıkar. Hipermetabolik bir durumdur.

Hastalarda kilo kaybı, sinirlilik, huzursuzluk, sıcağa tahammülsüzlük, terleme, kas gücü kaybı ve çarpıntı gibi yakınmalara neden olur. Hipertiroiti sıklıkla "Toksik Diffüz Guatr" (**Basedow-Graves Hastalığı**) veya "Toksik Multinodüler Guatr" (Plummer Hastalığı) şeklinde görülür. Plummer hastalığı daha çok uzun süreler guatrı olan yaşlılarda görülürken **Basedow Graves daha çok genç yaşlarda görülmektedir.**

Toksik Diffüz Guatr; Graves Hastalığı: Hipertiroitizm, diffuz guatr ve ekzoftalmi ile kendini gösterir. Hastada tirotoksikoz belirtileri görülür, miksödemin tam tersidir. 'Graves hastalığı' adını 19. yüzyılda hastalığı tarif eden İrlandalı hekimden alır. **Basedow Hastalığı** olarak ta bilinen bu hastalık en sık 'hipertiroiti' yapan nedenlerin başında gelir. Ailesel geçiş özelliğinin de olduğu, ancak ailenin her bireyinin bundan etkilenmediği bilinmektedir. 20-40 yaşları arasında kadınlarda sıktır. Tiroid dokusunda TSH reseptörüne karşı antikor vardır. Pernisiyöz anemi, myastenia gravis gibi diğer otoimmün hastalıklarla birlikte görülebilir. Graves hastalığı otoimmün bir hastalıktır. Graves hastalığına neden olan bu anormal proteinin adı 'tiroit stimulan antikor'dur. Adından da anlaşılacağı üzere, bu antikor tiroit bezini uyararak kontrolsüz ve aşırı miktarlarda tiroit hormonu salınımına neden olur. Normal bireylerde, bu tip antikor oluşumunu engelleyen vücudun savunma sistemi faktörleri etkili olurken Graves hastalığında savunma sistemi etkisiz kalır.

Toksik Multinodüler Guatr; Plummer Hastalığı: Tiroid dokusu içinde gelişen ve çok miktarda tiroit hormonu salgılayan sıklıkla birden fazla nodülü içerir. Çok büyük miktarlarda tiroit hormonu salgılandığından tiroit bezinin işlevi tamamıyla baskılanır. Aynı zamanda hipofiz bezinde TSH yapımı da baskılanır. **Plummer Hastalığı**; genellikle 40-65 yaş arasında uzun süreli noduler guatrlı olanlarda görülür.

Klinik

Çabuk sinirlenme heyecanlanma, sıcak basması, uyku bozukluğu, dudak ve ellerde titreme, terli, nemli ve eritemli bir deri, saçlar ince yumuşak ve düz, osteoporoz, kaslarda zayıflık, glikoneogenez ve glikojenaliz artmasına bağlı Diabetes mellitus, taşikardi, hipertansiyon, fibrilasyon, kas kontraksiyonlarına bağlı dispne vital kapasitede azalma, gastrit, iştahta artma, diyare, siroz, pernisiyöz anemi, folik asit eksikliği, oligomenore, jinokomasti, sıcağa entolerans, kilo kaybı, avuç içlerinde terleme, boyunda üç-dört kat büyümüş tiroit bezi, ve ekzoftalmi görülür.

Ekzoftalmide göz küresinin arkasında oluşan ödem nedeniyle gözler ileri doğru çıkar, göz damarları genişler, kırmızılık olur göz kapakları kapanmaz. Bu durum optik sinirini gerip görme yeteneğini bozacak dereceye ulaşabilir. Hasta uyurken gözünü kapatamayacağı için gözlerin epitel yüzeyi kurur, tahriş olur ve sıklıkla kornea ülseri gelişimine yol açacak şekilde enfekte olur.

Tanı

Hastalar sıklıkla kilo kaybı, sinirlilik, huzursuzluk, sıcağa tahammülsüzlük, terleme ve kas gücü kaybı gibi hipertiroitizm yakınmaları ile başvururlar. Boyunda tiroit bezi büyümüştür. Yumuşaktır ve palpe edildiğinde, tiroit üzerinde kanlanmanın artmasına bağlı tril veya üfürüm duyulur. Bunun yanı sıra her iki hastadan biri hastalığa özgü ekzoftalmi oftalmopati gibi göz bulguları ile başvururlar. Graves hastalığında tüm metabolik faaliyetler artar.

Kalp hızı artar, bağırsak hareketleri artar ve sıklıkla ishal ve aşırı terleme ortaya çıkar. Hasta açlıktan ve normalden fazla yemek yemekten yakınmasına rağmen kilo alamaz, hatta kaybeder. Sinir sistemi üzerinde de etkisi olan tiroit hormonlarının aşırı üretiminde sinirlilik ve hassasiyet belirgindir.

Sonuç olarak; zayıf, sinirli, terleyen ve gözleri yuvalarından ileri doğru çıkmış guatr tablosu ile gelen bir hastayı, yani Graves hastasını tanımak güç değildir. Hastalık öyküsünün alınması ve muayeneyi takiben radyo-immünoassay yöntemi ile plazmadaki serbest tiroksin (sT3) serbest triiyodotironin (sT4) ve TSH konsantrasyonu ölçülür. Tirotoksikoz da sT3 ve sT4'ün artarken TSH baskılanır. Sintigrafide diffuz hiperplazi veya sıcak otonom nodül veya nodüller gösterilir. Tiroid bezinin iyot tutma yeteneğini ölçen "Radyoaktif İyot (I 131) Tutulumu Testi" uygulanır. Ultrasonografi ve biyopside tanıda önemlidir.

Komplikasyon olarak kalp yetersizliği, fibrilasyon, karaciğer bozukluğu-siroz, diyabet, psikoz ortaya çıkabilir. Elektrokardiyografide sinüs taşikardisi ve atriyal fibrilasyon oluşabilir.

Tedavi

Graves hastalığı, savunma sisteminin genetik bir probleminden kaynaklandığından, sorun karmaşıktır. Bu nedenle, altta yatan nedeni tam olarak tedavi edilemeyebilir. Ancak, bu hastalıktaki ana sorun, aşırı hormon üretimi ve buna bağlı yakınmalar olduğundan dolayı bu yakınmaların tedavisi yapılır. Antitiroit ilaç tedavisi, cerrahi tedavi ve radyoaktif iyot tedavisi olmak üzere üç farklı ve birbirinden apayrı tedavi yöntemi kullanılır.

Antitiroit İlaç Tedavisi: Türkiye'de iki adet antitiroit ilaç bulunmaktadır. Bunlar 'propylthiourasil' ve 'methimazole'dur. Hastalığın alevlenmesini frenleyebildiği gibi cerrahi tedaviye ya da radyoaktif iyot tedavisine hazırlamak amacıyla da kullanılmaktadır. Bu ilaçları kullanmadan önce, hastaların bu ilaçları aylarca-yıllarca kullanmaları gerekebileceği ve tedavi kesildiğinde her iki hastadan birinde hastalığın tekrar alevlenebileceği mutlaka göz önünde bulundurulmalıdır. İlaç tedavisine olumlu yanıt varsa, toksisite gelişmemiş, guatr da büyüme yoksa devam edilir Aksi halde cerrahi tedavi uygulanır. Lügol eriyiği veya satüre potasyum iyodür kullanılabilir. Sadece cerrahi girişime hazırlamak amacıyla, propylthiouracil ile birlikte ve en çok bir hafta süreyle kullanılır. Gerekli görülen vakalarda propranolol kullanılabilir.

Cerrahi Tedavi: İlaç tedavisine rağmen tekrarlayan hastalığı olan ya da ilaca bağlı ciddi yan etki gelişen hastalarda ve başlangıçtan itibaren guatrı iri olan ve tiroit bezi bası yapacak kadar büyüyen, büyümüş tiroit bezi nedeniyle estetik kaygısı olan, hastalığı ilaç tedavisi ile kontrol altına alınamayan, radyoaktif iyot tedavisini reddeden, tedavinin hemen ardından gebe kalmayı düşünen ve çocuk hastalara uygulanır. Cerrahi girişim öncesi antitiroit ilaçlarla hastanın hormonları normal duruma getirilir.

Radyoaktif İyot Tedavisi: Radyasyonun zararlı etkilerinden dolayı, özellikle genç ve çocuk hastalarda radyoaktif iyot tedavisi kullanımından kaçınılmaktaydı. Ancak, yaklaşık 40 yıldır radyoaktif iyot tedavisi uygulanan hastalarda zararlı etkisi bildirilmemiştir. Ağızdan alınan kapsüllerle kolay ve güvenli bir tedavi şekli olması nedeniyle de Graves hastalarına sıklıkla önerilir.

Tiroid bezinin boyutları uygun olmak koşuluyla kapsülde bulunan radyoaktif iyot sayesinde tiroit bezindeki anormal hormon sentezi baskılanabilmektedir. Radyoaktif iyot ya da cerrahi tedavisi sonrası, normal fonksiyon gören yeterli tiroit dokusunun kalması arzu edilir.

Ancak, bazı hastalarda kalan dokuda varolan antikorlar nedeniyle hastalık tekrar edebilir. Bazı hastalar ise, cerrahi işlem sonrasında hiç doku bırakılmamış ya da çok az doku bırakılmış olması nedeniyle ağızdan tiroit hormon tabletleri almak zorunda kalırlar. Ancak, hasta kontrol altında olduğu sürece, ağızdan alınan tiroit hormon tabletleri sorun oluşturmaz. Asıl problem, yetersiz cerrahi ya da radyoaktif iyot tedavisi sonucu hastalığın tekrar ortaya çıkmasıdır. Özellikle Graves hastalarında göz bulguları da varsa total tiroitektomi önerilir.

Cerrahi tedaviyi istemeyen veya cerrahi girişim riski yüksek hastalarda radyoaktif iyot tedavisi tercih edilir.

Bakım

Hipertiroitili hastalarda bakımı planlamak için hastanın kapsamlı öyküsü alınır. Sinirlilik veya fazla duygusal reaksiyon verme durumuyla ilgili değişikliklerin hastanın ailesi, dost ve iş arkadaşlarıyla iletişimini nasıl etkilediğine dair bilgiler sorular.

- Geçmişteki diğer stres nedenleri ve hastanın stresle mücadele yeteneği öğrenilir. Hastanın beslenme durumu ve semptomlarının olup olmadığı incelenir. Aşırı sinirlilik, görme ve gözlerin görünüşündeki değişiklikler not edilir. Belirli aralıklarla kalp hızı, kan basıncı, kalp sesi ve perifer nabızlar kontrol edilerek hastanın kalp durumu incelenir ve gözlenir. Duygusal değişiklikler hipertiroitizmle ilişkilendirildiği için hastanın duygusal ve psikolojik durumu değerlendirilir; hipertiroitizmle beraber ortaya çıkabilecek sinirlilik, endişe, uyku rahatsızlıkları, ilgisizlik ve uyuşukluk gibi semptomlar araştırılır. Hastanın yakın zamanlardaki duygusal değişimleriyle ilgili aile bilgi verebilir. Varolan tüm belirti bulguları ve fizik muayene sonuçlarına göre veri toplanır. Tanı testlerinin sonuçları değerlendirilerek hemşirelik tanıları saptanır.
- Artmış metabolik gereksinimlere bağlı yetersiz beslenme, artan metabolizma hızı ile ilişkili aşırı iştah; amaç, beslenme durumunu geliştirmek, yeterli besin alımı ve kilonun sürdürülmesi hasta açlık duygusunun azaldığını ifade eder, yüksek kalorili ve proteinli besinleri ve sakınması gereken besinleri belirler, alkol ve diğer teşvik edicilerden kaçınır. Anlamlı derecede kilo kaybı varsa, tekrar kilo almış olmalı.

- Sinirlilik, aşırı endişe, kuruntu veya korku, duygusal dengesizliğe ilişkin etkisiz başa çıkma; amaç, başa çıkma mekanizmalarını geliştirmek. Hasta aile, dostlar ve iş arkadaşlarıyla etkili iletişim yöntemleri geliştirir, sinirlilik ve duygusal dengesizliğin nedenlerini anlatır, stres verici durum, olay ve insanlardan kaçınır, rahatlatıcı, stres yaratmayacak aktivitelere katılır, artan özgüveni başarır, kendisi ve hastalığıyla ilgili düşüncelerini dile getirir, sinirlendiğinde kendini kontrol eder.
- Aşırı iştah ve kilo kaybı ile ilgili dış görünüşteki değişikliklere bağlı özgüven azlığı ve benlik saygısında bozukluk; amaç özgüvenini artırmak, hasta artan iştahın nedenlerini söyler, görünümünden memnuniyetini ifade eder.
- Metabolik hız artışına bağlı beden ısısında artma; amaç; normal beden ısısını sürdürmek, hasta sıcaktan rahatsız olmaz, aşırı terleme görülmez.
- Artan mide-bağırsak-içi hareketliliğe bağlı diyare; amaç, düzenli bağırsak alışkanlığını sağlamak, diyareyi önlemek, sıvı-elektrolit dengesini sürdürmek, hasta diyaresinin azaldığını rapor eder.
- Metabolik bozukluğa bağlı uyku bozuklukları; amaç, yeterli uyumasını sağlamak, uykusuzluğu önlemek. Hasta uyandığında dinlendiğini ifade eder.
- Aşırı tiroit hormonu salgılanmasına bağlı kardiyak outputta azalma; amaç normal kardiyak outputu sürdürmek, serum tiroit hormonu ve TSH seviyeleri normaldir, tiroit fırtınası belirti ve bulguları olmaz, EKG, arter kan gazları ve nabız, kan basıncı normal sınırlar içerisindedir. Dispne, ödem ve ritim bozuklukları görülmez, Hasta düzenli takip ve önerilen tedavinin yaşam boyu sürdürülmesinin önemini belirtir.
- Ekzoftalmiye bağlı yaralanma riski; amaç, göz yaralanmalarını azaltmak, gözleri korumak ve nemliliğini sağlamak, kornea yaralanması ile ilişkili ağrı olmaz.

Uygunsuz Beslenme ve Diyareyi Önlemek İçin; Hipertiroitizm tüm vücut sistemlerini etkilediği gibi mide-bağırsak sistemini de etkiler. Artan iştahı karşılayabilmek için hastaya dengeli ve küçük öğünler halinde besinlerin günde 6 öğüne bölünerek alması önerilir. İshal ve terlemeyle kaybolan sıvıyı geri kazandırmak ve artan peristaltizmden kaynaklanan diyareyi kontrol etmek için uygun yemek ve içecekler seçilir. Mide-bağırsak boşaltımını hızlandıran besinlerin beslenme dengesizliği ve daha fazla kilo vermeye yol açabileceği hasta ve ailesine açıklanır.

Bu nedenle diyareyi azaltmak için çok baharatlı yemekler ve kahve, çay, kola ve alkol gibi teşvik edici şeylerden kaçınmanın önemi anlatılır. Hipermetabolizmayı kompanse etmek için diyetin 4000-5000 kalorili ve yüksek proteinli gıdalar olması önerilir. Bu şekilde negatif nitrojen dengesi ve kilo kaybı önlenmiş olur. Yemek zamanı sakin bir ortam sağlanması sindirim faaliyetlerine yardım edebilir. Kilo ve alınan gıdalar, beslenme durumunu kontrol etmek için kaydedilir ve sürekli izlenir.

Etkili Baş Etme Yeteneğinin Sağlanması için; Hipertiroitili hastanın hastalığı nedeniyle deneyimlediği duygusal reaksiyonlarının hastalığından kaynaklandığı ve bu semptomların etkili bir tedaviyle kontrol altına alınacağını bilmek ve güvenmek gereksinimi vardır. Bu negatif etkinin aile ve arkadaşları üzerinde de olması nedeniyle onlar da bu semptomların tedaviyle geçe bileceğine inandırılmalı. Hasta sakin, acele edilmeyen bir yaklaşımla tedavi edilmeli, stres verici deneyimler azaltılmalı ve böylece hastaneye yatırılmışsa, hasta çok hasta veya konuşkan insanlarla aynı odaya yatırılmamalı. Ortam sakin ve düzenli olmalı. Sesli müzik, konuşma ve alarmların sesi azaltılmalı. Hastayı aşırı hareket ettirmemek kaydıyla hemşire hastaya dinlendirici hareketler yaptırabilir. Troidektomi planlanmışsa, hastanın tiroit bezinin cerrahi tedaviye hazırlanması için farmakolojik tedavi gerektiğini bilmesi gerekir. Hemşirenin hastaya ilaçların önerildiği gibi alınmasını öğretmesi ve hatırlatması gerekir. Aşırı heyecanlanma ve dikkat azlığı nedeniyle hastaya verilen bilgiler tekrarlanır ve gerekirse yazılı olarak verilir.

Özgüvenin Oluşturulması ve Benlik Saygısının İyileştirilmesi İçin; Hipertiroitili hastanın dış görünüş, iştah ve kilosunda değişiklikler görülebilir. Bu faktörler, hastanın ailesi ve hastalığıyla uyumsuzluğuna ve özgüvenin kaybolmasına neden olabilir. Hemşire hastanın bu sorunlarına karşı anlayışlı olur ve daha etkili başa çıkma stratejileri geliştirmesine yardımcı olur.

Hasta ve ailesinin bu değişikliklerin tiroit fonksiyon bozukluğu nedeniyle geliştiğinin ve hastanın kontrolü dışında olduğunun farkında olması gerekir. Dış görünüşteki değişiklikler hastayı çok rahatsız ediyorsa, aynalar örtülür ortadan kaldırılır. Ayrıca hemşire aile ve personeli bu değişikliklerden bahsetmemeleri konusunda uyarır. Hastaya ve ailesine değişikliklerin etkili bir tedaviyle geçebileceğini söyler.

Egzoftalmiye Yönelik olarak; Hasta hipertiroitizme ek olarak gözünde değişiklikler yaşarsa, göz bakımı ve korunması gerekebilir. Enfeksiyondan korumak için göz bakımı, göz içi basıncını azaltmak için diüretik, hipertonik solüsyon, enflamasyonu azaltmak için glukokortikoidler, iritasyonu azaltmak için %1-4 'lük metil selülozlu göz damlası, ülserasyon ve enfeksiyonu önlemek için göz bandı, koyu camlı gözlük, uyurken başın yüksekte tutulması, tuz kısıtlaması, göz egzersizleri önerilir. İleri vakalarda gözün cerrahi olarak dikilmesi gerekebilir.

Beden Isısının Normal Sınırlarda Olmasını Sağlamak İçin; Hasta metabolizma hızındaki artış nedeniyle normal oda sıcaklığını daha sıcak bulabilir ve sıcağa entoleransı vardır. Hemşire odayı serin, rahat sıcaklıkta tutar ve yatak ve elbiseleri gerektiği gibi değiştirir. Kendisine de serin tutan giysiler giymesi, yorgan kalın battaniye kullanmaması, ılık banyo yapması ve serin veya soğuk içecekler içmesi önerilir. Bu rahatsızlığın nedenleri ve serin ortamın sağlanmasının önemi aileye anlatılır.

Komplikasyonların Önlenmesi İçin; Hastada tiroit fırtınası yönünden belirti ve bulgular izlenir. Kardiyak output ve yaşam bulguları ölçülerek, EKG izlenerek, pulse oksimetre ve kan gazları düzeyleri ölçülerek kalp ve solunum fonksiyonları değerlendirilir. Değerlendirme kalp fonksiyonu üzerindeki potansiyel yan etkilerden dolayı tedavi başladığı zamanda devam eder. Hipoksiyi önlemek, doku oksijenleşmesini artırmak ve yüksek metabolik talepleri karşılamak için oksijen verilir. Damar içi sıvılar kan şeker seviyesini sürdürebilmek ve kaybolan sıvıyı karşılamak için gerekli olabilir. Tiroid hormon seviyesini azaltmak için Propiltiyourasil (PTU) veya methimazole(Thyramazol tablet) verilebilir. Ek olarak, kardiyak belirtilerin tedavisi için propranolol ve dijital öngörülebilir. Şok olursa, gerekli şok tedavisi uygulanır.

Hipertroidizm tedavide kullanılan herhangi bir tedaviyle de ortaya çıkabilir. Bu nedenle, hemşire hastayı sık sık denetler. Tedaviden sonra çoğu hastanın daha iyi oldukları görülür ve bazılarının öngörülen tiroit tedavisini devam ettirmeyi başaramadığı görülür. Bu nedenle, hasta ve ailenin eğitiminde taburcu olduktan sonra tedavinin devam ettirilmesi ve ilaçları almamanın sonuçlarının öğretilmesi yer almalıdır.

Hastaya Öz-bakımın Öğretilmesi; Hastaya verilen ilaçların nasıl ve ne zaman kullanması gerektiği ve ilacın temel rolü anlatılır, evde kullanması için yazılı plan verilir. İlaçların yan etkileriyle ilgili yazılı ve sözlü bilgi verilir ve görüldüğü zaman rapor edilecek yan etkiler belirlenir. Yapılacak cerrahi işlemle ilgili bilgi verilir.

Aileye hastanın sakin bir ortamda olması, yeterli uyku ve dinlenmenin sağlanması için gerekli düzenlemelerin yapılması, yeterli beslenme ve kilo kontrolünün önemi, hastada görülen değişikliklerin hastalığın bir parçası olduğu ve tedavi ilerledikçe düzelebileceği anlatılır.

f. Tiroiditisler

Tiroid bezinin inflamasyonu olan tiroititis, akut subakut ya da kronik olabilir. Tiroiditisin her bir tipi tiroit bezinin inflamasyon, fibrozis ya da lenfositik infiltrasyonuyla karakterizedir.

Akut Tiroiditis

Akut tiroititis, bakteriler tarafından meydana getirilen tiroit bezi infeksiyonudur. Nadir görülür. En yaygın nedeni *stafilokokkus aureus* ve diğer stafilokoklardır. Enfeksiyon boynun ön tarafında ağrı ve şişme, ateş disfaji ve disfaziye neden olur. Akut tiroititis ile birlikte genelde farenjit ve farengeal ağrı da vardır. Muayenede tiroit bezinde sıcaklık, eritem ve hassasiyet belirlenebilir. Akut tiroititisin tedavisi antimikrobiyal ajanlar ve sıvı replasmanıdır. Abse oluşursa cerrahi insizyon ve drenaj gerekebilir.

Subakut Tiroiditis

Subakut tiroititis subakut granülamotoz tiroititis ya da Quenvain'in tiroititisi olarak da adlandırılır. Subakut tiroititis tiroit bezinin inflamatuar bir hastalığıdır. Subakut tiroititis son bir-iki ayda boynun ön tarafında ağrılı bir şişlik ile kendini belli eder. Sonra kendiliğinden kaybolur. Bunu sıklıkla solunum sistemi infeksiyonu izler. Tiroid simetrik olarak genişler, ve ağrı olabilir. Tiroid bezinin üzerindeki cilt genellikle kırmızı ve sıcaktır. Şişme hastayı rahatsız edebilir. Huzursuzluk, uykusuzluk, kilo kaybı gibi hipertiroitizm belirtileri yaygındır. Birçok hastada kaşıntı ve yüksek ateş olabilir.

Tedavinin amacı inflamasyonu kontrol etmektir. Genelde boyun ağrısını geçirmek amacıyla nonsteroid antiinflamatuar ilaçlar (NSAİİ) kullanılır. Hipertiroiti bulguları varsa asetilsalisilik asit (aspirin) verilmez. Çünkü aspirin tiroit hormonunu bağlandığı yerden ayrılmasına, dolaşımdaki hormon miktarının artmasına neden olur. Propranolol (inderal) gibi beta bloker ajanlar hipertiroitizm bulgularını kontrol etmek amacıyla kullanılır.

Triiyodotironin (T3) ve Tiroksin (T4)'ün sentezini bloke eden antitiroit ajanlar tiroititiste etkili değildir. Çünkü tirotoksikoz ile birlikte sentezin artmasından ziyade depolardaki tiroit hormonu salınımı artar. Ciddi durumlarda ağrı ve şişmeyi azaltmak amacıyla kortikosteroidler verilebilir. Ancak kortikosteroidler mevcut patolojiyi tedavi etmez. Bazı hastalarda geçici hipertiroitizm gelişebilir ve bu durumda tiroit hormon tedavisi gerekir. Normale dönünceye kadar sürekli izlem ve bulguları kayıt etmek gerekir.

Ağrısız ya da subakut lenfositik tiroititis genellikle postpartum sürecinde olur, otoimmün bir durum olduğu düşünülür. Hipertiroitizm ya da hipotiroitizm bulguları olabilir. Tedavi bulgulara yöneliktir. İlerleyen yıllarda hipoparatiroitizm tedavisine gereksinim olup olmadığının belirlenmesi önerilir.

Kronik Tiroiditis

Kronik tiroititis, Hashimoto hastalığı ya da kronik lenfositik tiroititis olarak da adlandırılır. 30-50 yaş arası kadınlarda daha sık görülür. Tanı inflamatuar bezin histolojik görünümüne göre konur. Akut tiroititisin tersine kronik tiroititiste ağrı, basınç bulguları, vücut ısında yükselme olmaz. Tiroid aktivitesi genellikle normal ya da artmadan ziyade azalmıştır. Kronik troiditisin patogenezinde hücresel immünite önemli rol oynar, genetik yatkınlıkta olabilir. Tedavi edilmezse, hipotiroitizme yol açar. Tedavinin amacı hipotiroitizmi önlemek ve tiroit bezinin hacmini küçültmektir. Tiroid aktivitesini tiroglobulin üretimini azaltmak amacıyla tiroit hormon tedavisi yapılır. Hipotiroiti bulguları varsa, tiroit hormon tedavisi yapılır. Bulguların bazıları devam ediyorsa cerrahi tedavi gerekebilir.

i. Tiroid Tümörleri

Tiroid bezinin tümörleri tirotoksikozis olup olmaması ve bezin büyümesinin düzensiz ya da yaygın olup olmamasına göre selim ve habis olarak sınıflandırılırlar. Büyüme boyunda görülebilir bir şişme ise tümörün guatr olduğu düşünülür. Diğer bir deyişle tiroitin iltihabi ve habis bir nedenle olmayan büyümesine guatr denir.

Guatr Latince "gutter" sözcüğünden Fransızcaya "goitre" yani boğaz kelimesinden gelmiştir. Guatrın tüm düzeylerinde görülebilir şekil bozukluğu vardır. Ancak bu şekil bozukluğu bazı hastalarda simetrik ve yaygın, bazılarında ise nodülerdir. Bazı hastalarda hipertiroitizm vardır. Bunlar toksik guatr olarak adlandırılır. Diğerleri toksik olmayan guatr olarak adlandırılır. Guatrlar endemik ve nodüler olarak iki şekilde incelenebilir.

Endemik Guatr

Bir bölgede dikkat çekecek kadar çok sayıda guatrlı insan bulunmasına endemik guatr denir. En yaygın guatr türüdür. Türkiyede Isparta ve Burdur bölgesinde, Orta ve Doğu Anadolu bölgeleriyle, Doğu Karadeniz'in iç bölgelerinde, Amerika Birleşik Devletleri (ABD)' nin Great Lakes bölgesinde endemik guatr bölgeleri vardır.

Tuz ve suda iyot eksikliği, şalgam, lahana, soya fasulyesi, fıstık, şeftali, çilek, ıspanak, havuç, bezelye gibi guatrojenik besinlerin tüketilmesinin tiroksin yapımını baskıladığı düşünülmektedir. Eğer diyetle yeteri kadar iyot alınamazsa ya da tiroit hormonu yapımı herhangi bir nedenle baskılanırsa, tiroit bezi hormon eksikliğini kompanse etmek amacıyla Tiroit Stimulan Hormon (TSH) sekresyonu artar ve bez büyür.

Klinik Belirtiler

En sık görülen belirti boynun genişlemesi veya boyunda kütledir. Trakeaya bası solunum güçlüğüne neden olabilir. Guatrda disfaji olmaz. Guatrlı hasta boynunda aniden ağrı ve şişlik hissederse, bu kist içine kanama anlamına gelir. Kanama bazen solunumu güçleştirecek derecede olabilir.

Metabolik ve Endokrin Sistem

Bu tip guatrların çoğu iyot tedavisiyle iyileşir. Tiroid bezindeki büyüme iyot eksikliğine bağlı ise iyot ve tiroit hormonu verilir. Cerrahi girişim düşünüldüğünde, postoperatif komplikasyon riskini azaltmak için preoperatif dönemde gerekli hazırlıklar yapılmalıdır.

Büyüme, hamilelik ve laktasyon tiroit hormon gereksinimini arttırır. Ayrıca iyot eksikliği olan bölgelerde yaşayan çocuklarda basit ya da endemik guatr görülebilir. İyot eksikliği, iyot alımının günde 40 miligram(mg)' dan az olmasıdır. Dünya Sağlık Örgütü (DSÖ) endemik guatrı önlemek amacıyla sofra tuzuna 1/100.000 konsantrasyonda iyot eklenmesini önermektedir. ABD' de sofra tuzu 1/10.000 iyodludur. Riskli gruplarda tuza iyot eklenmesi guatrı önlemede etkili bir yöntemdir.

Nodüler Guatr

Tiroid bezlerinde hiperplazik bölgelerden dolayı nodüller olabilir. Bu durumda bulgu olmayabilir. Nodül yavaş büyür, tek veya çok sayıda olabilir. Retrosternal veya retroklaviküler uzantısı olan guatrların alt kenarı hasta yutkunurken bile elle hissedilemez. Bazı nodüller malign olabilir, bazıları ise hipertiroiti ile birlikte olabilir. Bu nedenle nodülü olan hastalara cerrahi girişim gerekebilir.

Tiroid Kanseri

Tiroid kanseri diğer kanser türlerinden daha az önlenebilir özelliktedir. Bununla birlikte % 90'ı endokrin kanserleri ile ilgilidir. Amerikan Kanser Birliği 2002 verilerine göre her yıl 20.700 yeni tiroit kanseri tanısı konmaktadır. Bunların

Tablo 39. 3: Tiroid Kanser Tipleri

Tiroid Kanser Tipi	Görülme Sıklığı (%)	Özellikleri
Papiller Adenokarsinom		• En yaygın görülen türdür. • Tümör tiroit bezi ile sınırlıysa prognoz iyidir. • Normal bezde bulgu vermeyen nodül vardır. • Çocuklukta ve yetişkinlikte başlar, lokalize kalır. • Kadınlarda ve 40 yaşın altında gençlerde daha yaygındır. • Tedavi edilmezse, metastazlarını bölgesel lenf bezlerine yapar. • İleri yaşta nadir görülmekle birlikte malign potansiyeli artar, lokal yayılım ve metastaz oranları yüksektir.
Foliküler Adenokarsinom		• Kırk yaşından sonra görülür. • Kadınlarda erkeklerden üç kat fazladır. • Kapsüllüdür. Palpasyonda lastik, esnek bir cisim gibi hissedilir. • Kan yoluyla kemik, karaciğer ve akciğere yayılır (% 50). Nadir olarak bölgesel lenf bezleri, trakea, boyun kasları, büyük kan damarları ve cilde yayılır • Prognozu papiller adenokarsinom kadar iyi değildir
Medüler Karsinom		• Elli yaşından sonra daha sık görülür. • Parafoliküler tiroit dokusundan kaynaklanır, multiple endokrin neoplazinin bir kısmı olarak oluşur. • Endokrin fonksiyon bozukluğu bulgularına neden olan, hormon üreten bir tümördür. • Kalsitonin, prostaglandin adrenokortikotropik hormon ve seratonin sekresyonunu arttırır. • Metastazlarını kan ve lenf yoluyla yapar.
Anaplastik Karsinom		• Anaplastik tiroit karsinomlarının % 50' si 60 yaşın üzerindeki hastalarda oluşur. • Hızlı büyür, malign potansiyeli yüksektir. • Palpasyonda sert ve düzensiz bir kütle olarak hissedilir. • Kütle ağrılı ve hassas olabilir. • Komşu dokulara hızla yayılır. • Stridor, solunum güçlüğü ve hastanın sesinde boğukluk gibi belirti ve bulgular vardır. • Tanı konduktan sonra yaşam süresi genelde altı aydan azdır.
Tiroid Lenfoma		• Kırk yaşından sonra görülür. • Anamnezde guatr, dispne, ağrı, basınç ve boğuk ses vardır. • Prognozu iyidir.

Kaynak: Webb J (2004). Assessment and management of patientswith endocrine disorders. (içinde) Smeltzer SC, Bare BG (eds). Brunner & Suddarth's Texbook of Medical-Surgical Nursing. 10th Edition, Philadelphia: Lippincott Williams & Wilkins. 1228.

15.800'ü kadın, 4.900'ü erkektir. Yılda yaklaşık 800 kadın 500 erkek tiroit kanseri nedeniyle yaşamını yitirmektedir.

Tiroid kanserleri histopatolojik olarak papiller, foliküler, meduller, anaplastik ve lenfoma olmak üzere beş gruba ayrılır.

Tiroid Kanserini Düşündüren Bulgular

1. Önceki yıllarda baş, boyun ve göğüse eksternal radyoterapi uygulaması. Yenidoğan ve çocukluk döneminde baş boyun ve göğse eksternal radyoterapi uygulananlarda tiroit karsinom riski yüksektir. Bin dokuz yüz kırk-bin dokuz yüz altmış yılları arasında büyümüş tonsilleri ve adenoid dokuyu küçültmek amacıyla radyoterapi kullanılıyordu. Bu kişilerde çocukluklarında aldıkları eksternal radyasyondan 5-40 yıl sonra tiroit kanseri görülme sıklığı artmıştır.
2. Tiroid bezinde bir bölgenin bulgu vermese bile, nodül gelişimi göstermesi,
3. İndirekt larengoskopide tiroit kütlesi nin bulunduğu taraftaki vokal kordda hareket yeteneğinin kaybolması,
4. Tiroid nodülünün sintigrafik incelemesinde soğuk bölge olması,
5. Ultrasonografide bu nodülün solid olduğunun anlaşılması,
6. Radyolojik incelemede tiroit bölgesinde **psammom** cisimciklerinin görülmesi,
7. Boynun yan tarafında sert ve ağrısız, bazende zincir şeklinde lenfadenopati olması,
8. Tiroidin lokal olarak çevre dokulara filtre olması,
9. Serum tirokalsitonin düzeylerinin yüksek olması,
10. Tiroid bezinin çevre dokulara baskı yapması sonucu disfaji, dispne, Horner Sendromu gibi belirtilerin olmasıdır.

Klinik

Palpasyonda servikal lenfadenopatiyle birlikte tek, sert ve fikse lezyonlar kanseri düşündürür. Tiroid fonksiyon testlerinin tiroit kanserinde tanı değeri yoktur. Çünkü kanser tiroit bezinin tamamını tutmadığı sürece T3 ve T4 değerleri normaldir.

Tanı

Doğru bölgeden parça alındığı sürece iğne biyopsisi tiroit kanserinin tanısında, evrelendirilmesinde ve tedavi planının yapılmasında yararlı bir tanı yöntemidir. Ayrıca sintigrafi ve ultrasonografi tanı amaçlı kullanılan diğer testlerdir.

Tedavi

Tedavinin planlanmasında kanserin evresi en önemli göstergedir. Birinci evrede bulunan bir tiroit kanserinde lezyonun sadece bezin içinde bulunduğu kabul edilirse cerrahi eksizyonla tedavi şansı yüksektir. Total ya da totale yakın tiroitektomi uygulanabilir. Lenf nodlarının tutulduğu ikinci evre de bilateral total tiroitektomi ve modifiye radikal lenf nod diseksiyonu uygulanır.

> **UYARI**
>
> Tiroid bezinden salgılanan hormonlar vücudun tüm metabolizma hızını etkiler. Su ya da diğer besinler radyoaktivite ile kirlendiyse, nükleer kirlenme ya da nükleer atıklı bitkiler sonucu radyoaktif iyot tiroit bezinde birikecek, yüksek konsantrasyonda iyot, tiroit bezini irite edecek ve tiroit bezi kanser riskini arttıracaktır. Bu nedenle toplum eğitimi ile halkın radyoaktif kirlenmeye karşı duyarlılığı arttırılmalıdır.
>
> Radyoaktif iyot ile bulaşma/ kirlenme olduktan hemen sonra potasyum iyot (Kİ) ya da diğer iyot türevlerinin verilmesi radyoaktif iyodun tiroitten emilimini baskılar ve absorbe edilenin de atımını hızlandırır.

Cerrahide postoperatif hipokalemi ve tetani riskini azaltmak amacıyla paratiroit dokunun korunması gerekir. Cerrahi girişimden sonra tümör radyoaktiviteye duyarlıysa, kalan tiroit bezini yok etmek için radyoaktif iyot tedavisi uygulanır. Papiller ve foliküler tiroit adenokarsinomlarının yaklaşık % 75'i radyoaktif iyodu tutmasına karşın, diğer tiroit kanserlerinin bu özellikleri yoktur.

Radyoaktif iyot uzak metastazların araştırılmasında da kullanılır. Normal tiroit dokusu radyoaktif iyodu diferensiye tiroit kanserlerine göre 100 kez daha fazla tutar. Bu özellikten yararlanılarak iyot^{123} (I^{123}) ile tarama yapıldıktan sonra kanser I^{131} ile tedavi edilir. Cerrahi sonrası TSH seviyesini düşürmek amacıyla tiroit hormonu verilir. Tiroid hormonu gereksinimini karşılayacak kadar tiroit dokusu kalmış ise, belirli aralarla tiroksin verilmesi gerekir. Tiroit kanserlerinde cerrahi tedavi yanı sıra oral yolla radyoaktif iyot ve tiroit ya da boyun bölgesine eksternal radyoterapi de uygulanır. Eksternal radyoterapi uygulanan hastalarda mukozit, ağız kuruluğu, disfaji, ciltte kızarıklık, iştahsızlık ve yorgunluk gibi yakınmalar görülebilir. Tiroid kanserinde kemoterapi yaygın olarak kullanılmamaktadır.

Tiroid kanserinde erken tanı ve uygun tedavi, sonuçları olumlu yönde etkiler. En yaygın görülen ve en az agresiv olan papiller adenokanserli hastalarda 10 yıllık sağkalım % 90'dan fazladır. Tiroid kanserinin daha agresiv bir şekli olan ve prognozu papiller adenokarsinom kadar iyi olmayan foliküler adenokarsinomda da uzun süren sağkalım vardır. Sürekli hormon tedavisi, belli aralarla izlem ve kontrol testleri yapılması gerekir.

Tiroidektomili hastalarda postoperatif dönemde hipotiroitiyi önlemek amacıyla dışarıdan tiroit hormonu verilir. Uzun süreli izlemde boyunda nodül ya da kitlelerin tekrarı yönünden değerlendirme, ses değişikliği disfaji ve dispne gibi klinik bulgular değerlendirilir. Cerrahi girişimden iki-dört ay sonra kalan tiroit dokusunu ve metastazları belirlemek amacıyla tüm vücudu içeren bir tarama yapılır. Tiroid hormon tedavisi testlerden altı hafta önce kesilir.

İyot içeren yiyeceklerin alımından kaçınılır. Cerrahiden bir yıl sonra tarama testleri tekrarlanır. Her şey olumlu seyrediyorsa sonraki tarama üç-beş yıl sonra yapılır. Tiroid hormon tedavisinin yeterli olup olmadığını belirlemek ve kalsiyum dengesini sürdürmek amacıyla TSH, serum kalsiyum ve fosfor düzeyleri izlenir. Radyasyonun lokal ve sistemik reaksiyonlar oluşturabilmesine nötropeni ve trombositopeniye neden olabilmesine karşın, radyoaktif iyot kullanıldığında bu komplikasyonlar nadir olarak ortaya çıkar. Radyoiyodin ile birlikte cerrahi tadavi uygulanan hastalarda yaşam süresi, sadece cerrahi tedavi uygulananlardan uzundur. Hastaya ilaçlarını düzenli olarak alması, kontrollere zamanında gelmesi söylenir. Radyoterapi alan hastalara tedavinin yan etkileri konusunda bilgi verilir ve bunlarla başetme stratejileri öğretilir. Tiroid kanserleri, hipertiroitizm ya da hiperparatiroitizmin primer tedavisi parsiyel ya da total tiroitektomidir. Cerrahinin sınırları tanı, tedavi amacı ve prognoza göre belirlenir.

Bakım

Preoperatif bakım amaçları; hastanın anksiyetesini azaltmak ve güvenliğini sağlamaktır. Tiroidektomi geçirecek hastalar genellikle hipertiroitizm nedeniyle sinirli, huzursuz ve yorgundurlar. Aile ve arkadaşlarının ziyareti, hastayı strese sokuyorsa, bunlarla iletişim sınırlandırılabilir. Sakin bir çevre ve meşguliyet tedavisi yararlı olabilir.

Metabolik aktivitenin artması ve glikojen depolarının hızlı tüketilmesi nedeniyle, cerrahi girişim öncesi karbonhidrat ve proteinden zengin bir diyet verilir. Ayrıca vitamin desteği gerekebilir. Çay, kahve, kola ve diğer uyarıcı içecekler sınırlanır. Cerrahi girişim öncesi yapılacak testler ve amaçları açıklanır, preoperatif hazırlıkla ilgili bilgi verilir. Bu yaklaşım anksiyeteyi azaltır. Cerrahi öncesi gece rahat uyuması için gerekli önlemler alınır. Preoperatif öğreti postoperatif dönemde insizyon bölgesi üzerine baskıyı ve gerginliği önlemek amacıyla ellerle boynun nasıl destekleneceğini kapsar.

I. Paratiroid Hastalıkları

İnsanda genelde dört paratiroit bezi vardır ve bunlar tiroit bezinin üst ve alt kutuplarının hemen arkasında, tiroite bitişik veya tiroit loblarının içine yerleşmiş olarak bulunabilirler. Ancak paratiroit bezlerinin sayısı ve yerleşimi kişiden kişiye önemli değişiklikler gösterir. Her bir paratiroit bezi yaklaşık altı mili metre (mm) uzunluk, üç mm genişlik ve iki mm kalınlıkta olup, her birinin ağırlığı 30-50 mili gram (mg) dır. Bu küçük bezler kolaylıkla gözden kaçabilir ve cerrahi sırasında yanlışlıkla çıkarılabilirler. Paratiroitlerin cerrahi olarak çıkarılması, hipoparatiroitizmin en yaygın nedenidir.

Tablo 39. 4: Paratiroit Fonksiyonları

Test	Yetişkinlerde Normal Değer	Hiperparatiroit	Hiperparatiroit
Serum Kalsiyum	Toplam: 9-10.5 mg/dl İyonize (aktif): 4.5-5.6 mg/dl	Primer hiperparatiroitide artar	Azalır
Serum Fosfat	3.0-4.5 mg/dl	Azalır	Artar
Serum Paratiroit Hormon	< 2000 pg/ml	Artar	Azalır
Üriner Siklik Adenosin monofosfat	1-11.5 mmol	Artar	Artar

Kaynak: Webb J (2004). Assessment and management of patientswith endocrine disorders. (içinde) Smeltzer SC, Bare BG (eds). Brunner & Suddarth's Texbook of Medical-Surgical Nursing. 10th Edition, Philadelphia: Lippincott Williams & Wilkins. 1231.

Paratiroit Fonksiyonu

Paratiroit bezlerden salgılanan parathormon (PH)'un etkisi kalsiyum ve fosfat metabolizması üzerinedir. Parathormon sekresyonunda artma, böbrek, bağırsak ve kemiklerden kalsiyum emilimini arttırır ve dolayısıyla kandaki kalsiyum düzeyi artar. Bu hormonun bazı aktiviteleri D vitamini varlığında artar. Parathormon aynı zamanda kandaki fosfor düzeyini düşürür. Parathormonun başlıca etkileri arasında, gastrointestinal sistem (GİS)'den kalsiyum emilimini sağlama, kalsiyumun kemiklerden seruma geçmesini sağlama, böbreklerden kalsiyum geri emilimi ve fosforun atımıdır. Bu nedenle parathormon eksikliğinde kanda kalsiyum düzeyi düşer, fosfor düzeyi yükselir.

Hiperparatiroitizm

Paratiroit fonksiyonunun en sık karşılaşılan bozukluğudur. Paratiroit bezlerinden parathormonun fazla salınması sonucu, kemik dekalsifikasyonları, osteoporoz, böbreklerde ise kalsiyum çökmesi sonucu Enfeksiyon ve taş oluşumu hiperparatiroitizmin tipik özellikleridir.

Hiperparatiroitizmde hastaların % 80-90' ında tek bezde adenom, % 10-15' inde bezlerde hiperplazi, % 1-2' sinde de karsinom hiperfonksiyon nedenidir. Primer hiperparatiroit kadınlarda 2-4 misli daha sık görülür. 60-70 yaş arası en yaygın görüldüğü yaş grubudur. Türkiye' de primer hiperparatiroiti oranını belirtir bir literatüre rastlanmadı. ABD' nde her yıl ortalama 100.000 yeni vaka belirlenmektedir. Hastalık 15 yaşın altında nadirdir. Görülme oranı 15-65 yaş arasında artar. Tanı konan hastaların yarısında hiper-paratiroitiye özgü bir bulgu yoktur.

Sekonder hiperparatiroiti paratiroitin kendisine ait olmayan nedenlere bağlı olarak ortaya çıkar. Kronik böbrek yetersizliği, riketsiyalar, osteomalazi ve malabsorbsiyon sendromlarına bağlı olarak ortaya çıkan hipokalsemi paratiroitleri uyarır, bezlerin hipertrofi, hiperplazisi ve parathormon salgılanması artar. Tersiyer hiperparatiroit, sekonder

39. Endokrin Hastalıkları

Çizelge 39. 1: Tiroidektomili Hastanın Bakım Planı

Hemşirelik Tanısı: Cerrahi alan ve glotiste ödem ve kanamaya, larengeal sinir hasarı ya da paratiroit bezlerinin yaralanmasına bağlı solunum fonksiyonlarında bozulma

Amaç: Normal solumum fonksiyonlarının sürdürülmesini sağlamak

Girişimler	Gerekçe
1. Gürültülü solunum, hırıltı, siyanoz, taşipne izlenir. 2. Erken postoperatif dönemde insizyon bölgesi her dört saatte bir izlenir. 3. Drenaj miktarı izlenir. 4. İnsizyon bölgesindeki pansuman materyalinin boynu sıkıp sıkmadığı ve ödem gelişimi kontrol edilir. 5. İnsizyon bölgesine buz uygulanır. 6. Hasta semifawler pozisyonunda yatırılır. 7. Solunum ve sesin özelliğini değerlendirmek amacıyla hastaya her iki saatte bir soru sorulur, konuşması sağlanır. 8. Chvostek ve Trousseau belirtilerinin olup olmadığı araştırılır. 9. Ekstremitelerde duyu ve renk değişikliği izlenir. 10. Serum kalsiyum düzeyi izlenir. 11. Trakeostomi seti, sakşın cihazı, oksijen sütur için cerrahi set, IV vermek üzere kalsiyum glukonat hazır bulundurulur.	1. Sorunun erken saptanmasına ve gerekli önlemlerin alınmasına yardım eder. 2. Olası bir kanamanın erken belirlenmesini sağlar. 3. Drenaj miktarı ve özelliğini belirleme normalden sapmaları erken belirleme olanağı sağlar. 4. Ödem ve sıkı sargılar hava yolu obstrüksiyonuna neden olabilir. 5. Şişmeyi azaltır. 6. Solunumu kolaylaştırır. 7. Tiroid cerrahisi sırasında larengeal sinir hasarı glotisin kapanmasından olabilir. 8. Paratiroit bezin çıkarılması ya da hasarı sonucu oluşan, hipokalemide tetani ve larengospazm olabilir. 9. Sinir hasarı sonucu ekstremitelerde duyu kaybı olabilir. 10. Tetaniyi önlemek. 11. Olası acil durumlarda kullanılmak üzere.

Beklenen Sonuçlar
- Hastanın akciğerlerinde sorun olmaması
- Solunumun normal sınırlarda sürdürülmesi
- Seste anormallik olmaması

Hemşirelik Tanısı: Kanama nedeniyle kardiyak atımda azalma olasılığı

Amaç: Kanamayı önlemek, normal kardiyak atımı sürdürrmek

Girişimler	Gerekçe
• Kardiyovasküler durumdaki değişiklikleri belirlemek amacıyla; yaşam bulguları erken postoperatif dönemde her 15 dakikada bir, daha sonra bir-dört saat arayla ölçülür. • Taşikardi ve düzensizlik yönünden kalp ritimi izlenir. • İnsizyon bölgesi, boynun ön, arka ve yan tarafları aşırı kanama yönünden değerlendirilir. • Bilinç ve oryantasyon düzeyi belirlenir. • Uygun sıvı tedavisi sürdürülür.	1. Hipovolemi, hipertansiyon ve aşırı kan kaybına bağlı şoku erken dönemde belirlemek.

Beklenen Sonuçlar
- Hasta uyanık ve oryante olmalı
- Yaşam bulguları normal sınırlarda olmalı

Hemşirelik Tanısı: Cerrahi insizyona bağlı ağrı

Amaç: Ağrının kontrol altına alınması

Girişimler	Gerekçe
1. Ağrı ölçeği ile ağrı şiddeti ve özelliği değerlendirilir. 2. Doğru baş ve boyun pozisyonu verilir ve bu pozisyon sürdürülür. Bu hastalarda en uygun pozisyon semifawlerdir. 3. Order edilen analjezikler uygulanır, etkileri izlenir. 4. Sıvı tedavisi sürdürülür, hastanın ulaşabileceği bir yere sürahi, bardak ve çağırma zili bırakılır. 5. Stresi azaltmak amacıyla sakin bir çevre sağlanır.	1. Uygulanacak ağrı geçirme yaklaşımlarının seçimini ve tedavinin etkinliğini belirlemeye yardım eder. 2. Doğru pozisyon boyun bölgesindeki gerginliği azaltır. 3. Analjezikler ağrıyı azaltır. 4. Anksiyeteyi azaltır. 5. Sakin çevre uyaranların azaltılması, ağrı toleransını arttırır, analjezik gereksinimini azaltır.

Beklenen Sonuçlar
- Ağrı olmaması ya da çok az olması

hiperparatiroitinin primer hiperparatiroitiye dönüşmesidir. Bu durum en sık kronik böbrek Yetersizliğinde görülür. Normal veya düşük olan serum kalsiyum düzeyi yükselir.

Klinik
Hastaların bazılarında sadece rutin kalsiyum değerlendirmeleri sırasında tanı konmuş, klinik bulguya rastlanmazken, bazılarında tüm vücut sistemlerini etkileyen bulgulara rastlanabilir.

Tanı Yöntemleri
Normal serum kalsiyum düzeyi 9-10.5 mg/dl' dir. Bu hastalarda serum kalsiyum düzeyi 10.5 mg/dl' nin üzerindedir. Yani hiperkalsemi vardır. Ancak hipofosfatemi sadece hastaların yaklaşık % 50' sinde görüldüğü için tanıda hiperkalsemiden daha az güvenilir bir parametredir.

Kanda sadece kalsiyum düzeyinin yüksek bulunması pek anlamlı bir bulgu olmayabilir. Çünkü beslenme şekli, ilaçlar, böbrek ve kemikteki değişiklikler kanda kalsiyum düzeyini değiştirir. Hastalık ilerlediğinde kemik değişiklikleri röntgen ya da kemik tarama testleriyle saptanabilir. Ultrason, tallum taraması ve iğne biyopsisi paratiroitin fonksiyonlarını değerlendirmek, paratiroit kist, adenom ya da hiperplazisini belirlemek amacıyla kullanılabilir.

Hiperkalsemi Krizi: Akut hiperkalsemi krizi kalsiyum düzeyinin aşırı yükselmesi sonucu oluşur. Serum kalsiyum düzeyi 15 mg/dl üzerine çıktığında yaşamı tehdit eden nörolojik, kardiyovasküler ve renal bulgular ortaya çıkar. Tedavide; fazla olan intravasküler sıvı miktarının rehidrasyonu, böbreklerden kalsiyum atımını arttırmak amacıyla diüretik ajanlar ve hipofosfatemiyi düzeltmek, kalsiyum GİS' ten emilimini azaltmak kemikte depolanmasını arttırmak ve serum kalsiyum düzeyini düşürmek amaçlanır. Sitotoksik ajanlar, kalsitonin ve diyaliz, acil durumlarda serum kalsiyum düzeyini hızla arttırmak amacıyla yapılabilir..

Acil durumlarda kemiklerde kalsiyum depolanmasını arttıran, serumdaki kalsiyum oranını düşüren bir tedavi yaklaşımı planlanır. Bu amaçla genelde kalsitonin ve kortikosteroidler kullanılır.

Tedavi
Hiperparatiroiti kronik bir hastalıktır. Yaygın vagal bulgulara, depresyona ve daha birçok duygusal değişikliğe neden olabilir. Aileler hastanın bu durumunun psikosomatik olduğunu düşünebilirler. Hasta ve aileye bu konuda açıklamalar yapılmalıdır. Primer hiperparatiroitide önerilen tedavi cerrahi olarak anormal paratiroit dokusunun çıkarılmasıdır. Bulgu vermeyen ya da serum kalsiyum düzeyinde hafif bir artış olan ve böbrek fonksiyonları normal olan hastalarda cerrahi ertelenebilir. Bu durumda hiper-kalsemi, kemik deformasyonları, renal bozukluk, yakından izlenir.

Tablo 39. 5: Hiperparatiroitinin Sistemler Üzerine Etkisi

Sistem	Etkisi	Nedeni
İskelet Sistemi	• Kemik ağrısı • Kemik kistleri • Brown tümörleri • Osteoporoz • Patolojik kırıklar	• Kemiklerden kalsiyum çekilmiştir.
Gastrointestinal Sistem	• Bulantı-kusma • İştahsızlık • Konstipasyon • Diyare • Karın ağrısı • Peptik ülser • Pankreatit • İleus	• Midede hidroklorik asit (HCL) salgısı artar. • Kalsiyum pankreasta birikir.
Üriner Sistem	• Nefrolitiazis • Nefrit • Poliüri • Noktüri	• Böbreklerde kalsiyum çöker
Kardiyovasküler Sistem	• Hipertansiyon • Kalp-ritim bozuklukları	
Sinir Sistemi	• Huzursuzluk • Sinirlilik	• Kanda artmış kalsiyumun beyin üzerindeki etkisi

Kaynak: Webb J (2004).Assessment and management of patientswith endocrine disorders. (içinde) Smeltzer SC, Bare BG (eds). Brunner & Suddarth's Texbook of Medical-Surgical Nursing. 10th Edition, Philadelphia: Lippincott Williams & Wilkins. 1231.

Hiperparatiroitide tedavi yaklaşımları; sıvı verilmesi, hareketliliğin arttırılması ve beslenmenin düzenlenmesi şeklindedir.

Sıvı Verilmesi; Kalsiyumun böbreklerde yerleşmesi böbrek taşı olasılığını arttırdığı için hastaların günde iki litreden fazla sıvı almaları sağlanır. Asitli meyve suları idrar PH' sını düşürebilir ve böylece taş olasılığını azaltır. Hastaya, ağrı ve hematüri gibi böbrek taşı belirtileri konusunda bilgi verilir. Thiazid grubu diüretikler kalsiyumun böbreklerden atımını azalttığı, serum kalsiyum düzeyini yükselttiği için kullanılmamalıdır. Hiperkalsemi krizi riskinden dolayı, hastanın bulantı kusma gibi dehidratasyona neden olabilecek durumlarda sağlık profesyonellerini araması söylenir.

Hareketlerin Artırılması; Hareketlilik kalsiyumun kemiklerde depolanmasını arttırır. Buna karşın yatak istirahati kemikten kalsiyum salımını ve böbrek taşı riskini arttırır. Bu nedenle hastanın olabildiğince zamanını yatak dışında geçirmesi, yürüyüş yapması önerilir. Bazı hastalarda ağız yoluyla alınan fosfat serum kalsiyum düzeyini düşürür. Ancak uzun süreli kullanımda yumuşak dokularda ektopik kalsiyum fosfat depolanma riskini arttırdığı için önerilmemektedir.

UNUTMAYIN !

Hiperkalsemi yaşamı tehdit eden bir durumdur. Bu nedenle yakın izlem gerekir

Beslenme; Kalsiyumdan fakir bir diyet planlanır, süt ve süt ürünleri verilmez. Hastada peptik ülser varsa antiasitler, iştahsızlık sık görülen bir bulgu olduğu için iştah açıcı ortamda yemeğin yenmesi uygun bir yaklaşım olabilir. Sıvı alımının arttırılması, fiziksel aktivite, posalı diyet postoperatif dönemde sık görülen konstipasyonu önlemede yararlı olabilir.

Bakım

Hiperparatiroitektomide uygulanan tıbbi tedaviye yanıt alınamadıysa ya da altta yatan neden kanser ise paratiroitektomi uygulanır.

Paratiroitektomiden önce hastanın durumunun stabil olması, serum kalsiyum düzeyinin normal/normale yakın olacak şekilde düşürülmesi gerekir. Serum kalsiyum düzeyini düşürmek amacıyla kullanılan bazı ilaçlar kanama riskini atırır. Bu nedenle kanama pıhtılaşma zamanının belirlenmesi gerekir. Postoperatif dönemde komşu dokulardaki ödem ve kanama/hematomun trakeaya basısından dolayı, solunum sorunları olabilir. Bu nedenle hastanın yakından izlenmesi olası bir obstrüksiyon da gerekli acil araç ve gerecin kullanıma hazır bulundurulması gerekir.

Yaşam bulguları, insizyon bölgesinden kanama ve drenaj olup olmadığı izlenir.

Kalan paratiroit bezinin normal fonksiyonlarını sürdürebilmesi için günler bazende haftalar gerekebilir. Bu süreçte hipokalsemi krizi oluşabilir. Erken postoperatif dönemde serum kalsiyum düzeyi belirlenir. Stabil oluncaya kadar saatte bir izlenir. Ekstremiteler ve yüzde his kaybı ve renk değişikliği gibi hipokalsemi belirtileri, olası bir tetaniyi gösteren Trousseau ve Chvostek bulgusu olup olmadığı izlenir. Paratiroitektomide nadir olmakla birlikte larengeal sinir yaralanması yönünden ses kısıklığı olup olmadığına bakılır.

Hipoparatiroitizm

Hipoparatiroitinin en yaygın nedeni tiroitektomi paratiroitektomi ya da radikal boyun diseksiyonu sırasında paratiroit bezinin cerrahi olarak çıkarılması ya da kan desteğinin kesilmesinden sonra paratiroit hormon sekresyonu yetersizliğidir. Paratiroit bezinin nedeni bilinmeyen atrofisi hipoparatirodinin yaygın olmayan nedenlerinden birisidir.

Etiyoloji

Hipoparatiroiti cerrahi girişim, idyopatik, infeksiyonlar ve boyuna uygulanan tedaviler sonucu gelişebilir.

Cerrahiye bağlı olarak; tiroitektomi, paratiroit bezlerin ya da boyundaki malign lezyonların çıkarılmasından sonra görülür. Bu durumda hipoparatiroiti oluşması için paratiroit bezlerinin çıkarılması şart değildir. Kanlanmanın bozulması, Enfeksiyon gelişimi de aynı şekilde souçlanır.

Kalıcı hipoparatiroiti tiroitektominin ciddi bir komplikasyonu olup % 1 sıklıkla görülür. İdyopatik hipoparatiroiti; nadir görülür. Paratiroitlerin otoimmün hastalıklar sonucu harabiyetiyle oluşur.

Çocuklukta boyuna uygulanan radyoterapi, röntgen radyoaktif ışınlama paratiroit bezinde harabiyete neden olur ve ileriki yaşlarda hipoparatiroiti görülür. Tiroid bezi tedavisinde kullanılan I [131]' de paratiroitlerin atrofisine neden olabilir.

Patofizyoloji

Hipoparatiroitide parathormon sekresyonunun azlığı sonucu nöromüsküler hiperaktivite, hipokalsemi, hiperfosfatemi görülür. Parathormonun yokluğunda bağırsaklardan kalsiyum emilimi, kemiklerden ve renal tubuluslardan kalsiyum reabsorbsiyonu azalır. Fosfatın renal atımında azalma hipofosfatüriye ve serum kalsiyum azlığı hipokalsiüriye neden olur.

Klinik Belirtiler

Hipoparatiroitinin belirti ve bulguları parathormonun hedef organlar üzerindeki etkisinin kaybı sonucu serum kalsiyum konsantrasyonunun azalmasına bağlıdır.

Kalsiyum nöromüsküler kavşakta iletim için gereklidir. Eğer hipoparatiroitide serum kalsiyum düzeyi 7 mg/dl altına düşerse, iletim bozuklukları ve kasılmalar başlar. Hastada tetaniler oluşur. Tetani kasların generalize hipertonisidir. Titreme ve kontrol edilemeyen kasılmalarla karakterizedir. Baş ağrısı ve taşikardi olur, cilt kuru ve kabukludur. Vücut kıllarında ve saçlarda dökülme olur. Hastada huzursuzluk, anksiyete depresyon ve deliryum görülebilir.

Tanı

Latent testinde "Chvostek" ve "Trousseau" bulgusu pozitiftir. Chvostek bulgusu; perküsyon çekici veya parmakla zigomatik kemik üzerindeki fasiyal sinire vurulduğunda, yüzün vurulan tarafa doğru kasılmasıdır.

Trousseau bulgusu; tansiyon aleti manşeti humerus üzerine yerleştirilip sistolik basınç radyal nabzın kaybolduğu noktadan sonra 30 mm Hg üstüne kadar şişirilir ve üç dakika beklenir. Kullanılan elde "ebe eli" şekli oluşursa "trousseau bulgusu pozitif" denir ve hasta gizli tetani olduğu düşünülür. Spontan tetaniler ise serum kalsiyum düzeyi 7 mg/dl' nin altına düştüğü zaman başlar. Kollarda, bacaklarda ve yüzde kasılmalar oluşur. Bronş kasları kasıldığı için hırıltılı solunum olur. Solunum kaslarının ve diyafragmanın kasılmasıyla solunum durabilir. Hastada tırnak ve diş dökülmeleri, beyinde bazal ganglionlarda kalsifikasyonlar sonucu erişkinlerde mental bozukluk, çocuklarda ise zeka geriliği görülebilir. Serum fosfat düzeyi 12-16 mg/dl' ye kadar yükselebilir. Kemik röntgeninde yoğunluğun arttığı görülür.

Tedavi

Tedavinin amacı serum kalsiyum düzeyini 9-10 mg/dl' ye çıkarmak, hipoparatiroiti ve hipokalsemi bulgularını ortadan kaldırmaktır. Tiroidektomiden sonra hipokalsemi ve tetani ortaya çıktıysa, hemen intravenöz (IV) kalsiyum glukonat verilir. Kalsiyum glukonatın yavaş yavaş verilmesi, enjeksiyon sırasında kalp ritiminin apeksten dinlenmesi gerekir. Çünkü kalsiyum dijital gibi etki eder. Ayrıca cilt altına kaçırılmamalıdır, nekroza neden olur. Bu uygulama nöromüsküler iritabiliteyi azaltmıyorsa, sedatif ilaçlar da uygulanabilir.

Akut hipoparatiroitide tetaniyi tedavi etmek amacıyla parenteral parathormon tedavisi uygulanabilir. Ancak parathormonun hem pahalı olması, hem de vücutta antikor oluşturması nedeniyle kullanımı çok uygun değildir. Parathormon uygulandıysa hasta allerjik reaksiyonlar ve serum kalsiyum düzeyindeki değişiklikler yönünden izlenmelidir.

Hipokalsemi ve tetanisi olan hastaların gürültüsüz, loş bir odada yatması, ani hareket ve seslerden korunması gerekir. Trakeostomi ve mekanik ventilasyon gerekebileceği için hazırlıklı olunmalıdır.

Kronik hipoparatiroitisi olan hastanın tedavisine serum kalsiyum düzeyi belirlendikten sonra başlanır. Diyette kalsiyumdan zengin fosfattan fakir besinlere yer verilir. Süt yoğurt ve yumurta kalsiyumdan zengin olmakla birlikte fosfat yönünden de zengin oldukları için hastaya verilmez. Ispanak oksalat içerir, oksalat ve kalsiyum, maddelerin çözülmesini önlediği için verilmemelidir. Kalsiyum glukonat gibi kalsiyum tuzları ağız yoluyla verilebilir. Fosfatı bağladıkları ve GİS yoluyla atımını arttırdıkları için aliminyum karbonatın yemeklerden sonra verilmesi yararlı olabilir.

Kalsiyum emilimi için D vitaminlerine gereksinim vardır. Bu nedenle günde 50.000-400.000 ünite D2 ve D3 vitaminleri verilebilir.

Bakım

Akut hipoparatiroitili hastaların bakımı;

- Tiroidektomi, paratiroitektomi ve radikal boyun diseksiyonlu hastaların postoperatif bakımında, hipokalseminin erken belirtileri saptanmalı, tetani, nöbetler ve solunum bozukluklarına yönelik önlem alınmalıdır.
- Kalsiyum glukonat yatak başında hazır bekletilmeli, hastanın kalp rahatsızlığı ve disritimileri varsa, dijital kullanıyorsa kalsiyum glukonat yavaş ve dikkatli verilmelidir.
- Kalsiyum ve dijital sistolik kontraksiyonlarını arttırır. Öldürücü disritmilere neden olabilir. Bu nedenle kalp hastalığı olan hipoparatiroitili hastaların sürekli kardiyak izlem ve dikkatli değerlendirilmeye gereksinimleri vardır.
- Hastaların evde ilaç tedavisi ve diyetleri konusunda bilgilendirilmesi gerekir. Bu bağlamda kalsiyum içeren besinler ve bunları tüketmeleri, buna karşın fosfat içeren besinlerin listesi ve bunları yememeleri, hipokalsemi ve hiperkalsemi belirtileri açıklanmalı, bu belirtilerin varlığında hemen hekimi aramaları söylenmelidir.

Sonuç olarak endokrin sistemin ana fonksiyonu metabolizmayı, sıvı-elektrolit dengesini, kan basıncını, glikoz-lipid-karbonhidrat-kemik metabolizmaları gibi iç ortam fizyolojisini, büyüme ve gelişmeyi, beslenme ve diğer dış değişkenlere uyum ile üreme, seksüel gelişim, yaşlılık ve davranışı düzenlemektir. Bu sistemin hiperfonksiyon veya hipofonksiyon ile karakterize fonksiyon bozuklukları ve hastalıkları, vücudun tüm organlarını etkiler ve birçok hastalığın ortaya çıkmasına neden olur. Bu nedenle endokrin sistemde ortaya çıkan bozuklukların zamanında tanılanması ve uygun tedavi ve bakımın verilmesi çok önemlidir.

40.
ADRENAL BEZ HASTALIKLARI

Prof. Dr. Nermin OLGUN

Giriş

Adrenal bezler veya diğer adıyla böbreküstü bezleri iki tanedir ve her iki böbreğin üst kısmına oturmuş, 4 cm. uzunluğunda ve üç cm. kalınlığında, simetrik olmayan bezlerdir. Sağdaki piramid şeklinde olup sağ böbrek üst ucunda yer alır. Soldaki ise yarım ay şeklindedir ve sol böbrek hilumunun üst tarafında yerleşir. Adrenal bezler böbreğin renal fasyası ve adipoz tabakası tarafından sarılmıştır. Ön tarafında peritoneum vardır. Her adrenal bez fonksiyonları birbirinden tamamen farklı korteks ve medulla olmak üzere iki ayrı kısımda incelenir. İçte bulunan kısma medulla, dışta bulunan kısma da korteks adı verilir. Medulladan adrenalin; epinefrin ve noradrenalin; norepinefrin salgılanır. Korteksten ise, glukokortikoidler, mineralokortikoidler ve seks hormonları salgılanır.

a. Adrenal Fonksiyon
Adrenal Medulla

Adrenal medulla hormonlarına katekoleminler adı verilir. Adrenalin ve noradrenalinin etkisi sempatik sinir sistemine benzer. Adrenal medullanın hipo ya da hiperfonksiyonu hayatı tehdit edebilir. Adrenal medulla sempatik uyarıya yanıt olarak adrenalin ve noradrenalin adı verilen hormonları salgılarlar. Bu hormonlar vücudun her tarafında hemen hemen aynı etkileri oluştururlar. Adrenalin ve noradrenalin'in her ikisi de suda çözünebilir, amino asit derivativi hormonlardır. Adrenal medullanın sekresyonunun yaklaşık %90'ı adrenalindir. Katekoleminler endojen kaynaklardan kalori gereksinimini karşılamak için depolanan yakıtın katabolizmasını sürdürerek metabolik yolları düzenler.

Adrenalin salınımının en önemli etkisi organizmayı savaş ya da kaç gibi bir mücadeleye hazırlamaktır. Adrenalin salınımı gastrointestinal sistem gibi acil durumlarda gereksinimi olmayan dokulara kan akımının azalmasına neden olur. Bu durumda savaş veya kaç etkisi için önemli olan kardiyak ve iskelet kaslarına kan akımı artar. Adrenalin hem kaslarda hem de karaciğerde glikojenolizi sağlar. Kan şekerinin normalin çok altında olduğu zaman işe karışır ve karaciğer glikojenolizini arttırır. Kana glikoz verilir. Adrenalin fazlalığında ise Adrenokortikotrop hormon (ACTH) yapımı uyarılır. Bu da korteks steroidlerinin salgılanmasını sağlar. Böylece glikoneogenez de hızlanır. Karaciğerde fazla glikojen yıkılarak hiperglisemi olur. Kaslarda da bu sırada glikojen yıkılmasından laktik asit oluşur. Adrenalin hem kaslarda hem de karaciğerde glikojenoliz yaptığından sadece karaciğerde glikojenoliz yapan glukagondan ayrılır. Noradrenalinin hiperglisemi yapıcı etkisi ise adrenalinin ancak % 5'i kadardır. Ayrıca adrenalinin yağ dokusunda yağların yıkımını şiddetle uyardığı, bunun sonucu olarak dolaşıma büyük miktarda yağ asitleri ve gliserol verdiği bilinir. Adrenalin aynı zamanda kardiyak outputu, nabız hızını, kan basıncını, solunum hızı ve derinliğini, mental aktiviteleri artırır, bronşları ve pupillaları genişletir, gastrointestinal sistem fonksiyonlarını yavaşlatır. Noradrenalininin de benzer etkilerinden söz edilmekte ancak etki oranı bilinmemektedir.

Adrenal Korteks

Adrenal bezin dış kısmı adrenal korteksdir. Yaşam için gereklidir. Adrenal korteks bezin % 90'ını oluşturur. Embriyolojik orijini, adrenal medulludan oldukça farklıdır. Mezoderm kökenlidir ve steroid hormonları üretir. Erişkinde adrenal korteks histolojik olarak üç bölgeye ayrılır. Bunlar: dışta glomerulosa, ortada fasciculata ve içte reticularis bölgeleridir. Her üç bölge de steroid üretir. Normal koşullarda majör ürün kortikosteroidlerdir.

1. Glukokortikoidler: Öncelikle protein, karbonhidrat, lipid metabolizmasını etkilerler. 25 mg/günde salınırlar. En çok fasciculatada, ikinci olarak da reticulariste üretilir.
2. Mineralokortikoidler: Elektrolitlerin transportunu ve dokularda suyun dağılımını etkilerler. Sodyum ve potasyum düzeylerini düzenlerler (200 mg/gün). Glomerulosada sentez edilirler.
3. Androjen ve östrojenler: Spesifik hedef organlarında sekonder seks karakterlerini etkilerler, fasciculata da sentez edilirler.

I. Glukokortikoidler

Majör glikokortikoid **kortizol**'dür Kortizol endoplazmik retikulumda 21 hidroksilaz ve mitokondride 11-hidroksilazın etkileri ile 17-hidroksiprogesterondan sentezlenir. Kortizol plazmada proteine bağlı olarak veya serbest halde bulunur. Plazmada bağlı olduğu protein alfa globülindir, buna transkortin veya kortikosteroid bağlı globülin (CBG) denir. CBG karaciğerde üretilir ve sentezi tiroite bağlı globülin (TBG) gibi östrojenler tarafından artırılır. Gebelik döneminde veya diğer yüksek östrojen şartlarında, CBG düzeyi artar ve dolayısıyla plazma total kortizol düzeyi artar. CBG ve total plazma kortizol düzeyi bazı karaciğer hastalıklarında azalır, yine nefrotik sendrom gibi idrarla fazla protein kayıplarındada azalır. Glukokortikoidler insüline antagonisttir. Gluko-kortikoidler dolaşımdaki glikozu artırırlar. Aynı zamanda kasılabilen ve vasküler tonusu belirleyen arteriollerde bir miktar vazokonstriktör etkiye sahip oldukları için kan basıncında artışa neden olurlar.

Kan damarlarında ve gastrointestinal sistemde düz kas tonüsünün korunması için de gereklidir. Kortizol genel olarak katabolik bir hormondur. Yani hücrelerde protein yıkımını hızlandırır. Travma ve Enfeksiyon gibi akut stres durumları ile başa çıkabilmek için plazma glikozunu arttırarak vücutta artan enerji gereksiniminin karşılanmasını sağlar. Akut stres durumlarında salınan kortizol miktarı, normalin 10 katına kadar çıkabilmekte, bu da insan vücudunun stres karşısındaki dayanıklılığını arttırmaktadır. Adrenal Yetersizliklerde endojen steroid miktarı yetersiz olduğu için strese tolerans azalmıştır.

Hiperkortizolizm genel olarak bağışıklık sisteminin baskılanmasını gerektiren otoimmün veya inflamatuar hastalıklar nedeniyle glukokortikoidlerin farmakolojik dozlarına bağlı olarak ortaya çıkar. ACTH salgılayan bir hipofiz tümörüne bağlı olarak ortaya çıkan **Cushing sendromu** da hiperkortizolizme neden olur. Kortizol fazlalığı olan hastalarda şişmanlık, karın, göğüs ve yüzde yağ birikimi gözlenir. Glukokortikoid fazlası Diabetes mellitusa, ekimozlara, yara iyileşmesinin gecikmesine, immün yetmezliğe neden olur.

Glukokortikoid Yetersizliğine **Addison Hastalığı** denir. Genellikle adrenal bezlerin otoimmün harabiyeti sonucu oluşur. Bu hastalarda yetersiz glikoneogenezis sonucu hipoglisemi, damar tonüsünün azalması sonucu hipotansiyon, hafif ateş ve yüksek ACTH konsantrasyonlarına bağlı olarak hiperpigmentasyon görülür.

2. Mineralokortikoidiler

Mineral dengesinin korunabilmesi için adrenal mineralokortikoidlere gereksinim vardır.

Majör mineralokortikoid **aldosteron**'dur. Böbreklerden sodyum tutulmasına ve potasyumun atılmasına neden olur. Kortizolun tersine aldosteron, adrenal korteksin glomerulosa bölgesinde progesterondan sentezlenir. Aldosteronun plazmada bağladığı spesifik bir taşıyıcı protein yoktur. Fakat çok zayıf bir formda albümine bağlanır. Aldosteron salgılanmasında etkili olan faktörler, ekstrasellüer sıvının potasyum iyonu yoğunluğu, renin-angiotensin sistemi, vücudun sodyum miktarı ve ACTH' dur.

Aldosteron oluşumunda özellikle dolaşımdaki sodyum eksikliği ve potasyum fazlalığı ile hücre dışı sıvı hacmindeki azalış etkilidir. Dışarıdan verilen ACTH aldosteron yapımını geçici olarak uyarsa da bu hormonu esas kontrol eden mekanizma bu değildir. Esas uyarılar, damar içindeki hacim ve tuz yoğunluğuna yanıt olarak böbreğin jukstaglomerüler (JG) hücrelerinden gelir. JG hücreleri glomerül yakınında, afferent böbrek arteriolünün özel kısımlarına yerleşmişlerdir.

Bu hücreler kendilerine bitişik bir böbrek tubulünde yerleşmiş olan ve tubuldeki tuz ve sıvı bileşimine duyarlı olan makula densa hücreleri ile beraber çalışırlar. Tuz eksikliği, kan hacmi veya basıncında düşme sonucu JG hücrelerinden bir glikoprotein enzim olan renin salgılanır. Renin, anjiotensinojeni anjiotensin I'e çevirir. Anjotensin I daha sonra anjiotensin converting enzime (anjiotensin dönüştürücü enzim) ile anjiotensin II' ye çevrilir. Anjiotensin II de bir aminopepdidaz ile anjiotensin III'e dönüştürülür. Her ikisi de adrenal korteksin glomerulosa hücrelerindeki spesifik reseptörlere bağlanırlar ve aldosteron salgısını artırırlar. Yüksek potasyum düzeyleri de aldosteron salgısını artırır.

Aldosteron distal renal tubuluslarda potasyum-hidrojen iyonu ile değiştirilerek sodyumun glomeruler filtrattan geri emilimini artırır. Sodyumun bağırsaklardan emilimini de büyük ölçüde artırmaktadır. Na+ ve Cl-nin ter, tükürük, mide bağırsak kanalı salgıları ile kaybını azaltır. Yukarıdaki etkilerine paralel olarak ekstrasellüer sıvı hacmini artırarak kan basıncını yükseltir. İdrar miktarı artar.

Hiperaldosteronizm, adrenal bezin hiperplazisi veya tümörü nedeniyle oluşur. Bu durumda hipertansiyon, hipokalemi ve düşük plazma renin düzeyleri gözlenir. Aldosteron sentezindeki artış, sodyum tutulması ve damar hacmindeki artış renin salgılanmasının baskılanmasına neden olmaktadır. Bu durumda ciddi bir ödem ve hipernatremi oluşmaz. Çünkü diğer hormonal sinyaller böbreğin aldosteron etkisinden kaçabilmesine olanak verir.

Glukokortikoidlerin aksine tek başına mineralokortikoid Yetersizliği tedavi edilmese bile ölümcül değildir. Bunun nedeni vazopressin, katekolaminler ve atriyal natriüretik pepdit gibi hormonların kan basıncını ve elektrolit metabolizmasını düzenleyici etkileridir.

3. Adrenal Androjenler

Adrenal korteksin fasciculata bölgesinden az miktarda seks hormonu salgılanır. Gonadlardan salgılanan seks hormonlarına göre az miktarda erkeklik hormonu olan androjen ve kadınlık hormonu olan östrojen salgılanır. Adrenal korteksten fazla miktarda androjen salgılanırsa kadınlarda virilizm; erkekleşme, östrojenin fazla salgılanması ile de erkeklerde jinekomasti; memelerde büyüme ve sodyum ve su tutulumunda artış görülür.

b. Feokromasitoma

Feokromositoma nadir görülen, %90'dan fazlası adrenal medulladan kaynaklanan bir tümördür.

Epidemiyoloji
Hipertansif hastalarda %0.1 oranında görülür.

Etiyoloji
Birçok tümörde olduğu gibi, feokromositomaların da oluşum nedenleri bilinmemektedir. Erkek ve kadınlarda hemen hemen her yaşta görülebilir. 20-50 yaş arası daha sıktır. Bazı vakalarda ailevi, bazılarında ise nöroektodermal hastalıklar ve multiple endokrin neoplazmalarıyla beraber görülebilmektedir.

Klinik Belirtiler
Feokromasitoma hastalığında görülen belirti ve bulgular adrenalin ve noradrenalin sağılanmasına bağlı olup, en önemli bulgu aralıklı gelen hipertansiyon ataklarıdır. Atak sırasında hastada çarpıntı, solukluk, kızarıklık, bulantı, terleme, anksiyete, tremor, panik reaksiyonu, baş ağrısı, göğüs ağrısı, bazen tiroit büyümesi görülebilir. Katekolaminler normalin 100 katına ulaşabilmekte ve buna bağlı oluşan hipertansiyon krizinin kontrolü bazen çok zor olabilmektedir. Bazı olgularda kan basıncı 250/150mm Hg'nın yükselir. Bu durum yaşamı tehdit ederek serebrovasküler atak veya miyokard infarktüsü gelişmesine yol açabilir.

Hastalarda kilo kaybı, hiperglisemi ve kardiyomiyopati görülebilir. Kalp atışında hızlanma, baş ağrıları, gözlerin önünde "uçuşan sinekler" aşırı terleme, kulakta uğuldama, kabızlık ve kişilik değişiklikleri olabilir. Atak sıklığı haftada bir veya daha sıktır ve 15 dakika veya daha fazla sürer. Hastalık ilerledikçe atak sıklığı artar. Egzersiz, yemek yeme, defekasyon ve karın palpasyonu atağı başlatabilir. Feokromasitomalı hastalarda ortostatik hipotansiyonda görülebilir.

Tanı
Kan basıncının artışıyla birlikte sempatik sinir sistemi aktivasyonunda ortaya çıkan bulgular varsa feokromasi-tomadan şüphelenilir. Bu bulgular hipertansiyon, baş ağrısı, aşırı terleme, metabolizma artışı ve hiperglisemidir.

Fizik muayenede gözlenen ve hastaya sorularak öğrenilen belirtilerin yanı sıra rutin biyokimya incelemelerinde hematokrit artışı, hiperglisemi ve hiperkalsemi görülebilmektedir. Yirmi dört saatlik idrarda adrenalin ve noradrenalinin yıkım ürünlerinden biri olan ve idrarla atılan vanilmandelik asit (VMA) düzeyine bakılarak adrenalin ve noradrenalin miktarlarının saptanması veya hidroksimetil metilmandelik asit gibi katekolemin metabolitlerin artması ile tanı konur. İdrar analizi için; 24 saatlik idrar toplanmadan iki-üç gün öncesinden hastaya genellikle kahve, çay, muz, çikolata, turunçgil ve vanilyalı yiyecekler içermeyen diyet verilir. Antihipertansif ilaçlar, aspirin, bazen de sakıncası yoksa hastanın aldığı tüm ilaçlar kesilebilir. İdrarın 20 ml kadar kuvvetli asit içeriği olan Amonyum hidroklorür (NHCl) içine toplanması ve kabın sıkıca kapatılması önemlidir.

Katekolemin düzeyinin belirlenmesi için hastaya özel diyet gerekmez. Aç karnına olmalı, sırt üstü yatmalıdır. Kan alınmadan en az 20-60 dakika önce ven içine kateter yerleşmiş olmalıdır. Kan alınır alınmaz hemen buza konulur, santrifüje edilir ve 15 saat -90 derecede dondurularak saklanır. Aşırı fiziksel egzersiz, emosyonel stres, anksiyete katekoleminlerin salgılanmasını artıracağı için sakınılması gerekir.

Normal değerler: VMA: 1-9mg / 24 saat,
Adrenalin: 5-40mg / 24 saat,
Noradrenalin: 10-80mg / 24 saat

Feokromasitoma tanısı için radyolojik incelemeler bazen tümörü ortaya çıkarmada yardımcı olur. Bilgisayarlı tomografi genellikle bir cm üzerindeki tümörleri saptamaktadır. Aynı zamanda manyetik rezonans görüntüleme (MRI) ve ultrasonda tanı konulmasına yardımcı olur.

Tedavi
İlaç tedavisi ancak tansiyon yükseldiği zamanlarda uygulanabilir. Hipertansiyon atakları taşikardi, anksiyete ve feokromasitomanın diğer semptomlarında hasta fawler ya da yarı fawler pozisyonunda yatak istirahatinde olmalıdır. Tek etkili tedavi, tümörün cerrahi olarak çıkarılmasıdır. Cerrahi işlem zor olmasına karşın çok iyi sonuçlar elde edilmektedir.

İlaç Tedavisi
Farklı ilaç kombinasyonları kullanılarak kan basınç oynamalarını en aza indirmek ve disritmileri önlemek amaçlanır. Hasta disritmiler nedeniyle yoğun bakım ünitesinde izlenir. Fentolamin gibi alfa adrenerjik blokerler ya da sodyum nitroprusside gibi düz kasları gevşetici ilaçlar kan basıncını kısa sürede düşürür. Fenoksibenzamin gibi daha uzun etkili alfa adrenerjik blokerler kan basıncı stabil olan cerrahiye hazırlanan hastalar için uygun olabilir. Propranolol gibi beta adrenerjik blokerler kardiyak disritmileri olan veya alfa blokerlere yanıt alınamayan hastalara kullanılabilir. Tüm ilaçlar gözlem altında ve dikkatli bir şekilde kullanılmalıdır.

Bakım
Feokromasitoma tedavisinde cerrahi işlem geçirecek hasta pre ve post operatif sürece ve atakların tekrarlayabileceği konusunda korkabilir ve endişeli olabilir. Genellikle cerrahi işlem sonrası ataklar sonlanırken bazen tekrarlayabilir. Cerrahi işlem sonrasında ve atakların olduğu dönemde hasta yoğun bakım ünitesinde tutulur. Elektrokardiyografi (EKG), arteriyal basınç, sıvı elektrolit dengesi ve kan glikoz düzeyleri, izlenir. Sıvı ve ilaçların ayrı yollardan gitmesi için en az iki damar yolu açılmalıdır.

c. Addison Hastalığı

Kortizonun kronik hipofonksiyonu sonucu gelişir. Olguların %80'inde neden genellikle otoimmüniteye bağlı bezin atrofisidir.

Epidemiyoloji

Batı dünyasında Addison hastalığının prevalansı 35-60/120 milyon kişi olarak düşünülmektedir. Fakat toplam olarak 120 milyon kişinin bu hastalıktan etkilendiğini belirten verilere de rastlanmaktadır.

Etiyoloji

Thomas Addison halen adını taşıyan bu hastalığı 1855'de 11 vakada tanımladığında iki taraflı adrenal Yetersizliğin en sık nedenini tüberküloz olarak tanımlamıştır. Günümüzde ise vakaların sadece %7-20 sinden tüberküloz sorumludur. Bu oran Türkiye'de biraz daha yüksek olabilir. %70-90'ı otoimmün kökenlidir. Geri kalan ise diğer Enfeksiyon hastalıkları, metastatik kanser veya lenfomalar, adrenal hemoraji veya adrenal infarktüsler veya bazı ilaçlara bağlıdır.

Ayrıca iki-dört hafta kadar adrenokortikal hormon tedavisi yapılıp, birden tedavi kesildiğinde hormon tedavisinin adrenal korteks fonksiyonlarını baskılaması nedeniyle adrenal Yetersizlik gelişir.

Patofizyoloji

Addison hastalığında adrenal Yetersizliğin gelişimi dört evrede olur:
Evre I; yüksek plazma renin aktivitesi ve normal veya düşük serum aldosteron
Evre 2; ACTH sekresyonuna serum kortizol yanıtının bozulması.
Evre 3; Normal serum kortizolü ile birlikte sabah plazma ACTH yüksekliği.
Evre 4; Düşük sabah serum kortizolü.

Klinik Belirtiler

Hastalarda halsizlik, kaslarda güçsüzlük, düşkünlük, iştah azalması, gastrointestinal yakınmalar, bulantı, kusma, konstipasyon veya diyare, karın ağrısı, postural baş dönmesi, kas ve eklem ağrıları gibi belirtiler görülür. Hematokrit yüksekliği, hiponatremi, hiperkalemi, hipoglisemi, hipotansiyon, asidoz ve azotemi oluşur. Klasik bulgu, ciltte, deri kıvrımlarında, dizde, dirsekte, parmak eklemlerinde mukoz membranlarda hiperpigmentasyondur. Güneşe maruz kalan bölgelerde ve basınç bölgelerinde pigmentasyon daha belirgindir. Eldeki çizgilerde, tırnak yataklarında, pigmentasyon olması Addison hastalığını düşündürmelidir. Mental durumda depresyon, apati, emosyonel değişkenlik, konfüzyon gibi bulgular, kilo kaybı ve Enfeksiyon vardır.

Tüberküloza bağlı Addison hastalığında bezin radyolojik incelemesinde kalsifikasyon görülebilir. Özellikle kadın hastalarda aksiler ve pubik kıllarda dökülme vardır.

Adrenal Yetersizliğin Klinik Görünümleri

1. Adrenal kriz
2. Kronik primer adrenal Yetersizlik
3. Sekonder veya tersiyer adrenal Yetersizliktir.

Adrenal kriz, akut adrenal Yetersizlik olarak da isimlendirilir. Primer hastalık ilerledikçe veya adrenal Yetersizlikli birey ağır bir stres veya şiddetli bir infeksiyona maruz kaldığında gelişen akut hipotansiyon nedeniyle oluşur. Yine bilateral adrenal infarktüs veya bilateral adrenal kanama sonrasında da görülebilir. Sekonder veya tersiyer adrenal Yetersizlikli bireylerde nadirdir.

Addison krizi siyanoz, ateş ve klasik şok belirtileri olan, solgunluk, korku, endişe, hızlı ve zayıf nabız, hızlı solunum ve hipotansiyon vardır. Aynı zamanda hasta baş ağrısı, bulantı, diyare ve karın ağrısından yakınır. Hastada konfüzyon ve huzursuzluk belirtileri gözlenir. Krizle kendini gösteren uzun süreli adrenal Yetersizlikli vakalarda kilo kaybı, hiperpigmentasyon, serum elektrolit anormallikleri ve kronik adrenal Yetersizliğin diğer bulguları görülebilir. Adrenal krizi uyaran majör uyarıcı faktör glukokortikoid Yetersizliği değil mineralokortikoid Yetersizliğidir ve majör klinik problem hipotansiyondur. Sentetik glukokortikoidleri fizyolojik hatta farmakolojik dozlarda kullanan kişilerin mineralokortikoid ihtiyaçları tam olarak karşılanmamış ise bu kişilerde adrenal kriz oluşabilir. Aldosteron sekresyonu genellikle normal olan sekonder adrenal Yetersizlikli kişilerde adrenal kriz nadiren görülür. Yine de primer sorumlu olmamakla beraber glukokortikoid Yetersizliği de anjiotensin II ve noradrenaline vasküler hassasiyeti azaltarak, renin substratın sentezini azaltarak ve prostasiklin yapımını artırarak hipotansiyona neden olabilir.

Kronik primer adrenal Yetersizlikli bireylerde glukokortikoid, mineralokortikoid ve androjen Yetersizliği semptomları olabilir. Bunun tersine sekonder veya tersiyer adrenal Yetersizlikli kişilerde genellikle mineralokortikoid fonksiyonları normaldir.

Adrenal Yetersizliğin tüm bulguları bulunan bireylerde tanıyı koymak zor değildir. Ama başlangıcı genellikle sinsidir, çoğu sessiz olan semptomlar yavaş gelişirler. Özellikle erken dönemlerde tanı koymak güçtür.

Tanı

Tanı laboratuvar sonuçlarına göre konur. Kan biyokimyasında hipoglisemi, hiponatremi, hiperkalemi ve lökositoz saptanır ve BUN yüksektir. Kanda ve idrarda adrenokortikal hormon düzeyleri ve serum kortizol düzeyleri, kortikosteron ve kortizonun yıkım ürünleri olan 17 ketosteroid(17-KS), 17 hidroksikortikosteroid (17-OHCS) ve 17 keojenik steroid (7 KGS)'lerin düzeyi düşüktür.

Sabah serum kortizol düzeyi adrenal Yetersizliği reddetmek için değerli bir yöntemdir. 11 mg/dL (300 nmol/L)'den daha yüksek serum kortizol düzeyinin olması önemli bir hipotalamik-hipofiz-adrenal Yetersizlik olmadığı anlamına gelir; bunun tersine 3 mg/dL(80 nmol/L)'nin altındaki değerler adrenal Yetersizliğin çok muhtemel olduğunu düşündürür. Benzer şekilde sabah 08.00'de tükürük kortizol konsantrasyonu 5.8 ng/mL (16 nmol/L)'den yüksek ise adrenal Yetersizlik red edilebilir iken 1.8 ng/mL (5nmol/L) altındaki değerler adrenal Yetersizlik olasılığının yüksek olduğunu düşündürür. Hipoadrenalizm düşünülen bireylerde dinamik testler yapılmalıdır. Plazma ACTH'nın eş zamanlı ölçümü ile birlikte bu testler aynı zamanda primer ve sekonder veya tersiyer adrenal Yetersizlik arasında ayırıcı tanı olarak yapılabilir. Hipotalamik ve hipofizer kaynaklı adrenal Yetersizlik ise Corticotrop Releasing Hormon (CRH)' a alınan yanıtlar ile yapılabilir.

Kısa ACTH Uyarı Testi; Plazma kortizolu ölçülür (normali>170nmol/L). Biyolojik olarak ACTH ile aynı etkiye sahip Synacten den 0.25 mg IM veya IV yapılır ve 60 dakika sonra plazma kortizolu tekrar ölçülür. Normal bireylerde plazma kortizolu en az 580nmol/L ve başlangıç değerine göre en az 190nmol/L artması gerekir. Hangi nedene bağlı olursa olsun kortizol düzeyinde azalma varsa zayıf yanıt olarak kabul edilir.

Uzun ACTH Uyarı Testi; Günde 1 mg synacten IM olarak üç gün boyunca uygulanır. Uzun süreli steroid kullanımına bağlı olarak baskılanmış olarak adrenal bezleri bu miktardaki uyarıya yanıt verir. Adrenal Yetersizlik durumunda ise yanıt olmaz. Serum ACTH düzeyi Addison hastalığında yüksek, sekonder adrenal Yetersizliğinde düşüktür. Serum T4 ve TSH düzeyi yüksek bulunabilir. Hastaların %50'sinde adrenal otoantikorları pozitiftir.

Direk batın grafisi ve BT ile otoimmün kökenli hastalarda adrenal bezler atrofik olarak görülür. Tüberküloz kökenli hastalarda ise kalsifikasyon bulunur. BT ve MRI ile adrenal kanamanın varlığı da saptanır.

Tedavi

Adrenokortikal Yetersizliği olan bir hastada infeksiyon, travma, cerrahi işlem, hamilelik, dehidratasyon veya anoreksiya, yüksek ateş ve yaşamındaki stresler olduğunda akut adrenal kriz oluşur. Bu durumda Addison hastalığının belirtileri abartılıdır. Hipovolomik şok meydana gelir. Akut batına benzer karın ağrısı olur. Enfeksiyon veya adrenal atrofiye bağlı ateş yükselir. Tedavi edilmeyen hastalarda hipotansiyon, şok ve koma sonrası ölüm görülebilir. Bu durumda acil tedaviye hemen başlanmalıdır. Genellikle %0.9 serum fizyolojik veya 0.9 saline içinde %5 dekstroz solüsyonundan 3-4 litre olabildiğince hızlı bir şekilde verilir, serum elektrolitleri, glikoz, plazma kortizol ve ACTH ölçümü yapılır, deksametazon sodyum fosfat hidrokortizon sodyum süksinat verilir. Hidrokortizon kullanılacak ise ilk 24 saat boyunca her 6-8 saatte bir 100 mg k kullanılır. Hasta stabil olduktan 24-48 saat kadar daha düşük hızda serum fizyolojik infüzyonuna devam edilir. Daha önceden adrenal Yetersizlik tanısı konulmamış ise kısa ACTH uyarı testi uygulanır. Adrenal Yetersizliğin tipi ve nedeni araştırılır. Hastanın durumuna göre, glukokortikoid dozu 1-3 gün içinde idame dozuna indirilir. İdame tedavisinin amacı; eksik hormonların yerine konmasıdır.

Glukokortikoid olarak hidrokortizon 20-30mg/gün veya eşdeğer 5-7.5mg prednizolon (Deltacortil, codelton tb 5 mg) oral yolla verilir. Günlük dozun 2/3'ü sabah verilmektedir. Mineralokortikoid olarak Fludrokortizon (Astonin H tb., Florinef 100 mg) oral yolla 50-100 mg tedaviye eklenmektedir. Klinik bulgular, vücut ağırlığı ve kan basıncı normal ve elektrolit dengesi sağlanmış olmalıdır. Sabah plazma ACTH izlemleri yapılır. Yeterli tuz alımı sağlanmalıdır. Yatarken ve ayakta iken kan basıncı ve nabız sayısı, ödem, serum potasyum ve plazma renin aktivitesi ile hastanın monitörizasyonu yapılır.

Verilen tedavi yeterli ise, pigment artışı, halsizlik ve ortostatik hipotansiyon kaybolur, kan basıncı normale döner, hiperpotasemi düzelir. Aşırı doz verildiğinde cushing hastalığı görünümü, hipertansiyon, ödem, hiperglisemi ve hipopotasemi oluşabilir. Hastalara ateşle seyreden infeksiyonlar, sıcak hava, aşırı terleme, cerrahi operasyon ve travma gibi stres durumlarında ilaç dozlarını hekimine danışarak en az iki katı artırmaları önerilir.

Tüberküloza bağlı olarak gelişen Addison hastalığının tedavisinde antitüberküloz tedavisi verilmektedir. Ancak rifampisin kortizol yıkımını artırarak hastalık tablosunu ağırlaştırabilir. Addisonlu hastalar cerrahi girişim geçirecekler ise, kortikosteroid tedavisi bir gece öncesinden özel olarak planlanarak uygulanmalıdır. Kronik sekonder ve tersiyer adrenal Yetersizliğin tedavisinde optimal glukokortikoid replasman dozunu belirlemek güçtür; Primer anormallik nedeniyle ACTH sekresyonu zaten yetersiz olduğundan plazma ACTH düzeylerini ölçmek yararsızdır. ACTH' nın aldosteron salınımında önemli bir rolü olmaması nedeniyle mineralokortikoid replasmanı nadiren gereklidir. Diğer hipofizer hormonların replasmanının yapılması da gereklidir. Hastaların hastalıklarını gösteren ve acil durumlarda yapılması gerekenleri gösteren bir kart taşımaları sağlanmalıdır.

Bakım

Sağlık öyküsü ve muayene hastanın stres durumu ve sıvı elektrolit dengesi üzerine odaklanır. Hastanın sıvı volüm yeterliliğinin değerlendirilmesi için hasta yatarken ve ayağa kaldırılarak kan basıncı ölçülür, nabzı sayılır. Hastanın cilt rengi ve turgoru adrenal Yetersizlik ve hipovolomi yönünden değerlendirilir. Planlanan tedaviyi düzenli uygulaması anlatılır. Kilo değişiklikleri, kas zayıflığı ve yorgunluk yönünden değerlendirilir.

Addison Krizinin İzlenmesi: Hastada Addison krizinin ön belirtileri olan hipotansiyon, hızlı nabız, hızlı solunum, solgunluk ve aşırı halsizlik gibi şok belirtileri yakından izlenir, soğuk, Enfeksiyon ve duygusal sıkıntı gibi fiziksel ve psikolojik streslerden korunur.

Sıvı Dengesini Sağlama: Hastanın günlük sıvı alımı izlenir. Cilt turgoru, mukoz membranlar, susuzluk hissi değerlendirilir. Sıvı durumu hakkında yatarken, otururken ve ayakta kan basıncı ölçülmesi önemli bilgi sağlar. Kan basıncında 20 mmHg ve üzerindeki fark özellikle semptomlarla birlikte olursa sıvı volüm eksikliğini gösterir. Sıvı-elektrolit eksikliğinin erken belirtisi olarak hastaya susuzluğu arttığında haber vermesi söylenir. Günlük yeterli sıvı ve gıda, sıcak havalarda sodyum alımının önemi anlatılır.

Hasta ve ailesine önerilen hormon replasman tedavisini, hastalık ve stres durumlarına göre dozların ayarlanmasının önemi açıklanır. Mineralokortikoid veya kortikosteroid (prednisone) hakkında yazılı ve sözlü bilgi verilir.

Aktiviteye Toleransı Artırma: Hastanın durumu stabil olana kadar önlemler alınır ve hasta krizi başlatan stres gereksiz hareketlerden korunur. Enfeksiyon ve stres yaratacak diğer faktörler araştırılır. Küçük bir stres bile adrenal Yetersizlikli hastada aşırı reaksiyona neden olabilir. Akut kriz sırasında sessiz sakin bir çevre sağlanmalı ve hastaya silme banyo verilmelidir. Hasta ve ailesine tüm yapılan işlemler hakkında bilgi verilmesi onların anksiyetesini azaltır. Hasta akut kriz anında en az aktivitede bulunması, kriz sonrasında da aktivite düzeyini yavaş yavaş artırması konusunda bilgilendirilir.

Ortak sorunlar
- Addison krizi
- Elektrolit dengesizlikleri (sodyum, potasyum)
- Hipoglisemi

Hemşirelik tanıları
- *Anoreksi ve bulantıya bağlı "yetersiz beslenme riski"*
- Beklenen hasta sonuçları; hastanın yeterli sıvı ve gıda almış olması, hipovolomi ve sıvı-elektrolit dengesizliği belirtilerinin olmaması.
- Sodyum ve sıvı atımının artmasına bağlı "diyare"
- Beklenen hasta sonuçları; sıvı-elektrolit dengesizliği ve diyare olmaması
- Uygulanan tedavi, diyet, krize yol açan risk faktörleri hakkında "bilgi eksikliği ve tedavi planını uygulamada yetersizlik"
- Beklenen hasta sonuçları; tedavi ve diyetini düzenli uygulamasının önemini anlaması ve bu konuda herhangi bir sorun yaşanmaması
- Cilt renginde değişiklik (koyulaşma) ile ilgili benlik kavramında bozulma
- Beklenen hasta sonuçları; hastalık belirtilerinin nedenlerini ve tedavi ile geçeceğini bilmesi, endişeli olmaması.

Evde Bakım
Addison krizini önlemek için verilen hormon tedavisi yaşam boyu devam edeceği için hasta ve ailesine tedavi ve dozları ile ilgili gerekli açıklamalar sözlü ve yazılı olarak yapılmalıdır. Aynı zamanda hastalık, sıcak hava ve diğer stres durumlarında ilaç dozlarını değiştirmesi, tuz alımını artırması, aşırı aktivitelerden kaçınması, sıcak ve nemli havalarda dışarıda dolaşmaması, yüksek karbonhidrat ve proteinli gıdalar alması, çok terlediğinde sıvı ve tuz alımını artırmasının önemi anlatılır. Aile Addison krizinin belirtileri hakkında bilgilendirilir. Belirtilerin varlığında vakit kaybetmeden hekimine haber verilmesi ve sağlık kuruluşuna götürülmesinin önemi açıklanır. Hastaya yanında devamlı olarak kimlik ve durumunu belirten bir kart bulundurması önerilir.

d. Cushing Sendromu
Glukokortikoid hormonların kan düzeylerinin yükselmesi ile ortaya çıkan klinik tablodur.

Cushing sendromu adrenal ve hipofizer hormonlar tanımlanmadan önce ilk olarak 1899 yılında Osler tarafından ve daha sonra 1932 yılında Harvey cushing tarafından tanımlanmıştır. İlk vakaların "Sakallı kadın diyabeti" olarak da tanımlandığı olmuştur. Replasman dozunun üzerinde kullanılan dozlar klinik olarak cushing sendromu tablosuna yol açabilir.

Epidemiyoloji
Cushing sendromunun insidansı belirsizdir. Hemen tüm çalışmalar iyatrojenik Cushing ve ektopik ACTH sendromu ile ilgilidir.

Her yıl yaklaşık olarak 10 milyon Amerikalı farmakolojik dozlarda glukokortikoid kullanmaktadır. Bu nedenle iyatrojenik cushing diğer tiplerden daha fazla görülmektedir. Fakat bildirimi nadiren yapılmaktadır. Ektopik ACTH sendromu muhtemelen ikinci sıklıkta cushing sendromu sebebidir. Fakat çoğu kez kesin tanı konmamıştır. Cushing sendromunda cinsiyet dağılımı nedene göre değişmektedir. Yaklaşık 20-30 yıl öncesinde ektopik ACTH sendromu erkeklerde üç kat daha fazla gözlenirken son yıllarda kadınlarda cushing hastalığı gelişme olasılığı üç-sekiz kat daha fazla izlenmiştir. Kadınlarda benign veya malign adrenal tümör gelişme olasılığı yaklaşık üç kat fazladır ve adrenal tümöre bağlı cushing sendromu oluşma olasılığı da dört-beş kat daha fazladır.

Kadınlardaki bu eğilimin sebebi bilinmemektedir. Ektopik ACTH sendromunun ortaya çıkma yaşı akciğer karsinomunun ortaya çıkma yaşı (50 yaşından sonra) ile ilişkilidir. Karsinoid tümörle birlikte olan Ektopik ACTH daha genç yaşlarda meydana gelir. Cushing Hastalığı 25-45 yaş arası kadınlarda erkeklere göre beş kat daha sık görülür. Çocuklarda nadirdir fakat yinede çocukluk çağı cushing sendromunun 1/3'ünden ektopik ACTH sendromu sorumludur ki çoğu puberta sonrası ortaya çıkar. Kızlar ve erkekler eşit oranda etkilenir. Çalışmalarda adrenal tümörlerde; karsinomalarda 39 yaşında, adenomalarda 52 yaşında artış gözlenmiştir. Adrenal tümörlerin yaklaşık ¼'ü çocuklukta ortaya çıkar. Çocukluk çağı Cushing sendromunun yarısında neden adrenal karsinomalardır ve adenomalar da diğer 1/6'sından sorumludur. Kızlar erkek çocuklarından hafifçe daha fazla etkilenmektedirler.

Etiyoloji
- Hipofiz bezinden fazla miktarda ACTH salgılanması sonucu adrenal korteksin fazla uyarılması; cushing hastalığı %60-70 oranında,
- Primer hiperkortizolizm: Benign ya da malign adrenal tümörden fazla miktarda glikokortikoidlerin salgılanması %30 oranında,
- Küçük hücreli akciğer kanseri, timüs, pankreas, over tümörü gibi hipofiz dışındaki bir tümörden ACTH salgılanması,
- Yatrojenik olarak fazla miktarda glukokortikoid kullanılması sonucunda görülür.

Patofizyoloji
Hipofizer Kaynaklı Cushing Hastalığı; ACTH düzeyi artmış, ACTH ve kortizolün günlük- olağan ritimi adı verilen sirkadiyen ritimi kaybolmuştur. Kortizol salınımı normal kişilerde **sirkadiyen ritim** gösterir. Sabah saatlerinde artar, akşama doğru düşer. Cushing sendromunda ise sabah ACTH ve kortizol düzeyleri normal, öğleden sonra konsantrasyonları yükselir. Bazal kortizol yapımı artmıştır kortizol sekresyonu ACTH'a bağlıdır, düşen kortizol düzeylerine ACTH yanıtı, CRH ve eksojen ACTH'a kortizol yanıtı vardır.

Ektopik ACTH Sendromu; Hipofiz dışındaki bir tümör ACTH salgılar ve bilateral adrenal hiperplazi ve hiperfonksiyonu uyarır. Artmış plazma kortizolü hipotalamik CRH sentez ve sekresyonunu suprese eder. Cushing hastalığında olduğu gibi kortizolün idrar atılımı uyumlu artmıştır.

Ektopik CRH Sendromu; Ektopik ACTH sendromuna benzer yalnızca nonhipotalamik tümör tarafından salınan CRH önhipofiz kortikotroplarında hiperplaziye neden olur ve ACTH hipersekresyonunu sitimüle eder. Bu durumda ACTH sekresyonu yüksek glikokortikoid konsantrasyonu ile suprese olmaz. Bunun bir sebebi CRH salgılayan tümörlerin çoğunun ACTH'ı da salgılaması ve bu vakalardaki hiperkortizoleminin CRH'dan ziyade ACTH fazlalığından ortaya çıkmasıdır. Sadece CRH salgılandığında 8mg/günden fazla deksametazon ACTH sekresyonunu baskılamak için gerekebilir.

Primer Adrenokortikal Hiperfonksiyon; Adrenokortikal tümör, mikronodüler hiperplazi veya ACTH'dan bağımsız makronodüler hiperplazi gibi primer adrenokortikal hastalıkla birlikteki cushing sendromunda artmış kortizol CRH sentez, salınım ve etkisini suprese eder ve dolayısıyla ACTH sekresyonunu da suprese eder. Hipofizer kortikotropların atrofisi gibi normal adrenal korteks atrofisi de olur. Adrenal karsinomalar büyüklüklerinden dolayı aşırı miktarda steroid hormonlar salgılarlar.

Iyatrojenik Cushing Sendromu; Dışarıdan sentetik glukokortikoidlerin aşırı miktarda verilmesi ile nadiren de ACTH verilmesi ile ortaya çıkar. CRH'nın hipotalamik sentez ve sekresyonu inhibe olur. ACTH sentez sekresyonu suprese olur ve bilateral adrenokortikal atrofi ile sonuçlanır. Plazma ACTH ve sıklıkla kortizol sekresyonu düşüktür.

Klinik Belirtiler
Cushing sendromunda vücutta birçok sisteme ait bulgular ortaya çıkar. Santral yağ birikimi sonucu vücudun görüntüsü değişir; aydede yüzü, sırt ve omuzlarda yağ yastıkçığı; bufalo görüntüsü olur. Kas ve kemikler ile ilgili; osteoporoz, sırt ağrısı, çabuk yorulma, myopati, kas zayıflığı, spontan kırıklar, femurun aseptik nekrozu, vertebrada kompresyon kırıkları, deride incelme karında ve kalçada menekşe renkli strialar, sarkık karın, ekimoz, peteşiler, akneler, kolay ekimoz oluşumu ve yara iyileşmesinde gecikme olur.

Obezite, hipertansiyon, Na ve su retansiyonu, alt ekstremitelerde ödem.kalp yetersizliği, HCl artışı, gastrit, heptik ülser, pankreatit, karın ağrısı, hiperglisemi, hipokalemi, metabolik alkaloz, negatif nitrojen dengesi, değişmiş kalsiyum metabolizması, adrenal baskılanma, duygulanım değişiklikleri, öfori, irritabilite, depresyon, psikozlar, kadınlarda amenore, infertilite ve hirsitusmus, erkeklerde impotans, gözlerde katarak, glokom, ekzoftalmi ortaya çıkar.

Klinik Beliritler
Hiperkortizoleminin derecesi ve süresine, androjen fazlalığı olup olmadığına, adrenal karsinom veya ektopik ACTH sendromu varlığında tümöre bağlı ek bulguların varolup olmadığına göre değişir.

Cushing sendromunda kardiyovasküler komplikasyonlar, başlıca mortalite ve morbidite nedenidir. Diyastolik kan basıncı 100mmHg'nın üzerindedir. Hafif ödem vardır. Konjestif kalp Yetersizliği gelişebilir. Retroorbital yağ dokusu artışına bağlı ekzoftalmi görülebilir. Cushing sendromunda psikiyatrik sorunlar da önemlidir. İrritabilite, depresyon, emosyonel dengesizlik, öfori ve intihara eğilim vardır. Bu konuda yakın izlem gerekir. Uykusuzluk sık görülür. Öldürücü bir hastalıktır. Kardiyovasküler, hipertansif, tromboembolitik olaylar infeksiyonlara eğilim nedeniyle hasta kaybedilebilir.

Tanı
Cushing Sendromunun Laboratuvar Bulguları; Hb, Htc, Eritrosit sayısı normalin üst sınırlarında, lenfosit normal, eozinopeni vardır. Serum elektrolitleri genellikle normaldir; ama hipokalemik alkaloz var ise ektopik ACTH veya adrenokortikal karsinom düşünülmelidir. Açlık hiperglisemisi veya klinik diyabet görülebilir, postprandiyal hiperglisemi daha sıktır. Hem hipotalamik hem hipofizer seviyede glukokortikoid etkisi nedeniyle, serum TSH konsantrasyonları sıklıkla azalmıştır. Klinik olarak tiroit fonksiyonları normaldir. Kalsiyumun bağırsaktan emilimi ve böbreklerden geri emilimi azaldığı için kemiklerden kalsiyum kaybı vardır. Serum testosteron konsantrasyonları erkekte düşüktür. Sadece obezite için düşünülenden daha yüksek serum insülin ve glukagon seviyeleri vardır. Hiperinsülinemi hiperkortizolemiye neden olabilir.

Cushing sendromundan kuşkulanıldığında biyokimyasal tanı testleri yapılır. 1 mg deksametazon ile yapılan tarama testinde; plazma kortizolü 140 nmol/L (5 g/dL)'den düşük değerler normaldir. Plazma kortizolü 140-275 nmol/L (5-10 g/dL) değerleri şüpheli olarak değerlendirilir. Plazma deksametazon testide dahil olmak üzere sonuçlar normal ise daha fazla araştırmaya gerek yoktur. Eğer anormal sonuçlar varsa kişide cushing sendromu vardır. veya nadiren akut alkolizm veya şiddetli depresyon ile psödocushing sendromu vardır. Neden araştırılmalıdır.

Tedavi
Cushing hastalığında sorun hipofiz tümörü ise en yaygın kullanılan tedavi "transsfenoidal mikroadenomektomidir" ve bu tedavi ile %80-90 başarı sağlanır. Erken tanı ve tedavi önemlidir. Primer adrenal hipertrofilerde adrenalektomi ile cushing sendromu tedavi edilir. Cerrahi tedavi başarılı olmadığında hipofiz radyoterapisi yapılmaktadır. Ektopik hastalarda ACTH salgılayan ektopik tümörün çıkarılması ile cushing sendromu tedavisi olasıdır. Tıbbi tedavi ajanlarından; Ketakonazol, kortizol biyosentezinin ilk basamağına etki eder. Aynı zamanda 11-deoksikortizolün-kortizole dönüşümünü terapötik dozlarda (200-400 mg. 2-3 kez/gün) kortikotrop adenylate siklaz aktivasyonunu bozarak ACTH sekresyonunu inhibe edebilir. Bu nedenle enzim inhibitörlerinin en etkilisidir. Reversible hepatotoksisitesi, bulantı, kusması ortaya çıkabilir.

Cerrahi tedavi ile adrenal bez alınırsa ömür boyu hormon tedavisi yapılır. Bu hastalara ömür boyu kortizol(20-40 mg/gün) ve fludrokortizon (0-1 mg/gün) replasmanı gerekmektedir. Cerrahi tedavi başarılı olmazsa hipofiz aşılanması yapılmaktadır.

Bakım
Tanılama
Sağlık öyküsü ve fizik muayene, adrenal korteks hormonlarının fazla salgılanmasının vücutta yaptığı etkiler ve kortizol ve aldesteron düzeylerindeki değişikliklere adrenal korteksin yetersiz yanıtı üzerine odaklanır. Öyküde hastanın günlük yaşam aktivitelerini sürdürme ve aktivite düzeyi hakkında bilgi yer alır. Cilt gözlenir ve travma, ödem, enfeksiyon yaralanma olup olmadığı değerlendirilir. Genel görünüşü kaydedilir. Hastanın mental fonksiyonları, duygu durumu, sorulara yanıtı, çevresinin farkında olma durumu ve depresyon düzeyi değerlendirilir. Hem duygusal durumda hem de fiziksel görünüşündeki değişikliklerin gelişimi konusundaki bilginin en iyi kaynağı hastanın ailesidir.

Hemşirelik Tanıları
- Zayıflığa bağlı "Yaralanma Riski"
- Protein metabolizması ve Enflamasyon sürecindeki değişikliğe bağlı "Enfeksiyon Riski"
- Zayıflık, yorgunluk, kas güçsüzlüğü ve uyku bozukluklarına bağlı "Öz-bakım Yetersizliği"
- Ödem, iyileşme sürecinin bozulması, incelmiş cilt hassasiyetine bağlı "Cilt Bütünlüğünde Bozulma"
- Fiziksel görünümde değişim, cinsel fonksiyonda bozulma ve aktivite düzeyinin azalmasına bağlı "Beden İmajında Bozulma"
- Duygu durumunda dalgalanmalar, huzursuzluk ve depresyona bağlı "Düşünce Sürecinde Değişiklik"

İlişkili sorunlar / Olası komplikasyonlar
- Addison krizi
- Adrenokortikal aktivitenin yan etkileri

Planlama ve Hedefler
Hasta için en önemli hedefler; Enfeksiyon ve yaralanma riskini azaltmak, öz bakımı sürdürme yeterliliğini artırmak, cilt bütünlüğünü korumak, beden imajını ve mental fonksiyonları iyileştirmek ve komplikasyonları önlemektir.

Hemşirelik Girişimleri

Yaralanma Riskini Azaltmak İçin: Düşme, vurma, çarpmaya bağlı olarak kemik ve yumuşak doku yaralanmalarını önlemek için güvenli bir çevre sağlanır, halsizlik sorunu olan hastalar ayağa kaldırılırken aşamalı ve desteklenerek ayağa kaldırılır. Osteoporozisi ve kas kaybını önlemek için yüksek protein, kalsiyum ve D vitamini içeren gıdalar önerilir. Sodyum ve kalorisi düşük besinlerin seçilmesinde hastaya yardım edilir.

Enfeksiyon Riskini Azaltmak İçin: Enfeksiyon kaynaklarından korunur, ziyaretçileri kısıtlanır, oda havalandırılır, infeksiyonu olan kişilerle bir arada bulundurulmaz. Enfeksiyon bulguları sürekli değerlendirilir. Çünkü kortikosteroidlerin anti-enflamatuar etkileri Enflamasyon ve infeksiyonun yaygın bulgularını maskeleyebilir.

Aktivite ve Dinlenmeye Cesaretlendirmek İçin: Zayıflık, yorgunluk ve kas güçsüzlüğü nedeniyle normal aktivitelerini sürdürmede zorlanır. Hasta orta düzeyde aktivitesini sürdürme, hareketsizliğe bağlı komplikasyonları önleme ve öz güvenini artırma konusunda desteklenir.

Uykusuzluk sıklıkla hastanın yorgunluğunu artırır. Hasta gün içinde dinlenme ve uyku uyumasını sağlama konusunda desteklenir. Uyku ve dinlenmesi için sakin bir ortam sağlanır.

Cilt Bütünlüğünü Sürdürmek İçin: Hastanın cildi hassas olduğu için travmalardan korunur. Cildi tahriş edebileceğinden dolayı cilt üzerine doğrudan flaster kullanılmaz. Kemik çıkıntısı üzerindeki dokular desteklenir. Sık pozisyon değişimi sağlanır ve önemi anlatılır.

Beden İmajını Geliştirmek İçin: Cushing sendromunun nedenine göre başarılı bir tedavi yapılabilirse büyük fiziksel değişiklikler zamanla kaybolur. Aynı deneyimi yaşamış hastalarla tanıştırılması rahatlamasını sağlayabilir. Alınan kilo ve ödemi azaltmada, düşük karbonhidrat ve tuz içeren diyet uygulaması yardımcı olabilir. Yüksek protein alımı sıkıntı veren diğer belirtileri azaltabilir.

Düşünce Sürecini Geliştirmek İçin: Hastaya ve aile bireylerine duygusal değişikliklerin nedeni anlatılır. Huzursuzluk ve olası depresyonla başetmesi için yardımcı olunur. Bazı hastalarda psikotik davranışlar olabilir. Bu durum rapor edilir. Hasta ve aile bireylerine duygu ve endişelerini ifade etmeleri konusunda cesaret verilir.

Olası Komplikasyonların İzlenmesi ve Yönetimi: Addison krizi cushing sendromunun en ciddi komplikasyonudur. Kortikosteroidler, adrenalektomi ya da hipofiz tümörünün çıkartılması yoluyla tedavi edilen cushing sendromlu hasta adrenal hipofonksiyon ve addison krizi gelişimi için risk altındadır.

Adrenal hormonların kan dolaşımındaki seviyesi yüksekse adrenal korteks atrofiye uğradığından adrenal korteksin fonksiyonları baskılanır. Cerrahi ya da kortikosteroid tedavinin ani olarak kesilmesi nedeniyle dolaşımdaki hormon düzeyi hızlı olarak düştüğünde adrenal hipofonksiyon ve adrenal kriz gelişebilir. Bu nedenle Cushing sendromlu hastada hipotansiyon, hızlı, zayıf nabız, hızlı solunum, solukluk ve aşırı zayıflık belirtileri yakından gözlenmeli. Krize yol açan faktörlerin tanımlanması için gerekli çaba gösterilmelidir. Cushing sendromlu hasta, travma ya da acil cerrahi girişim gibi aşırı stresli olay yaşadığında adrenal kriz uzun süre baskılanacağından adrenal kriz riski artar. Hastaya cerrahi girişim öncesi, sırası ve sonrasında IV sıvı, elektrolit ve kortikosteroid verilmesi gerekebilir. Adrenal kriz oluştuğunda dolaşım kollapsı ve şokta olduğu gibi tedavi edilir (Bkz. Ünite III, Bölüm 13. Şok).

e. Kortikosteroid Tedavisi

Kortikosteroidler, kan tablosu üzerine önemli etkileri olan maddelerdir ve günümüzde egzojen steroid tedavisi bu nedenle oldukça sık kullanılmaktadır. Kortikosteroidler, periferik kandaki nötrofil, eritrosit ve trombositlerin sayısını ve hemoglobin miktarını arttırırken başta lenfositler olmak üzere eozinofil, bazofil ve monositlerin sayısını azaltır. Otoimmün ve allerjik hastalıklarda, malignitelerde kan tablosu üzerine olan bu etkilerinden yararlanılır.

Kortikosteroidler, gerek T, gerekse B lenfositlerin periferik kandan lenfoid sisteme dönmesini sağlarken antijenik uyarımlar sonucu inflamasyonun başlatılmasını; savunma sistemi hücrelerinin uyarılmasını sağlayan ve antijenle aktive hale gelmiş monositler ve lenfositlerden sentezlenip ortama salınan sitokinleri bloke ederek T lenfositlerin sitotoksik T hücrelere, monositlerin makrofajlara dönüşmesini engeller. Ayrıca kortikosteroidler, güçlü bir enzim inhibitörü olan lipokortin'in sentezini arttırır ki; bu şekilde fosfolipaz A2 aktivasyonunu baskılayarak inflamatuar süreçte önemli işlevleri olan prostaglandin, tromboksan A2 ve lökotrien sentezini önler, fagositik hücrelerde lizozomal zar stabilizasyonunu artırmasına bağlı olarak fagositik fonksiyonlarda azalma oluştururlar. Dışarıdan verilen kortikosteroidler, hipothalamo- hipofizer aksı negatif feed -back ile bloke eder, CRH ve ACTH salgısını azaltır, GH salgısını artırır, TSH yapımını azaltır.

Yüksek steroid dozları mide asit - pepsin salgısını arttırır, aktif ülserler meydana gelir. Mental- emosyonel değişiklikler olur. Aynı zamanda yüksek dozlarda protein katabolizması artar; kas güçsüzlüğü olur. Kalsiyum emilimi azalırken atılımı artar, osteoklastik aktiviteyi de arttırdığı için osteoporoz oluşur. Kollagen yıkımını arttırarak yara iyileşmesinde gecikme oluştururlar. Kortikosteroidlerin, genelde kullanım yerlerine göre özellikleri değişir; İmmünsüpresyon ve antiinflamatuar etkinlik için kullanılan formlarında sodyum su tutulumunu ve vücutta volüm artışını engellemek amacıyla mineralokortikoid etkinliği azaltılır, imsüpresyon ve antiinflamatuar etkinliği arttırılır.

Kortikosteroidler, adrenal Yetersizliklerinde çok kullanıldığı gibi, Enflamasyon ve otoimmun reaksiyonları kontrol altına alma ve transplantasyon rejeksiyon sürecini azaltmak için kullanılır. Kortikosteroidler, anti-alerjik ve anti-inflamatuar etkileri nedeniyle romatizmal ya da romatoid artirit ve sistemik lupus eritamatozus gibi bağ dokusu hastalıklarının tedavisinde kullanılmaktadır.

Yan Etkiler

Kortikosteridlerin uzun süre ve yüksek dozda kullanılması çok sayıda ve ciddi yan etkilerin oluşmasına neden olur. Bunlardan en önemlisi İyatrojenik *Cushing Sendromu'dur.* Klasik olarak aydede yüzü, ince ekstremiteler, geniş gövde özellikle sırt ve omuzlarda oluşan yağlanmaya bağlı bufalo görüntüsü yüksek doz kortikosteroidlerin vücuttaki yağ yerleşim düzenini bozmasına bağlıdır. Mineralokortikoid etkinliğin artması, sodyum - su retansiyonu, intra - ekstravasküler volümde artış, hipertansiyon ve ödeme neden olur.

Kortikosteroidlerin kollagen yapımını bozması, yıkımını arttırması nedeniyle ciltte atrofi, strialar, yara iyileşmesinde gecikme, telenjiektaziler, küçük travmalarla bile ekimozlar meydana gelir. Androjen hormon miktarındaki değişmeler nedeniyle jinekomasti, hirsutizm, akneler oluşur. Kortikosteroidlerin kemik metabolizmasına olan yan etkileri nedeniyle osteoporoz olur, kalsiyum atılımı artar, emilimi azalır. Aşırı miktarlardaki kortizol, protein katabolizmasını arttırarak myopati, kaslarda güçsüzlük ve atrofi yapar.

Mide asit salgısı artar, peptik ülserler meydana gelir, glukoneogenez ve glikojenoliz artar, kan şekeri yükselir, sekonder diyabet gelişir. Kortikosteroidler, immüniteyi baskıladıkları için infeksiyonlara yatkınlık artar; özellikle hücresel immünitenin baskılanması, viral ve fungal infeksiyonların gelişmesini kolaylaştırır. Tüberküloz alevlenmesi olabilir.

Bunun dışında diğer bakteriyel patojenlerle oluşan infeksiyonlarda da sepsis gelişme riski artar. Uzun süre steroid kullanımı psişik bozukluklar yaratabilir; kişilik değişiklikleri, psikozlar hatta kortikosteroidin ruhsal eksitatör etkisi nedeniyle bağımlılık yapabilir. Çocuklarda uzun süre ve yüksek dozda kullanılması büyümeyi durdurur. Gün aşırı uygulamayla bu sorun bir ölçüde azaltılabilir. Eksojen kortikosteroidler, aldosteron benzeri etkinlik gösterirler; sodyum - su retansiyonu, hipertansiyon ve ödemlere yol açmasının yanı sıra eğilimli hastalarda konjestif kalp Yetersizliği ortaya çıkartabilir. Aldosteronun potasyum atılımını arttırma etkisi de olduğu için şiddetli hipokalemi sonucu motor güçte azalma, paralitik ileus, aritmiler ve kardiyak diastolik asistoli olabilir. Ortaya çıkan ödem tablosunun tedavisinde diüretik kullanırken hipokalemik etkinliğe dikkat edilmeli; gerekirse potasyum replasmanı yapılmalıdır.

Diğer yan tesirleri; lokal uygulandıkları gözde korneal ülser, glokom, katarakt ve viral infeksiyonlarda alevlenme yapabilirler. İntra- kranial basınç artışı, hiperkoagulabilite, tromboza eğilim, konvülziyon yapar, aterosklerozu hızlandırırlar.

Steroid Uygulamadan Önce Yapılması Gereken İşlemler

- Kortikosteroid tedavisine başlamadan önce kullanılan ilaçlara yönelik hastadan bilgi alınır; duygusal sorunlar, uyku bozuklukları gibi bilgiler yeni sorunların saptanmasına yardımcı olduğu gibi hastanın kortikosteroid tedavisi sırasındaki durumunun değerlendirilmesine de yardımcı olur.
- İlk dozu uygulamadan önce, daha öncesinde steroid tedavisine yönelik bir hassasiyeti olup olmadığı öğrenilir.
- Hasta bir Enfeksiyon odağının olup olmadığı konusunda değerlendirilir. Çünkü kortikosteroidler yeni veya kötüye giden bir infeksiyonun belirti ve bulgularını maskeleyebilirler.
- Hasta diyabet, osteoporoz, peptik ülser, hipertansiyon yönünden değerlendirilir.
- Rutin kan testlerinde; elektrolitler, serum, glikoz, BUN, serum kreatinin ve tam kan sayımı değerleri izlenir.
- Steroid tedavisi yara iyileşmesini geciktirdiği için yara veya insizyonlar yakından gözlenir.

Hasta Eğitimi

Uzun dönem kortikosteroid tedavisi alan hastaların eğitimi, hastayı ilacın yan etkilerinden korumaya temellenmelidir.

- Hasta özellikle taburculuktan sonra ilaç alımında dikkatli olması, saatini aksatmaması konusunda bilgilendirilir. Adrenal kortekse olan baskıyı azaltmak, sirkadiyen ritimini bozmamak için ilacı sabah saat 9'dan önce alması önerilmelidir.
- Gastrointestinal etkileri azaltmak için ilacın süt veya yiyeceklerle alınması önerilmelidir.
- Sodyum, alkol ve kafein alımı kısıtlanmalıdır.
- Hasta sürekli kortikosteroid kullandığını gösteren bir kimlik kartını yanında taşımalıdır.
- İnfeksiyonu olan kişilerle temas etmemesi hastaya öğretilmelidir.
- Topikal tedavide kullanılan steroidlerde, ilaç sürüldükten sonra herhangi bir malzeme ile üstü kapatılmamalı-

dır. İlacı yaygın bir alana sürmekten kaçınılmalıdır.
- Hasta yüksek doz kortikosteroid tedavisine başladığı zaman, kilo alımı, yüzde ödem gibi steroide bağlı olabilecek değişiklikler anlatılmalıdır.
- Hastalara yan etki yoğunluğunun doz ile ilgili olduğunu anlatmak yararlıdır.
- Uzun dönem kortikosteroid kullanımına bağlı olarak osteoporoz gelişme riski anlatılmalıdır. Kemik yoğunluğu ölçülmelidir.

Steroid Tedavisinin Sonlandırılması

Kortikosteroidler adrenal bez fonksiyonunu baskılar ve uzun dönem steroid tedavisinin ardından adrenal bezin tam olarak normal fonksiyonlarına dönebilmesi için 9-12 ay arasında bir süreye gereksinim vardır. İki hafta süresince uygulanan steroid tedavisi sonrasında adrenal korteks bir yıla kadar baskılanabilir. Bu nedenle kortikosteroid dozu normal adrenal fonksiyonların geriye dönmesi, steroid eksikliği ile oluşacak adrenal Yetersizliği önlemek için yavaş yavaş azaltılır.

Hastanın steroid dozu azaltıldığında, bunun hasta tarafından bilinmesi ve dozlar konusunda çok hassas olunması öğretilmelidir. Hasta kaçınamayacağı stres durumları yaşadığında ya da bunları beklediğinde hekimini araması önerilir. Çünkü kortikosteroidler vücudun strese normal yanıtını baskılar. Bu tepkiyi desteklemek için, böyle durumlarda hekim geçici bir süre için steroid dozunu artırabilir. Kortikosteroid tedavisinin sonlandırılması ile ilgili genel kural; hastanın idame tedavisi için geçen zaman kadardır. Örn; krohn hastalığında, hasta 15 mg/günde altı ay boyunca oral prednisone alıyorsa, dozu sıfıra indirmek için altı ay gibi süre gereklidir.

Akut adrenal krizi azaltmak için cerrahi işlem sırasında ve sonrasında hastaya intravenöz kortikosteroid uygulanmışsa kortikosteroidlerin kullanımından bir yıl ya da daha uzun bir süre sonra bile stres durumunda hasta adrenal kriz için risk altındadır. Kortikosteroid alan hastanın eline kullandığı kortikosteroidin adı, kullanım saatleri etki, yan etki ve kullanım sırasında dikkat edilecek özellikleri gösteren yazılı döküman verilmelidir.

ÜNİTE 10

Üriner Sistem

41. Üriner Sistemin Değerlendirilmesi
42. Üriner Sistem Hastalıkları

41.
ÜRİNER SİSTEMİN DEĞERLENDİRİLMESİ

Prof. Dr. Ayfer KARADAKOVAN

Anatomi ve Fizyoloji

Üriner sistemin işlevleri yaşamsal önem taşımaktadır. Böbrekler ve üst üriner sistem işlev bozuklukları her hangi bir yaş grubunda farklı şiddette yaygın olarak görülür. Sağlık tanılaması yaparken üst ve alt üriner sitem işlevlerinin değerlendirilmesi gerekir. Bu değerlendirmede normalden sapmaları değerlendirebilmek için üriner sistemin anatomi ve fizyolojisini bilmek önemlidir. Bu ünitede üriner sistemin anatomi ve fizyolojisi, üriner sistem hastalıklarının değerlendirilmesi ve tanısında kullanılan yöntemler, üriner sistem işlev bozukluğu olan hastanın tedavi ve hemşirelik yönetimi işlenecektir.

Anatomi ve Fizyoloji

Üriner sistem böbrekler, üreterler, mesane ve üretradan oluşmaktadır (Şekil 41. 1). Akut ya da kronik üriner sistem hastalıklarında uygun hemşirelik bakımını planlayıp, uygulayabilmek için üriner sistem anatomi ve fizyolojisinin iyi anlaşılmış olması gerekir.

Böbrekler

Böbrekler karın boşluğunun arkasında omurganın iki tarafında T12 ve L3 omurlarının hizasında yerleşmiş fasulye biçiminde bir çift organdır. Erişkin bir bireyin böbreği yaklaşık 120-170 gr ağırlığında olup, uzunluğu yaklaşık 12 cm, genişliği 6 cm, kalınlığı 2.5 cm' dir. Kosta kasları böbreklere destek ve koruma sağlar. Sağ böbrek karaciğer basısı nedeniyle sol böbreğe göre 1-2 cm daha aşağıdadır. Her bir böbreğin etrafında gevşek bağ dokusu, yağ dokusu ve böbrek kapsülü bulunur. Böbrek iki farklı bölümden oluşmuştur. Bunlar dışta böbrek korteksi iç kısımda böbrek medullasıdır. Korteksde glomerüller, proksimal ve distal tüpler, kortikal toplayıcı kanallar ve peritübüler kapillerler bulunur. Medullada piramidal konik yapılar bulunur. Her bir böbrekte 8-18 piramidal yapı bulunur

Böbreklerin konkav bölümünde bulunan hilus ya da pelvis olarak adlandırılan yapılar böbreğin kanlanmasını sağlayan böbrek arter ve venlerinin bulunduğu bölgedir. Her bir böbrekte yaklaşık bir milyon nefron bulunur. Böbreğin işlevsel birimi olan nefronlar glomerullerin afferent ve efferent arteriyolleri, Bowman kapsülü, proksimal tüp, Henle kulpu, distal tüp ve toplayıcı kanallardan oluşmuştur (Şekil 41. 2). Glomerüll de idrarı süzen üç tabaka vardır. Her bir böbrekteki n onlar idrar üretim yeteneğine sahiptir. Bu nedenle böl klerden biri hasar gördüğünde diğer böbrekle idrar yaı a işlevi sürdürülebilir. Glomerüllerde süzme işlevini y ın üç tabaka vardır. Bunlar; kapiller endotel tabaka, baz membran ve epitel tabakadır. Glomerül membranı norr de sıvıların süzülmesine, küçük moleküllerin, az mik da da kanın şekilli elemanları ve albümin gibi büyük m eküllerin idrara geçişine izin verir. Böbrek işlevleri 30 aşından itibaren her yıl yaklaşık %30 azalmaya başlar.

Üreterler, Mesane ve Üretra

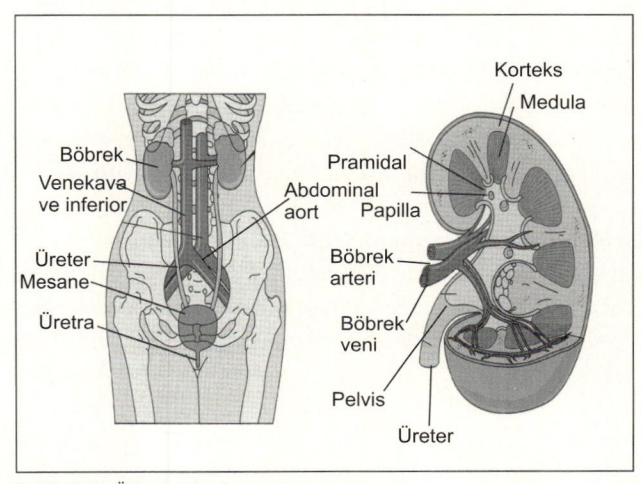

Şekil 41.1: Üriner sistemin yapısı

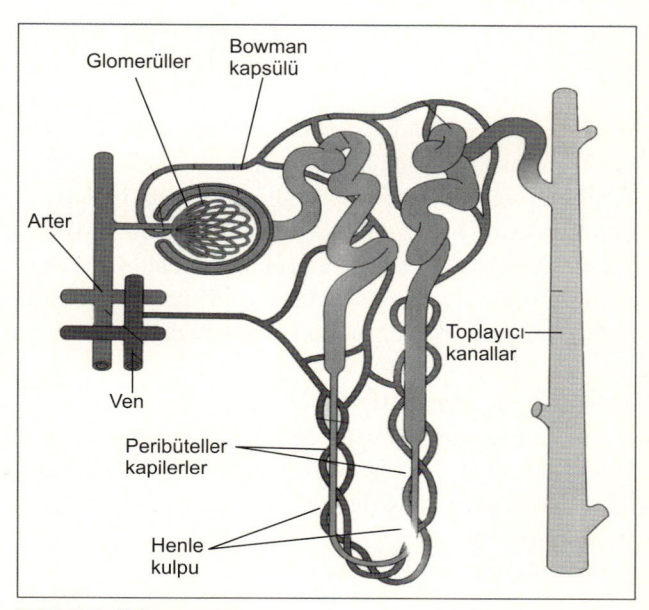

Şekil 41.2: Nefronun yapısı

Nefronlarda oluşan idrar her bir böbrekteki toplayıcı kanallarla böbrek pelvisine ve oradan da üreterler yoluyla mesaneye ulaşır.

Üreterler: Üreterler 24-30 cm uzunluğunda 0.2-0.8 çapında, kas yapısındaki kanallardır. Böbrek pelvisinin alt kısmından başlayıp, mesane duvarında sonlanır. Üreterlerde üretranın pelvisle birleştiği yerde, sakroiliyak birleşme yerinde ve mesane duvarı ile birleştiği yerde olmak üzere üç yerde darlık vardır. Mesane duvarı ile birleştiği yerde bir açı oluşturan darlık idrarın mesaneden geriye kaçışını engellemede önemli rol oynar. Üreterlerde üç yerde bulunan darlık böbrek taşlarının en fazla oluşarak idrar akımının engellendiği bölgelerdir. Sol üreter sağ üretere göre biraz daha kısadır. Üreterlerin içi üretelyum olarak adlandırılan bir tabakayla kaplıdır. Bu tabaka mesane boyunca devam eder ve idrarın geri emilimini engeller. Üreter duvarındaki bu kas tabakasının dakikada yaklaşık 1-5 kez kasılmasıyla oluşan peristaltik hareketler böbrek pelvisinde oluşan idrarın üreterler yoluyla mesaneye akışını sağlar.

Mesane: Erişkin bir bireyin mesane kapasitesi yaklaşık 300-600 ml olup,mesanenin dolma ve boşalma mekanizması hem mekanik hem de sinirsel etkenlere bağlıdır. Mesane duvarında bulunan sempatik ve parasempatik sinirler afferent ve efferent sinir lifleriyle medulla spinalisdeki refleks merkezine ve buradan da beyindeki miksiyon merkezine bağlanır. Mesane dolduğu zaman mesane duvarındaki gerilimi algılayan reseptörleri medulla spinalisdeki uyarı merkezine uyarı iletir. Bu uyarılar beyindeki miksiyon merkezine ulaşır. Koşullar miksiyon için uygunsa parsempatik merkezden mesanenin boşalması için sifinkterleri gevşetici uyarılar giderek idrar boşaltımı sağlanır. Koşullar uygun değilse istemli çalışan üretra sifinkteri beyindeki miksiyon merkezinin yönetimi ile miksiyonu geciktirir.

Üretra: Üretra mesanenin alt kısmından başlayıp erkeklerde penis ucunda kadınlarda vajina ön yüzünde sonlanır. Üretra duvarı mesanede olduğu gibi üretelyum ve submukoza tabakası ile kaplıdır. Üretra kadınlarda yaklaşık 3-5 cm, erkeklerde 20-25 cm uzunluğundadır. Kadınlarda üretra boyunun daha kısa oluşu kadınların idrar yolu enfeksiyonlarına daha yatkın olmasına neden olmaktadır.

Üst ve Alt Üriner Sistemin Fizyolojisi

Üriner sistem normal vücut dengesinin sürdürülmesinde önemli rol oynar. Üriner sitemin temel işlevsel ünitesi olan böbreklerin başlıca görevleri;
- İdrar oluşumu
- Artık ürünlerin dışarıya atılması
- Elektrolit dengesinin sürdürülmesi
- Asit-baz dengesinin sürdürülmesi
- Su dengesinin düzenlenmesi
- Kan basıncının düzenlenmesi
- Kırmızı kan hücrelerinin yapımı
- Aktif D vitaminin sentez edilmesi
- Hormonların salgılanması
- Böbrek klirensidir.

İdrar oluşumu: Nefronlarda idrar oluşumu *glomerüler filitrasyon, tübüler geri emilim ve tübüler sekresyon* olmak üzere üç aşamada gerçekleşir.

Glomerüler filitrasyon: Yarı geçirgen zar yapısında, glomerüller filitrasyonu sağlayan yapılardır. Her bir böbrekten dakikada yaklaşık 1200 ml kan geçer ve 24 saatlik sürede bu geçen kanın yaklaşık 180 lt 'si glomerüllerden süzülür, %99'u geri emilime uğrar. Geriye kalan miktar idrar olarak dışarıya atılır. Glomerüllerden belirli bir zaman diliminde süzülen miktar glomerül filitrasyon hızı (GFH) olarak tanımlanır.

Erişkin bir erkekte normal GFH 125ml/dak olup, kadında %10 daha azdır. GFH yeterli kan akımı ve glomerüllerde yeterli basıncın sürdürülmesine bağlıdır. Hipotansiyon, onkotik basınçta azalma, obstürüksüyona bağlı olarak böbrek tübüllerinde basınç artışı kan akımı ve basıncı etkileyerek GFH'nı etkiler.

Tübüler geri emilim ve tübüler sekresyon: Tübüler geri emilim ve tübüler sekresyon renal tübüllerde gerçekleşir. Glomerül filitrasyonunda açıklanan 24 saatte glomerüllerden geçen 180 lt kanın tübüler kapillerlerden geri emilime uğrayan %99'luk kısmı tübüler geri emilimi oluşturur. Geri emilim ve sekresyon işlevleri tübüller ve toplayıcı kanallarda oluşur. Tübüller proksimal tübül, Henle kulpu/distal tübülden oluşmuştur. Proksimal tübüllerde su ve glukoz, fosfat, potasyum, sodyum gibi elektrolitler ve aminoasidlerin %80'ni geri emilime uğrar. Geri emilim ve sekresyon enerji gerktiren aktif ve pasif transport yoluyla gerçekleşir. Hipofizden salgılanan anti-diüretik hormon (ADH) serum ozmolalitesini arttırarak ve kan hacmi azaltarak böbreklerin glomerüllerden filitre olan suyun gereksinim olan miktarını tutmasını sağlar ve dehidratasyon oluşmasını önler.

Artık ürünlerin dışarıya atılması: Böbreklerin önemli işlevlerinden birisi de metabolizma sonucu oluşan artık ürünleri vücuttan atmaktır. İdrar yoluyla atılan en önemli artık ürün protein metabolizması sonucu açığa çıkan üredir. Günde yaklaşık 25-30 gr üre oluşur ve bu yolla atılır. Böbrek işlevlerin bozulması durumunda idarar yoluyla atılamayan üre vücut dokularında birikir.İdrar yoluyla atılan diğer önemli artık ürünler ise kreatinin, fosfat ve sulfatdır. Pürin metabolizması sonucu oluşan ürik asit de idrar yoluyla vücuttan atılır. İlaç metabolizması sonucu ortaya çıkan artık ürünlerin atılmasında da böbrekler birincil organ olarak görev yaparlar.

Elektrolit dengesinin sürdürülmesi: Böbrekler normal işlevlerini sürdürdüğünde her gün alınan miktara eşit oranda elektroliti vücuttan atarlar. İdrar yoluyla atılan başlıca elektrolitler sodyum ve potasyumdur.

Sodyum: İdrar oluşumu sırasında vücuttaki su ve sodyumun %99'dan fazlası glomerüllerden geri emilir. Sodyumun geri emilimini izleyerek ozmotik basıncı dengede tutmak için su dengesi korunur. Böbrekler vücut sıvılarının dengesini sürdürebilmek için geri emilime uğrayacak sodyum ve su miktarını düzenler. Fazla miktarda sodyum atıldığı durumda birlikte suyun da kaybına neden olacağı için dehidratasyon gelişirken, atılan sodyumun azalması suyun vücutta tutulumuna neden olarak ödem gelişir.

Vücuttan atılan sodyum miktarının düzenlenmesinde adrenal korteksden salgılanan aldesteron hormonunun rolü vardır. Aldesteron hormonunun kandaki düzeyi artınca sodyum geri emilimi artar ve atılan sodyum miktarı azalır. Adrenal korteksden aldesteron salgılanması büyük oranda anjiyotensin II'nin kontrolü altındadır. Anjiyotensin II salgılanması böbreklerde özelleşmiş hücrelerden salgılanan renin enziminin kontrolü altındadır. Şok, dehidratsyon ya da sodyumun tübüllerden geri emiliminin azalmasına bağlı olarak böbrek arter basıncı normalin altına düştüğünde renin anjiyotensin sistemi aktif hale geçerek suyun tutulumuna ve intravasküler sıvı hacminin artmasına neden olur. Bu sistemin aktive olmasıyla su retansiyonu olur ve damar içi sıvı hacmi artar.

Potasyum: Potasyum hücre içi sıvıda en fazla bulunan iyondur. Total vücut potasyumunun %98'i hücre içinde bulunur.

Günlük alınan potasyumun %90'ı böbrekler tarafından atılarak normal potasyum dengesi sürdürülür. Böbrekler yoluyla potasyum atılımını etkileyen değişik etmenler vardır. Aldesteron hormonu potasyum atılımını arttırır. Asit-baz dengesi, diyetle alınan potasyum miktarı ve distal tüplerde filitrasyon hızının azalması da potasyum atılımın etkileyen diğer etmenlerdir. Böbrek yetersizliği olan hastalarda potasyum retansiyonu yaşamı tehdit edebilen ciddi sorunlara neden olur.

Asit-baz dengesinin sürdürülmesi: Protein metabolizması ya da yıkımı sonucu özellikle fosforik asit ve sulfirik asit gibi asitler açığa çıkar. Normalde günlük alınan diyetle belirli miktarda asit alımı olmaktadır. Fosforik asit ve sülfirik asit karbondioksit gibi uçucu özellikte değildir ve solunum yoluyla atılamaz. Bu asitlerin kandaki düzeyinin yükselmesi pH'ın düşerek asit özellik kazanmasına neden olur ve hücre işlevlerini baskılar. Fosforik asit ve sülfirik asit böbrekler yoluyla atılır. Böbrek işlevleri normal olan bir birey 70 m Eq/gün asit atılımını sağlar. Böbrekler bu işlevi idrar pH'ı 4.5'e ulaşıncaya kadar sürdürürler.

Su dengesinin düzenlenmesi: Böbreklerin önemli işlevlerinden biri de su dengesinin sürdürülmesidir. Fazla miktarda sıvı alımı konsantrasyonu düşük nitelikte fazla miktarda idrar atılımına, az sıvı alımı konsantrasyonu fazla olan daha az miktarda idrar atılımına neden olur. Normal bir birey günde 1-2 lt sıvı aldığında bunun 400-500 ml'ini idrar olarak çıkarır. Geri kalan miktar deri, feçes ve akciğerlerden solunum yoluyla atılır. İdrarın konsantarsyonu ya da dilüsyonu *ozmolarite* terimi ile ifade edilmektedir. Ozmolarite idrarın bir kilogramında bulunan elektrolit ve diğer moleküllerin sayısı ile ölçülür. Normalde glomerüller kapillerlerden filtre edilen sıvının ozmolaritesi kanın ozmolaritesine eşittir. Yaklaşık 300 mOsml/L(300mmol/L)'dür. Bireyin az ya da aşırı miktarda sıvı alımı idrarın konsantrsyonunu etkiler. Düşük ya da yüksek ozmolaritede idrara neden olur. Glukoz ve proteinler ozmolaliteyi etkileyen moleküllere verilebilecek iki örnektir. İdrarın ozmoritesi normalde 300-1100 mOsm/kg arasında değişir. 12 saatlik sıvı kısıtlaması idrar ozmolaritesinin 500-850 mOsm/kg aralığında değişmesine neden olur.

Böbreklerin idrarı konsantre etme yeteneği idrarın özgül ağırlığı(yoğunluğu/dansitesi) ile ölçülür. Normalde idrarın özgül ağırlığı 1010-1025'tir. Radyoopak madde kullanımı, glukoz ve proteinler idrar özgül ağırlığını etkileyen etmenlerdir. Bireyin sıvı alımı idrar özgül ağırlığını etkiler. Sıvı alımının artmasına bağlı olarak idrar özgül ağırlığı azalırken, sıvı alımın azalması idrar özgül ağırlığının artmasına neden olur. Böbrek hastalıklarında hastanın sıvı alımına bağlı olarak idrar özgül ağırlığında büyük değişiklik olmaz. Diabetes insipidus, glomerülonefritler ve ciddi böbrek hasarı idrar özgül ağırlığını azalmasına, diabetes mellitus (DM), nefroz ve aşırı sıvı kaybı idrar özgül ağırlığının artmasına neden olur. Su dengesinin sağlanmasında rolü olan bir başka etmen de ADH'dur. ADH kan ozmolalitesindeki değişime yanıt olarak hipofizin arka bölümünden salgılanır. Sıvı alımın azalması kan ozmolalitesinin azalmasına neden olarak ADH salınımını uyarır. ADH'un böbrekler üzerindeki etkisi ile suyun geri emilimi artarak kanın ozmolalitesi normale döner. Aşırı sıvı alımında hipofizden ADH salınımı baskılanır, böbrek tübüllerinden suyun geri emilimi azalır ve bu durumda idrar miktarı artar (diürez).

Kan basıncının düzenlenmesi: Kan basıncının düzenlenmesi böbreklerin önemli işlevlerindendir. Henle kulpu ve toplayıcı kanalları besleyen, peritübüler kapillerlerin bir bölümünü oluşturan böbreklerin özelleşmiş damarları olan vasa recta olarak adlandırılan damarlar kan basıncının sürekli olarak izlenmesi ve düzenlenmesinde rol alır. Kan basıncı düştüğünde afferent ve efferent arteriyollerin yakınında bulunan özelleşmiş jukstaglomerüler hücrelerden ve distal tüpten renin salgılanır. Renin anjiyotensinojen aracılığıyla karaciğerde anjiyotensin I'e ve daha sonra akciğerlerde bulunan bir konverting enzim aracılığıyla anjiyotensin II'ye dönüşür. Anjiyotensin II güçlü bir vazokonstrüktördür. Vazokonstrüksüyon kan basıncının artmasına neden olur. Anjiyotensin II hipofizi uyararak sürrenal korteksden aldesteron salgılanmasını sağlar.

Aldesteron salgılanması serum ozmolalitesini arttırarak kan basıncının yükselmesine neden olur. Anjiyotensin II daha sonra anjiyotensin III'e dönüşür. Anjiyotensin III daha güçlü bir etkiyle aldesteron salınımını arttırır. Vasa recta kan basıncı artışını algıladığında renin salgılanmasını durdurur. Bu mekanizmanın bozulması hipertansiyon gelişimi için başlıca nedendir. (Bakınız Çizelge 41. 1.)

Kırmızı kan hücrelerinin yapımı: Böbrek kan akımında azalma nedeniyle oksijen basıncı düştüğünde böbrekler eritropoetin salgılamaya başlar. Eritropetin kemik iliğinde kırmızı kan hücrelerinin (eritrositlerin) yapımını uyararak hemoglobin yapımını arttırmak yoluyla oksijenlenmeyi arttırır.

Aktif D vitaminin sentez edilmesi: Böbrekler 1.25 dehidroksikolekalsiferol aracılığıyla D vitamininin aktif duruma getirilerek kalsiyum dengesinin sürdürülmesinde önemli işleve sahiptir.

Hormonların salgılanması: Böbrekler böbrek kan akımının sürdürülmesinde önemli rolü olan prostaglandin E(PGE) ve prostasiklin (PGI) salgılanmasında da işlev görürler.

Böbrek klirensi: Böbrek klirensi böbreklerin plazmadaki solütleri (çözünebilir maddeleri) temizleyebilme yeteneğidir. Klirens birçok etmene bağlıdır. Bunlar; glomerül filtrasyon hızı, tübülüslerden geri emilim miktarı, tübüllere salınan madde miktarı gibi etmenlerdir. Böbreklerin temizlediği tüm maddelerin miktarı ölçülebilir, ancak kreatinin klirensinin ölçülmesi önemlidir.

Kreatinin iskelet kaslarının metabolizması sonucu açığa çıkar ve böbrekler oluyla atılır. Kas metabolizması sonucu açığa çıkan kreatinin glomerüllerden filtre edilerek çok az değişiklikle tübüllere geçer ve idrarla atılır. Bu nedenle kreatinin klirensi GFH'ını değerlendirmede en iyi ölçümdür. Kreatinin klirensini ölçebilmek için 24 saatlik idrar toplanır. Bu sürenin ortasında serum kreatinin düzeyi ölçülür. Aşağıda verilen formüle göre kreatinin klirensi hesaplanır.

Normal erişkin bir bireyde GFH yaklaşık 100-120 ml/dak(1.67-2.0 mL/san)dır.

Böbrek işlevlerinin değerlendirilmesinde kreatinin klirens ölçümü en iyi değerlendirme yöntemidir. Böbrek işlevleri bozulduğunda kreatinin klirensi azalır.

$$\frac{\text{İdrar miktarı (ml/dak)} \times \text{idrar kreatini (ml/dl)}}{\text{Serum kreatinini (ml/dl)}}$$

İdrar depolanması: Mesane idrarın toplanması işlevini görür. Mesanenin dolması ve boşalması sempatik ve parasempatik sinir siteminin kontrolü altındadır. Yeni doğanda mesanenin dolması ve boşalması beyin sapında ponsda miksiyon (işeme) merkezi tarafından kontrol edilir. Çocuk 3-4 yaşına geldiğinde beyin korteksinde mesane doluluğunu algılanması gelişir. Bu algılama spinal kordda T10-12 düzeyinde sempatik sinir sistemi yoluyla meydana gelir. Mesane dolduğunda mesane duvarındaki düz kaslarda bulunan reseptörler ile uyarılar oluşur ve bu uyarılar beyinde miksiyon merkezine giderek miksiyon gereksinimini iletir ve uygun koşullarda miksiyon gerçekleşir. Mesanede 100-150 ml idrar biriktiğinde ilk mesane doluluğu duyusu algılanır. Erişkin bir bireyde bu miktar yaklaşık 200-350 ml düzeyine eriştiğinde doluluk duyusu merkezi sinir sitemine ulaşır. Mesanede idrar miktarı 350 ml ya da daha fazla olduğunda güçlü bir miksiyon duyusu oluşur.

Bu mesanenin "fonksiyonel kapasitesi" olarak tanımlanır. Anestezi altındaki bireylerde erişkin bir bireyin mesanesi 1500-2000 ml idrarı biriktirebilecek kapasitededir. Buna da mesanenin "anatomik kapasitesi" denir. Normal koşullarda 1500-2000 ml/gün sıvı alındığında mesane gündüz 2-4 saatlik sürelerle idrar biriktirebilir. Gece sıvı alımının azalmasına bağlı olarak vazopressin (ADH) salgılanır ve daha yoğun ve daha aza miktarda idrar oluşur. Bu durum adölesan ve erişkinlerde mesanenin 6-8 saat gibi daha uzun sürede dolmasını sağlar. Yaşlılarda mesane kapasitesi ve geceleri vazopressin salınımının azalmasına bağlı olarak mesane doluluk süresi 3-6 saate iner.

İdrar boşaltımı (işeme-miksiyon): Miksiyon işlevi 24 saat süresince yaklaşık sekiz kez olur. Miksiyon işlevi idrarın mesanede depolanması başlığı altında anlatılan sempatik ve parasempatik sinir sistemi işlevleri ile gerçekleşir. Erkeklerde 45 yaşından sonra prostat bezinin hipertrofisi vb. nedenlerle meydana gelen tıkanıklıklar mesane dolma basıncını arttırarak miksiyon işlevinin daha yavaş ve uzun süreli olmasına neden olur. Kaza, yaralanma gibi spinal kordu etkileyen durumlarda beyinle spinal kord arasındaki iletim yolu bozulduğunda mesanenin refleks kontraksiyonları sürdürülebilir ancak istemli kontrol kaybolabilir. Bu

Çizelge 41.1: Böbreklerin Kan Basıncını Düzenlemesi

Kan basıncında azalma
↓
Böbrek kanlanmasında azalma
↓
Jukstaglomerüler hücrelerden kana renin salgılanması
↓
Reninin kan yoluyla karaciğere gelip burada ansiyotensin I'e dönüşmesi
↓
Anjiyotensin I'in Akciğerlerde konverting enzim aracılığıyla anjiyotensin II'ye dönüşmesi
↓
Anjiyotensin II → Anjiyotensin III
↓

Aldesteron salgılanması
↓
Sodyum ve su geri eminiminde artma
↓
Serum ozmolalitesinde artma
↓
Kan basıncında yükselme
↓
Renin salgısında baskılanma

Anjiyotensin II
↓
Güçlü vazokonstürüktör etki
↓
Kan basıncında yükselme
↓
Renin salgısında baskılanma

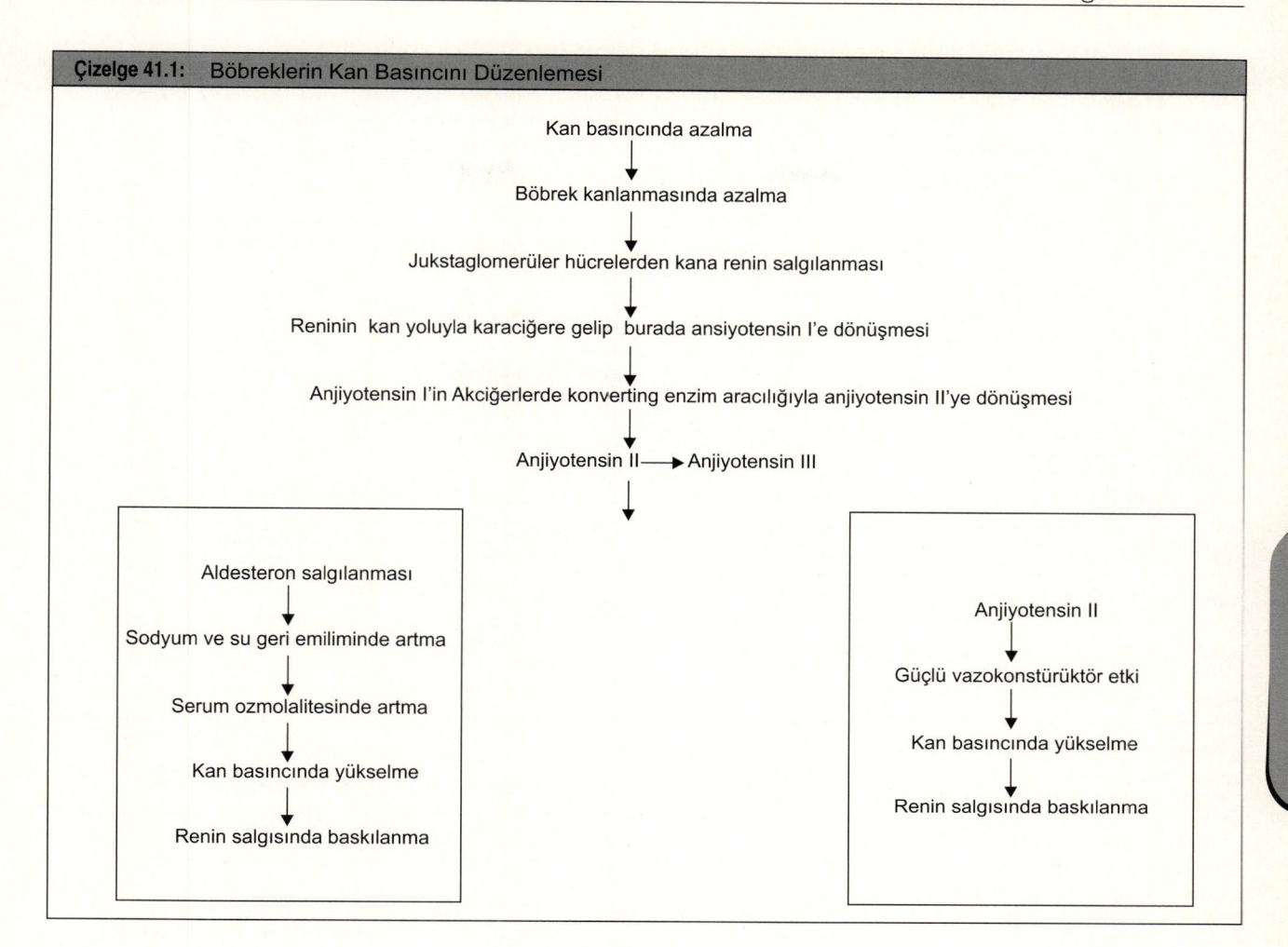

durumda mesane duvarındaki kasların kasılması mesanenin tam boşalması için genellikle yetersiz kalır ve miksiyondan sonra mesanede bir miktar idrar kalır (rezidüel idrar). Normalde rezidüel idrar miktarı orta yaşlı erişkinlerde 50 ml ve yaşlılarda 50-100 ml'den azdır. Kronik idrar retansiyonu yaşlı kadın ve erkeklerde daha yaygındır.

Üriner Sistemin Tanılanması

Üst ve alt üriner sistem yakınması olan hastada tanılamanın ilk adımı risk faktörlerini de kapsayacak şekilde sağlık öyküsü almayla başlar. Bir çok hastalık ya da klinik durum üriner sistem işlevlerinin bozulmasına yol açar. Hastanın değerlendirilmesi yapılırken var olan klinik durumunu tanılamada geçmiş sağlık öyküsü ve hastalıkları önemli veri sağlar. Böbrek ve alt üriner sistem hastalıkları için risk faktörleri Çizelge 41. 2'de verilmiştir.

Sağlık öyküsü: Genito-üriner sistem işlevleri ve bulguları konusunda konuşma bireylerde rahatsızlık ve utanma nedeniyle güç olabileceği için sağlık öyküsü almada hemşirenin iletişim becerileri önemlidir.

Hastanın anlayabileceği bir dille ve tıbbi sözcükleri kullanmaktan kaçınarak iletişim sağlanmalıdır. Sağlık öyküsü almada hemşire hastanın risk faktörlerini de değerlendirmelidir. Örneğin vajinal yolla çok sayıda doğum yapmış kadınlarda idrar inkontinansı, yaşlı kadınlarda, diyabetik nefropati, multiple skleroz ya da parkinson hastalığı gibi sinir sistemi hastalığı olanlarda mesanenin tam olarak boşalamamasına bağlı idrar göllenmesi üriner sitem enfeksiyonu gelişmesi açısından risk oluşturabileceği için önemlidir.

Sistemik Lupus Eritematosus (SLE) lupus nefriti, yaşlı erkek hastalarda prostat hipertrofisi idrar yolu enfeksiyonu ve böbrek yetersizliği riski nedeniyle öykü almada gözden kaçırılmaması gereken faktörlerdir. Hastanın aile öyküsünde üriner sistemle ilgili sorunların olması da riskinin değerlendirilmesi açısından önemlidir. Hemşire aşağıdaki doğrultuda sağlık öyküsü almalıdır:

- Hastanın sağlık bakım gereksinimi nedeniyle başvurmasına neden olan başlıca yakınması ve bunun hastanın yaşam kalitesine etkisi
- Ağrı yakınmasının olup olmadığı, varsa idrar yapmayla ilişkisi, ağrıyı arttıran ve azaltan faktörler, ağrının yeri, süresi ve özelliği (Çizelge 41. 3)

Üriner Sistem

Çizelge 41.2: Bazı Böbrek ve Üriner Sistem Hastalıklarında Risk Faktörleri

Risk Faktörü	Olası Böbrek ya da Üriner Hastalık
Çocukluk hastalıkları: Streptokoksik boğaz enfeksiyonu, impetigo, nefrotik sendrom	Kronik böbrek yetersizliği
İleri yaş	Mesanenin tam boşalmamasına bağlı üriner sistem enfeksiyonu
Sistoskopi, kateterizasyon gibi üriner sistem girişimleri	Üriner bölge enfeksiyonu, inkontinans
Hareketsizlik	Böbrek taşı oluşumu
İş, hobi ya da çevresel nedenlerle katran, plastik, kauçuk gibi kimyasal maddelere maruz kalma	Akut böbrek yetersizliği
Diabetes Mellitus	Kronik böbrek yetersizliği, nörojenik mesane
Hipertansiyon	Böbrek yetersizliği, kronik böbrek yetersizliği
Sistemik Lupus Eritematozus (SLE)	Nefrit, kronik böbrek yetersizliği
Gut, hiperparatiroiti, Chron hastalığı	Böbrek taşı oluşumu
Orak hücreli anemi, mulipl myelom	Kronik böbrek yetersizliği
Benign prostat hipertrofisi	İdrar akımının engellenmesi, sık idrara çıkma, oligüri, anüri
Pelvik bölgeye radyoterapi uygulaması	Sistit, üreterlerde fibrozis, üriner bölgede fistül oluşumu
Pelvik ameliyat öyküsü	Üreterler ya da mesanede kalıcı travma
Genital bölgede travma, tümör	İnkontinans
Spinal kord yaralanması	Nörojenik mesane, üriner bölge enfeksiyonu, inkontinans

- Üriner sistem enfeksiyonu öyküsü olup olmadığı, varsa bu nedenle hastane yatma durumu ve süresi, uygulanan tedavi yöntemi
- Ateş ya da titreme olup olmadığı
- Daha önce üriner sistem tanı testi ve idrar kateteri uygulanıp uygulanmadığı
- İdrara çıkma biçiminde ve sıklığında değişiklik olup olmadığı, idrar yaparken dizüri yakınması olup olmadığı, varsa idrar yapmanın başında mı sonunda mı olduğu (Çizelge 41. 4)
- İdrar yaparken ya da yaptıktan sonra duraksama, gerginlik ya da ağrı olup olmadığı
- Stres inkontinansı, sıkışma inkontinansı, fonksiyonel inkontinans ya da damla damla idar kaçırma biçiminde inkontinansı olup olmadığı
- İdrar miktarı ve renginde değişiklik, hematüri olup olmadığı
- Noktüri olup olmadığı, varsa başlama zamanı
- Böbrek taşı öyküsü olup olmadığı, varsa yeri ve idrarda kum-taş bulunup bulunmadığı
- Kadın hastalarda; doğum sayısı ve biçimi (vajinal ya da sezaryan), forseps kullanılıp kullanılmadığı, vajinal enfeksiyon öyküsü, akıntı ve irritasyon olup olmadığı, kontraseptif kullanma durumu
- Genital lezyon ya da cinsel yolla geçen hastalık varlığı ya da öyküsü olup olmadığı
- Sigara, alkol ya da ilaç alışkanlığı öyküsü
- Böbrek ya da üriner sistem yakınması için reçete edilmiş ya da reçete edilmeden kullandığı ilaç olup olmadığı
- Pelvik ya da üriner sisteme ilişkin ameliyat, radyoterapi öyküsü olup olmadığı
- İştahsızlık, bulantı, kusma, diyare, ağızda metalik tat, karında rahatsızlık duyusu ve gerginlik gibi GI bulguların olup olmadığı
- Hipertansiyon, diabetes mellitus, gut, skleroderma, SLE gibi bağ dokusu hastalığı olup olmadığı
- Diüretik, antikuagülan, antibiyotik, narkotik ve sitotoksik ilaç kullanım öyküsü olup olmadığı
- Gıda, ilaç ya da başka maddelere karşı alerji öyküsü olup olmadığı

41. Üriner Sistemin Değerlendirilmesi

Çizelge 41.3: Genito-Üriner Ağrının Özellikleri

Ağrının tipi	Yerleşimi	Özelliği	Birlikte görülen belirti ve bulgular	Olası neden
Böbrek	Kostavertebral aralıkta, göbeğe yayılabilir	Sürekli künt sızı, kapsülün ani geriliminde şiddetli, keskin, saplanıcı ve kolik biçiminde	Bulantı ve kusma, terleme, solgunluk, şok belirti ve bulguları	Akut tıkanma, böbrek taşı, akut piyelonefrit, pıhtı, travma
Mesane	Pubis üstü bölge	Künt, sürekli, miksiyon gereksiniminde artama, mesanenin dolu olduğu durumda şiddetli olabilir	Sıkışma duyusu, miksiyondan sonra ağrı görülmesi, ağrılı idrar yapma	Mesanede aşırı gerginlik, enfeksiyon, sistit, tümör
Üretral	Kostavertebral aralıkta, böğürde, alt karın bölgesinde, testis ve labiumlarda	Şiddetli, keskin, saplanıcı ve kolik biçiminde	Bulantı, kusma, paralitik ileus	Üretra taşı, ödem yada üretral kanalda daralma, pıhtı
Prostataik	Perine ve rektum Erkekte: Penis boyunca meatusa kadar	Perineumda dolgunluk duyusu, belirsiz rahatsızlık duyusu ve sırt ağrısı	Pubis üstü bölgede duyarlılık artışı, idrar akımında engellenme, sık, ağrılı idrar yapma, sıkışma duyusu, noktüri	Prostat kanseri, akut yada kronik prostatit
Üretral	Kadında: Üretradan meatusa kadar	Değişik türde ağrı, çoğunlukla idrar yapma sırasında ve idrar yapmadan sonra oldukça şiddetli	Sık, ağrılı idrar yapma, sıkışma duyusu, noktüri	Mesane boynun tahrişi, üretra enfeksiyonu, travma, alt üriner bölgede yabancı cisim

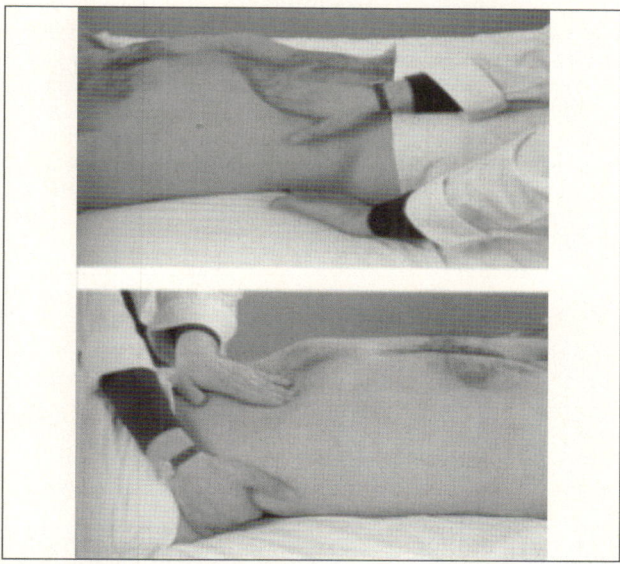

Şekil 41.3: Böbreğin palpasyonu

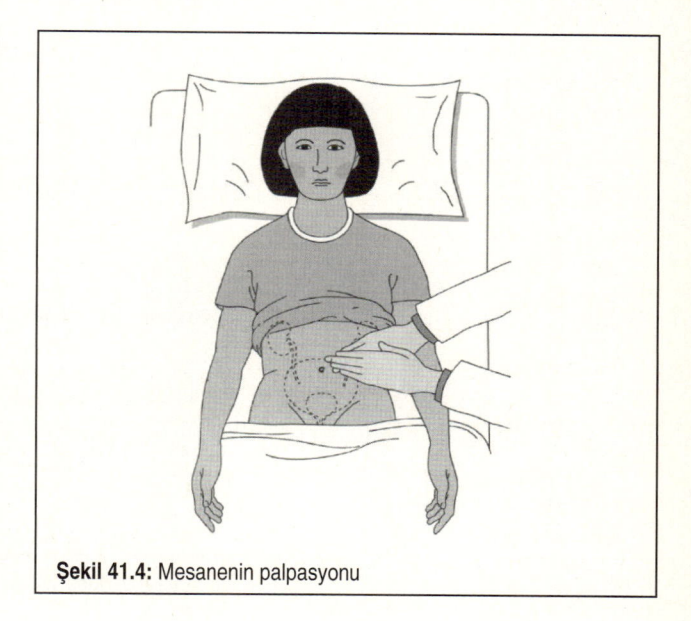

Şekil 41.4: Mesanenin palpasyonu

- Ailede konjenital üriner sistem hastalığı, polikistik böbrek hastalığı, nefrit vb. öyküsü olup olmadığı
- İdrar yapma ve beslenme alışkanlıkları
- İşi, eğitimi, egzersiz ve boş zamanlarını değerlendirme alışkanlıkları, birlikte yaşadığı bireyler, destek sistemleri
- Anksiyete ve korkuları, beden bilinci, ölüm korkusu gibi psikososyal faktörleri değerlendirecek objektif ve sübjektif veriler elde edilir.

Çizelge 41.4: İdrar Yapma ile İlgili Değişiklikler ve Nedenleri

Sorun	Tanımı	Olası neden
İdrar yapma sıklığında artış	Üç saatten daha sık aralıklara idrar yapma	Enfeksiyon, alt üriner bölgede tıkanıklığın neden olduğu rezidü idrar ve idrar akımında yavaşlama, anksiyete, benign prostat hiperplazisi, üretral darlık, diyabetik nefropati
Sıkışma duyusu	Güçlü idrar yapma isteği	Enfeksiyon, kronik prostatit, üretrit, alt üriner bölgede tıkanıklığın neden olduğu rezidü idrar ve idrar akımında yavaşlama, anksiyete, diüretik kullanımı, benign prostat hiperplazisi, üretral darlık, diyabetik nefropati
Dizüri	Ağrılı ve güç idrar yapma	Alt üriner bölge enfeksiyonu, mesane ya da üretranın enflamasyonu, akut prostatit, taşlar, yabancı cisimler, mesane tümörleri
Kesik kesik, duraklayarak idrar yapma	İdrar yapmaya başlamada gecikme ya da güçlük	Beniyin prostat hiperplazisi, üretra basısı, üretral kanalda tıkanma
Noktüri	Geceleri aşırı idrara çıkma	Konsantrasyon yeteneğinin azalması, kalp yetersizliği, dibetes mellitus, mesanenin tam olarak boşalmaması, yatmadan önce aşırı sıvı alımı, nefrotik sendrom, assitli siroz
İnkontinans	İstem dışı idrar yapma	Dış üriner sifinkter hasarı, obtetrik hasar, mesane boynunda lezyon, detrüsör kaslarda işlev bozukluğu, enfeksiyon, nörojenik mesane, ilaçlar, nörolojik bozukluklar
Enürezis	Uykuda istemsiz idrar yapma	Merkezi sinir sisteminin işlevsel gelişiminde gecikme (mesane kontrolü genellikle 5 yaş civarında kazanılır), alt üriner bölgede tıkanmaya neden olan hastalıklar, genetik etkenler, idrarın konsantre edilme yeteneğinin bozulması, üriner bölge enfeksiyonları, stres
Poliüri	Çıkarılan idrar miktarının artması	Dibetes Mellitus, Diabetes İnsipidus, diüretik kullanımı, aşırı sıvı alımı, lityum toksisitesi, bazı böbrek hastalıkları (hiperkalsemik ya da hipokalsemik nefropati),
Oligüri	400ml/gün↓idrar çıkarma	Akut yada kronik böbrek yetersizliği, yetersiz sıvı alımı
Anüri	50ml/gün↓ idrar çıkarma	Akut ya da kronik böbrek yetersizliği, tam tıkanma
Hematüri	İdrarda kırmızı kan hücrelerinin bulunması	Genito-üriner bölge kanserleri, akut glomerülonefrit, böbrek taşı, böbrek Tbc, travma, aşırı egzersiz, romatizmal ateş, hemofili, lösemi, orak hücreli anemi
Proteinüri	İdrarda normalden fazla protein bulunması	Akut yada kronik böbrek yetersizliği, nefrotik sendrom, zorlayıcı egzersiz, sıcak çarpması, ciddi kalp yetersizliği, diyabetik nefropati, multipl miyelom

41. Üriner Sistemin Değerlendirilmesi

Çizelge 41.5: Üriner Sistem Hastalıklarında Fizik Değerlendirme

İnspeksiyon	Palpasyon	Perküsyon	Oskültasyon
Deri: Solukluk, sarı-gri (toprak rengi) görünüm, üremik kristaller, kaşıntı/tırmalama izleri, turgor, kuruluk yada kalınlaşma, morarma	**Böbrekler:** Böbreklerin büyüklüğü ve hareketliliğini değerlendirmek için direkt palpasyon uygulanır. Sırtüstü yatar pozisyonda iki elle yapılır. Hidronefroz, polikistik böbrek, böbrek tümörleri ve hassasiyetin arttığı alanlar değerlendirilir (Bkz: Şekil 41.3).	**Böbrekler:** Böbrek ve retroperitoneal bölgede ağrı, hassasiyet ve aşırı sıvı birikimini değerlendirilir	**Karın ön duvarı, retroperitonel bölge:** Abdominal aorta ve böbrek arterlerindeki kan akım hızı değişiklikleri değerlendirilir. Kalp ve akciğerler: Artan sıvı hacmi değerlendirilir.
Ağız: Stomatit, nefeste amonyak kokusu			
Yüz, karın ve ekstremiteler: Yaygın yada periferal ödem, mesanede gerginlik, böbrek kitlesinin artışı	**Mesane:** Göbeğin üst orta çizgisinden başlayıp, aşağıya doğru palpe edilir. İdrar yaptıktan sonra mesane palpasyonu ile rezidü idrar kontrolü yapılır. Miksiyon sonrası palpasyonla herhangi bir şey hissedilmemesi mesanenin tam boşaldığının göstergesidir. Mesanenin palpe edilebilmesi için 150 ml↑idrar olması gerekir. Bu durumda mesane düzgün, yumuşak ve hafifçe kabarık olarak hissedilir. (Bkz Şekil 41.4)		
Tırnaklar: Tırnak yatağında birden fazla yatay beyaz çizgi (müehrecke çizgileri)			
Kilo: Ödeme bağlı kilo artışı			
Genel sağlık durumu: Yorgunluk, laterji, dikkat azalması			

Fizik değerlendirme: Alt ve üst üriner sistem hastalıklarında tüm vücut sistemleri etkilenebileceği için hastaların değerlendirmesi tüm sistemleri kapsayacak biçimde yapılır. Fizik değerlendirmede karın, suprabubik ve genital bölge, sırtın üst ve alt bölgesi ve alt ekstremiteler değerlendirilir. Fizik değerlendirmede inspeksiyon, palpasyon, perküsyon, oskültasyon ile hastanın değerlendirmesi yapıldıktan sonra tanı testleri uygulanır. Palpasyon, perküsyon ve oskültasyon hemşirelik değerlendirmesi içinde rutin uygulamalarda yer almaz. Ancak hasta hakkında veri toplamada yararlı bulgular elde edilmesini sağlar. Çizelge 41.5'de üriner sistem hastalıklarının fizik değerlendirmesi verilmiştir.

Üriner sistem hasatlıklarında erkek hastalarda prostat hipertrofisinin değerlendirilmesi için rektal muayene, kadın hastalarda üretra divertikülü, üretrosel, sistosel, enterosel, rektosel ve serviks tümörü değerlendirmesi için genital muayene yapılması, öksürme, valselva manevrası sonrası idrar kaçırma olup olmadığının değerlendirilmesi önemli veriler sağlar. Hemşire kan basıncı ve diğer yaşam bulguları yönünden hastayı dikkatle değerlendirmelidir. Özellikle kan basıncı değerlendirmesi üriner sistem hastalıkları için çok önemlidir.

Tanı yöntemleri: Üriner sistem hastalıklarında tanı işlemleri hemşirenin hastanın durumun izlemesi, hemşirelik bakımını planlanması ve uygulanması için değerli veriler sağlar. Üriner sistem hastalıklarının tanısında kullanılan yöntemler ve hemşirenin sorumlulukları Çizelge 41.6'da verilmiştir.

Üriner Sistem

Çizelge 41.6: Üriner Sistem Tanı Yöntemleri

Tanı yöntemi	Tanımı ve amacı	Hemşirenin sorumluluğu
İdrar incelemeleri		
• İdrar incelemesi	Rutin idrar incelemesiyle tanıya yardımcı olmak yada diğer tanı yöntemlerine yardımcı olmak amacıyla yapılır. (Çizelge 41.7'de) normal ve normal dışı idrar bulguları verilmiştir.	Sabah idrarının alınması tercih edilir. Alınan idrar örneğinin 1 saat içinde laboratuvarda incelen-mesi sağlanır. İdrar örneği almadan önce feçes ve kadınlarda mensturasyona bağlı kanamanın neden olabileceği peri anal kirliliğin giderilmesi için perianal bölgenin temizliği sağlanmalıdır.
• Kreatinin klirensi	Vücudun kas ve protein yıkım ürünlerinin böbreklerin GFH'na bağlı olarak temizlene-bilme yeteneğinin değerlendirilmesi ama-cıyla incelemesidir. Normal değer: 85-135 ml/dak.	24 saatlik idrar toplanır. Sabah ilk çıkarılan idrar döküldükten sonra 24 saat boyunca yapılan tüm idrar biriktirilir. Hastanın 24 saatlik idrarını biriktirmesi konusunda bilgilendirilmesi gerekir. Toplanan idrarın 24 saatlik sürenin sonunda laboratuvara ulaştırılması sağlanır.
• İdrar kültürü (temiz idrar)	Üriner sistem enfeksiyonu kuşkusu olduğun-da etken olan mikroor-ganizmayı saptamak amacıyla yapılır. Normal koşullarda mesanedeki idrar sterildir. Ancak üretrada bakteriler ve birkaç lökosit bulunabilir. Uygun koşullarda alınan ve saklanan idrarda ≤10.000/ml mikroorganizma bulunması enfeksiyon olmadığının gösterge-sidir.10.000-100.000/ml mikroorganizma bulunması enfeksiyon tanısı konulması için yeterli olmayıp, incelemenin tekrarlanmasını gerektirir. ≥100.000/ml mikroorganizma bulunması enfeksiyon bulgusu olarak kabul edilir.	İdrarın alınacağı steril bir kap sağlanır. Perianal bölgenin temizliği yapıldıktan sonra hastaya ilk idrarı dışarıya yapması, daha sonra kısa bir süre idrar yapmayı durdurup, daha sonra kendisine verilen steril kabın içerisine idrarını yapması söylenir. Hastanın istenen biçimde idrarını kaba alması güç yada olanaksızsa kateterle orta idrar alınması konusunda hekime danışılır.
• Konsantarsyon testi	İdrarın özgül ağırlığının değerlendiril-mesidir. Normal değer: 1010-1025.	Hastaya uygulanacak konsantarsyon testine göre sıvı kısıtlaması yapıldıktan sonra önerilen biçimde idrar örneği alınarak laboratuara ulaştırılması sağlanır. En sık uygulanan fisheberg konsantrasyon testinde hastaya akşam yemeğinden sonra yaklaşık 12 saat ağızdan bir şey almaması söylenir. Sabah 06, 07, 08 saatlerinde alınan üç idrar örneği değer-lendirilmek üzere laboratuvara gönderilir.
Dilüsyon testi	Fazla miktarda sıvı alımını izleyerek idrar özgül ağırlığının değerlendirilmesidir. Normal değer: 1200 ml sıvı alımından sonra 1003'ün altında olmamalı ve verilen sıvının yarısından fazlası üç saat içinde çıkarıl-malıdır.	Hastanın mesanesi boşaltıldıktan sonra yarım saat içerisinde 1200 ml sıvı alması sağlanır. Üç saat süresince saat başı idrar örneği alınarak incelenmesi sağlanır.
• Rezidüel idrar testi	İdrar yaptıktan sonra mesanede kalan idrar miktarının belirlenmesi için yapılır. Mesane, sifinkter yetersizliği, prostat hipertrofisi ve üretradaki yapı bozukluklarında normal dışı bulgular olabilir. Normal değer: ≤50ml (yaşın artışına paralel olarak bu miktar artar)	Hasta idrarını yaptıktan sonra kateterle rezidü idrar alınır.
• Protein incelenmesi	İdrarda protein (albümin) olup olmadığının incelenmesi yöntemidir. Normal değer: İdrarda protein görülmemesi gerekir.	İdrar örneği alınıp ölçekli değerlendirme çubuğu idrara batırılarak çubuğun üzerindeki renk değişikliğine göre değerlendirme yapılır. Sonuçlar 0-4+ arasında derecelendirilir. Bazı ilaçların yanlış olarak pozitif değerlendirmeye neden olabileceği konusunda dikkatli olunmalıdır.
• Ürik asit incelenmesi	24 saatlik idrarda ürik asit düzeyinin değerlendirilmesi yöntemidir. Normal değer: 250-750 mg/24saat	Hastanın adı-soyadı ve tarih yazılı bir etiket yapıştırılmış kaba 24 saat süresince yapılan idrar biriktirilip, incelenmek üzere laboratuvara gönderilir. Kortikosteroid ve sitotoksik ilaç kullanımının sonuçları etkileyebileceği unutulmamalıdır.
Kan incelemeleri • BUN (Bood urea nitrogen-Kan üre nitrojeni) incelenmesi	Böbrekler tarafından atılması gereken protein metabolizmasının ürünü olan ürenin kandaki yoğunluğunu değerlendirmek amacıyla yapılır. Normal değer:5-25 mg/dL	Hastanın bu inceleme yapılmadan 8 saat önce diüretik, phenothiazin, antihipertansif, sulfo-namid, kortikos-teroid, antibiyotik (neomycin, gentamicin vb.), salisilat türü ilaç alıp almadığı sorulmalıdır. Bu tür ilaçlar sonuçları etkileyebilir. Böbrek hastalığı dışında hızlı hücre yıkımına neden olan enfeksiyonlar, yüksek ateş, GIS kanaması, travma, aşırı egzersiz gibi durumların da BUN düzeyinin yükselmesine neden olabileceği unutulmamalıdır.

41. Üriner Sistemin Değerlendirilmesi

Çizelge 41.6: Üriner Sistem Tanı Yöntemleri (Devamı)

• Kreatinin incelemesi	Böbrek işlevlerinin değerlendirilmesinde BUN'dan daha değerli bir incelemedir. Kas ve protein metabolizmasının son ürünü olan kreatininin kandaki düzeyinin değerlendirilmesi amacıyla yapılır. Normal değer: Erkekte: 0.6-1.5 mg/dL Kadında: 0.6-1.1 mg/dL	Sefalosporinlerin, askorbik asit, barbituratlar, metildopa, triamterine gibi ilaçların kreatinin düzeyini etkileyebileceği unutulmamalıdır.
• BUN/kreatinin oranı incelemesi	Hastanın hidrasyon durumunun değerlendirilmesi amacıyla yapılır. Normal değer: 10:1	Kanama, diyare, kalp yetersizliği, karaciğer hastalığı gibi nedenlerle böbrek işlevlerinin bozulmasının BUN düzeyinde yükselmeye neden olmasının oranı 20:1 ve çıkaracağı bilinmelidir.
• Ürik asit incelemesi	Pürin metabolizması ile ilgili hastalıkların tanısında kullanılan bir inceleme yöntemidir. Aynı zamanda böbrek işlevlerinin değerlendirilmesi amacıyla da yapılır. Normal değer: Erkekte: 2.1-8.5 mg/dL Kadında: 2.0-6.6 mg/dL	İnceleme yapılmadan önce herhangi bir sıvı yada besin kısıtlaması yoktur. Askorbik asit, diüretikler, allopurinol ve Coumadin kullanımının değerleri etkileyebileceği unutulmamalıdır.
• Sodyum (Na+) incelemesi	Kanın başlıca elektrolitlerinden biri olan sodyum böbrek yetersizliğinin değerlendirilmesi amacıyla yapılır. Son dönem böbrek yetersizliğinin geç evrelerine kadar normal sınırlar içinde kalır. Normal değer: 135-145mEq/L	Hastaya yapılacak incelemenin amacı açıklanarak alınan kan örneği laboratuvara gönderilir.
• Potasyum(K+) incelemesi	Potasyumun atılımının büyük bir bölümü böbrekler aracılığıyla yapıldığı için böbrek işlevlerinin değerlendirilmesinde kullanılır. Normal değer: 3.5-5.0mEq/L	Hastaya yapılacak incelemenin amacı açıklanarak alınan kan örneği laboratuvara gönderilir.
• Kalsiyum(Ca++) incelemesi	Böbrek hastalıklarında kalsiyum emilimi bozulduğu için böbrek osteodistrofisi gelişebileceğinden bunun değerlendirilmesi amacıyla yapılır. Normal değer: 9-10.5mg/dL	Kalsiyum tuzları, lityum tuzları, tiyazid grubu diüretikler, paratiroit hormon, tiroid hormon ve D vitamini kullanımın kalsiyum düzeyini yükseltebileceği, antikonvülzanlar, aspirin, kalsitonin, sisplatin, kortikosteroidler, heparin, laksatifler, oral kontraseptifler, magnezyum tuzları gibi ilaçların kalsiyum düzeyini düşürebileceği unutulmamalıdır.
• Fosfat (PO4⁻⁻) incelemesi	İntrasellüler sıvının önemli elektrolitlerinden biri olan fosfat ile kalsiyum dengesi arasında ters bir ilişki vardır. Böbrek işlevlerinin değerlendirilmesinde fosfat atılımın yeterliliğini değerlendirmek amacıyla yapılır. Normal değer: 1.8-2.6mEq/L	Hastaya yapılacak incelemenin amacı açıklanarak alınan kan örneği laboratuvara gönderilir.
• Bikarbonat(HCO3) İncelemesi	Böbrek yetersizliğine bağlı metabolik asidoz durumunun değerlendirilmesi amacıyla yapılır. Normal değer: 24-30 mEq/L	Hastaya yapılacak incelemenin amacı açıklanarak alınan kan örneği laboratuvara gönderilir. Bikarbonat düzeyinin normalin altında olmasının metabolik asidoz bulgusu olduğu unutulmamalıdır.
• Klor(Cl⁻)incelemesi	Ekstrasellüler sıvının başlıca elektrolitidir. Asit-baz dengesinin değerlendirilmesi amacıyla yapılır. Normal değer: 100-110 mEq/L	Hastaya yapılacak incelemenin amacı açıklanarak alınan kan örneği laboratuvara gönderilir.
• Protein	Böbrek işlevlerinin değerlendirilmesi amacıyla yapılır. Normal değer: 6-8.5gr/dL	Hastaya yapılacak incelemenin amacı açıklanarak alınan kan örneği laboratuvara gönderilir. Total protein düzeyinin normalin altında olmasının böbrek işlev bozukluğuna bağlı kayıpların artmasının bulgusu olduğu unutulmamalıdır.
Radyolojik incelemeler • Böbrekler, üreterler ve mesanenin direkt radyografik incelemesi	Böbrekler, üreterler ve mesanenin biçimi, büyüklüğü, pozisyonunun değerlendirilmesi için yapılır. Tümörler, malformasyonlar ve radyoopak taşların görüntülenmesinde de yardımcı olur.	İstem doğrultusunda bağırsakların boşaltılması için önerilen uygulamalar yapılır.

ÜNİTE 10

Üriner Sistem

Çizelge 41.6: Üriner Sistem Tanı Yöntemleri (Devamı)

• IVP (İntravenöz piyelografi)	İntravenöz yolla radyoopak madde vererek belirli aralıklarla seri halde direkt karın grafik çekilerek böbreklerin boyutları, biçimi, işlevleri, herhangi bir tıkanıklık olup olmadığı, hidronefroz, kitle yada taş olup olmadığının incelemesi amacıyla yapılır.	*Hastaya yapılacak işlem açıklanarak onayı alınır *İşlemden önceki gece hastaya hafif ve posa bırakmayan gıdalar alması söylenir *İşlemden 8 saat önce ağızdan bir şey almaması söylenir *Gaz ve feçes görüntüyü bozabileceğinden bağırsakların boşaltılması sağlanır *Kullanılan radyoopak madde iyot içerdiği için hastanın iyot allerjisi olup olmadığı sorulur *Bilinmeyen allerji durumunda anaflaksi olasılığına karşı gerekli hazırlıklar sağlanır *İşlem sırasında radyopoak maddenin verilmesinden sonra ağızda metalik tat, yüzünde kızarma ve sıcaklık duyusu, hafif bulantı gibi bulgular olabileceği konusunda hasta uyarılır *İşlemden sonra bir başka sakıncası yoksa bol sıvı alması sağlanarak radyoopak maddenin neden olabileceği dehidratsyon önlenir.
• Retrograd piyelografi	Sistoskop yada üretral kateter yerleştirilip üretraya doğrudan radyoopak madde vererek IVP ile görüntülemeyen böbrek, böbrek pelvisi yada üreterlerdeki tıkanıklıkların değerlendirmesi amacıyla yapılır.	*Hasta IVP işleminde olduğu gibi bilgilendirilir ve hazırlanır *Hastaya işlem sırasında karın bölgesinde gerginlik ve ağrı duyusu olabileceği konusunda bilgi verilir *Hasta işlem sonrası enfeksiyon, hematüri yada perforasyon bulguları yönünden izlenir *İlk günlerde hafif pembe idrar görülmesinin normal olacağı, idrarda açık kırmızı görüntü ve pıhtıların hematüri bulgusu olduğu ve bildirmesi gerektiği konusunda hasta ve yakınları uyarılır ve hasta bu yönden gözlenir
• Sistografi / üretrografi	Mesaneye sistoskop yada kateter yerleştirilip radyooopak madde vererek direkt grafilerle mesane ve üreterlerin incelenmesi ve vezikoüretral reflü durumunun değerlendirilmesi amacıyla yapılır.	*Hastaya yapılacak işlem açıklanarak onayı alınır *Kullanılan radyoopak madde iyot içerdiği için hastanın iyot allerjisi olup olmadığı sorulur
• Böbrek anjiyografisi	Femoral arterden girip radyoopak madde verererek böbrek damarlarındaki daralma, tromboz gibi patolojilerin saptanması amacıyla yapılır	*Hastaya yapılacak işlem açıklanarak onayı alınır *İşlemden önceki gece hastaya hafif ve posa bırakmayan gıdalar alması söylenir *İşlemden 8 saat önce ağızdan bir şey almaması söylenir *Bağırsakların boşaltılması sağlanır *Hastaya IVP işleminde olduğu gibi iyot allerjisi öyküsü sorularak gerekli hazırlık ve bilgilendirme yapılır *Girişim uygulanacak bölgenin tıraş edilerek temizliği sağlanır *Gerekirse hastaya işlem öncesi hekim önerisi doğrultusunda sedatif uygulanır *İşlemden sonra girişim yapılan ekstremitenin yarım saatte bir yada saatte bir periferal nabzı kontrol edilir, ısı ve renk değişikliği yönünden izlenir *Gerekirse ödem ve kanama olasılığına karşı girişim yapılan bölgeye soğuk uygulama yapılır *Radyoopak maddenin neden olabileceği dehidratsyonu önlemek için bir başka sakıncası yoksa işlem sonrası bol sıvı alması sağlanır
• Ultrasonografi	Böbrek ve üriner sistemin diğer organları ile ilgili kist, kitle, tıkanıklık ve yapısal patolojilerin saptanması amacıyla yüksek frekanslı ses dalgalarından yaralanılarak doku yoğunluğunun görüntülenmesi işlemidir	Hastaya işlem hakkında bilgi verilir. Böbrekler görüntülenecekse işlemden önce bağırsakların boşaltılması, mesane görüntülenecekse işlemden önce bol sıvı alımının sağlanarak mesanenin doluluğu sağlanır
• Bilgisayarlı tomografi (BT)	İncelenecek dokuların kesitsel olarak görüntülenmesini sağlayan en iyi yöntemlerdendir. Böbreklerin büyüklüğü, tümör, enfeksiyon, taş, böbreküstü bezi kitleleri (adrenal tümörler, feokromastoma vb.) ve tıkanıklıkların saptanması amacıyla uygulanır.	Hastaya işlem hakkında bilgi verilir.
• Manyetik rezonanas görüntüleme (MRI)	Böbrek, mesane prostat gibi yumuşak dokuların radyoaktif dalgalar ve manyetik alan değişiklikleri ile farklı açılardan görüntülenmesi amacıyla uygulanır	*Hastaya işlem hakkında bilgi verilir *İşlemden önce hastanın üzerinde manyetik alan oluşturacak kredi kartı, metal obje ve mücevher bulunmaması gerekir *Vücudunda pace maker, cerrahi klips yada metal bulunan hastalara uygulamaması gerektiği unutulmamalı bu konuda doğru öykü alınmalıdır *Klostrofobisi olan hastalar yaklaşık yarım saat kadar süren işlem nedeniyle stres yaşayabileceklerinden bu konuda dikkatli öykü alınmalı ve gerekli açıklama ve girişimler uygulanmalıdır

Çizelge 41.6: Üriner Sistem Tanı Yöntemleri (Devamı)

Radyoizotop incelemeler • Böbrek sintigrafisi	IV yolla radyoopak madde (technetium-99m ya da iodine-131 hippurate) verilir. Böbreklerin üzerine radyoaktif madde tutulumunu izleyecek bir tarayıcı yerleştirilir. Verilen maddenin böbrek damarlarına ulaşması ve böbrek dokusunda tutulumunu izleyerek böbrek perfüzyonu ve böbrek işlevleri değerlendirilmesi amacıyla yapılır. Böbreklerde radyoaktif maddenin tutulumuna göre böbreklerin biçimi, tümör, kist, abse gibi yapıların saptanmasına yardımcı olur.	*Hastaya işlem hakkında bilgi verilir, işlemin ağrı yada rahatsızlık duyusu yaratmayacağı söylenir *İşlem öncesi özel bir hazırlık gerekmez
Endoskopik incelemeler • Sistoskopi	Ucunda optik gözü bulunan ışıklı bir sistoskop aracılığıyla üreterden mesaneye girilerek taş, tümör, ülser ve hematüriye neden olan patolojilerin görüntülenmesi, idrar örneği, biyopsi materyali alınması gibi tanı amaçlı olarak yada taş, tümör ve yabancı maddelerin çıkarılması, radyoizotop yerleştirilmesi, üreterlerin genişletilmesi gibi tedavi amacıyla uygulanır	*Hastaya işlem hakkında bilgi verilerek izni alınır *Üst üriner sistemle ilgili işlemlerden önce hastaya işlemden 8 saat önce ağızdan bir şey almaması söylenir *İşlemden önce hekim istemi doğrultusunda önerilen premedikasyon varsa uygulanır *İşlemden sonra hasta yatak istirahatına alınır. Yalnız kalkıp dolaşması ortostatik hipotansiyon nedeniyle sakıncalı olabileceğinden izin verilmez *İşlemden sonra idrar yaparken hafif bir yanma duyusu olabileceği, idrarın hafif pembe renkli olabileceği, idrara çıkma sıklığının artabileceği hasta ve yakınlarına söylenir *İşlemin neden olduğu ağrı ve rahatsızlığı gidermek için hafif sıcak uygulama yada ılık banyo önerilebilir *İşlemden sonra üriner sistem enfeksiyon bulguları, idrar akımında azalma gibi belirti ve bulgular yönünden hasta izlenir
Ürodinamik incelemeler • Boşalma sistoüretrografisi	Fuloroskopi altında mesanenin idrar tutma kapasitesi ve alt üriner bölgenin incelenmesi amacıyla yapılır. Çoğunlukla vezikoüretral reflü değerlendirmesine yardımcı bir yöntemdir. Üretral kateter aracılığıyla mesaneye radyoopak madde verilerek inceleme yapılır	*Hastaya işlem hakkında bilgi verilerek izni alınır *İşlem sonrası enfeksiyon ve kanama bulguları yönünden hasta izlenir
İnvaziv incelemeler • Böbrek biyopsisi	Ani gelişen akut böbrek yetersizliği, inatçı proteinüri ve hematüri, trasplante edilen doku yada organın rejeksiyonu durumlarında ve glomerülonefritli hastalarda tanı yada hastalığın gidişinin değerlendirilmesi amacıyla yapılır. Kapalı(iğne biyopsisi) ya da açık (küçük bir kesi yapılarak) yöntemle böbrek korteksinden alınan doku örneğinin incelenir	İşlem öncesi hazırlık: *Hastaya işlem hakkında bilgi verilerek izni alınır *Hastanın hastalık ve ilaç kullanım öyküsü alınır, protrombin, kanama ve pıhtılaşma zamanı, hematokrit düzeyi, tam kan sayımı değerlendirmesi yapılır. Kan grubu belirlenerek uygun gruptan kan temin edilir *Hasta işlemden 6-8 saat önce ağızdan bir şey almaması konusunda uyarılır İşlem sırasında : *Damar yolu açılır *Biyopsi sonrası alınan örnekle karşılaştırmak için idrar örneği alınır *Hastaya sedasyon uygulanabilir *İğne biyopsisi yapılacaksa hastaya iğneyle örneğin alınması sırasında nefesini tutması söylenir *Hasta yan yatar pozisyona getirilerek boşlukta kalan karın bölgesine kum torbası yerleştirerek desteklenir *Girişim yapılacak alana lokal anestezi uygulandıktan sonra hekim tarafından biyopsi materyali alınır *Açık biyopsi işleminde hasta karın bölgesine yapılacak cerrahi girişimde olduğu gibi hazırlanır ve biyopsi örneği alınır İşlem sonrası: *Biyopsi bölgesine basınç uygulanır *Kanama olasılığına karşı hasta yan yatar pozisyonda 6-8 saat yatak istirahatına alınır *İlk bir saat 5-15 dakikada bir yaşam bulgularının kontrolü yapılır, daha sonra daha uzun aralıklarla sürdürülür *Hipotansiyon, taşikardi, iştahsızlık, kusma, karında dolgunluk ve rahatsızlık duyusu gibi kanama belirti ve bulguları yönünden hasta dikkatle izlenir *Sırt ağrısı, omuz ağrısı yada dizüri gibi bulgular saptandığında hemen hekime haber verilir *İlk 8 saatlik sürede hemoglobin ve hematokrit düzeyleri kanama riski yönünden izlenir *Hastanın idrarı makroskobik ve mikroskobik kanama bulguları yönünden izlenir *Böbrek yetersizliği olmayan hastaların 3000ml/gün sıvı alması sağlanır Hasta eğitimi: *İşlemden sonra 2 hafta süreyle ağır aktivitelerden kaçınması *Yan ağrısı, hematüri, hafif baş dönmesi ve baygınlık, nabız hızında artama ve diğer kanama belirti ve bulgularının neler olduğu ve bunları deneyimlediğinde hekimine yada işlemin yapıldığı kuruma başvurması gerektiği konusunda eğitilir.

Üriner Sistem

Çizelge 41.7: İdrarın Özellikleri

Özellik	Normal Bulgular	Normal Dışı Bulgular ve Önemi
Renk/görünüm	Açık sarı-kehribar rengi/berrak	*Pembeden açık kırmızıya kadar değişen renk hemoglobin yıkımı, idrarda eritrositlerin varlığı, fazla miktarda kanama, mensturasyon, prostat yada mesane ameliyatı, rifampisin, phenothiazine gibi bazı ilaçların kullanımına bağlı olabilir *Kırmızıya ya da kahverengiye çalan portakal rengi pheynazoprydium HCl, thiamine gibi ilaçların alımına yada bilüribin fazlalığına bağlıdır. *Sarı- süt gibi beyaz renk piyüri, enfeksiyon yada vajinal krem kullanımına bağlı olabilir *Normalden açık sarı yada renksiz görünüm, diüretik kullanımına bağlı idrarın dilue olması, aşırı sıvı alımı, diabetes insipidus, aşırı alkol kullanımı yada böbrek hastalığı bulgusu olabilir.
Koku	Amonyak kokusu	Kötü koku idrar yolu enfeksiyonu bulgusudur.
Yoğunluk/dansite(özgül ağırlık)	1010-1025	Düşük dansite idrarın aşırı dilue olduğunun, aşırı sıvı alımının, diabetes insipidusun, glomerülonefrit ve ciddi böbrek hasarı gibi durumların, yüksek dansite diabetes mellitus, dehidratasyon gibi durumların bulgusudur. Dansitenin değişmeden 1010'da sabit kalması böbreğin konsantrasyon yeteneğinin bozulduğunu ve son dönem böbrek yetersizliğinin gelişmekte olduğunu gösterir.
Ozmolarite	300-900mOsml/kg/24 saat (300-1100mmol/L).	Böbreğin konsantre ve dilue etme yeteneğini dansiteye göre daha iyi değerlendiren bir ölçüttür. Düşük osmolarite sıvı kısıtlaması yada dehidratasyon bulgu-sudur. Osmolarite değerlerindeki sapmalar böbrek işlev bozukluğunu gösterir.
pH	4-8 (ortalama 6)	pH'nın<4 olması solunum yada metabolik asidozun, >8 olması idrar birikimi yada idrar yolu enfeksiyonunun bulgusudur
Glikoz	Yok	Glikozüri diabetes mellitusun yada kan glikoz düzeyi normal olmasına karşın glikozüri varsa böbreğin glikoz reabsorbsiyon eşiğinin düşük olduğunun bulgusudur.
Keton cisimleri	Yok	Diabetes mellitus ve açlık durumlarında karbonhidrat ve yağ metabolizması değişiklikleri, dehidratasyon, kusma ve diyare gibi aşırı sıvı kayıplarında idrarda keton cisimleri görülebilir.
Protein	0-150mg/24 saat 0-8mg/dL	Özellikle glomerülleri etkileyen akut yada kronik böbrek hastalığı, nefrotik sendrom, ciddi kalp yetersizliği, diyabetik, nefropati, multipl myelom gibi hastalıklara bağlı olabileceği gibi, hastalıkla ilişkili olmadan yüksek protein içerikli diyet alımı, dehidratasyon, yüksek ateş, zorlayıcı egzersiz, sıcak çarpması, emosyonel stres ve vajinal sekresyonların idrara bulaşması gibi nedenlerle de olabilir.
Bilüribin	Yok	İdrarda bilüribin görülmesi hepatit gibi sarılıkla seyreden karaciğer hastalıklarının bulgusu olabilir.Sarılıkta bireyde belirgin sarılık görülmeden önce idrarda biliüribin saptanabilir.
Eritrosit	0-4	Genitoüriner kanserler, akut glomerülonefrit, sistit, böbrek taşı, böbrek Tbc, travma, böbrek biyopsisi, kanama bozukluğu, orak hücreli anemi, romatizmal ateş, hemofili, lösemi idrarda eritrosit sayısının artışına (hematüri) neden olur
Lökosit	0-5	İdrarda lökosit sayısının artması (piyüri)idrar yolu enfeksiyonu ya da enflamasyonu bulgusudur.
Hücre	Yok/nadiren hyalin	Hücreler böbrek tübüllerinden atılan ürünlerdir ve protein, erirosit, lökosit ya da bakteri içerirler. İdrarda epitel hücrelerinin artması böbrek işlevlerinde bozulma yada üriner sistem enfeksiyonu bulgusunun göstergesidir.
Bakteri	Mesanede bakteri yoktur. Üretral florada, 100.000/ml bakteri bulunması normaldir	100.000/ml bakteri bulunması idraryolu enfeksiyonu bulgusudur. Üriner sistem enfeksiyonlarına neden olan başlıca bakteriler E.coli, Enterokok, Klebsiella, Proteus ve Strepokokdur.

42. ÜRİNER SİSTEM HASTALIKLARI

Prof. Dr. Ayfer KARADAKOVAN
Doç. Dr. Şenay KAYMAKÇI

Böbrek Hastalıklarında Sıvı-Elektrolit Dengesi

Böbrek hastalığı olan bireyde sıvı ve elektrolit dengesinde bozulmalar sık görülür. Bu nedenle böbrek hastaları sıvı elektrolit dengesizliğine yönelik potansiyel sorunların belirtileri açısından yakından izlenmelidir. Alınan ve çıkarılan sıvı ve kayıplar (diyare, kusma vb) izlenip kaydedilmelidir. Hastanın kilosu günlük olarak izlenir ve kaydedilir. Hızlı kilo kaybı sıvı kaybının önemli bir belirleyicisidir.

Disfonksiyonel İşeme Bozuklukları
Üriner İnkontinans

Üriner inkontinans, kişide sosyal ve hijyenik sorunlara neden olan, objektif olarak saptanabilen, istemsiz idrar kaçırma olarak tanımlanmaktadır. Alt üriner sistem disfonksiyonunun önemli bir semptomudur.

Kontinans ise kişinin istediği zaman ve yerde kontrollü idrar yapmasıdır. İntrauretral basıncın, mesane basıncından daha yüksek olması ile sağlanır. İntrauretral basıncı, mesane boynu, üretranın iç ve dış sfinkterleri ve pelvik taban kaslarının istirahat tonusu ve gücü sağlar.

Epidemiyoloji

Üriner inkontinans, kadınlarda erkeklere oranla daha sık görülmektedir. ABD' de yaklaşık 10 milyondan fazla erişkinde üriner inkontinans yakınması olduğu bildirilmektedir. Toplumumuzda ise 65 yaş üzerinde üriner inkontinans görülme sıklığı, erkeklerde %21.5 kadınlarda %57 olarak bildirilmektedir. Erkek/kadın oranı 80 yaş sonrası 1/1'dir. İdrar kaçırma, kabul edilmesi zor bir durum olduğu için bu konuda yapılan çalışmaları sınırlamakta, hastalar tarafından sosyal özgürlüğün kısıtlanması olarak görüldüğü için çoğunlukla hekimlerden gizlenmektedir. Bu durum gerçek insidansının tahmin edilmesini güçleştirmektedir.

Üriner İnkontinans İçin Risk Faktörleri

- Gebelik (vajinal doğum, epizyotomi)
- Menapoz
- Genitoüriner ameliyatlar
- Pelvik kas zayıflığı
- Hareketsizlik
- Diabetes mellitus
- İnme
- Üriner sistemde yaşlanmaya bağlı değişimler
- Morbid obezite
- Aşırı fiziksel aktivite
- İlaçlar(diüretik, sedatif, hipnotik, opioidler)

İnkontinans tipleri

Üriner inkontinans akut veya kronik olarak görülmektedir. Akut tip en sık olarak üriner sistem enfeksiyonları, konstipasyona bağlı fekal baskı, ilaçlar ve bazı akut hastalıklara bağlı gelişmektedir. Kronik tip ise beş gruba ayrılmaktadır.

Stres inkontinans

Karın içi basıncını artıran fizik aktiviteler sırasında oluşur. Bu sırada intraveziküler basınç artar ve intrauretral basıncı aşınca inkontinans görülür. Nedeni pelvik taban kas zayıflığıdır. En çok görülen tip %60-70 oranında stres inkontinansıdır. Asıl neden doğum travmalarıdır.

Sıkışma Tipi (Urge) inkontinans

Genellikle sıkışma semptomlarıyla birlikte istemsiz miksiyon ve idrar kaçırma vardır. Detrüsör istemsiz olarak aşırı bir şekilde kasılır. Cinsiyet ayrımı olmadığı gibi yaşlılada en sık görülen üriner inkontinans tipidir. Yaklaşık olarak yaşlıların %40-70'inde detrüsor instabilitesi görülmektedir.

Ayrıca tiyazidler, kafein ve alkol mesanede idrar miktarını artırarak detrüsör hiperaktiviesine neden olabilmektedirler.

Taşma(Overflow)inkontinans: Sürekli veya aralıklı az miktarda sızıntı olur. Bu tip inkontinansta fizik tedavi ve egzersizin pek yeri yoktur. Urge ve overflow inkontinans medikal tedavi ile düzelebilir. Antikolinerjikler seçkin ilaçlardır.

Miks İnkontinans

İki ya da daha fazla üriner inkontinans tipinin kombine olmasıdır. Stres ve sıkışma tipi inkontinans birlikteliği en sık görülen formdur. Stres ve taşma tipi üriner inkontinans sıklıkla benign prostat hipertrofili hastalarda görülmektedir.

Fonksiyonel İnkontinans

Kişilerin kontrolleri dışında zamanında tuvalete ulaşamamasına bağlı olarak ortaya çıkan bir durumdur. Depresyon, demans, mobilite kısıtlılığı, fekal impakt ve ilaç gibi nedenlerle normal kontinansa sahip kişilerde fonksiyonel inkontinans gelişebilmektedir.

Tanı

Öykü alma, fizik muayene ve idrar incelemesi ile tanı konur. Öyküde, üriner inkontinans başlangıcı ve seyri, miktarı, zamanı, sıklığı ve eşlik eden semptomlar, uyaran faktörler, bağırsak alışkanlığı ve cinsel aktivite değerlendirilir.

Üriner inkontinansın tipini ve ciddiyet derecesini belirlemede, üç gün süre ile mesane günlüğünün hasta tarafından doldurulması da oldukça değerli bilgiler vermektedir. Bu günlükte hasta tuvalete gittiği zamanları, miktarını, idrar kaçırma durumu var ise zamanını ve kabaca miktarını ve kendince nedenini ve sıvı alımını not etmektedir.

Tıbbi Yönetim

Üriner inkontinansın tedavisinde ilk adım, düzeltilebilir sebeplerin saptanması ve ortadan kaldırılması olmalıdır. Yaşlılarda inkontinans gelişiminin genelde pek çok faktöre bağlı olduğu ve üriner sistem dışındaki sebeplerin ilk planda olabileceği gerçeği, tedaviye multidisipliner yaklaşmayı gerektirir. Çoğu zaman özel bir neden ve dolayısıyla özel bir tedavi bulunamıyor olsa da, semptomatik iyileşmeye yönelik girişimler, yaşam kalitesini olumlu etkilemektedir. Tedavide amaç, mesanenin tam olarak boşaltılmasının sağlanması, mesane çıkış direncinin hafifletilmesi, mesane kapasitesinin arttırılması, detrüsör instabilitesinin giderilmesidir. Bunun için davranış, ilaç ve cerrahi tedavilerin uygun kombinasyonu gerekmektedir.

Davranış Tedavileri

Kafeinli ve alkollü içeceklerin tüketiminin ve akşam alınan sıvı miktarının kısıtlanmasının yararı vardır. Üriner inkontinanslı bir kişi günde en az 4 lt sıvı almalıdır. Bu konstipasyonu önler. Lifli besinler alınmalıdır. Günlük idrar miktarı 1200-1600 mlt olmalıdır. Normal kontinası olan bir kişi 4-6 kez gündüz ve bir iki kezde gece miksiyon yapar. Mesaneyi boşaltmak için, her miksiyonda 300 mlt kadar idrar yapmak gereklidir. Hasta daha sık ve daha az miktarda tuvalete çıkarsa boşalma olmayabilir. Kola, kahve, çay, çikolata ve alkol idrar yapma gereksinimini arttırabilir, sıkışmaya neden olabilir.

Mesane eğitimi özellikle sıkışma tipi inkontinansta önemlidir. Sıkışmayı geciktirmek için tuvalete koşulmamalıdır. Ayakta durmalı ya da oturmalıdır. Perineye basınç uygulanır, abdominal kasları gevşetmek için solunum egzersizi ve pelvik taban egzersizi yapılır.

Pelvik taban kaslarını güçlendirme egzersizlerine ilk kez 1951 yılında Kegel tarif ettiği için *Kegel egzersizleri* denir. Özellikle stres inkontinasta pelvik taban kaslarını güçlendirmek için verilir. Egzersiz programı düzenli olarak en az 6-8 hafta devam etmeli ve belli bir tonusa ulaşınca yaşam boyu devam edilmelidir. İki hafta sonra egzersizin fizyolojik etkileri ortaya çıkmaya başlar, 6-8 haftada yakınmalar azalır, 6 ayda düzelme olur. Yaşlı hastalarda egzersize yanıt alınması için daha uzun bir süre geçebilir. Yapılan çalışmalarda egzersiz süreleri 6 hafta ile 4 ay arasında değişmektedir. Eğer istenilen yanıt alınamaz ise altta yatan başka bir neden araştırılmalıdır. Egzersiz yapılırken bacaklar düz bir şekilde uzatılmalıdır. Bu pozisyonda diğer kasların kontraksiyonundan kaçınmak daha kolaydır. Sanki idrar ve gaz geçişini durduruyormuşçasına pelvik taban kasları kasılır. İdeali bu pozisyonda 10 saniye tutmaktır ve 10-20 saniye dinlenilir. Zayıf kaslar için daha fazla dinlenme süresi gerekir. Kas gücü 3/5 üzerinde ise 2 bırak 1 yap, 3/5 altında ise 3 bırak 1 yap şeklinde yapılmalıdır. Kasılma esnasında nefes tutulmamalıdır.

Gluteal bölge, abdominal ve uyluk kasları kasılmamalıdır. Başlangıçta abdominal bölgenin kasılması idrar kaybını artırır, yorgunluğa neden olur. Ancak maksimal kasılmalar sırasında EMG kayıtları yapılmış ve karnın alt kısmındaki kasların kasılmasının kaçınılmaz olduğu gösterilmiştir. Orta şiddetteki kasılmalarda ise kasılma gözlenmemiştir. Bu nedenle başlangıçta egzersize düşük yoğunlukta başlamak önemlidir. Önceleri 3 tekrarla başlanır. Egzersizleri kişinin günlük aktiviteleri sırasında da yapması istenir. Ulaşılmak istenen hedef 10 defa yapılan 10 yavaş kontraksiyon ve bunu takiben yapılan 10 hızlı kontraksiyondur. Kari Bo'ya göre 6-8 saniye süren uzun kontraksiyonlar sonunda 3-4 hızlı kontraksiyon yapılması idealdir. 24 saatte 6 veya 8 egzersiz seti ya da saat başı bir egzersiz seti önerilmektedir. Bir egzersiz seti 20-30 dakika kadar olmalıdır. Kegel'e göre günde 300 tekrara ulaşılmalıdır. Bu egzersizler yan yatarken, ayakta, çömelirken, emekleme gibi değişik pozisyonlarda ve çeşitli günlük aktiviteler sırasında yapılmalıdır. Bu vücudun pelvik taban hakkındaki bilincini artırır ve mesane boynu ve üretranın abdominal kavitede stabilizasyonunu sağlar. Aynı zamanda maksimum kapanma basıncı elde etmek için, antagonist kasların relaksasyonu sağlanarak, agonistlerdeki kontraksiyon artırılmış olur. Yeni bir egzersiz pozisyonuna geçmeden önce hasta diafragmatik solunum yaparak gevşemelidir.

Vajinal koni egzersizi pelvik kas tabanın güçlendirilmesine yardımcı olabilir. Belirli bir ağırlıktaki koni vajinaya yerleştirilir ve pelvik taban kaslarının kontraksiyonu ile koni yerinde tutulmaya çalışılır. Hastaların en hafif koniden başlaması ve günde iki kez 15 dk bu egzersizi yapmaları gerekir. Bu egzersiz için hastalar ayağa kalkabilmelidirler.

Biyofeedback fizyolojik olayların bir ekran ve ses düzeni aracılığı ile görsel ve işitsel sinyaller halinde hastaya yansıtılmasıdır. Vajene yerleştirilen bir perineometri aleti ya da EMG ile çalışan bir probla hasta pelvis tabanını ne kadar kastığını ya ekranda görür ya da sesini duyar. Bu şekilde ne kadar kasması gerektiğini algılar.

Elektrik stimülasyonu, elektrod ya da vajinal prob ile yapılabilir. Kas kontraksiyonu ile kas gücü artar, yani pasif olarak Kegel egzersizi yaptırılır, pudendal sinirin direkt stimülasyonu ile üretral basınç artar, pelvik sinirin refleks stimülasyonu ile detrüsör inhibe edilir, lokal dolaşım artar, adrenerjik aktivite artar, kolinerjik aktivite azalır.

İlaç tedavisi
İlaçlar başlıca alt üriner sistemin depolama ve boşaltma işlevini kolaylaştırmak için kullanılır. Amaç, mesane kapasitesini üretral direnci arttırmak ve istemsiz mesane kasılmalarını ve duyu iletimini azaltmaktır. Genelde kullanılan ilaçlar, antikolinerjikler, düz kas gevşeticileri, kalsiyum kanal blokerleridir.

Cerrahi Tedavi
Üriner inkontinans ameliyatlarında amaç, idrar kaçırma durumunu ortadan kaldırmaktır. İdrar kesesinin gerçek kapasitesi küçüldüğünde ve böbreklerin fonksiyonlarında bozulma tehlikesi varlığında bu tip idrar kaçırmada cerrahi tedavi kaçınılmazdır. Cerrahi tedavide, retropubik askı ameliyatı, transvaginal askı ameliyatı, pubovaginal askılar ve periuretral enjeksiyon, artifisyel sfinkter yapılmaktadır.

Hemşirelik Yönetimi
Üriner inkontinansta hemşirelik yönetimi, uygulanan tedavi doğrultusunda planlanır. Davranış tedavileri uygulanıyorsa egzersizlerin düzenli yapılması konusunda hasta cesaretlendirilmelidir. Hastaya mesane günlüğü tutulması, egzersiz düzeni, mesane işlevindeki değişimlerin kaydedilmesi konusunda bilgi verilir. İlaç tedavisi uygulanıyorsa, tedavinin amacı, nasıl uygulanacağı hasta ve ailesine anlatılmalıdır. Cerrahi tedavi uygulanacak hastaya ve ailesine ameliyat şekli, işlemler, ameliyat sonrası ile ilgili bilgi verilir.

Üriner Retansiyon
Üriner retansiyon; işeyememe veya işeme sonunda mesanenin tam olarak boşaltılamamasıdır. Akut veya kronik olarak görülebilir. İşeme sonrası mesanede kalan idrara rezidüel idrar denir. Sağlıklı bir erişkinde (60 yaş altı) normalde işeme sonrası mesane tam olarak boşalır. Altmış yaş üzerinde işeme sonrası mesanede 50-100 ml. rezidüel idrar mesanede kalabilir. Bunun nedeni yaşla birlikte detrusor kas kontraktilitesinin azalmasıdır.

Fizyopatoloji
Üriner retansiyon, diyabet, prostat büyümesi, üretra ile ilgili patolojiler (enfeksiyon, tümör, taş) travma(pelvik yaralanmalar), gebelik veya serebrovasküler kazalar, spinal kord yaralanmaları, multipl skleroz, Parkinson hastalığı gibi nörolojik hastalıklar sonucu gelişebilir.

Bazı ilaçlar üriner retansiyona neden olabilir. Bunlar; mesane kontraktilitesini baskılayan ilaçlardır (antiko-linerjikler, antispazmodikler, trisiklik antidepresanlar). Üriner retansiyon, perineal veya anal bölgeyi etkileyen ameliyatlardan sonra sfinkterlerin refleks spazmına bağlı olarak da gelişebilir. Genel anestezi mesane kaslarının innervasyonunu azaltarak urge (sıkışma) algısını baskılar.

Belirti ve Bulgular
Üriner retansiyonda tanı ve değerlendirme altta yatan nedeni belirlemeye yönelik olarak yapılır. Hemşire hastayı hematüri ve dizüri gibi üriner sistem enfeksiyonu belirtileri yönünden değerlendirmelidir. Hastaya idrar yapma sıklığı ve miktarı ile ilgili bir işeme günlüğü tutması önerilmelidir.

Tıbbi Yönetim
Tedavide amaç belirti ve bulguların giderilmesi, retansiyon ve aşırı distansiyonun zararlı etkilerinin önlenmesi veya tedavi edilmesidir.

Hemşirelik Yönetimi
Üriner retansiyon enfeksiyon, taş oluşumu, pyelonefrit ve sepsis gelişmesine neden olabilir. Bakım mesanenin aşırı distansiyonunun, enfeksiyon veya tıkanma gelişmesinin önlenmesine yönelik olmalıdır. Hemşire normal eliminasyonun sağlanması için hastayı cesaretlendirmelidir. Hastanın idrarını yapabilmesi için yatakta sürgü vermek yerine tuvalete gitmesi sağlanmalı, idrar çıkışını kolaylaştırmak amacıyla perineye sıcak kompres veya sıcak duş uygulanabilir. Ayrıca sıcak çay içmesi sağlanabilir. Bu uygulamalara rağmen hasta idrarını yapamıyorsa mesanenin aşırı distansiyonunu önlemek amacıyla kateterizasyon uygulanmalıdır. Temiz aralıklı kateterizasyon, sürekli kateterizasyon veya üretrada tıkanıklık varsa suprapubik kateterizasyon yapılabilir. Suprapubik kateterizasyon, alt karın bölgesinde derinin ve mesanenin bir trokar yardımıyla delinerek buradan mesaneye yerleştirilen sonda ile mesanenin boşaltılmasıdır.

Çizelge 42.1: Üriner İnkontinanslı Hastalar İçin Öneriler

Size önerilen miktar ve zamanlarda sıvı almaya özen gösterin.
Saat 16'dan sonra diüretik almaktan kaçının.
Kafein, alkol, aspartam gibi mesane irritasyonuna neden olan maddeler almaktan kaçının.
Konstipasyonu önlemek için yeterli sıvı alın, lifli gıdalar tüketin ve düzenli egzersiz yapın.
Günde 5-8 kez (yaklaşık 2-3 saatte bir) düzenli işemeye çalışın.
Önerilen pelvik taban egzersizlerini düzenli olarak yapın.
Sigara içmeyin (sigara içenlerde genellikle öksürük olur, bu da inkontinansı arttırır).

Nörojenik Mesane

Nörojenik mesane nörolojik sistemdeki bir lezyona bağlı olarak mesaneyi innerve eden sinirlerin etkilenmesi sonucu gelişen işlev bozukluğudur. Spinal kord yaralanması, spinal tümör, vertebral disk hernisi, multiple skleroz, doğumsal anomaliler (spina bifida veya miyelomeningosel), enfeksiyon veya Diabetes Mellitus nörojenik mesanenin nedeni olabilir.

Fizyopatoloji

Nörojenik mesane genel olarak iki tipte görülmektedir. Üst motor nöron lezyonuna bağlı gelişen spastik(refleks) mesane ve alt motor nöron lezyonuna bağlı gelişen atonik (gevşek) mesane. Spastik mesanede, üst motor nöron lezyonuna bağlı olarak mesanenin dolması sırasında basınç artışı veya aşırı refleks kontraksiyonlar olur. Mesanede rezidüel idrar kalır.

Atonik mesanede, üst motor nöron lezyonuna bağlı olarak, mesane dolarken herhangi bir basınç artışı olmaz, hasta işemek istediğinde mesane kasılmaz. Mesanede fazla miktarda rezidüel idrar kalır.

Tanı

Hastanın değerlendirilmesinde sıvı alımı, idrar çıkışı ve rezidüel idrar miktarının ölçülmesi gerekir. İdrar kaçırma durumunun olup olmadığı izlenir. İdrar analizleri ve ürodinamik test sonuçları değerlendirilir. Ürodinami, alt üriner sistemin zaman içinde değişen işlevlerinin incelenmesidir. Ürodinami testinde mesane doldurulurken, mesane içi ve karın içi basınçların ölçülmesi, mesane kasılmasını sağlayan sinirlerin elektromiyografik incelenmesi ve işeme esnasında mesane kasılma basıncı ve elektriksel aktivitesinin incelenmesidir.

Komplikasyonlar

Nörojenik mesanenin en yaygın komplikasyonu enfeksiyondur. Enfeksiyon, idrar stazı ve kateterizasyona bağlıdır. Bundan başka taş oluşumu, vezikoüreteral reflüye bağlı hidronefroz ve böbrek yetersizliği olabilir.

Tıbbi Yönetim

Nörojenik mesanesi olan hastanın tedavisinde amaç; Mesanenin aşırı distansiyonunu ölemek, Mesanenin düzenli ve tam olarak boşalmasını sağlanmak, enfeksiyon ve taş oluşmasını önlemek, vezikoüreteral reflü ve böbrek Yetersizliğini önlemektir. Mesaneyi boşaltmak ve basıncı azaltmak amacıyla kateterizasyon uygulanır. Detrusor kas kontraksiyonunu artırmak amacıyla parasempatomimetik ilaçlar verilebilir.

Hemşirelik Yönetimi

Hemşire hastanın yeterli sıvı almasını sağlamalı ve idrar çıkışını izlemelidir. Enfeksiyon gelişmesini önlemek amacıyla kateterizasyon uygulamasında aseptik tekniğe uyulmasını ve uygun kateter bakımının yapılmasını sağlamalıdır. Taş oluşumunu önlemek amacıyla hastanın hareket etmesini sağlamalıdır.

Cerrahi Yönetim

Bazı hastalarda vezikoüreteral reflü veya masane boynu kontraktürlerini düzeltmek amacıyla ameliyat gerekebilir.

Üriner Sistemin Enfeksiyon Hastalıkları

Normalde üriner sistemde üretranın üst bölümünde kalan yapılar sterildir. Üriner sistemde patojen mikroorganizmalar nedeniyle üriner sistem enfeksiyonları gelişir. Üriner sitem enfeksiyonlarının sınıflandırılması çizelge 42.1'de verilmiştir. Alt üriner sistem enfeksiyonlarından mesanenin enflamasyonu olan *sistit*, prostat bezinin enflamasyonu olan *prostatit* ve üretranın enflamasyonu olan *üretrit* bakteriyel kökenli enfeksiyonlardır. Bu bölgede akut ya da kronik bakteriyel olmayan enfeksiyonlar da görülebilir. Üst üriner sistemde böbrek pelvisnin akut ya da kronik enflamasyonu *piyelonefrit*, böbreğin enflamasyonu *inerstisyel nefrit* olarak tanımlanır. Herhangi bir komplikasyona bağlı olmadan gelişen bakteriüri ve üriner sistem enfeksiyonları gençlerde yaşlı bireylere göre daha fazla görülür. Üriner

---

Çizelge 42.1: Üriner Sistem Enfeksiyonlarının Sınıflandırılması

Üriner sistem enfeksiyonları, alt (mesane ve mesaneden sonraki yapılar) ve üst (üreterler ve böbrekler) üriner sitem enfeksiyonları olarak yerleşim yerine göre sınıflandırılır. Aynı zamanda komplikasyona bağlı ve komplikasyona bağlı olmayan olmak üzere de sınıflandırılabilir.
Alt üriner sistem enfeksiyonları
Sistit, prostatit, üretrit
Üst üriner sistem enfeksiyonları
Akut piyelonefrit, kronik piyelonefrit, böbrek apseleri, inerstisyel nefrit, perirenal apse
Komplikasyona bağlı olmayan alt üriner sistem enfeksiyonları
Toplum kökenli enfeksiyonlar; genellikle genç kadınlarda görülür
Komplikasyona bağlı alt üriner sistem enfeksiyonları
Çoğunlukla nazokomiyal ve kateterizasyona bağlı enfeksiyonlar olup; ürolojik sistem hastalıkları, immün sistem baskılanması, DM'lu, üriner sistem tıkanıklıkları olan hastalarda ve gebelerde görülür.

sistem enfeksiyonu tanısı konan hastaların yaklaşık %40'ı nazokomiyal kökenli enfeksiyonlardır.

Alt üriner sistem enfeksiyonlar

Üretranın oluşturduğu fizik engel, idrar akımı, üretrovezikal birleşme, antibakteriyel enzimler ve antikorlar, mesane mukoza hücrelerinin dengeleyici yapısı gibi koruyucu mekanizmalar mesanenin steril kalmasını sağlar. Bu mekanizmalarla ilgili normalden sapma ve işlev bozukluğunun olması alt üriner sistem enfeksiyonlarının oluşmasına yol açar. Üriner sitem enfeksiyonlarının oluşmasında rolü olan risk faktörleri çizelge 42.2''da verilmiştir.

Patofizyoloji: Alt üriner sistem enfeksiyonlarının patofizyolojisinde aşağıdaki mekanizmalar rol oynar.

Bakterilerin üriner bölgeye yayılımı: Normalde idrar atılımı ile birlikte mesanedeki epitel hücreleri yavaş bir seyirle atılmakta ve birlikte çok sayıda bakteri de atılarak mesane kendi kendini temizlemektedir. Glycosaminoglycan (GAG) olarak bilinen hidrofilik protein değişik bakterilere karşı koruyucu etki gösterir. GAG molekülleri su moleküllerini içine alarak mesane ve idrar arasında sudan oluşan bir engel oluştururlar. GAG aspartam, triptofan metabolitleri ve sakarin gibi bazı etkenlerle harabiyete uğrayabilir ve koruyucu mekanizması bozulabilir. Üriner sistem enfeksiyonlarının en yaygın etkenlerinden biri olan E.coli vajina ve üretranın normal florasını bozar. Üretrada bulunan üriner immünoglobulin A(IgA) bakterilere karşı koruyucu bir engel oluşturabilir.

Reflü: İdrar akımını engelleyen tıkanıklıklar *üretrovezikal reflü* olarak tanımlanan idrarın mesaneden üretraya geri kaçışına neden olmaktadır. Öksürme, hapşırma, ya da gerginlik mesane basıncının artmasına neden olarak idrarın mesaneden üretraya geri gelmesine neden olur. Basınç normale döndüğünde idrar geriye mesaneye akar. İdrar geriye akarken üretranın anteriyor bölümündeki bakterilerin de idrar yoluyla mesaneye geçişine neden olur. Mesane ya da üretra boynunun işlev bozukluğu da üretrovezikal reflüye neden olur. Menopoz döneminde üretrovezikal açı ve üretral kapanma basıncı değişerek postmenopozal dönemdeki kadınlarda enfeksiyon insidansının artmasına neden olur. Ancak reflü erken çocukluk döneminde de sık görülen bir patoloji olup ciddiyetine göre tedavi edilmeyi gerektirir. Üretrovezikal kapakta ya da üretrada doğumsal anomaliler olduğunda bakteriler böbreğe kadar ilerleyerek böbrek işlevlerinin bozulmasına neden olabilmektedir.

Üriner sistem için patojenik özelliği olan bakteriler: İdrarda en az 100.000/ml bakteri kolonisinin olması bakteriüri olarak tanımlanır. Özellikle kadınlardan alınan idrar örnekleri çoğunlukla bakteri ile kontaminedir. Bu nedenle doğru değerlendirme yapabilmek için orta idrar örneği alınarak inceleme yapılması tercih edilir. Erkeklerden alınan idrar örneğinde bakteri kolonizasyonu daha azdır. Üriner sistem enfeksiyonlarınadan sorumlu mikroorganizmaların büyük bir bölümü normalde alt gastrointestinal bölgede bulunan mikroorganizmalardır. Alt üriner sitem enfeksiyonları ile ilgili yapılan çalışmalarda ister toplum kökenli ister hastane kökenli olsun en yaygın etkenin %54.7 oranında E.coli olduğu saptanmıştır. Kalıcı idrar kateteri takılan hastalarda ve özellikle erkeklerde Pseudomonas ve Enterekokoklara bağlı alt üriner sistem enfeksiyonları kadınlardan ve katerizasyon uygulanmayan hastalardan daha yüksek oranda saptanmıştır.

Enfeksiyonun izlediği yol: Bakterilerin üriner sisteme ulaşmasında başlıca üç yol vardır. Bunlar: Üretradan yukarıya doğru bakterilerin ilerlemesi, kan yoluyla enfeksiyon etkeninin üriner siteme ulaşması, ince bağırsaklardaki fistüllerden direkt bulaşma yollarıdır. En yaygın yol enfeksiyon etkenin fekal kontaminasyonla periüretral alanda çoğalması ve üretradan üreterler yoluyla mesaneye ulaşmasıdır. Kadınlarda üretranın daha kısa olması üriner sitem enfeksiyonları için riski arttırmaktır. Cinsel ilişki bakterilerin üretradan mesaneye geçişini kolaylaştıran bir başka etkendir. Bu nedenle cinsel yönden aktif olan genç kadınlar üriner sistem enfeksiyonuna daha yatkındırlar.

Çizelge 42.2: Üriner Sistem Enfeksiyonları İçin Risk Faktörleri

• Mesanenin tam olarak boşaltılmasında yetersizlik • Doğumsal anomaliler, üretral daralmalar, mesane boynu kontraktürü, mesane tümörleri, böbrek ya da üreter taşları, üreterlerin baskılanması ve nörolojik bozukluklara bağlı olarak idrar akımının engellenmesi • Doğal savunma mekanizmalarında azalma ya da immün sistem baskılanması	• Üriner bölgeye kateter uygulaması, sistoskopi gibi girişimler • Üretral mukozada enflamasyon ya da yıpranma • Bazı durumların bireyleri üriner sistem enfeksiyonuna yatkın duruma getirmesi: -DM: İdrar glikoz düzeyinin artması üriner sistem enfeksiyonunun oluşması için uygun bir ortam hazırlar -Gebelik -Nörolojik hastalıklar -Gut -Mesane boşalmasını engelleyen ve idrar biriminkine neden olan diğer durumlar

Klinik belirti ve bulgular: Bakteriürisi olan hastaların yaklaşık yarısında klinik belirti yoktur. Alt üriner sistem enfeksiyonlarında (sistit) ağrılı idrar yapma ve idrar yapmadan sonra yanma, sık idrara çıkma, sıkışma hissi, gece idrara çıkma, inkontinans, suprapubik ya da pelvik ağrı gibi yakınmalar vardır. Hematüri ve sırt ağrısı gibi yakınmalar da olabilir. Yaşlı bireylerde bu tipik bulgular nadiren görülür. Üst üriner sistem enfeksiyonlarında (piyelonefrit) ateş, titreme, karın boşluğu ya da sırtın alt bölümünde ağrı, bulantı, kusma, baş ağrısı, kendini rahatsız hissetme, ve ağrılı idrar yapma gibi yakınmalar vardır. Fizik incelemede vertebraların her iki tarafında da kostavertebral açıda ve kostaların altındaki bölgede hassasiyet ve ağrı yakınması vardır (Şekil 42.1). Kalıcı idrar kateteri takılması vb. nedenlerle komplikasyonlara bağlı gelişen üriner sistem enfeksiyonlarında hastalar genellikle asemptomatiktir ve gram negatif bakterilere bağlı sepsisin neden olduğu şok tablosu gelişebilir. Komplikasyona bağlı gelişen üriner sistem enfeksiyonlarında bir çok mikroorganizma rol oynar ve bu tür enfeksiyonlar tedaviye daha az yanıt vererek tekrarlama riski taşırlar.

Tanı yöntemleri: Üriner sitem enfeksiyonlarının tanısında bakteri kolonilerinin sayımı, hücre incelemeleri ve idrar kültürü incelemeleri gibi yöntemlerden yararlanılır.

Bakteri kolonilerinin sayımı: Hastadan steril yöntemle alınan orta idrar ya da kateterle alınan idrar örneğinde en az 100.000/ml bakteri kolonisinin bulunması enfeksiyon için majör kriterlerden biridir. Bununla birlikte daha az koloni sayısı ile de üriner sitem enfeksiyonu ve sepsis gelişebilir. Akut enfeksiyon bulguları görülen kadınların yaklaşık 1/3'ünde orta idrarda bakteri kolonizasyonu negatif olarak bulunur ve bu hastalar tedavi edilmez. Bu tür hastalarda suprapubik iğne aspirasyonu ile idrar örneği alınarak incelenmesi tanı koydurucudur.

Hücre incelemeleri: Akut enfeksiyonu olan hastaların yaklaşık yarısında idrarda mikroskobik hematüri (her alanda dörtten fazla kırmızı kan hücresinin bulunması) vardır. Üriner sistem enfeksiyonu olan hastaların tümünde piyüri (her alanda dörtten fazla beyaz kan hücresinin bulunması) vardır. Ancak bu bakteriyel enfeksiyonun spesifik bulgusu değildir. Böbrek taşı, interstisyel nefrit ve böbrek tüberkülozunda da piyüri bulgusu olabilir.

İdrar kültürü: Üriner sistem enfeksiyonlarının ve etken olan mikroorganizmaların belirlenmesinde idrar kültürü çalışmaları altın standarttır. Bakteriüri gözlenen aşağıdaki grupta yer alan hastalarda idrar kültürü incelemelerinin yapılması gereklidir:

- Tüm erkekler (yapısal ya da işlevsel bozukluk olasılığına karşı)
- Tüm çocuklar
- İmmün sistem ya da böbrek hastalığı öyküsü olan tüm kadınlar
- DM'lu hastalar
- Yakın zamanda üriner kateterizasyon uygulanmış ya da intravenöz piyelografi (IVP) işlemi yapılmış hastalar
- Yakın zamanda hastanede yatma öyküsü olan hastalar
- Uzun süre ve inatçı bulguları olan hastalar
- Son bir yıl içerisinde üç ya da daha fazla üriner sitem enfeksiyonu geçirmiş hastalar
- Gebeler
- Postmenopozal kadınlar
- Cinsel yönden aktif olan ya da yeni evli kadınlar

Diğer incelemeler: Piyelonefrit ya da apselerin saptanmasında BT, tıkanıklıklar, apseler, kistler ve tümörlerin saptanmasında US tanıda yararlanılan diğer yöntemlerdir. Tekrarlayıcı idrar yolu enfeksiyonu yakınması olan erkek hastalarda prostat ve mesanenin değerlendirilmesi için transrektal ultrasonografi yönteminden yararlanılabilir. Üreterlerin gözle incelenmesi, yapısal bozuklukların ya da taşların saptanması ve reflü tanısında IVP yöntemi uygulanabilir.

Tedavi: Üriner sistem enfeksiyonlarının tedavisinde ilaç tedavisi ve hasta eğitimi olmak üzere iki yöntem vardır. İlaç tedavisinin uygulanması ve enfeksiyondan koruyucu önlemler konusunda hastanın eğitiminde hemşire anahtar rol oynar.

İlaç tedavisi: Üriner sitem enfeksiyonlarında ilaç tedavisi akut ilaç tedavisi ve uzun süreli ilaç tedavisi olmak üzere iki biçimde yapılır.

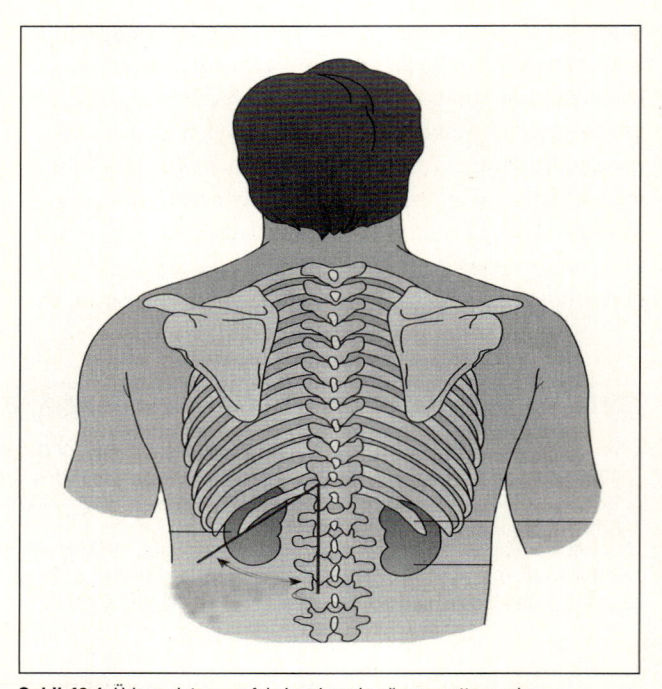

Şekil 42.1: Üriner sistem enfeksiyonlarında ağrının sırtta yayılımı

Akut ilaç tedavisi:

Üriner sistem enfeksiyonlarında anti bakteriyel tedaviyle enfeksiyonu tedavi ederken vajinal floranın yapısının en az düzeyde etkilenmesi tedavide önemli bir ölçüttür. Üriner sistem enfeksiyonlarında uygulanan anti bakteriyel tedaviye bağlı vajinal floranın bozulması nedeniyle vajinit görülme sıklığı %25'in üzerindedir. Vajinal floranın bozulmasını en az düzeyde etkileyecek 3-4 gün ya da 7-10 gün süreli, günde tek doz antibiyotik kullanımı gibi tedavi seçenekleri vardır. Komplikasyonsuz üriner sistem enfeksiyonlarında 3 günlük antibiyotik tedavisiyle %80 başarı sağlanabilmektedir.

Piyelonefrit gibi komplikasyonlu olgularda sefalosporin, ampicillin/aminoglikozid kombinasyonları ile 7-10 günlük tedavi uygulanır. Trimethoprim sulfamethoxazole (TMP-SMZ, Bactirim, Septra) ve nitrofurantoin (Macrodantin, Furadantin) yaygın olarak kullanılan diğer ilaçlardır. Genellikle ampisilin ya da amoxicillin kullanılmaktadır. Ancak E.coli'nin bu ajanlara direnç geliştirdiği durumlarda diğer tedavi seçeneklerine baş vurulur. Fluoroquinolone ciprofloksasain (Cipro) ve TMP-SMZ bu tür dirençli olgularda kullanılabilen ilaçlardır. Önerilen tedavi seçeneğine göre hastaya bulgularında hafifleme olsa bile ilaçlarını önerilen doz ve sürede kullanması gerektiği konusunda gerekli eğitim yapılmalıdır.

Uzun süreli ilaç tedavisi: Genellikle komplikasyonlu olmayan kadın hastalarda 3 günlük tedavi ile enfeksiyon tedavi edilebilir. Ancak yaklaşık %20 tekrarlama olasılığı vardır. Vajinal mukozda kalan mikroorganizmalar nedeniyle enfeksiyon tedavinin uygulanmasından yaklaşık 2 hafta sonra tekrarlayabilir. Tedavinin çok kısa süre uygulanması ya da yetersiz olması nedeniyle tekrarlayan enfeksiyonlar üst üriner sisteme yayılabilir. Kadınlarda tekrarlayan enfeksiyonların yaklaşık %90'nında etken yeni bir bakteridir. Tekrarlayan üriner sistem enfeksiyonlarında yapısal bir bozukluk saptanamadığı durumlarda, hastalar enfeksiyona ilişkin herhangi bir bulgu olduğunda sağlık kuruluşuna baş vurarak tedaviye başlaması, bulguları dirençli olan ve 6 aylık sürede 4 den fazla tedavi uygulanan hastaların evde idrar kültürü yapmak için gerekli gereçleri temin ederek kültür yapmaları konusunda eğitilmeleri gerekir.

Tekrarlayan enfeksiyonlarda 3-4 günlük tam doz antibiyotik tedavisinin tamamlanarak bitirilmesinden sonra yatmadan önce tek doz kullanılan antibiyotiklerle tedaviye devam edilir. Bu sürede enfeksiyon tekrarlamazsa 6-7 ay süresince gün aşırı geceleri yatmadan önce tek doz antibiyotik tedavisi alması önerilebilir. Eğer tekrarlayan enfeksiyonların nedeni böbrek taşı, apse vb. ise bunların tedavi edilmesi gerekir.

Hemşirelik yönetimi: Üriner sitem enfeksiyonlarının hemşirelik yönetimi neden olan enfeksiyonu tedavi etmek ve tekrarlamasını önlemeye yönelik olarak planlanır.

Hemşirelik tanılaması: Üriner sitem enfeksiyonu yakınması olan hastanın enfeksiyona ilişkin belirti ve bulguları gözlenir. İdrar yapma sıklığı, idrar yaparken ara verme, sıkışma hissi, ağrılı idrar yapma, idrar yaptıktan sonra yanma hissi gibi idrar yapma değişiklikleri olup olmadığı değerlendirilerek kaydedilir.

Cinsel yaşamı, kontraseptif yöntem kullanma durumu ve kullandığı yöntem, bireysel hijyen alışkanlıkları, antibiyotik tedavisi ve önerilen koruyucu bakım uygulamalarına ilişkin bilgi ve uygulamaları değerlendirilir. İdrarın rengi, miktarı, yoğunluğu, bulanıklık olup olmadığı, kokusu değerlendirilir.

Hemşirelik tanıları: Hemşirelik tanılamasına dayanarak saptanabilecek hemşirelik tanıları aşağıda verilmiştir:
- Üretra, mesane ya da diğer üriner sistem yapılarındaki enfeksiyon ve enflamasyona bağlı *akut ağrı*
- Enfeksiyonu tetikleyen, tekrarlamasına neden olan etmenler, tekrarların saptanması, önlenmesi ve ilaç tedavisine ilişkin *bilgi eksikliği*

Olası komplikasyonlar:
- Böbrek dokusu hasarına bağlı *böbrek yetersizliği*
- *Sepsis*

Planlama/amaçlar:
Hemşirelik tanılarına göre bakımın planlanmasındaki temel amaçlar ağrının azaltılarak hastanın rahatının sağlanması, hastanın koruyucu önlemler, tedavi yöntemleri konusunda bilgisini arttırarak komplikasyonların gelişmesini önlemeye yöneliktir.

Hemşirelik girişimleri:
I. **Ağrıyı gidermek:** Üriner sistem enfeksiyonlarında hastanın ağrısını gidermek için ilk yapılacak girişim hasta için önerilen etkin antibiyotik tedavisine başlamaktır. Mesane irritasyonu ve ağrıyı gidermek için antispazmodikler kullanılabilir. Aspirin tedavisi ve perineal bölgeye lokal sıcak uygulama ağrı ve spazmı gidermede yardımcı olabilir. Böbrek kan akımını arttırmak ve bakterilerin atılımını kolaylaştırmak için hastaya olabildiğince bol sıvı alması önerilir. Kahve, çay, turunçgiller, baharatlar, kolalı içecekler ve alkol gibi üriner sistemde irritasyona neden olabilecek içeceklerin alınmaması konusunda hasta uyarılır. Hastaya 2-3 saatte bir idrar yapmanın bakterilerin atılımı, idrar birikiminin önlenmesi ve enfeksiyonun önlenmesi açısından önemi açıklanarak uygulamasının önemi vurgulanır.

2. **Hasta eğitimi:** Hemşire hastanın gereksinimleri doğrultusunda üriner sistem enfeksiyonlarının tekrarlamasını önleme ve enfeksiyonun yönetimi konusunda bilgilendirilmesi için eğitim planlar ve uygular. Hasta eğitiminde yer verilmesi gereken konular çizelge 42.3'de açıklanmıştır.

Değerlendirme/beklenen sonuçlar
1. Ağrı giderilmiş olmalı
   a. İdrar yaparken dizüri, sıkışma, idrar yaparken duraksama, sıkışma gibi bulguları olmamalı
   b. Önerilen analjezik ve antibiyotikleri önerildiği şekilde alıyor olmalı
2. Üriner sitem enfeksiyonu ve tedavisini açıklayabiliyor olmalı
   a. Koruyucu önlemler ve önerilen tedavileri bildiğini davranışları ve uygulamaları ile gösterebiliyor olmalı
   b. 8-10 bardak/gün sıvı alıyor olmalı
   c. Her 2-3 saatte bir idrar yapıyor olmalı
   d. İdrarı kokusuz ve berrak olmalı
3. Komplikasyonlar gelişmemiş olmalı
   a. Ateş, dizüri, sık idrara çıkma gibi enfeksiyon bulguları ya da bulantı, kusma, yorgunluk, güçsüzlük, kaşıntı gibi böbrek yetersizliği bulguları olmamalı
   b. BUN ve serum kreatinin düzeyi normal sınırlarda, idrar ve kan kültürleri negatif olmalı
   c. Yaşam bulguları normal sınırlarda olmalı, sepsis bulguları olmamalı
   d. 30ml/saat idrar çıkarıyor olmalıdır.

Üst üriner sistem enfeksiyonları
Piyelonefrit
Böbrek parankim dokusu ve pelvisinde bakterilerin neden olduğu akut ve kronik seyirli bir üst üriner sistem enfeksiyonudur.

Etiyoloji: Etiyolojide en önemli etken E.Coli'dir. Bunun yanı sıra Proteus, Klebsiella, Stafilokok ve Streptokok etiyolojide rol oynayan diğer patojenlerdir. Sistit, veziko-üretral reflü, mesane tümörleri, prostat hipertrofisi, yapısal darlıklar, böbrek taşları, DM, sık kateterizasyon ve gebelik gibi durumlar piyelonefrit etiyolojisinde risk oluşturan faktörlerdir.

Patofizyoloji: Enfeksiyon etkeni organizmalar üretradan mesane içine doğru yayılır. Daha sonra üreterler ve böbreklerde bakteri kolonizasyonları oluşarak böbrek parankim dokusu ve böbrek pelvisinde enflamasyon ve skar dokusu gelişir. Enfeksiyonun kan yoluyla yayılımı nadirdir. Ancak septisemi, bakteriyemi ve endokardit sonrası da böbrek parankim dokusunda hasar oluşabilir.

Klinik belirti ve bulgular: Akut piyelonefritte alt üriner sistem enfeksiyonlarındaki belirti ve bulgulara ek olarak ateş, titreme, sıkıntı, yan ağrısı, baş ağrısı, kusma, kilo kaybı, etkilenen tarafta kostavertebral hassasiyet, kas ağrısı, gibi bulgular vardır. Laboratuvar bulgusu olarak kanda lökositoz, idrarda bol lökosit ve bakteri kümeleri saptanır. İdrar bulanık ve kötü kokuludur. Kronik piyelonefrit tekrarlayan akut piyelonefrit atakları ile gelişir.

Akut piyelonefritteki enfeksiyon belirti ve bulgularından hiç biri görülmeden gelişebileceği gibi, akut piyelonefrit bulgularının yanı sıra iştahsızlık, kilo kaybı, poliüri, aşırı susama, yorgunluk, hipertansiyon gibi bulgular ve böbrek yetersizliği bulguları olabilir.

Tanı yöntemleri
İdrar incelemesi yapılarak idrarda bakteriüri, piyüri ve proteinüri araştırılır. İdrarda her alanda 100.000/ml bakteri görülmesi enfeksiyon göstergesidir. Kanda BUN ve kreatinin düzeyi yükselmesi ve bakteriyemi, sedimantasyon hızı yükselmesi, fizik incelemede kostavretebral hassasiyet ve yan ağrısı tanıyı doğrulamada yaralanılan bulgulardır. Radyolojik incelemede üreterler, mesane ve böbreğin görüntülenmesini sağlayacak direkt karın grafisi, etiyolojide rol oynayan faktörlerden vezikoüretral reflü, mesane ve üretradaki yapısal patolojilerin saptanmasını sağlayan idrar sistogramı, parankim dokusundaki skarlaşmayı gösteren IVP, US ve radyoizotop inceleme yöntemleri tanıda yaralanılan yöntemlerdir.

Tedavi: Akut piyelonefrit tedavisinde hastalar genellikle evde tedavi edilir. Ancak şiddetli bulantı, kusmaya bağlı dehidratasyonu olan hastalar ve sepsis bulguları olan hastalar İV sıvı ve antibiyotik tedavisi için hastanede tedavi edilirler. Tedavide hastanın yatak istirahatine alınması, bol sıvı alımının sağlanması, kültüre uygun antibiyotik, ateş ve ağrıları kontrol altına almak için analjezik ve antipretik tedavisi başlıca uygulamalardır. Antibiyotik tedavisinde Trimethoprim 100mg ya da nitrofurantion 50mg 10-14 gün süreyle oral olarak verilir. Tedaviden 2-6 hafta sonra idrar kültürü yapılarak bakteriüri durumuna göre tedaviye daha uzun süre devam edilir. Kronik piyelonefritte idrar kültürüne uygun antibiyotik tedavisi uygulanır. Antibiyotik seçiminde özellikle böbrek işlevlerindeki bozulma dikkate alınarak böbrekler için toksisitesi en az olan antibiyotik seçilir. Hastanın bol sıvı alımı, sık idrar yapmaya ve üriner sistem antiseptiği kullanmaya yönlendirilmesi tedavide yer alabilecek diğer uygulamalardır.

Komplikasyonlar: Tekrarlayan ve uygun tedavi edilmeyen piyelonefritlerin kronik böbrek yetersizliğine dönüşme, kronik piyelonefritlerin de hipertansiyon, böbrek taşı oluşumu ve son dönem böbrek yetersizliği gibi komplikasyonları vardır.

Hemşirelik yönetimi

Hemşirelik tanılaması: Hasta güçsüzlük, yorgunluk, idrar yaparken ağrı, sıkışma hissi, yan ağrısı, yüksek ateş, titreme gibi akut piyelonefrite ilişkin sübjektif bulgular ve bulantı, kusma gibi kronik piyelonefrite ilişkin sübjektif bulgular açısından değerlendirilir. Piyelonefritli hastanın hemşirelik tanılamasında tek ya da iki taraflı sırt ağrısı, beden ısısı, nabız ve solunum hızında artış, kötü kokulu ve bulanık idrar, idrar incelemesi sonucu piyüri ve bakteri saptanması, kusma, diyare, kan basıncı yükselmesi gibi objektif bulgular değerlendirilerek hemşirelik tanıları konur.

Hemşirelik tanıları

Piyelonefritli hastada saptanabilecek hemşirelik tanıları alt üriner sistem enfeksiyonu olan hastada saptanabilecek hemşirelik tanılarıyla aynıdır. Bunların yanı sıra aşağıdaki hemşirelik tanıları da saptanabilir.

- Hastalığın prognozuna ilişkin bilgi yetersizliğine bağlı *anksiyete*
- Üriner enfeksiyon nedeniyle *idrar boşaltım alışkanlığında bozulma*
- Hastalık, tedavi ve korunmaya ilişkin *bilgi yetersizliği*.

Planlama/amaçlar: Hastanın hastalığa ilişkin kaygılarını ve korkularını ailesi ve sağlık ekibi üyeleri ile paylaşması, normal idrar boşaltım alışkanlığının kazandırılması, hastalık, tedavi ve koruyucu önlemler konusunda yeterli bilgi edinmesini sağlayacak planlama ve uygulamalar yapılmalıdır.

Hemşirelik girişimleri

- Hastanın korku ve kaygılarını açıklayabileceği uygun ortam sağlanması
- Anksiyeteye ilişkin davranışsal bulgularını değerlendirmek için hastanın yakından gözlenmesi ve duygularını rahatça açıklayabilmesi için aktif dinleme yönteminin kullanılması
- Hastanın sorduğu soruların dürüstçe yanıtlanması
- 3000ml/gün sıvı alımı konusunda uyarılması
- Aldığı-çıkardığı sıvı izleminin yapılması
- Çıkardığı idrar miktarı gözlenerek, kan ve idrar inceleme sonuçları değerlendirilerek böbrek işlevlerinin kontrolünün yapılması
- Perineal bakım konusunda eğitim yapılması
- Önerilen antibiyotik tedavisinin önerildiği süre ve dozda kullanmasının öneminin vurgulanması
- Perineal bölgeyi tahriş edebilecek parfümlü ürünler kullanmaması, oturarak ya da küvette banyo yerine ayakta duş biçiminde banyo yapması konusunda uyarılması
- Sık sık idrar yaparak mesanede idrar birikiminin önlenmesinin önemi konusunda uyarılması
- İyileşmeye yardımcı olabilecek yatak istirahatının öneminin vurgulanarak gerekli düzenlemelerin sağlanması
- İdrar miktarında azalma, yüksek ateş, titreme, yan ağrısı, yorgunluk, güçsüzlük bulantı, kusma gibi bulgular deneyimlediğinde hekime haber vermesinin önemi konusunda eğitilmesi
- Günlük kilo izlemi yapması gerektiği ve ani kilo artışı olduğunda hekime bildirmesi konusunda eğitilmesi
- Önerildiği sıklıkta kontrollere gitmesinin önemi konusunda eğitilmesi
- Kronik pyelonefritli hastaların uzun süreli tedavinin önemi konusunda eğitilmesi

Beklenen sonuçlar

- Planlamada amaçlanan tüm sonuçlara ulaşılmış olmalı
- Komplikasyon gelişmemiş olmalı
- Hasta tedavi ve izlemelerini uygun olarak sürdürülebiliyor olmalıdır.

Primer Gromerüller Hastalıklar

Amiloidoz, DM, SLE, sarkoidoz gibi birçok sistemik hastalık glomerülleri etkileyerek akut ve kronik glomerülonefrit, nefrotik sendrom ve hızlı ilerleyici tipte glomerülonefrit gelişimine neden olabilir. Primer glomerüler hastalıklar immünolojik reaksiyon sonucu antijen antikor komplekslerinin böbrek glomerüllerinde enflamasyona neden olması ile belirgindir.

Akut Glomerulonefrit(AGN): Glomerülonefrit, glomerül kapillerlerinde enflamasyon oluşmasıdır. Bakteriyel kökenli AGN genellikle 2 yaşın üzerindeki çocuklarda sıklıkla görülen bir hastalıktır. Ancak viral kökenli AGN her yaşta görülebilir. AGN'li hastaların %1-2'sinde son dönem böbrek yetersizliği gelişebilmektedir.

Etiyoloji: Etiyolojide rol oynayan en önemli etken *A grubu b hemolitik streptekoklardır*. Bu etkene bağlı farenjit, tonsillit gibi üst solunum yolu enfeksiyonu, impetigo gibi deri enfeksiyonu geçirilmesinden yaklaşık 1-3 hafta sonra hastalığa ilişkin bulgular gelişir. Viral kökenli üst solunum yolu enfeksiyonları, kabakulak, su çiçeği, Epstein-Barr, Hepatit B, HIV gibi enfeksiyon etkenleri de etiyolojide rol oynayabilen diğer etkenlerdir. Bazı olgularda dışarıdan ilaçlar ya da serumlarla vücuda giren antijenler, bazı olgularda da bireyin kendi böbrek dokusu antijen olarak rol oynamakta ve enflamasyon sürecini başlatmaktadır.

Üriner Sistem

Çizelge 42.3: Üriner Sistem Enfeksiyonlarının Tekrarının Önlenmesi İçin Hasta Eğitim İçeriği

Hijyen

- Banyo suyundaki bakterilerin üretradan girişini önlemek için oturarak/küvette banyo yerine duş biçiminde ayakta banyo yapılmasının tercih edilmesi
- Her dışkılamadan sonra perianal bölgenin önden arkaya doğru temizlenmesi. Bu yöntemle kadınlarda dışkıda bulunan patojen mikroorganizmaların kontaminasyonu ile vajinal ve üretral enfeksiyonların oluşması önlenebilir
- Dar ve sentetik iç çamaşırı ve giysilerin perianal bölge için irritan olabileceği
- Parfümlü pudra, ped, jel gibi ürünlerin mesane enfeksiyonları için tetikleyici etken olabileceği
- Spermisid özellikli kontraseptiflerin irritasyona neden olabileceği

Sıvı alımı

Bakterilerin atılımını kolaylaştırmak için alabildiği kadar bol sıvı alımının sağlanması

Kahve, çay, turunçgiller, baharatlar, kolalı içecekler ve alkol gibi üriner sistemde irritasyona neden olabilecek içeceklerin alınmaması

İdrar yapma alışkanlıkları

2-3 saatte bir idrar yapması ve her defasında uygulama mesanenin tam boşalmasının sağlanması. Bu uygulama mesanede idrar birikimini ve enfeksiyon için uygun ortam oluşmasını önler. Kadınlar için aşağıdaki konularda uyarılar yapılmalıdır:
- Cinsel ilişkiden sonra hemen idrar yapması
- Cinsel ilişkiden sonra önerilen tek doz oral antibiyotiği alması

Tedavi

- İlaçların önerildiği biçimde alınması
- İdrar da bakterilerin saptanması durumunda periüretral alanda bakteri kolonizasyonu ve enfeksiyonun tekrarının önlenmesi için uzun süreli antibiyotik kullanımının gerekebileceği. Önerilen antibiyotiklerin gece yatmadan önce mesaneyi boşalttıktan sonra alınmasının gece boyunca konsantarasyonunu sürdüreceği için yaralı olacağı
- Enfeksiyonun tekrarının önlenmesi için idrarın asiditesini arttıracak C vitamini gibi desteklerin önerildiği biçimde alınması
- İdrarda bakteri olup olmadığının incelenmesi için kendi kendine idrar incelemesi yapması önerilen hastlar için bunun nasıl uygulanacağı konusunda aşağıdaki adımların izlenmesi:

1. Her defasında ayrı tampon kullanarak üretaral meatusun etrafının birkaç kez temizlenmesi
2. Orta idrar örneğinin alınması
3. Test çubuğunu kabından çıkararak aldığı idrar örneğine batırıp çıkartarak kabın içine tekrar koyması
4. Ürünün üzerinde yazan talimata göre oda ısısında önerilen süre bekletilmesi
5. Ürünle birlikte verilen çizelgedeki bakteri kolonizasyonu ölçeği ile test çubuğundakinin karşılaştırılması
6. Sonuçlara göre önerilen antibiyotik tedavisine başlanması ve tam dozun tamamlanması
7. Beden ısısında yükselme olduğunda yada belirti ve bulgular inatçı olduğunda kendisini izleyen hekim/hemşireye durumunu bildirmesi
8. Yapılması gereken izlemler, bulguların tekrarlaması yada tedaviye yanıt vermeyen dirençli enfeksiyonlar konusunda sağlık bakım ekibine danışması

Patofizyoloji: Glomerülonefritde patofizyoljik sürecin oluşması çizelge 42.4'te verilmiştir.

Klinik belirti ve bulgular: AGN'in ilk bulgusu mikroskobik ya da makroskobik olarak görülebilen hematüridir. İdrarda bulunan eritrositler, proteinler ve artık ürünler nedeniyle idrar çay ya da kola rengindedir. Ilımlı olgularda hematüri tesadüfen yapılan rutin bir idrar incelemesinde mikroskobik olarak saptanabileceği gibi, şiddetli olgularda oligüri ile birlikte seyreden akut böbrek yetersizliği tablosuyla da ortaya çıkabilir.

AGN'de streptetok enfeksiyonunun geçirilmesinden sonra 10 günlük gizli/sessiz dönemden sonra ilk bulgular ortaya çıkmaya başlar. Glomerül membranın geçirgenliğinin artmasına bağlı proteinüri, idrarla atılımının azalmasına bağlı BUN, serum kreatinin ve potasyum düzeyinde yükselme saptanabilecek diğer laboratuar bulgulardır. Bazı hastalarda anemi de gelişebilir. Hastaların %75'inde değişik düzeylerde ödem (başlangıçta göz çevresinde periorbital ödem biçiminde olup, daha sonra tüm vücutta yaygın anazarka biçiminde ödem olabilir) ve hipertansiyon gelişir.

Daha ciddi olgularda baş ağrısı, halsizlik, karın ve yan ağrısı bulguları olabilir. Yaşlı bireylerde sıvı yüklenmesine bağlı dispne, boyun venlerinde genişleme, kardiyomegali, pulmoner ödem gelişebilir.

Tanı yöntemleri: Hasta öyküsü, fiziksel inceleme ve laboratuvar incelemeler tanıda yaralanılan yöntemlerdir. Öyküde yakın zamanda geçirilmiş bakteriyel ya da viral enfeksiyon yönlendirici olur. Fizik incelemede palpasyonla böbrek dokusunda büyüme ve ödeme bağlı genişleme saptanabilir. Laboratuar incelemede antistreptolizin O (ASO) titrasyonunda ve C reaktif proteininde (CRP) yükselme streptokoklara karşı antikorların geliştiğinin göstergesidir. Serum kompleman düzeylerinde (özellikle C1q, C3, C4) azalma saptanabilir ancak 2-8 hafta içerisinde normale dönebilir. BUN, serum kreatinin, potasyum düzeyinde ve kan sedimantasyon hızında yükselme saptanır. İdrar incelemesinde proteinüri, hematüri, slendir hücreler, lökosit ve epitel hücreler saptanır. Bu yöntemlerle tanıda kuşku duyulan olgularda böbrek biyopsisi ile kesin tanıya gidilir.

Prognoz ve komplikasyonlar: AGN'i çocukların %90'ı tam iyileşme sağlanır. Erişkinlerde iyileşme durumu tam olarak değerlendirilememekle birlikte iyileşme yaklaşık %70 düzeyindedir. Olguların yaklaşık %1-2'sinde kronikleşme ve son dönem böbrek yetersizliği gelişir. AGN'e bağlı gelişebilecek komplikasyonlar hipertansif ansefalopati, kalp yetersizliği ve pulmoner ödemdir. Hızlı ilerleyici glomerülo-nefritler böbrek işlevlerinde hızla bozulmaya neden olarak son dönem böbrek yetersizliğiyle sonuçlanabilir.

Çizelge 42.4: Glomerulonefritte Patofizyolojik Süreç

Antijen (Agrubu β hemolitik streptekok)
↓
Antijen-antikor üretimi
↓
Antijen-antikor kompleksinin glomerüllerde birikimi
↓
Glomerüllerde epitel hücre yapımında artış
↓
Glomerüllerde lökosit infiltrasyonu
↓
Glomerül filitrasyon membranında kalınlaşma
↓
Glomerül filitrasyon membranında kayıp ve skar dokusu oluşumu
↓
Glomerül filitrasyon hızında(GFR)azalma

Tedavi: Tedavi bulguların giderilmesi, böbrek işlevlerinin tam olarak yerine getirilmesinin sağlanması ve gelişebilecek komplikasyonların tedavisi olarak planlanır. İlaç tedavisi neden olan etkene bağlı olarak değişir.

Streptokok enfeksiyonundan sonra gelişen olgularda penisilin procain ya da eritromisin tedavisi uygulanır. İmmün yanıtı baskılamak için hızlı ilerleyici tipte olan glomerulonefritlerde kortikosteroid, immünosüpresif tedaviler ya da plazmaferez uygulanabilir.

Ancak streptokok enfeksiyonu sonrası gelişen akut glomerülonefritlerde bu tedavilerin bir yararı olmadığı gibi sıvı retansiyonu ve hipertansiyon gibi yan etkileri de vardır.

Akut evrede hasta yatak istirahatına alınır. Böbrek yetersizliği, BUN düzeyinde yükselme olan hastalarda aldığı-çıkardığı sıvı izlemi yapılarak sıvı kısıtlaması, ödem, hipertansiyon ve kalp yetersizliği olan hastalarda sodyum kısıtlaması yapılır. Hastanın BUN ve kreatinin düzeyine göre alacağı protein miktarı belirlenir.

Hemşirelik yönetimi

Hemşirelik tanılaması: Hemşirelik tanılamasında hastanın sübjektif ve objektif verileri değerlendirilerek hemşirelik bakımı planlanır ve uygulanır.

Sübjektif veriler: Yakın zamanda geçirilmiş boğaz ya da deri enfeksiyonuna ilişkin sağlık öyküsü, gribal bulgular ve baş ağrısı yakınması, yan ağrısı, güçsüzlük, iştahsızlık, idrar renginde koyulaşma, idrar miktarında azalma, yüzde ödem, görmenin bozulması, hastanın beden algısında bozulma.

Objektif veriler: Beden ısısı ve kan basıncında artma, yüzde periorbital ödem, ödemin sakral bölge bacaklara yayılımı, asit gelişimi, derinin genel görünümü ve bütünlüğü, kilosu, kalp ve akciğer sesleri değerlendirilerek elde edilen verilerdir.

Hemşirelik tanıları
- Böbrek işlevlerinin kalıcı olarak bozulması olasılığı nedeniyle *korku*
- Böbrek işlevlerinin bozulmasına bağlı *sıvı volüm artışı*
- Beden algısında değişmeye bağlı *sosyal aktivitelerden kaçınma*
- Hastalık sürecine bağlı *beslenme alışkanlığında değişiklik beden gereksiniminden az/fazla beslenme*

Planlama/amaçlar: Hastanın böbrek işlevlerinde bozulmaya ilişkin korkularını ailesi ve sağlık bakım ekibi üyeleriyle konuşabilmesi, ödeminin azaltılarak yeterli idrar atılımının sürdürülmesi, sosyal aktivitelere katılımının ve önerilen diyete uymasının sağlanması için planlama ve uygulamalar yapılır.

Hemşirelik girişimleri
- Hasta ve ailesine destek sağlanması
- Hastanın korkularını rahatça tartışabileceği ortam sağlanması
- Diğer enfeksiyonlardan korunmanın öneminin açıklanması
- Üst solunum yolu enfeksiyonu olan bireylerin hastayı ziyaret etmesine ve bakım vermesine izin verilmemesi
- Kalıcı böbrek hasarını önlemede ilaç tedavisi, yatak istirahatı ve diyetin öneminin tartışılması
- Önerilen laboratuvar incelemelerini yaptırması ve kontrollere gitmesinin öneminin vurgulanması
- Önerilen miktarda sıvı alımını sürdürmesinin öneminin vurgulanması ve uygulayıp uygulamadığının izlenmesi
- Aldığı ve çıkardığı sıvı miktarının saatlik olarak izlenmesi ve kaydedilmesi
- Günde birkaç kez ağız bakımı verilmesi. Bu özellikle sıvı kısıtlaması olan hastalarda çok önemlidir.
- Sıvı kısıtlaması uygulanan hastalarda susuzluğu gidermek için şekerleme ya da buz parçacıkları emmesinin önerilmesi
- Periorbital ödeme bağlı rahatsızlığı gidermek için serum fizyolojik solüsyonu ile göz çevresine bakım uygulanması
- Sosyal aktivitelere katılım için yönlendirilmesi
- Katı gıdalarla beslenmesine izin verildiğinde yüksek oranda şeker içeren gıdalar yerine kompleks karbonhidrat içeren gıdaları almasının sağlanması
- Hematüri/proteinürisi devam eden hastalar için protein kısıtlaması önerildiğinde diyet uzmanı ile işbirliği yapılarak kısıtlamalara uyulması
- İnatçı ödemi olan hastalarda sodyum kısıtlamasına uyulması, hastanın dondurulmuş ya da konserve edilmiş gıdalar yerine taze gıdalarla beslenmesinin sağlanması

- Hasta taburcu edilmeden önce beslenme, sıvı ve aktivite kısıtlamaları ve aldığı-çıkardığı sıvı izlemi konularında hasta ve yakınlarının eğitilmesi
- Hasta ve yakınlarına hekime baş vurmaları geren durumları içeren bir liste verilmesi

Beklenen sonuçlar
Hemşirelik bakımını planlamada hedeflenen amaçlara ulaşılmış olmalıdır.

Kronik glomerülonefrit (KGN): Genellikle çocukluk döneminde gelişen uzun süreli bakteriyel enfeksiyonların uygun tedavi edilmemesi sonucunda ya da akut enfeksiyon öyküsü olmadan glomerüllerde ilerleyici hasar sonucu böbrek işlevlerinin bozulması ile ortaya çıkan bir sendromdur.

Patofizyoloji: Kronik glomerülonefrit akut glomerülonefritin sık aralıklarla tekrarlaması, hipertansif nefroskleroz, hiperlipidemi, kronik tübülointerstisyel hasar ya da hemodinamik nedenli glomerüler skleroz sonucu gelişir. Böbrek dokusu normal büyüklüğünün beşte birine kadar küçülür ve böbrekte fibröz doku artar. Korteks tabakası 1-2 mm kadar kalınlaşır.

Çok sayıda glomerülde skar dokusu, böbrek arterleri ve dallarında kalınlaşma oluşur. Glomerüllerdeki hasara bağlı olarak nefronlar kandaki artık ürünleri filtre edebilme yeteneklerini kaybeder. Protein (albümin) ve eritrositler idrara daha fazla miktarda geçerken BUN ve kreatinin düzeyi artar. Sonuçta glomerüllerdeki ciddi hasara bağlı son dönem böbrek yetersizliği gelişir.

Klinik belirti ve bulgular: Kronik glomerülonefritte bir çok klinik belirti ve bulgu vardır. Bir çok hastada uzun yıllar hiçbir bulgu olmadan hastalık kronik bulgularıyla ortaya çıkabilir. DM, SLE gibi hastalıklar çoğunlukla böbrek işlevleriyle ilgili bozulmayı maskeleyerek hastalığın erken dönemde tanınmasını engelleyebilirler. Rutin bir inceleme sırasında hipertansiyon ya da BUN ve serum kreatinin düzeyinde yükselme, rutin göz incelemesinde göz damarlarında değişiklikler, retinada kanamalar saptanmasıyla ortaya çıkabilir.

Hastalığın ilk bulgusu ani başlayan ciddi burun kanaması, inme ya da nöbet geçirme olabilir. Hastaların büyük bir çoğunluğu geceleri ayaklarında hafif bir şişmeden yakınabilirler. Hastaların çoğu kilo kaybı, gerginlik, huzursuzluk, normaldeki alışkanlığından daha fazla gece idrara çıkma (noktüri), baş ağrısı, halsizlik ve sindirim sistemi ile ilgili genel yakınmalar belirtirler.

Kronik glomerülonefrit ilerleyerek kronik böbrek yetersizliği bulguları gelişebilir. Hastalar aşırı bitkin, derileri grimsi sarı renkte, periorbital ve periferal ödem vardır. Kan basıncı normal ya da ciddi düzeyde yükselmiştir. Retinada kanama, ödem, arterlerde daralma ve göz dibinde ödem vardır. Anemiye bağlı olarak müköz membranlar soluktur. Kardiyomegali, kalpte gallop ritmi, boyun venlerinde genişleme, kalp yetersizliğine bağlı diğer bulgular ve akciğerlerde krepitasonlar duyulabilir.

Hastalığın ileri dönemlerinde periferal nöropati, derin tendon reflekslerinde azalma ve duyu algılamayla ilgili değişiklikler görülür. Hasta konfüzedir ve dikkatini toplamada güçlük çeker. Perikardit ve pulsus paradoksus (inspirasyon ve ekspirasyondaki kan basıncı değerleri arasında 10mmHg'dan fazla fark olması) hastalığın geç dönemlerinde gelişebilecek diğer bulgulardır.

Tanı yöntemleri: Kronik glomerülonefritte bir çok laboratuvar değerinde normal dışı bulgular vardır. İdrarda izostenüri (idrarın özgül ağırlığının 1010 civarında sabit olması), proteinüri, slendirüri (eritrosit, hiyalin ve granüllerin idrarda bulunması) gibi bulgularının yanı sıra BUN, serum kreatinin ve ürik asit düzeyinde artma, hipoalbüminemi, anemi, hiperkalemi, hiperfosfatemi, hipokasemi, hipermagnezemi tanıda yaralanılan laboratuvar bulgularıdır. Direkt göğüs grafisinde kardiyomegali ve pulmoner ödem, EKG sol ventrikül hipertrofsi ve T dalgasında yükselme tanı koydurucu bulgulardır. Böbrek biyopsisi, US ve BT kesin tanı koymaya yardımcı yöntemler olarak kullanılabilmektedir.

Tedavi: Semptomatik ve destekleyici tedavi uygulanır. Hipertansiyonu olan hastalarda sodyum ve su kısıtlaması ve antihipertansif tedavi uygulanır. Günlük kilo takibi yapılarak önerilen diüretik tedavi uygulanır. Beslenmede yumurta, et gibi biyolojik değeri yüksek protein içeren gıdalar verilir. Doku iyileşmesi yenilenmesi için yeterli kalori alımı sağlanır. Hastanın fiziksel durumunu en üst düzeyde sürdürmek, sıvı ve elektrolit dengesizliğini önlemek ve böbrek yetersizliğine neden olabilecek komplikasyonları önlemek için erken evrede diyaliz tedavisine başlanır ve hastanın durumuna göre tedavi sürdürülür.

Hemşirelik yönetimi: Hasta yatak istirahatına alınarak sıvı elektrolit değişiklikleri, böbrek işlevleriyle ilgili değişikler izlenir. Sıvı-elektrolit, kardiyolojik ya da nörolojik değişiklikler hekime bildirilir. Hasta ve ailenin hastalık, prognoz ve tedaviye bağlı anksiyeteleri olabilir. Hemşire hasta ve aileye emosyonel destek sağlayarak, kaygılarını paylaşmaları, merak ettikleri konularda soru sorabilmeleri için uygun ortam ve destek sağlamalı ve gerekli bilgiyi vermelidir. Hastalığın ileri evrelerinde diyaliz uygulanan hastalarda hemşirelik yönetimi ve evde bakımın sürdürülmesine ilişkin uygulama ve eğitimler yapılır (Bkz. Diyaliz tedavisinde hemşirelik yönetimi.

42. Üriner Sistem Hastalıkları

Nefrotik sendrom: Nefrotik sendrom normal albümin düzeyleri ve normal glomerüler filtrasyon hızı varlığında 24 saatlik idrarda 3.5 gr üzerinde protein kaybedilmesidir. Proteinüri, hipoalbüminemi, ödem ve hiperlipidemi hastalığın karakteristik özellikleridir.

Epidemiyoloji: Nefrotik sendrom çocukluk dönemi hastalığı olarak kabul edilmesine karşın her yaş grubunda görülebilen bir hastalıktır. Görülme sıklığı ve klinik özellikleri yaş gruplarına, coğrafik bölgelere göre ve ırk özelliklerine göre farklılık gösterir. Adölesanlarda 16 yaşın altında insidansın 2-7/100.000, prevalansın 16/100.000 olduğu bildirilmektedir. Asya kökenli çocuklarda Avrupa kökenli çocuklara göre 6 kez fazla olduğu, erkek çocuklarda kız çocuklara göre daha fazla görüldüğü bildirilmektedir. Erişkinlerde kadın erkek ayrımı olmaksızın görülme sıklığı eşitlenmektedir.

Etiyoloji: Etiyolojide rol oynayan birçok etken vardır. Etiyolojik faktörler primer ve sekonder olarak ayrılır. Çizelge 42.5'de Nefrotik sendrom etiyolojisinde rol oynayan nedenler verilmiştir.

Patofizyoloji: Nefrotik sendromda temel patofizyolojik mekanizma plazma proteinlerinin özellikle albüminin kaybına bağlı hipoalbüminemi gelişmesidir. Çizelge 42.6'te nefrotik sendromda patofizyolojik mekanizma verilmiştir.

Klinik belirti ve bulgular: Nefrotik sendromun başlıca belirtisi ödemdir. Genellikle yumuşak ve basmakla gode(iz) bırakır nitelikte olan ödem çoğunlukla periorbital bölgede görülür. Ayak sırtı ve peritibyal bölgede, sakrum, bilekler, eller, skrotum ve karında (assit) yaygın (anazarka) biçiminde ödem de görülebilir. Kan basıncı artışı olabilir. Güçsüzlük, yorgunluk, baş ağrısı, karın ağrısı, anemi, solukluk, huzursuzluk, iştahsızlık, kadınlarda menstürasyon sorunları görülebilecek diğer klinik bulgulardandır.

Tanı yöntemleri: Laboratuvar incelemelerinde idrarda proteinüri (3-3.5gr/gün tanı koydurucu başlıca kriterdir. Proteinürinin tipini belirlemek için protein elektroforezi ve immünoelektroforezi yapılabilir. İdrarda lökosit, silendir hücreler bulunabilir. Kanda hipoalbüminemi, hiperlipidemi, üre ve kreatinin düzeyinde artama tanıda yaralanılan verilerdir. Özellikle lupus nefritinde anti-C1q antikorları hastalığın aktivitesini değerlendirme yaralanılan verilerdendir.

Böbrek dokusundaki histolojik değişiklikleri saptamak için iğne biyopsisi yapılarak alınan doku örneği incelenebilir.

Komplikasyonlar: Nefrotik sendromda immün sistemin baskılanmasına bağlı olarak enfeksiyon, antitrombin azalması, fibrinojen ve trombosit artışına bağlı renal ven trombozu, pulmoner emboli, hipovolemiye bağlı akut böbrek yetersizliği, hiperlipidemiye bağlı atreoskleroz oluşum hızında artış gibi komplikasyonlar gelişebilir.

Tedavi: Nefrotik sendromda tedavi ödemi gidermek ve nefrotik sendromun gelişmesine neden olan hastalığı tedavi etmek ya da kontrol altına almak amacıyla planlanır. Ödemin kontrol altına alınması için diüretikler kullanılır. Ancak diüretiklerin plazma volümünde azalma, dolaşım bozulması gibi nedenlerle akut böbrek yetersizliliğine neden olabilme riski unutulmamalı ve bu nedenle dikkatli kullanılmalıdır. Anjiyotensin-converting enzim (ACE) inhibitörleri (captopril, enalopril vb.) ve diüretiklerin birlikte kullanımı ile 4-6 hafta içerisinde proteinüri kontrol altına alınabilir. Nefrotik sendrom tedavisinde kullanılan diğer ilaçlar, antineoplastik ajanlar (clylophoshamide-Cytoxan), immünosüpresif ajanlar (azothioprine-Imuran)ve tekrarlamaların görüldüğü hastalarda kortikosteroidlerdir. Hiperlipideminin tedavisi için rutin uygulanan hiperlipidemi ilaçlarıyla başarılı sonuç alınamamaktadır. Tedavide diyetin önemli yeri vardır. Düşük sodyumlu, potasyumu kısıtlı olmayan diyet verilerek sodyum/potasyum pompası çalışma mekanizması güçlendirilebilir ve ödemin kontrol altına alınması sağlanır. Diüretiklerin uzun süreli kullanımına bağlı hipokalemi gelişebileceğinde gerektiğinde potasyum desteği sağlanır. Diyet 0.8gr/kg/gün protein almasını sağlayacak biçimde düzenlenir. Diyette yüksek biyolojik proteinleri içeren yumurta, et, süt gibi proteinlerin alınması sağlanır ve diyette doymuş yağların alımı kısıtlanır.

Hemşirelik yönetimi: Hastalığın erken evrelerinde hemşirelik yönetimi akut glomerülonefritli hastanın hemşirelik yönetimi gibidir. Ancak hastalığın ilerlemesiyle hemşirelik yönetiminde kronik böbrek yetersizliği olan hastanın hemşirelik yönetimi uygulanır.

Hemşirelik tanılaması: Glomerülonefritli hastada olduğu gibi kapsamlı öykü alınır. Ödemin yeri, miktarı, niteliği, aldığı- çıkardığı sıvı miktarı, ödeme bağlı deri bütünlüğünde bozulma olup olmadığı, pulmoner ödem bulguları, enfeksiyon bulguları, karın çevresi ve kilo kontrolü yapılarak elde edilen veriler doğrultusunda hemşirelik tanıları belirlenir.

Hemşirelik tanıları: Hastanın değerlendirilmesiyle elde edilen verilere dayanarak hemşirelik tanıları konur.
- Ödem nedeniyle *deri bütünlüğünde bozulma riski*
- İştahsızlık, ve uygulanan diyetle ilgili *beslenmede değişiklik /beden gereksiniminden az beslenme*
- İmmün sistem baskılanmasına bağlı *enfeksiyon riski*
- Yorgunluk ve güçsüzlüğe bağlı *aktivite intoleransı*
- Diyet ve tedavilerin yaşam biçiminde değişikliğe neden olmasına bağlı *bireysel baş etmede yetersizlik*.

Planlama/amaçlar: Ödeme bağlı deri bütünlüğünde bozulmanın önlenmesi, yeterli ve dengeli beslenmenin sağlanması, enfeksiyonlardan koruyucu önlemlerin alınması, hastada yorgunluğa neden olmayacak bir aktivite planı hazırlanması ve hastalıkla baş edebilmesini sağlayacak planlama ve uygulamalar yapılmalıdır.

Hemşirelik girişimleri

- Ödeme bağlı gergin olan derinin nemliliği, temiz ve kuru olması sağlanır
- Ödem için önerilen diüretik tedavisinin önerildiği biçimde uygulanması sağlanır
- Aldığı ve çıkardığı sıvı miktarı izlenir ve kaydedilir
- Günlük kilo kontrolü yapılır
- Enfeksiyonlardan korumak için yapılan girişimlerde asepsi-antisepsi ilkelerine uyulur
- Hasta ve yakınları enfeksiyondan koruyucu önlemler konusunda eğitilir
- Üst solunum yolu enfeksiyonu olan bireylerin hastayı ziyaret etmesine ve bakım vermesine izin verilmez
- İlaç tedavisi, yatak istirahatı ve diyetin öneminin vurgulanır
- Az ve ve sık aralıklarla beslenme sağlanır
- Günlük aktiviteler hastanın tolere edebileceği ve yorgunluğa neden olmayacak biçimde düzenlenir
- Sağlıklı ve uygun baş etme yöntemleri konusunda hastaya destek sağlanır

Beklenen sonuçlar

- Deri bütünlüğü korunuyor olmalı
- Ödem kontrol altına alınabilmiş olmalı
- Enfeksiyon bulguları görülmemeli
- Önerilen diyeti alabiliyor olmalı
- Hastalıkla baş etmede uygun baş etme yöntemlerini uygulayabiliyor olmalıdır.

Böbrek Yetersizliği

Böbrek yetersizliği böbreklerin metabolik artık ürünlerin atılması ve sıvı-elektrolit dengesinin sürdürülmesi gibi işlevleri geçici ya da kalıcı olarak yerine getirememesi durumudur. Böbrek yetersizliği akut ve kronik böbrek yetersizliği olarak iki grupta incelenebilir.

Akut böbrek yetersizliği (ABY): Böbrek işlevlerinin birkaç saat ya da gün içerisinde bozulması nedeniyle 24 saatlik idrar miktarının 400 ml altına düşmesi, BUN ve serum kreatinin düzeyinin yükselmesiyle karakterize bir hastalıktır. Normalde vücuttaki metabolizma artıklarının atılabilmesi için günlük idrar miktarı 400 ml ya da saatlik idrar miktarı 30 ml olmalıdır.

Etiyoloji: ABY'nin etiyolojisinde rol oynayan nedenler üç grupta incelenebilir. Bunlar prerenal, renal ve postrenal nedenlerdir (Çizelge 42.7).

Patofizyoloji: ABY'nin patofizyolojisini aşağıdaki adımlarda incelemek olasıdır.

Böbrek vazokonstrüksiyonu: Hipovolemi ve böbrek kan akımında azalmaya bağlı olarak anjiyotensin-aldesteron sistemi harekete geçerek renin salgılanması uyarılır. Buna bağlı olarak periferal arterler ve böbreğin afferent arteriyollerinde vazokonstrüksiyon oluşur. Kan akımındaki azlma GFR ve glomerül kapiller basıncının azalmasına neden olarak tübüler işlev bozukluğuna bağlı oligüri meydana gelir.

Hücre ödemi: İskemiye bağlı anoksi hücre ödemine neden olur. Hücre ödemi doku basıncını ve kapiller kan akımı basıncını arttırır. Yetersiz kan akımı GFR engeller.

Glomerüler kapiller geçirgenliğin azalması: İskemi glomerüller epiteliyal hücrelerde değişikliğe ve glomerüllerin kapiller geçirgenliğinin azalmasına neden olur. Bu durum GFR ve özellikle tübüler kan akımında azalmaya neden olarak tübüllerin işlevini bozar.

İntratübüler tıkanıklık: Tübüler hasra bağlı interstisyel ödem gelişir ve nekrotik epitel hücreleri tübüllerde birikir. Bu biriken hücreler GFR azalmaya ve tübül içindeki basıncın artmasına neden olur.

Glomerül filitrasyonda kaçak oluşması: Hasara uğrayan tübüler membranlardan glomerüllerden süzülen sıvı plazma içine kaçarak tübülus içi akım hızını azaltır.

ABY'nin evreleri: ABY'nin klinik gidişinin dört evresi vardır. Bunlar; başlangıç evresi, oligüri evresi, diürez evresi ve iyileşme evresidir.

Başlangıç evresi: Bu evrede etiyolojik etmenlere göre böbrek işlevlerinde bozulma başlar ve hemen girişimde bulunulursa ABY gelişimi önlenebilir.

Oligürik evre: Üre, kreatinin, ürik asit, organik asitler gibi artık ürünlerin ve potasyum, magnezyum gibi hücre içi katyonların böbrekler tarafından atılımının azalmasına bağlı olarak serumdaki yoğunluklarının arttığı dönemdir. Vücuttaki artık ürünlerin böbrekler yoluyla atılımı için idrar miktarının en az 400 ml/gün olması yeterlidir. Bu evrede ilk üremik bulgular görülmeye başlayarak hiperkalemi gibi yaşamı tehdit edici durumlar gelişebilir. Bazı hastalarda günlük çıkarılan idrar miktarı normal olmasına karşın (2 L/gün ya da daha fazla) böbrek işlevlerindeki azalmaya bağlı olarak nitrojen düzeyinde artış söz konusudur.

Çizelge 42.5: Nefrotik Sendromda Etiyolojik Etkenler

Primer glomerüler hastalıklar (%80)	Böbrek dışı nedenler
• Membranöz proliferatif glomerülonefrit • Primer nefrotik sendrom • Fokal glomerülonefritler • Edinsel nefrotik hastalıklar • Transplant rejeksiyonu	**Sistemik hastalıklar** • SLE • DM • Hipotiroidizm • Amiloidoz • Henoch-Schönlein purpurası • Poliarteritis nodosa
	Enfeksiyonlar • Bakteriyel (streptokok, sifilis) • Viral (hepatit, HIV) • Protozoal (sıtma)
	Neoplazmalar • Hodgkin hastalığı • Akciğer, kolon, mide, memedeki solid tümörler • Lösemiler • Lenfomalar
	Alerjenler • Arı/böcek sokması • Polen
	İlaçlar • Penisilin • NSAID • Kaptopril • Eroin • Ağır metaller
	Ailesel hastalıklar • Konjenital nefrotik sendrom • Alport sendromu • Orak hücreli anemi

Böbrek yetrsizliğinin bu türü non-oligürik ABY olark tanımlanır. ABY'nin non-oligürik biçimi çoğunlukla nefrotoksik ajanlara bağlı etiyolojilerde görülür. Yanıklar, travmalar, anestezide kullanılan halojenik ajanlar da bu tür ABY'ne neden olabilir. Oligürik evrede metabolik asidoz, potasyum retansiyonu ve sodyum dengesizliği gibi sorunlar ortaya çıkar.

Diürez evresi: GFR düzelmeye başladığının bulgusu olarak bu evrede idrar miktarında artış olur. Laboratuar değerlerindeki yükselme durarak normale dönmeye başlar. İdrar miktarının artmasına karşın böbrek işlevleri tam olarak düzelmemiştir.

İdrar miktarındaki artış üremiye bağlıdır. Üremik bulgular ve yakınmalar devam ettiği için tıbbi tedavi ve hemşirelik yönetiminin sürdürülmesi gerekir. Bu evrede hastanın diürez bulguları yönünden yakından izlenmesi gerekir. Dehidratasyon gelişmesi üremik bulguların artmasına neden olur.

İyileşme evresi: Bu evrede böbrek işlevleri düzelmeye başlar. GFR artar, BUN ve serum kreatinin düzeylerinde azalma başlar ve normal değerlere yaklaşır. Bu evre 3-12 ay kadar sürer.

Prognoz: ABY'de prognoz hastanın genel sağlık düzeyi, böbrek yetersizliğinin şiddeti, komplikasyonların niteliği ve sayısına göre değişmektedir. Neden olan etmenlere bağlı olarak değişmekle birlikte ABY'li hastalarda mortalite hızı %30-60'dır. Akut tübüler nekroz ve oligüri olan hastlarda mortalite riski %50'dir. Mortalite çoğunlukla neden olan hastalığa bağlıdır. Ancak en yaygın mortalite nedeni enfeksiyondur.

ABY'li hastaların %30-70'inde enfeksiyon gelişir. Enfeksiyon insidansı cerrahi ya da travmatik nedenlerle böbrek yetersizliği gelişen hastlarda daha fazladır. Bazı hastlarda iyileşme evresine geçmeden kronik böbrek yetersizliği (KBY) gelişir. Yaşlı bireylerde gençlere göre iyileşme daha azdır. Tam olarak iyileşen hastalarda herhangi bir komplikasyon olmadan böbrekler normal işlevlerini görür.

Üriner Sistem

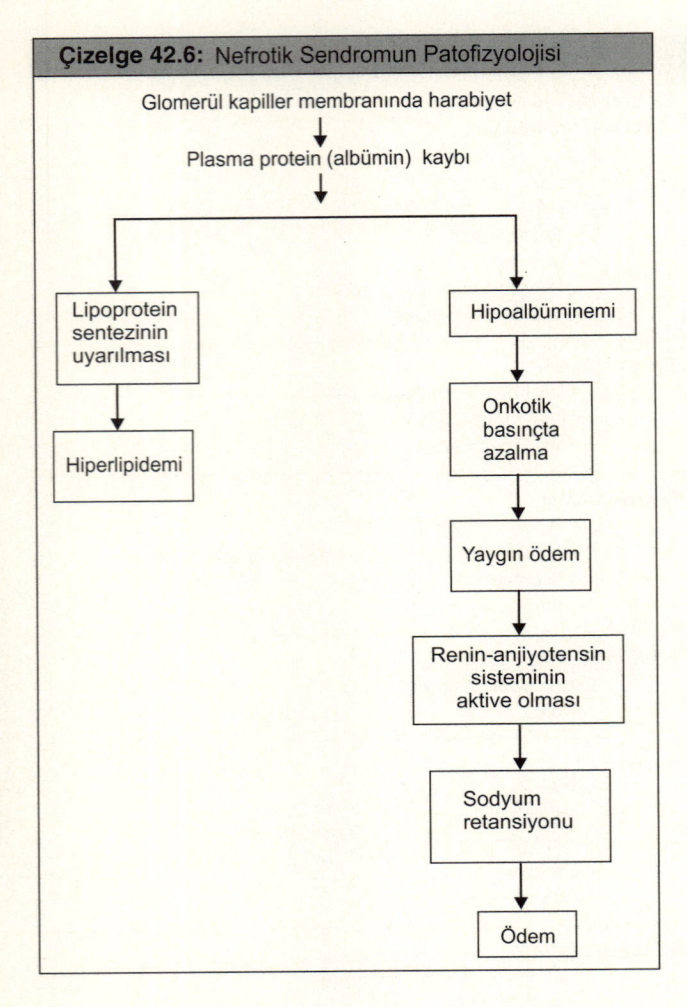

Çizelge 42.6: Nefrotik Sendromun Patofizyolojisi

```
Glomerül kapiller membranında harabiyet
              ↓
    Plasma protein (albümin) kaybı
              ↓
       ┌──────┴──────┐
       ↓             ↓
  Lipoprotein    Hipoalbüminemi
  sentezinin         ↓
  uyarılması     Onkotik
       ↓         basınçta
  Hiperlipidemi  azalma
                     ↓
                 Yaygın ödem
                     ↓
                 Renin-anjiyotensin
                 sisteminin
                 aktive olması
                     ↓
                 Sodyum
                 retansiyonu
                     ↓
                   Ödem
```

Klinik belirti ve bulgular: ABY'de böbreklerin regülasyon mekanizmasının bozulmasına bağlı olarak tüm vücut sistemleri etkilenmektedir. Laterji, inatçı bulantı, kusma ve diyare yakınmaları vardır. Müköz membranlar dehidratasyon nedeniyle kuru, nefeste üremik fetor olarak tanımlanan idrar (amonyak) kokusu vardır. Uyuşukluk, baş ağrısı, kaslarda seyirme ve nöbet geçirme gibi merkezi sinir sitemi bulguları vardır. Etiyolojik etmenlere göre ABY'yaygın klinik bulguları çizelge 42.15'te verilmiştir.

Tanı yöntemleri: ABY'nin tanısında hastanın öyküsünde prerenal, renal ve postrenal etmenlere ilişkin veriler değerlendirilir. Tanıda aşağıdaki değerlendirmeler yardımcı olur.

İdrar değişiklikleri: İdar miktarında değişiklik, hematüri, idrar dansitesinde azalma (1010 ya da daha düşük dansite) bulguları vardır. İdrar sodyumunda azalmaya bağlı (20 mEq/L) prerenal azotemisi olan hastlarda idrar sedimenti normaldir. Renal azotemisi olan hastlarda idrar sodyum düzeyi 40 mEq/L'dir ve idrarda sediment ve diğer hücre artıkları vardır. Enflamasyon olduğu durumlarda böbrek tübüllerinden mukoproteinler salgılanarak idrarda sedimentler saptanır.

Böbrek boyutlarında değişim: Akut ve kronik böbrek yetersizliğinde US önemli bir tanı yöntemidir. Böbreklerdeki patolojik durumun saptanmasında değerli veriler sağlar.

BUN ve kreatinin düzeyinde artma (azotemi): Proteinlerin katabolizmasına, böbrek perfüzyonuna ve protein alımına bağlı olarak BUN düzeyi sürekli artar. Glomerüler hasara bağlı olarak kreatinin düzeyi artar.

Hiperkalemi: GFR azalan hastaların potasyum atılımı bozulur. Oligüri ve anürisi olan hastada hiperkalemi riski artar. Proteinlerin katabolizması sonucu hücre içindeki potasyum vücut sıvılarına geçer ve ciddi hiperkalemiye neden olur. Potasyum kaynakları normal doku katabolizması, diyetle potasyum alımı, GI kanama, kan transfüzyonu, potasyumlu sıvıların infüzyonudur.

Metabolik asidoz: Ani oligüri gelişen hastalar normal metabolik süreç sonucunda açığa çıkan metabolik ürünlerin atılımını yapamaz. Böbreklerin işilevlerinin bozulması da bu durumu olumsuz etkiler. Buna bağlı olarak serum bikarbonat düzeyi ve pH düşerek metabolik asidoz gelişir.

Kalsiyum ve fosfor düzeyi değişiklikleri: GFH azalmasına bağlı böbrekler yoluyla fosfor atılımı bozulur. Serum fosfor düzeyinin yükselmesine kompanzatuar mekanizma olarak kalsiyumun bağırsaklardan emiliminde azalma ve serum kalsiyum düzeyinde düşmeye neden olur.

Anemi: ABY'i olan hastalarda böbreklerin eritropoetin üretiminin azalması, GIS'de üremik lezyonlar, eritrositlerin yaşam süresinin kısalması, kan kayıpları gibi nedenlerle anemi gelişir. Yukarıda verilen laboratuvar ve radyolojik değerlendirmelerin yanı sıra, böbrek sintigrafisi, retrograd piyelografi, BT, MRI ya da böbrek biyopsisi tanı koymada yararlanılabilecek diğer yöntemlerdir.

Korunma: ABY'den korunmada hastanın çevresinde bulunan ve maruz kaldığı toksik ajanlar olup olmadığı, özellikle böbrekler için toksik özelliği olan aminoglikozid, gentamicin, vancomisin, NSAID kullanıp kullanmadığı, kalp yeteresizliği, siroz, enfeksiyon hastalığı olup olmadığına ilişkin kapsamlı öykü alınmalıdır. Kronik analjezik kullanımının özellikle NSAID'lerin uzun süreli kullanımı interstisyel nefrit, papiller nekroz gibi yan etkilere neden olur. Özellikle kalp yetersizliği ve sirozu olan hastaların NSAID kullanımı böbrek yetersizliği için risk oluşturmaktadır. ABY'nin tedavisi oldukça karmaşık, maliyeti yüksek ve mortalite riski fazladır. Bu nedenle hastalığın önlenmesi için gerekli önlemlerin alınması ve izlemlerin yapılması anahtar rol oynar. Çizelge 43.16'da ABY'den korunma için öneriler verilmiştir.

42. Üriner Sistem Hastalıkları

Çizelge 42.7: ABY'de Etiyolojik Etmenler

Prerenal nedenler	Renal nedenler	Postrenal nedenler
Kan akımında bozulmaya bağlı böbreğin kanlanmasının bozulması ve GFR düşmesine bağlı olarak gelişir. Tüm ABY'lerin %50'sinin etiyolojisnde rol oynar.	Böbrek tübülleri yada glomerüllerin harabiyetine bağlı olarak gelişir.	Böbrek tübuluslarından meatusa kadar uzanan yapıların herhangi bir yerinde tıkanıklığa bağlı olarak gelişir.
Volüm azalması •Kanama •Böbrek yoluyla kayıplar(diüretik kullanımı, ozmotik diürez) •Gastrointestinal kayıplar (kusma, diyare, nasogasrtik aspirasyon)	**Uzamış böbrek iskemisi** •Pigment nefropatisi(pigment hücrelerini de içeren kan elemanlarının yıkıma uğrayarak böbrekler ve üriner sistemde tıkanıklara neden olması •Miyoglobülinüri (travma, Crush sendromu, yanıklar) •Hemoglobinüri (kan transfüzyonu reaksiyonu, hemolitik anemi)	**Üriner sistem tıkanıkları** •Taşlar •Tümörler •Benign prostat hipertrofisi •Darlıklar •Pıhtılar •Spinal kord hastalıkları
Kardiyak yetersizlikler •Miyokard enfarktüsü •Kalp yetersizliği •Ritim bozuklukları •Kardiyojenik şok	**Nefrotoksik ajanlar** •Aminoglikozid grubu antibiyotikler (Gentamicin, Tobramycin) •Radyoopak kontrast maddeler •Ağır metaller (kurşun, civa) •Çözücü ve kimyasal maddeler (ethylene, karbon tetraklorür) •NSAID ve ACE inhibitörü gibi ilaçlar	
Vazodilatasyon •Sepsis •Anaflaksi •Antihipertansif ilaçlar yada vazaodilatasyona neden olan diğer ilaçlar	**Enfeksiyonlar** •Akut piyelonefrit •Akut glomerülonefrit	

Tedavi

Böbrek işlevlerinin geri döndürülmesi söz konusu olduğu için ABY'li hastalarda tedavi normal kimyasal dengeyi düzeltmek, komplikasyonları önlemek ve böbrek işlevlerini düzeltmek amacına yönelik olarak planlanır. ABY gelişmine neden olan etiyolojik etmenin bulunması ve tedavi edilmesi gerekir. Prerenal azoteminin tedavisinde böbrek perfüzyonun arttırılması, postrenal nedenlere bağlı yetersizliklerde tıkanıkların giderilmesi tedavinin temelini oluşturur. Azotemide destekleyici tedavi ve ve neden olan etmenin tedavisi esastır. Şok ve enfeksiyon gelişmişse uygun biçimde tedavi edilmelidir. Tıbbi tedavide esas olan sıvı dengesini sürdürmek, aşırı sıvı yüklenmesini önlemek ve gereksinim olduğunda diyaliz tedavisini uygulamaktır.

Sıvı-elektrolit dengesinin sürdürülmesi için günlük kilo izlemi, santral venöz basınç kontrolü, serum ve idrarda artık ürünlerin konsantrasyonlarının izlemi, aldığı-çıkardığı sıvı izlemi, kan basıncı ve klinik durumun izlemi yapılır. Sıvı replasmanı hastanın çıkardığı idrar miktarı, oral yolla aldığı sıvılar, ter, feçes, gastrik aspirasyon, solunum ve yaralardan drene olan sıvılar hesaplanarak düzenlenir.

Taşikardi, dispne ve boyun venlerinde genişleme gibi aşırı sıvı yüklenmesi bulguları olup olmadığı izlenir. Pulmoner ödeme bağlı akciğerlerde hışırtı sesi de sıvı yüklenmesi bulgusu olarak kontrol edilmelidir. Tibial ve sakral alanda ödem olup olmadığı günde birkaç kez izlenmelidir. Diürez sağlamak için mannitol, furosemide (Lasix), ethacrinic asid (Edecrin) kullanılabilir.

Prerenal nedenlere bağlı olarak gelişen ABY'de böbrek kan akımını sağlamak için İV sıvı ya da kan transfüzyonu gerekebilir. Hipoproteinemiye bağlı hipovolemi nedeniyle gelişen ABY'nin tedavisinde albümin infüzyonu gerekebilir. Hiperkalemi, ciddi metabolik asidoz, perikardit ve pumoner ödem gibi komplikasyonların önlenmesi için ABY'nin başlangıç evresinde diyaliz tedavisi gerekebilir. Diyaliz tedavisi uygulanmasına kara verilen hastlarda HD, PD ya da diğer böbrek replasman tedavilerinin seçimi hastanın durumuna göre yapılır.

İlaç tedavisi: Hiperkalemi ABY'li hastlarda yaşamı tehdit eden önemli bir sıvı-elektrolit bozukluğu durumudur. Bu nedenle hastların EKG'de T dalgası değişiklikleri, klinik durum değişikliği, serum potasyum değerleri yönünden dikkatle izlenmesi gerekir. Serum potasyum düzeyi 5.5 mEq/L üzerine çıktığında sodyum polisitron sulfonate (Kayexalate) oral ya da lavman yoluyla verilir. Kayexalate diyare yapıcı etkisi nedeniyle sorbitol ile birlikte verilebilir.

Birçok ilaç böbrekler yoluyla atıldığı için ABY olan hastalarda ilaç dozları çok dikkatli ayarlanmalıdır. Özellikle yaygın kullanılan aminoglikozid grubu antibiyotikler, digoxin, ACE inhibitörleri ve magnezyum içeren ilaç dozlarında dikkatli olunmalıdır.

Diüretiklerin kullanımında sıvı-elektrolit dengesizliği bulguları yönünden hastanın izlenmesi önemlidir. Dopaminerjik reseptörleri uyarmak için düşük doz dopamine tedavisi önerilebilir. Serum bikarbonat ve arteriyel kan gazları izlenerek metabolik asidoz bulguları değerlendirilir ve gereksinime göre sodyum bikarbonat ya da diyaliz tedavisi uygulanır. Solunum sorunları olan hastalara uygun ventilatör desteği sağlanır. Serum fosfat düzeyindeki yükselmeyi kontrol altına almak için alüminyum hidroksid gibi fosfat bağlayıcılar kullanılabilir.

Beslenme tedavisi: ABY şiddetli bulantı ve kusma, glikoz kullanımının, protein alımının bozulması ve doku katabolizmasının artması nedeniyle beslenmede dengesizliğe neden olur. Hastada günlük kilo takibi yapılarak nitrojen dengesine göre protein alımı ayarlanır. Oligürik evrede proteinlerin kaybını yerine koymak ve toksik birikimleri önlemek için 1gr/kg/gün protein içeren diyet alımı önerilir. Kalori gereksinimi karbonhidrattan zengin gıdalarla karşılanır. Muz, turunçgiller, turunçgillerden hazırlanmış meyve suyu ve kahve gibi potasyum içeriği fazla olan olan gıdaların alımı kısıtlanır. Potasyum alımı 40-60mEg/L/gün, sodyum alımı 2gr/gün olarak kısıtlanır. Oligürik evrede şiddetli bulantı ve kusma nedeniyle oral yolla beslenemeyen hastalarda parenteral beslenmeye geçilebilir. Hastada kilo alımı devam eder, kilosunda azalma olmazsa ya da hipertansiyon gelişirse sıvı yüklenmesi olasılığına karşı sıvı kısıtlaması yapılır.

Diürez evresinde serum elektrolit düzeyleri ve çıkardığı idrar miktarı izlenerek beslenme düzeni tekarar gözden geçirilir.

İyileşme evresinde proteinden zengin, yüksek kalorili diyet alımı ve aktivitelerini yavaş yavaş arttırması için hasta yönlendirilir.

Hemşirelik yönetimi
ABY'li hastanın bakımında hemşirenin önemli rolü vardır. Aynı zamanda ABY gelişmesine neden olan etiyolojik etmenlerin belirlenmesi, komplikasyonların izlenmesi, sıvı-elektrolit dengesizliği gelişmesi durumunda acil tedavilerin planlanması, tedavinin ve tedaviye yanıtın değerlendirilmesi, hasta ve yakınlarına fiziksel ve emosyonel destek sağlanması hemşirenin sorumluluklarındandır.

Hemşirelik tanılaması
Hastadan kapsamlı sağlık öyküsü alınarak ABY' ne neden olan etmenler araştırılır. Aşağıda verilen sübjektif ve objektif veriler doğrultusunda değerlendirme yapılarak hemşirelik tanıları saptanır, bunlara yönelik planlamalar yapılarak, girişimler uygulanır.

Sübjektif veriler: Diyare, bulantı, kusma, ödem, iştahsızlık, baş ağrısı, ileri derecede güçsüzlük, mental durum değişiklikleri, anksiyete ve hastalığın prognozuna ilşkin korku gibi hastanın ifade ettiği yakınmalarıdır.

Objektif veriler: Hastalığın evresi ve ciddiyetine göre saptanabilecek fiziksel bulgular; hipertansiyon, GI kanama ya da ülser, idrar miktarında azalma, deri turgorunda bozulma, müköz membranlarda kuruma, daha ciddi olgularda uyuşukluk, kaslarda seyirme ve konvülsyonlar görülebilir.

BUN ve serum kreatinin düzeyinde yükselme, potasyum ve fosfat gibi elektrolitlerin serum düzeylerinde artış, kalsiyum düzeyinde azalma, anemi, enfeksiyon gibi bulgular hemşirelik tanılamasında değerli veriler sağlar.

Hemşirelik tanıları
- Sodyum ve su retansiyonuna bağlı *sıvı volüm artışı*
- İştahsızlık, diyetteki sınırlamalar ve katabolizmanın artmasına bağlı *beslenme alışkanlığında bozulma/beden gereksiniminden az beslenme*
- İnvaziv girişimler, üremik toksinler ve immün yanıtın bozulmasına bağlı *enfeksiyon riski*
- Üremik toksinler, sıvı-elektrolit, asit-baz dengesizliğine bağlı *duyusal-algısal değişiklikler*
- Üremik toksinlerin merkezi sinir sistemini etkilemesine bağlı *düşünce sürecinde değişiklik*
- Damar girişim yolları ya da periton diyaliz kateterine bağlı *deri bütünlüğünde bozulma*
- Anemi ve üremik toksinlere bağlı *yorgunluk*
- Hastalık süreci, tedavi rejimi ve prognozun belirsizliğine bağlı *anksiyete*
- Böbrek işlevlerinin bozulmasına bağlı *olası böbrek yetersizliği*
- Böbreklerden atılımın bozulmasına bağlı *olası hiperkalemi*
- Elektrolit dengesizliğine bağlı *olası kalpte ritim bozuklukları*
- Hidrojen iyonlarının atılımının bozulmasına bağlı *olası metabolik asidoz*
- Sıvı retansiyonuna bağlı *olası pulmoner ödem*
- Sağlık durumunda değişikliğe bağlı *baş etmede yetersizlik*

Planlama/amaçlar: Hemşirelik tanıları doğrultusunda ABY'nin tam olarak düzelmesi, böbreklerde kalıcı hasar oluşmaması, normal sıvı-elektrolit dengesinin sürdürülmesi, anksiyetenin giderilmesi, komplikasyonlar gelişmeden hastanın izlenmesi ve bakımının sürdürülmesine yönelik planlamalar ve amaçlar doğrultusunda hemşirelik girişimleri belirlenmelidir.

Hemşirelik girişimleri

Sıvı-elektrolit dengesinin sürdürülmesi için;
- Hastanın aldığı- çıkardığı sıvı izlemi yapılır
- Alacağı sıvı miktarı bir gün önce çıkardığı idrar miktarı+500ml(fark edilmeyen kayıplar için) olarak hesaplanır
- Boyun venlerinde dolgunluk, kilo artışı, belirgin ödem, kalp seslerinde değişiklik solunum güçlüğü gibi sıvı volüm artışı bulgularının düzenli izlemi yapılır
- Elektrolitlerin serumdaki düzeyleri ve elekrrolit dengesizliğinin klinik bulgularının izlemi yapılır
- En önemli elektrolit dengesizliklerinden biri olan hiperkaleminin kas-iskelet ve kardiyak işlevleri etkilemesine ilişkin bulgular yönünden hasta izlenir
- Hastanın aldığı oral ve parenteral sıvılar, ilaçlar ve gıdalar potasyum içeriği kontrol edilerek gerekli kısıtlamalar yapılır

Metabolizma hızının azaltılması için;
- Hastalığın akut evresinde yatak istirahatine alınması
- Enfeksiyon ve yüksek ateş metabolik hızı ve katabolizmayı arttıracağından enfeksiyonun önlenmesi ve uygun biçimde tedavi edilmesi

Akciğer işlevlerinin sürdürülmesi için;
- Atelektazi ve akciğer enfeksiyonlarının önlenmesi için hastaya sık aralıklarla pozisyon değişikliği sağlanması, öksürme, derin soluk alma egzersizlerinin yaptırılması
- Uyuşukluk ve laterjisi olan hastalarda bunların yaptırılabilmesi için hastanın cesaretlendirilmesi

Enfeksiyonun önlenmesi;
- İnvaziv girişimler ve kateterlerin bakımında asepsi kurallarına uyulması
- Çok gerekli olmadıkça kalıcı idrar kateteri kullanımından kaçınılması

Deri bakımı;
- Ödeme bağlı gergin ve kuru olan derinin nemliliğinin sağlanması
- Atılamayan toksik ürünlerin deride birikiminin neden olduğu rahatsızlığı gidermek için deri temizliğinin sağlanması
- Deri bütünlüğünü korumak ve sürdürmek için sık sık poziyon değişikliğinin sağlanması, basınç altında kalan bölgelere masaj yapılması, banyo için ılık su kullanılması

Destek sağlama
- HD, PD ya da diğer böbrek replasman tedavileri uygulanması gereken ABY'li hastalara ve yakınlarına tedavi seçenekleri ve sürdürülmesi konusunda gerekli açıklama , eğitim ve desteğin sağlanması
- Hastalık süreci, prognozu ve tedavinin sürdürülmesine ilişkin korku ve anksiyetelerini açıklamaları için uygun ortam sağlanması ve gerekli açıklamaların yapılması
- ABY'den korunma için gerekli önlemlerin alınması

Beklenen sonuçlar
- Sıvı-elektrolit ve asit-baz dengesi sürdürülebiliyor olmalı
- Deri bütünlüğü korunuyor olmalı
- Enfeksiyon bulguları görülmemeli
- Olası komplikasyonlar gelişmemiş olmalı
- Diyet kısıtlamalarına uyuyor ve önerilen diyeti alabiliyor olmalı
- Korku ve anksiyeteleri giderilmiş olmalı
- Hastalıkla baş etmede uygun baş etme yöntemlerini uygulayabiliyor olmalı

Kronik Böbrek Hastalığı (KBH) (Son Dönem Böbrek Hastalığı (SDBH)

Vücudun sıvı-elektrolit ve metabolik dengesini sürdürmek için gerekli böbrek işlevlerin ilerleyici ve geri dönüşü olmayan biçimde bozulması BH olarak tanımlanır. GFR'de azalma olsun veya olma , böbrekte 3 aydan uzun süren yapısal veya işlevsel bozu uklarla giden idrar, kan ya da görüntüleme yöntemleri i saptanan bir hasar olması ve GFR'nin 3 aydan uzun bir ede 60 mL/dk/1.73 m2'den düşük olması hastalığın tanı ıyıcı bulgularıdır.

Etiyoloji ve risk etkenleri: KBH'nın iyolojisinde rol oynayan bir çok etmen vardır. Etiyolo le yer alan nedenler ülkelere, ülkelerin gelişmişlik düzey rine ve risk faktörlerine göre değişmektedir. Kronik glomerulonefritler, Akut romatizmal ateş, polikistik böbrek hastalıkları, obstürüksiyonlar, tekrarlyan piyelonefrit atakları ve nefrotoksinler neden olan etkenlerdendir. DM ve hipertansiyon başta olmak üzere, SLE, poliartritler, orak hücreli anemi ve amiloidoz da etken olan önemli sistemik hastalıklardır.

Patofizyoloji: Etiyolojik etkenlere bağlı olarak nefronlarda ilerleyici işlev bozukluğu ve kaybı gelişir. GFR azalır, BUN ve kreatinin düzeyi artar. Nefronlarda meydana gelen hipertrofi sonucu büyük moleküllü solütler filitre edilebilir. Böbrekler idrarı konsantre etme işlevini kaybeder. Tübüllerin elektrolitleri geri emilime uğratabilme yetenekleri bozulur. Sodyum atılımına paralel olarak poliüri gelişir.

Klinik belirti ve bulgular: KBH'na bağlı üremi birçok sistemi etkilediğinden çok sayıda belirti ve bulgu görülür. Bu belirti ve bulguların şiddeti böbrek işlevlerinde bozulmanın derecesine, etiyolojiye ve hasta n yaşına bağlı olarak değişir. Sistemlere ilişkin belirti ve bulgular aşağıda verilmiştir.

Sıvı-elekrolit ve asit-baz dengesizliğine ilişkin bulgular: Su ve sodyum retansiyonuna bağlı olarak ödem, kalp yetersizliği ve hipertansiyon, kalsiyum, fosfor ve D vitamini metabolizmasının bozulmasına bağlı hipokalsemi ve hiperfosfatemi, böbrekler yoluyla hidrojen iyonlarının atılımının bozulmasına bağlı metabolik asidoz gibi bulgular vardır.

Kardiyovasküler sisteme ilişkin bulgular: KBH'da kardiyovasküler sorunlar arasında su ve sodyum retansiyonu ya da renin anjiyotensin-aldesteron sisteminin aktivasyonuna bağlı hipertansiyon ve kalp yetersizliği, sıvı yüklenmesine bağlı pulmoner ödem ve üremik toksinlerin perikardı etkilemesine bağlı perikardit gibi sorunlar vardır. SDBH olan hastalarda kardiyovasküler sorunlar mortaliteye neden olan en önemli sorunlardandır. Kronik HD tedavisi uygulanan hastaların %45'i kardiyak sorunlar nedeniyle kaybedilmektedir. Bunların %20'si miyokard enfarktüsüne bağlı ölümlerdir. Hipertansiyon, eller, ayaklar ve sakrumda gode bırakan ödem, periorbital ödem, oskültasyonda perikard sürtünme sesi, boyun venlerinde genişleme, perikardit, perikardiyal efüzyon, perikardiyal tamponad, hiperkalemi ve hiperlipidemi belirti ve bulguları vardır.

Nörolojik bulgular: BUN düzeyinin yükselmesi ve metabolik asidoza bağlı santral sinir sisteminin etkilenmesine bağlı güçsüzlük, yorgunluk, konfüzyon, konsantrasyon güçlüğü, oryantasyon bozukluğu, unutkanlık, karar verme güçlüğü, uyku bozukuğu, tremor, nöbet geçirme, uyum bozukluğu, bacaklarda huzursuzluk, ayak parmaklarında yanma ve karıncalanma, kişilik değişiklikleri gibi bulgular vardır.

Dermatolojik bulgular: Böbrekler yoluyla atılamayan üre kristallerinin deride birikimine bağlı deride gri-bronz (gri-sarı) bir renk ve biriken kristallere bağlı üremik kırağı (üremik frost) olarak tanımlanan parlak görüntüler vardır. Ter bezlerinin işlevlerinin bozulması nedeniyle deri kuru, kolayca hasar görebilecek nitelikte, kırmızı ve kaşıntılıdır. Ekimoz ve purpura lezyonları vardır. Tırnaklarda incelme, kolay kırılma, tırnak yataklarında beyaz çizgiler (Muercke'çizgileri) ya da tırnağın uç kısımları normal renkte, dipler kahve rengi görünümdedir. Saçlarda incelme ve kabalaşma vardır.

Solunun sistemine ilişkin bulgular: Pulmoner ödeme bağlı dispne, hışırtılı solunum gibi bulgular, taşipne, koyu ve yapışkan balgam, solunum reflekslerinin baskılanması, plevral ağrı, Kussmaul solunum, üremik pnömoni (üremik akciğer) bulguları vardır.

Gastrointestinal sisteme ilişkin bulgular: Kan üre düzeyinin yükselmesine bağlı *üremik fetor* olarak tanımlanan nefeste amonyak kokusu, ağızda metalik tat, ağız mukozasında ülserasyonlar ve kanama, iştahsızlık, bulantı, kusma, GIS mukozasının irritasyonuna nedeniyle GIS kanaması, yüksek ürenin N.Frenikus'u uyarmasına bağlı hıçkırık, diyare ya da konstipasyon gibi bulgular vardır.

Hematolojik sisteme ilişkin bulgular: Kan üre düzeyinin yükselmesine bağlı kemik iliğinde eritropoezin azalması, böbrekler tarafından salgılanan eritropoetinin azalması, beslenme yetersizliği ve kanamaya eğilimin artmasına bağlı *anemi* gelişir. Anemiye bağlı, yorgunluk, güçsüzlük, solukluk gibi bulgular vardır.

Yükselen ürenin kemik iliğini baskılaması sonucu eritrositlerin yanı sıra trombosit ve lökosit gibi kanın diğer şekilli elemanlarının üretimi de bozulur. Trombositlerin üretiminin bozulmasına bağlı kanama bozuklukları ve kanamaya eğilimin artışı burun kanaması, GI kanama ve ekimozlara neden olabilir. Lökosit üretimin azalması ve immün sistem işlevlerinin bozulmasına bağlı enfeksiyonlara eğilim artar.

Genitoüriner sisteme ilişkin bulgular: Kadınlarda amenore, erkeklere testis atrofisi, sperm sayısında azalma, sperm hareketliliğinde azalma, impotans her iki cinsde infertilite, libido azalması ve cinsel işlevlerde bozulma görülür. Çocuklarda pubertede gecikme olabilir.

Kas-iskelet sistemine ilişkin bulgular: Kalsiyum fosfat metabolizmasının bozulmasına bağlı böbrek kemik hastlığı (böbrek osteodistrofisi), kas krampları, kas gücü kaybı, kemik ağrısı, kırıklar ve ayak düşmesi görülebilir.

Komplikasyonlar: KBH'da hemşirenin dikkatle izlemesi ve gelişmesi durumunda diğer ekip üyeleriyle işbirliği yapması gereken olası komplikasyonlar şunlardır:
- Hiperkalemi
- Perikardit, perikardiyal efüzyon, perikardiyal tamponad
- Hipertansiyon
- Anemi
- Üremik kemik hastalığı ve metastastik kalsifikasyonlar

Tanı yöntemleri: BUN en az 50 ml/dL ve serum kreatinin düzeyinin 5mg/dL üzerinde olması tanıda önemli belirleyicilerdir. 24 saatlik idrarda protein ve kreatinin klirensi değerlendirmesi, direkt batın grafisiyle böbreklerin boyutunun belirlenmesi, US ile tıkanıkların saptanması ve gerekli durumlarda böbrek biyopsisi tanıda yaralanılan yöntemlerdir. Kan glikoz değerlendirmesi, elektrolit düzeylerinin değerlendirilmesi laboratuvar incelemelerde yer verilmesi gereken diğer tanı yöntemlerindendir.

Çizelge 42.8: KBH'nın Evreleri

Evre 1. Böbrek rezervinde azalma
Nefronların işlevlerinde %40-75 azalma vardır. Sağlam kalan nefronlar böbrek işlevlerini sürdürebildiği için genellikle hastada her hangi bir bulgu görülmez.

Evre 2. Böbrek yetersizliği
Nefronların işlevleri %75-90 kaybolmuştur. BUN, serum kreatinin düzeyi yükselir, böbreklerin idrarı konsantre etme yeteneği kaybolur ve anemi gelişir. Poliüri ve noktüri yakınması olabilir.

Evre 3. SDBH
Bu evre KBH'nin son evresidir. Nefronların yalnızca %10'u işlev görebilmektedir. Böbreklerin düzenleme, salgılama ve hormonal işlevlerinin tümü bozulmuştur. BUN, serum kreatinin düzeyinde yükselme ve elektrolit dengesizliği gibi bulgular SDBH doğrular. Hasta bu evrede diyaliz tedavisi yada transplantasyona gereksinim duyar.

Tedavi: Tedavide amaç böbrek işlevlerini ve vücudun dengesini olabildiğince uzun süre devam ettirebilmektir. SDBH'na neden olan etiyolojiyi saptayarak tedavi etmek ve komplikasyonların oluşmasını önlemek tedavinin amaçlarındandır. Bu amaçlarla planlanan tedavi aşağıdaki başlıklar altında açıklanmıştır:

İlaç tedavisi: Komplikasyonların önlenmesi ya da geciktirilmesi için antiasid, antihipertansif, eritropoetin, demir preperatları, fosfat bağlayıcı ajanlar ve kalsiyum bileşikleri ile tedavi uygulanır.

Hiperfosfatemi ve hipokalsemiyi tedavi etmek için diyetle alınan fosforun midede bağlanmasını sağlayan alüminyum hidroksit içeren antiasidler kullanılır. Ancak bunların uzun süreli kullanımı nörolojik bulgular ve kemik hastalığına neden olabilir. Bu nedenle kalsiyum karbonat preperatlarının kullanımı önerilmektedir. Kalsiyum karbonat ve fosfor bağlayıcı ilaçların emiliminin daha iyi olması için yemek arasında alınması gerekir.

Hipertansiyonun yönetimi damar içi volümün kontrolü ve bazı antihipertansif ilaçlarla sağlanır. Methyldopa (Aldomet), propranolol hidroklorid (Inderal) hipertansiyon tedavisinde yaygın olarak kullanılan ilaçlardandır. Kalp yetersizliği ve pulmoner ödemin tedavisinde su ve sodyum kısıtlaması, diüretikler, digital tedavisi uygulanabilir. Metabolik asidozda genellikle bulgu olamadığı için tedavi uygulanmaz, ancak bulguları olan hastalarda sodyum bikarbont bileşikleri ya da diyaliz tedavisi uygulanır.

Nöbet geçiren hastalarda nöbetin tipi, süresi ve hastaya genel etkileri kaydedilmelidir. IV diazepam (Valium) ya da phenytoin (Dilantin) nöbetlerin kontrol altına alınmasında yaygın olarak kullanılan ilaçlardır.

Anemisi olan hastalarda hematokrit düzeyi %30'un altına düştüğünde eritropetin (Epogen) tedavisi uygulanır. Epogen tedavisi ile hematokrit düzeyinin %33-38 olması ve anemi bulgularının kontrol altına alınması sağlanır. Epogen IV ya da SC yolla haftada üç kez uygulanabilir. Epogen tedavisinin hipertansiyon, damar girişim yollarında pıhtılaşmalara neden olma, nöbet geçirme ve demir yetersizliğine neden olma gibi komplikasyonları vardır. Eritropetin tedavisi uygulanan hastaların yorgunluk ve güçsüzlük yakınmaları azalır, kendilerini daha iyi hisseder, diyaliz tedavisini daha iyi tolere ederler. Aynı zamanda eritropetin tedavisi transfüzyon gereksinimini ve transfüzyona bağlı enfeksiyon, antikor yüklenmesi ve demir depolanması riskini de azaltır.

Beslenme tedavisi: Protein alımının düzenlenmesi, sıvı ve sodyum dengesinin sürdürülmesi ve potasyum kısıtlamaları beslenmede dikkat edilmesi gereken konulardır. Yeterli kalori ve vitamin desteği sağlanması da önemlidir. Protein kısıtlaması serum albümin düzeyi kontrolü yapılarak uygulanır. Alması gereken proteinleri et, süt, yumurta gibi biyolojik değeri yüksek gıdalardan alması sağlanır. Hücre büyümesi ve onarımı için yüksek biyolojik değeri olan proteinlerin alınması önemlidir. Diyette sıvı kısıtlaması yapılır. Bir gün önce çıkardığı sıvı + 500ml ilavesiyle alacağı sıvı hesaplanır. Proteinlerin yıkımını engellemek için yeterli kalori alması sağlanır. Hastanın gereksinimi doğrultusunda vitamin destekleri verilir. Hiperkalemi gelişen hastalarda potasyumdan kısıtlı diyet verilir. Kuru yemiş, kuru baklagiller, muz, patates, ıspanak, domates, turunçgiller, çikolata, mantar potasyumdan zengin gıdalar olduğu için kısıtlanır. Beslenme tedavisi diyet uzmanıyla işbirliği yapılarak düzenlenir.

Aktivite: Hasta günlük yaşam aktivitelerine katılım için cesaretlendirilir. Güçsüzlük, yorgunluk ve konfüzyonu olan hastalar için güvenli ortam sağlanması aktivite planlamasında önemlidir. Konfüzyonu olan hastaların yatak istirahatine alınması gerekebilir. Yatak isitrahatine alınan hastaların pozisyon değişikliği, EAE egzersizleri ve deri bakımının sürdürülmesi önemlidir.

Diğer tedaviler: Konservatif yöntemlerle böbrek işlevlerinin sürdürülmesi sağlanamayan hastalarda diyaliz ve transplanatson tedavisi uygulanması gerekebilir. (Bkz. Diyaliz ve trasplantasyon tedavisi).

Diyaliz Tedavisi

Diyaliz tedavisi böbreklerin işlev bozukluğu nedeniyle atılamayan artık ürünlerin ve sıvının vücuttan atılımını sağlamak amacıyla yapılan tedavi yöntemidir. Aynı zamanda

Üriner Sistem

tedaviye yanıt vermeyen hastalarda ödemin giderilmesi, karaciğer koması, hiperkalemi, hipertansiyon ve üreminin tedavisinde de uygulanır. Diyaliz tedavisi, hemodiyaliz (HD), yavaş-sürekli hemodiyaliz yöntemi(YSDY) ve periton diyalizi (PD) gibi yöntemlerle uygulanır. Diyaliz tedavisi akut ve kronik olarak uygulanabilir Çizelge 42.9'da akut ve kronik diyaliz tedavisi endikasyonları verilmiştir.

Diyaliz Tedavisinin Fizyolojik İlkeleri

Diyaliz tedavisi, yarı geçirgen bir membran aracılığıyla hasta kanı ve uygun diyaliz solüsyonu arasında konsantrasyon farklılığından yararlanarak sıvı ve solüt adı verilen elektrolitler ve üre gibi küçük moleküllü maddelerin değişimini sağlamaktır. Sıvı ve solütlerin değişimi kan ve diyaliz sıvısı arasındaki konsantrasyon eşitleninceye kadar devam eder. Diyaliz tedavisindeki temel ilke yalnızca konsantrasyon farklılığı değildir. Diyaliz tedavisinde sıvı ve solütlerin geçişi difüzyon ve ultrafiltrasyon ilkelerine göre olur.

Difüzyon: Membranın iki tarafındaki solütlerin enerjiye gereksinim duymadan membranın iki tarafına doğru hareketidir. Difüzyonda solütlerin geçişi konsantrasyon farklılığına bağlı olmadan iki tarafa doğru da olur. Ancak konsantrasyonun fazla olduğu tarafta daha fazla solüt bulunduğu için konsantrasyonu yüksek olan taraftan düşük olan tarafa doğru daha fazla geçiş olur.

Ultrafiltrasyon: Basınç farklılığı nedeniyle sıvı ve sıvıların içinde erimiş halde bulunan solütlerin membranın bir tarafından diğer tarafına geçişidir.

Hemodiyaliz (HD)

Hastadan alınan kanın yarı geçirgen bir membran ve hemodiyaliz makinesi aracılığıyla sıvı ve solütlerinin düzenlenmesidir. Hemodiyaliz işleminin gerçekleşmesi için yeterli kan akımın sağlanması (erişkinlerde yaklaşık 300-600ml/dak) ve gereçlerin temin edilmesi gerekir.

Hemodiyaliz için gerekli hazırlık ve gereçler:

Hastanın hazırlanması: Hemodiyaliz işlemine başlamadan önce öncelikle hastanın hazırlanması önemlidir. Öncelikle hasta, ailesi, hekim, hemşire ve sağlık ekibinin ilgili diğer üyelerinin tedavinin amacı, gerekliliği, ekonomik yönü, hasta ve ailenin yaşamını nasıl etkileyebileceği, olumlu ve olumsuz etkilerinin neler olabileceği konularında tartışmaları ve hasta/ailenin yazılı onayının alınması gerekir. Daha sonra hemodiyaliz işleminin gerçekleştirilebilmesi için hastada uygun bir damar girişim yolunun hazırlanması gerekir. Damar girişim yolu vücuttan alınan kanın, temizlenerek tekrar dönmesini sağlayacak 300-600ml/dak kan akımın sağlayacak bir yol olmalıdır. Bu amaçla kullanılan farklı damar girişim yolları vardır. Bunlar:

Subklaviyan, femoral, juguler kateterler: Akut HD uygulamalarında hastada dolaşımı sürdürmek için çift ya da çok lümenli bir kateterin hastanın femoral, subklaviyan ya da internal juguler venine yerleştirilmesiyle diyaliz işlemi uygulanır. Bu yöntemin hematom, pömotoraks, enfeksiyon, tromboz ve yeterli kan akımın sağlanamaması gibi riskleri olmasına karşın haftalarca kullanılabilmektedir. Riskleri azaltmak/önlemek için kateterlerin çok uzun süre kullanılmaması ve diğer seçeneklerin denenmesi önerilir.

Arteriyovenöz (AV) fistül: Daha uzun süreli HD işlemleri için kalıcı olarak bir arterle ven arasında cilt altında yapılan anastomoz işlemidir. Arteriyovenöz fistül için en sık kullanılan ve en çok tercih edilen bölge el bileği seviyesinde radiyal arter ile sefalik ven arasındadır. Bu bölgenin kullanılması uygun değilse alternatif girişim alanları değerlendirilir. Dominant olmayan kolun fistül için kullanılmamasına dikkat edilmesi, hastada oluşabilecek kısıtlamaları önlemek açısından önemlidir. Cerrahi girişimle fistül oluşturulduktan sonra kullanıma uygun duruma gelmesi için 4-6 hafta bir süre beklenir. Fistülün olgunlaşmasını kolaylaştırmak için hastaya elinde lastik top sıkma vb. güçlendirici egzersizler yapması konusunda uyarı yapılır. Fistül olgunlaştıktan sonra yeterli kan akımı olup olmadığı kontrol edilir. Venin yeterli dolgunlukta olduğu ve elle palpe edildiğinde Tirill(titreşim) hissedildiğinde iğne ile girişim yapılarak işlem uygulanır.

Arteiyovenöz (AV) greft: Damar yapısında bozukluğu olan hastalarda (örn:damar harabiyeti gelişen diyabetli hastalar) arteriyovenöz fistül açılamadığı durumlarda uygulan bir yöntemdir. Bu amaçla genellikle yapay politetraflu-

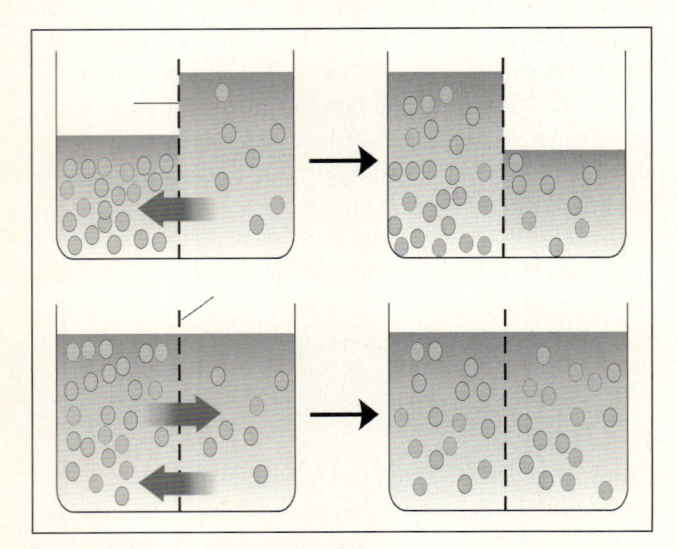

Şekil 42.2: Diffüzyon ve ultrafiltrasyon

42. Üriner Sistem Hastalıkları

Çizelge 42.9: Akut ve Kronik Diyaliz Tedavisi Endikasyonları

Akut diyaliz tedavisi endikasyonları

- Akut böbrek yetersizliği
- Hiperpotasemi
- Metabolik asidoz
- Hiperkalsemi
- Hipervolemi
- Hiperürisemi
- Hiperfosfatemi
- Metabolik alkaloz
- Hiponatremi
- Yüksek doz ilaç alımı ve zehirlenmeler
- Kronik böbrek yetersizliği olan hastalarda kronik diyaliz tedavisine geçmeden üremik akciğer, ensefalopati, perikardit vb. komplikasyonların gelişmesi durumunda konservatif tedavi ile düzelme sağlanamadığı durumlar

Kronik diyaliz tedavisi endikasyonları
Kesin endikasyonlar

- Üremik perikardit
- Üremik ensefalopati yada nöropati(konvülsiyon, oryantasyon bozukluğu, konfüzyon, miyoklonus)
- Pulmoner ödem ve tıbbi tedaviye yanıt vermeyen hipervolemi
- Kontrol altına alınamayan hipertansiyon
- Üremik kanamalar
- Sık bulantı, kusma ve halsizlik
- >12mg/dl kreatinin ve >100 mg/dL BUN düzeyi
- Akut psikoz
- Malnütrisyon

Göreceli endikasyonlar

- Bilinç ve bilişsel işlev bozuklukları
- Erken periferal nöropati
- Diüretiklere yanıt vermeyen periferal ödem
- İnatçı kaşıntı
- Serum kalsiyum ve fosfor düzeyinin iyi kontrol edilememesi
- Eritropetin tedavisine dirençli anemi

---

oroethilen kateterler kullanılmaktadır. Greftlerin açık kalma süresi genellikle 3.yılda %30 iken arteriyovenöz fistülde bu oran %70 civarındadır. Greftlerde enfeksiyon riski %5-20 civarındadır. Bu nedenle greftler diğer yöntemlerin uygun olmadığı durumlar dışında fazla tercih edilmez.

Teknik hazırlık: HD işleminin gerçekleştirilmesi için aşağıdaki araç ve gereçlere gereksinim vardır:

1. Su arıtma sistemi
2. Diyaliz solüsyonu
3. Diyalizer/yapay böbrek
4. HD makinesi ve setleri

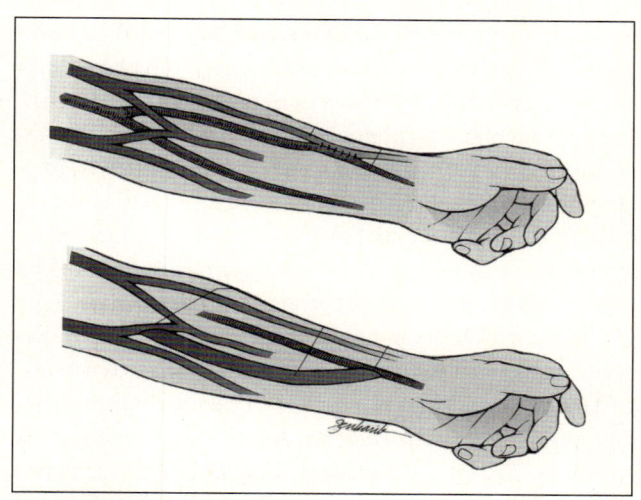

Şekil 42.3: Fistül ve greft

1-Su arıtma sistemi: Son dönem böbrek hastalarında böbreklerin toksinleri vücuttan uzaklaştırma yetenekleri bozulduğu için toksik maddelerin birikimi daha kolaydır. Bu nedenle diyaliz işleminde kullanılacak suyun içme suyundan daha saf ve zararlı maddelerden daha çok arındırılmış olması gerekir. HD su sitemi, suyun içeriğinde bulunan ve diyaliz hastaları için toksik olduğu bilinen çeşitli madde ve patojenlerin miktarlarının istenen düzeylerin altına düşürülmesini sağlayan bir sistemdir. Hiçbir yerel su kaynağı sürekli olarak istenen standartta suyu temin edemeyeceği için bütün HD merkezlerinde su arıtma sistemi bulunması gerekmektedir.

2-Diyaliz solüsyonu: Diyaliz solüsyonunda hastanın kanından uzaklaşması istenmeyen iyonlar yaklaşık serumdaki konsantrasyonlarına eşit ölçüde bulunmalıdır. Bu bazı elektrolitlerin kaybına bağlı olarak gelişebilecek yaşamsal önemi olan komplikasyonların önlenmesi ve üremiye bağlı olarak gelişebilecek metabolik asidozun önlenmesi için önemlidir. Bu amaçla diyaliz solüsyonu hazırlanırken içerisine sodyum, magnezyum gibi elektrolitler ve metabolik asidozu düzeltmek için asetat ya da bikarbonat iyonları eklenir. Diyaliz solüsyonu HD merkezlerinde hazırlanabileceği gibi hazır konsantre elektrolit solüsyonlarının HD makinesi içinde arıtılmış su ile karıştırılması ile de hazırlanabilir. HD tedavisinde kullanılan makine ve merkezin tercihine göre asetatlı ve bikarbonatlı diyaliz solüsyonları kullanılmaktadır

3-Diyalizer/yapay böbrek: Diyalizer hasta kanında birikmiş olan solütlerin diyaliz sıvısına geçişini sağlayacak steril ve tek kullanımlık yarı geçirgen membrandır. Başlıca üç tip diyalizer bulunmaktadır.
- Koil-kangal diyalizer: İlk diyalizer tiplerindendir ve günümüzde kullanımda tercih edilmemektedir.
- Paralel tabaka(plate) diyalizer
- Hallow fiber diyalizer.

4. HD makinesi ve setleri: HD makineleri iki ana bölümden oluşmuştur:
a) Ekstrakorporeal (vücut dışı) kan devresi
b) Diyaliz sıvısı devresi

HD setleri kanı AV fistülden diyalizere götüren arteriyel ve diyalizerden hastaya geri döndüren venöz parçalardan oluşmuştur.

Hemodiyaliz işleminin uygulanması

HD geri dönüşü olmayan böbrek yetersizliği olan hastalarda transplantasyon için uygun böbrek bulununcaya kadar yaşam boyu belirli aralıklarla uygulanan bir tedavi yöntemidir. HD uygulama sıklığı ve süresi bireyin durumuna, kullanılan diyalizerin çeşidine, kan akım hızına ve diğer bazı faktörlere göre değişmekle birlikte genel uygulama süresi haftada 3 kez 3-4 saattir. HD işlemine başlamadan önce hastanın kilosu, ayakta ve oturur pozisyonda kan basıncı, beden ısısı, nabız ve solunum hızı kontrolü yapılarak kayıt edilir. İki diyaliz arasında 1.5 kg'dan fazla kilo artışı olmamalıdır.

Girişim yapılacak ekstremitenin antiseptik solüsyonla temizliği yapıldıktan sonra, girilecek fistül bölgesinin dolgunluğu ve titreşimi kontrol edilerek fistül iğnesi ile girilir. İşlemi başlatmadan önce hematokrit, pıhtılaşma zamanı, serum potasyum ve BUN düzeyi kontrolü için kan alınır ve işleme başlanır. Önceden belirtilmiş ve planlanmış heparin tedavisi önerildiği biçim ve dozda uygulanır. İşlem başladıktan sonra diyalizer kanla dolmadan önce ve işlem süresince 30 dakikada bir kan basıncı izlemi yapılır.

İşlem sırasında hastanın izlenmesi:
- Hasta kan basıncı, nabız ve solunum hızı, beden ısısı ve ağırlığı, genel durum ve pıhtılaşma zamanı yönünden yarım saatte bir izlenir
- HD komplikasyonları yönünden izlenir
- Hava embolisi, kan sızıntısı, diyalizerde pıhtılaşma, diyaliz solüsyonunda değişiklik, fistül bölgesinde sorun olup olmadığı izlenir

Hemodiyaliz işleminin sonlandırılması ve uygulamalar

Kan pompası yavaşlatılarak arteriyel hat hastaya yakın bir yerden klemplenir. Arteriyel hattan 100-150 cc serum fizyolojik verilerek diyalizer ve setteki kanın hastaya geri verilmesi sağlanır. Daha sonra ven iğnesi çıkarılarak kanama olasılığına karşı basınçlı tampon uygulanarak bandajlanır. Bundan sonra hastanın kan basıncı ölçülür. Hasta kendisini iyi hissediyorsa kaldırılıp kilosu ölçülerek kayıt edilir.

Hemodiyalizin komplikasyonları

HD tedavisi yaşam kurtarıcı bir tedavi yöntemi olmasına karşın bazı komplikasyonlara neden olmaktadır. HD bağlı komplikasyonlar akut ve kronik komplikasyonlar olarak görülebilir. Çizelge 42.10'te HD akut ve kronik komplikasyonları verilmiştir.

Hemodiyaliz uygulanan hastanın yönetimi:

İlaç tedavisi: Bir çok ilaç ya da metaboliti tamamen ya da kısmen böbrekler yoluyla atılmaktadır. HD uygulanan hastalarda kandaki ilaç ve metabolitleri diyaliz yoluyla atılmaktadır. Bu nedenle HD uygulanan hastalarda hastaya verilecek ilaç dozları hekim tarafından dikkatle ayarlanmalıdır. Proteine bağlanan ilaçların atılımı HD yoluyla olmamaktadır. HD yoluyla diğer ilaç artık ürünlerinin atılımı da molekül ağırlığı ve büyüklüğüne göre değişmektedir. Bu nedenle HD tedavisi uygulanan hastaların aldıkları kardiyak ilaçlar, antibiyotikler, antihipertansiflerin toksik reaksiyonlara neden olmaması için hastaların dikkatle izlenmesi gerekir.

Beslenme ve sıvı tedavisi: HD tedavisi uygulanan hastalarda üremiyle ilişkisi nedeniyle beslenme önemli bir konudur. Beslenme tedavisinde amaç üremik bulguları kontrol altına almak ve sıvı-elektrolit dengesini sürdürmek, hastanın hoşlandığı ve damak zevkine uygun yeterli protein, kalori, vitamin ve mineral içeren diyet almasını sağlamaktır. Diyaliz hastalarında protein-enerji malnütrisyonu sık görülen bir sorundur. HD'in başlangıcında hastanın diyetinde protein, sodyum, potasyum ve sıvı kısıtlaması yapılmaktadır. Ancak diyaliz tedavisi uygulanan hastaların negatif azot dengesini önlemek için 1gr/kg /gün protein alımı gereklidir. Alınan proteinin büyük bir bölümü özellikle biyolojik değeri yüksek olan hayvansal kaynaklı protein olmalıdır. Alınan proteinin enerji kaynağı olarak kullanılmasını önlemek için yeterli kalori alımının sağlanması da önemlidir. HD hastalarında sodyum dengesi hastanın çıkardığı idrar miktarı ile yakından ilişkilidir. Çıkardığı idrar miktarı 500ml/gün olan bir hastada sodyum alımı genellikle 2-3gr/gün olarak sınırlanır. Potasyum alımı hastanın böbrek işlevlerinin durumu ve diyalize girme sıklığına göre ayarlanır. Önerilen potasyum alımı ortalama 1.5-2.5 gr/gündür. HD hastalarında negatif kalsiyum dengesi nedeniyle kalsiyum gereksinimi artmıştır. HD tedavisindeki hastalarda ultrafiltrasyon miktarı ve rezidüel idrar miktarına göre sıvı alımı düzenlenir. Anürik hastalarda günlük sıvı alımı 1 litreyi geçmemeli ve iki diyaliz seansı arasında alınacak kilo günde bir kilogram ile sınırlanacak biçimde

42. Üriner Sistem Hastalıkları

Çizelge 42.10: HD'nin Akut ve Kronik komplikasyonları

Akut komplikasyonlar	Neden	Kronik komplikasyonlar	Neden
-Hipotansiyon (%20-30)	*Beden kitle indeksinin düşük olması(özellikle kadınlarda) *İleri yaş *Diabetes mellitus *İki diyaliz seansı arasında aşırı kilo alımı *Kan hacminde aşırı azalma *Kardiyovasküler hastalık	-Hipertansiyon (%80-90)	*Sıvı volüm artışı *Renin sekresyonunda artma *Nörojenik uyarılma
-Kramp (%5-20)	*Hipotansiyon *Hastanın kuru ağırlığının altında olması *Düşük sodyum içeren diyaliz solüsyonu *Ekstrasellüler sıvıdan sıvı ve elektrolitlerin birden çekilmesine bağlı	-Kardiyovasküler sorunlar	*Üremi *Enfeksiyon *Kreatinin yüksekliği *Yetersiz diyaliz *Heparinizasyon *Asidoz
-Bulantı-kusma (%5-15)	*Hipotansiyon *Diyaliz dengesizlik sendromunun erken belirtisi	-Nörolojik sorunlar *Üremik ensefalopati *Diyaliz demansı *Diyaliz dengesizlik (Disequlibrium) sendromu *Nöropati *Konvülsiyon *Subdural hematom *Baş ağrısı	*Üremi *Metabolik bozukluklar *HD tedavisi
-Baş ağrısı(%5)	*Diyaliz dengesizlik sendromunun erken belirtisi *Kesin olarak bilinmemektedir *Anemi ve arteriyosklerotik kalp hastalığına bağlı olabilir	-Diyaliz amiloidozu *Karpal tünel sendromu *Periferik eklemlerde osteoartropati *Spondilartropati	*Diyaliz süresi ile bağlantılı olarak eklemlerde amiloidoz birikimi
-Göğüs ağrısı (%2-5)	*Kesin olarak bilinmemektedir *Anemi ve arteriyosklerotik kalp hastalığına bağlı olabilir	-Anemi/kanamaya eğilim	*Eritropoetin hormonu yetersizliğine bağlı azalmış ertiropoez *Demir eksikliği *Hemoliz *Üremik toksinler *Yetersiz diyaliz *Kanama *Alüminyum birikimi *Hiperparatiroidi *Folik asit eksikliği
-Sırt ağrısı (%2-5)	*Kesin olarak bilinmemektedir	-Enfeksiyonlar *Damar girişim yolu enfeksiyonları *Pnömoni *İdrar yolu enfeksiyonu *Hepatit B ve C *HIV	*Üremiye bağlı immün sistem baskılanması *Çok sayıda parenteral girişim yapılması *Üremiye bağlı enfeksiyon yanıtının baskılanması yada gecikmesi *Beslenme bozukluğu *HD makinelerinin temizliğinin yeterli olmaması *Diabetes mellitus, kollagen doku hastalığı gibi hastalıklar
*-Kaşıntı(%5) -Ateş-titreme (<%1)	*Üremi *Deri kuruluğu *Serum iyon dengesinde bozulma	-Üremik kemik hastalığı	*Hiperfosfatemi, hipokalsemi, ve D vitamini yetersizliğine bağlı hiperparatiroidi *Alüminyum birikimi *D vitamini metabolizması değişiklikleri *Asidoz *Amiloidoz
-Diyaliz dengesizlik (Disequlibrium)sendromu genellikle akut böbrek yetersizliği olan yada BUN düzeyi 150mg/dL↑olan hastalarda görülür	*Diyaliz solüsyonunda bulunan pirojen maddeler *Ürenin hızla düşürülmesine bağlı kan beyin bariyeri nedeniyle beyin üresindeki değişikliklerin kan üre değişikliğine uygun olmamasının neden olduğu beyin ödemi -Baş Ağrısı -Bulantı-Kusma -Kas Krampları -Huzursuzluk -Bilinç düzeyi değişiklikleri -Ajitasyon -Deliryum -Konvülsiyon gibi bulgularla karakterize		*Psikososyal stres *Anksiyete, depresyon
-Hava embolisi(nadir)	*Sisteme hava kaçması		

düzenleme ve izlem yapılmalıdır. Diyet ve sıvı kısıtlaması hastalar için güç kabul edilen sınırlamalardır. Ancak hemşire bunun gerekliliği ve riskleri konusunda hasta ve yakınları eğiterek kısıtlamalara uyulması konusunda cesaretlendirici olmalıdır.

Hemşirelik yönetimi

Uzun süreli hemodiyaliz uygulaması hastalık ve hastanın yaşamında getirdiği kısıtlamalar nedeniyle kabul edilmesi güç bir tedavidir. Çoğunlukla ekonomik sorunlar, işini yürütmedeki güçlülükler, olası iş kaybı, cinsel istekte azalma, impotans, kronik bir hastalığa bağlı depresyon ve ölüm korkusu sıklıkla karşılaşılan sorunlardır. Genç hastalarda evlilik, çocuk sahibi olma ve aileye yük olma gibi sıkıntılar görülebilir. Diyaliz tedavisinin sıklığı, sıvı ve beslenme ile ilgili kısıtlamalar hasta ve ailesi için yaşam biçiminde değişiklik gerektirdiği için hasta ve aile için güçlüklere ve ruhsal sıkıntılara neden olmaktadır.

Psikososyal gereksinimlerin karşılanması: Diyaliz tedavisinin hasta ve ailenin yaşam biçiminde meydana getirdiği değişiklikler, diyaliz tedavisi ve komplikasyonları nedeniyle sık sık hastaneye gitmek zorunda kalma hasta ve ailesinde suçluluk, gerginlik, çatışma ve depresyon gibi sorunların yaşanmasına neden olmaktadır. Hemşire hasta ve ailesi için yaşadıkları sorunlar ve duygusal gerginliklerini rahatça açıklayabilecekleri ortam hazırlamalı ve onları bu konuda konuşmaya cesaretlendirmelidir. Gerginlik ve sıkıntılarını ifade edemeyen HD hastalarında intihar eğilimi artar. Hemşire gereksinimi olan hasta ve ailesi için psikolojik danışmanlık ve destek sağlanması için yönlendirici olmalıdır. Hemşire, psikolog ve sosyal çalışmacı hasta ve ailenin böbrek yetersizliği ve tedavi programına uyumu ve etkin baş etme yöntemlerini uygulaması için gerekli desteği sağlamalıdır.

Ev ve toplum temelli bakım sağlama: Hastanın HD tedavisi ile baş edebilmesi için eğitilmesi gerekir. Hastalar diyaliz tedavisi ve bu konuyla ilgili öğrenmesi gerekenlerin neler olduğunun farkında olmayabilirler. Bakımın sürekliğinin sağlanması hasta/ailesi ve diyaliz ekibinde çalışan sağlık personelinin kuracağı etkili iletişimle olasıdır.

Kendi bakımını sürdürebilmesi için hastanın eğitimi: Hasta ve ailenin öğrenme gereksinimlerinin değerlendirilmesi yapılacak eğitimi planlamak için yardımcı olacaktır. Eğitimde kronik böbrek yetersizliği ve diyaliz öncelikle ele alınması gereken konular olmalıdır. Son dönem böbrek yetersizliği olan hastaların dikkat, algı ve konsantrasyon düzeyleri azaldığı için uzun süreli eğitimlerde güçlük çekebilirler. Bu nedenle eğitimler 10-15 dakika gibi kısa süreli olarak planlanmalı, eğitimin sonunda hasta ve aileye soru sormaları, anlaşıla-mayan konuların tekrarlanması ve

Çizelge 42.11: Hemodiyaliz Tedavisi Uygulanan Hasta ve Ailesi İçin Eğitim Konuları

- Böbrek yetersizliği ve organizmaya etkileri
- Böbrek yetersizliğinin nedenleri ve hemodiyaliz tedavisinin gerekliliği
- Hemodiyalizin temel ilkelerinin tanımlanması
- Hemodiyaliz tedavisi sırasında görülebilecek yaygın sorunlar, önlenmesi ve yönetimi
- Önerilen ilaç tedavisi, kullanma yöntemi, olası yan etkileri, hangi durumda hekime baş vuracağı, diyaliz uygulanan ve uygulanmayan günlerde ilaç tedavisinin nasıl uygulanacağı
- Diyet ve sıvı kısıtlaması, nedenleri, kısıtlamaya uyulmaması durumunda yaşanabilecek sorunlar
- Sıklıkla yapılan laboratuvar değerlendirmeleri, sonuçları ve uygulanma yöntemleri
- Sıvı yüklenmesini belirlemek ve önlemek için yöntemler, kuru ağırlık kavramı ve kilo kontrolünün nasıl yapılacağı
- Damar girişim yolunun bakımı, yeterliliğinin nasıl kontrol edileceği, enfeksiyon belirti ve bulgularının neler olduğu, komplikasyonların nasıl önleneceği
- Kaşıntı, nöropati ve böbrek yetersizliğine bağlı gelişebilecek diğer komplikasyonların belirlenmesi, yönetimi ve önlenmesi için stratejiler
- Anksiyeteyi azaltma ve bağımsızlığı sürdürme yöntemleri
- Diyaliz tedavisi için mali olanaklar ve destek kaynaklarının neler olduğunun belirlenmesi

açıklanması için olanak sağlanmalıdır. Hemşire yargılayıcı olmadan hasta ve ailesinin duygularını açıklamasına olanak sağlamalıdır. Ekip toplantıları yaparak hasta ve ailenin gereksinimlerinin neler olduğunu paylaşmak ve tartışmak eğitimin etkinliği için yararlı olacaktır. Çizelge 42.11'de hemodiyaliz tedavisi uygulanan hasta ve ailesi için eğitimin içeriği verilmiştir. Hemodiyaliz tedavisi uygulanan hastanın hemşirelik yönetimi kronik böbrek yetersizliği olan hastanın hemşirelik yönetimi kapsamında tartışılmıştır (Bkz. Kronik böbrek yetersizliği olan hastada hemşirelik bakım planı).

Yavaş-sürekli hemodiyaliz yöntemi (YSDY): YSDY, özellikle yoğun bakım ünitelerinde, birden çok organ yetersizliği ile birlikte gelişen akut böbrek yetersizliğinin (ABY) tedavisinde ilk seçenek olarak düşünülen bir tedavi yöntemidir. Çift lümenli venöz kateterle pompalanan kan hemofiltreden geçerek tekrar aynı kateterle hastaya döner. Uygulama yönteminin basit oluşu ve yavaş hızda ancak sürekli olarak sıvı ve solütlerin uzaklaştırılmasını sağlaması bu yöntemin avantajlı tarafıdır. Özellikle sepsis, miyokard infarktüsü, gastrointestinal kanama ve solunum yetersizliğinin birlikte olduğu ABY'de hastada hemodinamik dengenin bozuk olması klasik hemodiyaliz tedavisinin uygulanmasında sorunlar yaratmaktadır. Bu nedenle hemodinamik dengenin iyi korunduğu YSDY tercih edilmektedir. YSDY yoğun bakım hemşiresi tarafından başlatılıp sürdürülebilir. YSDY avantajları şunlardır:

- Hemodinamik dengenin iyi korunması
- Etkili sıvı çekilmesinin sağlanması
- Parenteral beslenme ve sıvı tedavisinin güvenle yapılması
- Azotemi, elektrolit ve asit-baz bozukluklarının dengeli ve etkin biçimde düzeltilmesi
- Uygulamanın basit olması
- Özel hekim, hemşire ve karmaşık gereçlere gereksinim olmaması.

YDSY yöntemleri

Sürekli arteriyovenöz hemofilitrsayon (SAVH): Femoral ya da ekstremite arterinden alınan kanın pompa yardımı olmaksızın küçük yüzeyli bir hollow-fiber hemofilitreden geçirilerek hastaya femoral ya da bir ekstremite veninden geri verilmesi ilkesine dayanır.

Sürekli venövenöz hemofilitrsayon (SVVH): Femoral, subklaviyan ya da internal jugular vene yerleştirilen çift lümenli bir kateter aracılığıyla alınan kan bir hemofilitreden geçirilerek aynı katerden hastaya geri verilir. SAVH ve SVVH akut böbrek yetersizliğinin yanı sıra konjestif kalp yetersizliği, akciğer ve beyin ödemi gibi durumların tedavisinde kullanılmaktadır.

Sürekli arteriyovenöz hemodiyaliz (SAVHD): SAVH'den farklı olarak hastadan alınan kanın hemofilitre yerine hemodiyaliz membranından geçirilerek bir infüzyon pompası yardımıyla hemodiyalizere verilmesidir.

Sürekli venövenöz hemodiyaliz (SVVHD): İşlemin uygulama ilkesi SAVHD gibidir. Farklı olarak çift lümenli bir kateter yardımıyla venöz sistemden alınan kan bir pompa aracılığıyla hemodiyalizere iletilir.

Periton Diyalizi(PD)

Alman klinik araştırmacı Ganter 1923 yılında ilk olarak tavşanlar ve kobaylarda denediği PD uygulamasını, uterus kanserinin neden olduğu obstruktif üropatiye bağlı üremi gelişen kadın hastanın tedavisinde uygulamış ve hastanın bulgularında geçici bir gelişme kaydetmiştir. Bu uygulama insanda PD tedavisinin ilk başlangıcı olarak kabul edilmektedir.

PD hastanın periton boşluğuna belirli aralıklarla diyaliz sıvısı verip toksik ve metabolik ürünlerin bu sıvıya geçip elektrolit dengesinin sağlanması için bir süre beklettikten sonra geri alınması ilkesine dayanan bir yöntemdir.

İnsan vücudunun en geniş seröz membranı olan peritonun karın duvarının iç tarafını örten bölümüne pariyetal periton, iç organları örten bölümüne visseral periton denir. Periton tabakası mezotel adı verilen tek katlı üzeri villuslarla kaplı epitel tabakasından oluşmuştur. Mezotel tabakanın altında bağ dokusu ve kapiller tabaka bulunur. Kapiller tabaka diyaliz sıvısından madde alış verişini sağlar. Peritonun yüzey alanı erişkinlerde 1.7-2.0 m^2'dir.

Periton diyalizi uygulamasında ilkeler:
PD işleminde yarı geçirgen membran olarak periton tabakası kullanılır. Hastanın karnına yerleştirilen bir kateter aracılığıyla periton boşluğuna verilen steril diyaliz sıvısından difüzyon ve ozmoz ilkelerine göre üre ve kreatinin gibi artık ürünleri yüksek konsantrsayonda bulunduğu peritoneal kandan düşük konsantrasyonda bulunduğu periton boşluğuna doğru yarı geçirgen periton zarından geçerek temizlenmesi ilkesine dayanır. Periton diyalizi ile ürenin temizlenme hızı 15-20ml/dak'dır. Kreatininin temizlenme hızı ise daha yavaştır. PD işlemi yaklaşık 36-48 saat sürer. PD için yüksek oranda glikoz içeren diyaliz sıvılarının kullanılması ile ozmotik değişikliğe bağlı olarak ultrafiltrasyon işlemi de gerçekleşir ve sıvı dengesi sağlanır.

PD işlemi için hazırlık ve gereçler

Hastanın hazırlanması: PD işlemine başlamadan önce hemşire hasta ve ailenin fizik ve psikososyal durumunu, dikkat ve ilgi düzeylerini, daha önce diyaliz deneyimleri olup olmadığını, yapılacak işlemle ilgili bilgi düzeylerini değerlendirerek onları hazırlar. Yapılacak işlem açıklanarak hasta ya da ailesinin yazılı izni alınır. Hastanın yaşam bulguları, kilosu, serum elektrolit düzeyleri kaydedilir. Karın içi organların perforasyon riskini azaltmak için mesane ve bağırsak boşaltımı sağlanır. Hastanın anksiyetesi olup olmadığı değerlendirilerek gerektiğinde destek sağlanır. Enfeksiyon olasılığına karşı istem doğrultusunda geniş spektrumlu antibiyotik verilir. Hasta işlemin yapılacağı özel bölüme alınır. Sırt üstü yatırılarak başı hafifçe yükseltilir. Karın bölgesi tıraş edilir, deri antiseptik solüsyonla temizlenir

Kateterin yerleştirilmesi: Hekim kateterin yerleştirileceği karın bölgesine lokal anestezi uygular. Bazı durumlarda hastanın özelliğine göre genel anestezi de uygulanabilir. Göbeğin 3-5 cm altından yaklaşık 1-2 cm dikine kesi yapılır. Hastanın başını kaldırması söylenerek karın kaslarının gerginliği sağlanarak bu esnada trokarla periton delinir. Trokar boşluğundan kateter periton boşluğuna doğru itilerek yerleştirilir. Trokar çıkarılır ve önceden hazırlanmış olan diyaliz solüsyonu setine bağlanır. Kateter stür atılarak sabitlenir. Girişim yapılan bölgeye antibiyotikli pomat sürülerek steril tamponla kapatılır.

PD işlemi için gereçler

Kateterler: PD uygulamasını uzun süreli yapmak için Tenkhoff, Kuğu boynu ya da Toronto-Western kateterler gibi silikondan yapılmış dakron keçeli kateterler kullanılır. Bu kateterler radyoopak yapıda olduğu için görüntüleme yöntemleri ile izlenmesi olanaklıdır. Acil durumlarda ise cerrahi işlemlerde kullanılan ince bir mil olan stile yolu ile periton boşluğuna sert kateterler yerleştirilerek PD yapılır.

PD solüsyonu: PD solüsyonlarının konsantarsyonu hekim önerisi doğrultusunda hastanın durumuna göre düzenlenir. Diyaliz solüsyonlarının içeriği standarttır. Çizelge 42.12'de standart PD solüsyonunun içeriği verilmiştir. Hastanın durumuna göre hekim önerisi doğrultusunda içerisine ilaç ya da elektrolitler eklenir. Diyaliz solüsyonlarının dekstroz konsantrasyonu arttıkça ultrafiltrasyon miktarı da artar. Bu nedenle PD uygulanan DM'lu hastalarda serum glikoz konsantrasyonlarının dikkatle izlenmesi gerekir. Hekim önerisi doğrultusunda diyaliz solüsyonunun içerisine işleme başlamadan önce kateterin pıhtılaşma nedeniyle tıkanmasını önlemek için heparin, hipokalemiyi önlemek için potasyum klorid eklenebilir. Peritonit olan hastalarda antibiyotik, DM'lu hastalarda gerektiğinde insülin eklenir. İlaçları eklemeden önce diyaliz solüsyonunun ısısını kontrol etmek gerekir. Solüsyonun ısısının vücut ısısına yakın olması gerekir. Soğuk olan solüsyonlar hastada karın ağrısı, rahatsızlık hissine neden olmasının yanı sıra vazokonstrüksiyon nedeniyle üre klirensinde azalmaya neden olur. Diyaliz işlemine başlamadan önce hemşire setleri ve tüpleri kontrol etmeli, tüpleri tam olarak solüsyonla doldurarak periton boşluğuna hava gitmesini önlemelidir. Hava kaçması karındaki rahatsızlık hissini arttırır ve sıvının dolma ve boşalmasını güçleştirir.

Periton diyalizi işleminin uygulanması: Periton diyalizi bir dizi sıvı değişim işlemidir. İşlem sıvının infüzyonu, periton boşluğunda bekletilmesi ve geri alınması aşamalarından oluşur. İşlem aşağıdaki adımlar izlenerek uygulanır:
- İşleme başlamadan önce hastanın kilosu ve yaşam bulguları alınarak kaydedeilir

Çizelge 42.12: Standart PD solüsyonunun içeriği

Elektrolitler	Yoğunluğu
Sodyum	130-134mmol/L
Potasyum	1.5 mmol/L
Kalsiyum	1.25/1.75mmol/L
Magnezyum	0.25-0.75 mmol/L
Laktat	35-40 mmol/L
Bikarbonat	(-)
pH	5.2-5.5
Elektrolit olmayan maddeler	
Glikoz	125 mg/100ml
Üre	(-)
Kreatinin	(-)

- Yaklaşık 2 L diyaliz solüsyonu 5-10 dakika içerisinde periton boşluğuna verilir ve setin klempi kapatılır.
- Verilen sıvıda ozmoz ve diffüzyonunun gerçekleşmesi için yaklaşık 10-30 dakika kadar beklenir. Bu süreye *eşitlenme zamanı* (kan ve diyaliz sıvısı arasındaki konsantrasyonun eşitlenmesi) ya da *bekletme zamanı* (dwell time)denir. Bu sürede üre, kreatinin ve böbrekler yoluyla atılan diğer toksik ürünler diyaliz solüsyonuna geçer.
- Verilen sıvının diyaframa yaptığı basınca bağlı solunum sıkıntısı olabilir. Solunumu kolaylaştırmak için hastaya semi-fowler pozisyonu verilir. Gerektiğinde oksijen tedavisi uygulanır. Hastanın rengi, kalp ve solunum hızı ve biçimi izlenerek kaydedilir.
- Bekletme süresinin sonunda klemp açılır, solüsyonun toplanacağı şişeler yatak seviyesinin altına indirilerek verilen sıvın geri boşaltılması sağlanır. Sıvının geri alınması işlemi yaklaşık 10-30 dakikada tamamlanır. Drenaj sıvısı normalde renksiz ya da açık saman sarısı rengindedir, bulanıklık yoktur. Kateterin yerleştirilmesinden sonraki ilk birkaç değişimde hafif kanlı sıvı drenajı olabilir, daha sonra normale döner.
- Sıvının geri akışında bir yavaşlama ya da engellenme gözlenirse hastanın pozisyonu yavaşça sağa sola değiştirilir, kanülün tıkanma olasılığına karşı kanül hafifçe geri çekilir. Kanülün içeriye doğru itilmesi kontaminasyon riski nedeniyle sakıncalıdır.

Diyaliz işleminde sıvının verilmesi, bekletilmesi ve geri alınmasından oluşan her seans sıvının bekletilme süresine göre yaklaşık 1-4 saat kadar sürer. Seçilecek diyaliz solüsyonun çeşidi ve PD uygulama sıklığı ve süresi hastanın durumuna göre belirlenir.

Periton diyalizinin komplikasyonları

Peritonit: PD'nin en yaygın ve en ciddi komplikasyonudur. Peritonit PD uygulanan hastalarda HD tedavisine geçilmesinin başlıca nedenlerindendir. Son 15 yılda peritonit hızı 9 hasta ayında bir ataktan 24 hasta ayında bir atağa kadar gerilemiştir. Ancak halen ciddiyetini korumaktadır.

Enfeksiyonun peritona ulaşması iki yolla olmaktadır:
1. Deriden kontaminasyon yoluyla
2. Bağırsak duvarından peritona kontaminasyon yoluyla

Enfeksiyon etkeni genellikle gram (-) mikroorganizmalardır. S.aureus ve S.epidermidis en yaygın etkenlerdir. Pseudomonas aeruginosa, E.coli, Klebsiella bağırsak duvarından kontaminasyonla peritonite neden olan diğer etkenlerdir.

Diyaliz sıvısının bulanıklaşması, karın ağrısı(%80), karında hassasiyet, dolgunluk hissi, bulantı(%30), kusma, diyare(%7-10), ateş(%50), ultrafiltrasyonun durması, yetersiz drenaj peritonitin başlıca belirti ve bulgularıdır. Peritonit gelişen hastalardan diyaliz sıvısı örneği alınarak kültüre göre uygun antibiyotik tedavisi başlanmalı ve kültür sonuçları negatif çıkıncaya kadar antibiyotik tedavisine devam edilmelidir. Tedaviye dirençli olgularda kateter çıkarılarak HD tedavisine geçilmesi gerekebilir.

Sızıntı: Kateter yerleştirildikten hemen sonra çıkış yeri henüz iyileşmeden gelişebileceği gibi, çıkış yeri iyileştikten sonra da gelişebilir. Yaygın karın duvarı ve bacak ödemi meydana gelir. Erkek hastalarda sıvı skrotuma inerek hidrosele neden olabilir. Bu tür komplikasyonlarda çıkış yeri tamamen iyileşinceye kadar diyaliz uygulamasına ara verilir. Daha sonra 100-200 ml'lik küçük hacimlerle değişime başlanıp, yavaş yavaş sıvı hacmi arttırılır.

Kanama: %6-50 oranında görülür. Genç kadınlarda mensturasyona bağlı olabilir. Kateterin yerleştirilmesinden sonraki ilk birkaç değişimde kanama görülmesi normaldir. Daha sonraki değişimlerde bu durum düzelir. Pankreatit, over ya da karaciğer kist rüptürü, sklerozan peritonit ya da bağırsak perforasyonu kanamaya neden olabilir.

Uzun dönem komplikasyonlar: Hipertrigliseridemi, karında herniasyon, hemoroid, sırt ağrısı, iştahsızlık, fibrin birikintilerinin kateteri tıkaması ve konstipasyon PD uzun süreli uygulamasına bağlı gelişebilecek diğer komplikasyonlardır.

Periton diyalizi çeşitleri: PD aletli periton diyalizi ve sürekli ayaktan periton diyalizi (SAPD) olmak üzere iki çeşittir.

Aletli Periton diyalizi: Diyaliz solüsyonu değişiminin hemşire ya da hasta tarafından programlanan bir makine yardımıyla yapıldığı PD yöntemidir. Bu yöntemin farklı uygulama yöntemleri vardır. Bunlar; aralıklı periton diyalizi (APD), sürekli devirli periton diyalizi (CCPD, continuous cylic peritoneal dialysis), tidal periton diyalizi (TPD), gece aralıklı periton diyalizi gibi yöntemlerdir. Bu tür PD tedavisinde değişimler genellikle geceleri hasta uyurken yapılır. Hemen hemen hepsinin çalışma ilkesi aynıdır. Makine başlangıçta uzman sağlık ekibi üyesi tarafından programlanır ve hastaya uygulamanın nasıl yapılacağı konusunda eğitim verilir. Hasta genellikle uyumadan önce makineyle olan bağlantıyı sağlar ve gece boyunca diyaliz işlemi gerçekleşir.

Aralıklı periton diyalizi (APD): Akut aralıklı periton diyalizi olarak da tanımlanan bu diyaliz çeşidi bulantı, kusma, yorgunluk, mental durum değişikliği gibi akut gelişen üremi durumlarında uygulanan bir PD yöntemidir. Genellikle haftada iki kez 24 saat boyunca her defasında 1-2 saatlik hızlı değişimler kullanılarak uygulanır. Değişimler sıklıkla otomatik makineler kullanılarak yapılır ancak manüel olarak da yapılabilir. Yaygın olarak kullanılan saatlik değişimlerde 10 dakikada sıvı verilir, 30 dakika beklenir ve 20 dakikada verilen sıvının drenajı sağlanır. Bu yöntemle kısa sürede ultrafiltrasyon sağlanır. Ancak solütlerin geçişi için uzun süreli kullanımı etkin değildir. Bu nedenle akut böbrek yetersizliği, SAPD uygulamasından önce hastanın eğitimi için beklenen sürede, karın cerrahisinden sonra, sıvı sızıntılarının tedavisinin bir bölümü olarak geçici bir diyaliz uygulama biçimidir. Aynı zamanda damar giriş yolu olmayan zayıf yaşlı hastalarda ya da HD ile durumu kontrol altına alınamayan ve SAPD uygulaması olanaklı olmayan hastalarda da uygulanabilmektedir. İşlemin yönetimi PD hemşiresinin sorumluluğundadır.

Sürekli devirli periton diyalizi (CCPD, continuous cylic peritoneal dialysis): Aletli periton diyalizinin en sık kullanılan çeşididir. Değişimler geceleri hasta uyurken makinenin daha önce programlandığı biçimde yapılır. Hastaya gece boyunca makine aracılığıyla üç-beş kez 2 L'lik değişimler uygulanır. Hasta sabah uyandığında 1-2 L yeni solüsyon verdikten sonra kateteri kapatır ve gün boyunca hasta yatıncaya kadar verilen sıvı periton boşluğunda kalır. Gece tekrar PD uygulaması başlatılır. Hastanın gün boyunca normal yaşantısına izin vermesi, makineye bağlıyken hareket ve uyuma rahatlığı sağlaması, diğer PD yöntemlerine göre daha az enfeksiyon riski taşıması nedeniyle tercih edilebilecek yöntemlerdendir.

Tidal periton diyalizi (TPD): Çok fazla tercih edilen bir yöntem değildir. Ultrafiltrasyonun iyi ayarlanamaması nedeniyle sıvı yüklenmesi gibi riskleri vardır.

Gece aralıklı periton diyalizi: Aralıklı periton diyalizinin gece uygulanan biçimidir. Geceleri 8-12 saat süresince diyaliz yapılır. Gündüz periton boşluğunda sıvı bırakılmaz.

Sürekli ayaktan periton diyalizi (SAPD): SAPD uygulaması 1980'li yılların başından beri gündemde olan son dönem böbrek hastalarının tedavisinde kullanılan bir tedavi yöntemidir. SAPD hastanın kendisi ya da eğitilmiş yakını tarafından evinde sürdürülebilen ve diyaliz tedavisi nedeniyle ortaya çıkan kısıtlamaları ortadan kaldıran bir yöntemdir. SAPD'de HD ya da APD'ye göre laboratuar değerlerinde daha az dalgalanmalar görülür. Serum elektrolit düzeyleri normal sınırlar içinde kalır. Bu yöntemle periton boşluğunda sürekli diyaliz sıvısı bulunur. Hasta günde 3-4 kez sıvı değişimi yapar. SAPD uygulamaları için erişkinlere uygun hazırlanmış şeffaf ve yumuşak plastik torbalarda 2000, 2500 ve 3000ml hacminde diyaliz solüsyonları kullanılmaktadır. Hasta takılan ara set aracılığıyla kateter bağlantısını yapıp diyaliz solüsyonunu periton boşluğuna verir ve seti klempleyerek bir sonraki değişime kadar torbayı yanında taşır. Değişim için önerilen sürenin sonunda klempi açıp sıvıyı torbaya boşaltır ve yeni bir torba yerleştirir. Bu işlemi önerilen değişim sayısı kadar yineler. Bu arada günlük yaşantısını rahatça sürdürebilir. SAPD uygulaması ile ilgili değerlendirmeler Çizelge 42.13'te verilmiştir.

SAPD'li hastanın hemşirelik yönetimi: SAPD tedavisi uygulanan hastalarda bel çevresinde kateter, torba ve tüplerin bulunması hastanın beden algısında değişikliğe neden olur. Periton boşluğunda sürekli sıvı bulunması bel çevresinin 1-2 cm ya da daha fazla genişlemesine neden olur. Bu durum hastanın giysi seçimini güçleştirir, hasta kendisini şişman olarak algılayabilir. Hastanın SAPD uygulanan diğer hastalarla bir araya getirilerek ortak sorunlarını paylaşımı ve duygularını ifade edebileceği ortamı hazırlamalıdır. SAPD hastanın cinsel işlevlerinde bozulmaya neden olabileceği için hasta ve cinsel eşiyle birlikte bu sorunun çözümü için uygun konuşma ortamı sağlanmalı, gerektiğinde psikolojik destek için konun uzmanına yönlendirilmelidir.

Hastanın SAPD uygulaması konusunda eğitimi PD hemşiresinin temel sorumluluk alanlarındandır. SAPD hastasının kendi başına uygulamaları yapabilmesi için verilmesi gereken eğitimin içeriğinin ana başlıkları Çizelge 42.14'te verilmiştir. SAPD uygulayan hastalar SAPD ekibi tarafından ayda bir ya da gerekli durumlarda daha sık ziyaret edilmeli ya da hastanede kontrol edilmelidir. Bu ziyaretlerde;

SAPD komplikasyonları: SAPD tedavisinin "aşil topuğu" olarak kabul edilen peritonit SAPD'nin en önemli ve sık görülen komplikasyonudur. Gelişen teknoloji ve yeniliklere bağlı olarak peritonit görülme sıklığı azalmış olup 12-18 ayda bir görülen peritonit sıklığı 36 ayda bire kadar uzatılabilmiştir. Ancak peritonit kronik periton diyalizi tedavisi uygulanan hastalarda HD tedavisine geçilmesini gerektiren nedenler arasında %40-47 gibi büyük bir oranı oluşturmak-

---

Çizelge 42.13: SAPD Uygulaması İle İlgili Değerlendirmeler

Yararları
- Diyaliz makinesine bağlı kalmayı gerektirmez
- Günlük aktiviteleri sürdürmeye olanak sağlar
- Hastanın yaşam kalitesini arttırır
- Hastanın kendisine olan güvenini arttırır
- Diyet sınırlamalarını azaltır, sıvı alımının arttırılmasına izin verir, serum hematokrit düzeyi yüksek değerlerde kalır, kan basıncı kontrolü sağlar, damar yolu girişimi gerektirmez, hastanın kendisini iyi hissetmesini sağlar

Endikasyonları
- Hastanın evde diyaliz yapmak için istekli, motive ve yapabilecek düzeyde olması
- Ev koşullarının değişim yapmak için uygun olması
- Özellikle yaşlı hastalarda güçlü bir aile ve toplum desteğinin olması
- Uzun süreli HD uygulamasının neden olabileceği damar yolu ile ilgili sorunlar, aşırı susama, diyaliz sonrası baş ağrısı ve transfüzyon gerektirecek kadar ciddi anemi sorunun olması
- Hastanın böbrek transplantasyonu adayı olması
- Son dönem böbrek yetersizliğinin yanı sıra DM, hipertansiyon, pıhtılaşma bozukluğu, hepatit, HIV pozitif, hemofili gibi sorunların bulunması
- Hastanın aktif yaşam biçiminin ve sık seyahat etme alışkanlığının olması

Olumsuz yönleri
- Haftanın 7 günü 24 saat süresince diyaliz yapılmasını gerektirmesi
- Enfeksiyon riski
- Konstipasyon
- Periton kullanım ömrünün bilinmemesi
- Sık peritonit yada sık hipertonik sıvı kullanımı sonucu periton kullanım süresinin azalması
- Sıvı basıncına bağlı herniasyon, kaçak ve sızıntı gibi komplikasyonların olması

Kontrendikasyonları
- Daha önce uygulanan cerrahi girişimlere bağlı yapışıklıkları olan ve sistemik enflamatuar hastalığı olan hastalar
- Gebeler (3.trimestir)
- Karında aortik protezi olan hastalar
- Kronik obstruktif akciğer hastalığı olan hastalar
- Kronik sırt ağrısı ve tekrarlayan disk hastalığı olan hastalarda diyaliz sıvısının yarattığı sürekli basınç hastanın durumunu kötüleştirebileceği için bu tür yakınması olanlar hastalar
- İmmünosüpresif tedavi uygulanan hastalar kateter girişim yerinin iyileşmesinin güç olması nedeniyle, kolostomi, ileostomi, nefrostomisi olan hastalara peritonit riski nedeniyle
- Divertikülü olan hastalar
- Değişim yapmak için ellerini kullanmayı kısıtlayacak artirit yada elinde güçsüzlük sorunu olan hastalar
- SAPD uygulamasını yapmayı kısıtlayacak kısmi yada tam görme yada işitme sorunu yada diğer fiziksel sınırlamaları olan hastalar
- Aktif depresyon, mental gerilik ve demans sorunu olan hastalar
- Yapılan eğitimi anlayıp uygulayabilecek eğitim ve algılama düzeyinde olamayan hastalar

Çizelge 42.14: SAPD Uygulamaları İçin Eğitimin Ana Başlıkları

- Böbreğin işlevlerinin neler olduğu
- Böbrek yetersizliği ile ilgili temel bilgiler
- PD uygulamasının temel ilkeleri
- Kateter ve çıkış yerinin kontrolü ve bakımı
- Yaşam bulgularının ve kilo izleminin nasıl yapılacağı
- Sıvı dengesinin izlemi ve yönetimi
- Aseptik tekniğin temel ilkeleri
- Aseptik teknikle SAPD değişim işleminin nasıl yapılacağı
- PD'nin komplikasyonları, önlenmesi, bulguları ve yönetimi
- Diyaliz solüsyonuna ilaç ilave etme işleminin nasıl yapılacağı
- Steril diyaliz solüsyonun nasıl temin edileceği
- Yaptırılması gereken rutin laboratuvar incelemeler ve sonuçların nasıl değerlendirileceği
- Diyet kısıtlamaları
- Kullanacağı ilaçlar, kullanım amacı, dozu, etkileri, olası yan etkileri, saklama yöntemleri ve hekimle ne zaman iletişime geçmesi gerektiği
- Diyaliz gereçlerinin temini, saklanması ve uygulamaların nasıl kaydedileceği
- Bakımın ve tedavinin sürekliliği için nasıl plan yapılacağı
- Acil durumlarda yapılması gerekenler

---

tadır. Peritonit SAPD tedavisi uygulanan hastaların ölüm nedenleri arasında %2-15, hastaneye yatma nedenleri arasında %33 sıklıkla yer almaktadır. Karın ağrısı, karında hassasiyet bulantı, kusma, kendini iyi hissetmeme, ateş, titreme, konstipasyon ya da diyare, periton sıvısının bulanıklaşması, kanda lökositoz peritonitin başlıca belirti ve bulgularıdır.

Herniasyon, genital ödem, plevral effüzyon, sırt ve bel ağrısı, periton zarında skleroz, sıvı dengesi bozukluğu, beslenme bozukluğu ve obezite SAPD tedavisine bağlı gelişebilecek diğer komplikasyonlardır.

KBY Hemşirelik yönetimi: Hastanın hemşirelik bakımı böbrek işlevlerinin bozulmasına bağlı gelişebilecek komplikasyonların önlenmesi, yaşamı tehdit eden bir hastalığa bağlı yaşanabilecek anksiyete ve korkuların giderilmesi ve bulguların kontrol altına alınarak hastanın rahatını sağlanmasına yöneliktir.

Hemşirelik tanılaması: Aşağıda verilen sübjektif ve objektif veriler doğrultusunda değerlendirme yapılarak hemşirelik tanıları saptanır, bunlara yönelik planlamalar yapılarak, girişimler uygulanır.

Sübjektif veriler: Hastaya daha önce uygulanan böbrek hastalığına ilişkin tedavileri kapsayacak biçimde geçmiş sağlık öyküsü alınır. Kullandığı ilaçlar, yorgunluk, eklem ağrısı, şiddetli baş ağrısı, bulantı, kusma, iştahsızlık, kaşıntı, göğüs ağrısı, hıçkırık, libido azalması, kadın hastalarda menturasyon düzensizlikleri ve konsantrasyon güçlüğü gibi sorunlar olup olmadığı değerlendirilir.

Objektif veriler: Hastanın nörolojik durumunda değişiklik olup olmadığı, dispne, Kussmaul tipi solunum, deride üremik frost, gri-bronz renk, ödem, nefeste amonyak kokusu, güçsüzlük ve diğer sistemlere ilişkin değerlendirmeler yapılarak elde edilen veriler doğrultusunda hemşirelik tanıları saptanır. Çizelge 42.18 KBH'lı hastanın hemşirelik bakım planı örneği verilmiştir.

Böbrek Nakli

Organ nakli, bir bireydeki canlı doku ya da organların bir başka bireye, vericideki fonksiyonel işlevini alıcıda da devam ettirebilmelerini sağlamak üzere nakledilmesidir.

Son dönem böbrek yetersizliği gelişen hastalarda, hastanın yaşamını devam ettirebilmek için diyaliz (hemodiyaliz veya periton diyalizi) ve nakil uygulamalarının yapılması gereklidir. Diyaliz uygulaması ile böbreğin tüm işlevlerini yerine getirebilmek olanaksızdır. Buna karşılık başarılı olarak yapılan böbrek nakli hastayı normal yaşama döndürür. Böbrek nakli, hastanın yaşam kalitesini arttırırken, sürekli diyaliz programlarının hastaya, ailesine ve sağlık kurumlarına getirdiği mali yükü de en aza indirmektedir

Nakil işleminde vericiden alınan böbrek, alıcıda iliyak fossaya periton dışına cerrahi olarak yerleştirilir. Verici böbrek arteri ve veni alıcının böbrek arteri ve venine anastomoz edilir (Şekil:42.4). Böbrek naklinin başarılı olmasında hastanın seçimi ve iyi hazırlanması önemlidir.

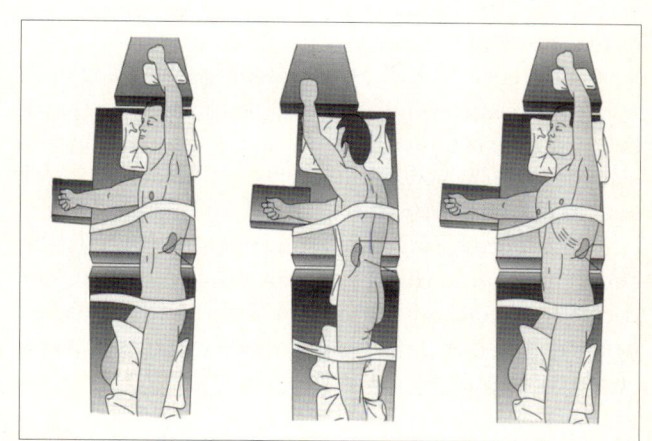

Şekil 42.4: Böbrek ameliyatı için hasta pozisyonları ve kesi tipleri. a- Flank, b- Lumbar, c- Torakoabdominal.
Kaynak: (Smeltzer S C, Bare B G (2004). Brunner & Suddarth's Textbook of Medical Surgical Nursing, Tenth Edition, A Wolters Kluwer Company, Philadelphia. 1250-1485.)

Böbrek Alıcısı

Böbrek alıcısı nakil ekibi tarafından değerlendirilerek ameliyata engel bir durum olup olmadığı araştırılır. Bunun için ayrıntılı hasta öyküsü, fizik muayene, kan incelemeleri ve radyolojik incelemeler yapılır. Hastanın fiziksel durumu değerlendirilir. İmmunosüpresyon ve cerrahi için riskli durumlar varsa tedavi edilmelidir. Hastanın psiko sosyal durumu değerlendirilir, sosyal destek kaynakları araştırılır. Transplantasyon öncesi hastanın fiziksel durumunu normal duruma getirmek için hemodiyaliz uygulanmaktadır. Hastaya immunosupresyon uygulanacağı için özellikle enfeksiyon riski yönünden iyi değerlendirilmelidir.

Böbrek nakli endikasyonu olan durumlar; glomerülonefritler, obstrüktif üropati, toksik nefropati, sistemik hastalıklar, kronik piyelonefrit, genetik böbrek hastalıkları, metabolik hastalıklar, travma, hemolitik üremik sendrom, tümörlerdir.

Böbrek nakli yapılmasının kontrendike olduğu durumlar; progresif karaciğer hastalığı, malignite, kardiyomiyopatiler, kronik solunum yetmezliği, yaygın vasküler hastalık, kontrolü güç kronik infeksiyon, aktif ve kontrol edilemeyen viral infeksiyon, koagülasyon bozukluğu, düzeltilmesi olanaksız alt üriner sistem anatomik veya işlev bozuklukları, ciddi mental gerilik, kontrol altına alınamıyan psikoz, alkolizim, ilaç alışkanlıklarıdır.

Böbrek Naklinde Organ Vericileri (donör)

Böbrek vericisi olarak iki kaynak kullanılmaktadır, bunlar *canlı vericiler* ve *kadavra vericilerdir.*

Canlı Verici

Organ nakilleri içinde yalnız böbrek naklinde canlı verici kullanılmaktadır. Bu amaçla yakın akrabalar ile eşler değerlendirmede göz önüne alınır. Bunların dışında canlı yabancı kişiden organ alınması ve aktarılması gerek ülkemizde gerekse diğer ülkelerde yasaktır.

Canlı verici 18-60 yaşlar arasında olmalı, böbreğini verme konusunda gönüllü ve psikolojik açıdan hazır olmalıdır. Birden fazla verici adayı varsa en iyi doku uyumu olan seçilmelidir. Verici ile alıcı arasında genetik benzerlik arttıkça nakil başarısı da artmaktadır.

Canlı vericide, ciddi mental durum bozukluğu, ciddi bir böbrek hastalığı, ameliyat için ciddi risk durumu, ABO kan uyumsuzluğu, bulaşıcı bir hastalık veya verici lenfositleri ile alıcı lenfositleri ve serumu arasında uyumsuzluk varsa verici uygun değildir.

Kadavra Verici

Değişik nedenlerle geri dönüşü olmayan beyin sapı ölümü gelişmiş, spontan solunumu olmayan, solunumu volüm respiratörü ile devam ettirilen yaşamsal işlevleri medikal destek ile sürdürülebilen tıbben ölmüş insanlar kadavra verici olarak kullanılmaktadır.

Tıbbi ölüm tanı ölçütleri; beyin işlevlerinin durması (serebral korteks ve beyin sapı işlevlerinin olmaması, medüller işlev kaybı) ve geri dönüşümsüzlüktür (komanın nedeninin belirlenmesi, her hangi bir beyin işlevinin iyileşebilme olasılığının dışlanması, uygun bir sürede yapılan tüm tedavilere karşın, bütün beyin işlevlerinin geriye dönmemesi).

- Kadavra verici;
- 65 yaşının üzerinde olmamalı,
- Ciddi hipertansiyon öyküsü olmamalı,
- Primer böbrek hastalığı öyküsü ve bulguları olmamalı,
- HBsAg ve Anti HTLVIII pozitifliği olmamalı,
- Uzun süreli komplikasyonlu diabetes mellitusu olmamalı,
- MSS'nin primer maligniteleri ve bazal hücreli cilt kanserleri dışında malignitesi olmamalı
- Kontrolü güç akut ve kronik enfeksiyonu olmamalı
- Böbreğe özgü patolojiler olmamalıdır.

Nakil Yapılacak Böbreğin Korunması

Canlı verici böbrek naklinde sıcak ve soğuk iskemi zamanları çok kısa olduğundan böbrek doku hasarı gelişmemektedir. Kadavra böbrek transplantasyonunda ise böbreğin korunması ve saklanması çok önemlidir. Böbrek vericiden alındıktan sonra iskemik hasardan korumak için soğutmak gerekir. Soğutma işlemi +4°C de soğutulmuş özel perfüzyon solüsyonları ile yapılır.

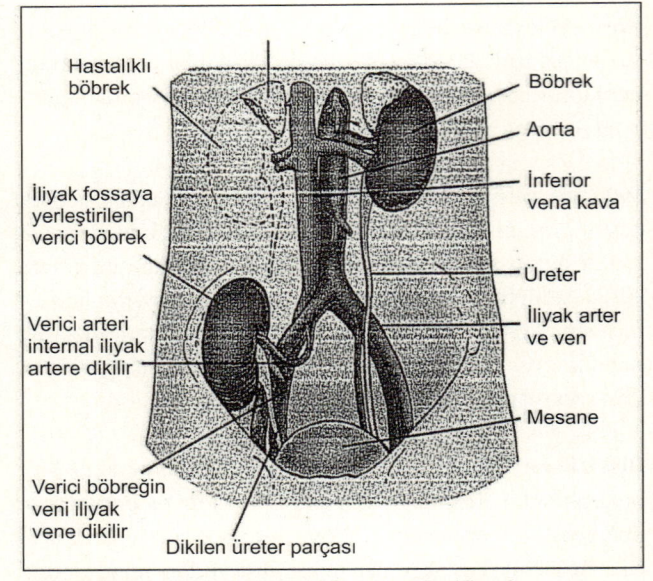

Şekil 42.5: Nakledilen böbreğin iliyak fossaya yerleştirilmesi.
Kaynak: (Black J M, Hawks JH (2005). Medical Surgical Nursing, Clinical Management for Positive Outcomes, Seventh Edition, Copyright by Elseiver, İnc.St. Louis.)

Nakil İmmunolojisi

Nakledilen organı alan hastaya alıcı (recipient) denir. Organın işlevsel olması için alıcının vücudunda kabul edilmesi gerekir. Alıcının vücudu tarafından organın kabul edilmesi, alma ya da aşılama olarak adlandırılır.

Her birey tüm çekirdekli hücrelerin yüzeylerinde tanımlayıcı protein dizisine sahiptir. Bu proteinlere Human Loukocyte Antigens (HLA) denir ve bunlar immun sistem hücrelerinin kendine ait olan ve olmayan hücreleri, dokuları ve proteinleri ayırt etmesine olanak verir. Bu proteinler bir bireye ebeveynlerinden kalıtımla geçtiği için, kişi sıklıkla bu proteinlerin bazılarını bir ebeveyn yada kardeşlerle paylaşır. Greftleme ve kabul etme, nakil olan organ alıcının majör ve minör HLA'larına tam olarak uyduğunda çok iyi bir şekilde gerçekleşir.

HLA Doku Uygunluk Testi

İmmun sistem bireyi içinde çok çeşitli mikroorganizmaların bulunduğu çevreden korumak için gelişmiştir. Bu korumanın etkin olarak başarılabilmesi için bireyin kendinden olanı olmayandan ayırt etmesi gerekir. Bu şekilde birey mikroorganizma, yabancı moleküller ve yabancılaşmış kendi hücrelerine tepki verirken kendi dokularına tepki vermez. Bu ayrım doku antijenlerini belirleyen sistemin MCH (Major Histocompatibility Complex) molekülleri aracılığıyla başarılır. İnsan MCH genleri tarafından kodlanan lökosit antijenleri HLA antijen olarak adlandırılmıştır. MCH moleküllerinin antijenleri T hücreleri tarafından tanınmasında, dolayısıyla immun cevabın oluşmasında önemli rolleri vardır. Her antijen, T hücreleri tarafından yalnızca MCH molekülleri ile birlikte tanınır. İmmun yanıttaki bu önemli rolleri yanında HLA antijenleri, genetik olarak farklı olan alıcıda cevap oluşturabilmekte ve farklı antijenleri taşıyan hücrelerin reaksiyonuna yol açabilmektedir. Organ nakli ve doku tiplemesindeki teknik gelişmelere karşın histokompabilite bariyeri hala birçok nakil formlarında özellikle aile içi verici yokluğunda başarıyı sınırlamaktadır.

Nakledilen dokunun tutması, alıcı ve verici arasındaki doku antijenlerinin MCH ya da nakil antijenlerinin uygun olup olmamalarına bağlıdır. Doku antijenleri ilk kez lökositlerde gösterildiği için HLA sistemi denmektedir. Eritrositlerdeki kan grubu antijenlerinden tamamen ayrı bir sistemdir. HLA antijenleri yalnız lökositlerde değil, olgun eritrositler hariç, hemen hemen bütün doku ve hücrelerde bulunur. Hücrelerin yüzey zarlarına bağlı olan HLA antijenleri glikoprotein yapısındadır.

Başarılı bir organ nakli için alıcı ve verici arasındaki doku kültürlerinin birbirine benzer olması gerekir.

Tıbbi Yönetim

Ameliyat öncesi hastanın tüm laboratuar ve radyolojik incelemeleri ve fizik değerlendirmesi yapılır. Doku uyumu için gerekli testler yapılır. Metabolik durumun normal düzeye getirilmesi için gereken tedaviler yapılır. Enfeksiyon kontrolü için gerekli önlemler alınır, enfeksiyon varsa tedavi edilir.

Ameliyat Öncesi Hemşirelik Yönetimi

Böbrek naklinde ameliyat öncesi yönetimin hedefi, metabolik durumun olabildiğince normal düzeyde tutulması, enfeksiyonun önlenmesi ve hastanın ameliyata ve ameliyat sonrası duruma hazırlanmasıdır.

Ameliyat öncesi hemşirelik girişimleri rutin ameliyat öncesi hazırlıklarda olduğu gibi yapılır. Hasta eğitimi ameliyat sonrası pulmoner hijyen, ağrı yönetimi, beslenme, intravenöz ve arteriyel kanüller, drenaj tüpleri ve erken ambulasyona yönelik bilgileri içermelidir.

Nakil öncesi hastanın uzun süre diyalize girmiş ve ameliyat için uzun süre sıra beklemiş olması oldukça sıkıntılı bir süreçtir. Bu nedenle hasta ve ailesinin anksiyetesi yüksek olabilir. Ayrıca hastanın ameliyat, rejeksiyon (organın reddi) ve yeniden diyalize dönme ile ilgili kaygıları olabilir. Hastaya bu konularla ilgili yeterli bilgi verilmeli ve gerekli açıklamalar yapılmalıdır.

Ameliyat Sonrası Hemşirelik Yönetimi

Ameliyat sonrası bakımın hedefi, böbrek işlevleri normale dönünceye kadar homeostazisin sürdürülmesidir.

Böbrek nakli sonrası bakımda solunum egzersizleri, erken ambulasyon, yara bakımı uygun bir şekilde yapılmalıdır. Hemşire rejeksiyon belirti ve bulgularını izlemelidir. Rejeksiyon gelişen hastada oligüri, ödem, ateş, kan basıncında artış, kilo artışı, nakil yapılan tarafta lomber ağrı veya hassasiyet izlenmelidir, ancak bezen hastada bu belirtiler olmayabilir. Rejeksiyon bulgusu olarak sadece serum kreatinin düzeyinde değişiklik olabilir. Kanda üre, kreatinin, lökosit ve platelet düzeyleri yakından izlenmelidir.

Hastada titreme, ateş, taşipne, taşikardi, lökositoz veya lökopeni izlenmelidir. Bu belirti ve bulgular enfeksiyonu gösterir.

Streoid kullanımına bağlı gastrointestinal ülserler ve kanama meydana gelebilir. Kortikosteroid ve antibiyotik tedavisine bağlı sekonder üriner enfeksiyonlar ve gastrointestinal kolonizasyon (özellikle ağızda) olabilir. Hemşire bu komplikasyonlar açısından hastayı yakından izlemelidir.

Immunosupresyon

Nakledilen böbreğin canlı kalabilmesi, vücudun immun sisteminin yanıtının bloke edilmesine bağlıdır. Bu amaçla immunosupresif tedavide azathioprine (imuran), kortikosteroid (prednizon), cyclosoprine-A (sandimmun), monoklonal antikorlar (orthoclone-OKT-3), methylprednisolone (prednol-L), antitimosit globulin (ATG) gibi ilaçlar kullanılmaktadır.

Üriner Sistem

Çizelge 42.15: KBH olan Hastada Hemşirelik Bakım Palnı Örneği

Hemşirelik girişimleri	Amaç	Beklenen sonuçlar
Hemşirelik tanısı: İdrar atımının azalması, diyette fazla sodyum ve su alımına bağlı sıvı volüm fazlalığı **Hedef:** Aşırı sıvı birikimi olmadan ideal vücut ağırlığını sürdürmeyi **sağlamak**		
1. Sıvı durumu değerlendirilir - Günlük kilo izlemi - Aldığı- çıkardığı sıvı dengesi - Deri turgoru ve ödem kontrolü - Kan basıncı, nabız hızı ve ritmi - Solunum hızı ve güçlüğü - Boyun venlerinde dolgunluk 2. Önerildiği biçimde sıvı kısıtlamsı yapılır 3. Sıvı aldığı olası kaynaklar belirlenir - Oral ilaçlarala birlikte aldığı su ve IV sıvılar - Gıdalarla alınan sıvılar 4. Hasta ve ailesine sıvı kısıtlamasının nedeni açıklanır 5. Sıvı kısıtlamasının neden olduğu rahatsızlık konusunda hastaya yardımcı olunur 6. Sık sık ağız bakımı sağlanır yada hasta kendisinin yapması için desteklenir	1. Hastadaki değişikliklerin izlenmesi ve yapılan girişimlerin değerlendirmesini sağlar 2. Hastanın kilosu, idrar miktarı ve tedaviye yanıtının değerlendirilmesini sağlar 3. Sıvı alınan kaynakların belirlenmesini sağlar 4. Hasta ve ailenin sıvı kısıtlamsında işbirliği yapmasını sağlar 5. Diyetteki kısıtlamalar nedeniyle hastanın yaşadığı sıkıntıları gidererek konforunu sağlar 6. Ağız mukozasının kuruluğunun giderilmesini sağlar	*Hızlı kilo değişiklikleri olmamalı *Diyet ve sıvı kısıtlamalarına uyum gösteriyor olmalı *Ödem olmaksızın normal deri turgorunu sürdürebiliyor olmalı *Yaşam bulguları normal olmalı *Boyun venlerinde dogunluk olmamalı *Solunum güçlüğü olmamalı *Uygun biçim ve sıklıkta ağız bakımı yapıyor olmamalı *Susuzluğunun azaldığını ifade etmeli *Ağız mukozasındaki kuruluk giderilmiş olmalı
Hemşirelik tanısı: İştahsızlık, bulantı, kusma, diyettrki sınırlamalar ve ağız mukozasındaki değişikliği bağlı beslenmede değişiklik/ beden gereksiniminden az beslenme **Hedef:** Yeterli besin alımının sürdürülmesi		
1. Beslenme durumu değerlendirilir - Kilo değişiklikleri - Labotaratuvar değerleri(serum elektrolitleri, BUN, kreatinin, protein, transferin, demir düzeyleri) 2. Beslenme alışkanlıkları değerlendirilir - Diyet öyküsü - Gıda seçimleri - Kalori hesaplaması 3. Beslenmede değişikliğe neden olan etmenler değerlendirilir - İştahsızlık, bulantı, kusma - Lezzetli olmayan yiyecekler - Depresyon - Diyetteki kısıtlamaları anlayamama - Stomatit 4. Diyetteki kısıtlamalar uygun hastanın istediği gıdalarla yeterli beslenme sağlanır 5. Yumurta, et, günlük süt ve süt ürünleri gibi biyolojik değeri yüksek proteinler alması sağlanır 6. Ara öğünlerde protein, sodyum ve potasyumu az, yüksek kalorili besinler alması sağlanır 7. İlaç alım saatleri yemeklerden önce alınmayacak biçimde düzenlenir 8. Diyetteki kısıtlamların nedeni ve üre, kreatin düzeyi ile ilişkisi açıklanır 9. Sodyum ve potasyum içermeyen lezzetli gıdaların listesi yazılı olarak verilir 10. Yemek saatlerinde çevre düzenlemesi uygun biçimde yapılır 11. Günlük kilo izlemi yapılır 12. Yeterli protein alımı değerlendirilir - Ödem - İyileşmenin gecikmesi - Serum albümin düzeyinde azalma	1. Değişikliklerin izlenmesi ve girişimlerin etkinliğinin değerlendirilmesi için temel veri sağlar 2. Diyet planlaması yaparken geçmiş ve varolan beslenme alışkanlıklarının göz önünde bulundurulmasını sağlar 3. Yeterli beslenmeyi etkileyebilen diğer etmenlerin öğrenilmesini sağlar 4. Önerilen diyeti alması için hastanın deteklenmesini sağlar 5. Büyüme ve gelişme için gerekli pozitif nitrojen dengesini sürdürmeyi sağlar 6. Doku gelişimi ve yenilenmesi için gerekli proteinlerin ve enerji gereksiniminin karşılanmasını sağlar 7. İlaçların yemeklerden hemen önce alınması iştahsızlık ve dolgunluk hissine neden olabilir 8. Hastanın diyet, üre ve kreatin düzeylerinin böbrek hastalığı ile ilişkisini anlamasını sağlar 9. Hastanın ve ailenin diyetteki kısıtlamalara pozitif tutum göstermelerini ve ve evde kullanımları için kolaylık sağlar 10. Çevredeki olumsuz etmenlerin iştahsızlığa neden olmasını kontrol altına almayı sağlar 11. Sıvı ve beslenme durumunun izlenmesini sağlar 12. Yeterli protein alınmaması ödem oluşumuna, serum albümin düzeyinin azalmasına ve iyileşmenin gecikmesine neden olur	- Yüksek biyolojik değeri olan proteinleri alıyor olmalı *Diyetteki kısıtlamalar uygun görüntüsü ve tadı güzel yiyecekleri seçebiliyor olmalı *Diyetteki kısıtlamalara uygun kalori değeri yüksek gıdalar alıyor olmalı *Diyetteki kısıtlamaların üre ve kreatinin düzeyi ile ilişkisini kendi sözcükleri ile ifade etmeli *Önerilen ilaçlarını uygun biçimde alarak iştahsızlık ve dolgunluk hissi yaşamıyor olmalı *Kısıtlamalar uygun yiyecek listesi hazırlanmış olmalı *İşahının arttığını ifade etmeli *Hızlı kilo alma yda azalması olmamalı *Ödem olmadan normal deri turgorunu sürdürüyor ve serum albümin düzeyleri normal değerlerde olmalı

42. Üriner Sistem Hastalıkları

Çizelge 42.15: KBH olan Hastada Hemşirelik Bakım Palnı Örneği (Devamı)

Hemşirelik tanısı: Durumu ve tedavisi hakkında bilgi eksikliği
Hedef: Durumu ve uygulanacak tedaviye ilişkin bilgisinin arttırılması

1. Böbrek yetersizliğine neden olan etmenler ve tedavilerini anlaması değerlendirilir - Böbrek yetersizliğinin nedenleri - Böbrek yetersizliğinin neyi ifade ettiği - Böbrek işlevlerininin neler olduğu - Böbrek yetersizliğiyle sıvı ve diyet kısıtlamasının ilişkisi - Uygulanan tedaviler (HD, PD, transplantasyon) 2. Böbrek işlevleri ve böbrek yetersizliği hastanın anlayabileceği düzeyde ve öğrenme gereksinimleri doğrultusunda açıklanır 3. Hastalığa ilişkin değişiklikler ve bunların yaşam biçimine olan etksiini anlayabilmeleri için hasta ve yakınlarına destek sağlanır 4. Hastaya sözlü ve yazılı olarak aşağıdaki konularda bilgi verilir: - Böbreklerin işlevleri ve böbrek yetersizliği - Sıvı ve diyet kısıtlamaları - İlaçlar - Olası sorunlar, belirti ve bulguları - İzlemlere gitme ve yaptırma çizelgesi - Toplum kaynakları - Tedavi seçenekleri	1. Eğitimde verilenleri ve açıklananları anlamsı için temel oluşturur 2. Hastanın böbrek yetersizliği ve tedavi konusunda öğrenmeye hazır oluşluluk, tanı ve işlemleri kabul edebilirlik durumunu değerlendirmeyi sağlar 3. Hastanın hastalıkla birlikte yaşamını sürdürmeyi öğrenmesini sağlar 4. Evdeki bakımı anlamasını ve sürdürmesini sağlar	*Böbrek yetersizliği ve nedenlerini sözlü olarak ifade edebiliyor olmalı *Sıvı ve diyetteki kısıtlamaları ve bunların böbrek işlevleriyle ilişkisini, açıklayabiliyor olmalı *Böbrek yetresizliği ve tedavi gereksinimlerini kendi ifadeleri ile açıklayabiliyor olmalı *Tedavi seçeneklerinin neler olduğunu ve öğrenme gereksinimlerini sorabiliyor olmalı *Normal yaşam biçimini nasıl sürdüreceğinin sözel olarak ifade edebiliyor olmalı *Kendinse yazılı olarak verilen bilgilerle ilişkili soruları uygun biçimde yanıtlayabiliyor ve ek bilgi gereksinimleri belirtiyor olmalı

Hemşirelik tanısı: Yorgunluk, güçsüzlük, anemi metabolik artıkların birikimi ve diyaliz tedavisine bağlı aktivite intoleransı
Hedef: Tolere edebildiği ölçüde aktivitelere katılımın sağlanması

1. Yorgunluğa neden olan etmenler değerlendirilir - Anemi - Sıvı-elektrolit dengesizliği - Metabolik ürünlerin birikimi - Depresyon 2. Tolere edebildiği ölçüde bireysel bakımın yapması için izin verilir, yardım gereksinimi olduğunda yardım edilir 3. Aktiviteler arasında dinlenmesi için yönlendirilir 4. Diyaliz tedavisinden sonra dinlenmesi sağlanır	1. Yorgunluğa neden olan etmenlerin belirlenmesini sağlar 2. Kendine güvenini sağlar 3. Sınırlılıkları kapsamında aktiviteleri yerine getirmesini ve yeterli dinlenmesini sağlar 4. Diyalizin hastada neden olduğu yorgunluğu gidermeyi sağlar	*Aktivite ve egzersizlere katılımı artmış olmalı *Kendini daha iyi hissettiğini ifade edebiliyor olmalı *Aktivite ve dinlenme planı uyguluyor olmalı *Bazı bakım aktivitelerine katılım gösterebiliyor olmalı

Hemşirelik tanısı: Başkalarına bağımlı olma, rol değişiklikleri, beden algısında değişim ve cinsel işlevlerde değişime bağlı benlik saygısında bozulma
Hedef: Benlik saygısını düzeltme

1. Hasta ve ailenin hastalık ve tedaviye tepki ve yanıtları değerlendirilir 2. Hasta ve yakınlarının ilişkileri değerlendirilir 3. Hasta ve ailenin kullandığı baş etme yöntemleri değerlendirilir 4. Hastalık ve tedavinin neden olduğu değişiklikler konusunda rahatça konuşabileceği tartışma ortamı hazırlanır - Rol değişiklikleri - Yaşam biçimi değişiklikleri - İş değişiklikleri - Cinsel yaşamdaki değişiklikler - Sağlık ekibine bağımlılık 5. Cinsel yaşamla ilgili alteranatif yöntemler açıklanır	1. Hastalığın hasta ve ailede neden olduğu değişiklikler ve baş etme yöntemleri konusunda veri sağlar 2. Hasta ve ailenin güçlükleri ve destekleri konusunda veri sağlar 3. Başetme yöntemlerinin etkin olup olmadığının değerlendirilmesini sağlar 4. Hastanın gereksinimleri konusunda konuşabilmesini sağlar 5. Cinsel yaşamını daha kolay sürdürebileceği alternatiflerin tartışılmasını sağlar	*Daha önce kullandığı ve baş etmede yararlandığı alkol, ilaç kullanımı, aşırı fizik egzersiz gibi yöntemler varsa bunların kullanımının uygun olmadığını bildirebilmeli *Hasta ve aile üyeleri hastalığın yaşam biçiminde neden olduğu değişiklikleri, hastalık ve tedaviye karşı olan duygularını rahatça ifade edebiliyor olmalı *Hastalıkla baş etmede yetersizlik yaşamaları durumunda profesyonel destek arayabiliyor olmalı *Cinsel yaşamdan doyum aldığını ifade edebiliyor olmalı

Üriner Sistem

Çizelge 42.15: KBH olan Hastada Hemşirelik Bakım Palnı Örneği (Devamı)

Hemşirelik tanısı: Hastalığın vücuttaki tüm sistemleri etkilemesine bağlı olarak gelişebilecek hiperkalemi, perikardit, perikard efüzyonu, perikard tamponadı, hipertansiyon, anemi, kemik hastalığı ve metastatik kalsifikasyonlar gibi komplikasyonlar
Hedef: Hasta komplikasyon deneyimlememeli

Hiperkalemi 1. Serum potasyum düzeyleri izlenerek 5.5mEq/L olduğunda hekime bildirilir 2. Hastada kas güçsüzlüğü, diyare, EKG değişklikleri (T dalgasında yükselme, QRS aralığında genişleme) değerlendirilir	1. Hiperkalemi yaşamı tehdit eden bir komplikasyondur 2. Kardiyovasküler belirti ve bulgular hiperkaleminin önemli göstergeleridir	*Hastanın potasyum düzeyi normal sınırlarda olmalı *Kas güçsüzlüğü ve diyare yakınması olmamalı *EKG bulguları normal olmalı *Yaşam bulguları normal olmalı
Perikardit, perikard efüzyonu, perikard tamponadı 1. Hastada ateş, göğüs ağrısı ve perikard sürtünme sesi olup olmadığı değerlendirilir, saptandığı durumda hekime bildirilir 2. Perikarditi olan hastlarda 4 saate bir aşağıdaki değerlendirmeler yapılır: - Paradoksal nabız >10mm/Hg - Aşırı hipotansiyon - Periferal nabızda zayıflama yada alınamaması - Bilinç düzeyinde değişiklik - Boyun venlerinde genişleme 3. Perikard efüzyonu yada kardiyak tamponad tanısı için yapılacak US için hastanın hazırlığı sağlanır 4. Perikard tamponadı saptanan hastanın acil olarak perikardiyosentez için hazırlığı sağlanır	1. KBH olan hastaların yaklaşık %30-50'sinde üremiye bağlı olarak gelişen perikarditin tipik bulguları ateş, göğüs ağrısı ve perikard sürtünme sesidir. 2. Perikard efüzyonu perikarditin yaygın ölümcül komplikasyonudur. Efüzyonun başlıca bulguları parodoksal nabız (inspirasyonda kan basıncının >10mm/Hg olması), ve kardiyojenik şoktur. Hastanın hemodinamik parametreleri dengeli olduğunda kardiyak tamponad önlenebilir. 3. Kardiyal US perikard efüzyonu ve kardiyak tamponadı belirlemede uygun bir görüntüleme yöntemidir. 4. Kardiyak tamponad mortalite hızı yüksek yaşamı tehdit eden bir durumdur. Perikard boşluğundaki sıvıvının hemen aspire edilmesi gerekir	*Periferal nabız güçlü ve düzenli olmalı *Paradoksal nabız olmamalı *Kalp US'de perikardiyal efüzyon ve tamponad saptanmamalı *Hastanın kalp sesleri normal olmalı
Hipertansiyon 1. Kan basıncı isteme uygun olarak izlenmeli ve kaydedilmelidir 2. Önerilen antihipertansif ilaçlar önerildiği biçimde verilmelidir 3. Hasta diyet ve sıvı kısıtlamalarına uyması için yönlendirilmelidir 4. Görme ile ilgili değişiklikler, baş ağrısı, ödem ve nöbet gibi aşırı sıvı yüklenmesi belirti ve bulguları konusunda hasta eğitilmelidir	1. Hastanın izlenmesinde objektif veri sağlar. Kan basıncının yükselmesi tedavi programına uyulmadığının göstergesidir 2. Antihipertansif ilaçlar KBY'de hipertansiyon tedavisinde anahtar rol oynar 3. Diyette sodyum ve sıvı kıstlamasına uyulması aşırı sıvı yüklenmesini önler 4. Hipertansiyon kontrolünün yetersiz olduğunu ve tedavide değişiklik yapılması gerektiğini gösterir	*Kan basıncı normal sınırlarda olmalı *Baş ağrısı, görme sorunları ve nöbet olmamalı *Ödem olmamalı *Diyetteki kısıtlamalar ve sıvı kısıtlamasına uyum gösterebiliyor olmalı
Anemi 1. Eritrosit, hemoglobin, ve hematokrit düzeyleri önerildiği biçimde izlenmeli 2. Demir, folik asid bileşikleri, Epogen ve vitaminler önerildiği biçimde verilmeli 3. Gereksiz kan alımından kaçınılmalı 4. Kuvvetli burun temizliği, zorlayıcı spor aktiviteleri gibi kanamaya neden olabilecek aktivitelerden kaçınması, yumuşak diş fırçası kullanımı gibi konularda hasta eğitilmeli 5. Kan ürünleri önerildiği biçinmde verilmeli	1. Aneminin derecesini belirlemeyi sağlar 2. Eritrositlerin yapımı için demir, folik asid ve vitaminlere gereksinim vardır. Epogen kemik iliğinde eritrosit yapımını uyarır 3. Gereksiz kan alınması anemiyi daha kötü duruma getirir 4. Vücudun herhangi bir yerinden kanam olması anemiyi kötüleştirir 5. Anemiye ilşkin bulguları olan hastlarda kan ve kan ürünleri kullanılabilir	*Solukluk olmamalı, hastanın rengi normal olmalı *Kan değerleri normal sınırlar içinde olmalı *Kanama olmamalı
Kemik hastalığı ve metastatik kalsifikasyonlar 1. Fosfat bağlayıcılar, kalsiyum bileşikleri, D vitamini preperatları önerildiği biçimde verilmeli 2. Serum kalsiyum, fosfor, alüminyum düzeyleri izlenerek normal dışı bulgular hekime bildirilmeli 3. Hastanın egzersiz programlarına katılımına yardımcı olunmalı	1. KBY'de kalsiyum, fosfor ve D vitamini metabolizmasında birçok fizyolojik değişikliğe neden olur 2. KBY'de hiperfosfatemi, hipokalsemi ve anormal alüminyum birikimi yaygın olarak görülür 3. Hareketsizlik kemiklerin demineralizasyonunu arttırır	*Serum kalsiyum, fosfor ve alüminyum düzeyleri normal sınırlarda olmalıdır *Hipokalsemi bulguları olmamalıdır *Kemikte demineralizasyon saptanmamalıdır *Hasta aktivite düzeyine göre egzersiz programı uyguluyor olmalıdır

Komplikasyonlar

Böbrek nakli yapılan hastada herhangi bir abdominal ameliyat geçiren hastada görülebilecek komplikasyonlar gelişebilir. Buna ek olarak nakledilen böbrekte rejeksiyon(organ reddi) atakları ve buna yönelik uygulanan tedavilere bağlı yan etkiler gelişebilir.

Rejeksiyon/organ reddi

Rejeksiyon, alıcının nakledilen organa karşı oluşturduğu immun yanıt sonucu organın reddedilmesidir. Rejeksiyon hiperakut, akselere, akut ve kronik olarak gelişebilir.

Hiperakut rejeksiyon; alıcıda bulunan, vericinin HLA antijenlerine karşı gelişmiş sitotoksik antikorların neden olduğu humoral immun yanıttır. Böbrek arter ve arteriyollerinde vazospazm, tromboz ve nekroz ile belirgindir, nakledilen böbreğin cerrahi olarak çıkarılması gerekir(nefrektomi).

Akselere rejeksiyon; sıklıkla viral infeksiyonlarla birliktedir. Bu hastalarda steroid ve antikoagülan tedavi etkili olur, infeksiyon da tedavi edilmelidir. Tedaviye yanıt vermeyen hastalarda greft nefrektomi yapılması gerekir.

Akut rejeksiyon, ilk üç ay içinde ve en sık görülen rejeksiyon tipidir. T hücre aktivasyonu sonucu gelişmektedir. Akut inflamasyon bulguları ile ortaya çıkar. Erken tanınıp tedavi edilmediği takdirde, böbreğin işlevini olumsuz yönde etkiler. Tedavi edilebilir rejeksiyon tipidir.

Kronik rejeksiyon; sık tekrarlayan akut rejeksiyon ataklarını veya bazen de tek akut rejeksiyon atağını izler. Bazı hastalarda ise akut rejeksiyonun klinik bulguları olmadan serum kreatinin düzeyinde çok yavaş ilerleyici bir artış görülür. Kronik rejeksiyonda uzun zaman içerisinde böbrek işlevlerinde giderek bozulma olur. Rejeksiyonun nedeni, hücre düzeyinde immun reaksiyon oluşmasına bağlıdır. Terminal böbrek yetmezliği ile sonlanır.

Akut reaksiyon belirti ve bulguları; idrar çıkışında azalma (oligüri veya anüri), ateş, ağrı, ödem, ani kilo artışı, hipertansiyon, serum kreatinin düzeyinde değişme, kreatinin klirensinin azalmasıdır. Böbrek büyümüş, böbrek piramitleri belirginleşmiştir.

Enfeksiyonun Önlenmesi

Hemşire enfeksiyon belirtilerini izlemeli ve ayrıca düzenli aralıklarla idrar kültürü yaptırmalıdır. Hastanın üzerinde takılı olan kateterlerden de kültür alınmalıdır. Hemşire aktif enfeksiyonu olan diğer hastalar, hastane personeli ve ziyaretçilerden hastanın korunmasını sağlamalıdır. Hastanın yüksek dozda immunesupresif aldığı dönemde hastanın odasına gelen sağlık personeli ve ziyaretçilerin maske takması ve ellerini yıkaması sağlanmalıdır.

Üriner İşlevlerin Yönetimi

Hastada diyaliz için oluşturulan damarların korunması önemlidir. Çünkü ameliyat sonrası nakil edilen böbreğin işlevi daha iyi oluncaya kadar diyaliz yapılması gerekebilir.

Hastanın sıvı ve elektrolit dengesinin sağlanması gerekir. İdrar çıkışını kontrol etmek için saatlik idrar izlemi yapılmalıdır. İdrar volümü de göz önünde bulundurularak hastaya intravenöz sıvılar verilmelidir.

Psikolojik Durum

Böbrek nakli yapılan hastanın ve ailesinin uzun dönem desteğe gereksinimi vardır. Ameliyat sonrası gelişebilecek rejeksiyon ya da diğer komplikasyonlar hasta ve ailesi için kaygıya neden olur. Hemşire rejeksiyon ve immunosupresif tedavinin yan etkileri (Cushing's sendromu, diyabet, kapiller frajilite, osteoporoz, glokom, katarakt) konusunda hastayı ve ailesini bilgilendirmelidir.

Hasta ve ailesinin, gelecekle ilgili belirsizlik, nakil sonrası yaşanan zorluklar, komplikasyonlara bağlı anksiyetesi vardır. Hastanın stresle baş etme durumunun değerlendirilmesi en önemli hemşirelik işlevidir. Bunun için hemşire hasta ve ailesi ile görüşmeler için zaman ayırmalıdır.

Evde Bakım

Böbrek nakli yapılan hastaya ve ailesine rejeksiyon, enfeksiyon ve immunosupresif tedavinin yan etkileri hakkında bilgi verilmeli ve belirtiler görüldüğünde hemen hastaneye gelmeleri anlatılmalıdır. Hastaya diyeti, ilaçları, sıvı alımı, kilo takibi, günlük idrar takibi, enfeksiyonun önlenmesi, aktiviteler ve kısıtlamalarla ilgili yazılı ve sözlü bilgi verilmelidir.

Üriner Sistem Taşları

Epidemiyoloji ve Etiyoloji

Üriner sistem taşları (ürolitiazis) üriner sistemin herhangi bir bölümünde (böbrekler, üreterler, mesane) gelişebilmektedir. (Şekil 42.6). Ancak en sık geliştiği yer böbreklerdir (nefro-litiazis) Üriner sistem taşları, kalsiyum oksalat, kalsiyum fosfat ve ürikasit gibi maddelerin idrardaki yoğunluğunun artması sonucu oluşur. Üriner sistem taşlarının %35'i kalsiyum oksalat taşlarıdır, %30-35'i mikst kalsiyum oksalat ve fosfat, %15-20'si magnezyum fosfat, %5-10'u ürikasit taşlarıdır. Tam kalsiyum fosfat taşları %55, sistin taşları %2 oranında görülmektedir.

Taş oluşumunu etkileyen pek çok faktör bildirilmektedir. Bunlar intrensek ve ekstrensek faktörler olarak gruplandırılabilir. İntrensek faktörler; genetik, yaş, cinsiyettir. Genetik faktörler; sistinüri, renal tubuler asidoz, Lesch-Nyhan sendromundaki anormal pürin metabolizması gibi enzimatik faaliyetlerdir. Lesch-Nyhan sendromu purin metabolizmasının X kromozomuna bağlı resesif kalıtsal bir bozukluğudur. Bozukluğun nedeni hipoksantin-guanin fosforibozil transferaz enziminin eksikliğidir. Taş hastalığı sıklıkla 20-40 yaşlarında en sık görülmektedir. Erkeklerde kadınlara oranla üç kat daha fazladır. Kadınlarda görülen taşlar daha çok enfeksiyon taşlarıdır.

Taş oluşumunda etkili ekstrensek faktörler ise coğrafi konum, iklim ve mevsim, su alımı ve diyettir. Taş hastalığı insidansının bazı coğrafi bölgelerde daha fazla görülmesinin nedeninin diyet alışkanlıkları, sıcaklık ve nem oranına bağlı olduğu ileri sürülmektedir.

Taş oluşmasında en önemli faktörlerden biri ortalama ısıdır. Taş oluşumuna eğilimi olan bireylerde, dehidratasyon çözünemeyen moleküllerin yoğunluğunu ve idrar asiditesini arttırır. Bu durum kristalizasyonu başlatır. Taş oluşumuna yol açan maddelerin idrarla atılımını arttıran pürin, oksalat, kalsiyum, fosfat ve diğer elementleri içeren yiyecek ve içeceklerin fazla alınmasının taş oluşumunu arttırdığı kabul edilmektedir. Taş oluşumu ile su alımı arasındaki ilişki iki temele dayanmaktadır. Birincisi terlemeye karşı alınan su miktarı, ikincisi alınan suyun içerdiği mineral ve eser element miktarıdır. Taşların oluşumunda birçok teori ve görüşler ileri sürülmüştür. Ancak bunların hiçbirisi tek başına bütün taşların oluşumunu açıklamaya yeterli değildir.

Klinik Belirti ve Bulgular

Üriner taşların belirti ve bulguları tıkanma, enfeksiyon ve ödeme bağlıdır. Bunlar; ağrı (kolik), bulantı-kusma, ateş-titreme, hematüri gibi belirti ve bulgulardır. Ağrı taşın lokalizasyonuna bağlı olarak değişir. Taş böbrekte ise kostovertebral alanda kolik tarzında ağrıya neden olur. Hareket eden taş atılma çabasıyla üreter boyunca ağrıya neden olur. Ağrı, taşın yerleşimine bağlı olarak kostovertebral bölgeden inguinal bölgeye kadar herhangi bir seviyede olabilir.

Eğer taş bir bölgede takılırsa, etrafında enflamasyon oluşacağından ağrı takılma bölgesinde lokalize olur. Çölyak ganglion hem böbreği hem de mideyi innerve ettiği için bulantı ve kusma kolik tarzındaki ağrıya eşlik edebilir. Taş sivri ve pürtüklü bir yapıdaysa fazla miktarda hematüri görülebilir. Hematüri makroskopik ya da mikroskopik olabilir. Ateş ve titreme görülmesi bakteriyel enfeksiyon belirtisidir. Taşı olan hastada hafif lökositoz görülebilir. Ancak enfeksiyon varsa lökositoz artar.

Öykü Alma ve Tanı İşlemleri

Hastanın varolan yakınmaları, ailesel ve kişisel hastalık öyküsü değerlendirilir. Tanı için kan ve idrar analizi yaptırılır. Üriner sistem grafisi ve ultrasonografisi, intravenöz ürografi ya da retrograd pyelografi yapılır.

Tıbbi Yönetim

Taşı olan hastanın önemli derecede tıkanma, böbrek fonksiyonunda bozulma, piyelonefrit ve çok şiddetli ağrısı varsa bu hastalara girişim yapılması gerekebilir.

Gastrointestinal yakınmaları fazla olan ve yeterli sıvı alamayan, anürisi olan tek böbreği olan, ateşi ve enfeksiyonu olan hastaların hastaneye yatırılması gerekebilir.

Çok küçük taşı olan, enfeksiyon ve tıkanma olmayan hastalar taşı düşürebilirler. Bu hastalar izlenmeli, hastanın aktivitesi ve bol sıvı alımı sağlanmalıdır.

Ağrı için narkotik analjezikler kullanılır. Ağrıyı gidermek için başka bir analjezik ise diklofenak sodyumdur. Bu bir prostoglandin inhibitörüdür. Prostoglandinlerin neden olduğu böbrek kan akımı artışı ve natriüretik etki nedeniyle oluşan volüm yükünü ve düz kas kasılmasını baskılayarak ağrıyı azaltır. Ağrının hafifletilmesi için sıcak uygulama da yapılabilir.

Cerrahi Yönetim

Eğer taş, kanaldan geçememiş ve tıkanmaya neden olmuşsa bu durumda değişik girişimler yapılmaktadır. Bunlar; açık cerrahi girişim, endoskopik girişim ya da üreteroskopi, vücut dışı şok dalgalarıyla taş kırma (extracorporeal shock wave lithotripsy -ESWL, endoürolojik (perkütan) taş çıkarma gibi yöntemlerdir.

Açık cerrahi girişim vücut dışı şok dalgalarıyla taş kırma ve perkütan girişimin başarısız olduğu durumlarda ve bu yöntemlerin uygulanamayacağı durumlarda yapılmaktadır. Taşın büyüklüğüne, yerleşimine ve dağılımına göre yapılmaktadır. Taş böbrek pelvisinden çıkarılıyorsa piye-

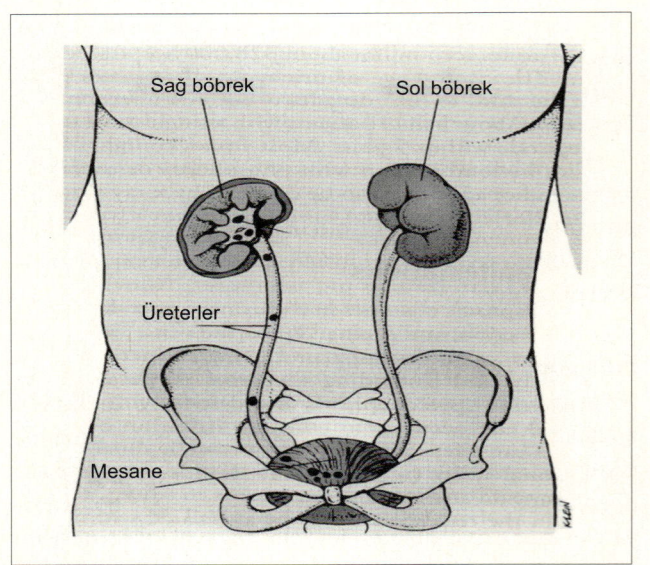

Şekil 42.6: Üriner sistemde oluşan taşların yerleşimi (böbrektaşları, üreter taşları, mesane taşları)
Kaynak: (Smeltzer S C, Bare B G (2004). Brunner & Suddarth's Textbook of Medical Surgical Nursing, Tenth Edition, A Wolters Kluwer Company, Philadelphia. 1250-1485.)

42. Üriner Sistem Hastalıkları

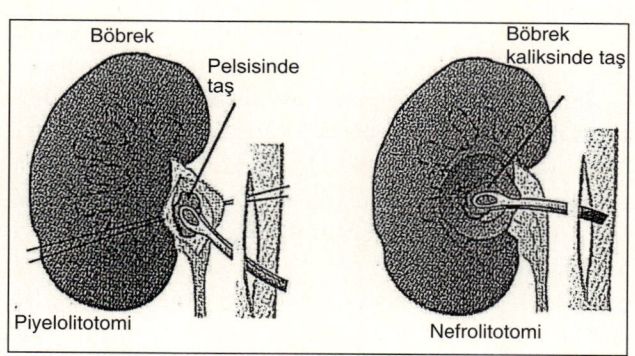

Şekil 42.7: Böbrek taşlarının çıkarılması için uygulanan açık cerrahi teknikler.
Kaynak:(Black J M, Hawks JH (2005). Medical Surgical Nursing,Clinical Management for Positive Outcomes,Seventh Edition, Copyright by Elseiver, İnc.St. Louis.)

lolitotomi, böbrek kaliksinden çıkarılıyorsa nefrolitotomi, üreterden çıkarılıyorsa üreterolitotomi, mesaneden çıkarılıyorsa sistolitotomi olarak adlandırılmaktadır (Şekil 42.7).

Vücut dışından şok dalgalarıyla taş kırma (ESWL): Günümüzde üriner taşların %80'den fazlası bu yöntemle tedavi edilmektedir. Şok dalgaları, su ve yumuşak doku içinden minimal enerji kaybıyla ve çok az hasarla geçer ve hedeflenen materyal üzerinde mekanik etki yaparlar. Taşa gelen dalgaların temas ettiği yüzeyde genleşme olur ve sonra bu yüzeye komşu bölgede aynı etki tekrar tekrar meydana gelir. Taşın içinde devam eden bu olay, taşın önce genleşip sonra küçük parçalara ayrılmasına yol açar (Şekil 42.8). ESWL pek çok hasta tarafından iyi tolere edilmesine karşın bazı yan etkiler oluşturabilir. Bunlar böbrekte hematom, üreterde tıkanma, hematüri, hipertansiyon gelişmesi, pankreatit ve ritim bozuklukları olarak sayılabilir.

ESWL genel anestezi, spinal anestezi, epidural anestezi, lokal anestezi altında yapılabildiği gibi anestezi yapılmadan analjezik ya da sedatif verilerek de yapılmaktadır. Yeni geliştirilen cihazlarla anestezi uygulamadan tedavi yapılabilmektedir. Taşın lokalizasyonu genellikle ultrasonografi ile yapılır. X-ray ile de yapılabilmektedir, ancak kullanımı daha sınırlıdır.

Perkütan taş cerrahisi: Vücut dışından şok dalgalarıyla taş kırma yapılamayan hastalarda, çok büyük ve çok yerleşik taşlarda, üreteropelvik darlıklarda seçilen tedavi şeklidir. İşleme sistoskopi ile başlanır, üretere kateter yerleştirilip böbreğe kadar itilir ve hasta prone pozisyona alınır. Fuloroskopi eşliğinde girilecek böbrek kaliksi seçilir ve iğne ile giriş yolu açılır. Dilatasyon yapılarak böbrek içine girilir. Taş ultrasonik, pnömotik, elektrohidrolik litotriptör ya da lazer ile kırılarak taş parçaları çıkarılır (Şekil 42.9).

Üreteroskopi: Üreterlerdeki sorunlarda hem tanı hem tedavi amaçlı kullanılmaktadır. Üreteroskopla üretere girildikten sonra taşlar kırılmaktadır. İşlem sonrası bu alana bir stent takılabilir. (Şekil 42.10).

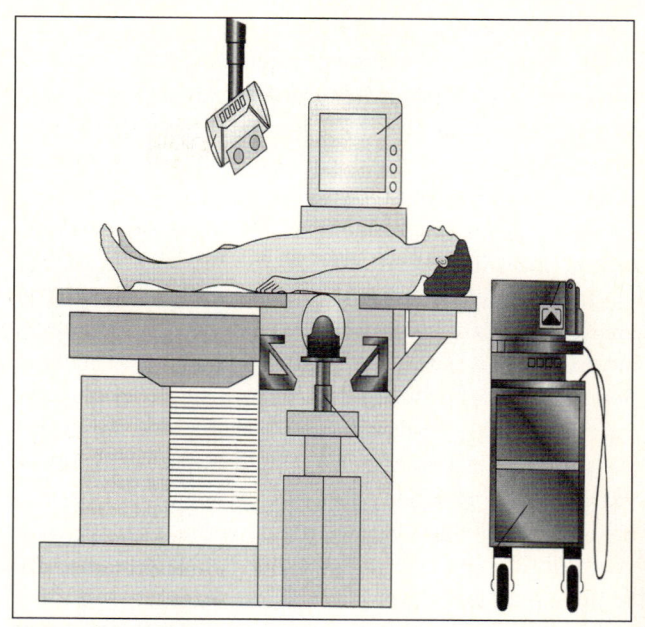

Şekil 42.8: Ekstrakorporeal şok dalgalarıyla taş kırma(ESWL). (Smeltzer S C, Bare B G (2004). Brunner & Suddarth's Textbook of Medical Surgical Nursing, Tenth Edition, A Wolters Kluwer Company, Philadelphia. 1250-1485.)

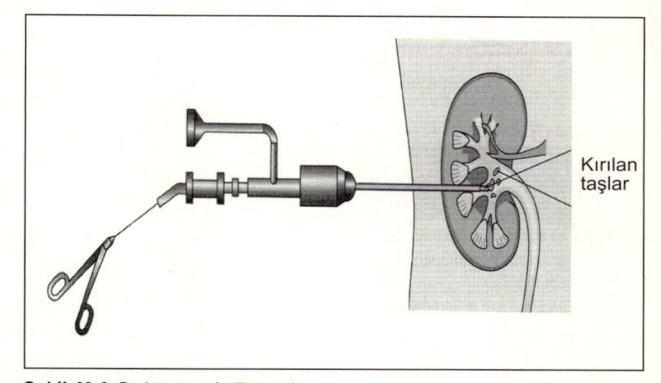

Şekil 42.9: Perkütan nefrolitotomi.
Kaynak:(Smeltzer S C, Bare B G (2004). Brunner & Suddarth's Textbook of Medical Surgical Nursing, Tenth Edition, A Wolters Kluwer Company, Philadelphia. 1250-1485.)

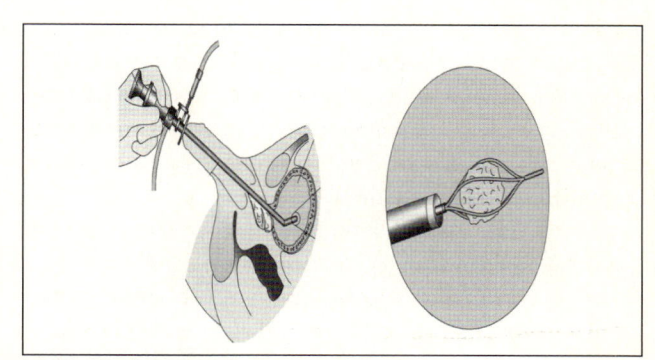

Şekil 42.10: Üreteroskopla küçük taşların çıkarılması.
Kaynak: (Smeltzer S C, Bare B G (2004). Brunner & Suddarth's Textbook of Medical Surgical Nursing, Tenth Edition, A Wolters Kluwer Company, Philadelphia. 1250-1485.)

Üriner Sistem

Hemşirelik Yönetimi

Üriner sistem taşı olan hastanın bakımında hedef, hastanın ağrıya bağlı rahatsızlığını gidermek, yeniden taş oluşmasını ve komplikasyonların gelişmesini önlemektir. Ağrı yönetiminde hastaya verilen analjezikler düzenli olarak intravenöz veya intramüsküler olarak yapılmalıdır. Hastaya herhangi bir girişim yapılacaksa (litotripsi, ureteroskopi, cerrahi) hasta hazırlanmalıdır.

Taşlar, enfeksiyon, sepsis ve tıkanma gibi komplikasyonlara yol açabilmektedir. Bu nedenle hemşire hastanın idrar miktarını, görünümünü (kanlı, bulanık) izlemelidir. Sıvı alımının arttırılması için hastaya bilgi verilmelidir. Eğer hasta oral olarak yeterli sıvı alamıyorsa intravenöz yolla verilebilir. Üriner sistemdeki taşın hareketini sağlayıp düşürmek amacıyla hasta hareket etmesi için cesaretlendirilmelidir. Hasta yaşam bulguları, vücut ısısı enfeksiyon belirtileri yönünden izlenmelidir. Enfeksiyon belirti ve bulguları varsa antibiyotik tedavisine başlanır.

Üriner sistem taşlarının tekrarlamasını önlemek amacıyla hastaya bol sıvı almasını, bol hareket etmesini önermek gerekir. Ayrıca ayda bir idrar kültürü yapılması ve enfeksiyonun kontrol edilmesi gerekmektedir.

Hemşirelik Tanıları

1. Üriner sistemin inflamasyonu, obstrüksiyonu ve abrazyonuna bağlı *akut ağrı*.
2. Üriner sistem taşlarının tekrarlamasını önlemeye yönelik *bilgi eksikliği*

Üriner Sistem Yaralanmaları

Genel vücut travmalarında genitoüriner sistem organları da etkilenebilir. Ancak genel bir yaralanmada bu organların hasarı gözden kaçabilir ve ciddi komplikasyonlar ortaya çıkabilir.

Böbrek Yaralanmaları

Normalde lomber bölgedeki kaslar, vertebralar, kostalar ve batın organları böbrekleri yaralanmalardan korur. Böbrek yaralanmaları künt ya da penetre yaralanmalara bağlı olarak gelişir. Künt yaralanmalar motorlu taşıt kazaları, düşmeler, spor kazaları sonucu, penetre yaralanmalar ise ateşli silahlar veya delici kesici aletlerle (bıçak gibi) yaralanmalar sonucu oluşmaktadır. Künt yaralanmalar genellikle dört grupta sınıflandırılmaktadır.

1. Kontüzyon: Kapsül altında ezilme ve kanama olur. Yaralanmadan toplayıcı sistem de etkilenebilir.
2. Minör laserasyon: Kortekste yüzeyel hasar vardır. Medulla ve toplayıcı sistem etkilenmemiştir.
3. Majör laserasyon: Korteks ve medullayı da kapsayan parankim hasarı vardır. Toplayıcı sistem de etkilemiş olabilir.
4. Vasküler yaralanma: Böbrek arteri veya veni yırtılmıştır.

Böbrek yaralanmalarında genellikle böbrekte kontüzyon, laserasyon, rüptür, pedikül yaralanması ya da internal laserasyonlar olur (Şekil 42.11). Böbrekler abdominal aortadan gelen kanın yarısını kullanır. Bu nedenle böbrekteki küçük bir laserasyon yoğun bir kanamaya neden olabilir ve hastada şok gelişebilir.

Böbrek yaralanmalarında belirti ve bulgular; ağrı, hematüri, lomber bölgede görünen yara ağzı (penetre yaralanmalarda) veya ekimozdur (künt yaralamalarda).

Üreter Yaralanması

Tek başına üreter yaralanması genelde nadir görülür. Üreterler genellikle penetre yaralanmalarda etkilenir. Bunların başında iyatrojenik yaralanmalar gelir. İyatrojenik yaralanmalar, jinekolojik ve ürolojik ameliyatlar esnasında meydana gelirler. Cerrahi girişime bağlı gelişen üreter yaralanmalarında idrar periton içine sızmışsa akut karın tablosu gelişir. Retro-peritoneal alana sızmışsa lomber kitle ve ateş olur. Yaralanma sonrası üretero-vaginal veya üreterokütanöz fistül de gelişebilir. Bu durumda idrar vaginadan ya da deriden gelebilir. Üreter yaralanmalarında tanı intravenöz ürografi ile konulur.

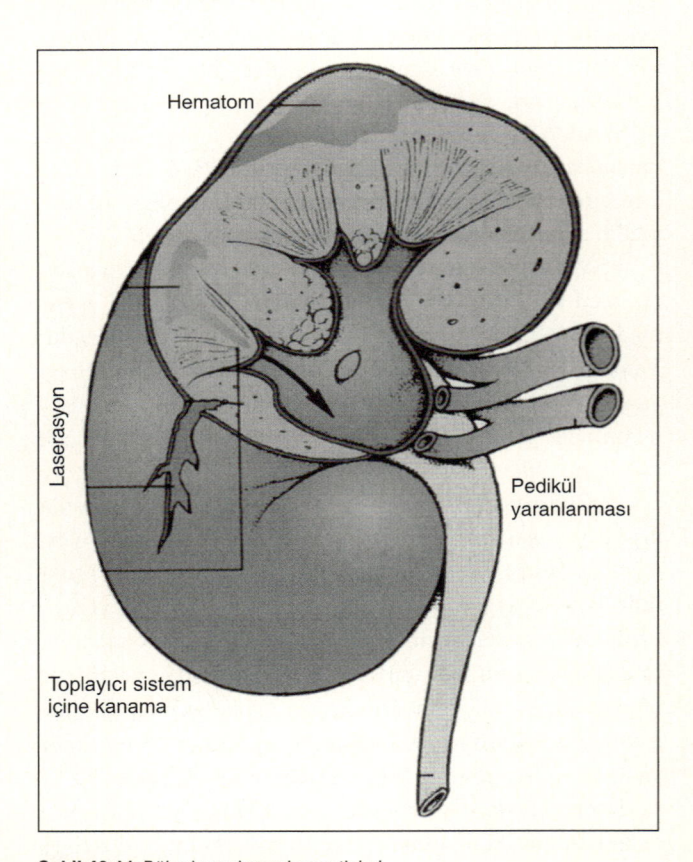

Şekil 42.11: Böbrek yaralanmalarının tipleri.
Kaynak: (Smeltzer S C, Bare B G (2004). Brunner & Suddarth's Textbook of Medical Surgical Nursing, Tenth Edition, A Wolters Kluwer Company,

Mesane Yaralanması

Mesane yaralanmaları pelvis ya da pubis kırıklarına bağlı olarak meydana gelebilir. Künt veya penetre yaralanmalar sonucu olabileceği gibi cerrahi girişimler sırasında da oluşabilir. Mesanenin dolu veya boş olması da yaralanma şeklini etkileyebilir. Mesane yaralanmaları sonucu kanama, şok, sepsis gelişebilir.

Üretra Yaralanması

Üretra yaralanması genellikle üst karın veya pelvik alanda oluşan künt travmalar sonucu olur. Meatustan kanama, idrar yapamama ve mesane distansiyonu en belirgin bulgulardır.

Tıbbi Yönetim

Üriner sistem yaralanmalarında bakımın hedefi; kanama kontrolü, ağrı kontrolü, enfeksiyon kontrolünü sağlamak, böbrek fonksiyonunu düzeltmek, korumak ve idrar akımını sağlamaktır.

Hasta kanama yönünden izlenir, hemoglobin ve hemotokrit düzeyi değerlendirilir. Oligüri ve hemorajik şok bulguları gözlenmelidir. Enfeksiyon bulguları gözlenir eğer enfeksiyon bulguları varsa antibiyotik tedavisine başlanır.

Cerrahi Yönetim

Üriner sistem yaralanması olan hastada kanamanın kontrol altına alınması için bazı durumlarda cerrahi tedavi gerekebilir.

Böbrekte minör yaralanmalarda genellikle cerrahi girişim gerekmez. Ancak devam eden kanamalar, idrar sızıntısı, pedikül yaralanması gibi durumlarda cerrahi girişim gerekir.

Üreter yaralanmalarında üreterin onarımı yapıldıktan sonra genellikle üreter içine stent yerleştirilir (Şekil 42.12). Böylece iyileşme sürecinde idrar drenajı sağlanmış olur.

Mesane yaralanmalarında mesane onarımı yapıldıktan sonra sistostomi yapılarak idrar drenajı ve kanama kontrolü sağlanmalıdır. Küçük mesane rüptürlerinde üretra kateteri takılarak hasta izlenir. Üretra yaralanmalarında erken dönemde suprapubik sistostomi yapılarak idrar drenajı sağlanır. Yaklaşık üç ay kadar sonra uretrografi çekilerek uretroplasti yapılır. Uretra yaralanmalarından sonra empotans, darlıklar ve inkontinans gibi komplikasyonlar gelişebilir.

Hemşirelik Yönetimi

Üriner sistem yaralanması olan hastanın bakımında erken dönemde kanama ve şok belirtileri izlenmelidir. Hemşire hastanın sıvı alımını ve idrar çıkışını yakından izlemeli ve kaydetmelidir. Ayrıca enfeksiyon belirtileri izlemelidir. Böbrek yaralanmalarına bağlı hipertansiyon gelişebileceği için hastanın kan basıncı izlenmelidir. Hastaya cerrahi girişim uygulanacaksa ameliyat öncesi ve sonrası bakım yapılır.

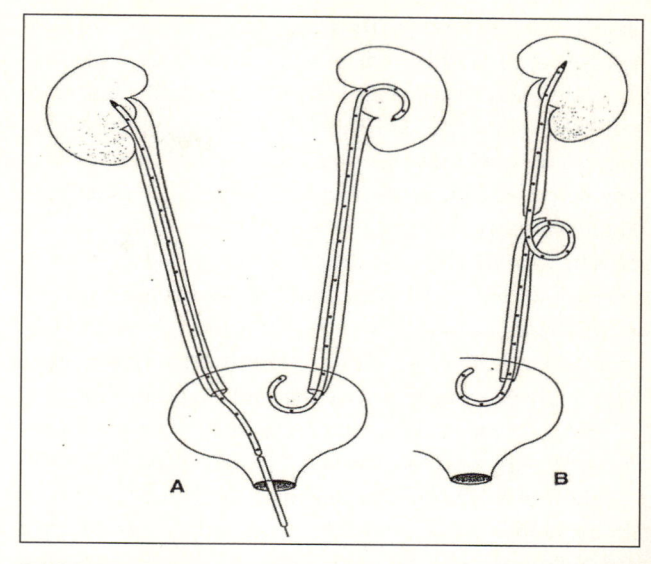

Şekil 42.12: Ureteral stent yerleştirilmesi. (a)Solda ureteral stentin retrograt geçişi, sağda çift J(double J) kateterin proksimal ucu alt kaliks veya böbrek pelvisinde distal ucu mesanede.(b) Çift J kateterin açık cerrahi yöntemle ureteral anastomoz öncesi yerleştirilmesi. (Smeltzer S C, Bare B G (2004). Brunner & Suddarth's Textbook of Medical Surgical Nursing, Tenth Edition, A Wolters Kluwer Company, Philadelphia. 1250-1485.)

Üriner Sistem Tümörleri

Üriner sistem tümörleri, mesane, böbrek, üreter ve diğer üriner yapıların tümörleridir.

Böbrek Tümörleri

Etiyoloji ve Epidemiyoloji

Malign böbrek tümörlerinden adenokarsinomalar tüm kanserlerin %3'nü oluşturur. Küçük benign tümörler ise (adenomalar) bulgu vermeden ve hasar yapmadan gelişebilirler. Adenokarsinomalar (renal hücreli karsinoma) 30 yaşından önce daha az görülmekte, 50-70 yaşlar arasında daha fazla görülmektedir. Kadın ve erkekte aynı oranda görüldüğü bildirilmektedir.

Böbrek adenokarsinomunun nedeni tam olarak bilinmemektedir. Diyet, hormonlar, kromozom anomalileri ve onkogenlerin yanı sıra, çevresel faktörlerin de etiyolojide rol oynadığı belirtilmektedir. Atnalı böbrek, erişkin polikistik böbrek, kronik böbrek Yetersizliğine bağlı kistik böbrek hastalığı olan kişilerde insidans artmaktadır. Sigara kullanımının etiyolojide rol oynadığı pek çok çalışmada belirtilmiştir. Ailesel geçiş de etiyolojide rol oynar.

Patofizyoloji

Böbrek karsinomaları genellikle tek taraflıdır. Fakat iki taraflı da gelişebilir. Böbrek korteksinden köken alır. Bu kanserler böbrek kapsülünden, böbrek çevresi yağ dokusuna ve komşu visseral yapılara yayılırlar, ya da böbrek veni içerisine direkt yayılım gösterirler.

Genellikle hastaların 1/3'ünde tanı konulduğunda metastaz da vardır. Tüm kanserlerde olduğu gibi böbrek kanserlerinde de hastalığın hangi aşamada olduğunu belirlemek, uygun tedaviyi seçmek ve prognoz hakkında bilgi edinmek amacıyla dereceleme yapılmıştır (Şekil 42.13). Böbrek kanserlerinde hematüri en sık görülen belirtidir. Ağrı yoktur ancak daha ileri safhada lomber bölgede ağrı ve kitle olur. Metastaz varsa, kemik ağrıları, öksürük, kilo kaybı, anemi gibi bulgular olur. Renin-anjiyotensin sisteminin uyarılmasına bağlı hipertansiyon da görülebilir.

Tanı için direkt üriner sistem grafisi (DÜSG), ultrasonografi (US), intravenöz pyelografi (İVP), tomografi (BT) ve manyetik rezonans görüntüleme (MRG) yapılır. IVP ve US'dan sonra kitle saptanırsa BT ile en iyi değerlendirme yapılabilmektedir.

Tıbbi Yönetim
Böbrek kanserlerinin tedavisinde cerrahi, radyoterapi, hormon tedavisi ve kemoterapi uygulanmaktadır.

Cerrahi tedavide radikal nefrektomi(böbreğin cerrahi olarak çıkarılması) veya tümörün çıkarılması söz konusudur. Radyoterapi, hormon tedavisi veya kemoterapi tek başına veya cerrahiye ek olarak uygulanmaktadır.

Hemşirelik Yönetimi
Böbrek tümörü olan hastanın tedavisinde cerrahi, radyoterapi, kemoterapi ve hormon tedavisi gibi pek çok uygulama yapıldığı için hemşirelik yönetimi bu uygulamalara yönelik yapılmalıdır. Böbrek ameliyatı olacak hasta bakımı, radyoterapi ve kemoterapi alan hasta bakımı ilgili bölümlerde anlatılmıştır.

Böbrek Ameliyatı Yapılan Hastanın Yönetimi
Böbrek ameliyatları, böbrekten taş veya tümör çıkarılması, böbreğe tüp yerleştirilmesi (nefrostomi), böbreğin hastalık nedeniyle (kanser) tek taraflı çıkarılması veya böbrek nakli için yapılabilir. Böbrek ameliyatlarında genellikle üç tip hasta pozisyonu ve kesi uygulanmaktadır. Bunlar; flank, lumbar ve torakoabdominal insizyonlardır (Şekil 42.7).

Ameliyat Öncesi Dönem
Böbrek ameliyatı olacak hastanın bakımında ameliyat öncesi dönemde ameliyatın tipi, süresi, anestezi tipi damaryolu kateterleri, idrar kateteri ve diğer drenler ve tüpler hakkında hasta bilgilendirilir. Derin solunum egzersizleri ve öksürmenin önemi ve nasıl yapılacağı yine hastaya açıklamalı ve öğretilmelidir.

Ameliyat Sonrası Dönem
Solunumun Sağlanması
Böbrek ameliyatında yapılan kesi hastanın solunum kapasitesini etkilemektedir. Kesi diyafragmanın altında olduğu için derin nefes alma esnasında hasta ağrı duyar. Bu nedenle atelektazi ve diğer solunum komplikasyonları önlenmelidir. Hasta en erken dönemde yatak içi hareketlerine başlatılmalı ve ayağa kaldırılmalıdır. Kesiye bağlı olan ağrıyı gidermek için genellikle narkotik analjezikler kullanılmaktadır. Hemşire solunum egzersizleri, ambulasyon ve ağrı yönetimini sağlamalıdır.

İdrar Çıkışı
Hastanın böbrek fonksiyonlarının izlenebilmesi için saatlik idrar izlemi yapılır. Alınan ve çıkarılan sıvı izlemi yapılır. Saatlik idrarın 50 ml.nin altına düşmemesi gerekir. İdrar miktarının izlenmesinde nefrostomi tüpünden, üretral kateterden gelen ve pansumanlara sızan idrar göz önünde bulundurulmalıdır. Kilo kontrolü yapılmalıdır.

Distansiyon
Ameliyat sırasında bağırsaklara ve mideye olan bası sonucu abdominal distansiyon gelişebilir. Ayrıca ameliyat sonrası paralitik ileus gelişebilir. Bu durum, gastrointestinal sistemin refleks paralizisi ve ameliyat sırasında kolon ve duedonumun manipülasyonuyla ilişkili olabilir ve ameliyat sonrası ağrıya neden olur. Böbrek ameliyatı sonrası abdominal distansiyon nedeniyle hastanın ağız yoluyla yemek ve sıvı alımı 24-48 saat kadar kısıtlı olmalıdır. Yaklaşık dördüncü günde hasta normal diyeti tolere edebilir.

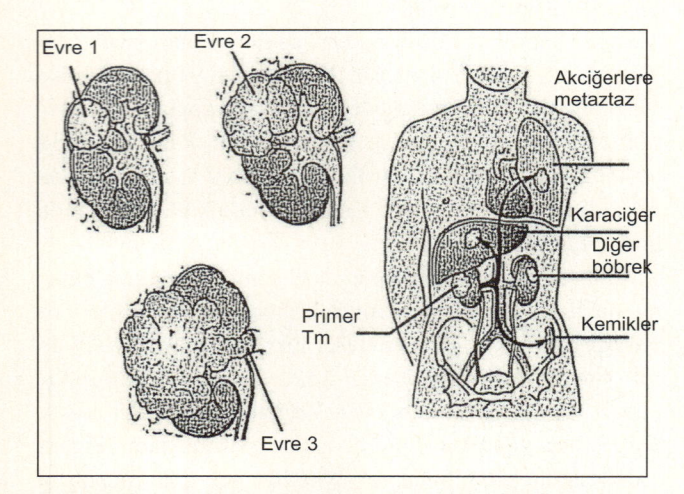

Şekil 42.13: Böbrek karsinomunda derecelendirme. Stage 1 tümör böbrek kapsülü içinde sınırlı, Stage 2 tümör böbrek kapsülünün dışında perirenal yağ dokusuna yayılmış ancak uzak metastaz yok. Stage 3 böbrek venine ve bölgesel lenfatiklere yayılımış. Stage 4 tümör diğer organlara metastaz yapmış.
Kaynak: (Black J M, Hawks JH (2005). Medical Surgical Nursing, Clinical Management for Positive Outcomes, Seventh Edition, Copyright by Elseiver, İnc.St. Louis.)

Kanama Kontrolü
Böbrekler damardan zengin bir yapıya sahip oldukları için kanama ve şok en önemli komplikasyonlardır. Ameliyat sırasındaki kan kaybı nedeniyle ameliyat sonrası sıvı ve kan takviyesi gerekebilir. Hasta hipovolemik şok belirtileri açısından izlenir.

Enfeksiyon Kontrolü
Hasta enfeksiyon belirti ve bulguları açısından izlenmelidir. Eğer enfeksiyon gelişirse antibiyotik tedavisinin yönetimi sağlanmalıdır.

Drenaj Tüpleri
Böbrek ameliyatlarında ve üriner sistemle ilgili diğer ameliyatlarda hastaya drenler, tüpler ve kateterler takılmaktadır. Tüm kateter ve tüplerin uygun bakımı yapılmalıdır. Kateter ve tüplerin açıklığı, sağlanmalı, kan pıhtısı ile tıkanması önlenmelidir

Mesane Tümörleri
Etiyoloji ve Epidemiyoloji
Mesane tümörleri genellikle 50-70 yaşlarında görülmektedir. Erkeklerde kadınlara oranla 3 kat fazladır. Mesane tümörlerinin oluşmasında sigara önemli bir risk faktörü olarak belirtilmektedir. Sigaradan başka risk faktörleri ise, çevresel karsinojenler (kimyasal maddeler, boyalar vs) üriner sistemde tekrarlayan bakteriyel enfeksiyonlar, mesane taşları, idrar pH'sının yüksek olması, yüksek kolesterol, pelvik bölgeye radyasyon uygulaması olarak sayılabilir.

Patofizyoloji
Mesane tümörleri küçük benign papilloma, yüzeyel veya invaziv karsinoma ya da metastatik kanser şeklinde olabilir. Mesane tümörleri genellikle mesane tabanında, üreter açıklıklarını kapsayan şekilde ve mesane boynunda olur. Ağrısız hematüri vardır. Sekonder enfeksiyon gelişir ve sistit semptomları görülür. Tümör üreter açıklıklarını tıkamışsa obstrüksiyon belirtileri olur. Metastaz varsa pelvis ya da sırt ağrısı olabilir.

Tanı için, idrarda sitolojik inceleme, sistoskopi ve biyopsi yapılır. BT, US de yapılabilir.

Tıbbi Yönetim
Mesane tümörlerinin tedavisi lezyonun büyüklüğü ve etkilenen doku kapsamına göre yapılmaktadır.

Cerrahi Yönetim
Küçük ve yüzeyel tümörlerde transuretral fulgurasyon veya rezeksizyon (TUR) yeterli olabilir. İşlem sonrası foley kateter takılarak idrar çıkışı ve kanama izlenir. Eğer tümör büyük veya yaygınsa segmental rezeksiyon (mesanenin kısmen çıkarılması) ya da radikal sistektomi (mesanenin tamamen çıkarılması) yapılır. Mesanenin tamamının çıkarıldığı durumda üriner diversiyon gerekir. Radikal sistektomi, mesanenin ve iki taraflı pelvik lenf bezlerinin, erkeklerde, prostat, seminal veziküller ve üretranın bir kısmı ya da tamamının çıkarıldığı, kadınlarda ise serviks, uterus, overler, vajinanın ön duvarı ve üretranın bir kısmı ya da tamamının çıkarıldığı bir ameliyattır. Bu ameliyattan sonra idrarın dışarı boşaltılması için yeni bir yol oluşturulur, bu işleme üriner diversiyon denir.

Üriner Diversiyonlar
Üriner diversiyon, mesanenin cerrahi olarak çıkarılmasından (sistektomi) sonra idrarın depolanması için yeni bir rezervuar oluşturulması işlemidir. Genellikle bu amaçla bağırsağın bir kısmı kullanılmaktadır. Sistektomi yapılan hastada idrarın depolanması ve atılması için oluşturulacak yeni yol hastanın ve hastalığın durumuna göre üç tipte yapılmaktadır. Ortotopik yeni mesane oluşturulması, kütanöz (cilde açılan) üriner diversiyonlar, kontinent üriner diversiyonlar.

Ortotopik yeni mesane oluşturulması işleminde, bağırsağın bir kısmından oluşturulan yeni mesane normal idrar kanallarına bağlanır. Bu yöntemle hasta normal idrar kanalları yoluyla idrarını yapar, en ideal olan yöntemdir. Beden imajı ve idrar kontrolü gibi özel durumlar açısından ortotopik yeni mesane oluşturulmasının avantajlarının daha fazla olduğu yapılan çalışmalarda belirtilmektedir. Ameliyat açık veya laparoskopik cerrahi yöntemle yapılabilir. Radyoterapi ve kemoterapi ameliyata ek olarak yada palyatif olarak uygulanabilir.

Kutanöz (cilde açılan) üriner diversiyonlar; ileal veya kolon konduitler bu gurupta olup üreterler serbestleştirilen bir bağırsak parçasına bağlanır ve bağırsağın diğer ucuda karın cildine ağızlaştırılır. İdrar cilde ağızlaştırılan bölgeye uygulanan özel torbalarda birikir. (Şekil: 42.14).

Kontinent üriner diversiyonlar; bağırsaktan oluşturulan bir kese özel mekanizmalarla cilde ağızlaştırılır ve bu mekanizma idrarın dışarı kaçmasını engeller belli aralarla bu keseye kateter konularak boşaltılır veya üreterler sigmoid kolona yönlendirilir ve idrar rektum aracılığıyla atılır (Şekil: 42.15).

Hemşirelik Yönetimi
Sistektomi sonrası idrar atılımı normal yolun dışında bir yolla sağlanır, bu bireyin yaşam kalitesini olumsuz etkileyen büyük bir cerrahi girişimdir. Ameliyat öncesi ve ameliyat sonrasında hastaya verilecek standart bakıma ek olarak özellikle stoması olan hastalara stoma bakımı ve eğitiminin verilmesi önemlidir.

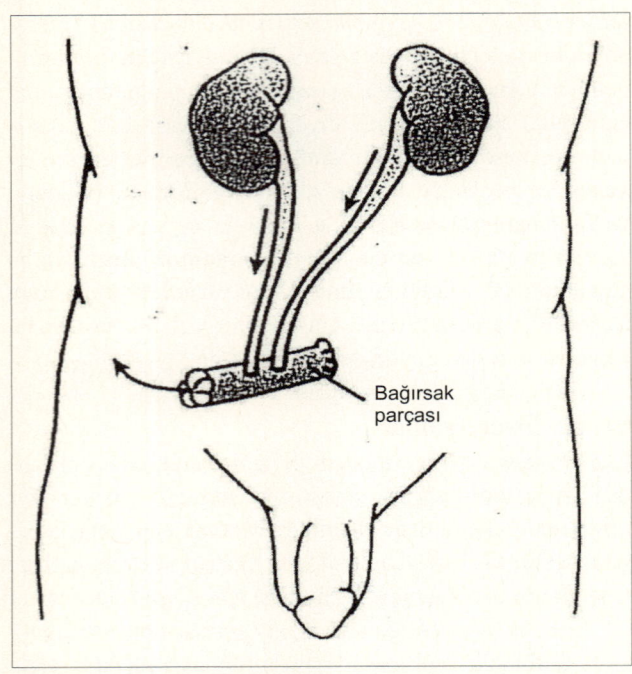

Üriner Sistem

Şekil 42.14: Kutanöz üriner diversiyon (ileal konduit)
Kaynak: (Smeltzer S C, Bare B G (2004). Brunner & Suddarth's Textbook of Medical Surgical Nursing, Tenth Edition, A Wolters Kluwer Company, Philadelphia. 1250-1485.)

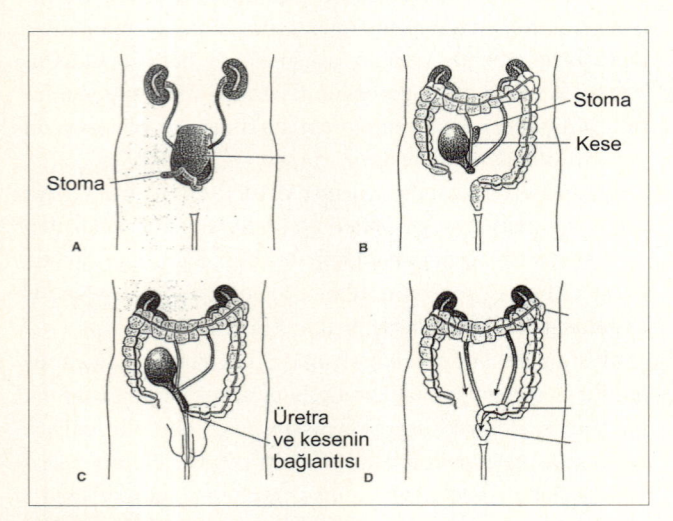

Şekil 42.15: Kontinent üriner diversiyonlar.
Kaynak: (Smeltzer S C, Bare B G (2004). Brunner & Suddarth's Textbook of Medical Surgical Nursing, Tenth Edition, A Wolters Kluwer Company, Philadelphia. 1250-1485.)

Erkek Üreme Sistemi
Anatomi ve Fizyoloji

Erkek üreme sistemi hem üriner hem de üreme sistemini oluşturan yapılardır Şekil 42.16).

Prostat

Prostat, erkek üretrasının proksimal kısmını çevreleyen glandüler yapıda bir organdır. 2.5 cm uzunluğunda 20 gr. kadar ağırlıkta ve koni biçimindedir. Prostat alkali özellikte opak renkli bir sıvı salgılar. Bu sıvı spermlerin geçişini kolaylaştırır, canlı kalmalarını sağlar ve ejakulatın bir kısmını oluşturur. Prostat sıvısı, prostatın kas dokusu içinde ağ şeklinde yerleşmiş olan bezlerde yapılır.

Ejakülasyon sırasında kas dokusunun kasılmasıyla prostat sıvısı, ejakulatör kanallar yoluyla üretraya atılır. Erkekte sekonder bir seks organı olan prostat puberte ile 30 yaş arasında esas büyüklüğüne ulaşır. Ancak 45 yaşından sonra atrofiye uğrar veya hipertrofi gelişir.

Veziküla Seminalisler

Vezikula seminalisler 6 cm uzunluğunda ve 1 cm genişliğinde glandüler organlardır. Mesane tabanının arkasında oblik olarak yer alırlar ve spermin yaşaması için gerekli salgıyı yaparlar.

Bulboüretral Bezler (cowper Bezleri)

Membranöz üretranın iki yanında fasial tabakalar arasında yer alır. Kanalları bulböz üretraya açılır, seminal sıvıya mukoid bir salgı katarlar.

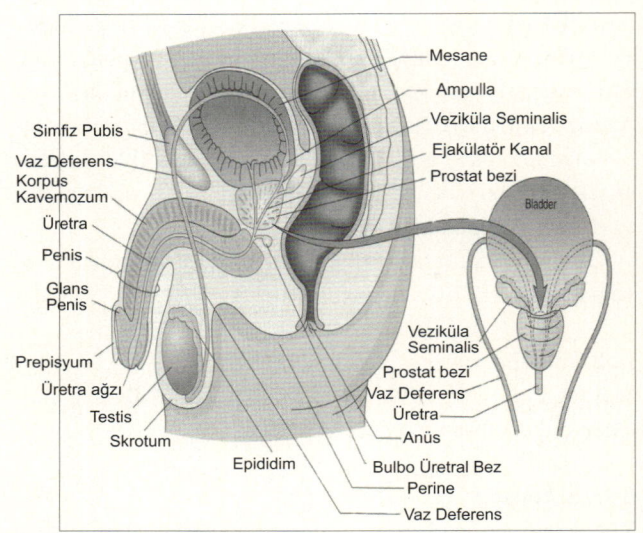

Şekil 42.16: Erkek üreme sistemi.
Kaynak: (Smeltzer S C, Bare B G (2004). Brunner & Suddarth's Textbook of Medical Surgical Nursing, Tenth Edition, A Wolters Kluwer Company, Philadelphia..)

Skrotum

Skrotum, penis ve simfiz pubisin altında yer alan, orta kısmından bir septumla iki bölüme ayrılmış bir kesedir. Her bir bölümde testis, epididim ve spermatik kordonun bir bölümü bulunur. Skrotum dıştan içe doğru deri, dartos kası ve aradaki ince bir yağ tabakasından sonra kolles fasyası, spermatik fasya, kreamaster kası, internal spermatik fasya, tunika vaginalis tabakalarından oluşur.

Testisler

Testisler ortalama 32 gr. ağırlığında, 4.5 cm boyundadır. Dışta tunika vaginalisin, visseral yaprağı, ortada tunika albuginea ve içte tunika vasküloza zarları ile çevrili skrotal bir organdır. Tunika albugineadan testis içine doğru giden septumlarla (duvarlar) bir çok bölüm oluşur. Oluşan bu bölümlerin her birinde yaklaşık iki seminifer tubili yer alır. Seminefer tubuli testis kitlesinin yaklaşık %85-90'nın oluşturur. Seminifer tubuli içinde germinal hücreler ve sertoli hücreleri yer alır. Sertoli hücreleri bir taraftan gelişen germ hücrelerini beslerken bozulanları ve diğer yabancı artıkları fagosite eder. Ayrıca androjen bağlayıcı protein üretir, androjen ve östrojenlerin katabolizmasını sağlar ve FSH (follikül stimülan hormon) reseptörleri taşır. Seminifer tubuli içinde spermatogenetik hücreler olgunlaşmış şekilde bulunur. İnterstisyumda bulunan Leydig hücreleri LH (Luteinizan Hormon) etkisiyle testosteron sentez ederler.

Epididim

Epididim baş, gövde ve kuyruk olmak üzere 3 bölümdür. Baş, testisin üst kutbunda, gövde ve kuyruk arka kısmında yer alır. Rete testisten çıkan kanalcıklar (duktuliler) epididim lobüllerini oluştururlar. Lobüller 15-20cm boyunda kıvrımlı tek bir tubulustan oluşur. Bunların tümü birleşerek kıvrımlı bir epididim kanalı yaparlar. Altı santimetre boyunda olan bu kanalın kuyruğa doğru ilerledikçe çapı ve kalınlığı artarak duktus deferens meydana gelir. Epididim sperm depolanması, taşınması ve olgunlaşması için gerekli bir organdır.

Duktus Deferens (vaz Deferens=Sperm Kanalı)

Duktus deferens 30-35 cm boyunda 2-3 mm çapında bir kanaldır. Vezüköseminalisle birleşerek ejakulatör kanalı oluşturur. Ejakulatör kanal 2 cm boyundadır ve prostatın içinden geçerek üretraya açılır. Duktus deferens spontan motiliteye sahiptir ve koitus dışında da düzensiz kasılmalarla sürekli sperm taşır. Cinsel uyarılarda bu taşınma hızlanır ve ejakülasyonda fışkırır şekildedir.

Spermatik Kordon (Funikulus Spermatikus)

Testisin skrotuma inerken beraberinde götürdüğü yapılardan oluşan bir kordondur. İçinde fasya, kreamaster kası, testiküler arter, pleksus pampiniformis, lenfatikler, nervus ilioinguinalis, duktus deferens ve deferensiyel arter bulunur.

Penis

Sabit bölümü perineumda, serbest bölümü ise iki uyluk arasında skrotumun önünde sarkık olarak bulunan silindirik yapıda bir organdır. Hem çiftleşmeyi hem de idrarın iletimini sağlamak şeklinde iki fonksiyonu vardır.

Penis; kök, gövde ve glans olarak üç bölümdür. Erektil bir dokuya sahiptir. Erektil doku içi endotelle örtülü olan süngerimsi bir ağ yapısıyla doludur ve çevreleri düz kaslarla sarılmıştır.

Erkek Üreme Sisteminin Tanılanması

Erkek üreme sisteminin değerlendirilmesine öncelikle üreme sistemin yapı ve fonksiyonlarının değerlendirilmesiyle başlanır. Bu değerlendirme cinsel fonksiyon durumu ve bozukluklarının da incelenmesini kapsar.

Öykü Alma

Hasta öyküsünde sorulması gerekenler son zamanlarda fiziksel ve cinsel aktivitelerinde bir değişim olup olmadığıdır. Bu değişiklikler ürogenital sistemde meydana gelen bir daralma veya tıkanıklıkla ilgili belirtiler olabilir. Örneğin, prostatın büyümesine bağlı oluşan obstrüksiyondan (tıkanıklık) kaynaklanan, özellikle gece sık idrara çıkma, zor işeme, idrar akışının azalması veya kesik kesik işeme gibi belirtiler.

Hasta, dizüri, hematüri ve hematospermi (ejakulat sıvısında kan bulunması) yönünden değerlendirilir.

Cinsel fonksiyonların ve bozukluklarının değerlendirilmesinde ayrıca hastanın genel sağlık durumunun da incelenmesi gerekir. Hastanın cinsel fonksiyonlarını etkileyebilecek diyabet, multipl skleroz, inme, kalp hastalıkları gibi hastalıklarının olup olmadığı araştırılır. Yine cinsel fonksiyonlar üzerinde etkili olan antihipertansif, antikolesterolemik ve psikotrofik ilaçlar alıp almadığı sorulur. Ayrıca alkol kullanma ve stres durumu da değerlendirilir.

Tanı Yöntemleri

Erkekte Dış Genital Sistem Muayenesi

Penis Muayenesi

Sünnet edilmemiş penisin muayenesinde prepisyum (sünnet derisi) geriye doğru çekilerek muayene edilir. Prepisyum orifisteki darlık nedeniyle glansın üzerine çekilemiyorsa bu duruma fimozis denir. Parafimozis ise bir kez geriye çekilmiş olan prepisyumun distaldeki ödem nedeniyle tekrar normal pozisyona getirilememesidir. Penisin muayenesinde bir akıntıya neden olabilecek tümör ya da balanit (penis başının iltihabı) olup olmadığı kontrol edi-

Üriner Sistem

lir. Peniste ülserasyonlar varsa bakteriyolojik veya patolojik incelenmesi yapılmalıdır. Penis muayenesinde üretral meatusun lokalizasyonu ve çapı gözlenmelidir. Normal meatus glansın tam tepesinde yer almaktadır. Meatusun perineye, skrotuma ya da penis ventral yüzündeki herhangi bir yere açılmasına hipospadias, meatusun penisin dorsal yüzeyinde açılmasına ise epispadias denir. Meatusta akıntı olup olmadığı incelenmelidir. Penisin dorsal yüzeyinin palpasyonu yapılır. Fibröz plakların palpe edilmesi peyroni hastalığının bulgusudur. Palpasyonda üretra boyunca ağrılı sertlik bulunması periuretritisin bulgusudur.

Skrotum ve Testis Muayenesi

Skrotumun inspeksiyonu hasta ayakta dururken yapılır. Skrotumun inspeksiyonunda enfeksiyon, enflamasyon, ödem ve kistler görülebilir. Ayrıca skrotum derisinde hemanjiyomlar gözlemlenmelidir. Testislerin skrotumda olup olmadığı inspeksiyonla gözlenir. Testisler yerindeyse, iki testisten birinin, genellikle de soldakinin aşağıda olması normaldir.

Palpasyonda skrotumun her iki tarafındaki yapılar palpe edilir. Testis muayenesinde iki el kullanılmalıdır. Testisler, epididimler, vas deferans ve funikulus, son olarak da inguinal herni açısından eksternal ring incelenir. Sağ ve sol testis karşılaştırılır, farklılıklar incelenir.

Normal testis sıkı ve mobildir. Testis muayenesinde ele gelen bir sertlik neoplazma şüphesi ile dikkatle incelenmelidir. Testis kanserlerinin erken tanısı için kendi kendine testis muayenesi (KKTM) önemlidir.

Epididimis, testisin arka yüzüne yapışık ya da biraz ayrı olarak hissedilir. Muayenede hassasiyet ve endurasyon olup olmadığına bakılır.

Rektal Muayene

Rektal muayene 40 yaşından sonra her erkeğin düzenli sağlık kontrolünde yapılması gereken bir muayenedir. Rektal muayene hasta muayene masasında yatarken veya ayakta yapılabilir. Muayene masasında; hasta diz-dirsek pozisyonunda veya bacak ve diz fleksiyonda, üstteki bacak göğse doğru çekilmiş halde lateral dekübitus pozisyonunda yapılır. Ayakta muayenede ise hasta öne eğilir ve dirseklerini masa üzerine koyar. Muayeneyi yapan eldiven giyerek işaret parmağına kayganlaştırıcı bir madde (gliserin, vazelin) sürerek yavaşça anal sfinkterden geçerek muayeneyi yapar (rektal tuşe). Bu muayene prostat kanserinin erken tanısı için oldukça önemlidir. Rektal muayenede prostatın büyüklüğü ve şekli ile ilgili bilgi edinilir. Normalde prostat dokusu palpe edildiğinde lastik kıvamındadır. Prostat kanserinde ise oldukça sert ve fikse olarak ele gelir. Prostat dokusu normalde fazla mobil değildir ancak kanserlerinde fiksedir (Şekil 42.17).

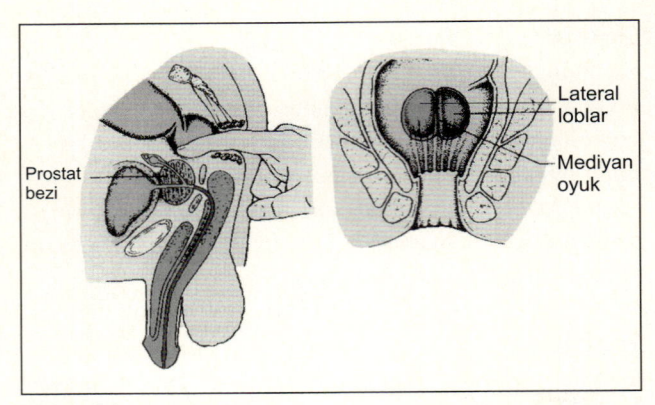

Şekil 42.17: Rektal muayene.
Kaynak: (Smeltzer S C, Bare B G (2004). Brunner & Suddarth's Textbook of Medical Surgical Nursing, Tenth Edition, A Wolters Kluwer Company, Philadelphia.)

Prostat Spesifik antijen Testi (PSA)

PSA testi tümör markırı olarak kullanılan bir analizdir. PSA prostatik hücrelerin sitoplazmasından salgılanan bir glikoproteindir. Normal değeri erişkinlerde 0-4 ngr/ml dir. Hastadan alınan bir kan örneğinden analiz yapılabilir. PSA prostat kanserinde yüksek bulunmaktadır. Bu nedenle erken tanı amacıyla 50 yaş üzerindeki her erkekte özellikle aile öyküsü olan yüksek riskli kişilerde 40 yaşından sonra PSA testi yapılmalıdır. Tanı için PSA testi tek başına yeterli olmayıp, rektal muayene ile birlikte yapıldığında daha değerli sonuç verir. Ayrıca bening prostat hipertrofisi tanısı konmuş olan her hasta mutlaka prostat kanseri yönünden araştırılmalıdır.

Ulstrasonografi (US)

Transrektal ultrasonografi (TRUS) prostat anatomisi ve büyüklüğünün saptanması açısından yapılmaktadır. Prostattaki lezyonların saptanması ve bu lezyonlardan US eşliğinde alınan biyopsi ile histolojik tanı konulabilmektedir. TRUS ile kapsül dışına yayılım olup olmadığını saptamak da mümkündür.

Erkekte Cinsel İşlev Bozuklukları
Ereksiyon Bozukluğu
Ereksiyon Mekanizması

Ereksiyon mekanizmasında, penisin kalınlaşması, parasempatik sinir sisteminden gelen uyarılarla başlar. Erektil dokularda bulunan arteriyollerdeki düz kas liflerinin gevşemesini takiben gelen kan akımında artma olur. Korpuslar düzensiz vasküler aralıklardan yapılmıştır. İçlerinde kan olmadığı zaman (penis gevşek haldeyken) kollabe olarak küçülürler, kan artması ile birlikte süngerimsi yapı kanla dolarak şişer. Her iki korpus kavernozum genişler ve kalınlaşır. Ereksiyonun devam edebilmesi için gelen kan artışının yanı sıra geri dönen kanın da azalması gerekir. Bu periferal venlerin genişleyen kavernöz yapılar ile tunika albuginea arasında sıkıştırılması ile sağlanır.

Cinsel uyarı nedeniyle genital kanalların motilitesinin artmasına bağlı olarak sperm, epididimisten duktus deferense doğru ilerler (emisyon). Emisyon ile birlikte aynı zamanda mukus da salgılanır. Emisyon devam ederken semen de uretraya ulaşır. Semenin üretrada birikmesi ve sempatik uyarıların devamında duktus deferens, vezikula seminalis, glandula prostatika ve üretrada kasılmalar olur (ejakulasyon). Ejakulasyon başladıktan sonra iskiokavernöz ve bulbos-pongiyöz kaslarının ve pelvis kaslarının kasılması meydana gelir (orgazm). Bu sureç sonunda arteriollerdeki kan akımı azalır, erektil doku gevşer.

Ereksiyon bozukluğu, tam bir ereksiyonu oluşturamama veya devam ettirememe durumu olarak tanımlanmakta ve empotans olarak adlandırılmaktadır.

Etiyoloji ve Patofizyoloji
Ereksiyon, psikolojik, nörolojik, hormonal, arteriyel, venöz ve sinuzoidal faktörlere bağlı olarak gerçekleşir. Bu faktörlerle ilgili olabilecek bozukluklar empotansa yol açabilir. Ayrıca yaşlanmanın getirdiği birçok faktöre bağlı olarak da erektil fonksiyonda azalma olur.

Ereksiyon bozukluğu psikojenik organik nedenlere bağlı olarak gelişmektedir. Psikojenik nedenler; anksiyete, depresyon, yorgunluk ya da cinsel baskılar olarak sayılabilir. Organik nedenler; damar hastalıkları, endokrin hastalıklar (diyabet, hipofiz tümörleri, hipogonadizm, hipertiroitizm, hipotiroitizm), siroz, kronik böbrek yetersizliği, radikal pelvik cerrahi, hematolojik hastalıklar (Hodgkin's hastalığı, lösemi), nörolojik hastalıklar (nöropatileri, Parkinson, spinal kord yaralanmaları, multipl skleroz), pelvik veya genital bölge travmaları, alkol ve ilaç bağımlılığı olarak sayılabilir.

Tanı Yöntemleri
Empotasın tanısı için hastanın cinsel ve tıbbi öyküsü alınır. Genel fizik muayene, nörolojik muayene, kullanılan tedavi amaçlı ilaçlar, alkol veya ilaç bağımlılığı olup olmadığı değerlendirilir. Empotansın organik veya psikojenik kökenli olmasının ayrımı yapılmalıdır.

Tıbbi Yönetim
Empotans tedavisi nedene yönelik olarak tıbbi, cerrahi veya her ikisi birlikte yapılabilir. Hastanın alkol veya ilaç alışkanlıkları varsa tedavi edilmelidir. Varsa sistemik hastalıklar kontrol altına alınmalıdır.

İlaç Tedavisi
Son yıllarda piyasaya çıkarılan bazı ilaçlar vardır. Etken maddesi sildenafil olan bazı ilaçlar (örneğin viagra) penis içindeki kan dolaşımını arttırmakta ve ereksiyon sağlamaktadır. Bu ilaçlar cinsel ilişkiden bir saat kadar önce alınmakta ve yaklaşık 60-120 dakika kadar ereksiyon sağlanmaktadır. Ancak bu ilaçların bir takım yan etkileri vardır. Bunlar; yüz kızarması, başağrısı ve dispepsi (mide yanması vs) yakınmalarıdır. Bu ilaçlar anginası olan, kalpdamar hastalığı olan kişiler tarafından kullanılmamalıdır. Ayrıca nitrogliserin ile birlikte alınmamalıdır.

Ereksiyon sağlayan diğer ilaçlar; penise enjekte edilen vazoaktif ajanlar (alprostadil, papaverin, fentolamin) dır. Enjeksiyon küçük iğnelerle yapılır, 15 dakika içinde yaklaşık yarım saat kadar süren ereksiyon sağlar. Ancak enjeksiyon yerinde ağrı, ekimoz, kan basıncında yükselme baş ağrısı ve sersemlik gibi yan etkiler olabilir.

Penil Protezler
Penil protezlerin değişik tipleri vardır. Cerrahi bir girişimle penise yerleştirilen protez ile ereksiyon sağlanmaktadır. Bazı protezlerde penis sürekli ereksiyonda kalır, bazılarında ise cinsel ilişkiden sonra yumuşama sağlanır.

Negatif Basınçlı Pompalar
Basit bir pompa yardımıyla penis içindeki kan akışı arttırılarak ereksiyon sağlanmaktadır. Ancak vakum esnasında ağrıya neden olabilmektedir.

Hemşirelik Yönetimi
Empotanslı hastanın hemşirelik yönetiminde hastalık ve tedavi planı veya kullanılan ilaçlar, protez veya cihazlar hakkında hastaya ve eşine açıklama yapılmalıdır. Tedavi ile ilgili tüm etkiler ve yan etkiler belirtilmelidir.

Ejakulasyon Sorunları
Etiyoloji ve Epidemiyoloji
Erkeklerde yaygın görülen bir sorundur. Mesane boynu, vas deferens ve pelvik taban sinirlerini etkileyen cerrahi girişim, travma hastalıklar ve ilaçlar nedeniyle veya psikojenik olarak ejakulasyon sorunları olabilir. Sorun nedene yönelik olarak ejakulasyon yokluğu, erken ejakulasyon ve orgazm sağlayamama şeklinde görülür.

Tıbbi Yönetim
Tedavi nedene yönelik olarak yapılmaktadır.

Prostat Hastalıkları
Prostatit
Etiyoloji
Prostatit, prostat bezinin enfeksiyon yapıcı ajanlar (bakteriler, mantarlar) veya başka nedenlerle (uretra darlıkları, prostat hiperplazisi) oluşan enflamasyonudur. En yaygın olarak izole edilen mikroorganizma E.Colidir. Prostatitler bakteriyel veya nonbakteriyel olarak gruplandırılırlar.

Tanı

Hastada titreme, ateş ve perineal ağrı, dizüri, pollakiüri ve sıkışma (urgency) vardır. Rektal muayenede prostatın aşırı hassas ve ağrılı olduğu saptanır. Prostat masajı ile eksuda alınarak kültür yapılır.

Tıbbi Yönetim

Bakteri saptanırsa geniş spektrumlu antibiyotikler verilir. Ağrıyı azaltmak amacıyla analjezik ve laksatifler (konstipason oluyorsa ağrıya neden olur) verilir. Abse oluşumu veya septisemi önlenmelidir.

Kronik prostatitte aynı mikroorganizma ile tekrarlayan üriner sistem enfeksiyonu görülür. Kronik prostatitin tedavisi oldukça güçtür. Üriner enfeksiyonlarda etkili olan ilaçlar kronik prostatitte etkili olmayabilir. Trimetoprim-sulfame-taksazol ile tedavi sağlanabilir. İdrar steril hale getirilip semptomlar düzelse de hastalık tekrarlayabilir. Bu tür hastalara sürekli baskılayıcı tedavi uygulanması gerekebilir.

Hemşirelik Yönetimi

Eğer hastada akut prostatit bulguları varsa, intravenöz antibiyotik tedavisi için hastaneye yatırılabilir. Hemşire hastanın antibiyotik tedavisinin ve gerekli diğer tedavilerinin (analjezik, sıcak oturma banyosu) yönetimini sağlamalıdır.

Benign Prostat Hiperplazisi (BPH)

Etiyoloji Ve Epidemiyoloji

Benign prostat hiperplazisi, prostat bezinin adenomatöz büyümesidir. Büyüme yaşla birlikte oluşur. Genellikle 50 yaşından sonra erkeklerde progresif olarak büyüme gözlenir.

Benign prostat hiperplazisi oluşumunda birçok faktörün etkili olduğu ileri sürülmektedir. Epidemiyolojik çalışmalarda değişik risk faktörleri bildirilmesine karşın yaş ve androjenik hormonların etiyolojideki yeri kesinleşmiştir. Yaşlanma ile birlikte organizmadaki endokrin değişimler benign prostat hiperplazisi gelişiminde rol oynamaktadır.

Patofizyoloji

Makroskopik olarak hiperplazik prostat kitlesi lastik kıvamında sarı-gri renktedir. Mikroskopik incelemede hiperplazi nodüler yapıdadır. Prostat bezi uretra, mesane ve rektuma doğru büyür ve özellikle mesane boynuna yaptığı basıya bağlı olarak, üretra, mesane, üreterler ve böbreklerde patolojik etkiler yapar.

Belirti ve Bulgular

Genellikle bulgular prostatın büyümesi sonucu üretra, mesane ve böbrek üzerindeki etkilerine yöneliktir. Prostatın kendisine ait bulgular daha az görülmektedir. Hastada, sık idrara çıkma ve idrarın damla damla gelmesi, noktüri, idrar yapmaya başlamada güçlük, mesanede rezidüel idrar kalmasına bağlı idrar retansiyonu gibi yakınmalar vardır.

Tanı Yöntemleri

İdeal olarak genel fizik muayenenin yapılması uygundur. Bazı hastalarda mesanede glob saptanabilir. Tam idrar analizi, yapılarak; enfeksiyon değerlendirilir.

Rektal muayene: En önemli tanı yöntemi rektal muayenedir. Rektal muayene kanser olup olmaması yönünde fikir de verebilir (Şekil 42.17).

Kan incelemesi: Özellikle serum BUN-kreatinin düzeylerine bakılır. Bu böbrek fonksiyonlarının durumu hakkında fikir verir. Kan analizi ile PSA değerlendirilir. PSA değeri, rektal muayene ile birlikte prostat kanserinin tanınması açısından önemlidir.

Direkt üriner sistem grafisi: Dolu bir mesanenin, büyümüş böbrek konturlarının ve prostat taşlarının görülmesini sağlar.

Endoskopi: Benign prostat hiperplazisi tanısı kesin değilse, ameliyat öncesi ameliyatın tipini belirlemek için sistoüretroskopi yapılır.

Ultrasonografi: Suprapupik ultrasonografi ile prostatın büyüklüğü, rezidüel idrar miktarı, nodüllerin varlığı ve ekojenitesi saptanabilir. Transrektal ultrasonografi bu bilgileri net olarak vermekte ve ayrıca şüpheli odaklardan biyopsi alınmasını da sağlamaktadır.

Tıbbi Yönetim

BPH tedavisinde amaç, mesaneden normal idrar akışının sağlanması, semptomların giderilmesi, komplikasyonların önlenmesi veya tedavisidir. Tedavi genellikle prostat dokusunun büyüklüğünden çok semptomlara veya komplikasyon gelişimine göre planlanır. BPH tedavisinde uygulanan yöntemler, *konservatif izlem, ilaç tedavisi, invaziv cerrahi tedavi ve minimal invaziv cerrahi tedavidir.*

Konservatif izlem

Hafif derecede BPH yakınması olan, rutin fizik muaneye ve laboratuar tetkikleri normal olan hastalarda uygulanmaktadır. Sekonder enfeksiyonlar önlenmeli, aşırı alkol alımı kısıtlanmalıdır.

İlaç Tedavisi

Benign prostat hipertrofisi tedavisinde kullanılan ilaçlar, alfa adrenerjik reseptör blokerleri, 5-alfa redüktaz inhibitörleri ve bitkisel kaynaklı ilaçlardır.

Alfa adrenerjik reseptör blokerlerinin bir kısmı aynı zamanda yüksek tansiyon tedavisinde de kullanılan ilaçlardır, prostat ve mesane boynundaki düz kasları gevşeterek idrar akımını rahatlatırlar. Bu ilaçlar sağladıkları rahatlamaya karşın prostat boyutlarını küçültmezler.

5-Alfa Redüktaz İnhibitörleri, alfa adrenerjik reseptör blokerlerinden farklı olarak prostatı küçülterek etki gösteren ilaçlardır. Bu ilaçların etkileri daha uzun sürede başlar ve en yüksek etkiyi sağlayabilmek için en az 3-6 ay kullanılması gerekir. Prostat dokusu daha büyük olan hastalarda etki daha belirgindir.

Bitkisel kaynaklı ilaçlar, BPH tedavisinde bitkilerden elde edilen ilaçlarda kullanılmaktadır. En yaygın kullanılanlar, Serenoa repens (Saw Palmetto), Pygeum africanum ve Hypoxis rooperi sayılabilir.

İnvaziv Cerrahi

Prostat hipertrofisinin cerrahi tedavisinde, transüretral prostat rezeksiyonu(TUPR), suprapubik prostatektomi, retropubik prostatektomi, perineal prostatektomi, Transüretral Prostat İnsizyonu (TUIP) uygulanmaktadır. (Şekil:42.18)

Transüretral Prostat Rezeksiyonu (TUPR)

Transüretral Prostat Rezeksiyonu yıllardır BPH tedavisinde altın standarttır. Genel, epidural yada spinal anestezi altında üretradan mesaneye rezektoskopla girilerek, idrar yolunu tıkayan fazla doku kesilerek çıkarılır ve yara koterize edilir. Üretral mukozadan çalışılarak operasyon gerçekleştirilir.

Girişim sırasında sürekli mesane irrigasyonu yapıldığı için kullanılan irrigasyon sıvısının emilimi nedeniyle TUR sendromu (hiponatremi, aşırı hidrasyon) gelişebilir. İşlem sonunda hemastaz ve idrar akımını sağlamak amacıyla üç yollu foley kateter takılır. Sondanın şişkin balonu prostat çukuruna yerleştirilerek hemostaz sağlanır. Kan pıhtısı veya mukusla tıkanmayı önlemek amacıyla sürekli veya aralıklı olarak mesane irrigasyonu yapılır. İrrigasyon 24 saat kadar sürdürülür. Ancak bu hastaya devamlı idrara çıkma hissi verir. İdrara çıkmaya çalışmaması ve idrarını sonda aracılığı ile yaptığı açıklanmalıdır.

Suprapubik Prostatektomi

Tıkanıklığa yol açan doku büyük olduğunda pubis üzerinden insizyonla mesaneye ve oradan da prostat üzerine girilerek doku çıkarılır. Sistostomi tüpü veya dren insizyon yerinden dışarıya doğru yerleştirilir, foley kateter üretradan prostat çukuruna yerleştirilir ve idrar drene edilir. Komplikasyonlar, ereksiyon bozukluğu, kanama, ağrı ve yara enfeksiyonudur.

Hasta izleminde 24 saatlik irrigasyon gerekebilir. Sistostomi tüpü ameliyat sonrası 3-4 günde, üretral kateter suprapubik yara iyileşmesinden sonra çekilir.

Retropubik Prostatektomi

Alt abdominal insizyonla direkt prostat bezinin kapsülü içine girilerek doku çıkarılır. Foley kateter yerleştirilip 24 saat devamlı irrigasyon yapılır. Abdominal kesi yerine pansuman yapılır ve kateter bakımı sağlanır. Hemoraji, yara enfeksiyonu ve pelvik abseler oluşabilir.

Perineal Prostatektomi

Az uygulanan bir yöntemdir. İnsizyon, skrotum ile rektum arasından yapılır. Ameliyat sonunda foley kateter ve kesi yerinde dren olabilir, bunların bakımı yapılır. Komplikasyon olarak hemoraji, yara enfeksiyonu görülebilir.

Transüretral Prostat İnsizyonu (TUIP)

Elektrik enerjisi kullanılan özel bir bıçakla, mesane boynu ile verumontanum arasına kapsüle kadar ulaşan derin bir insizyon yapılır. Girişim lokal anestezi altında gerçekleştirilir. Genellikle prostatı küçük olan genç hastalarda uygulanır.

Minimal İnvaziv Cerrahi

Amaç, prostatın ısıtılması veya soğutulması yoluyla dokuda ablasyon veya büzüşme meydana getirmektir. Dokunun azaltılması yoluyla mekanik etki sağlanır.

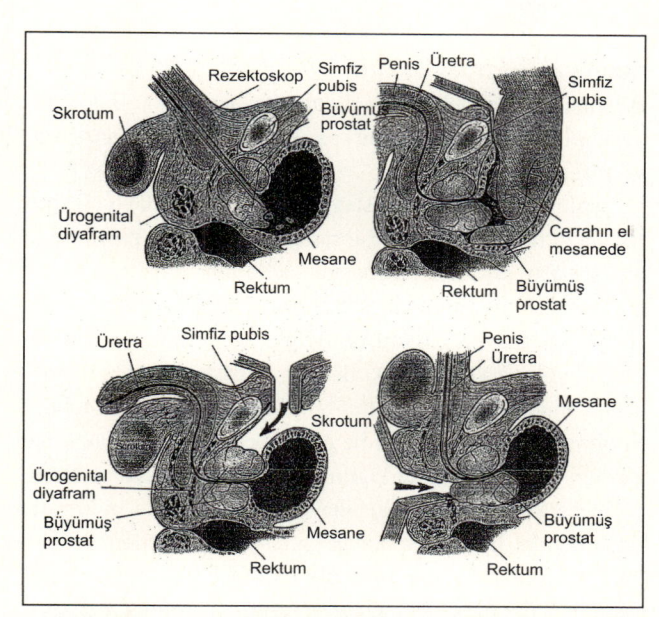

Şekil 42.18: Prostat ameliyatları. A) Transuretral prostat rezeksiyonu(TUPR). B) Supra pubik(transvezikal) prostatektomi . C) Retropubik Prostatektomi. D) Perineal Prostatektomi.
Kaynak: (Black J M, Hawks JH (2005). Medical Surgical Nursing,Clinical Management for Positive Outcomes,Seventh Edition, Copyright by Elseiver, İnc.St. Louis)

Laparoskopik radikal prostatektomi (LRP)
Laparoskopik radikal prostatektomi (LRP), minimal invaziv cerrahi olarak yaygın biçimde uygulanmaktadır. Açık radikal prostatektomi ile benzer onkolojik sonuçları bulunan LRP'nin avantajları; ameliyat sonrası ağrının daha az, hastanede kalış süresinin daha kısa olması, hastanın daha erken dönemde günlük aktivitelerine dönebilmesi, kan kaybı ve cinsel işlev le ilgili komplikasyonların daha az olmasıdır.

Transüretral Mikrodalga Termoterapi(TUMT)
Transüretral mikrodalga tedavisinde (TUMT), üretra içine yerleştirilen özel bir sonda ile prostata mikrodalga enerjisi yayarak ısı oluşturulur ve koagülasyon nekrozu meydana gelir. Çevre dokuların korunması açısından geçiş yolundaki üretranın soğutulması gerekir.

Transüretral İğne Ablasyon(TUNA)
Transüretral iğne ablasyon tedavisinde, radyofrekans enerji kullanılarak ısı elde edilir. Ucunda iki adet ayarlanabilir iğnesi olan bir kateter aracılığıyla prostat içine enerji iletilir ve koagülasyon nekrozu oluşturulur ancak uzun dönem sonuçları etkin ve yeterli değildir.

Lazer Prostatektomi
BPH'da kullanılan lazer çeşitleri, koagulasyon esasına dayanan laserler, kesme esasına dayanan lazerler, vaporizasyon esasına dayanan lazerlerdir. Özel lazer probları ile enerji prostata iletilir ve prostatta koagülasyon ve ablasyon oluşturulur. Bu amaçla kullanılan 4 tip lazer vardır, NdYAG lazer, Diod lazer, Holmium lazer ve KTP lazer (Greenlight). Kan damarları koterize edildiği için girişim sırasında ve sonrasında kanama az görülür.

İntraprostatik Üretral Stentler
Normal idrar akışını sağlamak amacıyla prostatik uretraya, dayanıklı metalik telden yapılmış örgü şeklinde bir meç yerleştirilmesi işlemidir. Yaşlı ve TUPR'u kaldıramayacak düşkünlükte hastalara uygulanması önerilmektedir.

Hemşirelik Yönetimi
Hemşirelik tanıları
- Prostatın büyümesi nedeniyle oluşan mesane distansiyonuna bağlı ağrı.
- İdrar kateterine ve üriner staza bağlı enfeksiyon riski.

Planlama
BPH nedeniyle invaziv girişim yapılacak hastanın ameliyat öncesi bakımında amaçlar, normal idrar akışının sağlanması, üriner sistem enfeksiyonlarının tedavisi ve yapılacak invaziv girişimin hastanın cinsel işlevi üzerine etkilerinin bilinmesidir.

Ameliyat sonrası bakım amaçları ise, komplikasyon gelişmesini önlemek, üriner kontrolün sağlanması, mesanenin tam olarak boşaltılabilmesidir.

Hemşirelik Girişimleri
BPH'nin yaşla birlikte görülme oranı artmaktadır. Amerikan Kanser Derneği, erkeklerde 50 yaşından itibaren prostatla ilgili sorunların erken tanısının sağlanması amacıyla her yıl PSA ve dijital rektal muayene yapılması önerilmektedir.

Ameliyat Öncesi Bakım
BPH nedeniyle invaziv girişim yapılacak hastada ameliyat öncesi idrar drenajı sağlanmalıdır. Büyümüş prostat dokusu idrar çıkışının engellenmesine ve akut retansiyona neden olabilir. Bu nedenle drenajı sağlamak için hastaya idrar kateteri takılması gerekebilir. İdrar kateteri takılırken aseptik tekniğe uyulması oldukça önemlidir. İnvaziv girişimlerden önce genellikle üriner sistem enfeksiyonu varsa tedavi etmek amacıyla antibiyotik kullanılması gerekmektedir. Hastanın bol sıvı alması ve idrarın çıkışı sağlanmalıdır.

Hasta için yapılacak ameliyatın cinsel işlevini nasıl etkileyeceğini bilmek önemlidir. Bu nedenle hasta ve eşi ameliyatın cinsel işleve etkileri ve olası problemler hakkında bilgilendirilmelidir. BPH nedeniyle yapılan invaziv girişimlerin bütün tiplerinde genellikle retrograd ejakülasyon problemi gelişmektedir. Retrograd ejakülasyon, meninin üretraya değil tam ters yöne doğru giderek mesaneye boşalmasıdır.

Ameliyat Sonrası Bakım
BPH nedeniyle yapılan ameliyat sonrası en önemli komplikasyonlar, kanama, mesane spazmı, idrar inkontinansı, ağrı ve enfeksiyondur.

Ameliyat sonunda hastaya standart veya üç yollu idrar kateteri takılır. Kateter idrar çıkışını ve kan pıhtılarının mesaneden dışarıya atılmasını sağlamak amacıyla takılmaktadır. Aynı zamanda kateter aracılığıyla aralıklı veya sürekli irrigasyon da yapılır. İrrigasyon için genellikle serum fizyolojik solüsyon kullanılır. İrrgasyon sırasında mesaneden drene edilen sıvının rengi ve miktarı izlenmelidir. Sıvının renginin açık pembe olması normaldir ancak koyu kırmızı renk kanama olduğunu gösterir. İrrigasyon sırasında mesaneye verilen solüsyon miktarı ve çıkan miktar da izlenmelidir. Eğer mesaneden çıkan miktar verilen miktara göre az olursa kateter pıhtı ile tıkalı olabilir ve açılması gerekir. Tıkanmış olan kateter serum fizyolojik çekilmiş bir enjektör ile manuel irrigasyon yapılarak açılır, eğer açılamıyorsa irrigasyon durdurulur ve hekime bilgi verilir. İrrigasyon yapılırken aseptik tekniğe dikkatle uyulmalıdır. Çünkü uygulama sırasında üriner sisteme kolaylıkla bakteri girişi olabilir.

İdrar kateteri olan hastanın kateter bakımı da dikkatle yapılmalıdır. Kateter mutlaka kapalı sisteme bağlanmalıdır.

Transüretral girişimlerden sonra mesane spazmı gelişebilir. Bu sorun rezektoskopun mesane mukozasında yaptığı irritasyon sonucu gelişmektedir. Spazmın, giderilmesi için antispazmodik ilaçlar, opium ve rahatlama teknikleri uygulanabilir. Kateter genellikle ameliyat sonrası 2-4. Günde çıkarılır. Hastanın kateter çekildikten 6 saat kadar sonra idrarını yapması beklenir. Eğer yapamıyorsa yeniden kateter takılması gerekebilir.

Prostatektomi sonrası hastanın ağrısı olur. Ağrının yeri şiddeti değerlendirilerek, rahatlama teknikleri, antispazmodikler uygulanır.

Hasta ameliyat sonrası enfeksiyon belirtileri açısından izlenmelidir. Eğer hastaya açık prostatektomi uygulanmışsa, yara çevresinde kızarıklık sıcaklık artışı, pürülan akıntı olup olmadığı izlenir. Ameliyat sonrası hastanın beslenmesi normal bağırsak hareketlerinin sağlanacağı biçimde düzenlenmelidir. Bağırsakların rahat boşaltılamaması, karın içi basıncını arttırarak kanamaya neden olabilir.

Prostat Kanseri
Etiyoloji ve Epidemiyoloji

Prostat kanseri, prostat bezinin kötü huylu tümörüdür. Tüm dünyada erkeklerde en sık görülen kanser türüdür. En güçlü risk faktörleri ileri yaş ve aile öyküsünde prostat kanseri varlığıdır. Görülme oranı 65 yaş ve üzerinde daha fazladır, kırk yaşın altında nadir görülür. Ailesinde, özellikle birinci derece akrabalarında prostat kanseri olanların prostat kanserine yakalanma oranı olmayanlara göre daha fazladır. Gerçek anlamda kalıtsal prostat kanserleri daha azdır ve genellikle 55 yaşın altındaki erkeklerde görülür. Bazı çalışmalarda prostat kanserinin oluşumundan yağlı beslenme, çevre ve kimyasallar da sorumlu tutulmaktadır.

Hastalık ileri evrede oldukça ciddi semptomlar verirken, erken evrede belirti vermez.

Patofizyoloji

Prostat bezi yaklaşık 50-70 yaşlarında atrofiye uğrar. Ancak kanser gelişimi bezin aktif alanlarından olmakta ve adrojen uyarısının etkisi altındadır. Prostat kanserinin %70'i prostat bezinin periferal alanından, %15-20'si santral alandan, %10-15 transizyon alandan gelişir. Prostat kanserleri iyi diferansiye olarak sınıflandırılmaktadır.

Tanı Yöntemleri

Prostat kanserinde erken tanı çok önemlidir, 50 yaşından başlamak üzere her erkek yılda bir kez dijital rektal muayene yaptırmalı ve kanda PSA baktırmalıdır. Bu sayede henüz belirti vermeyen, hastada herhangi bir yakınmaya yol açmayan erken evredeki prostat kanserinin tanısı konabilir. Lokal prostat kanserinde genellikle semptom olmaz, tanı PSA ve rektal muayene ile konulmaktadır. Rektal tuşede prostat dokusu sert ve düzensiz bir yapı olarak ele gelir. Hastada sık idrara çıkma (özellikle geceleri), idrar yaparken zorlanma, ince ve kesintili idrar yapma, idrar yaparken acı ya da ağrı duyma, idrarda kan görülmesi gibi yakınmalar olabilir. İleri evrede idrar retansiyonu ve hidronefrozla ilgili belirtiler olur. Kemik metastazı varsa sırt, kalça ve bel ağrısı ve patolojik kırıklar olabilir. Kesin tanı biyopsi ile konur. Transrektal ultrasonografi eşliğinde biyopsi yapılır. Aspirasyon biyopsisi de yapılmaktadır. Lenf nodülü metastazının tespit edilmesi için tomografi yapılır.

Prostat kanseri tanısı konulduktan sonra, hastalığın prostat dışında başka yerlere yayılıp yayılmadığını görmek için ek testler yapılarak hastalığın evresi belirlenir. Bu amaçla akciğer grafisi, kemik sintigrafisi ve kan testleri gibi tetkikler yapılır. Prostat kanseri komşuluk yoluyla veziküla seminalise, lenf dolaşımıyla lenf bezlerine ve kan dolaşımıyla kemiklere yayılabilir.

Tıbbi Yönetim

Tedavi kararı verilirken hangi kombine yöntemlerin uygulanacağı, zamanı ve süresi bakım ekibi tarafından tartışılmalı ve uygulanması planlanan tedavilerin yararları ve yan etki dengeleri hasta ile ayrıntılı olarak paylaşılmalıdır.

Tedavi hastanın yaşı, semptomlar ve kanserin derecesine göre belirlenir.

Cerrahi Yönetim

Standart cerrahi tedavi radikal prostatektomidir (prostat ve seminal yapıların çıkarılması). Cerrahi tedavi, genellikle 70 yaşından genç, genel durumu iyi olan hastalarda, eğer hasta da kabul ederse tercih edilir. Radikal prostatektomi alt abdominal bir kesiyle yapılırsa retropubik, anüs ile skrotum arasından bir kesi ile yapılırsa perineal prostatektomi adını alır. İnkontinans ve impotans en sık rastlanan ameliyat sonrası sorunlardır. Transüretral rezeksiyon, genellikle ana tedavi öncesinde hastanın yakınmalarını gidermek amacıyla ya da diğer hastalıkları nedeniyle radikal prostatektomi ameliyatını olamayacak hastalarda yapılır.

Radyoterapi

Prostat kanseri tedavisinde eksternal veya internal radyasyon tedavisi, uzun yıllardan beri kullanılmakla birlikte, son 20-25 yılda bilgisayar teknolojisindeki gelişmeler sayesinde daha yüksek dozlarda ve daha güvenli bir şekilde uygulanabilmektedir. Güncel radyoterapi teknikleri ile prostat kanserlerinin tedavisinde hem kür şansı artmış, hem de rektal yan etkiler belirgin olarak azalmıştır.

Hormonal Tedavi

Testosteron prostat kanseri hücrelerinin büyümesini sağlar. Tedavide testosteron üretimini dolaylı olarak engelleyen bazı maddeler (LHRH analogları gibi) ya da anti-androjen ilaçlar kullanılabilir. LHRH analogları hipofiz bezi aracılığıyla etki eder ve dolaylı olarak testosteron üretimini engeller. Antiandrojenler, androjen sentezini ve androjenlerin etkisini inhibe eder.

Testosteron üretimi büyük oranda testislerde olmaktadır. Bu nedenle testis orjinli androjenlerin ablasyonu için orşiektomi (testislerin cerrahi olarak çıkarılması) uygulanmaktadır. Ancak iki taraflı orşiektomi hasta için psikolojik açıdan travmatize edicidir.

Kemoterapi

Kemoterapinin prostat kanserinin tedavisinde kullanımı sınırlıdır. Diğer tedavi seçeneklerinin uygulandığı ancak yarar sağlanamayan hastalarda kemoterapinin etkinliğiyle ilgili çalışmalar sürdürülmektedir.

Hemşirelik Tanıları

- Mesane tonüsünün kaybı, büyümüş olan prostat dokusunun mesane boynu ve üretraya yaptığı basıya bağlı idrar retansiyonu.
- Mesane boynunda sfinkter hasarına bağlı yetersiz idrar çıkışı.
- Uygulanan invaziv girişimin etkilerine bağlı cinsel işlev bozukluğu.
- Cinsel işlev bozukluğu, yaşam biçiminde değişiklik ve hastalık sürecindeki belirsizliklere bağlı anksiyete.

Hemşirelik Girişimleri

Prostat kanseri nedeniyle invaziv girişim yapılan hastanın ameliyat öncesi ve sonrasındaki bakımı BPH'deki gibidir. Prostatektomiye bağlı komplikasyonlar, kanama, mesane spazmı, idrar inkontinansı ve enfeksiyondur. Hastaya ameliyata ek olarak radyoterapi ve kemoterapi de uygulanacağı için buna yönelik bakım yapılır. Prostat kanseri olan hastanın bakımında hastalığın evresi, metastazların olması da göz önün de bulundurulması gereken durumlardır.

İlerlemiş prostat kanseri ile ilgili genel problemler, yorgunluk, tümör metastazı nedeniyle mesane çıkışında tıkanıklık, üretra ve üreterlere baskı olması, kemik metastazı nedeniyle kemik ağrıları ve kırıklar, spinal alana metastaz nedeniyle spinal kord üzerine baskı, derin ven trombozu ve lenfödem nedeniyle bacakta ödem gelişebilir. Hemşirelik girişimleri bu problemlere yönelik olarak planlanmalıdır. Bu hastaların bakımında ağrı kontrolü önemlidir. Hastanın ağrısını gidermek amacıyla farmakolojik ve nonfarmakolojik yöntemler kullanılmalıdır.

Testis Hastalıkları

İnmemiş Testis (kriptorşidizm)

Etiyoloji ve Epidemiyoloji

İnmemiş testis, testislerin birinin ya da her ikisinin aşağıya inişi sırasında iniş yolu üzerinde herhangi bir seviyede duraksayıp skrotuma inmemesidir. Testis inguinal kanal veya abdominal kavitede yerleşebilir (Şekil 42.19). Testis ne kadar yukarı seviyede ise o kadar gelişememiştir. İnmemiş testislerde testiküler hormon stimülasyon bozukluğu testis içinde androjen biyo sentezinin bozulmasıyla sonuçlanır. Sonuçta da germinal epitel gelişmesi geri kalarak spermatogenezis bozulur. Kriptorşidizmde skrotum palpe edildiğinde testis ele gelmez.

Cerrahi Yönetim

İnmemiş testis; infertiliteye neden olması, herninin bulunması, malignite potansiyelinin olması, kozmetik ve psikojenik nedenlerle cerrahi olarak tedavi edilir. İnguinal kanal üzerinden yapılan bir insizyonla testisler skrotuma indirilir (orşiopeksi).

Orşitis

Etiyoloji ve Epidemiyoloji

Orşitis testislerin viral, bakteriyel, fungal, travmatik veya kimyasal faktörlere bağlı enflamasyonudur (testiküler konjesyon). Kabakulak da orşite neden olan bir faktördür. Orşitte testis büyümüş ve hassaslaşmıştır. Skrotum eritemli ve ödemlidir. Hastanın ateşi vardır.

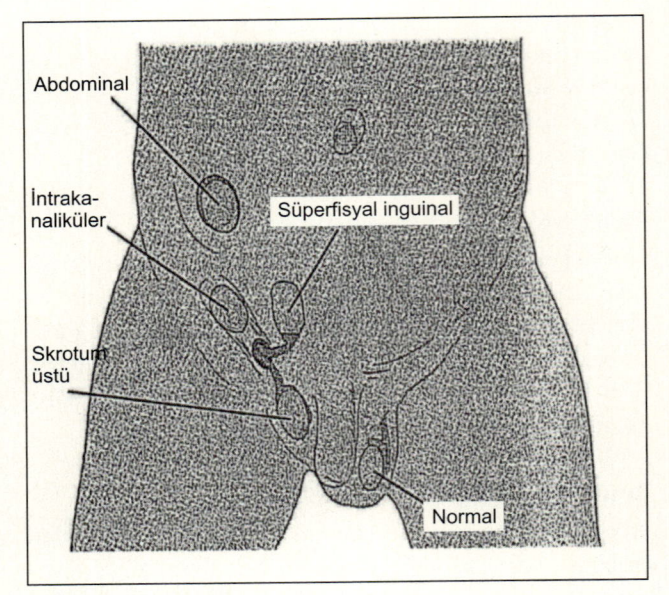

Şekil 42.19: İnmemiş testis.
Kaynak: (Black J M, Hawks JH (2005). Medical Surgical Nursing, Clinical Management for Positive Outcomes, Seventh Edition, Copyright by Elseiver, İnc.St. Louis)

Tıbbi Yönetim

Eğer neden bakteriyelse antibiyotik verilir. Nonspesifik granülamatöz orşitlerde kortikosteroidler verilir.

Hemşirelik Yönetimi

Hemşire hastanın antibiyotik ve steroid tedavisinin yönetimini sağlamalıdır. Orşitiste skrotum elevasyona alınarak dinlendirilir. Bunun için hasta yatak istirahatine alınmalıdır. Skrotal ödemi azaltmak için soğuk uygulama yapılır. Hastanın ağrısını gidermek için analjezik verilir.

Epididimitis
Etiyoloji ve Epidemiyoloji

Epididimitis, genellikle üriner sistem veya prostat enfeksiyonunu izleyerek gelişen epididim enfeksiyonudur. Gonorenin bir komplikasyonu olarak da gelişebilir. 35 yaş altındaki erkeklerde epididimitisin major nedeni klamidiya trakomatistir (chlamydia trachomatis). Enfeksiyon üretra ve ejakülator kanala geçer, daha sonra vas deferensler yoluyla epidimime ulaşır. En belirgin semptom ağrıdır. Skrotumda aniden başlayan ağrı olur, epididim hassastır. Skrotum büyümüş ve kızarmıştır. Üretrada akıntı olabilir. Ateş, lökositoz, piyüri vardır.

Tıbbi Yönetim

Tedavide etkene yönelik antibiyotik verilir. Hastanın ağrısı çok şiddetli ise funikulus spermatikus çevresine lokal anestezi uygulanabilir. Cinsel aktivite ve fiziksel aktivite enfeksiyonu alevlendireceği için kısıtlanmalıdır. Epididimitis etkeni klamadia (chlamydia) ise hastanın cinsel partneride tedavi edilmelidir. Epididimitis kronikleşebilir veya skrotal fistül gelişebilir. Uzun süren epididimitislerde sperm geçişinde obstrüksiyon olabilir, bu durumda bilateral infertilite görülebilir.

Hemşirelik Yönetimi

Hasta yatak istirahatine alınır. Skrotumlar elevasyona alınır ağrıyı hafifletmek için skrotuma aralıklı soğuk uygulama yapılır. Enflamasyonu gidermek amacıyla lokal sıcak uygulama veya oturma banyosu yaptırılır. Hemşire antibiyotik ve analjezik tedavisinin yönetimini sağlar.

Testis Tümörleri
Etiyoloji ve Epidemiyoloji

Testis tümörleri genellikle 15-40 yaş arasında görülür. Nadir görülmektedir. Testis kanserleri içerdikleri hücre tipine göre germinal, nongerminal (stromal) ve sekonder testis tümörleri olarak sınıflandırılır. Tümörlerin %95'ten fazlası germinal dokudan kaynaklanır.

Germinal tümörler; seminomalar ve nonseminomalar olarak ikiye ayrılır. Seminomalar, lokalize kalırlar ve radyoterapiye son derece duyarlıdırlar. Nonseminomalar (teratokarsinomalar, koriokarsinomalar, embriyonal karsinomalar) hızlı yayılım gösterirler.

Nongerminal Tümörler

Bu tip tümörler testislerin hormon üreten dokusundan ve destek dokudan veya stromadan gelişebilirler. Erişkin testis tümörlerinin %4'ünü, çocukluktaki testis tümörlerinin %20'sini oluştururlar. Stromal tümörlerin iki tipi vardır. Leydig hücreli tümörler, sertoli hücreli tümörler. İyi huylu tümörlerdir.

Sekonder Testis Tümörleri (Metastatik Testis Tümörleri)

Sekonder testis tümörleri, diğer organlardan testislere metastaz yapmış tümörlerdir. En yaygın nedeni lenfomalardır. Prostat bezi, akciğer, böbrek, deri (melanoma) gibi organlardan da metastaz olabilir.

Risk Faktörleri

İnmemiş testis öyküsü olan erkekler genel populasyona göre testis tümörü gelişmesi açısından daha fazla riske sahiptir. Ayrıca ailede testis kanseri öyküsü ve daha önce bir testiste kanser öyküsü de risk faktörüdür. Gençlerde ve İskandinav ülkerinde testis tümörüne daha sık rastlandığı bildirilmektedir.

Belirti ve Bulgular

En sık görülen semptom testiste ağrısız kitle ele gelmesidir. Metastaz yapmışsa (ileri evre); sırt ağrısı, karın ağrısı, kilo kaybı, öksürük, halsizlik görülür. Testis kanseri önce retroperitoneal lenf nodüllerine (sırt ağrısı olur) ve akciğerlere (öksürük olur) metastaz yapar.

Tanı Yöntemleri

Testis tümörlerinde erken tanı önemlidir. Bunun için aylık kendi kendine testis muayenesi yapılması gerekir. Bu muayenelere her erkek adolesan dönemde başlamalıdır (Şekil 42.20).

Human koriyonik ganadotropin (Human Chorionic ganadotropin = HCG) ve alfa-fetoprotein (alpha-feta protein = AFP) testis kanseri için tümör markırlarıdır. Bunlar sağlıklı erkeklerde düşük düzeydedir. Testis kanserli hastalarda artmıştır. Tanıda Transskrotal Ultrasonografi kitlenin varlığını gösterebilir. Metastaz olup olmadığını kontrol etmek amacıyla akciğer grafisi, retroperitoneal, pelvik, abdominal sintigrafi yapılır.

Tıbbi Yönetim

Testis kanserleri genellikle tedavi edilebilir solid tümörlerdir. Tedavide testisler iki taraflı olarak çıkarılır (bilateral orşiektomi (orchiectomy). Bu operasyonlarda inguinal bir insizyon yapılarak, spermatik kord internal ringe yakın bir yerden klemplenir ve testislerin tümü çıkarılır. Cerrahi tedaviden başka radyoterapi ve kemoterapi uygulaması yapılır.

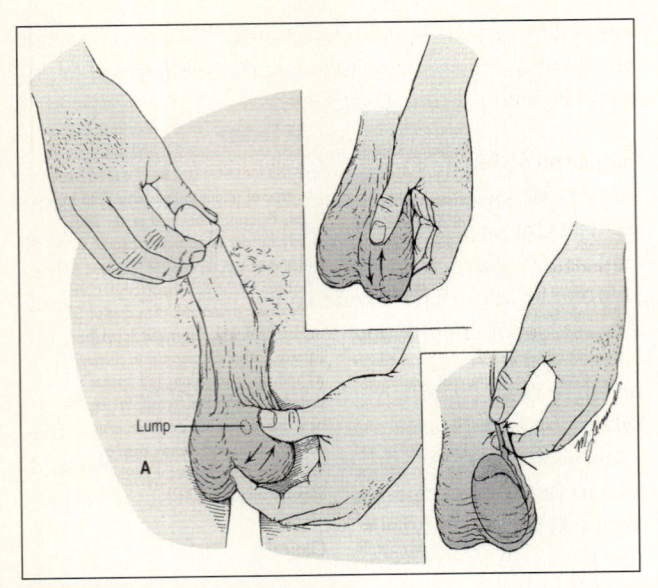

Üriner Sistem

Şekil 42.20: Kendi kendine testis muayenesi.
Kaynak: (Smeltzer S C, Bare B G (2004). Brunner & Suddarth's Textbook of Medical Surgical Nursing, Tenth Edition, A Wolters Kluwer Company, Philadelphia.)

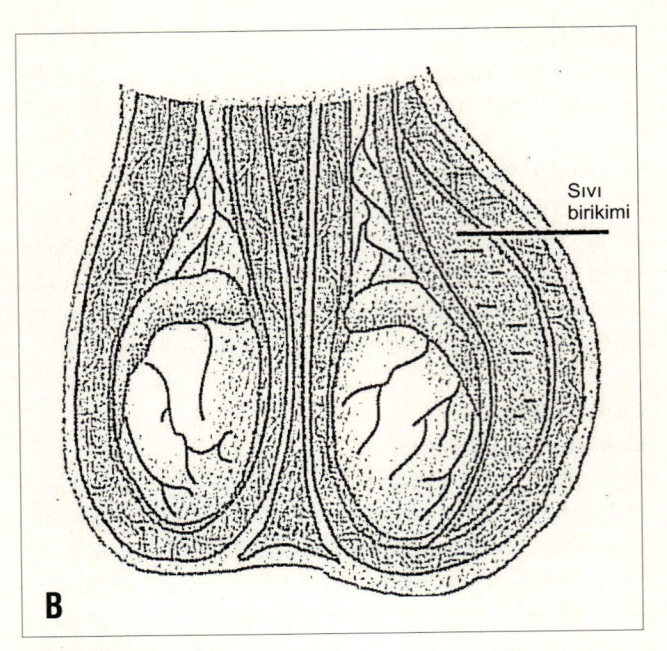

Şekil 42.21: Hidrosel.
Kaynak: (Black J M, Hawks JH (2005). Medical Surgical Nursing, Clinical Management for Positive Outcomes, Seventh Edition, Copyright by Elseiver,

Hemşirelik Yönetimi

Bu hastalarda cerrahi tedavi, radyoterapi ve kemoterapinin olası etkilerine yönelik bakım verilir. Hastanın fiziksel ve psikolojik durumu izlenir.

Hastanın cinsel yaşam ve beden imgesi ile ilişkili olarak baş etme yetersizlikleri olabilir. Hemşirenin bu konuda hastaya uygun bakımı vermesi gerekir.

Hidrosel

Hidrosel, testisleri saran tunika vaginalisin visseral ve parietal yaprakları arasında normalden fazla sıvı toplamasıdır (Şekil 42. 21). Genelde tek taraflıdır. Akut veya kronik olarak ortaya çıkabilir.

Erişkinlerde, lenfatik drenaj bozukluğuna yol açan inguinal ve skrotal cerrahi girişimler, skrotum veya testis travmaları, enfeksiyonlar, testis ve epididim tümörleri hidrosele neden olan faktörler olarak sayılabilir.

Akut hidroselde, enfeksiyona bağlı olarak skrotum cildinde gerginlik ve ödem vardır. Bu durum ağrıya neden olabilir. Çocuklardaki hidroselde sabahları küçük gergin olmayan ancak geceleri ve karın içi basıncının artması ile artan skrotal şişlik olur.

Hidroselin tedavisi cerrahidir. Tedavide amaç; tunikavaginalis içindeki sıvıyı yeterince rezorbe edemeyen veya fazla sıvı üreten parietal yaprağın ortadan kaldırılması ve rezorbsiyonun skrotum katları tarafından yapılmasının sağlanmasıdır.

Varikosel

Varikosel, skrotumdaki pampiniform venöz pleksusun venlerinin anormal dilatasyonudur (Şekil 42.22). Genellikle

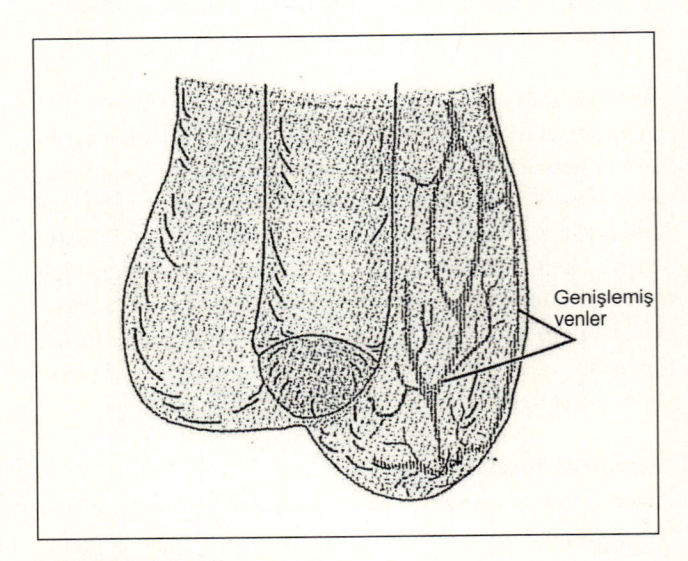

Şekil 42.22: Varikosel.
Kaynak: (Black J M, Hawks JH (2005). Medical Surgical Nursing, Clinical Management for Positive Outcomes, Seventh Edition, Copyright by Elseiver, İnc. St. Louis)

sol testisin üst bölümündeki venlerde görülür. Çünkü sol testis ven drenajı renal vene dik açılı bir şekilde açıldığından bu taraftaki testiküler ven, venöz staza daha fazla maruz kalır. Ayrıca sol spermatik venin valvüler yapısı yetersizdir.

Hafif derecede olanlar genellikle semptom vermez. Ancak bazı durumlarda o taraf testiste bazen kasığa vuran künt ağrı ve testiste çekilme hissi olabilir. Ayakta uzun süre kalındığında ağrı artar, yatınca azalır. Fizik muayenede dilate ve torsiyone olmuş venler görülebilir. Bu hastalarda infertilite görülebilir. Nedeni, venöz birikim sonucu testislerin oksijenasyonunun bozulmasına bağlı spermatogenezisin de bozulmasıdır.

Varikoselin tedavisi cerrahidir. Operasyonda inguinal alanda internal spermatik ven bağlanır. Ameliyat sonrası ilk birkaç saat skrotumlar desteklenir ve soğuk uygulama yapılabilir.

Vazektomi (Erkek Sterilizasyonu)
Gönüllü sterilizasyon gebeliği önleyici bir yöntem olarak hem erkekte hem de kadında uygulanabilmektedir.

Erkek sterilizasyonunda uygulanan cerrahi yöntem bilateral vazektomidir. Vazektomide vas deferensler iki taraflı olarak bağlanırlar. Bu uygulama ile testislerden spermlerin geçişi engellenir (Şekil 42. 23).

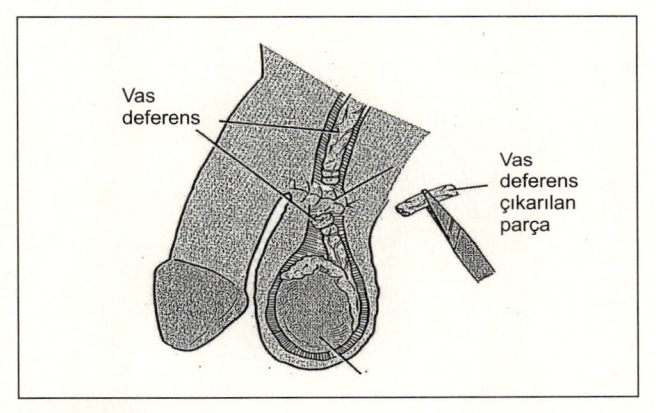

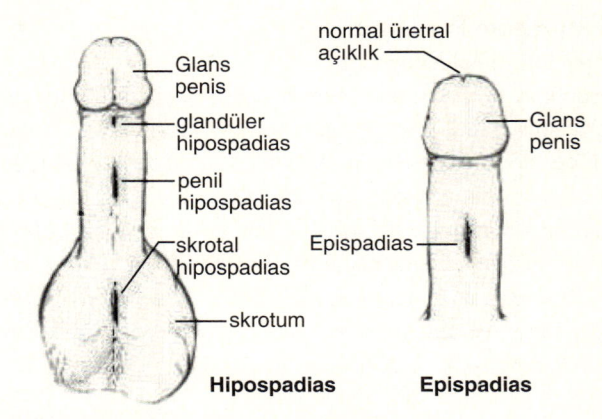

Şekil:42.24: Hipospadias(glandüler,penil ve skrotal), Epispadias.
Kaynak: (http://codingguides.nearspacemedical.com/coding-guide/code/752)

Şekil 42.23: Vazektomi.
Kaynak:(Black J M, Hawks JH (2005). Medical Surgical Nursing, Clinical Management for Positive Outcomes, Seventh Edition, Copyright by Elseiver, İnc.St. Louis)

Penis Hastalıkları
Hipospadias
Etiyoloji ve Epidemiyoloji
Üretra meatusunun konjenital olarak normal konumu dışında penisin ventral yüzüne açılmasıdır (Şekil 42.24). Her 300 doğumda bir görülmektedir. Gebelik sırasında östrojen ve progestin alanlarda insidans artmaktadır. Lokalizasyonuna göre beş grupta incelenmektedir.
1. Glanüler= Koronal (meatus glans altında sulkus koronariusa açılır)
2. Distalpenil
3. Penil
4. Penoskrotal
5. Skrotal (bifid skrotum)
6. Perineal

Tıbbi Yönetim
Hipospadias; kozmetik ve psikolojik sorunlar, miksiyon sorunu, empotans, ejakulasyon bozukluğu ve infertilite gibi sorunlara neden olduğu için mutlaka erken yaşta tedavi edilmelidir. En uygun zaman 2-3 yaş arasıdır. Operasyonda prepisyum derisi rekonstrüksiyonda kullanılacağı için çocuk kesinlikle sünnet ettirilmemelidir. Puberte sonrası yapılan operasyonlar, istem dışı ereksiyonlara bağlı komplikasyonlar gelişebileceği ve operasyon sahası zarar göreceği için başarısız olabilir.

Hemşirelik Yönetimi
Hipospadiaslı çocuğun ailesi hastalık ve tedavi planı hakkında bilgilendirilmelidir. Tek seansta düzelme sağlanamadığı durumlarda hem çocuk için hem aile için psikolojik sorunlar söz konusu olabilir. Aileye bu durumda psikolojik destek sağlanmalıdır.

Episdadias
Etiyoloji ve Epidemiyoloji
Hipospadiasa göre daha nadir görülen bir anomalidir. Ancak prognozu hipospadiasa göre kötüdür. Epispadiasta, uretra meatusu penisin dorsal yüzüne açılmaktadır (Şekil 42. 28a).

Cerrahi Yönetim
Epispadias için yapılan cerrahi girişimde, inkontinansın düzeltilmesi, kordenin giderilmesi ve üretranın düzeltilen penis glansına kadar uzatılması sağlanır.

Hemşirelik Yönetimi
Hipospadiastaki gibidir.

Üriner Sistem

Fimozis ve Parafimozis
Etiyoloji Ve Epidemiyoloji
Fimozis, prepisyumun (sünnet derisi) glansın (penis başı) arkasına doğru geri çekilememesi (retrakte edilememesi) durumudur. Prepisyumun fibrotik kontraktürü sonucu prepisyal açıklık azalmakta ve dokunun geri çekilmesi mümkün olmamaktadır. Konjenital olabildiği gibi, bir enfeksiyon veya enflamasyon sonucu da olabilir

Parafimozis, glans penisin fimozis oluşmuş prepisyum açıklılığında sıkışmasıdır. Daralmış prepisyum halkasının glansın gerisine çekilmesi sonucu gelişir.

Patofizyoloji
Fimozis, genellikle yetersiz hijyenden kaynaklanan ve tekrarlayan enfeksiyonlara bağlı olarak gelişir. Prepisyumun gereksiz şekilde retrake edilmeye zorlanması prepisyumda skar oluşumuna yol açar ve gerçek bir fimozis oluşur. Ciddi fimozisde idrarın akışı engellenmektedir.

Parafimoziste, prepusyum ödemlidir, halka oldukça gergindir. Halkanın daralmasına bağlı olarak lenfatik, venöz ve arteriel akım bozulur, prepisyumda nekroz gelişebilir.

Tıbbi Yönetim
Fimozisin tedavisi, oluşan kontraksiyonu gidermek amacıyla prepisyuma bir kesi yapılmasıdır. Bunun için dorsal kesi (dorsal slit) ya da sünnet (circumcision) yapılır. Sünnet, penis başını kaplayan mukoza dokusunun ve deri tabakasının (sünnet derisi) cerrahi olarak çıkarılmasıdır (Şekil 42.26).

Parafimoziste, ödem çok fazla değilse glansa pomad uygulaması yapılabilir. Ödem fazla ise dorsal kesi yapılır. Parafimozis geçiren hastaya mutlaka sünnet yapılması gerekir.

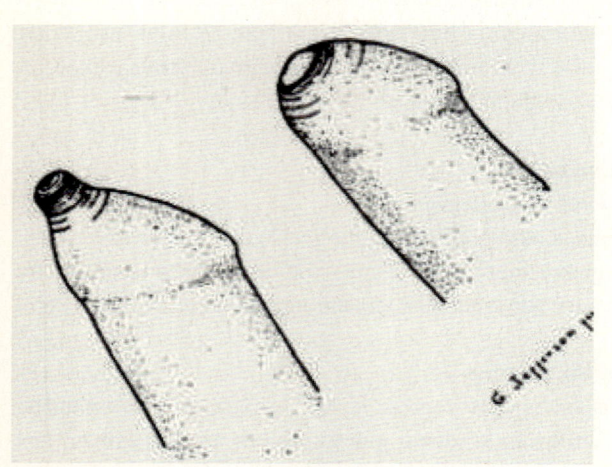

Şekil:42.26: Parafimozis, daralmış olan halka prepisyumun distalinde kalan kısımda ödeme neden olur.
Kaynak: (http://myemergencymedicineblog.blogspot.com/2009/09/can-circumcised-male-still-get.html)

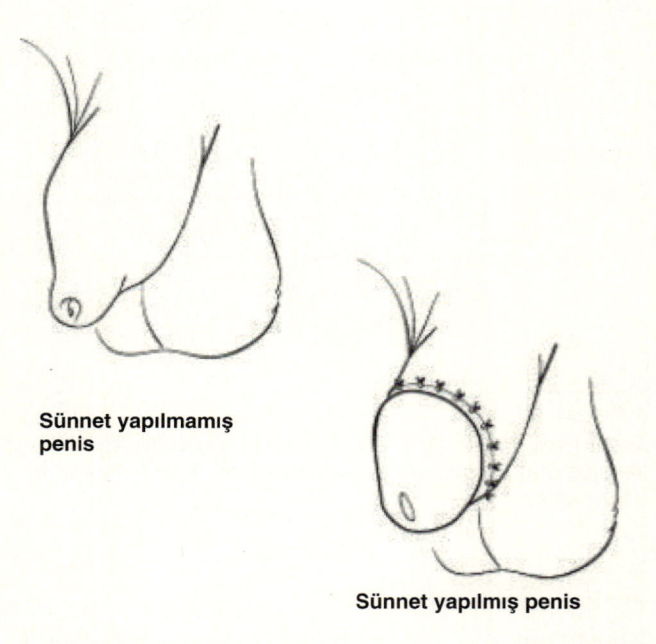

Şekil:42.27: Sünnet (Circumcision) yapılmamış ve sünnet yapılmış penis.
Kaynak: (http://www.primehealthchannel.com/wp-content/uploads/2011/01/Phimosis-in-Children.jpg)

Hemşirelik Yönetimi
Fimoziste ıslak sıcak uygulama ve antibiyotik (enfeksiyonu önlemek için) tedavisinin yönetimi sağlanır. Parafimoziste soğuk uygulama yapılmalıdır. Eğer sünnet yapılmışsa hemşire hastayı kanama yönünden izlemelidir.

Şekil:42.25: Fimozis, prepisyumun distal ucunun daralması sonucu glans penisin gerisine rekrakte edilememesi.
Kaynak (http://blog.thepastoralcompany.com/?p=659)

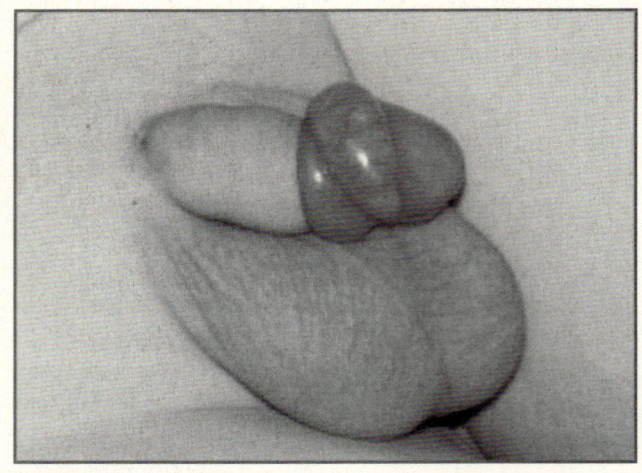

Penis Kanseri
Etiyoloji ve Epidemiyoloji
Penis kanseri, ABD'de erkeklerde görülen tüm kanserlerin %0.5 - %1.5'ini oluşturmaktadır. Genellikle 50-70 yaşlar arasında görülmesine karşın genç erkeklerde ve çocuklarda da görüldüğü bildirilmektedir. Penis kanserlerinin siyah ırkta beyaz ırka göre daha fazla olduğu ve ayrıca sünnetin (circumcision) penis kanserinin görülmesini azalttığı belirtilmektedir.

Penis kanseri insidansı hijyenik standartlar, kültürel ve dinsel uygulamalarla ilişkili olarak ülkelere ve bölgelere göre farklılıklar göstermektedir. Doğumda sünnet edilen erkeklerde penis kanseri görülmemektedir. Ancak puberteden sonra yapılan sünnetin penis kanserine karşı koruyucu olmadığı belirtilmektedir.

Sünnette prepisyum kesildiği için bu alanda bakteri birikimi söz konusu olmamaktadır. Ancak prepisyum kesilmediğinde aradaki alanda smegma oluşturur. Smegma, prepisyum altında oluşabilecek beyaz, yapışkan bir maddedir. Doğal salgılardan ve dökülmüş deri hücrelerinden oluşur.

Smegma penis dokusunda irritasyona neden olabilir. Bu kronik irritasyon ve enfeksiyonun (balanit) kansere zemin hazırladığı belirtilmektedir.

Patofizyoloji
Penis kanseri genellikle prepisyum altında glansı kapsayan bir lezyon olarak başlar. Kanserlerin %95'i squamöz hücreli karsinomadır. %25-75'inde fimozis gelişir. Lezyon akıntılı ve kokulu bir erozyona neden olur. Kanama olabilir veya olmayabilir. Hasta prepisyum altında yanma ve kaşıntı hissedebilir. Tedavi edilmezse penil oto amputasyon olabilir.

Metastaz genellikle bölgesel femoral ve iliyak lenf nodüllerine olur. Hastalığın prognozu da lenf bezi tutulumuna bağlıdır. Lenf bezi tutulmuşsa 5 yıllık sağ kalım oranı %20-25'tir.

Tıbbi Yönetim
Tedavi genellikle cerrahidir. Parsiyel veya total penektomi yapılmaktadır. Radyasyon tedavisi küçük ve yüzeyel lezyonu olan genç erkeklerde cinsel fonksiyonu korumak amacıyla uygulanmaktadır.

Hemşirelik Yönetimi
Hemşire cerrahi tedavi uygulanacak hastaya ameliyata yönelik bakım vermelidir. Radyoterapi uygulanacaksa etkileri ve yan etkileri hastaya açıklanmalıdır. Radyoterapiye bağlı üretrada darlık oluşabilir. Hemşire, idrar yapmada değişiklik olduğunda (idrar yapamama, noktüri, pollakiüri) hekime bildirmesi için hastayı uyarmalıdır. Radyoterapiden sonra birkaç hafta kadar bağırsak hareketlerinin de etkilenebileceği açıklanmalıdır. Eğer kemoterapi uygulanacaksa hastaya buna yönelik bakım verilir. Total penektomi yapılan hastaya cinsel sorunlar nedeniyle danışmanlık gerekecektir.

Prostat Kanserli Hastanın Hemşirelik Bakım Planı
Hemşirelik Tanısı: Tanı, tedavi planı ve hastalığın prognozu hakkında bilgi eksikliği ve buna ilişkin anksiyete.
Hedef: Hastanın baş etme yeteneğini geliştirmek ve stresi azaltmak.

Üriner Sistem

Çizelge 42.17: Prostat Kanserli Hastanın Hemşirelik Bakım Planı

Hemşirelik girişimleri	Amaç	Beklenen sonuçlar
Hemşirelik Tanısı: Tanı, tedavi planı ve hastalığın prognozu hakkında bilgi eksikliği ve buna ilişkin anksiyete. **Hedef:** Hastanın baş etme yeteneğini geliştirmek ve stresi azaltmak.		
1. Hastanın sağlık öyküsü ile birlikte kaygıları, sağlık problemini anlama düzeyi, destek sistemleri ve baş etme yöntemleri belirlenir. 2. Tanı ve tedavi planı ile ilgili bilgi verilir. 3. Hastanın tanı ve prognozla ilgili psikolojik tepkisi ve daha önce kullandığı baş etme yöntemleri değerlendirilir.	1. Hastanın durumunu daha iyi anlamasını ve daha kolay baş etmesini sağlar. 2. hastanın tanı işlemlerini ve tedavi planını anlamasını ve işbirliğini sağlar, anksiyetesini azaltır. 3. Bu bilgiler hasta için uygun baş etme yöntemlerinin belirlenmesinde ipucu sağlar.	• Hastada rahatlama gözlenmeli • Hasta anksiyetesinin azaldığını veya kendini daha rahat hissettiğini ifade etmeli • Hasta hastalığı ve tedaviyi anladığını ifade etmeli.
Hemşirelik Tanısı: Mesane tonüsünün kaybı ve prostatın veya tümörün büyümesine bağlı üretral obstrüksiyondan kaynaklanan üriner retansiyon. **Hedef:** Üriner eliminasyonun sağlanması		
1. Hastanın normal üriner fonksiyon durumu belirlenir. 2. Üriner retansiyonla ilgili belirti ve bulgular değerlendirilir. 3. Hastanın rezidüel idrar miktarı belirlenir. 4. İşeme için uygun pozisyonu kullanmaya teşvik edilerek, valsalva manevrasını kullanması önerilerek ve kolinerjik ajanlar verilerek hastanın işemesi sağlanmaya çalışılır. 5. Doktorla görüşülerek gerektiğinde kateter takılır. 6. Kateter bakımı ve izlemi yapılır. 7. Endikasyon varsa hasta ameliyata hazırlanır.	1. Elde edilen verilerle hastanın durumunu karşılaştırılmasını sağlar. 2. Retansiyonun ne düzeyde olduğunun belirlenmesini sağlar. 3. İşeme sonrası mesanede kalan idrar miktarının bilinmesini sağlar. 4. Bu uygulamalar işemenin gerçekleşmesini sağlar. 5. Spesifik neden belli olana kadar hastanın idrarının boşaltılmasını sağlar. 6. Mesanenin boşaltılması ve olası bir enfeksiyonun önlenmesini sağlar. 7. Obstrüksiyonun cerrahi olarak tedavisi gerekebilir.	• İşeme gerçekleşmeli • Üriner inkontinansla ilgili yakınmaların giderildiği rapor nedilmeli • İşeme sonrası suprapubik distansiyon palpe edilmeli • Sıvı alımı ve çıkarılması arasında denge sağlanmalı.
Hemşirelik Tanısı: Kanserin veya tedavinin neden olduğu iştahsızlık, bulantı ve kusmayla ilişkili vücut gereksiniminden az beslenme **Hedef:** Optimal beslenmenin sağlanması.		
1. Alınan yiyecek miktarı değerlendirilir. 2. Hergün hasta tartılır. 3. Hastanın tercihi doğrultusunda yiyecekler verilir. 4. Bulantı ve kusmayı önlemek için antiemetikler verilir, kusma olmuşsa sonrasında ağız bakımı yapılır ve yemek sonrası hastanın istirahati sağlanır. 5. Yemekler sık sık ve az miktarda verilir, rahat ve hoş bir ortam sağlanır.	1. Besin alımının yeterli olup olmadığının belirlenmesini sağlar. 2. Hastanın vücut ağırlığındaki değişimlerin belirlenmesini sağlar. 3. Hasta sevdiği yiyecekleri daha istekli yiyebilir. 4. Bulantı ve kusmanın önlenmesini ve iştahın artmasını sağlar. 5. Hasta daha kolaylıkla ve istekle yiyebilir.	• Hasta sevdiği yiyecekleri istemeli • Hazırlanan yiyecekleri yiyebilmeli • Kilosunda artış kaydedilmeli
Hemşirelik Tanısı: Hastalık ve tedavi uygulamaları ile ilgili ağrı. **Hedef:** Ağrının azaltılması		
1. Ağrı skalası kullanılarak ağrının yeri, şiddeti ve özelliği değerlendirilir, azaltan, artıran durumlar belirlenir. 2. Ağrıyı arttıran aktivitelerden kaçınılır. 3. Ağrı kesici verilir. 4. Ağrı kemik metastazı ile ilgi olabileceği için ekstremiteler desteklenir. 5. Yatak kenarlıkları yükseltilir. Bağırsakların düzenli çalışmasını sağlayan uygulamalar yapılır.	1. Daha sonraki bakım için veri sağlar. 2. Hastanın daha rahat olmasını sağlar. 3. Ağrının azaltılmasını ve hastanın rahatlamasını sağlar. 4. Hareket kısıtlaması ve destekleme ağrıyı azaltır. 5. Hastanın düşmesinin ve yaralan-masının önlenmesini sağlar. 6. Ağrı giderici ilaçların neden olduğu bağırsak hareketlerinin azalmasına bağlı konstipasyonun önlenmesini sağlar.	• Ağrının azaldığını hasta ifade etmeli. • Hasta ağrı giderme ile ilgili uygulamalara katılır. • Hasta ağrı giderici ilaçların komplikasyonlarını önlemeye yönelik uygulamalara katılmalı. • Konstipasyon gözlenmemeli
Hemşirelik Tanısı: Mesane girişinin obstrüksiyonuna bağlı enfeksiyon ve kanama olasılığı **Hedef:** Komplikasyon gelişmemesi.		
1. İdrarda kan olup olmadığı izlenir. 2. Kateter çevresinde ağrı ve yanma olup olmadığı gözlenir. 3. İdrar yapma sıklığı izlenir. 4. İdrar miktarı ve output izlenir. 5. Mesane kontrolünün azalıp azalmadığı izlenir.	1. Kanamanın erken dönemde fark edilmesini sağlar. 2. Katetere bağlı enfeksiyonun erken tanımlanmasını sağlar. 3. Sık idrar yapma mesane girişinin obstrüksiyonu veya enfeksiyonun belirtisidir. 4. İdrar çıkışının azalması obstrüksiyonun belirtisidir. 5. Üriner retansiyon sonucu üriner inkontinans oluşabilir.	• Kanama belirtisi görülmemeli • Kateter çevresinde ağrı ve yanma rapor edilmemeli. • İdrar çıkışı ve idrar yapma sıklığı normal olmalı. • Mesane kontrolü sağlanmalı.

ÜNİTE 11

Meme Hastalıkları

43. Meme Hastalıkları

43. MEME HASTALIKLARI

Doç. Dr. Şenay KAYMAKÇI

Giriş

Kadın memesi yüzyıllardır hem kadınlar hem de erkekler için önemli olmuştur. Meme, heykellerde bereket, doğurganlık ve verimlilik sembolü olarak vurgulanmıştır. Ana tanrıça Artemis'in çok memeli, başı taçlı heykeli, tanrıçanın doğaya egemenliğini ve uygarlığın her türünde yöneticiliğini simgelemektedir.

Anadolu uygarlıklarında büyük memeli, geniş kalçalı kadın imajı doğurganlık ve bereketi temsil etmektedir. Süt salgılayan bir organ olarak memeler işlevsel açıdan bebeğin yaşamı için önemlidir. Emzirme, doğumdan sonra ana için uterusun involüsyonunda yararlı olduğu gibi bebeğe sütle geçen bazı bağışıklık faktörlerinin geçişi yönünden önemlidir. Memeler emzirme işlevinin yanı sıra kadın cinselliğinin de ayrılmaz bir parçasıdır. Yağlı boya resimlerde, heykellerde ve sinemada kadınlığın ve kadın cinselliğinin çok açık ifadesi olarak gösterilmektedir. Adölesan döneminde memelerin gelişmesi, kadınlığa geçişin de ilk belirtileridir. Memeler ve özellikle meme başları erektil dokuya sahiptir ve kadının cinsel yaşamında önemli rol oynar.

İşlevsel, estetik ve cinsel açıdan büyük önemi olan memenin çeşitli hastalıkları vardır. Bunlar, genel olarak meme displazileri (fibrokistik hastalık), fibroadenomalar, enfeksiyonlar ve kanserler olarak sınıflandırılmaktadır. Bu hastalıklar çoğunlukla kadınlarda görülmekle birlikte nadiren erkeklerde de görülmektedir. Meme hastalıkları içinde özellikle meme kanseri üzüntü, kaygı ve korku veren bir durumdur. Meme kanseri kadınlarda en sık görülen kanser türüdür. Batı toplumlarında her 8-9 kadından birinde meme kanseri gelişme riski olduğu belirtilmektedir.

Meme kanserinin tanısı ve tedavisine yönelik yapılan çalışmalar ve geliştirilen yeni yöntemler hastalıkla ilgili daha iyi sonuçlar elde edilmesini sağlamaktadır. Meme kanseri tanısı ile karşı karşıya kalan bir kadının hastalığının ve tedavisinin her döneminde iyi bir hemşirelik hizmetine gereksinimi vardır. Meme kanserinin erken tanılama uygulamaları, hastalığın tanı ve tedavi aşaması, uygulanan tedavilerin etkileri ve hastalıkla başetme gibi tüm aşamalarda hasta ile en fazla birlikte olan ve hizmet veren sağlık ekibi üyesi hemşiredir.

Günümüzde kanserin erken tanısı ve tedavisi konusunda pek çok yöntem geliştirilmiştir. Meme kanserinin erken tanısı ve tedavisi hastanın yaşam kalitesi için önemlidir. Meme kanserinin tedavisi ve bakımı, uzun zaman, yüksek maliyet, daha fazla kaygı, üzüntü ve korkuya neden olduğu için bu bölüm daha ayrıntılı olarak ele alınmıştır.

Memenin Anatomi ve Fizyolojisi

Anatomi

Meme, toraks üzerinde vertikal olarak 2. ila 6. kostalar arasında, horizontal olarak sternum ile orta aksiller hat arasında simetrik olarak yer alan bir çift salgı organıdır.

Meme dokusunun yaklaşık üçte ikisi pektoralis major kası üzerinde, üçte birlik bölümü ise serratus anterior kası üzerinde bulunmaktadır. Memeler bağ dokusu ya da fasya ile kaslara bağlanırlar.

Memenin glandüler yapısı koltuk altına doğru kuyruk şeklinde uzanır ve bu uzantıya spencer'in aksiller uzantısı denir. Erişkin sağlıklı bir kadında memeler simetriktir. Ancak tamamen eşit değildir. Memeler hiç doğum yapmamış ve emzirmemiş bir kadında genellikle kubbe gibi yarım küre şeklindedir. Doğurmuş kadında ise kısmen sarkık bir yarım küre şeklini alır. Memelerin ölçüsü ve şekli kadının yaşı, genetik yapısı, beslenme durumu, gebelik, laktasyon ve menstruasyon durumuna bağlı olarak değişiklikler gösterir. Normal bir memenin görünüş olarak dış yüzeyinde herhangi bir çekilme (retraksiyon), gamzeleşme ya da kitle bulunmaz.

Meme dıştan içe doğru deri, deri altı yağ dokusu ve meme dokusundan oluşur. Memenin esas glandüler dokusu parankima dokusudur. Diğer destek dokular ise stroma olarak adlandırılan yağ dokusu ve fibröz bağ dokusudur. Her bir meme glandı (parankima) 15-20 lobdan oluşmaktadır. Her lob sekresyon hücrelerinin oluşturduğu 20-40 lobülden, her lobül 10 ila 100 alveolden (asinus) oluşmaktadır. Loblar, üzüm salkımı görünümünde yapılar olup kendilerine ait bir kanalla meme başına açılır. Çapları areola yakınında 2mm. yi bulan toplayıcı kanallar (duktus laktiforus) subareolar bölgede 5-8 mm. çapında süt sinuslarına (sinus laktiforus) dönüşürler (Şekil 43. 1).

Memenin derisi ince ve yumuşaktır. Meme başı areolanın merkezinde yer alır. Areola 15-60mm. çapında olabilir. Areolanın çevresinde morgagni trabekülleri vardır. Morgagni trabekülleri, sebum salgılayan montgomeri glandlarının kanallarının açıldığı deri tümsekleridir (Şekil 43. 2).

Daire şeklinde olan areola içinde bol miktarda duyarlı sinir ucu, yağ bezleri ve apokrin ter bezleri bulunur.

917

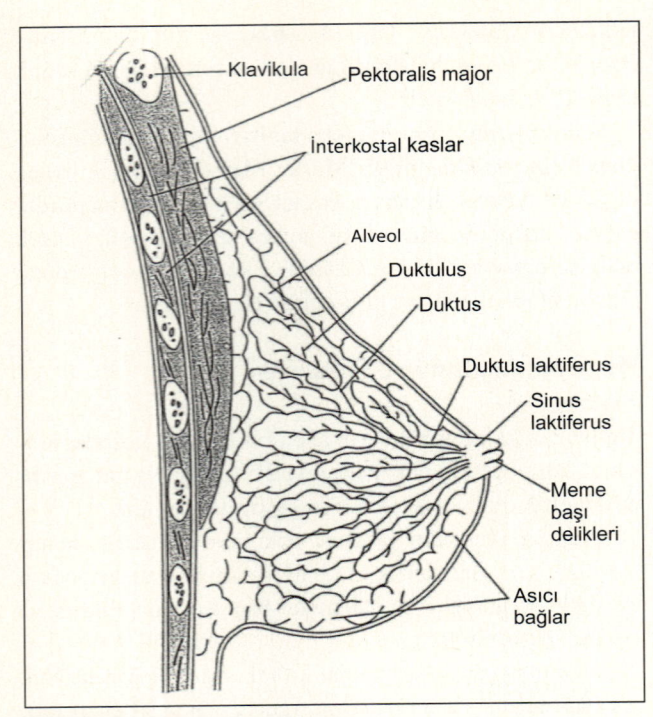

Memenin Kan Damarları
Arterler

Memenin kanlanması arteria torasika interna (arteria mammaria interna), arteria subklavia ve arteria interkostalislerden olmaktadır.

İnternal torasik arterin iki, üç ve dördüncü anterior perforan dalları göğüs duvarını sternumun kenarından delerek memenin medialini ve orta kısımlarını besler. Bunlar memenin en büyük damarlarıdır. Laktasyon sırasında büyük oranda genişlerler.

Arteria subklaviyadan ayrılan lateral torasik arter, süperior torasik arter, torakoakromial arterin pektoral dalı, subskapular arter meme dokusunu besler.

Posterior interkostal arterlerin lateral dalları: İki, üç, dört ve beşinci interkostal aralıklarda posterior interkostal arterler mammaryan dallarını verirler. Ön dallar meme derisini ve parankiminin lateralini beslerken, arka dallar da kaslara gider.

Venler

Memenin venöz akımı genel olarak aksillaya doğrudur. Meme başı çevresinde venler bir anastomoz çemberi (pleksus venosus areolaris) oluştururlar.

Memenin venleri yüzeyel ve derin olmak üzere iki gruba ayrılır. yüzeyel venler, yüzeyel fasyanın hemen altında bulunur. Her iki memedeki yüzeyel venler birbiri ile anastomoz yaparlar ve internal torasik venlere dökülürler.

Memenin derin venleri İnternal torasik venin perforan dalları, aksiller vene drene olan dallar ve interkostal venlerin perforan dallarıdır.

Memenin İnnervasyonu

Memenin duyusal innervasyonu başlıca 2-6. interkostal sinirlerin lateral ve superior kutanöz dallarıyla sağlanır. Torasik interkostal sinirlerin lateral kutanöz dalları meme derisinin lateral kısmının ve bu sinirin ön kutanöz dalları ise meme derisinin medial kısmının innervasyonunu sağlar. Esas memenin innervayonu 4., 5. ve 6. İnterkostal sinirlerin sempatik dallarıyla sağlanır. Bu sinirler kan akımı ve ter bezlerinin işlevinde etkilidir. Memede sempatik sinirler memenin vazomotor işlevi üzerinde etkili olurken parasempatik sinirler meme dokusunu innerve etmezler. Süt salgılanması over ve hipofiz hormonlarının kontrolü altındadır.

Memenin Lenf Damarları ve Lenfatik Drenajı

Lenfatik sistem, vasküler sistemin bir parçasıdır. Hücreler arası aralıkta toplanan lenf sıvısı lenfatik kapillerlere geçer.

Şekil 43.1: Memenin yandan kesiti

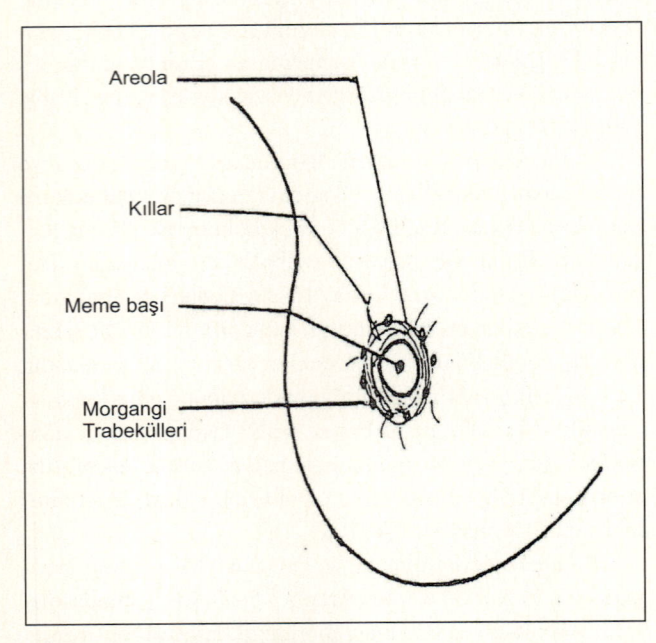

Şekil 43.2: Memenin dıştan görünümü

Lenf kapilleri önce toplayıcı lenf damarlarına daha sonra lenf nodlarına drene olur. Lenf nodundan çıkan lenf damarları genişleyerek ve birleşerek venöz dolaşıma karışır.

Lenf damarları, memenin subepitelial lenfatik kıvrımından (pleksusundan) başlar ve vücudun diğer bölgelerindeki komşu subepitelial lenfatiklerle anastomoz halindedir. Lenf akımı genelde tek yönlüdür, yüzeyden derin kıvrıma doğru ve subareolar bölgeden perilobüler ve derin cilt altı kıvrıma doğru olur. Derin ciltaltı lenf kanalları kaoltukaltı bölgesine ve internal mammarial lenf nodlarına drene olur. Memede oluşan lenfatik sıvının çoğunluğu koltuk altı lenf nodülüne, kalan kısmı ise internal mammarial nodüller ve supraklaviküler nodüllere dökülmektedir. Meme kanserinin metastatik yayılımında, primer olarak rol alan lenfatik sistem aşağıdaki gibi gruplanmaktadır (Şekil 43. 3).

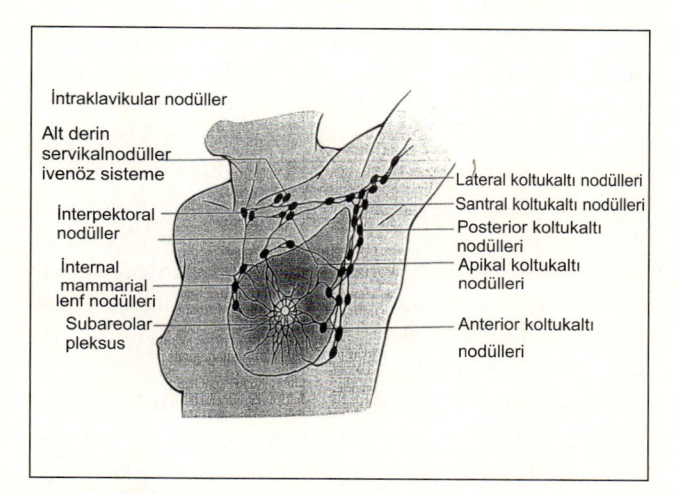

Şekil 43.3: Memenin lenfatik drenajı

Koltukaltı Lenf Drenajı

Memenin lenfatik drenaj sisteminin izlediği primer yol, koltukaltı lenf nodülünden geçer. Koltukaltı lenf nodülleri 6 grupta incelenir.

1-Koltukaltı Ven grubu (Lateral grup): *Koltukaltındaki venin medial ve posteriorunda yerleşen 4, 6 adet lenf nodülünden oluşur.*

2-Eksternal Mammarial grup (Anterior ya da Pektoral grup): *Lateral torasik arter ile birlikte pektoral minör kasının dış kısmında yerleşen 2-4 adet lenf nodülü grubudur.*

3-Skapular grup (Posterior ya da Subskapular grup): Skapulanın lateral sınırı boyunca, koltukaltının posterior duvarında yerleşmiş 6-7 adet lenf nodülünden oluşur.

4-Santral grup: Pektoralis minör kasının posteriorunda yer alan 3-4 adet lenf nodülünden oluşur.

5- Subklaviküler grup (Apikal grup): Pektoralis minör kasının üst sınırının posteriorunda yerleşen ve koltukaltındaki venin medialı boyunca koltukaltı apeksine kadar yerleşen 6-12 adet lenf nodülünden oluşur.

6-İnterpektoral grup (Rotter Grubu): Pektoralis majör ve minör kasları arasında bulunan 1 - 4 adet lenf nodülünden oluşur.

Cerrahi olarak koltukaltı lenf nodülleri, anatomik olarak pektoralis minör kasına göre yerleşimlerine bakılarak 3 gruba ayrılmıştır.

Pektoralis minör kasının alt sınırının lateralinde ya da inferiorurunda yer alan lenf nodülleri aşağı koltuk altı olarak adlandırılır. Bu gruba eksternal mammaria, koltukaltı ven ve skapular lenf ganglion grupları girer.

Pektoralis minör kasının posteriorunda yer alan nodüller orta koltuk altı grubudur. Bu grup santral ve bir kısım subklavikular lenf nodülü grubunu içerir.

Üst koltuk altı lenf nodülleri pektoralis minör kasının üst sınırının süperiorunda ve medialinde yer alır ve subklavikular lenf nodülü grubunu kapsar.

Mammaria İnterna Lenf Drenajı

İnternal mammarial lenf nodülleri, toraks ön duvarında, 2. – 6. interkostal aralıklara denk gelen parasternal alanda yerleşen lenf nodülleridir (Şekil: 3). Mammaria interna lenfatik zinciri, göğüs duvarının bir bölümünün, pariyetal plevranın ön bölümünün, göğüs duvarının bu bölgesindeki kasların ve üzerindeki meme dokusunun bir kısmının lenf drenajını sağlar.

Fizyoloji

Kadının yaşamı boyunca hormonal düzeyindeki değişiklikler, memenin fiziksel ve anatomik yapısını etkiler. Menstrüel siklus, gebelik, laktasyon, memenin mikroskopik yapısında değişikliklere neden olan fizyolojik olaylardır.

Memenin büyüme ve gelişmesini hipotalamus, ön hipofiz ve ovariumlardan salgılanan hormonlar stimüle eder.

Erkek olsun kız olsun yenidoğan bebeğin memesinden anneye ait (maternal) hormonların stimülasyonu ile kolostrum denilen süt salgısı olabilir. Östrojen erken puberte döneminde salgılanmaya başlar. Kızlarda puberte 10-12 yaşlarında başlamaktadır. Hipotolamustan salgılanan hipotalamik gonadotropin-rilising-hormonlar (HGRH) hipotalamus ile hipofiz arasındaki portal venöz sistem aracılığıyla hipofize gelir, ön hipofizden follikül stimülan hormon (FSH) ve luteinizan hormon (LH) salgılanır. FSH yeni oluşmaya başlayan over folliküllerinin, graaf follikülü içinde olgunlaşmasını sağlar. Buradan östrojenler yapılıp salgılanır. Bu hormonların etkisiyle memeler ve genital organlar büyümeye başlar.

Ovulasyonsuz dönemde olan ve gelişimini tamamlamamış over folliküllerinden salgılanan östrojenler memelerde duktal epitelin uzunlamasına büyümesini ve genişlemesini, stroma dokusunun gelişmesini, vaskülarizasyon ve yağ dokusu birikimini stimüle ederler.

Olgun foliküllerin oluşup ovulasyonunun başlamasıyla progesteron salgılanmaya başlar. Östrojen ve progesteron birlikte, memenin duktal, alveolar ve lobüler yapılarının gelişmesini sağlar.

Menstrüel Siklusta Meme Fizyolojisi

Menstrüel siklusa bağlı olarak memede hücresel düzeyde değişiklikler oluşur. Menstruasyondan önceki 3-4 günde östrojen ve progesteron düzeyindeki artış vaskülarizasyon artışına, duktus ve asinilerin büyümesine ve sıvı retansiyonuna yol açar. Duktuslarda epitel hücreleri artar ve buna bağlı olarak duktuslar genişler, lobüller şişer, gerilir, asiniler büyür ve sekresyon yapmaya başlar, epitel hücreler içinde yağ birikimi olur. Sonuçta memeler büyür, gerginleşir, duyarlılığı artar, ağrılı olur. Menstruasyondan sonra hücresel çoğalma geriler, asiniler küçülür, sıvı birikimi azalır.

Menstrüel siklusa bağlı oluşan proliferasyon ve involüsyon her iki memede de oluşur. Ancak tamamen birbirinin aynısı değişmeler olmaz. Tekrarlayan hormonal stimülasyonun etkisiyle memelerde nodüler yapılar da oluşabilir. Bu normal bir fizyolojik değişimdir ve meme muayenesi yapılırken bu durum göz önünde bulundurulmalıdır. Nodüller; memelerde hormonal etkinin en aktif olduğu dönem olan menstrüasyondan hemen önceki günlerde başlamaktadır.

Bu durum menstruasyonun bitiminden sonraki 5 ile 7. günlerde sona erer. Bu günlerde memeler normal yapılarına dönerler. Meme muayenesi için en ideal günler bu günlerdir. Memede oluşan patolojik yapılar bu günlerde en iyi şekilde saptanabilir.

Gebelikte Meme Fizyolojisi

Memelerde hormonal etkilere bağlı büyüme ve gelişme en fazla ve en hızlı şekilde gebelik döneminde olur.

Gebelik süresince, plasenta tarafından salgılanan östrojen memelerde kanalların gelişmesini ve dallanmasını sağlar. Aynı zamanda, memedeki stroma dokusu çoğalır ve içerisinde yağ birikimi olur.

Östrojenin memeler üzerine etki edebilmesi için, hipofizde üretilen büyüme hormonu, (BH) ve plasentada yapılan plasental laktojen'e gereksinim vardır. Bu iki hormon, gland hücrelerinde protein birikimini ve glandın büyümesini sağlar.

Büyüme hormonu ve östrojenler kanalların büyümesini sağlar, ancak alveol ve lobüllerin gelişimini yeterince sağlayamaz. Bunun için progesterona gerek vardır.

Progesteron lobüllerin büyümesini, alveollerin tomurcuklanmasını ve alveol hücrelerinin salgı yapıcı özellik kazanmasını sağlar.

Gelişmiş memede süt yapımını oluşturan hormon prolaktindir. Prolaktin hipofiz ön lobundan salgılanır. Gebelik süresince meme bezlerinin büyümesine ve prolaktin salgılanmasının artmasına karşın doğuma kadar süt salgısı olmaz. Bu evrede süt yapımını ve salınmasını önleyen plasentadan salınan östrojen ve progesterondur.

Laktasyonda Meme Fizyolojisi

Gebeliğin sonunda, memeler bebeğe süt vermeye hazır durumdadır. Doğumdan hemen sonra östrojen ve progesteronun ortadan kalkması ve prolaktin salgılanmasının artması ile süt salgılanmaya başlar. Prolaktin, meme bezi hücreleri tarafından bol miktarda yağ, laktoz ve kazein sentez edilmesini sağlar. Süt salgısının prolaktin etkisiyle başlayabilmesi için, adrenal hormonlara ACTH (Adreno kortikotropik hormon) ve büyüme hormonuna STH (somototropin) gereksinim vardır. Ancak gerçek anlamda laktasyonu oluşturan hormon prolaktindir.

Erkekte Meme

Erkeklerde, puberte döneminde over hormonlarının stimülasyonunun olmaması nedeniyle kızlardaki meme gelişimi olmamaktadır. Bu normal bir durumdur. Ancak bazen erkeklerde de meme büyümesi ve gelişmesi görülebilir. Erkekte, memenin kadın memesinde olduğu gibi şekil ve boyut yönünden büyümesine jinekomasti (gynecomastia) denir. Areola altında sert bir kitle palpe ediliyorsa ve bunun konturları, kızlardaki gibi belirgin değilse, mammaplaziden söz edilir. Jinekomasti ve mammaplazi oluşumunda hormonlar, ilaçlar, sistemik hastalıklar ve idiyopatik nedenler rol oynamaktadır.

Pubertedeki jinekomasti, östradiol-testosteron dengesizliğine bağlı olarak gelişir. Çoğunlukla 11-15 yaşlar arasında görülür ve bir iki yıl içinde kendiliğinden kaybolur. İleri yaşlarda görülen jinekomasti serum testosteron düzeyindeki düşüşle birlikte görülmektedir, genellikle östrojen düzeyleri de yüksektir. Patolojik olarak hipogonadizm ve klinifelter sendromuna bağlı olarak da östrojen-testosteron dengesi bozularak jinekomestiye neden olabilir.

Testis tümörleri, böbrek üstü tümörleri, ilaçlar, alkolik siroz, kronik böbrek Yetersizlikleri, kronik akciğer hastalıkları ve kötü beslenme sonucu da jinekomasti gelişebilmektedir. Jinekomasti bazen hiçbir nedene bağlı olmaksızın gelişebilir (idiyopatik jinekomasti). Meme kanseri, erkeklerde %1 oranında görülmektedir.

Meme Hastalıklarının Tanılanması
Meme Hastalıklarında Öykü Alma

Hemşire, hastayı yaş, son menstrüel period gibi bilgileri içeren demografik veriler yönünden değerlendirmelidir. Hormonlar da dahil olmak üzere hastanın aldığı ilaçlarla ilgili öyküsü, bunların memeyle ilgili bulgular üzerine olası etkilerini belirlemede yardımcı olacaktır.

Hastadaki bulgular tanımlanmalı, hastaneye geliş nedeni, meme başı akıntısının varlığı, renk değişiklikleri, meme konturunda değişiklikler, memede ya da koltuk altındaki kitleler, ağrı olup olmadığı, bulguların süresi ve bunları azaltan ya da arttıran faktörlerin olup olmadığı kaydedilmelidir. Ayrıca hastanın KKMM (Kendi Kendine Meme Muayenesi) bilgisi ve uygulaması, mammografi ve fizik muayene yaptırıp yaptırmadığı değerlendirmeye katılabilir.

Hemşire her hastada meme kanserine yönelik risk değerlendirmesi yapmalıdır. Hastada var olan bulgular yazılmalıdır. Ayrıca bu bulguların ne kadar süredir var olduğu ve bunları gidermek için başvurulan uygulamalar da kaydedilmelidir

Hastanın eğitim düzeyi, meme kanseri ve tedavisi ile ilgili sahip olduğu bilgiler hemşirenin incelemesi gereken konulardır. Ayrıca hastanın görüntüleme çalışmalarına katılımı da hemşire tarafından izlenmelidir. Hastanın beden imajı ile ilgili düşünceleri ve bununla ilgili olarak meme dokusunun önemi de yine hemşirenin gözönünde bulundurması gereken konulardır. Yara iyileşmesi ve yara iyileşmesini etkileyen faktörlerle ilgili hastanın öyküsü gözden geçirilmelidir. Hemşire ayrıca hastanın insan ilişkileri ile ilgili özelliklerini ve sahip olduğu destek güçlerini de tanımlamalıdır. Son olarak hemşirelik öyküsünde yer elması gereken hastanın önceden uyguladığı başarılı başetme yöntemleridir.

Klinik Muayene

Memenin klinik muayenesi, kadınlarda yılda bir yapılması gereken fizik muayene içinde yer almalıdır. Özellikle ailesinde meme kanseri öyküsü olan kadınlarda meme muayenesi yılda iki kez yapılmalıdır. Memenin fizik muayenesi, hasta oturur pozisyondayken ve yatar pozisyondayken olmak üzere iki aşamada yapılır (Şekil 43. 4).

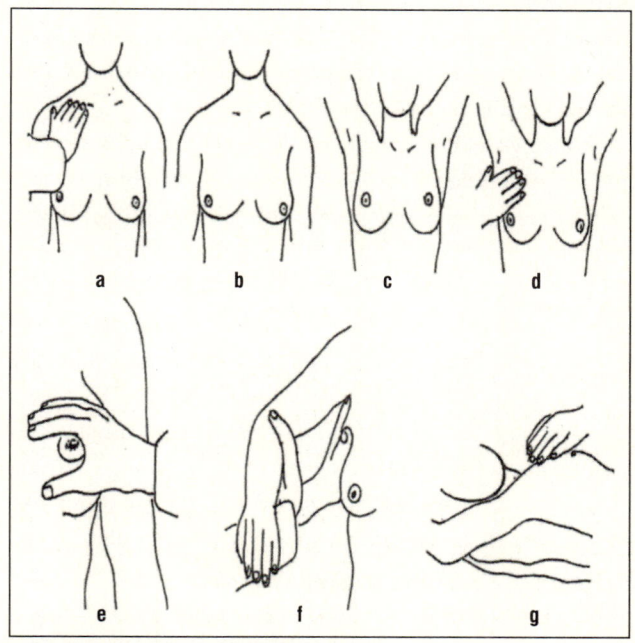

Şekil 43.4: Memenin Fizik Muayenesi

Hastanın oturur pozisyondaki muayenesi

Hastanın belden yukarısı çıplak, memeleri hekimin göz seviyesinde olacak şekilde oturur pozisyondayken inspeksiyon yöntemiyle (gözle muayene) muayeneye başlanır.

İnspeksiyonda; memelerde asimetri, meme derisinde kabarıklık, içe çekilme, renk değişikliği, meme başında içe çekilme, meme başında ya da derisinde ülserasyon gibi değişiklikler kontrol edilir.

Hastaya kollarını yukarıya doğru kaldırması söylenir ve bu durumda oluşan değişiklikler ve memelerin alt bölümlerinin inspeksiyonu yapılır.

Hastaya ellerini kalçalarına dayayıp bastırması söylenir. Böylece pektoral kasları gerilmiş olacaktır. Herhangi bir deri çekintisi ya da anormal bir değişiklik olup olmadığı gözlenir.

Oturur pozisyonda yapılan muayenede inspeksiyondan sonra palpasyonla muayeneye devam edilir. Otururken memeler aşağıya doğru sarktığı için palpasyonda memenin üst bölümündeki lezyonlar, klavikula altı, klavikula üstü, boyun, sterno-kleido-mastoid lenf adeno patiler (LAP) daha iyi saptanabilir.

Koltuk altı (aksilla) bölgesinin muayenesi önemlidir. Koltuk altının muayenesinde hasta ve hekim aynı seviyede olmalıdır. Hekim hastanın sağ koltuk altını muayene edecekse, hastanın sağ kolunu, kendi sağ kolu üzerine alır ve boşta kalan sol eliyle, hastanın sağ koltuk altı bölgesini muayene eder. Hastanın sol koltuk altı muayenesi için, hekim sol önkolunun üzerine, hastanın sol önkolunun tamamı gelecek şekilde aldıktan sonra sağ eliyle sol koltuk altı bölgesini muayene der. Bu muayene ile hastanın koltuk altı bölgesinde LAP olup olmadığı, varsa lokalizasyonu, büyüklüğü, sertliği, sayısı, birbirine yapışık olup olmadığı, derin dokulara ya da deriye yapışık olup olmadığına ve infiltrasyonuna bakılır. Şişman ve yağ dokusu fazla olan hastalarda bu muayene daha dikkatli yapılmalıdır.

Hastanın yatar pozisyondaki muayenesi

Hasta sırtüstü yatırılarak, muayene edilecek tarafın sırt ve skapula altına ince bir yastık veya katlanmış bir havlu konur ve hastaya o taraf elini başının altına koyarak kolunu kaldırması söylenir. Böylece meme dokusu kostalar üzerine yayılır, derinliği daha azaltılır ve meme dokusu içinde oluşan lezyonlar daha kolay palpe edilebilir.

Palpasyonda, sternumdan orta-koltuk altı çizgisine kadar, yukarıda klavikuladan aşağıda kot kenarına kadar olan bölge palpe edilir. Palpasyon parmak ucu ile değil, en hassas olan parmakların uçtaki iç kısmı ile (pulpası ile) yapılmalıdır (Şekil 43. 5).

Meme muayenesi için en uygun zaman, henüz menapoza girmemiş üreme dönemindeki kadınlarda menstruasyonun bitiminden sonraki 5-7. günlerdir.

Menstruasyondan hemen önceki günlerde memeler hormonal etkilere bağlı olarak daha dolgun, gergin ve konjesyone olacağı için bu dönemde yapılan palpasyon bulguları yanıltıcı olabilir.

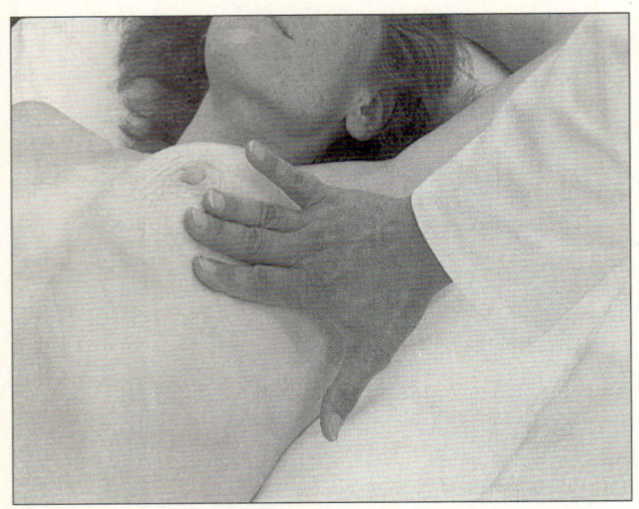

Şekil 43.5: Memenin palpasyonu

Kendi Kendine Meme Muayenesi
Kendi Kendine Meme Muayenesinin Önemi ve Hemşirenin Rolü

Meme hastalıklarının saptanmasında, büyük oranda hastaların kendileri önemli rol almaktadır. Çoğunlukla kadınlar memelerindeki bir lezyonu kendileri saptadıktan sonra hekime başvurmaktadırlar. Bu nedenle 20 yaşını geçen her kadının KKMM öğrenmesi ve düzenli bir şekilde uygulaması olası bir meme kanserinin erken tanısını ve tedavisini sağlayacaktır. KKMM ucuz, her an uygulanabilen ve üstelik kadının mahremiyetinin korunduğu, evinde tek başına rahatlıkla uygulayabileceği bir muayenedir.

KKMM her ay menstruasyonun 5-7. günlerde ya da postmenapozal dönemde ise her ayın belirli bir gününde yapılmalıdır.

Meme muayenesinin her ay düzenli olarak yapılması, kadının kendi meme yapısını daha iyi tanımasını ve önceki aya göre meme dokusunda herhangi bir değişiklik olup olmadığının daha kolay anlaşılmasını sağlar.

Ancak kadınların KKMM'sini uygulamalarına yönelik yapılmış olan araştırmalarda, kadınların çoğunluğunun KKMM'nin ne olduğunu bildikleri, buna karşın çok az bir kısmının düzenli olarak uyguladığı saptanmıştır. Buna neden olarak; kendi memesini muayene etmenin hoşuna gitmemesi, memelerinin çok yumrulu bir yapıya sahip olmasından dolayı ne hissetmesi gerektiğini bilememesi ya da memesinde bir kanser kitlesini bulmaktan korktuğu gibi nedenler belirtmişlerdir. Yaygın olarak bilinenin tersine meme kanseri yönünden yüksek risk grubunda olan kadınların kendi kendine meme muayenesi uygulamasında daha isteksiz oldukları belirtilmektedir.

Bu konuda hemşireye düşen görev; meme kanserinin erken tanısı için kadınları KKMM konusunda bilgilendirmek ve bunun önemini anlatmaktır.

KKMM eğitiminde gözönünde bulundurulması gereken noktalar; her basamağın açık ve doğru olarak anlatılmasıdır. Hemşirenin unutmaması gereken bir nokta; KKMM'nin bir hastalık bulma işi olmadığı, sağlığın sürekliliğini sağlamaya çalışan bir yöntem olduğunu vurgulamaktır.

Her bireyin öğrenme biçimi farklıdır. Bu nedenle hemşirenin eğitim verirken farklı yöntemleri birarada kullanması uygun olur. Örn; ders şeklinde anlatım, demonstrasyon, meme modeli kullanımı, video izletme gibi. Ayrıca KKMM'sini anlatan broşürler de bu konuda yararlı olmaktadır. KKMM eğitiminde önemli bir başka konu da, hemşirenin KKMM tekniklerini hastanın uygulamasına olanak sağlamasıdır. KKMM psikomotor bir beceridir ve kadının bu yöntemi yalnızca broşürlerden öğrenmesini beklemek doğru olmaz.

Demonstrasyonla öğrenilen bilginin uygulamaya dönüştürülmesi öğrenmeyi kolaylaştırmada önemlidir. Hemşirenin herhangi bir yanlış anlamayı önlemek için KKMM öğrenen kadına zaman tanıması da gerekir.

Kendi Kendine Meme Muayenesi Uygulaması
İnspeksiyon

Vücudun belden yukarısı çıplak olarak, yeterince aydınlatılmış bir ortamda ayna karşısına geçilerek ayakta durulur. Kollar iki yana rahatça bırakılır (Şekil 43. 6).

Memeler dikkatle incelenir. Daha sonraki aylık muayenelerde oluşabilecek değişikliklerin farkedilebilmesi için ilk muayenede memenin şekli, normal büyüklüğü, meme uçlarının durumu dikkatle gözlenmelidir. Ayna karşısındaki her muayenede memelerin şekil ve büyüklüğündeki değişmeler, meme derisinde şişkinlik, çukurlaşma (içe çekilme), renk değişikliği, meme başında içe çekilme gibi bulgular olup olmadığı kontrol edilir (Şekil 43. 7).

Eller baş hizasından yukarıya doğru kaldırılır ve memelerin görünüşü tekrar incelenir. Özellikle meme başında bir değişme olup olmadığına, meme başlarından birinin diğerine göre fazla aşağıda ya da yukarıda olup olmadığına ve iki meme arasında büyüklük ve şekil yönünden bir farklılık olup olmadığına bakılır. (Bazı kadınlarda normalde iki memenin büyüklüğü aynı olmayabilir).

Eller kalçalara konulup bastırılarak pektoral kaslar gerilir. Bu pozisyonda da meme derisinde herhangi bir içe çekilme, büzülme ya da meme uçlarından birinin içe çekilip çekilmediği incelenir. Ayrıca bu pozisyonda meme kenarlarında bir düzensizlik olup olmadığına bakılır. Muayene sonunda her iki meme başına beyaz bir kağıt mendil ya da peçete ile bastırılarak meme başından akıntı olup olmadığı kontrol edilir.

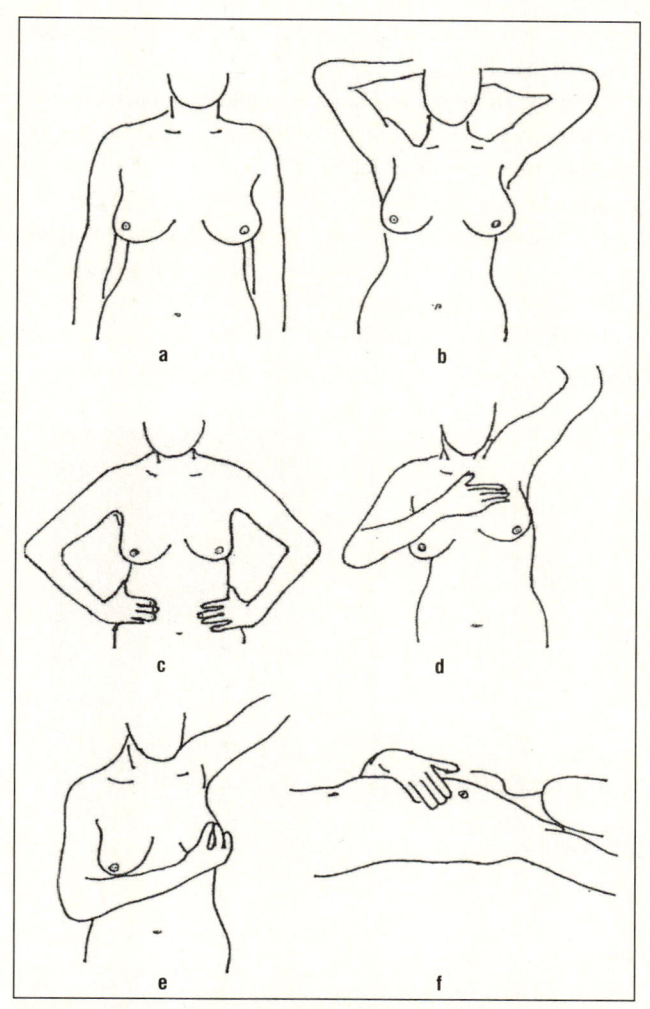

Palpasyon

KKMM'de ikinci basamak her iki memenin koltuk altlarının ve klavikula üstünden omuza kadar olan alanın palpasyonudur.

Palpasyona ayakta durur pozisyonda başlanır. Sol memenin muayenesi için sol kol başın üzerine kaldırılır. Sağ elin üç orta parmağı (parmakların en uçtaki iç bölümleri yani pulpaları) ile memenin dış kenarından başlanarak, parmaklar saat yönünde yavaşça bütün meme üzerinde gezdirilerek muayene edilir. Parmaklar yavaş yavaş kaydırılırken küçük dairesel hareketlerle meme başına doğru gelinir. Dokular parmaklarla bastırılarak palpe edilir. Önce yüzeyel, daha sonra derin palpasyon yapılır. Memenin alttaki ve üstteki dış ve iç kadranları, areola ve meme baş, koltukaltı ve klavikulaüstü Daha sonra koltuk altı ve klavikula üstü alan da iyice palpe edilir. Aynı işlem sağ meme için de tekrarlanır (Şekil 43. 8). Daha sonra sırtüstü yatar pozisyonda memeler tekrar palpe edilir. Bunun için düz bir zemin üzerine sırtüstü uzanarak muayene edilecek tarafın sırt ve skapula altına ince bir yastık ya da katlanmış bir havlu konur. Yine o taraftaki el başın altına konularak kol kaldırılır. Böylece meme dokusu kostalar üzerine yayılır ve memedeki anormal oluşumlar daha kolay palpe edilebilir. Palpasyona memenin dış kenarından başlanarak saat yönünde meme başına kadar devam edilmelidir. Palpasyon dairesel, ışınsal veya dikey-paralel çizgiler şeklinde yapılabilir (Şekil 43. 9). Eğer daha önce mastektomi ya da kitle eksizyonu yapılmışsa insizyon yeri yeni kitle oluşumu ya da deri değişiklikleri yönünden kontrol edilir.

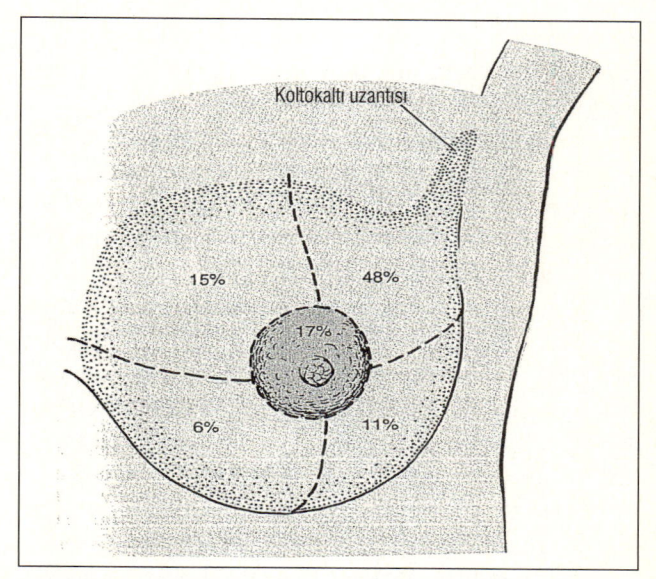

Şekil 43.6: Kendi kendine meme muayenesi. a,b,c) ayna karşısında eller yanda, yukarıda ve belde bakarak muayene. d) Elle koltukaltı muayenesi. e) Meme başı muayenesi. f) Yatarak elle muayene.

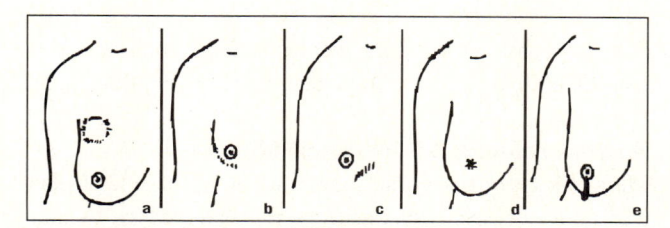

Şekil 43.7: Meme kanserinin bulguları. a) Memede ele gelen kitle. b) Meme kenarında düzleşme veya meme cildinde kızarıklık. c) Meme cildinde çekilme. d) Meme başının içeriye doğru çekilmesi. e) Meme başından gelen kanlı akıntı.

Şekil 43.8: Yerleşim yerine göre meme kanserinin oluşma sıklığı.
Kaynak: (Black J M, Hawks JH (2005). Medical Surgical Nursing, Clinical Management for Positive Outcomes, Seventh Edition, Copyright by Elseiver, İnc. St. Louis.)z

Meme Hastalıkları

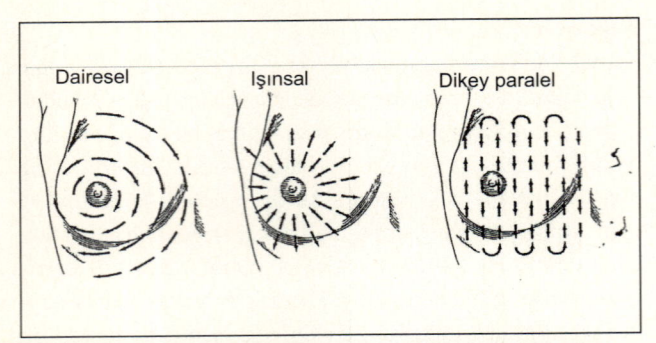

Şekil 43.9: Meme muayenesinde dairesel, ışınsal, dikey paralel palpasyon seçenekleri.

Mammografi

Meme görüntülemede amaç, meme kanserini erken evrede tanılamak ve bunu mümkün olduğunca en az x-ışını kullanarak gerçekleştirmektir. Mamografi, memenin yoğunlukları ve atom numaraları birbirine yakın olan kas, yağ ve glandüler yapılarının x-ışını kullanılarak elde edilen yumuşak doku radyografisidir. (Şekil 43.10).

Mamografide çekim kalitesini etkileyen bazı etmenler vardır. Bunlar; mamografi cihazının, film ve kasetlerin, banyo cihazı ve solüsyonların kalitesi, çekim tekniği ve memeye uygulanan kompresyondur. Kompresyonun amacı meme kalınlığını azaltarak daha iyi bir görüntü elde etmektir. Ayrıca kompresyonla uygulanan radyasyon dozu azalır. Mamografi uygulaması sırasında memenin kompresyonu nedeniyle hasta ağrı yada rahatsızlık duyabilir. Hemşire bu rahatsızlığı en az düzeye indirmek için hastasına memelerinin çok fazla duyarlı olmadığı dönemlerde mamografi çektirmesini önermelidir. Premenopozal kadınlarda bu dönem yaklaşık olarak menstruasyonun başlangıcını izleyen iki haftadır. Hemşire işlem sırasında duyabileceği herhangi bir rahatsızlığı mamografi çeken görevliye söylemesi için hastayı cesaretlendirmelidir. Görevli, çekim sırasında memeye uygulanan baskıyı azaltabilir.

Mamografinin meme kanserini saptamadaki duyarlılığı % 68-98 oranındadır. Ancak doku yoğunluğu fazla olan memelerde bu oranın % 30-48 'lere düştüğü vurgulanmaktadır. Özellikle doku yoğunluğu fazla olan memelerde mamografik duyarlığın az olması nedeniyle ultrasonografi ve manyetik rezonans görüntüleme(MRG) gibi ek tanı yöntemlerinin de kullanılması gerektiği bildirilmektedir. Mamografi, tarama amaçlı ve tanı amaçlı yapılmaktadır.

Tarama amaçlı mamografi; meme kanseri açısından risk faktörü bulunmayan, herhangi bir yakınması olmayan ve yıllık rutin meme muayenesi normal bulunan kadınlara uygulanır. Amerikan Kanser Derneği tarafından kadınlarda tarama amaçlı mamografilere 40 yaşından itibaren başlanması gerektiği belirtilmektedir. Ancak ailesinde özellikle menapoz dönemi öncesinde meme kanseri saptanan, geçirilmiş meme kanseri öyküsü olan, meme biyopsisinde atipik değişiklikler saptanan, BRCA1 Ve BRCA2 meme kanseri gen mutasyonu saptanan kadınlarda tarama amaçlı mamografilere 40 yaşından önce başlanması önerilmektedir.

Tanı amaçlı mamografi; memede kitle, ağrı, akıntı, kızarıklık gibi yakınmaları olan, tarama mammografisinde veya fizik muayenede şüpheli bulgulara rastlanan kadınlarda uygulanmaktadır.

Mamografi uygulamasında hemşirenin görevi, hastaya işlemin yapılma nedeni, nerede ve nasıl yapılacağı, ne sıklıkta yapılacağı ve ne kadar radyasyona maruz kalacağı konusunda bilgi vermektedir. Genel olarak mamografi konusunda kadınların en büyük kaygısı ne kadar radyasyona maruz kalacakları olmaktadır. Önceleri mamografide kullanılan radyasyon dozları günümüze göre oldukça yüksekti. Bugün ise mamografide görüntüleme için kullanılan radyasyon dozu 0.1 rad'dan daha düşüktür.

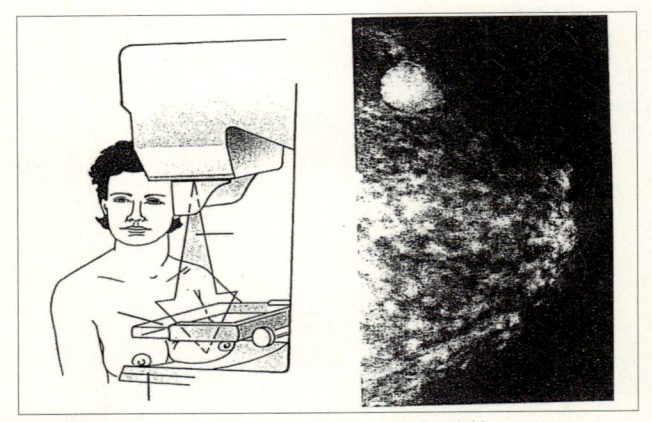

Şekil 43.10: Mammografi çekimi ve memede kitle görüntülenmiş bir mammogram

Ultrasonografi(US)

Ses dalgalarından yararlanılarak memenin görüntüsünün alınmasıdır. Genç kadınlarda belirlenmiş lezyonların kistik ya da solid olduğunun değerlendirmesi için kullanılır. Kistik lezyonların belirlenmesi için oldukça kullanışlıdır. Ultrasonografi, meme kanserinde multisentrik, multifokal odakların saptanmasında, koltukaltında patolojik lenf ganglionu taramasında ve diğer memenin değerlendirilmesinde mamografiye yardımcı bir yöntem olarak kullanılmaktadır.

Manyetik Rezonans Görüntüleme(MRG)

Manyetik rezonans görüntüleme güçlü bir manyetik alan içerisinde değişik dokuların gönderilen radyo frekans dalgalarına bağlı olarak farklı yoğunluklarda sinyaller oluşturmaları esasına dayanır. Manyetik rezonans görüntüleme memedeki lezyonların saptanmasında en yüksek duyarlılığı olan bir görüntüleme yöntemidir. Mammografi ve ultrasonografi ile kesin değerlendirme yapılamayan durumlarda MRG kullanılmaktadır. Opere edilen memelerde rezidüel ya da nüks lezyon değerlendirilmesi, neoadjuvant tedavi izlemi ve aksiler lenf bezi metastazı olan olgularda okkült kanser araştırması MRG uygulanması için önemli endikasyonlardır. Ayrıca MRG, genetik açıdan yüksek riskli kadınların taranmasında da kullanılmaktadır..

Mamosintigrafi

Bu görüntüleme yöntemi. mamografi, ultrasonografi ve ince iğne aspirasyon biyopsisi gibi yöntemlerin yetersiz kaldığı durumlarda tamamlayıcı bir tanı yöntemi olarak kullanılmaktadır. Mamosintigrafide kullanılan radyoaktif madde, Teknesyum (Tc)-99m-metoksiizobütilizonitril (MIBI)dir. Mamosintigrafi özellikle dens meme yapısına sahip hastalarda, önceden meme cerrahisi geçirmiş veya radyoterapi almış hastalarda, meme implantı olan hastalarda veya kemoterapi sonrası tümör yanıtının değerlendirilmesi amacıyla kullanılmaktadır.

İnce İğne Aspirasyon Biyopsisi

İnce iğne aspirasyon biyopsisi, en basit ve en ucuz biyopsi yöntemidir. Mamografi, US yada palpasyonla belirlenmiş kitleden doku örneği almak amacıyla kullanılmaktadır. İşlem ağrısızdır ve kısa sürer. Bu nedenle lokal anestezi uygulanabilir yada uygulanmayabilir.

İnce iğne aspirasyon biyopsisinde küçük gauge bir iğne ile lezyona girilir, daha sonra iğneye takılan enjektör ile bir miktar doku örneği aspire edilir. Aspire edilen sıvı, patolog tarafından bir lam üzerine yayılarak mikroskopla sitolojik olarak incelenir ve şüpheli hücreler olup olmadığına bakılır. (Şekil: 34.11-a).

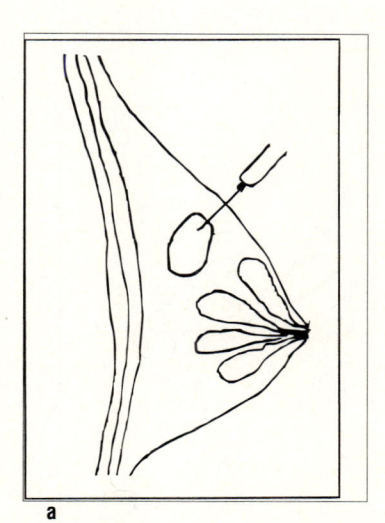

Şekil 43.11- a: İnce İğne Aspirasyon Biyopsisi

Kesici İğne Biyopsisi(Kor Biyopsi)

Bu tip biyopsi, sadece mamografi yada USG'de tesbit edilebilen kitleler için kullanılabilir. Bu işlemde memedeki kitleden doku örneği almak için kalın bir iğne ve bir biyopsi tabancası kullanır. Bu yöntemle kitlenin farklı bölümlerinden birkaç doku örneği alınması gerekir. Bu parçalar bir çözelti içinde patoloji laboratuvarına gönderilir ve doku örnekleri histopatolojik olarak incelenir. iğne biyopsisinin avantajı hücrelerin değil dokunun incelenmesini sağlamasıdır.

Kesici biyopsi, memedeki kitlelerinin tanısında en sık kullanılan biyopsi yöntemidir. Bu yöntemde kullanılan iğne, ince iğne biyopsisindekine kıyasla daha kalın olduğu için ciltte birkaç milimetre genişlikte bir kesi yapılması gerekebilir. Bu kesi birkaç gün içinde kendiliğinden iyileşir. İşlem sonrasında hafif ağrı hissedilebilir, bu alanda bir miktar morarma olabilir.

Stereotaktik Meme Biyopsisi

Bu yöntemde, Stereotaksi üniteleri adı verilen bağımsız veya mamografi cihazı ile kombine kullanılabilen cihazlar kullanılmaktadır. Stereotaktik meme biyopsisi, mamografide görüntülenen ancak ele gelmeyen kuşkulu kitlelerde kullanılan bir yöntemdir. Kitlenin yeri özel bir tel veya iğne ile mamografi veya ultrasonografi eşliğinde işaretlenerek lokalizasyonu yapılır ve bu tel veya iğne kılavuzluğunda şüpheli bölgede açık cerrahi biyopsi yapılır. Cerrah, biyopsi sırasında bu kılavuz teli takip ederek palpe edilmeyen kitleye kolayca ulaşır. Kitle sağlam meme dokusu sınırı ile bir bütün halinde çıkarılır. Stereotaktik işaretleme, genellikle cerrahi biyopsinin hemen öncesinde yapılır böylece telin yer değiştirmesiyle ilgili komplikasyonlar azaltılır. Bu yöntemle hem doğru yerden yeterli genişlikte doku örneği alınır, hem de gereğinden fazla meme dokusu çıkartılmamış olur.

İnsizyonel Biyopsi

İnsizyonel biyopside amaç, saptanan şüpheli kitlenin tamamı çıkarılmadan histopatolojik tanı koyduracak miktarda doku örneğinin çıkarılmasıdır. Biyopsi kitleye en yakın yerde deri üzerinden uygun büyüklükte bir kesi yapılarak gerçekleştirilir. Genellikle daha sonra mastektomi yapılması düşünülen, inoperabl olan ya da hormon tedavisi öncesi hormon reseptör tayini için yapılır.

Eksizyonel Biyopsi

Eksizyonel biyopside amaç, hem saptanan kitleden histopatolojik tanı koyduracak miktarda doku örneğinin çıkarılması, hem de kitlenin tamamen çıkarılarak cerrahi tedavinin sağlanmasıdır. Biyopsi sonrasında deride oluşabilecek gerilmeyi önlemek ve harekete bağlı ağrıyı azaltmak amacıyla hastaya toparlayıcı bir sütyen takması söylenmelidir. Eksizyonel biyopsiden sonra hasta ağrı, yara enfeksiyonu veye yara ayrılması gibi komplikasyonlar açısından izlenmelidir.(Şekil: 43.11-b).

Meme Hastalıkları

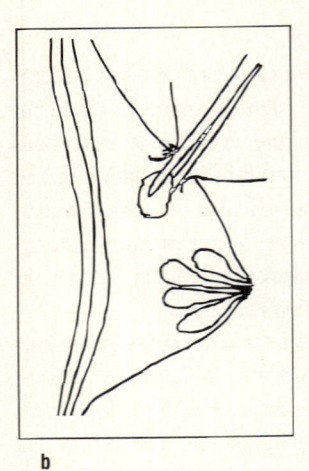

Şekil 43.11- b: Eksizyonal Biyopsi

Meme Hastalıkları

Kadınlarda memede görülen hastalıkların çoğunluğu iyi huylu olmakla birlikte, meme kanseri kadınlarda primer kanser olarak oldukça önem kazanmaktadır.

Normalde menstruasyon, gebelik, laktasyon ve menapoz dönemlerinde meme yapısında bir takım değişiklikler olmaktadır. Bu normal değişime bağlı oluşumların patolojik oluşumlardan ayırdedilmesi oldukça önemli bir konudur.

Memelerde menstruasyondan birkaç gün öncesinden itibaren oluşan hiperplazik değişimler daha sonra normale dönmektedir. Bu oluşumlar genellikle memede üst dış kadranda nodüller şeklinde ele gelir. Bazı kadınlarda bu nodüler yapılar sürekli olarak bulunabilmektedir.

Hem kadınlarda, hem de erkeklerde memede görülen oluşumların çoğunluğu (%70) iyi huylu, daha azı (%30) kötü huylu lezyonlardır. Ancak kötü huylu tümörlerin %99'u kadınlarda görülmekte, %1'i erkeklerde görülmektedir. Ayrıca iyi huylu lezyonların çoğunluğu menapoz öncesi dönemde ortaya çıkmaktadır. İyi huylu lezyonların genel olarak belirli yaşlarda görüldüğü belirtilmektedir. Buna göre; fibrokistik hastalık 20-45 yaşlar arasında, fibroadenom 20-39 yaşlar arasında, intraduktal papillom 35-45 yaşlar arasında görülmektedir. Buna karşın meme kanseri menapoz ve menapoz sonrası dönemdeki yıllarda daha fazla görülmektedir. Ortalama olarak meme kanserlerinin %75'i 40 yaşın üzerinde, %2'den daha azı 30 yaşın altında görülmektedir.

Memenin İyi Huylu (Bening) Hastalıkları

Memenin iyi huylu hastalıkları oldukça yaygındır ve tüm meme hastalıklarının %90'nını oluşturur.

Memenin Kistik Hastalığı

Fibrokistik hastalık terimi pekçok iyi huylu durumu kapsayan genel bir ifade olarak kullanılmıştır. Bu da bening hastalıkların tanı ve tedavisinde karışıklıklara yol açmıştır. Daha uygun bir klasifikasyon klinik bulgu ve belirtilere göre yapılabilir. Memenin kistik hastalıklarını tanımlamak için bening mastopati, kronik kistik mastit, meme displazisi, epitelyal ve fibrokistik mastopati terimleri kullanılmıştır.

Epidemiyoloji ve Etiyoloji

Memenin kistik hastalıkları sıklıkla hiç doğum yapmamış ve 40-50 yaş arası kadınlarda sık görülür. Ancak her yaşta (15-60) görülebilir. Menapozdan sonra daha az görülür. Memenin kistik hastalığının nedeni henüz tam bilinmemektedir. Memede görülen değişiklikler aylık döngüye bağlıdır ve hormon dengesizliği ya da over hormonlarına aşırı duyarlılık sonucu olduğu düşünülmektedir.

Patofizyoloji

Memenin kistik hastalıklarında bazı ortak özellikler görülmektedir. Mikrokistler, apokrin değişiklikler, adenozis, fibrozis ve hiperplazi görülmektedir. Ancak artık bu durumlar meme involusyonunun bir parçası olarak kabul edilmektedir. Fibrokistik değişim olan kadınlar tipik olarak periodik meme ağrıları yaşarlar. Bu durum meme dokusunun vücuttaki aylık östrojen ve progesteron hormon değişimleri ile direkt ilişkilidir. Her menstruasyon döngüsü esnasında hormonal uyarımlar meme bezlerinin ve kanallarının büyümesine neden olur. Bunun sonucunda meme su tutar ve meme dokusu bazen şişkinlik gösterir. Menstruasyon sırasında memede şişkinlik, ağrı, hassasiyet hissedilebilir ve ele kitleler gelebilir. Menstruasyon sonunda şişkinlik durumu da sona erer. Fibrokistik değişim semptomları menopozdan sonra genellikle sona ermekle beraber, kadının hormon yerine koyma (hormon replacement therapy=HRT) tedavisi görmesi durumunda devam edebilir. Kistik lezyonlar yumuşak, sınırları belli ve hareketlidir. Genellikle iki memede de görülür. Kist içeriği berrak, süt rengi, somon rengi, sarı, koyu kahverengi ya da bazen hafif kanlı olabilir (Şekil 43.12).

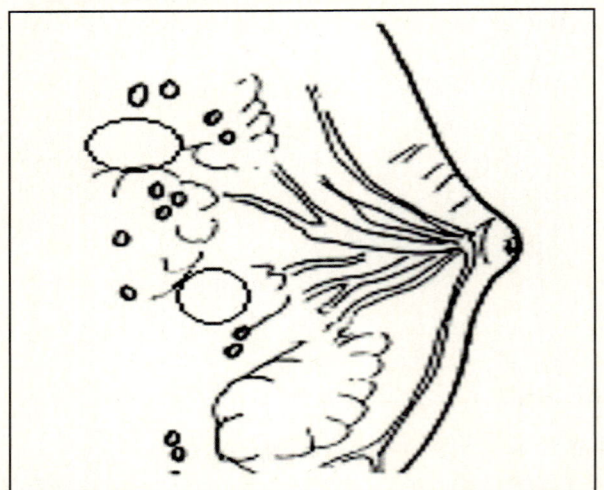

Şekil 43.12: Memenin kistik hastalığı; genellikle ağrılıdır, adet öncesi günlerde daha belirgin ve duyarlıdır.

Tıbbi Yönetim

Fibrokistik meme değişimleri genelde ilk önce kişinin kendisi tarafından saptanır.Daha sonra klinik meme muayenesi, mamografi ya da bazı durumlarda biyopsi yapılır. Tedavide nadiren kistler cerrahi olarak çıkarılabilir. Daha sıklıkla sıkıntının giderilmesi amacı ile kist sıvısı ince iğne aspirasyon biyopsi yöntemi ile alınabilir.

Hemşirelik Yönetimi

Hemşire, yakınmaları azaltmak amacıyla hastaya özellikle adet öncesi dönemde, diyette tuz alımını kısıtlamalasını, esnek ve rahat olan destekleyici sütyenler kullanmasını önerebilir.

Fibroadenom
Epidemiyoloji ve Etiyoloji

Fibroadenomlar (adenofibromlar) en yaygın görülen bening meme hastalıklarıdır. Kadınların %10-25'inde bir ya da birden fazla fibroadenom bulunur. Genellikle 25 yaşın altındaki kadınlarda daha sık görülür. Kitleler genellikle katı, lastik kıvamında, yuvarlak, hareketli, ağrısız ve kapsüldürler. Fibroadenomlar fibroblastik ve epitelial kökenli, östrojen fazlalığına bağlı ortaya çıktığı düşünülen tümörlerdir. Menstrüel düzensizlikle ilişkilidir. Tümörler yavaş büyür ve genellikle gebelik ve laktasyonla uyarılırlar. Doğumdan sonra küçülebilirler.

Patofizyoloji

Fibroadenomlar, kanal epitel çizgisinde hormonlara yanıt veren proliferasyonlardır (Şekil 43. 13).

Tıbbi Yönetim

Fibroadenomlarda büyüme genelde herhangi bir tedavi gerektirmeksizin kendi kendine durur. Bazen kendi kendilerine küçülebilir. Fibroadenomadaki büyümenin durmaması durumunda genellikle cerrahi girişimle alınması gerekmektedir. Bazen ameliyattan sonra tekrar bir ya da birden fazla fibroadenoma oluşabilir.

Hemşirelik Yönetimi

Hekim ve hemşirenin hastaları benign meme hastalıkları konusunda bilgilendirirken işbirliği içinde çalışmaları gerekir. Görüntüleme ve tanı yöntemlerinin planlanması hekimin sorumluluğundadır. Hemşirenin görevi ise bu yöntemlerle ilgili hastaya bilgi vermek ve hekimin hastaya verdiği bilgiyi desteklemektir.

Hasta bulgularla geldiğinde hekim ve hemşirenin işbirliği içinde çalışması hastanın anksiyetesini azaltır ve hastanın tanı çalışmalarına uyumunu kolaylaştırır. Hemşire bu aşamada hastaya tanı çalışmaları ve kişisel bakım önlemleri konularında bilgi vererek hastanın tanı ve iyileşme dönemlerinde dayanma gücünü arttırabilir. Hekim hastanın bulgularını incelemek amacıyla tanı çalışmalarını düzenler. Hastada iyi huylu bir meme hastalığı saptandıysa, hemşirenin hastaya iyi huylu meme hastalıklarının riskleri, meme sağlığı ile ilgili görüntüleme yöntemleri ve hastanın bu uygulamalara katılımı ile ilgili bilgileri içeren bir görüşme yapması gerekir. Hemşirenin hekim tarafından verilen bilgileri desteklemesi ve herhangi bir yanlış anlamaya izin vermemesi gerekir.

Hemşire ayrıca hastalığın iyileşmesi için hastanın uygulaması gereken önlemler hakkında eğitim vermesi gerekir. Hastalık iyileştikten sonra, gelişebilecek yeni meme hastalıkları, meme kanseri gelişiminde rol oynayan risk faktörleri ve meme sağlığı için gereken görüntüleme yöntemlerini içeren bilgi vermek hemşirenin sorumluluğundadır.

Enflamatuar Lezyonlar
Kanal Ektazisi
Epidemiyoloji ve Etyoloji

Genellikle menapozda ya da menapoza yakın 45-55 yaşlar arasında görülür. Premenapozal dönemdeki kadınlarda memede ağrı ve palpe edilebilen kitle vardır. Premenapozal dönemde meme başı akıntısı en önemli belirtidir. Menapozdan sonra ise kanal çevresinin fibrozisi sonucu meme başında çökme görülür. Nedeni tam olarak bilinmemektedir. Memenin büyük kanallarındaki sıvı birikiminin bakteriyel enfeksiyonu olduğu belirtilmektedir.

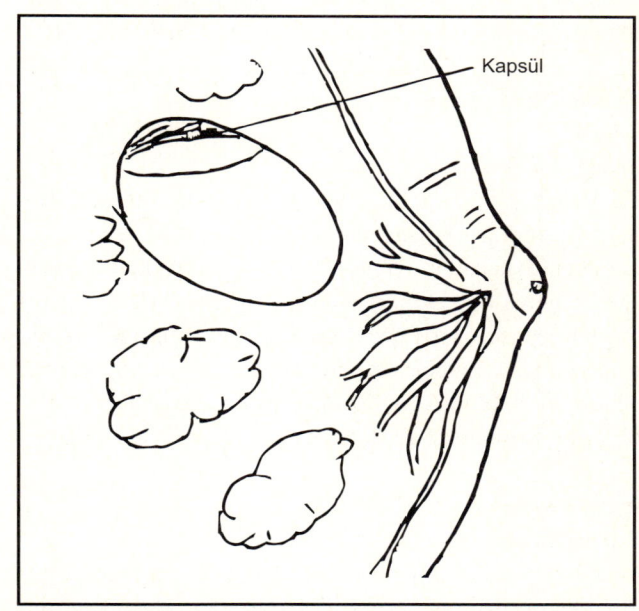

Şekil 43.13: Fibroadenom; sınırları belirgin, hareketli, genellikle tek kitle.

Patofizyoloji

Memenin kanal ektazisinde meme başının gerisindeki kanallarda enflamasyon genişleme ve tutulan kanallarda hücre artıkları ve sıvı bulunur. Enflamasyon geriledikçe kanallarda fibrozis ve genişleme olur. Meme başı akıntısı serözden, yoğun, yapışkan ya da macunsu kıvama kadar değişebilir. Sızıntı yeşil, koyu kahverengimsi yeşil ya da kanlı olabilir. Meme başı ve çevresinde kaşıntı ve kızarıklık olur. Bu durum Paget hastalığını düşündürebilir.

Akut Mastitis ve Apse
Etyoloji ve Epidemiyoloji
Mastitis akut ve kronik olarak gelişebilir. Akut mastitis genellikle emziren annelerde 4.ay civarında olur. Etken sıklıkla meme başındaki bir çatlaktan giren ve alttaki dokuya yayılan stafilokokküs aerustur. Ateş, lokal duyarlılık ve deride eritem vardır. Pürülan bir akıntı olabilir.

Kronik mastitis akut mastitisi takip edebilir ya da yavaş ve sinsi bir şekilde başlayabilir. Etken aynıdır. Kronik mastitis daha çok yaşlı kadınlarda görülür. Bulgular enflamatuar meme kanserini taklit edebilir.

Patofizyoloji
Yangısal olaya bağlı olarak meme dokusunda ödem ve konjesyon olur. Kanallar sekresyon artıklarının birikimi sonucu genişler. Apse gelişirse merkezinde nekroz olabilir. Tedavi sonrası etkilenen dokularda fibrozis gelişebilir

Tıbbi Yönetim
Tedavi için kültür alınarak uygun antibiyotik ve anti-enflamatuar ilaçlar verilir. Mastitisler daha da ilerleyerek meme dokusu içinde apse haline gelmişse, bu durumda antibiyotik tedavisi tek başına yarar sağlamaz absenin cerrahi bir girişimle boşaltılarak drene edilmesi gerekir.

Hemşirelik Yönetimi
Hemşire hastanın ilaçlarını düzenli kullanmasını sağlamalıdır. Hasta emziriyorsa buna devam etmesi için teşvik edilmelidir. Süt kanallarının boşaltılması ve sütün kesilmemesi için bu gereklidir. Bu durumda emzirmenin bebeğe bir zarar vermeyeceği anlatılmalıdır. Eğer kadın ağrıdan dolayı emziremiyorsa, süt bir süt pompası aracılığı ile boşaltılarak bebeğe verilebilir. Ağrının azaltılması ve hastanın rahatlatılması için memeye sıcak ıslak kompres uygulanabilir.

Meme Kanseri
Epidemiyoloji
Meme kanseri, tüm dünyada ve ülkemizde kadınlarda görülen kanserler arasında en sık kanser türü olmaya devam etmektedir. Dünya Sağlık Örgütü'ne (DSÖ) bağlı IARC'ın (International Agency on Cancer for Research) verilerine göre 2008 yılında, meme kanseri tüm dünyada kadınlarda görülen kanserlerin %23' ünü oluşturmaktadır ve 1.38 milyon kadına meme kanseri tanısı konulmuştur. Meme kanseri sıklığının düşük-orta gelirli ülkelerde hızla artmakta olduğu ve bu artışın en önemli nedenlerinin, bu ülkelerde yaşam süresinin uzaması, yaşam tarzının batı toplumlarına benzemesi (Westernizing Life) ve fırsatçı mamografik taramanın artması olarak belirtilmektedir. Aynı verilere göre meme kanserinin, kadınlarda kansere bağlı ölüm nedenleri arasında ikinci sırada (%15) yer aldığı ve 2008 yılında tüm dünyada 460.000 meme kanserine bağlı ölüm olduğu bildirilmektedir.

Türkiye'deSağlık Bakanlığının 2008 yılı verilerine göre, meme kanserinin kadınlarda yüz binde 40.7 ile en sık görülen kanser türü olarak birinci sırada yer aldığı belirtilmektedir.

Meme kanserinin görülme oranı yaşla birlikte artış göstermektedir. Meme kanseri erkeklerde de görülmekle birlikte, görülme sıklığı kadınlardaki oranın %1'i kadardır.

Etiyoloji
Pek çok kanserde olduğu gibi meme kanserinin etiyolojisinde de tek bir etkenden söz etmek mümkün değildir. Hastalığın gelişiminde rol oynayan birçok faktör ve olaylar olduğuna inanılmaktadır ve özellikle etkili olan belirli risk faktörleri tanımlanmıştır. Bu faktörler üç ana başlık altında toplanmaktadır.
• Değiştirilemeyen risk faktörleri
• Yaşam tarzı ile ilgili risk faktörleri
• Tartışmalı risk faktörleri

Çizelge 43.1: Meme Kanserinde Risk Faktörleri

Major Risk Faktörleri
1- Cinsiyet(Kadın olmak)
2- Yaş(40 yaşın üzerinde olmak)
3- Birinci derece yakınlarda meme kanseri öyküsü olması (anne, kızkardeş)
4- Memede daha önceden kanser ya da atipik hiperplazi olması
5- BRCA-1 ve BRCA-2 genlerinde mutasyon olması

Minör risk Faktörleri
1- Menarşın 12 yaşın altında olması
2. Menopoz döneminin 55 yaşın üzerinde başlaması
2- İlk doğumun 30 yaşın üzerinde yapılması
3- Günlük alkol alımı
4- Yağlı diyet

Değiştirilemeyen risk faktörleri
Değiştirilemeyen risk faktörleri; cinsiyet, yaş, genetik faktörler, ailede meme kanseri öyküsü, kişisel meme kanseri öyküsü, ırk, dens meme yapısı, bazı iyi huylu meme hastalıkları, lobüler karsinoma in situ, adet düzeni, göğüs bölgesine radrasyon uygulanmasıdır.

Cinsiyet
Meme kanseri, hem kadınlarda hem de erkeklerde görülmektedir. Ancak meme kanserlerinin %99'u kadınlarda, %1 oranında erkeklerde görülmektedir.

Yaş

Yaş faktörünün de meme kanserinin görülmesinde önemli olduğu ve yaş ilerledikçe meme kanserinin de progresif olarak insidansında artış olduğu bildirilmektedir.

Genetik Faktörler

Meme kanserlerinin %5-10'undan genetik faktörler sorumludur. Bazı genetik faktörler ile kalıtsal meme kanserlerinin gelişimi ilişkilendirilmektedir. Bu genetik faktörler; Kalıtımsal meme-over kanseri sendromu(BRCA1 ve BRCA2 gen mutasyonu)
Li-Fraumeni sendromu(p53)
Ataksik Telenjiektazi Mutasyon (ATM) geni
Cowden Sendromu(PTEN)
Li- Fraumeni Sendromu(CHEK2)
Muir-Torre Sendromu
Peutz Jeghers Sendromu'dur.

Ailede Meme Kanseri Öyküsü

Hastaların %15'inde aile öyküsü mevcuttur. Ailede hem anne hem de baba tarafında kanser öyküsü araştırılmalıdır. Birinci derece yakın akraba olan anne, kız kardeş ve kızı, ikinci derece yakın akraba olan büyükanne, teyze, hala ve kız yeğenler, yakın erkek akrabalar baba, erkek kardeş, amcada meme kanseri öyküsü sorulmalıdır. Ailede meme kanseri öyküsü olan kişilerde meme kanserinin ortaya çıkma yaşı daha erken olup, hastalık bilateral olmaya eğilimlidir ve hastalığın erken ortaya çıkışı özellikle annesinde meme kanseri olanlarda daha da belirgindir. Tüm bu çalışmalara ve sonuçlarına karşın artmış ailesel riskin ne kadarının genetik olarak geçtiği, ne kadarının da ailede ortak paylaşılan yaşam tarzına, beslenme alışkanlıklarına bağlı olduğu bilinememektedir.

Kişisel Meme Kanseri Öyküsü

Daha önce meme kanseri tanısı konmuş ve tedavi olmuş kadınlarda aynı memenin başka bir bölümünde veya diğer memede yeniden kanser gelişme olasılığının 3-4 kat fazla olduğu belirtilmektedir.

Irk

Meme kanseri, beyaz ırkta sarı ve siyah ırka göre daha fazla görülmektedir. Siyah ırkta daha agressif meme kanseri tipleri görülmekte ve prognoz daha kötü seyretmektedir. Sarı ırk ve Kızılderililer'de meme kanseri riski ve mortalite beyazlardan daha düşüktür.

Dens Meme Yapısı

Memeler yağ dokusu, fibröz doku ve glandüler dokudan oluşmaktadır. Ancak bazı kadınların memesinde fibröz ve glandüler doku daha fazla, yağ dokusu daha azdır ve bu tip meme yapısı dens meme olarak adlandırılır. Dens meme yapısına sahip kadınların meme kanseri için daha yüksek riske sahip oldukları belirtilmektedir.

Benign Meme Hastalıkları

Bazı benign meme hastalıklarına sahip kadınlarda meme kanseri oluşma riski artmaktadır. Bu hastalıklar üç genel grupta toplanmıştır.
- Non-proliferatif benign meme hastalıkları(risk artışı yok veya çok hafif artış)
- Atipisiz benign proliferatif meme hastalıkları(riskte 1.5-2 kat artış)
- Atipili benign proliferatif meme hastalıkları(riskte 4-6 kat artış)

Lobüler Karsinoma İn Situ

Lobüler karsinoma in situ memenin süt üreten bezlerinin lobül epitelinden gelişmektedir. Meme kanseri riskini 7-11 kat arttırmaktadır.

Adet Düzeni

Adet kanamalarının erken yaşta (12 yaşından önce) başlaması ve menopoz başlama yaşının geç olması (55 yaş üstü) meme kanseri gelişiminde bir risk faktörü olarak gösterilmiştir.

Toraks Bölgesine Radyoterapi (RT)

Çocukluk ve ergenlik döneminde(30yaşından önce) toraks bölgesine radyoterapi almış olmak(Hodgkin hastalığı veya non-Hodgkin lenfoma tedavisi gibi) meme kanseri riskini arttırmaktadır. Kırk yaşından sonra alınan radyoterapi riski arttırmamaktadır.

Yaşam Tarzıyla İlgili Risk Faktörleri

Gebelik ve doğum öyküsü

Hiç gebe kalmamış olmak veya ilk gebeliğin 30 yaşından sonra olması meme kanseri riskini arttırmaktadır. Yirmi yaşından önceki gebelik veya doğum sayısının fazla olması meme kanserine karşı koruyucu olmaktadır.

Laktasyon

Etkisi tartışmalı olmakla birlikte; emzirme süresi uzadıkça koruyucu etkinin arttığı belirtilmektedir.

Oral Kontraseptifler

Oral kontraseptif kullanılmasının meme kanseri riskini arttırma ile ilgili etkisi tartışmalıdır. Halen kullananlarda ve önceden kullanmış olanlarda hafif bir risk artışı bildirilmektedir. Oral kontraseptif kullanılmasının kesilmesinden 10 yıl sonra risk normale dönmektedir.

Hormon Replasman Tedavisi (HRT)
Hormon replasman tedavisi; yalnız östrojen içeren tedavi veya östrojen ve progesteron içeren kombine tedavi biçiminde uygulanmaktadır.

Kombine preparatlarda risk artışı daha fazladır. En az 2 yıl kullanılmasından sonra risk artışı görülmektedir. Hormon replasman tedavisini ortalama 5 yıl kullanan her 238 kadından birinde meme kanseri görülmektedir. Menopoza yakın dönemde başlananlarda, menopoz sonrası başlananlara göre risk artışı daha fazladır. Tedavi kesildikten 5 yıl sonra risk normale dönmektedir. Hormon replasman tedavisi kullanılması gerekiyorsa, en düşük doz ve en kısa süre tercih edilmelidir.

Alkol
Araştırmalar günlük alkol alma miktarındaki artış ile meme kanseri arasında bir ilişki olduğunu göstermektedir. Günde 2-5 ölçü alkol kullanan kadınlarda kullanmayanlara göre meme kanseri riski 1,5 kat artmaktadır. Tüketilen alkol miktarı arttıkça risk artmaktadır.

Fazla Kilo veya Obezite
Menopoz öncesinde vücutta östrojen büyük miktarda overlerden, çok az bir miktar da yağ dokusundan üretilmektedir. Menopoz sonrasında overlerde östrojen üretimi durur. Ancak yağ dokusundan östrojen üretilmeye devam eder. Menopoz sonrası yağ dokusu ne kadar fazla olursa östrojen üretimi de artacağı için bu durum meme kanseri riskini arttırmaktadır. Ayrıca fazla kilolu kadınlarda kan insülin düzeyi de artmaktadır. Yüksek insülin düzeyi bazı kanserlerin gelişiminde etkili olmaktadır. Bu kanserlerden birisi de meme kanseridir.

Egzersiz ve fizik aktivite
Fiziksel aktivite meme kanseri riskini azaltmaktadır. Haftada 1,25-2,5 saat tempolu yürümek meme kanseri riskini %18 oranında azaltmaktadır.

Tartışmalı Risk Faktörleri
Beslenme
Yağ oranı fazla yiyeceklerle beslenmenin ve vitamin kullanmanın meme kanseri ile ilişkisi tartışmalıdır.

Sigara
Daha önceki yıllarda yapılan araştırmalarda uzun süre sigara içilmesi ile meme kanseri arasında ilişki belirlenmemiştir. Ancak son yıllarda yapılan çalışmalarda, uzun süre ve çok miktarda sigara içilmesinin ve sigara içmeye çok erken yaşta başlanmasının meme kanseri riskini arttırdığını belirten çalışmalar mevcuttur.

Meme Kanserinde Yüksek Risk Grubu
Meme kanseri kadınlarda en sık görülen kanser türüdür. Bazı kadınlar meme kanserinin gelişmesinde etkili olan daha yüksek risk faktörüne sahiptir. Toplumda meme kanserinin önlenmesi ve erken tanılanabilmesi için yüksek riskli kadınların bilgilendirilmeleri ve yakın gözlem altında tutulmaları önemlidir.

Meme kanseri için risk faktörlerinden en belirgin olanları kadın olmak ve yaştır. En yüksek risk grubuna giren kadınlar; tanımlanmış genetik mutasyon veya lobüler karsinoma in situ (LKIS) veya kuvvetli aile öyküsüyle birlikte atipik hiperplazisi olan kadınlardır.

Meme kanseri riskini belirlemek amacıyla bazı modeler geliştirilmiştir, bunlar içinde yaygın olarak Gail modeli kullanılmaktadır.

Gail Modeli, Gail ve arkadaşları (1989), tarafından kadınlarda meme kanseri gelişim riskini saptamak amacıyla geliştirilmiştir. Multivaryans logistik regresyon analizidir. Bu model, bireysel risk faktörlerini kullanarak kadının beş yıllık ve yaşam boyu meme kanseri riskini hesaplamaktadır. Model'de riski saptamada aile öyküsünden çok risk faktörleri kullanılmaktadır.

Gail Modelinde kullanılan risk faktörleri:
Yaş, menarş yaşı, ırk, ilk canlı doğum yaşı veya hiç doğum yapmama, meme kanserli birinci derece akraba sayısı, daha önce yapılan meme biyopsilerinin sayısı ve histolojisidir.

Modifiye Gail modeli aşağıdaki durumlarda meme kanseri riskini gerçek değerinden daha düşük olarak hesaplamaktadır:
- Yüksek ailesel risk taşıyan kadınlar,
- BRCA1, BRCA2, p53 veya PTEN mutasyonları taşıyıcısı olduğu bilinen kadınlar,
- Daha önce toraksa tedavi amaçlı radyoterapi uygulanmış olanlar.

Meme Kanserinde Erken Tanı ve Tarama
Meme kanserinin erken tanısında amaç, meme kanserinin klinik olarak semptom vermeden önce saptanmasıdır. Meme Kanserinin erken tanılanması ve tarama için, kendi kendine meme muayenesi(KKMM), klinikte meme muayenesi ve mamografi yöntemleri kullanılmaktadır.

Kendi kendine meme muayenesi
Her kadın 20 yaşından itibaren KKMM uygulamasına başlamalıdır. KKMM adet gören kadınlarda her ay adet kanamasının 5.-7. günlerinde yapılmalıdır. Adet görmeyen menopoz dönemindeki kadınlar her ayın belirli bir günü KKMM yapmalıdır. Kendi kendine meme muayenesinin meme kanserine bağlı ölümleri azalttığına yönelik net bir kanıt yoktur. KKMM'nin Ulusal tarama programı olmayan toplumlarda tarama yöntemi olarak farkındalık yaratmak açısından yapılması önerilmektedir.

Klinikte meme muayenesi
Amerikan Kanser Derneği tarafından, Klinik meme muayenesinin 20-40 yaş arası her 3 yılda bir, 40 yaşından sonra yılda bir yapılması önerilmektedir.

Mamografi
Amerikan Kanser Derneği tarafından, 40 yaşından itibaren hiçbir yakınması olmayan kadınların yılda bir kez mamografi yaptırması önerilmektedir.

Meme Kanserinin Tipleri
Memede oluşan kanserlerin çoğu epitel bağ dokudan kaynaklanan karsinomalar ya da bez dokudan kaynaklanan adenokarsinomalardır. Tümörler köken aldıkları asıl dokuya göre gruplandırılırlar. Kanser hücrelerinin lokalize veya çevre dokuya yayılmalarına bakılarak noninvaziv(in situ) kanser ve invaziv(infiltre) kanserler olarak altgruplara ayrılmaktadır.

Duktal Karsinoma
Meme kanallarındaki epitel dokudan kaynaklanmaktadırlar. İntraduktal lezyonlar kanal içerisinde lokalize olurlar. Noninvaziv duktal karsinoma ve invaziv duktal karsinoma olarak iki tipte görülür. İnvaziv duktal karsinoma tüm meme kanserlerinin %75'ini oluşturur.

Lobuler Karsinoma
Memenin lobüllerinden ya da asinilerden (süt üreten kanallar) kaynaklanmaktadırlar. Noninvaziv lobüler karsinoma ve invaziv lobüler karsinoma olarak iki tipte görülür.

Paget Hastalığı
Paget hastalığı nadir görülmektedir. Meme kanserlerinin %1 ini oluşturur. Genellikle meme başı epiteli içerir. Meme başı ya da areolada egzamatöz lezyon oluşturur. Memebaşı ve areolada ülserasyon, yanma ve kaşıntı hissi gibi belirtiler görülür.

İltihabi (enflamatuar) Karsinoma
Meme kanserlerinin %1-2 gibi nadir görülen tipidir. Diğer meme kanserlerinden farklı bulgular gösterir. Memede kızarıklık, sıcaklık ve deride kalınlaşma bulguları vardır. Sıklıkla meme başında ödem ve retraksiyon(içe çekilme) oluşur. Meme enfeksiyonu görünümündedir. Semptomlar çok hızlı bir şekilde gelişir ve hızla diğer organlara yayılım yapar. Prognozu oldukça kötüdür.

Medüller Karsinoma
Tüm meme kanserlerinin %6 sını oluşturur. Bu tip tümörler çok büyük boyutlara ulaşabilir, ancak prognozu iyidir.

Meme Kanserinde Evreleme
Meme kanserinin evrelendirilmesinde UICC (Union internationale Contre le Cancere) ve AJCC (American Joint Commitee on Cancer)'nin 2010 yılında biçimlendirdiği TNM sistemi kullanılmaktadır.

T: Tümör
N: Bölgesel lenf bezleri (aksilla, supra ve infraklavikuler, internal mamari)
M: Metastaz (uzak organ metastazı).

TNM Evreleri

Evre	
Evre 0	Tis N0 M0
Evre IA	Tmic N0 M0
	T1 N0 M0
Evre IB	T0 Nmic M0
	Tmic Nmic M0
	T1 Nmic M0
Evre IIA	T0 N1 M0
	T1 N1 M0
	T2 N0 M0
Evre IIB	T2 N1 M0
	T3 N0 M0
Evre IIIA	T0 N2 M0
	T1 N2 M0
	T2 N2 M0
	T3 N1 M0
	T3 N2 M0
Evre IIIB	T4 N0 M0
	T4 N1 M0
	T4 N2 M0
Evre IIIC	T1-4, N3 M0
Evre IV	Herhangi bir T, Herhangi bir N, M1

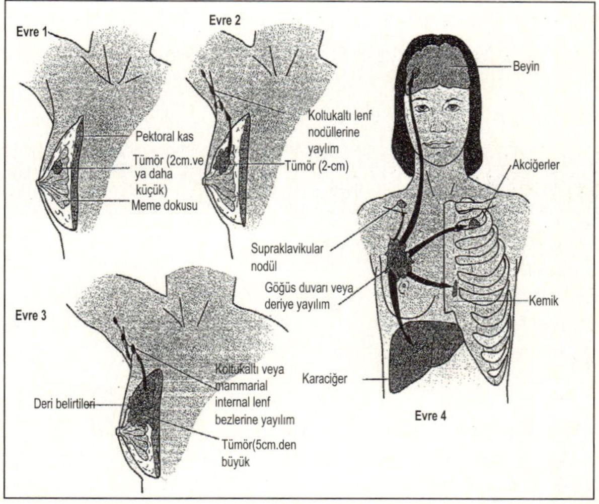

Şekil 43.14: Meme kanserinin klinik evreleri.
Kaynak: (Black J M, Hawks JH (2005). Medical Surgical Nursing, Clinical Management for Positive Outcomes, Seventh Edition, Copyright by Elseiver, İnc.St. Louis.)

Meme Kanserinde Tedavi

Meme kanserinde cerrahi, radyoterapi, kemoterapi ve hormonal tedaviler kanserin evresine bağlı olarak tek başına ya da kombine edilerek uygulanmaktadır. Cerrahi ve radyoterapi lokal ve bölgesel hastalığın tedavisi için uygulanırken, kemoterapi ve hormonal tedavi hastalığın sistemik kontrolü için uygulanır.

Cerrahi

Meme kanserinde en sık uygulanan tedavi cerrahidir. Yaygın olarak modifiye radikal mastektomi uygulanmaktadır. Ancak meme koruyucu ameliyatlarda giderek daha fazla yapılmaya başlanmıştır. Tüm Dünya da meme koruyucu ameliyatlara doğru bir eğilim vardır. Meme koruyucu cerrahi, erken evre meme kanserlerinde uygulanmaktadır. Erken evre meme kanserinde tedavi kararı mutidisipliner bir çalışma gerektirir. Meme koruyucu cerrahi kararı için hasta seçimi önemlidir. Hastanın gereksinimleri ve beklentileri, öyküsü, fizik muayene, mammografik değerlendirme ve meme dokusu örneğinin histolojik incelenmesi, sınırlarının değerlendirilmesi gibi faktörler göz önünde bulundurulmalıdır.

Meme koruyucu cerrahide yapılan ameliyatlar; kadrantektomi, tümörektomi ve geniş tümör eksiyonu ya da lumpektomidir. Meme koruyucu cerrahi sonrası memede nüks gelişmesi durumunda mastektomi en uygun tedavidir. Çizelge 43.2' de meme kanserinin cerrahi tedavisinde uygulanan ameliyat tipleri verilmiştir.

Nöbetçi (sentinel) Lenf Nodu Biyopsisi

Nöbetçi lenf nodu biyopsisi meme kanserinin koltuk altı lenf bezlerine yayılıp yayılmadığını saptamada kullanılan tanısal işlemdir. Meme kanseri ilk önce koltuk altındaki lenf bezlerine yayılmaktadır. Bu nedenle yaygın (invaziv) kanseri olan kadınlarda bu nodların incelenmesinin büyük önemi vardır. Yakın zamana kadar meme kanserinin cerrahi tedavisinde olabildiğince çok lenf nodu çıkarılmaktaydı. Ancak bu uygulama lenfödem riskini ileri derecede arttırmaktaydı. Bu da nöbetçi lenf bezini bulmaya odaklanan yeni işlemlerin geliştirilmesini gerekli hale getirmiştir. Nöbetçi lenf bezi memedeki kitlenin ilk boşaldığı lenf bezi ve buradaki kanserin ilk geliştiği yerdir. Eğer nöbetçi nod çıkarılıp, incelenip sağlıklı bulunursa kalan nodlarda kanser bulunma şansı çok küçük olur ve başka lenf nodu çıkarılmasına gerek olmayabilir. Bu uygulama, meme kanserli kadınları daha geniş bir ameliyattan korumakta ve ameliyata bağlı komplikasyon riskini büyük ölçüde azaltmaktadır.

Nöbetçi lenf nodu biyopsisi için, ameliyattan önce teknesyum-99 adı verilen radyoaktif maddeden az miktarda memedeki tümör bölgesine enjekte edilir. Teknesyum-99 radyasyon miktarı oldukça düşük (normal röntgen filmlerinden daha düşük) olduğu için kullanımı oldukça güvenli bir radyoaktif izotoptur. Cerrahi sırasında sentinel lenf nodulunun yerini belirlemeye yardımcı olması amacıyla ayrıca mavi bir boya da enjekte edilmektedir. Teknesyum 99'un ve boyanın tümör bölgesinden sentinel lenf bezine ulaşması için beklenir. Daha sonra cerrah bir cihaz yardımıyla radyoaktiviteyi izleyerek ve sentinel nodun yerini tespit eder. Küçük bir kesi ile sentinel lenf bezi (veya bezlerini, 1-3 lenf nodu) çıkarılır. Çıkarılan lenf nodlarının mikroskop altında kanser hücresi taşıyıp taşımadığı incelenir. Eğer taşımıyorsa daha fazla lenf bezinin çıkarılmasına gerek kalmaz. Böylece lenfödem gelişme riski de önlenebilir.

Adjuvan Tedavi

Meme kanserinde ameliyat sonrası hastalığın aynı bölgede ya da uzak organlarda (karaciğer, akciğer, kemik, vb) tekrarlama riski en önemli sorundur. Bu riskleri azaltmak amacı ile yapılan tedaviye adjuvan tedavi denir. Adjuvan tedavide radyoterapi, kemoterapi ve hormonal tedavi uygulanır. Hastalığın uzak organlarda nüksetme riskini azaltmak için sistemik tedaviler (kemoterapi ve hormonal tedavi) kullanılır.

Radyoterapi

Radyoterapiye genellikle ameliyattan 6-8 hafta kadar sonra, yara iyileşmesi tamamlanınca başlanır. Radyoterapi öncesi hastaya fizik muayene ve gerekli incelemeler yapılır, tedavi planı açıklanır. Radyoetarapi eksternal ya da internal olarak uygulanabilir.

Genellikle eksternal radyoterapi uygulanmaktadır. Radyo-terapi uygulanan hastada yorgunluk, yanık, kızarıklık gibi cilt reaksiyonları, nötropeni, iştahsızlık gelişebilir.

Radyoterapinin yan etkilerinin genellikle uygulandığı alanda olmasının yanısıra hastanın yaşam kalitesi üzerine de önemli etkileri vardır. Tedavi için hastaların uzun süre

---

Çizelge 43.2: Meme Kanserinin Cerrahi Tedavisinde Uygulanan Ameliyat Tipleri

Meme Koruyucu Ameliyatlar
Lumpektomi
Geniş Eksizyon
Parsiyel Mastektomi
Segmental Mastektomi
Kadrantektomi

Koltukaltı Lenf Nodu Disseksiyonu

Radikal Mastektomi

Modifiye Radikal Mastektomi (MRM)

Total Mastektomi (TM)

evlerinden uzak kalmaları gerekmekte, hastalığın etkilerinin yanı sıra ekonomik sorunlar da yaşayabilmektedirler. Bu durum psikolojik ve sosyal açıdan yaşam kalitesini olumsuz etkilemektedir. Hasta, ailesinden, sevdiklerinden ve çevresinden onlara en çok gereksinim duyduğu anda uzak kalmaktadır. Radyoterapi seansları sırasında büyük tedavi makinelerinde hastanın yalnız kalması korku ve endişe duymasına neden olabilir. Hastaya bu konuda önceden gerekli açıklamalar yapılmalı ve kendisini izleyen bir görevli olduğu ve yalnız olmadığı söylenmelidir.

Radyoterapi uygulanan hastalara;
- Radyoterapi alanının güneşten korunması,
- Pamuklu, rahat terletmeyen giysiler giymesi
- Sıcak su yerine ılık su ile banyo yapması, sabunlu su ile yıkanmaması,
- Cildi rahatlatıcı serin kompres (buz değil) uygulanabileceği,
- Bu alana yapıştırıcı bantların yapıştırılmaması,
- Radyoterapi uygulanan alana losyon ve pudra sürmemesi anlatılmalıdır.

Ayrıca radyoterapi uygulaması sırasında deride alkol ve yağ içerikli kremler olmamalıdır. Radyoterapi seansları arasında deriyi rahatlatacak krem ve yağların kullanılması konusunda hekime danışması önerilmelidir.

Radyoterapi sırasında hastalarda enfeksiyona yatkınlık, iştah azalması gibi durumlar gelişebilir. Bu bulgular yönünden hasta izlenmeli ve doku yenilenmesi için proteinli ve yüksek kalorili gıda almaları sağlanmalıdır.

Kemoterapi

Adjuvan kemoterapinin amacı, ameliyat gibi lokal tedavi sonrasında olabilecek mikrometastazları yok etmektir.

Kemoterapide değişik antineoplastik ajanlar farklı kombinasyonlar halinde kullanılmaktadır. Adjuvan kemoterapi; koltuk altı lenf nodülleri pozitif olan, uzak metastazı saptanmayan, cerrahi, radyoterapi ya da her ikisiyle birlikte tedavi edilen Evre II ve III'deki hastalarda asıl tedaviye ek olarak kullanılmaktadır. Kemoterapiye karar verildiğinde tedavinin amacı, uygulanış yolu, olası yan etkiler hastaya anlatılmalıdır. Yan etkiler hastada büyük sıkıntılara yol açabilir (Çizelge 43.3). Bulantı ve kusma kemoterapinin en yaygın yan etkisidir. Antiemetiklerin kullanımı, sık aralıklarla ağız bakımı yapılması, sık ve küçük öğünlerle beslenme ile bu durum kontrol altına alınabilir. Kemoterapi uygulanan hastalarda anemi ve enfeksiyon bulguları izlenmeli ve önlem alınmalıdır. Kemoterapi alan hastalarda saç dökülmesi de önemli bir sorundur. Bu durumun geçici olduğu ve bir süre peruk kullanabileceği hastaya anlatılmalıdır.

Hormonal Tedavi

Meme kanserinin hormonal tedaviye yanıt vermesi tümör dokusunda bulunan östrojen ve progesteron reseptör varlığı

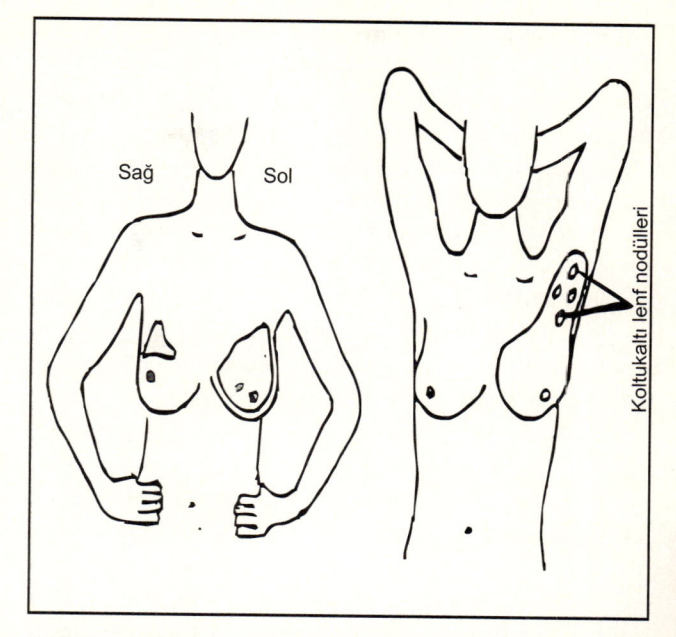

Şekil 43.15: Meme kanserinde cerrahi tedavi. a) Sağda lumpektomi, solda basit mastektomi. b) Modifiye radikal mastektomi.

Çizelge 43.3:	Kemoterapiye Bağlı Olarak Gelişebilecek Yan Etkilerden En Yaygın Görülenler
	Bulantı, kusma
	Alopesi
	Yorgunluk
	Kemik iliği supresyonu
	Mukozitler

ile yakından ilgilidir. Normal meme dokusunda östrojen reseptör alanları bulunmaktadır. Meme kanserlerinin yaklaşık 2/3 si östrojene bağlı olarak gelişmektedir. Bu tip meme kanserleri östrojen pozitif(ER+) olarak tanımlanır. Bu nedenle hormon tedavisine karar vermek için tümör dokusundan alınan bir örnekle östrojen ve progesteron reseptör incelemesi yapılmalıdır. Östrojen reseptörlerinin pozitif olması, tümörün östrojen desteğine bağlı olarak büyüdüğünü gösterir. Östrojen reseptörleri pozitif olan hastalarda uygulanan hormonal tedavide amaç, meme kanseri hücrelerinin östrojen reseptör alanlarını bloke ederek, östrojen almalarının engellenmesi ve buna bağlı olarak kanserin yayılmasının önlenmesidir.

Tamoksifen, meme kanseri tedavisinde ve meme kanserinin oluşmasını önlemede kullanılan en yaygın antiöstrojen ilaçtır. Tamoksifenin yanı sıra başka hormonal tedavi yöntemleri de kullanılmaktadır. Tamoksifenin yararlı etkilerinin yanı sıra bazı yan etkileri de vardır. Tamoksifen alan kadınlarda; gece terlemesi, sıcak basması vajinal kaşıntı ya da akıntı, cinsel istekte azalma, menstruasyon düzensizlikleri, bulantı ve kusma görülebilir.

Biyolojik Tedavi

Metastatik meme kanseri tedavisinde kullanılan yeni bir tedavi şekli de monoklonal antikor tedavisidir. Human epidermal growth factor receptor (HER-2) epidermal büyüme faktör grubundan protein yapısında bir moleküldür. HER-2 proteini işlevsel olarak bir büyüme faktörüdür. HER2 proteini meme kanseri hücrelerinin büyümesini düzenlemekte önemli rol oynamaktadır. Meme kanserlerinin yaklaşık 1/3'ünde bu protein bulunmaktadır. HER2 içeren bu tümör hücrelerinin yüzey antijenlerine karşı geliştirilen monoklonal antikorlar tümör hücrelerinin yüzeyindeki reseptörleri bloke ederek bu hücrelerin büyüme ve çoğalmalarını engeller.

Trastuzumab (Herceptin), HER-2 molekülüne karşı geliştirilmiş bir monoklonal antikordur. Kemoterapi sonrası tümörün büyümeye devam ettiği hastalarda Herceptin tek başına veya kemoterapi ile birlikte kullanılmaktadır. Sıklıkla ilk uygulamayı takiben ateş ve titremeler yapabilir. Bu konuda hastayı uyarmak gerekir. Bu durum bazen şiddetli olabilir ve aldolan/dolantin ile semptomatik tedavi uygulanması gerekebilir. Metastatik meme kanserinde yan etkileri en az ve etkisi en fazla olan tedavi bugün için Taxol/Taxotere ve herceptin kombinasyonudur. Bu tedavinin sakıncaları pahalı olması ve ancak HER-2 ekspresyonu yüksek olan hastalarda istenen etkiyi göstermesidir. Alopesi dahil yan etkilerinin çok az olması ve alınan yanıtların uzun süreli olabilmesi tedavinin olumlu yönleridir.

Meme Kanserinde Hemşirelik Yönetimi

Ameliyat Öncesi

Meme kanserli hastanın bakımı, hekim, hemşire ve diğer ekip üyelerinin işbirliğini gerektiren bir süreçtir.

Ameliyat öncesi hastaya mastektominin neden yapılacağı, yararları, psikolojik ve kozmetik etkileri iyice anlatılmalı ve tartışılmalıdır. Hastanın uygulanacak tedavi yöntemleriyle ilgili soruları olabilir veya yöntemlerin riskleri ve yararları konusunda bilgi isteyebilir. Hastaya muhtemel kesi yeri açıklanır, drenler ve drenaj cihazı hakkında bilgi verilir (Şekil 43. 16).

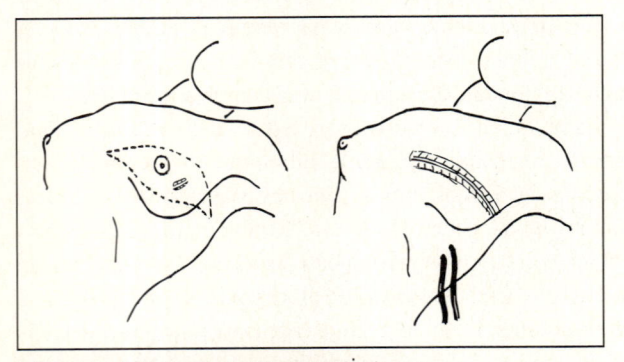

Eğer olanak varsa meme rekonstrüksiyonu da tartışılmalıdır. Hemen meme rekonstrüksiyonu yapılacaksa dokunun nereden alınacağı (Örn. Sırtın üst kısmı veya karnın alt kısmı) şekiller gösterilerek hastanın anlaması kolaylaştırılır. Eğer protez (implant) kullanılacaksa hastaya meme protezinin yerleşimi ile ilgili temel prensipler anlatılmalıdır. Hastaya ilk 24 saat kolunu ve omuzunu hareket ettirmemesi gerektiği ve bir yastık üzerinde yükseltilerek lenfatik ve venöz akışın kolaylaştırılacağı anlatılmalıdır. Hemşire ameliyat öncesi dönemde hastaya ve ailesine tedavinin yan etkilerinden, kişisel bakım uygulamalarından söz etmeli ve hekimle işbirliği içinde olmalıdır.

Mastektomi yapılması planlanan bir hastaya verilecek ameliyat öncesi eğitim aşağıdaki konuları içermelidir.

- Hastanede uygulanacak rutin yatış işlemleri
- Ameliyat öncesi rutin fiziksel hazırlık işlemleri
- İnsizyon şekli, yeri ve drenaj sistemi
- Yatak içinde dönme ve oturma
- Etkilenen taraftaki kolun elevasyonu
- Etkilenen taraftaki el ve kolun bakımı
- Ameliyat sonrası omuz ve kol egzersizleri derin solunum ve öksürme egzersizleri.

Bu egzersizler hastaya öğretilirken uygulanmasına da fırsat verilmelidir (Şekil 43.17).

Ameliyat Sonrası

Meme ameliyatı sonrası bakım, hastanın fiziksel anlamda rahat ettirilmesi, uygun beslenmenin sağlanması, komplikasyonların önlenmesi, hastanın taburculuğa hazırlanması ve hastanın evde bakımının sağlanması konularını içerir.

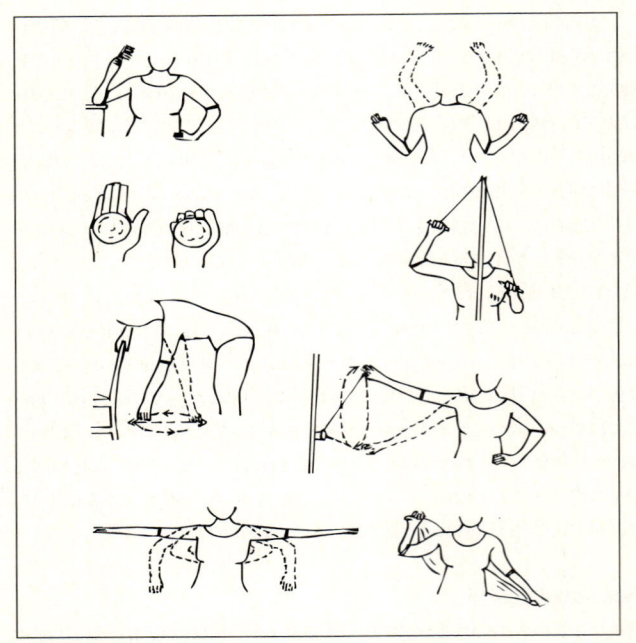

Şekil 43.16: a) Modifiye Radikal Mastektomi İnsizyonu.
b) İnsizyon Yeri ve Drenaj Tüpleri

Şekil 43.17: Mastektomi sonrası omuz ve kol egzersizleri.

43. Meme Hastalıkları

Ağrının giderilmesi ve hasta rahatının sağlanması

Mastektomi sonrasında ağrı ve rahatsızlık duyulması beklenen bir durumdur. Ancak uygun analjezikler ve bakımla ağrı kontrol edilebilir. Ağrı, genellikle sternumdan aksillaya akadar uzanan transvers kesiye bağlıdır. Ayrıca torasik veya interkostal sinirlerin travmatize edilmesi veya kesilmesi sonucu rahatsızlık olabilir. Mastektomi ameliyatı sonrasında ağrı, kişinin ağrı eşiği ile ilişkilidir ve kişisel farklılıklar gösterir. Taburcu olurken hastaların çoğunun ağrısı geçmiş veya çok daha azdır. Ameliyat sonrasında hastanın ağrı düzeyinin değerlendirilip hemen tedaviye başlanması hem ağrının giderilmesine, hem de hastanın rahat uyuyabilmesine ve dinlenmesine olanak sağlar. Hastanın fiziksel olarak rahatlaması ameliyat sonrası görülen yoğun duygusal stresinde azalmasına yardımcı olur. Yatak içinde dönme veya yataktan kalkma sırasında ağrı olabilir. Bunun için hastaya önceden analjezik verilmesi hastanın rahatlamasını ve bu hareketleri daha kolay yapmasını sağlar. Hastanın ameliyat olan tarafın aksi yönünden destek alarak kalkması gerilmeyi ve ağrıyı azaltır. Ameliyat sonrası ilk birkaç günde ameliyat olan tarafın desteklenmesi gerekir. Çünkü o tarafın hareketleri ilk günlerde kısıtlanır. Doktor tarafından da önerilmişse etkilenen kola ilk günlerde askı uygulanabilir. Bu omuza olan baskıyı azaltarak rahatlama ve destek sağlar.

Ameliyat edilen bölgedeki sinirlerin kesilmesine bağlı o alanda duyarsızlık, karıncalanma, göğüs duvarında aşırı duyarlılık, hatta fantom meme hissi gelişebilir. Hastaya bunların olabileceği anlatılmalıdır. Hemşire, hastaya bu durumun giderek azalacağını ve bir yıl içerisinde kaybolacağını açıklamalıdır.

Çizelge 43.4: Mastektomi Sonrası El ve Kol Bakımı İçin Öneriler

- Etkilenen taraftaki koldan kesinlikle kan basıncı ölçümü, damar yolu girişimi ve diğer enjeksiyonlar yapılmamalı,
- Koltukaltını ve kolu sıkan giysiler veya takılar (saat, bilezik) takılmamalı,
- Etkilenen kol ile fazla ağırlık kaldırılmamalı,
- Bulaşık yıkarken eldiven giyilmeli,
- Bu el sıcak fırına sokulmamalı veya kalın fırın eldiveni giyilmeli,
- Dikiş dikerken yüzük kullanılmalı, eğer iğne batarsa bu alan temizlenip kapatılmalı,
- Manikür yaptırmamalı, tırnak kenarındaki kütiküller koparılmamalı,
- Deri yumuşatıcı krem veya losyonlar kullanılmalı,
- Bahçede çalışırken eldiven giyilmeli,
- Güneş yanıklarından kaçınılmalı,
- Böcek ısırması veya sokmasından kaçınılmalı,
- El veya kolda kesik veya yaralanma olduğunda hemen temizlenip kapatılmalıdır.

Beslenme ve dinlenmenin sağlanması

Mastektomi sonrası genellikle beslenme ile ilgili bir sorun görülmez. Hasta mümkün olduğunca erken normal beslenme düzenine döndürülür. Dokuların onarımı ve enerji gereksinimi için yüksek kalorili ve proteinli diyet verilmelidir. Ameliyat sonrası genellikle hasta bitkinlikten yakınabilir. Hastaya yemek yerken, banyo yaparken yardımcı olmak gerekebilir. Ancak hastaneden taburcu olmadan önce hastanın mümkün olduğu kadar günlük bakım gereksinimini kendisinin yapması için teşvik etmek gerekir. Bu taburculuk sonrası için gerekli bir hazırlıktır.

Omuz ve kol hareketleri

Meme kanserinin cerrahi tedavisine bağlı gelişebilecek komplikasyonlardan, koltukaltı lenf bezlerinin çıkarılmasına bağlı lenf ödem, omuz hareket kısıtlılığı ve duyu kaybı oldukça önemlidir ve hasta için ciddi zorluklar oluşturur. Bu komplikasyonlar cerrahi tedavide koltukaltı lenf bezlerinin çıkarılması ile ilişkilidir. Koltukaltı lenf bezlerinin çıkarıldığı bir tedaviye radyoterapinin de eklenmesi, kolda lenfödem gelişme riskini daha çok arttırmaktadır. Lenfödem gelişimi erken ya da geç dönemde olabilir. Erken lenfödem ameliyat sonrası 2 ay içinde oluşur, akut lenfatik yüklenmeden ve yara komplikasyonlarına bağlıdır. Genç lenfödem 6 aydan sonra herhangi bir zamanda oluşabilir ve genellikle ilerleyicidir.

Lenfödem gelişimini önlemek amacıyla, ameliyattan hemen sonra hasta yatağına alındığında, hastanın o taraftaki kolu ve eli yastık üzerinde elevasyona alınmalıdır. El ve kol dirsekten yukarıda, dirsek ise omuzdan yukarıda olacak şekilde tutulmalıdır. Yatarken ve otururken bu durum sürdürülmeli, lenfatik ve venöz dolaşım kolaylaştırılmalıdır.

Lenfatik sıvının akış hızı, iskelet kasları tarafından sağlanan aralıklı dış basınca bağlıdır. Bu nedenle sıvı drenajına yardım etmek için, kas aktivitesi de gereklidir. Bunun için hekimin önerisi doğrultusunda ve fizyoterapist gözetiminde ameliyat sonrası egzersizlere başlanmalıdır (Şekil 44.17). Bunun için olabilecek en erken dönemde hafif yardımlı, pasif ve aktif egzersizler başlatılır. Fizyoterapistle birlikte kol egzersizleri için bir program hazırlanır ve bu program hastaya anlatılır. Öncelikle dirsek ve daha sonra omuz eklemini çalıştırmaya yönelik egzersizlere ağırlık verilir. Egzersizler kollateral lenfatik damarların gelişimini de sağlayarak lenfödemin önlenmesine yardımcı olur. Cerrahi drenler çıkarıldıktan sonra tam aktif ve aktif yardımlı egzersizlere geçilir. Egzersizler ve günlük yaşam aktiviteleri yapılırken, etkilenen kola mutlaka kompresyon bandajı veya giysileri uygulanmalıdır. Ağırlık kaldırma gibi egzersizlerden kaçınılmalıdır, bunlar vazodilatasyona neden olur ve lenfödem oluşumunu tetikler.

Meme Hastalıkları

Çizelge 43.5: Mastektomi Yapılan Hastanın Bakımı

Ameliyat Öncesi Bakım	Ameliyat Sonrası Bakım
•Hastaya mastektominin neden yapılacağı, yararları, psikolojik ve kozmetik etkileri anlatılmalıdır. •Bilgi verirken, hastanın anlayabileceği biçiminde basit açıklamalar yapılmalı, gerekiyorsa bu açıklamalar tekrarlanmalıdır. •Hastaya, kansere bağlı korkularını ve memesinin kaybına bağlı duygularını ifade etmesi için fırsat verilmelidir. •Drenlerin bakımı ve ameliyat sonrası egzersizler hakkında eğitim verilmelidir.	•Ameliyat sonrası erken dönemde; •Hasta semi fowler(yarı oturur) pozisyonda yatırılmalıdır, •Hemovak takılmışsa tamamen dolmasını beklemeden boşaltılmalıdır, •Pansumanlar ve çarşaflar sızıntı yönünden kontrol edilmelidir, •Kol bir yastık üzerinde elevasyona alınmalıdır, •Kolda dolaşım kontrolü yapılmalı, parmaklarda güç kaybı veya üst kolda duyu kaybı ve şişme belirtileri kaydedilmelidir, •Bu koldan kan basıncı ölçümü, damar yolu girişimi veya diğer enjeksiyonlar yapılmamalıdır, •Hastaya yatakta oturmak veya dönmek için etkilenmemiş taraftaki kolunun dirseğine dayanarak itmesi söylenmelidir (kolunu çekerek dönmemeli veya oturmamalıdır), •Hasta derin solunum egzersizlerini yapması için cesaretlendirilmelidir, •Ağrısı varsa ağrı kesici verilmelidir. •Hasta mastektomi sonrası omuz ve kol egzersizlerini yapması için cesaretlen-dirilmelidir. •Hasta hazır olduğunda, ameliyat yerini görmesi için. cesaretlendirilmelidir. •Hasta eşiyle birlikte cinsel yaşamlarına yeniden başlama konusunda konuşmaya ve duygularını paylaşmaya cesaretlendirilmelidir. •Yara iyileşmesi tamamlanınca hazır olarak satın alınabilecek, hastanın meme ölçülerine uygun bir protez kullanabileceği söylenmelidir. •Hastaya sıkı giysiler giymekten (özellikle koltukaltını sıkan) kaçınması söylenmelidir

Çizelge 43.6: Taburculuk Eğitim Rehberi

İnsizyon
Hastaneden taburcu olurken insizyon yerinizin üzerine kapatılacak kuru gaz tamponun hekiminiz tekrar kontrol edinceye kadar değiştirilmesi gerekmez.

Drenler
Drenin giriş yerini çepeçevre saracak şekilde bir gaz tampon yerleştirilir. Sızıntı olup olmadığını görmek için gaz tamponu sık sık kontrol ediniz. Biraz sızıntı olması normaldir. Ancak gaz tamponu çok ıslatacak kadar olması durumunda hekiminize haber veriniz

Hemşireniz size drenaj kabını boşaltmayı ve drenaj miktarını ölçmeyi gösterecektir.

Drenler genellikle günlük drenaj miktarı 20- 50 ml.kadar olunca çıkarılır.Bu da dikişlerin alınmasıyla aynı zamana rastlamaktadır(7-10 gün).

Banyo
Dren giriş yeri ve insizyon yerinin ıslanmaması için silinme banyosu veya küvette belden aşağı banyo yapabilirsiniz. Duş şeklinde banyoyu dikişler ve drenler çıkarıldıktan sonra yapabilirsiniz.

El ve kol bakımı
Kolunuzu saç tarama veya yemek yeme gibi normal aktiviteler için kullanabilirsiniz.Egzersiz yaparken elinizi, elbileğinizi ve dirseğinizi kapsayan hareketleri yapınız(parmakları içe bükme, bileği döndürme, elinizle omuzunuza dokunma). Daha zorlu hareketleri drenler çıkarıldıktan sonra yapınız.

Rahat
Ameliyattan sonra 4-5 gün hafif bir ağrı veya rahatsızlık hissedebilirsiniz. Ağrı genellikle ağrı kesici almayı gerektirecek kadar şiddetli değildir, yalnız uykudan önce ağrı kesici almanız yaterli olabilir.

Ameliyatın yapıldığı alanda ve koltuk altından dirseğe kadar belirli bir alanda(kolda) duyarsızlık oluşur. Bu durum, bu alandaki cildin duyarlılığını sağlayan sinirlerin ameliyat sırasında travmaya uğramasından kaynaklanır.Hastalar bunu ağırlık, ağrı, gerilme, yanma, iğne batması hissi şeklinde tanımlamaktadır. Bu hisler genellikle bir aydan daha fazla, bir yıldan daha az sürmektedir.

Lenfödemin İzlenmesi ve Önlenmesi

Lenfödem, meme kanseri ya da tedavi yöntemleri nedeniyle kol, omuz, meme ya da torasik bölgede anormal lenf sıvısı birikimidir. Lenfödem bireylerin günlük yaşam aktivitelerini etkilemesi, fiziksel ve psiko sosyal sorunlara neden olması yönünden oldukça önemlidir. Lenfatik sistem, dokular arası sıvıyı ve plazma proteinlerini venöz dolaşıma taşıyan tek yönlü bir damar sistemidir. Lenf sıvısı damarlar içinde ilerlerken yer çekimi, kas kontraksiyonu ve arteriyel pulsasyonun sıkma hareketinden etkilenir. Lenfatik sistem yabancı maddelerin uzaklaştırılmasında, bakterilerin yokedilmesinde, lenfosit ve antikor oluşumunda rol alır. Lenf nodülleri cerrahi olarak çıkarıldığında ameliyat sonrasındaki erken dönemde lenfödem gelişebilir. Bu durum, kollateral lenf damarları oluşana kadar süren geçici bir durumdur. Ancak bu dönemde lenfatik akımı hızlandıracak önlemler alınmazsa fibröz doku oluşabilir ve lenfödem geriye dönülmez şekilde kalabilir. Bu kronik sıvı birikimi sırasında oluşan bir yaralanma o ekstremitede enfeksiyon gelişmesine neden olur.

Lenfödem ameliyattan kısa bir süre sonra veya aylar sonra ortaya çıkabilir. Lenfödem oluşumu, yapılan ameliyatın tipi, radyoterapi uygulaması, çıkarılan koltukaltı lenf düğümü sayısı ile ilişkilidir. Birden fazla lenf düğümü çıkarılmışsa lenfödemin ortaya çıkma olasılığı daha da artar. Lenfödem gelişen ekstremitede, gerginlik, şişme, kolda ağırlık, dolgunluk ve iğnelenme hissi, ağrı, deride değişiklikler olur.

Hastada lenfödem gelişmesine yönelik tanı konulabilmesi için öncelikle uygulanan yöntem kol çevresinin ölçülmesidir. Bunun dışında lenfosintigrafi, manyetik rezonans görüntüleme, bilgisayarlı tomografi, doppler ultrasonografi, lenfanjiyografi de yapılmaktadır.

Kol çevresi ölçümleri, mutlaka ameliyattan önce yapılmaya başlanmalıdır. Böylece ameliyat sonrası oluşabilecek ölçüm farkı karşılaştırılarak anlaşılabilir. Kol çevresi ölçümü dirsek arkasında olekranon çıkıntısının distalinden ve proksimalinden olmak üzere birkaç düzeyden yapılır. İki kol arasındaki ölçüm farkı 1,5- 3cm arasında ise minimal, 3-5cm arasında ise orta, 5cm ve üzerinde ise şiddetli ödem olarak değerlendirilir.

Lenfödem yönetiminde risk faktörlerinin kontrolü, lenfetik kanalların uyarılması ve kollaterallerin geliştirilmesine yönelik uygulamalar yapılır. Bunun için, egzersiz, uygun cilt bakımı ve kompresyon (bandaj), manuel lenf drenajı, fizyoterapi uygulanır.

Taburcu olmadan önce hastanın ameliyat olan taraftaki kolunda ödem oluşmasını önlemek, oluşması durumunda nasıl anlayacağı ve neler yapması gerektiğinin anlatılması oldukça önemlidir. Bu amaçla;

Ameliyat olan taraftaki kolun üzerine uzun süreli yatmaktan kaçınılmalıdır.

Egzersizler doğru ve düzenli olarak yapılmalı.

Etkilenmiş ya da risk taşıyan ekstremitede deri temiz tutulmalı ve iyice kurulanmalı nemli bırakılmamalıdır.

Kolda ve elde oluşabilecek travmalardan, böcek ısırıklarından, kesik ve yanıklardan kaçınılmalıdır. Etkilenmiş kola manikür ve enjeksiyon yaptırılmamalıdır. Tırnakları keserken deriyi kesmemeye dikkat edilmelidir. Jilet kullanılmamalı, istenmeyen tüyler elektrikli tıraş makinesi yardımıyla alınmalıdır. Mutfakta veya bahçede iş yaparken kesikler ve batmalardan korunmak için mutlaka eldiven giyilmelidir.

Güneş yanığından kaçınılmalı güneşlenirken yüksek koruma faktörlü koruyucular kullanılmalı ve ekstremite asla uzun süre güneşe maruz bırakılmamalıdır.

Etkilenen kol ile direnç egzersizleri veya ağırlık kaldırma egzersizleri yapılmamalı, fizyoterapistin önerdiği egzersizler yapılmalıdır.

Ameliyat olan taraftaki koldan kan basıncı ölçtürülmemeli, ilgili sağlık personeli bu tür işlemleri ameliyat olmayan taraftaki kolundan yapması için uyarılmalı. Otomatik kan basıncı ölçüm cihazları kullanılmamalıdır. Manuel manşetle ölçüm hastanın genel kan basıncından 20-40 mmHg daha fazla şişirilerek yapılmalıdır.

Dar manşetli, kolu lastikli ya da aşırı sıkan giysi ve sütyen giyilmemeli, ameliyat olan taraftaki kola takılan saat, bilezik gibi takılar sıkı olmamalıdır.

Uçak yolculuğu sırasında basınç düşmesi nedeniyle kompresyon giysisi mutlaka kullanılmalıdır. Uçakta kabin basıncı değişikliği lenfödemi arttırmaktadır.

Diyet kısıtlamalarının lenfödem üzerine bilinen bir etkisi yoktur. Aşırı tuz kullanılmamalı bol su içilmelidir. Lifli gıdalardan zengin bir beslenme ile ideal kilo korunmalı alkol ve sigara kullanılmamalıdır.

Kompresyon giysileri önerildiği biçimde ve düzenli giyilmelidir. Kompresyon giysileri üretici firmanın talimatlarına göre kullanılmalı ve temizlenmelidir. Herhangi bir şikayet, bol gelmesi ya da sıkması durumunda terapiste veya üretici firmaya başvurulmalıdır. Kompresyon giysileri belli bir bölgeyi bant şeklinde sıkmamalı kızarıklık oluşturmamalıdır.

Cinsel Yaşam

Meme kanseri tanısı ve tedavisinin yanı sıra memenin tümünün ya da bir bölümünün alınması kadınlarda çeşitli psiko sosyal sorunlara neden olabilmektedir. Meme kanserli kadının yaşadığı başlıca sorunlar, memenin, kadınlığın, doğurganlığın, çekiciliğin ve cinselliğin kaybı gibi duygusal sıkıntıların yanında, aile, iş ve sosyal yaşamla ilgili sorunlardır. Cinsel sorunların nedenleri, cinsel performans ile ilgili anksiyete, cinsel aktivite sırasında beklenen ağrı ve rahatsızlık korkusu, eşi tarafından reddedilme veya terk edilme korkusu olarak sayılabilir. Cerrahi girişim sonrası meme kanserli kadınların, değişik düzeylerde yaşadığı cinsel sorunlarının giderilmesinde, hasta ve eşinin birlikte baş etme yöntemlerini geliştirmesi, yeterli olmadığı ya da gerekli olduğu durumlarda profesyonel destek almaları gereklidir. Sağlık profesyonellerinin, kadınların ve eşlerinin tedaviye uyumunda ve cinsel sorunların giderilmesinde onları bilgilendirmek, kaygılarını gidermek, yaşam kalitelerini artırmak amacıyla destek sağlamaları oldukça önemlidir.

Enfeksiyonun önlenmesi

Hekimin yaptığı ilk pansumandan sonra, hemşire gerektikçe yara bakımını ve pansumanı yapar. Yaranın durumu izlenmeli ve kızarıklık, şişlik, akıntı, koku, huzursuzluk, ateş gibi enfeksiyon belirtileri gözlenmelidir. Kesin asepsi sağlanması gerekir. Flep altında veya aksillada sıvı birikimine (seroma) bağlı enfeksiyon gelişebilir. Drenlerin ve drenaj kaplarının uygun yerleştirilmesi ve bakımının yapılması gerekir. Biriken sıvı miktarı izlenip kaydedilir.

Üzüntü ve hastalığa uyum

Memenin kaybı ekstremite amputasyonunun oluşturduğu duygularla benzerdir. Öfke, depresyon, inkar ve içe kapanma gibi tepkiler görülebilir. Hastanın kaybettiği beden parçası için üzüntü duyması normaldir, bunu yaşaması için hastaya zaman tanınmalıdır. Aile bireyleri de bu konuda bilgilendirilmeli ve hastaya destek olmaları istenmelidir.

Hastanın bedeni ve kendine güveni ile ilgili endişelerini dile getiren ifadelerini hemşire dikkatle gözlemelidir. Hastanın duygularını paylaşmasına fırsat tanınmalıdır. Hasta evliyse eşinin de bu görüşmelere katılması sağlanmalıdır. Hasta kesi yerini görmesi için cesaretlendirilmeli ve mümkün olduğu kadar erken pansumana katılımı sağlanmalıdır. Bu hastanın hastalığa uyumu ve tam olarak iyileşmesi için gereklidir. Hastanın mastektomi ameliyatı geçirmiş ve ameliyat sonrası dönemi başarıyla tamamlamış başka bir kadınla tanıştırılması oldukça yararlı olur.

Hastaya kullanılan protezler ve çamaşırlarla ilgili bilgi verilmeli ve nereden alabilecekleri anlatılmalıdır. Eğer hastaya meme rekonstrüksiyonu yapılmamışsa geçici bir protez sağlanarak nasıl kullanacağı öğretilir (Şekil 43.18). Eğer meme rekonstrüksiyonu yapılmışsa kullanılan deri flebinin rengi birkaç gün gözlenmeli ve kapiller oluşum izlenmelidir. Eğer rekonstrüksiyon sırasında implant kullanıldıysa implant yerleştirilen taraf daha yüksek ve daha sert olur. Hastaya bunun beklenen bir durum olduğu zamanla yumuşayacağı ve aşağıya ineceği belirtilmelidir.

Ev yaşamına uyum

Hastaneden çıkmadan önce hastaya yara bakımı, egzersizler, lenf ödemin değerlendirilmesi, travma ve enfeksiyonlardan korunma konusunda bilgi verilir.

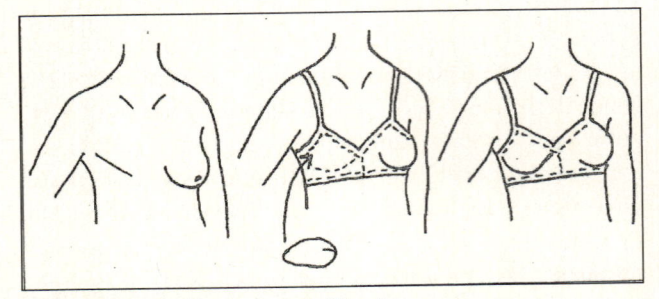

Şekil 43.18: Sütyen içine protez yerleştirilmesi.

Yara bakımının öğretilmesi

Hastaneden çıkarken hastanın yara bakımını tamamen kendisi yapabilecek durumda olması hemşirelik bakım hedeflerinden birisidir. Asepsi, drenlerin bakımı, (Çizelge 43.7) enfeksiyon belirtileri ve pansumanın hangi sıklıkta yapılacağı öğretilmelidir. Tüm açıklamalar hastanın anlayabileceği şekilde basit, açık ve yazılı olarak yapılmalıdır. Yara bakımının en az bir kez uygulamalı olarak gösterilmesi hastanın daha iyi öğrenmesini sağlar.

Çizelge 43.7: Drenaj Bakımı ve İzlenmesi

- Pansumanlar ve çarşaflar sızıntı açısından kontrol edilmelidir.
- Drenaj miktarı ve özelliği izlenip kaydedilmelidir.
- Drenin giriş yeri ve insizyon yeri temiz ve kuru tutulmalıdır.
- Hastaya insizyon alanına yaklaşık 4-6 hafta kadar pudra, deodorant, losyon veya parfüm sürmekten kaçınması söylenmelidir.
- Koltukaltında terleme ve koku oluyorsa (koltukaltı lenf nodülü çıkarıldığında terleme olmayacağı hastaya hatırlatılmalıdır) bu alan suyla silinip kurulanabilir.
- Hasta drenleriyle taburcu edilecekse drenaj izlemi ve drenaj kabının boşaltılması konusunda bilgilendirilmelidir.
- Hastaya drenaj sisteminin 24 saatlik drenaj miktarı 20-50 ml. olunca çıkarılacağı söylenmelidir.

43. Meme Hastalıkları

Çizelge 43.8: Meme Kanserli Hastada Ameliyat Öncesi Hemşirelik Bakım Planı

Hemşirelik girişimleri	Amaç	Beklenen sonuçlar
Hemşirelik Tanısı: Hastanın meme kanseri ve tedavisi ile ilgili bilgi eksikliği **Hedef:** Hastaya ve o an bulunduğu hastalık evresine uygun tedavi seçenekleri konusunda gerekli bilgiyi sağlamak.		
1. Bilgi vermeden önce, hastanın konuyla ilgili bilgi ve deneyimleri öğrenilir 2. Hastaya yazılı metin veya broşür verilir. 3. Hastanın verilen bilgileri ne kadar anladığı değerlendirilir, hastanın soru sorması için uygun ortam hazırlanır.	1. Hastanın yanlış bildiklerinin düzeltilmesini ve hastaya uygun bir eğitim planının hazırlanabilmesini sağlar. 2. Yazılı metin veya broşür bilginin daha iyi anlaşılmasını sağlar. 3. Anlaşılmayan konuların tekrar edilmesini sağlar	• Hasta kendisine sunulan tedavi seçeneklerini öğrenmiş olmalı • Uygulanacak tedavi ile ilgili karar verme sürecine katılım göstermeli
Hemşirelik Tanısı: Meme kanseri tanısıyla ilgili olarak bireysel başetmede olası başarısızlık. **Hedef:** Hastanın karar verme sürecine ve meme kanseri tanısına uyum sağlamasına yardımcı olacak başetme mekanizmalarını harekete geçirmek.		
1. Hastanın destek ağı ve daha önce yaşadığı sıkıntılı durumlarda kullandığı başetme yöntemleri gözden geçirilir. 2. Hastanın meme kanseri tanısıyla ilgili duygu ve düşüncelerini yakınlarına ve sağlık ekibine ifade etmesi sağlanır. 3. Hastanın yakınlarına da tanı ve tedavi ile ilgili bilgi verilir.	1. Hastanın kullandığı yararlı baş etme yöntemlerini kullanmasını, sigara, alkol gibi kötü başetme yöntemlerinden uzaklaştırılmasını sağlar. 2. Yakınlarının ve sağlık ekibinin hastanın gereksinimi doğrultusunda destek vermesini sağlar. 3. Hastanın sevdiği kişilerin karar verme sürecine katılımı, tedavi ve iyileşme süreci boyunca hastaya yardımcı olabilecek düzeyde bilgi sahibi olmalarını sağlar.	• Hasta yararlı baş etme yöntemlerini örenmiş ve kullanabiliyor olmalı. • Hasta tanı ile ilgili duygularını ifade edebiliyor olmalı. • Hastanın yakınları karar verme • sürecine katılım gösteriyor ve gerekli desteği sağlayabiliyor olmalı.

Meme Kanserli Hastada Ameliyat Sonrası Hemşirelik Bakım Planı

Hemşirelik girişimleri	Amaç	Beklenen sonuçlar
Hemşirelik Tanısı: İnsizyona bağlı bozulmuş deri bütünlüğü **Hedef:** Hastanın yarasının iyileşmesi ve enfeksiyonun önlenmesi.		
1. Pansumanlar incelenir, kanama veya seröz sıvı akıntısı olup olmadığı kontrol edilir. 2. Drenaj miktarı ve özellikleri izlenip kaydedilir. 3. Yara üzerine kapatılan pansuman ile sarılır 4. Pansuman değişimi sırasında insizyon yeri, iyileşme ve yara enfeksiyonu bulguları açısından gözden geçirilir.	1. Kanamanın erken dönemde fark edilmesini sağlar. 2. Drenaj sisteminin tıkanması veya kanamanın erken dönemde fark edilmesini sağlar. 3. Elastik sargı basınç uygulayarak iyileşmeyi hızlandırır 4. Enfeksiyonun erken tanımlanmasını sağlar.	• Hasta enfeksiyon bulgu ve belirtilerini ayırt edebiliyor olmalı. • Hasta insizyon bölgesindeki pansumanı değiştirme ve deri bakımı ile ilgili doğru yöntemleri uygulayabiliyor olmalı. • Drenaj sistemi üzerinde iken ve çıkarıldıktan sonra gerekenleri yapa-bilir olmalı • Hasta oluşabilecek seroma ile ilgili bulgu ve belirtileri ayırt edebiliyor ve seroma oluştuğunda ne yapması gerektiğini biliyor olmalı.
Hemşirelik Tanısı: İnsizyona bağlı ağrı **Hedef:** Hastanın ağrısının giderilmesi ve günlük yaşantısıyla ilgili işlevleri rahatça yürütebilmesini sağlamak		
1. Ağrı skalası kullanılarak ağrının yeri, şiddeti ve özelliği değerlendirilir, azaltan, artıran durumlar belirlenir. 2. Ağrıyı arttıran aktivitelerden kaçınılır. 3. Ağrı kesici verilir.	1. Daha sonraki bakım için veri sağlar. 2. Hastanın daha rahat olmasını sağlar. 3. Ağrının azaltılmasını ve hastanın rahatlamasını sağlar.	• Ağrının azaldığını hasta ifade etmeli. • Hasta ağrı giderme ile ilgili uygulamalara katılır. • Hasta ağrı giderici ilaçların komplikasyonlarını önlemeye yönelik uygulamalara katılmalı.
Hemşirelik tanısı: Koltuk altı diseksiyonuna bağlı etkilenmiş koldaki doku perfüzyonunda olası değişim. **Hedef:** Hastanın ameliyat olan taraftaki kolunda enfeksiyon veya lenfödem gelişmesini önlemek		
1. Ameliyat olan taraftaki kolun olekranon (dirsek) çıkıntısının 10 cm. üst ve altından kol çevresi ölçümü yapılarak ameliyat öncesi ölçüm ile karşılaştırılır 2. Hasta ameliyattan çıkar çıkmaz bileği dirsekten, dirseğide omuzdan hafif yukarıda olacak şekilde yastıklarla desteklenir, drenler çıkarıldıktan sonra ise omuz ve kol egzersizleri başlatılır, hastanın sıkı ve kolu lastikli giysilerden, kolu sıkan mücevherlerden ve o taraf omuza asılacak ağır çantalardan kaçınması gerektiği anlatılır.	1. Lenfödem gelişiminin erken fark edilmesini sağlar 2. Lenfödem gelişiminin önlenmesini sağlar	• Hasta ameliyat olan tarafındaki kolunda şişme ve enfeksiyonu önleyici önlemleri öğrenmiş olmalı. • Hasta kolunu yükseltmek, omuz ve kol egzersizleri ile ilgili doğru yöntemleri uyguluyor olmalı • Hasta ameliyat öncesi var olan omuz ve kol işlevlerini, ameliyat sonrası 3-6 ay içinde yeniden kazanabilmeli • Hastanın ameliyat öncesi kol çevresi genişliği ameliyat sonrası yeniden kazanılmış ve korunmuş olmalı.

Çizelge 43.8: Meme Kanserli Hastada Ameliyat Öncesi Hemşirelik Bakım Planı (Devamı)		
Hemşirelik girişimleri	Amaç	Beklenen sonuçlar
Hemşirelik tanısı: Hastanın aynadaki görüntüsünden duyduğu memnuniyetsizlik yanında, iş, eş ve anne rollerini yerine getirememek veya meme kaybı nedeniyle hissedilen yoksunluk duygusu ile ilgili endişesinin dile getirilmesiyle ortaya çıkan beden imgesinde bozulma **Hedef:** Hastanın ameliyat sonrasındaki görüntüsünü benlik kavramına dahil edebilmesini sağlamak.		
1. Hasta ameliyat bölgesinde meydana gelen değişikliklerle ilgili endişelerini dile getirmesi için cesaretlendirilmeli 2. Hazır olduğunda hastanın (varsa eşinin) insizyon yerini görmesi için cesaretlendirilmelidir. 3. Hastaya protezler hakkında bilgi verilerek uygulama yaptırılır	1. Hastanın ameliyat sonrası görüntüsünü kabul edebilmesini sağlar 2. Hastanın sağlıklı benlik kavramına sahip olabilmesini sağlar. 3. Hastanın tedaviye uyumunu ve katılımını sağlar.	• Taburcu olmadan önce, hasta ameliyat bölgesini inceleyebiliyor ve görünümü ile ilgili önlemler alabiliyor olmalı. • Hasta ve eşi, vücut görüntüsünde oluşan değişiklikler ile ilgili endişelerini tartışabiliyor veetkin başetme yöntem-lerini uygulayabiliyor olmalı.

Evde bakım

Mastektomi sonrasında daha ileri tedavi görecek hastalara tedavinin ne olacağı, ne zaman başlayacağı, neden izlenmesi gerektiği anlatılmalıdır. Kanserin tekrarlamayacağı veya diğer memede görülmeyeceğinin garantisi yoktur. Hemşire hastanın kendi kendine meme muayenesini ne kadar bildiğini ve yapabildiğini belirlemeli, gerekirse öğretilmelidir. Meme kanserinin ameliyat edilen alanda tekrarlama riski olduğu için hemşire bu alanın nasıl muayene edileceğini göstermelidir. Kontrol mammografileri ve fizik muayenenin hangi aralıklarla yapılacağı ile ilgili bilgi verilmelidir.

Komplikasyonlar

Meme kanseri tedavisi olan her kadında erken evrede yakalanmış ve tedavi edilmiş de olsa yaşamı boyunca hastalığın nüksedeceği korkusu olur. Bazı kadınlarda tedaviden birkaç ay sonra veya yıllar sonra nüks olabilir. Bu nedenle hastalara nüks veya metastaz belirtisi olabilecek kemik ağrısı ya da kesi yerinde değişiklikleri hemen doktora bildirmeleri öğütlenir.

Kronik lenfödem özellikle çok sayıda nodülün çıkarıldığı ameliyatlardan sonra oluşabilir. Ameliyatlı taraftaki kol çevresi, diğer kolun çevresinden %10'dan fazla artarsa ödem geriye dönüşü olmaksızın kalabilir. Bu ciddi bir durumdur. Elastik sargı uygulaması, antibiyotik, tuz ve sıvı kısıtlaması, diüretik tedavi uygulanabilir. Ancak tamamen iyileştirilemeyebilir. Mastektomi ve lenf düğümü diseksiyonu sonrası travma ve enfeksiyonlardan mutlaka kaçınılmalıdır. Eğer travma veya enfeksiyon söz konusu ise hastanın hemen hekime başvurması önerilir.

Yaşlılıkta Meme Kanseri

Yaşlı kadınlarda meme kanseri konusunda belirtilmesi gereken bazı noktalar vardır. Tüm meme kanserlerinin yaklaşık yarısı 65 yaşın üzerindeki kadınlarda ortaya çıkar. Yaşlı kadınlarda genç kadınlara göre daha fazla ileri evre meme kanserleri görülmektedir. Bu durum yaşlı kadınlarda tanının daha geç konmasına bağlı olabilir.

Yaşlanmayla birlikte vücutta bir takım değişiklikler oluşur. Görme kusurları, katarakt ve glokom yaşlanmayla ortaya çıkan durumlardır. Bu durumlar meme dokusundaki değişikliklerin farkedilmesini engelleyebilir. Artriti olan yaşlı bir kadın kendi kendine meme muayenesi yapamaz. Yaşlanmaya bağlı olarak memede oluşan fibröz doku oluşumu, kalsifikasyon, sarkma ve deri altı yağ dokusunun kaybı normal olanla patolojik olanın ayrımını güçleştirir. İşitmenin azalması yaşlı kadınların yanlış anlamalarına, soru sormaya çekinmeleri nedeniyle de yanlış bilgilenmelerine yol açabilir.

Kanserin erken tanı ve tedavisini etkileyebilecek bir başka durum da yaşlıların sosyoekonomik durumudur. Emeklilikle birlikte azalan gelirler veya sağlık sigortasının olmaması yaşlı kadının bir kitle hissetmesi gibi kuşkulu durumlar olduğunda hekime başvurmasını geciktirebilir. Yaşlı hastalar yakınlarına yük olma duygusunu genellikle yoğun bir şekilde hissederler. Bu durumda sağlık sorunlarını söylemekten çekinebilirler.

Erkekte Meme Kanseri

Erkeklerde meme kanserinin ortaya çıkışı, tanı yöntemleri ve tedaviye yanıtı kadınlardaki gibidir.

Epidemiyoloji

En önemli epidemiyolojik özelliği insidansın yaşla birlikte artmasıdır. En fazla görüldüğü yaş 60-66 yaştır. Ailede meme kanseri öyküsü olması erkeklerde de riski arttıran bir durumdur.

Fizyopatoloji

Erkekteki meme kanserlerinin yaklaşık %80'de östrojen reseptörleri pozitiftir ve duktal infiltratif karsinom en çok görülen histolojik tiptir. Biyopsi sırasında östrojen ve progesteron reseptörlerinin varlığı biyo essey yöntemi ile araştırılır. Tümör evrelemesi primer tümör, bölgesel lenf düğümleri ve metastaza göre (TNM) yapılır.

Tanı Yöntemleri

Fizik muayene, mammografi, ince iğne aspirasyonu, insizyonel ve eksizyonel biyopsi standart tanı işlemleridir. Tanı konulduğunda genellikle hastalık ilerlemiş olur. Meme kanseri ile jinekomastinin ayırdedilmesi fizik muayene ve mammografi ile olasıdır. Jinekomasti genellikle iki taraflıdır, malign oluşumlar ise genellikle tek taraflı olur.

En sık görülen bulgular genellikle sol memede subareoolar alanda hemen meme başının altında sert bir kitledir. İkinci derecede lezyon saptanan alan ise üst dış kadrandır.

Diğer belirtiler ise; meme başının içe çekilmesi ve kanlı akıntıdır. Meme başında egzama, kaşıntı, ülserasyon ve lokal hassasiyet gibi belirtiler Paget hastalığının belirtileridir.

Metastaz öncelikle koltukaltı lenf bezlerine, kemik, akciğer ve karaciğere olmaktadır.

Cerrahi Yönetim

Primer lokalize bir tümörün tedavisi modifiye radikal mastektomi ve lenf bezinin çıkarılmasıdır. Erkekte memeyi koruyucu yöntemler uygulanmamaktadır. Çünkü erkeklerde memenin alınması kadınlardaki gibi psikolojik sorunlara neden olmamaktadır. Lezyon subareolar alanda lokalize olmuşsa dokunun da çıkarılması zorunludur. Bu nedenle meme koruyucu ameliyatlar güvenli bir şekilde uygulanmamaktadır.

Ameliyat öncesi veya sonrasında mikrometastazları ve lokal rekürrensleri önlemek amacıyla radyoterapi yapılabilir. Koltukaltı lenf bezleri metastazı olmuşsa sistemik adjuvan tedavi (kemoterapi veya hormon tedavisi) önerilmektedir.

Nükseden veya ilerlemiş kanserlerde hormonal palyatif tedavi uygulaması ile iyi yanıt alınmaktadır. Çünkü bu tümörler çoğunlukla östrojen pozitiftir (ER+). Daha önceleri vücuttaki östrojeni yok etmek için orsiektomi veya adrenalektomi ve ardından hipofizektomi uygulanmaktaydı. Günümüzde anti östrojen etkili ilaçlar kullanılmaktadır.

Hemşirelik Yönetimi

Erkekte meme kanserinde hemşirelik bakımı temelde kadınınkinden pek farklı değildir. Ancak meme kanseri olan erkek kendine özgü bazı psikososyal sorunlarla karşılaşabilir. Bu durum hemşirenin bireysel yaklaşımını gerektirir. Genellikle sorun kanser tanısından ve bu hastalığın bir kadın hastalığı olarak görülmesinden kaynaklanmaktadır. Hasta bundan dolayı utanç duyabilir.

Meme kanserli erkek hasta sık karşılaşılan bir olgu değildir. Hemşirenin bu hastaların özel gereksinimlerine duyarlı olmaları ve bireysel özelliklere göre standart meme kanseri olan hasta bakım rutinini bu hastalar için uyarlamalıdır.

Mammoplastiler

Manoplasti memenin boyutları, şekil ve pozisyonun plastik cerrahi uygulaması ile değiştirilmesidir. Küçük gelişmemiş veya atrofiye olmuş memeleri büyütmek için Augmentasyon mammoplasti, aşırı büyük veya sarkık memeleri küçültmek için redüksiyon mammoplasti, mastektomi geçiren kadınlarda ise rekonstrüksiyon mammoplasti uygulanır.

Augmentasyon Mammoplasti (Meme Büyütme Ameliyatı)

Meme büyütme ameliyatı genellikle küçük veya gelişmemiş memesi olan genç kadınlarda uygulanmaktadır. Ayrıca postpartum (doğum sonrası) dönemde meme atrofisi gelişen kadınlarda da uygulanmaktadır.

Meme büyütmede silikon enjeksiyonu uygulaması artık yapılmamaktadır. Silikon enjeksiyonu memede granüloma oluşumuna yolaçmaktadır. Bu nedenle ABD'de yasaklanmıştır. Meme büyütmek için bugün en çok kullanılan yöntem protez implantasyonudur. Bu protezler kalıcı, dışı slikon, içi slikon jel veya serum fizyojikle (salin) doldurulmuş olmak üzere iki tiptir.

Protezler meme dokusunun veya pektoral kasın altına (subpektoral yerleşim); meme altından (inframammari) aksillaya doğru (transaksiller) veya memebaşı çevresinden (periareolar) yapılan bir kesi ile yerleştirilirler (Şekil 43. 19). İmplant endoskopik yöntemle de yerleştirilebilir.

Silikon jel doldurulmuş implantlar FDA tarafından denetlenmektedir. Silikonlu implantların uzun dönemdeki riskleri araştırılmaktadır. Silikonlu meme implantları ile bağ dokusu hastalığı arasında bir bağlantı olduğunu destekleyen bilimsel bir açıklama olmamasına karşın, plastik cerrahlar da silikon jel içeren meme implantlarını uyguladıkları randomize klinik çalışmalar sonucu daha kullanışlı bulduklarını belirtmişlerdir. Bununla birlikte, delinme durumunda serum fizyolojikle dolu implantlar silikon jelle dolu olanlara göre daha güvenlidir.

Meme kanserini dışlamak açısından, meme büyütme ameliyatı öncesi memenin dikkatle değerlendirilmesi gereklidir.

Meme büyütme ameliyatından sonraki komplikasyonlar meme başında duyarlılık, hematom, enfeksiyon, protezden sızıntı olmasıdır. Ayrıca sıklıkla skar dokusunun neden olduğu kontraktüre bağlı kapsül oluşur. Kapsüler kontraktürün nedeni enfeksiyon, seroma veya hematom olabilir. Tüm bu komplikasyonların esas nedeni vücudun yabancı bir madde olan proteze karşı gösterdiği reaksiyona bağlıdır.

Kapsül oluşmuşsa genellikle kapsülotomi (kapsülün cerrahi olarak çıkarılması) uygulanmaktadır.

Redüksiyon Mammoplasti (Meme Küçültme Ameliyatı)

Redüksiyon mamoplasti aşırı büyük (meme hipertrofisi) veya sarkık (ptozis) memelerin cerrahi olarak küçültülmesidir.

Meme Hastalıkları

Memeler puberte, gebelik veya menstrüel bozukluk gibi durumlarında patolojik boyutlara ulaşabilirler. Normalde meme bezlerinin fizyolojik büyümesi hormonal kontrol altındadır. Büyümeden östrojen hormonu ya da bezlerin östrojene duyarlılığı sorumlu tutulmuştur. Genetik faktörler de etiyolojide rol oynamaktadır.

Kadınlar genellikle memenin büyüklüğü nedeniyle fiziksel ve psikososyal rahatsızlıktan yakınır. Bunlar; sırt ağrısı, sütyen askılarının omuzlarda fazla gerilerek rahatsız etmesi, istediği modelde giysiler giyememe, memelerin altında dermatit oluşumu gibi yakınmalardır. Redüksiyon mammoplasti prensip olarak memenin gelişimi tamamlandıktan sonra yapılır. Ameliyat öncesinde hasta ayakta, eller yanda ve serbest konumda, memenin ameliyat sonrası duruşu planlanarak insizyon çizimi yapılır. Ameliyat genel anestezi altında yapılır.

Redüksiyon mamoplastide fazla meme dokusu çıkarılır, meme başı ve areola greft olarak daha yukarıya taşınarak memenin yeni şekli oluşturulur (Şekil 43. 20).

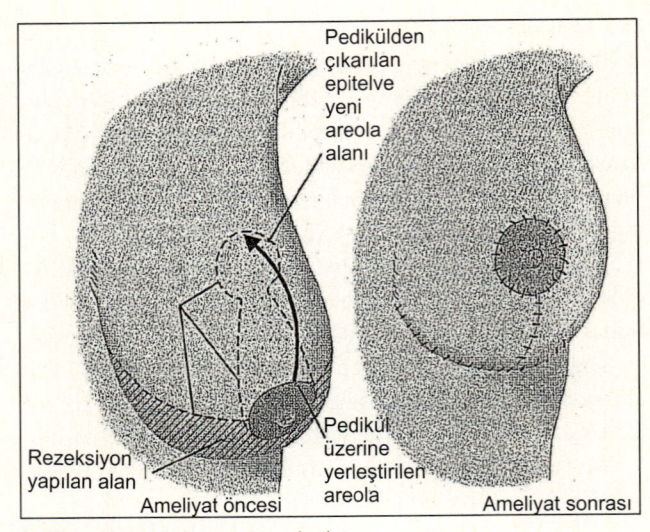

Mastektomi Sonrası Rekonstrüksiyon

Rekonstrüktif mammoplasti mastektomi sonrası yeniden bir meme görünümü elde etmek amacını taşır. Rekonstrüksiyon yapılan memenin diğer meme gibi olmayacağını hastanın bilmesi önemlidir. Rekonstrüksiyon yapılan memede normal memedeki gibi duyarlılık hissi olmaz.

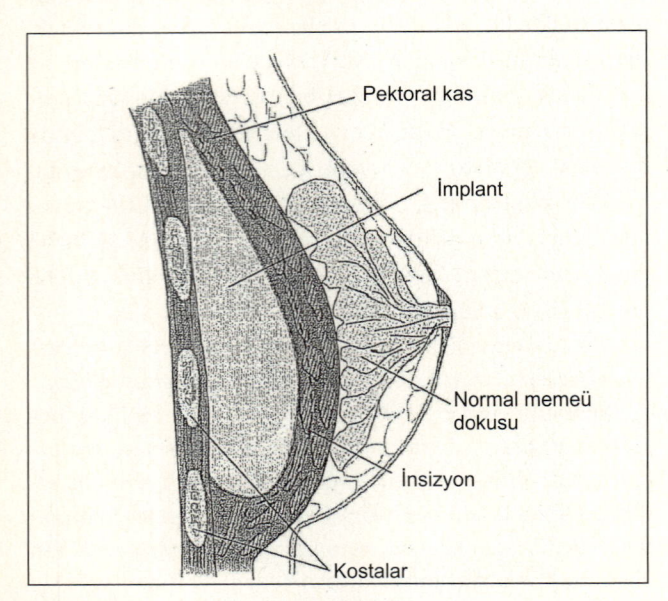

Şekil 43.20: Redüksiyon mammoplasti
Kaynak: (Black J M, Hawks JH (2005). Medical Surgical Nursing, Clinical Management for Positive Outcomes, Seventh Edition, Copyright by Elseiver, İnc.St. Louis.)

Şekil 43.19: Augmentasyon mammoplasti
Kaynak: (Black J M, Hawks JH (2005). Medical Surgical Nursing, Clinical Management for Positive Outcomes, Seventh Edition, Copyright by Elseiver, İnc.St. Louis.)

Meme rekonstrüksiyonu hemen mastektomi sonrası (aynı operasyon sırasında) veya daha sonra uygun bir zamanda yapılabilir. Rekonstrüksiyon zamanı hastanın durumu ve hekimin önerisine göre belirlenir.

Rekonstrüksiyon için değişik ameliyat yöntemleri vardır.

Deri veya doku genişletici (expander) kullanılarak cep oluşturulması ve buraya protez yerleştirilmesi uygulanabilir. Bir doku genişletici pektoral kaslarının altına yerleştirilir. İçerisine zaman zaman perkütan sıvı enjeksiyonu yapılarak genişleme sağlanır. Birkaç ay sonra genişletilmiş alandan genişletici çıkarılıp implant yerleştirilir (Şekil 43. 22).

İkinci teknik latissimus dorsi kasının deri flebi şeklinde kullanılmasıdır. Flep deri altından hazırlanan bir tünelden geçirilerek göğüse taşınır. Protez için cep oluşturmak üzere lokal deriye dikilir. Flep ve protez birlikte yeni bir meme şekli oluşturur. Flep çıkarılan alan primer sütürle kapatılır (Şekil 43. 23).

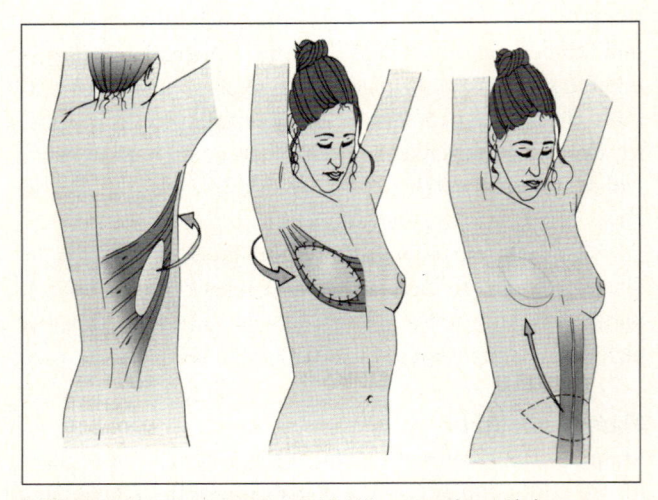

Şekil 43.22: Latissimus dorsi kas deri flebi ile meme rekonstrüksiyonu

43. Meme Hastalıkları

Bu yöntem mastektomi sonrası göğüs derisi implant yerleştirilemeyecek kadar gerginse tercih edilir.

Üçüncü teknik rektus abdominus kas ve deri flebinin kullanılmasıdır. Çevrilen flep kitlesi yeterince dolgun olursa protez koymak gerekmeyebilir. Gerekirse protez de yerleştirilir (Şekil 43. 23).

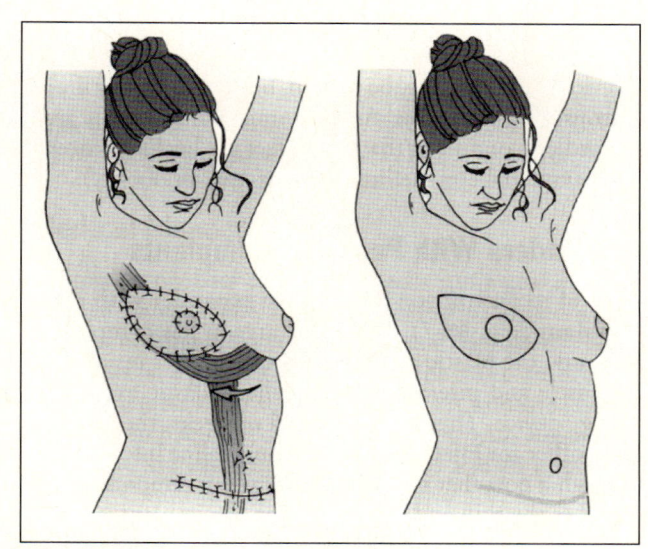

Çizelge 43.9: Meme Rekonstrüksiyonu Yapılan Hastanın Hemşirelik Bakımında İzlenecek Yol

- Pansuman değiştirilirken enfeksiyon belirtileri yönünden flebin durumu ve insizyon yeri değerlendirilir(kızarıklık, akıntı, koku).
- Pansuman değiştirilirken yetersiz doku perfüzyonu belirtileri yönünden flep ve insizyon yeri değerlendirilir(renkte koyulaşma, kapiller doluşta azalma).
- İnsizyon alanına ve flebin üzerine bası yapacak pozisyonlardan kaçınılır. Bu alanlara bası yapacak sıkı giysiler giyilmemesi konusunda hasta bilgilendirirlir.
- Drenaj miktarı izlenir ve ölçülüp kaydedilir.
- Hastaya, normal aktivitelerine yavaş yavaş artırarak geri dönmesi konusunda bilgi verilir. Ancak aşağıdaki durumlara dikkat etmesi önerilir.
    - Ağır kaldırmaktan kaçınmalı,
    - Prone (yüzüstü) pozisyonda yatmamalı,
    - Göğüs bölgesinde travmaya neden olabilecek sportif veya diğer aktivitelerden kaçınmalı,
    - Cinsel aktivite sırasında meme üzerine fazla basınç oluşmasından kaçınmalı,
    - Hekim izin verinceye kadar araba kullanmaktan kaçınmalı,
- Hastaya, ameliyattan altı hafta sonra kontrole geldiğinde tüm aktivitelerine tekrar ne zaman başlayabileceğini hekimine sorması gerektiği hatırlatılır.
- Eğer implant yerleştirilmişse, genişleme (ekspansiyon) sağlanması ve kapsül oluşumunun önlenmesi amacıyla meme masajı yöntemi öğretilir.
- KKMM öğretilmeli ve her ay düzenli olarak yapması konusunda uyarılır.
- Düzenli olarak mammografilerini yaptırması gerektiği hatırlatılır.

Şekil 43.23: TRAM flep ile meme rekonstrüksiyonu

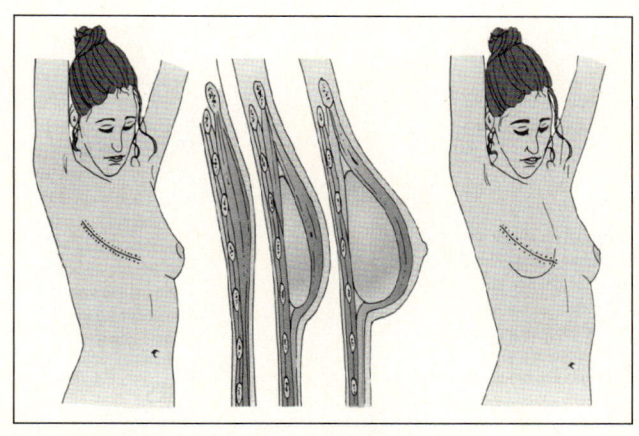

Şekil 43.21: Doku genişletici ile meme rekonstrüksiyonu.

ÜNİTE 12

İmmün Sistem

44. İmmün Sistemin Değerlendirilmesi
45. İmmün Sistem Hastalıkları

44. İMMÜN SİSTEMİN DEĞERLENDİRİLMESİ

Prof. Dr. Ayfer KARADAKOVAN

İmmün sistem kendine özgü hücreleri, dokuları, organları olan ve organizmayı yabancı maddeler ve mikroorganizmalara karşı savunan bir sistemdir. İmmün sistemin işlevleri yaş, merkezi sinir sistemi işlevleri, emosyonel durum, ilaçlar, hastalıklar, travma ve cerrahi girişimler gibi faktörlerden etkilenir. Bir organizmanın kendi genetik yapısına yabancı özellik taşıyan mikroorganizma ve toksinlere karşı geliştirdiği savunmaya İmmünolojik yanıt (Bağışık yanıt), immün sistem işlevlerinin hastalıklar nedeniyle bozulması sonucunda ortaya çıkan durumlara İmmünopatoloji denir. İmmün sistemi oluşturan hücrelerin işlevlerinin değişmesi, kendi antijenlerine karşı reaksiyonların gelişmesi ya da antijenlere normalde beklenenden farklı yanıtlar oluşması immün sistem hastalıklarının gelişmesine neden olur.

İmmün sistem hastalığı olan hastaya bakım veren hemşirenin immün sistemin işlevlerini ve patolojilerini bilmesi toplumda giderek artan immün sistem hastalıklarını tanılaması ve bakımı planlaması için gereklidir.

İmmün Sistemin Değerlendirilmesi Anatomi ve Fizyoloji

İmmün sistemi oluşturan temel yapılar kemik iliği, beyaz kan hücreleri (BKH-lökositler) ve lenfoid dokulardır.

Kemik iliği: İmmün sistemin temelini oluşturan lökositlerin yapım yeridir.

Beyaz kan hücreleri (BKH-Lökositler): İmmün yanıt oluşmasında rol oynayan temel kan hücreleridir. Diğer kan hücreleri gibi lökositler de kemik iliğindeki kök hücrelerden köken alır. Dolaşımda bulunan lökositlerin normal sayısı 5-10 bindir. Enfeksiyon durumunda sayıları artar, immün sistemin baskılandığı durumda sayıları azalır. Lökositler üç büyük gruba ayrılır. Bunlar: granülositler, monositler/makrofajlar ve lenfositlerdir.

Granülositler: Lökositlerin %60-80'nini oluşturur. Hücre sitoplazmalarındaki granüllü görünüm nedeniyle bu adı alırlar. Yaşam süreleri birkaç saat ya da iki-üç gün gibi kısa-dır. Akut enflamasyon veya enfeksiyon durumunda savunma mekanizmasında önemli rol oynarlar. Granülositlerin nötrofil, eozinofil ve bazofil olmak üzere üç tipi vardır.

Nötrofiller: Lökositlerin %55-70'ni oluşturur. Fagositoz yeteneğine sahip hücrelerdir. Yabancı madde ya da mikroorganizma saldırısına uğrayan bölgeye ilk ulaşan fagositik hücrelerdir. Damar duvarındaki endotel hücrelerin arasından geçip doku yüzeyine çıkarlar. Nötrofillerin granüllerinden mikroorganizmaların sindirilmesini sağlayan enzimler salgılanır. Fagositozdan sonra nötrofiller yenilenemez ve ölürler. Ölü nötrofiller enflamasyon bölgesinde birikir. Hematolojik hastalıklarda, sitotoksik tedavi uygulandığı durumlarda ve aplastik anemide dolaşımdaki nötrofillerin sayısı azalır (nötropeni).

Eozinofiller: Lökositlerin %2-5'ini oluşturur. Fagositik hücrelerdir. Ancak fagositoz yetenekleri nötrofillerden daha azdır. Paraziter enfeksiyonlarda ve alerjik reaksiyonlarda kandaki düzeyleri artar. Daha çok solunum sistemi ve GIS'de bulunurlar.

Bazofiller: Lökositlerin %0.2'ni oluşturur. Fagositik özellikleri yoktur. Granüllerinde bulunan heparin, histamin, bradikinin, seratonin, lökotrin gibi kimyasalları ve proteinleri salgılayarak akut aşırı duyarlılık reaksiyonlarında ve stres yanıtında rol oynarlar.

Monositler/Makrofajlar: Lökositlerin %2-6'sını oluşturur. Kemik iliğinden salındıktan sonra bir-iki gün hareketli olan monositler daha sonra vücut dokularına göç eder, dokulara yapışır ve işlev görünceye kadar aylarca, hatta yıllarca burada sessiz olarak kalırlar. Dokulara geçtikten sonra makrofajları oluştururlar. Makrofajlar yerleştikleri dokularda olgunlaşıp farklılaşırlar. Makrofajlar büyük yabancı partikülleri ve ölü hücreleri fagosite etme yeteneğine sahiptirler. Deri ve subkutan dokudaki makrofajlar histiyositler, karaciğerdekiler kupffer hücreleri, akciğerlerdekiler alveolar makrofajlar ve beyindekiler mikroglialardır. Doku makrofajları ise dalak, bademcikler, lenf düğümleri ve kemik iliğinde bulunurlar. Makrofajların tüberküloz, viral enfeksiyonlar ve bazı paraziter enfeksiyonlarda savunmada önemli rolleri vardır. Aynı zamanda makrofajlar tümör hücrelerine karşı monokinler olarak adlandırılan salgılarıyla immün ve enflamatuar yanıt oluşmasına yardım ederler.

Lenfositler: Lökositlerin %20-40'ını oluştururlar. Lenfositler kemik iliğindeki kök hücrelerden köken alırlar. B ve T lenfositler olmak üzere iki tip lenfosit hücresi vardır.

B lenfositler: Kemik iliğinde olgunlaşır ve buradan kan dolaşımına karışırlar. Lenfositlerin yaklaşık %10-20'sini B lenfositler oluşturur.

947

İmmün Sistem

T lenfositler: Kemik iliğindeki kök hücrelerden köken alan T lenfositler timus bezine geçerek burada olgunlaşırlar. Lenfositlerin yaklaşık %60-70'ini T lenfositler oluşturur. Bakteriler, virüsler, mantarlar, parazitler ve malign hücrelere karşı değişik tipte T hücreleri vardır. T hücreleri antikor üretmekten çok yabancı maddelere karşı savunma geliştirirler. Helper (yardımcı) T hücreleri ve sitotoksik (öldürücü-katil) T hücreleri vücuda giren yabancı mikroorganizmaların harap etme işlemine katılırlar. Baskılayıcı ve bellek T hücreleri ise sıvısal ya da hücresel bağışıklık ayırmadan B hücreleri ile birlikte işlev görürler.

Helper (yardımcı) T hücreleri: Antijenlerin tanınması ve istirahat durumundaki immün sistemin harekete geçirilmesini sağlarlar. İmmün sistem harekete geçirildiğinde hepler T hücreleri sitokin üreterek, B hücrelerini, doğal öldürücü hücreleri, makrofajları ve immün sistemin diğer hücrelerini harekete geçirirler. Helper T hücreleri bir tür sitokin olan lenfokinleri üretirler. Lefokinler Interlukuin 2(IL-2), doğal ve sitotoksik T hücreleri (interferon-gamma) ve diğer enflamatuar hücreleri (tümör nekrozis faktör) harekete geçirirler. Helper T hücreleri tarafından üretilen IL-4, IL-5 gibi lenfokinler B hücrelerinin büyüme ve farklılaşmasını sağlarlar.

Sitotoksik (öldürücü-katil) T hücreleri: Bu hücreler doğrudan antijene saldırarak hücre memebranını değiştirir, hücre parçalanmasına neden olan hücre öldürücü enzimler, hücre membranını öldürücü sitokinler salgılarlar.

Suppressör (baskılayıcı) T hücreleri: Sağlıklı bir immün yanıt için gerekli olan B hücrelerinin üretimini azaltıcı etkileri vardır.

Memory (bellek) T hücreleri: Daha önce karşılaşılan antijeni tanıma ve üst düzeyde immün yanıt oluşturmaktan sorumludurlar.

Lenfoid Sistem

Timus, dalak, lenf düğümleri, bademcikler, adenoidler ve kemik iliği lenfoid sistemi oluşturur (Şekil 44. 1).

Timus: Mediastende iki akciğer lobu arasında, kalbin üst tarafında yerleşmiş lenfoepiteliyal bir organdır. Yeni doğanda ve erken çocukluk döneminde oldukça büyük olan timus bezi yaşın ilerlemesi ile atrofiye uğrar. T hücreleri timusta değişime uğrar ve olgulaşırlar. Timustan bağışıklık sistemini düzenleyen timosin hormonu salgılanır.

Dalak: Kırmızı ve beyaz bağ dokusundan oluşan dalak bir filtre gibi işlev görür. Dalak iki tip dokudan oluşmuştur.

Kırmızı bağ dokusu: Yaşlanmış ve harabiyete uğramış kırmızı kan hücrelerinin yıkıma uğradığı yerdir.

Beyaz bağ dokusu: Lenfoid dokudan oluşmuştur. Bu doku dalakta antijen filtresi görevi sağlar. Lenfositler burada birikir.

Lenf düğümleri: Küçük, yuvarlak, fasulye şeklinde kapsüllü yapılardır. Büyüklükleri 1 mm'den 2 cm'ye kadar değişir. Tüm vücutta lenf damarları boyunca yayılmıştır. Çoğunlukla boyun, koltuk altı, karın ve kasık bölgelerinde bulunurlar. Doku aralığındaki sıvı lenfatik damarlar aracılığı ile dokulardan drene olur. Vücuda giren yabancı madde ve mikroorganizmalar kan dolaşımına geçmeden önce lenf damarları ve kapillerlerden filitre edilirler, bu sırada sıvıda bulunan antijenler lenf düğümlerinde toplanırlar. Bu toplanan antijenler lenf düğümlerinin yenilenmesi için lenfosit ve makrofajları uyarır, çoğalmalarını sağlarlar. Bu nedenle lenf düğümleri büyür ve palpasyonla ele gelir.

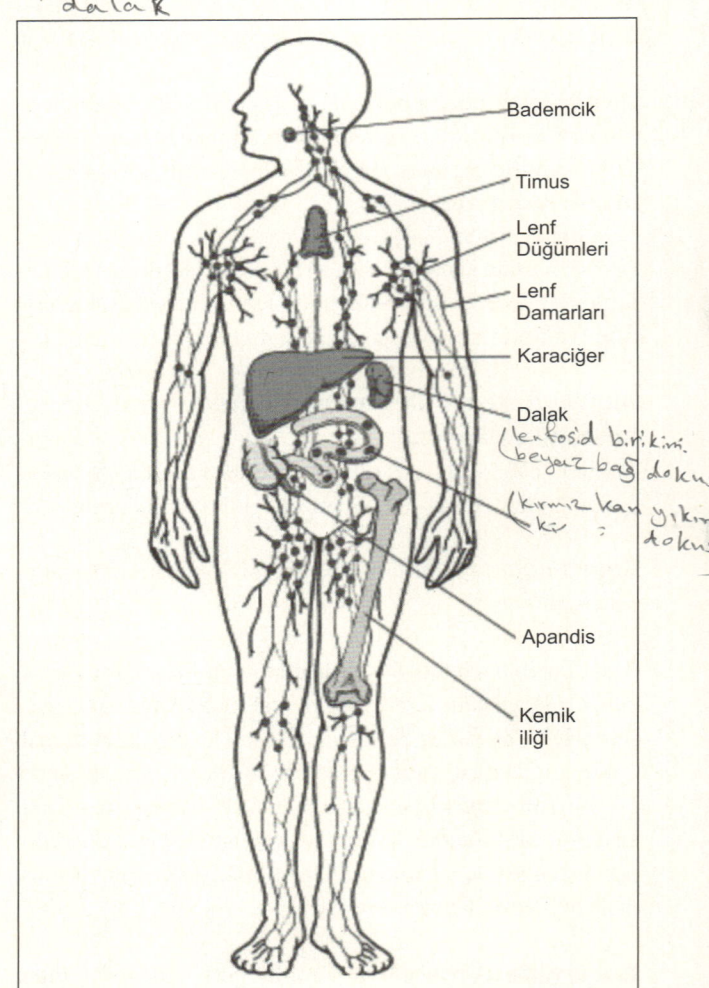

Şekil 44.1: Lenfoid organ ve dokular.

Bademcikler ve adenoidler: Mukoza yüzeyinde mikroorganizmalara karşı vücudun savunmasında görev alan bağışıklık hücrelerini bulunduran lenfoid dokulardır.

Kemik iliği: Kan hücrelerinin kök hücrelerini üretir ve depolarlar.

Kompleman: Karaciğer tarafından üretilen ve vücuda giren bir antijene özgü antikor oluşturmada rol oynayan dolaşımdaki plazma proteinleridir.

Kompleman sisteminin immün yanıtta üç temel fizyolojik rolü vardır. Bunlar.
a) Bakteriyel enfeksiyonlara karşı vücudun savunması
b) Doğal ve kazanılmış bağışıklığın oluşmasına aracılık etme
c) İmmün komplekslerin ve enflamsyonla ortaya çıkan ürünlerin düzenlenmesidir.

Kompleman sistem bu işlevlerini protein ve enzim reaksiyonları olarak iki yolla yapar. Proteinler yolu ile yapılan işlevler antikor içeren immünglobülinler ya da C-reaktif protein ile harekete geçer. Bu aşamadan sonra doku hasarı, polisakkaridler ve enzimlere tepki gelişir.

İmmün Sistemin İşlevleri

İmmün sistemin doğal ve kazanılmış bağışıklık olmak üzere iki tip işlevi vardır. İki tip bağışıklık da vücudun zararlı etkenlere karşı savunmasında rol oynar.

Doğal bağışıklık: Organizmanın doğumdan itibaren vücudu dış ortamdaki olası zararlı etkenlerden korumak için geliştirdiği fiziksel, kimyasal, hücresel savunma mekanizmalarıdır. Birçok mikroorganizma solunum, GIS (gastro intestinal sistem), genitoüriner bölge mukozalarından girerek enfeksiyona yol açabilir. Bu sistemlerin girişinde bulunan fiziksel ve kimyasal koruyucular, beyaz kan hücreleri işlevi ve enflamatuar yanıt ile savunma geliştirilir.

Fiziksel ve kimyasal koruyucular: Bütünlüğü tam olan deri ve müköz membranlar patojenlerin vücuda girişini engelleyen yüzeysel fiziksel koruyuculardır. Solunum yolu mukozasında bulunan siliyalar öksürme ve hapşırma ile vücudu üst solunum yoluna gelen zararlı etkenlerden korur. Asit mide salgısı, mukus, göz yaşı ve tükürük enzimleri, yağ ve ter bezi salgılarının içerikleri bakteri ve mantarların zararlı etkilerinden korucu kimyasal etkenlerdir. Bağışıklık sisteminin diğer yapılarıyla birlikte işlev gören, vücutta üretilen protein yapısındaki interferon, biyolojik yanıt düzenleyici olarak antiviral etkili bir koruyucudur.

Beyaz kan hücrelerinin (BKH-lökosit) işlevleri: BKH'leri doğal ve kazanılmış bağışıklıkta önemli rol oynar. Lökosiiter seri hücrelerden olan granülositler histamin, bradikinin, prostaglandin, yabancı cisim ve toksinleri içine alarak yok eden aracı hücreler salgılayarak yabancı madde ve toksinlere karşı savaşırlar. Granülosit hücrelerinden nötrofiller, eozinofiller ve bazofillerden oluşur. Enflamasyon bölgesine ilk ulaşan hücreler nötrofillerdir. Alerjik reaksiyon ve stres yanıt durumlarında granülositer seri hücrelerden eozinofil ve bazofillerin kandaki düzeyleri artar. Hücre çekirdeğinde granülü olmayan monositler/makrofajlar ve lenfositler de lökositer seri hücreleridir. Monositler fagositoz yeteneği olan, yabancı madde ve toksinlerin yutulması, sindirilmesi ve harabiyetini sağlayan hücrelerdir. B ve T lenfosit olmak üzere iki türü olan lenfosit hücreleri hücresel ve sıvısal bağışıklıkta önemli rol oynar.

Enflamatuar yanıt: İmmün sistemin doku zedelenmesi ya da mikroorganizmaların saldırısına karşı oluşturduğu başlıca doğal işlevidir. Enflamatuar yanıtta kan kaybının en aza indirilmesi, saldırıyı yapan mikroorganizmaların yayılımının engellenmesi, fagositlerin harekete geçirilmesi, fibröz skar doku oluşumu ve harabiyete uğrayan dokunun rejenerasyonu kimyasal aracılarla sağlanır.

İmmün sistem işlevlerinin yetersizliği enflamatuar hastalıklar olarak bilinen astım, alerji ve artrit gibi hastalıklara neden olur. İmmün sistemin kendi dokularını yabancı bir doku gibi görüp buna karşı savunma mekanizmaları geliştirdiği hastalıklar da otoimmün hastalıklar olarak bilinmektedir.

Kazanılmış bağışıklık: Doğumda var olmayan yaşam süresince kazanılmış bağışıklıktır. Genellikle aşılama yolu ile antijenin verilmesi ya da hastalığı geçirme ile gelişir. Hastalığın geçirilmesinden ya da aşılamadan haftalar ya da aylar sonra organizmada bu hastalık etkenine karşı korunmayı sağlayacak immün yanıt oluşur. Kazanılmış bağışıklık iki şekilde olur.

Aktif kazanılmış bağışıklık: Aşılama ya da hastalığı geçirme yolu ile etkene maruz kalma sonucu bireyin kendi organizmasında gelişen koruyuculuktur. Koruyuculuk yıllarca bazen yaşam boyu sürebilir.

Pasif kazanılmış bağışıklık: Hastalığı daha önce geçirmiş ya da aşılanmış bir başka kaynaktan sağlanan koruyucu antikorların bağışıklık kazanması istenen organizmaya verilmesi ile sağlanan bağışıklıktır. Örn: Ig G'nin intrauterin yaşamda plasenta yolu ile anneden fetüse geçişi, IgA'ların anne sütü ile anneden bebeğe geçişi, epidemilerde hastalık etkenine karşı geliştirilen immün globülinlerin uygulanması, hepatit virüsü ile teması olan bireylere kısa süre içinde bağışıklık sağlamak amacılıyla immün globülin verilmesi pasif bağışıklık sağlar. Pasif kazanılmış bağışıklık kısa süre içerisinde korunma sağlar ancak etkisi birkaç hafta ya da ay gibi kısa sürelidir.

İmmün Sistem

Aktif ve pasif kazanılmış bağışıklık sıvısal ve hücresel bağışıklık şeklinde gelişir.

İmmün yanıt: Bakteri, virüs ya da diğer patojenler organizmaya girdiğinde bunlara karşı immün yanıtın gelişimi üç şekilde olur.

a) Fagositik immün yanıt: İmmün yanıtın ilk adımıdır. Yabancı maddeler ve mikroorganizmaların organizmaya girdiği bölgeye giden granülositler ve makrofajların bunlara karşı yaptığı yutma, sindirme ve yok etme sonucu ölü hücreler oluşur. Bu yanıt kapsamında söz edilebilecek apoptoz ya da programlanmış hücre ölümü kanser hücreleri gibi istenmeyen hücrelerin vücut tarafından yok edilmesi yöntemidir. Apoptoz ile hedeflenen hücrelerin DNA'sındaki çekirdekler sindirilerek yok edilir. Fagositozda rol oynayan eozinofillerin fagositik özellikleri zayıftır ve ekstrasellüler sıvıya bazı özel kimyasallar salgılayarak parazitleri yok ederler.

b) Sıvısal immün yanıt/antikor yanıtı: B hücreleri sorumludur. Sıvısal immün yanıt iki evrede meydana gelir. Birinci evrede antijenle karşılaşan B hücreleri harekete geçerek çoğalır ve antikor üreten plazma hücreleri ve bellek hücrelerine dönüşürler. Plazma hücrelerinin ömrü kısadır. Yaklaşık bir gün yaşarlar. Ancak yaşadıkları sürece binlerce antikor üretirler.

Kanda antikorların görülmeye başlamasından önce üç-altı günlük bir gizli evre vardır. Bu evrede antikorlar çoğalmaya devam ederek 10-14 günde en üst düzeye ulaşırlar. İkinci evrede ise birinci evrede oluşan ve antikor üretim bilgisini koruyan bellek hücreleri plazma hücrelerinin üretimini uyararak antikor oluştuğunda hemen çoğalırlar. Bellek hücreleri aynı antijenle tekrar karşılaştığında hızla antikor yanıtı oluştururlar. Bu hızlı antikor yanıt kazanılmış aktif bağışıklığın temelini oluşturur.

c) Hücresel immün yanıt: T lenfositler sorumludur. T hücreleri antijene özeldir. Antijenle karşılaşan T hücreleri harekete geçerek bölünür, çoğalır ve o antijene özel antikor üreten sitotoksik T hücrelerine dönüşürler. Sitotoksik T hücreleri saldırıyı yapan hücrelerin üzerindeki yüzey antijenlerine bağlanarak hücre membranını yıkıma uğratmak ya da hücre içine sitotoksik madde salgılamak yolu ile antijeni yok ederler.

İmmün yanıt oluşması

İmmün yanıt dört evrede oluşur. Bunlar; tanıma, çoğalma, yanıt ve etki evreleridir.

a) Tanıma evresi: İmmün yanıtı oluşturacak tanıma evresi lenfositler ve lenf düğümleri aracılığı ile olur. Vücutta yaygın olarak bulunan ve vücut yüzeyine yakın yerlerde sonlanmakta olan lenf düğümlerinden sürekli olarak kan akımına geçen lenfositlerin dolaşımdaki yüzey antijenlerini yabancı bir madde olarak nasıl tanıdıkları tam olarak anlaşılamamıştır. Tanımanın lenfositlerin yüzeylerindeki özel reseptör alanlarına bağlı olduğu düşünülmektedir. Lenfositlerin tanıma evresinde makrofajların önemli rolü vardır. Yabancı bir madde vücuda girdiğinde lenfositler bunların yüzeyi ile temasa geçer. Bu aşamada makrofajlar lenfositlerin yüzeyden çıkartılmasında ya da antijenlerin yapısında etkili olurlar.

b) Çoğalma evresi: Antijen mesajını alan lenfositler bu mesajı en yakınındaki lenf düğümüne iletirler. Bu ileti ile aktif durumda olamayan B ve T lenfositler uyarılarak büyür, bölünür ve çoğalırlar. Daha önce anlatıldığı gibi T lenfositler sitotoksik T hücrelerine dönüşürler. B lenfositler antikor üreterek ortama salgılarlar. Boğaz enfeksiyonlarında boyun bölgesindeki lenf düğümlerinin büyümesi bu büyüme ve çoğalmayı açıklayabilecek bir örnektir.

c) Yanıt evresi: Lenfositlerin sıvısal ya da hücresel bağışıklık oluşturacak şekle döndüğü evredir. B lenfositlerden antijene özel antikor üretimi sıvısal yanıtı başlatır. Bu antikorlar kan dolaşımına karışarak plazmada kalırlar. Duyarlılığı artmış lenfositlerin lenf düğümlerine gitmesiyle hücresel yanıt başlar. Bu lenfositler antikorlardan daha etkili olan sitotoksik T hücrelerine dönüşürler. T lenfositler bakteriyel antijenlerden çok viral antijenlere yanıt olarak gelişmektedir (Bkz. Çizelge 44.1).

d) Etki evresi: Antijenin yabancı mikroorganizmanın yüzeyine yapışması ile hücresel ya da sıvısal antikor yanıtının oluşmasıdır. Antikorlar, makrofajlar, komplementler ve sitotoksik T hücrelerinin işlevleri ile antijenler yıkıma uğrar ve etkisiz duruma getirilir.

İmmün yanıtta rol oynayan antikorlar (İmmünglobülinler)

İmmün yanıtta rol oynayan antikorlar plazma proteinlerinde globülin yapısında bulundukları için immünglobülinler olarak adlandırılırlar. Başlıca beş tip immünglobülin vardır ve alfabetik olarak harflerle tanımlanırlar.

Ig G: Tüm İmmünglobülinlerin % 75'ni oluşturur.
- Serumda ve dokularda (inerstisyel sıvıda) bulunur
- Kan yolu ile geçen enfeksiyonlarda ve doku enfeksiyonlarında önemli rol oynar
- Kompleman sistemi harekete geçirir
- Fagositozu güçlendirir
- Plesenta yolu ile anneden bebeğe geçer

IgA: İmmün globülünlerin %5'ini oluşturur.
- Kan, tükürük, gözyaşı, anne sütü, akciğer, GIS, prostat ve vajina salgılarında bulunur..
- Solunun sistemi, GIS, Genitoüriner sistem enfeksiyonlarına karşı koruyucudur.

44. İmmün Sistemin Değerlendirilmesi

Çizelge 44.1: Hücresel ve Sıvısal İmmun Yanıtın Oluştuğu Durumlar

Hücresel (T hücresi) yanıt	Sıvısal (B hücresi) yanıt *humoral*
*Transplantasyon rejeksiyonu	*Bakteriyel fagositoz ve lizis
*Gecikmiş tip aşırı duyarlılık (Tüberkülin reaksiyonu)	*Anaflaksi
*Graft - versus host hastalığı	*Alerjik saman nezlesi ve astım
*Tümör varlığı ya da yıkımı	*İmmün kompleks hastalığı
*Viral, mantar ve paraziter enfeksiyonlar	*Bazı bakteriyel ve viral enfeksiyonlar

- Besinlerden antijenlerin emilimini önler
- Anne sütü ile geçip, yeni doğanda koruyuculuk sağlar

IgM: İmmün globülünlerin %10'unu oluşturur
- Çoğunlukla plazmada bulunur
- Bakteriyel ve viral enfeksiyonlarda ilk oluşan antikorlardır
- Kompleman sistemi harekete geçirir

IgD: İmmün globülünlerin %0.2'sini oluşturur
- Serumda az miktarda bulunur
- B lenfositlerin farklılaşmasında rolü olduğu ileri sürülmektedir, ancak rolü tam olarak bilinmemektedir.

IgE: İmmün globülünlerin %.004'ünü oluşturur
- Serumda bulunur
- Alerjik reaksiyonlar ve bazı aşırı duyarlılık reaksiyonlarında rol alır
- Paraziter enfeksiyon savunmasında rol alır

İmmün yanıt oluşumunda İnterferonların rolü:

Sitokinlerin bir sınıfı olan interferonların biyolojik yanıtın değiştirilmesinde ve immün sistem bozukluğu olan hastalıklardaki tedavi edici etkilerinin belirlenmesi ile ilgili çalışmalar sürdürülmektedir. Antiviral ve antitümör etkili olan interferonlar viral enfeksiyonlarda antijene tepki olarak T ve B lenfositler ve makrofaj üretirler.

Hücresel immün yanıt ve antikor üretimini baskılayarak immün yanıtı değiştirdikleri ileri sürülmektedir. Makrofajların ve doğal öldürücü hücrelerin sitolitik rollerine yardımcı olurlar. Multipl skleroz gibi bazı immün sistem hastalıklarında ve kronik hepatitler gibi bazı kronik hastalıkların tedavisinde interferon kullanılmakta olup, tümör ve AİDS tedavisindeki etkinliği konusunda çalışmalar sürdürülmektedir.

Bağışıklığı Etkileyen Faktörler

I-Genetik faktörler: Kişinin genetik özellikleri immün sistemin gelişiminde önemli rol oynar. Çeşitli bağışıklık bozuklukları konjenital olarak embriyolojik bir kusur veya enzim defekti şeklinde ortaya çıkabilir. Genetik yatkınlık romatoid artirit, miyastenia gravis gibi otoimmün hastalıklarda ve alerjik hastalıklarda önemli belirleyicidir.

2-Yaş: Çocuk ve yaşlılar enfeksiyon gelişimine daha yatkındırlar. Doğumsal, hücresel ve sıvısal bağışıklık yeni doğanda tam gelişmemiştir ve yaşamın ilk dokuz ayı boyunca gelişimini sürdürür. Bu süre içerisinde işlevleri yetersizdir. Maternal Ig'ler yeni doğanı yaşamının ilk birkaç ayında enfeksiyonlardan korumada rol oynar. Bu süre içinde yeni doğan çok düşük düzeylerde de kendi Ig'lerini sentez etmeye başlar.

Yeni doğan bir yaşına kadar erişkinde bulunması gereken Ig G'lerin %60'ını, Ig M' nin %75'ini, Ig A'nın %20'sini üretmiş olur. Adölesan döneminden sonra timus bezi yavaş yavaş atrofiye uğramaya başlar. Yaşlılarda timus bezi atrofiye uğradığı için timik hormonların salınımı azalır. T lenfositlerin etkinliği baskılanarak özellikle gecikmiş tip aşırı duyarlılık reaksiyonları gelişir. B lenfositlerin fonksiyonları baskılanır. Yaşlılarda hücre çekirdeği ve tiroid hücrelerine karşı antikorlar gelişir. Aynı zamanda romatoid faktör salınımı da artar. Bu değişiklikler yaşlılarda otoimmün hastalıkların sayı ve sıklığını arttırır. Tüm bu değişiklikler yaşlıları enfeksiyona yatkın duruma getirir. Yaşlılıkta immün işlevlerde azalma kronik hastalıkların varlığı ile de ilgilidir. Diabetes Mellitus (DM), kronik böbrek yetersizliği ve karaciğer hastalıkları immün işlevlerin bozulması ile yakından ilişkilidir. Endokrin değişiklikler, deri ve mükoz membranlardaki yıpranmalar ve kötü beslenme de yaşlıların bağışıklık sistemi işlevlerini bozan etmenlerdir.

3-Beslenme: Bağışıklık işlevlerinin en üst düzeyde olabilmesi için yeterli beslenme esastır. Örn: protein yetersizliği hücresel ve sıvısal bağışıklığın bozulmasına yol açar. Çünkü protein lökositlerin çoğalması ve Ig'lerin sentezi için gereklidir. Yüksek kalorili diyet (özellikle yağlar) otoimmünitenin gelişiminde önemli rol oynar.

Bağışıklık sisteminin sağlıklı sürdürülebilmesi için çinko ve bakır gibi elementler ve vitaminler önemli rol oynar.

Örn: Çinko eksikliği timusun küçülmesine ve T lenfositlerin sayı ve işlevlerinde azalmaya neden olur.

Örn: A vitamini sıvısal bağışıklığın oluşumunda önemli rol oynar. Yetersizliğinde enfeksiyonlara eğilim artar.

4-İlaçlar: Bir çok ilaç bağışıklık sistemini baskılar. İlaçların bir çoğunun kemik iliğini deprese etme gibi yan etkileri vardır. Örn: Sefalosporin grubu antibiyotikler, fenotiazin grubu antipsikotik ilaçlar, kemik iliğini baskılar. Bir çok hastalığın tedavisinde antienflamatuar ve antisupresif etkileri nedeniyle kullanılan kortikosteroidler fagositoz yapan hücrelerin aktivitesini azaltır ve bağışıklık sistemini düzenleyen sitokinlerin üretimini engellerler. Yüksek dozda kortikosteroidler kullanıldığında enfeksiyona eğilim artar.

lizozomu çevirir

5-Stres: Stresin bağışıklık mekanizmasını baskıladığı bilinmektedir. Travma, yanık gibi akut fiziksel stresörler ve duygusal stresörler bağışıklık hücrelerinin işlevlerini baskılayarak enfeksiyona yatkınlığı arttırır. Fiziksel ve emosyonel stres otonom sinir sistemi ve endokrin sistemin harekete geçmesine neden olarak immün yanıtı etkiler. Örn: Timus bezi, kemik iliği, dalak, lenf düğümleri gibi birçok sistem direkt olarak otonom sinir sistemi ile uyarılırlar. Stres norepinefrin salgısını arttırarak immün sistemi baskılar. Endokrin sistemle ilgili birçok hormon antienflamatuar ve immünosupresif etkilidir. Bunlardan en fazla bilineni stres sırasında salınımı artan adrenal korteksten salgılanan kortizoldür.

İmmün Sistem Tanılanması

İmmün sistem tanılaması sağlık öyküsü alma, sistem tanılaması ve tanı testlerini kapsar.

Öykü alma: Hastanın yaşı, aile ve çevresini kapsayan kapsamlı öykü alınmalıdır.

I-Aile öyküsü: Ailede immün sistemle ilgi hastalığı olan birey olup olmadığı, varsa kimlerin olduğu, varsa hangi immün sistem hastalığının olduğu.

2-Enfeksiyon öyküsü: Tekrarlayan enfeksiyonlar; tipi, sıklığı, neden olan faktörler, deride kızarıklık; arttıran ve azaltan faktörler, beden ısısında artma ve süresi, lenf düğümlerinde büyüme olup olmadığı, yeri ve süresi, yorgunluk, halsizlik yakınması olup olmadığı, neden olan faktörler, günlük yaşam aktivitelerine etkisi, süresi, arttıran ve azaltan faktörler, eklem ağrısı olup olmadığı, varsa süresi, arttıran, azaltan faktörlerin olup olmadığı.

3- Alerji öyküsü: Kendisinde ya da ailesinde alerji öyküsü olup olmadığı, varsa saptanmış alerjenler olup olmadığı, mevsimlerle, sıcak veya soğuk ile ilgisinin olup olmadığı, ilaç alerjisi, radyokontrast madde alerjisi, besin, böcek, evcil hayvan alerjisi olup olmadığı.

4- Hastalık ilaç ve tıbbi tedavi öyküsü: Çocukluğunda geçirdiği hastalıklar, uygulanan aşılar, Sistemik Lupus Eritematozus (SLE), romatid artrit vb. otoimmün hastalığı, HIV pozitifliği ya da AIDS gibi immün sistem hastalığı, Diabetes Mellitus, böbrek yetersizliği gibi kronik hastalık öyküsü, burun, diş eti kanaması, ekimoz gibi kanama bozukluğu olup olmadığı, koltuk altı, boyun ve kasık bölgesi lenf düğümlerinde büyüme olup olmadığı, kullandığı ilaçlar, (İmmünosüpresif ajanlar, Nonsteroid antienflamatuar ilaçlar (NSAI), antibiyotikler, antihistaminikler vb.), radyoterapi, kemoterapi, ameliyat, transplantasyon öyküsü, tanı amaçlı yapılan testler.

Çizelge 44.2. İmmün sistem tanılaması (Saptanabilecek patolojik bulgular)
Solunum Sistemi • Solunum hızında değişiklikler • Sekresyonlu ya da kuru öksürük • Farinksde kızarıklık • Anormal akciğer sesleri (hırıltı, hışırtı, ronküs) • Rinit • Hiperventilasyon • Bronkospazm
GIS • Harita dili • Diş etlerinde hiperplazi • Dişeti mukozası ve dişlere deformiteler • Dil ve dudaklarda ödem • Hepatosplenomegali • Kolit • Kusma • Diyare • Besin intoleransı
Genitoüriner Sisitem • Sık ve ağrılı idrar • Hematüri • Akıntı
Kardiyo-vasküler sistem • Hipotansiyon • Taşikardi • Ritim bozukluğu • Vaskülit • Anemi
Deri • Kuruluk • Lezyon • Enflamasyon • İrritasyon • Dermatit • Akıntı • Kepeklenme • Hematom ve • Skatris • Kızarıklık   purpura • Solukluk • Ödem ve ürtiker
Sinir Sistemi ve Beş Duyu • Bilişsel işlev bozukluğu • İşitme kaybı, kulak akıntısı, kulak zarında zedelenme • Gözlerde konjoktuvit, enflamasyon, sulanma, göz çevresinde morarma • Burunda polip, kaşıntı, müköz membranlarda solukluk, ödem, kanama • Baş ağrısı • Ataksi • Tetani
Genel Durum • Güçsüzlük • Yorgunluk

44. İmmün Sistemin Değerlendirilmesi

Çizelge 44.3. İmmünolojik durumun değerlendirilmesinde kullanılan testler

Lökosit ve lenfosit testleri	Kompleman bileşim testleri
• Beyaz kan hücrelerinin ve farklıklaşmış beyaz kan hücrelerinin sayımı • Kemik iliği biyopsisi	• Total serum hemolitik komplemanı • Bireysel komploment bileşimleri titrasyonu • Radial immünodiffüzyon • Elektroimmünassay • Radioimmünassay • İmmünonephelometric assay • İmmünelektroforez
Sıvısal İmmünite testleri	**Aşırı duyarlılık testleri**
• Monoklonal antikor testi ile B-hücresi sayısının belirlenmesi • In vivo T -hücresi sayısı • Özel antikor yanıtı • Total serum immünglobülinleri ve kişiye özel immünglobülinler	• Kazıma testi • Patch (yama) testi • Intradermal test • Radioallergosorbent test
Hücresel İmmünite testleri	**Spesifik antijen-antikor testleri**
• Total lenfosit sayısı • T-hücresi ve monoklonal antikorlarla oluşan T-hücresi sayısı • Gecikmiş aşırı duyarlılık deri testleri • Sitokin üretimi • Mitojen, allojen ve antijen hücrelerine lenfosit yanıtı • Yardımcı ve baskılayıcı T-hücresi işlevleri	• Radioimmünassay • İmmünofloresence testi • Aglutinasyon testi • Kompleman fiksasyon testi
Fagositik hücre işlev testleri	**HIV enfeksiyonu testleri**
• Nitroblue tetrazolium reduktaz assay	• Enzyme-linked immünosorbent assay (ELISA) • Western blot • CD4 ve CD8 hücre sayıları • P24 antijen testi • Polimerase zincir reaksiyon (PCR)

5-Beslenme ve diyet alışkanlıkları: Besin intoleransı, iştahsızlık, bulantı, kusma, sindirim güçlüğü, gaz, diyare, konstipasyon yakınması, diyet kısıtlaması, belirgin kilo artışı ya da azalışı olup olmadığı.

6-Psiko-sosyal durum: Baş ağrısı, huzursuzluk, emosyonel durum bozukluğu, depresyon, stres faktörleri, baş etme durumu, madde bağımlılığı, sosyal ilişkileri, cinsel ilişki davranışları

7-Çevresel faktörler: İşi, iş ortamında maruz kaldığı kimyasal maddeler, aktif-pasif sigara öyküsü, evinde kedi, köpek, kuş vb. evcil hayvan bulunma durumu, hobileri, evdeki mefruşat, evinin ve iş yerinin ısıtma ve havalandırma sistemi, yaşadığı bölge sorgulanmalıdır.

Sistem tanılaması:

İmmün sistem tanılamasında inspeksiyon, palpasyon ve oskültasyon yöntemleri ile sistem tanılaması yapılır.

Tanı testleri

İmmün sistemle ilgili tanı testlerinde hemşirenin rolü, hastaya danışmanlık ve eğitim yapmak, işlemler sırasında destek olmaktır. Hastalar çoğunlukla yapılacak tanı testleri ve test sonuçlarının iş, sosyal ilişkiler ve toplumdaki statüsü ile ilgili neden olabileceği olumsuzluklar nedeniyle gerginlik yaşayabilirler. Bu konuda hemşirenin danışmanlık ve eğitici işlevleri önem taşımaktadır. İmmün sistem hastalıkları tanısında kullanılan tanı testleri Çizelge 44.3'de verilmiştir. Bu testlerle ilgili ayrıntılar ilgili hastalıkların tanısında verilecektir.

45. İMMÜN SİSTEM HASTALIKLARI

Prof. Dr. Ayfer KARADAKOVAN

İmmün Sistem Hastalıkları

İmmün sistem hastalıkları;
1. İmmün sistem yetersizlikleri
- Primer immün sistem yetersizlikleri
- Sekonder immün sistem yetersizlikleri
2. Aşırı duyarlılık reaksiyonları ve alerjik hastalıklar başlıkları altında incelenecektir.

I. İmmün sistem yetersizlikleri

Primer immün yetersizlik:

Genetik kökenli olan primer immün yetersizlikler, yeni doğan ve erken çocukluk döneminde görülür. Genellikle plesenta yolu ile geçen antikorların düzeyi azalmaya başladıktan sonra erken bulgular görülmeye başlar. Tedavi edilmeyen olguların yaşamını sürdürmesi nadirdir. İmmün sistemin bir ya da birden fazla yapısında patoloji söz konusudur. Çizelge 45.1'de bazı primer immün yetersizlikler özetle verilmiştir.

Primer immün yetersizliğin 10 haberci bulgusu

Primer immün yetersizlik çocuk ve erişkinlerde sık tekrarlayan ve güçlükle tedavi edilen enfeksiyonlara neden olur. ABD'de primer immün yetersizlik tanısı alan yarım milyondan fazla birey vardır ve bunlardan büyük çoğunluğu hastalığını bilmemektedir. Aşağıdaki bulgulardan birden fazlasını çocuklarında deneyimleyen ebeveynlerinin primer immün yetersizlik kuşkusu ile bir sağlık kuruluşuna

Çizelge 45.1. Primer İmmün Yetersizlik Hastalıkları

İmmün yapı	Hastalık	Başlıca bulgular	Tedavi
Fagositik hücreler	HiperimmünoglobülinemiE(HIE) sendromu	Bakteriyel, viral ve mantar enfeksiyonları, inatçı soğuk apseler	-Antibiyotik, **antiviral** ve antifungal tedavi -Granülosit-makrofaj kümesi faktörü (GM-CSF); granülosit kümesi uyarıcı faktörü (G-CSF)
B lenfositler	-Sekse bağlı agammaglobülinemi (Burton hastalığı) -Yaygın değişik immün yetersizlikler -Immünglobülin A yetersizliği (IgA) -Ig C2 yetersizliği	Doğumdan sonra ciddi enfeksiyonlar -Bakteriyel enfeksiyonlar (Giardia lamblia) -Pernösiyöz anemi -Kronik solunum sistemi enfeksiyonları -Tekrarlayan enfeksiyonlara yatkınlık, kan ya da immün globülin transfilizyonlarına reaksiyon, otoimmün hastalıklar -Enfeksiyon hastalıklarında artış	-Pasif plazma ya da gammaglobülin -IV immünglobülin -Metronidazol (Flagyl) -Guinacirine HC1 "(Atabrine) -B12 vitamini -Antimikrobiyal tedavi -Yok -İmmünglobülin
T lenfositler	-Timik hipoplazi (Di George sendromu)	Tekrarlayan enfeksiyonlar, hipoparatroidizm, hipokalsemi, tetani, konjenital kalp hastalığı, böbrek hastalığı olasılığı, anormal yüz ifadesi	-Timus nakli
B ve T lenfositler	-Ataksi-telanjektazi -Nezelof sendromu -Wiskott-Aldrich sendromu -Şiddetli kombine immün yetersizlik hastalığı	-İlerleyici nörolojik ataksiler; vasküler telanjektaziler, tekrarlayıcı enfeksiyonlar ve maligniteler	-Semptomların yönetimi için antimikrobiyal tedavi, timus transplantasyonu, IV immünglobülin
Kompleman sistem	-Anjionörotik ödem -Paroksisimal nokturnal hemoglobinüri (PNH)	-Solunum sistemi ve bağırsakları da kapsayan vücudun değişik bölgelerinde ödem -Erirosit hızlandırıcı faktör eksikliği nedeniyle erirositlerde erime, yok olma	-Plazma ve androjen tedavisi -Yok

başvurmaları erken dönemde tanı konmasını ve gerekli tedavilerin yapılmasını sağlar. Primer immün yetersizlik ciddi bir hastalıktır. Ancak ölümle sonlanması nadirdir ve genellikle kontrol altına alınabilir. Primer immün yetersizliği AIDS'le karıştırmamalıdır. Primer immün yetersizlik kan testleri ile saptanabilir ve erken tanı ile kalıcı hasarların oluşması önlenebilir. Aşağıdaki haberci bulgular primer immün yetersizlik konusunda uyarıcı olmalıdır.

1. Bir yıl içinde sekiz ya da daha fazla sayıda enfeksiyon geçirilmesi,
2. Bir yıl içinde iki ya da daha fazla sinüzit geçirilmesi,
3. İki ay ya da daha uzun süre kullanılan antibiyotiklerin çok az etkili olması,
4. Bir yıl içinde iki ya da daha fazla pnömoni geçirilmesi,
5. Yeni doğanda kilo alma yetersizliği ve gelişme geriliği,
6. Tekrarlayan derin doku ya da organ apseleri,
7. Bir yaşından sonra ağız ya da vücudun bir başka yerinde deride inatçı mantar enfeksiyonu,
8. Enfeksiyon tedavisinde intravenöz antibiyotik kullanımına gereksinim olması,
9. İki ya da daha fazla sayıda menenjit, osteomyelit, sellülit ya da sepsis gibi derin doku enfeksiyonu geçirme,
10. Ailede primer immün yetersizlik öyküsü olması.

Sekonder immün yetersizlik

Primer immün yetersizlikten daha fazla görülen sekonder immün yetersizlik, bir başka hastalığa ya da hastalığın tedavisine bağlı olarak gelişir. Sekonder immün yetersizliğin en yaygın nedenleri, beslenme bozukluğu, kronik stresler, yanıklar, üremi, Diabetes Mellitus, bazı otoimmün hastalıklar, bazı virüsler, immün sistem için toksik etkisi olan ilaçların kullanımı ya da kimyasal maddelere maruz kalma, ilaç ve alkol bağımlığı ve AIDS'dir.

Tedavi: Sekonder immün yetersizlikte tanı ve tedavi neden olan hastalık ya da tedaviye göre yapılır. Neden olan faktörlerin tedavisi ve enfeksiyon kontrol önlemleri yapılacak girişimlerin temelini oluşturur.

Hemşirelik yönetimi: Hemşirelik yönetimi, tanılama, hasta eğitimi ve destekleyici bakımı içerir. Enfeksiyon ve tedaviye yanıtın tanılanması önemlidir. Primer ve sekonder immün yetersizlikte hemşirelik yönetimi immün yetersizliğe neden olan neden, yetersizliğin tipi ve şiddetine göre planlanır. Tanılamada geçirilmiş enfeksiyonlar, deride herhangi bir akıntı, solunum, gastrointestinal ya da genitoüriner enfeksiyon ve enfeksiyondan korunma önlemleri değerlendirilir.

Hemşire hastada ateş, üşüme, titreme, sekresyonlu ya da kuru öksürük, solunum sıkıntısı, yutma güçlüğü, ağız boşluğunda beyaz enfeksiyon plakları, lenf düğümlerinde büyüme, bulantı, kusma, inatçı diyare, sık ve ağrılı idrar

Çizelge 45.2: Adölesan ve Erişkinlerde HIV Enfeksiyonu ve AIDS Evreleme Sistemi

Laboratuvar verilerine göre evreleme
(AIDS'i tanımlayan CD4+ T-Hücresi sayısına göre)
Evre1: ≥500/μL
Evre2: 200-499/μL
Evre3: <200 /μL

Klinik evreleme
Evre A: HIV ile enfekte adölesan ya da erişkinde B ve C evresindeki bulgulardan bir yada daha fazla bulgu vardır.
- Asemptomatik HIV enfeksiyonu
- İnatçı yaygın lenfadenopati
- Akut HIV enfeksiyonu öyküsü ya da hastalığı ile birlikte primer enfeksiyon

Evre B: Bu evrede görülebilecek klinik bulgular aşağıdaki gibidir. Ancak bulgular bunlarla sınırlı olmayıp, evre C'deki bulgularda görülebilir.
- Çizgi şeklinde anjiyomlar
- Tedaviye dirençli ya da yetersiz yanıt veren orofarinks ya da vulvovajinal mantar enfeksiyonları
- Orta derecede ya da şiddetli servikal displaziler/servikal karsinoma insitu
- Bir aydan uzun süren diyare ya da 38°C ve üzerinde beden ısısı artışı
- Oral mukozda kıllı lökoplaklar
- En az iki ya da daha fazla dermatomda Herpes zoster enfeksiyonu
- İdiyopatik trombositopenik purpura
- Listerioz enfeksiyonu
- Özellikle tuboavarial apse komplikasyonlu pelvik inflamatuar hastalık
- Periferal nöropati

Evre C:
- Bronşlarda, trakeada, akciğerlerde ya da özefagusta Mantar enfeksiyonu
- Yaygın servikal kanser
- Yaygın ya da akciğer dışı koksidioidomikoz enfeksiyonu
- Akciğer dışı kriptokok enfeksiyonu
- Bir aydan uzun süren kriptosporidosisin neden olduğu barsak enfeksiyonu (uzamış diyare, kilo kaybı, ateş gibi bulgularla seyreder)
- Karaciğer, dalak ya da lenf düğümleri dışında sitomegalovirüs enfeksiyonu
- Görme kaybı ile birlikte seyreden sitomegalovirüs enfeksiyonu
- HIV enfeksiyonuna bağlı ensefalopati
- Herpes simplex enfeksiyonları: Bir aydan uzun süren pnömoni, bronşit, özefajit ve kronik ülserler
- Yaygın ya da akciğer dışı histoplazmosis enfeksiyonu
- Bir aydan uzun süren kronik isosporiazis barsak enfeksiyonu
- Kaposi sarkomu
- Burkitt lenfoma
- Yaygın ya da akciğer dışı Mikobakterium avium kompleksi yada M.kansasii enfeksiyomu
- Akciğer yada akciğer dışı Mikobakterium tuberkülosis enfeksiyonu
- Mikobakteriumun diğer türlerinin yada tanımlanamayan türlerinin neden olduğu yaygın ya da akciğer dışı enfeksiyonlar
- Pnömonitis karini pnömonisi
- Tekrarlayan pnömoniler
- İlerleyici multifokal lökoensefalopati
- Tekrarlayan salmonella septisemileri
- Beyinde toksoplazma enfeksiyonu
- HIV'e bağlı düşkünlük sendromu

Kaynak: C,;US Sağlık ve İnsan Hizmetleri bölümü 1993 yılında yapılan ve 2016'da yeniden düzenlenen HIV enfeksiyonu ve yaşamını sürdüren adölesan ve erişkinlerde AIDS sınıflama sistemi. MMWR CDC önerileri ve kayıtlarından uyarlanmıştır.

yapma, deride eritemli, ödemli ve akıntılı yaralar, yüzde, dudaklarda ya da perianal bölgede lezyonlar, perineal kaşıntı ile birlikte ya da kaşıntı olmaksızın inatçı vajinal akıntı ve inatçı karın ağrısı gibi enfeksiyon bulgularının olup olmadığını izlemelidir.

Enflamatuar yanıt bozulduğu için hastanın fiziksel bulguları belirsiz ya da alışılmışın dışında bulgular olabilir. Yaşam bulguları, ağrı, nörolojik bulgular, öksürük ve deri lezyonları izlenmeli ve kayıt edilmelidir. Nabız ve solunum tam dakika sayılmalı, küçük değişiklikler de önemli olacağından bildirilmelidir. Lökosit ve farklılaşmış hücre değerleri gibi laboratuvar bulguları izlenmeli ve kaydedilmelidir. Drenajlı yaralardan, balgam, gaita, idrar ve kandan kültür için örnek alınarak antibiyotik duyarlılık testleri yapılmalıdır.

Tanılamada beslenme durumunun değerlendirilmesi, stres ve baş etme yöntemleri, alkol, ilaç ve sigara alışkanlıkları ve genel hijyen alışkanlıkları gibi immün işlevleri etkileyebilecek durumların değerlendirilmesi de önemlidir.

Diğer girişimler direkt olarak hastanın enfeksiyon riskini azaltmak, immün sistem işlevlerini, beslenmeyi düzeltmek, bağırsak ve mesane işlevlerinin sürdürülmesine yardımcı olmak amacına yönelik olarak planlanır.

Hemşirelik bakımı planlamasında stres yönetimi ve immün sistem fonksiyonlarını arttırmaya yönelik yaşam biçimi düzenlemelerine de yer verilmelidir.

Hastaya kemik iliği transplantasyonu, interferon gibi tedaviler uygulanmadan önce hasta ve yakınları tedavinin yararları ve olası riskleri konusunda bilgilendirilmelidir. Hasta ve yakınlarının tedavi seçenekleri ve istenmeyen sonuçları ile baş edebilmelerinde hemşirenin rolü önemlidir.

Hasta eğitimi ve destekleyici bakım: Hasta ve yakınları enfeksiyon belirti ve bulguları, immün sistemin baskılanması nedeniyle görülebilecek atipik bulgular, koruyucu tedaviler, enfeksiyondan korunma önlemleri, fiziksel durumunda istenmeyen değişiklikler olduğunda sağlık kuruluşuna baş vurmasının gerekliliği ve önemi konusunda eğitilmelidir. İmmün yetersizliği olan hastaya evde intravenöz immün-globülin (IVIG) tedavisi uygulaması yapılacaksa bu konuda hasta ve yakınları eğitilmelidir.

Sekonder immün sistem yetersizlikleri:
Bu kapsamda Sekonder immün yetersizlik hastalıklarının en önemlilerinden olan HIV/AIDS incelenecektir.

HIV(HUMAN IMMUNODEFİCİENCY VIRUS) ENFEKSİYONU VE AIDS(ACQUİRED IMMUNE DEFİCİENCY SYNDROME) Edinmiş

AIDS ve HIV enfeksiyonu ilk kez saptandığı 1982 yılından bu yana Dünya da giderek artan olgularla bir pandemiye dönüşmektedir.

Epidemiyoloji: İlk AIDS olgularının saptandığı 1982 yılında Hastalık Kontrol ve Koruma Merkezi(CDC-Centers of Disease Control and Prevention) tarafından 100 olgu bildirilmiştir. Bu yıldan sonra bildirilen olgular giderek artmaktadır.

UNAIDS Joint United Nations Programme on HIV/AIDS Global Report (UNAIDS | 2016–2021 Strategy) verilerine göre dünyada yaklaşık 40 milyon HIV pozitif birey olduğu, 22 milyon kişinin tedavi edilmeden yaşadığı bildirilmektedir.

Ülkemizde ilk defa 1985 yılında iki HIV/AIDS vakası olduğu bildirilmiş, daha sonra her yıl vaka sayılarında giderek artma gözlenmiştir. T.C Sağlık Bakanlığı verilerine göre AIDS insidansı 2014 yılında 100.000 nüfusta 0,16 iken 2015 yılında 0,15'e düşmüştür. 2015 yılında 118 yeni olgu bildirilmiştir.

Etiyoloji: AIDS etiyoljisinde HIV (Human Immunodeficiency Virus) rol oynamaktadır. HIV hücre yapısını bozan bir RNA virüsüdür. HIV-1 ve HIV -2 olmak üzere iki tipi vardır. Dünya da yaygın olarak hastalığa neden olan HIV-1 olup, HIV-2'yle ilgili bildirilen olgu sayısı azdır. Batı Afrika'da HIV-2'le ilgili daha fazla sayıda olgu bildirilmiştir. HIV çok çabuk değişikliğe uğrayan bir virüstür.

Patoloji: Retrovirüs grubundan olan HIV, genetik özelliklerini DNA'dan çok RNA yapısında taşımaktadır. Virüsün yapısında glikoproteinlerden oluşan gp120 virüs zarf proteini hücre üzerindeki CD4 molekülüne bağlandıktan sonra hücre içine alınır ve zarftan kurtulduktan sonra viral reverse transkriptaz (RT) enzimi virüs RNA'sını çift sarmal DNA'ya çevirir (provirüs). Enfekte olan hücrenin aktive olmasıyla birlikte provirüs DNA'nın transkripsiyonu başlar. RNA üretimi, protein sentezi sonucu ortaya çıkan virüsler tomurcuklanma yolu ile hücreden ayrılır. CD4'ü uyaran tüm hücreler (CD4 T lenfositler) HIV için hedef oluşturur. Monositler ve makrofajlar CD4 taşımaları nedeniyle HIV tarafından enfekte edilirler.

Hastalığın evreleri: HIV enfeksiyonunun adölesan ve erişkinlerdeki evrelemesi CDC'nin 1993 yılında yaptığı evrelemeye göre laboratuar verileri (CD4 + hücrelerinin sayısı) ve hastadaki klinik belirti ve bulgulara göre iki grupta incelenir. Evreleme Çizelge 45. 2'de verilmiştir.

Klinik belirti ve bulgular: HIV/AIDS'li hastalar hastalığın ve tedavinin neden olduğu bir çok belirti ve bulgu deneyimlerler. Hemşire hastanın yaşam kalitesini arttırıcı girişimleri planlayıp uygulayabilmek için bu belirti ve bulguların nedenlerini bilmelidir. HIV/AIDS'in yaşamsal önemi olan organ ve sistemleri etkileyebilen bir çok klinik belirti ve bulgusu vardır. HIV/AIDS hastalığında enfeksiyonlar, maligniteler ve enfeksiyonun vücut dokularına etkisine bağlı olarak belirti ve bulgular gelişir. Bu belirti ve bulgular etkilenen sistemlere göre aşağıda verilmiştir.

Solunum sistemi belirti ve bulguları: AIDS'li hastada Pnömonitis karini, Mikobakterium avium, Sitomegalovirüs gibi etkenlere bağlı fırsatçı enfeksiyonlar solunum sıkıntısı, öksürük, göğüs ağrısı ve yüksek ateşe neden olabilir. AIDS'li hastalarda en yaygın görülen fırsatçı enfeksiyon Pnömonitis karini (P.karini) pnömonisidir.

Pnömonitis karini pnömonisi: HIV ile enfekte bireylerin %80'ninde Pnömonitis karini pnömonisi gelişir. P.karini diğerlerinden farklı yapı ve antimikrobiyal duyarlılığı olan bir mantardır. P.karini yalnız immün sistemi baskılanmış organizmalarda hastalık etkeni olarak akciğer parankim dokusunda yerleşerek enfeksiyona neden olur. Bağışıklık sistemini baskılayan diğer durumlara göre daha yavaş seyirli belirti ve bulgular ortaya çıkar. Belirti ve bulguların ortaya çıkışı haftalar ya da aylar alabilir. Başlangıç belirti ve bulguları; sekresyonsuz öksürük, ateş, üşüme-titreme, solunum güçlüğü ve nadiren göğüs ağrısı gibi spesifik olmayan bulgulardır. Arteriyel oksijen konsantrasyonu orta düzeyde azalır. Bu nedenle düşük düzeyde hipoksemi vardır. Tedavi edilmeyen olgular ilerleyerek akciğer işlevlerinde önemli derecede bozulma ve solunum Yetersizliğine neden olabilir. Bazı hastalarda hızla hipoksemi, siyanoz, taşipne ve mental durum değişikliği gelişir. Başlangıç bulgularından iki üç gün sonra solunum Yetersizliği gelişir. P.karini tanısı mikroorganizmanın balgam, bronko-alveoler lavaj ve bronkoskopi ile alınan biyopsi örneğinde saptanması ile konur.

Mikobakteriun avium kompleksi: AIDS'li hastalarda fırsatçı enfeksiyonlara neden olan bir etkendir. Genellikle solunum yolu enfeksiyonuna neden olmakla birlikte, gastrointestinal sisitem, lenf düğümleri ve kemik iliğinde yaygın olarak bulunur. T hücrelerinin sayısı 100'ün altında olan AIDS'li hastalarda M.avium kompleks enfeksiyonu yaygın olarak görülür. Enfeksiyona bağlı ölüm hızı giderek artmaktadır.

Tüberküloz: Mikobakterium tuberkülozis HIV enfeksiyonunun erken evresinde görülen bir başka fırsatçı enfeksiyondur. Diğer fırsatçı enfeksiyonlardan farklı olarak HIV enfeksiyonunun erken evresinde görülür ve AIDS tanısı konduğunda genellikle tüberküloz enfeksiyonu vardır. Erken evrede akciğerlerde kuru, peynirimsi kazeinifikasyonlu granülom dokusu saptanır. Bu evrede saptanabilen tüberküloz olguları tedaviye iyi yanıt verir. HIV enfeksiyonunun geç evresinde saptanan tüberküloz olguları immün yanıtın bozulması nedeniyle tüberkülin testine yanıt vermez. Bu durum tüberküloz antijenine özgü antikor oluşturamama (anergy) olarak tanımlanır. HIV enfeksiyonunun ileri evrelerinde tüberküloz merkezi sinir sistemi, kemik, perikard, mide, periton ve skrotum gibi akciğer dışı organ ve dokulara yayılma gösterebilir.

Gastrointestinal sistem belirti ve bulguları: AIDS'de iştah azalması, bulantı, kusma, ağız ve özefagusda mantar enfeksiyonu ve kronik diyare gibi GIS belirti ve bulguları vardır. Tüm AIDS'li hastaların %50-90'nında diyare vardır. GIS ilişkin bulgular HIV enfeksiyonunun direkt olarak bağırsak dokusunu etkilenmesinden kaynaklanır. AIDS'li hastalarda diyare vücut ağırlığının %10'nundan fazlasının kaybı, sıvı-elektrolit dengesizliği, perineal bölge derisinde ekskoriasyonlar, güçsüzlük ve alışılmış günlük yaşam aktivitelerini yerine getirememe gibi olumsuzluklara neden olur.

Ağızda mantar enfeksiyonu: AIDS'li hastaların hemen hemen tamamında ağızda mantar enfeksiyonu görülür. Tedavi edilmeyen ağızdaki mantar enfeksiyonları ilerleyerek özefagus ve mideye yayılabilir. Mantar enfeksiyonu ağrılı ve güç yutma, sternum arkasında ağrı gibi belirti ve bulgulara neden olur. Bazen ağızda ülseratif lezyonlar gelişerek mantar enfeksiyonu vücuda yayılır.

Zayıflık/güçsüzlük sendromu: AIDS'in klinik olarak C evresinde görülen bir sendromdur. Tanı kriterleri vücut ağırlığında %10 kayıp, otuz günden uzun süren kronik diyare, kronik güçsüzlük, herhangi bir hastalık olmaksızın açıklanamayan aralıklı ya da inatçı ateştir. Hastadaki protein-enerji malnütrisyonu bir çok faktöre bağlıdır. İştahsızlık, diyare, gastrointestinal emilim bozukluğu ve beslenme yetersizliği zayıflık/güçsüzlük sendromunun oluşmasına neden olur.

Tümör nekrozis faktörü (TNF) ve interlukin-1(IL-1) gibi sitokinler AIDS'e bağlı güçsüzlük sendromunun oluşumunda önemli rol oynarlar. Her iki faktör de direkt olarak hipotalamusu etkileyerek iştahsızlığa neden olur. Beden ısısındaki 1°C artış metabolizmayı %14 arttırır. TNF yağ metabolizması için gerekli enzimleri azaltarak lipitlerin kullanımını etkisiz hale getirir. IL-1 aminoasitlerin kas dokusundan salınımını uyarır.

AIDS'li hastalarda yağ metabolizması ile ilgili olarak protein metabolizmasının artışı kas dokusu ve protein yıkımı nedeniyle vücut kitlesinde azalmaya neden olur. Sitokin düzeyindeki kronik yükselme AIDS'li hastalarda doku kaybı ve vücut kitlesinde azalma olmaksızın aylarca devam edebilir. Enfeksiyonlar ve sepsisin TNF, IL-1 ve diğer doku medyatörlerinde yükselmeye neden olduğu kabul edilmektedir. TNF ve IL-1 düzeyindeki bu geçici yükselmenin kas güçsüzlüğünü tetiklediği düşünülmektedir.

45. İmmün Sistem Hastalıkları

Onkolojik Bulgular: AIDS'li hastalarda, HIV'in kanser hücrelerinin gelişimini uyarması ya da bağışıklık eksikliğinin kansere neden olan virüsler ve sağlıklı hücrelerin kanser hücresine dönüşmesini kolaylaştırması gibi nedenlerle kanser insidansı alışılmıştan yüksektir. CDC AIDS'e bağlı gelişebilecek kanserleri Kaposi sarkomu, B-hücreli lenfomaların belirli tipleri ve invaziv servikal karsinomalar olarak gruplandırmıştır. AIDS'li hastalarda deri karsinomu, mide, pankreas, rektum ve mesane kanserleri de diğer bireylerden daha fazla görülmektedir.

Kaposi Sarkomu (KS): AIDS'li hastalarda lenf ve kan damarlarının endotel tabakasını tutan bir kanser türüdür. Edinilmiş KS immünosüpressif ajanlarla tedavi edilen ve organ transplantasyonu yapılan hastalarda yaygın olarak görülür. Biseksüel ve homoseksüel erkek AIDS'li hastalarda KS yaygın olarak görülür. KS tüm çeşitlerinde histopatoloji hemen hemen aynı olmasına karşın, klinik bulgular farklıdır. AIDS'le ilişkili KS'de bulgular oldukça değişik ve şiddetlidir. Hastaların %90'da deri ile ilgili bulgular vardır.

Deri ile ilgili bulgular ile CD4 hücrelerinin sayıları arasında ilişki vardır. Genellilikle CD4 hücre sayısı 200-300 ya da altında olan hastalarda deride kuruluk, ağız mukozasında kıllı lökoplaklar ve mantar enfeksiyonu, yüzde yumuşak kıvamlı yaygın yumrular görülür. Deri ile ilgili bulgular vücutta herhangi bir yerde genellikle kahverengimsi, morumsu yüzeyi düz ya da ödemli lezyonlarla karakterizedir. Lezyonların yerleşimi ve büyüklüğüne göre venöz staz, lenfödem ve ağrıya neden olabilir. Ülseratif lezyonlar deri bütünlüğünü bozarak enfeksiyona eğilimi arttırır ve hastada rahatsızlık yaratırlar. En yaygın tutulum Gastrointestinal bölge, lenf düğümleri ve akciğerlerdir. Bu tutulumlar organ yetersizliğine, kanama, enfeksiyon ve ölüme neden olabilir. KS'da tanı kuşkulu lezyondan biyopsi alınarak konur. Prognoz tümörün büyüklüğüne, belirti ve bulgulara, CD4 hücre sayısına göre değişir. Tümörün ilerlemesi ölüme neden olabilir.

Hodgkin-dışı lenfoma: AIDS'li hastalarda görülen ikinci önemli malignitedir. Genel popülasyona göre Hodgkin-dışı lenfoma AIDS'li hastalarda daha genç yaşta görülür. AIDS'li hastlarda görülen lenfomalar lenf düğümleri dışında beyin, kemik iliği ve gastrointestinal sisteme daha fazla yayılma eğilimindedir. Bu tip lenfomalar ileri evrede, hızla büyümeye eğilimli ve tedaviye dirençlidir. Bir çok organ ve dokuyu etkilediği için fırsatçı enfeksiyonların görülme sıklığı fazladır.

Nörolojik bulgular: AIDS'li hastaların %80'ninde HIV enfeksiyonu süresince nörolojik bulgular görülür. Nörolojik bulgular merkezi, periferik ve otonom sinir sistemini etkiler. HIV'in direkt olarak sinir sistemi dokularını etkilemesi ile nörolojik işlev bozukluğu gelişir. Bunlar fırsatçı enfeksiyonlar, primer ya da metastatik tümörler, serebrovasküler değişiklikler, metabolik ansefalopatiler ya da tedavinin komplikasyonları şeklinde gelişir. HIV enfeksiyonuna bağışıklık sisteminin yanıtı merkezi sinir sisteminde atrofi, demiyelinizasyon dejenerasyon ve nekroza neden olur. Bunlara bağlı olark HIV ensefalopatisi, Cryptococcus neoformans (menenjite neden olan mantar) enfeksiyonu, periferal nöropati gibi hastalıklar gelişebilir.

Psikolojik bulgular: HIV enfeksiyonunda depresyon prevalansı bilinmemektedir. Ağrı, kilo kaybı, hastalık hakkındaki endişeler, toplumdaki damgalama depresyon gelişimine neden olabilmektedir. HIV/AIDS'li bireylerde depresyona bağlı kendisini gereksiz suçlama ve durumundan utanç duyma, özsaygıda azalma, umutsuzluk ve intihar eğilimi görülebilir.

Kas-iskelet sistemi bulguları: Kreatin kinaz ve diğer kas enzimlerinde artış meydana gelir. Bunlar bağlı olarak miyalji, proksimal kaslarda güçsüzlük, hassasiyet, atrofi, halsizlik gelişebilir.

Deri bulguları: HIV enfeksiyonunda deri bulguları fırsatçı enfeksiyonlar ve malignitelerle birlikte görülür. Daha önce değinilen KS, H.zoster ve H.simplex gibi fırsatçı enfeksiyonlar ağrılı veziküllere ve deri bütünlüğünde bozulmaya neden olur. Molluscum contagiosum olarak tanımlanan yüzde yumuşak kıvamlı yaygın yumrularla karakterize viral enfeksiyonlar, kafa derisi ve yüzde yaygın seboreik dermatitler gelişebilir. Egzema ya da psoriaziste olduğu gibi deride kuruluk, hassasiyet ya da atopik dermatitle birlikte görülen yaygın follikülitler gelişebilir. Trimethoprim-sulfamethoxazole (TMP-SMZ) ile tedavi edilen hastaların %60'ında ilaca bağlı kaşıntılı, kırmızı döküntüler ve papüller görülebilir. Bu döküntülü lezyonlar hastada rahatsızlığa ve enfeksiyon gelişme riskinin artmasına neden olur.

Endokrin bulgular: HIV enfeksiyonunda endokrin sisteme ilişkin bulgular tam olarak anlaşılamamıştır. Otopside endokrin bezlerde fırsatçı enfeksiyonlara bağlı yıkımlar ve maligniteler saptanabilmektedir. Tedavinin endokrin işlevlerin etkileyebileceği düşünülmektedir.

Jinekolojik bulgular: Kadınlarda tekrarlayan inatçı vajinal mantar enfeksiyonları HIV'in ilk bulgularındandır. Geçirilmiş ya da var olan genital enfeksiyonlar HIV enfeksiyonun bulaşması için risk faktörüdür. HIV enfeksiyonlu kadınlarda genital ülserler ve cinsel yolla bulaşan hastalıkların görülme oranı artar. Cinsel ilişkiyle geçen Human papillomavirus servikal intra epiteliyal kanserlerin gelişme

İmmün Sistem

riskini arttırır. HIV enfeksiyonlu kadınlarda servikal intraepiteliyal kanser gelişimi riski enfeksiyonu olmayan kadınlardan on kez fazladır. HIV seropozitifliği ile anormal Pap smear testi arasında güçlü bir ilişki vardır. HIV seropozitif kadınlarda servikal karsinomalar daha hızlı ilerler ve daha kısa sürede ölümle sonuçlanır.

HIV enfeksiyonlu kadınlarda pelvik inflamatuar hastalık (PID) gelişme riski ve bu nedenle hastaneye yatırılma oranları oldukça fazladır. HIV enfeksiyonlu kadınlarda amenore ya da ara kanama gibi mensturasyon bozuklukları diğer kadınlara göre daha sıktır.

Tanı yöntemleri: HIV enfeksiyonun ilk evresinde hastada bazı belirti ve bulgu olabilir ya da olmayabilir. Tanılama aşağıdaki adımlar doğrultusunda yapılır.

Öykü alma: Hastanın tanılamasında ilk adımdır. Hasta öyküsünde cinsel yaşam alışkanlıkları, ilaç ve madde bağımlılığı öyküsü, kan veya kan ürünleri transfüzyonu ya da organ nakli öyküsü alınmalıdır. Bunun yanı sıra sağlık personeli için hasta ya da kuşkulu bireyin bakımı sırasında vücut sıvıları ile korumasız temas, iğne ya da kesici-delici cisim ile yaralanma öyküsü olup olmadığı sorulmalıdır.

Laboratuvar incelemeleri:
-HIV antikor testleri: HIV enfeksiyonu etkeninin alınmasından sonra virüse karşı antikor oluşması için 3-12 haftalık bir süre geçmesi gerekmektedir. HIV antikorlarını saptayabilmek için iki farklı kan testi yapılmaktadır.

ELISA (Enzyme linked immünosorbent assay): HIV'e karşı oluşan özel antikorları saptamak amacıyla yapılır. Anti-HIV antikorlarının oluşumu için yeterli süre geçmeden yapılan testlerde negatif sonuç alınabilir. Bu dönem pencere dönemi olarak tanımlanmaktadır. HIV kuşkulu bireyde yapılan ELISA testinden negatif sonuç elde edildiğinde henüz antikor oluşması için gerekli süre geçmemiş olabilir. Bu nedenle testin daha sonra tekrarlanması gerekir. ELISA testi ucuz, çabuk yanıt alınan ve uygulanması kolay bir testtir. Ancak yanlışlıkla pozitif yanıt verme olasılığı fazla olan bir test olduğu için test pozitif sonuç verdiğinde daha sonra bir kez daha tekrarlanmalıdır. İkinci tekrarda da pozitif sonuç alınırsa doğrulama testleri yapılır.

ELISA testi kollajen doku hastalıkları, kronik hepatit, sıtma, hodgkin lenfoma gibi hastalıklarda da pozitif reaksiyon verebilir. Bu nedenle HIV kuşkusunda ikinci tekrar ve doğrulama testlerine gereksinim duyulur. ABD'de Food and Drug Assosaciation (FDA) 2002 yılı Kasım ayında HIV kuşkusu olan bireylerde hızlı HIV antikor testi (Ora Quick rapid HIV-1 Antibody Test) yapılmasını onaylamıştır. Bu test ile bir damla kan alınarak yaklaşık yirmi dakika içinde %99.6 doğruluk oranı ile HIV-1 antikorları güvenilir şekilde saptanabilmektedir. Bu yöntemle bireyin HIV enfeksiyonu durumu erken dönemde tanımlanarak, bakım ve bulaşmanın önlenmesi için gerekli koruyucu önlemler alınabilmektedir.

Western blot testi: İki kez tekrarlanan ELISA testi pozitif sonuç verdiğinde seropzitifliği doğrulamak için yapılır. Her iki testi de yapmadan önce hastadan yazılı izin alınması ve test sonuçlarının hastanın mahremiyetine saygı göstererek korunacağı konusunda açıklama yapılaması gereklidir.

Viral yükleme testleri: Plazma HIV RNA düzeylerinin izlenmesinde kullanılır. Bu testler HIV enfeksiyonunun tedaviye yanıtını ve virülansı izlemek amacıyla yapılır. HIV enfeksiyonun seyrinde CD4 hücre sayılarının izlenmesinde yararlanılır. HIV enfeksiyonunun tanı ve izleminde hastanın immün durumunu değerlendirmede kullanılan testler Çizelge 45.3'de ve Çizelge 45.4'de verilmiştir.

Çizelge 45.3: HIV Enfeksiyonunun Tanı ve İzleminde ve İmmün Durumu Değerlendirmede Kullanılan Bazı Testler

Test	HIV Enfeksiyonu Bulguları
HIV antikor testleri • ELISA • Western Blot • Indirect immunofluresence assay (IFA) • Radioimmunoprecipitation assay (RIPA)	-Pozitif sonuç Western Blot testi ile doğrulanır -Pozitif -Pozitif Western Blot'dan daha hassas ve spesifiktir
HIV izleme • P24 antijeni • Polimeraz zincir reaksiyonu • HIV1 için periferal kan mononükleer hücre (PBMC) kültürü • Kantitatif hücre kültürü • Kantitatif plazma kültürü • B2 mikroglobulin • Serum neoprotein	-Serbest viral proteinler için pozitif -HIV DNA ya da RNA'sının bulunması -Pozitif sonuç alındığında art arda yapılan iki incelemede tersine transkriptaz ya da p24 antijeninin miktarında belirgin bir artış saptanır -Hücrenin viral yükünü ölçer -Plazmadaki serbest virüs yükünü ölçer -Hastalığın ilerlemesiyle miktarı artar -Hastalığın ilerlemesiyle miktarı artar
İmmun durum • % CD4 + hücreler • CD4/CD8 oranı • WBC sayısı • İmmunglobulin düzeyleri • CD4 hücre fonksiyon testleri • Deri testi duyarlılık reaksiyonu	-Azalır -Azalır -Normal yada az -Artar -T4 hücreleri antijenine yanıt verebilmek için azalmıştır -Az ya da yok

Kaynak: Smeltzer SC., Bare BG. (1996) Medical-Surgical Nursing. Eight Edit. Lippincott Comp. 1397

960

sessiz dönem → grip belirti
Sistemik belirti → 20 yıl sonra

45. İmmün Sistem Hastalıkları

Çizelge 45.4: İmmünoljik Durumun Değerlendirilmesinde Kullanılan Testler

Lökosit ve lenfosit testleri
- Beyaz kan hücrelerinin ve farklıklaşmış beyaz kan hücrelerinin sayımı
- Kemik iliği biyopsisi

Sıvısal İmmünite testleri
- Monoklonal antikor testi ile B-hücresi sayısının belirlenmesi
- In vivo T hücresi sayısı
- Özel antikor yanıtı
- Total serum immünglobulinleri ve kişiye özel immünglobülinler

Hücresel İmmünite testleri
- Total lenfosit sayısı
- T-hücresi ve monoklonal antikorlarla oluşan T-hücresi sayısı
- Gecikmiş aşırı duyarlılık deri testleri
- Sitokin üretimi
- Mitojen, allojen ve antijen hücrelerine lenfosit yanıtı
- Yardımcı ve baskılayıcı T-hücresi işlevleri

Fagositik hücre işlev testleri
Nitroblue tetrazolium reduktaz assay

Kompleman bileşim testleri
- Total serum hemolitik komplemanı
- Bireysel komplement bileşimleri titrasyonu
- Radial immunodiffüzyon
- Elektroimmünassay
- Radioimmünassay
- Immünonephelometric assay
- İmmünelektroforez

Aşırı duyarlılık testleri
- Kazıma testi
- Patch (yama) testi
- Intradermal test
- Radioallergosorbent tets

Spesifik antijen-antikor testleri
- Radioimmünassay
- Immunofloresence testi
- Aglutinasyon testi
- Komplement fiksasyon testi

HIV enfeksiyonu testleri
- Enzyme-linked immunosorbent assay (ELISA)
- Western blot
- CD4 ve CD8 hücre sayıları
- P24 antijen testi
- Polimerase zincir reaksiyon (PCR)

Tedavi: HIV enfeksiyonun tedavi protokolleri oldukça sık değişmektedir. Tedavi hastaya özgü üç faktöre bağlı olarak belirlenir. Bunlar; HIV RNA (viral yük) düzeyi, hastanın CD4 T-hücrelerinin sayısı ve klinik durumudur.

İlaç tedavisi: HIV enfeksiyonun tedavisinde kullanılan ilaçlar antiretroviral ajanlar olarak adlandırılmaktadır. Son yıllarda antiretroviral ajanların sayıları giderek artmaktadır. Antiretroviral tedavi rejimleri karmaşık, önemli yan etkileri olan, virüsün hızla yapı değiştirmesi ve viral direnç nedeniyle ciddi güçlükler yaratan tedavilerdir. Tedavide amaç, virüsün sayısının artışını olabildiğince en üst düzeyde ve sürekli baskılamak, immün fonksiyonları düzeltmek ya da korumak, yaşam kalitesini düzeltmek, HIV'e bağlı hastalık ve ölüm oranlarını azaltmaktır. Tedaviye alınmayan olgularda viral yükleme testinin tanıyı izleyerek her üç-dört ayda bir, T-hücrelerinin sayısının belirlenmesinin her üç-altı ayda bir tekrarlanması önerilmektedir.

Tedaviye olan yanıt viral yük testleri ile değerlendirilir. Viral yük testleri tedaviye başlamadan önce ve antiretroviral tedavi uygulanmasını izleyen 2-8 hafta arasında tekrarlanmalıdır. Antiretroviral tedavinin toksik yan etkileri açısından hemşire hastasını ve tedaviye yeni eklenen antiretroviral ilaçlar ve yan etkileri ile ilgi gelişmeleri izlemelidir. HIV/AIDS tedavisinde kullanılan ilaç grupları, olası toksik etkileri, kullanım önerisi ve kombine tedaviler Çizelge 45.5'de verilmiştir.

Immün sistem düzenleyici tedavi: HIV enfeksiyonunda yalnız virüsün baskılanmasını sağlayıcı tedavi değil aynı zamanda bağışıklık sistemin tekrar düzeltmek ya da güçlendirmek amaçlı tedavi uygulamak da gerekir. Bu konuda interlukin-2, interlukin-12, diğer sitokin ve lenfokinlerin etkinliğine ilişkin çalışmalar sürdürülmektedir.

Aşı: HIV-1'e karşı aşı geliştirmek oldukça güçtür. Ancak enfeksiyon etkeninin saptandığı günden bu yana bu konudaki çalışmalar sürdürülmektedir.

Bulaşma yolları ve risk grupları: HIV ya da CD4 T lenfositleri içeren kan, vajinal sekresyon, meni, amniyon sıvısı ve anne sütü gibi vücut sıvıları ile bulaşma olmaktadır. Başlıca bulaşma yolları üç grupta incelenebilir;
1. Kan ve kan ürünleri ile
2. Anneden bebeğe intrauterin yaşamda, doğum sırasında ve doğumdan sonra anne sütü ile
3. Korunmasız cinsel ilişki ile
4. İntravenöz ya da intradermal ilaç kullanma alışkanlığı olan bireyler
5. Güvensiz ve çok eşli seksüel ilişkide bulunan bireyler

961

İmmün Sistem

6. Sağlık sorunları nedeniyle kan ve kan ürünleri transfüzyonu yapılan bireyler
7. HIV+ anneden doğan bebekler
8. Sağlık personeli: kesici-delici cisimle yaralanma sonucu HIV+ hastadan sağlık personelinde serokonversiyon riski %0.3'tür. Bütünlüğü bozulmuş deri ve muköz membranlardan kan ya da kontamine vücut sıvıları ile sağlık personelinde serokonversiyon riski %0.09' dur. HIV+ sağlık personelinden hastaya geçiş riski çok düşüktür.

HIV enfeksiyonun bulaşması açısından riskli olan gruplar şunlardır:

Korunma: HIV enfeksiyonundan primer korunmada halkın konuya ilişkin eğitilmesi önemli basamaktır. Halk eğitimi aşağıda verilen içerik doğrultusunda basılı ve görsel materyallerle yapılmalıdır.

HIV Enfeksiyonundan korunmada verilecek halk eğitiminin içeriği

1. Güvenli cinsel ilişki için kadın ve erkek kondomu, diyafram vb. koruyucu yöntemlerin kullanımı
2. Kondom ve diğer koruyucuların tek kullanımlık olması
3. Tek eşli cinsel ilişkinin tercih edilmesi
4. Anal ilişkiden kaçınılması
5. Vajina, rektum, peniste yırtık ya da doku bütünlüğünde bozulma varsa cinsel ilişkiden kaçınılması
6. HIV+ ya da ilaç alışkanlığı olan bireylerle cinsel ilişkiden kaçınılması
7. HIV+ ya da ilaç alışkanlığı olan bireylerin kan, kan ürünleri, organ ve doku vericisi olmaması, ortak enjektör, tıraş bıçağı, diş fırçası ve vücut sıvıları ile bulaşma riski olan diğer malzemelerin ortak kullanımından kaçınılması
8. Kan ve kan ürünleri nakli gerektiğinde güvenli ürün temini
9. HIV+ kadınlar ve eşlerine gebeliğin riskleri ve gerekli aile planlaması konularında eğitim verilmelidir.

Sağlık personeli için koruyucu önlemler

CDC ve HICPAC (Hospital Infection Control Advisory Committee-Hastane Enfeksiyonlarının Kontrolü Uygulamaları Öneri Komitesi) 1996 yılında risk azaltıcı ve koruyucu standart önlemler belirlemiştir. Standart önlemler kan ve kan yolu ile bulaşan hastalıklardan korunmada tüm sağlık kuruluşlarında kan, tüm vücut sıvıları ve ter dışındaki tüm salgılardan bütünlüğü bozulmuş deriyi ve muköz membranları korumaya yönelik olarak uygulanmalıdır. Standart önlemlerin birincil amacı nizokomiyal enfeksiyonların bulaşından korumaktır. Bu önlemler enfeksiyondan korunmak için enfeksiyonu olan ya da olmayan tüm hastalara bakım uygularken alınması gereken önlemlerdir. Çizelge 45.6'de enfeksiyondan korunmada alınması gereken standart önlemler verilmiştir.

Sağlık personeli için etkene maruz kaldıktan sonra uyulması gereken korunma önlemleri

Sağlık personelinin kuşkulu yaralanma sonrası HIV riskini azaltmak için koruyucu önlemlerin alınması önemlidir. CDC (1998) kuşkulu maruz kalma sonrası her sağlık personeline anti-HIV maruz kalma sonrası tedavisi uygulanmasını önermekte, bu tedavinin en geç maruz kalmadan sonraki 72 saat içinde başlatılmasını ve dört hafta sürdürülmesini önermektedir. Çizelge 45.7'de kuşkulu maruz kalmada sağlık personelinin izlemesi gereken adımlar verilmiştir.

Hemşirelik yönetimi: AIDS'li hastanın hemşirelik bakımı enfeksiyonun diğer organ ve sistemleri etkilemesi ve kanserlere neden olması nedeniyle oldukça güçtür. Ayrıca hastada emosyonel, sosyal ve etik sorunlar yaratması da bakımı güçleştirmektedir. AIDS'li hastada bakım planı bireysel gereksinimlerini karşılamaya yönelik olarak planlanmalıdır. AIDS'li hastada saptanabilecek hemşirelik tanıları ve bunlara ilişkin hemşirelik bakım planı örneği Çizelge 45.10'da verilmiştir.

2-Aşırı duyarlılık reaksiyonları ve alerjik hastalıklar

İmmün sistem vücudu zararlı etkenlere karşı koruma görevi görüyorsa da bazen aşırı duyarlılık reaksiyonları ile koruyucu ve iyileştirici fonksiyonlar dokular ve organlar için zarar verici nitelikte olabilmektedir. Herhangi bir antijene karşı organizmanın oluşturduğu bu zarar verici yanıt "aşırı duyarlılık/ hipersensitivite" ya da alerjik reaksiyonlar olarak tanımlanmaktadır. Alerji sözcüğü ilk kez 1906 yılında Van Pirguet tarafından kullanılmıştır.

Aşırı duyarlılığın oluşumunu etkileyen faktörler:

Aşırı duyarlılık oluşumu ve şiddeti değişik faktörlere bağlıdır.

Bunlar:

Konakçının savunma durumu: Bazı kişiler aşırı duyarlılık reaksiyonuna daha yatkın durumdadır. Atopi sözcüğü genetik olarak aşırı duyarlılığa yatkınlığı tanımlar. Atopik kişiler alerjenlere karşı IgE antikorları üretirler.

Alerjenin yapısı: Bütün alerjenler ve antijenler yüksek molekül ağırlıklı proteinlerdir. Ancak penisilin gibi bazı haptenler yüksek düzeyde Alerjendir.

Alerjenin yoğunluğu: Yoğunluğu fazla olan alerjenler daha şiddetli reaksiyona neden olur.

Alerjenin vücuda giriş yolu: Alerjenler çoğunlukla inhalasyon, enjeksiyon, sindirim ya da direkt temas yoluyla vücuda girerler. İnhalasyon en sık görülen giriş yoludur.

962

45. İmmün Sistem Hastalıkları

Çizelge 45.5: HIV/AIDS Tedavisinde Kullanılan Antiretroviral Ajanlar

İlaç	Yan Etkiler	Öneriler	Birlikte Kullanılan Preperatlar
Nucleosit analogları-Tersine transkriptaz inhibitörleri(NRTIs)			
Zidovudine(AZT,Retrovir)	Kemik iliği baskılanması; anemi nötropeni Subjektif yakınmalar: GI yakınmalar, iştahsızlık, güçsüzlük, baş ağrısı, uykusuzluk, yorgunluk	Yemeklerle birlikte alınmamalı	Zidovudine/lamivudine(Combivir);Retrovir, Epivir ve Ziagen(Trizivir)
lamivudine (3TC, Epivir)	Minimum düzeyde toksisite; anemi, yorgunluk, saç dökülmesi, baş ağrısı, bulantı, periferal nöropati	Yemeklerle birlikte alınmamalı	Zidovudine/lamivudine (Combivir); Retrovir, Epivir ve Ziagen (Trizivir)
d4t (Zerit, stavudine)	Periferal nöropati, pankreatit, mantar enfeksiyonları, bulantı, yüzde zayıflama ve bitkinlik	Yemeklerle birlikte alınmamalı	
ddi(Videx,didanosine,Videx EC-enterik kaplı, salınımı geç)	Diyare, bulantı, ağızda ülserler, pakreatit(ölümcül yada ölümcül olmayan), periferal nöropati	Yemeklerden yarım saat önce yada bir saat sonra alınmalıdır. Alkolle birlikte alınmamalıdır	
ddc(Hivid, zalcitabine)	Periferal nöropati, stomatit, bulantı, çok nadir olarak pankreatit	Yemeklerle birlikte alınmamalı	
Abacavir (Ziagen)	Ölümcül olabilen aşırı duyarlılık reaksiyonu, ateş, döküntü, bulantı, kusma, yorgunluk, güçsüzlük, uykusuzluk, iştahsızlık	Aşırı duyarlılık reaksiyonu geliştiğinde ilaç kesilmeli ve tekrar başlanmamalıdır.	Retrovir, Epivir, Ziagen (Trizivir)
Nucleosid olmayan tersine transkriptaz inhibitörlri (NNRTIs)			
Nevirapine (Viramune)	Deride döküntüler, transaminazlarda yükselme, hepatit, ateş, baş ağrısı, bulantı, midede rahatsızlık	Yemeklerle birlikte alınmamalı	
Delavirdine (Rescriptor)	Deride döküntüler, transaminazlarda yükselme, baş ağrısı, diyare, yorgunluk midede rahatsızlık	Yemeklerle birlikte alınmamalı	
Efavirenz (Sustiva)	Alışılmışın dışında rüyalar, konsantrasyon bozukluğu, anksiyete, baş dönmesi, sersemlik, uyuşukluk gibi MSS bulguları, transaminazlarda yükselme, bulantı, yalancı pozitif cannabinoid testi	Aşırı yağlı yemeklerden sonra alınmamalıdır	
Tenofovir (Viread)	Genellikle iyi tolere edilir Yan etkisine ilişkin veriler yoktur Orta düzeyde bulantı, diyare, kusma ve gaz gibi GI yakınmalar	Yemeklerle birlikte alınmalı Laktik asidoz ve hepatomegali izlenmelidir	
Proteaz inhibitörleri			
Nelfinavir (Viracept)	Diyare, hiperglisemi, yağ dağılım bozuklukları ve lipid anormallikleri	Yemeklerle yada ara öğünlerle birlikte alınmalıdır	
Ritonavir (Norvir)	Periferal nöropati, karaciğer toksisitesi (hepatitler), GI rahatsızlık, bulantı, kusma, diyare, ağız çevresi ve ektremitelerde paresteziler, zayıflık, tat değişklikleri. Trigliseridlerde %200'den fazla yükselme, transaminazlarda yükselme, hiperglisemi, yağ dağılım bozuklukları ve lipid anormallikleri	Yiyeceklerle birlikte alınmalıdır. Kapsüller dondurularak alınabilir, ancak oral solüsyonlar dondurulmamalıdır	
Squinavir (Invirase, Fortovase)	Yorgunluk, GI rahatsızlık, bulantı, diyare, baş ağrısı, transaminazlarda yükselme, hiperglisemi, yağ dağılım bozuklukları ve lipid anormallikleri	Invirase'ın ritonavir ile birlikte kullanımında yiyeceklerin etkisi yoktur. Fortovase bol miktarda yiyecekle birlikte alınmalıdır. Fortovase dondurulabilir yada oda ısısında üç ay saklanabilir	Lopinavir ve ritonavir (Kaletra). Ek yan etkiler: uykusuzluk, karın ağrısı, döküntü. Yiyecekle birlikte alınmaıdır.
İnavir (Crixivan)	Böbrek taşları, GI rahatsızlık, bulantı,indirekt bilurubinemi artışı, baş ağrısı, güçsüzlük, bulanık görme, baş dönmesi, döküntü, ağızda metalik tat, trombositopeni, hiperglisemi, yağ dağılım bozuklukları ve lipid anormallikleri	Yemeklerden bir saat önce yada iki saat sonra alınmalıdır. Yağsız süt ya da yağ oranı düşük yemeklere alınabilir. Orijinal kabında saklanmalı ve bol suyla alınmalıdır.	
Aprenavir (Agenerase)	Diyare, bulantı, ağızda uyuşukluk, döküntü, kusma	Yüksek yağ oranı içeren yiyeceklerle alımından kaçınılmalıdır	

Smeltzer SC,Bare BG. (2004) Brunner and Suddarth's Textbook of medical-Surgical Nursing.10 th.edit.Lippıncott Wıllkıns.Philadelphia,1557-1558

Çizelge 45.6: Enfeksiyondan Korunmada Alınması Gereken Standart Önlemler

El yıkama/El hijyeni
- Eldiven giyilmiş olsun yada olmasın hasta kanı, vücut sıvıları ve bunlarla kirlenmiş olan materyallerle temastan sonra ellerinizi yıkayınız
- Bir hastadan diğerine enfeksiyonun bulaşmasını önlemek için her hasta için yapılan girişimden sonra eldiveni çıkarıp ellerinizi yıkayınız
- Çapraz bulaşmayı önlemek için aynı hasta için yapılan girişimlerde bir işlemden diğerine geçmeden önce ellerinizi yıkayınız
- Günlük el temizliğinde antimikrobiyal olmayan sabun ya da alkol bazlı el temizlik malzemeleri kullanınız
- Salgın durumlarında antimikrobiyal ajanlar ya da susuz kullanılan antiseptik ajanlar kullanınız

Eldiven
- Enfekte materyellerle temas edeceğiniz zaman steril olmayan eldiven giyiniz
- Bütünlüğü bozulmuş deriye dokunmadan önce kirli eldivenleri çıkarınız
- Aynı hastada mikroorganizma yoğunluğu fazla olan işlemlerle ilgili girişimlerden sonra iki işlem arasında eldiveni değiştiriniz
- İşlemlerden sonra bir başka hastaya bakım vermeden önce, kirli olmayan malzeme ve yüzeylere dokunmadan önce eldiveni çıkarınız
- Eldiveni çıkardıktan sonra hemen ellerinizi yıkayınız

Maske/yüz ve göz koruyucuları
- Hastanın göz, burun ve ağız gibi müköz membranlarına yapacağınız bakım işlemlerinde kan ve vücut sıvılarının bulaşma ve sıçrama olasılığına karşı maske, göz yada yüz koruyucuları kullanınız

Önlük
- Hastaya yapacağınız bakım işlemlerinde kan ve vücut sıvılarının bulaşma ve sıçrama olasılığına karşı giysilerinizi ve derinizi korumak için temiz, steril olmayan önlük giyiniz
- Yapacağınız bakım işlevi ve sekresyon miktarına göre uygun önlük seçimi yapınız
- Diğer hastalara mikroorganizma bulaşını önlemek için işiniz bittikten sonra önlüğü hemen çıkararak, ellerinizi yıkayınız

Hasta bakım gereçleri
- Hasta kanı ve çıkartıları ile kirlenmiş bakım gereçlerine deri, müköz membranlar, giysilere bulaşmasından korunmak için koruyucu önlemler alarak dokununuz
- Tekrar kullanılabilir araç gereçlerin temizliğinden ve kullanıma uygunluğundan emin olmadan bir başka hastaya kullanmayınız
- Tek kullanımlık gereçleri uygun şekilde atınız/imha ediniz

Çevre güvenliği
- Hastane ortamındaki yüzeylerin, yatakların, yatak kenarlıklarının, yatak başı bakım malzemelerinin ve sık kullanılan diğer yüzeylerin rutin temizliğinin ve dezenfeksiyonunun uygun şekilde yapılmasını sağlayınız
- Temizlik ve bakım işlevlerinin uygun yöntemle yapılmasını sağlayınız

Çamaşırlar
- Kan, kan içeren vücut sıvıları ve sekresyonları ile kirlenmiş çamaşırların, müköz membranlara, deriye ve giysilere bulaşı önlemek için toplanması, taşınması ve temizliğinin uygun yöntemlerle yapılmasını sağlayınız

Mesleki sağlık ve kan yoluyla bulaşan patojenler
- İğne ucu, bistürü ve diğer kesici, delici araçların kullanımı, temizliği ve ortadan kaldırılmasında yaralanmalardan koruyucu önlemler alınız
- İğne uçlarının batmasından korunmak için kullanımdan sonra kapağını takmak yada kıvırmak gibi işlemlerden kaçınınız
- İğneyi kılıfından çıkarmak için mekanik yardımcı araçlar kulanınız
- Kullanılmış iğneyi enjektörden çıkarıp, kıvırma, bükme ya da kırma gibi girişimlerde bulunmayınız
- Kullanılmış iğne ucu, bistürü ve diğer delici, batıcı malzemeleri delinme ve yırtılmaya dayanıklı, kapaklı kutuların içinde toplayınız
- Tekrar kullanılabilir enjektör ve iğneleri delinme ve yırtılmaya dayanıklı, kapaklı taşıma kutuları ile sterilizasyon yapılacak yere gönderiniz
- Resüsitasyon yapmak gerektiğinde ağızdan-ağıza resisütasyon yerine, ağızlık, resüsitasyon torbaları ve diğer ventilasyon gereçlerini kullanmayı tercih ediniz

Hastanın ayrılması
- Çevreye enfeksiyon bulaştırma olasılığı olan, kendi kişisel hijyeni ve çevresini korumayı sağlayamayan hastaları ayrı bir odaya alınız
- Hastayı ayrı odaya almak olanaklı olmadığı durumda hastanın yatırılmasında enfeksiyon kontrol komitesi üyelerinin önerilerini ve diğer alternatifleri değerlendiriniz

Kaynak: Guideline for isolation precauutions in hospitals. İnfection Control and Epidemiology (1996),17,53-80 ve Guideline for hand hygiene in health care settings. Morbidity and Mortality Weekly Report,51(rr-16),1-452den alınmıştır

45. İmmün Sistem Hastalıkları

Çizelge 45.7: Kuşkulu Maruz Kalmada Sağlık Personeli İçin İzlenmesi Gereken Adımlar

Hastaya yapılan bir girişimde iğne yada delici, batıcı cisim yaralanması olan sağlık personeli aşağıdaki adımları izlemelidir
- Yaralanan bölgeyi su ve sabunla yıkayınız
- Delici- batıcı cisim yaralanması kayıtları için yönetici hemşirenize haber veriniz
- Hangi hastaya girişim yaparken yaralandığınızı bildiriniz. Bu hastaya HIV, hepatitis B, hepatitis C gibi testlerin yapılması için gereklidir
- Çalıştığınız sağlık kuruluşunun enfeksiyon kontrol komitesi yada bölümüne haber veriniz
- HIV, hepatitis B, hepatitis C gibi testlerin yapılması için onay veriniz
- CDC standartları doğrultusunda maruz kalma sonrası HIV için önerilen koruyucu tedaviye başlayınız. Koruyucu tedaviye iki saat içinde başlayınız. Testleriniz tamamlanıncaya kadar cinsel ilişkide gerekli koruyucu önlemleri alınız
- Kuşkulu yaralanmadan altı hafta, üç ay, altı ay ve bir yıl sonra testlerinizi tekrar yaptırınız
- Kendiniz ve iş yerinizin kayıtları için yaralanma ile İlgili gerekli ayrıntılı bilgileri veriniz

Kaynak: Worthington,K(2001).You've been stuck:What do you do?American Journal of Nursing:10(3);104

Alerjene maruz kalma: Alerjen maddeye maruz kalındıktan hemen sonra aşırı duyarlılık reaksiyonu oluşur. Alerjik maddeyle ilk karşılaşmada oluşan primer immün yanıt yavaş ve sekonder immün yanıta göre daha az şiddetlidir. Alerjen madde ile temas etme aralığı uzadığında (örn: alerjen madde ile yıllar sonra tekrar karşılaşma) immün yanıt zayıflar.

Patoloji: Aşırı duyarlılık reaksiyonu erken ve gecikmiş tip aşırı duyarlılık olmak üzere iki şekilde gelişir. Her iki tip reaksiyonda da biyokimyasal ve hücresel bileşenler rol oynar. Orta derecede erken reaksiyonlarda immünglobülinler gecikmiş tip reaksiyonlarda T hücreleri hakimdir. Sıvısal yanıt hücresel yanıttan daha hızlı oluşur. Erken ve gecikmiş tip aşırı duyarlılık reaksiyonları dört ana gruba ayrılırlar Çizelge 45.8'de aşırı duyarlılık reaksiyonunun bu dört ana grubu özetlenmiştir.

TipI-Erken/anaflaktik aşırı duyarlılık: Anaflaksi en ciddi aşırı duyarlılık reaksiyonudur. Antijenle temastan hemen sonra birkaç dakika içinde reaksiyon başlar. Larinks de dahil olmak üzere bir çok dokuda ödem, hipotansiyon, kaşıntı gibi bulgularla başlar. Birkaç dakika içinde hırıltılı solunum, dispne, siyanoz dolaşım kollapsı gelişir. Anaflaksi hemen müdahale edilmesi gereken acil bir tablodur. Anaflaksiye neden olan faktörler Çizelge 45. 9'de verilmiştir. Acil bakım ve tedavi ilgili bölümde tartılmıştır (Bkz.Şok).

TipI reaksiyonunda IgG ve IgM antikorlarından çok IgE antikorları rol oynar. Plazma hücreleri lenf düğümlerinde IgE antikorları üretimine başlarlar ve yardımcı T hücrelerinin katkısı ile reaksiyon oluşur. IgE antikorları bazofiller ve bağ dokusundaki mast hücrelerine bağlanmayı sağlayan reseptöre sahiptirler. Mast hücreleri anaflaksiye neden olan yavaş salınımlı histamin ve lökotrinler salgılarlar. Mast hücreleri vazodilatasyon ve kapiller geçirgenlikte artışa neden olarak doku aralığında sıvı birikimine neden olur. Lökotrinler bronş düz kaslarında spazma neden olarak astım benzeri reaksiyonlara yol açar.

Çizelge 45.8: Aşırı Duyarlılık Reaksiyonlarının Tipleri

Tip	Sorumlu Hücreler	Patoloji	Reaksiyon
I -Erken/anaflaktik	Ig E	Mast hücreleri granülasyonunda bozulma, histamin ve lökotrin salınımı	*Anaflaksi
			*Atopik hastalıklar *Deri reaksiyonları
II-Sitolitik/sitotoksik	IgG, IgM, Komplament	Komplament fiksasyonu ve hücre yıkımı	*ABO uyuşmazlığı *İlaca bağlı hemolitik anemi
III-İmmün kompleks	Antijen-antikor kompleksi	Damarlarda ve doku aralığında birikme, enflamasyon	*Serum hastalığı *Sistemik lupus eritematosus *Akut glomerulonefrit *Romatoid artrit
IV-Gecikmiş hücresel reaksiyon	Duyarlaşmış T hücreleri	Lenfokin salınımı	*Tüberküloz *Kontakt dermatit *Transplantasyon reaksiyonu

965

Çizelge 45.9: Anaflaksiye Neden Olan Kimyasal Medyatörler

Medyatör	Kaynak	İşlev
Histamin	Mast hücreleri Bazofiller Trombositler	*Damar geçirgenliğinde artış → eritem, ödem, kaşıntı *Solunum yolu direncinde artış → Bronşlarda spazm, sekresyon artışı, sistemik venöz dönüşte ve kalp debisinde azalma
Seratonin	Kan Mide-bağırsak kanalı Sinir sistemi	Düz kaslarda kontraksiyon, damar geçirgenliğinde artış
Bradikinin	Plazma protein faktörleri	*Düz kaslarda kontraksiyon *Damar geçirgenliğinde artış *Ağrı reseptörlerinde uyarılma *Müküs sekresyonunda artış
Prostaglandinler	Mast hücrelerinin aktivasyonu sonucu oluşan araşidonik asit metabolizması ürünü	*Bronşlarda spazm *Damar geçirgenliğinde artış *Mukoza ödemi
Lökotrienler:C, D, E yada SRS-A (anaflakside yavaş salınımlı maddeler)	Araşidonik asit metabolizması ürünü	*Düz kaslarda kontraksiyon *Bronşlarda spazm *Damar geçirgenliğinde artış
Eozinofil kemotaktik faktör (ECF-A)	Mast hücrelerinden medana gelir	*Eozinofillerin sayısını arttırır
Trombosit uyarıcı faktör (PAF)	Mast hücreleri, makrofajlar ve nötrofillerden sentez edilir	*Düz kaslarda kontraksiyon *Trombositleri kümeleştirme, serotonin ve histamin salınımı

Tip II- Sitolitik/Sitotoksik aşırı duyarlılık: Organizmanın kendi normal yapılarını yanlış olarak yabancı madde gibi algılaması sonucu gelişir. Bu tip aşırı duyarlılıkta IgG ya da IgM antikorları hücre yüzeyinde antijenlerle birleşerek fagositoz yaparlar. Uygun olmayan gruptan kan transfüzyonu, Rh uygunsuzluğuna bağlı eritroblastozis fetalis, otoimmün hemolitik anemi, myastenia gravis, ilaç reaksiyonları, akciğer ve böbrek dokusundan kaynaklanan antikorların neden olduğu, akciğer ve böbrek hasarı ile ortaya çıkan Goodpasture sendromu bu tip reaksiyonlara örnek olarak verilebilir. Bu reaksiyonlar ilgili bölümlerde açıklanmıştır.

Tip III-immün komplekslerle oluşan aşırı duyarlılık Organizmaya giren bir antijene karşı 7-10 gün içinde antikor oluşmaktadır. Bu antijen-antikor reaksiyonu immün kompleksleri oluşturur. Bu immün kompleksler retikülo endotelyal sistem (RES) hücreleri tarafından fagosite edilip böbreklerden süzülerek atılır. Vücuda giren antijen miktarının artmasıyla oluşan komplekslerin miktarı da artar. Bu durumda komplekslerin vücuttan atılımı yeterince yapılamaz. Bu maddeler bazı dokularda ve damar endotelinde birikime uğrayarak kompleman sistemi aktive eder. Komplemanın yaptığı doğrudan hasar ve vasoaktif aminler damar geçirgenliğinde artışa ve doku yıkımına neden olur. SLE, romatoid artrit, glomerulonefritin ve bakteriyel endokarditin bazı tipleri ve serum hastalığı bu tip aşırı duyarlılık reaksiyonu sonucu gelişen hastalıklara örnek olarak verilebilir. Bu hastalıklar ilgili bölümde tartışılmıştır.

Tip IV-Gecikmiş tip (hücresel) aşırı duyarlılık: Alerjen maddeye maruz kaldıktan 24-72 saat sonra gelişen aşırı duyarlılık reaksiyonudur. Bu tip reaksiyonda antikorların doğrudan etkisi yoktur. Reaksiyon T hücreleri ve makrofajlar tarafından oluşturulur. Bu reaksiyona örnek olarak tüberkülin deri testi (PPD), kontakt dermatit, Graft-versus-host hastalığı ve doku reddi reaksiyonları verilebilir. Kontakt dermatitlerde kozmetik ürünler, topikal ilaçlar ve bitki toksinleriyle ilk karşılaşmada duyarlılık oluşur. Bu maddelerle tekrar karşılaşıldığında kaşıntı, eritem ve lezyonlarla karakterize duyarlılık reaksiyonu gelişir. Bu tip aşırı duyarlılık reaksiyonları ilgili bölümde tartışılmıştır.

Tanı yöntemleri

Öykü alma: Hastalık tanısının konması ve yönetiminde kapsamlı alerji öyküsü ve fizik muayene yararlı veriler sağlar. Alerjik reaksiyona neden olduğu düşünülen olası alejenler kaydedilmelidir. Hastada alerjik bulguların neden olduğu rahatsızlığın derecesi ve tedavi ile ya da tedavi edilmeden bulgularda düzelme olup olmadığı ve oluyorsa ne kadar düzelme olduğu değerlendirilmeli ve kaydedilmelidir. Hastada alerjik durumun tanılanmasında kullanılabilecek örnek form Çizelge 45. 11'de verilmiştir. Bu örnek form doğrultusunda toplanacak veriler hastanın tanılanması ve yönetiminde gerekli bilgilerin elde edilmesini sağlar.

45. İmmün Sistem Hastalıkları

Çizelge 45.10: AIDS'li Hastada Hemşirelik Bakım Planı Örneği

Hemşirelik Girişimleri	Amaç	Beklenen Sonuçlar

Hemşirelik tanısı: İmmun sistem yetersizliğine ilişkin enfeksiyon riski
Hedef: Enfeksiyon gelişimini önlemek, enfeksiyonun neden olduğu rahatsızlığı gidermek, yeterli ve dengeli beslenmeyi sağlamak

1. Hasta 4 saate bir enfeksiyon belirti ve bulguları yönünden (beden ısında yükselme, taşikardi, solunum derinliğinde azalma, oral mukoz membranlarda, retrosternal bölgede ağrı, yutma güçlüğü, deride kızarıklık) izlenir 2. Hastaya yapılacak tüm girişimlerde asepsi- antisepsi kurallarına uyulur 3. Gerekiyorsa hastanın izolasyonu sağlanır 4. Uygun solüsyonla (limon ve alkol içermeyen) ağız bakımı verilir. Dudakların nemliliği sağlanır 5. Uygun gıdalarla yeterli ve dengeli beslenme sağlanır	1. Enfeksiyonun erken dönemde saptanması ve uygun tedavinin başlanmasını sağlar 2. Hastane kaynaklı Enfeksiyon oluşumu ve yayılımı önler 3. Enfeksiyon oluşumu ve yayılımı önlenir 4. Beslenmeyi güçleştirecek sorunlar giderilir 5. Enfeksiyonla savaşım için beden direncinin korunması ve sürdürülmesini sağlar 6. Enfeksiyonun erken evrede saptanmasını sağlar	*Enfeksiyon belirti ve bulguları erken dönemde saptanmalı *Enfeksiyon belirti ve bulguları olmamalı *Normal vücut ağırlığını sürdürmeli *Yorgunluk deneyimlemeden gerekil aktiviteleri sürdürebilmeli *Ağız mukozasının bütünlüğü korunmalı *Enfeksiyondan korunmak için gerekli önlemleri almalı ve sürdürmeli *Enfeksiyona neden olabilecek girişimler en aza indirilmeli *Güvenli cinsel yaşamı sürdürmeli *Deri, deri lezyonları ve perineal alanda önerilen teknikler doğrultusunda hijyen sağlanmalı

Hemşirelik tanısı: Aktivite azalması, beslenme yetersizliği, immun sistem yetersizliğine bağlı fırsatçı enfeksiyonlar, kaposi sarkomu, alerjik reaksiyonlar, hijyen eksikliği gibi nedenlere bağlı deri bütünlüğünde bozulma riski
Hedef: Deri bütünlüğünün korumak /sürdürmek, olası komplikasyonları önlemek

1. Bir başka sakıncası yoksa hastanın yeterli sıvı alımı sağlanır (en az 2500ml/gün) 2. Hastanın aktivite /güçsüzlük durumuna göre 30 dakika-2 saatte bir pozisyon değişikliği sağlanır 3. Her pozisyon değişikliğinden sonra deri bütünlüğünde bozulma olup olmadığı kontrol edilir 4. Gerekiyorsa basınç altındaki bölgelere masaj uygulanır 5. Eritemli bölgelere masaj uygulamaktan kaçınılır 6. Derinin kuru ve temiz olması sağlanır 7. Derinin nemliliği sağlanır 8. Pozitif nitrojen dengesini sağlamak için hasta için bir başka sakıncası yoksa protein ve karbonhidrattan zengin diyet alımı için diyet uzmanı ile işbirliği yapılır 9. Gerekiyorsa basınç azaltıcı materyaller ve havalı yatak kullanımı sağlanır	1. Deri turgorunu sürdürmeyi sağlar 2. Basınç altında kalan bölgelerin dolaşımını ve beslenmeyi sağlar 3. Basınç ülserlerinin erken evrede saptanmasını sağlar 4. Dolaşımı güçlendirir 5. Hassasiyeti artan deride bütünlüğünü daha kolay bozulmasını önler 6. Nemli ve ıslak derinin daha kolay zarar görebilmesini önler 7. Kuru ve nemliliği azalmış deride bütünlüğün daha kolay bozulmasını önler 8. Deri bütünlüğünü korumak ve sürdürmek için yeterli ve dengeli beslenmeyi sağlar 9. Basıncı azaltır ve basıncın eşit olarak dağılımını sağlar	*Deri bütünlüğü korunmalı ve sürdürülmeli *Basınç altındaki alanlar sık sık gözlenmeli ve deri bütünlüğünde bozulma bulguları erken evrede saptanmalı *Derinin nemliliği sağlanmalı *Derinin kuru ve temiz olması sağlanmalı *Yeterli ve dengeli beslenmesi sağlanmalı

Hemşirelik tanısı: İlaçlar, immun sistem yetersizliği, enfeksiyon, yetersiz beslenme, gibi nedenlerle ilişkili oral mukoz membranlarda değişiklik
Hedef: Oral mukoz membranların bütünlüğünün, nemliliğin sağlanması/ korunması, ağrının giderilmesi, yeterli beslenme ve sıvı alımının sürdürülmesi, uygun ağız hijyenin sağlanması

1. Ağız değerlendirilirken asepsi- antisepsi kurallarına uyulur 2. Uygun aralıklarla ve yöntemle ağız bakımı sağlanır 3. Yumuşak diş fırçası kullanılır 4. Ağız bakımında limonlu ve alkollü solüsyonlar kullanılmaz 5. Dudaklar ve ağız mukozasının nemliliği sağlanır 6. Yeterli beslenme ve sıvı alımı sağlanır 7. Yemek öncesi ağrıyı gidermek için anestetik solüsyonlarla ağız bakımı yapılır 8. Oral mukozayı tahriş edecek besinlerden kaçınılır 9. Hasta ve yakınları konuyla ilgili eğitilir	1. Enfeksiyon oluşumunu önler 2. Enfeksiyon oluşumunu önler 3. Oral mukoz membranların bütünlüğünün korunmasın sağlar 4. Oral mukoz membranların bütünlüğünün korunmasın sağlar, tahrişi önler 5. Oral mukoz membranların bütünlüğünün korunmasın sağlar 6. Oral mukoz membranların bütünlüğünün korunması ve nemliliğinin sürdürülmesini sağlar 7. Yeterli beslenmenin sürdürülmesini sağlar	*Oral mukoz membranların bütünlüğü korunmalı ve sürdürülmeli *Dudaklarda kuruma, kızarıklık, şişlik, kanama, ağrı, kaşıntı, herpes simpleks, oral mukozada kuruluk, kanama, kızarıklık, ödem, mantar enfeksiyonu, diş etlerinde solukluk, kızarıklık, şişlik, ülser ve kanama gibi oral mukoz membran bütünlüğünde bozulma ve enfeksiyon bulguları olmamalı *Yeterli sıvı alımı ve beslenme sürdürülmeli

İmmün Sistem

Çizelge 46.9: AIDS' li Hastada Hemşirelik Bakım Planı Örneği (Devamı)

Hemşirelik Girişimleri	Amaç	Beklenen Sonuçlar
Hemşirelik tanısı: GIS enfeksiyonları, ilaçlar ve diyetle ilişkili bağırsak alışkanlığında değişiklik diyare **Hedef:** Vücudun sıvı- elektrolit dengesini sürdürmek, normal sıklıkta ve kıvamda gaita yapmasını sağlamak		
1. Hastanın önceki dışkılama alışkanlıkları, laksatif, antidiyareik ilaç ve aldığı besinler değerlendirilir 2. Dışkılama sıklığı, miktarı, karın ağrısı ya da kramp olup olmadığı, dışkılaşmadaki sıvı kaybı, diyare oluşumunu uyaran ve yardımcı olan faktörler değerlendirilir 3. Gaita kültürü alınarak önerilen antibiyotik ve antidiyareik tedavi uygun şekilde uygulanır 4. Aldığı çıkardığı sıvı izlemi yapılarak kayıpların yerine konması sağlanır 5. Her gün aynı giysilerle, aynı saatte kilo kontrolü yapılır 6. Bağırsakta irritasyona neden olan yağlı ve kızartılmış yiyecekler ve sigara kullanımından kaçınması konusunda uyarılır 7. Sık ve küçük öğünlerle beslenme sağlanır 8. Gerektiğinde oral veya parenteral protein ve elektrolit destekleri hekim ve diyet uzmanı ile işbirliği yapılarak verilir 9. Antikolinerjik, antispazmodik ilaçlar öneriler doğrultusunda uygulanır	1. Değerlendirme için temel veri sağlar 2. Hemşirelik bakımını planlamada yardımcı olur 3. Etkene yönelik tedavinin planlanmasını sağlar 4. Sıvı-elektrolit dengesinin sürdürülmesini sağlar 5. Kayıpların değerlendirilmesini sağlar 6. Barsak peristaltizmini arttıran ve olumsuz etkileyen faktörlerin kontrol altına alınmasını sağlar 7. Beslenme gereksiniminin sürdürülmesini sağlar 8. Alternatif beslenme seçeneklerinin değerlendirilmesini sağlar 9. Barsak motilitesini ve spazmı gidermeyi sağlar	*Barsak alışkanlığı normale dönmüş olmalı *Diyare, spazm ve karın krampları azalmış olmalı *Barsak motilitesini olumsuz etkileyen beslenme ve alışkanlıklar kontrol altına alınmış olmalı *Gaita kültürü normal olmalı *Yeterli sıvı ve besin alımı sürdürülüyor olmalı * Deri turgoru, mukoz membranların nemliliği, idrar çıkışı normal olmalı, susuzluk bulguları olmamalı *Vücut ağırlığı normal sınırlarda olmalı, kayıplar kontrol altına alınmış olmalı *Önerilen tedavi uygun şekilde
Hemşirelik tanısı: Fırsatçı akciğer enfeksiyonlarına bağlı gaz alış verişinde bozulma-solunum güçlüğü **Hedef:** Enfeksiyonun giderilmesi, hava yollarının açıklığının sağlanması, etkin solunumun sürdürülmesi		
1. Taşipne, yardımcı solunum kaslarının kullanımı, öksürük, balgamın rengi ve miktarı, anormal solunum sesleri, siyanoz gibi solunum alışkanlığındaki değişiklik belirti ve bulguları değerlendirilir 2. Kültür için sekresyon örneği alınır 3. Gerektiğinde sekresyonların atımını kolaylaştırmak için göğüs fizyoterapisi ve postural drenaj uygulanabilir 4. Hastaya 2-4 saatte bir pozisyon değiştirme, öksürme, derin soluk almada yardımcı olunur 5. Hastaya yüksek fowler pozisyonu verilir 6. Solunum hızını azaltmak için relaksasyon egzersizleri öğretilebilir 7. Sekresyonların akışkanlığını arttırmak için yeterli sıvı alımı ve nemlendirme sağlanır 8. Gerektiğinde trakeal aspirasyon uygulanır 9. Önerildiği şekilde oksijen tedavisi uygulanır 10. Endotrakeal entübasyona yardımcı olmak için önerildiği şekilde ventilatör desteği sağlanır	1. Anormal solunum işlevlerinin değerlendirilmesini sağlar 2. Etken olan mikroorganizmanın saptanmasına yardımcı olur 3-4. Sekresyonların birikimini önler ve hava yolu açıklığının sürdürülmesini sağlar 5. Solunumu kolaylaştırır, hava yolu açıklığını sağlar 6. Hastanın rahatlamasına yardımcı olur 7. Sekresyonların birikimini önler, atımını kolaylaştırır 8. Atılamayan sekresyonların çıkarılmasına yardımcı olur 9. Oksijenlenmeyi sağlar 10. Solunumu sürdürmeyi sağlar	*Hava yolu açıklığı sürdürülmeli ve solunum hızı ve derinliği normal sınırlarda olmalı a. Solunumda yardımcı kasların kullanımı en aza indirilmiş olmalı/kullanılmamalı b. Solunum hızı >20/dak olmalı c. Deri de siyanoz olmamalı d. Arteriyal kan gazı değerleri normal olmalı e. Anormal solunum sesleri olmamalı *Enfeksiyon için kültüre uygun tedavi uygulanıyor olmalı *2-4 saatte bir öksürme ve derin soluk alma egzersizleri sürdürülmeli *2-4 saatte bir uygun pozisyon ve postural drenaj sağlanmalı *<u>Fowler poziyonda</u> rahat solunum sağlanıyor olmalı *Sekresyonların akışkanlığı sağlanmış olmalı *Öksürürken balgam çıkarma kolaylaşmış olmalı
Hemşirelik tanısı: Anksiyete, depresyon, ağrı, çevresel değişiklikler, gece terlemeleri, ilaçlar aktivite azlığı gibi nedenlerle ilişkili uyku düzeninde değişiklik/ uykusuzluk **Hedef:** Hastanın yeterli uyuduğunu ve dinlendiğini ifade etmesi, GYA'ni sürdürmede zorlanmaması		
1. Hastanın önceki uyku düzeni ve alışkanlıkları belirlenir 2. Anksiyete ve korkularını ifade etmesi için olanak sağlanır 3. Uygun çevre koşulları (ısı, ışık, sessiz ortam vb.) sağlanır	1. Uyku düzenindeki değişikliğin belirlenmesi ve buna göre planlama yapılmasını sağlar 2. Uykusuzluğa neden olan faktörlerin belirlenmesini sağlar 3. Uyku için uygun ortam sağlar	

45. İmmün Sistem Hastalıkları

Çizelge 45.10: AIDS' li Hastada Hemşirelik Bakım Planı Örneği (Devamı)

Hemşirelik Girişimleri	Amaç	Beklenen Sonuçlar
Hemşirelik tanısı: Aktivitelerin azalması, yorgunluk, enfeksiyon, ekstremitede ödem, menenjit, ansefalit, lenfadenopatiye bağlı sinir basısı, anksiyete, korku gibi nedenlerle ilişkili ağrı **Hedef:** Ağrıyı kontrol altına almak, hastanın konforunu ve rahatını sağlamak		
1. Ağrıya neden olan faktörler değerlendirilir 2. Ağrının yeri, şiddeti, süresi, ağrıyı azaltan ve arttıran faktörler değerlendirilir ve izlenir 3. Lenfadenopatiye bağlı ağrıda basıncı azaltmak için uygun pozisyon verilir 4. Gerekirse ve bir başka sakıncası yoksa masaj uygulanır 5. Anksiyete ve korkuyu gidermek için gerekli bilgiler verilir 6. Hangi GYA aktivitelerinin ağrıyı arttırdığı ve azalttığı öğrenilip buna göre planlama yapılır 7. Ağrıya karşı duygusal tepkileri değerlendirilir (inkar, anksiyete vb.) 8. Ağrı kontrolü için önerilen analjezikler hastanın durumuna göre uygulanır	1-2. Ağrıyı gidermeye ilişkin girişimleri planlama ve uygulamaya olanak sağlar 3-4. Ağrıyı gidermeye yardımcı olur 5-6-7. Ağrının giderilmesini kolaylaştırır 8. Ağrıyı kontrol altına almayı sağlar	*Ağrısı olduğunu bildirme, inleme, kaş çatma gibi sübjektif ve solgunluk, aktivitelerde kolay yorulma, GYA yerine getirmede zorlanma gibi objektif ağrı bulguları olmamalı *Hasta ağrısının giderildiğini sözel olarak ifade etmeli
Hemşirelik tanısı: Antiretroviral tedavi, hastalığın ileri evresinde neoplastik durumlar (kaposi sarkomu vb.) ve ciddi enfeksiyonlara bağlı bulantı kusma **Hedef:** Bulantı ve kusmayı kontrol altına almak, vücudun sıvı elektrolit dengesini sürdürmek		
1. Uygun solüsyonlarla ağız bakımı verilir 2. Sık ve küçük öğünlerle yumuşak ve sulu gıdalarla beslenir 3. Bu konuda diyet uzmanı ile işbirliği sağlanır 4. Hastanın bulunduğu ortamda bulantı ve kusmayı uyaracak kötü kokular giderilir 5. Aldığı çıkardığı sıvı takibi yapılarak yeterli sıvı alımı sağlanır 6. Hekim istemi doğrultusunda gerektiğinde antiemetik ilaçlar verilir	1. Ağızdaki kötü tat ve kokuyu gidermeyi sağlar 2-3. Yeterli ve dengeli beslenmeyi sürdürmeyi sağlar 4. Bulantı ve kusmayı uyarıcı faktörleri kontrol altına almayı sağlar 5. Sıvı-elektrolit dengesini sürdürmeyi sağlar 6. Bulantı ve kusmayı kontrol altına almayı sağlar	*Bulantı ve kusma kontrol altına alınmış olmalı *Yeterli beslenme ve sıvı alımı sağlanmalı *Ortamda bulantı ve kusmayı uyarıcı faktörler kontrol altına alınmış olmalı
Hemşirelik tanısı: İştahsızlık, bulantı, kusma, stomatit, diyare, disfaji, dişeti ve dilde kaposi sarkomu lezyonları ve enfeksiyonlar, diyare, depresyon anksiyete nedeniyle beslenmede değişiklik- beden gereksiniminden az beslenme **Hedef:** Hastanın metabolik gereksinimine ve aktivite düzeyine göre düzenlenen günlük besinleri almasını sağlamak		
1. Kilo, boy, yaş, BUN, serum protein, albümin, transferin, hemoglobin, hematokrit düzeylerinin izlenmesi sağlanır 2. Sevdiği ve sevmediği yiyecekler ve beslenme alışkanlıklarına ilişkin öykü alınır 3. Beslenmeyi olumsuz etkileyen faktörlerin en aza indirilmesi için gerekli girişimler yapılır a. Yemeklerden önce ve sonra uygun ağız bakımı yapılır b. Gerekirse yemeklerden önce oral mukozaya anestetik madde uygulanır c. İştahı arttırıcı yüksek kalori ve protein içerikli ve görünümü ve tadı güzel yiyecekler sunulur d. Tolere edebileceği miktarda az ve küçük öğünlerle beslenir e. Yemeklerden 1 saat önce ve yemeklerle birlikte sıvı alımı kısıtlanır f. Ağrılı ve hastada sıkıntı yaratabilecek girişimleri yemeklerden önce yapmaktan kaçınılır g. Yemek için kokulardan uzak ve temiz bir ortam sağlanır. Diğer hastalarla birlikte yemek yemeye teşvik edilir 4. Hastanın metabolik gereksinimlerini ve vücut ağırlığını sürdürebileceği besin gereksinimlerinin belirlenmesinde diyet uzmanı ile işbirliği yapılır 5. Gerektiğinde oral veya parenteral besin desteklerinin kullanımı için hekim ve diyet uzmanı ile işbirliği yapılır	1. Beslenme durumu ile ilgili objektif veri sağlar 2. Beslenme eğitimi gereksinimleri ve alışkanlıklarına uygun beslenme planı düzenlenmesini sağlar 3. Beslenmeyi olumsuz etkileyen faktörlerin en aza indirilmesini sağlar a. Tat duyusunun arttırılması ve rahatlığı sağlar b. Ağrıyı kontrol altına almayı sağlar c. Yeterli besin alımına yardımcı olur d. Tokluk hissini azaltır e. Sıkıntı yaratan uyarıları kontrol altına almayı sağlar f. Beslenmeyi kolaylaştırır, sosyal izolasyonu önler 4. Beslenme planı oluşturmayı kolaylaştırır 5. Beslenme için uygun alternatiflerin değerlendirilmesini sağlar	*Oral beslenmeyi olumsuz etkileyen faktörler, belirlenmiş, kontrol altına alınmış ve yeterli beslenme sağlanmış olmalı ve sürdürülmeli *Yiyecekler hoş, iştah açıcı ve uygun ortamlarda sunuluyor olmalı *Yemeklerden önce ağız hijyeni sağlanmalı *Gereksinimler doğrultusunda alternatif beslenme seçenekleri sağlanmalı

İmmün Sistem

Çizelge 45.11: Alerji Tanılama Formu

Ad-soyad:
Yaş:
Cinsiyet:
Tarih:
I. Başlıca yakınama:
II. Hastalık tanısı:
III. Allerjik bulgular:

Gözler: Kaşıntı----- Yanma----- Sulanma----- Ödem----- Yabancı cisim----- Akıntı-----
Kulaklar: Kaşıntı-----Dolgunluk------Uğultu-----Tekrarlayan enfeksiyon-----
Burun: Hapşırma----- Akıntı-----Tıkanıklık-----Kaşıntı-----Ağız solunumu-----Pürülan akıntı-----
Boğaz: Yanma-----Postnazal akıntı-----Damakta kaşıntı-----Sabahları sekresyon-----
Göğüs: Öksürük----- Balgam -----Balgamın rengi----- Miktarı-----Ağrı-----Hırıltı-----Dispne-----İstirahat-----Zorlanma-----
Deri: Dermatit-----Egzema-----Ürtiker-----

IV. Ailede allerji öyküsü
V. Daha önce uygulanan allerji tedavisi ve testleri:----------------------------
Önceki deri testleri:----------------------------

İlaçlar: Antihistaminikler   Düzelme-----Düzelmeme-----
        Bronkodilatörler   Düzelme-----Düzelmeme-----
        Burun damlaları   Düzelme-----Düzelmeme-----
        Hiposensitizasyon   Düzelme-----Düzelmeme-----
        Süresi-----
        Antijenler-----
        Reaksiyonlar-----
        Antibiyotikler   Düzelme-----Düzelmeme
        Kortikosteroidler   Düzelme-----Düzelmeme

VI. Fizik ajanlar ve alışkanlıklar:----------------------------

Sıkıntı yaratma durumu:

Tütün-----/yıl   Alkol----------Havalandırma-------
Sigara-----paket/yıl   Sıcak----------Nemli/sıkıntılı hava-----
Sigara------/gün   Soğuk---------Hava değişiklikleri-----
Pipo-----/gün   Parfümler-----Kimyasal maddeler-----
Hiç sigara kullanmadım--------   Boyalar-------Saç spreyleri------
Sigaranın verdiği sıkıntı---------   Haşere ilaçları----Gazete------
     Kozmetikler-----Lateks-----

VII. Bulguların ne zaman başladığı:----------------------------
Bir saatlik sürede görülme zamanı ve şekli :----------------------------
Önceki sağlık durumu:----------------------------
Hastalığın on yıllık seyri: İlerleme-----Gerileme-----
Yıl içinde görülme durumu:----------------------------
    Yıl boyu-----
    Mevsimsel-----
    Mevsimlere göre alevlenme-----
Aylık değişiklikler (mensturasyon, meslek).----------------------------
Haftalık değişiklikler (hafta sonları, haftanın belli gümleri):----------------------------
Gece-Gündüz farklılığı:----------------------------
Haşere sokmasından sonra:----------------------------
VIII. Bulguların görüldüğü yer:----------------------------
    Yaşadığı yerde:----------------------------
    Yaşadığı yerde yaşamaya başladığından beri:----------------------------
    Seyahat ya da coğrafik bölgenin etkisi:----------------------------
    Kapalı ya da açık ortamlarda bulguların düzelmesi:----------------------------
    Okul yada işin etkisi:----------------------------
    Yakınındaki bir başka yerin etkisi:----------------------------
    Hastanede yatmanın etkisi:----------------------------

Çizelge 45.11: Alerji Tanılama Formu (Devamı)

Özel çevrenin etkisi:--
Bulguların aşağıdaki ortamlarda görülme durumu:---
Eski harabe halindeki ortamlar-----Kuru otlar----- Göl kenarı-----Ahır-----Yazlık evler-----Nemli yerler-----
Tavan arası odaları---- Biçilmiş çimen-----Hayvanlar-----Diğer-----
Bulguların yiyeceklerle ilgisi:
Peynir-----Mantar-----Bira-----Kavun-----Muz-----Balık-----Çerez-----Turunçgiller-----Diğer--------------------------
Ev bilgileri: Şehir-----Kırsal bölge------Kaç yıllık bina------Apartman------Bodrum------Çatı------Nemlilik durumu-----
Isıtma sistemi------Evcil hayvan (ne kadar süredir bulunduğu)----Köpek-----Kedi----Diğer----

Yatak odası:	Tipi	Kaç yıldır kullandığı
Yastık	--------	--------
Çarşaf	--------	--------
Battaniye	--------	--------
Yorgan	--------	--------
Mobilya	--------	--------
Oturma odası: :	Tipi	Kaç yıldır kullandığı
Halı	--------	--------
Mobilya	--------	--------
Döşeme	--------	--------

Bulgular evde herhangi bir yerde daha kötü oluyor mu?---
IX. Bulguları nelerin kötüleştirdiğini düşünüyor?_____
X. Hangi durumlarda bulguları olmuyor?_____
XI. Özet /ek öneriler_____

Tanı testleri: Alerjik yakınması olan hastaların değerlendirilmesinde kullanılan tanı testleri; tam kan sayımı, vücut salgılarının incelenmesi, serum immünglobülinlerin incelenmesi, deri testleri ve radioallergosorbent test (RAST) dir.

Tam kan sayımı: Enfeksiyon olmadığı durumlarda beyaz kan hücreleri sayısı genellikle normaldir. Granülosit ve eozinofiller normalde beyaz kan hücrelerinin %1-3'ünü oluşturur. Bu düzeyin %5-15'e çıkması spesifik değildir, ancak alerjik reaksiyonu düşündürür. Eozinofillerdeki %15-40 artış orta düzeyde bir yükselme olarak kabul edilir.

Bu durum alerjik reaksiyonlarda görülebileceği gibi, malignitelerde, immün yetersizliklerde, paraziter enfeksiyonlarda, konjenital kalp yetersizliğinde ve periton diyalizi uygulanan hastalarda da görülebilir.

Eozinofillerdeki %50-90 artış şiddetli düzeyde yükselme olarak kabul edilir ve idiyopatik hipereozinofilik sendrom bulgusudur. Eozinofillerin kandaki düzeylerinin yanı sıra burun salgısı, göz yaşı salgısı gibi vücut salgılarındaki düzeylerinin incelenmesi de aktif alerjik reaksiyonu olan ya da atopik bireylerde tanı koymada yararlı veriler sağlar.

Total serum immün globülin düzeylerinin incelenmesi: Serumda IgE düzeyindeki yükselme atopik hastalığı destekleyen bir bulgudur. IgE düzeyinin normal olması alerjik hastalık tanısının dışlanmasını sağlamaz. IgE düzeyleri radioimmubnosorbent test (PRIST) ve enzyme-linked immünosorbent assay (ELISA) testi kadar duyarlı sonuç vermez. IgE düzeyi aşağıdaki durumlarla ilgili tanımlayıcı veri sağlar:

- İmmün yetersizliğin değerlendirilmesi
- İlaç reaksiyonlarının değerlendirilmesi
- Alerjik bronkopulmoner aspergillos hastalığının taraması
- Bronşiyolitli çocuklarda alerji değerlendirilmesi
- Atopik ve atopik olmayan egzemaların ayrılması
- Atopik ve atopik olmayan astma ve rinitlerin ayrılması

Deri testleri: Laboratuvar incelemelerinin yanı sıra özel alerjene karşı duyarlılığı saptamada deri testlerinden yararlanılır. Bu inceleme yönteminde bilinen alerjen maddenin antijeni direkt olarak deri üzerine ya da içine uygulanarak reaksiyonlar değerlendirilir. Kuşkulanılan alerjen maddeye göre antijen içeren birden fazla solüsyon farklı bölgelere uygulanarak değerlendirilir. Uygulama sonucunda pozitif reaksiyon (eritem ve ödem) hastanın öyküsü, fizik bulguları ve diğer laboratuar sonuçları ile birlikte değerlendirilerek karar verilir. Deri testlerinde uygulanan antijenin dozu ve içeriği önemlidir. Örneğin aşırı duyarlılık reaksiyonu olan birçok bireyde birden fazla polene karşı alerji olabilir. Uygulanan test solüsyonundaki polenin antijenine reaksi-

İmmün Sistem

yon vermeyebilir, ancak duyarlılığının olduğu polen o bireyde alerjik atağı başlatabilir. Bu nedenle deri testlerinden elde edilen bulgulardan kuşku duyulduğu zaman RAST ya da uyarıcı diğer testlerin yapılarak değerlendirilmesi güvenirliği arttırır. Deri testlerinden negatif sonuç alınması durumunda aşağıdaki olasılıklar değerlendirilmelidir:

- Uygulanan alerjene karşı henüz antikor oluşmamıştır
- Uygulama yöntemindeki hata nedeniyle antijen derinin daha derin tabakalarında (örn: subkutan tabaka) birikmiştir
- Bireyin hastalık ya da tedavi (örn: kemoterapi, steroid tedavisi, radyoterapi vb.) nedeniyle immün sistemi baskılanmıştır.

Deri testleri yapılmadan önce aşağıdaki adımların gözden geçirilmesi gereklidir

- Hasta da bronkospazm varken test yapılmamalıdır
- Kortikosteroidler, immünosüpressifler ve alerji ilaçları deri testi reaksiyonlarının oluşmasını önleyebileceği için testten 48-96 saat önce bu ilaçlar kesilmelidir
- Sistemik reaksiyon oluşma riskini en aza indirmek için diğer testlerden (intradermal) önce kazıma ya da delme testi gibi epikutan testlerin yapılması tercih edilmelidir
- Anaflaksi olasılığına karşı acil girişim malzemeleri kullanıma hazır olarak bulundurulmalıdır
- Belirli maddelere karşı alerji öyküsü olduğu bilinen bireylere bu madde ile ilgi (Örn: penisilin) deri testleri yapılmamalıdır

İşlem sonrası izlem: Deri testlerinin uygulanmasından sonra kaşıntıdan anaflaksiye kadar değişebilen sorunlar gelişebilir.

- Uygulanan bölgede kaşıntı ve rahatsızlık hissi en sık görülen yakınmalardandır. Soğuk uygulama ya da topikal steroidlerle yakınmalar giderilebilir
- Uygulanan bölgede ülserasyon gelişmiş ise bölgenin temiz ve kuru tutulması sağlanmalıdır
- Anaflaksi az görülen ancak öldürücü olabilen en önemli reaksiyondur. Anaflaksi gelişmesi durumunda acil oksijen tedavisine başlanmalı ve anaflaktik şokta tedavi yöntemleri uygulanmalıdır (Bkz: Anaflaktik şok tedavisi).

Deri testi uygulama yöntemleri

Delme /çizme testi: Küçük bir iğne ucu ya da lanset ucu ile derinin epiderm tabakası kanamaya neden olmayacak şekilde yaklaşık 2 mm kadar çizilir ve buraya kuşkulanılan alerjen solüsyonu uygulanarak 15-30 dakika beklenir. Uygulanan bölgede etrafı eritemle çevrili ödem plağı pozitif reaksiyon olarak kabul edilir. Çocuklarda yalnız eritem plağı pozitif olarak değerlendirilebilir.

Yama (patch) testi: Emici bir ped üzerine alerjen madde emdirilerek çoğunlukla ön kolun fleksör yüzüne uygulanır. Üzeri kapatılarak 48-72 saat bekledikten sonra değerlendirilir. Daha çok ilaçların neden olduğu kontakt dermatitlerde gecikmiş tip aşırı duyarlılığın (TipIV) tanısında kullanılır.

İntradermal test: 0.02-0.03 ml alerjen madde 0.5-1ml'lik enjektöre çekilip, 26/27 numara büyüklüğündeki iğne ucu ile ön kolun dış yüzüne intradermal olarak uygulanır. Birden fazla Alerjen uygulanacaksa her bir alerjen 3-4 cm aralıklarla uygulanır. Uygulamadan sonra 10-20 dakika içinde oluşan eritemle çevrili ödem plağının büyüklüğüne göre değerlendirilir.

Uyarıcı testler: Kuşkulu alerjen maddenin konjoktiva, burun, bronş mukozasına direkt uygulanması ya da besin alerjilerinde kuşkulu besini hastaya vererek doku ya da organda meydana gelen reaksiyonun izlenmesi yöntemidir. Bu test klinik bulgular ve diğer pozitif reaksiyonlarla birlikte değerlendirildiğinde yararlı veriler sağlar. En önemli sakıncası özellikle astımlı bireylerde bronkospazm gibi ciddi reaksiyonlara neden olma olasılığıdır.

Radyoallergosorbent testi (RAST): Serumda bulunan özel IgE antikorlarını saptayan bir testtir. Solid disklere ya da tüplere emdirilmiş alerjen radyoaktif işaretli anti-IgE antikorunun eklenmesi ile saptanan radyoaktiviteye göre incelenir ve değerlendirilir. Bu yöntemin deri testlerine göre en önemli avantajı sistemik reaksiyona neden olmadan özel IgE'nin saptanabilmesidir. Dezavantajı ise sınırlı sayıda alerjen için kullanılabilmekte olması, deri testlerinin duyarlılığını azaltması ve maliyetinin yüksek olmasıdır.

Alerjik hastalıklar

IgE'nin neden olduğu iki tip alerjik reaksiyon vardır. Atopik ve atopik olmayan alerjik reaksiyon. Her iki tip reaksiyona neden olan faktör aynı olmakla birlikte bu reaksiyonların oluşmasını tetikleyen faktörler ve bulgular farklıdır. Atopik reaksiyonlar genetik kökenli olup, genellikle çevresel uyaranlarla IgE antikorları üretilerek bölgesel reaksiyonlar oluşur. Atopik olmayan haslaıklarda genetik yatkınlık çok az olup, organa özel hastalıklar olarak görülür. Örn: alerjik rinit, alerjik astım, atopik dermatit gibi. Anaflaksi, alerjik rinokonjoktuvit, atopik dermatit, ürtiker, anjiyo ödem, sindirim sistemi alerjisi ve astım gibi hastalıklar atopik hastalıklar kapsamda yer alan hastalıklardır.

Anaflaksi: Akut ve yaşamı tehdit eden bir hastalık olan anaflakside özel alerjene karşı IgE antikorların üretilmektedir. IgE antikorları mast hücreleri ve periferal dolaşımdaki bazofillerin yüzeyinde bulunmaktadır. Bu antikorlardan salınan histamin ve diğer mediyatörler düz kasların kasılmasına, bronkospazma, mukoza ödemine, enflamasyona ve kapiller geçirgenlikte artışa neden olur. Bu sistemik değişiklikler antijene maruz kaldıktan bir iki dakika sonra klinik bulguların ortaya çıkmasına neden olur. Anaflaktik şok gelişimine neden olan faktörler bu bölümde TipI-Erken/anaflaktik aşırı duyarlılık reaksiyonları kapsamında tartışılmıştır. Anaflaktik reaksiyonlarda tedavi ve hemşirelik yönetimi şok konusunda tartışılmıştır (Bkz.Şok).

Alerjik rinit: Solunum yolu alerjileri içerisinde en yaygın görülen Tip I aşırı duyarlılık reaksiyondur. Adölesanlarda görülme sıklığı daha fazladır. Bulguları viral rinite benzer, ancak daha inatçı bulgulardır ve mevsimlere bağlı olarak değişir. Çoğunlukla alerjik konjoktivit, sinüzit ve astım gibi diğer alerjik reaksiyonlarla birlikte görülür. Alerjik rinit bireyin iş, okul yaşamı ve yaşam kalitesini olumsuz yönde etkiler. Tedavi edilmeyen olgularda alerjik astım, kronik burun tıkanıklığı, kronik orta kulak iltihabı ile birlikte işitme kaybı, anosmi ve çocuklarda ağız ve diş yapısı bozuklukları gibi komplikasyonlar gelişir.

Etiyoloji: Alerjik rinite neden olan faktörler polenler, küfler, fizik ve kimyasal maddeler, ev tozu vb. etkenlerdir. Alerjik rinit klinik olarak iki grupta incelenir:

Yıl boyuca devam eden alerjik rinit: Mevsimlerle ilgisi yoktur. Yakınmalar yıl boyunca sürer. Kronik burun tıkanıklığı vardır. Ancak konjoktivit gibi burun dışı bulgular daha seyrektir. Ev tozu akarları, evcil hayvan tüyleri, lateks ve hamamböceği bu tür alerji gelişmesine neden olan etkenlerdir.

Mevsimsel allejik rinit (saman nezlesi): Genellikle mevsimlere bağlı olarak ilkbahar ve sonbahar aylarında polenlerin neden olduğu alerjik rinittir. Mevsime göre alerjik rinite neden olan faktörler aşağıda verilmiştir:
- İlkbahar başında: Ağaç polenleri (meşe, karaağaç, kavak)
- Yaz başında: Gül (saman nezlesi) ve çimen polenleri
- Sonbahar başında: Yabani ot polenleri

Ataklar her yıl aynı zamanda başlar ve sona erer. Mantar küfleri ılık ve nemli havada bulunur. Kesin mevsim farklılığı olmasa da küf mantarı sporları genellikle ilkbahar başında görülmeye başlar, yaz boyu devam eder ve havalar soğumaya başladığında giderek azalır. Tekrarlayan hapşırık nöbetleri, konjoktivit, göz yaşarması ve kaşıntısı, seröz nitelikli bol miktarda burun akıntısı tipik bulgularıdır.

Vazomotor rinit: Hafif ancak sürekli burun akıntısı ve burun tıkanıklığı ile karaterize bir tablodur.

Patoloji: Antijenin solunum ya da sindirim yolu ile alınması ile duyarlılık başlar. Alerjen maddeyle tekrar karşılaşıldığında silyar işlevlerde yavaşlama, ödem oluşumu, lökosit (özellikle eozinofil) infiltrasyonu gibi burun mukozası reaksiyonları görülür. Burun mukozasında alerjik reaksiyona neden olan en önemli medyatör histamindir. Vazodilatasyona ve kapiller geçirgenliğin artışına bağlı olarak doku ödemi gelişir.

Klinik belirti ve bulgular: Alerjik rinitte tipik belirti ve bulgular; burun, geniz boğaz ve damakta kaşıntı ile birlikte art arda tekrarlayan hapşırık nöbetleri, sinüzit gelişmemiş olgularda berrak, su gibi aşırı miktarda burun akıntısı, zaman zaman burun tıkanıklığı, burun tıkanıklığı gelişen olgularda post nazal geniz akıntısı, post nazal akıntıya bağlı öksürük, boğazda kuruluk ve kaşıntı hissi, ağız kokusu, bazen boğaz ağrısı gelişir. Burun kaşıntısı ve akıntısı nedeniyle özellikle çocuk hastalar sürekli olarak avuç içleri ile burnunu aşağıdan yukarıya doğru kaldırırlar. Buna bağlı olarak burun üstünde kalıcı bir çizgi oluşur. Bu hareket "alerji selamı" olarak tanımlanır. Gözlerde kaşıntı, kızarıklık, yanma, batma ve sulanma gibi yakınmalar vardır. Göz çevresindeki bölgesel damarlarda vazodilatasyon nedeniyle oluşan ödeme bağlı olarak göz çevresinde koyu renk gölgelenmeler olur. Alerjik rinit kronik sinüzitlerin %80'ninden sorumlu olup, alerjik rinitte oluşan mukoza ödemi, östaki tüpü işlevinin bozulmasına neden olarak orta kulak iltihabına yol açabilir. Alerjik rinit alerjik astım gelişimi için önemli bir risk faktörüdür. Alerjik astım nedenlerinin %70-90'nın alerjik rinit kaynaklı olduğu bildirilmektedir. Alerjik rinit yorgunluk, uykusuzluk ve konsantrasyon güçlüğü gibi nedenlerle yaşam kalitesini olumsuz yönde etkiler.

Tanı: Mevsimsel alerjik rinitte tanı hasta öyküsü, fizik muayene bulguları ve tanı testleri ile yapılır. Bu amaçla yapılan tanı testleri burun sekresyonlarının incelenmesi, periferal kan incelemesi, total serum IgE incelemesi, epidermal ve intradermal deri testleri, RAST, burun mukozasını uyarıcı testler ve besinlerin diyetten çıkarılması gibi testlerdir. Burun salgısı ve kanda eozinofil, serumda IgE düzeyinde yükselme, deri testlerinden elde edilen pozitif yanıtlar alerji tanısı konmasında belirleyici olur. Bu testlerden özellikle deri testleri ve uyarıcı testlerin yanlış olarak pozitif ya da negatif yanıt verme olasılığı olabilir.

Tedavi: Tedavide amaç, bulguları hafifletmektir. Tedavide aşağıdaki yöntemlerden biri ya da tümü uygulanabilir. Tedavinin yanı sıra sözlü ve basılı materyal kullanılarak yapılacak eğitimler hastalığın yönetiminde hastayı bilgilendirmek açısından önem taşımaktadır.

Alerji yaratan etkenlerden uzaklaşma tedavisi: Hastada alerjiye neden olan çevresel etkenlerin kontrol altına alınması ve hastanın bunlardan uzak durmasının sağlanması yöntemidir. Bulunduğu ortamın havasının uygun yöntemlerle temizlenmesi ve nemliliğinin sağlanması, çevresindeki polen, evcil hayvan tüyü, ev tozu vb. etkenlerden uzak durması sağlanır. Ancak çoğu zaman tüm alerjenlerin kontrol altına alınması ve uzaklaştırılması olanaklı olamayabilir. Bu nedenle diğer tedavi yöntemlerine gereksinim duyulabilir.

İlaç tedavisi

Antihistaminikler: H1-reseptör agonistleri ya da H1-blokerleri olarak da bilinen bu grup ilaçlar orta derecede alerjik reaksiyonların tedavisinde kullanılır. H1-blokerleri seçilmiş H1-reseptörlerine bağlanarak histamin salınımını engelleyerek burunda kaşıntı, hapşırma ve akıntı yakınmasını azaltır. Antihistaminiklerin etkisi saman nezlesi, vazomotor rinit, ürtiker ve orta derecede astımla sınırlıdır. Daha şiddetli durumlarda etkinliği daha azdır.

Hydoxyzine (Atarax), promethazine (Phenergan) gibi örnekleri olan bu grup ilaçların en önemli yan etkisi uyuşukluk ve uykulu durum yaratmasıdır. Bunun yanı sıra sinirlilik, tremor, ağız kuruluğu, çarpıntı, baş dönmesi, iştahsızlık, bulantı kusma gibi yan etkileri de vardır. Antihistaminiklerin kullanımı; gebelik, lohusalık ve yeni doğan döneminde, yaşlılıkta, astım, idrar retansiyonu, açık açılı glokom, hipertansiyon ve prostat hipertrofisi olan hastalarda durumlarının daha fazla kötüleşmesine neden olacağı için kontrendikedir. İkinci jenerasyon antihistaminikler ya da uyuşukluk ve uyku durumuna neden olmayan H-1 reseptör antagonistleri olarak tanımlanan antihistaminikler kan-beyin bariyerini geçmedikleri için merkezi sinir sisteminden çok periferal sisteme etki ederler ve uyuşukluk ve uyku durumu yaratma etkileri daha azdır. Bu tür antihistaminiklere örnek olarak loratadine (Claritin), cetrizine (Zyrtec) ve fexofenadine (Allegra) verilebilir.

Adrenerjikler: Mukoza damarlarında vazokonstrüksiyon yapıcı etkileri nedeniyle ağız yoluyla kullanımının yanı sıra burun ya da göz damlası olarak topikal kullanılabilen ilaçlardır. Damla ya da sprey şeklinde topikal kullanımında ağız yoluyla kullanıma göre daha fazla ve ciddi yan etkiye neden olurlar. Bu nedenle bu yolla kullanımları birkaç gün ile kısıtlıdır. Adrenerjik burun dekonjestanları olarak bilinen ilaçlar burun mukozasındaki dolgunluğu gidermek amacıyla kullanılır.

Düz kaslardaki alfa-adrenerjik reseptör alanlarını uyararak burun mukozasındaki damar kan ve sıvı akımını azaltarak mukoza ödemini giderirler. Alerjik göz irritasyonlarında yakınmaları gidermek için göz damlaları kullanılır. Adrenerjik ilaçların başlıca yan etkileri hipertansiyon, kalpte ritim bozukluğu, merkezi sinir sistemi uyarılması, huzursuzluk ve tremordur. Naphazoline hydrochloride (Privine), pseudo-ephedrine hydrochloride (Sudafed) bu grup ilaçlara verilebilecek örneklerdir.

Kortikosteroidler: Diğer tedavi yöntemleri ile kontrol altına alınamayan alerjik rinit ve yıl boyu devam eden rinit olgularında intranazal kortikosteroidler kullanılır. Beclomet-hasone (Beconase), dexamethasone (Decadron), triamcinolne (Nasocort) bu tür ilaçlara örnekleridir. Antienflamatuar etkileriyle alerjik rinitin önemli yakınmalarını kontrol altına alırlar. İntranazal kortikosteroidler sprey şeklinde kullanılır. Ancak burun tıkanıklığı olan hastalarda sprey kullanımından önce tıkanıklığın giderilmesi gereklidir.

Burun mukozasında kuruluk, yanma ve kaşıntı gibi yan etkileri vardır. Bu tür ilaçların kullanımı için önerilen süre 30 gün ile sınırlıdır. Solunum yolu ile kullanılan kortikosteroidlerin bağışlık sistemi üzerindeki yan etkileri sistemik kullanımda olduğu gibi ciddi değildir. Ancak inhaler kortikosteroidlerin kullanımı tedavi edilmemiş bakteriyel akciğer enfeksiyonlarının ve tüberkülozun ortaya çıkmasına ya da ilerlemesine neden olabilir.

Uygulanan tedavi yöntemleri ile bulguların kontrol altına alınmadığı ya da şiddetlendiği durumlarda oral ya da parenteral kortikosteroid tedavisi uygulanır. Bu yolla saman nezlesi, ilaç kullanımına ve böcek sokmasına bağlı gelişen alerjik reaksiyonların bulguları kontrol altına alınır. Hastalar kortikosteroid kullanımına bağlı yan etkiler ve kullanım ilkeleri konusunda eğitilmelidir.

İmmünoterapi (desensitizasyon-hiposensitizasyon): Alerjik hasatlıkların tedavisinde özel immünoterapi uzun süredir kullanılmaktadır. Alerjen maddeden uzaklaşmanın olası olmadığı durumlarda kullanılan bir tedavi yöntemidir. Alerjiye neden olan etkenin arttırılan dozlarda, belli aralıklarla uzun dönemde hastaya verilerek duyarlılığının azaltılması ya da kaldırılması ilkesine dayanan bir tedavi seçeneğidir. Amaç dolaşımdaki IgE'lerin düzeyinin azaltılması, IgG antikorlarının blokajının arttırılması ve mediatör hücre duyarlılığının azaltılmasıdır. İmmünoterapi çimen, ağaç poleni, kedi tüyü ve ev tozu akarlarının tedavisinde etkili bir yöntemdir. En yaygın uygulama yöntemi deri testleri ile saptanmış bir ya da birden fazla alerjik etkenin belli aralıklarla tekrarlanan enjeksiyonlarla uygulanmasıdır. Enjeksiyonlar en az miktardan başlayarak giderek artan dozlarda haftada bir kez uygulama ile başlanıp, hastanın tolere edebileceği en yüksek düzeye kadar devam eder. İdame tedavisi 2-4 haftalık aralıklarla sürdürülür ve hastanın en üst düzeyde yarar sağlayabileceği süre (yıllarca) devam eder.

Hemşirenin immünoterapide uyması gereken ilkeler

- İmmünoterapi uygulanan hastalarda ölümle sonuçlanabilecek anaflaksi gelişme riski vardır. Bu nedenle immünoterapinin mutlaka bir sağlık kuruşunda uygulanması ve kullanıma hazır epinefrinin enjektöre çekilmiş olarak hazır bulundurulması gereklidir

974

45. İmmün Sistem Hastalıkları

- Hasta uygulamadan sonra en az yarım saat süreyle olası sistemik reaksiyonlar yönünden gözlem altında bulundurulmalıdır
- Uygulama alanında büyük çaplı şişlik olursa bu olası bir sistemik reaksiyon riski göstergesi olabileceğinden bir sonraki doz arttırılmamalı ve hekime haber verilmelidir.

Hemşirelik yönetimi: Alerjik rinit yakınması olan hastanın hemşirelik yönetiminde hastanın objektif ve sübjektif bulguları değerlendirilerek olası ve var olan hemşirelik tanıları saptanarak bu tanılara yönelik girişimler planlanır ve uygulanır. Alerjik rinit yakınması olan hastada saptanabilecek hemşirelik tanıları:

- Alerjik reaksiyona bağlı etkin olmayan solunum
- Tedavi, burun tıkanıklığı, etkin solunumu sürdürememe nedeniyle uyku düzeninde bozukluk/uykusuzluk
- Etkin olmayan solunuma bağlı anksiyete
- Etkin olmayan solunuma bağlı yorgunluk
- Olası anaflaktik reaksiyona bağlı ölüm korkusu
- Alerji, korunma önlemleri ve yaşam tarzı değişiklikleri konusunda bilgi eksikliği
- Çevresel düzenlemeler ve kronik hastalıkla baş etme yetersizliği
- Tedavi planını uygulamada yetersizliktir.

Temas dermatiti: Derinin kimyasal ya da alerjen madde ile direkt teması sonucunda gelişen gecikmiş tip aşırı duyarlılık reaksiyonu (TipIV) tablosunun deride neden olduğu akut ya da kronik enflamasyondur. %80 sabun, deterjan, organik bileşik gibi kimyasal katkı içeren ürünlerle temas sonucu gelişir. Alerjen madde ile temastan sonra hemen ya da daha uzun dönemde deride duyarlılık gelişir ve duyarlılık geliştikten saatler ya da haftalar sonra klinik bulgular ortaya çıkar. Temas dermatitine neden olan etkenler, bulguları, tanı ve tedavi yöntemleri Çizelge 45.12'de verilmiştir.

Atopik dermatit: Atopik sözcüğü astım, alerjik rinit ve atopik dermatit gibi üç hastalık birlikte olduğu sendromu tanımlar. Yaygın görülen, kronik, tekrarlayıcı TipI-erken aşırı duyarlılık reaksiyonudur. Genellikle ailesel yatkınlık söz konusudur. Yeni doğan ve çocuklarda görülme sıklığı fazladır. Atopik dermatit çocukların %10-20'sinde görülür. Atopik dermatitli çocukların %30-50'nin alerjik rinit ve astım gelişimi açısından riskli olduğu bildirilmektedir.

Etiyoloji: Atopik dermatitlerin nedeni, tam olarak bilinmemektedir. Nem oranının düşük olduğu kış aylarında ve kuzey kutbunda daha fazla görülür. Mevsim değişiklikleri, kuru ve soğuk hava, ani ısı değişiklikleri, yünlü maddelerle temas, yorgunluk ve duygusal sıkıntılar hastalığın alevlenmesine neden olur. Buğday, süt, yumurta, polen, mantar sporu ve ev tozunun atopik dermatit etiyolojisinde rol oynayan başlıca faktörler olduğu bilinmektedir.

Patoloji: Normal deri ile karşılaştırıldığında atopik dermatitli derinin su bağlama kapasitesi düşer. Epidermisin su kapasitesi azalır, su kaybı artar. Aşırı histamin salgılanması deride kaşıntı ve duyarlılık artışına neden olur. Klinik olarak atopik deride orta derecede bir enflamasyon ve epidermal ödem söz konusudur. Yağ ve ter bezi işlevlerinin bozulması deride aşırı kurumaya neden olur.

Klinik belirti ve bulgular: Atopik dermatitte serum IgE düzeyi yükselir. Derideki reaksiyonlara bağlı olarak kızarıklık ve bunu izleyen 15-30 saniye içinde bir-üç dakika süren solukluk görülür. Terleme ve kan dolaşımının zengin olduğu bölgelerde kaşımaya bağlı travma sonucu sekonder lezyonlar gelişir. Hastalık iyileşme ve kötüleşme dönemleriyle seyreder. Atopik dermatit bir çok kişide bebeklikte başlar. Akut dermatit olarak adlandırılan bu formda çocukta kızarıklık, sızıntı, kırmızı kabuklanmalar görülür.

Yaş ilerledikçe deride kuruluk ve kalınlaşma, kahverengi-grimsi bir renk ve pullanma görülür. Kızarıklıklar ekstremitelerde yerleşmeye başlar. Çoğunlukla dirseklerde, dizin arkasında, boyunda, yüzde, göz kapaklarında, el ve ayak sırtında kızarıklıklar görülür. Kaşıntı en önemli sorundur.

Komplikasyonlar: Atopik dermatitli hastalarda bakteriyel, viral ve mantar enfeksiyonları görülme eğilimi artar. En yaygın görülen lokal ya da genel herpes simpleks enfeksiyonudur. İkincil olarak stafilokokus aureus enfeksiyonu görülür.

Tedavi: Tedavide amaç inflamatuar siklusu kırarak derideki kuruluğu gidermektir. Öncelikle günlük deri bakımı ile derinin nemliliği ve yağlanması sağlanır. Hastanın alışkanlıkları ve hastalığı uyarıcı faktörlerin neler olduğu bilinmelidir. Fizik çevre, irritanlar, alerjenler ve emosyonel stres gibi faktörler öğrenilir.

Tedavide kaşıntıyı azaltmak için pamuklu giysiler giyilmesi, giysilerin orta sertlikte deterjanlarla yıkanması, kış aylarında nemli sıcak hava (air-condition) ile ısınmanın sağlanması, oda ısısının 20-22°C'de korunması, önerilen antihistaminiklerin kullanılması, evcil hayvanlarla temastan ve tozdan kaçınılması, sprey ve parfüm kullanılmaması önerilir. Hidrasyon tedavinin anahtar noktasıdır. Derinin nemliliğinin sağlanması için banyodan sonra nemlendiricilerin kullanımı, kaşıntı nedeniyle bütünlüğü bozulmuş deride enflamasyonu önlemek için topikal kortikosteroidlerin, enfeksiyon geliştiğinde önerilen antibiyotik tedavisinin uygulanması ve önemi konusunda hastanın bilgilendirilmesi gereklidir.

İmmün Sistem

Çizelge 45.12: Temas Dermatiti Tipleri, Tanı ve Tedavi Yöntemleri

Tip	Etiyoloji	Klinik Bulgular	Tanı Testleri	Tedavi
Alerjik	Derinin alerjik madde ile teması sonucu gelişir. Duyarlılık süresi 10-14 gündür.	*Vazodilatasyon ve deride perivasküler infilitrasyon *Genellikle el sırtında ödem	Yama testi (akut ve yaygın dermatitte uygulanmaz)	*Neden olan etkenden kaçınma *İrritasyona neden olan etkenin belirlenmesi ve temasın kesilmesi
İrritan	Kimyasal ya da fiziksel irritasyona neden olan etkenlerle temas sonucu deride yıkım meydana gelir. İrritan maddeyle ilk temastan sonra ya da orta derecede irritan maddelerle tekrarlayan temastan sonra gelişir	*Günlerce ya da aylarca süren kuruluk *Veziküller, fissürler ve çatlaklar *Eller ve kolların alt bölgeleri bulguların en yaygın görüldüğü alanlardır	*Klinik görünüm *Yama testinde negatif bulgular	*Soğuk su ya da serinletici solüsyonlarla kompres *Sistemik kortizon (prednisone) tedavisi (7-10 gün) *Orta derecede şiddetli olgularda topikal kortiko steroidler *Kaşıntıyı gidermek için oral antihistaminikler *Su bazlı krem ya da vazelinli koruyucu ve rahatlatıcılar *Lezyonları yumuşatmak için topikal kortikosteroidler ve ıslak kompres *Enfeksiyon için antibiyotik, kaşıntı için antipururitikler
Fototoksik	İrritan tipe benzer ancak epidermiste yıkım meydana gelebilmesi için kimyasal ile güneşin birlikte olması gerekir	İrritan dermatite benzer	Işığa duyarlı yama testi (Photopatch)	Alerjik ve irritan dermatitlerle aynıdır
Fotoalerjik	Alerjik dermatitlere benzer ancak alerjenle temasın yanı sıra ışığa maruz kalmada gerekir	alerjik dermatitlere benzer	Işığa duyarlı yama testi (Photopatch)	Alerjik ve irritan dermatitlerle aynıdır

Hemşirelik yönetimi: Atopik dermatitli hasta ve ailesinin hastalıkla başedebilmesi için hemşire yardımı ve desteğine gerekinimi vardır. Hasta ve ailesi deride meydana gelen semptomlar nedeniyle rahatsızlık duyar. Derisinde meydana gelen lezyonlar nedeniyle hastanın öz-güveni ve diğer bireylerle ilişkileri bozulur. Koruyucu önlemler ve yaşam tarzı değişiklikleri konusunda yapılacak eğitim hasta ve yakınları için destekleyici olur. Hasta ve yakınları sekonder enfeksiyon bulgularının, tedavi yöntemlerinin ve yan etkilerinin neler olduğunu öğrenmelidirler. Aşağıda Atopik dermatitli hastanın hemşirelik bakım planı örneği verilmiştir.

İlaç alerjileri: Bazı ilaçların alınmasını izleyerek gelişen Tip I aşırı duyarlılık reaksiyonudur. İlaç reaksiyonları A ve B tipi olmak üzere iki grupta incelenir.

I.A tipi ilaç reaksiyonları: Bu tip reaksiyonlar normal bireylerde görülebilir ve oluşacağı önceden bilinebilir. Oluşumunda immünoljik mekanizmalar rol oynamaz.

A tipi ilaç reaksiyonu tipleri:

- Yüksek doza bağlı toksisite: İlacın yüksek dozda alınması ya da detoksifikasyonunda bir yetersizlik olduğu durumlarda ortaya çıkar.
- İlaç yan etkileri: İlacın beklenen, ancak istenmeyen yan etkileridir.
- İlaç-ilaç etkileşimi: İki ya da daha fazla ilacın birlikte kullanımları sırasında benzer etkilerin birleşerek oluşturdukları reaksiyondur.
- İlaca bağlı sekonder etkiler: Geniş spekturumlu antibiyotiklerin uzun süreli kullanımına bağlı bu ilaca dirençli suşların yaptığı enfeksiyonların ortaya çıkması, bağırsak florasının bozulması gibi durumlardır.

45. İmmün Sistem Hastalıkları

Çizelge 45.13: Atopik Dermatitli Hastada Hemşirelik Bakım Planı Örneği

Hemşirelik Girişimleri	Amaç	Beklenen Sonuçlar

Hemşirelik tanısı: Subkutan doku işlevlerinin bozulmasının deride neden olduğu kurumaya bağlı deri bütünlüğünde bozulma
Hedef: Deri bütünlüğü ve hidrasyonunun korunması ve sürdürülmesi, sürtünme, tahriş, kızarıklık ve soyulmaların azaltılması, deri bütünlüğü bozulan alanların tedavi edilmesi

1. Her gün 15-20 dakika süreyle banyo yapılır 2. Banyodan sonra önerilen topikal tedavi ve nemlendiriciler uygulanır 3. Deri belirti ve bulguları artmışsa banyo sıklığı arttırılır 4. Banyo için ılık su kullanılır 5. Banyoda yumuşak sabun kullanılır 6. Günde iki-üç kez önerilen topikal preperatlar emdirme yöntemi ile uygulanır	1-2-3. Derinin nemliliğini sağlar, tahriş kaşıntı ve soyulmaları önler 4-5. Derinin kurumasını önler 6. Lezyonların yumuşamasını sağlar ve tahrişi azaltır	*Derinin nemliliği sağlanmalı ve sürdürülmeli *Deride kızarıklık, soyulma ve tahrişler önlenmiş deri bütünlüğü korunmuş olmalı

Hemşirelik tanısı: Konforda değişiklik-kaşıntı
Hedef: Kaşıntının giderilmesi, sürtünme ve tahrişin azaltılması, derideki soyulmaların azaltılması, uykuda kaşıntının neden olduğu rahatsızlığın azaltılması

1. Hastaya kaşıntın nedeni açıklanır ve tedavi yöntemleri anlatılır 2. Tüm yeni giysileri giymeden önce yıkaması ve yumuşatıcı kullanmaması söylenir 3. Giysilerin yıkanmasında orta sertlikte deterjan kullanılması, yıkamadan sonra çok iyi çalkalanması söylenir 4. Yakası açık, pamuklu kumaştan yapılmış ve bol giysiler giymesi önerilir 5. Evde ve işyerinde bulunduğu ortamın ısı ve neminin uygun koşullarda olması önerilir (olanak varsa aircondation kullanımı) 6. Tırnakların kısa, düz kesilmiş ve temiz olması sağlanır 7. Kaşıntıyı azaltmada önerilen antihistaminikler kullanılır 8. Güneş ışınlarından korunmak için alınması gereken önlemler konusunda bilgilendirilir	1. Hasta ve yakınlarının tedaviye uyumunu ve katılımını sağlar 2-3. Yeni giysilerdeki boya maddelerinin ve kimyasal maddelerin etkisini azaltır 4. Derideki sürtünme ve terlemeyi önler 5. Derinin nemliliğini sürdürmesini sağlar 6. Kaşıntı ile deri bütünlüğünün bozulmasını ve enfeksiyonu önler 7. Kaşıntıyı gidermeyi sağlar 8. Lezyonların kötüleşmesini önler	*Hasta sözel olarak deri ile ilgili sorununun azaldığını ifade etmelidir *Hastanın kaşıntı sorunun giderildiği ve rahatladığı gözlenmelidir

Hemşirelik tanısı: Deride soyulmalar ve enfeksiyon direncinin azalmasına bağlı enfeksiyon riski
Hedef: Hastanın püstül, eksuda veya kabuklanma gibi enfeksiyon lezyonlarının oluşumundan korunması, enfeksiyonun önlenmesi

1. Hastaya yapılacak her türlü girişimde aseptik tekniğe uyulur 2. Hastaya yapılacak girişimlerden önce eller mutlaka yıkanır 3. Hasta ve yakınlarına enfeksiyon bulguları ve korunmak için yapması gerekenler hakkında bilgi verilir 4. Önerilen tedaviyi evde de uygulamasının önemi vurgulanır	1-2. Enfeksiyon riskini kontrol altına almayı sağlar 3. Enfeksiyondan korunma ve enfeksiyonun erken bulgularını tanıyarak gerekli girişimlerin yapılmasını sağlar 4. Enfeksiyon oluşumunu hazırlayıcı lezyonların gelişimini önler	*Hastaya yapılan uygulamalarda aseptik tekniğe uyuluyor olmalıdır *Hasta ve yakınları enfeksiyondan korunmak için alınması gereken önlemleri bildiğini ifade edebiliyor ve uygulayabiliyor olmalıdır *Derideki lezyonlarda enfeksiyon gelişmemelidir

Hemşirelik tanısı: Derideki lezyonlar nedeniyle beden bilincinde bozulma
Hedef: Hastanın beden bilinci konusunda pozitif düşünmeye yönlendirilmesi, sosyal aktivitelere katılımının ve duygularını açıklamasının sağlanması

1. Hasta kendini nasıl algıladığını ve düşüncelerini ifade etmesi için desteklenir 2. Hasta ve yakınlarına atopik dermatitin bulaşıcı olmadığı konusunda bilgi verilir 3. Hastalığın evdeki tedavisinin sürdürülebilmesi için hasta ve yakınları eğitilir ve desteklenir	1. Hastanın beden bilinci ile ilgili duygularını ifade etmesini sağlar 2. Hasta ve yakınlarının kaygılarının giderilmesini sağlar 3. Tedavinin doğru ve düzenli olarak devam ettirilmesini sağlar	*Hasta beden bilinci ile ilgili pozitif duygularını ifade edebiliyor olmalıdır *Sosyal aktivitelere katıldığını ifade edebiliyor ve katılım gösterebiliyor olmalıdır *Evdeki tedavisini doğru ve düzenli sürdürülebiliyor olmalıdır

ÜNİTE 12

2.B tipi ilaç reaksiyonları: Bu tip reaksiyonlar yatkınlığı olan bireylerde görülür ve oluşacağı önceden bilinemez. Bu tür ilaç reaksiyonlarının oluşumunda immünolojik mekanizmalar rol oynar.

B tipi ilaç reaksiyonu tipleri:
İntolerans: Bir ilacın beklenen ve beklenmeyen farmakolojik etkilerinin küçük dozlarda bile ortaya çıkmasıdır. Örn. Aspirin kullanımına bağlı astım gelişmesi.

İdyosenkrazi: Bir ilacın farmakoljik etkileri dışında anormal bir reaksiyon gelişmesidir.

Alerjik reaksiyonlar (hipersensitivite/aşırı duyarlılık reaksiyonları): Duyarlı kişilerde, profilaksi, tanı ve tedavi amacı ile kullanılan ilaçlara ve maddelere karşı immünolojik mekanizmalarla oluşan reaksiyonlardır.

Psödoalerjik reaksiyonlar (yalancı alerji)

Etiyoloji: Her iki tip ilaç reaksiyonun etiyolojisinde rol oynayan başlıca faktörler aşağıda verilmiştir:
- Lokal anestetikler (Lidokain, prokain vb.)
- Kas gevşeticiler (Lystenon vb.)
- Sulfonamidler
- Vankomisin
- Aspirin
- İyot
- Hormonlar
- Radyografik kontrast maddeler

Penisilin: alerjik reaksiyonların etiyolojisinde en sık karşılaşılan ilaç grubudur. Bazı durumlarda ilaç alerjisinin ortaya çıkması daha kolay olur. Bu durumlar aşağıda verilmiştir:

İlaç alerjisinin ortaya çıkmasını kolaylaştıran faktörler
- **İlaçların kimyasal yapıları:** Kimyasal yapı olarak birbirine çok benzeyen iki maddeden birisine alerjisi olan bireyde, diğerlerine de alerji gelişebilir. Örn; penisilin ve sefalosporinler
- **İlacın uygulama yolu:** İlaçların deri yolu ile uygulanması, alerji oluşması için en riskli yoldur. Bu nedenle, penisilin, sulfonamid ve antihistaminik ilaçların topikal kullanımından vazgeçilmiştir. İlacın intravenöz (IV) kullanımı, intramüsküler (IM) ve oral kullanımına göre daha fazla alerjik reaksiyon gelişme riski taşır.
- **İlacın dozu ve uygulama süresi:** İlacın dozu ve kullanım süresi arttıkça alerji oluşma olasılığı artar
- **Hastaya ilişkin faktörler:** İlaç alerjileri erişkinlerde çocuk ve yaşlılara göre daha sık görülür. Bunun nedeni immün sistemin çocuklarda tam gelişmemiş, yaşlılarda ise gerilemiş olmasıdır. Ancak çocuklarda görülen reaksiyonlar daha şiddetlidir. İlaç yan etkilerine bağlı

deri belirtileri kadınlarda erkeklere oranla %35 daha sık görülür. Radyokontrast maddelere bağlı alerjik reaksiyonlar kadınlarda erkeklere oranla 20 kat fazladır. Genetik özellik olarak ailesinde ilaç alerjisi olanlarda ilaç alerjisi gelişme riski fazladır. Atopik yapılı bireyler ilaç alerjisi gelişmesi açısından daha fazla riskli değillerdir, ancak alerji geliştiğinde daha şiddetli seyreder. SLE, AIDS, sarkoidoz gibi hastlığı olan bireylerde ilaç alerjsi gelişme riski fazladır.

Klinik belirti ve bulgular: Eritemli deri döküntüleri en sık görülen klinik bulgulardır. Deri döküntüleri ile birlikte sistemik ya da yaygın bulgular vardır. Ürtiker, peteşi, purpura, ekimoz, bül, trombositopeni, aplastik anemi, hemolitik anemi, ateş, üşüme, titreme, halsizlik, artralji, bronkospazm ve anaflaktik şok görülebilecek belirti ve bulgulardır.

Tanı: Hasta öyküsü, deri testleri ve RAST ile konur.

Tedavi-korunma ve hemşirelik yönetimi: Hafif olgularda sadece ilacın kesilmesi yeterli olabilir. Ancak akut anaflakside anaflaktik şokta uygulanan tedavi yöntemleri uygulanır. İlaç reaksiyonlarının oluşumundan korunmada alınacak önlemler aşağıda verilmiştir. Bu konuda hemşire, hekim ve sağlık ekibinin diğer üyelerinin uygulamalarda dikkat edilmesi gereken konular, hasta ve yakınlarının eğitimi gibi sorumlulukları vardır.

İlaç reaksiyonlarından korunmada alınacak önlemler:
- Daha önceki ilaç reaksiyonlarını sorgulayan ayrıntılı öykü alınması
- Bireysel risk faktörlerinin belirlenmesi
- Çapraz reaksiyon yapan ilaçların kullanımında dikkatli olunması
- Test yapılarak kullanılması önerilen ilaçlarda mutlaka test yapılması
- Alerjik reaksiyon yapma riski fazla olan ilaçların gereksiz kullanımından kaçınılması, bu konuda halkın eğitimi
- Alerjik reaksiyon yapma riski fazla olan ilaç ve maddeleri uygulamadan önce akut anaflaksi için gerekli malzemelerin hazır bulundurulması ve bu grup ilaçların sağlık kuruluşları dışında uygulanmaması
- Alerjik reaksiyon öyküsü olan bireylerin yanlarında bunu belirten kart ya da künye taşımalarının sağlanması

Ürtiker ve anjiyonörotik ödem: Ürtiker; deride birden ortaya çıkan bulunduğu bölgede rahatsızlık duygusuna neden olan değişik büyüklüklerde ve şekilde, pembe, ödemli kabarcıklar ile karakterize Tip I aşırı duyarlılık reaksiyonudur. Bu lezyonlar özellikle ağız mukozasında olmak üzere müköz membranlarda, larinks ve GI bölgede dahil olmak üzere vücudun herhangi bir yerinde görülebilir. Ortaya çıkan lezyonların görülme süresi birkaç dakika ile uzun saatler arasında değişir. Lezyonlar saatlerce ya da günlerce tekrarlayan şekilde görülür ve kaybolurlar. Bu durum altı haftadan uzun sürerse kronik ürtiker olarak tanımlanır.

Anjiyonörotik ödem ise ürtiker lezyonlarının derinin daha derin tabakalarında daha yaygın olarak görülmesi durumudur. Bazen bu lezyonlar tüm sırtı kaplayabilir. Basmakla çukurlaşmayan ödem vardır. Lezyonlar genellikle dudaklar, göz kapakları, yanaklar, eller, ayaklar, genital bölge ve dilde görülür. Genellikle genetik tip anjiyonörotik ödemde larinks, bronşlar, ve GI bölgede lezyonlar görülür. Ödemli lezyonlar birkaç saniyeden bir-iki saate kadar uzayan sürelerde ortaya çıkar. Daha sonra lezyonlarda kaşıntı ve yanma meydana gelir. Genellikle bir lezyon kaybolurken bir diğeri ortaya çıkar, ancak nadiren bir defada birden fazla lezyon ortaya çıkabilir. Lezyonlar genellikle aynı bölgede görülür ve 24-36 saat süresince kalırlar. Nadir olgularda ödemli lezyonlar üç-dört hafta aralıklarla tekrarlar.

Etiyoloji: Daha önce açıklanan ve çizelgede verilen anaflaksiye neden olan faktörlerin bir çoğu etiyolojide rol oynar.

Tanı ve tedavi: Hasta öyküsü, deri testleri ve RAST ile konur. Tedavide reaksiyona neden olan etkenden uzaklaştırma, antihistaminikler, kortikosteroidler ve adrenalin tedavisi uygulanır.

Hemşirelik yönetimi: Diğer aşırı duyarlılık reaksiyonlarında olduğu gibidir.

Serum hastalığı: Tip III aşırı duyarlılık reaksiyonudur. Difteri, pnömoni, tetanoz, botulismus, kuduz, yılan zehiri, siyah örümcek sokmasına karşı koruyucu ya da tedavi edici amaçla kullanılan hayvanlardan elde edilen serumların uygulanmasından sonra görülen reaksiyonlardır.

Etiyoloji: Hayvanlardan elde edilen antiserumlar, immün globulinler, aşılar, özellikle penisilin başta olmak üzere, sefalosporin, siprofloksasin vb. antibiyotikler etiyolojide rol oynar.

Klinik belirti ve bulgular: Serum ya da ilacın uygulanmasından 6-21 gün sonra klinik bulgular görülür. Ancak önceden duyarlılığı olan hastalarda iki-dört gün gibi kısa sürede belirti ve bulgular görülmeye başlar. İlk bulgular serum ya da ilacın uygulandığı bölgede lokal ürtikeriyal, makülopapüler, eritematöz deri döküntüleridir. Bu bulgulara ek olarak ateş, lenfadenopati, artralji, miyalji, bulantı, kusma ve baş ağrısı gelişebilir. Serumda IgE ve IgM antikorları saptanır. Orta derecede kalp ve böbrek tutuluşu nadiren görülebilir.

Meningoensefalit, mononöropati, polinöropati ve Guillain Barré sendromu gelişebilir.

Tanı ve tedavi: Hasta öyküsü, bulgular ve serumda Ig'lerin saptanması ile tanı konur. Tedavide antihistaminikler, analjezikler ve kortikosteroidler kullanılır. Daha ağır olgularda ventilatör desteği, periferal nöropati ve Guillain Barré gelişen olgularda bu hastalıklara yönelik tedavi uygulanır.

Hemşirelik yönetimi: İlk girişimler diğer aşırı duyarlılık reaksiyonlarında olduğu gibidir. Guillain-Barré sendromundaki hemşirelik bakımı uygulanır.

Besin alerjisi: Ig E'lerin neden olduğu besin alerjileri toplumda %0.1-7 arasında görülen Tip I aşırı duyarlılık reaksiyonudur.

Etiyoloji: Bir çok besin alerjen olabilir. Besinlerin alerjik reaksiyon meydana getirebilmesinde besini alan bireyin atopik bünyeli olması, besinin sık tüketilmesi ve hazırlama yönteminin rolü vardır. Örn; besinin uzun süre pişirilmesi alerjen reaksiyon yaratma özelliğini azaltırken, kızartma yöntemi bu özelliğin ortaya çıkmasını kolaylaştırır. Alerjik reaksiyona neden olan başlıca besinler, anne sütü, inek sütü, yumurta, et, balık, deniz ürünleri, fındık, fıstık gibi kuru yemişler, sucuk, salam vb. şarküteri ürünleri, buğday, arpa, çavdar, yulaf, mısır, pirinç gibi tahıllar, çilek, muz, kavun gibi meyveler, bezelye, fasulye, domates gibi sebzeler ve besin boyası katkısı içeren hazır gıdalardır.

Klinik belirti ve bulgular: Besin alımını izleyen iki-dört saat içerisinde ürtiker, atopik dermatit ve makülopapüler döküntü gibi deri reaksiyonları, hırıltılı solunum, öksürük, larinks ödemi, anjiyoödem gibi solunum sistemi bulguları, dudaklarda, dilde ve damakta kaşıntı ve ödem, karın ağrısı, kramp, bulantı, kusma ve diyare gibi GI bulgular gelişir.

Tanı ve tedavi: Hastada alerji yarattığından kuşkulanılan besinin saptanabilmesi için ayrıntılı alerji öyküsü alınması, fizik muayene, kuşkulu besinlerin diyetten çıkarılması ve uygun deri testleri tanı koymada yardımcı olur. Besin alerjileri genellikle çocuklukta ortaya çıkar ve belirlenen alerjik besinin diyetten çıkarılması ile bir-iki yıl içinde 1/3 oranında düzelme sağlanır. Hastanın kuşkulu besini almasının engellenemediği ya da bir çok besine alerjisi olduğu durumlarda tedavide H1-H2 blokerleri, antihistaminikler, adrenerjikler, kortikosteroidler ve cromolyn sodyum kullanılır.

Hemşirelik yönetimi: Alerjik reaksiyonun tedavisinin yanısıra hastanın alerji yaratan besin/besinleri kullanımının önlenmesi için yapılacak girişimler önemlidir. Besinlerin hazırlama yöntemleri, alerjik besinlerin tüketiminden kaçınılması, hasta ve yakınlarına besin alerjisinin erken belirti ve bulgularının neler olduğu, reaksiyon geliştiğinde yapılacak ilk uygulamalarının neler olduğu ve hangi besinlere alerjisi olduğunu tanıtan bir kimlik taşıması konusunda eğitilmesi hemşirelik bakımı kapsamında yapılması gerekenlerdir.

Lateks alerjisi: Lateks alerjisi doğal kauçuk proteinlerine karşı gelişen rinit, konjoktuvit, kontakt dermatit, ürtiker, astım ve anaflaksi ile karıştırılabilen bir alerjik reaksiyondur. İlk kez 1927 yılında saptanan lateks alerjisi son yıllarda enfeksiyondan korunmada uygulanan universal önlemler nedeniyle lateks eldivenlerin kullanımının yaygınlaşmasına bağlı olarak artmıştır.

Etiyoloji: Doğal lateks kauçuk ağacı özünden elde edilir ve ikiyüzden fazla kimyasal işlemden geçtikten sonra sıvı lateks durumuna gelir. Lateks eldivenlerin pudralanması amacıyla kullanılan mısır nişastası pudrası lateks proteinlerini absorbe ederek eldivenin giyilip çıkartılması sırasında havaya yayılmasına neden olur. Havaya yayılan lateks proteinleri deri, müköz memebranlar, intravasküler ve inhalasyon yolu ile vücuda girer. Mukoza yolu ile vücuda girmesi daha çok lateks içeren kondom, kateter, airway ve emziklerin kullanımı ile olur. İntravenöz yolla giriş IV gereçler ve hemodiyaliz malzemelerinin kullanılması ile olur. Bunların dışında yapımında lateks kullanılan birçok tıbbi ve ev gereçleri bulunmaktadır. Tek kullanımlık enjektörler, resüsitasyon balonları, kan basıncı kafları, turnikeler, hijyenik pedler, inkontinans pedleri, balonlar vb. malzemeler lateks içermektedir.

Lateks allejisi gelişmesi için risk grupları: Sağlık çalışanları, spina bifidalı hastalar, lateks ile üretim yapan işlerde çalışanlar, kadınlar, gıda hazırlama işlerinde çalışanlar, kuaförler, oto bakım işçileri, polisler ve işi gereği lateks eldiven giyerek çalışan tüm bireyler risk grubunu oluşturur. Toplumda lateks alerjisi görülme sıklığı %1-3, sağlık personelinde %10-17 olarak bildirilmektedir. Lateks eldiven giyerek dokunulan gıdalar alerjik yanıt oluşmasını uyacı faktördür. Lateks alerjisi olan bireylerde aynı zamanda kauçuk ağacıyla aynı aileden olan ağaçların meyvelerinden kivi, muz, ananas, avakado ve kestaneye de alerjileri de vardır.

Klinik belirti ve bulgular: Deride eritem ve purpura tarzında kontakt dermatit bulguları, gecikmiş tip reaksiyonlarda el sırtında veziküler lezyonlar, papüller, kaşıntı, ödem, eritem, kabuklanma ve deride incelme görülür. Tip I erken aşırı duyarlılık reaksiyonu bulgusu olarak rinit, konjoktuvit, astım ve anaflaksi gelişebilir. "Lateks alerjisi" terimi çoğunlukla bu tür reaksiyonları tanımlamak için kullanılır. Klinik bulguları ani başlangıçlı ürtiker, hırıltı, dispne, larinks ödemi, bronkospazm, taşikardi, anjiyoödem, hipotansiyon ve kardiyak arresttir.

Tanı: Hasta öyküsü ve deri duyarlılık testleri, RAST ya da ELISA testi tanı koydurucudur.

Tedavi: En iyi tedavi yöntemi lateks içeren maddelerle temastan kaçınmadır. Ancak lateks kullanımının yaygınlığındaki artış nedeniyle bu zor bir yöntemdir. Latekse karşı anaflaktik reaksiyon deneyimlemiş hastalara antihistaminikleri ve diğer ilkyardım reaksiyonu maddelerini kullanıma hazır olarak, evinde, işyerinde arabasında bulundurması, lateks alerjisi olduğunu bildiren tanıtıcı kart ya da künyeyi üzerinde ve arabasında taşıması gerektiği konusunda eğitim yapılmalıdır. Mesleği gereği lateksle teması olanların alternatif iş değişikliklerinin olanaklar çerçevesinde önerilmesi ya da lateks içermeyen malzemeleri kullanımı sağlanmalıdır.

Hemşirelik yönetimi: Lateks alerjisi olan hasta ve çalışanların eğitiminde hemşirenin önemli sorumluluğu vardır. Özellikle lateks alerjisi için risk grubunda bulunan spina bifidalı hastalar, birçok cerrahi operasyon geçirmiş hastalara yapılacak girişimlerde özel dikkat göstermek gerekir. Yapılacak her türlü invaziv girişimde hemşire lateks alerjisi olasılığını göz önünde bulundurmalıdır. Ameliyathane, yoğun bakım ünitesi, günübirlik cerrahi ünitesi ve acil servis birimlerinde çalışan hemşireler bu konuda özellikle dikkatli olmalıdırlar. Lateks alerjisi olan bireylerin acil durumlarda epinefrin enjeksiyonunu kendi kendine yapabilmesi için hemşire tarafından eğitilmesi gerekmektedir.

Transplantasyon rejeksiyonu(reddi): Son yıllarda teknoloji ve immünolojideki gelişmelere paralel olarak organ ve doku transplantasyonu giderek yaygınlaşmaktadır. Allojenik (aynı türden iki canlı arasında yapılan transplantasyon. Örn; insandan-insana), otolog (bireyin kendi vücudundan alınan bir dokunun bir başka yere transplante edilmesi. Örn; Bacaktan kola deri nakli) ya da diğer türlerde tüm transplantasyonlarda hücre yüzey antijenlerinin birbiriyle uyumsuzluğu nedeniyle nakledilen dokunun rejeksiyonu (reddi) söz konusu olabilmektedir. Bu durum transplantasyon yapılan hastaların karşılaştığı olumsuz immünolojik yanıt reaksiyonunun en önemlisidir.

Doku ya da organ alıcısı olan bireyin immün sistemi vericinin doku ya da organını yabancı bir madde olarak kabul ederek ona karşı antikor ve duyarlılığı artmış lenfositler üretir. Bu reaksiyon TipIV-Gecikmiş tip (hücresel) aşırı duyarlılık reaksiyonudur ve vericinin dokusunun yıkıma uğramasına neden olur. Alıcının immün sisteminin nakledilen dokuyu yıkıma uğrattığı bu immün yanıt *Graft rejeksiyonu(nakledilen doku reddi)* olarak tanımlanır. Transplantasyonun başarılı olmasında alıcıyla verici arasındaki bir çok antijenin rolü vardır. Ama özellikle ABO, Rh ve HLA antijenleri yaşamsal önem taşır. *Doku reddi reaksiyonu üç şekilde görülür:*

Hiperakut doku reddi: Allograft transplantasyonlarda daha önce duyarlılaştırılmış alıcılarda transplantasyondan sonra 48 saat içinde oldukça hızlı gelişen bir reaksiyondur. Kırıklık ve yüksek ateş gibi bulguları vardır. Bu tür reaksiyonun tedavi edilmesi olası değildir. Reaksiyonu durdurmanın yolu nakledilen doku ya da organı çıkarmaktır.

Akut doku reddi: Genellikle transplantasyondan sonra üç ay, en geç iki yıl sonra görülür.

Bu tür reaksiyonlar kortikosteroidler, siklofosfamid, antithimosit globulin (ATG), antilenfosit globulin (ALG) ve siklosporinlerle tedavi edilebilir. Akut red ataklarının tekrarlaması organda kalıcı hasara neden olur.

Kronik doku reddi: Transplantasyondan aylar ya da yıllar sonra görülür. Bu tür reaksiyonda antikorlar ve komplemanlar önemli rol oynar. Kronik doku reddi gelişen hasta belirti ve bulgu göstermeyebilir. Belirti ve bulguları olan hastalarda nakledilen organın işlevlerinin bozukluğu ile karakterize belirti ve bulgular vardır.

Böbrek transplantasyonu yapılan hastada serum kreatinin ve kan üre nitrojeni düzeyinde giderek artan yükselme, elektrolit dengesizliği, kilo artışı, hipertansiyon, idrar miktarında azalma ve periferal ödem gibi bulgular vardır. Kalp transplantasyonunda miyokard iskemisi ve enfarktüs, karaciğer transplantasyonunda ilerleyici karaciğer Yetersizliği bulguları, pankreas transplantasyonunda insülin sekresyonunda azalma ve hiperglisemi gibi bulgular görülebilir. Genellikle tedavi edilemez ve yeni bir transplantasyon gerekir.

Hemşirelik yönetimi: Transplantasyon yapılan hastada olası doku reddi bulguları yönünden hastanın değerlendirilmesi ve izlenmesi gerekir. Transplantasyon uygulanan hastanın hemşirelik yönünden izlenmesinde hasta aşağıdaki subjektif ve objektif bulgular açısından değerlendirilmelidir.

Subjektif bulgular: Hasta genellikle transplantasyon yapılan bölgede rahatsızlık duygusundan yakınır.

Objektif bulgular: Transplantasyondan sonra hasta; yaşam bulguları, beslenme durumu, sıvı dengesi, idrar çıkışı, mental durumu, solunum ve kardiyovasküler işlevleri yönünden dikkatle izlenmelidir. Transplantasyon bölgesi ateş, şişlik ve rahatsızlık duygusu açısından izlenmeli, günlük kilo takibi yapılmalıdır.

Arı-böcek sokması alerjisi: Duyarlı kişilerde zarkanatlı böcek sokmaları yaşamı tehdit eden ciddi alerjik reaksiyonlara neden olmaktadır.

Etiyoloji: alerjik reaksiyona neden olan başlıca etkenler sarı kanat, bal arısı, yaban arısı ve eşek arısıdır.

Klinik belirti ve bulgular: Arı- böcek sokmasından sonra üç tip reaksiyon gelişebilir ve klinik bulgular reaksiyonun erken döneminde ortaya çıkışı ile paralel olarak daha ağır seyreder.

Erken reaksiyon: Sokmadan sonraki ilk 15-60 dakika içinde görülür. Ağrı, enflamasyon, kapiller geçirgenlik artışı, hipotansiyon ve histamin salgılanmasındaki artışa bağlı olarak, yaygın ödem, ürtiker, larinks ödemi, hırıltılı solunum, bulantı, karın ağrısı, aritmi, bilinç kaybı, şok ve ölüm görülebilir.

Geç reaksiyon: Sokmadan sonraki 7-14 gün içinde ortaya çıkan nadir görülen bu reaksiyonda ürtiker, ateş, eklem ağrısı başlıca bulgulardır.

Toksik reaksiyon: Aynı anda çok sayıda arının sokmasına bağlı olarak ortaya çıkar. Ensefalit, Guillain Barré sendromu nefrit ve vaskülit görülebilir.

Tedavi ve hemşirelik yönetimi: Tedavi gelişen reaksiyonun şiddetine göre belirlenir. Antihistaminikler ve lokal kortikosteroidli pomadlar, anaflaksi gelişen olgularda anaflaksi tedavi protokolü uygulanır. Hemşirenin temel sorumluluğu akut tedaviyi uygulamanın yanı sıra, korunma önlemleri ve acil durumlarda yapılması gerekenler konusunda eğitim yapmaktır.

Daha önce bu tür reaksiyon deneyimlemiş bireylere çıplak ayakla ot ve kum üzerinde dolaşmaması, piknik yerlerinden, çöplerin bulunduğu, yiyecek ve çiçek kokularının yoğun olduğu ortamlardan uzak durması, parfüm, losyon, saç spreyi kullanımından, kapalı kutulardan içecek tüketiminden kaçınması, parlak renkli giysilerden çok mat renkli giysileri ve kapalı ayakkabıları tercih etmesi, açık alanlarda şapka ve eldiven kullanması, yanında kullanıma hazır iki adet enjektör, iki ampül adrenalin, antihistaminik ve turnike taşıması, bu tedavinin uygulanışına ilişkin protokolü ve durumunu belirten tanıcı kart ya da künyeyi üzerinde bulundurması konularında eğitim yapılır.

ÜNİTE 13

Dermatoloji

46. Derinin Değerlendirilmesi
47. Dermatolojik Hastalıklar
48. Yanıklar
49. Plastik ve Rekonstrüktif Cerrahi

46.
DERİNİN DEĞERLENDİRİLMESİ

Prof. Dr. Ayfer KARADAKOVAN

Deri bireyin fizik ve ruh sağlığında önemli rolü olan en büyük organdır. Sağlıklı bir deri sağlıklı bir vücudun aynasıdır. Bir çok sistemik hastalıkta deriye ilişkin bulgular vardır. Bu nedenle derinin değerlendirilmesi, bütünlüğünün korunması ve sürdürülmesi hemşirenin önemli bağımsız işlevlerindendir. Bu bölümde derinin yapı işlevleri, değerlendirilmesi, sık görülen dermatolojik hastalıkların tedavisi ve hemşirelik bakımları tartışılacaktır.

Anatomi-Fizyoloji

Deri vücudu ve iç organları dış ortamdaki zararlı mikroorganizmalardan, fiziksel ve kimyasal zararlılardan koruyan, yaşamsal önem taşıyan önemli bir savunma sistemidir. Deri solunum sistemi, sindirim sistemi ve ürogenital sistemin vücut dışına açılan giriş kapılarında müköz membran olarak devam eder. Derinin ekleri ya da uzantıları olarak tanımlanan saç ve tırnakların da koruyucu işlevleri vardır.

Vücut ağırlığının %15-20'ni oluşturan derinin kalınlığı vücutta bulunduğu bölge ve bireyin yaşıyla ilgili olarak 0.2-1.5 mm arasında değişir. Deri 1-Epidermis, 2-Dermis ve 3-Subkutan tabaka olmak üzere başlıca üç tabakadan oluşmuştur (Şekil 46. 1).

I. Epidermis: Epidermis dış ortamla direkt temas eden derinin en dış tabakasıdır. Kalınlığı göz kapaklarında 0.04 mm, avuç içi ve ayak tabanında 1.6 mm'dir. Epidermis içten dışa doğru beş tabakadan oluşmuştur.

- Stratum germinatium (bazal tabaka)
- Sratum sipinozum (dikensi hücre tabakası)
- Stratum granülozum
- Stratum lusidum (ince transparan tabaka)
- Stratum korneum (ölü keratin hücrelerinden oluşan boynuzsu tabaka)

Epidermisin temel hücreleri olan, yapılarında **keratin** adı verilen protein bulunduran **keratinositler** bazal hücre tabakasından başlayıp her tabakada değişikliğe uğrayarak stratum korneuma kadar uzanır. Keratinli hücreler 3-4 haftada bir değişime uğrayarak yenilenirler. Keratin deriyi dış ortamdaki mikroorganizmalar ve yabancı maddelerden koruyucu rol oynar. Keratinin suyu tutucu özelliği nedeniyle üretimindeki bozulma derinin esnekliğini ve yumuşaklığını olumsuz yönde etkiler. Derinin sürtünmeye uğrayan avuç içi ve ayak tabanı gibi bölgelerinde epidermal hücrelerin miktarı artarak deride kalınlaşma ve nasır oluşumuna neden olur. Keratin saç ve tırnak yapısını güçlendirir.

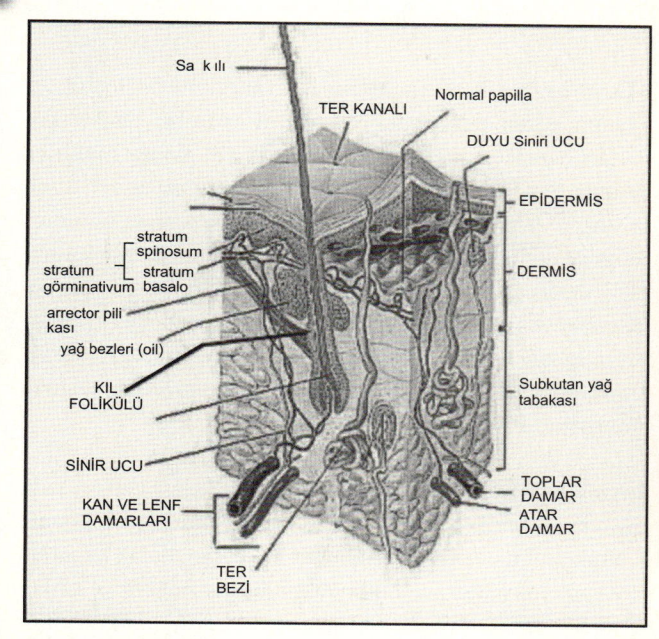

Şekil 46.1: Derinin yapısı

Epidermisin özel hücreleri olan **melanositler** yapılarında **melanin** adı verilen pigmenti bulundurur. Melanin pigmentinin yapımı hipotalamustan salgılanan **melanosit stimulan hormonun** kontrolü altındadır. Saç ve deri renginin belirlenmesinde rolü olan melanin pigmenti ırksal özelliklere göre deri renginin fildişinden koyu kahverengine kadar değişiminde rol oynar. Derideki benler ve doğum lekeleri bu alanlardaki melanin pigmenti üretiminin fazla olmasından kaynaklanan oluşumlardır. Açık renk derili bireylerde meme başı gibi bazı alanlarda melanin üretimi fazla olduğu için bu alanlar daha koyu renklidir. Güneş ışığına maruz kalındığında melanin üretimi artarak deri rengi koyulaşır. Melanin üretiminin bozulduğu deri alanlarında görülen beyaz renkli lekeler ise *vitiligo* olarak tanımlanır. Deri rengi bazı sistemik hastalıklarda da değişikliğe uğrar. Örn; kanda oksijen düzeyinin azalmasına neden olan hastalıklarda deri siyanotik, sarılık da yeşilimsi sarı renkte olabilir.

Epidermisin diğer iki hücresi **merkel** ve **langerhans** hücreleridir. Bazal tabakada bulunan merkel hücreleri avuç içi, ayak tabanı, ağız ve genital bölge mukozasında dokunma reseptörleri olarak bulunmaktadır. Kemik iliğinden köken alıp, buradan epidermise geçen langerhans hücreleri derinin bir antijenle teması olduğunda hücresel tip aşırı duyarlılık reaksiyonu gelişmesinde rol oynar.

Epidermisin uzantıları: Epidermis ile dermis arasındaki uzantılar;1-Ekrin bezler, 2-Apokrin bezler, 3-Yağ bezleri, 4-Kıllar ve 5-Tırnaklardır.

l-Ekrin bezler: Ter üretimini sağlayan ekrin bezler vücut ısısının düzenlenmesinde önemli rol oynarlar. Dudak kenarları, tırnak yatağı, kulaklar, penis ve labium minörler dışında tüm vücutta yaygın olarak bulunur. Avuç içi, ayak tabanı, alın ve koltuk altı bölgesinde çok sayıda bulunur. Salgılarını doğrudan vücut dışına atan ter bezlerinin salgısı plazma ile aynı içerikte olup, daha yoğundur. Büyük bir kısmı su ve yarısı da tuz içermektedir. Ekrin bezlerin çalışmasının ana uyarıcısı sıcaktır. Bunun yanı sıra egzersiz ve emosyonel stres de kolinerjik etki ile bu bezlerin çalışmasını uyarır. Bu bezler kıl kökünden bağımsızdır.

2-Apokrin bezler: Daha büyük olan apokrin bezlerin salgısında ekrin bezlerden farklı olarak hücreler bulunur. Koltuk altı, meme başları, anogenital bölge, kulak kanalları ve göz kapaklarında bulunur. Bu bezler puberteye kadar işlev göstermez, puberteden sonra seks hormonlarının etkisiyle aktif hale gelir. Kadınlarda her menstruel dönemde bu bezler büyür ve daha sonra tekrar küçülür. Adrenerjik etki ile süt benzeri bir madde salgılarlar ve salgıları derideki bakterilerle birleştiğinde bireye özgü koku meydana gelir.

3-Yağ bezleri: Yağ bezleri avuç içi ve ayak tabanı dışında tüm vücutta bulunur. Yüzde, kafa derisinde, sırtın üst kısmında ve göğüste daha fazla bulunurlar. Yağ bezleri kıl kökleri aracılığı ile vücut yüzeyine açılır ve salgılarını boşaltırlar. Yağ bezi salgısı lipid ve epidermal hücre kalıntıları içerir. Yağ bezi salgısı deriye nemlilik sağlar ve bakterisit etki gösterir. Bu bezlerin gelişiminden androjen hormonu sorumludur. Erkeklerde yağ bezi salgısı bu nedenle daha fazladır.

4-Kıllar: Yapısında keratin bulunan kıllar vücutta avuç içi, ayak tabanı, dudaklar, meme başları ve glans pensi dışında yaygın olarak bulunurlar. *Vellus* ve *terminal kıllar* olmak üzere iki tür kıl vardır. Vellus daha çok kadınların yüzlerinde görülen, pek fark edilmeyen ince ve açık renkli tüylerdir. Terminal kıllar ise kalın ve koyu renkli saçlar, kaşlar, kirpikler, koltuk altı ve pubis bölgesinde bulunan kıllardır. Kıllar kıl kökünden mitotik bölünme ile çoğalır. Her bir kıl kökünün büyüme ve dinlenme dönemleri vardır ve her birinin büyüme dönemi farklıdır. Normal kafa derisindeki 100.000 saç kökünün yaklaşık %90'ı aynı zamanda büyüme dönemine girer ve yaklaşık olarak her gün 50-100 saç teli dökülür. Saçların uzaması iki-beş yıl sürer.

Vücudun bazı bölgelerindeki kılların büyümesi seks hormonlarının kontrolü altındadır. Erkeklerde yüzdeki sakal ve bıyıklar, göğüs ve sırt kılları androjen hormonun kontrolü altında büyür. Testosteron hormonu fazla olan bazı kadınlarda yüzde, göğüste ve karnın alt kısımlarında erkek tipi kıllanma görülebilir.

Vücudun değişik yerlerindeki kılların değişik işlevleri vardır. Kaşlar, kirpikler, burun ve kulak kılları toz, mikroorganizma gibi hava yolu patojenlerinin süzülmesini sağlar. Kafa derisindeki kılların kafa derisini güneşin ultraviyole ışınlarından koruma, kafa tasını travmalardan korumada yastık görevi yapma gibi işlevleri vardır.

Kirpikler ve kaşlar yabancı maddelerin göze girmesini, burun ve dış kulak yolu kılları yabancı maddelerin burun ve kulağa girmesini engeller.

Kıl follikülündeki hücrelerden salgılanan melanositler saç/kıl rengini belirler.

5-Tırnaklar: Parmakların dorsal yüzünde bulunan tırnaklar, transparan, sert keratin içeren yapılardır. Tırnaklar tırnak kökünden uzar. Derinin altında ince bir kutikula tabakası aracılığı ile tırnak yatağına bağlanır. Tırnak yatağındaki kan damarları tırnağın pembe renkli görünümünü sağlar. Tırnak yaşam boyu uzamasını sürdürür ve yaklaşık olarak günde 1 mm uzar. El parmaklarındaki tırnakların uzama hızı ayak parmaklarındaki tırnakların uzama hızından fazladır ve yaşın ilerlemesi ile birlikte uzama yavaşlar. Tırnakların uzaması ve dayanıklılığı yeterli beslenme ve oksijenlenmeye bağlıdır. Aynı zamanda soğuk hava ve hastalık dönemleri de tırnağın yapısını ve uzamasını etkiler. Travma, uygun olmayan manikür yöntemleri tırnağın yapısının bozulmasına neden olabilir. El parmaklarındaki tırnaklar yaklaşık 170 günde, ayak parmaklarındaki tırnaklar ise 12-18 ayda yenilenebilir. Tırnakların parmak uçlarını travmalardan koruma ve küçük objelerin tutulmasına yardımcı olma gibi işlevleri vardır.

6-Dermis: Epidermis tabakasının altında bulunan dermis deriye destek ve dayanıklılık sağlayan bir tabakadır. Kalınlığı 1-4 mm arasında değişen dermisin kalınlığı sırtta en fazladır. Dermisin yapısında bulunan fibroblastlar, makrofajlar, mast hücreleri ve lenfositler yara iyileşmesinde rol oynar. Dermisdeki kan ve lenf damarları ile sinir lifleri derinin canlılığını sürdürmesi ve duyu işlevini sağlar. Dermis iki tabakadan oluşmuştur.

a-Papiller dermis: Doğrudan dermisle temas eden bu tabaka bağ dokusunun bir bileşeni olan fibroblastlardan kollajen üreterek derinin esnekliğini sağlar. Bu tabakada kan damarları, yağ ve ter bezleri ve elastin bulunur.

b-Retiküler dermis: Papiller tabakanın altında bulunur. Kollajen ve elastin yapıları üretir. Epidermis ve dermisin bir biriyle bağlandıkları yerde deride dalgalanmalar olur. Parmak uçlarında olan bu dalgalanmalar bireye özgü bir özellik olan *parmak izi* olarak tanımlanır.

Görme ve işitme duyusundan sonra en önemli duyu organlarından biri olan deri dermisdeki duyu lifleri aracığı ile ağrı, dokunma, ısı ve basınç gibi duyuların algılanmasını sağlar.

7- Subkutan tabaka: Subkutan tabaka ya da hipodermis derinin en alttaki tabakasıdır. Temelde bağ dokusundan oluşmuştur. Yapısındaki yağ dokusu nedeniyle adipoz tabaka olarak da adlandırılır. Göz kapakları, skrotum, meme başı ve tibiada bu tabaka bulunmaz. Yaş, genetik özellikler ve diğer bir çok faktör subkutan tabakanın kalınlığını etkiler. Subkutan yağ dokusu genellikle sırtta ve kalçalarda daha fazladır. Başlıca işlevi aşırı sıcak ve soğukta izolasyon sağlamak, travmalardan korumak, hormon ve enerji metabolizmasına kaynak oluşturmaktır.

Derinin yapı ve işlevleri özet olarak çizelge 46.1'de verilmiştir.

Derinin işlevleri: Derinin organizma için yaşamsal önemi olan işlevleri vardır. Deri ve müköz membranların işlevlerinin bilinmesi hemşirelik bakımının planlanmasında ve uygulanmasında önemlidir. Deri ve müköz membranların bütünlüğünün korunması ve sağlıklı bir deri yapısı zararlı etkenlere karşı savunmada ilk adımdır. Deri bütünlüğünü korumak ve sürdürmek bağımsız hemşirelik işlevlerinden biridir. Derinin başlıca işlevleri, koruma, sıvı dengesini sürdürme, ısı düzenlemesi, duyu algılaması, vitamin sentezi ve antijen oluşturmadır.

Çizelge 46.1: Derinin Yapı ve İşlevleri

Yapı	Normal İşlev
Epidermis	
Stratum korneum	*Mikroorganizmalardan ve travmalardan koruma *Sıvı-elektrolit ve kimyasal maddelerin kaybını önleme
Keratinositler(skuamoz hücreler	*Keratin sentez eden hücreler 14 günde epidermise geçer
Melanositler	*Güneş yanığından, ultraviyoleden ve karsinojen maddelerden koruyucu melanosit üretimi
Langerhans hücreleri	*Antijen oluşturma
Bazal hücreler	*Epidermal yenilenme (ortalama 457 saatte bir hücreler bölünür). Bir bazal hücreden bir skuamoz hücre oluşur
Epidermisin uzantıları	
Ekrin bezler	Terleme yolu ile ısı düzenlemesi
Apokrin bezler	Apokrin ter üretimi (özelliği bilinmiyor)
Yağ bezleri	Yağ üretimi
Kıl kökleri	Enflamasyonun başlangıcında ve doku rejenerasyonunda, yabancı maddeler ve mikroorganizmaların fagosite edilmesi
Tırnaklar	Koruma ve kozmetik görünüm
Dermis	
Kolajen, retikulum, elastin	Koruma ve mekanik yardım
Fibroblastlar	Deriye esneklik sağlayan başlıca deri proteinleri
Makrofajlar	Derinin dayanıklılığı ve yara iyileşmesinde rol oynayan kollajenin sentezi
Mast hücreleri	Enflamatuar yanıtta vazoditasyon için histamin ve kemotaktik faktör yapımı
Lenf bezleri	Mikroorganizma ve aşırı sıvının uzaklaştırılması
Kan damarları	Derinin metabolik gereksinimini ve ısı düzenlemesini sağlama
Sinir lifleri	Sıcak, soğuk, ağrı ve basınç duyusunun algılanması
Subkutan/adipoz doku	Enerji depolanması ve dengesi, travmadan koruma

Koruma: Derinin en önemli işlevidir. Değişik bölgelerde değişik kalınlıklarda olan deri vücudu mikroorganizma ve yabancı maddelere karşı korur. Derinin en dış tabakası olan epidermisin stratum korneum tabakası epidermal sıvı kaybını ve mikroorganizma, kimyasal maddeler vb. zararlıların vücuda girişini önlemede lipid sentezi yoluyla engel oluşturur. Yağ bezlerinin salgıladığı lipit içerikli asit salgıları deride mikroorganizmaların üremelerini engeller. Derinin koruyucu işlevi yalnız dış ortamdaki zararlıların vücuda girişini engellemek olmayıp, aynı zamanda vücuttaki sıvı ve elektrolitlerin dışarıya çıkışına da engel olmaktadır. El ve ayak parmaklarındaki derinin daha kalın olması travmalardan koruyucu işlev görmesini sağlamaktadır.

Sıvı dengesini sürdürme: Derinin en dış tabakası olan stratum korneum yapısında suyu tutabilme özelliği taşır. Aynı zamanda iç ortamdaki su ve elektrolitlerin fazla miktarda dışarıya çıkmasını önleyerek derinin nemliliğinin sürdürülmesini sağlar. Şiddetli ve geniş alanları kapsayan yanıklar ve deri bütünlüğünün bozulmasına neden olabilen diğer travmalarda deri sıvı dengesini sağlama işlevini yeterince yerine getirmediği için aşırı sıvı ve elektrolit kaybı nedeniyle dolaşım kollapsı, şok ve ölüm gelişebilir.

Isı düzenlemesi: Deri normal koşullar altında alınan besinlerin metabolizması sonucu ısı ve enerji üretir. İç ve dış ortam ısısı arasında denge korunduğu sürece beden ısısı normal değerlerde olur (37°C). Vücut ısısının düzenlenmesini birincil olarak etkileyen fizik etmen çevredir. Beden ısısı artınca dermisdeki damarlar dilatasyona uğrayarak ısıyı deri yüzeyine taşır. Radyasyon yöntemi ile beden yüzeyindeki ısı dalgalar halinde çevreye yayılır. Kış aylarında giyilen kalın giysiler ısının radyasyon yolu ile vücut yüzeyinden kaybını önler. Isı kaybının bir başka yolu da kondüksiyondur. Kondüksiyonla ısı sıcak yüzeylerden daha soğuk olan yüzeylere geçer. Beden ısısı yüksek olan bireylere ısıyı düşürmek için soğuk uygulama yapılmasının gerekçesi kondüksiyonla ısı kaybını sağlamaktır. Terleme ısı kaybını sağlamanın bir diğer yoludur. Beden ısısı 37°C üzerine çıkınca terleme yoluyla ısı kaybı sağlanır.

Duyu algılaması: Deride bulunan ağrı, dokunma, basınç ve ısı reseptörleri bu duyuların algılanmasını sağlar. Deri bu işleviyle bir duyu organı olarak da görev yapar. Bu işlev vücudu dış ortamdaki zararlı etkenlerden koruma ve rahatlık duyusu sağlamada yardımcı olur. Her bir duyunun algılanmasından farklı sinir uçları sorumludur ve bunlar vücudun değişik bölgelerinde değişik yoğunluktadır. Örn; parmak uçlarındaki deri sırttaki deriye göre daha duyarlıdır.

Vitamin sentezi ve antijen oluşturma: Ultraviyole ışınına maruz kaldığında deri malphigi hücrelerinden D3 vitamini sentezi için gerekli olan kalsiferolü üretir. D3 vitamini alınan besinlerdeki kalsiyum ve fosfatın emilimine yardımcı olur. Epidermis ve dermisdeki hücreler immün sistem işlevlerinde önemli rol oynar. Deri vücudun savunma sisteminde fizik bir engel oluşturmasının yanı sıra bazı antijenlere karşı oluşturulan immün yanıtta bir medyatör olarak da rol oynar. Bu işlevde epidermisde bulunan Langerhans hücreleri ve keratinositler ile dermisde bulunan lenfositler rol oynar. Bir antijen vücuda girdiğinde bu işlevde rolü olan hücreler immünolojik yanıt oluşturmak üzere harekete geçer. Birçok enflamatuar deri hastalığındaki reaksiyonlar bu mekanizma ile ortaya çıkar.

Dermatolojik Hastalıklarda Tanılama

Dermatoljik yakınmayla başvuran hastada hemşirenin sağlık öyküsü alma, doğrudan gözlem ve fizik değerlendirme yöntemi ile elde edeceği veriler hastalık tanısı koyma, bakımı planlama ve yürütmede yardımcı veriler sağlar. Bu amaçla dermatolojik yakınması olan hastanın hemşirelik tanılaması aşağıdaki adımlar doğrultusunda yapılır.

Öykü alma: Hemşire dermatolojik yakınmayla baş vuran hastadan aşağıdaki başlıklar doğrultusunda öykü almalıdır.

Başlıca yakınmalar: Hastanın hastaneye ya da sağlık kuruluşuna başvurmasına neden olan kaşıntı, kuruluk, döküntü, kızarıklık, lezyon, ekimoz, ödem gibi yakınmaları sorulur. Yakınmaları arttıran, azaltan, ortaya çıkmasına neden olan ya da başlatan faktörler, yakınmaları gidermek için baş vurduğu ilaç ya da ilaç dışı uygulamalar olup olmadığı sorulur.

Geçmiş sağlık öyküsü: Bir çok sistemik hastalık dermatolojik yakınmalara neden olabileceğinden, immün, endokrin, üriner, kalp-damar, gastrointestinal sistem ve bağ dokusu hastalığı olup, olmadığı sorulur. Yakın zamanda geçirdiği travma ya da operasyon öyküsü sorularak bunlara ilişkin lezyonların değerlendirmesi yapılır. Arı-böcek sokması, çocukluk dönemi enfeksiyonları ve çocukluktaki aşılanma durumlarına ilişkin öyküsü, ilaç, besin ya da diğer maddelere karşı Alerjiöyküsünün bu kapsamda alınması gerekir.

Aile öyküsü: Aile sağlık öyküsü genetik kökenli dermatolojik hastalıkların ve ailenin yaşam biçimi ve çevresel etkenlerden kaynaklanan paraziter hastalıklar ve diğer hastalıkların tanılanmasında yardımcı olur.

Psiko-sosyal öykü: Özellikle kronik dermatolojik hastalıklarda psiko-sosyal etmenler önemli rol oynar. Dermatolojik

46. Derinin Değerlendirilmesi

hastalıklar bireyin yaşam biçimini ve kendini algılamasını büyük ölçüde etkiler. Aile yapısı ve kültürel durum temizlik alışkanlığı (banyo yapma sıklığı, sabun, deodorant, losyon vb. kullanma), beslenme alışkanlığı ve önerilen tedaviyi uygulama durumunu etkileyebileceğinden bu kapsamda öykü alınması gerekir. Kronik dermatolojik hastalıkların fizik görünümle ilgili bozukluklar yaratması nedeniyle hastalar işsizlik, ruhsal sorunlar ve intihar etme eğilimi gibi riskler taşımaktadır. Bu nedenle hastaların bu yönleriyle değerlendirilip, öykü alınması önemlidir. Cinsel yolla geçen hastalıkların tanısında yol gösterici olacak, cinsel yaşam alışkanlığına ilişkin öykü alınır.

Önerilen tedavinin uygulanmasında ve sürdürülmesinde önemli rolü olan sosyo-ekonomik koşulların değerlendirilmesi için öyküde bu konuya da yer verilmelidir.

Meslek/iş öyküsü: Bir çok dermatolojik sorun, iş ya da ev ortamında maruz kalınan kimyasal ve fiziksel etkenlere bağlı olarak ortaya çıktığı için meslek/ iş öyküsü önemlidir.

Alışkanlıklar: Hastanın temizlik alışkanlıkları, temizlik ve kozmetik amaçlı kullandığı malzemeler, giysilerini değiştirme ve yıkama sıklığı, manikür, pedikür alışkanlığı, yeterli su, vitamin (özellikle A, D, E, C vitaminleri) protein alıp almadığı, aldığı günlük yağ miktarı, sürekli kullandığı ilaçlar olup olmadığı, uzun süre güneş ya da soğukta korumasız olarak kalma durumu sorulur. Dermatolojik yakınması olan hastada yukarıda belirtilen kapsamda öykü almak için sorulabilecek sorular Çizelge 46. 2'de verilmiştir.

Fizik tanılama: Dermatolojik yakınması olan hastanın fizik tanılamasında hemşire inspeksiyon, palpasyon ve olfaksiyon yöntemlerini kullanarak derinin bütünlüğü, rengi, ısısı, nemi, yapısı, turgoru, hareketliliği, duyuları ve damar yapılarını inceler. Deri diğer organ ve sistemlerin hastalığına ilişkin bulguları da yansıttığı için fizik tanılamada tüm sistemlere ilişkin değerlendirme yapılmalıdır.

Sağlıklı bir fizik tanılama yapılabilmesi için oda ısısı uygun olmalı, yeterli ve uygun aydınlatma sağlanmış olmalıdır. En uygun aydınlatma güneş ışığı ile yapılan aydınlatmadır. Ancak bunun sağlanamadığı durumlarda flüoresan ışığından yararlanılabilir. Bazı lezyonların daha iyi değerlendirilmesi için ek ışık kaynağı ya da lokal aydınlatma gerekebilir. Vücuttaki tüm lezyonların değerlendirmesi hastanın gizliliğine saygı gösterilerek yapılmalıdır. Lezyonlar elle palpe edilerek incelenecekse eldiven giyilmelidir. Fizik tanılama hastanın kafa derisinden başlayıp, saçlar, tırnaklar, koltuk altı deri kıvrım bölgeleri, dış genital organlar, parmak araları, avuç içleri, ayak parmağı ve tırnaklarına kadar tüm vücudu da kapsayacak şekilde yapılmalıdır.

Saç ve saçlı deri: Saçlı deriden başlayarak saçların dağılımı, niteliği, yapısı, rengi, saçlı deride kepeklenme, yağlanma, lezyon, enfeksiyon bulgusu, saçlarda bit ve sirkelerin varlığı değerlendirilir. Bit ya da sirke görüldüğünde kulakların arkası ve boynun arkası da bunların neden olabileceği püstüler lezyonlar açısından değerlendirilmelidir. Saçlarda incelme ya da saç kaybı genetik yatkınlık olarak kellik ya

Çizelge 46.2: Dermatolojik Yakınma Öyküsü Almada Sorulabilecek Sorular

Başlıca yakınma	Başvurmanıza neden olan dermatolojik yakınmalarınız nelerdir?
Sorunun ortaya çıkışı	Yakınmalarınız ilk nerede başladı? Daha önce bu tür sorunlar yaşadınız mı?
Süresi	Ne zaman başladı? Azalma ya da artama oldu mu? Değişiklik oldu mu?
Beraberindeki bulgular	Sorun başlamadan önce yorgunluk, bulantı, deride uyuşukluk, yanma, duyarlılık artışı, gerginlik.vb yakınmalarınız oldu mu? Kaşıntı oldu mu?
Lezyonların değerlendirmesi	Kendinizi şimdi nasıl hissediyorsunuz? Herhangi bir rahatsızlık duyuyor musunuz? Derinizde gerginlik ve rahatsızlık duyusu var mı? Giysiler sizi rahatsız ediyor mu? Uyku sorunu yaşıyor musunuz? Herhangi bir aktivitenizde sınırlama var mı? Günlük yaşamınızı olumsuz etkiliyor mu?
Arttıran /azaltan etmenler	Bu sorunu yaşamadan önce aldığınız bir ilaç, gıda, kullandığınız kozmetik ürün ya da temizlik malzemesi var mıydı? Yeni bir giysi giymiş miydiniz? Isı ve iklim değişiklikleri yakınmalarınızı etkiliyor mu? Sıcak ya da soğuk ortamlarda daha mı iyi oluyorsunuz?
Tıbbi tedavi	Yakınmalarınızla ilgili hekime başvurdunuz mu? Herhangi bir tedavi önerildi mi? Tedaviden yarar gördünüz mü?
Kendi- kendine tedavi	Yakınmalarınızı gidermek için siz herhangi bir uygulama yaptınız mı? Yaptıysanız ne kullandınız? Yaptığınız uygulamanın yakınmanıza etkisi nasıl oldu?
Tedaviye uyma ve sürdürme ile ilgili etmenler	Size önerilen tedaviyi hangi sıklıkta uyguluyor ya da ilaç alıyorsunuz? Önerilen tedaviyi önerildiği şekilde uyguluyor musunuz? Tedaviyi nasıl uyguluyorsunuz? Tedaviyi ne kadar süredir uyguluyorsunuz? Tedaviyi bıraktınız ya da uygulamadınız ise neden?

Dermatoloji

da sağlık sorununa bağlı olarak ortaya çıkabilir. Bu tür sorunu olan hastada tiroit hastalığı ya da yakın zamanda kemotreapi uygulaması öyküsü olup olamadığı araştırılmalıdır. Saçlı deride inspeksiyon ve palpasyonla lezyonların, tırmalama /kaşıma izlerinin, çürük ya da şişliklerin varlığı incelenmelidir. Bu tür normal dışı bulgularda hemşire yakın zamanda kafa travması ya da yaralanma öyküsü olup olmadığını sormalıdır.

Tırnaklar: Tırnakların renk, şekil, yapı, bütünlük ve kalınlığı değerlendirilir. Tırnaklar bireyin beslenme, solunum gibi sağlık durumu ile ilgili verileri yansıtırlar. Geçmiş ya da o anda var olan lokal ya da sistemik sağlık sorunlarında tırnak ya da tırnak yatağı ile ilgili değişiklikler görülür. Normalde tırnak yatağı altındaki damar yapısı tırnak rengini belirler. Sağlıklı bir tırnak transparan, yatağı pembe ve yandan bakıldığında konveks görünüştedir. Çizelge 46.3 normal ve patolojik tırnak yapıları verilmiştir.

Deri ve müköz membranlar: Derinin bütünlüğü, rengi, nemliliği, ısısı, yapısı, turgoru, hareketliliği, damar yapısı, ödem, duyarlılık artışı, koku ve lezyon olup olmadığı değerlendirilir. Derinin değerlendirilmesi palpasyon, inspeksiyon ve olkafsiyon yöntemleri ile iyi aydınlatılmış ve uygun ısıda bir ortamda yapılır. Deri ve müköz membranların bütünlüğünün korunması ve sürdürülmesi için hemşirelik bakımının planlanmasında bu tanımlama önemlidir. Hemşire derinin değerlendirilmesinde derinin yapısı, nemliliği ve hareketliliğinde yaşa bağlı olabilecek değişiklikleri dikkate almalıdır. Çizelge 46.4'de derinin değerlendirilme ölçütleri verilmiştir.

Çizelge 46.3: Tırnakların Değerlendirilmesi

Değerlendirme bulguları	Tanımlama	Nedenler
Tırnak (Yaklaşık %60°)	Tırnak konveks biçimdedir ve tırnak yatağı açısi yaklaşık 160°dir	
Güzellik çizgileri (Güzellik çizgisi)	Tırnak yatağında enine çizgiler vardır	Tırnak büyümesi enfeksiyon gibi sistemik hastalıklar ya da doğrudan tırnak köküharabiyeti nedeniyle geçici olarak bozulmuştur
Çizgi biçiminde hemorajiler	Tırnak yatağında uzunlaması kırmızı yada kahverengi çizgiler vardır	Tırnak yatağında küçük travmalar, subakut bakteriyel endokardit
Paronşiya (Dolama)	Tırnak kenarındaki derinin enflamasyonu	Travma tırnak yatağı derisinin enflamasyonu
Karışık tırnak	Tırnak tırnak yatağından yukarıya doğru konkav kıvrım gösterir	Deterjan kullanımı, demir eksikliği anemisi sifiliz
Çomal tırnak	Tırnak yatağı ve tırnak dibi açısı yaklaşık 180'dir	Uzun süreli hipoksi

46. Derinin Değerlendirilmesi

Çizelge 46.4: Derinin Değerlendirilmesi

Değerlendirme Ölçütü	Normal	Normal Dışı
Bütünlük	Deri bütünlüğü tamdır, hastalık ve yaralanma bulgusu yoktur	Deri bütünlüğünde bozulma; fissür, ülser, ekskoriasyon gibi açık lezyonlar. Papül, nodül, vezikül, püstül, sivilce ve pullanma gibi kızarıklık ve lezyonlar
Renk	Tip ve ırka göre pembe, esmer, kahverengi	**Solgunluk:** Deride, özellikle yüzde, konjoktivada, tırnak yatağında ve oral müköz membranlarda solukluk. **Siyanoz:** Dudaklar, kulak kepçesi ve tırnak yatağında mavimsi renk. **Sarılık:** Deri, müköz mebranlar ve sklerada sarılık. **Eritem:** Güneş yanığı ya da enflamasyonda olduğu gibi deride kırmızı renk tonu
Yapı	Değişik bölgelerde farklı kalınlıkta	Gevşek, kırışık, pürüzlü, kalın, ince, yağlı, çatlak, kabuklu
Isı ve nem	Çevresel etkenlere bağlı olarak genellikle sıcak ve kuru. Pürüzsüz, yumuşak.	Normalden soğuk, nemli, sıcak
Turgor ve hareket	Gerginliği ve nemliliği yeterli, deri hareketliliği normal. Deri iki parmak arasında sıkıştırılıp kaldırıldığında hemen normale döner	Ödeme bağlı gergin, dehidrastasyona bağlı gevşek, skleroderma gibi hastalıklara bağlı kolay yıpranabilme
Duyu	Sıcak, soğuk, ağrı, basınç gibi duyuları ayırt eder	Batıcı objeleri ve basınç duyusunu algılamakta duyarsızlık
Damar yapısı	Renk değişikliği yoktur	**Telanjektazi:** Yüzeysel kapiller ve venlerde kalıcı dilatasyon **Peteşi:** İğne ucu gibi nokta şeklinde kanama odakları. **Ekimoz:** Büyük, kenarları düzensiz kanama alanları
Koku	Keskin ve kötü kokular yoktur	Hijyen eksikliği yada enfeksiyon nedeniyle bakterilerin neden olduğu koltuk altı, deri kıvrımları ve açık yara alanlarında kötü koku

Lezyonlar: Hemşire dermatolojik değerlendirmede normal sağlıklı bireylerde olmayan ancak patolojik durumlarda görülebilen lezyonlar saptadığında bu lezyonların tipini, rengini, büyüklüğünü, yerleşimini, lezyondan bir akıntı ve koku olup olmadığını tam olarak kaydetmelidir. Hastalığın seyri sırasında hastanın durumunun değerlendirilmesinde ve bakımın planlanmasında bu lezyonların ortaya çıkışı ve lezyonlarda meydana gelen değişiklikler önemlidir. Deri lezyonları primer ve sekonder lezyonlar olarak iki grupta incelenir. *Primer lezyonlar* dermatolojik hastalığın ortaya çıkışı ile birlikte görülen hastalığa özgü lezyonlardır. *Sekonder lezyonlar* ise hastalığın seyri sırasında primer lezyonların, kaşıma, tırmalama, enfeksiyon ya da yara iyileşmesi gibi dış etkenlerle değişime uğraması sonucu ortaya çıkan lezyonlardır. Damar yapısı ile ilgili değişikliklerin deride meydana getirdiği bulgularda bu kapsamda *Vasküler deri lezyonları* olarak bu kapsamda değerlendirilir. Dermatolojik lezyonlar Çizelge 46. 5'de verilmiştir.

Tanı testleri: Dermatolojik yakınması olan hastada öykü alma ve fizik tanılama yapıldıktan sonra kesin tanı için bazı testlerin yapılması gerekir. Tanı testlerinin uygulanmasında hemşire hasta ve yakınlarına yapılacak tanı testlerinin amacı, yöntemi, işlemden sonra uzun süreli kanama, enfeksiyon gibi olası yan etkiler, işlem yapılan alandaki derinin bakımı konularında gerekli eğitim ve danışmanlığı yapar. Hasta ve yakınlarının bu konuda sormak istedikleri soruları sorması ve kaygılarını açıklamaları için uygun ortam hazırlar. Dermatolojik hastalıkların tanısında kullanılan testler aşağıda verilmiştir.

I. Potasyum hidroksit incelemesi ve mantar kültürü testi: Deri, tırnaklar ve saçlı derideki mantar enfeksiyonlarının tanısında mikroskobik inceleme ve kültür ile tanı konmasını sağlayan bir testtir.

Saçlı deri, ayak parmaklarının arası, aksiller bölge, memelerin altı, tırnak yatağı gibi bölgelerden küçük bir bistürü yardımı ile kazıma yöntemi ile alınan örnek lam üzerine konup, üzerine %10-20'lik potasyum hidroksit damlatı-

Çizelge 46.5: Dermatolojik Lezyonlar

Lezyon	Tanım	Örnek Hastalık
Primer lezyonlar (Palpe edilemeyen)		
Makül	Deri yüzeyinde meydana gelen beyaz, kırmızı, kahverengi, esmer ya da mor çapı <1cm, kenarları düzgün renk değişikliği.	Çiller, deri yüzeyindeki benler, peteşi, kızıl, ekimoz, doğum lekesi
Yama	>1cm, kenarları düzgün olmayan makül lezyonları	Vitiligo, evre bir basınç ülserleri
Primer lezyonlar (Palpe edilebilen)		
Papül	Deri yüzeyinden kabarık palpasyonla ele gelen <0.5 cm çapında sert kıvamlı lezyonlar	Deri yüzeyinden kabarık benler, liken planus, siğiller
Plak	Deri yüzeyinden kabarık palpasyonla ele gelen >0.5 cm çapında sert lezyonlar	Psoriazis, kimyasal etkenlerle oluşan keratozis
Nodül	Papüle göre daha derinde dermis ya da subkutis tabakasına kadar uzanan, sert deri yüzeyinden kabarık 0.5-2cm çapında sınırları belirli hareketli lezyonlar	Lipom, skuamoz hücreli karsinom, eritema nodozum
Tümör	Nodülle aynı yapıda ancak <2cm, sınırları belli olmayan lezyonlar	Karsinoma, büyük lipomlar
Sivilce	Epidermisde geçici olarak oluşan lokalize ödem. Düzensiz şekilli, kırmızı ya da soluk renkli olabilir.	Böcek sokması, ürtüker
İçi sıvı dolu primer lezyonlar		
Vezikül	<0.5 çapında, içi berrak sıvı ile dolu deriden kabarık lezyonlar	Herpes simpleks, herpes zoster, su çiçeği
Bül	>0.5 çapında veziküle aynı yapıda olan lezyonlar	Kontakt dermatit, ikinci derece yanıklar, büllü impetigo, pemfigus
Püstül	Genellikle çapı <0.5cm olan vezikül ya da bül lezyonlarının içindeki sıvının pürülan nitelik kazanmış hali	Akne, impetigo, fronkül
Kist	Subkutan doku ya da dermisde etrafı bir kese ile çevrili, içi sıvı ya da yarı katı madde içeren kitle	Sebase kistler, epidermoid kistler
Sekonder lezyonlar (deri yüzeyinde)		
Pullanma	Ölü epitel hücrelerinin pul pul dökülmesi	Psoriazis, pitriozis rozea, kuru ciltteki kabuklanmalar, saçlı derideki kepeklenme
Likenifikasyon	Uzun süreli tahriş ve ovuşturmaya bağlı olarak deri çizgilerinin kalın ve pürüzlü bir görünüm alması	Kronik kontakt dermatit
Krut (yara kabuğu)	Serum, kan, yağ bezi salgısı ya da iltihabın deri yüzeyinde kuruması	İmpetigo, herpes, egzamada vezikülün açılarak içindeki sıvının kuruması
Atrofi	Epidermisin ince, kuru ve transparan görünüm alması	Yaşlanmış deri, dolaşım yetersizliği
Sekonder lezonlar (deri yüzeyinin altında)		
Erozyon	Epidermis tabakasının kaybı	Su çiçeği vezikülünün rüptürü, derin yara izleri
Fissür	Epidermisden dermise doğru uzanan derin çizgiler	El ve dudaklardaki çatlaklar, atlet ayağı
Ülser	Epidermis ve dermisin üst tabakasını yıkıma uğraması	Evre iki basınç ülserleri, venöz yetersizliğe bağlı staz ülserleri
Skar (skatris)	Herhangi bir deri lezyonunun iyileşmesinden sonra deride meydana gelen fibröz doku (yara izi)	Yara ve cerrahi girişim alanlarındaki iyileşme dokusu
Keloid	Yara iyileşme alanında aşırı fibröz doku oluşması(çoğunlukla koyu renk tenli bireylerde görülür)	Yanık izleri, kulak deldirme sonucu oluşan dokular, cerrahi girişim alanlarında oluşan dokular
Ekskoriasyon	Epidermisde kaşıma, tırmalama sonucu oluşan yüzeysel doku yıkımı	Tırmalama, kaşıma izleri

Çizelge 46.5: Dermatolojik Lezyonlar (Devamı)

Vasküler lezyonlar		
Peteşi	Kanın damar dışına sızmasına bağlı olarak ortaya çıkan, 1-2 mm çapında kırmızı ya da mor renkli kabarcıklar	Kanamaya eğilimini arttığı hastalıklar
Ekimoz	Kanın damar dışına sızmasına bağlı olarak ortaya çıkan, peteşiden daha büyük yuvarlak ya da sınırları düzensiz siyah, sarı ya da yeşilimsi maküler lezyonlar	Travma, kanamaya eğilim durumlarında görülen lekeler
Kiraz anjiyoma	Kırmızı ya da mor gövde ya da ekstermitelerde görülen basmakla kaybolan, yaşla bağlantılı olarak ortaya çıkan, önemsiz lezyonlar	Yaşlılık benleri
Spider anjiyoma (örümceksi ben)	Yüz, boyun ve kollarda arteiyollerin genişlemesine bağlı olarak gelişen, basmakla kaybolabilen örümcek ağı görünümündeki lezyonlar	Karaciğer hastalıkları, gebelik, B vitamini yetersizliği
Telanjektazi	Deri yüzeyindeki kapiller ve venöz damarların dilatasyonuna bağlı olarak gelişen örümcek ya da çizgi şeklinde, basmakla kaybolmayan bacaklar ve göğüste görülen mavimsi ya da kırmızı renkli lezyonlar	Venöz basınç artması, varis

larak lamelle kapatılır. Hafif ısıda ısıtılıp keratin ve diğer hücrelerin çözülmesi sağlanır ve mikroskopta incelenir.

Kültür için kuşkulu alandaki lezyondan kazıyarak örnek alınıp, uygun kültür ortamına ekilerek incelenir.

2-Tzanck's smear testi: Herpes zoster, herpes simpleks, su çiçeği ve pemfigus gibi büllü hastalıklarda vezikül ve büllerin içerisindeki sıvıdan örnek alınarak lam lamel arasına yerleştirilip hücre incelemesi yapılır.

3-İmmünofluoresan testi: Fluorokrome boyası ile birlikte kullanılan fluoresan ışığı derideki antijen-antikor reaksiyonunun değerlendirilmesinde kullanılır. Boya ile temas eden antikorlar fluoresan ışığında parlak görünüm kazanırlar. Direkt immünofluoresan testinde deri üzerindeki antikorlar direkt olarak incelenir. İndirekt immünofluoresan testinde hasta serumunda özel antikorlar aranır.

4-Patch(yama) testi: Alerjik deri reaksiyonlarının tanısında alerji yaratan etkeni belirlemek amacıyla yapılan bir tanı testidir. Bu testin uygulanışı ve değerlendirilmesi İmmün sistem hastalıklarının tanı yöntemlerinde anlatılmıştır.

5-Wood ışığı testi: Uzun-dalga ultraviyole ışını üreten özel bir lambadır. Koyu mor fluoresan ışığı ile karanlık bir odada hipopigmente ve hiperpigmente deri lezyonlarının görünmesini sağlar. Işının deri ve gözler için zararlı etkisi olmadığı ve ağrısız bir işlem olduğu işlemden önce hasta ve yakınlarına açıklanmalıdır.

6-Deri biyopsisi: Kuşkulu deri lezyonundan steril yöntemle doku örneği alınarak formalin solüsyonu içerisine konulup histolojik inceleme için patolojiye gönderilir. Biyopsi materyali kazıma, iğne ya da cerrahi yöntemle alınır. Alınan örneğin büyüklüğü, yerleşimi ve işlemi yapan bireyin deneyimine göre değişmekle birlikte biyopsi işlemi çabuk tamamlanan ve ağrısız bir işlemdir. Gerekli durumlarda lokal anestezi uygulanarak yapılır. Biyopsi işlemi öncesi ve sonrası uyulması gereken kurallar açısından hemşire hastaya gerekli açıklama ve eğitimi yapmalıdır.

İşlem öncesi bakım ve hazırlık: İşlem sonrası kanama zamanını uzatacağı için, alınacak örneğin büyüklüğü dikkate alınarak hemşire hastaya işlemden 48 saat önce aspirin almaması gerektiğini söylemelidir. Hasta heparin vb. antikuagülan ilaç kullanıyorsa bunu hekime bildirmelidir. Pıhtılaşma zamanının uzamasına neden olabilecek karaciğer fonksiyon bozukluğu gibi sistemik hastalığı olup olmadığı sorulmalı, işlem sırasında senkop yaşamasını önlemek için işlemden önce hafif bir yemek yemesi söylenmelidir.

İşlem sonrası bakım ve izlem: İşlem sonrası bir başka öneride bulunulmadıysa biyopsi alanı antibiyotikli pomat sürülerek temiz bir bandaj ya da kuru bir tamponla kapatılır. Bu bölgeyi kuru ve temiz tutması gerektiği açıklanır. İşlem sonrası dikiş alınması gerekiyorsa bununla ilgili bilgilendirme ve biyopsi sonuçlarının ne zaman, nereden alınacağı konusunda bilgilendireme yapılır.

7-Fotoğrafla görüntüleme: Hastanın/yakınlarının izni alındıktan sonra derideki lezyonların fotoğrafının çekilmesi hastalığın izleminde yardımcı olur.

47. DERMATOLOJİK HASTALIKLAR

Prof. Dr. Ayfer KARADAKOVAN

Dermatolojik Yakınması Olan Hastanın Hemşirelik Yönetimi

Dermatolojik yakınması olan hastanın hemşirelik yönetiminde topikal ve sistemik tedavi, ıslak pansuman, diğer özel pansumanlar ve tedavi edici banyolar gibi yöntemler uygulanır.

Dermatolojik tedavide dört ana amaç vardır. Bunlar;

1-Deriyi koruma: Dermatolojik yakınması olan hastada koruyucu banyolar ve koruyucu deri bakımı ile derinin korunması ve sağlıklı derinin bozulmasının önlenmesi esastır. Bu amaçla deri bakımında orta sertlikte, yağsız sabun ya da sabun türevleri kullanılır. Yıkanan alan deriye zarar vermeden nazikçe durulanır ve yumuşak bir havlu ile kurulanır. Deodorantlı sabun kullanımından kaçınılır. Pansumanlar değiştirilirken özel dikkat gereklidir. Pansuman materyali steril serum fizyolojik, yağ ya da önerilen diğer solüsyonlarla yumuşatılarak krutların, eksüdaların kolayca çıkması sağlanır ve gaz tamponun deriye yapışması önlenir.

2-Sekonder enfeksiyonu önleme: Sekonder enfeksiyonları önlemek için gerekli koruyucu önlemler alınmalıdır. Lezyonların bir çoğu iltihabı niteliktedir. Hemşire ve hekim hastaya bakım ve tedavi uygularken standart koruyucu önlemleri almalı ve mutlaka eldiven giymelidirler. Hastanın kirli pansuman materyalleri standartlara uygun olarak toplanmalı ve yok edilmelidir.

3-Enflamatuar yanıtı değiştirme: Sızıntılı, kuru ya da enfekte tipteki deri lezyonları genellikle lokal ilaçlarla tedavi edilir. Deride kızarıklık, sıcaklık ve ödem gibi akut enflamatuar reaksiyon ve sızıntı varsa ıslak pansuman ve rahatlatıcı losyonlar uygulanması önerilir. Kronik durumlarda deri kuru ve kabuklanmalar varsa suda çözünen emülsiyonlar, kremler, merhemler, pomatlar ve macunlar kullanılır. Hemşire ve hekim uygulanan pansumanın deriyi irrite edip etmediğini kontrol etmeli ve gerektiğinde uygulamalarını değiştirmelidirler. Tedavinin başarısı ya da başarısızlığı hastanın katılımının sağlanması ve eğitimine, hekim ve hemşirenin ilgi ve desteğine bağlıdır.

4-Bulguları giderme: Dermatolojik yakınması olan hastada bulguları gidermek için hastalığa özgü bulgulara yönelik girişimler uygulanır.

Dermatolojik hastalıkların tedavisinde kullanılan yöntemler;
1. Topikal tedavi
2. Pansumanlar
3. Tıbbi tedavi
4. Ultraviyole (UV) tedavisidir.

1-Topikal tedavi: Uygulanan tedavinin deride geniş alanlarda emilimini sağlayan bir tedavi yöntemidir. Topikal tedavi aşağıdaki amaçlarla uygulanır.
a- Derinin hidrasyonunu düzeltmek
b- Bulguları hafifletmek
c- Enflamasyonu gidermek
d- Deriyi korumak
e- Pullanma ve nasırlaşmayı azaltmak
f- Ölü dokuları debride ederek deriyi temizlemek
g- Neden olan organizmaları uzaklaştırmak

Yukarıda belirtilen amaçlar doğrultusunda topikal tedavide merhemler, kremler, jeller, aerosoller, losyonlar, pudralar ve macunlar; antibakteriyel, antifungal, antipururitik ve antiparaziter etki amacıyla kullanılır. Topikal tedavide kortikosteroidlerin kullanımı da oldukça yaygındır. Topikal tedavide yaygın olarak kullanılan ilaçlar Çizelge 47.1'de verilmiştir.

2-Pansumanlar: Pansumanlar dermatolojik sorunu olan deride ülserlerin, inatçı dermatitlerin dış ortamdaki zararlı etkenlere karşı kontrol altına alınmasını ve korunmasını sağlar. Islak pansuman, nemliliği koruyucu pansuman, koruyucu pansuman gibi değişik yöntemlerle yapılan pansumanlar için film, hidrokolloid, hidrojel, köpük ve gaz tampon gibi malzemeler kullanılır.

Islak pansuman akut, sızıntılı, veziküllü, büllü ve püstüllü ülseratif enflamatuar lezyonlarada kullanılır. Seçilecek pansuman materyalinin steril ya da steril olmaması uygulanacak bölgedeki dermatolojik hastalığa göre değişir. Enflamasyon bölgesindeki damarlarda vazokonstrüksiyon sağlayarak kan akımını azaltmak, derideki eksuda ve yara kabuklarını temizlemek, epidermal tabakayı yumuşatmak gibi amaçlarla kullanılır. Derideki ölü dokuların çıkarılması ve eksudaların temizlenmesi enfekte alanlardan drenajı sağlama, uygulanan topikal tedavilerin emilimini arttırma ve yeni granülasyon dokusu oluşumuna yardımcı olma gibi yararlar sağlar.

Çizelge 47.1: Yaygın Olarak Kullanılan Topikal Preperat ve İlaçlar

Sınıf	Örnek	Etki	Kullanım Alanı	Hemşirelik Uygulamaları
Pudralar	Talk, nişasta	Pudranın oluşturduğu tabaka suyun emilimini sağlar	İntertrigo	Tabakalaşmayı önlemek için uygulamadan önce derinin kuru olması sağlanmalı ve sık sık uygulanmalıdır.
Losyonlar -Süspansiyonlar	-Kalamin losyon	Su buharlaştıktan sonra pudra gibi ince bir film tabaka oluşturur	Kaşıntı	- Losyonlar kullanmadan önce çalkalanmalı - Deride aşırı kuruma olup olmadığı gözlenmeli - Saç dipleri de dahil olmak üzere geniş bir alana uygulanmalı - Kullanmadan önce losyonlar çalkalanmalı
-Solüsyonlar	-Salisilik asit	Alkol bazlı buharlaşma sağlayan bir film tabaka oluşturur	Siğil	- Alkol içeriği nedeniyle deride gerginlik ve aşırı kuruma olup olmadığı ve gözlenmeli
Aerosoller	Triamcinolone acetonide aerosol	Alkol buharlaştıktan sonra deride ince bir film tabakası	Kaşıntı Direkt uygulandığında ağrıya neden olur	-Kullanmadan önce iyice çalkalanmalı -İnhalasyonu önlemek için hastanın yüzüne ne doğru uygulamaktan kaçınmalı
Jeller	Fluocinonide jel	Deride kuruma sağlar	Egzama Döküntülü kaşıntılar	-Deri kuruluk yönünden gözlenmeli -Yanık gibi açık yaralarda kullanılmamalı
Kremler	Hidrokortizonlu krem	Buharlaştıktan sonra deride tedavi edici özelliği vardır	Kaşıntı Egzama	-Önerildiği şekilde ince bir tabaka olarak uygulanır -Gündüzleri kullanılmalıdır -Terleme ve drenajla deriden çıkabileceği için sık sık uygulamak gerekir
Merhemler -Yağ içerikli su bazlı	Eucerin	Deriyi yağlandırıcı etki	Deride aşırı kuruma (Xerosis) Dermatitler	Su ve sabunla yıkanarak çıkarılabilir
-Emici	Aquapor	Deriyi yağlandırıcı etki	Deride aşırı kuruma (Xerosis) Dermatitler	Çıkarılması zordur, yağlı kalma duyusu yaratabilir
-Su emilimi yapan	Vazelin	Suyun ve ilaçların emilimini sağlar	Deride aşırı kuruma (Xerosis) Dermatitler	Sıcaklık duyusu olabilir, deriden çıkarılması zordur, maserasyon açısından gözlenmeli, saç diplerine uygulamaktan kaçınmalıdır

Pansuman uygulamasından önce hemşire ellerini yıkamalı ve daha sonra steril ya da temiz eldiven giymelidir. Açık kullanılan ıslak pansumanlar buharlaşma ile kuruyacağı için sık sık değiştirilmeli, kapalı kullanılan ıslak pansumanlar alttaki deride maserasyona neden olabileceği için sık sık kontrol edilmelidir. Erozyon ve ülserlerin üzerindeki eksudaları temizlemek amacıyla ıslak-kuru pansuman uygulanır. Bu tür pansuman uygularken ıslak pansuman matareyli kuruyuncaya kadar derinin üzerinde bırakılıp, daha sonra ıslatmadan deriye zarar vermeyecek şekilde kaldırılarak çıkartılır. Böylece yara kabukları ve eksudalar pansumana yapışarak çıkartılmış olur.

Nemliliği koruyucu pansumanlar serum fizyolojik, vazelin, çinko-maden tuzu içerikli solüsyonlar ve antimikrobiyal ajanlar kullanılarak uygulanır. Kullanım amacı nemliliğin sürekliliğini sağlayarak ağrı ve enfeksiyonlara bağlı ateşi kontrol altına alma, skar dokusunu azaltama, kendi kendine hafif debridman sağlama ve sık sık pansuman değiştirme gereksinimini azaltmadır. Kullanılan ürüne ve dermatolojik hastalığa göre değişmekle birlikte nemliliği koruyucu pansumanlar uygulandığı alanda 12-24 saat süreyle bırakılır.

Bazen bu süre bir haftaya kadar uzatılabilir. Bu amaçla kullanılan materyallerden hidrojeller yapılarında %90-95 oranında su bulundururlar ve kendi kendine debridman sağlamada kullanım için ideal seçenektir. Yarı şeffaf yapıları nedeniyle pansumanı kaldırmadan alttaki yaranın izlenmesini sağlar. Drenajlı venöz ülserler, deri greft alanları gibi seröz akıntısı fazla olan yaralarda kullanım için uygundur. Hidrokolloidler dış yüzeyinde bulunan poliüretan yapıları ile su geçirmez özelliktedir. Yara üzerinden buharlaşan su hidrokolloid pansuman materyali tarafından emilerek sürekli nemlilik sağlanır ve pansuman alttaki deriye zarar vermeden kolayca çıkarılır. Akıntılı ve akut yaralarda kullanımı uygun olan hidrokolloid pansumanlar debridman ve granülasyon dokusu oluşumunu kolaylaştırır. Banyo yaparken çıkarılmaları gerekmez ve genellikle yedi günden fazla kalabilirler. Hidrokolloid pansumanların olumsuz yönü bir çoğunun opak olması nedeniyle pansumanı kaldırmadan alttaki yarayı izlemeyi sınırlı kılmasıdır.

Koruyucu pansuman dermatolojik lezyonlarda uygulanan topikal tedavinin üzerini örtmek için kullanılır. Tedavi uygulanan alan hava geçirmeyen plastik bir filmle kaplanır. Bu amaçla kullanılan plastik filmler ince, her tür vücut öçlüsüne, şekline ve yüzeyine kolayca uygulanabilir özelliktedir. Bu tür koruyucu pansumanlar genellikle günde oniki saatten fazla kullanılmaz.

3-Tıbbi Tedavi

Tedavi edici banyolar(Balneoterapi): Deride geniş alanları kaplayan dermatolojik hastalıklarda oldukça yararlı bir tedavi yöntemidir. Akut dermatozlarda kaşıntı ve enflamasyonu giderme, ilaç kalıntılarını deriden temizleme, kabukve kurutları çıkarmada banyolar kullanılır. Tedavi edici banyolarda banyo suyunun hastada rahatsızlık yaratamayacak ısıda olmasına ve maserasyonu önlemek için banyo süresinin 20-30 dakikayı geçmemesine dikkat edilmelidir. Tedavi edici banyo çeşitleri ve kullanım alanları Çizelge 47.2'de verilmiştir.

İlaç tedavisi: İlaç tedavisi topikal, intralezyonal ve sistemik olarak uygulanır.

Topikal tedavi: Topikal tedavi ile uygulanan ilaçlar deriden kolayca emilerek tedavi edebildiği için dermatolojik hastalıklarda topikal tedavi kullanımı yaygındır. Topikal tedavide terapötik losyonlar, kremler, merhemler, macunlar ve pudralar kullanılmaktadır. Topikal tedavi amaçlı kullanılan tüm ajanların gerektiği kadar ve gerektiği sürece doğru olarak, dikkatle ve uygulama yöntemlerine uyularak kullanılması, kullanımda asepsi- antisepsi kurallarına uyulması, kullanılan malzemelerin temiz ve kapalı olarak saklanması konularına hemşirelerin gerekli dikkati göstermesi ve bu konularda hasta ve yakınlarını eğitmesi olası komplikasyonları önlemek açısından önemlidir.

Özellikle kortikosteroidler, antienflamatuar, antipururitik ve vazokonstrüksiyon yapıcı etkileri nedeniyle dermatolojik hastalıklarda topikal tedavide yaygın olarak kullanılmaktadır. Kortikosteroidlerin topikal kullanımında bu ilaçların kullanımında dikkat edilmesi gereken kurallara uyulması önem taşımaktadır. Uygun kullanılmadığında lokal ve sistemik istenmeyen etkilere neden olabilir. Bütünlüğü bozulmuş ve enflamasyonlu deride kortikosteroidlerin kullanımı lokal olarak deride atrofi, incelme ve telanjektazi gibi yan etkiler gelişimi yoluyla durumun daha da kötüleşmesine neden olabilir.

Topikal steroidlerin göz çevresindeki deride uzun süreli kullanımı katarakt ve glakom gelişimine, yüksek konsantrasyonlu preperatların uzun süreli olarak yüze uygulanması akne, aşırı kıllanma gibi yan etkilere neden olabilir. Hemşirelik uygulamaları ve hasta eğitiminde bu konunun özellikle dikkatle vurgulanması önemlidir.

Çizelge 47.2: Tedavi Edici Banyo Çeşitleri

Banyo Solusyonu	Etkisi ve Kullanım Amacı	Hemşirelik Girişimleri
Su	Islak pansumanla aynı etki	*Küvet yarısına kadar suya doldurulur
Tuzlu su	Geniş alana yayılmış lezyonlarda	*Suyun ısısı hastaya rahatsızlık vermeyecek düzeyde korunur
Kolloid (Yulaf ezmesi)	Kaşıntı giderci, rahatlatıcı	*Suyun aşırı soğuk olmasından kaçınılır
Sodyum bikarbonat	Serinletici	*Banyo suyuna ilave edilen maddeler küvette kayganlaşmaya neden olarak kaza riski yaratabileceğinden banyo paspası kullanılmalıdır
Nişasta	Yatıştırıcı	*Derinin yumuşaklığını korumak için banyodan sonra nemli deriye yumuşatıcı kremler uygulanır
Tedavi edici katran	Psoriazis ve kronik egzama	*Katranın buharlaşması için banyo yapılan deri bölgesi
Banyo yağları	Akut ve kronik egzamalarda kaşıntı giderici ve yumuşatıcı etki	*Deri yumuşak bir havluyla nazikçe kurulanır *Oda ısısı aynı düzeyde korunur *Hasta banyodan sonra hafif ve bol giysiler giymesi için yönlendirilir

İntralezyonal tedavi: Genellikle kortikosteroidlerin antienflamatuar etki amacıyla lezyonun içine ya da altına enjekte edilerek uygulandığı bir tedavi yöntemidir. Ancak subkutan yağ dokusu içine enjekte edildiğinde lokal atrofiye neden olabilir. İntralezyonl tedavide immünoterapötik ve antifungal ajanlar da kullanılır. Psoriazis, keloid ve kistik akne intralezyonal tedavinin uygulandığı dermatoljik hastalıklardır.

Sistemik tedavi: Dermatolojik hastalıkların sistemik tedavisinde kortikosteroidler, antibiyotikler, antifungaller, antihistaminikler, sedatifler, trankilizanlar, analjezikler ve sitotoksik ajanlar kullanılır. Pemfigus vulgaris gibi kronik dermatitlerede uzun süreli, kontakt dermatitlerde kısa süreli olarak kortikosteroidler, psoriazisde sitotoksik ajanlar sistemik olarak kullanılabilmektedir.

4-Ultraviyole (UV) tedavisi: Yapay UV ışığı topikal ya da sistemik fotosensitif ilaçlarla birlikte epidermisde deskuamasyon yaratmak ve bazal tabaka hücrelerinin DNA sentezini geçici olarak baskılamak amacıyla kullanılır. Psoriazis, vitiligo, kronik egzama, deriyle ilgili T hücreli lenfoma, üremiye bağlı kaşıntı Ultraviyole A(UVA) ve Ultraviyole B(UVB) ışınları kullanılarak tedavi edilebilen hastalıklardır.

UV tedavisine başlamadan önce hastanın ayrıntılı öyküsü alınmalıdır. Öykü almada hastanın daha önce herpes simpleks enfeksiyonu, lupus, bazal hücreli ya da skuamoz hücreli epitelyoma, katarakt öyküsü olup olmadığı özellikle sorulması gereken sorulardır. UV tedavisi öyküsünde bu tür yakınmaları olan hastaların durumlarını kötüleştirebileceği için sakıncalıdır. Tedaviye başlamadan önce ve uzun süreli tedavilerde yıllık göz kontrollerinin yapılması, tedaviden sora deride kuruluk, eritem, vezikül, ağrı gibi fototoksik reaksiyonlar ve kaşıntı yakınması olup olmadığı gözlenmelidir.

Fotokemoterapi (PUVA): Oral ya da topikal 8-methoxypsoralen ile UVA'nın birlikte kullanılması ile uygulanan tedavi yöntemidir. PUVA başka tedavi yöntemlerine yanıt vermeyen, inatçı psoriazis olgularında, atopik dermatitlerde, T hücreli lenfomalarda, alopesi areata ve vitiligo tedavisinde uygulanır. PUVA tedavisi ile vitiligoda melanin pigmenti üretimi uyarılır, psoriazisde ve T hücreli lenfomada hücre bölünmesi ve çoğalması baskılanır. PUVA tedavisi uygulanan hastalar fotosensitif ilaçları almadan önce ve aldıktan sonraki sekiz saat süresince derilerini dış ortamdaki UVL'nin zararlı etkilerinden korumak için koruyucu önlemleri almalıdırlar. Bu önlemler; 1-Dışarıya çıkarken uzun kollu giysiler giyme, 2-Derinin ultraviyole ışınına maruz kalan bölgelerine koruyucu faktörü yüksek güneş kremi sürme, 3-Deriyi doğal güneş ışığından olabildiğince koruma, 4-İlaç alımını izleyen 48 saatlik sürede dışarıya çıkarken gözlerini güneş ışığından korumak için koyu yeşil ya da kahverengi gözlük kullanmadır.

Dermatolojik Hastalıklar

Kaşıntı (Pruritus)

Kaşıntı dermatoljik hastalıklarda görülen yaygın bir bulgu olup, bir hastalık değildir. Kaşıntı vücutta belli bölgelerde ya da yaygın olarak görülür ve bireye rahatsızlık veren, istenmeyen bir durumdur. Kaşıntı nedeniyle deri bütünlüğü bozularak enfeksiyona yatkınlık artar. Özellikle kronik hastalıkların neden olduğu kaşıntı bireyin yaşam kalitesini olumsuz yönde etkilediği için kaşıntı giderici girişimlerin uygulanması hemşirelik yönetiminde önemli bir yer almaktadır.

Kaşıntı karsinomaya bağlı derideki kuruluğun, seboreik dermatitin, atopik dermatitin, siroz gibi ciddi karaciğer hastalıklarının, diabetes mellitus ve tiroit hastalıkları gibi endokrin hastalıkların, kronik böbrek yetersizliğine bağlı üreminin, ilaçlara bağlı gelişen aşırı duyarlılık reaksiyonlarının, paraziter hastalıkların, lösemi, lenfoma gibi neoplastik hastalıkların, emosyonel stres, anksiyete, nevroz gibi psikiyatrik hastalıkların, sekonder bulgusu olarak ortaya çıkabilir. Kaşıntı yakınması deride kuruluk artışı, daha fazla sistemik hastalığın olması, malignite riskinin daha fazla olması ve gençlere göre daha fazla sayıda ilaç kullanma gibi nedenlerle yaşlılarda daha sık görülür.

Patoloji: Kaşıntı reseptörleri myelinsiz, fırça şeklinde deri, müköz membranlar ve korneda bulunan sinir uçlarıdır. Kaşıntı bu sinir uçlarından histamin salgılanmasıyla başlar. Bireyin kaşıntı duyusuna verdiği kaşıma yanıtı ile deri bütünlüğü bozulabilir, kızarıklık, yüzeysel doku kaybı ve şişlik, enfeksiyon ve deri renginde değişiklik görülebilir. Gündüz dikkatin başka yönlere çekilmesi nedeniyle daha az hissedilen kaşıntı genellikle geceleri daha fazla rahatsızlık yaratır.

Tedavi: Hasta öyküsü ve fizik muayene bulguları kaşıntının altında yatan nedenin bulunması için ip uçları verir. Neden olan etken belirlendikten sonra kaşıntıyı gidermeye yönelik girişimlerde bulunulur. Enfeksiyon, sıcak ya da kuru hava, giysi ya da yatak örtüleri gibi çevresel faktörlerin belirlenmesi önemlidir. Kaşıntı yakınması olan hastanın temizliğinde sabun ve sıcak su kullanımından kaçınılmalıdır. Deri temizliğinde surfaktan içeren banyo yağları kullanılabilir. Banyodan sonra nemlendiriciler uygulanarak derinin nemliliği sağlanmalıdır. Soğuk kompres, buz, mentol ve kafuru içeren ajanlar derideki kaşıntı duyusunu azaltmada yararlı olabilir.

İlaç tedavisinde kortikosteroidler, anthistaminikler, sedatifler kullanılabilir. Sedatif ve antihistaminiklerin uykuya eğilimi arttırması nedeniyle gece yatmadan önce verilmesi, gündüzleri sedasyona neden olmayan Fexofenadine (Allegra)vb. antihistaminiklerin kullanılması önerilir. Psikolojik kökenli kaşıntıda Doxepin (Sinequan) gibi trisiklik antidepresanlar önerilebilir. Bu uygulamalarla kontrol altına alınamayan kaşıntıların altında sistemik bir hastalık olup olmadığı araştırılmalıdır.

Hemşirelik yönetimi: Kaşıntı yakınması olan hastanın hemşirelik yönetiminde uygulanacak tedavi ve deri bakımında dikkat etmesi gereken konular hakkında hastaya bilgilendirme ve danışmanlık yapma hemşirenin sorumluluğudur. Banyo önerilen hastada sıcak su kullanımından kaçınma, banyo suyuna yağlı ya da kayganlaştırıcı maddeler ilave edildiğinde düşme ve kazalardan korunmak için alınması gereken önlemler, deri kıvrımlarının nemli kalmaması için bu bölgelere özel dikkat göstererek tüm vücudu yumuşak bir havlu ile ovuşturmadan nazikçe kurulma, banyodan sonra derinin nemliliğini sağlamak için önerilen nemlendiricileri uygulama konularında gerekli eğitimler yapılmalıdır. Ayrıca hasta aşırı sıcağa maruz kalma, alkol alımı, sıcak yiyecek ve içecek alımı gibi vazodilatasyon yaratarak kaşıntıyı uyaracak etkenlerden kaçınması konusunda eğitilir.

Hastanın kuru havada kalması, aşırı aktivite yapması nedeniyle terlemesi kaşıntıyı arttıracağından, bulunduğu ortamın havasının nemlendirilmesi ve aşırı aktiviteden kaçınması konularında da eğitilmesi gerekir. Geceleri kaşıntı nedeniyle uyku sorunu yaşayan hastaya sentetik çamaşır ve giysi kullanımından kaçınması, bol ve pamuklu kumaştan yapılmış gecelik ve pijamalar giymesi önerilir. Kaşıntı nedeniyle deriye zarar verme ve enfeksiyon riski nedeniyle, tırnaklarını kısa ve düz kesmesi ve temizliğine dikkat etmesi gerektiği konularında uyarılır. Kaşıntıya neden olan faktörün araştırılması için yapılacak testler konusunda hemşire hastaya danışmanlık yapar.

Salgı Bezlerinin Hastalıkları
Seboreik Dermatit:
Sebore yağ bezlerinden aşırı yağ salgılanması durumudur. Yağ bezleri yüzde, saçlı deride, kaşların ve göz kapaklarının üzerinde, burun kanatlarının yanında, dudakların üzerinde, yanaklarda, kulaklarda, koltuk altlarında, memelerin altında, kasıklarda ve kalçalarda bulunur.

Etiyoloji: Seboreik dermatit yağ bezlerinin bakteriyel kökenli kronik enflamatuar bir hastalığıdır. Genetik yatkınlık söz konusudur. Hormonlar, beslenme durumu, enfeksiyon ve emosyonel stres hastalığın etiyolojisinde rol oynayan ve hastalığı tetikleyen faktörlerdir.

Klinik belirti ve bulgular: Seboreik dermatitin yağlı ve kuru olmak üzere iki türü vardır. Hastalık çocuklukta başlayıp, yaşam boyu devam edebilir. Yağlı tipte deride kabuklanma ile birlikte ya da kabuklanma olmadan yağlanma ve soluk lekelenmeler ve hafif düzeyde eritem vardır. Bulgular çoğunlukla alında, burun kanatlarının kıvrım yerlerinde, sakallarda, kafa derisinde, koltuk altı, kasık ve memelerin kıvrım yerlerinde görülür.

Gövdede püstül ya da papülopüstüler lezyonlar görülebilir. Kuru tipte saçlı deride konak olarak tanımlanan kepeklenme ve kabuklanmalar vardır. Kabuklanmalar kaşıntıya ve buna bağlı olarak ekskoriasyon ve sekonder enfeksiyon gelişimine neden olabilir. Hastalık iyileşme ve kötüleşme dönemleri ile seyreder.

Tanı: Hasta öyküsü ve fizik muayene ile konur.

Tedavi: Seboreik dermatitde tedavi hastalığı kontrol altına almak ve derideki bulguları düzeltmeye yöneliktir. Kortikosteroidli kremler sekonder enflamatuar yanıtı baskılar. Ancak daha önce belirtildiği gibi bu kremlerin yüzde kullanımında olası komplikasyonlar açısından gerekli önlemlere dikkat edilmelidir.

Saçlı derideki konakların tedavisinde terapötik şampuanlarla günlük ya da haftada en az üç kez saçların yıkanması önerilir. Seboreik dermatit tedavisinde kullanılan şampuanlar selenyum sülfat, salisilk asit, sülfür, çinko içeren şampuanlardır. Kullanılan şampuana direnç gelişimini önlemek için iki ya da üç farklı şampuan dönüşümlü olarak kullanılır. Şampuan en az 5-10 dakika saçlı deride bekletildikten sonra durulanır.

Hemşirelik yönetimi: Seboreik dermatitli hastaların aşırı sıcak, terleme, deriyi kaşıma ve ovalamaktan kaçınması gerektiği konusunda uyarılması gerekir. Özellikle deri kıvrım alanlarında mantar enfeksiyonu gelişme riski fazla olduğu için bu bölgelerin iyi havalandırılması, temiz ve kuru tutulmasına dikkat edilmesi gerektiği, kullanılması önerilen şampuanların önerildiği şekilde, uygun sıklık ve sürede kullanılmasının önemi konusunda hastalar eğitilir. Dış görünüşünü etkileyen bir durum olması nedeniyle hastaların beden imajı ve duyguları konusunda konuşmaları için uygun ortam hazırlanmalıdır.

Akne Vulgaris
Akne vulgaris çoğunlukla yüzde, boyunda ve gövdenin üst kısmındaki kıl foliküllerini etkileyen bir hastalıktır. Siyah noktalar olarak tanımlanan komedonlar aknenin öncü lezyonları olup, papül, püstül, nodül ve kistlerle karakterize lezyonlar vardır. Genellikle 12-35 yaş arası adölesanlarda (%90) görülür. Her iki cinste de eşit olarak görülür. Ancak

kız çocuklarında adölesan döneme daha erken girilmesi nedeniyle daha erken görülür.

Etiyoloji: Adölesan dönemde endokrin bezlerin salgısının artışı ve yağ bezlerinin salgısının da bu dönemde artışı hastalığın ortaya çıkmasın neden olur. Genetik, hormonal, bakteriyel etmenler ve aile öyküsü etiyolojide rol oynar.

Klinik belirti ve bulgular: Aknenin öncü lezyonları komedonlardır. İçeriğinde yağ ve keratin bulunduran kapalı komedonlar beyaz papüller şeklindedir. Açık komedonlar ise yağ, bakteri ve epitel doku artıklarının birikmesi nedeniyle siyah noktalar şeklindedir. Açık komedonların enflamasyonu sonucu eritemli papüller, enflamatuar püstüller ve kistler görülebilir. Akneler genellikle lezyonların sayısı ve tipine göre hafif, orta ve şiddetli olarak sınıflandırılırlar. Hafif papüller ve kistler tedavi edilmeden drene olur ve iyileşirler. Daha derin papüller ve kistler deride skar dokusu oluştururlar.

Tanı: Akne tanısı hasta öyküsü, hasta yaşı, fizik muayene ile saptanan lezyonların özelliği esas alınarak konur. Ayırıcı tanı için nadiren lezyonlardan biyopsi alınması gerekebilir.

Tedavi: Tedavide amaç yağ bezlerinin aktivitesini azaltmak, kıl köklerinde enfeksiyon oluşumunu önlemek, enflamasyonu azaltmak, sekonder enfeksiyonu önlemek, skar oluşumunu en aza indirmek ve akne oluşumunu tetikleyen faktörleri kontrol altına almaktır.

-Beslenme-hijyen tedavisi: Akne tedavisinde zaman zaman diyet kısıtlamalarına gidilmektedir. Ancak çikolata, yağlı yiyecekler vb. aknenin alevlenmesine neden olduğu görüşü artık kabul edilmemekte ve bu konudaki yanlış düşüncelerin silinmesi için halkın ve hastanın bu konuda eğitilmesi önem taşımaktadır. Aknede görülebilecek bakteriyel enfeksiyonlara karşı savaşımda immün sistemin etkin olarak işlev görebilmesi için yeterli ve dengeli beslenmenin sürdürülmesi esastır. Hafif aknelerde günde iki kez sabunla yüzün yıkanması önerilir. Hastanın akne tedavisine uyumunu arttırmak için güvenini kazanmak, hastanın duygularını açıklayabileceği uygun ortamı sağlamak, tedavide önem verilmesi gereken konulardır.

-İlaç tedavisi: Akne tedavisinde topikal ve sistemik ilaçlar uygulanır. Topikal tedavide Benzoil peroksit ve azeleik asit preperatları enflamtuar lezyonların kontrol altında alınmasında yaygın olarak kullanılmaktadır. Bu preperatlar sebum üretimini engeller ve komedonların oluşumunu kontrol altına alır. Hafif ve orta dereceli aknelerin tedavisinde eritromisin, tetrasiklin ya da klindamisin gibi topikal antibiyotikler de kullanılır. Orta dereceli ve şiddetli aknelerin tedavisinde oral yolla tetrasiklin, doksisilin gibi antibiyotikler sistemik tedavide kullanılır. Bu tedavi uzun sürelidir (yaklaşık altı ay), 12 yaşın altındaki çocuklarda ve gebelerde kullanımı sakıncalıdır.

Tetrasiklinlerin fotosensitivite, bulantı, diyare erkeklerde dermatolojik enfeksiyon, kadınlarda vajinit gibi yan etkileri vardır. Diğer tedavi yöntemlerine yanıt vermeyen nodüler kistik aknelerin sistemik tedavisinde oral retinoidler kullanılır. İsotretinoin (Accutane) bu amaçla kullanılan bir preperattır. Bu ilaçların dudaklarda kuruma ve çatlama, müköz membranlarda ve deride kuruluk gibi yan etkileri vardır. Bu yan etkiler ilaç kullanımına son verdikten sonra geri dönüşü olan yan etkilerdir. Ancak teratojenik yan etkileri nedeniyle gebelikte kullanılmaz. Genellikle menturasyon dönemlerinde akne yakınması artan genç kadınlarda sebum salgısını kontrol altına almak amacıyla hormon tedavisi de (Östrojen,-progesteron bileşimi) uygulanan tedavi yöntemlerinden biridir.

-Cerrahi tedavi: Özellikle nodüler kistik akne lezyonlarında komedonların çıkarılması, enflmasyonlu lezyonların içine kortikosteroid enjekte edilerek insizyon uygulaması ve drene edilmesi gibi yöntemlerle yapılır. Kistik aknelerde kriyoterapi uygulanabilir.

Hemşirelik yönetimi: Aknede hemşirelik yönetimi hastanın izlenmesi ve olası komplikasyonların kontrol altına alınması için gerekli bakımı planlamak ve uygulamaktır. Bu kapsamda hasta eğitimi büyük önem taşır. Hasta eğitiminde akne skarlarının oluşumunu önlemeye yönelik hastanın önerilen tedaviyi uygulaması ve sürdürmesi, tedaviyi hekim önerisi olmadan bırakması durumunda aknelerin alevlenebileceği ve derin skarların oluşabileceği, komedonların ve papüllerin sıkılması durumunda püstül oluşumu ve skar dokusu oluşumu riskinin artacağı konularına yer verilir. Uzun süreli antibiyotik tedavisi önerilen hastalarda oral ve vajinal mantar enfeksiyonları belirti ve bulguları yönünden hasta izlenmelidir. Deri temizliğine dikkat etmesi, önerilen orta sertlikteki sabunlarla ya da losyonlarla yüz temizliğini yapması, temizlik ve kurulama işlemi sırasında deriyi ovalamaktan ve tahriş etmekten kaçınması, kozmetik amaçlı ürünler, tıraş köpüğü ve losyonları akne lezyonlarını daha kötü duruma getirebileceğinden, hekim önerisi olmadan bunları kullanmaması gerektiği konularında hastalar eğitilir. Akne özellikle adölesan dönemde beden imajı ve kişiler arası ilişkiler yönünden hastada istenmeyen etkiler yaratabileceğinden, hastanın bu konuda duygularını açıklayabileceği bir ortam hazırlanarak, gerektiğinde psikolojik yardım sağlanmalıdır.

Bakteriyel Enfeksiyonlar

İmpetigo

Etiyoloji: Stafilokok, streptekok gibi etkenlerin neden olduğu derinin yüzeysel enfeksiyonudur. S.aureus'un neden olduğu büllerle karakterize olan büllü impetigo derinin daha derin tabakalarına yerleşir. Çoğunlukla yüzde, ellerde, boyunda ve ekstremitelerde görülür. Havlu tarak vb. eşyaların ortak kullanılması ya da akıntılı lezyonların olduğu enfekte deriye dokunulması ile diğer birey ve aile üyelerine bulaşabilir. Her yaşta görülebilmesine karşın temizlik kurallarına yeterli uymayan ailelerin çocuklarında daha fazla görülür. Çoğunlukla baş biti, uyuz, herpes simpleks, böcek sokması ya da egzama sorunu olan çocuklarda görülür. Kronik sağlık sorunları, kötü hijyen ve beslenme yetersizliği erişkinde imppetigo gelişimini tetikler.

Klinik belirti ve bulgular: Lezyonlar küçük, kırmızı maküllerle başlayıp, hızla yayılarak veziküllere dönüşürler. Patlayan veziküllerin üzerinde bal rengine benzeyen sarı kabuklanmalar olur. Bu kabuklar kolayca koparılabilir ve altından pürüzsüz, kırmızı, nemli deri ortaya çıkar ve yeni bir kabuk oluşur. Saçlı deride de lezyonlar görüldüğünde saçlar keçeleşir ve mantar enfeksiyonu gelişebilir.

Tanı: Öykü ve klinik bulgularla konur.

Tedavi: Sistemik antibiyotik tedavisi yapılır. Büllü olmayan impetigoda oral penisilin tedavisi önerilir. Büllü impetigoda kloksasain, dikloksasin gibi penisilin türevleri, penisilin allerjisi olan bireylerde eritromisin tedavisi önerilir. Küçük alanlarda bulunan impetigoda mupirisin gibi topikal ajanlarla tedavi yeterli olabilir.

Ancak topikal tedavi sistemik tedavi gibi etkin olamayabilir ve enfeksiyonun solunum sistemine ve böbreklere yayılarak glomerülonefrit gelişimine yol açabilir. Topikal tedavi önerildiğinde derideki kabuklanmaların temizlenmesi için lezyonlu bölge sabun ve suyla yıkanıp daha sonra topikal antibiyotikler uygulanmalıdır. Böylece uygulanan antibiyotiğin enfekte alanda emilimi ve etkinliği arttırılmış olur. Deri temizliğinde bakteriyel ajanların diğer sağlıklı deri bölgelerine bulaşını önlemek için povidone-iodine (Betadine) solüsyonu kullanılabilir.

Hemşirelik yönetimi: Hemşire hasta ve yakınlarını önerilen antibakteriyel sabunlarla günde en az bir kez banyo yapması, temizlik kurallarına uyulması ve evdeki diğer bireylere bulaşmasının önlenmesi için alınacak önlemler konularında eğitir. Hemşire hastaya bakım uygularken eldiven giymeli ve gerekli asepsi ve antisepsi kurallarına uymalıdır.

Viral Enfeksiyonlar

Herpes Zoster

Etiyoloji: DNA grubundan varicella-zoster virüsünün neden olduğu aynı zamanda zona olarak da tanımlanan bir enfeksiyondur. Hastalık bir ya da birden fazla posterior ganglionldaki duyu sinirlerinde ağrılı veziküllerle karakterizedir.

Herpes zoster virüzsünün vücutta latent olarak bulunduğu ve immün sistemde bir yetersizlik durumunda aktif hale geçerek enfeksiyon oluşturduğu kabul edilmektedir. Aktif hale geçen virüs derideki periferal sinirler boyunca yayılarak küçük kırmızı döküntüler ve veziküllerin oluşmasına neden olmaktadır. Erişkinlerin yaklaşık %10'u yaşam boyu genellikle 50 yaşından sonra zona deneyimlemektedir. Herpes zoster enfeksiyonlarının görülme sıklığı immün sistem yetersizliği ve özellikle lösemi ve lenfoma gibi kanser olgularında artar.

Belirti ve bulgular: Etkilenen sinirin bulunduğu bölge ve üzerindeki bölgede ağrıyla birlikte ya da ağrı olmaksızın küçük kabarcıklar vardır. Ağrı yanıcı, keskin, batıcı, delici ya da sızlayıcı niteliktedir. Bazı hastalarda ağrı olmaksızın etkilenen bölgede kaşıntı ve hassasiyet vardır. Bazen kabarcıklar ortaya çıkmadan önce gastrointestinal rahatsızlık ve kırıklık hali olabilir. Kırmızı ve ödemli derinin üzerinde veziküllerin oluşurduğu leke şeklinde döküntülü alanlar vardır. Veziküller daha sonra pürülan şekle dönüşüp, patlayarak üzerinde kabuklar oluşur. Genellikle torasik, servikal ve kraniyal sinirlerin bulunduğu bölgede kuşak şeklinde tek taraflı tutuluş vardır. Yüz ve gövde bölgesindeki sinirlere komşu alanlarda veziküller oluşur. Klinik bulgular 1-3 hafta sürer. Göz siniri etkilendiğinde göz ağrısı da tabloya eklenir. Gövdede etkilenen alanlara hafifçe dokunulması bile ağrıya neden olur. İyileşme süreci 7-26 gün arasında değişir.

Sağlıklı erişkinlerde herpes zoster enfeksiyonu bir bölgede ve iyi gidişlidir. Ancak immün sistemi baskılanmış bireylerde daha ciddi ve klinik gidiş daha kötü olabilir.

Tanı: Klinik bulgular ve vezikül sıvısının incelenmesi ile tanı konur.

Tedavi: Herpes zoster enfeksiyonunda amaç ağrıyı gidermek ve komplikasyonları azaltmak/önlemektir. Enfeksiyon, skar dokusu oluşumu, postherptik nevralji (enfeksiyonun iyileşmesinden sonra etkilenen sinirde inatçı ağrı) ve göz komplikasyonları en fazla görülebilen komplikasyonlardır. Ağrıyı gidermede analjezikler kullanılabilir. Postherptik nevraljiyi önlemek için 50 yaşın üzerindeki bireylere sistemik kortikosteroidler önerilebilir. Etkilenmiş ağrılı alanlara subkutan enjeksiyon olarak antienflamatuarlar (Aristocort, Kenakort, Kenalog vb.) uygulanabilir. İlk kabarcıkların ortaya çıktığı 24 saat içinde oral antiviral ajanların kullanımı enfeksiyonu baskılamaktadır. Bu amaçla asiklovir (Zoviraks), valasiklovir (Valtreks) gibi anti viral ajanlar kullanılabilir. İntarvenöz asiklovir tedavisine erken dönemde başlanması ağrıyı azaltma ve hastalığın ilerlemesini önlemede önemli derecede etkili olmaktadır. Yaşlı hastalarda ağrı ilk lezyonların görülmesinden aylarca sonra postherpatik nevralji şeklinde inatçı olarak devam edebilir.

Herpes zoster enfeksiyonunun gözü de etkilediği durumlar oftlamik herpes zoster olarak tanımlanır. Bu durumda keratit, uveit, ülserasyon ve körlük gibi olası komplikasyonları önlemek için acil göz hekimi konsültasyonu istenmelidir.

Hemşirelik yönetimi: Hemşirelik yönetiminde hekimle işbirliği yaparak önerilen tedavinin uygulanması ve hastanın rahatlatılması esastır. Hasta önerilen tedaviyi nasıl uygulayacağı ve virüsün diğer bölgelere yayılmasını önlemek için uyması gereken hijyen kuralları hakkında eğitilir. Hastanın yeterli dinlenme, uyku ve rahatının sağlanması için relaksasyon ve dikkatini başka yöne çekme gibi aktiviteler kullanılabilir. Hastanın yemek hazırlama, banyo yapma, giysi değiştirme gibi günlük yaşam aktivitelerinde gereksinim doğrultusunda yardımcı olunur.

Herpes simpleks'in neden olduğu dudak ve genital bölgede görülen, uçuk olarak da adlandırılan enflamasyonlar da viral kökenli dermatoljik hastalıklardandır. Tedavi ve hemşirelik yönetimi herpes zoster enfeksiyonuna benzer şekilde yapılmaktadır.

Mantar Enfeksiyonları

Derinin mantar enfeksiyonları bazen sadece deriyi, saç ve tırnaklar gibi derinin uzantılarını etkilemekte, bazen iç organları etkileyerek yaşamı tehdit etmektedir. Derinin mantar hastalıkları içerisinde en yaygın görülen tinea enfeksiyonlarıdır. Derideki mantar enfeksiyonları, klinik bulguları, tedavileri ve hemşirelik yönetimleri Çizelge 47.3'de verilmiştir.

Parziter Enfeksiyonlar

Bit Enfeksiyonları

Bit enfeksiyonu her yaştaki bireylerde görülür. Başlıca üç tipi vardır. *Pediculus humanus capitis (saç biti), Pediculus humanus corporis (vücut biti), Phthirus pubis (pubis biti).* Bit enfeksiyonlarının klinik bulguları, tedavileri ve hemşirelik yönetimleri Çizelge 47. 4'de verilmiştir.

Uyuz

Etiyoloji: *Sarcoptes scabiei'nin* neden olduğu derinin kaşıntılı bir hastalığıdır. Genellikle hijyen koşulları kötü olan bireylerde görülür. Hastalığın bulaşması cinsel ilişkiye bağlı olmamakla birlikte hijyen kurallarına uygun davranan cinsel yönden aktif bireylerde de görülebilir. Enfeksiyon genel olarak ellerde ve el parmaklarında görülür. Enfekte hastayla korumasız doğrudan teması olan sağlık personeli risk altındadır.

Belirti ve bulgular: Temastan yaklaşık 4 hafta sonra bulgular görülür. Uyuz etkenine ya da etkenin çıkartılarına karşı gelişen gecikmiş tip aşırı duyarlılık reaksiyonuna bağlı olarak şiddetli kaşıntı yakınması başlar. Hasta değerlendirilmesinde parazitin oluşturduğu tünel şeklindeki yuvaların ve parazitlerin görünebilirliğini sağlamak için büyüteç ve ışık kaynağı kullanarak değerlendirme yapılabilir. Genellikle el parmakları arasında ya da bileklerde çok sayıda görülen parazit yuvaları, muntazam ya da pürtüklü yüzeyli, kahverengi ya da siyah renklidir. Bunun dışında dirseklerin dış yüzünde, dizlerde, ayak uçlarında, meme başı çevresinde, koltuk altı kıvrımında, memelerin altında, kasık, gluteal bölge çevresi, penis ve skrotumda da kırmızı, kaşıntılı erupsüyonlar görülebilir. Uyuz da tipik bir bulgu olarak vücut ısısı artışının parazitin etkinliğini arttırması sonucu olduğu düşünülen geceleri artan kaşıntı yakınması vardır. Vezikül, papül, ekskoriasyon ve krut gibi sekonder lezyonlar da yaygın olarak görülür. Parazit yuvalarının ve papüllerin açılmasına bağlı olarak bakteriyel enfeksiyonlar gelişebilir.

Tanı: Derideki bulgular tanı için önemli ip uçlarıdır. Bunun yanı sıra parazit yuvaları ve papüllerin üzerindeki epidermis tabakasından kazıma yöntemi ile alınan örneğin mikroskopta incelenerek parazit, parazit yumurtası ya da larvalarının görülmesiyle kesin tanı konur.

Tedavi: Hasta sıcak su ve sabunla yıkanarak vücudundaki kurutları temizlemesi, daha sonra kurulayarak derisini serin tutmaya dikkat etmesi konusunda eğitilir. Vücudunun etkilenen bölgelerine ince bir tabaka lindan(Kwell), krotamisyon(Eurax) ya da %5 permetrin(Eliminate) uygulaması önerilir. Yüz ve saçlı deride enfeksiyon yoksa bu bölgelere ilaç uygulamamaya dikkat etmesi konusunda uyarılır. Tedavi uygulandıktan 12-24 saat sonra vücut temizliği yapılır. Bir kez tedavi uygulanması yeterlidir. Ancak bir hafta sonra tedavinin bir kez daha uygulanması önerilebilir.

47. Dermatolojik Hastalıklar

Çizelge 47.3: Derinin Mantar Enfeksiyonları

Enfeksiyonun tipi ve Yerleşimi	Klinik Bulgular	Tedavi	Hemşirelik Yönetimi
Tinea kapitis (kafa derisinde saçlarda bulaşıcı mantar enfeksiyonu)	*Çoğunlukla çocuklarda görülür *Oval, pul pul eritemli alanlar *Kafa derisinde küçük papüller ve püstüller *Saçlarda kırılganlık artışı	*Altı hafta süreyle Griseofulvin tedavisi *Nizoral ya da selenyum sülfatlı şampuanla haftada iki-üç kez yıkama	*Bulaşmayı önlemek için evde hijyen kurallarına uyulması için hasta/ailenin eğitimi *Ailedeki diğer bireylerin ve varsa evcil hayvanların kontrol için yönlendirilmesi
Tinea korporis (vücutta mantar enfeksiyonu)	*Kırmızı maküler döküntülerle başlar ve buradan papül ya da veziküllere dönüşür *Lezyonlar bir alanda kümelenmiştir *Çoğunlukla saç, saçlı deri ya da tırnaklara yayılmıştır *Kaşıntılıdır *Enfekte evcil hayvan enfeksiyon kaynağı olabilir	*Orta derece şiddetli olgularda topikal antifungal kremler *Daha şiddetli olgularda Griseofulvin ya da terbinafine	*Hasta temiz havlu kullanımı ve günlük temiz giysi değiştirmesi konularında eğitilir *Sentetik giysiler kullanmaması, pamuklu giysi kullanımı konularında ve derinin özellikle kıvrım bölgelerinin kuru ve nemsiz olması gerektiği konularında eğitilir
Tinea kruris (uyluk, kasık ve perine bölgesinde mantar enfeksiyonu)	*Küçük, kırmızı kabuklanmalı alanlarla başlayıp, bu alanların etrafında kabarık plaklar şeklinde yayılır *Çok kaşıntılıdır *Etrafında küme şeklinde püstüller görülebilir	*Orta derece şiddetli olgularda topikal antifungal kremler *Daha şiddetli olgularda Griseofulvin ya da terbinafine	*Hasta aşırı sıcak, terleme nedeni olan naylon, dar ve ıslak giysiler giymemesi konusunda eğitilir *Kasık ve peride bölgenizi temiz ve kuru tutması gerektiği konusunda uyarılır
Tinea pedis (Ayakta özellikle parmak aralarında mantar enfeksiyonu-Atlet ayağı)	*Tek ya da iki ayakta parmak aralarında orta derecede maserasyonlu kızarıklık ve kabuklanmalar *Akut olgularda koyu renkli zemin üzerinde açık renkli vezikül kümeleri görülebilir	*Akut evrede kurut ve kabuklanmaların çıkarılarak enfeksiyonun kontrol altına alınması için Burow's ya da potasyum permanganat solüsyonunda ayak banyosu * Kaşıntıyı kontrol altına almak için sirkeli suyla ayak banyosu *Enfekte alanlara Mikonazol, koltriazole gibi antifungal ajanların uygulanması *İnatçı enfeksiyonlarda Griseofulvin ya da terbinafine uygulaması *Üç ay süreyle ayaklara Terbinafine (Lamisil) uygulaması	*Hasta ayaklarını kuru ve temiz tutması, geceleri parmak aralarına nemi emmek için pamuk yerleştirmesi, pamuklu çorap ve ayağın havlanmasını sağlayan deri ayakkabılar giymesi, çoraplarını sık sık değiştirmesi, parmak aralarına önerilen antifungal pudraları uygulaması konularında eğitilir
Tinea ungu1um (Onikomikosis- tırnakların mantar enfeksiyonu)	*Tırnaklarda kalınlaşma, kolayca ufalanma ve kırılma, matlaşma, tırnak yatağından ayrılma	*El tırnaklarında olduğunda altı hafta süreyle, ayak tırnaklarında olduğunda oniki hafta süreyle oral antifungal ajanlar verilir (Itraconazole-Sporanoks)	*Tırnakların temiz ve kuru tutulması, sık sık çorap değiştirilmesi, pamuklu çorap ve deri ayakkabı giyilmesi, ortak havlu ve terlik kullanımından kaçınılması, havuz, sauna gibi yerlerde çıplak ayakla dolaşılmaması gibi konularda hasta eğitilir.

1003

Dermatoloji

Çizelge 47.4: Bit Enfeksiyonları

Enfeksiyon Tipi ve Yerleşimi	Klinik Bulgular	Tedavi	Hemşirelik Yönetimi
Pediculus humanus capitis (saç biti)	Başın ve kulakların arkasında çıplak gözle görülebilen gümüş gibi parlak, oval şekilli saça yapışmış ve güçlükle çıkarılan yumurtalar vardır. Kaşıntı nedeniyle deride tırmalama izleri vardır. İmpetigo ve fronkül gibi sekonder enfeksiyonlar gelişebilir. Çoğunlukla uzun saçlı çocuklar ve erişkinlerde görülür. Doğrudan temas ya da dolaylı olarak tarak, fırça, peruk, şapka ve yatak takımlarının ortak kullanımı ile bulaşır	*Lindan içeren (Kwell) şampuanlarla saçın yıkanması *Hastaya ait tüm havlu, çamaşır, giysi vb. en az 54°C sıcaklıkta yıkanması *Döşeme, koltuk ve halıların sık sık vakumlu süpürge ile temizlenmesi *Saçı yıkamada kullanılan şampuanlarla tarak ve fırçaların da yıkanması *Doğrudan teması olan tüm aile üyelerinin de aynı şekilde tedaviye alınması *Kaşıntı, piyoderma, dermatit gibi komplikasyonların antipururitik, sistemik antibiyotik ve topikal kortikosteroidlerle tedavisi	*Herhangi bir üyesinde baş biti olan aile üyelerine bulaşmadan koruma için alınması gereken önlemler konusunda eğitilir *Okullarda epidemiye önlemek için tüm çocukların önerilen şampuanlarla saçların yıkanması ve ortak tarak, fırça vb. kullanımından kaçınmaları konusunda öğrenciler, öğretmenleri ve aileleri uyarılır *Önerilen bit şampuanlarının önerilen dışında uygun kullanılmamasının merkezi sinir sistemi için toksit etkileri olduğu konusunda gerekli uyarılar yapılır
Pediculus humanus corporis (vücut biti)	Boyun, gövde ve uyluklarda giysilerinin altında kalan bölgelerde görülür. Bu bölgelerde nokta şeklinde hemorajik kanama alanları vardır. Şiddetli kaşıma ve tırmalama sonucunda özellikle boyun ve gövde derisinde ekskoriasyonlar gelişebilir. Çizgi şeklinde skar dokusu ve hafif derecede egzama gibi sekonder lezyonlar gelişebilir. Uzun süre devam eden olgularda deride kalınlaşma, kuruma, kabuklanma ve koyu renkli pigment alanları gelişebilir. Sık banyo yapmayan, giysilerini sık değiştirmeyen bireyler ve onlarla birlikte yaşayan bireylerde yaygın görülen vücut biti doğrudan temas ya da ortak giysi, çamaşır vb. kullanımı ile bulaşır.	*Hastaların önerildiği şekilde önce lindan (Kwell) veya %5 permetrin (Elimite) içeren şampuanlarla daha sonra su ve sabunla vücudunu ve saçlarını yıkamaları konusunda eğitilmesi *Kaşlarında da bit yumurtaları olan bireylere günde iki kez vazelin uygulayarak yumurtaların çıkarılmasının kolaylaştırılabileceğinin öğretilmesi *Kaşıntı, piyoderma, dermatit gibi komplikasyonların antipururitik, sistemik antibiyotik ve topikal kortikosteroidlerle tedavisi	*Hasta ve yakın temasta olduğu bireyler koruyucu önlemler konusunda eğitilir *Tüm çamaşırlar sıcak su ile makinada yıkanır ya da kuru temizleme yapılır
Phthirus pubis (pubis biti)	Oldukça yaygın görülen pubis biti çoğunlukla genital bölge bulguları ile kendini gösterir cinsel temasla bulaşır. En yaygın bulgusu özellikle geceleri pubisde şiddetli kaşıntıdır. Bu bölgede kahverengimsi kırmızı deri döküntüleri vardır. Pubis bitinin cinsel temasla geçen gonore, herpes ya da sifiliz gibi hastalıklardan ayırt edilmesi gerekir. Göğüs kılları, koltuk altı, sakal ve kaşlara da bulaşabilir. Bitin tükürük salgısındaki bilurubine bağlı olarak gövdede, uyluklarda ve koltuk altlarında grimsi mavi maküller görülebilir.	*Vücut bitinde olduğu gibidir	*Hasta ve cinsel eşi cinsel yolla bulaşan diğer hastalıkların dışlanması için yapılması gereken tanı testlerini yaptırmaları konusunda uyarılır ve yönlendirilir * Hastanın aile üyeleri ve cinsel eşi koruyucu önlemler konusunda eğitilir *Tüm çamaşırlar sıcak su ile makinada yıkanır ya da kuru temizleme yapılır

Hemşirelik yönetimi: Parazitler 36 saat süreyle canlılığını koruduğu için tüm yatak takımları ve giysilerin sıcak su ile yıkanıp ütülenmesi ya da kuru temizleme yapılması gerektiği konusunda hasta ve yakınları eğitilir. Tedavi bittikten sonra kullanılan ilaçların deride meydana getirebileceği tahrişi gidermek için topikal kortikosteroidler vb. merhemler kullanılabilir. Atopik bünyeli bireylerde aşırı duyarlılık reaksiyonu bulguları haftalarca sürebilir. Bu tedavinin başarısız olduğunu göstermez. Bu durumda hastanın önerilen tedaviyi daha fazla uygulamaması, sıcak suyla sık banyo yapmaması konularında uyarılır. Bunlar deride tahriş ve kuruluğa neden olarak daha fazla kaşınmaya yol açar. Aşırı duyarlılığı olan bireylerde kaşıntıyı kontrol altına almak için difenidramin(Benadryl) ya da hidroksizin(Atarax) gibi oral antihistaminikler verilebilir. Hastanın tüm aile üyeleri ve yakın temasta olduğu bireylere tedavi uygulanması için yönlendirme ve danışmanlık yapılır, bulaşma yolları ve koruyucu önlemler konusunda eğitilir.

Egzamalar: Egzama özel bir hastalık değildir. Karakteristik özellikleri aynı olan bir grup hastalığı tanımlamak için egzama ve dermatit sözcükleri bir biri yerine kullanılmaktadır.

Egzamalar eritemli zemin üzerinde kaşıntılı, akıntılı, veziküllükrutlu lezyonlarla karakterize *akut tip*, aşırı ertitemli deride akıntılı, ekskoriasyonlu papül ve döküntülü plaklarla karakterize *subakut tip*, deride kalınlaşma çatlama, kurtlu papüller, fibröz doku, nodül ve enflamasyondan sonra deride hiper ya da hipopigmentasyonla karakterize *kronik tip* olmak üzere ayrılabilir.

Egzamaların alerjik kontakt dermatit (temas dermatiti), atopik dermatit, seboreik dermatit ve staz dermatiti gibi çeşitleri vardır. Allerjik kontakt dermatit (temas dermatiti) ve atopik dermatit immün sistem hastalıkları içinde işlenmiştir. Seboreik dermatit salgı bezi hastalıları kapsamında bu ünite içinde işlenmiştir.

Staz Dermatiti: Venöz yetersizliğe bağlı olarak bacakların alt bölümünde deride aşırı kuruma ve bazen yüzeysel ülserlerle karakterize bir dermatit tablosudur.

Etiyoloji: Derin ven trombozu ve varis öyküsü etiyolojide rol oynar.

Patoloji: Venöz dönüşün etiyolojide rol oynayan faktörlere bağlı olarak sürekli engellenmesi bu alandaki dokularda hipoksiye yol açar. Kan göllenerek hemoglobin açığa çıkar ve dokularda birikir. Beslenmesi bozulan dokuda nekroz gelişir.

Klinik belirti ve bulgular: Bacaklarda gerginlik duygusu, kaşıntı, deride kahverengimsi çizgiler, gerginliğe bağlı parlaklık ve kıl kaybı vardır.

Tedavi: Islak ve nemlendirici pansuman, kortikosteroidli, gerekli durumlarda antibiyotikli kremler, basıncı giderek arttıran sargı ve elastik bandajlar tedavide uygulanan yöntemlerdir.

Hemşirelik yönetimi: Venöz dönüşü düzeltmek için bacakların elevasyona alınması, elastik bandaj ve nemliliği sağlayıcı sargı ve pansumanların her gün düzenli olarak uygulanması hemşirenin sorumluluklarıdır. Hastanın bacak bacak üstüne atmaması, gün içinde koşulları elverdiği ölçüde bacaklarını yükseğe kaldırarak oturması, yatakta ayaklarının altına yastık, kitap gibi nesneler koyup bacaklarını yükselterek yatması, yürüyüş yapması, bacaklarını temiz tutması ve önerilen nemlendirici ve bandajları kullanmasının önemi konularında eğitilmesi gereklidir.

Derinin Enfeksiyöz Olmayan Enflamatuar Hastalıkları

Psoriazis Vulgaris

Epidermal hücrelerde normalden altı ila dokuz kez fazla bölünme ve çoğalmanın neden olduğu kronik, tekrarlayıcı, eritematöz, enflamatuar, yaşam boyu devam eden bir hastalıktır.

Epidemiyoloji: Topumda görülme sıklığı yaklaşık %2'dir. Her iki cinsde de her yaşta görülebilir, ancak 15-50 yaş grubunda daha fazla görülür.

Etiyoloji: Kesin nedeni tam olarak bilinmemekle birlikte genetik bir kusur olarak keratin sentezinin bozukluğu ve aşırı üretilmesi ile çevresel etkenlerin rolü olduğu düşünülmektedir. Hücre siklusunun artışında immün sistemin etkisi olduğu bilinmektedir. İyileşme ve kötüleşme dönemleriyle seyreder. Anksiyete, stres, travma, enfeksiyonlar, mevsim değişiklikleri, hormonal değişiklikler (adölesan, menapoz), lityum tuzları, beta blokerler gibi bazı ilaçlar hastalığı alevlendiren etkenlerdir.

Patoloji: Normalde epidermisin bazal tabaka hücreleri 26-28 günde bir stratum korneuma ulaşır. Psoriatik epidermal hücrelerde bu süre altı, dokuz kez fazla olup, 3-4 günde bir olur. Sonuçta normal gelişimini tamamlamadan sayıları hızla artan bazal hücreler deri yüzeyinde pullanmalara neden olur. Normal hücre döngüsü tamamlanamadığı için derinin normal koruyucu tabakaları yapılamaz.

Klinik belirti ve bulgular: Eritemli deri üzerinde gümüş gibi beyaz, iri yassı skuamlarla kaplı yuvarlak ve oval plaklar vardır. Plaklar birkaç milimetre çapında küçük plaklar şeklinde olabileceği gibi, oldukça büyük, etrafları girintili çıkıntılı plaklar şeklinde de olabilir. Plakların üzeri kazınırsa mum kazınıyormuş gibi küçük küçük kepek gibi dökülmeler ve alttaki deride çok sayıda küçük kanama odakları görülür. Bu iki bulgu psoriazis için tipiktir.

Psoriazis plakları sıklıkla dizler, dirsekler, saçlı deri, sakral bölgede bulunur.(Şekil 47.1) Plaklar bir travma sonrası gelişirse *Koebner fenomeni* olarak tanımlanır.

Psoriazis lezyonları iki taraflı simetrik tutulum gösterirler. Şiddetli psoriazis olgularında plaklar tüm vücutta yaygın olabilir. Hastaların yaklaşık %30-50'nde tırnak tutulumu olur. Psoriazisde tırnak tutulumu tırnakta sararma, kalınlaşma, tırnak yüzeyinde çukurlaşma, tırnak yatağından ayrılma gibi bulgularla görülür. Psoriazis avuç içi ve ayak tabanında tutulum yaptığında püstüler lezyonlara neden olabilir. Bu durum *palmar püstüler psoriazis* olarak tanımlanır.

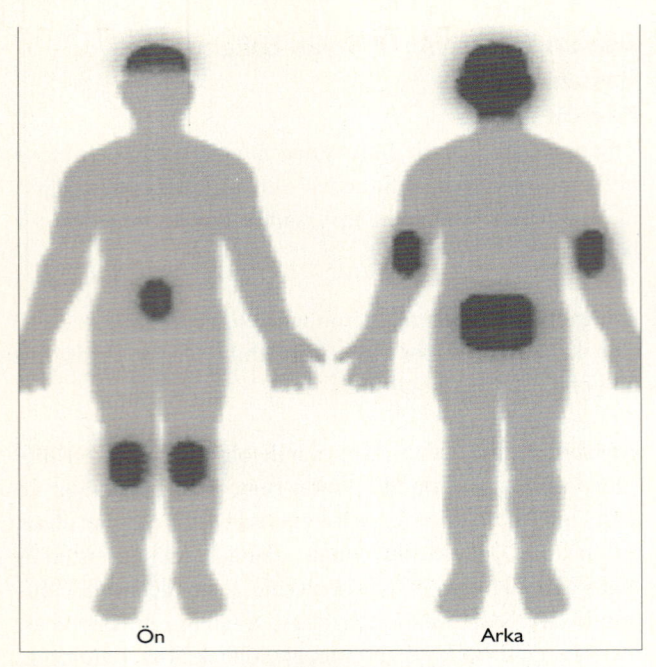

Şekil 47.1: Psoriazi plaklarının en fazla görüldüğü bölgeler

Komplikasyonlar: Psoriazisde bir çok eklemde artirit gelişebilir. Artirit deri lezyonları ortaya çıkmadan önce ya da sonra olabilir. Artirit ile psorizis arasındaki ilişki anlaşılamamıştır. Bir başka komplikasyon eritem ve deskuamasyonların tüm vücuda yayıldığı *eritrodermik psoriazis* olarak tanımlanan durumdur. Eritrodermik psoriazis hastda üşüme, titreme, yüksek ateş ve elektrolit dengesizliği gibi bulgulara neden olur. Bu durum kronik psoriazisli olgularda enfeksiyonlardan sonra ya da sistemik kortikosteroid tedavisinin kesilmesi gibi ilaçlara bağlı olarak gelişebilir.

Tanı: Tipik psoriazis lezyonları tanı koymada oldukça değerli veri sağlar. Deri biyopsisinin tanıda önemli bir yararı yoktur. Psoriazis tanısı koymada yararlanılan özel bir kan testi yoktur. Aile öyküsü ve tipik lezyonlarla tanıya gidilir.

Tedavi: Tedavide amaç epidermal tabakadaki hücrelerin bölünme hızını kontrol altına almak, lezyonların neden olduğu rahatsızlığı gidermek ve enfeksiyonu önlemeye yönelik girişimleri içerir. Bu amaçla ilaç tedavisi, fotokemoterapi ve psikolojik tedavi uygulanır. Psoriazis tedavi yöntemleri Çizelge 47.5'de verilmiştir.

Hemşirelik yönetimi: Hemşire hekimle işbirliği içinde çalışarak, hastanın tedaviye yanıtını, yeni lezyonların gelişip gelişmediğini izlemeli ve kaydetmelidir.

Hemşire önerilen tedavi rejimini uygulamada dermatolojik hastalıkların tedavisinde uyulması gereken ilkeler doğrultusunda bakım ve tedavi uygulamalı, hasta ve yakınlarını bu konuda eğitmelidir.

Psoriazisli hastanın hemşirelik yönetiminde, hastaya beden bilincinde bozulma nedeniyle iş ve sosyal yaşamındaki değişliliklerle baş edebilmesini öğretmek, aile içi baş edebilmede yardımcı olmak, hastanın ailesi ve yakın çevresini hastalık, bulaşma yoları konularında bilgilendirmek, açık lezyonlarda enfeksiyon gelişimini önlemek için asepsi antisepsi kurallarına uymanın önemi konusunda bilgilendirmek, hastalığın alevlenmesine neden olabilecek stres, enfeksiyon, travma gibi etkenlerden uzak durması, yeterli beslenme ve dinlenmenin önemi konularında eğitmek önemlidir. Psoriazisli hastanın hemşirelik bakım planı örneği aşağıda verilmiştir.

Döküntülü Dermatit: İlerleyici enflamasyonla karakterize ciddi bir dermatittir.

Etiyoloji: Döküntülü dermatitin etiyolojisinde bir çok faktörün rolü vardır. Dermatolojik ve sistemik birçok hastalığın sekonder veya reaktif yanıtı olarak ortaya çıkar. Lenfomlar, psoriazis, atopik dermatit ve temas dermatiti gibi hastalıklar etiyolojide rol oynar. Penisilin ve fenilbutozon gibi birçok ilaç ciddi reaksiyonlara neden olabilir. Olguların yaklaşık %25'nde neden olan faktör bilinmemektedir.

Patoloji: Kapiller göllenme, hipoproteinemi ve negatif nitrojen dengesine bağlı olarak derinin en dış tabakası olan stratum korneumda büyük ölçüde kayıp vardır. Deri altındaki damarlarda yaygın dilatasyon beden ısısında ileri derecede kayba neden olur.

Klinik belirti ve bulgular: Hastalık yüksek ateş, halsizlik ve genellikle gastrointestinal bulgularla birlikte akut olarak gelişen maküller ya da yaygın eritemli döküntülerle ortaya çıkar. Deride pembeden koyu kırmızıya kadar değişen renk değişiklikleri vardır. Bir hafta sonra hastalığa özgü pullanma tarzı döküntüler başlar. İnce ve pul pul döküntüler kaldırıldığında altında yüzeyi düzgün ve kırmızı deri görülür. Dökülen pullanmaların yerinde yenileri çıkar. Etkilenen alanlarda kıl kaybı vardır. Kalp yetersizliği, bağırsak düzensizlikleri, memelerde büyüme, kan ürik asit düzeyinde yükselme ve beden ısısı düzensizlikleri gibi sistemik etkiler görülebilir.

Tanı: Klinik bulgular ve neden olan faktörlerin birlikte değerlendirilmesi ile konur.

Tedavi: Tedavide amaç sıvı-elektrolit dengesini sürdürmek ve enfeksiyonu önlemektir. Neden olan faktöre ve bireye özel olarak destekleyici tedavi uygulanır. Hasta hastaneye yatırılarak yatak istirahatine alınır. Önerilen tüm tedaviler önerildiği şekilde uygulanır. Hastanın termoregülasyonu

47. Dermatolojik Hastalıklar

Çizelge 47.5: Psoriazis Tedavi Yöntemleri

Tedavi yöntemi	Uygulama alanı	Kullanılan ajanlar
Topikal tedavi * Topikal kortikosteroidler *Non steroid topikal ajanlar * Tar (katran preperatları)	* Hafif ve orta şiddette lezyonlarda * Orta ve şiddetli lezyonlarda * Şiddetli lezyonlarda * Yüz ve kasıktaki lezyonlarda * Hafiften şiddetliye kadar tüm lezyonlarda * Hafif ve orta şiddette lezyonlarda	* Arisokort, Kenalog, Valisone * Lidex, Psorcon * Temovate, Ultravate * Aclovate, %2.5 Hytone * Tazorac, Dovonex * Tar ve salisilik asitli merhemler (Aquatar, Fototar) ;anthralin (Anthraderm, Dritho-krem)
*Tedavi edici şampuanlar	*Saçlı deri lezyonlarında	*Neutrogena T-Gel, Selsun Blue, Desenex
İntralezyonal tedavi	*Kalın plaklar ve tırnaklarda	*Kenalog, Fluoroplex
Sistemik tedavi	*Çok sayıda lezyon olduğu durumlarda ve tırnaklarda	*Methotrexate (Folex, Mexate), retinoik asid (Tegison) (!!!**gebelikte kullanılmaz**)
Fotokemoterapi	*Orta derecede ve şiddetli lezyonlarda	*UVA yada UVB'nin topikal ilaçlarla birlikte ya da tek başına kullanımı, PUVA(oral psoralen yada topikal tripsoralenin UVA ışını ile birlikte kullanımı)
Psikolojik tedavi	*Özellikle çocuk ve gençlerde görülen orta düzeyde ve şiddetli psoriazisde	*Psikoterapi, hafif antipsikotikler

bozulduğu için oda ısısındaki değişiklikler vazodilatasyon ve terleme ile sıvı kaybına neden olabileceğinden oda ısısının hasta için uygun düzeyde olması ve sürdürülmesi önemlidir. Deri yüzeyinden önemli miktarda sıvı ve protein kaybı olması nedeniyle sıvı-elektrolit dengesinin sürdürülmesi sağlanmalıdır.

Hemşirelik yönetimi: Enfeksiyon olasılılığı açısından sürekli hemşirelik değerlendirilmesi yapılmalıdır. Enfeksiyon gelişmiş ise kültüre uygun önerilen duyarlı antibiyotikler uygulanır. Deri kan akımında artış ve deri altına sıvı kaybı olması nedeniyle gelişebilecek hipotermi ve diğer yaşam bulguları yönünden hasta sık arlıklarla gözlenmeli ve bulgular kaydedilmelidir.

Akut dermatitlerin tümünde olduğu gibi semptomları gidermek için topikal tedavi uygulanır. Bu amaçla sakileştirici banyolar, ıslak kompresler ve nemlendiriciler kullanılabilir. Hastalar şiddetli kaşıntı nedeniyle huzursuzluk yaşarlar. Koruyucu önlemlerle kontrol altına alınamayan hastalarda oral ya da parenteral kortikosteroid tedavisi önerilebilir.

Etiyolojide rol oynayan özel bir neden belirlenmişse buna özel tedaviler uygulanır. Hasta özellikle ilaçlar başta olmak üzere neden olabilecek irritan faktörlerden kaçınması konusunda uyarılır. Hiperemi ve deri kan akımındaki artışa bağlı olarak gelişebilecek kalp Yetersizliği bulguları yönünden hemşire hastayı gözlemelidir.

Büllü Hastalıklar

Bakteriyal, fungal veya viral enfeksiyonlar, alerjik temas reaksiyonları, yanıklar, metabolik hastalıklar, immünoljik nedenli hastalıklar gibi bir çok faktör deride bül gelişimine neden olmaktadır. Bu hastalıklar kapsamında yer alan herpes simpleks, herpes zoster enfeksiyonları ve temas dermatitleri daha önce tartışılmıştır. İmmünolojik nedenli hastalıklar ise Ig M, IgE, IgG ve C3 kusuru ile ortaya çıkan ve otoimmün kökenli reaksiyonlardır.

Pemfigus Vulgaris

Normal sağlıklı deride ve müköz membranlarda değişik büyüklükte büllerle belirgin bir grup hastalıktır.

Pemfigusun *pemfigus vulgaris*, *pemfigus vejetans*, *pemfigus eritematosus*, *pemfigus seboreik* gibi türleri vardır. Burada en yaygın görülen pemfigus vulgaris tartışılacaktır.

Etiyoloji: Pemfigusun IgG'lerle ilgili otoimmün bir hastalık olduğu kanıtlanmıştır. Musevilerde ve Akdeniz bölgesinde yaşayanlarda insidansın daha fazla olduğu ve genetik faktörlerin rol oynadığı bilinmektedir. Genellikle orta ve ileri yaştaki kadın ve erkeklerde görülür.

Patoloji: Pemfigusda epidermal hücrelerin yüzey antijenine özel antikorların olduğu düşünülmektedir. Bu otoantikorlar epidermis hücrelerinin birbiriyle bağlantılarının kaybolmasına ve intraepidermal büllerin oluşmasına neden olmaktadır. Deri üzerindeki büllerin içinde bir birinden kopmuş olarak dolanan hücrelere akantolitik hücreler, derideki büllere hafifçe bastırıldığında kavitenin yaygınlaşmasına da akantolozis denir. Serum antikor düzeyleri hastalığın şiddetinin göstergesidir.

Dermatoloji

Çizelge 47.6: Psoriazisli Hastada Hemşirelik Bakım Planı Örneği

Hemşirelik Girişimleri	Amaç	Beklenen Sonuçlar
Hemşirelik tanısı: Hastalığın gidişi ve tedavisi hakkında bilgi eksikliği **Hedef:** Hastanın hastalık ve tedavi konusunda bilgilendirilmesini sağlamamak ve deride yeni lezyonların gelişimini önlemek			
1. Hastaya psorizis tedavisi ve tedavinin yaşam boyu süreceği açıklanır 2. Hastaya hastalığın alevlenmesine neden olan etkenlerin neler olduğu açıklanır 3. Tedavinin olası yan etkileri, güvenli uygulama ilkeleri ve yan etkilerin önlenmesine ilişkin eğitim verilir	1-2-3. Hastanın hastalığı tanımasını, tedavi programını doğru olarak uygulamasını ve sürdürmesini sağlar	* Tedavi planı önerildiği şekilde sürdürülüyor olmalı * Yan etkiler en aza indirilmiş olmalı * Hasta hastalığı ve alevlendirebilecek etkenleri öğrenmiş olmalı
Hemşirelik tanısı: Lezyonlar ve enflamatuar yanıta bağlı deri bütünlüğünde bozulma **Hedef:** Deri bütünlüğünü korunmak ve yeni lezyon gelişimi önlemek			
1. Deri yaralanmalardan korunur, hastaya derisini sürtünme ve travmalardan koruması konusunda bilgi verilir 2. Derinin kuru kalmamasına dikkat edilir ve gerekli nemlendirme sağlanır 3. Banyoda sıcak su kullanımından ve kurularken ovalamaktan kaçınması gerektiği konusunda hasta uyarılır	1-2-3. Derinin bütünlüğünü korumayı ve nemliliğini sürdürmeyi sağlar	*Hasta deri bütünlüğünü korumayı ve nemliliğini sürdürmeyi öğrenmiş ve uyguluyor olmalı *Deride travma, çatlak, kuruluk, pullanma olmamalı
Hemşirelik tanısı: Deri bütünlüğünde bozulamaya bağlı enfeksiyon riski **Hedef:** Enfeksiyon gelişimini önlemek			
1. Hastaya yapılacak her türlü tedavi ve bakım uygulamasından önce ve sonra eller yıkanır 2. Kullanılan topikal ajanların saklanmasında temizlik kurallarına uyulur 3. Derideki lezyonların üzerinde oluşan kurutlar temizlenerek enfeksiyon gelişimi için uygun ortam oluşması önlenir 4. Derinin temizliğine dikkat edilir ve enfeksiyondan koruyucu önlemler konusunda hasta ve yakınları eğitilir	1. Hastadan hastaya enfeksiyon geçişini önler 2-3-4. Enfeksiyon gelişimini önler	*Deride enfeksiyon bulguları olmamalı *Hasta ve yakınları deriyi enfeksiyondan korumak için gerekli önlemleri bildiğini ifade edebiliyor ve uyguluyor olmalı
Hemşirelik tanısı: Derideki lezyonlar nedeniyle beden imgesinde bozulma **Hedef:** Hastanın beden imgesi olumlu algılamasını, görünümünü kabul etmesini ve baş etmesini sağlama			
1. Hastanın kendini nasıl algıladığını, duygu ve düşüncelerini açıklaması için uygun ortam sağlanır ve desteklenir 2. Psoriazisli diğer hastalarla görüşerek sorunlarını paylaşmasına yardımcı olunur 3. Ev, okul ve iş ortamında yaşadığı sıkıntıları ile baş etmesine yardımcı olunur 4. Hastalığı ile ilgili olumlu düşünmesi için gerekli açıklama ve bilgilendirmeler sağlanır	1-2-3-4. Hastanın beden imgesi ile ilgili olumsuz algılarının değişmesini ve hastalıkla baş etmesini sağlar	*Hasta beden imgesi ile ilgili olumlu düşündüğünü, baş etme yöntemlerini uyguladığını ve görünümünü kabul ettiğini ifade edebiliyor ve davranışlarıyla gösteriyor olmalı
Hemşirelik tanısı: Beden imgesinde bozulma nedeniyle sosyal izolasyon **Hedef:** Sosyal aktivitelere katılımını sağlama			
1. Hastanın sosyal aktivitelere katılımdan kaçınma nedenleri konusunda konuşması sağlanır 2. Sosyalleşmesi için uygun ortam ve olanaklar sağlanır 3. Hastaya bakım verirken destekleyici tutum sergilenir	1. Hastanın sosyal aktivitelere katılımdan kaçınma nedenleri öğrenilerek gerekli girişimlerin yapılmasını sağlar 2. Hastanın sosyal aktivitelere katılımını sağlar 3. Hastanın sosyal izolasyon yaşamasını engeller	*Hasta sosyal aktivitelere katılımdan kaçınmadığını ifade edebiliyor ve uygulayabiliyor olmalı
Hemşirelik tanısı: Psoriatik artirite bağlı ağrı **Hedef:** Ağrı nedeniyle günlük yaşam aktivitelerinde (GYA) sınırlama ve rahatsızlık yaşamasını en aza indirme/engelleme			
1. Hastanın psoriatik artirite bağlı ağrı yakınması değerlendirilir 2. Hastanın ağrıya ilişkin mimik hareketleri değerlendirilir 3. Ağrının günlük yaşam aktivitelerine ve konfora etkisi değerlendirilir 4. Ağrıyı gidermek için eklemlere uygun pozisyon, bakım ve önerilen tedaviler uygulanır 5. Artirit değerlendirme ve tedavisi için romatolojik incelemeye yönlendirilir	1-2-3. Hastanın artirite bağlı ağrısını değerlendirerek gerekli girişimlerin yapılmasını sağlar 4. Ağrının hafifletilmesi ve hastanın rahatını sağlar 5. Psoriatik artiritin tedavisini ve komplikasyonların gelişini önlemeyi sağlar	*Hasta ağrısının geçtiğini sözel olarak ifade edebiliyor ve GYA'ni kısıtlama yaşamadan yerine getirebiliyor olmalı *Romatolojik değerlendirmeden donra artirit tedavisi uygulanıyor olmalı *Artitie bağlı komplikasyonların gelişimi önlenmiş olmalı

Klinik belirti ve bulgular: Hastaların çoğunda ağızda ağrılı, kolayca kanayan ve güç iyileşen şekilleri düzensiz lezyonlar görülür. Derideki büller oldukça büyüktür ve kendiliğinden ya da sürtünme sonucu açıldığında ağrılı, sızıntılı, kabuklanmaklarla deride yüzeysel ülserlere neden olur. Bül içerisindeki eksudanın karakteristik kötü bir kokusu vardır.

Komplikasyonlar: Açılan büllerde bakteriyel süper enfeksiyon gelişmesi oldukça yaygın bir komplikasyondur. Bakteriyel enfeksiyon gelişmesinde kortikosteroid ve immünosüpresif tedavinin etkisi olabilmektedir. Büllerin açılmasıyla sıvı-elektrolit ve protein kaybı gelişir. Büller vücutta geniş alanlarda ve müköz membranlarda yerleşim gösterdiğinde hipoalbüminemi gelişmesi yaygın bir komplikasyondur.

Tanı: Klinik bulgular, hasta öyküsü, bül sıvısı incelemesinde akantolitik hücrelerin görülmesi, biyopside intraepidermal büllerin saptanması ve immünfloresan yöntemle intersellüler IgG'lerin saptanmasıyla tanı konur.

Tedavi: Tedavide amaç hastalığı kısa sürede kontrol altına alıp, serum ve protein kaybını, sekonder enfeksiyon gelişimini önlemek ve derinin tekrar eski haline gelmesini sağlamaktır. Tedavide yüksek doz kortikosteroidler kullanılır. Derideki büllerde düzelme görülünceye kadar yüksek dozla tedaviye devam edilip daha sonra giderek azaltılarak kesilir. Bazı hastalarda kortikosteroid tedavisini yaşam boyu sürdürmek gerekebilir. Yüksek doz kortikosteroid tedavisinde olası yan etkiler yönünden hastayı izlemek ve gerekli koruyucu önlemelere uymak gereklidir.

Tedavide azathioprin, siklofosfamid gibi immünosüpresf ajanlar da kullanılabilir. Bu durumda kortikosteroid dozu düşürülür. Daha ciddi ve yaygın olgularda IVIG ve plazmaferez tedavisi serum antikor düzeyini hızla düşürerek tedavide yararlı olmaktadır.

Sıvı-elektrolit ve protein açığını düzeltmek ve sürdürmek, enfeksiyon oluşumunu önlemek ve enfeksiyon gelişmesi durumunda gerekli tedaviyi uygulamak tedavide dikkate alınması gereken diğer konulardır. Açık lezyonlarda sekonder enfeksiyonu önlemek için potasyum permanganat banyoları uygulanabilir.

Hemşirelik yönetimi: Hemşirelik bakımın amacı büllerin neden olduğu ağrıyı gidermek, derinin iyileşmesini sağlamak, enfeksiyon gelişimini önlemek, hastanın bedeni ile ilgili olumlu düşünmesini sağlamak, hasta ve ailenin hastalıkla baş etmesine yardımcı olmaktır. Pemfiguslu hastanın hemşirelik bakım planı büllü hastalıklarda bakım planı örneğinde verilmiştir.

Büllüöz Pemfigoid: Normal ya da eritemli deri üzerinde yumuşak büllerle karakterize bir hastalıktır. Genellikle yaşlılarda görülen büllöz pemfigoid pemfigusa benzeyen ancak karakteristik özellikleriyle pemfigustan ayrılabilen bir hastalıktır.

Hastalığın görülme sıklığı 60 yaşından sonra artar. Irk ve cinsiyet ayrımı göstermeksizin tüm Dünya da görülebilir. genellikle kolların fleksör yüzünde, bacaklarda, koltuk altında ve kasıklarda büllü lezyonlar görülür. Oral lezyonlar genellikle küçüktür ve çabuk düzelme gösterir. Bölgesel erozyonların tedavisinde topikal kortikosteroidler, yaygın lezyonların tedavisinde sistemik kortikosteroidler kullanılır. Sistemik kortikosteroid tedavisi doz değişiklikleri yaparak aylarca sürebileceğinden hastanın kortikosteroidlerin uzun süreli kullanımına bağlı komplikasyonlar konusunda eğitilmesi ve izlenmesi önemlidir.

Dermatitis Herpetiforms: Dirsekler, dizler, kalçalar ve ensede gergin küçük büller ve şiddetli kaşıntıyla karakterize kronik bir hastalıktır. Her yaşta görülebilir, ancak 2040 yaş grubunda daha fazla görülür. Dermatitis herpetiforms tanısı alan hastaların çoğunda klinik bulgu göstermeyen gluten metabolizması bozukluğu vardır.

Glutensiz diyet ve tetrasiklin ve nikotinamidin birlikte kullanıldığı dapson tedavisine iyi yanıt verir. Ancak dapson tedavisi uygulanan hastalarda ciddi hemoliz gelişebileceğinden hastalar glukoz-6-fosfat dehidrogenaz yetersizliği yönünden izlenmelidir. Hastaların yaşam boyu glutensiz diyet almaları gerektiği için bu konuda danışmanlık ve eğitim yapılmalıdır.

Hastalar diyet ve tedavinin sürdürülmesinde emosyonel desteğe gereksinim duyabilirler.

Gestasyonel Herpes: Gebelikte ya da doğumdan kısa süre sonra görülen büllöz pemfigoide benzer ciddi bulguları olan, herpes virüsü ile ilişkisi olmayan bir hastalıktır. Yaygın bir hastalık değildir. 50.000 gebelikte bir görülür. gebeliğin ikinci ya da üçüncü trimestrinde karında ürtiker biçiminde papüllerle başlar ve gövde ve ekstremitelere yayılır. Genellikle doğumdan birkaç hafta sonra düzelir. Ancak daha sonraki gebeliklerde, mensturasyon dönemlerinde ve oral kontrasepitif kullanımında tekrarlayabilir. Tedavide sistemik kortikosteroidler yaara sağlar. Ancak kortikosteroid kullanımının fetal morbidite ya da mortaliteye neden olabilme riski vardır. Diğer büllü hastalıklarda olduğu gibi bakımda sekonder enfeksiyon gelişimini önlemeye dikkat etmelidir.

Büllü Toksidermiler

Deri üzerinde çok sayıda büllerle karakterize olan toksidermilerden toksik epidermal nekrolizis (Ten)(Lyell sendromu) ve Stevens-Johnson Sendromu (SJS) en sık karşılaşılan türlerdir.

Dermatoloji

Çizelge 47.7: Büllü Hastalıklarda Hemşirelik Bakım Planı Örneği

Hemşirelik Grişimleri	Amaç	Beklenen Sonuçlar
Hemşirelik tanısı: Açılan büller ve derideki soyulmalar nedeniyle deri bütünlüğünde bozulma **Hedef:** Deri bütünlüğünü ve hastanın rahatını sağlamak		
1. Soğuk ıslak pansuman yada banyolar uygulanır 2. Ağrılı ve büyük lezyonlarda deri bakımı uygulamadan önce önerilen analjeziklerle premedikasyon uygulanır 3. Yaygın ve geniş büllü lezyonları olan hastalarda deri bakımı uygulamasından önce karakteristik koku kontrolü yapılır 4. Banyodan sonra hastanın derisi deriye zarar vermeden nazikçe kurulanır ve önerilen pudra ile pudralanır 5. Flaster kullanımından kaçınılır 6. Hastanın vücudu uygun ısıda tutulur 7. Yanıklı hastaya uygulanan deri bakımı uygulanır 8. Hasta ve yakınları önerilen deri bakımını uygulamaları konusunda eğitilir	1. Deri bütünlüğünü korumayı ve sürdürmeyi sağlar 2. Lezyonlara bağlı ağrıyı gidermeyi sağlar 3. Sekonder enfeksiyonu kontrol altına almayı sağlar 4. Hastanın rahatlamasını sağlar ve çarşaflara sürtünme ve yapışmayı önler 5. Büllerin oluşmasını önler 6. Yaygın hipoterminin neden olduğu rahatsızlığı önler 7. Deri bakımı ve bütünlüğünün evde de uygun şekilde sürdürülmesini sağlar	*Deri bütünlüğü sağlanmış ve sürdürülebiliyor olmalı *Hasta deri bütünlüğü ile ilgili olumlu bulgular gösterebilmeli ve ifade edebilmeli *Yakınları deri bütünlüğü ve bakımı için önerilen uygulamaları anladığını ifade edebiliyor ve uygulayabiliyor olmalı
Hemşirelik tanısı: Yaygın büllerden sıvı kaybı nedeniyle sıvı volüm ve elektrolit eksikliği **Hedef:** Sıvı volüm ve elektrolit dengesini sürdürmeyi sağlama		
1. Sıvı volüm ve elektrolit eksikliği bulguları yönünden hasta düzenli olarak izlenir 2. Günlük aldığı-çıkardığı sıvı miktarı ve sağlıklı deri alanlarında turgor izlenir 3. Hemoglobin, hematokrit, serum albümin, düzeyi gibi önerilen laboratuar değerleri izlenerek hastaya bunların önemi açıklanır 4. Kayıpların yerine konması için önerilen tedavi uygulanır 5. Kayıpların yerine konması için sıvı alımı ve yeterli beslenmenin önemi konusunda hasta ve yakınları eğitilir	1-2-3. Sıvı volüm ve elektrolit eksikliği bulgularını erken saptama ve önlemeyi sağlar 4-5. Sıvı volüm ve elektrolit eksikliğinin yerine konmasını sağlar	*Hastada sıvı volüm ve elektrolit eksikliği bulguları olmamalı *Yeterli sıvı ve beslenme sürdürülebiliyor olmalı *Hasta ve yakınları konun önemini kavramış ve önerileri uygulayabiliyor olmalı
Hemşirelik tanısı: Açık lezyonlar, kortikosteroid tedavisi ve immünosüpresif tedavi nedeniyle enfeksiyon riski **Hedef:** Enfeksiyon gelişimini önleme		
1. Hastaya yapılacak her türlü tedavi ve bakım uygulamasından önce ve sonra eller yıkanır 2. Kullanılan topikal ajanların saklanmamsında temizlik kurallarına uyulur 3. Açılan büllerde enfeksiyon gelişimini önlemek için deriye yapılacak uygulamalarda asepsi-antisepsi kurallarına uyulur 4. Derinin temizliğine dikkat edilir ve enfeksiyondan koruyucu önlemler konusunda hasta ve yakınları eğitilir 5. Hastanın durumuna uygun yeterli protein ve kalori içeren dengeli beslenme sağlanır 6. Kortikosteroid ve immünosüpresiflerin kullanımında önerilen kurallara uyulur 7. Hasta lokal ve sistemik enfeksiyon bulguları yönünden izlenir 8. Gerekli durumlarda hastanın izolasyonu sağlanır	1. Hastadan hastaya enfeksiyon geçişini önler 2-3-4. Enfeksiyon gelişimini önler 5-6. Enfeksiyon gelişimine neden olan faktörleri kontrol altına almayı ve enfeksiyona karşı savunmayı sağlar 7. Enfeksiyonun erken evrede saptanmasını sağlar 8. Hastanın ve diğer hastaların enfeksiyondan korunmasını sağlar	*Deride enfeksiyon bulguları olamamalı *Hasta ve yakınları deriyi enfeksiyondan korumak için gerekli önlemleri bildiğini ifade edebiliyor ve uyguluyor olmalı *Enfeksiyonlara karşı vücudun savunma mekanizmaları korunabilmeli ve sürdürülebilmeli
Hemşirelik tanısı: Ağız içindeki lezyonlar nedeniyle oral müköz membranlarda değişiklik **Hedef:** Oral müköz membranların bütünlüğünün korunması ve sürdürülmesi		
1. Ağız değerlendirilirken ellerin temizliğine, asepsi-antisepsi kurallarına uyulur 2. Oral müköz membranların nemliliği ve temizliğini sürdürmek için uygun yöntem ve sıklıkla ağız bakımı verilir 3. Açılan büllerin önerilen preperatlarla temizliğ, bakımı ve kurutların temizlenmesi sağlanır 4. Ağız temizliğinde alkollü ve limonlu ajanlar kullanılmaz 5. Mukoza bütünlüğünü bozabilecek sert, aşırı sıcak, baharatlı gıdalarla beslenmekten kaçınılır 6. Ağız temizliğinde yumuşak diş fırçası yada gaz tampon kullanılır 7. Oral müköz membranların korunma ve sürdürülmesinde uyulması gereken kurallar konusunda hasta ve yakınları eğitilir	1-2-3.. Müköz membranların bütünlüğünü korumayı, doku rejenerasyonunu, hastanın rahatlığını sağlar ve enfeksiyon gelişimini önler 4-5-6-7. Müköz membran bütünlüğünün korunma ve sürdürülmesini sağlar	*Oral müköz membranların bütünlüğü korunuyor ve sürdürülebiliyor olmalı *Oral müköz membranlarda enfeksiyon bulguları olmamalı *Hasta ve yakınları önerileri anladığını ifade edebiliyor ve uygulayabiliyor olmalı

47. Dermatolojik Hastalıklar

Çizelge 47.7: Büllü Hastalıklarda Hemşirelik Bakım Planı Örneği (Devamı)

Hemşirelik Grişimleri	Amaç	Beklenen Sonuçlar
Hemşirelik tanısı: Oral müköz membranlardaki büllerin neden olduğu ağrı nedeniyle beslenmede değişiklik-beden gereksiniminden az beslenme **Hedef:** Hastanın metabolik gereksinimine uygun beslenmesinin sürdürülmesi		
1. Diyet uzmanı ile işbirliği yapılarak günlük kalori ve uygun besin gereksinimleri saptanır 2. Yemeklerden önce önerilen anestetik solüsyonlarla ağız bakım verilir 3. Yüksek kalorili ve yüksek proteinli sıvı yada yumuşak gıdalar verilir 4. 2 saatte bir soğuk sıvılar verilir 5. Gerektiğinde paraenteral beslenme uygulanır	1. Gereksinim doğrultusunda beslenmenin planlanması ve sürdürülmesini sağlar 2. Ağrının giderilmesini sağlar 3-4-5. Hastaya için uygun beslenmeyi sağlar	*Hasta metabolik gereksinimi doğrultusunda alması gereken besinleri alabiliyor olmalı *Beslenme sırasında ağrısı azaltılmış/ giderilmiş olmalı
Hemşirelik tanısı: Büllerin yarattığı gerginlik ve açılması nedeniyle oluşan ülserlere bağlı ağrı **Hedef:** Hastanın ağrısının giderilmiş olması		
1. Ağrının yeri, şiddeti değerlendirilir 2. Ağrının hastanın GYA'ne etkisi değerlendirilir 3. Ağrıyı gidermek için önerilen lokal ya da sistemik ilaç tedavisi ve bakım uygulanır	1. Ağrıyı gidermek için yapılacak girişimleri belirlemeyi sağlar 2. Ağrının neden olduğu GYA kısıtlamalarının yarine getirilmesi için plan ve girişim yapmayı sağlar 3. Ağrının giderilerek hastanın rahatlamasını sağlar	*Hasta ağrısının geçtiğini ya da azaldığını sözlü yada sözsüz olarak ifade edebilmeli * Ağrı nedeniyle yapamadığı GYA kendi başına/ yardımla yerine getirebiliyor olmalı
Hemşirelik tanısı: Derideki görünüm ve hastalık nedeniyle bireysel baş etmede yetersizlik ve anksiyete **Hedef:** Hastanın hastalığı ile baş edebiliyor olması		
1. Hastanın hastalıkla baş etmede kullandığı yöntemleri tartışabileceği uygun ortam sağlanır 2. Sağlıklı baş etme yöntemlerini öğrenmesi ve kullanmasına yardımcı olunur 3. Hastanın baş etmesini güçleştirecek etkenler saptanarak bunların giderilmesine çalışılır 4. Hastanın yakınları ve arkadaşları ile konuşularak toplumdan soyutlanmaması için gerekli bilgilendirme yapılır 5. Hasta ve yakınlarına hastalık ve tedavi konusunda gerekli eğitim yapılır 6. Gerektiğinde psikolojik danışmanlık alması için yönlendirilir	1. Hastanın baş etmede yetersizlik nedenlerini belirlemeye yardımcı olur 2. Hastalıkla baş etmeyi kolaylaştırır 3-4. Hastanın hastalıkla baş etmesini güçleştiren nedenlerin öğrenilmesini ve destek olunmasını sağlar 5. Hastanın anksiyetesini azaltmaya yardımcı olur 6. Hastanın korku, anksiyete ve depresyonla baş edebilmesine yardımcı olur	*Hasta hastalıkla baş etmek için kullandığı olumlu ve olumsuz baş etme yöntemlerini ifade edebiliyor olmalı *Hastalıkla baş etmede uygun yöntemleri kullandığını ve destek aldığını ifade edebiliyor olmalı ve bunları davranışlarıyla göstermeli
Hemşirelik tanısı: Büller ve büllerin açılarak ülsere lezyonların gelişimine bağlı beden imgesinde bozulma ve sosyal izolasyon **Hedef:** Hastanın bedenini olumlu algılamasını, görünümünü kabul etmesini ve sosyal aktivitelere katılımını sağlama		
1. Hastanın kendini nasıl algıladığını, duygu ve düşüncelerini açıklaması için uygun ortam sağlanır ve desteklenir 2. Ev, iş ve sosyal yaşantısında yaşadığı sıkıntıları açıklaması için uygun ortam sağlanır	1-2. Hastanın beden imgesi ile ilgili olumsuz algılarının değişmesini ve sosyal izolasyonu önlemeyi sağlar	*Hasta beden imgesi ile ilgili olumlu düşündüğünü ifade edebiliyor ve gösterebiliyor olmalı *Sosyal izolasyon yaşamamalı

Toksik Epidermal Nekrolizisis (Ten) (Lyell Sendromu) ve Stevens-Johnson Sendromu (SJS):

Eritema multiformdan daha ciddi ölümle sonlanabilen epidermal nekroz ve belirgin eritemle geniş deri alanlarını tutan dermatolojik bir sendromdur. TEN'de ölüm oranı yaklaşık %30'dur.

Epidemiyoloji: Her yaşta her iki cinste de görülebilir. Çok sayıda ilaç kullanımına bağlı olarak yaşlılarda yaşlılarda görülme sıklığı artar. HIV pozitifliği, AIDS ve diğer immün yetersizlik hastalıkları riski arttırır. Genel nüfus da hastalığın görülme sıklığı 1 milyonda 3 olmasına karşın HIV pozitif bireylerde 1000'de 1 sıklıkta görülür.

Etiyoloji: Tetrasiklin ve sulfonamid grubu ilaçlar, hayvan serumları, cıva ve iyodür bileşikleri, enfeksiyonlar, tümöral hastalıklar etiyoljide rol oynayan faktörlerdir.

Klinik belirti ve bulgular: Başlangıçta konjoktiva yanma ve kaşıntı, deride hassasiyet, ateş, öksürük, boğazda yanma ve ağrı, baş ağrısı, aşırı güçsüzlük, miyalji bulguları ile başlar. bulgularıyla başlar. Bu bulguları ağız, konjoktiva ve genital organ mukozları da dahil olmak üzere tüm deri yüzeyinde yaygın hızla gelişen eritem ve geniş yumuşak büller izler. Daha ciddi olgularda larinks, bronşlar ve özefagudsa ülserler ve büller gelişebilir.

Geniş alanları kaplayan büller yırtıldığın soyulan epidermis tabakasının altında dermis tabakası görülür. El ve ayak parmakları, göz kapakları ve kirpiklerin çevresindeki epiderm tabakasında soyulmalar vardır. Deri sonderece hassas ve hastaya rahatsızlık vermektedir. Tüm vücutta derideki soyulmalar nedeniyle yaygın epidermis kayıpları ve yanıkta olduğu gibi yer yer kalınlaşmalar vardır. Bu durum kaynar su ile oluşan yanıklara benzer görünüm nedeni ile haşlanmış deri sendromu olark da tanımlanır. Bu sendrom aynı zamanda Lyell sendromu olark da tanımlanmaktadır.

Komplikasyonlar: Soyulan derinin altında yaygın hemoraji olabilir,böbreklerde, konjoktivada, akciğerlerde kanama odakları gelişebilir. Yaygın epidermis kayıpları nedeniyle gelişen enfeksiyon ve sepsis yaşamı tehdit eden en önemli komplikasyonlardır.

Tanı: Hastanın ilaç kullanım öyküsü, deri lezyonlarının histoljik incelemesi , immünofloresan yöntemle atipik epidermal antikorların saptanması ile kesin tanıya gidilir.

Tedavi: Tedavide amaç sıvı-elektrolit dengesini kontrol altına almak, sepsis, göz ve diğer komplikasyonların gelişimini önlemektir. Tedavide destekleyici bakım esastır. Hastanın kullandığı tüm ilaçlar hemen kesilir. Ciddi yanıklarda uygulanan tedaviye benzer tedavi uygulanır. Geniş alanlarda yayılmış soyulmalar debride edilir.

Etken olan mikroorganizmaları saptayabilmek için nozofarinks, gözler, kulaklar, kan, idrar ve açılmamış büllerden örnek alınarak kültür yapılır. Özellikle ağız mukozasında ciddi tutulumlar olan bu nedenle ağızdan sıvı alamayan hastalar için parenteral sıvı tedavisi uygulanır. IV yolla sıvı tedavisi için kateter takılması enfeksiyon riskini arttırabileceğinden olabildiğince oral ya da nasogastrik tüp yoluyla sıvı tedavisi uygulanması önerilir. Başlangıçta enfeksiyon riskini arttırması ve sıvı elektrolit dengesizliği, iyileşmenin gecikmesi gibi komplikasyonlara neden olabileceği gibi gerekçelerle kortikosteroid tedavisine başlanması önerilmez. Ancak TEN'de ilaç reaksiyonlarının tedavisinde kortikosteroid kullanımı önerildiğinde olası komplikasyonlar hasta yakından izlenmelidir. IVIG uygulamasının tedavide başarılı sonuçlar verdiği bildirilmektedir. Anca yaygın kullanım ve sonuçlarına ilişkin yeterli veri yoktur. Ağrıyı kontrol altına almak ve sepsisi önlemek için topikal anestetik ve antibiyotik ajanlar kullanılır. Sistemik antibiyotik kullanımında çok dikkatli olmalıdır.

Kaybolan epidermal tabaka yenileninceye kadar amniyon dokusu, domuz derisi gibi biyolojik ya da plastik yarı geçirgen pansumanlar ağrıyı azaltmak, sekonder enfeksiyonu önlemek ve buharlaşma yoluyla deriden sıvı kaybını kontrol altına almak için önerilir. Müköz membranlar ve göze dikkatli bakım uygulaması çok önemlidir.

Hemşirelik bakımı: Derinin sağlıklı bölgelerinin yeni bül ve soyulmalar açısından dikkatle izlenmesi, Büllerden olan sızıntının miktarı, rengi ve kokusu değerlendirilir. Ağız mukozası bül ve erozyonlar yönünden, gözler kaşıntı, yanma ve kuruluk yönünden her gün değerlendirilir.

Hastanın çiğneme, yutma ve konuşması kontrol edilir. Yaşam bulguları özellikle ateş, solunum hızı, derinliği ve ritminde değişiklikler ve öksürük olup olmadığına özel dikkat gösterilerek değerlendirilir. Solunum sekresyonlarının miktarı ve niteliği izlenir. Yüksek ateş, taşikardi, aşırı yorgunluk ve güçsüzlük epidermal nekroz, metabolik gereksinim artması, GIS ve solunum yolu mukozasında soyulma ve ölü dokuların varlığını işaret ettiği için dikkatle değerlendirilmelidir. İdrar miktarı ve rengi değerlendirilmeli, IVgirişim bölgeleri lokal enfeksiyon bulguları yönünden izlenmeli ve günlük beden ağırlığı izlemi yapılmalıdır. Hastanın yorgunluk, güçsüzlük, anksiyete düzeylerinin değerlendirilmesi de hemşirelik bakımının planlanması ve etkili baş etme yöntemlerinin belirlenebilmesi için önemlidir. Toksik epidermal nekrozisli hastlarda saptanabilecek hemşirelik tanıları aşağıda verilmiştir. Hemşire bu tanılar doğrultusunda gerekli planlama, girişim ve değerlendirmeleri yaparak bakımı planını düzenler ve uygular.

Hemşirelik tanıları;
- Epidermal soyulmaya bağlı doku bütünlüğünde bozulma
- Bütünlüğü bozulan deriden sıvı kaybına bağlı sıvı-elektrolit yetersizliği
- Deri bütünlüğünde bozulmaya bağlı ısı kaybı nedeniyle vücut ısısının düzenlenmesinde bozulma riski-Hipotermi
- Deride soyulma, oral lezyonlar ve olası enfeksiyonla bağlı akut ağrı
- Derinin görünümü ve prognoza bağlı anksiyete
- Derideki soyulan alanlarında sekonder enfeksiyonlara bağlı sepsis riski
- Konjoktiva tutuluumuna bağlı skar ve kornea lezyonların gelişimi

Deri Kanserleri

Deri kanserleri son yıllarda görülme sıklığı giderek artan kanserler arasında yer almaktadır.Güneş ışınlarına korunmasız ve uzun süreli maruz kalma, ozon tabakasının delinmesi gibi çevresel değişkenler deri kanserlerinin görülme sıklığının artmasında rol oynayan en önemli nedenlerdendir.Deri kanseri görülme sıklığı güneşlenme alışkanlığı ve açık havada yapılan aktivitelerle ilişkilidir.

Güneş ışınlarının uzun yıllar birikim etkisi ile deri kanserlerinin gelişme riski artmaktadır. Çocukluk döneminden itibaren güneş ışınlarına korunmasız maruz kalmanın etkisi ile 10-20 yıl sonra yaklaşık 20'li yaşlar civarında deride hasar meydana gelmekte kanserleşme riski artmaktadır.

Deri kanserlerinin bir çok tipi vardır. En yaygın görülen tipleri bazal hücreli karsinom, skuamoz hücreli karsinom ve malign melanomdur. Burada bu kanser tipleri bakım ve tedavileri tartışılacaktır.

Etiyoloji ve risk faktörleri: Deri kanserleri etiyolojisinde rol oynayan en önemli etken güneş ışığıdır. Uzun süreli ve korunmasız olarak güneş ışınına maruz kalma sonucu güneş yanığı özellikle bül oluşması deri kanseri özellikle de malign melanom gelişiminde önemli rol oynamaktadır. Melanom dışındaki deri kanserleri vücutta giysilerle korunamayan yüz, boyun, kolların alt kısımları ve el sırtında görülmektedir. Deri ve saç rengine bakılmaksızın tüm bireyler deri kanseri gelişme riski açısından eşitse de sarışın, mavi gözlü, kızıl saçlı, çilli İskandinav ırkından olan bireyler daha koyu deri ve saç rengi olan Asyalılara göre daha risklidir. Açık havada çalışan işçiler, çiftçiler, denizciler, balıkçılar, kayak, sörf gibi spor yapma alışkanlığı olan bireyler risk grubundadır. Genetik faktörler, akne, iyi huylu tümör vb. nedenlerle radyoterapi uygulanmış bireyler, ciddi yanık skarları olanlar, kronik deri ülseri, kronik deri irritasyonu olanlar, immünosüpresif tedavi uygulananlar, arsenik, nitrat, kömür, petrol, katran vb. kimyasal maddelerle çalışanlar risk grubunda yer almaktadır. Vücuttaki benler de deri kanserlerinin gelişim açısından bir risk oluşturmaktadır.

Bu nedenle benlerin dikkatle izlenmesi değişikliklerin değerlendirilmesi gerekmektedir.

Aşağıda Çizelge 47.10'da benlerde değişimin kanser riski açısından değerlendirilmesinde dikkat edilmesi geren uyarıcı bulgular verilmiştir. Bu bulgular doğrultusunda halkın eğitimi ve sağlık ekibi üyelerinin dikkatli izlem ve yönlendirmesi erken tanı ve tedavide önem taşımaktadır.

Bazal Hücreli Karsinom
Deri kanserlerinin en yaygın görülen tipidir. Epidermisdeki bazal hücrelerden kaynaklanan bazal hücreli karsinom genellikle derinin güneş ışığına maruz kalan bölgeleri olan yüz, kulaklar, baş, boyun ve elerde görülen, ağrısız ve yavaş büyüyen niteliktedir. Bazal hücreli karsinom nadiren gövdede, sırtın üst kısımlarında ve göğüste görülür. Çoğunlukla 60 yaş civarı yaşlı bireylerde görülür.

Etiyoloji: En önemli etiyolojik faktör uzun süreli ve korumasız güneş ışığına maruz kalmadır. Bunun yanı sıra arsenik maruziyeti, yanıklar, yara izleri, radyoterapi uygulaması ve genetik faktörlerin de etiyolojide rolü olduğu bildirilmektedir.

Klinik belirti ve bulgular: Genellikle burun, dudaklar, göz kapakları ve yanaklarda küçük, elastik, yarı şeffaf, sınırları belirli pembe-kırmızı renkli, ortası ülsere ya da kurutlu, kenarları yuvarlak ve kenarlarında ince telanjektaziler olan nodül ya da plaklar vardır. Lezyonlar pigmente ve bazen kistik görünümde olabilir. Yayılarak sınırları belirli ve deri yüzeyinden kabarık ülserasyonlar gelişebilir.

Prognoz: Genellikle metastaz yapmayan bazal hücreli karsinomlar bölgesel doku yıkımı ve invazyon yapabilir. Bu durum özellikle yüzdeki lezyonların bulunduğu yerdeki dokunun derin tabakalarına yaptığı yıkıma bağlı olarak göz, kulak, dudak ya da burun dokusunda kayba neden olabilir. Tedavi edilmeyen tümörler kemik ve beyne metastaz yapabilir. Erken tanı ve tedavi ile lokal olarak çıkarılan ya da çıkarılmadan tedavi edilen tümörler genellikle iyileşme ile sonlanır. Bazal hücreli karsinom deneyimleyen hastalar diğer deri kanseri tiplerinin gelişim için büyük bir risk oluşturmaktadır. Bazal hücreli kanserlerin tedavi edildikten sonra tekrarlama olasılığı oldukça nadir olmasına karşın vardır. Lezyon çıkarıldıktan ya da tedavi edildikten sonraki ilk 2 yıl içinde tekrarlayabilir.

Skuamoz Hücreli Karsinom
İkinci sıklıkta görülen deri kanseri tipi olan skuamoz hücreli krsinom epidermal tabakada keratinosidlerin bir tümörü olup, genellikle beyaz ırktan olan bireylerde, çok nadir olarak da siyah ırkta görülür. Sıklıkla hasara ya da kronik irritasyona uğramış deri üzerinde görülür. Güneş ışığına maruz kalan kulak kepçesi, yüz, alt dudak, ağız, alın ve el sırtı en fazla görüldüğü alanlardır. Hiperkeratotik, sert, ülserasyon ve krutlanma özelliği olan nodüler yapıda lezyonlar şeklinde görülür.

Etiyoloji: Güneş ışını etiyolojide rol oynayan birincil etkendir. Ancak bunun yanı sıra aktinik keratoz, lökoplaki, yara izleri ya da ülserasyonlar gibi daha önce var olan deri lezyonlarının değişime uğraması sonucunda ve radyoterapi uygulamasına bağlı olarak da gelişebilir. Viral hastalıklar (Human papilloma virus vb.) etiyolojide rol oynayan hazırlayıcı faktörler olabilir.

Klinik belirti ve bulgular: Değişik sayı ve büyüklükte eritemli nodüllerin üzerinde pullanma, kabuklanma ya da kanamalar vardır. Sınırları bazal hücreli karsinoma göre daha büyük, opak görünümlü lezyonlar olup, daha fazla infilitrasyon ve enflamasyona neden olur. Lezyonun üzerinde sekonder enfeksiyon gelişebilir.

Prognoz: Çevre dokulara lenf düğümleri aracılığı ile metastaz yapma riski fazladır. Metastaza bağlı ölüm oranı %75'dir. Prognoz metastaz sıklığına bağlı olup, genellikle histolojik tip ve invazyonun derinliği ve düzeyi ile ilişkilidir. Genellikle güneş ışığına maruz kalan bölgelerde ortaya çıkan lezyonların metastazı daha azdır ve daha nadir olarak ölüme yol açar. Öyküsünde güneş ışığı, arsenik maruziyeti ya da yara izi olmadan skuamoz hücreli karsinom gelişen hastalarda metastaz riski daha fazladır.

Malign Melanom
Son yıllarda sıklığı giderek artan ve özellikle güneş ışığına maruz kalan , açık renk derili bireylerde epidermis, dermis , bazen de subkutan tabakada görülen melenositlerin atipik çoğalması ile karakterize bir kanser türüdür.

Güneş ışığına maruziyet ve erken tanı yöntemlerinin uygulanmasının artmasına bağlı olarak her 10 yıl da bir görülme sıklığı ikiye katlanmaktadır. İnsidans 20-45 yaş grubunda yüksektir. İnsidans artışı diğer kanser türlerine göre oldukça hızlı olup, akciğer kanserleri dışında ölüme neden olan kanserler arasında da insidansı en fazla artan kanser türüdür. Tüm kanser ölümlerinin %2'sinin nedenini malign melanomlar oluşturmaktadır. İnsidans her yıl %7-15 arasında artmaktadır.

Etiyoloji ve risk faktörleri: Melanomların bir çoğu epidermisdeki melanositlerden köken alır. Ancak yaklaşık 1/3'ü mol adı verilen benlerin üzerinden ya da gözde uvea tabakasından gelişmektedir. Açık renk derili, mavi gözlü, sarı-kızıl saçlı, çilli bireylerde risk fazladır.

Etiyolojide daha önce yanık ya da güneş yanığına bağlı oluşmuş büllerin bıraktığı izlerin değişime uğraması önemli rol oynar. Ailesinde melanom öyküsü olan, konjenital beni olan bireyler risk grubundadır. Konjenital benlerin melanoma dönüşme riski %10 'dur. Çizelge 47.9'da verilen benlerle ilgili değişikliklerin melanom risk faktörleri açısından değerlendirilmesi önemlidir.

Klinik belirti ve bulgular: Malign melanomların klinik şekilleri ve bunlara ilişkin özellikler Çizelge 47.8'de verilmiştir.

Deri kanserlerinde tanı: Deri kanserlerinin tanısı hasta öyküsü, lezyonların klinik görünümü ve biyopsi ile konur.

Deri kanserlerinde tedavi: Tedavi tümörün bulunduğu bölgeye, hücrenin tipine, tümörün bulunduğu dokuda yerleşim derinliğine, hastanın kozmetik tercihine, daha önce uygulanan tedavi öyküsüne, tümörün büyüklüğüne ve metastaz yapıp yapmamasına göre değişir. Bazal hücreli karsinom ve skuamoz hücreli karsinomda tedavi Mohs' mikro cerrahi yöntemi ile tümörün çıkarılması, elektrocerrahi-küretaj, kriyoterapi ve radyoterapidir. Malign melanomda tümörün büyüklüğü, derinliği, metastaz durumuna göre cerrahi yöntemle tümörün ve lenf nodüllerin çıkarılması, deri nakli,

Çizelge 47.8: Melanomların Klinik Şekilleri ve Özellikleri

Klinik şekli	Tanımlayıcı özellikler	Klinik bulgular
Yüzeysel yaygın melanom	Melanomların en yaygın görülen şeklidir. Lezyonlar yavaş değişime uğrar. Yüzeysel melanomlar vücudun her yerinde yaygın olarak görülebilir. Orta yaşlı bireylerde daha sık görülen melanomlar çoğunlukla gövde ve alt ekstremitelerde görülür. Lezyonun sınırları belirli yada düzensiz olabilir.	Kahverengi benlerden derin pigmente genellikle düz ve asimetrik lezyonlar şeklindedir. genellikle 2cm çapında olan lezyonlar ten renginden kahverengi, siyah, grimsi, mavi-mor ya da beyaza kadar değişen renklerde olabilir. Bazen lezyonun üzerinde pembe renkli noktacıklar olabilir.
Nodüler melanom	Yaygın görülen ikinci melanom tipidir. Yüzeysel melanoma göre daha hızlı değişim ve büyüme gösterir. Yüzeyi düze yakın, genellikle belirli bir şekli olan koyu mavi renkli yüzeyi kubbe gibi çıkıntılı şekli olan tümörlerdir. Yüzeyinde kırmızı, gri ya da mor renkli gölgelenmeler olabilir. Düzensiz şekilli plaklar şeklinde de olabilir. Doğrudan dermise yayılarak prognozun kötüleşmesi söz konusu olabilir	Genellikle gövde, baş, boyunda normal deri üzerinde yaklaşık 2cm çapında koyu ve düzensiz şekilli lezyonlarla başlar. Kan oturması ya da hemanjyom gibi düşünülür.
Çil, kahverengi lekeler şeklinde malign melanom	Genellikle yaşlılarda el sırtı, baş boyun gibi güneşe maruz kalan bölgelerde yavaş gelişen (yaklaşık 5-15 yıl) kahverengi çile benzeyen lezyonlardır.	* İlk başlangıçta deri üzerinde açık renkli lekeler şeklinde başlayıp zamanla rengi ve büyüklüğü değişir.
El ve ayaklarda çil-leke biçiminde melanom	Genellikle koyu renk derisi olan yaşlı bireylerde güneş ışınına aşırı maruz kalan bölgelerin dışında kıl folliküllerinin bulunmadığı avuç içi, ayak tabanı tırnak yatağı ve müköz membranlarda birkaç ay gibi kısa sürede gelişen nodüler lezyonlardır. Erken dönemde yayılım gösterirler.	Yaklaşık 3 cm çapında ten renginden kahverengiye kadar değişen renklerde, sınırları düzensiz nodüllerin üzerinde maküler pigmentasyonlar ve ülserasyonlar gelişebilir.

47. Dermatolojik Hastalıklar

Çizelge 47.9: Benlerde Değişimin Malignite Açısından Uyarıcı Bulguları

- Özellikle kırmızı, beyaz, mavi gibi renk değişiklikleri, benin etrafında kahverengi yada siyah noktalar şeklinde gölgeler oluşması
- Benin çapında hızla meydana gelen genişleme/benin büyümesi
- Sınırlarında düzensizleşme/kenar keskinliğinin kaybolması
- Benin yüzeyinde kabuklanma, pullanma, erozyon, sızıntı, kanama, ülserasyon gelişerek yüzeyinin mantar görünümünü alması
- Kıvam değişikliği, özellikle yumuşama ve kolay hasarlanma
- Özellikle kaşıntı gibi bulguların meydana gelmesi
- Biçim değişikliği. Özellikle düz durumda olan benlerin yüzeyinde düzensiz biçimde kabarıklıklar olması
- Benin etrafındaki deride pigmentlerde artış yada pigmente lezyonların oluşması

immünoterapi, bölgesel kemoterapi uygulaması gibi yöntemler uygulanır.

Cerrahi yöntemler

-Mohs' mikroskopik cerrahi: Sağlıklı dokuyu korumak için en uygun cerrahi yöntemdir. Bu yöntemle tümör seri halde uygulanan cerrahi girişimlerle tabaka tabaka çıkarılır. Tümör tümör dokusu çıkarıldıktan sonra tümörün alındığı bölgeye deri yaması uygulanır. Uzun süren bir tedavi yöntemidir. Bu yöntem bazal hücreli ve skuamoz hücreli karsinom tedavisinde %99 başarı sağlamaktadır. göz kapağı, burun, üst dudak, kulak ve kulak kepçesi çevresinde bulunan tümörler için etkin bir tedavi seçeneğidir.

-Elektrocerrahi-küretaj: Elektrik enerjisi kullanarak dokunun çıkarılması ya da yok edilmesidir. Geniş alana yayılmış tümörlerin yüzeyinin kürete edilmesinde bu yöntemden yararlanılır. Çapı 1-2 cm'den küçük(0.4-0.8mm)olan lezyonlarda uygulanır. Bu yöntemle tümör çıkarılır ve koterize edilir. Yöntem iki kez tekrarlanır ve genellikle bir ay içinde iyileşme görülür.

-Kriyoterapi: Derin dondurma yöntemi ile tümör dokusunun ortadan kaldırılmasıdır. sıvı halde nitrojen kullanılarak -40/-60°C 'ye kadar dondurulan tümör dokusu bu yöntemle yok edilir. Uygulamadan sonra 4-6 hafta içinde iyileşme görülür ve dondurma uygulanan bölgede kan akımı hızla normale döner.

Radyoterapi: Genellikle N.facialis 'e yakın bölgelerde yer alan dudak, burun ucu ve göz kapağı gibi alanlarda bulunan tümörlerde uygulanır. Radyoterapinin uzun yıllar sonra (radyoterapiden 15-30 yıl sonra) maligniteye dönüşme olasılığı olması nedeniyle tedavi yöntemi olarak uygulanmasında çok dikkatli olmak gerekir. Hasta derideki kızarıklık ve bül gelişimi yönünden dikkatle izlenmeli ve radyoterapi uygulaması süresince güneş ışığına maruz kalmaktan korunması konusunda uyarılmalıdır.

Tıbbi tedavi: Çoğunlukla malign melanomlarda bölgesel lenf düğümlerine metastaz olduğunda lenf düğümlerinden biyopsi alınıp izlenmesi yöntemi yeni tedavi yaklaşımı olarak uygulanmaktadır. Uzun süreli izalemde lenf nodülünde tümör yakın dokulara ve lenflere metastaz yapmazsa yerinde bırakılmakta, metastaz yapan lenf düğümleri çıkarılmaktadır.

Melanom tedavisinde BCG aşısı, interferon-alfa, interlukin-2 gibi direkt melanom antikorlarını hedefleyen immünoterapi yöntemleri uygulanmaktadır. Metastatik melanomların tedavisinde dacarbzine, cisplatin gibi sınırlı sayıda ajanla kemoterapi uygulaması yapılmaktadır. Melanom bölgesel yayılım gösterdiğinde melanom bölgesinin bulunduğu alana kemoterapötik ajanın lokal perfüzyonu ile tedavi uygulanabilir. Ancak yüksek dozda sitotoksik ajan uygulamasının sistemik yan etkileri konusunda dikkatli olmak gerekir.

Hemşirelik yönetimi: Deri kanserlerinde genellikle ayaktan ya da günübirlik cerrahi tedavisi uygulanıp, hastalar evlerine taburcu edildiğinden hemşirelik bakımı genellikle hastanın koruyucu önlemler ve tedavi sonrası bireysel bakımını sürdürme konularında eğitimlerini kapsar. Melanom tanısı almış hasatlarda saptanabilecek hemşirelik tanıları; cerrahi tedavi ya da grefte bağlı akut ağrı, yaşamı tehdit eden bir hastalık olması nedeniyle anksiyete ve depresyon, melanomun erken bulgularına ilişkin bilgi yetersizliği, metastaza bağlı sorunlar ve cerrahi girişim alanında enfeksiyon gelişme riski gibi tanılardır. Hemşirelik bakımı bu tanılara yönelik olarak planlanmalı ve uygulanmalıdır. Deri kanserlerinin oluşumundan korunmaya yönelik sağlıklı yaşam davranışlarının kazandırılması için hemşire aşağıda Çizelge 47'10'da verilen başlıklar doğrultusunda sağlık eğitimi yapmalıdır.

Dermatoloji

Çizelge 47.10: Deri Kanserlerinden Korunmada Sağlıklı Yaşam Davranışları

- Deriniz güneş ışığına karşı aşırı duyarlı ve kolayca yanık oluşuyorsa, bronzlaşmak için güneşte kalmayınız, yada çok hafif bronzlaşınız
- Özellikle güneş ışınlarının en yoğun olduğu gündüz saat10.00-15.00 arası güneşte kalmayınız
- Güneş yanığından kaçınınız
- Güneşe çıkarken koruyucu krem kullanınız
- 15 faktör ve üzerinde koruyucu özelliği olan koruyucu güneş kremleri kullanınız.Kullandığınız koruyucu kremin hem ultraviyole-A(UVA) hem ultraviyole-B(UVB) ışığına karşı koruyucu olmasına dikkat ediniz
- Suya dayanıklı güneş kremlerini yüzdükten sonra yada uzun süre güneşte kalacaksanız ve aşırı terliyorsanız 2-3 saatte bir tekrar sürünüz
- Yağ kullanmaktan kaçınınız.Güneşe çıkmadan önce ve güneşlenme sırasında kullandığınız yağlar güneş ışınlarının zararlı etkisine karşı koruyucu değildir
- Dudaklarınıza yüksek koruma faktörlü dudak koruyucusu uygulayınız
- Geniş kenarlı şapka ve uzun kollu elbise gibi koruyucu giysiler giyiniz
- Güneş ışınlarının seyrek dokunmuş kumaşlardan %50 oranında geçebildiğini unutmayınız
- Güzellik salonlarında kaplı ortamlarda bronzlaşmak amacıyla yapay ultraviyole ışınlarından ve bronzlaştırıcı kozmetik ürünlerin kullanımından sakınız
- Çocuklarınızı da yaşam boyu güneş ışığından koruyucu önlemleri uygulaması konusunda eğitiniz

48. YANIKLAR

Prof. Dr. Meryem YAVUZ

Giriş

Yüksek ısı, kimyasal madde, elektrik ve ışın gibi etkenler sonucu oluşan yumuşak doku yaralanmaları (hasarlarına) yanık denir.

Epidemiyoloji

Yanık ve yangınlar kasıtlı ölümler içinde beşinci sıradadır. Yanıklarda 18-35 yaş grubunda karşılaşma riski, 65 yaş üzeri yanıklarda da ölüm riski yüksektir. Çocuklarda bir-beş yaş grubunda kazayla sıcak suyla yanıklar daha sık görülür.

Amerika Birleşik Devletlerinde her yıl iki milyondan fazla kişi yanık nedeniyle tıbbi bakım almaktadır ve bu kişilerin yarısını çocuklar oluşturmaktadır. Ülkemizde konuyla ilgili sağlıklı istatistik çalışmalar bulunamamıştır.

Etiyoloji

Yanığa Neden Olabilecek Durumlar: Kibrit kullanımı ve sigara içmede dikkatsizlik, sıcak sıvılardan sıçrama, ısıtma ve pişirmede kullanılan elektrikli aletlerin bozulması, açık ateşin dikkatsiz kullanımı, evde emniyetli olmayan uygulamalar yanıcı sıvıların kullanımı, (temizlik, vb. işlemler), çok sıcak banyo suyuna girmek, Güçlü deterjan ve asitler gibi kimyasal maddeleri kullanmak vb dir.

Yangına neden olan alanlar ev, iş ve eğlence yerlerini de kapsayacak kadar çok değişkendir. Yanıklarda meydana gelen yaralar kimyasal, elektriksel veya sıcak objenin teması (termal yanık) nedeni ile olabilirler. Yanıkların %75'i alev ile olurken, en sık görülen ev yanıklarının nedeni sigara olduğu belirtilmektedir.

Önleme

Yanık, bireylerin yaşam kalitesini değiştiren olaylara neden olmaktadır. Yanığın oluşmasının önlenmesi önemlidir. Çocukları yanıktan korumak için dikkat edilecek noktalar aşağıda belirtilmiştir.

Çocukları yanıktan korumak için:
- Çocukları sıcak sıvı ve sıcak kaynaklardan uzak mesafede tutmak,
- Evdeki su ısısını 120 dereceden aşağıya ayarlamak,
- Çocuklu evlerde masa üstüne masa örtüsü kullanmamak, (Çocuklar oynarken masa örtülerini çekip masa üzerindeki sıcak malzemelerin düşmesi veya dökülmesine neden olabilirler.)
- Bebek ve çocukların uyku tulumlarının aleve dayanıklı kumaştan yapıldığından emin olmak,
- Çocuklara evde yangın çıktığında neler yapılması gerektiğini ve nasıl dışarıya çıkacaklarını öğretmek,

Mutfakta;
- Yemek yaparken çocukların oyun alanlarını ve oyuncaklarını yemek masasından, sıcak yüzeylerden, sıcak sıvılardan uzak tutmak,
- Çocuklar mutfakta iken kızartma yaparken daha dikkatli olmak,
- Kablolu elektrikli ev aletlerini kullanılmadığında fişlerini prizden çekmek,

Fırınlar;
- Bebeklerin yemeklerini ısıtınca vermeden önce yemeklerin ısısını kontrol etmek,
- Fırından bir şey çıkarırken çocukları uzakta tutmak,
- Fırından bir şey çıkarırken çocukların annenin kolunu tutmasına izin vermemek,

Kibritler;
- Sigara ve kibritleri çocukların ulaşabileceği yerden yukarıda tutmak,
- Çocuklara yanan sigara, kibrit ve benzeri şeylerin oyuncak olmadığı ve bunlarla asla oynanmayacağını anlatmak.

Yanık Nedenleri

Fiziksel Etkenler
- Kuru Sıcak: Alev, ateş, kızgın cisim
- Islak Sıcak: Kaynar su, yağ, sıcak buhar
- Soğuk

Kimyasal Etkenler
- Asitler (Sülfürik asit, hidroklorik asit vb.)
- Alkaliler (Potasyum hidroksit, Sodyum hidroksit, sönmemiş kireç)
- Fosfor ve diğer kimyasal maddeler

Elektrik Yanıkları
- Cereyan çarpması (↑ , ↓ voltaj)
- Yıldırım çarpması

Radyasyon Yanıkları
Güneş, röntgen ışını, radyum, radon, uranyum, atom bombası, hidrojen bombası

Yanığa Lokal ve Sisitemik Yanıtlar

Yanık tüm sistemleri ilgilendirmektedir. Bu nedenle yanık hastasının değerlendirilmesi çok yönlü ve süreklidir. Yanığa verilen patofizyolojik cevapların anlaşılması komplikasyonların erken tanınmasını sağlar. Erken tanı, erken tedaviyi sağlar ve başarılı bir bakım vermeyi kolaylaştırır.

Yanık yarası sadece fiziksel bir olay değildir. Yanık yarası ile sıcaklık artması, kızarıklık, şişlik, ağrı ve işlev kaybı ile giden bir enflamatuar olaylar zinciri de başlamış olur. Bu olayda farklı kimyasal mediatörler, immun faktörler, polimorfonükleer lökositler rol oynamaktadır.

Yanık Ödemi: Yanıklarda oluşan ödem, derin yanık nedeniyle hasar gören damardan plazma proteinlerinin hücreler arası boşluğa çıkması, bunun kanın ozmotik basınç dengesini bozması nedeniyle sağlam dokulardan da sıvı kaybı başlamasına, bu şekilde oluşan sıvı kayıpları ise hipovolemiye ve vücutta yaygın ödem yol açar. Sağlam dokulardaki ödem genellikle ilk 4-6 saatten sonra ortaya çıkar ve resüsitasyonda plazma eksikliğinin giderilmesini etkiler. Yaralanma yanıktan 24-48 saat sonraya kadar dinamik bir şekilde devam eder. Yanıkta yanık yüzeyinden olan buharlaşma, yanık dokuda ve yakın çevresinde olan ödem nedeni ile oldukça fazla sıvı kaybı meydana gelmektedir.

Kalp Damar Yanıtı: Yanığa bağlı olarak kalp işlevlerinde bozulma olabilir ve kalp yetersizliği bulguları ile kendini belli eder. Tedavisi de dijitalizasyondur. Yanığın direkt etkisi ile eritrositlerin %60 kadarı hemolize uğrayabilir. Bu duruma bağlı olarak ilk 3-4 gün içinde erken hemoliz ortaya çıkar. Kemik iliğinden erken salınan genç eritrositlerin yanıktan 10-15 gün sonra, dalakta hemolize uğramaları sonucu da geç hemoliz ortaya çıkar.

Böbrek Yanıtı: Böbrek arterindeki basınç 58 mmHg değerinin altına düştüğü zaman böbrek perfüzyonu durur. Bu durum 60 dakikadan fazla sürerse böbrekte geriye dönülmeyen değişiklikler (kortikal nekroz) gelişebilir. Zamanında tedaviye başlanarak prerenal azoteminin kısa sürmesi sağlanırsa resüsitasyondan sonra oligüri düzelebilir ve böbrek işlevleri normale dönebilir. Eğer prerenal yetersizlik uzun bir sürede devam ettiyse akut böbrek yetersizliği de ortaya çıkabilir. Böyle bir durumda yanık tedavisi için uygulanacak sıvı tedavisi tamamen değişecektir. Sıvı kısıtlamasına gitmek, hatta periton diyalizi ya da hemodiyaliz gibi tedavi yöntemlerine başvurmak gerekebilir. Böbrek Yetersizliği tablosu 5-7 gün gibi kısa süre devam edebileceği gibi iki ay kadar da uzayabilir. Bu süre içinde hastanın diğer tedavilerine ek olarak hemodiyalizin de devam ettirilmesi gerekir.

Sindirim Sistemi Yanıtı: Sindirim sisteminde yanıktan altı saat sonraya kadar motilite bozukluğu devam etmektedir. Büyük yanıklı kişilerde ilk 72 saat içinde %86 oranında stres (Curling) ülseri meydana geldiği, %40'ından fazlasında gizli sindirim sistemi kanaması olduğu belirtilmektedir. Stres ülserinden korunmadaki en önemli faktörler ağızdan beslenme, antiasit ve H2 reseptör blokajdır. Yanıklı hastalara bu konuda yapılan tıbbi tedavinin stres ülseri görülme yüzdelerini oldukça düşürdüğü belirtilmektedir. Karaciğer fonksiyon bozukluğu görülmez ya da çok hafif seyreder. İleri devredeki karaciğer sorunları genellikle sepsise bağlıdır. Sindirim sistemindeki geç dönem sorunlar taşsız kolesistit, pankreatit, süperior mezenterik arter sendromu, kolonun yalancı tıkanıklığı şeklinde sıralanabilir.

Immunolojik Yanıt: Yanıkta immünolojik sistem değişiklikleri de önemlidir. Yanıkta hücresel (sellüler) ve hümoral immunite önemli derecede baskılanır. Aslında yanıktan sonra immunolojik olarak pek çok karmaşık değişiklikler olur. Nötrofil işlevleri bozulur, inhibitör faktörler dolaşıma çıkar, supresör T hücreleri artar, kompleman kompanentlerinde, fibronektin ve diğer serum proteinlerinde yetersizlik, retikülo endotelial sistemde baskılanma vardır. Ayrıca metabolik, hormonal değişiklikler ve hatta kan transfüzyonu, anestezi ve antibiyotiklerin kandaki etkileri de immüniteyi olumsuz bir şekilde etkiler.

Yanığın Sınıflandırılması

Yanık yaralarının değerlendirilmesinde derinlik ve yaygınlık çok önemli iki faktördür. Hastanın yaşı, yanığın anatomik yeri (lokalizasyonu) ve yaralanmanın diğer faktörlerdir.

Yanık Derinliği
Yanık yarasının sınıflandırılmasında en çok kullanılan ve en basit yöntem olan yanık yarasının vücuttaki derinliğine göre sınıflandırılmasıdır. Bu sınıflandırılmaya göre: (Şekil 48.1)

Birinci derecede yanıklar
Dokuda hemen hemen hiç yıkım yoktur. Epidermis yüzeyinde kızarıklık, renk değişikliği, lokalize ödem, ağrı, sıcaklık ve aşırı hassasiyet vardır. Rengi pembedir. İz bırakmadan bir haftada iyileşir. Yüzeysel kısmi yaralanmalardır.

İkinci derecede yanıklar
Kendi içinde ikiye ayrılırlar. Derin kısmi kalınlıklı yaralanmalardır.

a) Yüzeyel 2. derece yanıklar: Epidermis bütünüyle hasar görmüş olup dermisten ayrılmıştır. Araya sızan sıvı bülleri oluşturur. Bülün zemini parlak kırmızı renktedir. Çok ağrılıdır bu ağrı gerginlik ağrısıdır. Kıl kökleri hasar görmemiştir. İz bırakmadan iyileşir.

b) Derin 2. derece yanıklar: Epidermis ve dermis hasar görmüştür. Kıl kökleri ve ter bezleri etkilenmiştir. Sinir uçları harabiyeti nedeniyle fazla ağrı olmaz. *Yara zemini kirli sarı renktedir.* Etkilenen alanda iz bırakan iyileşme oluşur. İyileşme 2-3 hafta sürer.

Üçüncü derece yanıklar
Hipodermis, kas, tendon, fasya hasar görmüştür. Yara zemini sarı-yeşil arası bir renktedir. Yer yer kahverengi lekeler görülür. Sızıntı şeklinde sıvı akar. İyileşince belirgin iz bırakır. Uygun iyileşme için greft gerekebilir. Tam kalınlıklı yaralanmadır.

Dördüncü derece yanıklar
Doku tamamen kömürleşmiştir. Rengi kahverengi-siyahtır.

Yanık yarasının derinliği: Derinin kalınlığına göre de kısmi kalınlıklı (partial thickness) veya tam kalınlıklı (full thickness) olarak sınıflandırılır. Kısmi kalınlıklı yanıklarda kendi aralarında yüzeysel ve derin kısmi kalınlıklı yanıklar olmak üzere ikiye ayrılır. Yüzeysel kısmi kalınlıklı yaralar bül, nemli eritemli yüzey ile karakterizedir. Derin kısmi kalınlıklı yanıklar tipik olarak mum beyazı rengindedir ve daha az ağrılıdır. Yüzeysel kısmi kalınlıklı yanıklar genellikle 5-7 günde, orta derinlikte kısmi kalınlıklı yanıklar 10-14 günde iyileşir. Derin kısmi kalınlıklı yanıkların iyileşmesi ise 14 günden uzun sürer (3-4 hafta) ve belirgin iz ile iyileşir. Tam kalınlıklı yanıklar soluk, kuru hissiz bir görünümle karakterizedir. Bu yanıklarda cerrahi girişim gereklidir. Yaranın derinliği, yeri, hastanın yaşı durumu değiştirebilir. Genel olarak 14 gün içerisinde yeniden epitelizasyon başlamamış olan yaralar derin kabul edilir ve greft planlanır.

Etkilenen alanın genişliği
Dokuzlar Kuralı
Yanık alanının saptanması için Pulaski ve Wallace'nın ortaya koyduğu Dokuzlar Kuralının hatırlanması kolay olduğu için pratikte kullanılması rahattır.

Wallace'sın dokuzlar kuralı:
Üst ekstremitelerin her biri %9,
Alt ekstremitelerin her biri %18,
Gövdenin ön bölgesi %18,
Gövdenin arka bölgesi %18,
Baş %9,
Perine %1 olarak kabul edilir.
Çocuklarda ise doğrudan ölçüm ile yanık yüzdesi hesaplanmalıdır. (Şekil 48.2)

Dokuzlar kuralının sadece acil tıbbi personelin yaklaşımı için kullanılması önerilmektedir.

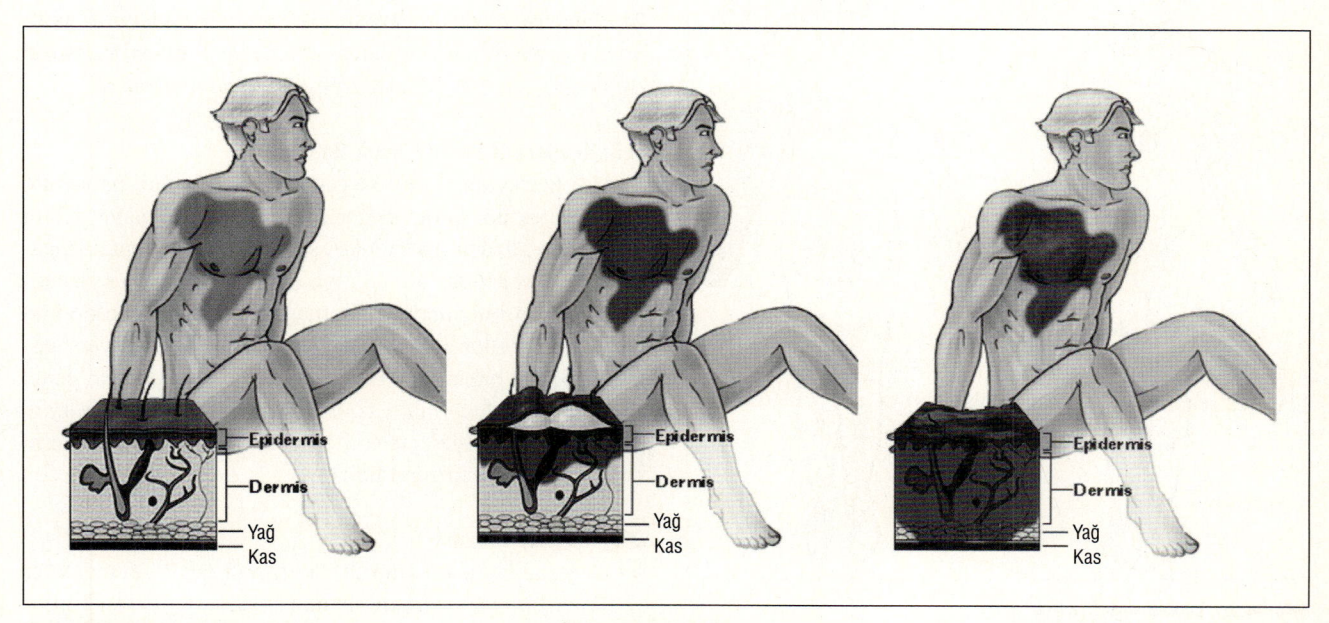

Şekil 48.1: Birinci Derece Yanıklar　　　İkinci Derece Yanıklar　　　Üçüncü Derece Yanıklar

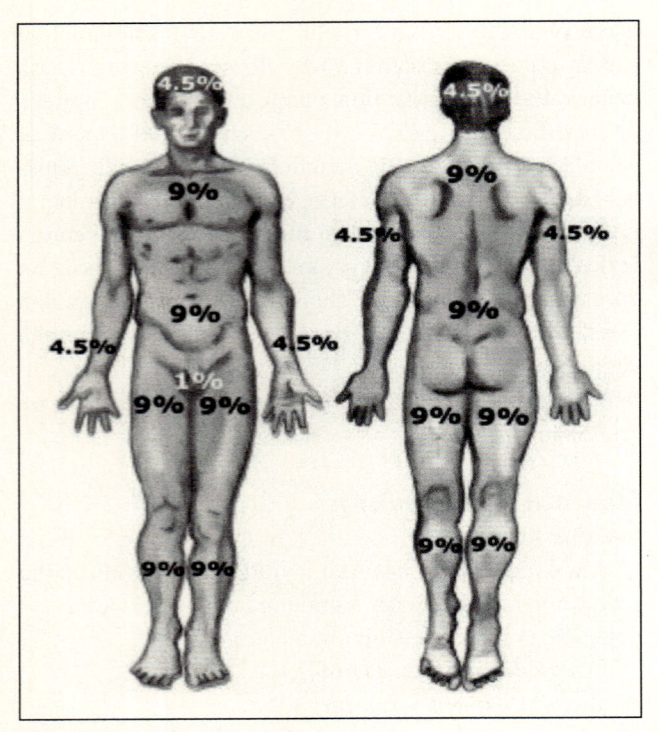

Dermatoloji

YAŞLAR	0	1	5	10	15	Erişkin
A -Baş (Ön veya arka)	9½	8½	6½	5½	4½	3½
B-1 Uyluk (Ön veya arka)	2¾	3¼	4	4¼	4½	4¾
C-1 Bacak (Ön veya arka)	2½	2½	2¾	3	3¼	3½

Çizelge 48.1: Yanık Bakımının Evreleri

Acil/ resüsitatif	Yaralanma ile başlar sıvı resüsitasyonunun tamamlanmasına kadar sürer	İlk yardım Şoku önlemek Solunum sıkıntısını önlemek Yaralanmanın tanımlanması ve tedavisini sağlamak Yarayı değerlendirmek ve bakımını sağlamak
Akut/Orta	Diürez ile başlar yara kapanıncaya kadar devam eder	Yara bakımını ve yaranın kapanmasını sağlamak Tedavi etmek ve komplikasyonları önlemek Beslenme desteğini sağlamak
Rehabilitasyon	Büyük yaraların kapanması ile başlar fiziksel ve psikolojik iyilik haline gelinceye kadar devam eder	Skar ve kontraktürleri önlemek Fizik, uğraşı ve sosyal rehabilitasyon Fonksiyonel ve kozmetik rekonstrüksiyon Psikososyal danışmanlık

Şekil 48.2: Dokuzlar kuralı
Kaynak: http://www.monografias.com/trabajos14/quemaduras/quemaduras.shtml

Lund Browder Yöntemi

Yanık alanının hesaplanmasında daha ayrıntılı ve yaşa özel bir şema olan Lund-Browder şeması ile total yanık vücut yüzey alanı saptanır.

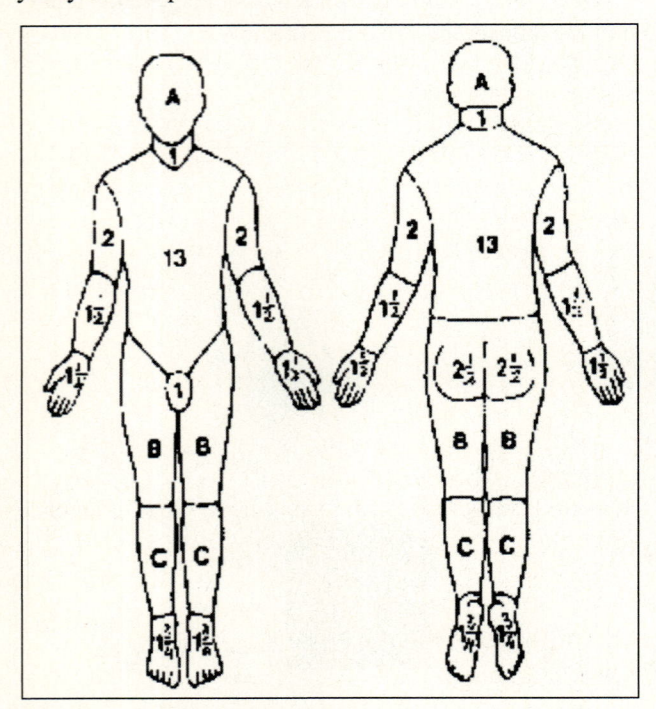

Şekil 48.3: Lund-Browder Şeması
Kaynak: http://www.burnsurgery.org/Modules/orders/sec2.htm

Yanıklı Hastanın Yönetimi

Yanık bakımı yanığın türüne, derinliğine, büyüklüğüne bağlı olarak değişmekle beraber yanık bakımı temel olarak üç dönemde incelenmektedir. Bunlar; acil/resüsitatif, akut/orta, ve rehabilitasyon evresi olarak sınıflandırılmaktadır. Bu üç evre ve öncelikler Çizelge 48.1'de verilmiştir.

Acil/ Resüstatif Evrede Yanık Bakımı

Yanıklı hastaya acil evrede yapılacak girişimler; havayolu, solunum ve dolaşımın değerlendirilmesi, travmaya ilişkin bulguların gözden geçirilmesi, sıvı resüsitasyonunun başlatılması, idrar sondasının takılması, nazogastrik tüp uygulanması, yaşam bulgularının alınması, laboratuar tetkiklerinin yapılması, ağrının giderilmesi, tetanoz proflaksisi, veri toplama ve yara bakımıdır. Yanıklı hastanın tedavisi için genel cerrahın, plastik cerrahın, özel olarak yetişmiş hemşirelerin, psikiyatristlerin, fizik tedavi uzmanlarının, diyetisyenlerin bulunduğu bir ekip gereklidir.

Olay Yerinde Bakım

Yanık yaralanması, yalnızca yaralı için değil çevredekiler ve ilkyardımı yapan kişiler içinde anksiyete yaratan bir durumdur. Yanık yaralanmalarında acil bakımdaki değerlendirme; ağrıyı, uzun süreli kayıpları ve bozuklukları azaltmakta önemlidir.

İlkyardım
- Yanığın meydana geldiği yer ve yanık etkeni hangi çeşit olursa olsun ilk iş olarak yanıklı kişi yanık etkeninden uzaklaştırılmalıdır.
- İlkyardımda yaralının hayatını tehdit edebilecek bir durumu olup olmadığı kontrol edilmelidir.
- Hava yolunun açıklığı, dolaşımı, nabız ve dış kanama olup olmadığı kontrol edilmelidir.
- Genellikle küçük yanıklarda yanık alanı serin çeşme suyuna tutmak ağrıyı azaltır. Serinlik yanığın şiddetini ve lokal doku içinde hasarını azaltır. Eğer 30 saniye içinde bir yanığa soğuk uygulanırsa deri ısısı üç saniyede normale döner. Yanıkta soğuk su uygulama ilk 45 dakikaya kadar çok etkilidir.
- Yanıklarda %10 ve daha fazla yanık varsa, yaralı mutlaka en yakın hastaneye ulaştırılmalıdır. Yanık alanın üzerinin örtülmesi ağrıyı azaltmaya yardım eder.
- Yanıklı bölgenin yaş veya kuru tutulması hakkında farklı görüşler vardır. Bazı kurumlar yanık alanına nemli pansuman uygulanmasını önermektedirler. Bazı kurumlarda yanan alanın kuru tutulmasını önermektedir. Bunun nedeni olarak ta yaralının kolayca hipotermik olabileceğidir.
- Buradan yola çıkılarak %10'dan daha küçük yanıklarda yanıklı bölgenin nemli tutulabileceği, daha büyük alanlarda ise yaralıya kuru pansuman uygulanması önerilmektedir.
- Eğer büller varsa bunlar enfeksiyona neden olabileceği için bunlar patlatılmamalıdır.

Acil Tıbbi Yönetim

Hava Yolu Açıklığının Sağlanması -A-
Bütün acil durumlarda olduğu gibi yanmış hastalarda da öncelikle hava yolu değerlendirilir. Özellikle yanmış hastalarda hava yolu önemlidir. Isı ve alev etkisiyle vücudu yanan kişinin hava yolunda ısı ve dumanın etkisiyle hasarlar oluşabilir. Çok kısa zamanda larenks ödemi gelişebilir. Hava yolunun tehdit altında olup olmadığı mümkün olduğunca erken fark edilip hemen önlem alınmalıdır. Bu konuda yardımcı olabilecek ipuçları: **Olay yeri ile ilgili öyküde,** yangın yerinde sıcak duman veya sıcak gaz solunmuşsa, yangın yerinde bir süre mahsur kalınmışsa, yangın yerinde bilinç kaybı olmuşsa, **ikinci değerlendirmede, yaralının** yüzü yanmışsa, hafifte olsa burun kılları yanmışsa, ağzının içinde sulu kabarcık (bül) veya kızarıklık varsa, boğulur gibi veya hırıltılı öksürüyorsa, tükürüğü kurumlu ise, solunumu hırıltılıysa, hayati tehlike olasılığı var demektir. Bu ipuçlarından biri olduğunda hekimle temas kurarak veya protokoller doğrultusunda hasta entübe edilir ya da burun hava yolu (nazal airway) ile hava yolunun açıklığının devamlılığını sağlanır. Hastaya yapılan işlemler açıklanmalıdır. Yaralının bilinci kapalıysa hemen entübe edilebilir. Entübasyon girişimi için travma ölçekleri (Glaskow, Champion gibi...) göz önünde bulundurulmalıdır. Yangın olan ortamda kalmış herkese oksijen verilmelidir.

Solunumun Devamlılığının Sağlanması - B -
Yangınlarda meydana gelen ölümlerin nedeni genellikle akciğer yaralanmaları ya da solunan zehirli gazlardır. Özellikle doğrudan solunan çok sıcak buhar alt solunum yollarının, bronşiyollerin ve alveolerin zarar görmesi sonucu solunum yaralanmalara neden olur. Karbon monoksit gibi zehirli gazlar alveollerdeki hava ve hemoglobindeki oksijen ile yer değiştirerek zehirlenme sonucu ölümlere yol açar. Yangına maruz kalan yaralıların tümüne gereksinim doğrultusunda yüksek veya yükseğe yakın yoğunlukta oksijen verilmelidir.

Dolaşımın Devamlılığının Sağlanması - C -
Ağır yanıklı hastalarda, hem deri yoluyla hem de hasar gören damarlardan hücreler arasına sızıntıdan dolayı aşırı sıvı kaybı oluşur ve yanık şoku ortaya çıkar. Yanıklarda oluşan ödem ve sıvı kayıpları hipovolemiye neden olur. Geniş yanıklarda ve derin yanıklarda hemen sıvı başlanması önemlidir. Verilecek sıvının hızı yaralının başka hastalığının olup olmadığına (kalp, böbrek, damar vb.), yaşına ve yanığın şiddetine bağlıdır.

Genç sağlıklı yaralılarda yükleme yapılabilirken yaşlı ve kalp, böbrek sorunu olan hastalarda mutlaka hekime danışılmalı veya hastaneye kadar sıvılar orta hızda verilmelidir. Elektrolit kaybı da göz önünde tutulduğunda genellikle Ringer Laktat yoksa İzotonik sodyum klorür (serum fizyolojik) verilmektedir. Büyük (16-18 nr) çaplı iğne ile mümkünse iki ayrı damardan verilebilir.

Öncelikle yanıklı olmayan kol tercih edilir, mümkün değilse yanıklı kolda uygunsa kullanılabilir. Ancak damar yolu açmak için bacaklar yerine kolları tercih etmekte daha uygundur. Yaralının sıkı giysileri ve takıları dolaşımı engellememeleri için çıkarılmalıdır. Uçlardaki (distral) nabızların tümü ve kapiller geri dolumlarını değerlendirilmelidir. İlk değerlendirme (çevresel güvenlik, ABC) tamamladıktan sonra daha ayrıntılı bilgi için ikinci değerlendirmeye geçilmelidir. Bu değerlendirmenin baştan ayağa muayenesi gerekirse ambulansta yapılabilir.

Yanık Merkezine Transfer

Hastanın taşınması: Hastanın yanık merkezine bir an önce gönderilmesi yanıkla beraber gelişen durumlara göre özellik gösterir.

Yanık merkezinin bilgilendirilmesi: Yanıklı hasta, varsa bir yanık merkezine, yoksa acil girişimin olanaklı olduğu bir sağlık merkezine gönderilmelidir. Gidilecek merkeze önceden yanıklı hasta sayısı, hastaların genel durumları, ya-

Dermatoloji

Çizelge 48.2: Yanıkların Sınıflandırılması (Amerikan Yanık Derneği)

	Majör yanık	Orta dereceli yanık	Minör yanık
Kısmi kalınlıktaki yanıklar	Erişkinlerde >%25 Çocuklarda >%20	Erişkinlerde %15-25 Çocuklarda %10-20	Erişkinlerde <%15 Çocuklarda <%10
Tam kalınlıktaki yanıklar	>%10	%2-10	<%2
Primer alanlar	Etkilenmiş majör yanıktır.	Etkilenmemiştir.	Etkilenmemiştir.
İnhalasyon yanığı	Var veya şüpheleniliyor	Şüphelenilmez.	Şüphelenilmez.
Eşlik eden yaralanma	Vardır	Yoktur.	Yoktur.
Eşlik eden diğer faktörler	Yüksek riskli hastalar	Düşük riskli hastalar.	Yoktur.
Diğerleri	Elektrik yanıkları		
Tedavi yeri	Genellikle özel yanık merkezinde tedavi edilmelidir	Yanık ekibi olan hastanede yapılmalıdır.	Hastane dışında tedavi edilir.

Kaynak: Çelebi MC. Atabay K. Çenetoğlu S. Latifoğlu O. Yavuzer R. Ayhan S (2006) Yanıklar. Plastik Rekonstrüktif Ve Estetik Cerrahi Ders Notları Erişim Tarihi: 12 6.2006 Http://Www.Med.Gazi.Edu.Tr/Egitim/Donem5/Plastik/Plastikdersnotu.Htm

nığın oluş biçimi, eşlik eden diğer travmaların olup olmadığı, solunum yaralanmasının olup olmadığı ve ne kadar süre sonra merkeze ulaşılacağı bildirilmelidir.

Sıvı Kaybı ve Şok Yönetimi

Normalde deriden 15 ml/saat/kg su kaybı olur. Yanık deride bu miktar 300 ml'ye çıkabilir. Büyük yanıklarda ilk iki saatte total vücut suyunun %15'i, ilk sekiz saatte %80'i kaybedilebilir. Buna bağlı olarak hipovolemik şok ve hemodinamik değişiklikler ortaya çıkar. Bu nedenle geniş ve derin yanıklarda sıvı tedavisinin hemen başlanması önemlidir. Böylece sıvı kaybına ve ona bağlı oluşabilecek sorunlar önlenebilir. (Bkz. Şoklu hasta bakımı) Yüksek voltajlı elektrik yanıkları, inhalasyon yanıkları, resüsitasyonun geciktiği hastalar, alkollü yaralılar daha fazla sıvı gerektirmektedir. İki yaş altı, 50 yaş üstü, kalp damar hastalığı olanlar, böbrek Yetersizliği olan yaralılarda daha az sıvı verileceği unutulmamalıdır.

Yanıklı hastada verilecek sıvının hesaplanması oldukça önemlidir. Bu amaçla kullanılan çeşitli formüller vardır. Kliniğin tercihine göre Concensus formülü, Evans Formülü, Broke Army Formülü, Parkland/ Baxter Formülü kullanılabilir.

Yanığın Acil/Resüsitatif Evresinde Hemşirelik Yönetimi

Hastane öncesi sağlık personeli (acil tıp teknisyenleri) tarafından elde edilen değerlendirme verileri acil odasında hekim ve hemşire ile paylaşılır. Yanıklarda acil dönemdeki hemşire değerlendirmeleri herhangi bir travmada göz önüne alınması gereken önceliklere odaklıdır, yanık yarası ikinci plandadır. Yanık yarasında ve tüm invaziv girişimlerde aseptik kurallara uyulmalıdır.

Hemşire hızla yaşam bulgularını alır. Hastanın solunum durumu yakından izlenir ve apikal, karotis ve femoral nabızlar değerlendirir. Hastada kalp hastalığı öyküsü, elektrik yaralanması, solunum problemleri, nabız düzensizliği, kalpte ritim bozukluğu varsa kardiyak izlem (monitorizasyon) gerekir.

Tüm ekstremiteler yandıysa kan basıncını (tansiyonu) ölçmek zor olabilir. Tansiyon aletinin altına yerleştirilecek steril bir pansuman yaranın kontaminasyonunu önler. Artan ödem kan basıncının alınmasını ve duyulmasını zorlaştıracağından, bir Doppler (ultrason) aracının veya noninvaziv elektronik kan basıncı aracının kullanılması yararlı olabilir. Büyük yanıklarda kan basıncı kontrolü ve kan örneği alınması için arteriyel kateter kullanılır. Yanan ekstremitelerin uçlardaki nabızları saat başı kontrol edilir. Bunun için Doppler cihazı kullanılabilir. Ödemi azaltmak için yanan ekstremitelerin yukarı kaldırılması yararlıdır. Alt ve üst ekstremitelerin yastıklarla desteklenmesi veya asılması yararlıdır.

Geniş lümenli damar içi kateter (intravenöz (İV)) ve idrar sondası (üriner kateter) takılır, hemşire hastanın aldığı- çıkardığı sıvıyı izler. Böbrek perfüzyonun bir göstergesi olan idrar çıkışı dikkatlice kontrol edilir ve saatlik idrar izlenir. İdrar sondası ilk takıldığında boşalan idrar miktarı kaydedilir. Bu yanık öncesinde böbrek işlevleri ve sıvı durumu ile ilgili bilgi verebilir. İdrar dansitesi, ph, glukoz, aseton, protein ve hemoglobin düzeyleri ölçülür. Kırmızı şarap renginde idrar kas hasarına bağlı hemokromojen ve miyoglobin artışını gösterir. Bu elektrik yanıklarında veya alevle uzun süre temasa bağlı oluşan derin yanıklarda gö-

48. Yanıklar

Çizelge 48.3: Hemşirelik Bakım Planı:
Yanığın Acil/Resisütatif Evresinde Hastanın Bakımı

Hemşirelik girişimleri	Amaç	Beklenen sonuçlar
Hemşirelik Tanısı: Karbon monoksit zehirlenmesi, duman soluma ve üst solunum yolu tıkanması (obstrüksiyonu) ile ilişkili olarak bozulmuş gaz değişimi **Hedef:** Dokuların yeterli oksijenlenmesi sağlamak		
1. Nemli oksijen verilir. 2. Hastanın solunum sesleri, solunum hızı, ritmi, derinliği ve akciğer simetrisi değerlendirilir. Hasta hipoksi bulguları yönünden izlenir. 3. Aşağıdakiler yönünden gözlem yapılır. a. Dudaklarda veya ağız içi mukozada eritem veya su toplanması b. Yanmış burun delikleri c. Yüz, boyun ve göğüste yanıklar d. Ses kısıklığında artma e. Solunum sekresyonlarında trakea dokusu veya balgamda kurum 4. Arteriyel kan gazı değerleri, nabız oksimetri sonuçları ve karboksi hemoglobin düzeyleri izlenir. 5. Solunum sıkıntısı, solunum derinliğindeki azalma veya hipoksi bulguları hemen hekime bildirilir. 6. Entübasyona ve eskarotomiye yardımcı olmak için hazırlanılır. 7. Mekanik ventilatördeki hasta yakından izlenir.	1. Nemlendirilmiş oksijen yaralı dokuları nemli tutar; destek oksijen verilmesi alveolar oksijenlenmeyi arttırır. 2. Bu faktörler ileri değerlendirme için veri sağlar ve solunum yetersizliğinin arttığına dair kanıttır. 3. Bu bulgular duman soluma hasarını ve solunum bozukluğu riskini gösterir. 4. Parsiyel CO_2'nin artması, parsiyel O_2 ve O_2 satürasyonunun azalması mekanik ventilasyon ihtiyacını gösterebilir. 5. Solunum zorluğu olursa acil girişim gerekir. 6. Entübasyon mekanik ventilasyona imkân verir. Eskarotomi çepeçevre göğüs yanıklarında göğüste rahatlamayı sağlar. 7. İzlem ile bozulan solunum durumu veya mekanik ventilasyona bağlı komplikasyonlar erken tanınır.	-Solunum sıkıntısı (Dispne) yokluğu -Solunum hızı 12-20 solunum/dakika -Oskültasyonda akciğerler temiz -Arteriyel oksijen saturasyonu nabız (pulse) oksimetride >%96 -Arteriyel kan gazı normal sınırlarda
Hemşirelik Tanısı: Ödeme ve duman solumanın etkilerine bağlı olarak hava yolunun temizlenmesinde yetersizlik **Hedef:** Hava yolunun açık ve temiz tutulmasını sürdürmek		
1. Hastaya uygun pozisyon verilir, sekresyonlar temizlenir ve gerekirse yapay havayolu cihazı kullanılarak hastanın havayolunu açık tutulur. 2. Hastanın dönmesi, öksürmesi ve derin soluk alması sağlanır. Hasta spirometre kullanması için desteklenir. Gerekirse aspirasyon yapılır.	1. Solunum için hava yolunun açık olması önemlidir. 2. Nemlendirilmiş oksijen verilir. 3. Nemli hava sekresyonları yumuşatarak atılmalarını kolaylaştırır. 4. Bu aktiviteler sekresyonların hareketini ve uzaklaştırılmasını kolaylaştırır	-Hava yolu açık -Solunum sekresyonları az, renksiz ve ince -Solunum hızı, şekli ve solunum sesleri normal
Hemşirelik Tanısı: Artmış kapiller geçirgenliğe ve yanık yarasından buharlaşma ile olan kayıplara bağlı oluşan sıvı açığı **Hedef:** Optimal sıvı ve elektrolit dengesini ve vital organların perfüzyonunu sağlamak		
1. Temel yaşam (vital) bulguları (santral venöz basınç ve gerekirse pulmoner arter basıncı dâhil) ve idrar çıkışı izlenir, hipovolemi veya sıvı yüklemesi bulguları açısından dikkatli olunur. 2. Saatlik idrar çıkışı izlenir ve hasta her gün tartılır.	1. Yanıktan hemen sonra hipovolemi önemli bir risktir. Aşırı resüsitasyon sıvı yüklemesine neden olabilir. 2. İdrar çıkışı ve kilo değişimi böbrek perfüzyonu, sıvı tedavisinin yeterliliği ve sıvı ihtiyacı ile ilgili bilgi verir.	-Serum elektrolitleri normal -İdrar çıkışı 0,51 -mL/ kg/saat -Kan basıncı >90/60 mmHg -Kalp hızı <120/dk -Duyular açık -İdrar açık sarı, dansitesi normal

Dermatoloji

Çizelge 48.3: Hemşirelik Bakım Planı: Yanığın Acil/Resisütatif Evresinde Hastanın Bakımı (Devamı)

3. Damar yolu açılır ve uygun hızda sıvılar ayarlanır. 4. Serum Na, K, P ve bikarbonat fazlalığına ve azlığına bağlı bulguları gözlenir.	3. Sıvı- elektrolit dengesini sağlamak ve hayati organların perfüzyonunu sağ-lamak için yeterince sıvı vermek gerekir. 4. Yanık sonrası dönemde sıvı-elektrolit dengesinde ani değişiklikler olabilir. 5. Hastanın yatağının başı ve yanan ekstremite yukarı kaldırılır. 6. İdrar çıkışı, kan basıncı, santral venöz basınç, pulmoner arter basıncı düştüğünde veya nabız hızlandığında hemen hekime haber verilir 7. Yukarı kaldırmak venöz dönüşü arttırır. 8. Yanık şokunda ani sıvı kaymalarından dolayı, yaygın şok oluşmadan önce sıvı eksikliği saptanır.	

Hemşirelik Tanısı: Deri kılcal dolaşımının kaybına ve açık yaralara bağlı gelişen **hipotermi**
Hedef : Uygun vücut ısısı sağlamak

1. Isı plakaları, battaniyeler, ısı kaynakları kullanılarak sıcak bir çevre yaratılır. 2. Yaralar açılırken hızlı hareket edilir. 3. Sık sık vücut ısısı ölçülür.	1. Sabit ısısı olan bir çevre buhar-laşma ile oluşan sıvı kaybını azaltır. 2. Yaranın hızlıca kapatılması yaradan ısı kaybını önler. Hipoterminin erken tanınmasını sağlar. 3. Vücut ısısının sık ölçülmesi,	-Vücut ısısı 36,1-38,3 °C arasında kalır -Üşüme ve titreme olmaz

Hemşirelik Tanısı: Sinir ve doku hasarına ve travmanın duygusal etkilerine bağlı oluşan **ağrı**
Hedef : Ağrının kontrolünü sağlamak

1. Ağrı düzeyini değerlendirmek için ölçek kullanılır (1-10). Hipoksiden ayırt edilir. 2. Damar yolundan (IV) opioid analjezikleri uygulanır. Mekanik ventilasyonda olmayan hasta solunum depresyonu açısından gözlenir. Analjeziklere cevabı değerlendirilir. 3. Duygusal destek ve yardım sağlanır. 4. Yeterli ağrı kontrolü sağlanır. 5. Farmakolojik olmayan girişimlerden sonra da aşırı anksiyetenin devam etmesi durumunda ilaç kullanım seçeneğini de düşünülmelidir.	1. Ağrı düzeyi, ağrı rahatlama ölçütlerinin etkinliğinin değerlendirilmesine temel oluşturur. Hipoksi benzer bulgular oluşturulabilir, analjezik uygulan-madan önce hipoksi dışlanmalıdır. 2. Yanık nedeniyle değişen doku perfüz-yonuna bağlı olarak, gereğinde damar içi uygulama yapılabilir. 3. Yanığa bağlı oluşan korkuyu ve anksiyeteyi azaltmak için duygusal destek önemlidir. Korku ve anksiyete ağrı algısını arttırır.	-Ağrı düzeyinin azaldığını ifade eder. -Ağrının sözel olmayan göstergeleri yoktur

Hemşirelik Tanısı: Yanığın korkutucu ve duygusal etkilerine bağlı **anksiyete**
Hedef : Hastanın ve ailesinin anksiyetesinin en aza indirilmesi

1. Hastanın ve ailesinin yanık ile ilgili algılamasını, başa çıkma yeteneklerini ve aile içi dinamikleri değerlendirilir. 2. Tepkiler hastanın ve ailesinin başa çıkma düzeyine göre ayarlanır. 3. Tüm işlemler hasta ve ailesine açık, basit kelimelerle anlatılır. 4. Yeterli ağrı kontrolü sağlanır. 5. Farmakolojik olmayan girişimlerden sonra da aşırı anksiyetenin devam etmesi durumunda ilaç kullanım seçeneğini de düşünülmelidir.	1. Önceki başarılı başa çıkma stratejileri, yeni durum için yeniden kullanılabilir. Değerlendirmeler bireysel girişimlerin planlanabilmesini sağlar. 2. Yanığa verilen tepkiler çok çeşitlidir. Girişimler, hastanın ve ailesinin başa çıkma düzeyi ile uyumlu olmalıdır 3. Bilinmeyene duyulan korku azaldıkça anlama artar. Yüksek anksiyete düzeyi karmaşık açıklamaların anlaşılmasını engelleyebilir. 4. Ağrı anksiyeteyi arttırır. 5. Acil evredeki anksiyete düzeyleri hastanın mücadele yeteneğini aşabilir. İlaçlar fizyolojik ve psikolojik anksiyete yanıtlarını azaltabilir.	-Hasta ve ailesi acil yanık bakımını anladıklarını ifade ederler. -Basit soruları cevaplayabilirler

48. Yanıklar

Çizelge 48.3: **Hemşirelik Bakım Planı:** Yanığın Acil/Resisütatif Evresinde Hastanın Bakımı (Devamı)

Olası Komplikasyonlar: Akut solunum yetersizliği, yaygın şok, akut böbrek yetmezliği, kompartman sendromu, paralitik ileus, stres (curling) ülseri
Hedef : Komplikasyon olmaması

Akut solunum yetmezliği 1. Artan dispne, stridor ve solunum değişiklikleri dikkatle değerlendirilir. 2. Nabız oksimetri bulguları gözlenir. Artan PCO_2 azalan PO_2 ve oksijen satürasyonu değerleri ise kan gazı ölçümleri ile karşılaştırılır. 3. Akciğer grafisi sonuçları değerlendirilir. 4. Huzursuzluk, konfüzyon, soru sorma zorluğu ve bilinç düzeyinde azalmalar değerlendirilir. 5. Bozulan solunum durumunu hemen hekime bildirilir. 6. Gereğinde entübasyon veya eskorotomi uygulamaya hazır olunur.	1. Bu bulgular bozulan solunum durumunu yansıtır. 2. Böyle bulgular azalan oksijenleme durumunu yansıtır 3. Akciğer grafisi, akciğer hasarını gösterebilir. 4. Böyle bulgular serebral hipoksiyi gösterebilir. 5. Akut solunum yetersizliği hayatı tehdit edebilir ve acil girişim gereklidir. 6. Entübasyon mekanik ventilasyona imkan tanır. Eskoratomiler sayesinde nefes alırken göğüs kafesi genişleyebilir	-Arteriyel kan gazı değerleri kabul edilebilir sınırlar içindedir. PO_2>80 mmHg PCO_2<50 mmHg -Yeterli tidal hacim ile solunum yapılır. -Akciğer grafisi bulguları normal Serebral hipoksi bulguları yoktur. -Vücut ısısı 36,1-38,3 °C arasında kalır -Üşüme ve titreme olmaz
Yaygın şok 1. İdrar çıkışında, pulmoner arter ve pulmoner arter wedge basıncı, kan basıncı ve kardiyak atımda azalma, nabızda artma değerlendirilir. 2. Sıvı kaybı oluştukça ilerleyen ödemi değerlendirilir. 3. Fizyolojik bulgulara bağlı olarak, hekimle birlikte sıvı resüsitasyonu uygulanır.	1. Bu bulgular yaygın şoku ve yetersiz damar içi hacmi gösteriyor olabilir. 2. Yanık şokunda sıvı interstiyel boşluğa doğru kaydıkça ödem oluşur ve doku perfüzyonunu bozar. 3. Uygun sıvı resüsitasyonu şoku önler ve hasta sonuçlarını iyileştirir.	- İdrar çıkışı 0.5-1 ml/kg/saat arasında - Hastanın kan basıncı normal sınırlarda (>90/60 mmHg) - Kalp hızı normal (<110/dk) - Basınçlar ve kardiyak çıkış normal sınırlardadır.
Akut böbrek yetmezliği 1. İdrar çıkışı, kan üre nitrojen (BUN) ve kreatinin düzeylerini izlenir. 2. Azalan idrar çıkışını ve artan BUN, kreatinin değerlerini hekime bildirilir. 3. İdrar hemoglobin veya myoglobin açısından değerlendirilir. uygulanır. 4. Önerildiği gibi sıvı artırımı yapılır	1. Bu değerler böbrek fonksiyonlarını yansıtır. 2. Bu laboratuar bulguları olası böbrek yetmezliğini gösterebilir. 3. İdrardaki hemoglobin veya myog-lobin artmış böbrek yetmezliği riskinin göstergesi olabilir. 4. Sıvı, hemoglobin veya myoglobinin böbrek tubullerinden atılımını kolaylaştırarak böbrek yetmezliği riskini azaltır.	
Kompartman sendromu 1. Periferik nabızlar her saat başı Doppler ile değerlendirilir. 2. Ekstremitenin ısısını, kapiller dolmasını, duyularını ve hareketini her saat değerlendirilir. 3. Her ölçümden sonra tansiyon aletinin manşonunu çıkartılır. 4. Yanmış ekstremite kalp seviyesinden yukarı kaldırılır. 5. Ağrı duyusu nabız veya diğer duyuların kaybı hekime bildirilir. 6. Eskarotomi yapmaya hazır olunur.	1. Doppler ile inceleme arteriel kan akımının özelliklerini gösterdiği için oskültasyonun yerini almıştır. 2. Bu değerlendirmeler periferik perfüzyon özelliklerini gösterir. 3. Ekstremite şişince, manşon bir turnike gibi olabilir. 4. Yukarı kaldırmak ödemi azaltır. 5. Bu bulgular doku, perfüzyonundaki yetersizliği gösterir. 6. Çepe çevre yanıklarda eskaratomi uygulaması, şişmeye bağlı sıkışmayı rahatlatır ve doku perfüzyonunu Arttırır.	-Sinir ve kasların iskemisine veya parasteziye yönelik bulgu yok -Periferik nabızlar Doppler ile saptanabiliyor.

Dermatoloji

Çizelge 48.3: Hemşirelik Bakım Planı: Yanığın Acil/Resisütatif Evresinde Hastanın Bakımı (Devamı)

Paralitik ileus 1. Bağırsak sesleri geri dönünceye kadar, aralıklı aspirasyon amacıyla nazogastrik kateter uygulanır. 2. Bağırsak seslerini dinleyerek karında gerginlik değerlendirilir.	1. Bu uygulama, mide ve karında gerginliği (distansiyonu) azaltır ve kusmayı da önler. 2. bağırsak sesleri geri geldikçe yavaş yavaş ağızdan beslenmeye de başlanabilir. Karında gerginlik aralıklı aspirasyonun (dekompresyonun) yetersiz yapıldığını gösterir.	-Karında gerginlik yok -Normal bağırsak sesleri 48 saat içinde geri döner
Stres (Curling) ülseri 1. Mide içeriği pH ve kan açısından değerlendirilir. 2. Dışkı gizli kan açısından incelenir. 3. Histamin blokerleri ve antiasitler önerildiği şekilde uygulanır	1. Asidik pH antihistaminik veya antiasit ilaç ihtiyacını gösterir. Kan mide kanamasına bağlı olabilir. 2. Dışkıdaki kan mide veya duedonum ülserini gösterebilir. 3. Bazı ilaçlar mide asidini, dolayısıyla da ülser riskini azaltır.	-Karında gerginlik yok -Normal bağırsak sesleri 48 saat içinde geri döner -Mide içeriği ve dışkıda kan bulunmaz

rülür. Strese yanıt olarak karaciğerde depolanmış glikozun salınmasına bağlı olarak yanıklardan hemen sonraki saatlerde glikozüri görülür.

Hastanın sıvı gereksinimlerini hesaplamaktan sorumlu olmasa da, hemşire hastanın alacağı maksimum sıvı miktarını bilmelidir. Damar içi (İV) sıvı tedavisi infüzyon pompaları ve hız kontrolörleri (damla sayıcı) kullanılarak yapılır. Hemşirenin temel sorumlulukları damar içi tedaviyi uygulamak ve izlemektir.

Hastanın vücut ısısı, kilosu, yanmadan önceki kilosu, alerji öyküsü, tetanos aşısı, önceki tıbbi ve cerrahi problemleri, mevcut hastalıkları ve ilaç kullanımı değerlendirilir. Baştan aşağı değerlendirme yapılarak eş zamanlı hastalık, yaralanma veya komplikasyon varlığının bulguları aranır. Yüzü yanan hastaların korneaları incelenmelidir. Bir göz uzmanından flüoresan boyamayla yapılacak tam bir inceleme için konsültasyon istenir. Yanık yarasının boyutu anatomik diyagramlarla değerlendirilir. Hemşire hekimle birlikte çalışarak yaranın derinliğini, tam ve kısmi kalınlıklı yanık alanlarını değerlendirir. Yaralanmanın oluştuğu çevre önemlidir. Yanığın nasıl olduğunun öğrenilmesi, hastanın bakımı için bir plan geliştirmeye yardımcı olur. Değerlendirme yaralanma zamanı, yanık mekanizması, yanığın kapalı bir alanda oluşup oluşmadığı, kimyasal maddelerin solunup solunmadığı ve herhangi ek bir travmanın varlığı gibi durumları içermelidir.

Nörolojik değerlendirme, hastanın bilinç düzeyine, psikolojik durumuna, ağrı ve anksiyete düzeylerine ve davranışlarına odaklanmalıdır. Hastanın ve ailesinin yaralanmaya ve tedavisine yönelik algılamaları da değerlendirilir. Acil/ resisütatif evredeki hemşirelik bakımı hemşirelik bakım planının da ayrıntılarıyla bulunmaktadır.

Akut veya Orta Evrede Yanık Bakımı

Yanık bakımının akut veya orta evresi acil/resüsitatif evreyi izler ve yanmadan sonraki 48-72 saatte başlar. Bu evre sırasında devam eden değerlendirmelere ve solunum ve dolaşım durumunun, sıvı-elektrolit dengesinin ve sindirim işlevlerinin yeniden sağlanmasına yönelik dikkat arttırılır. Bu evredeki öncelikler enfeksiyonun önlenmesi, yara bakımı (örn. yara temizlenmesi, topikal antibakteriyel tedavi, pansuman, yara debridmanı, ve yara greftlemesi), ağrı yönetimi, besin desteğidir.

Üst hava yolu ödemi nedeniyle oluşan hava yolu tıkanıklığını (obstrüksiyonunun) gelişmesi 48 saati alabilir. Resüsitatif amaçlı verilen sıvıların etkileri ve solunan dumanın kimyasal reaksiyonu belirgin hale geldikçe akciğer filmlerinde ve arteriyel kan gazlarında değişimler oluşur. Arteriyel kan gazı değerleri ve diğer parametreler entübasyon veya mekanik ventilasyon kararını vermeye yardımcı olur.

Kapiller bütünlüklerini yeniden kazandıkça, yani yanıktan ≥ 48 saat sonra, sıvı interstisyel alandan intravasküler alana geçer ve diürez başlar. Eğer hastada kardiyak veya böbrek fonksiyonlar yeterli değilse, örneğin yaşlı bir hastaysa veya önceden bir kalp hastalığı varsa, bu evrede sıvı yüklenmesi olur ve semptomatik kalp Yetersizliği gelişebilir. Erken tanı, erken girişime ve dikkatlice hesaplanan sıvı tedavilerinin uygulanabilmesine olanak sağlar. Dolaşım fonksiyonlarının desteklenmesi, konjestif kalp yetersizliğinin ve pulmoner ödemin önlenmesi için vazoaktif ilaçlar, diüretikler ve sıvı kısıtlamaları uygulanabilir.

Yanık bakımının bu döneminde sıvının hücreler arasından damar içine (interstisyel alandan intravasküler kompartmanlara) kayması, büyük yanık yaralarından sıvı kaybı ve hastanın yanmaya verdiği fizyolojik cevaplar nedeniyle sıvı ve elektrolit uygulaması dikkatle yapılır. Kan kaybını ve kansızlığı (anemiyi) düzeltmek için gerekirse kan ürünleri verilir.

48. Yanıklar

Çizelge 48.4: Akut Evredeki Sıvı - Elektrolit Değişimleri

Yeniden sıvı dağılım fazı (diürez durumu)
İnterstisyel sıvı →plazma

GÖZLEM	AÇIKLAMA
Hemodilüsyon (Azalmış hemotokrit)	Sıvı damar içi bölüme döndükçe kan hücre konsantrasyonu da seyrelir; yanık sahasında hasar gören eritrositlere bağlı da kayıp olur.
Artmış idrar çıkışı	Damar içi alana sıvı geçişi böbrek kan akımını arttırır ve idrar oluşumuna neden olur.
Na^+ eksikliği	İdrar çıkışıyla birlikte, su ve sodyum kaybedilir, su artışıyla birlikte serum sodyumu da seyrelir.
K^+ eksikliği (genellikle bu fazda görülür)	K^+, yanıktan sonraki 4. veya 5. günden başlayarak, giderek artan oranda hücre dışı sıvıdan hücrelere geçer.
Metabolik asidoz	Na^+ kaybı sabit bazları azaltır, buna bağlı CO_2 içeriği artar.

Yanık şoku çözüldükten sonra sıklıkla ateş yükselmesi görülür. Büyük yanıklı hastalarda vücut ısısının merkezi olarak yeniden ayarlanması, vücut ısısında yanıktan sonra haftalar süren ve normalin birkaç derece üzerine çıkan bir yükselmeyle sonuçlanır. Bakteriyemi ve sepsis de birçok hastada ateş yapılabilir. Ateş düşürücüler ve hipotermi örtüleri ile vücut ısısını 37.2 - 38.3 oC arasında tutarak metabolik stresi ve oksijen ihtiyacını azaltmaya yardımcı olunur.

Venöz ve arteriyel basınçların, pulmoner arter, pulmoner kapiller wedge basıncının ve kardiyak çıkışın (output) izlenebilmesi için santral venöz, periferik arteriyel veya pulmoner arter termodilüsyon kateterleri gerekebilir. Yine de genel olarak gerekmedikçe invaziv damar yolları kullanılmaz. Bu yöntemler zaten direnci düşük olan hasta için enfeksiyon giriş alanlarıdır. Büyük bir yanıktan sonraki birkaç günde hasta ölümünün en önemli nedeni ilerleyen enfeksiyona bağlı septik şoktur. Geniş yanıklarda oluşan immün yetersizlik durumu, hastayı sepsise hassas hale getirir. Yanık alanında başlayan enfeksiyon kana karışabilir.

Yara Bakımı: Yanık yarası bakımının amacı yarayı mümkün olduğunca çabuk iyileştirmektedir. Yara kapanmasını optimal düzeyde sağlamak için çeşitli yöntemler vardır. Bunlar; yarayı temizlemek, yarayı debride ederek enfeksiyonu önlemek, granülasyon dokusunun gelişimini hızlandırmak, yeniden epitelizasyonu sağlamak ve greftleme için (eğer gerekliyse) yarayı hazırlamaktır. Yara bakımında skar ve kontraktürlerin azaltılması ile ilgili girişimlere de dikkat edilmelidir. Hastanın rahatının sağlanması uygun eğitimin sağlanması, ağrı kesici (analjezi) ve anestezinin kullanılması iyileşme döneminin tam olarak sağlanmasında önemli unsurlardır. Yanık yarasının iyileşmesinde açık veya kapalı yöntem kullanılmaktadır. Bazı yanık merkezlerinde yaralar ilk olarak kuru ılık havaya maruz bırakılarak açık yöntem ile tedavi edilir. Açık yöntem ile tedavi edilen yanıkların genellikle kapalı yönteme göre daha çok ağrılı olduğu belirtilmektedir. Kapalı yöntem ağrının biraz azalmasını sağlarken, günde bir kaç kez gereken pansuman değişimi sırasında rahatsızlığa neden olur. Büllerin açılması konusundaki çelişkiler ise halen devam etmektedir. Bu karar yanık türü, yaranın yeri, boyutu ve hastanın güvenliği göz önüne alınarak verilmelidir.

Yara temizliği: Yanık yarasının temizlenmesinde çeşitli sıvılar kullanılmaktadır. Temel olarak; steril su veya serum fizyolojik antibakteriyel ilaçlarla birlikte (seyreltilmiş povidin iyodin-Betadin, klorheksidin-Hibiklens) kullanılmaktadır. Yaralar topikal ilaçlar uygulanmadan önce nazikçe durulanmalı, hafif vuruşlarla kurulanmalıdır. Cerrahi girişim yapılmayan yara alanları en azından günde bir defa temizlenmelidir. Daha önce uygulanan topikal ilaçların tüm kalıntıları yara yüzeyinden nazikçe çıkarılmalıdır. Yanık alanların yanındaki tüyler kesilmelidir. Bazı durumlarda, hekim önerisiyle hemen tıraşlanmalıdır.

Eğer kontamine görünmüyorlarsa veya eklem fonksiyonlarını engellemiyorsa, büller dokunulmadan kalabilir. Debritman genellikle yanıktan sonra 10 gün veya daha uzun süre sonra eskar başlayınca yapılmalıdır. Günlük yara bakımında hidroterapinin rolü oldukça önemlidir. Birçok yanık merkezinde banyo ve duşlar bulunmaktadır. Bu yöntemler gereksiz dokunun uzaklaştırılmasını kolaylaştırmaktadır. Patojenlerden arındırılmış musluk suyu ile seyreltilmiş (dilüe) anti bakteriyel solüsyonla doldurulmuş hidroterapi kabına batırma da kullanılabilmektedir. Bazı durumlarda yanık hastaları küvete sokulur ve hastaya banyo yaptırılır. Bunu yaparken ölü dokular temizlenmelidir. Yaranın kendisi ve çevresindeki deri lokal enfeksiyon bulguları açısından izlenmelidir. Hidroterapi odasına taşınması zor olan hastalara yataklarında pansuman ve yara temizliği uygulanmaktadır.

Topikal Antibakteriyel Tedavi

Yanık tedavisinde antimikrobial ilaçlar kullanılmaktadır. Anti bakteriyel tedavinin amacı yarada bakteriyel dansiteyi kontrol etmek ve yara enfeksiyonunu azaltmaktır. Dirençli mikroorganizma gelişimine neden olduğu, mortalite ve morbiditeyi etkilemediği için için erken antibiyotik verilmesi artık önerilmemektedir. Topikal antibakteriyel kullanımı canlılığı bozulan dokunun çıkarılması, spontan yara iyileşmesinin sağlanması ya da yara kapanmasında greftlenmeye kadar harcanan önemli çabalarda zaman kazanmaya yardım eder.

Yanık tedavisinde etkili birçok antimikrobiyal ilaç bulunmaktadır. Her birinin avantaj ve dezavantajları vardır, tek bir ilacın bile etkililiği zaman geçtikçe azalabilir. Farklı ilaçlar aynı hastada aynı zamanda farklı yanık alanlarında veya yaranın bakteriyel flora değişiminde kullanılabilmektedir.

Günümüzde kullanılan en popüler topikal ilaç, sıvı bazlı krem olan gram (+), gram (-) ve candida organizmalarına karşı etkili olan %1 lik Gümüş Sulfadiazine'dir. Popülaritesi geniş spektrumlu antimikrobiyal aktivitesine ve kullanım kolaylığına bağlıdır. Diğer yaygın kullanılan ajanlar Mafedine Asetat'ın (Sulfamylon) çeşitli şekilleri, Povidoneiodine (Betadine) ve Gümüş nitrat gibi ağır metal solüsyonlarıdır. Mafenid asetat özellikle pseudomonaus ve diğer gr (-) mikroorganizmalara etkili geniş spektrumlu antimikrobik ajandır. Mükemmel eskar penetrasyonu vardır ancak kısmi ve tam kalınlıklı yanıklara uygulanması ağrılıdır. Geniş yüzeylere uygulandığında metabolik asidoza neden olabilir.

Topikal kremler steril eldivenli eller ve gazlı bez ile uygulanmalıdır. Pansumanlar topikal solüsyonların uygun konsantrasyonları sağlanması için sık sık yeniden ıslatılmalıdır. Sıvıların buharla kaybını önlemek için en dış tabakayı kuru tutan büyük gaz tamponlar uygulanır. Topikal ilaç kullanmadan önce daha önceki uygulamadan birikenlerin hepsinin çıkarılması önemlidir. Hemşireler topikal ilaçların etkinlik süreleri ve her bir ürünün uygun süresinin ne olduğunu bilmelidir. Yanık yarasının iskemik yaralar olduğu ve yara iyileşmesi için gereken tüm çabalar uygulanmalıdır.

Yanık yarasında yaralanmadan hemen sonra stafilokok aureus ve stafilokok epidermidis gibi gr (+) bakterilerin kolonizasyonu vardır. Beş gün içerisinde ise gr (-) mikroorganizmalar artar. Psödomonas areginosa, Klebsiella pneumoniae, enterobacter clacae ve Echerichia coli bunlardan bazılarıdır. Yanık yaralarının %80'inde hastanın kendi sindirim sisteminden, %20'sinde ise diğer kaynaklardan kolonizasyon geliştiği düşünülmektedir. Yanık yaralarında kolonizasyon sistemik antibiyotik kullanımı endikasyonu olarak kabul edilmemelidir. Yara bakım protokollerinde mutlaka yüzeyel kültür teknikleri bulunmalıdır. Yanık yarası invazyonu düşünülen yerlerden biyopsi alınmalı ve yanmayan dokular bakteri invazyonu yönünden değerlendirilmelidir. Yanığın rutin ellenmesi ile geçen bakteriyemi önlenmelidir.

Yara Pansumanları

Gaz pansuman: Gaz pansumanın çeşitli tipleri yanık yarasında kullanılmaktadır. Pansuman, yara yüzeyinden buharla sıvı kaybını sınırlar ve enfeksiyonu önler. En basit pansumanlar büyük gazlı bezler veya ince gözenekli gazlı bezlerdir. Büyük gözenekli gaz pansumanlar direkt olarak yaraya uygulanırlar ve seröz akıntıyı ve yara aralığındaki sıvılaşan eskarı tutmaya yardımcı olur. Pansumanın çıkarılması da debritmana yardımcı olur. İnce gözenekli gaz, kabuk bağlayan (granüle olan) yara yüzeyinin üzerinde kullanılmaktadır. Bu damarsal dokuyu ve epiteliyal dokunun yeniden şekillenmesini korur.

Pansumanlar, rulo gazlı bezin bandaj gibi sarılmasıyla yerleştirilir. Gazlı bezlerin kalın olanları topikal antibakteriyellerle birlikte kullanılabilmektedir. Karma pansumanlar genellikle üç tabakadan oluşur. Yaraya temas eden tabaka; yanık drenajından sekresyonların geçişine izin verir ve yara iyileşmesini çevreden korumada bariyer oluşturur. Pansumanın orta tabakası; yaraya tampon görevi yaparak korur ve drene olan sekresyonu tutar. Pansumanın en dıştaki tabakası; diğer tabakaların şeklini korumaya yardımcı olur. Pansumanlar rahat olmalı, fakat ödemden dolayı oluşan sıkmayı önleyecek esneklikte olmalıdır. Yanık yarası protokollerinde günde bir veya iki defa pansuman değişimleri önerilmektedir. Gazlı bez yanıklı ekstremiteye uçtan içe doğru sarılmalıdır. İki yanıklı yüzeyin temasından kaçınılmalıdır (parmaklar ve başparmak ayrı sarılmalıdır, yanıklı kulaklar yanan başın arkasına değmemelidir). Bunun gibi detaylara özen göstermesi yara iyileşme komplikasyonlarını önlemeye yardımcı olur.

Oklüziv Sargılar

Oklüziv sargılar yüzeyel yaralarda ağrı ve enflamasyonu azaltır, kozmetik olarak daha iyi sonuçlar verir. Bu tür sargıların epitelizasyonu hızlandırıcı etki mekanizmaları tam olarak bilinmemektedir. Nemli ve kabuksuz bir ortamda epidermal hücre göçü kolaylaşır, kollajen biyosentezi artar. Yara sıvısı kuru gaza geçemeyip yara ile temas halinde kalır. Yara iyileşmesinde oklüziv sargıların uygulama zamanı önemlidir. En etkin sürenin yara oluşumundan iki saat içinde sargı uygulaması ve 24 saat kapalı kalması gerektiği gösterilmiştir. Oklüziv sargıların değişik türleri vardır.

Eskartomi

Üçüncü derece yanıktaki nekrotik deri dokusu olan eskar göğüs kafesinin tamamında yer alıyorsa göğüs kafesi genişlemesini kısıtlayarak solunum yüzeyselleşmesine ve ventilasyonun azalmasına neden olur. Bu durumda eskar-

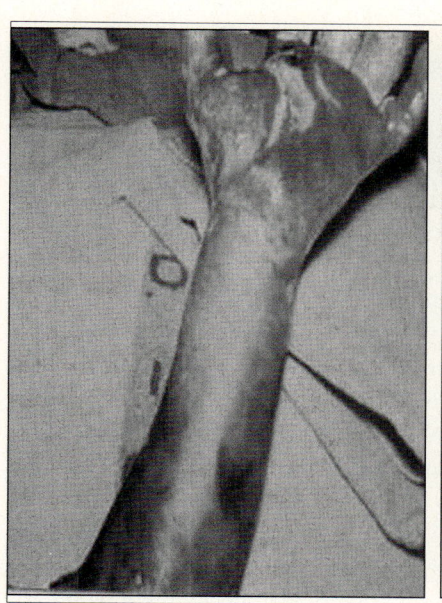

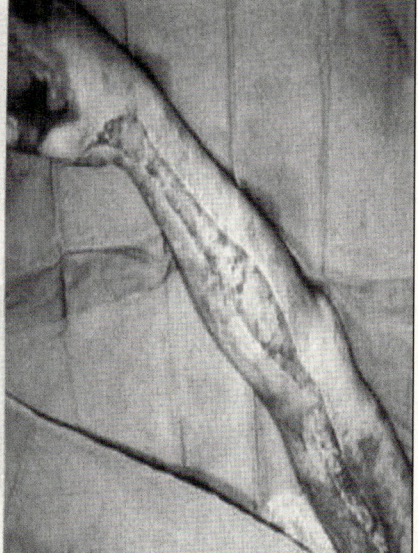

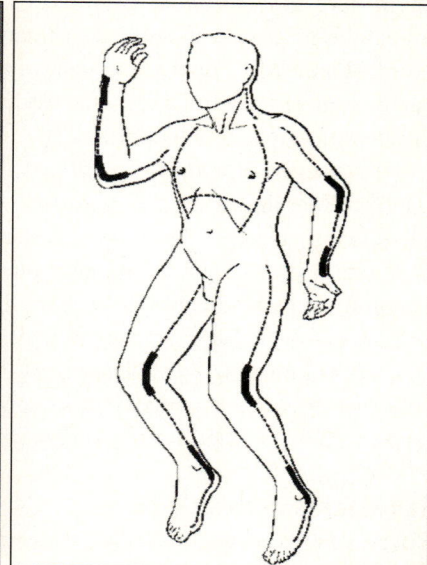

Şekil 48.4: Eskarotomi
Kaynak: http://www.staff.vu.edu.au/CriticalCare/Critical%20Care/lecture7.htm

tomi bilateral olarak anterior aksiller çizgi boyunca eskarın tüm kalınlığı ve uzunluğunu katedecek şekilde yapılır. Eskaratomi eskarın derinliği ve uzunluğunda yapılır, alttaki yumuşak dokunun genişlemesi yeterli olduğunu gösterir. Ekstremite ucundaki perfüzyon kontrol edilerek yeterliliği değerlendirilir. Derin yanıklarda fasyatomi uygulanır. (Şekil 48. 4)

Yara Debritmanı

Yanık yaralarında debritman ölü (nekrotik) dokunun temizlenmesidir. Yanık sonrası bakteriler yanan doku ve yaşayabilir doku altındaki aralığa gelirler, kollajen fibrinler yavaş yavaş erirler, yanık sonrası 1-2 hafta içinde eskar oluşmaya başlar. Bunda proteolitik ve diğer doğal enzimlerin aktivasyonu söz konusudur. Debritmanın iki önemli amacı vardır. Birincisi, yabancı cisim ve bakteriler tarafından kontamine olan dokunun çıkarılması, böylece hastayı invaziv bakterilerden korumadır. Diğeri de canlılığı bozulan dokunun veya yanık eskarının çıkarılmasıdır. Debritman doğal, mekanik, cerrahi veya enzimatik yapılabilir.

Doğal Debritman

Doğal debritmanda ölü doku kendiliğinden dökülür. Bu olaya prolitik ve diğer enzimler neden olur. Antibakteriyel ilaçlar doğal yolla debritman işlemini yavaşlatır.

Mekanik Debritman

Mekanik debritmanda makas ve forseps kullanılarak eskarın ayrılması ve çıkarılması sağlanır. Cerrahın gözetiminde deneyimli hemşireler ve fizik tedavi uzmanları tarafından sıklıkla yapılan mekanik debritman genellikle günlük pansuman değişimleri ve yara temizleme işlemleri sırasında yapılmaktadır. Yanık eskarı dikkatlice kesilir ve yumuşak alanlar abse oluşumunu önlemek için örtülmez. Mekanik debritman aynı zamanda, "kuru" veya "ıslak-kuru" uygulanan büyük gazlı bez pansuman aracılığıyla da uygulanabilmektedir. Pansumanın çıkarılması aynı zamanda eriyen eskarı ve eksudayı da çıkarır. Yarada granülasyon dokusu gelişmeye başlar ve epitel tomurcuklanma görülür. Yeni oluşan dokunun çok fazla çıkarılması yara iyileşmesinin gecikmesine neden olabileceği için bundan kaçınılmalıdır.

Cerrahi Debritman

Cerrahi debritmanda ya cildin tüm tabakalarının primer eksizyonu yapılır ya da canlı dokunun kanamasına yol açan dermisin aşağısındaki ince katmanın sıyrılması şeklinde eksizyon yapılır. Eksizyon, yanık sonrası birkaç gün içinde veya hasta hemodinamik olarak stabil olduğunda ve ödem azaldığında uygulanabilir. Yaraya hemen otogreft uygulanır ya da bir sonraki girişime kadar geçici biyolojik pansuman uygulanabilir. Cerrahi eksizyonun selektif olarak kullanımı daha yaygındır. Cerrahi debritmanın aşırı kan kaybı, uzamış anestezi gibi çeşitli riskleri vardır. Yanık yarası sepsisinin komplikasyonlarının azaltılmasına yardım etme, yaralanmadan sonra yara kapanması ve hastaneden taburcu olma sürelerinin kısalması gibi avantajları vardır.

Enzimatik Debritman

Enzimatik debritman ilaçları ile cerrahi debritman gereksinimini azalır. Enzimatik debritman ilaçları antibakteriyel değildir ve topikal antibakteriyel ilaçlarla birlikte kullanılmalıdırlar. Yara enzimatik debritmandan sonra hemen greftlenmemelidir. Enzimatik debritmandan sonra yara yatağı yeni deri greftini kabul edecek durumda değildir ve yalancı (pseudo) eskar oluşabilir.

Travase gibi proteolitik ve fibrinolitik topikal enzimler Bacillus Subtilis'ten derive edilmiştir ve bu saf vazelinin (Petrolatum) temelini oluşturur. Yaralanma sonrası erken dönemde uygulandığında, bu enzimler yanık eskarının yumuşatılmasına ve canlılığı bozulan dokunun erimesine yardımcı olabilir. Enzimin salınabilmesi için nemli çevreye gereksinim vardır. Genellikle toksik değildirler, ağrı yapabilirler, tromboz tamamlanmadan önce nekrotik kan damarları sindirildiğinde ara sıra kanamaya neden olabilirler.

Yanık Yarasını Greftleme

Büyük yanıklarda geçici olarak yara korunmasını sağlayan biyolojik pansumanlar yaşam koruyucu olabilmektedir. Biyolojik pansumanlar son zamanlarda artış gösteren insanda (homogreft ve allogreft) hayvanlardan (heterogreft ve xenogreft) veya insan plasentasından amniyondan elde edilen deriyi içermektedir. Bu materyaller kollajen dermal yüzeye yapışık ve keratinize olmuş suya dayanıklı epidermisten oluşur. Homogreftler pahalıdır ve ülkelerin çeşitli bölgelerindeki deri bankalarından sağlanabilmektedir. Homogreft taze veya soğutulmuş olarak toplanabilmektedir. Yanıklarda pek çok cerrah enfeksiyon kontrolünü sağlamak için tüm yaraya biyolojik ve biyosentetik pansumanlar kullanmaktadır. En yaygın heterogreft materyali domuz derisidir. Taze, donmuş veya raf ömrü daha uzun olan bir materyaldir. Domuz derisi hem örtü hem de gözenekli örtülerde kullanılabilen ulaşılması kolay gümüş sülfadizine gibi topikal antibakteriyel ajanlarla birlikte aşılanmaktadır.

Amnion zarı gümüş nitrat ile işlemden geçirilerek ikinci derece yanık yüzeyine uygulanabilir. Antimikrobiyal ve buharlaşmayı önleyici etkilerinden faydalanılmaktadır. Antijenitiye sahiptir ve maliyeti düşüktür. Ayrıca yanık yüzeyine örtülmek üzere yapılmış hidron, polimerize agar, fibrin film, silastik, naylon gibi çok çeşitli sentetik örtüler de vardır.

Kültür otogreftlerinin (hastanın normal derisinden alınan küçük bir biyopsiden elde edilen kültür keratinositleri) en iyi klinik uygulaması yaygın yanıklı hastaların tedavisidir. Yanığın çok yaygın olması nedeniyle klasik deri greftleme işlemi için uygun verici alanı yetersizdir ve yaşamın sürmesi için yaranın kapatılması şarttır.

Ağrı Yönetimi

Yanık hasarı, hastaları hem fiziksel hem de psikolojik olarak etkiler ve ciddi bir ağrıya neden olur. Yanık ağrısı genellikle yaralanmadan hemen sonra birkaç dakika içinde başlar. Ancak, bazı hastalar birkaç dakikadan birkaç saat'e kadar sürebilen ağrısız bir süre geçirebilirler. Hastanede iken ağrı haftalar veya aylarca devam edebilir. Klinik olarak yüzeysel ikinci derece yanıklar en azından yara oluşumundan sonraki bir kaç gün içinde en ağrılı yanık tipi olarak bilinir. Derin yanıklar daha uzun hastanede kalma ağrı duyarlılığının artmasına neden olan pek çok girişim gerektirmektedir.

Yanık ağrısının ilk nedeni hasarın kendisiyle ilgilidir. Yanığın yeri ve onu çevreleyen alanlarda hissedilir. Haftalar veya aylarca hastanede kalacak olan hastalar hem yanık hasarı ağrısına hem de tedavi sürecindeki birçok girişime bağlı olarak oluşan ağrıya maruz kalırlar. Yanık ağrısı hafiften şiddetli düzeylere varan değişkenlik gösterir. Bu nedenle hastaların ağrı kesici (analjezi) gereksinimleri de farklılık gösterir. Yanıklı hastalarda ağrının kontrol altına alınması hastanın iyileşmesini etkiler.

Yanık ağrısı hastalar tarafından deneyimlerinin en kötüsü olarak tanımlanmaktadır. Çalışmalarda; yanık hastasında günün farklı zamanlarında dinlenirken ağrının kısmen hafif olduğu, fakat pansuman bakımı, debridman, topikal antimikrobiyal ilaçlar, hidroterapi ve fizik tedavilerde ağrının anlamlı düzeyde arttığı ve yoğunluğunun çok ileri düzeylere ulaşabildiği bildirilmiştir. Yanık hastalarında analjezi ihtiyacının belirlenmesi önemlidir. Morfin orta ve şiddetli ağrıların tedavisinde etkilidir. Meperidin de yanık ağrılarında uzun süreli olmamak üzere (santral sinir sistemi uyarılması ile nörotoksik reaksiyonlara neden olabilen normeperidinin birikimine yol açar) kullanılabilir.

Metadon, uzun etki süreli bir opioiddir ve sıklıkla uzun süreli analjezi elde etmek için kullanılır. Buna karşılık sentetik opioidler (örn; alfentanil, fentanil) hızlı etki başlangıcı ve kısa etki süresine sahiptirler, tedavide yararlı olabilir. Sentetik agonist-antagonist ajanlar yararlı olmakla birlikte önceden pür agonist almış olan hastalarda yoksunluk sendromuna neden olabilir. Son olarak zayıf etkili opioidler (kodein) ve nonopioid ajanlar (asetaminofen) yanıklı hastaların tedavisinde geç dönemde kullanılabilen ilaçlardır.

Opioidler yanık hastalarında tercihen intravenöz veya oral yol ile kullanılırlar. Yalnızca kötü absorbe edildiği için değil aynı zamanda ağrılı olması nedeniyle kas içi (intramüsküler) yolun uzun süre kullanımının pratik olmadığı belirtilmektedir. Damar içi yol (İV) hızlı etki ve rahat etki eden bir yoldur. Fakat bu yolun uzun süre kullanılması daha hızlı tolerans gelişimine neden olacağı için mümkün olan en kısa zamanda oral yola geçilmelidir.

Spinal veya epidural invaziv girişimler enfeksiyon riski nedeniyle önerilmemektedir. Hasta kontrollü analjezi (HKA) yanık hastalarında güvenle kullanılabilecek bir tekniktir.. Çalışmalarda HKA'nin aralıklı damar içi uygulamaya göre daha iyi kalitede bir analjezi oluşturduğu bildirilmiştir. Çok sık pansuman değişimi ve debridman gerektiren hastalarda analjezi uygulaması için anestezik ilaçlarda kullanılabilmektedir.

Nitröz oksit gibi inhalasyon ajanların kullanılması erişkin ve çocuklarda sargı değişimi sırasında yeterli bir analjezi sağlar. Bununla birlikte yanıklı hastalarda bu görüşe karşı olan ve bu ajanların potansiyel toksisiteye neden olduğunu bildiren çalışmalar mevcuttur. **Ketamin** yanık hastalarında sıklıkla kullanılan bir diğer popüler anestezik ilaçtır. Ağrı algılaması, tıbbi, demografik, kişisel, durumsal ve fizyolojik faktörlerden etkilenebilir. Yanıklı hastalarda ağrıyı etkileyebilen korku, depresyon ve anksiyete gibi belirtiler sıktır.

Bu yüzden yanık ağrısının tedavisinde ilaç dışı yöntemlerden de yararlanılabilir. Yanık ağrısının şiddeti göz önüne alınırsa ilaç dışı yöntemlerin tek başlarına tam bir analjezi sağlamaları olası değildir. Yanıklarda destekleyici terapilerden gevşeme eğitimi (nefes alma egzersizleri, ilerleyici kas gevşemesi), biyo feedback, grup veya bireysel psikoterapi teknikleri kullanılabilmektedir. Özellikle hastanın tedavisinin erken döneminde bu uygulamaların yapılmasının ağrı-anksiyete-ağrı siklusu gelişimini önleyebildiği bildirilmiştir.

Yara İyileşme Sorunları

Yanıklı hastadaki yara iyileşmesindeki bozukluklar aşırı veya anormal iyileşme ya da yetersiz yeni doku oluşumu şeklindedir.

Hipertrofik skarlar: Metabolik olarak yüksek oranda aktif doku kitlesinin normal deri ile yer değiştirilmesi sonucu derin dermis düzeyinin altında oluşur.

Hipertrofik skarlar yaranın oluştuğu bölgeye lokalizedir. Hipertrofik skar travma ve inflamasyonun sonunda oluşur, genellikle inflamasyonun veya yaranın sınırları içerisindedir. Epitelin altında kollajen tabakasında bazı fibroblastlar giderek çoğalır. Kasılma yeteneği olan hücreler olan myoblastlar immatür yaralarda da bulunur. (Şekil 48.5)

Bu elementlerin kasılması (kontraksiyonu) ile normalde düz demetler olarak uzanan kolajen fiberleri dalgalı şekilde olma eğilimi gösterirler. En sonunda kolajen demetleri oldukça sarmal bir görünüm alır ve kollajen nodülleri gelişir. Skar çok damarlı yapısını kazanarak kırmızı olmaya başlar. Büyür ve sertleşir. Yanık sonrası 1,5-2 yıl sonra bile yanık yarası dinamik durumundadır.

Bu aktif periyod sırasında uygun ölçümler sağlanırsa, skar dokusu kırmızılığını ve yumuşaklığını kaybettiği görülür. Elastik bandaj sargılarının uygulanması ile, kollajen fiber lizisi sağlanarak ve sentezini azaltarak dokulardaki dolaşımın azaltılması ve hücre hipoksisi ile hipertrofik skarların hacmi azaltılır.

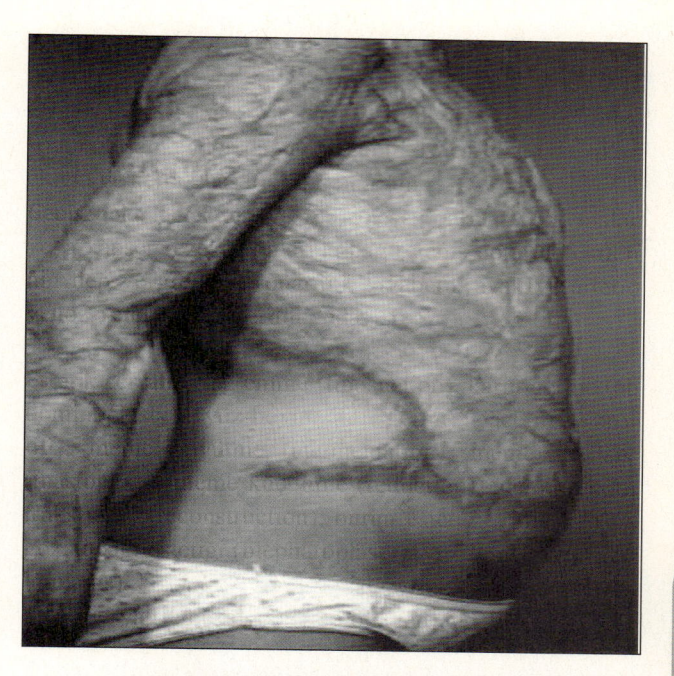

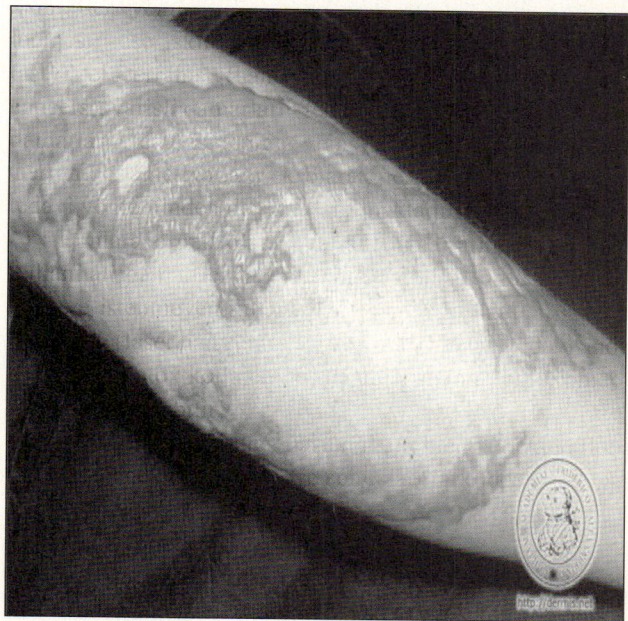

Şekil 48.5: Hipertrofik skar
Kaynak : http://www.dermis.net/dermisroot/tr/34876/image.htm

Kleoidler: Hipertrofik skarın yara yerinin dışına taşması durumuna denir. Mantar görünümü vardır. Esmer kişilerde oluşmaya eğilimli olan kleoidler yaralanmadan yıllar sonra büyümeye devam eder ve cerrahi eksizyona rağmen yeniden oluşma eğilimleri vardır. Ciddi yaygın keloidleri olan kişiler sıklıkla ailesel keloid hikayesine sahiptirler, bu da normal olmayan yara cevabının genetik yatkınlığını düşündürür. Normal olmayan yara cevabının sebebi bilinmemektedir.

Dermatoloji

Bazı anatomik bölgelerde keloid için yüksek yatkınlık mevcuttur. Bu bölgeler kulak memeleri, omuzlar, göğüs ön yüzü, kollar ve çenedir. Anormal yara cevabı olarak keloid artmış bir metabolik aktivite ve hücresel yapıyı içerir. Hücresel yapıdaki artma DNA konsantrasyonunun artmasıyla gösterilmektedir. (Normal DNA, 1,60,3 ng/mg iken keloidte bu oran 3,4±0,3 ng/mg dır).(Şekil 48.6)

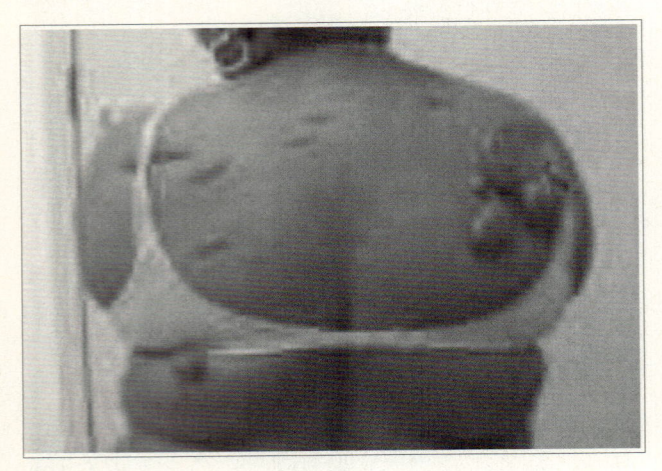

Şekil 48.6: Keloid

Kontraktürler: Yanık ve doku kaybına neden olan yaraların iyileşmesi ile o bölgenin ileri derecede büzüşmesidir. Yanık yarası myoblastların güç uygulaması ve kasların fleksiyonuyla kısalmaktadır. Hipertrofik skar oluşumu eklem kapsamında karşı yönde ciddi kontraktürlere neden olabilir. Bölünme, traksiyon, amaçlı hareket ve pozisyon verme şeklinde karşı bir güç deformiteyi etkisiz hale getirmede kullanılmalıdır.(Şekil 48.7, 48.8)

İyileşmede yetersizlik: Yara iyileşmesindeki yetersizlik çeşitli faktörlerle ilgili olabilir. Enfeksiyon, yetersiz beslenme, özellikle serum albumin düzeyinin 2 gr/100 ml'den aşağıda olması oldukça yaygın olan faktörlerdir.

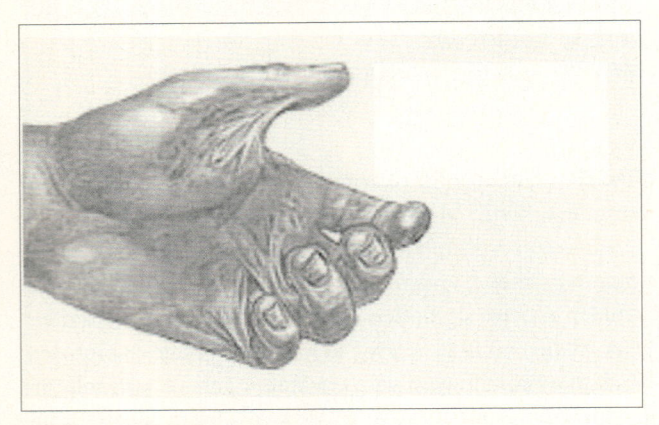

Şekil 48.7: Yanıkta kontraktür
http://www.burnsurvivor.com/pix/g_contracture.gif

Hemşirelik Süreci
Akut Dönemdeki Hastanın Bakımı
Değerlendirme

Yanık hastasının yanıktan sonraki erken haftalarda yapılan değerlendirmeleri; hemodinamik değişiklikler, yara iyileşmesi, ağrı ve psikososyal yanıtlar ile komplikasyonların erken saptanması üzerine odaklanır. Solunum ve sıvı durumunun değerlendirilmesi, olası yan etkilerin saptanması önemlidir. Hemşire temel yaşam bulgularını sık sık değerlendirir. Yanık sonrası ilk günlerde ödem artmaya devam ederek periferik sinirlere ve kan akımına zarar verme riskinden dolayı periferik nabızların izlenmesi önemlidir. EKG potasyum dengesizliği, önceden var olan kalp hastalığı, elektrik yanığına ya da yanık şokuna bağlı gelişebilecek kardiyak ritim bozuklukları ile ilgili fikir verebilir.

Nazogastrik kateteri (sondası) olan hastada rezidüel mide hacmi ve mide sıvısının pH'ı değerlendirilmelidir. Mide içeriğinde kan olup olmadığı incelenmeli ve kaydedilmelidir. Yanık yarasının değerlendirilmesi tecrübeli bir göz, el ve koku duyusu gerektirir. Yanık yarasında dikkat edilmesi gereken özellikler; boyut, renk, koku, eskar, ek-

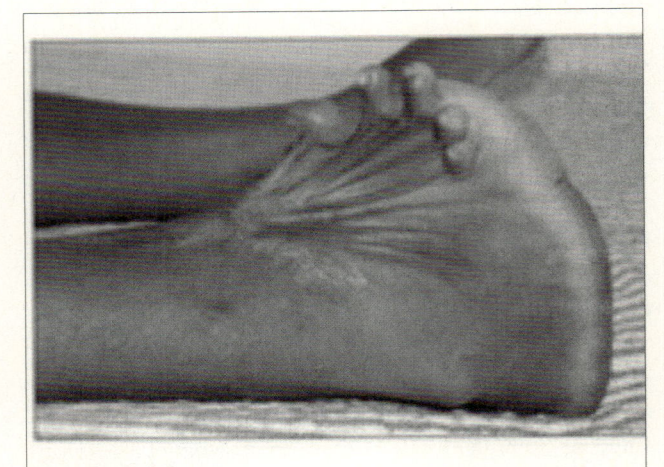

Yanık kontraktür önce ve sonra

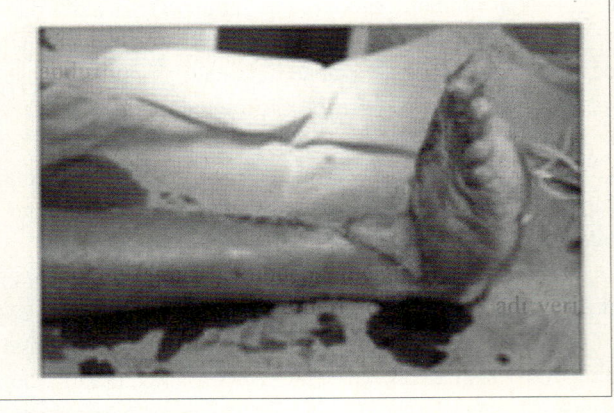

Şekil 48.8: Yanıkta kontraktür
Kaynak: http://www.ossaainc.org.au/main/TimorLesteJune07.htm

suda, eskar altında abse oluşumu, epitelyal çıkıntılar (yara yüzeyinde küçük inci benzeri hücre toplulukları), kanama, granülasyon dokusu görünümü, greftlerin durumu, donör sahalarındaki durum, yanığın etrafındaki derinin durumudur. Yaradaki herhangi bir değişme hekime bildirilir. Yanık yarası enfeksiyonu ya da sistemik sepsis bulguları yönünden dikkatli olunmalıdır.

Diğer devam eden değerlendirmeler ağrı, psikososyal tepkiler, günlük kilo ölçümleri, kalori alımı, genel sıvı durumu, serum elektrolit, hemoglobin ve hemotokrit düzeyleri üzerine temellenir. Debridman alanına yakın damarlardan oluşabilecek aşırı kanamanın değerlendirilmesi de önemlidir. "Hemşirelik bakım planı", yanık bakımının akut dönemindeki hemşirelik aktivitelerini içermektedir.

Hemşirelik Tanılaması
Hemşirelik Tanıları
Değerlendirme verilerine dayanarak, yanık bakımının akut dönemindeki hemşirelik tanılarının önceliği aşağıdaki tanıları içerir:

- Kapiller bütünlüğün yeniden sağlanmasına ve sıvının interstisyel alandan damar içi kompartmana geçmesine bağlı *sıvı hacminde artış* (sıvı volüm fazlalığı)
- Deri bütünlüğünün kaybına ve immün yanıtların zayıflamasına bağlı *enfeksiyon riski*
- Hiper metabolizmaya ve yara iyileşmesi için ihtiyacın artışına bağlı *gerekenden az ve yetersiz beslenme* (Beslenmede değişim:yetersiz beslenme)
- Açık yanık yaralarına bağlı *deri bütünlüğünde bozulma*
- Açıktaki sinirlere, yara iyileşmesine ve tedavilere bağlı *akut ağrı*
- Yanık yarasındaki ödeme, ağrıya ve eklem kontraktürlerine bağlı olarak azalmış fiziksel hareket (aktivitede azalma)
- Korkuya, anksiyeteye, kedere ve sağlık personeline bağımlı olmaya bağlı olarak başa-çıkma stratejilerinde başarısızlık (baş etmede yetersizlik)
- Yanık olayına bağlı ailesel düzensizlik (aile içi süreçlerde değişim)
- Yanık tedavisi ile ilgili yetersiz bilgi sahibi olmak (bilgi yetersizliği)

İlişkili Sorunlar/Olası Yan Etkiler
Değerlendirme verilerine dayanarak, yanık bakımının akut fazında gelişebilecek olası komplikasyonlar şunlar olabilir:

- Kalp Yetersizliği ve pulmoner ödem
- Sepsis
- Akut solunum yetersizliği
- Akut solunum sıkıntısı sendromu (Akut Respiratuvar Disstress Sendromu) (ARDS)
- Visseral hasar (elektrik yanıklarında)

Planlama
Hasta bakımında temel amaçlar normal sıvı dengesinin sağlanması, enfeksiyon yokluğu, anabolik durumun ve normal kilonun düzenlenmesi, deri bütünlüğünün korunması, ağrı ve rahatsızlığın azaltılması, optimal fizik hareket, hasta ve ailesinin yeterli mücadele edebilmesi, yanık tedavisi ile ilgili hastanın fikir sahibi olabilmesi ve komplikasyonların yokluğudur. Bu amaçlara ulaşmak için işbirliği içinde uyumlu ekip çalışması gerekir.

Hemşirelik Girişimleri
Normal Sıvı Dengesinin Sağlanması
Sıvı yüklemesinin ve bunun sonucunda oluşabilecek konjestif kalp Yetersizliği önlenmelidir. Bunun için hızlı sıvı infüzyonu riskini en aza indirmek amacıyla damar içi (İV) infüzyon pompaları kullanılarak damar içi ve oral sıvı alımı yakından izlenir. Sıvı durumundaki değişimleri ortaya koyabilmek için hastanın günlük aldığı çıkardığı sıvı izlemi ve kilo takibi yapılır. Kan basıncı, kalp hızı, pulmoner arter wedge basıncı ve santral venöz basınç değişimleri hekime bildirilir. Böbrek perfüzyonunu arttırmak ve idrar çıkışını iyileştirmek için dopamin ve diüretikler kullanılabilir. Hemşirenin rolü ilaçları uygulamak ve hastanın durumunu izlemektir.

Enfeksiyonun Önlenmesi
Yanık bakımının akut evresinde hemşirenin en önemli rolü enfeksiyonu önlemek ve enfeksiyon belirtilerine karşı dikkatli olmaktır. Hemşire yanık yarasına temiz ve güvenli bir çevre yaratmalı, herhangi bir enfeksiyon bulgusu açısından yarayı yakından izlemelidir. Kültür sonuçları ve beyaz küre (lökosit) sayımları takip edilmelidir. Yara bakımı için temiz teknik kullanılır. Tüm invaziv girişimler için (örn; damar yolu açılması, idrar sondası veya trakeal aspirasyon) aseptik teknik kullanılır. Hastaya her temastan önce ve sonra eller çok iyi yıkanmalı ve eldiven giyilse bile hijyene dikkat edilmelidir. Hemşire hastayı diğer hastalardan, personelden, ziyaretçilerden, ekipmandan veya herhangi bir enfeksiyon kaynağından korumalıdır. Hastalık Kontrol ve Önleme Merkezi'nin önerileri dahilinde invaziv yollar ve kateterler rutin olarak değiştirilmelidir. Ventilatör devreleri ve drenaj kapları düzenli değiştirilmelidir. Yanıklı hasta odalarında canlı çiçek bitki veya taze meyve sepetlerine izin verilmemelidir. Bu mikroorganizmaların üremesine neden olabilir. Yanık hastalarında immun yetersizlik olduğu için hastayı patojenlerden korumak için ziyaretçi kısıtlaması yapılmalıdır. Hastalar yaralarına veya pansumanlarına dokunarak mikroorganizmaları bir yanık sahasından diğerine taşıyabilirler. Yataklar kolonizasyonla ya da dışkı bulaşmasıyla enfeksiyonu yayabilir. Yanmamış alanların düzenli yıkanması ve çarşafların değişmesi enfeksiyonun önlenmesinde yadımcıdır.

Yeterli Beslenmenin Sürdürülmesi

Bağırsak sesleri geri geldiğinde yavaş yavaş ağızdan (oral) sıvılar başlanmalıdır. Hastanın yiyeceklere toleransı kaydedilir. Kusma ve distansiyon (şişkinlik, gaz) oluşmazsa sıvılar hızla arttırılır. Hastalar normal diyete veya nazogastrik tüple beslenmeye geçerler. Hemşire, diyetisyen ya da besin destek takımı ile işbirliği yaparak hastaya uygun, proteinden-kaloriden zengin bir diyet hazırlanmasını sağlamalıdır. Aile bireylerine hastanın sevdiği ve besin değeri olan yiyecekleri hastaneye getirmeleri söylenmelidir. Sütlü karışımlar, etle yapılmış sandviçler, fındık ezmesi, peynir öğünler arasında ve gece geç saatte verilebilir. Hazır besinlerden (Ensure ve benzeri gibi) destekler sağlanabilir. Kalori alımı kaydedilmelidir. Vitamin ve mineral desteği verilmelidir.

Eğer hedeflenen kalori düzeyine ağızdan ulaşılamazsa, bir beslenme sondası yerleştirilerek belirli formüllerin sürekli veya bolus verilmesi sağlanır. Emilimden emin olmak için rezidüel mide sıvısının hacmi kontrol edilmelidir. Parenteral beslenme sadece sindirim sistemi fonksiyonları yetersiz hastalarda kullanılmalıdır.

Hastalar her gün tartılmalı ve kiloları kayıt edilmelidir. Bu bilgiler hastaların kendi besin alımları ile ilgili hedefler koyabilmesi ve kilo kayıp veya alımlarını değerlendirmeleri için de kullanılabilir. Agresif besin desteği veriliyorsa ideali hastanın yanık öncesi kilosunun %5'inden fazlasını kaybetmemesidir. Anoreksiyalı hastaların yiyecek alımını arttırma yönünde daha fazla hemşire yardımına gereksinimleri vardır. Yemek zamanında hastanın çevresindeki ortam mümkün olduğunca hoş olmalıdır. İstedikleri yiyecekleri sağlamak ve yüksek protein ve vitamin alımına yardımcı olmak, hastayı yüreklendirmedeki yollardan bazılarıdır.

Deri Bütünlüğünün Sağlanması

Acil evrenin ardından belki de yanık bakımının en fazla zaman gerektiren kısmı yara bakımıdır. Cerrah topikal antibakteriyel ilaçları ve özel biyolojik, biyosentetik veya sentetik örtüleri ve pansuman gereçlerini reçete eder, cerrahi insizyonu ve greftlemeyi planlar. Hemşire hasta için karmaşık olan yara bakımı ve pansuman değişimi konularında yönlendirici olmalıdır.

Hemşire hastanın durumu ve yara bakımındaki yaklaşımlar hakkında bilgi sahibi olmalıdır. Yaradaki herhangi bir değişimi veya iyileşmeyi değerlendirmek, kaydetmek ve sağlık ekibinin tüm elemanlarını bu değişimlerden haberdar etmek hemşirenin görevleri arasındadır. Hastanın bakımından sorumlu olan hemşire tarafından günlük olarak yapılan bir çizelge hasta için en son yapılan yara bakım işlemleri ile ilgili bilgilendirmeye yardımcı olur. Yanık yaralarının iyileşmesi, hastalar tarafından tipik olarak kaşınma ve gerginlik olarak tanımlanır.

Bu evrede rahatlamayı sağlamak için ağızdan (oral) kaşıntı giderici (antipruritik) ilaçlar, serin bir ortam, cildin su veya losyonlar ile sık sık nemlendirilmesi, deri kontraktürlerini önlemek için egzersiz, atelleme ve diğer aktiviteler önerilebilir.

Hemşire ayrıca uygun ortam yaratarak yönlendirme, destek ve moral sağlayarak hastanın ve ailesinin pansuman ve yara bakımı sürecine katılmasına yardımcı olur. Taburculuk zamanı ile ilgili kaygılar yanık tedavisinin erken döneminde konuşulur. Hasta ve ailesinin direnci değerlendirilerek taburculuk ve evde bakım yönünde bu bilgiler kullanılır.

Ağrı ve Rahatsızlığın Giderilmesi

Daha önce bahsedilen ağrı ölçütleri yanık iyileşmesinin akut evresinde de geçerlidir. Ağrının sık sık kontrol edilmesi önemlidir. Ağrı kesici ilaçların etkinliğini arttırmak için ağrı aşırı derecede artmadan önce verilmelidir. Hastaya rahatlama tekniklerinin öğretilmesi, yara bakımı ve ağrının giderilmesi ile ilgili konuları bir ölçüde hastanın hakimiyetine bırakmak gerektiğinde yardımda bulunmak yararlı olabilir. Yönlendirilen hayal gücü, hastanın ağrı algısını ve ağrıya cevabını değiştirebilir.

Diğer ağrı azaltma yaklaşımları arasında video programları veya oyunları, hipnoz, biyo geribildirim ve davranış düzenleyici girişimler sayılabilir. Hemşire ağrıyı azaltmak için tedavi ve pansuman değişimlerini hızla tamamlar.

Hastaya ağrılı işlemlerden önce ağrı kesici ilaçlar verilir. Hastanın ilaçlara ve diğer girişimlere yanıtı değerlendirilir ve kaydedilir.

Fiziksel Hareketin Arttırılması

Erken dönemdeki öncelikler hareketsizliğe bağlı komplikasyonların önlenmesidir. Atelektazi ve pnömoniyi önlemede, ödemi kontrol etmede, basınç yaralarını, kontraktürleri önlemede; derin soluk alma, dönme ve pozisyon değiştirme uygulanabilecek hemşirelik girişimleridir. Bu işlemler hastanın gereksinimlerini karşılayacak şekilde uyarlanır. Basıncı azaltan yüzeyler, düşük hava-basınçlı ve rotasyon sağlayan yataklar yararlı olabilir. Hasta erken oturması ve dolaşması için cesaretlendirilir.

Alt ekstremite yanığı varsa hasta ayağa kaldırılmadan önce elastik bandaj uygulanır. Bu bandajlar venöz dönüşü arttırır ve şişmeyi azaltır. Yanık yarası yara kapandıktan sonraki bir yıl veya daha fazla süre boyunca dinamik bir durumdadır. Bu süre boyunca kontraktür ve hipertrofik skar oluşumunu önlemek için yoğun çaba sarf edilmelidir. Yatış gününden başlayarak pasif ve aktif egzersizler yaptırılır ve greftlemeden sonra da devam edilir. Kontraktürü kontrol etmek için ateller veya fonksiyonel araçlar uygulanabilir. Hemşire atellenen bölgeleri dolaşım problemi ve sinir basısı bulguları açısından sürekli izlemelidir.

Başa Çıkma Yöntemlerinin Güçlendirilmesi

Yanık bakımının akut evresinde hasta yanık travmasının gerçek yüzüyle karşılaşır ve belirgin kayıplarla ilgili suçluluk duyar. Yanık travması geçiren hastanın sıkça verdiği tepkiler depresyon, geri çekilme ve manipülatif davranışlardır. Gerekli tedavilere katılmama ve geri çekilme (regresyon) davranışları gözlenmeli ve hastanın stresli bir olayla başa çıkma stratejileri olarak değerlendirilmelidir.

Yanık sonrasındaki erken haftalarda hastanın enerjisinin çoğu hayati fiziksel işlevlerin ve yara iyileşmesinin sağlanmasına harcanır. Bu dönemde etkin başa çıkma mücadelesine daha az zaman ve enerji ayrılır. Hemşire hastaların etkin başa çıkma yöntemleri geliştirmelerine yardım edebilmek için belli beklentiler koyar, güveni arttıracak iletişimlere girer, hastaların uygun yöntemleri uygulamalarını sağlar ve gerekli zamanlarda olumlu yönde zorlamalar yapar. En önemlisi hemşirenin ve sağlık ekibinin diğer elemanlarının hastayı kabullenmeleridir.

Hasta sıklıkla kızgınlığını ifade eder. Bazen suçluluk duygusu nedeniyle kızgınlığını içine atabilir. Suçluluk duygusu da bir yangına neden olmak veya bir sevdiğini kaybettikten sonra hayatta kalmak yüzünden gelişebilir. Dışarıya yönelen kızgınlık ise zarar görmeden kurtulanlara veya hastayı bakanlara yönelik olabilir. Bu duygularla başa çıkmasında hastaya yardım etmenin bir yolu onu kıyaslama korkusu olmadan duygularını ifade edebileceği birisine yönlendirmektir. Bu rolü başarıyla yapabilecek kişiler hastanın bakımından direk sorumlu olmayan bir hemşire, sosyal hizmet görevlisi, psikiyatri hemşiresi veya din adamı olabilir.

Yanıklı hastalar akut hastalık süreci boyunca sağlık ekibine oldukça bağımlıdırlar. Hastalar kendine bakmada fiziksel engelleri olsa da bakımın karar aşamalarına katılımda ve bireysel tercihlerini tanımlayarak kendilerine has özelliklerin farkına varmaları evresinde bakıma dahil edilebilirler. Hastalar hareket ve güç anlamında iyileştikçe hemşire beslenme, yara bakımı, egzersiz ve geleceğe yönelik planlar açısından hastayla birlikte çalışarak gerçekçi beklentiler yaratır. Birçok hasta bağımsızlıklarını tanıyan diğer stratejilere sıcak bakarlar ve kişisel bakıma doğru giden yolda sağlık ekibi ile birlikte çalışırlar.

Hasta ve Ailesine Ait Sürecin Desteklenmesi

Yanık yarasında ailede işlevsellik bozulmuştur. Hemşirenin sorumluluklarından birisi de hasta ve ailesini desteklemek, onların söylenen ve söylenmeyen kaygılarını belirlemektir. Yanık travmasına yönelik bir uyum (adaptasyon) oluşurken hastaya destek olabilmeleri için hastanın ailesine gereken çeşitli yollar anlatılmalıdır.

Ailenin kendisinin de desteğe ihtiyacı vardır. Yanık hasarının hasta ve ailesi üzerine etkileri psikolojik ve ekonomik olabilir. Bu nedenle hasta ve ailesi uygun zamanlarda sosyal servislere veya psikolojik danışmanlığa yönlendirilmelidir. Bu destek rehabilitasyon döneminde de devam eder. Yanık hastaları genellikle evlerinden uzakta bulunan yanık merkezlerine gönderilirler. Yanık yaralarında katılım az olduğu için ailesel problemler ortaya çıkar.

Bu nedenle hem hasta hem de ailesinin yanık bakımı ve tedavi süreci ile ilgili bilgiye gereksinimleri vardır. Hasta ve ailesinin eğitimi yanık yönetiminin başlangıcıyla başlar. Öğrenime direnç olup olmadığı, hasta ve ailesinin öğrenme şekli ile ilgili istekleri değerlendirilir. Bu bilgiler öğretim sürecinde kullanılır. Hemşire hasta ve ailesinin bilgiyi alma ve saklama yeteneklerini değerlendirir. Sözel bilgiler videolar, modeller ve yazılı materyallerle desteklenir. Hasta ve ailesinin eğitimi rehabilitasyon döneminde de devam eder.

Olası Komplikasyonların İzlenmesi ve Yönetimi
Kalp Yetersizliği ve Pulmoner Ödem

Sıvı hücreler arasından damar içi (interstisyel kompartmandan intravasküler) alana doğru kaydığından hasta sıvı yüklemesi açısından değerlendirilir. Kalp ve böbrek sistemleri aşırı sıvı miktarını kompanze edemezse konjestif kalp hastalığı ve pulmoner ödem oluşabilir. Hasta kalp Yetersizliği açısından değerlendirilerek kardiyak çıkıştaki azalma, oligüri, juguler venlerde gerginlik, ödem ve S3 veya S4 kalp seslerinin varlığı açısından dikkatli olunmalıdır. Santral venöz basınçta ve pulmoner arter wedge basınçlarında artış sıvı miktarının artışını gösterir.

Akciğerlerdeki çıtırtılar ve artan nefes alma zorluğu akciğerlerde bir problemi gösterebilir ve hemen hekime bildirilmelidir. Bu sırada hastanın yatağın baş kısmı kaldırılarak (diğer travmalar ve tedaviler açısından da uygunsa) pozisyon verilir ve akciğer genişlemesiyle gaz değişimi arttırılmaya çalışılır. Bu komplikasyonun yönetimi için oksijen vermek, damar içi idrar sökücü (diüretik) ilaçlar uygulamak, hastanın buna yanıtını yakından izlemek ve vazoaktif ilaçlar uygulamak gerekebilir.

Sepsis

Sistemik sepsisin erken bulguları belirsizdir ve yüksek düzeyde bir şüphecilikle hastanın yakın takibini gerektirir. Sepsisin erken bulguları arasında ateş yüksekliği, taşikardi, nabız basıncının artması ve yanmamış alanlarda kuru kızarık deri sayılabilir. (Septik şokla ilgili daha detaylı bilgi için bkz. Bölüm 15). Yara ve kan kültürleri önerildiği şekilde alınır ve sonuçlar hemen hekime haber verilir. Hemşire hastayı sepsisin erken bulguları açısından gözler. Belirtileri hekime söyler. Sepsis ölüm oranı yüksek bir komplikasyondur. Yeterli kan konsantrasyonunun sağlanması için antibiyotikler düzenli uygulanmalıdır. Maksimum etkinlik için kan antibiyotik düzeyleri izlenir ve hasta toksik yan etkiler açısından izlenir.

Akut Solunum Yetersizliği Ve Akut Solunum Sıkıntısı Sendromu (ARDS)

Hasta solunum zorluğu, soluma şeklinde değişiklik ve anormal solunum sesleri açısından yakından izlenir. Bu evrede solunum sisteminde oluşan hasara bağlı bulgular ortaya çıkar. Bunu solunum Yetersizliği takip edebilir. Daha önce de belirtildiği gibi en olası bulgular hipoksi bulguları (dokulara ulaşan oksijende azalma), solunum seslerinde azalma, takipne, wheezing, stridor, ve siyah olan balgamdır (bazı vakalarda dökülen trakeal dokuları içeren balgam). Mekanik ventilasyon uygulanan hastalar tidal volümde ve akciğer kompliansında azalma açısından değerlendirilmelidir.

Akut solunum sıkıntısı sendromu başlangıcındaki hastalarda anahtar bulgular %100 oksijen alırken gelişen hipoksemi, akciğer kompliansında azalma ve belirgin şant oluşumudur. Bozulan solunum durumu hemen hekime bildirilmelidir. Akut solunum yetersizliği olan bir hastanın tıbbi yönetimi sırasında entübasyon ve mekanik ventilasyon (eğer o ana kadar kullanılmıyorsa) gerekebilir. Akut solunum sıkıntısı sendromu geliştiyse alveolo kapiller membrandan gaz değişimini arttırabilmek için mekanik ventilasyonla daha yüksek oksijen düzeyleri, daha yüksek pozitif ekspirasyonsonu basınç ve destek sağlanmaya çalışılır.

Visseral Hasar

Hemşire elektriksel travmaya bağlı oluşabilecek visseral organ nekrozu bulguları açısından çok dikkatli olmalıdır. Etkilenen dokular genellikle elektrik akımının giriş ve çıkışı arasında yer alırlar. Elektrik yanığı olan tüm hastalara EKG çekilmeli, ritim bozuklukları hekime bildirilmelidir. Derin kas iskemisine bağlı olabilecek bulgular ve şikayetler açısından çok dikkatli olunmalıdır. Komplikasyonların ciddiyetini en aza indirebilmek için, viseral iskemi mümkün olduğunca erken tanımlanmalıdır. Fasya ve kastaki iskemiyi ve şişmeyi rahatlatmak için hekim tarafından fasyatomi uygulanabilir. Fasyatomilerdeki derin insizyonlar nedeniyle hasta aşırı kan kaybı ve hipovolemi açısından dikkatlice izlenmelidir.

Değerlendirme
Beklenen Hasta Sonuçları

Beklenen sonuçlar şunlar olabilir;

1- Optimal sıvı dengesine ulaşılır
- a- Aldığı çıkardığı ve vücut ağırlığı beklenen şekille uyumludur
- b- Temel yaşam bulguları, pulmoner arter wedge basıncı, santral venöz basınç beklenen değerlerdedir
- c- Diüretiklere ve vazoaktif ilaçlara artmış idrar çıkışı ile yanıt verir
- d- Kalp hızı <110/dakikadır ve normal sinüs ritimindedir

2- Lokalize veya sistemik enfeksiyon yoktur
- a- Kan kültürlerinde minimal bakteri vardır
- b- İdrar ve balgam kültürleri normaldır

3- Anabolik beslenme durumundadır
- a- Başlangıçtaki ağızdan alınmayan ve sıvı kaybedilen dönemin ardından her gün kilo alır
- b- Protein, vitamin veya mineral yetersizliği bulgusu yoktur
- c- Besin gereksinimlerinin tamamını ağızdan karşılayabilir
- d- Diyet seçimine katılır
- e- Serum protein düzeyi normaldır

4- Deri bütünlüğü sağlanmıştır
- a- Deride enfeksiyon, basınç ve hasar yoktur
- b- Açık kalan yara alanları pembe ve epitelizasyon halindedir
- c- Donör greft sahaları temizdir ve iyileşir
- d- İyileşen alanlar yumuşak ve düzdür
- e- Deri kaygan ve elastiktir
- f- Derinin rahat olduğunu, kaşıntı veya gerginlik olmadığını bildirir

5- Ağrı çok azdır
- a- Yara bakım ve fizik tedavi işlemleri öncesinde ağrı kesici ilaç ister.
- b- Çok az ağrıdan yakınır
- c- Ağrının ciddi veya orta düzeyde olduğuna dair fizyolojik, sözel ya da sözsüz işaret vermez
- d- Ağrıyla ve rahatsızlıkla başa çıkabilmek için nitröz oksit, rahatlama, hayal kurma ve uzaklaşma tekniklerini kullanır
- e- Ağrı hissetmeden rahat uyur

6- Uygun fiziksel hareketler yapar
- a- Eklemlerin hareket sınırlarını her gün geliştirir
- b- Tüm eklemlerde hasarlanma öncesi limitlere ulaşır
- c- Eklemler çevresinde kalınlaşma bulgusu yoktur
- d- Günlük yaşam aktivitelerine katılır

7- Yanık sonrası problemlerle başa çıkmak için uygun başa çıkma yöntemleri kullanır
- a- Yanığa, tedavi girişimlerine ve kayıplara verilen reaksiyonları sözel olarak ifade eder
- b- Önceki stresli durumlarda başarılı olmuş başa çıkma yöntemlerini tanımlar
- c- Akut evre sırasında sağlık çalışanlarına bağımlı olmayı kabullenir
- d- Yanık hasarından kaynaklanan problemlere yönelik fikirlerini ve gelecek planlarını sözel olarak ifade eder
- e- Gerekli tedavilerde sağlık ekibi ile işbirliği yapar
- f- Karar verme aşamalarına katılır
- g- Yanık hasarına bağlı kayıplardan ve diğer olaylardan (diğerlerinin ölümü, eve veya başka bir mal varlığına zarar verme) duyulan suçluluk duygusundan kurtulur

h- Plastik cerrahi, ileri tıbbi girişimler ve sonuçları açısından gerçekçi hedefler koyar
i- Gerçekçi amaçları ve becerileri vardır
j- Geleceğe yönelik umudunu korur

8- Hasta/aile sürecinde uygun ilişkiler kurar
a- Hasta ve ailesi aile içi ilişkilerdeki değişimlere yönelik duygularını ifade ederler
b- Hastanede yatarken aile duygusal olarak hastayı destekler
c- Aile, gereksinimlerin karşılandığını belirtir

9- Hasta ve ailesi tedavi gidişini anladıklarını ifade ederler
a- Tedavinin değişik yönlerini gerçekçi olarak tanımlar
b- İyileşme için gereken gerçek süreyi algılar

10- Yan etkiler (komplikasyonlar) yoktur
a- Akciğer sesleri olağandır
b- Solunum sıkıntısı (dispne veya ortopne) yoktur ve hasta ayaktayken, otururken ve yatarken rahatça nefes alır
c- S3 veya S4 kalp sesleri ya da juguler vende dolgunluk yoktur
d- İdrar çıkışı, santral venöz ve pulmoner arter basınçları ile kardiyak çıkışlar normaldir ya da kabul edilebilir sınırlardadır
e- Kan, balgam ve idrar kültürü sonuçları normaldir
f- Arteriyel kan gazı değerleri normaldir veya kabul edilebilir sınırlardadır
g- Akciğer genişlemesi normaldir
h- İç organ hasarı yoktur
i- Kalp ritmi düzenlidir

Rehabilitasyon Döneminde Yanık Bakımı

Rehabilitasyon yanık oluştuktan hemen sonra başlar (acil dönemle eş zamanlı) ve çoğunlukla yaralanmadan yıllar sonrasına kadar devam eder. Yanığın akut evrelerinin sonunda, yanık hastası hızla oluşabilecek görünüm değişikliklerine ve yaşam tarzı farklılıklarına odaklanır. Öncelikler yara iyileşmesi, psikososyal destek ve en üst düzeyde fonksiyonel aktivitenin sağlanmasıdır. Sıvı ve elektrolit dengesinin sağlan-masına ve beslenme durumunun geliştirilmesine de odaklanılır. Vücut görünümünü iyileştirmek ve fonksiyonelliği arttırmak için rekonstrüktif cerrahi gerekebilir.

Yanık yaralanmalarının yaşam kalitesi üzerine büyük etkileri olabilir. Fiziksel aktivitede, sosyal, psikolojik ve işlevsel durumda değişiklikler oluşabilir. Bu nedenle, iyileşmeyi ve yaşam kalitesini arttırmak için psikososyal, mesleki danışmanlık ve destek gruplarına yönlendirme faydalı olabilir. Aile bireyleri de desteğe ve rehberliğe gereksinim duyarlar.

Hipertrofik skarlar oluşumunun önlenmesi

Yara, yanık oluştuktan sonraki 1.5-2 yıl boyunca dinamik bir durumda kalır. Bu aktif dönemde uygun ölçütler uygulanırsa, skar dokusu kırmızılığını kaybeder ve yumuşar. Hipertrofik skar oluşumunu önlemek için hassas ve iyileşmekte olan bölgelere basınçlı giysiler giyilmesi önerilmektedir

Bu giysiler özellikle kısmi (parsiyel) kalınlıkta olan ve iyileşmek için iki haftadan fazla zaman gerektiren yaralar ile deri grefti kenarları için faydalı olabilir. Elastik basınç giysilerini kullanmak kollajen lifleri gevşetir ve deri yüzeylerinde liflerin paralel dizilimini destekleyerek dermal nodüllerin oluşumunu engeller. Basınç devam ettikçe kollajenin yeniden yapılandırılması gerçekleşir, damarlaşma ve hücre artışı azalır. Hastaya uygun giysiyi seçebilmek için fizik tedavi uzmanı ve giysinin üretici firmasının temsilcisi birlikte çalışırlar. Giysinin gelmesi beklenirken yumuşak tübüler örgülü elastik bandajlar kullanılarak hastanın cildi desensitize edilmeye, iyileşen alanlar korunmaya, basınç uygulanmasına ve venöz dönüşün arttırılmasına çalışılır. Hastalar cildi nemlendirme, iyileşen cildin korunması ve basınç giysilerinin yanıktan sonra en az bir yıl boyunca giyilmesinin gerekliliği konularında bilgilendirilirler. Uygun fonksiyonel ve kozmetik sonuçların elde edilebilmesi için elastik basınç giysilerinde protezler ve fizik tedavi uzmanı denetiminde yapılan egzersizlerden oluşan bir program önerilir. (Şekil 48.9-10)

Rehabilitasyon Döneminde Hemşirelik Yönetimi

Hemşirelik tanılaması: Hastadan daha önce alınan eğitim düzeyi, işi, boş zaman aktiviteleri, kültürel altyapısı, dini ve ailesel ilişkileri ile ilgili bilgilere ek olarak geniş çaplı bir değerlendirmenin parçaları içinde hastanın benlik algısı, mental durumu, yaralanmaya ve hastanede yatışa verdiği duygusal tepkiler, entellektüel işlevsellik düzeyi, önceki hastane yatışları, ağrıya ve ağrı yönetimine cevabı ve uyku düzeni hakkında ki bilgilerde incelenmelidir. Duygusal gereksinimlerin belirlenmesinde hastanın geçmişteki benlik algısının, kendisine saygısının ve başa çıkma yöntemlerinin bilinmesi değerlidir. Rehabilitasyon amaçlarına yönelik yapılan fiziksel değerlendirmeler arasında etkilenen eklemlerin hareket sınırları, günlük yaşam aktivitelerindeki işlevsel yetenek, alçılardan veya pozisyon vermeye yarayan araçlardan kaynaklanan deri açılmaları, nöropati bulguları (nörolojik hasar), aktiviteye toleransı ile deri iyileşmesinin durumu ve kalitesi sayılabilir.

Hastanın katılımı ve kendisine bakabildiğini gösterebildiği alanlar olan ayağa kalkma, yemek yeme ve günlük bakım aktiviteleri düzenli olarak kaydedilir. Bu değerlendirme parametrelerine ek olarak özelleşmiş komplikasyonlar ve tedavilere özel değerlendirmeler gerektirmektedir. Örn; primer eksizyon geçiren hasta işlem sonrası değerlendirilmelidir. Yanığın iyileşmesi tüm sistemleri ilgilendirir. Bu nedenle yanık hastasının değerlendirilmesi çok yönlü ve süreklidir. Rehabilitasyon evresinde farklı noktalardaki öncelikler de farklıdır. Yanığa verilen patofizyolojik cevapların anlaşılması komplikasyonların erken tanınmasının

Dermatoloji

temelidir. Erken tanı erken tedaviyi sağlar ve başarılı bir rehabilitasyon vermeyi kolaylaştırır.

Hemşirelik Tanıları: Değerlendirme verilerine dayanarak yanık bakımının rehabilitasyon döneminde hemşirelik tanıları aşağıdakileri içerir. Fakat sadece bunlarla sınırlı değildir.

- Egzersizdeki ağrıya, sınırlı eklem hareketine, kas kaybına ve dayanıksızlığa bağlı *aktivite intoleransı*
- Değişen fiziksel görüntüye ve benlik algısına bağlı *beden görüntüsünde bozulma*
- Taburculuk sonrası evde bakım ve kontrollere gelmenin gerekliliği ile ilgili *bilgi eksikliğidir.*

Çizelge 48.5: Hemşirelik Süreci: Yanığın Akut Evresinde Hasta Bakımı

Hemşirelik girişimleri	Amaç	Beklenen sonuçlar
Hemşirelik Tanısı: Kapiller bütünlüğünün sağlanmasına ve hücreler arasından damar içi (interstisyel alandan kompartmandan intravasküler) alana doğru kaymasına bağlı gelişen aşırı sıvı artışı; *Sıvı hacim fazlalığı* **Hedef** : Sıvı dengesinin sağlanması		
1. Hastanın temel yaşam (vital) bulguları, alınan ve çıkarılan sıvı, kilosu takip edilir. Ödem, juguler ven gerginliği, çatırtılar ve tansiyon yüksekliği açısından değerlendirilir. 2. İdrar çıkışı <30ml/saat olduğunda, kilo artışı, juguler ven gerginliği ve tansiyon yüksekliği saptandığında hekime haber verilir. 3. Damar içi sıvılar pompalarla veya hız kontrollü araçlarla verilir. 4. Önerildiği şekilde dopamin veya diüretik ilaç uygulanır. Yanıtlar değerlendirilir.	1. Bu bulgular sıvı durumunu yansıtır. 2. Bunlar artmış sıvı hacmini gösterir. 3. Ayarlamanın yapılması, kontrolsüz sıvı yüklenmesini önler. 4. Dopamin böbrek perfüzyonunu arttırarak idrar çıkışını arttırır. Diüretik ilaçlar idrar oluşumunu ve idrar çıkışını arttırarak damar içi hacmi azaltırlar.	-Alınan, çıkarılan sıvı miktarı ve kilo beklenen gibidir -Vital bulgular ve arter basınçları istenen sınırlardadır -İdrar çıkışı diüretik ve vazoaktif ilaçlara bağlı olarak artar
Hemşirelik Tanısı: Deri bütünlüğünün kaybına ve azalmış immün cevaba bağlı olarak artan *enfeksiyon riski* **Hedef** : Sistemik veya lokal enfeksiyon olmaması		
1. Hasta bakımının tüm alanlarında asepsiye dikkat edilir. a. Hasta bakımı öncesinde ve sonrasında eller yıkanır. b. Yara bakımı için temiz veya steril eldivenler kullanılır. c. Hasta bakımı için izolasyon maskesi ve koruyucu önlük kullanılır. d. Yara ile uğraşırken ve steril işlemler sırasında maske ve bone takılır. e. Damar yolları ve kateterler hastalık kontrol merkezi (CDC) tarafından önerildiği gibi değiştirilir. 2. Ziyaretçiler solunum yolu, sindirim sistemi veya deri enfeksiyonları açısından taranmalıdır. Aktif enfeksiyonu olmayan ziyaretçilere maske verilir ve el hijyenine dikkat etmelerini söylenir. 3. Hastanın odasından su içindeki bitkiler ve çiçekler çıkarılır. 4. Yara enfeksiyonu bulguları, pürülan akıntı veya renk değişikliği açısından gözlenir. 5. Lökosit (Beyaz küre) sayısı, kültürü ve hassasiyet sonuçları değerlendirilir. 6. İstenen antibiyotik uygulanır. 7. Örtü ve çarşaflar düzenli olarak değiştirilir. Hastaya kişisel bakımını sağlamasında yardım edilir. 8. bağırsak seslerinde azalma, taşikardi, tansiyon düşmesi, idrar çıkışında azalma, yüksek ateş ve ateş basmalarını hemen hekime bildirilir. 9. İstenildiği şekilde sıvılar ve vazoaktif ilaçları uygulanır. Cevapları değerlendirilir	1. Aseptik teknik çapraz bulaşma ve bakteri yayılmasını en aza indirir. 2. Bilinen enfeksiyon etkenlerinden uzak olmayı sağlar bu da diğer organizmalara maruz kalma riskini azaltır. 3. Beklemiş su potansiyel bir bakteri kaynağıdır. 4. Böyle bulgular lokalize enfeksiyonunu gösterir. 5. Lökosit sayısının artışı enfeksiyonu gösterir. Kültür ve hassasiyet testleri mevcut mikroorganizmaları tanımlar ve uygun antibiyotiğin kullanılabilmesini sağlar. 6. Antibiyotikler bakterileri azaltır. 7. Bu davranışlar potansiyel bakteri kolonizasyonunu azaltır. 8. Bu bulgular sepsisi gösteriyor olabilir. 9. Bu ilaçlar sepsiste doku perfüzyonunu sağlamak için kullanılır.	-Yara kültürlerinde minimal bakteri izlenir -Kan, idrar ve balgam kültürleri negatiftir -İdrar çıkışı ve vital bulgular istenen değerdedir -Enfeksiyon ve sepsis bulgusu izlenmez

48. Yanıklar

Hemşirelik Tanısı: Hiper metabolizmaya ve yara iyileşmesine bağlı olarak vücut ihtiyacından daha az beslenme; *Beslenmede değişiklik: yetersiz beslenme*
Hedef : Anabolik beslenme durumun sağlanması

1. Proteinden ve kaloriden zengin diyet verilir, hasta tercihlerini ve ev yemeklerini de göz önünde bulundurulur. Önerildiği şekilde besin desteği sağlanır. 2. Günlük olarak hastanın kilosu ve kalori hesabı izlenir. 3. Reçete edildiği şekilde destek vitaminleri ve minareleri uygulanır. 4. Beslenme gereksinimi ağızdan alımla yeterince sağlanamıyorsa enteral besleme yapılır. 5. Karında gerginlik, artmış mide hacmi veya ishal durumlarında hekime haber verilir.	1. Yara iyileşmesi ve artmış metabolik gereksinim nedeniyle hastanın yeterli beslenmesi gerekir. 2. Bu ölçütler, diyet gereksinimlerinin karşılanıp karşılanmadığını sap-tamaya yardımcı olur. 3. Bunlar ek besin ihtiyacını karşılar. Yeterli vitamin ve mineraller yara iyileşmesi ve hücresel işlevler için gereklidir. 4. Besleme teknikleri besin ihtiyacının karşılandığından emin olunmasını sağlar. 5. Bu bulgular uygulama yoluna veya besleme tipine karşı uyumsuzluğu gösteriyor olabilir.	- Başlangıçtaki kayıptan sonra günlük olarak kilo alır - Protein, vitamin veya mineral eksikliği bulgusu yoktur - Gerekli gereksinimleri ağızdan kar-şılayabilir - Önerilen besinler içerisinden yapılacak diyet seçimine katkıda bulunur - Serum protein düzeyi uygun aralıktadır

Hemşirelik Tanısı: Açık yanık yaralarına bağlı *deri bütünlüğünde bozulma*
Hedef : Deri bütünlüğünün iyileştirilmesi

1. Hastanın yaraları, vücudu ve kılları her gün temizlenir. 2. Önerildiği şekilde yara bakımı yapılır. 3. Topikal antibakteriyel ilaçlar uygulanır ve pansuman değiştirilir. 4. Deri greftleri basınç, enfeksiyon ve ayrılmadan korunur. 5. Verici sahasının bakımı yapılır. 6. Yeterli besin desteği sağlanır. 7. Yara ve greft bölgeleri değerlendirilir. Kötü iyileşme, kötü greft alımı veya travma hekime bildirilir.	1. Günlük temizlik bakteriyel kolo-nizasyonu azaltır. 2. Bakım yara iyileşmesini hızlandırır. 3. Yara bölgesinde bakteri kolonizas-yonunu azaltır ve iyileşmeyi hızlandırır 4. Bu ölçütler greft yerleşmesi ve iyileşmesini hızlandırır. 5. Bakım verici sahasının iyileşmesini sağlar. 6. Normal granülasyon ve iyileşme için yeterli beslenme gereklidir. 7. Yara iyileşmesi ve greft yerleşmesindeki sorunlara zamanında girişim gerekir. Greftlenmiş veya iyileşmiş yanık yaraları travmaya hassastır.	- Deri bütünlüğü Enfeksiyon, basınç ve travma bulgusu yoktur. - Açık yaralar pembe, yeniden epitelize olur şekilde ve enfeksiyonsuzdur - Verici sahası temizdir ve epitelize olur - İyileşmiş yaralar yumuşak ve düzgündür - Deri kaygan ve elastiktir

Hemşirelik Tanısı: Açık sinirlere, yara iyileşmesi ve tedavisine bağlı *ağrı*
Hedef : Ağrının kontrolü veya azalması

1. Ağrı skalası kullanılarak ağrı düzeyini değerlendirilir. Ağrının sözel olmayan işaretlerini aranır: seğirmeler, taşikardi, sıkılı yumruklar. 2. Hastaya yanık iyileşmesi sırasında olabilecek ağrı şekillerini anlatılır. Ağrı yönetimi açısından kontrol mümkün olduğunca hastaya bırakılır. 3. Ağrılı işlemlerden yaklaşık 20 dakika önce analjezik verilir. 4. Ağrı ciddileşmeden önce analjezi sağlanır. 5. Rahatlama, hayal kurma, uzaklaşma tekniklerinin kullanımında hasta yönlendirilir ve yardımcı olunur. 6. Hastanın tedaviye cevabı değerlendirilir ve belgelenir. 7. Anksiyeteye ve kaşıntıya ilaç verilir.	1. Ağrı değerlendirme verileri girişimlere cevabı değerlendirmede bir taban oluşturur. 2. Bilgi duyulan korkuyu azaltır ve kontrolü bir ölçüde hastaya bırakabilmeyi sağlar. 3. Premedikasyon tedaviye verilecek cevap için zaman kazandırır. 4. Ağrıyı ciddi hale gelmeden önce kontrol etmek daha kolaydır. 5. İlaç dışı ağrı ölçütleri, ağrı duyusunun azaltılması için yapılacak çoklu müdahalelere imkan tanır. 6. Hastaya yönelik en doğru tekniği belirlemede hastanın cevapları yardımcıdır. 7. Bu ilaçlar hastanın rahatını arttırır. Bu ürünler derideki gerginlik hissini azaltır.	- Belirli yara bakımı işlemleri veya fizik tedavi aktiviteleri için analjezi ister - Ağrının minimal olduğunu söyler - Orta veya ciddi düzeyde hiçbir fizyolojik veya sözel olmayan ipucu vermez - Nitröz oksit, rahatlama, hayal ku-rma, uzaklaşma gibi ağrı kontrol ölçütlerini kullanarak ağrıyla başa çıkmaya çalışır - Ağrısız olarak rahat uyur - Cildinde kaşınma veya gerginlik olmadığını ifade eder

ÜNİTE 13

Dermatoloji

Hemşirelik Tanısı: Yanık yarasındaki ödeme, ağrıya ve eklem kontraktürlerine bağlı fiziksel harekette değişiklik; *aktivite yetersizliği*
Hedef: Optimal fiziksel hareketin sağlanması

1. Yanık alanlarındaki fleksiyonu önlemek için hastaya dikkatlice pozisyon verilir. 2. Günde birkaç kez hareket-sınırında egzersiz uygulanır. 3. Erken oturma ve ayağa kalkma konusunda yardımcı olunur. 4. Fizik tedavi uzmanları tarafından önerilen destek ve egzersiz araçları kullanılır. 5. Hastanın yapabildiği ölçüde kendisine bakmasını teşvik edilir	1. Uygun pozisyon verme fleksiyon kontraktürlerini azaltır. 2. Hareket-sınırında yapılan egzersizler kas atrofisini engeller. 3. Erken hareket kas kullanımını sağlar. 4. Böyle araçlar eklemlerin uygun pozisyona gelmelerini ve hareketlerin artmasını sağlarlar. 5. Kişisel bakım bağımsızlığı ve hareket yeteneğini arttırır.	-Günlük olarak eklemlerin hareket sınırları artar -Tüm eklemlerde hareket sınırı, incinme öncesinde ki değerlere ulaşır -Eklem sertliği bulguları yoktur -Günlük yaşam aktivitelerine katılır

Hemşirelik Tanısı: Korku, anksiyete, acı çekme ve zoraki bağımlılık ile *başa çıkmada yetersizlik*
Hedef: Yanık sonrası problemlerle uygun şekilde mücadele edebilmek

1. Hasta başa çıkabilme yeteneği ve önceki başarılı mücadeleleri açısından değerlendirilir. 2. Hasta olduğu gibi kabullenilir. Pozitif geribildirim ve destek sağlanır. 3. Günlük yaşam aktivitelerinde bağımsızlığı artırabilmek için kısa evre amaçlar konusunda hastaya yardımcı olunur. 4. Hareketi ve bağımsızlığı arttırmak için multidisipliner bir yaklaşım kullanılır. 5. Çekingen veya uyumsuz davranışları olan hastalar için diğer ekip elemanlarıyla işbirliği yapılır.	1. Psikososyal veriler bakımın planlanmasında temel oluşturur. 2. Kabullenme, kendine saygıyı ve bağımsızlığa doğru olan gidiş isteğinin arttırır. 3. Kısa-dönem amaç koyulması, hastayı başarıya 4. Bölümler arasındaki iletişim yaklaşımın sürekliliğini sağlar. 5. İşbirliği, diğerlerinin uzmanlıklarından faydalanılmasını sağlar götürür.	-Yanığa, tedavi işlemlerine ve kayıplara tepkilerini kelimelere döker -Daha önceki başarılı başa çıkma yöntemleri yeniden kullanır -Akut hastalık sırasında sağlık personeline bağımlı olmayı kabullenir -Yanığa bağlı kayıplardan duyulan çöküntü duygusu çözülür -Geleceğe yönelik umudu vardır

Hemşirelik Tanısı: Yanığa bağlı *aile ilişkilerinde değişme*
Hedef: Uygun hasta /aile sürecinin sağlanması

1. Hastanın ve ailesinin yanıkla ilgili fikirlerini ve bunun aile işlevselliği üzerine etkileri değerlendirilir. 2. Hasta istekle dinlenir ve gerçekçi destekler sağlanır. 3. Aile sosyal hizmetlere ve gerektiğinde diğer kaynaklara yönlendirilir. 4. Hastanın başa çıkma şekilleri aileye açıklanır. Onlara hastaya nasıl destek olabileceklerini anlatılır.	1. Değerlendirme verileri bakım planının nasıl yapılacağına dair temel oluşturur. 2. İşbirliği kurmak kaygıların kelimelere dökülebilmesini sağlar. 3. İşbirliği kaygıların geniş çapta saptanmasına olanak sağlar. 4. Açıklamalar bilinmeyene yönelik anksiyeteyi azaltır ve ailenin hastaya uygun desteği vermesine yardım eder.	-Hasta değişen aile içi ilişkiler ile ilgili duygularını ifade eder -Aile hastanede yatışı sırasında hastaya gerekli desteği sağlar -Aile gereksinimlerin karşılandığını ifade eder

Hemşirelik Tanısı: Yanık tedavisi sürecinde *bilgi eksikliği*
Hedef: Hasta ve ailesi tarafından yanık tedavi sürecinin anlaşıldığının ifade edilmesi

1. Hastanın ve ailesinin eğitime hazır olup olmadıklarını değerlendirilir. 2. Hastaneye yatış ve hastalık ile ilgili önceki tecrübeleri sorgulanır. 3. Yanık tedavisinin gidişi genel olarak hasta ve ailesiyle birlikte yeniden gözden geçirilir. 4. En iyi sonucu alabilmek için bakıma hastanın da katılmasının önemini açıklanır. 5. Yanık iyileşmesi için gereken gerçek zamanı açıklanır.	1. Bilgiyi aktarabilmek için eğitim hasta ve ailesinin bilgiyi alabilme kapasitesiyle sınırlanır. 2. Bu bilgi açıklamalar hasta ve ailesinin beklentisinin yönlendirilmesi için temel oluşturur. 3. Ne beklenmesi gerektiğini bilmek hastayı ve ailesini daha sonra olacaklara hazırlar. 4. Bu bilgi hastayla belirli bir yönü işaret eder. 5. Dürüstlük gerçekçi beklentiler kurulmasını sağlar.	-Tedavinin çeşitli yönleriyle ilgili gerçeklerin farkındadır -İyileşme için gereken gerçek zamanı algılar -Hasta ve ailesi, bakım planlarına katılır

48. Yanıklar

Hemşirelik Tanısı: Konjestif kalp yetmezliği, pulmoner ödem, sepsis, akut solunum yetmezliği, Akut solunum sıkıntısı sendromu (ARDS), visseral hasar (elektrik yanıkları)
Hedef: Komplikasyon olmaması

Konjestif kalp yetmezliği (KKY) ve pulmoner ödem 1. Hasta azalmış idrar çıkışı, jugüler venöz dolgunluk veya S_3 ya da S_4 kalp sesleri açısından değerlendirilir. 2. Arteriyel basınç artışı veya kardiyak çıkıştaki azalma izlenir. 3. Akciğerin dinlenmesinde çıtırtılar, dispne, ortopne, nabız oksimetride veya kan gazında oksijen azalması açısından değerlendirilir. 4. Yukarıdaki işaret ve bulgular hekime bildirilir. 5. Yatağın baş kısmını hastanın tolere edilebildiği kadarıyla 45°-90° arasında yükseltilir. 6. Önerildiği gibi diüretik ilaç uygulanır. Hastanın cevabı değerlendirilir.	1. Bu bulgular kardiyak çıkış azalışını ve KKY başlangıcını gösteriyor olabilir. 2. Artmış basınçlar ön yükü ve damar içi hacimleri gösteriyor olabilir. Azalan kardiyak çıkış dokulara daha az oksijen ve besin gittiğini KKY başlangıcı olabileceğini gösterir. 3. Böyle bulgular KKY'nin pulmoner ödeme doğru ilerlediğini gösterebilir. 4. Hızla tıbbi girişim yapmak gereklidir. 5. Hastayı yukarı kaldırmak gaz değişimini arttırır. 6. Diüretik ilaçlar idrar çıkışını arttırır. Kardiyak ön yükü ve damar içi hacmi azaltır	-Akciğerler dinlemede (oskültasyonda) temiz -Dispne ve jugular venöz dolgunluk yok S_3 ve S_4 kalp sesleri yok -İdrar çıkışı, arteriyel basınçlar ve kardiyak çıkış normal değerlerde
Sepsis 1. Hastada ateş, taşikardi, nabız basıncında artma, yanık olmayan alanlarda kızarıklık, kuruluk açısından dikkatli olunur. Hastanın durumu değerlendirilir ve gerekirse hekime haber verilir. 2. Yara ve kan kültürleri alınır ve sonuçlar hekime bildirilir.	1. Bu bulgular gelişen sepsisi gösteriyor olabilir. 2. Pozitif kültürler enfeksiyonu ve olası sepsisi gösterir.	-Kan, idrar ve balgam kültürleri negatiftir -Taşikardi, nabız basıncında artış, yanık olmayan alanda kızarıklık ve kuruluk yoktur
3. Önerildiği şekilde sıvı, vazoaktif ilaçlar ve antibiyotikler uygulanır. Tedaviye yanıt izlenir. Enfeksiyona neden olan organizmaların uygulanan antibiyotiğe duyarlı olduğundan emin olunmalıdır. 4. Tedavi için serum antibiyotik düzeylerini izlenir.	3. Antibiyotikler hassas bakterileri öldürür. İntravenöz sıvılar ve vazoaktif ilaçlar damar içi hacmi ve kan basıncını arttırır. 4. Antibiyotikler tedavi edici düzeye ulaştıklarında etkilidirler. Yüksek düzeyler organ hasarı yapabilir.	
Akut solunum sıkıntısı sendromu (ARDS), 1. Solunum sıkıntısı, solunum şeklinde değişiklik veya solunum seslerinde bozulma açısından dikkatli olunur. 2. Nabız oksimetri ve arteriyel kan gazı düzeylerini izleyerek oksijen saturasyonundaki ve PO_2'deki düşmeleri saptanır, hekime bildirilir. 3. Mekanik ventilatöre bağlı hasta spontan tidal volümdeki ve akciğer kompliansındaki azalmalar açısından izlenir. 4. Hekim ve solunum terapisti ile birlikte pozitif ekspirasyon basınç uygulanır. Hastanın yanıtı değerlendirilir.	1. Bu tip problemler olası akut solunum yetersizliğini gösterir. Akciğer komplikasyonları yanıktan sonra 24-48 saat geçene kadar başlamayabilir. 2. Azalmış oksijenizasyon bozulan solunum durumunu gösterir. Tıbbi müdahale gerekir. 3. Solunum problemleri artan havalanma zorluğunu yansıtır ve ARDS başlangıcı olabilir. 4. Bu ölçütler oksijenin kapiller membrandan diffüzyonunu daha iyi yapar.	-Arteriel kan gazları normal -Akciğer kompliansı normal -Solunum sıkıntısı yok -İyileşmiş PO_2 düzeyi
Visseral hasar (elektrik yanıkları) 1. Hasta ağrı bulguları açısından değerlendirilir. Yanık yarasının giriş ve çıkış yerleri arasındaki kısma odaklanılır. 2. EKG ritmi izlenir. 3. Herhangi bir derin ağrı yakınmasını veya ritm bozuklukları hekime bildirilir.	1. Ağrı visseral hasarı yansıtıyor olabilir. 2. Elektrik yanığı olan hastalar ritim bozuklukları açısından risk altındadırlar. 3. Visseral hasar acil girişim gerektirir.	-Viseral organ hasarı yok -Düzenli kalp ritmi

Dermatoloji

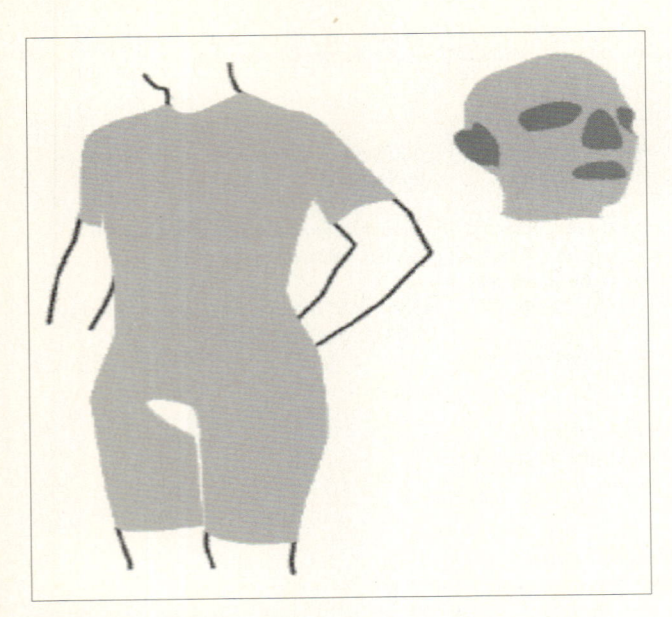

Şekil 48.9: Basınçlı giysiler
Kaynak: http://www.staff.vu.edu.au/CriticalCare/Critical%20Care/lecture7.htm

İlişkili Sorunlar/ Olası Komplikasyonlar

Değerlendirme verilerine dayanarak, rehabilitasyon döneminde gelişebilecek olası komplikasyonlar şunlardır:
- Kontraktürler
- Yanığa uyumda yetersizlik

Planlama: Bakımın planlanmasında hasta için temel amaçlar günlük yaşam aktivitelerine katılımın artması, hasarın, tedavinin ve kontrol planının anlaşılması, vücut görünümü benlik algısı ve yaşam stili ile ilgili değişimlere uyum sağlamak, onları düzenlemek ve komplikasyon yaşamamaktır.

Hemşirelik Girişimleri

Aktivite Toleransının İyileştirilmesi: Tedavi süresince uygulanması gereken hemşirelik girişimleri ve harekete eşlik eden ağrı yanık hastasını zorlayabilir. Hastanın kafası karışabilir, oryantasyonu bozulabilir ve bakıma uygun şekilde katılacak enerjisi kalmayabilir. Hemşirelik bakımı hastanın ara ara uyumasına ve dinlenmesine zaman tanıyacak şekilde düzenlemelidir. Hastanın dinlenmesi için en iyi zamanlar pansuman değişimlerinden ve egzersizlerden hemen sonradır. Çünkü bu dönemlerde ağrı için yapılan ilaçlar ve sedatiflerin etkisi ile hasta rahatlamış ve yorgundur. Bu düzenleme aile ve diğer bakım personeliyle de paylaşılmalıdır. Yanık hastaları yanığa ve yanığın sonuçlarıyla ilgili korku ve kaygılara bağlı olarak sık gördükleri kabuslar nedeniyle uyku problemleri yaşayabilirler.

Hemşire hastayı dinler, sakinleştirir ve eğer istemde varsa uykuyu düzenleyecek hipnotik ilaçları uygular. Hastanın enerjisini tedavi aktivitelerine ve yara iyileşmesine yönlendirebilmesini için, ağrısı azaltılır. Vücudun tüm sistemlerinin fiziksel bütünlüğünü sağlanarak ve hastanın üşümesi veya ateşi önlenerek metabolik stresin azaltılması sağlanır. Kas atrofisini önlemek ve günlük aktiviteler için gereken hareketi sağlamak amacıyla hastanın bakım sürecinde fizik tedavi egzersizleri de vardır. Hastanın aktivite toleransı uzun süre aktivite yapabilmesine bağlı olarak gücü ve dayanıklılığı artacaktır. Günlük yaptırılacak egzersiz miktarını saptamak için halsizlik, ateş, ağrı toleransı izlenir aktivite programı için kullanılır. Aile ziyaretleri ve yaratıcı ya da oyun içeren tedaviler (örn; Video oyunları, radyo, TV) hastanın açılmasını sağlayarak dışa dönüklüğünü ve fiziksel aktivite toleransını arttırır.

Beden Görüntüsünün ve Benlik Algısının İyileştirilmesi: Yanık hastalarında genellikle belirgin kayıplar vardır. Bunlar yalnızca değişen vücut görüntüsüne ait kayıpları değil, kişisel özelliklere, sevilen kişilere ve çalışabilme yeteneğine dair de kayıplardır. Çoğunlukla cerrahi uygulanacak bir hastada veya terminal dönem hastalığı olan bir sevdiğine bakan kişide görülen katılımcı kederin faydalarından yoksundurlar. Bakım süreci ilerledikçe, iyileşen hasta günlük ilerlemenin farkına varır ve temel kaygıları hissetmeye başlar.

Şeklim bozulacak mı? Ne kadar daha hastanede kalacağım? Ailem ve işim ne olacak? Yeniden bağımsız olabilecek miyim? Bakım masraflarımı nasıl ödeyeceğim? Yanığım dikkatsizlik nedeniyle mi oluştu?. Hasta böyle kaygılar dile getirdikçe hemşire bunları dinlemeye zaman ayırmalı ve gerçekçi destekler vermelidir. Hemşire hastayı bir destek grubuna yönlendirebilir. Böyle gruplara katıldıkça hasta benzer kayıpları olan diğerleri ile tanışacak ve yeni başa çıkma yöntemleri öğrenecektir. Diğer yanık mağdurlarıyla iletişim kurmak hastaya yanık hasarına uyumun mümkün olduğunu gösterecektir. Bir destek grubu

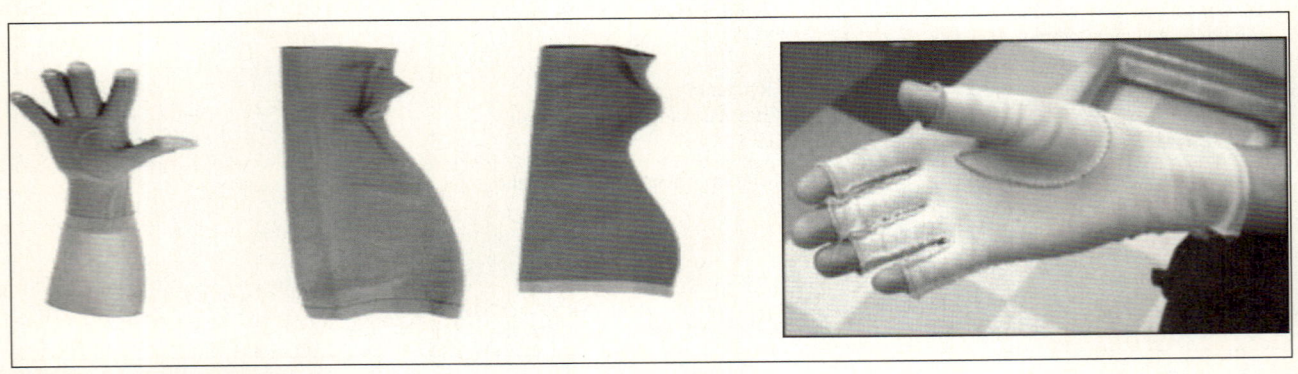

Şekil 48.10: Elastik basınçlı giysiler

yoksa, yanık yaralanması geçiren kişilerin ziyareti hastanın mücadelesine yardımcı olabilir.

Hemşirenin temel sorumluluklarından bir tanesi hastanın psikososyal tepkilerini düzenli olarak değerlendirmektir. Hastanın korkuları ve kaygıları nelerdir? Hasta bakım sürecinde kontrolünü kaybetmekten, bağımlı olmaktan veya aklını yitirmekten korkuyor mu? Hasta, ailesi ve sevdikleri tarafından dışlanmaktan korkuyor mu? Hasta ağrıyla veya değişen fiziksel görüntüsüyle başa çıkamamaktan korkuyor mu? Hastanın cinsel işlevler de dahil cinsellikle ilgili kaygıları var mı?. Bu gerginliklerin farkında olmak ve hastanın korkularının nedenini anlamak hemşireye destek verme ve sağlık ekibinin diğer elemanları ile bağlantı kurarak bu duygularla başa çıkmada hastaya yardım edebilme imkanını verir. Yanık hastalarına bakarken hemşire bir şeyin farkına varmalıdır. Toplumda farklı görünenlere yönelik yanlış anlamalar ve önyargılar vardır. Çoğunlukla şekil olarak bozuk olanlara, diğerlerine tanınan şanslar ve imkanlar tanınmaz. Bu imkanlar arasında sosyal katılım, iş, prestij, çeşitli roller ve statüler sayılabilir.

Sağlık ekibi sağlıklı bir vücut görüntüsü ve benlik algısı sağlamak için aktif çaba göstermelidir. Böylece şekil olarak bozulmuş olanların algılamalarını kabullenebilir veya değiştirebilirler. Hemşire hastalara hastaneden çıktıktan sonra yanıkla ilgili kendilerine ilgiyle bakacak veya onları sorgulayacak insanlara nasıl cevap verecekleri konusunda yardımcı olmalıdır. Hemşire eşsizliklerini farkına varmalarına yardım ederek hastaların kendilerine olan saygılarını geliştirmelerine yardım edebilir.

Örn; doğum günü pastası alarak, ziyaret saatlerinden önce hastanın saçlarını örerek, görünümlerinin iyileşmesini sağlayabilecek kozmetik uzmanlarına yönlendirerek ve hastaya dikkatini bozulmuş vücut görüntüsünden iç dünyasına doğru çevirecek yolları öğreterek yardım eder. Psikologlar, sosyal hizmet uzmanları, mesleki danışmanlar ve öğretmenler benlik saygısının sağlanmasında önemli yardımcılardır.

Olası Komplikasyonların İzlenmesi ve Yönetimi

Kontraktürler: Erken ve agresif yapılan fizik ve uğraşı tedavileriyle uzun dönem kontraktür gelişimi oldukça azalmıştır. Yine de yanık sonrasında tam olarak hareket eksenine ulaşılamıyorsa cerrahi girişim gerekmektedir.

Yanığa Yeterince Psikolojik Uyumun Olmaması: Bazı hastalar özellikle de başa çıkma yeteneği ya da psikolojik işlevleri sınırlı olanlar veya yanıktan önce psikiyatrik problemi olanlar yeterli psikolojik uyum sağlayamayabilirler. Hastanın duygusal durumunu değerlendirmek, başa çıkma yeteneğini geliştirmesine yardım etmek ve temel psikolojik konularda yeterli mücadele sağlanamazsa müdahale etmek için psikolojik veya psikiyatrik danışmanlık istenebilir.

Ciddi yanıklar yalnızca fiziksel değil aynı zamanda psikolojik olarak çok kötü bir deneyimdir. Yaranın kendisi de korku verici olup hastanede kalma sırasında çaresizlik, ağrı, bağımlılık, şekil bozukluğu, deformite ve ölüm korkusu hastanın karşılaştığı problemlerdir. Bu olaylar travmaya psikolojik uyum sürecinin bir şekli olarak (üzüntü, depresyon, uyku düzensizliği, öfke, asabiyet, anksiyete, endişe) veya psikiyatrik bozukluğa eşlik ederek (deliryum, uyum bozukluğu, majör depresyon, travma sonrası stres bozukluğu) ortaya çıkabilir. Daha önceden var olan bir psikopatoloji durumu daha da kötüleştirebilir. Uzun süre hastanede yatan veya depresyon gelişen yanık hastalarında antidepresan ilaçlar gerekli olabilir. Antidepresan ilaçlar yalnızca bu hastaların ruhsal durumunu değil aynı zamanda ağrıyı ortadan kaldırarak uyku ve yemek yeme durumunu da düzeltir (Çizelge 48.6).

Çizelge 48.6: Yanıklı Hastalarda Duygusal Problemler

Duygu	Mümkün olan sözel ifade
Korku	Ölecek miyim?
	Bundan sonra ne olacak?
	Bu şekildemi kalacağım?
	.... beni yine sevecek mi?
	Duygularımı kontrol edemiyorum.
Anksiyete	Bana ne oluyor?
	Bu ne zaman bitecek?
Kızgınlık	Bu niçin bana oldu.
	Hemşireler canımı acıtıyor.
Suçluluk	Eğerbiraz daha dikkatli olsaydım.
	Cezalandırılıyorum, çünkü ben kötüyüm.
	Bu böyle çekilmez.
Depresyon	Bana ne olursa olsun artık umurumda değil.
	Keşke insanlar beni yalnız bıraksalar.

Kaynak: Elster SE. Kravitz M (1987) Nursing role in management burn client. Medical Surgical Nursing Assessment And Management Of Clinical Problems. Ed: Lewis SM. Collier IC. Newyork: McGraw-Hill Book Company. 431.

Evde ve Toplum İçinde Bakımın Sürdürülmesi

Hastalara Kişisel Bakımın Öğretilmesi: Hasta iyileşmeye başladığında hastane ortamından rehabilitasyon aktiviteleri ayaktan hasta düzenlemelerine veya rehabilitasyon merkezlerindeki bakım işlemlerine odaklanır. Uzun dönemde iyileşen yanıkların bakımı çoğunlukla hasta veya evdeki diğer kişilerce yapılacaktır. Yanık bakımının bu dönemlerinde hasta ve ailesini evde bakım konusunda hazırlamak için çaba sarf edilir. Dolayısıyla uygulayacakları işlemlerle ve ölçütlerle ilgili bilgilendirilirler. Örn; hastaların genellikle küçük, temiz ve iyileşmekte olan yaraları vardır. Bu bölgeleri günlük olarak sabunla hafifçe yıkayıp durulamaları ve gerekli topikal ilaçları ve pansumanları nasıl yapacakları anlatılır ve gösterilir.

Yara bakımıyla ilgili yönlendirmelere ek olarak hasta ve ailesinin yan etkilerden korunma, ağrı yönetimi, beslenme ile ilgili dikkatlice açıklanmış yazılı ve sözlü yönlendirmelere de gereksinimleri vardır. Özel egzersizlerle, basınç giysileriyle ve alçılarla ilgili bilgiler hasta ve ailesi ile birlikte yeniden gözden geçirilir, yazılı bilgilendirme yapılır. Anormal bulguları nasıl tanıyacakları ve saptadıklarında hemen hekime bildirmeleri gerektiği öğretilir. Hasta ve ailesine hastanın o andan sonraki bakımının planlanmasında yardımcı olmak için destekler ve evde gereksinim duyabilecek malzemeler tanımlanır ve sağlanır (Çizelge 48.5).

Bakımın Sürdürülmesi: Hastanın izleminde disiplinler arası işbirliği gereklidir. Hazırlıklar bakımın erken evrelerinde başlar. Bir yanık merkezinde bakılan hastalar genellikle yeniden değerlendirme yapılması, evde bakım yönlendirmelerinin şekillendirilmesi ve rekonstrüktif cerrahi planlamaları için yanık merkezlerine periyodik olarak yeniden gelirler. Diğer hastalar ise akut dönemde kendileri ile ilgilenen genel cerrah veya plastik cerrah tarafından takip edilirler. Bazı hastalar bir rehabilitasyon merkezine gereksinim duyabilirler ve eve gönderilmeden önce yoğun rehabilitasyon için böyle bir merkeze yönlendirilebilirler. Birçok hastanın ayaktan hasta düzeninde fiziksel veya mesleki tedavilere haftada birkaç kez ihtiyacı olur. Bakımın tüm alanlarını düzenlemek ve hastanın gereksinimlerinin karşılandığından emin olmak çoğunlukla hemşirenin görevidir. Böyle bir koordinasyon bağımsızlığı sağlama yolunda yanıklı hastaya yardım etme açısından önemlidir.

Ağır bir yanıktan sonra eve dönen hastalar kendi yara bakımını yapamayanlar ve destek sistemi yetersiz olanlar ev bakımı açısından desteğe gereksinim duyarlar. Evde hastaya yapılan ziyaretler sırasında ev hemşiresi hastanın fiziksel ve psikolojik durumunu ve yeterli ve güvenli bakımın evde sağlanıp sağlanamadığını değerlendirir. Hemşire hastanın iyileşmesini ve bakım planına uyumunu izler ve herhangi bir sorunu not alır. Ziyaret sırasında hemşire hasta ve aileye yara bakımı ve egzersizler konularında yardım eder. Ciddi depresyonu olan ya da sosyal ve/veya mesleki alanlardaki değişimlere ayak uydurmakta zorluk çeken hastalar tanımlanır ve uygun psikiyatriste, psikoloğa veya danışmana yönlendirilmek üzere yanık ekibine bildirilir.

Ayrıca hasta ve ailesini düzenli olarak telefonla arayarak destek sağlayan ve deri bakımı, kozmetik ve psiko sosyal uyum sorunlarıyla ilgili danışmanlık hizmeti veren, evde veya hastanede hastayı ziyaret eden bakıcılara (çoğunlukla iyileşmiş yanık mağdurları) destek veren kurumlar bulunmaktadır. Bazı kurumlar okullarda yanık önleme konusunda eğitim programları düzenlerler. Yanık yarasına ve gerekli tedavilere çok fazla ilgi gösterildiğinden, hasta, ailesi ve bakım personeli hastanın iyileşmesi için gereken gereksinimlerini dikkatsizce göz ardı edebilir. Dolayısıyla hasta ve ailesine düzenli yapılacak taramaların ve koruyucu bakımın (örn. jinekolojik muayene, diş bakımı) gerekliliği hatırlatılmalıdır.

Değerlendirme/ Beklenen Hasta Sonuçları

Beklenen hasta sonuçları şunlar olabilir:

l) Yapılması istenen günlük yaşam aktivitelerine katılacak toleransı vardır.
- a- Her gün yeterince uyur
- b- Kabus veya uyku bozukluğu tanımlamaz
- c- Fiziksel aktivitelerde giderek artan bir toleransa ve dayanıklılığa sahiptir
- d- Konuşmalar sırasında konsantre olabilir
- e- Günlük yaşam aktivitelerine katılacak enerjisi vardır

2) Değişen vücut görünümüne uyum sağlar.
- a- Vücut görünümündeki değişimleri sözel olarak ifade eder ve fiziksel görünümünü kabullenir
- b- Vücut görüntüsünü ve işlevini arttıracak kaynaklara yönelik ilgi gösterir
- c- Uygun bir görünüm sağlamak için kozmetik, peruk ve protez malzemelerini kullanır
- d- Kendisine benzeyen diğerleriyle ve sosyal gruplarla ilişkide bulunarak sosyalleşir
- e- Aile, okul ve toplum ile ilgili alanlarda katılımcı olmanın yollarını arar ve bulur

3) Kişisel bakım ve kontroller için gereklilikler ile ilgili bilgi sahibidir.
- a- Cerrahi işlemleri ve tedavileri tanımlar
- b- Kontrol planı için detaylı ifadeler kullanır
- c- Yara bakımını ve önerilen egzersizleri uygulayabilir
- d- Planlandığı şekilde kontrol muayenelerine gelir

4) Komplikasyon yaşamaz.
- a- Hareket sınırları normaldir
- b- Çekinme veya depresyon bulgusu göstermez
- c- Psikotik davranışları yoktur

Evde Yanık Bakımı

Gittikçe artan sayıda yanık hastası yanık kliniklerinde, hekim ofislerinde ve acil kliniklerinde ayaktan tedavi edilmektedirler. Ayaktan hasta düzeni küçük yanıkların tümü ve orta derecede yanıkların çoğu için uygundur. Ancak bakım şeklini ve yerini saptarken bir dizi faktör göz önüne alınmalıdır. Bu faktörler arasında hastanın yaşı, yanığın derinliği ve boyutu, ailesel ve toplumsal destek sistemlerinin varlığı, hastanın bakım planına uyumu ve ayaktan hasta bakım merkezinin eve uzaklığı sayılabilir.

Başlangıçta bazı aile bireyleri için yanık yarasına bakmak veya dokunmak korkutucu olabilir. Ancak destek verildiğinde birçoğu profesyonel yardıma gereksinim duymadan yara bakımını başarabilir. Sözel ya da yazılı yönergeler yara bakımı, ağrı yönetimi, beslenme ve egzersizlerle ilgili hastaya yol gösterir. Ayrıca hekime bildirilmesi gereken enfeksiyon bulguları konusunda da yönlendirme yapılır. Komplikasyonlarla ilgili hekimi erken haberdar etmek ve kontrole gelmek gerektiği hastaya ve ailesine anlatılır.

Sonuç olarak günümüzün tıp ve teknolojik ilerlemelerine karşın yanık halen yaşamı tehdit eden ciddi sorunlardan biridir. Bu nedenle yanığın oluşmadan önlenmesi Dünya genelinde en ucuz ve en etkin yöntem olarak görünmektedir.

Çizelge 48.7: Yanıklı Hastanın Evde Bakımı

Evde bakım eğitimi tamamlandığında hasta veya bakıcısı aşağıdakileri yapabilmelidir

Mental Sağlık

Kendi mental sağlığını iyileştirecek stratejileri tanımlayabilmeli

Örneğin;
* Yaşam tarzındaki değişimlerin zaman aldığını bilmeli
* Önceki hobilerine ve aktivitelerine aşamalı olarak geri dönebilmeli
* Fiziksel ve mental gücünü günden güne kazanabilmeli
* Kendi duygularını ve korkularını farkındadır ve bunları diğer insanlarla paylaşabilmeli
* Görünümle ilgili hissedeceği kaygı, depresyon ve çöküntü için hazır olmalı
* Gereksinimleri, umutları ve korkuları ile ilgili kendisine, ailesine ve arkadaşlarına karşı dürüst olabilmeli
* Yanığa karşı oluşacak duygusal uyumun zaman alacağının farkında olabilmelidir.

Yanık Deri İçin Uyarılar ve Yara Bakımı

Şu uyarıları ve yara bakımını tanımlayabilmeli;
* Mevcut en yüksek koruyucu kremlerle güneşi bloke ederek yanık cildi güneşten koruyabilmeli
* Yanık cildi travmadan koruyabilmeli, oluşan su toplamalarını (bül) olduğu şekilde bırakmalı
* Yanık cildini hafif losyonlarla (reçete edilen) nemlendirmeli ve kaşımamalı
* Yüz yandıysa, güneşten korunmak için geniş şapkalar takacağını bilmeli
* Yanık alanlarında sadece hafif sabun ve losyonlar kullanılacağını bilmeli

Egzersiz

Aşağıdaki egzersiz yönlendirmelerini tanımlayabilmeli;
* Kendisi için mümkün olanın en fazlasını yapabilmeli
* Fizik tedavi uzmanının verdiği egzersiz programına uyabilmeli
* İstemese de her gün, günde birkaç kez egzersiz yapmalı

Beslenme
* Kalori ve proteinden zengin bir diyet almalı
* Ağrı kesici kullanımına bağlı oluşabilecek kabızlığı önlemek için uygun miktarda sıvı almalı

Ağrı Yönetimi

Ağrıyı yönetecek şu basamakları tanımlar;
* Ağrı kesici ilaçları reçete edildiği şekilde alabilmeli
* Ağrı kesici ilaçları önerildiği şekilde alabilmeli (pansuman değişimi gibi ağrılı işlemlerden 30 dakika önce)
* Ağrıyı ve rahatsızlığı azaltmak için rahatlama teknikleri kullanabilmeli

Isı Düzenlemesi
* Soğuk ve sıcak çevreye veya havaya ayak uyduracak şekilde giyinmeli
* Aşırı ısı değişimlerinden kaçınabilmeli

Giysi Uyarlamaları
* Yanık sahaları üzerindeki alana sıkı giysiler giymemeli
* Giysilerdeki boyaların cildi tahriş etmemesi için beyaz keten ve rahat giysiler giymeli
* İyileşen deriyi korumak için eldiven veya özel giysiler giymeli

Yanık İzinin (Skarının) Yönetimi
* Deri elastikliğini sağlamak için cilde masaj yapar ve cildi germeli
* Fizik tedavi uzmanının önerdiği losyonları kullanmalı
* Günde 23 saat basınç giysilerini giymeli

Cinsel İlişkiye Geri Dönme
* Cinsel ilişkiye geri dönmenin zamanını bilmeli
* Eğer genital bölge yandıysa, bu bölgedeki hissin geri dönmesinin aylarca sürebileceğini bilmeli
* Cinsel aktiviteye yavaş yavaş geri döneceği, zamanla arttıracağını bilmeli

49. PLASTİK VE REKONSTRÜKTİF CERRAHİ

Prof. Dr. Meryem YAVUZ

Giriş
Plastik ve Rekonstrüktif Cerrahi

Plastik ve rekonstrüktif cerrahi bölümü temel olarak estetik cerrahi, rekonstrüktif cerrahi, lazer ve yara tedavisi ile ilgilenmektedir. Estetik cerrahi ameliyat ve girişimlerinde, vücudun normal organ ve bölümlerinin yeniden şekillendirilmesi gerçekleştirilmektedir.

Rekonstrüktif Cerrahi ameliyatları travma, kanser, enfeksiyon ya da doğumsal yapı bozuklukları gibi nedenlerle normalliğini yitirmiş organ ve dokuların yeniden yapılanmasını ve işlevlerini kazanmasını amaçlamaktadır. Bazı ameliyatlar ise hem rekonstrüktif hem de estetik uyum amaçlarına hizmet edebilmektedir. Kanser nedeniyle alınan bir memenin yeniden yapılmasından sonra diğer memenin uyum amacıyla yukarı kaldırılması ya da küçültülmesi bu durumun en sık başvurulan örneklerindendir.

Plastik ve Rekonstrüktif Cerrahi'nin ilgi alanları aşağıda özetlenmiştir:

Konjenital anomaliler: Yarık dudak damak, kulak kepçesinde eksiklik (mikrotia) ve kepçe kulak (prominent ear) gibi kulak kepçesi anormallikleri, yapışık parmak (sindaktili), parmak sayısında fazlalık (polidaktili), hipospadias, konjenital bant sendromu vb.

Maksillofasiyal cerrahi: Yüz ve kafa travmalarına bağlı hasarlar (kemik kırıkları, yumuşak doku yaralanmaları ve doku kayıpları), baş-boyun tümörleri

Deri deri altı dokusunun tümörleri: Özellikle bazal hücreli karsinoma, spinal hücreli karsinoma ve malign melanom gibi malign tümörler başta olmak üzere verruka vulgaris, molluscum contagiosum, seboreik keratosis, keratoakantoma, epidermal ve pilar kist gibi beningn tümörlerin eksizyonu

Yanıklar: Geniş ve derin yanıkların bakım ve tedavisi

El cerrahisi ve mikrovasküler cerrahi: El travmalarından sonra oluşan tendon damar ve sinir kesileri, doku kayıpları, eklem ve kemik hasarlarının onarımı

Geniş doku defektleri ve zor iyileşen yaralar: Travmalara veya kanser rezeksiyonlarına bağlı geniş doku defektlerinin flep ve greftlerle onarımı, diyabetik ayak ve arteriovenöz Yetersizlik ülserinin tedavisi

Estetik cerrahi: Yağ emme (liposuction), karın germe (abdominoplasty), yüz-boyun-alın germe (face-neck-brow lift), meme büyütme (augmentation), meme askılama (mastopexy), meme küçültme (reduction), meme rekonstrüksiyonu (reconstruction), burun estetiği (rhinop-lasty), göz kapağı estetiği (blepharoplasty), yüz protezleri (facial implants), kırışıklıkların tedavisi (wrinkle treatment), kollajen ve yağ enjeksiyonları (collagen and fat injections), kimyasal deri yenilenmesi (tca/phenol chemical peel), mekanik deri yenilenmesi (dermabrasion), lazerle deri yenilenmesi (laser skin resurfacing), dış kulak estetiği (otoplasty), el cerrahisi (hand surgery), deri kanserleri (skin cancers), varisli damarların tedavisi (varicose veins), kılcal damarların tedavisi (spider veins) Plastik ve Rekonstrüktif Cerrahide, ameliyatlara ek olarak cerrahi olmayan birçok tedavi yönteminden de yararlanılmaktadır.

Bunlara örnek olarak varisli damarların tedavisinde kullanılan damar-içi lazer tekniği (EVLT), kılcal damarların ve istenmeyen kılların tedavisinde kullanılan lazerle epilasyon (laser hair removal) ve kırışıklıkların tedavisinde kullanılan botox kollajen ve yağ enjeksiyonu (botox injection), vb. sayılabilir.

Plastik cerrahide her hastanın problemi, beklentileri, tedavi seçenekleri, riskleri ve sonuçları farklıdır.

Hemşirelik Yönetimi

Ameliyat Öncesi Hazırlık: Plastik cerrahi girişimlerin çoğu acil olmadığından hastanın fiziksel ve psikolojik olarak cerrahiye hazır olup olmadığından emin olunacak yeterince zaman vardır. Hemşire hastanın cerrahiye yönelik fiziksel hazırlığını değerlendirir diyabet, hipertansiyon gibi durumlar cerrahiden önce kontrol altına alınmalıdır. Cerrahiden önce beslenme durumu tanımlanır gerekiyorsa yetersizlikler düzeltilir. Protein- karbonhidrat yetersizliği yara iyileşmesini azaltır. Hastalar genellikle kaygılarını hemşire ile paylaştıklarında rahatlarlar. Hastaların ameliyatla ilgili gerçekçi olmayan olumsuz beklentiler varsa cerraha iletilir. Ameliyat öncesi eğitim hastanın ameliyat sonrası gerçekçi beklentiler üretebilmesini sağlar. Hastanın ameliyatın normal rutin hayatı nasıl etkileyeceğini anlaması önemlidir. İyi bir planlama günlük yaşamda minimal sapma yaratır. Ameliyat öncesi eğitim; aktivite kısıtlamaları, yara izinin yer ve büyüklükleri ve olası yan etkilerin bulguları gibi konuları içermelidir. Aile bireylerin eğitim sürecine dâhil edilmeleri önemli bir destek sistemi oluşturur. Plastik cerrahi ile ilgili bazı yanlış anlamalar vardır.

Bazı kişiler plastik cerrahinin yara izi (skar) bırakmadığına inanır. Bazı yara izleri gizlenebilse veya gözden uzak tutulabilse bile, dokuya yapılan herhangi bir kesinin iz bırakacağı anlatılmalıdır. Cerrahi işleme bağlı oluşacak yara izinin yeri ve büyüklüğü ile ilgili hastanın gerçekçi beklentilere sahip olması önemlidir. Hemşire hastaya yara izinin uzun bir zaman diliminde olgunlaşacağını hatırlatmalıdır. Bazı ameliyat yarasının izlerinin (skarların) son görünümlerini almaları birkaç yıl alabilir. Ameliyat öncesi insan vücudunun doğal halinin asimetrik olduğunu vurgulanması önemlidir. Sağ ve sol memeler, gözler, kulaklar, boyut, şekil ve pozisyon olarak eşit değildir. Bu farklılıkların çoğu ender olarak fark edilir ancak plastik cerrahi hastaları görünüm konusunda artmış bir hassasiyete sahiptir. Hastanın ameliyat sonrası gerçekçi beklentilere hazırlanmasında cerrah ve hemşire mükemmel bir simetrinin gerçekçi bir beklenti olmayacağını vurgulamaları önemlidir. Ameliyat sırasında manipüle edilen dokunun canlılığını sürdürebilmesi yeterli kan akımına bağlıdır. Doku kanlanmasını azaltan her şeyden uzak durulması hastaya anlatılmalıdır. Aspirin ve aspirin içeren bileşikler trombosit agglutinasyonu ile iletişime girer, kanama ve hematom oluşumuna yol açabilir. Nikotin güçlü bir damar büzücüdür ve doku perfüzyonunu etkiler. Sigara içmek flep nekrozuna ve ciddi boyutta doku kaybına neden olabilir. Hastaya cerrahi sahasını yukarıya kaldırması anlatılmalıdır.

Ameliyat Sonrası Bakım: Eğer pansuman yoksa ameliyat bölgesi her iki saatte bir gözlenir. Cerrah tarafından konulan pansumanlar değerlendirme amacıyla kaldırılmaz. Hemşire ağrı, basınç, kanama, deri rengi, ateş, duyu, büllerin varlığı, ödem veya seroma (serosanjinöz sıvı birikimi) varlığı ve rengin solma zamanı açılarından değerlendirme yapar. Ameliyat bölgesindeki herhangi bir komplikasyon bulgusu (soğuk, soluk veya morarmış deri, uzamış solma zamanı, duyulardaki değişiklikler, örn; karıncalanma) cerraha bildirilir.

Transfer edilen derideki anormal ağrı, solukluk veya morarma, renk değişikliği (siyanoz) hemen cerraha bildirilmelidir. Ameliyat alanı venöz staz ve ödem açısından değerlendirilir. Her iki durum da doku perfüzyonu çok azaltabilir. Venöz staz lokal hipoksiyi arttırır. Metabolik doku atıkları yeterince uzaklaştırılmazsa lokal doku hipoksisi doku nekrozu yapabilir. Uzamış solma zamanı venöz stazı gösteren erken bir bulgudur. Venöz göllenme flebin mavi görünmesine neden olur. Azalmış damarlanmaya yönelik herhangi bir bulgu (renk veya ısı değişikliği, boyut ve gerginlik) hemen bildirilmelidir. Dokuların oksijenlenmesi izlenmelidir. Büller dolaşım bozukluğunu ve doku canlılığının azaldığını gösterir. Hemşire büllerin varlığından cerraha haber verir. Bazen greft alanındaki birikimlerin drene edilmesi gerekir. Büyük sıvı birikimleri cerrahi girişim gerektirebilir. Ağrının derecesi değerlendirilir. Donör alanları genellikle alıcı alanlara göre daha ağrılıdır.

Hemşire hastanın başa çıkma mekanizmalarını izler. Bazılarını etkili, bazıları etkisiz olabilir. Erkekler dış görünüşleri ile ilgili duygularını kadınlarına göre çok daha zor dile getirirler. Hemşire hastasını dinleyerek onun kendisiyle ilgili pozitif veya negatif algılarını dikkatle inceler. Hastanın anksiyete ve korku düzeyi kaydedilir. Hemşire hastanın etkilenen vücut bölgelerine dokunma konusundaki istekliliğini değerlendirir ve insan içine çıkma cesaretini izlemelidir.

Greftler

Vücutta herhangi bir defekte konmak üzere vücuttan tüm bağlantısı kesilerek alınan doku parçasına greft denir. (Şekil 49.1) Konulduğu yerde damarsal bağlantı yapılmaz. İçeriklerine göre greft çeşitleri: Deri (epidermis ve dermis içerir), dermis, dermis+yağ (derma-fat greft), yağ dokusu, kemik, kıkırdak greftleri kullanılabilir.

Deri greftleri sıklıkla primer kapatılması mümkün olmayan geniş deri kayıplarında uygulanır. Genellikle hastanın uygun bir yerinden alınıp yine aynı hastanın defektine konur. Çok geniş yanık gibi nadir durumlarda aynı hastadan deri alınacak yer bulunamaz. Bu durumda greftin başka bir vücuttan alınması gerekebilir.

Alıcı ve vericiye göre isimlendirme: (Terminoloji)

Otogreft: Alıcı ve verici aynı vücut (En çok kullanılan ve en iyi sonuç veren deri grefti),

İsogreft: Alıcı ve verici arasında genetik benzerlik/aynılık vardır. (Tek yumurta ikizleri arasında deri nakli),

Allogreft (homogreft): Aynı tür farklı birey (bir insandan başka bir insana kadavra derisi),

Xenogreft (heterogreft): Farklı türler (domuzdan insana) hazır satılır. Greftler değişik durumlara göre farklı sınıflandırılmaktadır.

Kalınlığa göre sınıflama

A. Kısmi kalınlıkta (Split thickness skin graft) (Epidermis + dermisin yüzeyel tabakası: ¼, 2/4, ¾ yüzeyel dermisi içerir. (mm ölçümüne de yakındır) Bu sıra ile ince-orta-kalın split deri grefti şeklinde isimlendirilir.

Kısmi kalınlıkta deri greftleri "dermatom" adı verilen özel bir alet yardımıyla alınırlar. Dermatomların bıçakları ve kalınlık ayarları vardır. Mekanik ve motorlu tipleri vardır. Kısmi kalınlıklı greft alınmış yer zemindeki deri ekleri ve çevreden epithelizasyonla iki - dört hafta içerisinde

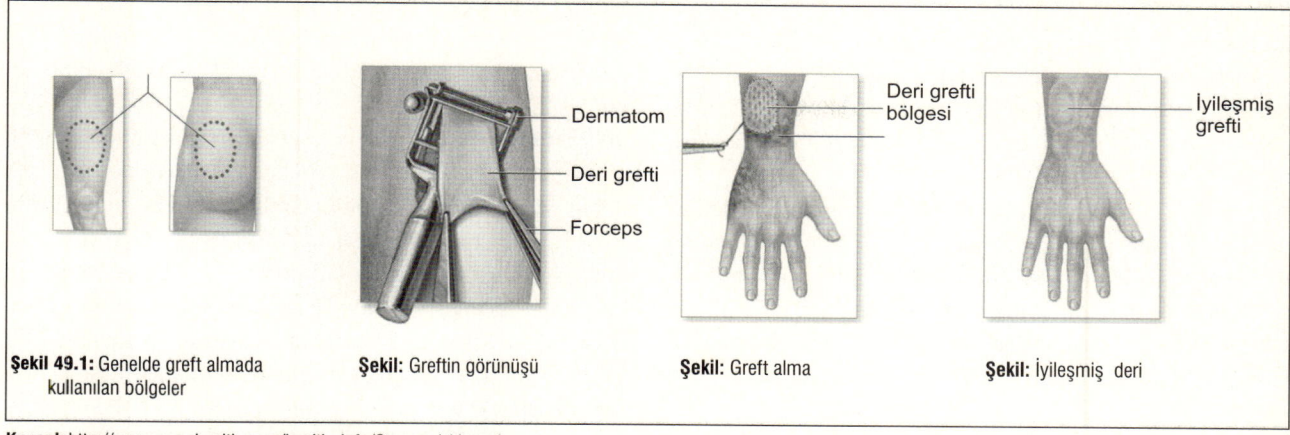

Şekil 49.1: Genelde greft almada kullanılan bölgeler
Şekil: Greftin görünüşü
Şekil: Greft alma
Şekil: İyileşmiş deri

Kaynak: http://www.pennhealth.com/health_info/Surgery/skingraf

sekonder olarak (kendiliğinden) iyileşir. Bu nedenle geniş yara ve yanıklarda tercih edilir. Vücudun yüz hariç hemen her yerinden alınabilir. Alındığı yerde alınma kalınlığına bağlı olarak iyileşme sonrası genellikle bir renk değişikliği şeklinde iz bırakır. Saçlı deriden ve sırttan da alınır. En sık uyluk üst-dış yüzü ve kalçadan alınır.

B. Tam kalınlıkta (Full thickness skin graft): Epidermis ve dermisin tamamını içerir. Tam kalınlıktaki deri greftleri bistüri ile alınıp deri altında kalan yağ dokuları temizlenir. Böylece greftin tutmasına engel oluşturabilecek bir tabaka alınmış olur. Alındığı yer kendiliğinden iyileşmeyeceğinden primer kapatılır. Bu nedenle ancak primer kapatılabilecek ebatta ve eliptik tarzda alınır. Özellikle estetik ve fonksiyonel sonucun iyi olmasının istendiği küçük ebatlı defekler için kullanılır. Yüz bölgesinde tercih edilir. Renk uyumu açısından klavikula üzerinde kalan bir bölgeden alınmalıdır. Kulak arkası, önü, supraklaviküler deri tercih edilir. (Şekil 49.2)

Greft tutması: Deri grefti konduğu yerde ilk günlerde alıcı yataktan serum emerek beslenmeye çalışır. Greftte gerçek kan akımı dördüncü gün ortaya çıkar. Greftin tutması için gerekenler:

Yeterli alıcı yatak: Grefti besleyebilecek yeterli kan desteği olan bir zemin gerekir. Nekrotik bölgeler greft tutmaz. Çıplak kemik (periostsuz), tendon (paratenonsuz), kartilaj (perikondriumsuz) greft tutmaz. Bu tür defektler flep ile kapatılmalıdır.

Immobilizasyon: Greft yerinden hiç oynatılmamalı ve zeminle temasını önleyecek greft altı birikim (hematoma, seroma) olmamalıdır. Bunun için greft kanaması durdurulmuş yatağa konmalı ve immobilize edilmelidir. Yedi gün süre ile yerinden oynatılmamalıdır. Bunun için çepeçevre dikişlerle tespit edilmesi, extremitelerde sirküler sargı, elastik bandaj kullanımı ve eklem hareketlerinin atelleme ile önlenmesi gerekir. Sıkı sarılamayacak yüz, saçlı deri gibi bölgelerde ise "tie over dressing" denilen pansuman üstü bağlama yöntemi uygulanır. Bu şekilde immobilize edilen greftler enfeksiyondan şüphelenilmediği sürece yedi gün süre ile açılmazlar. Bazen kısmi kalınlıkta greftlerde sargılama mümkün değil ya da uygun değilse üzerleri tamamen açık bırakılabilir. Bu durumda sık sık gözlenerek ilk günlerde altında birikim olursa boşaltılır.

Diğer greft türleri

Kemik grefti: Genellikle kemik defekti gösteren kırıklarda uçları arasındaki defekti doldurup iyileşmeyi sağlamak amacıyla ya da çökük görünen yüzeyel kemik bulunan bölgeleri düzgün göstermek amaçlı kullanılabilir. Donör alan olarak en sık fibula, iliak kemik, kranium kullanılır. Kemik greftleri değişen derecelerde rezorbe olurlar.

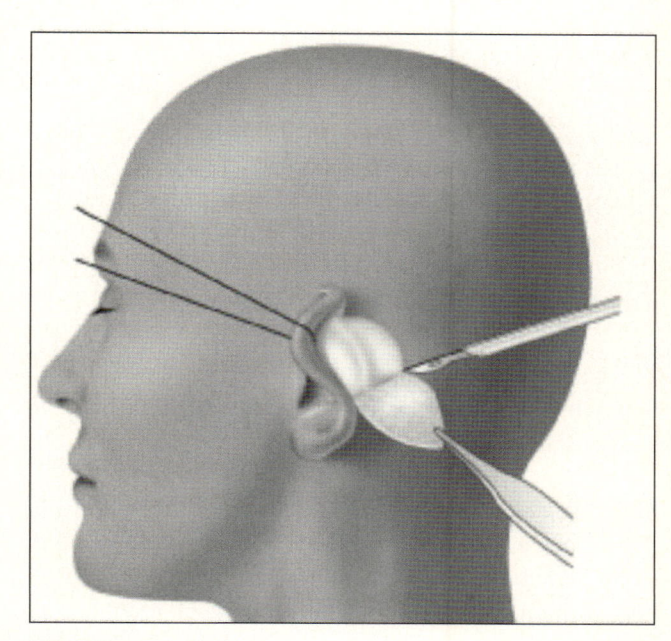

Şekil 49.2: Kulak arkası grefti
Kaynak: http://www.maitrise-orthop.com/corpusmaitri/orthopaedic/118_knipper/knipper_us.shtml

Kıkırdak grefti: Genellikle burun ve aurikula şekil bozukluklarının düzeltilmesinde tercih edilir. Donör alan burun septumu, kulak aurikulası, kostal kıkırdaktır.

Dermis grefti, derma-fat greft: Yüzdeki çukuk bölgelerde, derin nasolabial kırışıklıklarda kullanılabilir. Gluteal cizgiden alınabilir.

Yağ grefti: Yumuşak doku çöküntülerini doldurmada kullanılabilir. Bistüri ile ya da liposuction (yağ emme) yöntemi ile karın ya da başka bölge deri altından alınıp kalın iğneli bir şırınga ile deri altına verilerek çöküçk bölge şişirilir.

Tendon ve fasya grefti: Daha çok elde tendon tamirinde kullanılırlar. Palmaris longus ya da fascia lata'dan alınır.

Flepler

Birçok plastik cerrahi işlem fleplerle yapılmaktadır. Flepler aynı birey üzerinde alınan parçanın dolaşımı bozulmaksızın alıcı yatağa yerleştirilmesidir. Flepler içeriklerine göre deri flebi (deri ve deri altı yağ dokusu), kas flebi, kas- deri flebi (muskulocutan flep) şeklinde isimlendirilir.

Deri felpleri: Üç kenarı kesilmiş ve zeminden kaldırılmış dikdörtgen biçimindeki deri bölgesidir. Flebin kan desteğini sağlayan vücuttan ayrılmamış kısmına "Pedikül" adı verilir.

Deri flepleri değişik durumlara göre farklı sınıflandırılmaktadır.

A. Beslenme şekillerine göre sınıflama: Fleplerin beslenme şekillerine göre sınıflandırılmasında:

Random pattern flep: Pedikülünde bilinen, isimli bir damar yoktur. Bölgeye bağlı olarak boy/en oranı değişmekle beraber yaklaşık 1/1, 5/1 olabilir.

Axial pattern flep: Pedikülünde bilinen (belirli bir isimle anılan) bir damar vardır. Genellikle bu damar flep boyunca flep içerisinde seyretmektedir. Bu nedenle boy en oranı sınırlaması yoktur.

b. Hareket şekillerine göre fleplerin sınıflaması:

1- Yakın (lokal) flepler:

İlerleyen flepler, İlerletme (advancement) flepleri: En fazla tek pediküllü ilerletme flebi kullanılır.

Dönen flepler: Rotasyon, transpozisyon ve interpolasyon flepleri mevcuttur. Z plasty: Bir tür çift transpozisyon flebi uygulamasıdır. Genellikle defekt kapatmak için değil, derinin belirli bir doğrultuda greft kullanmaksızın uzatılmasını sağlar.

2- Uzak flepler:

Direkt uzak flep: Gövdeden kola, parmaklar arası, kollar arası deri flebi uygulamalarıdır. İkinci bir seansta pedikül kesilmesi işlemi gerekir. Bunun için 21 gün beklenmektedir.

İndirekt uzak flep: Flep konacağı yere yetişemiyorsa tercih edilebilecek bir yöntemdir. Asıl konacağı yere taşınana dek flebin uçları sıra ile 21 günlük aralarla yeni bir yere dikilir. Böylece deri flebi tek seansta yetişemeyeceği yerlere gitmiş olur. Örn; Gövdeden kaldırılan ve yüze yetişemeyen bir flebin önce kola dikilmesi, 21 gün sonra ise gövdeden ayrılarak bu kısmın yüz defektine kapatılması ve ikinci bir 21 gün sonunda koldan da ayrılması şeklindedir.

Free (Serbest) flep: Uzak bir bölgeye taşınacak doku parçasının onu besleyen arter ve veninin izole edilerek defekte konulması ve damarlarının alıcı bölgede mikro-cerrahi teknikle anastomoz edilmesi şeklinde uygulanır.

Flep İzleme Yöntemleri:

Fleplerin gerek ameliyat sırasında gerek de ameliyat sonrası dönemde canlılıklarının tespiti için çeşitli izleme yöntemleri ya da testler mevcuttur. Bu sayede flebin beslenmesinde bir sorun çıktığında gerekli önlemler alınabilir.

1. Subjektif testler: Deri flebinin canlılığının anlaşılması için yapılan gözlem ya da basit testlerdir. Klinik olarak en sık kullanılanı bunlardır.

a. Renk: Flebin normalden beyaz ve soluk görünmesi arteriyel, mor-mavi görünmesi venöz damarlarda yetersizliğe işaret eder.

b. Kapiller dolma süresi: Sürenin uzaması arteriyel, kısalması venöz yetmezliğe işaret eder.

c. Isı: Elle flebin ısısın kontrol edilir fakat güvenilir değildir.

d. Kanatma: İğne ya da bisturi ucu ile kanatılan flepte kan izlenmesidir. Geciken parlak kırmızı arteriel problemi, önce siyanotik arkasından parlak kırmızı kan venöz problemi gösterir.

2. Objektif testler: Daha çok deneysel çalışmalarda kullanılırlar. Bazılarının klinik kullanımı vardır.(Doppler, fluorescein testi)

Flep Ameliyatı Sonrası Hemşirelik Yönetimi: Flebin bir kısmının veya tamamının kaybı ciddi doku bozukluğu (defekti) oluşturur. Flep Yetersizliği fiziksel ve duygusal olarak yıkıcı bir tecrübedir. Bozukluk yalnızca tamir edilmemiş şekilde kalmaz, aynı zamanda rekonstrüksiyon için kullanılan dokuda kaybedilir. Bu durumda hastanın duyguları da çöküntüye uğrar. Bir flepe gelen kan desteğinin korunması hemşirenin temel sorumluluğudur. Hemşirelik girişimleri flebin kan akımını bozacak faktörlerden uzak durmak için tasarlanmıştır.

Flep üzerindeki gerginlik bu alanı besleyen damarlardan birisini gererek veya büzerek doku perfüzyonu azaltır.

49. Plastik ve Rekonstrüktif Cerrahi

Bir pıhtı kan akımını sınırlayabilir. Azalan kan akımının ilk bulgusu solukluktur. Hemşire hastaya pozisyon verir, böylece hasta rahatlar ve flepte gevşer ve yukarıya kalkar. Yer çekimi ödem ve venöz dolumu arttırarak kanlanmayı bozar. Etkilenen vücut bölümü yukarıya kaldırılabilir ve elastik bandaj veya çorap uygulanabilir. Flep altındaki bir hematom ciddi bir komplikasyon olabilir. Damarlara basınç yaparak kanlanmayı bozabilir. Ayrıca hematomlar enfekte olabilir ve toksik maddeler ortaya çıkarabilir. Artan gerginlik, şişlik ve basınç hisleri tehlike işaretleridir. Hematomlar erken fark edilirse boşaltılabilir. Damarlanmayı azaltan tüm faktörler hemen bildirilmelidir.

Meme Rekonstrüksiyonu

Meme kanseri nedeniyle cerrahi olarak alınan (mastektomi) memenin yeniden yapılmasıdır. Bu amaçla seçenekler ve zamanlama değişiklik gösterir. Rekonstrüksiyon, silikon veya serum fizyolojik içeren protezler (implant) yardımıyla ya da hastanın kendi dokusu kullanılarak gerçekleştirilebilir. Zamanlama olarak, memenin alındığı ameliyat sonrası erken dönemde, ya da aylar-yıllar sonra gecikmeli olarak uygulanabilir.

Fleple Rekonstrüksiyon: Hastanın kendi dokusunun kullanıldığı (otojen) meme rekonstrüksiyonlarında değişik deri ve derialtı dokularından (flep) yararlanılabilir. En sık uygulanan TRAM flep kullanımında, karın alt bölge derisi altındaki fazla yağ ve kas dokusu birlikte meme bölgesine alınıp ya köküne bağlı (pediküllü) olarak ya da serbest flep olarak mikrocerrahi yöntemle yerleştirilir. Burada hastanın kendi dokusu kullanıldığı için, hem daha doğal görünüm ve kıvamlı meme yapılabilmekte, hem de karındaki fazla deri-yağ dokusu giderilmektedir. Ameliyat süresi ilk rekonstrüksiyon ameliyatları için üçbeş saattir ve genel anestezi altında uygulanır. (Şekil 49. 3)

Hastanede kalış süresi üçbeş gündür. İşe dönüş yaklaşık üç-dört haftada olur. Ağır egzersizlere sekiz haftada başlanabilir. Flep kullanımından sonra karın duvarında fıtık veya zayıflık ortaya çıkabilir.

Hemşirelik Yönetimi: Cerrahi yapılan herhangi bir kişinin ihtiyacı olan ameliyat sonrası hemşirelik desteğini vermeye ek olarak rekonstrüktif meme cerrahisi sonrasında hemşire flep veya meme alanın, renk, ateş ve kapiller yeniden dolma derecesini değerlendirir. Mümkünse meme başı areola da değerlendirilir. Koyu renk, kırmızı-mor veya siyah kenarlı bir areola yetersiz dolaşımı gösterir. Hemşire değerlendirme bulgularını belgeler ve olası tüm komplikasyonların bulgularını hemen cerraha bildirir.

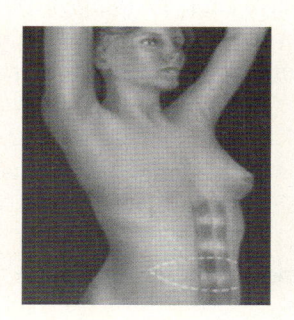

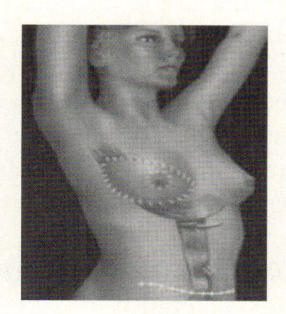

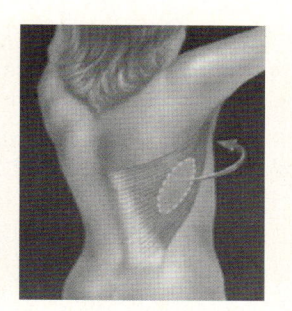

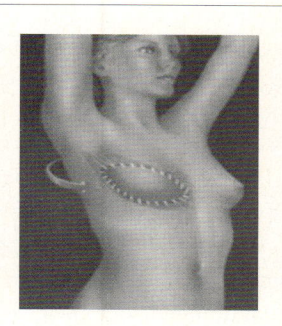

Şekil 49. 3:
En yaygın kullanılan flep TRAM (transvers rectus karın kası)

Diğer yaygın kullanılan latissimus dorsi flebidir.

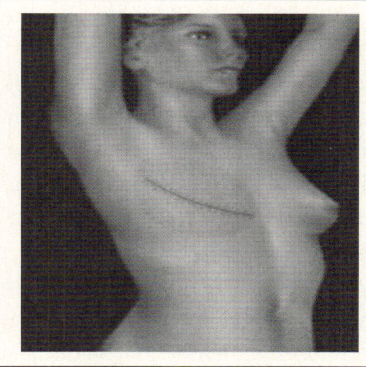

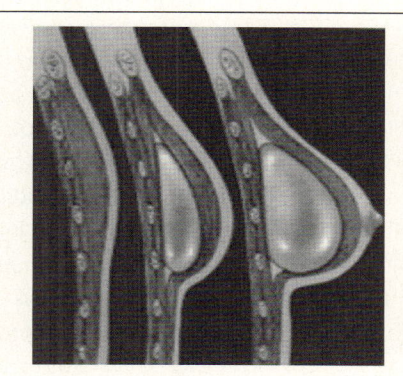

Şekil 49. 3: Protezle Rekonstrüksiyon
Kaynak: Medical Library. American Society of Plastic Surgeons **Breast Reconstruction Following Breast Removal (2008)**
http://www.medem.com/medlb/article_detaillb.cfm?article_ID=ZZZ7CCFPD8C&sub_cat=581

Meme rekonstrüksiyonunda ağrı yönetimi için epidural analjezi kullanılabilir. Epidural analjezide hemşire solunum hızını, ağrı rahatlamasını derecesini, küntlük veya paralizinin alt ekstremitelerdeki derecesini her iki saatte bir değerlendirilir. Ameliyattan sonra memeleri desteklemek için sutyen takılabilir. Telsiz ön tarafı kapatan destek sutyenleri tercih edilir. Sutyen giymek bazı kadınların kendilerini normal ve iyi hissetmelerine yardımcı olur. Meme rekonstrüksiyonu için yapılacak yeni görüntüye adapte olmak genellikle ameliyat sonrası üç-dört ayda olur.

Protezle (implant) Rekonstrüksiyon: Protezle (implant) yapılan rekonstrüksiyonlarda alınan memenin derisi doku genişletici bir protez yardımıyla ikialtı ay içinde genişletildikten sonra silikon ya da serum fizyolojik içeren ikinci ve son protez yerleştirilir. Protez kullanımında diğer bir yöntem de serum fizyolojik içeren ve genişletici protez adı verilen bir protezin ilk ameliyatta yerleştirilip meme derisi genişletildikten sonra yerinde bırakılmasıdır. (Şekil 49. 4) Bu yöntemle ikinci bir protez ameliyatı gereksiz kılınmaktadır. Ameliyat süresi ilk rekonstrüksiyon ameliyatları için bir-iki saattir ve genel anestezi altında uygulanır. Hastanede kalış süresi bir-iki gündür. İşe dönüş yaklaşık bir-iki haftada olur. Ağır egzersizlere yaklaşık altı haftada başlanabilir.

Her iki yöntemden sonra yaklaşık iki-üç ay içinde gerçekleştirilen ikinci dönem ameliyatında, diğer meme genellikle ya yukarı kaldırılarak (mastopeksi) ya da şekillendirilerek yeni yapılan memeye uyumu sağlanır. Yine bu ameliyatta ya da iki üç ay sonra gerçekleştirilen üçüncü dönem ameliyatında meme uçları yapılır.

İlk rekonstrüksiyondan sonraki ameliyatlarda genellikle hastanede kalmak gerekmez.

Başlıca riskler enfeksiyon, kanama, duyu azalması, asimetri, deri hasarı ve izlerin belirginleşebilmesidir. Protez kullanımından sonra protez çevresinde ağrılı kapsül oluşabilir ya da protez sızarak zamanla küçülebilir.

Protezler (İmplantlar) Sonrası Hemşirelik Yönetimi: Ameliyat sonrası dönemde değerlendirme ve girişimler protezin ayrılmasının önlenmesine, ameliyat alanına yeterli kan akımının sağlanmasına ve enfeksiyonun önlenmesine odaklanır. Protezin kendisi ağrıya neden olmaz, ancak cerrahi işlem hafif orta derecede ağrıya neden olabilir. Yeni takılan subpektoral implantı olan bir kadın, implantın başlangıçta çok sert hissedileceğini ve normal bir memeden daha yüksek duracağını bilmelidir. Zamanla kaslar gerilir ve implantın yumuşayarak daha aşağıya düşmesini sağlar. Subpektoral implantı olan kadınlar sütyen giymez, implant göğüs duvarında yaratılan cebe inmelidir.

Enfeksiyon protezin uzaklaştırılmasına neden olabilecek ciddi bir komplikasyondur. Hemşire hastaya insizyon sahalarını temiz ve kuru tutmasını söylemelidir. Hemşire hastaya enfeksiyon belirti ve bulguları ile ilgili bilgi vermelidir. Ağrı kesicilerle azalmayan ağrı araştırılmalıdır. Vücut ısısındaki değişimler ve drenaj, ödem, kızarıklık ve cilt ısısı gibi lokal değişiklikler enfeksiyon veya protezin reddi gelişimini gösteriyor olabilir. Hastanın motive edilmesi, hazırlanması ve uyumunun sağlanması için önemlidir. Cilt genişleticiler steril koşullarda şişirilmelidir. Her genişleticinin içerisine perkütan steril bir iğneyle girilebildiği bir enfeksiyon sahası bulunur. Doku genişleticinin üzerinde gergin olana kadar yavaşça salin enfekte edilir. Bazen rahatsızlığı gidermek için biraz salinin geri çekilmesi gerekebilir. Gerginlik birkaç saat rahatsızlık yaratabilir ancak doku genişledikçe rahatlar. Hastanın genişletici üzerine uygulanacak basıncın kan akımını azalttığını ve doku yıkımına neden olduğunu anlaması önemlidir.

Genişleticilere bağlı insizyon hattı ayrılırsa durum genellikle tedavinin bırakılmasına neden olmaz. Gerginliği azaltmak için bir miktar sıvı geri çekilebilir. İnsizyon yeterince iyileştikten sonra, genişleme yeniden başlayabilir. Birçok vakada genişletici geniş giysilerle gizlenebilir. Hasta genişleticiye basınç uygulamayacak bir pozisyonda uyumalıdır. Boyun veya kafa derisi gibi bölgelerde genişletici taşıyan hastalar geçici fiziksel değişimlerle başa çıkabilmeli ve vücut görüntüsü ile alışmalıdır.

Hemşire hastanın genişleticiye bağlı deformiteyi atlatmasına yardımcı olmada yardımcı olur. Örn; rekonstrüksiyon öncesinde bir meme genişletildiğinde, diğer meme buna tam olarak uymayacaktır. Hemşire, asimetriyi gidermek için, diğer memeye ped koyarak boyut ayarlaması yapmada hastaya yardımcı olur. Meme protezinin vücuda 60 günde adapte olduğu belirtilmektedir.

Yağ alma (Vakumla fazla yağların alınması (Liposuction))

Yağları alma (Liposuction, liposakşın) kilo vermeye dirençli, istenmeyen yağların emilerek vücudun şekillendirilmesidir. Bu girişime en uygun adaylar, aşırı kilolu olmayan ve istenmeyen yağ bölgelerindeki cildin elastikliğini koruduğu ve sarkık olmadığı hastalardır.

Liposakşın, hem kadınlar hem de erkeklerde en sık uygulanan plastik cerrahi girişimlerindendir. En sık karın, bel, bacaklar, ayak bilekleri, kollar, yüz, çene ve boyun bölgelerinde kullanılır. Benzer şekilde fazla sarkık olmayan memelerin küçültülmesinde ve erkeklerde meme büyümesi (jinekomasti) durumlarında da uygulanmaktadır.

Teknik olarak ameliyat ortalama 1-3 saat sürer ve 1 cm boyutlu küçük kesilerle yapılır. Genel anestezi veya damar içi sakinleştirici etkisi altında uygulanabilir. Çoğunlukla hastanede kalmak gerekmez. İş gibi normal etkinliklere dönüş ortalama bir iki haftadır, ağır egzersizlere ise 4-6 hafta içinde başlanabilir. Aktiviteye çok hızlı dönmek acıma ve şişmeyle sonuçlanabilir. Başlıca riskleri geçici şişlik ve morluklar, çoğunlukla geçici renk değişiklikleri, kanama, enfeksiyon, ciltte asimetri ve duyu azalması, aşırı sıvı verilmesi ya da kaybedilmesi ve pıhtı oluşumu ve atmasıdır.

Hemşirelik Yönetimi: Liposakşını takiben hasta birkaç saat dinlenir. Liposakşın ile orta yüksek miktarda doku ve sıvı uzaklaştırılabildiğinden, hemşire hastanın hipovolemi ve elektrolit dengesi bulgularını (senkop, sersemlik, anormal kan değerleri) değerlendirilir.

Dren kullanılıyorsa drenajın niteliğini ve niceliğini değerlendirmek önemlidir. Basınçlı pansuman veya elastik bandaj malzemeleri tünelleri tıkamaya ve sıvı birikimini önlemeye (hematom, seroma) istenen vücut hatlarını sağlamaya ve iyileşmeyi arttırmaya yardımcı olur. Pansumanlar en fazla 24 saat durur. İyileşmenin iyi olabilmesi için ameliyat sonrası birkaç hafta boyunca basınç uygulayan malzemeler kullanılabilir. Liposakşın sonrası çürükler sıktır ve tamamen kaybolması haftalar alabilir. Hemşire, sonuçların cerrahi sonrası 6 aya kadar netleşmeyebileceğini anlatmalıdır. Ödemin çözülmesinin tamamlanması ve yumuşak dokunun rekonstrüksiyonu için zaman gereklidir.

Karın germe (Abdominoplasti)

Karın bölgesindeki kilo vermeye dirençli fazla yağ ve derinin cerrahi olarak alınıp kasların gerginleştirilmesi ve karın duvarının yeniden şekillendirilmesidir. Bu girişime en uygun adaylar, karındaki istenmeyen fazla yağ dokusunun üstündeki cildin elastikliğini yitirdiği ve sarkık olduğu hastalardır. Bu girişimden aşırı kilo verme sonrasında da sık yararlanılır. Bu hastalarda kilo verdikten sonra karın, kollar ve bacaklarda ortaya çıkan elastikliğini yitirmiş, fazla cilt ve yağ dokusu cerrahi olarak alınarak vücut yeniden şekillendirilir. (Şekil. 49. 5)

Abdominoplasti ameliyatı sırasında bikini çizgisi altından yapılan enlemesine bir kesiyle fazla yağ ve deri alınarak karın gerginliği yeniden kazandırılır. Yine benzer amaçla gevşek karın kasları yeniden gerilerek bel inceltilir. Ameliyat ortalama 2-3 saat sürer ve genel anestezi altında yapılır.

Hastanede kalış süresi genellikle 1-2 gündür. İşe dönüş 2-3 haftadır, ağır egzersizlere başlama ise 4-6 hafta içinde gerçekleşir. Başlıca riskleri geçici şişlik ve morluklar, cilt altı kanama, duyu azalması, enfeksiyon, cilt hasarı ve izlerin belirginleşmesidir.

Yüz-Boyun Germe (Face-neck lift), Alın Germe (Brow Lift)

Yüz, boyun ve alın bölgelerinde, genellikle yaşlanmaya bağlı olarak elastikliğini yitirip, sarkan cildin alınarak gerginlik ve gençliğinin yeniden sağlanmasıdır. Bu girişime en uygun adaylar, kırışıklıkların derin ve cildin sarkık olduğu orta yaşın üstündeki hastalardır. Ameliyat hastanın ihtiyacına göre değişen değişik kesilerle fazla derinin alınmasıyla gerçekleştirilir. Kesi yerleri arasında kulak arkası, şakak bölgeleri, saçlı alın-baş derisi sayılabilir. Boyun germe (neck lift) ameliyatı, çene altında yapılan iki cm kadar küçük bir kesiyle gerçekleştirilen ve ayrılıp sarkmış boyun ön kaslarının yeniden birleştirilip gıdık bölgesinin gençleştirildiği oldukça basit ve genellikle çok tatmin edici bir girişimdir.

Ameliyat süresi yapılan girişime göre bir-beş saat arasında değişebilir ve genel anestezi kullanılır. Çene altı kesisiyle yapılan boyun germe ameliyatı genel anestezi dışında damar içi sakinleştirici etkisi altında da yapılabilir. Hastanede kalmak gerekmez. İşe dönüş ve günlük etkinliklere başlama süresi ortalama iki-üç haftadır. Başlıca riskleri geçici şişlik ve morluklar, kanama, enfeksiyon, asimetri, sinir hasarı ve izlerin belirginleşmesidir.

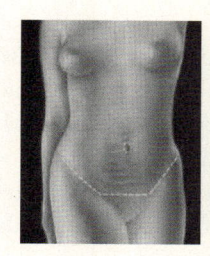

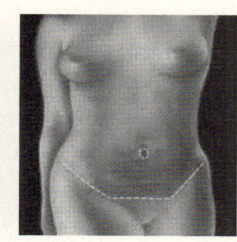

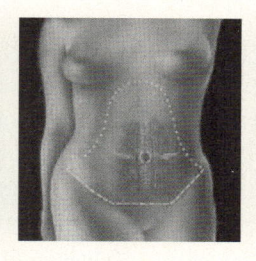

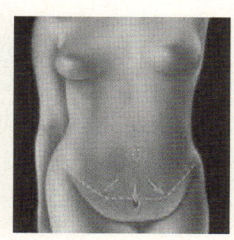

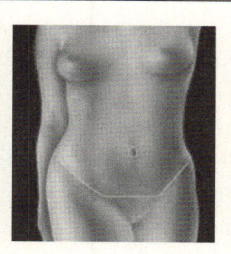

Şekil 49.5: Abdomino plasti ameliyatı
Kaynak: Medical Library Surgery of the Abdomen: Abdominoplasty American Society of Plastic Surgeons http://www.medem.com/search/article_display.cfm?path=n:&mstr=/ZZZDCK35ICC.html&soc=ASPS&srch_typ=NAV_SERCH

Dermatoloji

Yüz Rekonstrüksüyonu Yapılan Hastanın Hemşirelik Yönetimi

Hemşirelik Tanılaması: Yüz, her insan en iyi şekilde saklamak için çaba sarfettiği bir beden bölümüdür. Çünkü insan iletişimlerinin çoğunda yüz kullanılır. Bir kaza veya hastalık nedeniyle yüz fonksiyonunu kaybederse belirgin duygusal tepkiler oluşur. Görüntüdeki değişiklik sıklıkla anksiyete ve depresyona neden olur. Yüz değişikliği olan hastalar sıklıkla kayıp kısımla ilgili takıntılıdırlar, diğerlerinin tepkileri veya dışlamaları nedeniyle kendilerine olan güvenlerini kaybederler ve kendilerini çekerek izole ederler. Sağlık personeli hastanın hissettiği anksiyete ve depresyonun içinde bulunduğu durumla uyumlu olduğunu, hastaya söylemelidir. Hemşire hastanın duygusal tepkilerini değerlendirir ve hastanın cerrahi müdahaleyi nasıl göğüsleyeceğini tahmin edebilmek için güç alanlarını ve başa çıkma mekanizmalarını tanımlar. Hasta ve ailesinin ekstra desteğe ihtiyaç duydukları alanlar tanımlanır. Ameliyat öncesi değerlendirme bozulmanın boyutunu, ulaşılabilecek iyilik aşamasını, hastanın bunlara karşı olan anlayışını ve kabullenme düzeyini saptar. Cerrah hastayı işlemle, oluşabilecek fonksiyonel defektlerle, olası trakeostomi ya da protez gerekliliği ile ve ek cerrahi olasılıkları ile ilgili bilgilendirdikten sonra, uygulama ve kaygıları yok etme aşamasında hemşirenin konumu ok önemlidir. Hemşire çeşitli ameliyat sonrası konularda hastayı yönlendirir. İntravenöz tedavi, mide dekompreyonu ve kusmanın önlenmesi için nazogastrik tüp kullanımı ve yara, flep ve cilt greftlerinin bakımı ve uzunluğu. Gergin kişilere bu bilgileri sunmak için fazladan zaman gereklidir çünkü duymakta, konsantre olmakta ve uyum sağlamakta zorluk çekebilir.

Hemşirelik Tanıları: Hemşirelik tanılaması verilerine dayanarak, hastaya koyulacak hemşirelik tanıları şunları içerebilir;

- Trakeabronşial sekresyonlara bağlı *yetersiz havayolu temizlenmesi*
- Yüz ödemine ve yapılan işleme bağlı *akut ağrı*
- *Dengesiz beslenme*: ağız boşluğu (oral kavite) fizyolojisinde değişmeye, ağızda aşırı sulanmaya, yetersiz çiğneme ve yutmaya ya da dili ilgilendiren kesilere bağlı olarak gereken kadar beslenememe.
- Travmaya veya cerrahiye ve konuşmada fizyolojik ve anatomik anormalliklere bağlı *iletişim de yetersizlik*.
- Bozulmuş beden görüntüsüyle ilişkili oluşan şekilsizlik
- Suçluluk duygusuna bağlı bozulan aile süreci ve ailede dağılma

Olası Sorunlar /Olası Komplikasyonlar: Değerlendirme verilerine dayanarak, gelişebilecek potansiyel komplikasyon enfeksiyondur.

Planlama ve Amaçlar

Hasta açısından temel amaçlar açık bir hava yolu ve yeterli akciğer işlevi, artmış rahatlama, yeterli beslenme, etkili iletişim metotları, olumlu benlik saygısı, etkili aile içi mücadele ve enfeksiyon yokluğudur.

Hemşirelik Girişimleri

Hava yolunun açılması ve pulmoner işlevsellik: Yüz rekonstrüksiyonunda hemen sonraki ilk kaygı hava yolunun açıklığıdır. Hastanın bilinci açıldıysa, saldırgan ve gergin bir davranışla birlikte olan konfüzyon hipoksiyi gösterir. Bu durumda sedatifler ve opioidler kullanılmaz çünkü oksijenlenmeyi bozabilirler. Hastada huzursuzluk varsa trakeabronşial mukus dikkatlice incelenmelidir. Gerekirse aspirasyon yapılır. Hastanın trakeostomisi varsa enfeksiyonu ve çapraz bulaşı engellemek için steril teknik kullanılır. (Bölüm 25 trakeostomili hastanın bakımı ile ilgili bilgiler içermektedir).

Ağrının Azaltılması Ve Rahatlamanın Sağlanması: Yüz ödemi yüz rekonstrüktüf cerrahisinin rahatsız edici ancak doğal sonucudur. Hastanın başı ve üst kısmı hafifçe yukarı kaldırılır (kan basıncı normalse) ve yüz ödemi azaltılmaya çalışılır. Kapalı drenaja takılan kateter dokuyu kapalı ve yakın tutmak ve seröz drenajı çıkartabilmek için yerinde bırakılabilir. Eğer geniş bir rekonstrüktif uygulanmışsa, hastanın başı dikkatlice yatırılmalı ve sütür hattına en az bası olacak şekilde yerleştirilmelidir. Ağrıyı azaltmak için analjezikler verilebilir. Rekonstrüksiyon için kemik greftleri kullanıldıysa genellikle verici sahasında da dikkate değer bir ağrı oluşur. Hastada boyun ve baş kanseri varsa ve ağrı artıyorsa yoğun hemşirelik bakımı yapılmalıdır.

Yeterli Beslenmenin Sağlanması: Hastaya oral ve faringeal dönem geriledikten, insizyonel alanlar ve flepler iyileştikten ve hasta tükürük yutabilmeye başladıktan sonra sıvılar önerilebilir. Yumuşak yiyecekler git gide hasta tolere edebildikçe eklenir. Hasta oral yolla yeterince alamazsa parenteral besleme (infüzyon, mideye ya da ince barsağın proksimaline su ve vitaminler) başlanır. Günlük istenen kalori derecesine ulaşılana kadar formülün gücü ve besleme sıklığı arttırılır. Büyük ve yıkıcı neoplazmaların radikal cerrahisi sonrasında yeme konusunda yetersizlikler olabilir. Pozitif beslenmenin işareti kilo alımıdır ve beslenme durumu günlük yapılan kilo ölçümü ve periyodik olarak ölçülen serum protein ve elektrolit düzeyleri ile takip edilir.

İletişimin Arttırılması: İletişim problemleri hafif zorluklardan konuşmamaya kadar gidilebilir. Larinks, dil ve mandibulayı ilgilendiren bazı tümörlerde ve kazalarda geniş cerrahi uygulamak gerekebilir. Kâğıt, kalem ve yazmak için düz bir yüzey sağlanmalıdır. Eğer hasta yazamazsa resim işaretleri kullanılabilir. Yapısal değişikliklere uğrayan hastalar için konuşma terapileri ile bağlantı kurulabilir. Aile hastanın iletişim kuramaması nedeniyle bunalmış olabilir. Hasta kısa zamanda bunu sezer ve her iki taraf da kendisini çekebilir. Ailenin duygularını ve korkularını hastadan uzakta iken dile getirmelerine izin vermek önemlidir.

Benlik Algısının Arttırılması: Rekonstrüktif cerrahi geçiren hastanın iyileşmesindeki başarı hasta, cerrah hemşire, ve diğer sağlık personeli arasındaki iletişime bağlıdır. Karşılıklı güven, saygı ve açık çizgilerle sınırlanmış iletişim gereklidir. Aceleye getirilmeden yapılan bakım duygusal güven ve destek sağlanır. Giyilen kıyafetler, girilecek alışılmadık pozisyonlar ve geçici olarak tecrübe edilecek olan yetersizlik durumu en sabit insanı bile altüst edebilir. Hastanın başa çıkma mekanizmalarının desteklenmesi benlik saygısını arttırır. Yardımcı cihazlar kullanılacaksa, daha büyük bir bağımsızlık duygusunun verilmesi amacıyla hastaya cihazı nasıl kullanacağı ve nasıl bakacağı öğretilir. Bir kez kendisine bakmaya başladığında, hasta daha önce yıkıcı görünen bazı durumlar üzerinde hâkimiyet kurabildiğini hisseder. Ciddi şekil bozukluğuna uğrayan hastalar, daha güvenli bir ortamda diğerlerinin tepkilerini almak amacıyla sosyalize edilmeye çalışılır. Zaman geçtikçe hastalar iletişim çevrelerini genişletirler. Defektleri örtmek veya maskelemek için çaba sarf edilir. Değişen görünümlerini kabullenebilmek için hastalar zihin sağlık takımının üyelerinden yardım isteyebilirler.

Aile Mücadelesinin Sürdürülmesi: Aile hastanın cerrahi sonrasındaki görünümü, destekleyici cihazlar ve bunların kullanımı ile ilgili bilgilendirir. İlk vizite birkaç dakika için de olsa aileye katılmak ve görecekleri değişimlerle ilgili verecekleri mücadeleye yardım etmek iyi olabilir. Hemşirenin temel rolü, hastanın tedavisine katılıp katılmama kararını verirken aileyi desteklemektir. Hemşirelik girişimleri arasında aynı zamanda aile bireyleri ile ilişki kurarak anksiyete ve stresi azaltacak yollar önermek ve problemleri çözerek karar vermeye yardımcı olmak da vardır. Bu aktiviteler aileyi destekler ve iletişimi sağlar.

Olası Sorunların Ve Komplikasyonların Saptanması Ve Tedavisi

Enfeksiyon: Sekonder enfeksiyon rekonstrüktif cerrahiden sonra önemli bir kaygı konusudur. Enfeksiyon kaynağı işlemin yerine, sütür hattına ve pedikül flebine bağlıdır. Sütürlerin yerlerini saptamak için ağıza bakılır, böylece temizleme sürecinde yanlışlıkla zarar görmeleri engellenir. Ağız protokole göre günde defalarca yıkanır. Gevşekçe tutunmuş kan pıhtıları hafifçe sürtülerek uzaklaştırılır. Hastaya pıhtıları diliyle gevşetmemesi söylenir. Çünkü taze kanama olabilir. Hasta kan pıhtılarını temizlemek için parmaklarını kullanmamalıdır çünkü bu enfeksiyona neden olabilir. Sütür hattı ödem, artmış drenaj ve hematom oluşumu nedeniyle birkaç gün gerginlik altında kalabilir. Hemşire her pansuman sırasında artan gerginlik ve enfeksiyon (artmış ısı, ödem, kızarıklık, kanama ve ağrı) açısından yara hattını dikkatlice değerlendirir. Pansumanın günde birkaç kez olmak üzere drenaj azalana kadar değiştirilmesi gerekebilir. Drenaj ve ödem rekonstrüktif cerrahiden sonra beklenir; ancak her ikisi de azalır ve bu süreç uygun yerleştirilmiş ve çalışan vakum cihazları ve yatağın başının 45 derece kaldırılması ile hızlandırılabilir. Hemşire vakum cihazlarını izler, düzenli olarak boşaltılır ve drenaj miktarını, sürekliliğini ve alışılmadık kokusunu (olursa) not alır. Eğer pansuman değiştirilmezse veya sütüre edilmiş pedler uzun süre değiştirilmeden bırakılırsa enfeksiyon oluşur. Yara bakımında ciddi aseptik tekniklere uygulanmalıdır. Rekonstrüksiyonda kullanılan bir pedikül flebi dolaşımı bozulursa enfeksiyon kaynağına dönüşebilir. Azalmış kanlanma flebin altında oluşmuş ve damar yapılarına baskı yapan bir hematoma bağlı olarak oluşabilir.

Hemşire flebi renk ve ısı değişikliği açısından inceler. Nekroz bulguları, artmış drenaj ve koku enfeksiyon açısından uyarıcıdır ve hemen tedavi edilmelidir. Yara eğitimi ile ilgili ameliyat öncesi eğitimin uygun steril tekniklere duyulan ihtiyaç, iyi kişisel hijyen ve ameliyat sahasının hareketlerinin kısıtlanması ve gerginliğinin azaltılması, hemşirenin ameliyat sonrası bakımda ve sekonder enfeksiyonun azaltılmasındaki en önemli görevleridir.

Değerlendirme/Beklenen Hasta Sonuçları

Beklenen hasta sonuçları şunlar olabilir.
1. Hava yolu açıktır.
a. Solunum sayısı normal sınırlardadır.
b. Solunum sesleri normaldir.
c. Öksürük veya aspirasyon bulgusu izlenmez.
2. Rahatlama artar.
a. Ağrı azalır.
b. Uygun pozisyon verme önerilerine uyar.
3. Yeterli beslenir.
a. Yeterli miktarda yiyecek ve içecek tüketir.
b. Normal sınırlarda kilosunu korur veya erken ameliyat sonrası dönemde verdiği kiloları hızlıca geri alır.
c. Serum protein ve elektrolit değerleri normaldir.
4. Etkin şekilde iletişim kurar.
a. İletişimi arttırmak için uygun cihazları kullanır.
b. Sağlık personeli ile ailesi ile ve diğer insanlarla bağlantılar kurar.
5. Kendisine olumlu bakar.
a. Cerrahi değişimlerle ilgili olumlu duygular ifade eder.
b. Kendisine bakma aktivitelerinde bağımsızlığı giderek artar.
c. Yardımcı cihazları rahatça kullanır.
d. Günlük aktivitelerle ilgili planlarını anlatır.
6. Aile bireyleri durumla mücadele eder.
a. Anksiyete ve çatışma azalır.
b. Beklentiler dile getirilir.
7. Komplikasyon oluşmaz.
a. Temel yaşam bulguları normal sınırlardadır.
b. Enfeksiyon veya sepsis bulgusu olmadan tam bir yara iyileşme süreci vardır.

ÜNİTE 14

Duyu Sistemi

50. Göz Hastalıkları
51. İşitme ve Denge Sorunu Olan Hastanın Yönetimi

50. GÖZ HASTALIKLARI

Doç. Dr. Şenay KAYMAKÇI

karken iki göz birlikte hareket eder ve uyum yapar (Şekil 50.3). Göz küresi yaklaşık 2.5 mm.çapında, içi saydam madde ve sıvılarla dolu bir yapıdır.

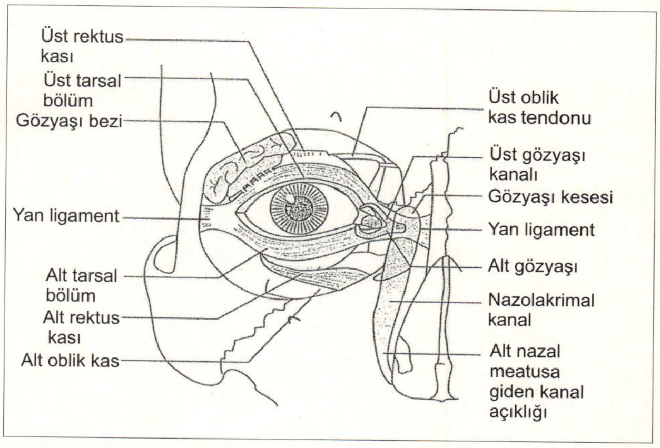

Gözün Anatomisi

Göz ve göz kasları yüz kemikleri tarafından oluşturulan, orbita adı verilen göz çukurunun içine yerleşmiştir. Çukurun içi yastık gibi bir yağ tabakası ile doludur (Şekil 50.1).

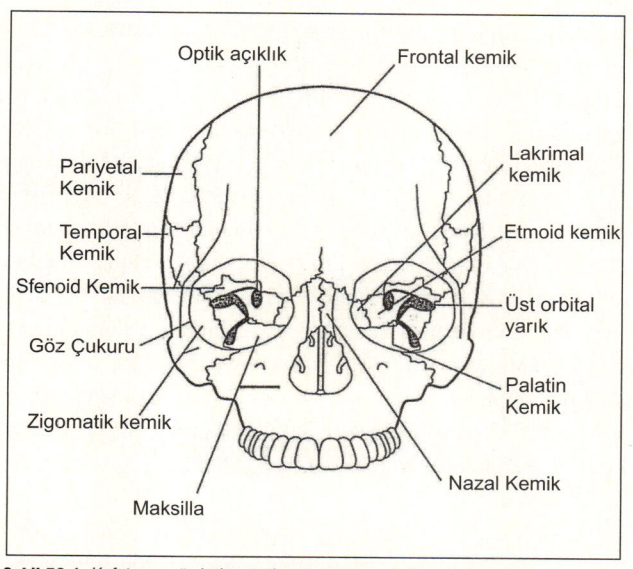

Şekil 50.2: Göz ve ilgili yapıların önden görünümü.

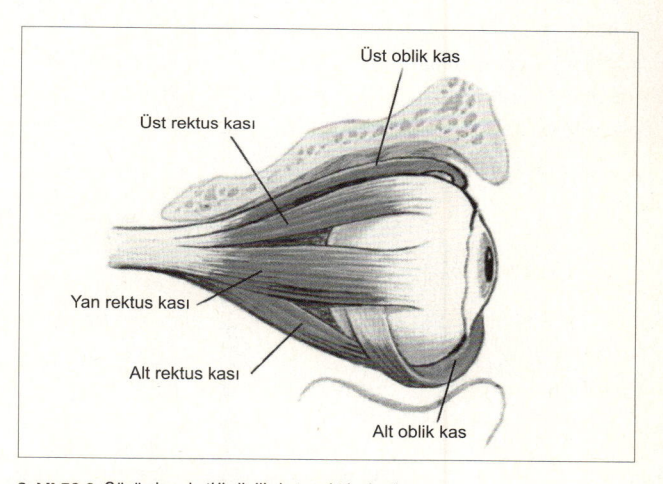

Şekil 50.1: Kafatasının ön bölümünde göz ve görme ile ilgili yapılar.

Şekil 50.3: Gözün hareketi ile ilgili ekstra oküler kaslar.

Göz kapakları ve kirpikler, ön tarafta gözü yabancı cisimlere karşı korurlar, bir tehlike anında göz kapakları refleks olarak kapanır. Göz sık sık kırpılarak göz küresi kaygan hale getirilir ve birikmiş parçalar temizlenir.

Göz yaşı bezinden (glandula lakrimalis) göz yaşı salgılanmaktadır. Gözyaşı gözü temizler, nemlendirir ve kanaldan geçerek burun boşluğuna akar (Şekil 50.2).

Göz küresini hareket ettiren iki oblig, dört düz kas vardır. Bu çizgili kaslardan düz olan dört tanesi optik kanal etrafındaki kemiğe yapışmış sirküler ortak bir tendondan başlarlar. Bu kaslar koordineli çalışırlar, tek bir cisme ba-

Sklera ve kornea gözün en dıştaki katıdır. Sklera sert fibröz yapılı bir dokudur. Kornea tamamı saydam ve damar içermeyen bir yapıdır. Kornea ve skleranın birleştiği yere limbus adı verilir. Skleranın ön kısmı göz kapakları ile konjonktiva denilen gevşek, bol damarlı yapı ile örtülmüştür.

Uvea skleranın altında yer alan damarlı bir yapıdır. En öndeki kısmı iris adını alır. Bunun gerisinde bir halka şeklinde siliyer cisim bulunur. Bu gözün akomadasyonu ve ön kamara sıvısının sekresyonundan sorumludur. Koroid tabaka arka bölümde skleranın altında yer alan ve retinanın dış katlarının beslenmesinden sorumlu tabakadır.

Retina gözün en iç tabakasıdır. Işığa duyarlı sensoryel hücreler burada yer alır. Esas görme ile ilgili olan bölümdür. Fovea retinanın arka bölgesinin ortasında küçük ve çökük bir alandır. Fovea en keskin görme bölgesidir.

Gözün ön bölümünde yer alan ve ön-arka kamara diye adlandırılan kısmındaki boşluklar saydam bir sıvı olan aköz humor ile doludur. Bu sıvı akışı göz içi basıncının sürekliliğini sağlar.

İris, gözün renkli kısmıdır. Orta kısmındaki deliğe pupilla adı verilir. Ve siyah renklidir. Pupillalar retinaya ulaşarak ışığın miktarını ayarlamakla görevlidirler. Parlak ışıkta ve yakın çalışma sırasında daralırlar (miyozis). Karanlıkta genişlerler (midriyazis). İrisin rengini buradaki pigment miktarı belirler. İristeki dairesel kaslar daralıp genişleyerek pupillayı büyütür ya da küçültürler.

Lens, ön kamara boşluğunun arkasında yer alır. Lense çok ince liflerden yapılmış olan siliyor kaslar tutunur. Lensin hemen arkasında arka kamara yer alır. Burası vitreus adı verilen jölemsi bir madde ile doludur. Bu yapı gözün şeklinin korunmasına ve ışığın kırılmasına yardım eder. Cerrahi girişimler esnasında vitreusun kaybı ya da öne doğru prolabe olması ciddi komplikasyonlara neden olur. Retina damarlarından olan kanamalar vitreusa doldurularak görme kaybına neden olabilir (Şekil 50.4-5).

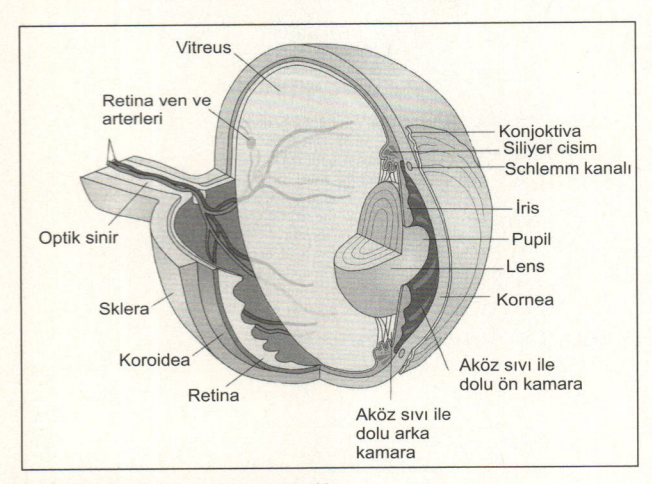

Şekil 50.4: Gözün üç boyutlu çapraz kesiti.

Gözün Fizyolojisi
Görme Fizyolojisi
Görme beş aşamada gerçekleşir.
Bunlar;
- Işık dalgalarının göze girerken kırılması (refraksiyon),
- Lensin uyumu (akomodasyon) ile görüntülerin retinada odaklanması,
- Işık dalgalarının fotokimyasal aktivite ile sinir impulslarına dönüşmesi,
- Retinadaki sinirsel aktivite süreci ve impulsların optik sinire iletilmesi,
- Beyindeki süreçlerle objenin algılanması (görme) (Şekil 50.6).

Kırılma (refraksiyon)
Işık dalgaları birbirine paralel olarak hareket eder. Işık dalgaları farklı yoğunluktaki ortamlardan geçerken hızları değişir. Aynı zamanda bu ortamdaki yüzey, gelen ışına dik değilse hız değişimi ile birlikte ışının yönü de değişir. Işının yönündeki bu değişime kırılma denir. Göze gelen ışın önce kornea tarafından, aköz humorden geçtikten sonra da lens tarafından kırılır. Paralel gelen ışınlar retina üzerinde tam olarak foveada odaklanırsa görme tam olur. Odaklaşma retinanın önünde ya da arkasında olursa görme bozulur (Miyopi, hipermetropi, astigmatizm)

Uyum (Akomodasyon)
Normalde gözler beş metre ve daha uzaktaki objelerin görüntüsünün retina üzerine düşmesini sağlayacak şekilde uyumlanmışlardır. Akomodasyon ise daha yakındaki objelerin görüntülerinin retina üzerine düşmesini sağlamak amacıyla gözün ön bölmesinin kırma gücünün arttırılması işlemidir. Lens kalınlaşarak yakındaki objeyi retina üzerine odaklayabilir. Gözün içerisinde zonüla denilen ince lifler tarafından belli bir gerilimle çekilmesine bağlı olarak lens göz içerisinde disk şeklinde bir yapıdadır. Lensin ekvatorunu çevreleyen bu lifler gözün iç kısmında yer alan siliyer cisim denilen bölgeye tutunmaktadırlar. Bu bölgede yer alan siliyer kasın kasılması ile zonülaların lens üzerine uyguladıkları gerilim azalır, lens kalınlaşarak, lensin ön ve arka yüzünün eğimi ve buna bağlı olarak lensin kırma gücü artar. Uzaktaki objelere bakıldığı zaman siliyer kaslar gevşer, zonülaların lens üzerine uyguladıkları gerilim artar ve lens incelir.

Yaşlanma ile birlikte lens kapsülünün elastikiyeti azalır ve bu nedenle akomodasyon yavaş yavaş kaybolur. Genellikle 40 yaşından sonra yakın görmede güçlük olur. Bu duruma presbiyopi adı verilir.

Binoküler Görme
Her iki göz birlikte kullanıldığı halde beyinde tek bir görüntü oluşturma mekanizmasına binoküler görme adı verilir.

Binoküler görmede, yakındaki objeyi odaklayabilmek amacıyla göz küreleri yavaşça içe doğru döner, böylece her iki görüntü retina üzerinde aynı noktalara düşer. Bu olaya konverjans denir.

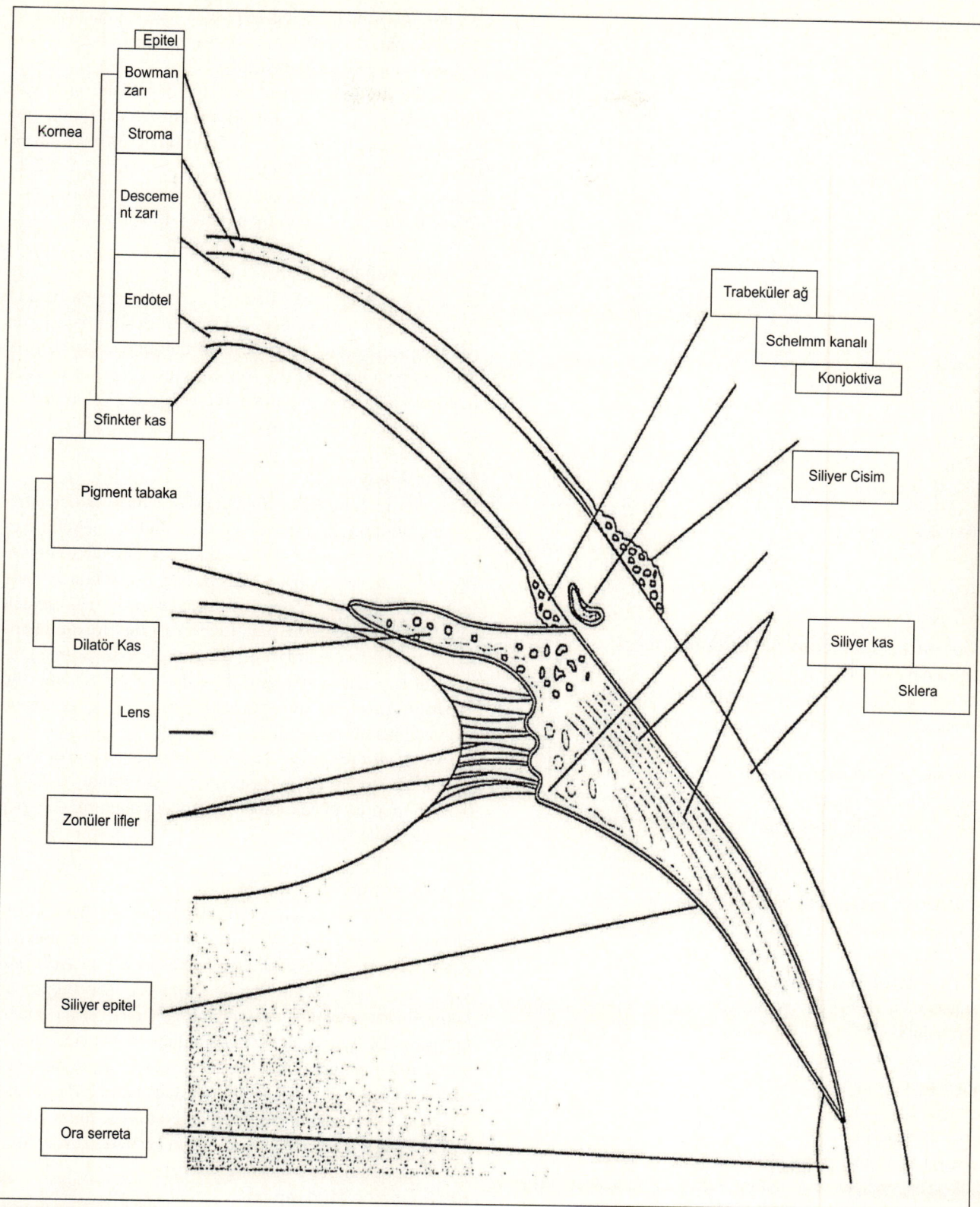

Şekil 50.5: Gözün iç yapıları.

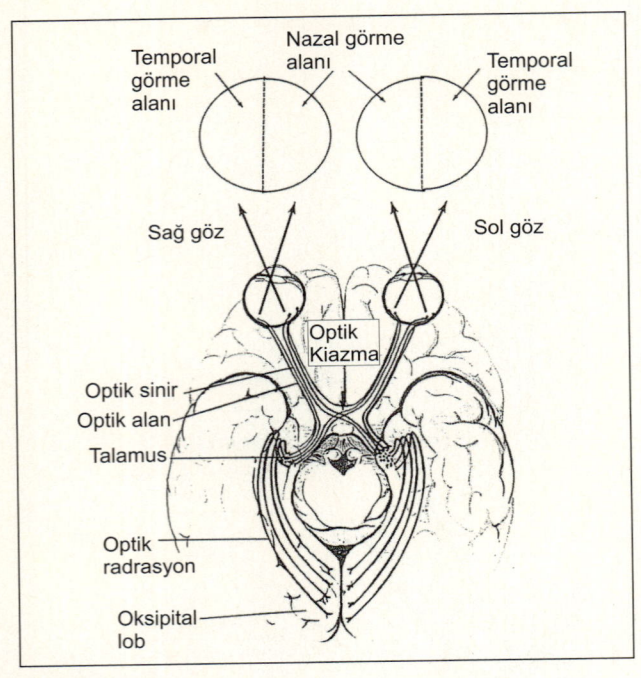

Şekil 50.6: Görme yolağı

Gözün ve Görmenin Değerlendirilmesi
Öykü Alma
Gözün tam olarak değerlendirilebilmesi için hasta ile görüşülerek (aile öyküsü, yakınmalar) elde edilen subjektif veriler ve fiziksel bakı ile (eksternal göz yapılarının inspeksiyonu, göz fonksiyonlarının değerlendirilmesi, görmenin değerlendirilmesi ve gözün iç yapılarının fizik muayenesi) elde edilen bulguların değerlendirilmesi gerekir.

Aile Öyküsü
Ailede katarakt, glokom, Diabetes Mellitus, görme bozukluğu gibi durumların olup olmadığı, hastaya sorulur.

Göz Hastalıklarıyla İlgili Bulgular
Hastanın herhangi bir göz hastalığının olup olmadığı, gördüğü tedaviler kaydedilir. Diabetes Mellitus ve hipertansiyon gibi sistemik hastalıklar kaydedilir. Ayrıca gözde yanma, sulanma ve kanlanma gibi o andaki yakınmaları sorulur.

Tanı İşlemleri
Eksternal yapıların İnspeksiyonu
İnspeksiyonda kasların durumu, gözlerin simestrisi, yüzdeki görünümüne bakılır. Göz kapaklarının durumu değerlendirilir, pitozis (göz kapağının düşüklüğü) olup olmadığına bakılır. Göz küreleri egzoftalmus ya da enoftalmus yönünden değerlendirilir. *Egzoftalmus*, göz küresinin dışarıya çıkık olması durumudur. Genellikle hipertiroitide görülür. *Enoftalmus* ise, göz küresinin içe çökük olmasıdır, yaşlılıkta görülür.

Konjonktivanın durumu, sklera, gözyaşı sistemi, kornea iris ve pupilla değerlendirilir.

Gözde kuruluk olup olmadığını değerlendirmek için shirmer testi yapılır. Bu test biraz rahatsızlık vericidir, ancak ağrı olmaz. Bu test için 5x35mm lik bir filtre kağıdı alt göz kapaklarının içine konjonktivaya yerleştirilir. 5 dakika tutulur. 5 dakika sonunda kağıdın gözyaşı ile ıslandığı mesafeye bakılır. 10-15 mm lik mesafe normaldir.

Pupiller Refleksler
Göze ışık tutularak pupillerin ışığa reaksiyonuna bakılır. Bundan başka hastaya önce bir obje gösterilip bakışlarını odaklaması sağlanır ve daha sonra burnuna doğru yaklaştırılır. Objeyi her iki gözün eşit izlemesi gerekir. Bu arada pupillada küçülme olup olmadığı da izlenir (Yakın reaksiyon, akomodasyon reaksiyonu)

Görme Muayenesi
Uzak görme, Snellen tarafından geliştirilmiş *snellen kartları* kullanılarak değerlendirilir. Genellikle 6 metrelik mesafede yerleştirilen bu kartlarda, kişinin okuyabildiği sıra gözönüne alınarak görme ondalık değerler şeklinde ifade edilir (1/10, 3/10, 10/10) Kesirin paydası bireyin eşelden okuyabildiği uzaklığını, payı ise normal bir bireyin o harfi hangi mesafeden okuması gerektiğini gösterir. Görme muayenesi sırasında diğer göz el ya da özel bir kapatıcı ile kapatılır. Ancak bu kapatma işlemi esnasında göze basınç uygulanmamalıdır (Şekil 50.7).

Yakın görme kartları ise 30-35 cm.uzaklıktan okunacak şekilde düzenlenmiştir. Hastanın elinde tuttuğu bu kartta okuyabildiği en küçük karakterler dizisi nümerik değerler şeklinde ifade edilir.

Görme Alanı
Santral görmenin dışında periferik görmenin değerlendirilmesi için görme alanı muayenelerinden yararlanılmaktadır. Pekçok görme alanı muayenesi olmasına karşın *Goldman Perimetresi* en yaygın kullanılandır. Ayrıca bilgisayar kontrollu perimetreler de kullanılmaktadır. Görme alanı, bir gözün belli bir noktaya fiske olduğu sırada çevrede algılayabildiği alanın tümüdür. Görme alanının genişliği derece, derinliği ise duyarlılık olarak ifade edilir. Görme alanı, gözü zemin aydınlatmaya adapte ettikten sonra zemin aydınlatmasından daha parlak uyaran verilerek test edilir.

Renk Görme Muayenesi
Total renk körlüğünde, tüm renkler çeşitli parlaklık ve tonda hep gri olarak görülür. Parsiyel renk körlüğünde ise defekt kırmızı-yeşil spektrumdadır. Kırmızı ya da ona yakın renkler diğer renklerle karıştırılır.

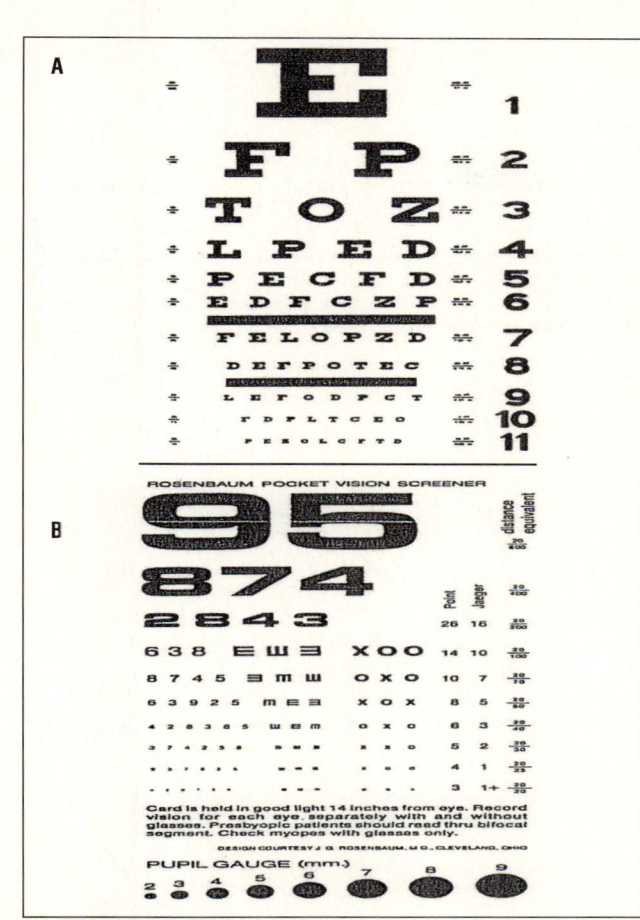

Şekil 50.7: Snellen kartları.

Internal Yapıların Muayenesi
Oftalmoskopi (Göz dibi muayenesi)
Oftalmoskop denilen bir aletle retina, papilla, damarlar, koroidea incelenir. Direkt ve indirekt oftalmoskopi olmak üzere iki ayrı oftalmoskopik muayene yapılır. Direkt oftalmoskopi, göz dibinin direkt ve düz bir hayalini verir. Direk oftalmoskopide fundus 14-15 kez büyütülmüş olarak görülür. İndirekt oftalmoskopide, fundusun ters ve yalancı bir hayali elde edilir. Daha geniş bir alanın görülmesi için kullanılır (Şekil 50.8).

Biyomikrospi
Biyomikroskop ile gözün ön segmentinin büyütülerek yapılan muayenesidir. Ayrıca çeşitli yardımcı araçların eklenmesiyle biyomikroskoplar muayene sırasında değişik amaçlarla kullanılabilmektedir.

Intraoküler Basınç Ölçümü
Tonometre denilen bir aletle göz içi basıncı ölçülür. Glokomun erken tanısının konulabilmesinde yararlıdır.

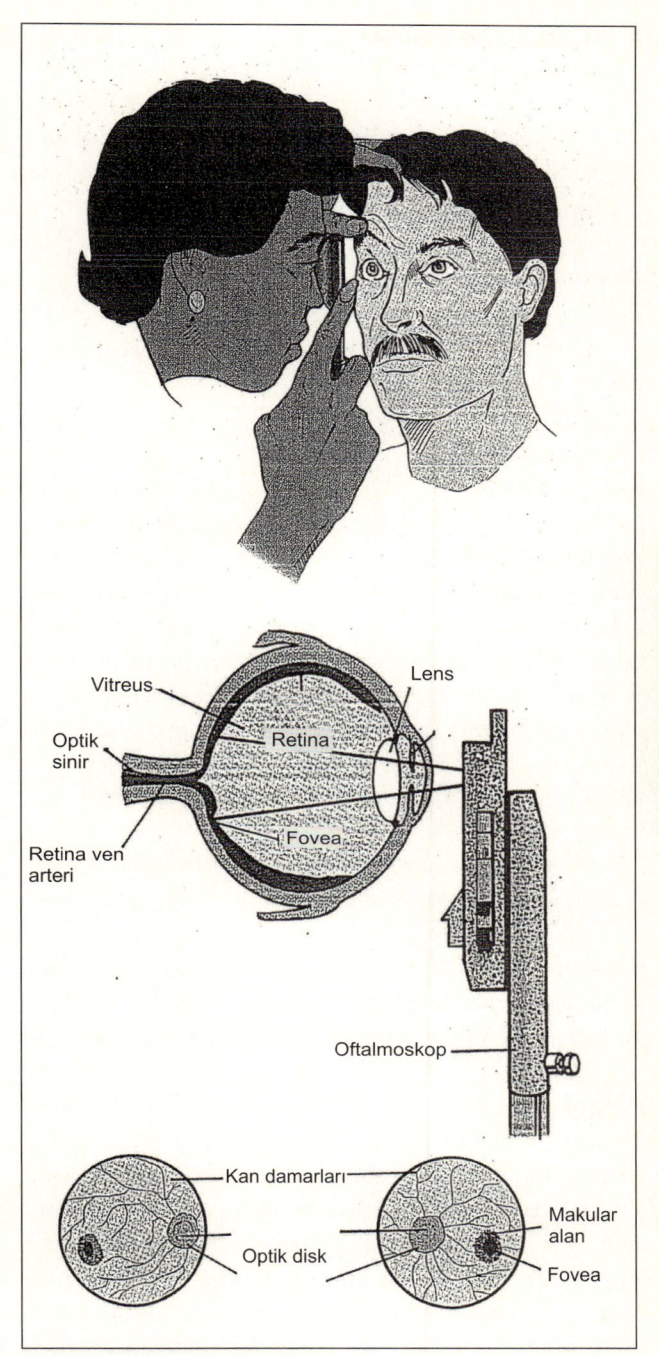

Şekil 50.8: Normal göz ve kırma kusurları.

Skiaskopi
Refraksiyon kusurunun objektif olarak belirlenmesinde kullanılan bir düz ayna ya da retinoskop ile yapılan muayenedir.

Gonyoskopi
Gözün ön kamara açısının özel lens ile incelenmesi.

Fluoressein Anjiyografi

Intravenöz yolla fluoressein boya verilerek fundus kamera ile göz dibinin seri fotoğraflarının alınmasıdır. Retina ve koroideadaki damarların görüntülenmesi sağlanır. Diyabetik retinopati ve diğer korioretinal hastalıkların tanısında sık kullanılan bir muayenedir.

Ultrasonografi

Göz için geliştirilmiş özel ultrason cihazları ile yapılır. Göz içi, arkası ve orbitadaki patolojilerin belirlenmesinde kullanılır.

Göz Hastalıkları

Kırma Kusurları

Göze gelen paralel ışınların gözün saydam tabakasından kırılmasına refraksiyon denir. Işınlar kırıldıktan sonra normalde retina üzerinde birleşir. Eğer göz kendisine değişik uzaklıklardan gelen ışınları retinada odaklayabiliyorsa, gözün kırma fonksiyonu normal olur ve bu duruma *emmetropi* denir. Işınların retinanın önünde ya da arkasında birleşmesi durumu kırma kusuru olarak adlandırılır. Kırma kusuru olan gözlerde ışınlar retinada odaklaşamaz ve bulanık ya da çarpık bir görüntü oluşur. Bunun iki ana nedeni vardır;

Gözün ön arka uzunluğunun normalden fazla ya da az olması, kornea veya lensin kırıcılığının normalden farklı olmasıdır. Kırma kusurları; *myopi, hipermetropi ve astigmat* olarak bilinir. Lensin yaşla orantılı olarak esnekliğini yitirmesine bağlı (genellikle 40 yaşından sonra) görme güçlüğü *presbiyopi* olarak tanımlanmaktadır. (Şekil 50.9).

Miyopi

Miyopi, göze paralel olarak gelen ışınların gözün kırma yeteneğinin artması ve göz aksının uzaması ile retinanın önünde odaklanmasıdır. Bu durumda uzaktaki objeler bulanık, yakındaki objeler net olarak görülür. Basit ve patolojik olarak iki tipte olur. Basit miyopide göz dibinde bir bozukluk yoktur, görme konkav (-)camlarla düzeltilebilir.

Patolojik miyopide göz dibinde genetik olarak bir bozukluk vardır, tam düzelme sağlanması zordur. Miyopi kalıtsaldır ve 5 yaş ile ergenlik çağı arasında başlar. Ergenlik döneminde vücudun hızlı gelişmesi gözleri de etkilediği için hızlı bir şekilde artar. Bu nedenle büyüme çağında miyop gözlük numaraları devamlı artar ve genellikle 20 yaş civarında sabitleşir. Miyopi genellikle ilerleyici olduğu için hastaların düzenli kontrolleri gerekir. Miyopiyi düzeltmek için konkav (kalın kenarlı, ortası ince) camlar kullanılır. Dioptrik değerin önüne (-) işaret konularak gösterilir.

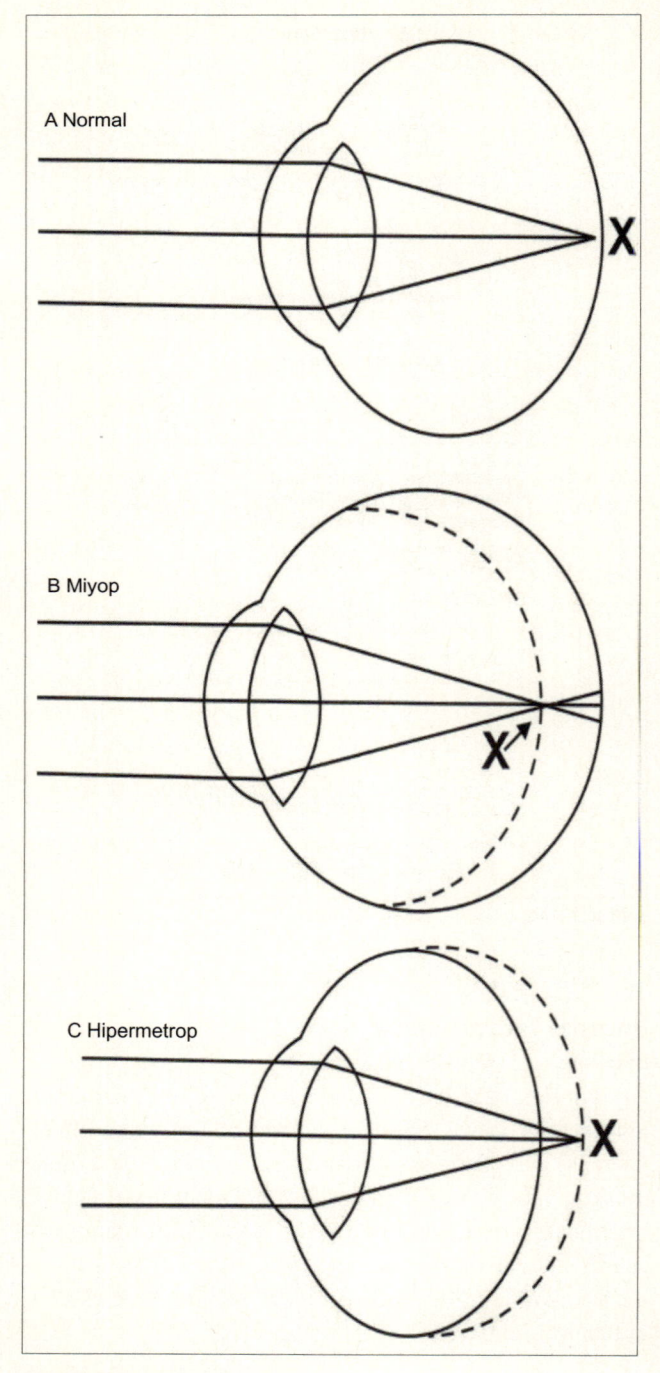

Şekil 50.9: Normal göz ve kırma kusurları.

Miyopinin ağırlığına göre sınıflaması
Hafif miyopi <3.00 dioptri
Orta miyopi 3.00 - 6.00 dioptri
Ağır miyopi 6.00 - 9.00 dioptri
Çok ağır miyopi >9.00 dioptri
Ağır ve çok ağır miyopisi olan kişilerde retinada yapı-

sal bozukluklar ve retina dekolmanı görülebilir. Bu grupta ayrıca göz tansiyonu görülme sıklığı da fazla olduğundan hastaların yılda bir ayrıntılı göz muayenesi olmaları gereklidir. Hafif miyopisi olan kişiler 45 yaş civarında genellikle gözlüklerini çıkararak okurlar, böylece yakını iyi görürler. Buna karşılık orta, ağır ve çok ağır miyopların gözlüksüz yakın görmesi de iyi değildir. İyi görebilmek için yazıyı kendilerine çok yaklaştırmaları gereklidir.

Hipermetropi

Hipermetropi, göz aksının kısa olması ve kırma yetersizliği sonucu göze paralel olarak gelen ışınların retina arkasında odaklanmasıdır.

Yakındaki objeler net görülemez. Hipermetropi de miyopi gibi kalıtsaldır. Genç yaşlarda eğer hipermetropi çok yüksek değilse uyum mekanizmasıyla hem uzak hem de yakın için net görme sağlanabilir.

Fakat yaş ilerledikçe uyum yeteneği azaldığından hem yakın hem de uzak görme bozulur. Ağır ve çok ağır hipermetroplar her yaşta hem uzağı hem de yakını az görürler.

Hipermetropinin belirtileri baş ağrısı, okurken ya da televizyon seyrederken gözlerde yorgunluk, ışığa hassasiyet, yakın görmede bulanıklık, yüksek hipermetropi varsa uzağı da iyi görememedir. Başağrısı ve yorgunluğun nedeni göz kaslarının devamlı uyum yaparak zorlanmasıdır. Hipermetropiyi düzeltmek için ince kenarlı, ortası bombeli, mercekler kullanılır. Dioptrik değerin önüne (+) işaret konularak gösterilir. Gözlüğün sürekli kullanılması gerekir. Kullanılmadığında başağrısı en sık rastlanan yakınmadır.

Astigmatizim

Astigmatizim gözün farklı akslarda farklı kırıcılıkta olmasıdır, hem uzak hemde yakın görüş bozulur. Astigmatizim, miyopi veya hipermetropiye de eklenebilir. Astigmatizim, silindirik merceklerle düzeltilir.

Presbiyopi

Yaşın ilerlemesiyle lensin uyum yeteneğinin azalması yakını görmede güçlüğe yol açar. Yazıyı gittikçe daha uzağa götürerek okuma gereksinimi duyulur. Göz merceği yeterince bombeleşemediği için yakın cisimlerden gelen diverjan ışınlar retinanın arkasında odaklaşırlar. Hipermetropidekine benzer bir durum ortaya çıkar. Presbiyopiyi düzeltmek için yakına bakarken ince kenarlı, ortası bombeli mercekler kullanılır. Yaş ilerledikçe gözlüklerin derecesi yavaş yavaş artar.

Kırma Kusurlarında Tedavi

Kırma kusurlarının düzeltilmesi gözlük camları ya da kontakt lenslerle yapılır. Gözlük camları sadece uzak ya da yakına olmak üzere tek odaklı olabildiği gibi, uzak ve yakın mesafeler için iki odaklı (bifokal) ya da uzak, ara mesafe ve yakın olmak üzere üç odaklı (trifokal) veya uzaktan yakına doğru sürekli bir geçiş gösteren (gradüel) biçimlerde olabilir.

Gözlük camı, ışığı istenilen şekilde odaklayabilen, iki yüzeyi de işlenmiş saydam bir optik materyaldir. Sferik camlar miyopi ve hipermetropide, silindirik camlar ise astimatizmanın düzeltilmesinde kullanılır. Gözlük camları yapıldıkları maddeye göre; cam (mineral) mercekler ve plastik (organik) mercekler olarak sınıflandırılırlar. Mineral camların avantajları; uzun ömürlü olması, daha ince olması, ışık saçılmasının az olması, ısıya dirençli olmasıdır. Dezavantajları; ağır olması, kırılgan olması, cam işlenmesi sırasında hasar görebilmesidir. Organik camların avantajları; hahif ve dirençli olması, renklendirmenin kolay olması ve işleme sırasında hasar görmemesidir. Dezavantajları; daha kalın olmaları, çabuk çizilmesi, ısıya dayanıksız olmasıdır.

Kontakt lensler genellikle kozmetik amaçlı olarak, aynı zamanda kolay buğulanmadıkları ve kırılmadıkları için kullanımda tercih edilir. Yüksek kırma kusurlarında ve göz içi lens yerleştirilmemiş katarakt ameliyatı geçiren hastalarda kontakt lenslerle gözlükten daha iyi bir görme sağlanır. Kirli, tozlu, ortamlarda çalışanlar için kontakt lens kullanımı uygun değildir.

Sert kontakt lensler iyi optik özellikleri kolay temizlenmeleri ve ucuz olmalarına karşın uzun süre gözde tutulamazlar. Gaz geçirgen sert kontakt lensler nispeten uzun tutulabilir.

Yumuşak lensler uzun süre gözde tutulabilirler. Haftalar ya da aylarca gözde kalabilen çok ince ve çok su tutucu lensler bulunmaktadır. Yumuşak lenslerin temizlenmesi ve bakımı özen gerektirmektedir. Kolay yıpranırlar ve sık sık yenilenmeleri gerekir.

Kırma kusurlarında uygulanan bir başka yöntem ise lazer tedavisidir. Bu yöntem ile kornea yeniden şekillendirilerek görme kusurları ortadan kaldırılmaktadır.

Az Görme ve Körlük

Görme en önemli duyularımızdan biridir. Yaşadığımız çevreye adaptasyonumuzu, güvenliğimizi ve çevremizdekilerle etkileşimimizi sağlar.

Dünya da pek çok nedenle görmesini yitirmiş ya da yeterli görme yeteneği olmayan insan bulunmaktadır.

Alışılagelmiş gözlükler, kontakt lens ve refraktif yöntemlerle görme gereksiniminin karşılanamadığı durumlar az görme olarak adlandırılmaktadır. Az görme tanımlamasında genel anlayış, az görmenin üst sınırını iyi gören gözde 20/50 görme keskinliği olarak kabul etmektedir. Körlük, "sağlam kalan gözden (mercekle düzeltilen) 20/200 daha az görme ya da periferik görmenin 20 dereceden daha fazla olmadığı durumlardır".

Bu tanıma göre 20/200 düzeyinde görmesi olan bir kişi, normal görmesi olan bir kişinin 200 adımdan gördüğü şeyi 20 adımda görebilmektedir (normal görme oranı 20/20'dir).

20 dereceden daha büyük periferik görmesi olmayan kişi ise 20 derecelik bir açıdan daha fazlasını görememektedir. Yani görme alanı 20 dereceden fazla olmayan ya da görmeyi sağlayan lenslerle bile merkezi görme uzaklığı 20/200 ya da daha düşük olan bireyler kör olarak kabul edilir. Körlük nedenleri arasında az gelişmiş ülkelerde enfeksiyon hastalıkları ve katarakt ilk sırada yer alırken, gelişmiş ülkelerde glokom, diyabetik retinopati ve dejeneratif hastalıklar ön sırada yer almaktadır.

Doğuştan itibaren görmeyen ya da erken çocukluk döneminde görmesini yitirmiş olanlar genellikle aktif ve üretken bir şekilde yaşamlarını sürdürecek kadar güvenli kişilerdir. Ancak görmesini hızlı bir şekilde yitirmiş erişkinler genellikle büyük zorluklar yaşarlar. Kendilerine olan güvenleri ve benlik saygıları azalır. Çevresindeki kişilerle iletişim ve etkileşimleri bozulur. Günlük aktivitelerini yapmakta zorlanırlar ya da hiç yapamazlar. Mesleki kariyerleri ve ekonomik durumları genellikle sınırlanmıştır.

Kaybedilen gözler için tutulan yas, inkar, suçluluk, kızgınlık, ümitsizlik, yalnızlık ya da depresyon gibi değişik biçimde reaksiyonlar olarak kendini gösterebilir. Bu tip reaksiyonlar karşısında başa çıkma yolları kişinin yaşı, daha önceki başetme yöntemleri ya da destek sistemleri (aile, arkadaş) ile yakından ilgilidir. Görmeyen kişilerde zamanla görme defekti diğer duyuların (işitme, dokunma, koku) artan duyarlılığı ile kompanse edilmeye başlar. Görme yeteneğini yeni kaybetmiş bir bireyin bakımında hemşirenin önemli bir rolü vardır. Böyle bir hastaya bakım verirken;

Hemşire hastanın yanına her gidişinde adıyla hitap etmeli ve "bak", "gör" gibi hastayı rahatsız edecek sözcükler kullanmamalıdır.

Hastaya bakım verilirken ne yapıldığı açıklanmalı, odadan ayrılırken hastaya söylenmelidir. Bu hastanın saatlerce olmayan bir kişiye konuşmasını önler.

Giyecekler diğer eşyalar hep aynı yerlerine konulmalı, banyo ve tuvalet kapıları ya tamamen açık ya da kapalı tutulmalıdır.

Hastanın yabancısı olduğu yerlerde yürürken hemşirenin koluna tutunması söylenmeli, baston kullanımı öğretilmelidir.

Yemek tepsisine konulan yiyecekler saat yönünde yerleştirilmelidir.

Hasta ile konuşmaya zaman ayrılmalı, duygularını anlatması için fırsat tanınmalıdır. Yaşadığı zorluklarla başetme yöntemleri öğretilmelidir.

Görmeyi gerektiren hobiler yerine görme gerektirmeyen alternatifler sunulmalıdır.

Göz Yaralanmaları

Göze olacak travmalar çok ciddi görme kayıpları ile sonuçlanabilir.

Acil tedavi gerekir. Bazı çok ciddi yaralanmalar gözün alınmasını (enükleasyon) gerektirebilirler.

Asit ve alkalilerle oluşan kimyasal yanıklar endüstriyel alanda çalışanlarda ya da evde sıklıkla oluşabilir. Bu durumda ilk yapılması gereken uygulama olay yerinde gözlerin hemen bol su ile uzun süre yıkanmasıdır (en az 15 dakika). Hasta yıkama yapıldıktan sonra hastaneye götürülmelidir.

Ultraviyole lambalarına ya da güneş ışınlarına (dış ortamda çalışanlar, aşırı güneşlenenler gibi) uzun süre maruz kalınması sonucu korneada ultroviyole yanıkları oluşur. Bu durumda gözlerde aşırı ağrı olur. Soğuk kompres, analjezikler ve topikal göz anestetiklerinin kullanılması gerekebilir. Enfeksiyonu önlemek için antibiyotik kullanılmalıdır.

Termal yanıklar kontraktürlere neden olabilir. Kontraktürlerin giderilmesi için deri grefti gerekir.

Ekimoz

Ekimoz intraoküler kanama, kafatası kırıkları ya da diğer göz hastalıklarında göz çevresinde oluşur. Soğuk kompres uygulanarak kanama kontrol altına alınır. Ekimoz oluşumundan 48 saat sonra uygulanan sıcak kompres kanın dokulardan reabsorbe olmasını sağlar. Ekimoz iki hafta kadar sürer.

Penetre (Delici) Yaralanmalar

Oldukça sık görülürler. Bu tür yaralanmalarda göze batmış bir yabancı cisim varsa hemen bir hastaneye götürülmelidir. Bunun dışında çıkarılmaya çalışılmamalıdır. Hastanın transportu esnasında göz steril tamponla kapatılmalıdır.

Kornea Yaralanmaları

Kornea yaralanmaları oldukça önemlidir. Çünkü ciddi enfeksiyonlar ve görme kaybı (skar oluşumu nedeniyle) gelişebilir.

Gözün Enfeksiyon ve Enflamatuar Hastalıkları
Hordeolum (Arpacık)
Etiyoloji ve Tıbbi Yönetim
Göz kapağındaki glandların stafilokoksik enfeksiyonudur. Kirpik diplerinde lokalize olmuş apse, göz kapağında kızarıklık ve ağrı olur. Apseyi olgunlaştırmak için sıcak yaş uygulama yapılır, antibiyotikli pomad uygulanır.

Şalazyon
Etiyoloji ve Tıbbi Yönetim
Göz kapağındaki yağ bezlerin tıkanması sonucu kist oluşmasıdır. İlk dönemde ödem ve ağırlık hissi olur. Daha son-

50. Göz Hastalıkları

Kataraktlı Hasta İçin Hemşirelik Bakım Planı Örneği

Hemşirelik Girişimleri	Amaç	Beklenen Sonuçlar
Hemşirelik Tanısı: Tanı, tedavi planı ve hastalığın prognozu hakkında bilgi eksikliği. **Hedef:** Hastanın; tanı, tedavi planı ve hastalığın prognozu hakkında bilgilenmesini sağlamak.		
1-Hasta tanı işlemleri, planlanan tedavi, cerrahi girişimler ve anestezi hakkında bilgilendirilir. 2-Ameliyatın nasıl yapılacağı ve ameliyathane hakkında hastaya anlayabileceği şekilde açıklama yapılır. 3-Ameliyat sonrası hastanın kendi kendine yapabileceği aktiviteler ve kısıtlamalar açıklanır. 4-Hastanın tedavisi ve bakımı ile ilgili ilaçlar, kullanılması gerekecek protez cihaz gibi gereçlerle ilgili yazılı ve sözlü bilgilendirilir.	1-Hastanın uyumunu ve işlemlere katılımını sağlar. 2- Ameliyata ilişkin anksiyete ve korkusu azalır 3- Ameliyat sonrası aktivitelere ve zorlanmalara bağlı komplikasyonların önlenmesini sağlar 4- Tedaviye ve uygulamalara katılımını sağlar.	- Hasta tedavi planını anladığını ifade edebiliyor olmalı - Hastanın rahatlamış olduğu gözlenebiliyor olmalı - Komplikasyon gelişmemiş olmalı - Hasta uygulamalara katılım gösteriyor olmalıdır.
Hemşirelik Tanısı: Ameliyat olma, anestezi alma ve ameliyat sonrası görme kaybına bağlı anksiyete. **Hedef:** Hastanın anksiyetesini azaltmak		
1-Hastaya ameliyata ve olası bir görme kaybına ilişkin duygularını açıklaması için fırsat verilir 2-Ameliyat öncesi ve sonrasına ilişkin bilgi verilir	1-Konuşmak anksiyetesini azaltabilir 2- Bilgilenmek hastanın durumu kontrol edebilmesini ve anksiyetesini azaltabilir	-Hastanın anksiyetesinin azaldığı gözlenmelidir -Hasta anksiyetesinin azaldığını sözlü olarak ifade ediyor llmalıdır.
Hemşirelik Tanısı: Görme yetersizliğindene ya da gözlerin tek taraflı yada iki taraflı kapatılmasından kaynaklanan, yetersiz uyaran almaya bağlı duyusal algısal değişim **Hedef:** Hastanın Duruma adaptasyonunu sağlamak		
1-Hastaya bakım verilirken yapılan her uygulama sözlü olarak açıklanmalıdır 2-Tek göz kapalı ise açık olan göz tarafından hastaya yaklaşılır 3-Ameliyat sonrası normal görmenin bir süre olamayacağı, zamanla düzeleceği açıklanır.	1-Hastanın oryantasyonunu ve konforunu sağlar 2-Daha rahat iletişim sağlar 3-Beklenen duyusal değişim için farkındalık sağlar	-Hasta duyusal yüklenme belirtilerinde azalma gösterebiliyor olmalı -Duyusal değişimle ilgili minimal değişimleri anlayabiliyor olmalıdır.
Hemşirelik Tanısı: Ameliyata bağlı enfeksiyon riski **Hedef:** Enfeksiyonun önlenmesi		
1-İlaçların uygulanması ve saklanmasında aseptik koşullar sağlanır (el yıkama vs.) 2-Pansumanların gereksiz yere açılmaması ve elle dokunulmaması söylenir. 3-Antibiyotikler ve steroidler ilaçlar zamanında ve gerektiği gibi kullanılır. 4-Hastanın gözünde kızarıklık, akıntı, çapaklanma, görme değişiklikleri gibi enfeksiyon belirtileri izlenir.	1-Patojen geçişini önler 2-Ameliyatlı bölgenin kontamine olmasını önler 3-Enfeksiyonun önlenmesine yardım eder 4-Enfeksiyonun erken tanısını ve erken müdahaleyi sağlar.	- Enfeksiyon belirti ve bulguları olmamalı
Hemşirelik Tanısı: Göz içi basıncının artmasına veya enflamasyona bağlı ağrı **Hedef:** Ağrının azaltılması		
1- Ameliyat öncesi hastaya lokal anestezi yapılacağı ve sedatif ilaçlar verileceği söylenir. 2- Ameliyat sonrası gerekirse analjezik verilir. 3-Hastanın göz çevresindeki ağrı, görme bulanıklığı, kusma, bulantı, nörolojik değişiklikler ve görme alanında bozulma olup olmadığı izlenir. 4-Hastaya ani baş hareketlerinden, aksırma öksürme, sümkürme gibi zorlayıcı hareketlerden kaçınması söylenir. 5-Kabızlığa karşı önlem alınır. (Lifli diyet, Laksatif vb)	1-Hastanın ağrı duyma ile ilgili endişesini azaltır 2-Rahatlama sağlar 3-Göziçi basıncı artışının erken tanınmasını sağlar 4-Göziçi basıncının artmasını önler	-Hastanın rahat olduğu gözleniyor olmalı -Hasta rahat olduğunu sözlü ifade ediyor olmalı -Göziçi basıncının artışı ile ilgili belirtiler olmamalı -Hasta göziçi basıncını artıran hareketleri yapmıyor olmalı.

ÜNİTE 14

ra ağrısız kitle meydana gelir. Erken dönemde sıcak yaş uygulama, ve topikal antibiyotik uygulaması yapılır. Eğer şalazyon küçükse bu tedavi yeterli olur. Ancak büyükse cerrahi olarak çıkarılması gerekir.

Konjonktivit ve Blefarit
Etiyoloji ve Epidemiyoloji
Blefarit (göz kapağı enflamasyonu) ve konjonktivitis (konjoktivit enflamasyonu) gözün çok yaygın görülen enfeksiyonudur. Viral ya da bakteriyel kaynaklıdır. Alerji veya travma sonucu oluşur. Blefaritte, gözde kaşıntı, kızarıklık, ağrı, sulanma, fotofobi, çapaklanma olur. Konjoktivitte, konjonktivada kızarıklık, gözkapağında ödem, kabuklanma, çapaklanma, allerjik durumlarda kaşıntı olur.

En sık rastlanılan konjonktivit tipleri, akut ve kronik bakteriyel konjonktivitlerdir. Tedavi uygulanmadığında genellikle iki haftada iyileşen bakteriyel konjonktivit, bazen kronikleşir. Genellikle antibakteriyel ajanlarla yapılan tedaviyle birkaç günde iyileşir.

Belirti ve bulgu olarak; uyanma sırasında kapakları yapıştıran pürülan eksuda, bilateral irritasyon ve kızarıklık, bazen kapak ödemi görülür.

Tıbbi ve Hemşirelik Yönetimi
Konjonktivitlerde uygulanacak tedavi, konjonktivite neden olan etkene göre değişiklik göstermekle birlikte genellikle, mikroorganizmanın duyarlı olduğu antibakteriyel ilaçlar sistemik ya da lokal olarak uygulanır, göz irrigasyonu ve sıcak yaş kompres de uygulanabilir. Kortikosteroidler, gözün bakterilere karşı direncini azaltacağından, enfeksiyöz konjonktivitlerde uygulanmaz. Allerjik konjonktivitlerde, yerel olarak dekonjesyon sağlayan ilaçlar, steroidler uygulanabilir.

Trahom (Chlamydial Konjonktivit)
Etiyoloji ve Epidemiyoloji
Kronik bir konjonktivit olan trahomun etkeni, chlamydia trachomatistir. Hastalık doğrudan temasla, sinek ve böcek gibi vektörlerle yayılır, bulaşıcıdır ve tedavi edilmezse körlükle sonuçlanabilir. Erişkinlerde başlangıç akuttur ve komplikasyonlar erken gelişebilir. Belirti ve bulgular; göz yaşarması, fotofobi, ağrı, eksüda, hiperemidir. Trahomun en sık görülen komplikasyonları; konjonktivada nedbe dokusu oluşumu, pitozis, nazolakrimal kanal tıkanıklığıdır.

Trahomda gelişen nedbeler sonucu göz kapağı içe döner (entropiyum), kirpikler içe döner (trikiyazis) ve kapak yan kenarı yan yatmış "S" gibi görülür.

Tıbbi ve Hemşirelik Yönetimi
Trahom tedavisinde sulfonamid, tetracycline ve erythromycin sistemik ve topikal olarak (damla ve pomat şeklinde) uygulanır.

Keratit (Kornea ülserasyonu)
Etiyoloji ve Epidemiyoloji
Korneanın enflamasyonudur. Akut veya kronik, yüzeyel ya da derin olabilir. Kornea ülserlerinin çoğu tedavi edilebilir. Kornea ülserleri bakteriyal, viral, mantar kökenli, allerjik olabilir. En ciddi komplikasyonu ülserin oluşturduğu skar, delinme ve körlükle sonuçlanmasıdır.

Tıbbi ve Hemşirelik Yönetimi
Tedavi de yüzeyel ülserlerde antibiyotikli damlalar uygulanıp göz kapatılır. Derin ülserlerde topikal ve sistemik antibiyotik kullanılır. Steroidler kullanılır. Kornea hasarı fazla ise kornea transplantasyonu gerekebilir.

Keratoplasti (Kornea Transplantasyonu)
Etiyoloji ve Epidemiyoloji
Keratoplasti nedbeleşen korneanın, kadavradan alınan saydam kornea ile değiştirilmesidir. Korneanın enflamasyon, ülser ya da travmalar sonrasında düzenliliğinin ve saydamlığının bozulması nedeniyle nedbeleşme olur. Keratoplasti yapılabilmesi için kadavradan alınacak gözün ölümden sonra en fazla 12-24 saat içinde alınması gerekir. Yaşlı kişilerde kornea endotel hücrelerin sayısı azaldığı için yaşlı kadavraların korneasından yararlanılamaz. Kornea alındıktan sonra 1-2 °C plazmada, serum fizyolojikte ya da sıvı parafinde birkaç gün saklanabilir. Kornealar genellikle gözünü bağışlamış olan hastalar ya da göz bankalarından temin edilmektedir. Ülkemizde organ bağışları yeterli düzeyde olmadığı için kornea transplantasyonu için bekleyen çok sayıda hasta vardır.

Tıbbi Yönetimi
Ameliyatta vericinin korneası hastanın korneasının yerine dikilir. Ameliyat sonrası göz kapatılır ve bir göz koruyucusu kullanılarak göz travmalardan korunur. Kornea damar yapısına sahip olmadığı için iyileşme uzun sürebilir.

Hemşirelik Yönetimi
Keratoplasti ameliyatı öncesinde hasta hazırlığı lokal ya da genel anestezi uygulamasına göre değişir. Pupilleri kontrol etmek için miyotik bir ilaç göze uygulanır. Böylece uzayan ve düzleşen iris kasları ameliyat sırasında lensin yaralanma riskini ortadan kaldırır. Keratoplasti genellikle günübirlik cerrahi girişim olarak yapılır. Bu nedenle hastanın hazırlığı ve eğitimi için zaman ayrılmalıdır.

Ameliyat sonrasında göz kapatılır. Ve bir koruyucu takılır. Ağrı varsa giderilir analjezik verildiği halde ağrı giderilemiyorsa intraoküler basınç artışı olabileceği için hekime haber verilir. Operasyonun ertesi günü muayene yapılır. Gözdeki pansuman çıkarıldıktan sonra gözü korumak için hasta koyu renkli gözlük kullanabilir. Görme aşamalı olarak artar ve iyileşme bir yıl kadar sürer. Bazen rejeksiyon görülebilir. Bulgular izlenerek steroid tedavi uygulanması gerekir.

Uveit

Etiyoloji ve Epidemiyoloji
Gözün damarsal orta tabakası olan uvea, arkadan öne doğru korioidea, korpus siliyore ve iristen oluşur. Uveit, uveayı oluşturan tabakalardan biri ya da hepsinin birlikte enflamasyonudur. Genellikle immünolojik kökenlidir. Bazı sistemik hastalıkların yansıması ya da klinik bulgusu olarak ortaya çıkar.

Fizyopatoloji
Ağrı, kızarıklık, fotofobi, bulanık görme gibi yakınmalar olur. Daha ileri durumlarda göz içi yapılarda yapışıklıklar, göz içi basıncında yükselme, katarakt oluşumu gibi komplikasyonlar ve kalıcı görme kayıplarına yol açabilir.

Tıbbi ve Hemşirelik Yönetimi
Ağrıyı gidermek için sıcak yaş kompres uygulanır. Steroid ve analjezikler verilir. Fotofobi için koyu renk camlı gözlük kullanılır. Ayrıca sistemik hastalık varsa nedene yönelik tedavi yapılır. Uveitlerde komplikasyon olarak; *glokom, katarakt, retina dekolmanı ve görme kayıpları gelişebilir.*

Katarakt

Etiyoloji ve Epidemiyoloji
Katarak giderek ilerleyen ağrısız görme kaybı ile seyreden lensin bulanıklaşması ve opaklaşmasıdır (Şekil 50.10).

Tam ilerlemiş bir kataraktta görme tamamen kaybolur. Katarakt genellikle bir yaşlılık hastalığı olarak bilinir (senil katarakt). Kataraktlı hastaların %90'dan fazlası 60 yaşın üzerindeki kişilerdir. Ancak 50 yaşın altındaki kişilerde görülen kataraktlar, genetik olabileceği gibi bazı metabolik bozukluklar, travmatik nedenler (göze gelen çeşitli fiziksel darbeler) ya da kullanılan ilaçlara (örneğin kortizonlu ilaçlar) bağlı olabilir. Yeni doğan bebeklerde ise konjenital katarakt görülebilir.

Konjenital katarakt, bir ya da her iki gözde de görülebilir. Genetik olabileceği gibi hamilelik sırasında annenin geçirdiği bazı hastalıklar, kullandığı bazı ilaçlar, röntgen ışınlarına maruz kalma gibi değişik nedenlere bağlı olarak da gelişebilir.

Senil katarakt yaşın ilerlemesi ile organizmada meydana gelen fizyolojik değişiklikler sonucunda oluşur. Bu süreçte aşırı güneş ışığına maruz kalmanın da etkisinin olduğu belirtilmektedir.

Fizyopatoloji
Normal sağlıklı bir lenste askorbik asit, glutatyon peroksidaz, süperoksit dizmutaz, katalaz ve peroksidaz gibi aktif ve etkili antioksidan maddeler mevcuttur. Oksidatif stresin arttığı ya da antioksidan maddelerin azaldığı dokularda moleküler ve fonksiyonel hasar başlar. Lens, metabolik aktivitesi çok yavaş olduğu için, metabolik aktivitesi normal olan dokularda kolayca tolere edilebilecek hafif düzeydeki kronik streslerden daha fazla etkilenir. Lensteki oksidatif stres lipidlerin oksidasyonuna yol açarak, elektrolit transportunu bozar, hücre membranını eritir, lipoproteinleri değiştirir, lens kapsül geçirgenliğini arttırır, lens rengini değiştirir, lenste opasifikasyonlara ve lentiküler DNA'da hasara neden olur.

Katarakt gelişmeye başlayan kişide, okuma ve araba kullanmada güçlük, parlak ışıktan rahatsız olma gibi belirtiler olur. Hastalık ilerledikçe lens opaklaşır. Daha önceleri katarakt ameliyatı yapılması için lensin tamamen opaklaşması beklenmekteydi. Bugün artık tamamen opaklaşması beklenmeden kişinin görsel gereksinimi doğrultusunda ameliyat yapılmaktadır.

Cerrahi Yönetim
Kataraktın bugün için tek tedavi şekli cerrahidir. Çocuk ya da yaşlı kataraktlarının ameliyatlarında teknik olarak bazı faklılıklar olmakla birlikte katarakt ameliyatında yapılan işlem, kataraktlı lensin çıkarılıp yerine yapay bir lens (intraoküler lens) yerleştirilmesinden ibarettir. Ameliyat lokal ya da genel anestezi altında yapılır.

Ameliyatta eskiden opaklaşmış lens kapsülü ile birlikte özel bir prob yardımıyla çıkarılmaktaydı. (intrakapsüler ekstraksiyon). Günümüzde lens kapsülü açılarak ve arka

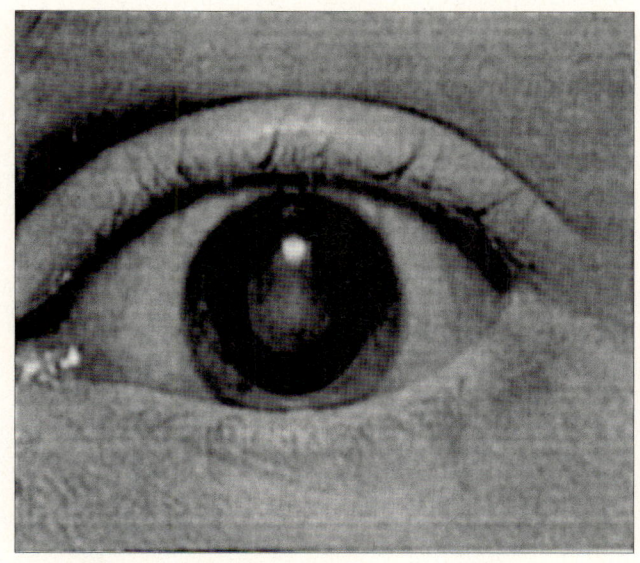

Şekil 50.10: Opaklaşmış lens. 1.

kapsül yerinde bırakılarak çıkarılmaktadır (ekstrakapsüler katarakt ekstraksiyonu). Lensin çıkarılmasından sonra göz içine yapay bir lens yerleştirilmektedir (intraoküler lens uygulaması), ya da lens çıkarıldıktan sonra görme kontakt lens ya da gözlükle sağlanır.

İntrakapsüler ekstraksiyon; en eski cerrahi yöntemidir. bu cerrahi yöntemle yapılan katarakt ameliyatlarında lens tabakası bütün olarak çıkarılmaktadır. Ameliyatlardan sonra hastalarda lens tabakasının kırıcılığı ortadan kalktığı için yüksek dereceli hipermetropi gelişir. Hastalar net görebilmek için çok kalın gözlük ya da kontakt lens kullanmak zorundadır. Günümüzde, zorunlu olmadıkça bu ameliyat yöntemi uygulanmamaktadır.

Ekstrakapsüler ekstraksiyon; daha gelişmiş bir cerrahi yöntemidir. Lens arka kapsülü ameliyat sırasında korunarak katarakt alınmakta ve göz içine yapay bir lens yerleştirilmektedir.

Bu yöntemle ameliyat yapılabilmesi için lensin belir bir olgunluğa erişmesi, olgunlaşması gerekmektedir.

Bu tip ameliyat geniş korneal kesi ve dikiş gerektirmektedir. Göze konan dikişlerin de belli bir astigmatizim yaratması nedeniyle hasta fonksiyonel görmesine ameliyattan sonra, 8-10 hafta içinde, dikişler alındığında kavuşabilmektedir.

Fakoemülsifikasyon; günümüzde en gelişmiş yöntem olarak uygulanan fakoemülsifikasyon yöntemiyle yapılan katarakt ameliyatlarında, kesifleşen lens tabakası arka kapsülü korunarak ultrasonografik dalgalar yardımıyla parçalanıp alınmakta ve göz içine daha rahat uyum sağlayan, göz içi lensleri yerleştirilmektedir. Bu yöntemin avantajı, küçük bir korneal-kesiden tüm ameliyatın gerçekleştirilmesi ve göze dikiş konulmamasıdır (Şekil 50.11).

Böylece gözde dikişe bağlı astigmatizim oluşmadığından hasta fonksiyonel görmeye çok kısa sürede kavuşmaktadır. Ameliyattan sonra göz bir gün kapalı tutulmakta, hastalar ameliyattan 48 saat sonra sosyal yaşantısını normal olarak sürdürebilmektedir. Bu ameliyat yönteminin uygulanması için lensin tam olgunlaşması gerekmemektedir. Kişinin görmesini engellemeye başladıktan sonra, görme tamamıyla kaybolmadan ameliyat yapılabilmektedir.

Laserle katarakt cerrahisinde ise; fakoemülsifikasyon tekniğindeki prensipler uygulanmakta, sadece lensin parçalanmasında ultrasonografik dalgalar yerine laser ışınları kullanılmaktadır. Korneal kesi küçük olduğu için dikiş gerekmemekte ve iyileşme hızlı olmaktadır.

Hemşirelik Yönetimi
Katarakt ameliyatı artık günübirlik cerrahi uygulaması şeklindedir. Hemşire, ameliyat öncesi hastanın sistemik hastalığının olup olmadığını belirlemeli, evdeki bakımına yönelik bilgi vermelidir. Hastanın korku ve endişelerini açıklamasına fırsat vermeli ve gerekli açıklamaları yapmalıdır.

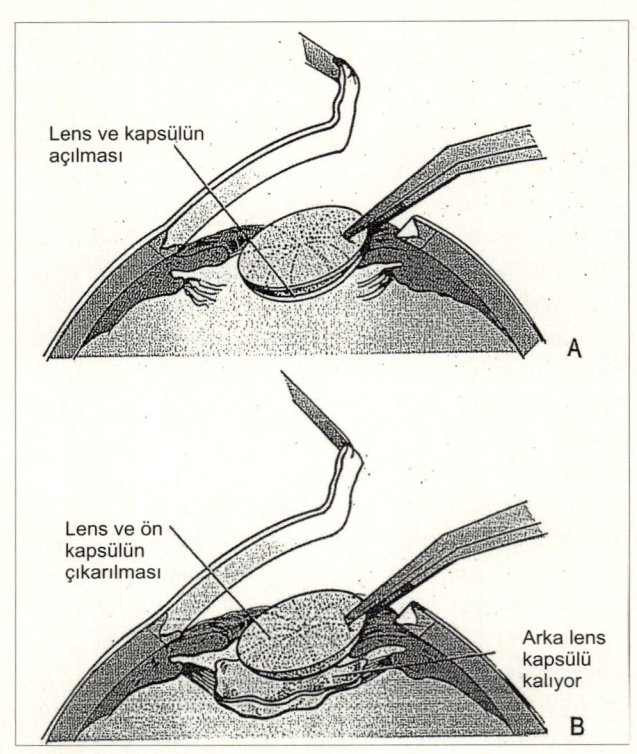

Şekil 50.11: Fakoemülsifikasyon ameliyatı.

Ameliyat öncesi, ameliyat yapılacak gözde pupil dilatasyonu yapılır. Gerekirse sedatif ilaçlar verilir.

Ameliyat sonrası bakımda genel kural; göz içi basıncının artmasının, kanamanın ve enfeksiyonun önlenmesidir. Katarakt ameliyatı sonrası hasta göz çevresinde ağrı duyabilir. Ağrıyı gidermek için analjezik verilir. Hastanın gözü ameliyat sonrası kapatılır (Şekil 50.12). Bu konuda hasta önceden bilgilendirilmiş olmalıdır. Gözlerini ovuşturmaması söylenir. Bu süre içinde bulantı ve kusma olursa izlenmeli devam ederse hekime haber verilmelidir. Kusma sonucu intraoküler basınç artışı gelişebilir. Bunu önlemek için antiemetikler verilebilir.

Ameliyat sonrası antibiyotikli ve streroidli ilaçlar kullanılır. Özellikle intraoküler lens yerleştirilmiş olan hastaya pupillayı genişleten (midriyatik, sikloplejik) ilaçların kullanılması ciddi komplikasyonlara neden olur. Bu konuda hemşire dikkatli olmalıdır.

Enfeksiyondan kaçınılması gerekir. İlaçların uygulanması ve saklanmasında aseptik koşullar sağlanmalıdır. Hastanın gözündeki pansumanların iç kısımlarına dokunmaması söylenmeli, gözde biriken sekresyon ve pomat artıkları steril bir aplikatörle içten dışa doğru temizlenmelidir.

50. Göz Hastalıkları

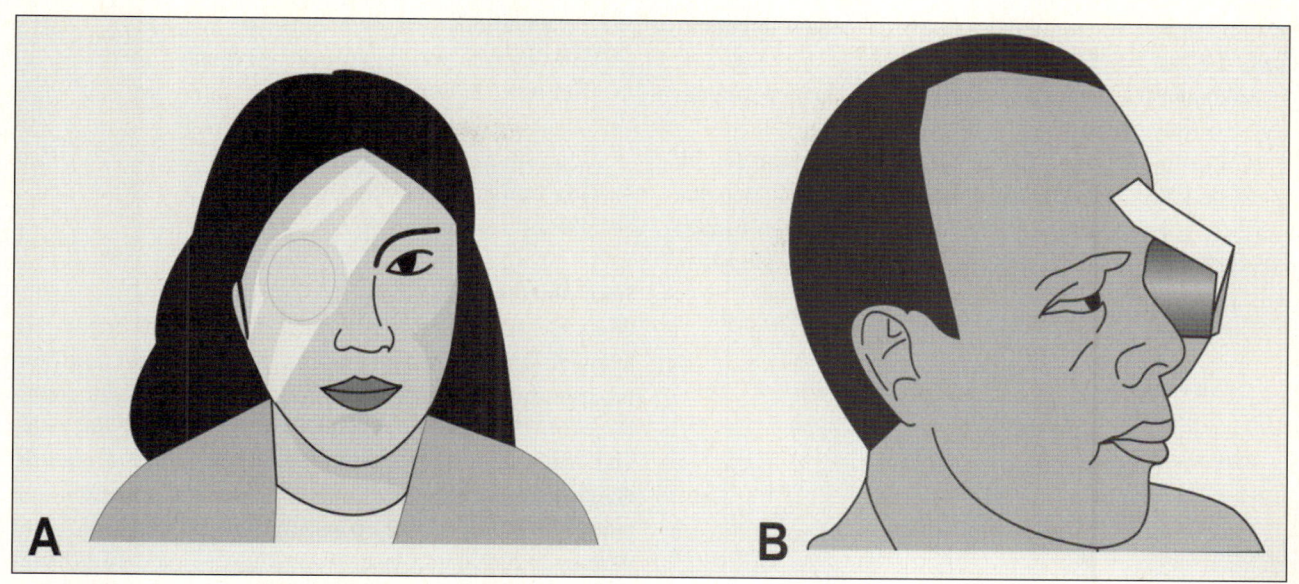

Şekil 50.12: A.Gözün rondelle kapatılması. B. Gözün koruyucu kap ile kapatılması.

Eğer hasta gözlük kullanacaksa (katarakt gözlüğü) ilk günlerde cisimleri olduğunda büyük ve yakın görür. Bu durum denge bozukluğuna neden olabilir. Hasta düşme ya da çarpmalardan korunmalıdır. Taburculuk öncesinde hastaya aşağıdakiler öğütlenmelidir.

- Enfeksiyon ve travmadan kaçınılmak için gözler ovuşturulmamalıdır.
- İntraoküler basıncı arttıracak ıkınma, öne eğilme (namaz kılma gibi), ağır kaldırma, sümkürme gibi hareketlerden kaçınması gerekir. Saç yıkarken başını arkaya doğru eğmelidir.
- Ameliyatlı göz tarafına yan yatmamalı, sırt üstü yatmalıdır. Bir süre sonra ameliyatsız göz tarafına dönmesi için izin verilir.
- İlaçlarını düzenli kullanmalıdır.
- Gazete okuyabilir ve televizyon seyredebilir.

Eğer intraoküler lens (İOL) yerleştirilmemişse gözlük camları veya kontakt lenslerle çıkarılan lensin dioptrik gücünün kompanse edilmesi gerekir. Bazen İOL yerleştirilmiş hastalarda da ameliyat sonrasında düşük numaralı da olsa gözlük kullanması gerekebilir. İOL uygulaması hasta için en kullanışlı ve rahat olandır. Kontakt lensler de gözlüğe göre daha iyi görme sağlar. Yalnızca takıp çıkarmakta bazen zorluk olabilir. Kataraktlı hastanın hemşirelik bakım planı örneği aşağıda verilmiştir.

Glokom
Etiyoloji ve epidemiyoloji

Glokom göz içi basıncının (GİB) yükselmesi ve periferik görme alanında ilerleyici kayıplar ile belirgin bir hastalıktır. Gelişmiş ülkelerde körlük nedenleri arasında önde gelmektedir. Hastalık büyük ölçüde sinsi bir gidiş gösterdiğinden hastaların önemli bir bölümü hastalığın son aşamalarına kadar bunun farkında olmayabilirler. Bu nedenle erken tanı görme kaybını dolayısı ile körlüğü önler.

Ön ve arka kamara olarak adlandırılan gözün ön kısmı hümör aköz denilen, saydam ve proteinden yoksun bir sıvı ile doldurulmuştur. Bu humör aköz sürekli olarak silier cisimden sekrete edilmekte ve trabeküler sistem ve (schlemm) kanalı yolu ile episklarel venöz sisteme drene edilmektedir. Normalde sekresyon ile göz dışına atılım arasında bir denge vardır ve bu şekilde göz içi basıncı 12 20 mmHg değerleri arasındadır. Günlük değişimlere bağlı olarak bu basınç 5 mmHg' ye kadar değişim gösterebilir. Göz içi basıncı optik sinirde hasar yapacak düzeylere yükseldiği zaman glokom hastalığı ortaya çıkmaktadır. Göz içi basıncında yükselmenin en önemli nedeni drenaj kanallarında olan tıkanmadır.

Glokom primer olarak geniş açılı glokom ve kapalı açılı glokom olarak iki tiptedir. Ayrıca konjenital ve sekonder olarak ortaya çıkabilir. Primer geniş açılı glokomda, periferik görme alanı azalır. Yaşla birlikte görülme oranı artar. Diyabetik ve myopisi olanlarda daha fazla görülmektedir. Karanlığa uyum zorlaşır, ileri dönemde başağrısı, göz küresinde ağrı, ışık etrafında halkalar görme gibi bulguları olur. Tedavide myotik göz damlaları kullanılır.

Primer kapalı açılı glokom da, ön kamara açısının mekanik olarak tıkanması söz konusudur. Akut olarak gelişir. Pupillalarda hafif dilatasyon, bulantı, kusma, göz yaşarması, görmede ani bulanıklık, ileri derecede göz ağrısı ve ışık etrafında halkalar olur. Tedavi edilmezse körlükle sonuçlanır. Miyotik göz damlaları ve analjezikler verilir. Göz içi basıncı kontrol altına alındığında cerrahi tedavi uygulanır (Şekil 50.13).

Sekonder Glokom; enfeksiyon, tümör, kanama gibi nedenlerle ortaya çıkar.

Konjenital Glokom, ön kamara açısında embriyolojik dönemde kalan mezodermal doku parçası vardır. Bebekte fotofobi, gözde sulanma ve büyüme olur. Hemen cerrahi tedavi gerekir. Tedavi edilmezse körlüğe neden olabilir.

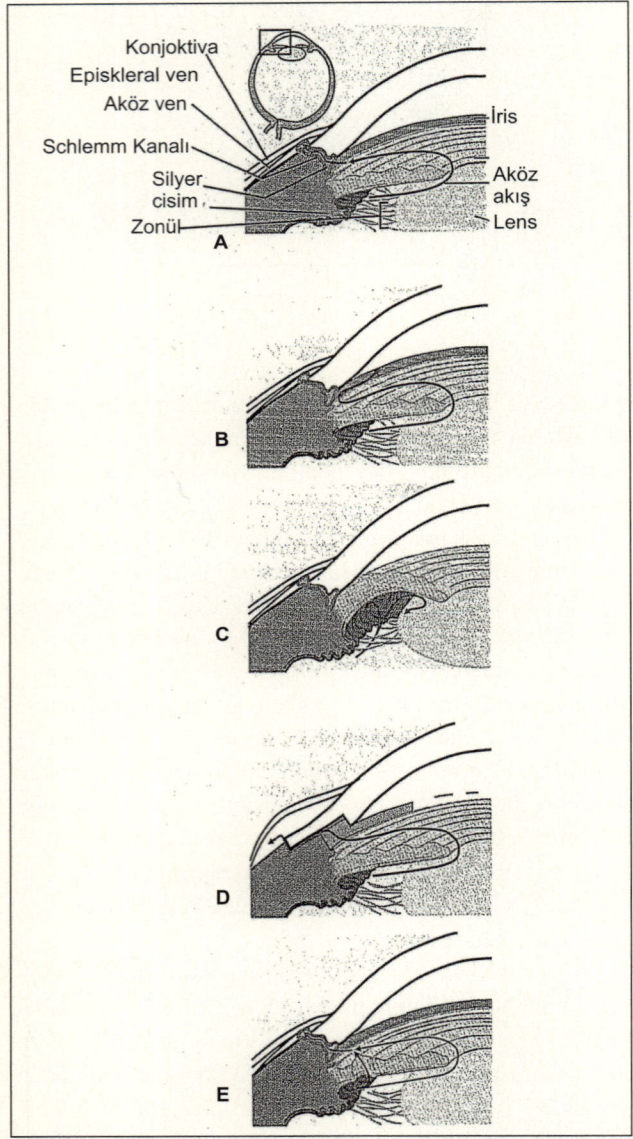

Şekil 50.13: A. Aköz sıvının normal akışı. B. Açık açılı glokom. C.Kapalı açılı glokom. D ve E. Cerrahi tedavi ile akışın sağlanması.

Risk faktörleri

Herkesin glokom yönünden dikkatli olması ve düzenli kontrollerini yaptırması gerekir. Ancak bazı kişiler normal topluma göre daha yüksek risk altındadır. Bunlar:
- 40 yaşını geçenler,
- Akrabalarında glokom bulunanlar,
- GİB anormal şekilde yüksek seyredenler,
- Diabetes Mellitusu olanlar,
- Yüksek miyopisi olanlar,
- Uzun süreli kortizon kullananlar,
- Göz yaralanması öyküsü olanlar,
- Yüksek kan basıncı öyküsü olanlar,

Tıbbi yönetim

Glokom hastalığının tanısı konulduktan sonra bugün için tedavide amaç göz tansiyonunu düşürerek göz sinirinin hasarını durdurmak ve görme kaybının ilerlemesini engellemektir. Bu amaçla uygulanabilecek yöntemler ilaç tedavisi, laser tedavisi ve cerrahi tedavi olarak üçe ayrılabilir. Bugün için genelde tanı sonrası ilk seçilen yöntemin ilaç tedavisi olmasına, ilaç tedavisine yeterli derecede yanıt vermeyen hastalarda laser tedavisinin ya da cerrahi tedavi yöntemlerinin uygulanmasına karşın, özellikle geç dönemde tanı konulan ya da sürekli ilaç kullanımının uygun olmadığı olgularda doğrudan laser girişimleri ya da cerrahi yöntemler de kullanılabilir. Glokomda ilaç tedavisinde son yıllarda önemli gelişmeler sağlanmış, etkili yeni ilaçlar tedavinin başarısını büyük ölçüde artırmıştır. İlaç tedavisinde önemli olan hastanın ilaçları sürekli olarak düzenli kullanmasıdır. İlaç önerilmeyen ya da ilaç tedavisine yanıt vermeyen olgularda kullanılan cerrahi yöntemler de son yıllarda giderek artan oranda başarılı olmakta, sürekli ilaç kullanım zorunluluğunu da ortadan kaldırarak etkili tedavi sağlayabilmektedir. İlaç tedavisi; göziçi basıncı çok yüksek olmayan glokomlarda genelde göz damlaları ile tedavi yeterli olmaktadır. Bu durumda ilaçlara ara vermeden düzenli kullanılması gerekmektedir. Pilokarpin grubu miyotik ilaçlar pupillayı daraltarak hümör aközün göz dışına çıkışını artırırlar. Midriyatik ve sikloplejik ilaçlar ise pupillanın genişlemesi ile humör aköz çıkışını daha da azaltarak göz içi basıncını artırdıkları için kontrendikedir. Akut glokomda çok yükselmiş olan göz içi basıncını düşürmek için mannitol gibi ilaçlar gerekebilir.

Cerrahi Yönetim

Glokomda en sık kullanılan cerrahi yöntem humör aközün göz dışına çıkışını arttıracak bir açıklık oluşturmaya yönelik fistülizan ameliyatlardır. Bunlardan bugün en çok ve en yaygın olarak kullanılan trabekülektomi denilen ameliyat yöntemidir. Bunun dışında özel glokom türlerinde iridektomi, siklokriyoterapi gibi ameliyatlar uygulanabilmektedir.

Lazer Tedavisi; çok yüksek olmayan göziçi basınçlarını normal düzeye indirebilir. Etki süresi genellikle 2-3 yıl kadardır. Sonra göziçi basıncı tekrar yükselebilir.

50. Göz Hastalıkları

Hemşirelik Yönetimi
Hemşire, ilaç tedavisi verilen hastaya ilaçlarını düzenli olarak kullanmasının önemini açıklamalıdır. İlaçların etkileri ve yan etkileri hakkında hastayı bilgilendirmelidir. Cerrahi tedavi uygulanacak hastanın ameliyat öncesi dönemde işleme hazırlanması gerekir. Lazer tedavisi lokal anestezi altında uygulanır. İşlem sırasında yanıp sönen ışıklar göreceği ve patlama şeklinde sesler duyacağı, işlem sonrası 1-2 saat kadar intraoküler basınç artışı yönünden izleneceği hastaya söylenmelidir.

Ameliyat sonrası hastanın gözü kapatılır ve üzerine koruyucu kap takılır. Ameliyat olan tarafa yatmaması söylenir. Antibiyotikli damlalar ve pomadlar verilir. Midriyatik ve sikloplejik ilaçlar kullanılmamalıdır.

Taburculukta hastaya enfeksiyon belirtileri anlatılır ve dikkat etmesi gereken konular söylenir. Kontrollere düzenli olarak gelmesinin önemi vurgulanmalıdır.

Hemşirelik Tanıları
- Göziçi basıncının yükselmesine bağlı *ağrı*,
- Hastalığın yönetimine yönelik *bilgi eksikliği*,
- Görme yeterliliğinin azalmasına ve günlük yaşam aktivitelerini yerine getirememeye bağlı, *bakımı yönetmede yetersizlik*,
- Görmede sınırlılığın olması, ameliyat sonrası gözün kapatılmasıve yabancı çevrede olmaya bağlı *travma riski*.

Retina Dekolmanı
Etiyoloji ve Fizyopatoloji
Retinanın koroideodan ayrılmasına retina dekolmanı (retinada yırtık, delik oluşması) denir. Retinadaki ayrılma periferden başlayarak arkaya doğru ilerler. Retina dekolmanı aniden oluşabilir ya da yavaş yavaş gelişebilir.

Erkeklerde daha fazla görülmektedir. Genetik özelliklerin rol oynadığı düşünülmektedir. Bundan başka miyopide, (miyopik dejenerasyon) travma, enfeksiyon, tümör, kanama sonucunda da retina dekolmanı oluşabilir.

Retinadaki yırtık nedeniyle gözde sinek uçuşması, şimşek gibi ışıklar oluşur. Cisimler eğri, basık görülür. Yırtık olmayan alanlarda görme olduğu için kadran şeklinde görme vardır.

Tanı gözün oftalmoskopik muayenesi ile konur. Risk grubunda olan kişilerde erken tanı önemlidir. Diyabetik retinopatisi veya ileri derecede myopisi olanların düzenli göz kontrollerinin yapılması erken tanı konulmasını sağlar (Şekil 50.14).

Cerrahi yönetim
Retina dekolmanında tedavi cerrahidir. Tedavinin amacı, ayrılan retinanın tekrar yapışmasını sağlamaktır. Bunun için çeşitli tedavi yöntemlerinden yararlanılır. Retina deliğini kapamak için "kriyoterapi (dondurma)" ve "'fotokoagülasyon (ışıkla yakma)"dan yararlanılabilir. Retinadaki yırtık ön taraftaysa kriyokoagülasyon, arka taraftaysa fotokoagülasyon uygulanır.

Nöroretinayı pigment epiteline yapıştırmak için vitreus aspire edildikten sonra, göz içine sıvı ya da çeşitli gazlar enjekte edilebilir. Bu retina üzerine basınç oluşturularak retinanın normal pozisyonunda olmasını sağlar. Son yıllarda retina dekolmanı tanı ve tedavisine yönelik önemli gelişmeler sayesinde retina dekolmanı tedavisinde başarı oranı % 90'a yükselmiş, hastanede kalma ve yatak istirahati süresi önemli derecede azalmıştır.

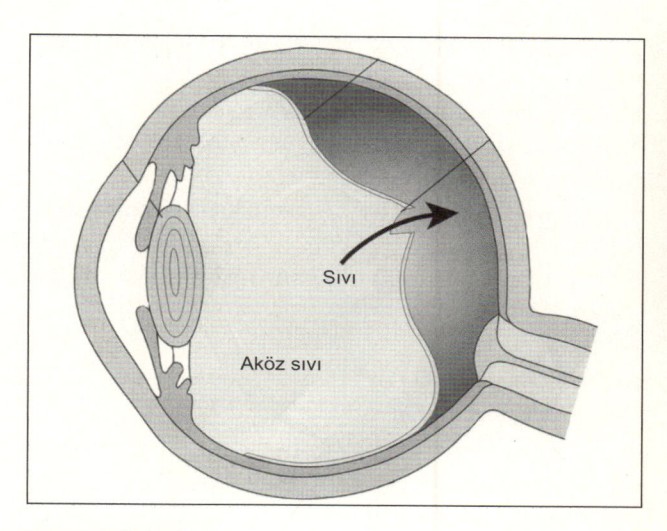

Şekil 50.14: Retina dekolmanı.

Hemşirelik yönetimi
Ameliyat öncesi
Retina ayrılması, makula bölgesini ilgilendiriyorsa, ameliyat öncesinde hastanın yatak istirahatine alınması ve her iki gözünün kapatılması istenebilir. Hasta; ıkınma, öksürme, aksırma, hızla yataktan kalkma gibi hareketleri yapmaması konusunda uyarılmalıdır. Retina dekolmanı olan hasta ameliyat öncesinde kesinlikle yüz üstü yatmamalı ve öne eğilmemelidir. Hasta gözlerini kaşımamalı ve gözlerine dokunmamalıdır. Hastanın iki gözü de kapalıysa ve hasta yatak istirahatindeyse günlük yaşam aktivitelerinde hastaya yardımcı olunmalıdır. Yatağa bağlı olmaktan kaynaklanacak psikolojik ve fizyolojik sorunları önlemeye yönelik bakım verilmelidir. Retina dekolmanı ameliyatlarından önce, retinanın iyi görülmesini sağlamak için her iki pupil midriyatik ve sikloplejik ilaçlarla genişletilir.

1073

Ameliyat sonrası

Ameliyat sonrasında hasta yatak istirahatine alınır. Ani baş hareketlerinden, aksırma, öksürme, kusma gibi zorlamalardan kaçınılır. Bulantı olursa antiemetikler verilir. Öksürük varsa buna yönelik ilaç verilir. İntraoküler basıncı azaltmak için gerekli ilaçlar verilir. Göz pedi ameliyatın ertesi günü çıkarılır. Enflamasyonu önlemek için antibiyotik-steroid kombinasyonu olan damlalar kullanılır. Pupilleri dilate etmek ve siliyar kasları rahatlatmak içi sikloplejik ilaçlar kullanılır. Ayrıca ılık veya soğuk kompres uygulanabilir.

Hastaya erken postoperatif dönemde ağır kaldırmaması, sıçrayıcı göz hareketlerine neden olacağı için okuması ve yazmaması, TV seyretmemesi söylenir.

Hemşirelik Tanıları

- Yapılacak ameliyata ve olası görme kaybına bağlı *anksiyete ve korku*,
- Ameliyata bağlı *enfeksiyon riski*,
- Kanama ya da göziçi basıncının yükselmesine bağlı *gözde hasar oluşma riski*,
- Yapılacak ameliyat ve evde bakım konusunda *bilgi eksikliği*
- Göziçi basıncının artmasına veya enflamasyona bağlı *ağrı*.

Şaşılık

Etiyoloji ve Epidemiyoloji

Her iki gözün aksları arasında normalde olması gereken paralelliğin bozulmasına şaşılık (strabismus) denir. Şaşılığın değişik tipleri vardır.

İçe bakan göz	Yukarı bakan göz
Konverjan	Hipertropik
Dışa bakan göz	Aşağı bakan göz
Eksotropik	Hipotropik

Şaşılıkta her iki göz aynı yönde odaklama yapamamaktadır. Şaşılık çoğunlukla doğumda ya da erken çocukluk döneminde ortaya çıkmaktadır. Çocukluk dönemi şaşılıklarında aileden kalıtsal geçiş, ateşli hastalıklar, kafa travmaları, göz kaslarında doğumsal anomaliler görmeyi bozan göz hastalıkları (katarakt, göz tümörü gibi) gözlük gerektiren kırma kusurları şaşılık nedenleridir. Erişkinlerde ise diyabet, arteriyoskleroz, travmalar, bazı göz hastalıkları şaşılık nedeni olabilmektedir.

Tıbbi yönetim

Şaşılık, hemen tedavi edilmezse ambliyopi denilen kalıcı göz tembelliğine neden olur. Bu nedenle şaşılık farkedilir edilmez hemen doktora başvurmak gerekir. Kayan gözün görüntüsü beyin tarafından kullanılamaz ve baskılanır. Bunun sonucunda görme yeteneği giderek azalır. İleri dönemde kayma düzeltilse dahi görüş artırılamaz. Bu durum göz tembelliği (ambliyopi) olarak tanımlanır. Göz tembelliği körlüğe kadar ilerleyebilir.

Göz tembelliğinin şaşılık dışında nedenleri de vardır. Bunlar tedavi edilmemiş yüksek hipermetropi, astigmat, iki göz numarası arasındaki farkın çok yüksek olması, doğuştan katarakt, doğuştan göz kapağının düşük olması, bir gözün uzun süre kapalı tutulması gibi durumlardır. Gerekli tedavinin erkenden yapılması ile göz tembelliği önlenebilir. Şaşılıkta, iki gözün birlikte kullanılamaması, beynin iki gözün görüntülerini birleştirme yeteneğinin kaybı ile sonuçlanır. İleri dönemde kayma düzeltilse bile, kişi gözlerini ayrı ayrı kullanır.

Binoküler görme denilen iki gözle tek görme yeteneği gelişemez. Binoküler görmenin gelişmemesi üç boyutlu görmenin olmamasına, mesafe tayininin yapılamamasına yol açmaktadır. Sonuç olarak kişi otomobil kullanamaz, mesafe tayini gerektiren işleri yapamaz. Bunların dışında, şaşılığın, asla ihmal edilmemesi gereken estetik ve psikolojik yönü vardır. Kişinin psikolojisini olumsuz yönde etkiler. Çocuklar okul çağına gelmeden bu sorunun çözülmüş olması gereklidir.

Şaşılık tedavisinde amaç; görme bozukluklarının önlenmesi, göz tembelliğinin giderilmesi, kaymanın düzeltilmesidir. Üç tip tedavi yöntemi uygulanır.

Optik tedavi ile; gözlük kullanılarak eşit görme ile gözlerin aynı anda çalışması ve düzelmesi sağlanır.

Oklüzyon (kapatma) tedavisi, ambliyopiyi düzeltmek için uygulanır. 4-6 yaşlarında başlanır, iyi gören göz kapatılarak tembel gözün tedavisi sağlanır.

Cerrahi tedavi, kozmetik düzeltme ve optik tedaviye yanıt alınamayan durumlarda yapılır.

Şaşılıkta, görme bozukluklarının önlenmesi, göz tembelliğinin giderilmesi, kaymanın düzeltilmesi amacıyla ilk olarak kaymaya neden olan kırma kusurları düzeltilmelidir. Hastanın gereksinimi olan gözlük ya da kontakt lens verilir, doğuştan katarakt, kapak düşüklüğü gibi problemler varsa cerrahi yola düzeltilmelidir. Bazı tip şaşılıklarda sadece bu tedavi yeterli olabilir. Belirgin bir kırma kusuru yoksa, ilk önce cerrahi yöntem uygulanabilir. Cerrahi tedavi ile; göz dışı kasların dengesi yeniden düzenlenerek görme eksenleri paralel duruma getirilir. Buna yönelik olarak kasların güçleri zayıflatılır, arttırılır ya da pozisyonları değiştirilir. Şaşılık tipine göre değişmekle birlikte erken yaşta (1-4 yaş) yapılan cerrahi ile estetik düzelme olurken, fonksiyonel iyileşmeye de yardımcı olunmaktadır. Geç dönem uygulanan cerrahide sadece estetik başarı sağlanır ve bunun görme fonksiyonlarına katkısı olmaz.

İkinci olarak, göz tembelliği tedavi edilmelidir. Göz tembelliğini tedavi etmek için çeşitli yöntemler vardır. En çok kullanılan yöntem, iyi gören gözün belirli sürelerde, programlı bir şekilde kapatılması (oklüzyon tedavisi), tembelleşmiş gözün çalışmaya zorlanmasıdır.

Hemşirelik Yönetimi

Ameliyat genel anestezi altında yapılmaktadır. Ameliyat öncesinde, hastanın genel durumu değerlendirilmeli, ameliyat için risk oluşturacak herhangi bir engelin olup olmadığı araştırılmalıdır. Hemşire, akciğer grafisi, kan incelemeleri ve gereken diğer incelemelerin yapılmasını sağlamalıdır.

Tümörler

Etiyoloji

Gözde bening ve malign tümörleri oluşabilir. Neoplazmlar, retina ve uveadan kaynaklanabilir ya da primer bir odaktan göze metastaz olabilir. Gözde genellikle görülen neoplazmalar bening hemanjiomlar, psödotümörler, lenfomalar, malign melanomlar, retinaoblastomalar ve diğerleridir. Malign tümörler hem görmeyi hem de yaşamı tehdit ederler. Primer intraoküler malign tümörler içinde çocuklarda en sık görülen retinoblastoma,, erişkinlerde ise malign melanomdur.

Retinoblastoma

Retinoblastoma oldukça malign bir intraoküler neoplazmadır. Çocuklarda görülmektedir. Klinik bulgular çok belirgin olmadığı için erken tanı koymak genellikle zordur. Hızlı bir yayılım gösterir. Optik sinir boyunca ilerleyerek beyne metastaz yapar. Çocukta görme bozukluğu, ağrı, şaşılık, pupillada beyaz bir görünüm olur.

Malign melanoma

Erişkinlerde korioidea, korpus siliyare ve iriste gelişebilir. Korioidea, damarsal bir yapıya sahip olduğundan erken devrede karaciğer ve akciğerlerde metastaz gelişebilir. Görme, makula tutulana kadar ya da tömör çok büyük boyutlara ulaşana kadar etkilenmeyebilir.

Cerrahi Yönetim

Göz tümörlerinde, kriyoterapi, radyoterapi, kemoterapi, fotokoagülasyon ve cerrahi tedavi uygulanmaktadır. Üç tip cerrahi tedavi uygulamaktadır.

Enükleasyon; sklera ile birlikte tüm gözün çıkarılması.
Evisserasyon; sklera bırakılarak tüm gözün çıkarılması.
Ekzantrasyon; göz kapakları ile birlikte orbitadaki tüm yumuşak dokuların çıkarılması.

Göz tümörlerine hastanın psikolojik tepkisi, bedenin diğer kısımlarındaki tümörlerden çok daha fazladır. Cerrah, yaşamı kurtarmak için hemen gözün çıkarılmasını önerebilir. Bu durumda hem hastanın hem de ailesinin psikolojik desteğe gereksinimi vardır.

Gözün tek başına ya da yardımcı organlarıyla birlikte çıkarılmasının başlıca nedenleri; malign tümörlerde yaşamı güvence altına almak, sempatik oftalmide olduğu gibi, diğer gözdeki görme fonksiyonunu kurtarmak, kronik glokom ya da kronik enfeksiyon nedeniyle görme fonksiyonunu yitiren hastada ağrıyı gidermek, travma ya da hastalıktan kaynaklanan körlüklerde şekil bozukluklarını düzeltmektir.

Hemşirelik Yönetimi

Gözün çıkarılmasından sonra yerine silikon, plastik ya da tantalum implantlar yerleştirilebilir, ya da takılıp çıkarılabilecek protezler kullanılabilir (Şekil 50.15). Ameliyat sonrasında görülebilecek komplikasyonlar kanama, tromboz ve enfeksiyondur. Kanama kontrolü için 1-2 gün basınçlı pansuman uygulanmalıdır. Ameliyat olan tarafta ya da başın tamamında oluşan ağrı rapor edilmelidir. Bu bir ven trombozu veya menenjit bulgusu olabilir. Ameliyat sonrası genellikle hastanın ayağa kalkmasına izin verilir. Antibiyotik ve steroidli ilaçlar verilir. Bir gözünü kaybetmiş olan hastanın diğer gözünün korunması ve sağlığı oldukça önemlidir. Diğer gözün travmalardan korunması gerekir. Çünkü tek gözle görmede derinlik kavramı bozulmaktadır. Hastaya protez göz kullanmaya başlayana kadar (4-8 hafta) göz pedleri veya koruyucu gözlük kullanması önerilir. Hastanın gözünü kaybettiği için, anksiyetesi yüksektir. Bakım verilirken bu göz önünde bulundurulmalıdır. Hastanın rehabilitasyonu gerekir. Yapay göz (protez) kullanımı hastaya öğretilmelidir. Yapay gözler plastikten yapılmıştır. Genellikle ameliyattan sonra tam iyileşme sağlanınca ve ödem tamamen gidince yapay göz kullanılmaya başlanır. Bazen 2-3 hafta sonra yapay göz kullanılmaya başlanır başlanabilir. Yapay gözler belli aralıklarla çıkarılıp temizlenmelidir. Gözün alt kapağı çekilerek protezin alt kenarından bastırılır ve protez çıkarılır. Su ve sabunla yıkanır. Protezin tekrar yerleştirilmesi için üst kısmı üst göz kapağının altına yerleştirilir, alt göz kapağı aşağı doğru çekilerek protezin alt kenarı göz kapağının altına doğru kaydırılır.

Hemşirelik Tanıları

- Ameliyata ve olası görme kaybına bağlı *anksiyete*,
- Ameliyata bağlı *enfeksiyon riski*,
- Kanama veya göziçi basıncının yükselmesine bağlı *gözde hasar oluşma riski*,
- Yapılacak ameliyat ve evde bakım konusunda *bilgi eksikliği*,
- Göziçi basıncının artmasına veya enflamasyona bağlı *ağrı*,
- Görme yetersizliğine ya da gözlerin tek taraflı veya iki taraflı kaybından kaynaklanan, *duyusal algısal değişim*.

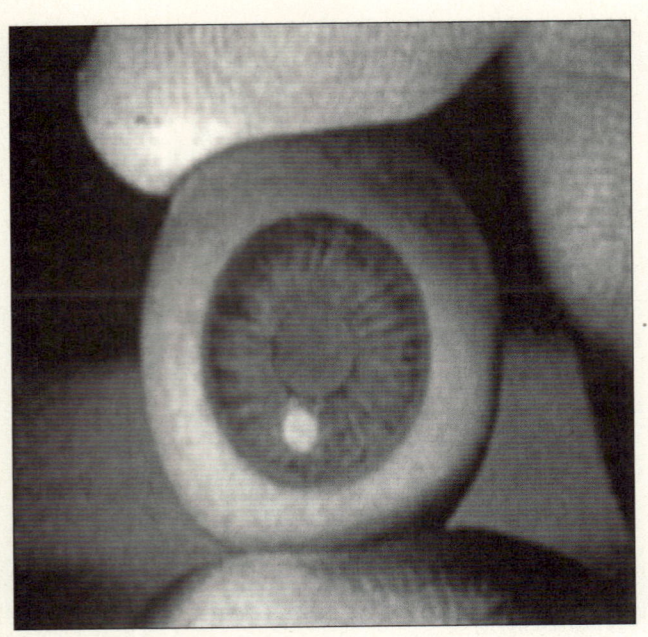

Şekil 50.15: Göz protezi

Diyabetik Retinopati
Etiyoloji ve Epidemiyoloji
Diyabetik retinopati, Diabetes Mellitusa bağlı retinadaki kan damarlarının hasara uğramasıyla seyreden bir durumdur. Diyabete bağlı retinadaki temel değişiklikler erken evrelerde kılcal damarlarda olmak üzere, damarlarda tıkanıklıklar, damar duvarlarından sızıntılar ve daha geç evrelerde ortaya çıkabilen anormal yeni damar oluşumlarıdır. Hasarlanmış kan damarları sıvı ve kan sızmasına neden olarak sert fırçamsı dallar ve sert skar dokuları oluşmasına, bunlarda retinanın beyine bozulmuş şekiller göndermesine neden olur. Diyabetik hastalarda, diyabetik retinopati gelişme riski zamanla artmaktadır. Diyabet tanısı almasının üzerinden 15 yıl geçen bir kişide retinopati gelişme riski %60-65 oranındadır. Çocuklukta oluşan diyabette retinopati daha küçük yaşlarda başlamaktadır. Tedavi edilmeyen diyabet hastalarında normal bir kişiye göre 25 kat daha fazla körlük riski bulunmaktadır. Gebelik ve hipertansiyon diyabetin retinada neden olduğu hasarı arttırmaktadır. Keskin görme noktası olan makülada ödemin oluşmadığı erken dönemde diyabetin gözde yaptığı değişiklikler herhangi bir belirtiye yol açmaz. Bunlar sadece muayene sırasında tespit edilirler. Daha ileri düzeylerde kanamalar yüzünden görme bulanıklaşır, bazen de tamamen kaybedilir.

Tıbbi Yönetim
Ciddi düzeydeki retinopati bazen hiçbir belirti göstermez ve tedaviye yanıt verebilir. Bu nedenle diyabet hastaları içinde bulundukları riskleri bilmeli ve düzenli olarak göz kontrollerini yaptırmalıdırlar. Muayene sırasında göz bebekleri büyütülerek oftalmoskopla retina incelenir. Bu işlem ağrıya neden olmaz.

Diyabetik retinopatiye ait belirtiler varsa anjiyografi yapılabilir. Bunun için damardan flöresein boya verilir. Boya retina damarlarından geçerken ard arda fotoğrafları çekilir. Bu tekniğe *flöresein anjiyografi* adı verilmektedir. Tedavide en etkili yöntem lazerdir. Ufak lazer atışlarıyla makula ödemi oluşmasına neden olan, kanayan damarlar tıkanır. Retinanın dış bölümlerinde de lazer aracılığıyla yeni damar oluşumlarının önlenmesine çalışılır.

Diğer tedaviler; vitreus içine kanama olursa artık retina gözükmediğinden lazer uygulanamaz. Bu gibi olgularda vitrektomi yapılır. Bu mikroskop altında yapılan özel bir cerrahi girişimdir. Vitrektomi yapılan olguların %70'inde ameliyattan sonra görmede artma kaydedilir. Ancak kanama olan her olgu hemen ameliyata alınmaz. Bir grup hastada kanama kendiliğinden düzelebilir.

Hemşirelik Yönetimi
Hemşirelik yönetiminde amaç, diyabetik retinopati gelişiminin erken dönemde belirlenmesini sağlamaktır. Diyabetik hastanın kontrolü, göz bulgularının erken ortaya çıkması açısından önemlidir. Hemşire hastaya düzenli kontrollerin önemini anlatmalıdır. Diyabetle birlikte gebelik, hipertansiyon, böbrek sorunlarının diyabetik retinopatiyi şiddetlendirdiği de hastaya hatırlatılmalıdır. Diyabetik bir hastaya diyetinin, kan şekerinin kontrol altında tutulmasının ve ilaçlarını ve insülinini düzenli kullanmasının önemi vurgulanmalıdır. Zamanında lazer ya da ameliyatla yapılan tedavi ile diyabetin verdiği zarar ortadan kaldırılıp ileriye dönük önlem alınabilmektedir. Hasta ne kadar kontrol altında kalır ve tedavilerini yaptırır ise istenilen sonuca ulaşma şansı da artmaktadır.

Sistemik Hastalıkların Gözdeki Etkileri
Bazı metabolik, vasküler, hematolojik, nörolojik, bağ doku hastalıkları ve beslenme bozuklukları gözü de etkileyebilmektedir.

Metabolik Hastalıklar
Metabolik hastalıklar içinde en fazla gözü etkileyen hastalık Diabetes Mellitustur. Diyabetik hastalarda senil katarakt daha erken yaşlarda oluşur. Retinopati Diabetes Mellitusun gözde oluşturduğu önemli olumsuz etkidir.

Vasküler ve Hematolojik Hastalıklar
Sistemik hipertansiyon retinada değişikliklere neden olan vasküler bir hastalıktır.

Arterioskleroz ve aterom plaklarının oluşumu emboliyle retinal damarların tıkanmasına neden olabilir. Akut lösemi, polisitemi, orak hücreli anemi gibi hematolojik hastalıklar retinada kanama ve arteriel tıkanmaya neden olur.

Nörolojik Hastalıklar
Multipl skleroz gibi demiyelizan hastalıklar gözde de sinir hasarına neden olur. Kafa travmalarında unilateral pupil dilatasyonu travmanın lokalizasyonu hakkında tanı koydurucudur.

Bağ Dokusu Hastalıkları
Bağ dokusu hastalıklarında sıklıkla göz kuruluğu oluşur. Bundan başka gözlerde kızarıklık, yanma, fotofobi görülür. Romatoid hastalıklarda kornea, sklera, uvea etkilenir. Sistemik lupus eritematozusta genellikle gözün damarları etkilenir.

Beslenme Bozuklukları
Beslenme bozuklukları da gözlerde patolojik değişikliklere neden olur. A ve B vitamini yetersizliğinde konjonktiva, kornea ve retina etkilenir.

Göz Hastalıklarında Kullanılan İlaçlar
Göz hastalıklarının tedavisinde kullanılan ilaçlar damlalar, irrigasyonlar ve pomadlar olarak üç grupta toplanır. İlaçlar kullanılırken ilacın doğru olarak kullanıldığından emin olmak gözde hasar oluşturmamak açısından oldukça önemlidir. İlacın etiketi kontrol edilmelidir. Rengi değişmiş, içinde partiküller oluşmuş, süresi geçmiş ilaçlar kullanılmamalıdır. Damlaların kullanımı genellikle daha kolaydır. Uygulandıklarında görmeyi etkilemezler. Ancak pomadlara göre etkileri daha kısadır.

Pomadlar daha uzun süre gözde kalırlar, ancak kornea önünde bir tabaka oluşturdukları için görmeyi etkilerler.

Midriyatikler
Pupilleri dilate ederler. Fundusun arkasının muayenesi için pupillanın dilatasyonu gereklidir. Bu amaçla midriyatikler kullanılır. Enfeksiyonda irisin kornea ile yapışmasını önlemek amacıyla da midriyatikler kullanır.

Sikloplejikler
Pupil dilatasyonuyla birlikte silier kas paralizisi oluştururlar. Göz muayenesinde, kornea ve iris hastalıklarının tedavisinde kullanılır. Midriatik ve sikloplejik ilaçların kullanımı akut açılı glokomda kontrendikedir.

Miyotikler
Pupilleri daraltırlar. Aköz humor akışını sağlayarak göziçi basıncını azaltırlar. Göz muayenesi ve glokom tedavisinde kullanırlar.

Ozmotikler
Intraeküler basıncı düşürürler. Glokom tedavisinde ve göz ameliyatı sırasında intraoküler basıncı düşürmek amacıyla kullanılır.

Sekresyon İnhibitörleri
Göz içi sıvının üretimini azaltarak intraoküler basıncı düşürürler. Kusma, bulantı, anoreksi, diürezis, karın krampları gibi yan etkilere yol açabilir.

Topikal Anestetikler
Ağrı duyusunu azaltırlar. Tanı işlemlerinde, cerrahide, göz enfeksiyonlarında kullanılırlar.

Topikal Antibiyotikler
Göz enfeksiyonlarında kullanılırlar.

Streoidler
Antienflamatuar etkilidirler. Enfeksiyon ve allerjilerde kullanılırlar.

Lubrikanlar
Suni gözyaşı olarak da adlandırılırlar. Gözyaşının yetersizliğinde kornea ve konjaktivanın kurumaması için kullanılırlar.

Göze İlaç Uygulama
Oftalmik ilaçların kullanımında öncelikle her hastanın kendine ait damla ve pomadı kullanması önemlidir. Bu çapraz enfeksiyonların önlenmesi için gereklidir. Tek gözde enfeksiyon varsa her iki göz için ayrı ilaç kullanılır. Göze ilaç uygulamada izlenecek ilkeler aşağıda verilmiştir.

Damla Uygulama
- Eller iyice yıkanır.
- Gözde çapak ya da akıntı varsa serum fizyolojik ile (SF) temizlenir.
- Hastanın başını geriye itmesi ve yukarıya bakması söylenir.
- Hastanın yan tarafında durulur.
- Alt göz kapağı bir tampon yardımıyla hafif çekilerek dışa döndürülür.
- Damlalık göze yandan yaklaştırılarak (karşıdan değil) gerektiği kadar ilaç oluşturulan çukura damlatılır. Damlalık göze değdirilmemelidir.
- İlaç damlatıldıktan sonra alt göz kapağı serbest bırakılır.
- Hastaya 1-2 dakika gözünü hafifçe kapatması ama sıkmaması söylenir. (Hasta gözünü sıkarsa ilaç dışarıya akar)
- Dışarıya akan ilaç bir tamponla (sadece dışarıya akan) silinir (Şekil 50.16).

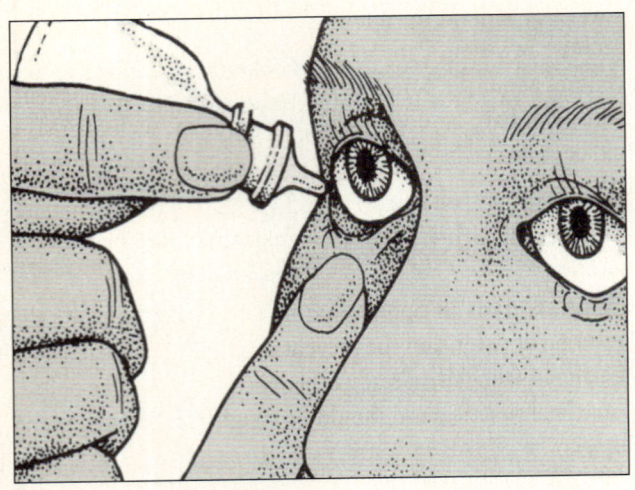

Duyu Sistemi

Şekil 50.16: Göze damla uygulama.

Pomad Uygulama
- Göze damla uygulanmasındaki gibi hasta hazırlanır.
- Alt göz kapağı aşağı çekilerek bir çukur oluşturulur.
- Pomad içten dışa doğru bu çukura sıkılır.
- Uygulama esnasında tüp göze ya da kirpiklere dokunmamalıdır (Şekil 50.17).

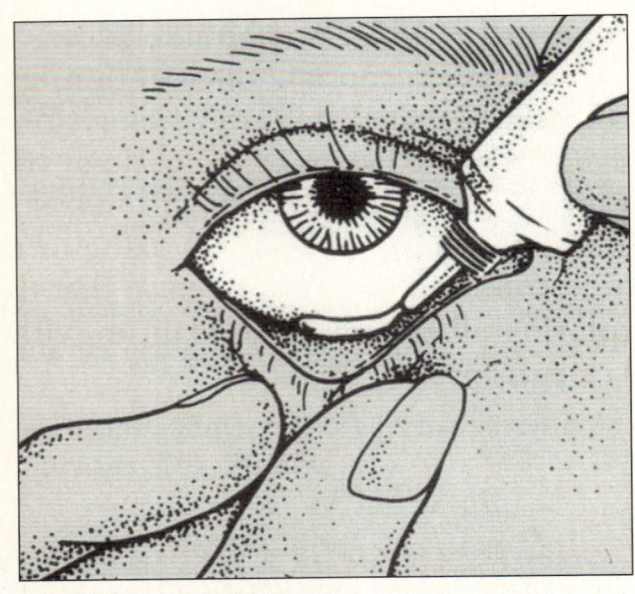

Göz İrrigasyonu
- Hasta irrigasyon yapılacak göz tarafına doğru hafif yan yatırılır.
- Gözün dış kısmına küçük bir küvet ya da kap yerleştirilir (irrigasyon sıvısının yatağa akmaması için)
- Sıkılabilen plastik bir şişeyle, enjektörle ya da serum seti aracılığı ile irrigasyon sıvısı (serum fizyolojik, ya da antibiyotikli sıvı) gözün iç kısmından dışa doğru akacak şekilde fazla basınçlı olmaksızın akıtılır.

Sıcak ya da Soğuk Kompres Uygulama
- Islak ve sıcak kompresler, gözleri temizlemek, ağrıyı azaltmak, kan dolaşımını arttırmak ve enfeksiyon tedavisi amacıyla uygulanırlar. Uygulama günde dört kez, yaklaşık 15-20 dakika süreyle yapılır. Suyun ısısı 49 °C den fazla olmamalıdır.
- Soğuk kompresler kanamayı durdurmak, ödemi kontrol altına almak, konjonktivitin ilk döneminde enfeksiyon yayılmasını önlemek amacıyla uygulanır. Bu amaçla buzlu su kullanılır.

Şekil 50.17: Göze pomat uygulama.

51. İŞİTME VE DENGE SORUNU OLAN HASTANIN YÖNETİMİ

Prof. Dr. Fatma DEMİR KORKMAZ

Kulak, işitme ve denge olmak üzere başlıca iki işlevi olan duyu organıdır. İşitme; konuşma ve iletişim kurma yeteneği açısından normal gelişim için önemli bir duyudur. Denge; vücut hareketleri, pozisyon ve koordinasyon için önemlidir.

Bu bölümde erişkinlerde yaygın görülen işitme ve denge sorunlarının tanı, tedavi ve hemşirelik bakımına yer verilmiştir.

Anatomi ve Fizyoloji

Kulaklar; kafatasının iki yanında, yaklaşık olarak göz seviyesinde olan, temporal kemiğe yerleşmiş duyu organlarıdır. Kulak, sesi beyne göndermek ve dengeyi sağlamaktan sorumludur. Kulak dış kulak, orta kulak ve iç kulak olmak üzere üç bölümden oluşur. İnsan kulağının anatomisi Şekil 51.1'de verilmiştir.

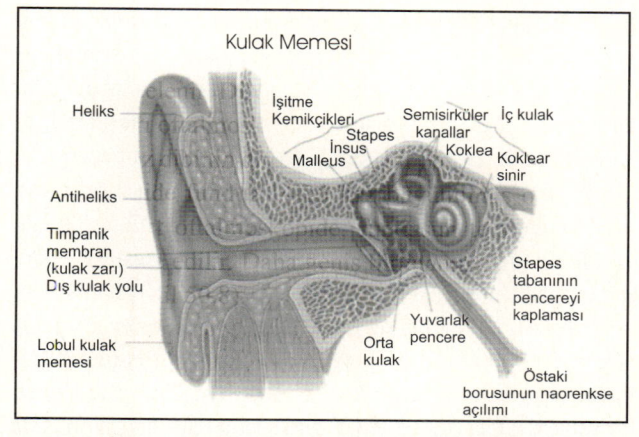

Şekil 51.1: İnsan Kulağının Anatomisi. (http://www.kulakburunbogaz.com)

Dış Kulak

Dış kulak; kulak kepçesi (auricle, pinna) ve dış kulak yolu olmak üzere iki bölümden oluşur. Dış kulak yolu, timpanik membran adı verilen diske benzer bir yapı olan kulak zarı ile orta kulaktan ayrılır.

Kulak Kepçesi (auricle)

Kulak kepçesi deri ile kaplı olup elastik kıkırdak yapıdadır. Başın iki yanına deri, ligament ve kas ile tutunur. Kulak memesinde ise ayrıca yağ ve subkutan doku bulunmaktadır. Kulak kepçesi ses dalgalarını toplayarak dış kulak yoluna iletir.

Dış Kulak Yolu

Dış kulak yolu kulak kepçesinin en iç kısmından (konka) timpanik membrana kadar uzanır. Yaklaşık 2.5 cm uzunluğundadır. Dış kulak yolunun 1/3'lük dış bölümü kıkırdak yapılı olup üzerini örten deride yağ, serüminöz bezler ve kıl folikülleri bulunur. Dış kulak yolundaki bezlerin salgısı ve bunların üzerindeki tozlar sonucu kulak kirleri (serumen-kulak mumu) oluşur. Kulak kiri koruyucu özelliktedir. Kulak kiri; dış kulak yolunda bulunan kıllar ile birlikte kulağa böcek v.b. maddelerin geçişini önlediği gibi, dış kulak yolunun kurumasını da engeller. Bu kirler birleşip kuruduğu zaman (buşon) kanalı tıkayabilir ve işitmeye engel olabilirler. Dış kulak yolunun 2/3'lük kısmı (kafatası içine giren) ise kemik yapıdadır.

İnsan embriyosunda kulak renal sistemle aynı zamanda oluşur. Bu nedenle özellikle kulak kepçesinde doğuştan anomalisi olan bebeklerde renal anomali olma olasılığı göz önünde bulundurulmalıdır.

Orta Kulak

Orta kulak, kulak zarının arkasında hava ile dolu boşluktur. Birbiriyle ilişkili boşluk ve kanallardan oluşmuştur. Orta kulaktaki boşluklar, östaki tüpü aracılığıyla nazofarenksten gelen hava ile doludur. Östaki tüpü yaklaşık 1mm genişlikte ve 35 mm uzunlukta olup orta kulağı nazofarenkse bağlar. Östaki tüpü genellikle kapalıdır fakat valsalva manevrasında, esneme veya yutma sırasında tensor veli palatini kasının hareketi ile açılır. Tüp, orta kulağın normal veya anormal salgılarında drenaj kanalı olarak görev yapar ve orta kulaktaki basıncı atmosfer basıncı ile eşitler.

Kulak Zarı (Timpanik Membran)

Kulak zarı, dış kulağı orta kulaktan ayıran yaklaşık 1 cm çapında, oldukça ince yapıda, inci grisi renginde, yarı şeffaf, hafif oblik, aşağı ve içe doğru eğik yapıdadır. Her iki yüzü, atmosfer basıncı ile dengelenmiştir. Zarın iç yüzünü, östaki borusu (tuba auditiva) aracılığı ile boğazdan (pharynx) gelen hava dengeler. Böylece kulak zarının içe çökmesi engellenmiş olur. Kulak zarı, kulak kanalının devamı olan deri ile kaplı dış tabaka, fibröz yapıdaki orta tabaka ve orta kulak kavitesinin devamı niteliğindeki mukoz tabaka olmak üzere üç tabakadan oluşmaktadır.

Kulak zarı, orta kulağı korur ve ses vibrasyonlarını dış kulak yolundan kemikçiklere iletir. Kulak zarını otoskop

ÜNİTE 14

1079

ile görebilmek için kulak kepçesi yukarı ve arkaya doğru çekilmelidir. Bebeklerde kemik yol henüz oluşmadığı için sadece arkaya doğru çekildikten sonra otoskop yerleştirilir.

Kemikçikler

Orta kulakta vücuttaki en küçük üç kemik, **malleus** (çekiç), **incus** (örs), **stapes** (üzengi) bulunur. Eklem kas ve ligamentlerle yerine tutturulmuş olan bu kemiklerin görevi sesi titreşim yoluyla iç kulağa iletmektir. Orta kulağın medial duvarında yuvarlak ve oval pencere olmak üzere iki küçük pencere bulunmaktadır. Bunlar orta kulağı iç kulaktan ayırır. Stapezin tabanı oval pencerede yer almakta olup, halka şeklindeki fibröz yapılarla korunur. Stapezin tabanı sesi iç kulağa iletir. İnce bir membran ile kaplı olan yuvarlak pencere, ses vibrasyonları için çıkış sağlamaktadır.

İç Kulak

İşitme ve denge ile ilgili alıcıların bulunduğu kısımdır (Şekil 51.1). İç kulak temporal kemiğin derinlerinde yer alır. İşitme (cochlea) ve denge (semisirküler kanallar) organı, VII. kraniyal sinir (fasiyal sinir), VIII. kraniyal sinir (vestibulo-cochlear sinir) bu kompleks anatominin yapılarıdır. İç kulak, hepsi de temporal kemik içerisinde yer alan, birbirinden ayrı üç kemik boşluktan meydana gelir. Bu kemik boşluklara kemik labirent (labyrinthus osseus) adı verilir. Kemik labirent üç bölümden oluşur. Oval pencerenin açıldığı kısma vestibulum denilir. Diğer ikisi ise cochlea (salyangoz kabuğu) ve semisirküler kanallar (canalis semisircularis osseus, kemik yarım daire kanalları)'dır. Vestibulum merkezde olmak üzere; önünde cochlea, arkasında semisirküler kanallar yerleşir. Her üç bölme de, perilenfa adı verilen sıvı ile doludur. Kemik labirentin içinde, labirentin kıvrımlarına uyan ve içi endolenfa ile dolu olan zar labirent (labyrinthus membranaceus) bulunur. (Şekil 51. 2). Zar labirentin, kemik labirent kısımlarına uyan bölmeleri şunlardır: Vestibulum içindeki kısmı, utriculus ve sacculus'tur. Cochlea içinde kalan kısmı ductus cochlearis ve semisirküler kanallar içinde yer alan kısmı da ductus semisircularis adını alırlar.

Zar Labirent

Zar labirent, sakkül (sacculus), utrikül (ultriculus) koklear kanal, semisirküler kanallar ve korti organından oluşur. Zar labirent endolenfa sıvısı içermektedir. Posteriyor, superiyor ve lateral olmak üzere, bir birine 90 derecelik açı ile üç semisirküler kanalı, rotasyonal hareketleri belirleyen duyu reseptörlerini içerir. Sakkül ve utrikül doğrusal hareketlerle, istirahatte başın pozisyonun kontrolü ile ilgilidir.

Korti Organı

Kokleada bulunan, salyangoz biçimli, 3,5 cm uzunluğunda kemik tüp halinde işitme organıdır. Ses dalgalarını sinir impulsları haline dönüştüren duyu organıdır. İç kulağın en önemli yeri ve vücudun en iyi korunan parçalarından biridir. Buradaki nöroepitelyumda iç ve dış olmak üzere 4-5 sıra halinde ortalama yirmi dört bin silyalı hücre vardır. Tektoryal membrana yakın kısımlardaki on binlerce silya, membranlar arasındaki hareket ilişkisi nedeniyle büküldüğü zaman, mekanik bir kuvvet olan ses enerjisi elektro kimyasal impuls şekline dönüşmekte, daha sonra da bu impulslar temporal kortekste ses halinde yorumlanmaktadır.

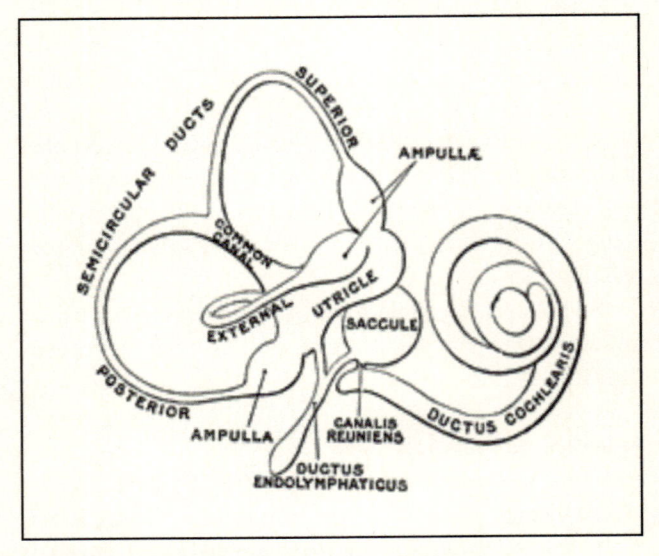

Şekil 51.2: Zar labirent. http://www.bartleby.com/107/232.html

İşitme Fizyolojisi

Kulak kepçesinin topladığı ses enerjisinin, kulağın çeşitli bölümlerinde değişikliğe uğradıktan sonra aksiyon potansiyeli halinde beyne gönderilerek ses olarak algılanmasına *işitme* denir. Ses, maddesel bir ortamda boyuna dalgalar halinde yayılan bir titreşim enerjisidir. Ses enerjisi, katı, sıvı ve gaz ortamlardan geçtiği halde boşluktan geçmez.

Sesin saniyedeki titreşim sayısına ses frekansı, tonu veya perdesi denir ve **Hertz (Hz)** olarak ifade edilir. İnsan kulağı 16-20 bin arası frekansları işitebilir. Yüksek frekanslı seslere tiz, düşük frekanslı seslere pes sesler denir. İnsan kulağı her titreşimi ses olarak duymaz ve konuşma sesleri en geniş olarak 500-4000 Hz arasındadır. Sesin kulak tarafından duyulan yüksekliği sesin fiziksel şiddetine bağlıdır. Ses şiddeti birimine desibel (dB) denir. Fısıltı sesi 30 dB, hafif konuşma sesi 40 dB, ortalama konuşma sesi 60 dB, yüksek sesle konuşma sesi 80 dB, uçak kalkış sesi 120-140 dB'dir.

İşitme organı işlevlerine göre iki kısımda incelenir. Birincisi iletim aygıtı, ikincisi persepsiyon (algı) aygıtıdır. İletim aygıtı; dış ve orta kulak, algı aygıtı ise iç kulak, işitme siniri ve onun santral bağlantıları ile işitme merkezini kapsar.

İşitme işlevi, ses dalgasının dış kulak yoluna girmesiyle başlar. Dış kulak yolu kanalı ses dalgalarını sıkıştırır ve ses dalgalarını, basınç dalgaları halinde gergin olan kulak zarına iletir. Buna hava yolu iletimi denir. Ayrıca kafa kemikleri de titreşimleri iç kulağa kadar iletebilmektedir. Bu yol ile de işitme sağlanabilmektedir. Buna da kemik yolu iletimi denir. Normal bir kulakta hava yolu ile işitme, kemik yolu ile işitmeden ortalama olarak iki kat daha fazladır. Kulak zarına gelen ses dalgaları zarın vibrasyonuna yol açar. Bu vibrasyonlar oval penceredeki kemikçikler aracılığıyla sesi mekanik enerjiye dönüştürür. Mekanik enerji, iç kulaktaki lenfa sıvısındaki kokleaya iletilerek silyaları harekete geçirir ve elektrik enerjisine dönüşür. Elektrik enerjisi vestibülokoklear sinir aracılığıyla santral sinir sistemine iletilir, orada ses olarak analiz edilir ve yorumlanır.

Timpanik membrandan orta kulaktaki kemikçiklere iletilen vibrasyonlar, iç kulaktaki labirentte yer alan kokleaya iletilir. Orta kulak kendisine gelen sesin amplifikasyonunu sağlar. Stapez kemiği iç kulakta yer alan sıvının dalgalanmasına yol açar. Bu sıvı dalgaları, kokleada bulunan korti organının siliyar hücrelerinin uyarılmasına neden olan baziler membranın hareketine neden olur. Siliyar hücreler daha sonra nöral impulsların kodlandığı ve sesin mesaj olarak algılandığı beyindeki işitme korteksine gönderir.

Stapezin tabanı, timpanik membrandan incus ve malleus aracılığıyla gönderilen impulsları alır. Koklear kanalın karşısına açılan yuvarlak pencere, sağlam timpanik mebran aracılığıyla ses dalgalarından korunarak, iç kulak sıvısının ses dalgası ile uyarılmasına izin verir. Şema 51.1'de işitme fizyolojisi özetlenmiştir.

Denge Fizyolojisi

İç kulaktaki denge merkezi *vestibular labirent* olarak adlandırılır. Statik ve kinetik denge organizmada üç sistemin etkisi altındadır. Bunlar; labirenter (vestibüler) sistem, oküler sistem ve proprioseptif sistem (eklem ve kaslardan, derin organlardan gelen duyular) dir.

Vücudun denge içinde bulunması ve başın boşluktaki değişik pozisyonlarında uyumun bozulmaması için, her üç sistemden merkeze iletilen bilgilerin sentezinin ve bu bilgilerin yol açacağı refleks reaksiyonların uyum içinde olması gerekir. Bu sistemlerden birindeki bozukluk, gelen bilgilerin çatışması ve uyumun bozulmasına, yani baş dönmesine (vertigo) yol açar.

Belirli bir zaman birimi içinde bu üç sistemden ikisi normal çalışıyorsa, organizma genel olarak dengesini koruyabilir. Ancak iki sistemin birden fonksiyon dışı kalması, ağır bir denge bozukluğuna yol açar. Örn; proprioseptif sistem bozukluğu olan bir hasta, gözünü açık tuttuğu sürece dengesini sağlayabilir. Fakat karanlıkta veya gözünü kapayarak yürümeye çalışınca, hemen düşer. Çünkü proprioseptif sisteme ek olarak bir de oküler sistem devre dışı kalmıştır. Denge kontrolü yapılırken bu kavram daima göz önüne alınır. Örn; ayakta dik durma (Romberg) sırasında hastaya gözlerini kapatması söylendiğinde hasta, hasta taraf kulağa doğru bir düşme reaksiyonu gösteriyorsa bu durum periferik bir vestibülopatiyi doğrular.

İşitme ve Denge Sorunlarında Tanılama
Fizik Tanılama
Dış Kulağın Tanılaması

Kulak kepçesi, çevre dokuları, ölçüsü, simetrisi, kafa ile oluşturduğu açı, deformite, lezyon ve akıntı yönünden in-

Şema 51.1: İşitme Fizyolojisi

```
Kemik iletimi
    Ses
     ↓
   Kemik
     ↓
   İç kulak
(ses, dış kulak ve
 Orta kulağı atlar)

Hava iletimi
    Ses
     ↓
 Dış Kulak kanalı
     ↓
Timpanik Membran
     ↓
Kemikçiklerin vibrasyonu
malleus incus stapez

        ↓
      Stapes
        ↓
   Sıvı dalgaları
        ↓
Basiler membranın hareketi
        ↓
Kokleadaki korti organının follikül
hücrelerini uyarır. Uyarılar
beyindeki işitme korteksine
gönderilir.
        ↓
Elektriksel akım koklear
Alanı uyarır.

Sağlıklı Timpanik         Perfore Timpanik Membran
    Membran                 ↓            ↓
Oval pencere              Oval       Yuvarlak
    ↓                    pencere      pencere
Oyalanma süresi              ↓
    ↓                 Oval ve yuvarlak pencere
Yuvarlak pencere       arasında sesin oyalanma
    ↓                 süresi olmadığı için işitme
Korti organının siliyar      kaybı söz konusu
hücreleri (enerji elektrik         ↓
enerjisine dönüşür)           İşitme kaybı
    ↓
Kraniyal sinir VIII
(vestibülokoklear sinir)
    ↓
Santral sinir sistemi sesi
yorumlar
```

celenir. Kulak kepçesinin maniplasyonu normalde ağrıya yol açmaz. Ağrı ve hassasiyet söz konusu ise akut otitis eksternayı düşündürür. Mastoid palpasyonunda hassasiyet olması, mastoiditis veya posteriyor aurikular nodun enflmasyonunu gösterir. Bazen pina üzerinde yağ kistleri ya da tofüs (subkütanöz mineral birikmesi, heliks veya antihelikste ürik asit kristallerinin birikmesidir. Genellikle gut ve metabolik hastalıklarda görülür) görülebilir.

Otoskopik Muayene

Kulak zarını ve dış kulak yolunun tümünü görebilmek için kulak spekulumu ile ve ışık kaynağından Şekil 51.3 alın aynası yolu ile ışık düşürerek muayene (otoskopi) yapmak gerekir. Dış kulak yolunda akıntı, enflamasyon, yabancı cisim olup olmadığı kontrol edilir. Ayrıca kulak zarı renk ve görünüm açısından incelenir. Otoskopide dış kulak yolu ve timpanik zarın muayenesinden başka, akıntı ve ufak buşonların aspire edilmesi ve temizlenmesi işlemleri de gerçekleştirilebilir.

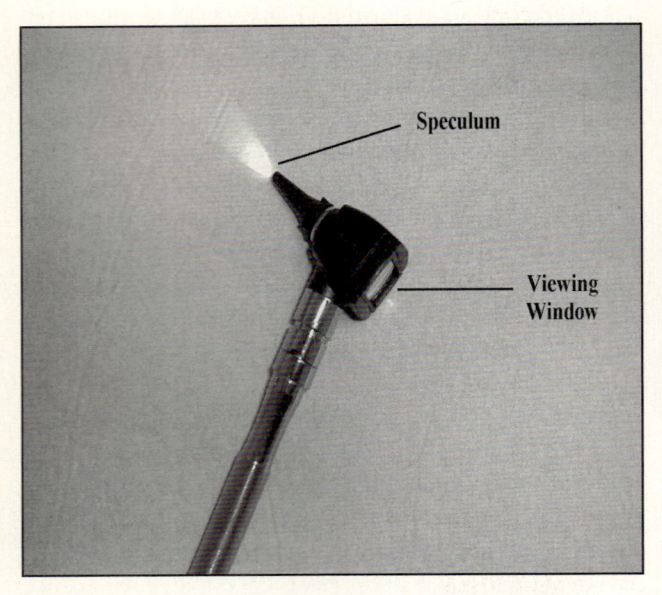

Şekil 51.3: otoskop. http://medicine.ucsd.edu/clinicalmed/head.htm

Fonksiyonel Muayene
İşitme Testleri

İşitme testleri her iki kulak için ayrı ayrı yapılmalıdır. İşitme testlerinin sınıflaması:

I- İnsan Sesiyle Yapılan Testler: Fısıltı testi de denir. Konuşma testine hastanın 6-7 m uzağında durularak başlanır. Test uygulanmayan kulağa ıslak veya alkollü pamuk tıkayarak duyması engellenmelidir. Konuşmayı okumasının engellenmesi için de hastanın yan tarafında durulur. Duymuyorsa hastaya gittikçe yaklaşılır. Test sırasında çift basamaklı sayılar fısıltıdan orta sese kadar söylenir ve her seferinde hastanın tekrarlaması istenir.

2. Diyapozon Testleri: İletim tipi işitme kaybını sensörinöral işitme kaybından ayırt etmek için kullanılır. İlk kez 19.yy'da uygulanmaya başlayan bu testler, testi ilk uygulayan kişinin ismi ile anılır.

Weber Testi: İşitme kaybının belirlenmesinde yararlı bir testtir. Kulaktaki işitme kaybının hangi tipte olduğunu araştırmak amacıyla yapılır. Titreştirilen diyapozonun sapı alnın ortasına ya da başın orta hattına dik olarak konulur. (Şekil 51.4). Normal işiten bir birey, sesi her iki kulakta da eşit duyar. İletim tipi işitme kaybında, örneğin otoskleroz veya otitis medYa da, ses etkilenen (hasta) kulakta daha iyi duyulur. Sensörinöral işitme kaybında, koklear veya vestibülokoklear sinirin hasarına bağlı olarak ses sağlam (işitmesi daha iyi olan) kulakta duyulur.

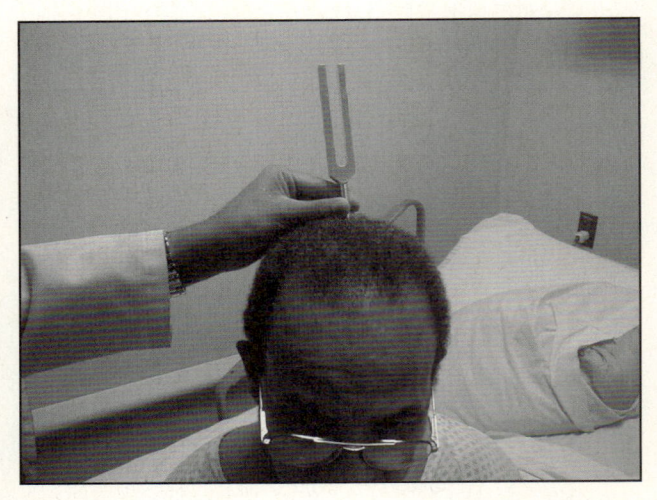

Şekil 51.4: Weber testi. (http://medicine.ucsd.edu/clinicalmed/head.htm).

Rinne Testi: Titreştirilen diyapozonun tekli ucu, hasta işittiği sesin bittiğini söyleyene kadar mastoid bölgeye dokundurulur, bu safhada ses kemik yolu ile dış ve orta kulağı atlayarak doğrudan kokleaya iletilir. Daha sonra diyapozonun titreşen çift ucu aurikula önünde tutulur (Şekil 51.5). Hastanın normalde sesi yeniden işitmeye başlaması gerekir. Bu duruma Rinne (+) denir. Bu normal bir durumdur. Hastanın işitmemesi durumuna ise Rinne (-) denir. Kısaltılmış Rinne testinde ise, titreştirilen diyapozon önce kemik yolu ile iletim için mastoid kemiğe dokundurulur, hemen sonra hava yolu ile iletim için kulak önünde tutulur. Hastaya hangi durumda sesin daha yüksek olduğu sorulur. Normalde hava yolu ile işitme, kemik yolu ile olan işitmeden daha etkin olduğu için Rinne testinin pozitifliği normal, negatifliği ise patolojik bir durumdur. Eğer ses iletim mekanizmasında bir engel varsa, Rinne negatif olarak

51. İşitme ve Denge Sorunu Olan Hastanın Yönetimi

3. Odiyometrik Testler: Elektrikle çalışan bir ses üreticisi (odiyometre) aracılığı ile işitme fonksiyonunun ölçümü, ve işitme eşiklerinin saptanması işlemine denir. İşitme kaybı her frekans için desibel olarak ölçülerek odiyogram üzerinde belirtilir.

Timpanogram

Timpanogram ya da impedans odiyometri; kulağa gelen ses enerjisinin ne kadarının zardan absorbe edildiğinin ve ne kadarının yansıdığının araştırıldığı bir yöntemdir. Timpanometri, orta kulak kompliyansının değişkenliğinin ölçümüdür.

Denge Muayeneleri

Denge fonksiyonunun muayenesi genellikle vestibüler labirentin uyarılması ile yapılır.

Romberg Test: Denge için iç kulağın değerlendirilmesidir. Hastaya ayakları birleşik olarak ayakta durması söylenir. Kollar önde ve gözler açıktır. Aynı pozisyondayken hastaya gözlerini kapatması söylenir ve dengesini devam ettirip ettiremediğine bakılır. Normalde sadece çok minimal bir sallanma vardır. Eğer hasta dengesini kaybediyorsa, vestibular kulak sorunu veya serebellar ataksi göstergesidir ve Romberg (+) denir. Periferik vertigo patolojilerinde etkilenen (hasta) tarafa doğru bir eğilme veya düşme ortaya çıkar.

Elektronistagmografi: Nistagmus; vestibular disfonksiyon ile birlikte ritmik istemsiz göz kasılması, seyirmesidir. Spontan, pozisyonel veya kalorik olarak oluşturulan nistagmus sırasında göz hareketleri tarafından oluşturulan elektrik potansiyellerindeki değişimin ölçülmesi ve grafik halinde yazdırılmasıdır. Aynı zamanda okülomotor ve vestibüler sistemlerin ve sistemler arasındaki etkileşimle-

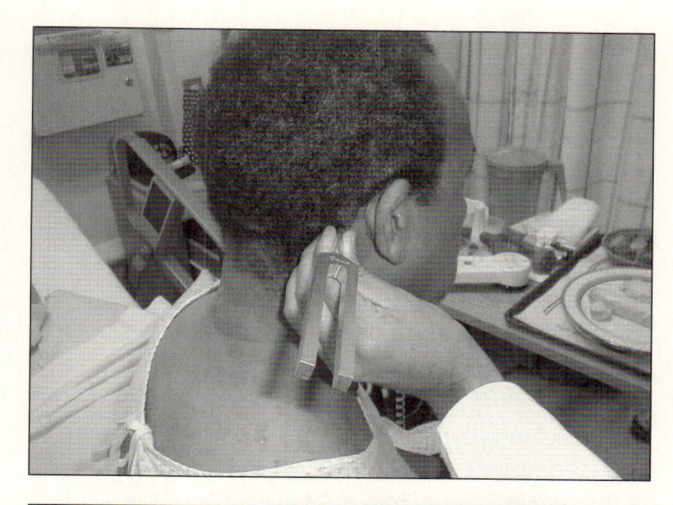

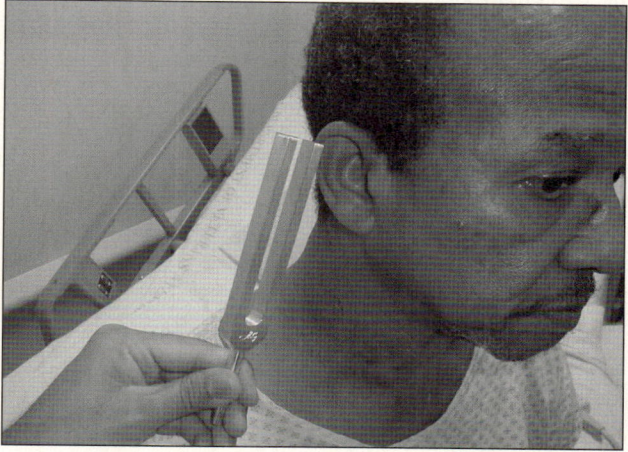

Şekil 51.5: Rinne testi. (http://medicine.ucsd.edu/clinicalmed/head.htm.

bulunur. Rinne pozitif bir durum normal bir işitme veya sensorinöral bir işitme kaybını ifade eder, bunları birbirinden ayırt etmek için Weber testi yapılmalıdır.

İşitme Kaybı Dereceleri	Desibel Seviyesi	Yükseklik örneği	Olası sorunlar ve ihtiyaçlar
Normal işitme	20 dB'e kadar	Yaprak hışırtısı, saatin tik tak sesi	işitmeyle ilgili bir problem bulunmamaktadır
Hafif işitme kaybı	20-15 dB	Sessiz / fısıltılı konuşma, parmaklan şaklatma	Düşük sesleri duymada problem yaşanabilir. Bir işitme cihazı kullanılabilir.
Orta işitme kaybı	40-60 dB	Sessiz / normal konuşma, normal seviyedeki radyo sesi	Önden ve yakından gelen normal konuşma seslerini anlamalıdır. Genellikle bir işitme cihazına ihtiyaç duyulur. Okulda ekstra yardıma (örneğin FM) / desteğe ihtiyaç duyulabilir.
Orta derecede ciddi işitme kaybı	60-75 dB	Normal / yüksek sesli konuşma, kapı zili	Konuşmanın duyulabilmesi için yüksek olması gerekir. Bir işitme cihazıyla normal konuşma sesini duyabilmelidir. Okulda ekstra yardıma (örneğin FM) / iyi bir yerde oturmaya ihtiyaç duyulabilir.
Ciddi işitme kaybı	75-90 dB	Telefonun çalması, şimşek, bebek ağlaması	Yakın olması koşuluyla yüksek sesleri duyabilir. Genelde bir işitme cihazına ihtiyaç duyar. Okulda ekstra yardıma (örneğin FM) / iyi bir yerde oturmaya ihtiyaç duyulabilir.
Derin işitme kaybı	90dB ve fazlası	Kamyon, elektrikli testere	Uygun yükseltme teknolojilerini kullanması gerekir (örneğin işitme cihazı, koklear implant)

1083

rin değerlendirilmesi için de kullanılır. Meniere hastalığı, iç işitme kanalı ve posteriyor fossa tümörlerinin tanısında yardımcıdır. Bu testin yapılacağı bireyler sedatif, trankilizan, antihistaminik gibi vestibüler fonksiyonları baskılayan ilaçları alıyor veya alkol kullanıyorsa test yapılmadan 24 saat öncesinde bunları bırakmalıdır.

Kalorik Test: Dış kulak yoluna soğuk ve sıcak su verilerek semisirküler kanallarda endolenfa volümünü değiştirerek yapılan testtir. Dış kulak yoluna 30-40 sn süreyle 30-40 cl sıvı verilir. Her iki durumda da okülovestibüler refleks nedeniyle nistagmus oluşur. Kalorik test sırasında her iki kulağa ilişkin nistagmus süreleri ve özellikleri göz önünde bulundurularak patolojiler saptanır.

Orta Kulak Endoskopisi: Perilenfatik fistül, yeni başlangıçlı iletim tipi işitme kayıpları, Meniere hastalığının transtimpanik tedavisinden önce yuvarlak pencere anatomisi, kronik orta kulak enfeksiyonları ve mastoiditin değerlendirilmesinde güvenle kullanılan etkili bir yöntemdir.

Timpanik zarın on dakika süreyle anestezisi sağlanır. Sonra dış kulak kanalı steril izotonik solüsyonla yıkanır. Mikroskop yardımıyla, lazer ışını aracılığı veya miringotomi aletiyle timpanotomi yapılarak orta kulak boşluğuna girilir. Skopi sırasında videografi veya fotoğraf kaydı yapılır.

İşitme Kayıpları

İşitme kayıpları; iletim (kondaktif) ve sinirsel (sensorinöral) olmak üzere iki çeşittir. İletim tipi işitme kayıplarında genellikle serumen, orta kulak hastalığı veya otoskleroz gibi nedenler yer alır. Böyle durumlarda sesin iç kulağa etkili bir şekilde geçişi engellenmiş olur. Sensörinöral tipte ise koklea ve vestibülokoklear sinir hasarı söz konusudur. Bunların dışında hava ve kemik iletiminin bozulduğu, hem sinirsel hem de iletim tipi işitme kaybının bulunduğu miks tip ve belirli bir organik durumla açıklanamayan ve genellikle emosyonel durumla ilişkili olan işlevsel tip işitme kayıpları vardır.

İletim (Kondaktif) Tipi İşitme Kayıpları: İletim tipi işitme kayıpları, iç kulağı normal olan kişilerde, gelen ses dalgalarının iç kulağa iletildiği mekanizmanın bozuk olduğu durumlarda ortaya çıkar. İletim tipi işitme kayıplarına yol açan durumlar aşağıda yer almaktadır.

1. Dış kulak lezyonları
- Malformasyonlar
- Dış kulak yolu stenozu
- Dış kulak yolu enfeksiyonu
- Obstrüktif lezyonlar, buşon tümör vb.

2. Orta kulak lezyonları
- Tuba obstrüksiyonu
- Otitis medya ve sekelleri
- Tümörler
- Kemikçiklerde malformasyonlar

3. Otik kapsül lezyonları
- Enfeksiyon
- Otoskleroz

Sinirsel (Sensörinöral) Tip İşitme Kayıpları: Koklea, VIII. kraniyal sinir, beyin sapı veya kortikal düzeydeki bir patolojiye bağlı olarak işitme kapasitesinin azalmasıdır. En sık görülen işitme kaybı çeşididir. Sensörinöral tip işitme kaybı yapan patolojiler aşağıda yer almaktadır.

1. İç kulak lezyonları (koklear)
- Malformasyonlar ve genetik nedenler
- İlaç intoksikasyonları (ototoksisite)
- Enfeksiyonlar (otitis medya, labirentit, kabakulak, zona, nörotrop virüs)
- Endolenfatik hidrops (Meniere hastalığı)
- Travmalar
- Tümörler
- İleri yaş işitme kaybı (presbiyakuzi - presbyacousis)

2. Retrolabirentik lezyonlar (radiküler, retrokoklear)
- Enfeksiyonlar (menenjit) ve otitin peripetröz sekelleri
- Viral (kabakulak, nörotrop virüs ve zona)
- Tümöral (akustik nörinoma)

3. Santral (bulber) lezyonlar.

İşitme Kayıplarında Klinik Belirti ve Bulgular

İşitme bozukluğu ve kayıplarının erken bulguları tinnitus, bireyleri duyamama ve radyo, TV vb. aletlerin sesini açmadır. Aynı zamanda davranışsal değişikliklere de yol açarak bireyin etrafında olanların farkına varması, iletişim kurması ve kendisini koruması gibi konularla bireyin yaşam kalitesini etkilemektedir. İşitmesi bozulmuş bireyler konuşmanın bazı bölümlerini kaçırırlar. Fakat bireylerin çoğu, aşamalı olarak işitmelerinin kaybolduğunun farkına varamaz.

Risk Faktörleri ve Önleme

İşitme sisteminin üzerinde etkili olan pek çok çevresel etmen vardır. Bunlar zamanla kalıcı sensörinöral işitme kaybına yol açarlar. En yaygını gürültüdür. Gürültü (istenmeyen ve kaçınılamayan ses), fiziksel ve psikolojik olarak olası zararlıdır. Fiziksel etki olarak; uzun süreli gürültünün periferik kan damarlarında konstrüksiyona yol açtığı, tansiyonu yükselttiği, adrenalin sekresyonunun artmasına bağlı olarak nabzı arttırdığı ve gastrointestinal aktiviteyi arttırdığı bilinmektedir. Oysa sessiz ve sakin ortamın bireyde huzur ve rahatlama sağladığı da bilinmektedir.

İşitme kayıpları için risk faktörleri aşağıda verilmiştir.
- Ailesel sensörinöral bozukluk öyküsü

- Kraniyal yapının (kulağın) konjenital malformasyonları
- Düşük doğum ağırlığı (<1500gr)
- Ototoksik ilaçların kullanılması (gentamisin, diüretikler)
- Tekrarlayan kulak enfeksiyonları
- Bakteriyel menenjit
- Uzun süre yüksek gürültünün etkisinde kalma
- Timpanik membranın yırtılmasıdır.

Uzun süre yüksek gürültünün etkisinde kalma (makine, motor vb) nedeniyle gürültüye bağlı işitme kaybı gelişebilir. Patlamada olduğu gibi aşırı yüksek sese maruz kalmak bir etkilenmek ile akustik travma oluşur. Genellikle gürültünün yol açtığı işitme kaybı yüksek frekanslı (yaklaşık 4000 Hz) seslerle olur. İşitme kaybına yol açan en düşük gürültü düzeyi, maruz kalma süresine bakılmaksızın 85-90 dB'dir.

Tamircilik, matbaacılık, pilotluk ve müzisyenlik gibi pek çok işte ve ağaç işleri, avcılık gibi hobilerde gürültü kaçınılmazdır. Mesleki Güvenlik ve Sağlık Dairesi (The Occupational Safety and Health Administration), yasal sınırlar üzerindeki gürültü düzeylerinde çalışanların, gürültüye bağlı gelişen işitme kayıplarını önlemek için, koruyucu kulaklık takmalarını gerekli kılmaktadır. Gürültünün yol açtığı işitme kaybını önleyecek her hangi bir ilaç yoktur. Korti organındaki tüy hücreleri zarar gördüğü için işitme kaybı kalıcıdır. Bu nedenle en iyi önlem koruyucu kullanılmasıdır.

Yaşlanmaya Bağlı Sorunlar

Altmış beş yaş ve üzeri bireylerin %30'u, 75 yaş ve üzeri bireylerin ise %50'si işitme güçlüğü yaşamaktadır. Nedeni bilinmemekle birlikte ileri yaştaki işitme kayıpları, diyet, metabolizma, arteriyosikleroz, kalıtım ve stres ile ilişkili bulunmamıştır.

Yaşla birlikte giderek ilerleyerek kulakta, sonunda işitme bozukluğuna yol açan değişiklikler olmaktadır. Yaşlılarda dış kulakta serumen daha sert ve kuru özelliktedir ve tıkaç oluşturma eğilimi artar. Orta kulakta timpanik membran atrofiye uğrar ve sklerotik bir yapıya dönüşür. İç kulakta kokleadaki temel hücreler dejenere olur. Presbiyakuzi (presbyacousis) yaşla birlikte ilerleyici olan işitme kayıpları için kullanılan terimdir.

Yaşla birlikte oluşan değişikliklerle birlikte, yaşam boyu yüksek gürültünün etkisinde kalma gibi diğer faktörler de yaşlılarda işitmeyi etkileyebilir. Aminoglikozid ve aspirin gibi ototoksik ilaçların atılımı, böbrek yapısının değişikliğe uğradığı yaşlı bireylerde azalarak, kanda daha uzun süre yüksek miktarlarda bulunmasına neden olabilir. Yaşlı bireylerin çoğu bacak krampları için kinin kullanmaktadır. Kinin işitme kaybına yol açabilir. Diyabet de, sensörinöral işitme kaybına yol açabilir.

İşitme kaybı olan bireyler, yeterince duyamadıkları için çevrelerine karşı kuşkucu olabilir, kızgınlık ve öfke duyabilir. Bireyler sık sık "söylediğinizi duyamadım" gibi ifadeleri kullanırlar. Bu bireyler telefonu ve alarmı duyamadıkları için güvensizlik de yaşayabilirler. İşitmesi bozulmuş bireylerle iletişim kurma rehberi çizelge 51.1'de verilmiştir.

Tedavi

Kalıcı işitme kayıplarında, tıbbi ya da cerrahi yöntemlerle tedavi edilemeyen ya da ameliyatı kaldıramayacak olan hastalar için işitme rehabilitasyonu yararlı olabilir. İşitme rehabilitasyonu bu konunun sonunda ele alınmıştır.

Hemşirelik Yönetimi

İşitme kayıplarının tiplerini bilen hemşire, hastasının gereksinimlerini yerine getirmede daha başarılı olacaktır. Duyamayan bir kişiye yüksek sesle konuşmaya çalışmak, sadece konuşmayı anlaşılmaz yapar. Bunun yerine işitmesi daha az etkilenmiş olan kulağa doğru konuşarak, jest ve mimik kullanımı daha yararlı yöntemlerdir.

Sağır veya işitme sorunu olan hastalar için asıl önemli olan konu, iletişim sorunları nedeniyle, bu bireylerin diğer sağlık sorunlarının yeterince soruşturulmamasıdır. Bu hastaların sağlık gereksinimlerinin karşılanması için, kurumlarda işaret dilini kullanan veya yorumlayan aracı kişiler çalıştırılarak, gerekli hizmet sağlanmalıdır. Dudak hareketlerini yorumlayan bir hasta için sağlık çalışanlarının maskeli olması, karanlık bir odada bulunuluyor olması engel oluşturacağından, hastaların değerlendirmeleri yapılırken de bu durum göz önünde bulundurulmalıdır.

Dış Kulak İle İlgili Sağlık Sorunları
I-a Buşon (Serumen Tıkacı)

Dış kulak yolunun kulak kiri üreten kendine özgü serüminöz bezleri vardır. Normalde dış kulak kanalında çeşitli miktarlarda ve renklerde serümen (kulak mumu) bulunur. Serümen tozların ve kir partiküllerinin, böceklerin kulak zarına gelmesini engeller. Serümen normal miktarlarda sağlıklıdır ve kulak kanalının giysisi gibi işlev görür. Suyu geri itici yapıdadır. Kulak kiri olmazsa kuruluk olur ve kulaklarda kaşıntı olur. Genellikle serümen kir ve tozlarla birlikte birikir, kurur ve dışarıya yuvarlanır. ya da dışarıya doğru yavaş yavaş yer değiştirir. Kulak kirini temizlemek amacıyla kulak yoluna hiçbir yabancı cisim sokulmamalıdır. Kulak kanalı ve zarı kolayca yaralanabilir, hassas yapılıdır.

Normal koşullarda serümenin temizlenmesine gerek olmadığı halde, bazen bu mum tıkaç oluşturabilir. Bu durumda işitme kaybıyla birlikte veya işitme kaybı olmaksızın otalji (kulakta ağrı veya dolgunluk hissi) görülür. Serümen birikmesi genelde yaşlılarda işitme kaybına yol açmaktadır.

Kulak Kiri Tıkacının Belirtileri
- Parsiyel işitme kaybı, ilerleyici olabilir.
- Kulak çınlaması, kulakta gürültü
- Kulak ağrısı
- Dolgunluk hissi, tıkaç hissi.

Tedavi ve Bakım
Serümen irrigasyon ile, aspirasyon ile veya enstrüman ile çıkarılabilir. Hastanın kulak zarının delik olmadığı veya dış kulak enflamasyonu (otitis eksterna) olmadığı durumlarda, nazik bir şekilde yapılan irrigasyon ile genellikle serümen çıkarılır. Hasarı önlemek için mümkün olan en az basınç kullanılmalıdır. Eğer timpanik membran delik ise bu sırada su orta kulağa geçerek vertigoya ve enfeksiyona yol açabilir. Eğer irrigasyon başarılı olmaz ise, serümen, uzman bir kişi tarafından mekanik olarak çıkarılabilir.

İşlemden yarım saat öncesinde, kulak kanalına birkaç damla ılık gliserin, mineral yağı ya da %50'lik hidrojen peroksit damlatılması serümenin yumuşamasını sağlar. Piyasada serümeni parçalayan ajanlar (gliseril içinde peroksit) bulunmaktadır. Ancak alerjik dermatite yol açabilirler. Genellikle günde iki veya üç kez yumuşatıcı solüsyon kullanılması yeterlidir. Bu yöntemler olmadığında, binoküler mikroskop ile serümen görülerek kürete edilebilir ya da kulak aspirasyonu yapılabilir.

I-b Kulakta Yabancı Cisimler
Çocuklar kulağına bazı nesneleri sokabilir. Bazen yetişkinler de kulağı temizlemek veya kaşımak için bunu yapabilirler ya da böcekler kulak yoluna girebilir. Her durumda da hiçbir belirti olmayabilir ya da aşırı ağrı veya işitmede azalma görülebilir.

Tedavi ve Bakım
Kulakta yabancı cisim olduğunda yapılacak olan tedavi serümenin çıkarılması işlemi (irrigasyon, aspirasyon ve enstrüman ile alma) ile aynıdır. İrrigasyon kontrendikasyonu da serumendeki ile aynıdır. Yalnız, kulakta böcek, sebze, tahıl olduğunda, bunların şişme olasılığı olduğundan irrigasyon kontrendikedir. Genellikle mineral yağı damlatılarak böceğin ölmesi sağlanır ve sonra kulak yolundan çıkarılır. Bu işlemler uzman bir hekim tarafından yapılmalıdır. Güçlük yaşanan durumlarda ameliyathanede, genel anestezi altında yabancı cisim çıkarılır.

I-c Dış Kulak İltihabı (Eksternal Otitis, Otitis Eksterna)
Eksternal otitis, dış kulak kanalının enflamasyonudur. Nedenleri, kulak kanalında su olması (yüzücülerde), kulak kanalı derisinin hasarına yol açan travma, mikroorganizmaların kulak kanalına girmesi ve vitamin eksiklikleri, endokrin bozukluklar gibi sistemik nedenlerdir. En fazla fungal ve Staphylococcus aerous, Pseudomonas türlerinin yol açtığı bakteriyel enfeksiyonlar görülür. Aspergillus ise hem sağlıklı hem de enfekte kulakta en çok izole edilen mantardır. Ekternal otitis, çoğunlukla psoriazis, egzema, seboreik dermatit gibi dermatozlar nedeniyle de olur. Saç spreyleri, saç boyaları, saçta kalıcı dalga oluşturan losyonlara karşı oluşan allerjiler de eksternal otitise neden olabilir.

Klinik Belirti ve Bulgular
Ağrı, kulak akıntısı, kulakta hassasiyet (genellikle orta kulak enfeksiyonlarında bu bulgu yoktur), ateş, selülit ve lenfadenopatidir. Kaşıntı, işitme kaybı veya dolgunluk hissi de olabilir. Otoskopik muayenede kulak yolu kızarık ve ödemlidir. Akıntı sarı veya yeşil, kötü kokuludur. Mantar enfeksiyonlarında kıl benzeri siyah sporlar görülebilir.

Çizelge 52.1: İşitmesi Bozulmuş Bireylerle İletişim Kurma Rehberi

Konuşması güç anlaşılan bireylerle iletişim kurmak için	Konuşmayı okuyan bireylerle iletişim kurmak için
• Bireyin söylediklerine dikkat edin. Konuşurken yüzüne bakın ve dinleyin. Dinlerken başka bir görevle ilgilenmeyin. • Hasta yanıt beklediğinde konuşmaya katılın. Bu durum konuşma kalıplarındaki özelliklere alışmanızı sağlar. • Söylenilenin özünü belirlemeye çalışın. Böylece, detayları özden çıkarabilirsiniz. • Anlamadığınız şeyleri anlamış gibi görünmeye çalışmayın. • Eğer anlamadıysanız ya da doğru anladığınızdan kuşku duyuyorsanız, söylediğini yazılı olarak vermesini isteyin. • Yazdıktan sonra tekrar konuşmasını isteyin. Böylece bireyin konuşma kalıbına alışırsınız.	• Konuşurken olabildiğince doğrudan hastanın yüzüne bakın. • Yüzünüzün tam olarak göründüğünden emin olun. • Yüzünüz aydınlıkta olsun, ağzınızı her hangi bir nesneyle örtmeyin. Örn; konuşurken ağzınızla bir nesne tutmayın. • Birey ne konuşacağınızı önceden bilmelidir. Bu bireylere konuşmayı okurken, kavramsal olarak tamamlayıcı ip uçları sağlar. • Yavaş ve tane tane konuşun. • Eğer önemli bir açıklamanın anlaşılıp anlaşılmadığını kontrol etmek istiyorsanız, ondan söylediğinizin ne anlama geldiğini söylemesini isteyin. • Eğer ağzınızı maske ile kapatmak durumunda iseniz, yazılı açıklama yapın.

Tedavi

Tedavinin amacı hastayı rahatlatmak, kulak kanalının ödemini azaltmak ve enfeksiyonu tedavi etmektir. Hastalara ilk 48-92 saatte analjezik verilir. Eğer dış kulak kanalı ödemli ise kanalı açık tutmak için fitil sokulur. Bu amaçla Burow solüsyonu, antibiyotikler vb. solüsyonlar buradan verilebilir. Kulak solüsyonları oda ısısında olmalı ve damlalık ile kullanılmalıdır. Bu tür ilaçlar genellikle enflamasyonlu dokuları yumuşatmak için antibiyotiklerle veya kortikosteroidlerle birlikte verilir. Ateş ve selülit için sistemik antibiyotikler, mantar enfeksiyonları için antifungal ilaçlar sistemik olarak verilir.

Hemşirelik Yönetimi

Hemşireler hastalara; dış kulak kanalını pamuklu aplikatör vb ile temizlememesi, yüzerken suya başını daldırmaması, duş alırken kulağa su kaçırmaması gerektiğini öğretmelidir. Banyo, duş ve yüzme sırasında, kulakların vazelinli pamuk tıkaçla tıkanması, kulak kanalına su girmesini önler. Timpanik membran hasarı olmayan hastalar yüzme sonrası antibiyotikli kulak damlası kullanabilir.

I-d Malign Eksternal Otitis

Daha az görülen ancak daha ciddi seyreden dış kulak kanalı enfeksiyonu malign eksternal otitis, temporal kemik osteomyeliti olarak tanımlanır. Dış kulak kanalı, çevreleyen doku ve kafatasının enfeksiyonudur. İlerleyici, son derece ağır seyreden, genellikle ölümle sonlanan bir enfeksiyondur. Enfeksiyonlara direnci az olan bireylerde (örn; diyabetli hastalar) *Pseudomonas aeruginosa* genellikle sorumlu etkendir.

Diyabetin kontrolü, sistemik intravenöz antibiyotik ve iyi bir yara bakımı ile tedavi edilir. Standart parenteral antibiyotik tedavisi, her ikisinin de ciddi yan etkileri olan aminoglikozit ve antipsödomonal ilaçlarla yapılır. Aminoglikozitler hem nefrotoksik hem de ototoksik olduklarından, tedavi sırasında serum aminoglikozid düzeyleri ile birlikte böbrek ve işitme fonksiyonları izlenmelidir. Yara bakımında enfeksiyonun derecesine bağlı olarak enfekte dokunun, kemiğin ve kartilajın sınırlı debridmanı uygulanır.

I-e Dış Kulak Kitleleri

Osteomlar (exostoses) kulak kanalının aşağı ve arka kısmında yer alan küçük, sert, kemik çıkıntılardır. Genellikle iki taraflıdır. Osteomların üzerindeki deri normal yapıdadır. Çoğunlukla osteomların soğuk suya maruz kalma (tüple dalma, sörf gibi) ile ilgili olduğu düşünülmektedir. Tedavisi cerrahi eksizyondur.

Dış kulak yolunda malign tümörler de olabilir. Çoğunlukla pinada bazal hücreli karsinoma, kulak yolunda ise skuamöz hücreli karsinoma görülür. Tedavi edilmediklerinde skuamöz hücreli karsinoma temporal kemiğe yayılarak fasiyal sinir paralizisine ve işitme kaybına yol açar. Karsinomalar cerrahi olarak tedavi edilir.

I-f Küpe Deliğinin Yırtılması

Ağır küpelerin uzun süre veya bir enfeksiyon sonrası takılması veya küpelere karşı bir reaksiyon gelişmesi nedeniyle olur. Neden ne olursa olsun, bu tür deformiteler sadece cerrahi yöntemler ile düzeltilebilir. Arkasından antibiyotikli pansuman uygulanır.

II- Orta Kulak İle İlgili Sağlık Sorunları
II-a Kulak Zarı Delinmesi

Kulak zarı genellikle enfeksiyon veya travma nedeniyle delinir. Enfeksiyon sırasında eğer orta kulak basıncı atmosfer basıncının üzerine çıkarsa zar delinmektedir. Kulak zarı delinmeleri **iletim tipi işitme** kaybına neden olabilir. Kulak zarının delinmesine yol açan durumlar aşağıda verilmiştir.

- Akut ve kronik orta kulak iltihabı
- Kafatası kırıkları
- Kompresyon
- Yanık
- Delici cisim gibi travmalar.

Tedavi

Kulak zarı delinmelerinin çoğu (genellikle kaza sonunda olan delinmeler) delinmeden birkaç hafta sonra kendiliğinden iyileşir. Bazı delinmelerde yara kenarlarında skar dokusu gelişebilir. Bu durumda epitelizasyon önleneceği için delinmeler kalıcı olur. Kafa travmalarında ve temporal kemik kırıklarında hasta, kulak akıntısı ve burun kanaması açısından yakından gözlenmelidir. İyileşme sırasında kulağa su kaçması önlenmelidir.

Cerrahi Tedavi

Kendiliğinden iyileşmeyen kulak zarı delinmelerinde cerrahi tedavi ile onarım uygulanır. Timpanik membranın cerrahi olarak onarılmasına timpanoplasti ya da miringoplasti denir. Bu işlemin başlıca amacı kulağa su girmesini önlemek ve işitmeyi düzeltmektir. Timpanoplasti birkaç yöntemle yapılır. Yöntemlerin hepsinde kulak zarına doku konularak iyileşme sağlanır. Cerrahi tedavi genellikle zarın kalıcı olarak kapanmasını sağlar ve işitmenin geliştirilmesine yardımcı olur (Şekil 51. 6: Onarılmış kulak zarı).

Orta kulak iltihabı olan kişilerde önce enfeksiyon tedavi edilmeli sonra zar onarılmalıdır. Kulak zarı delik olanların suya dalmaları, başlarını suya sokarak yüzmeleri enfeksiyona yol açabilir. Bu nedenle başlarını yıkarken, yüzerken kulak tıkaçları kullanmaları önerilir.

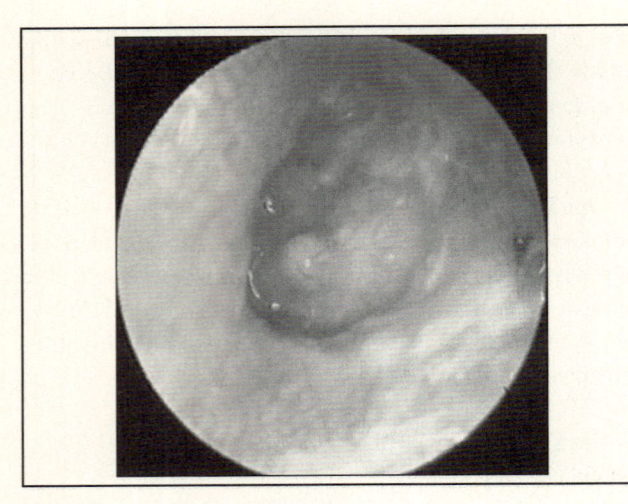

Şekil 51.6: Onarılmış kulak zarı.

II-b Akut Orta Kulak İltihabı (Akut Otitis Medya)

Orta kulağın bütün bölümlerini kapsayan ve genellikle altı haftadan az süren yaygın iltihabıdır. Seröz veya supuratif olabilir. *Streptococcus pneumoniae, Haemophilus influenzae ve Moraxella catarhallis* gibi enfeksiyon etkenlerinden kaynaklanır. Enfeksiyon genellikle; üst solunum yolları enfeksiyonları veya sinüzit, adenoid hipertrofisi gibi çevre yapılardaki enflamasyonlar, alerjiler (alerjik rinit) nedeniyle östaki tüpünün tıkanmasından sonra görülür. Bakteriler nazofarenksteki kontamine sekresyonlardan östaki tüpüne ya da delinmiş olan kulak zarından orta kulağa girerler. Orta kulakta genelde pürülan eksuda vardır. Bu eksuda iletim tipi işitme kaybına yol açar.

Klinik Belirti ve Bulgular

Enfeksiyon derecesiyle değişmekle birlikte yetişkinlerde tek taraflı kulak ağrısı görülür. Timpanik membranın spontan perforasyonu veya tedavi amaçlı insizyonu sonucunda bir rahatlama söz konusu olur. Diğer belirti ve bulgular; kulak akıntısı, ateş ve işitme kaybıdır. Otoskopik muayenede dış kulak kanalı normal görünümdedir. Kulak kepçesinin hareketiyle her hangi bir ağrı söz konusu değildir. Timpanik membran ise kızarık ve şiştir.

Tedavi

Erken dönemde başlanan uygun ve geniş spektrumlu antibiyotik tedavisi ile otitis medya bir sekel bırakmadan tedavi edilebilir. Kulak akıntısının üç hafta ila üç ay sürdüğü durumlarda subakut enfeksiyondan söz edilir. Nadiren kalıcı işitme kaybı olur. İkincil olarak mastoidite yol açabilir. Nadir olarak ta menenjit ve beyin apseleri görülebilir.

Cerrahi Tedavi

Timpanik membranın insizyonuna miringotomi veya timpanotomi denir. Fenol, lidokoin ve epinefrin gibi solüsyonlar ile kulak zarı ve yoluna lokal anestezi uygulanır. İşlem ağrısızdır ve onbeş dakikadan az sürer. Orta kulaktaki basıncı azaltmak ve seröz veya pürülan sıvıyı drene etmek için Mikroskobik yöntemle, timpanik membrana bir kesi uygulanır. Normal koşullarda akut otitis medYa da bu işlem gereksizdir. Fakat inatçı ağrılarda uygulanabilir. Miringotomi aynı zamanda uygun antibiyotiği saptamak amacıyla kültür alınmasına da olanak sağlar. Bu insizyon 24-72 saat içinde iyileşir.

Akut otitis medya tekrar ettiğinde, kontrendikasyon yok ise orta kulak havalanmasını ve basınç dengesini sağlamak için tüp takılabilir. Bu tüp 6 -18 ay takılı kalır ve geçici olarak östaki tüpünün görevini yerine getirir. Bu tüp daha sonra timpanik membranın normal derisinin yer değiştirmesi (göçü) ile dışarıya itilir ve çoğunlukla delik kendiliğinden kapanır.

II-c Seröz Otitis Medya (Orta Kulak Efüzyonu)

Seröz otitis medya orta kulakta aktif enfeksiyon belirtisi göstermeyen, sıvı birikmesi ile karakterize, her yaşta görülebilen bir hastalıktır. Bu sıvı östaki tüpünün tıkanması nedeniyle orta kulakta oluşan negatif basınçtan kaynaklanır. Daha çok çocuklarda görülmektedir. Radyasyon tedavisi, basınç değişikliğine bağlı gelişen travma, üst solunum yolu enfeksiyonu, alerjiler vb. nedeniyle yetişkinlerde de görülür. Yetişkinlerde görüldüğünde altta yatan neden araştırılmalıdır. Sürekli olarak tek taraflı seröz otitis medyası olan yetişkinlerde bir karsinoma (örneğin nazofarengeal kanser) östaki tüpünü tıkıyor olabilir.

Klinik Belirti ve Bulgular

- Östaki tüpü tıkanıklığı, orta kulakta seröz sıvı birikimi ve bu nedenle zarda çökme (retraksiyon) tipiktir.
- Yavaş ilerleyen işitme kaybı
- Baş pozisyonunun değişmesiyle belirginleşen kulakta sıvı
- Doluluk ve tıkanma hissi
- Bireyin kendi sesinde yankılanma (rezonans otofoni) başlıca belirti ve bulgulardır.

Tedavi

Enfeksiyon olmadığı sürece tedaviye gerek yoktur. Orta kulaktaki efüzyona bağlı işitme kaybı söz konusu ise, orta kulağı havalandırmak amacıyla miringotomi ile tüp takılabilir. Barotravma söz konusu ise küçük dozlarda kortikosteroid verilmesiyle östaki tüpü ödemi azaltılabilir. Nazofarengeal basıncın arttırılmasıyla oluşturulan valsalva manevrası östaki tüpünü açabilir. Fakat valsalva manevrası aynı zamanda ağrıyı arttırabilir ve timpanik membranın perforasyonuna yol açabilir.

II-d Kronik Otitis Medya

Kronik otitis medya, akut otitis medyanın tekrarlayan olguları sonucunda oluşur. Dokularda geriye dönüşümü olmayan patolojiler ve kulak zarında sürekli bir perforasyon söz konusudur. Orta kulağın kronik enfeksiyonu timpanik zarı hasara uğratır, kemikçikleri harap eder ve mastoidite yol açar. Gelişmiş ülkelerde akut otitis medya tedavisinde antibiyotik kullanılması nedeniye mastoidit daha az görülmektedir.

Klinik Belirti ve Bulgular

İşitme kaybı, sürekli veya aralıklı kötü kokulu otore başlıca bulgulardır. Akut mastoidit olmadığı sürece ağrı görülmez. Mastoidit olduğunda postauriküler alan dokunmakla ağrılı, ödemli ve kızarıktır. Otoskopik değerlendirmede timpanik membranda perforasyon ve kolesteatom (orta kulak boşluklarında gelişen deri) görülür. Kolesteatom kulak zarının dış tabaka derisinin orta kulağa doğru büyümesidir. Genellikle orta kulakta oluşan yüksek negatif basınç nedeniyle timpanik membranın cep şeklinde kronik retraksiyonu sonucu olur. Deri, içi dejenere deri ve sebasöz materyal ile dolu bir kese haline gelmiştir. Bu kese, orta kulağın yapılarına, mastoide ya da her ikisine tutunabilir. Kolesteatom tek başına ağrıya neden olmaz, ancak tedavi gecikirse temporal kemik yapılarına zarar verir. Kolesteatom durumunda odyometrik testler iletim tipi veya her iki tip işitme kaybı gösterir.

Tedavi

Kronik otitis medyanın lokal tedavisi, mikroskop rehberliğinde dikkatli bir şekilde yapılan aspirasyondur. Pürülan akıntıyı tedavi etmek için antibiyotikli damla veya pudra kullanılır. Akut enfeksiyon olmadığı sürece sistemik antibiyotik kullanılmaz.

Cerrahi Tedavi

Medikal tedavinin etkili olmadığı durumlarda timpanoplasti, kemikçiklerin onarımı ve masteidektomi yapılır. Kronik otitis medya kronik mastoidit ve kolesteatom oluşumuna yol açabilir. Mastoidit veya kolesteatom orta kulakta veya mastoid boşlukta ya da her ikisinde oluşabilir. Tedavi edilmez ise, kolesteatom büyümeye devam ederek, fasiyal sinire, horizontal kanala ve diğer çevre dokulara zarar verebilir.

Timpanoplasti: Kronik otitis medYa da en sık uygulanan yöntemdir. Timpanoplastinin amacı orta kulak fonksiyonlarının yeniden sağlanması, perforasyonun kapatılması, enfeksiyon tekrarının önlenmesi ve işitmenin geliştirilmesidir. Timpanoplasti, dış işitme kanalından (transkanal yaklaşımı) veya kulak kepçesinin arkasından (postauricular) insizyon ile genel anestezi veya sedasyon analjezisi altında yapılır.

Kemikçiklerin Onarımı (Ossiküloplasti): İşitmeyi düzeltmek için orta kulak kemiklerinin cerrahi rekonstrüksiyonudur. Teflon, paslanmaz çelik ya da kalsiyum fosfat seramiğinden (hydroxyapatite) yapılmış protezler, kemikçikleri yeniden birleştirmek için kullanılır. Böylece ses iletim mekanizması yeniden sağlanmış olur. Fakat hasar büyük ise normal işitmeyi sağlama başarısı düşüktür.

Mastoidektomi: Mastoidektomi kolesteatomu çıkarmak, hastalıklı yapılara ulaşabilmek, kuru ve sağlıklı bir kulak oluşturmak için yapılır. Uygun olduğu durumlarda ilk cerrahi girişim sırasında kemikçikler yeniden oluşturulur. Genellikle mastoidektomi ikinci bir ameliyat olarak planlanır.

Mastoidektomi genellikle post auriküler insizyon ile yapılır. Mastoid hava hücrelerinin çıkarılmasıyla enfeksiyon tedavi edilir. Mastoid cerrahisi sırasında az da olsa fasiyal sinirin hasarı olasılığı vardır. Bu nedenle hastalar anestezinin etkisinden çıkarken herhangi bir parezi saptanırsa hemen hekime haber verilmelidir. Rekürrens kontrolü ve veya rezidüel kolesteatom için ikinci kez mastoidektomi yapılabilir. Bu durumda işitme mekanizması yeniden oluşturulur. Böyle durumlarda iletim tipi işitme kaybının düzeltilmesi başarısı %75 tir. Bu işlem günübirlik merkezlerde yapılır. Hastalarda mastoid üzerinde, ameliyattan 24-48 saat sonra çıkarılan basınçlı pansuman vardır. Ameliyatın komplikasyonları; ameliyattan kısa bir süre sonra geçen baş dönmesi, geçici tat alma bozukluğu ve nadir olarak yüz felcidir.

Hemşirelik Yönetimi
Mastoid Cerrahisi Geçiren Hasta İçin Hemşirelik Bakım Planı

Mastoid cerrahisi genel anestezi altında yapılmaktadır.

Hemşirelik Tanılaması

Hastanın işitme sorunlarının tanımlanması için enfeksiyon varlığı, otalji, otore, işitme kaybı, vertigo araştırılmalıdır. Sorunun süresi ve yoğunluğu, nedenleri ve önceki tedavileri hastaya sorulmalıdır. Hastanın diğer sağlık sorunları, kullandığı ilaçlar, ilaç allerjileri, ve kulak problemleri açısından aile öyküsü alınır.

Fiziksel tanılamada eritem, ödem, otore, lezyonlar, akıntının kokusu ve niteliği incelenir, odyometri sonucu yeniden gözden geçirilir.

Hemşirelik Tanıları

Tanılama verilerine dayanılarak aşağıdaki hemşirelik tanıları belirlenebilir.

- Cerrahi işlem, potansiyel işitme kaybı, tat almada potansiyel bozukluklar ve yüz hareketlerinin potansiyel kaybı ile ilişkili, *anksiyete*,
- Mastoid cerrahisiyle ilgili *akut ağrı*,
- Mastoidektomiye, greft, protez ve elektrot yerleştirilmesine, çevredeki doku ve yapıların cerrahi travmasına bağlı *enfeksiyon riski*,
- Cerrahiye ve kulak sorunlarıyla ilişkili *işitme algısında bozukluk*,
- Ameliyat sonrası erken dönemde denge zorluğu ve vertigoya bağlı *travma riski*,
- Yüz sinirinin (kraniyal sinir VII) potansiyel hasarına bağlı *his algısında bozukluk*,
- Kulak cerrahisi, insizyonu ve greft alanlarına bağlı *bozulmuş deri bütünlüğü*,
- Mastoid hastalıklar, cerrahi işlemler, ameliyat sonrası bakım ve beklentiler ile ilgili *bilgi eksikliği*.

Planlama / amaçlar

Mastoidektomi olan hastanın bakımında en önemli amaç; anksiyetenin azaltılması, ağrı ve rahatsızlığın giderilmesi, enfeksiyonun önlenmesi, işitme ve iletişimin stabil hale getirilmesi ya da geliştirilmesi, vertigoya bağlı olabilecek travmanın önlenmesi, duyusal algılarda değişimlerin önlenmesi ya da yeni duruma uyum sağlanması, deri bütünlüğünün yeniden sağlanması, hastalık, cerrahi işlem ve ameliyat sonrası döneme ilişkin bilginin arttırılmasıdır.

Hemşirelik Girişimleri
Anksiyetenin Azaltılması

Hastaya, kulak cerrahı ile anestezi, insizyon yeri (post auricular) ve beklenen sonuçlar hakkında konuştuğu hatırlatılarak, sormak istediği başka bir konunun olup olmadığı sorulur.

Ağrının Rahatlatılması

Hastalar genellikle insizyona bağlı çok az ağrı duyarlar. Fakat kulak rahatsızlığı daha fazla görülür. Cerrahi sonrası orta kulaktaki rezidüel sıvı veya kan nedeniyle kulakta dolgunluk hissi veya basınç hissedilebilir. Ameliyattan sonraki ilk 24 saatte reçete edilen, daha sonra da gerektikçe analjezik verilir. Hastaya ilaçların yararları ve olası yan etkileri açıklanmalıdır.

Mastoidektomi sırasında timpanoplasti de yapılabilir. Timpanoplastiden sonra timpanik membranın stabilizasyonu amacıyla dış kulak kanalı fitili veya tamponu kullanılabilir. Hastalara cerrahiden sonraki 2-3 hafta içinde, östaki tüpü açılıp kapandığı için orta kulağa hava gireceği ve buna bağlı olarak, aralıklı, keskin kulak ağrısı duyabilecekleri açıklanmalıdır.

Enfeksiyonun Önlenmesi

Dış işitme kanalına yerleştirilecek olan fitil, tampon vb. önceden antibiyotikli solüsyona batırılmalıdır. Profilaktik antibiyotik önerildiği gibi verilir. Hastaya altı hafta boyunca dış kulak kanalına su kaçırmaması söylenir. Bu amaçla petroleum jeli ya da vazelin gibi suda erimeyen maddeler sürülmüş pamuk tamponlar dış kulak kanalına gevşek bir şekilde konulabilir. Post aurikular insizyon iki gün kuru tutulur. Beden ısısının yükselmesi, akıntı gibi enfeksiyon bulguları olduğunda hekime haber verilir. Cerrahiden sonra dış işitme kanalından bir miktar serosangınöz akıntı olması normal kabul edilir.

İşitme ve İletişimin Geliştirilmesi

Ameliyat edilen kulakta ödem, orta kulakta kan ve sıvı birikmesi, pansuman materyali veya tampon nedeniyle cerrahiden sonraki birkaç hafta içinde işitme azalabilir. Bu nedenle, ortamdaki gürültünün azaltılması, konuşurken hastanın yüzüne bakma, açık ve net bir ifade ile bağırmadan konuşma, konuşurken yüz mimikleri kullanma, eğer hasta okuyacaksa uygun aydınlatma sağlama gibi önlemler alınmalıdır. İletişimi kolaylaştıracak bu yöntem hasta yakınlarına da öğretilmelidir. Hasta işitmeye yardımcı araçları kullanıyor ise bu araç diğer kulağa takılmalıdır.

Yaralanmaların Önlenmesi

İç kulaktaki semisirküler kanallar veya diğer yapılar travmatize olur ise cerrahiden sonra vertigo oluşabilir. Bu semptom, bu tür kulak ameliyatlarından sonra pek görülmez ve genellikle geçicidir. Eğer vertigo veya denge sorunları oluşursa, antiemetikler ve antivertigo ilaçları (antihistaminler) verilir. Hastalar ilaçların etkileri ve yan etkileri konusunda uyarılmalıdır. Düşmelerin önlenmesi için hastalar ayağa kaldırılırken destek olunmalıdır.

Duyu Algısında Değişimlerin Önlenmesi

Nadir görülmesine karşın mastoid cerrahisinde, fasiyal sinir hasarı olasılığı vardır. Hastaya ameliyat edilen taraftaki yüz sinirine ait her hangi bir değişiklik hissettiğinde (örn; yüz felci) hemen haber vermesi söylenmelidir. Fasiyal sinirin küçük bir dalı olan ve orta kulağa doğru uzanan korda timpanik sinirin hasarı daha fazla görülür. Bu sinir kendini yenileyinceye (ameliyattan birkaç ay sonrasına) kadar, hastalar etkilenen tarafta tat bozukluğu veya ağız kuruluğu hissedebilirler.

Yara İyileşmesinin Sağlanması

Hastalara ameliyattan sonra 2-3 hafta ağır kaldırmamaları, gerilmemeleri, sümkürmemeleri söylenir. Bunun amacı timpanik membrana konulan greftin veya kemikçiklerin protezinin yerinden ayrılmasını önlemektir.

Bilginin Arttırılması

Hastaya cerrahi ve ameliyathane ortamı konusunda bilgi verilir. Hastayla ameliyat sonrası beklentilerin konuşulması bilinmeyene bağlı anksiyetenin azalmasına yardımcı olur.

Ev ve Topluma Dayalı Bakımın Geliştirilmesi

Hastaya Özbakımın Öğretilmesi: Hastaya reçete edilen antibiyotik, analjezik, antihistaminik ve antivertigo ilaçları, etkileri ve yan etkileri konusunda eğitim verilir. Hastalara ayrıca aktivite kısıtlamaları, enfeksiyon, fasiyal sinir hasarı, tat alma bozuklukları gibi komplikasyonlar konusunda bilgi verilir ve böyle bir durumda derhal hekime başvurması söylenir. Ortakulak veya mastoid cerrahisi geçiren hastanın öz bakımı için rehber Çizelge 51.2' de verilmiştir.

Değerlendirme / Beklenen Hasta Sonuçları

- Cerrahi işlem ile ilgili anksiyetesinin azaldığı gözlenebiliyor olmalı
  - Hasta daha az stres, gerginlik ve hassasiyet göstermeli ve sözel olarak ifade ediyor olmalı
  - Cerrahi sonuçları kabul ettiğini ve olası işitme bozukluğuna uyum sağladığını ifade ediyor olmalı
- Ağrı ve rahatsızlık giderilmiş olmalı
  - Yüzünde herhangi bir acı, ağrı, rahatsızlık belirtisi olmamalı, ağrısının olmadığını ifade ediyor olmalı
  - Analjeziklerini önerildiği biçimde düzenli olarak alıyor olmalı
- Enfeksiyon belirti ve bulguları olmamalı
  - Başta beden ısısı olmak üzere, yaşam bulguları stabil olmalı
  - Dış kulak yolundan pürülan akıntı olmamalı
  - Kulağına su kaçırmamak için ne yapacağını tanımlayabiliyor olmalı
- İşitmenin stabil ya da gelişmiş olduğunu gösteren bulgular olmalı
  - Ameliyatın işitme için yapıldığını tanımlayabiliyor ve amacın karşılanıp karşılanmadığını değerlendirebiliyor olmalı
  - İşitmenin geliştiğini ifade ediyor olmalı
- Vertigoya bağlı yaralanma deneyimlememiş olmamalı
  - Vertigo veya denge bozukluğunun olmadığını ifade ediyor olmalı
  - Düşme veya yaralanma yaşamamalı
  - Düşmeleri önlemek için çevre düzenlemeleri (gece lambası, merdivenlerde engel olmaması vb) yapılmış olmalı
- Duyu algısının sürekliliği olmalı ya da değişmiş duyu algısı söz konusu ise uyum sağlamış olmalı
  - Tat bozukluğu, ağız kuruluğu veya fasiyal zayıflık olmadığını ifade ediyor olmalı
- Deri bütünlüğü bozulmamış olmalı
  - Greft veya protezin yerinden çıkmasını önleme yollarını anlamış ve uygulayabiliyor olmalı
  - Aktivite sınırlandırmalarının (banyo, ağır kaldırma, uçak yolculuğu) farkında ne kadar süreceğini biliyor olmalı
- Bakım ve tedavinin amacını ve yöntemlerini ifade edebiliyor olmalı
  - Tedavi protokolü konusundaki bilgilerini aile üyeleri ile paylaşabiliyor olmalı
  - Tedavi ve iyileşme evresini tanımlayabiliyor olmalı
  - Hemşire tarafından hazırlanan taburculuk planındaki dinlenme periyodu, ilaçlar, önerilen ve kısıtlanan aktiviteleri tartışabiliyor olmalı
  - Sağlık ekibine haber verilmesi gereken belirtileri anlamış olmalı
  - Takip başvurusunu yapıyor olmalı

Çizelge 51.2: Ortakulak veya Mastoid Cerrahisi Geçiren Hastanın Öz Bakımı İçin Rehber

- Antibiyotik ve diğer ilaçlarınızı reçetede belirtildiği gibi alınız.
- Ameliyattan sonraki bir hafta süresince burnunuzu tek taraflı olarak ve nazikçe silin, sümkürmeyin.
- Ameliyattan sonraki bir hafta süresince, öksürürken ve aksırırken ağzınızı açık tutun.
- İşe dönme zamanınızı, hekime sorunuz. Genellikle ameliyat sonrası ikinci-üçüncü günlerde yeniden işe başlanabilir.
- Ameliyattan sonraki birkaç hafta süresince, ağır kaldırmayınız, öne eğilmeyiniz, uzanmayınız, gerilmeyiniz.
- Ameliyattan sonraki 3-5 hafta boyunca ameliyat edilen kulakta patlama, çatırdama şeklinde sesler duymanız normaldir, endişelenmeyiniz.
- Ameliyat olan tarafta, ortakulakta kan ve sıvı birikebileceği gibi, burada tampon olabileceği ve bu nedenle işitme kaybı olabileceğini unutmayınız. Bu nedenle bir kuyuda konuşuyormuşsunuz gibi yankı olabilir.
- Kulakta orta dereceli bir rahatsızlık olması normaldir. Reçete edilen ağrı kesicileri alınız. Ancak aşırı bir ağrı olduğunda cerraha haber veriniz.
- Ameliyattan sonra kulaktan bir miktar kanlı, serosangınöz akıntı olması normaldir. Aşırı miktarda veya pürülan akıntı olduğunda cerraha haber veriniz.
- Kulağınızdaki gazlı tamponu gerektikçe değiştiriniz.
- Havayolu ile ulaşım için doktorunuza danışın.
- Ameliyattan sonraki iki hafta boyunca etkilenen kulağa su kaçırmayınız. Ameliyattan iki-üç gün sonra, kulak kanalına gevşek bir şekilde kulak tıkacı (suda çözülmeyen bir maddeye batırılmış gazlı bez gibi) yerleştirerek banyo yapabilirsiniz. Eğer kulak kepçesinin arkasındaki (post airucular bölge) insizyon ıslanmış ise sürtmeden kurulayınız ve çok ince bir tabaka halinde antibiyotikli merhem sürünüz.

II-e Otoskleroz

Stapes etrafında kemik doku gelişmesidir. Bu durum stapezi yerine yapıştırır (sabitleştirir). Bu da stapesin düzgün vibrasyonuna engel olur. Normalde stapezin tabanı oval pencerede hareket ettiği için ses doğrudan içkulaktaki perilenfaya iletilir. Otosklerozda bu iletim azaldığından işitme azalır. Genelde 30 yaş civarında ve bir kulakta başlar, bilateral olarak devam eder.

Patofizyoloji

Kemik labirent kapsülünde odaklar halinde süngerimsi yapılar oluşur. Normal kemiğin yerini damarlı ve labirent üzerinde büyümeye elverişli bir kemik alır. Bu durum tümör ya da kanser değildir. Sadece kulakta görülür. Süngerimsi odaklar özellikle oval pencere bölgesinde sıktır. Bu nedenle stapes kemiğin tabanında hızlı bir fiksasyona ve hızlı bir daralmaya neden olur. Stapezin oval pencerede hareketi azalır. Genellikle kalıtsaldır. Kemik doku büyüdükçe aşamalı olarak işitme kaybı olur. Hamilelik ya da doğum kontrol hapları bu oluşumu hızlandırır. Cerrahi otoskleroz oluşumunu engelleyemez ancak işitme kaybını düzeltir. Otosklerozda miks tip, ya da iletim (kondaktif) tipi işitme kaybı vardır bu nedenle cerrahi ile tedavi edilebilir.

> **Ek Bilgi: Östaki Tüpü**: Boğazın üst bölümü ile orta kulak arasındaki küçük geçiştir. Bu tüp genellikle kapalıdır. Ancak orta kulağın havalanmasını sağlamak ve havayı yenilemek için düzenli olarak açılır. Bu tüp aynı zamanda çevresel basınç değiştiği zaman (örn: uçağa binme, dalma) orta kulak basıncını dengeler. Bu nedenle östaki tüpü mukus ile tıkandığında yada ödem olduğunda, soğuk algınlığında orta kulak havası yenilenemez. Bu durumda orta

Klinik Belirti ve Bulgular

Bu hastalar gürültülü ortamlarda konuşma seslerini daha iyi duyarlar, alçak seste ve zayıf tonda konuşurlar. Otoskopik muayenede kulak zarı normaldir. Odyogram kondaktif tip ya da mikst tip işitme kaybı olduğunu doğrular. Hastada vertigo ve tinnitus görülmesi sensörinöral işitme kaybının başladığını gösterir. Rinne testinde kemik iletimin, hava iletiminden daha iyi olduğu saptanır.

Tedavi

Otoskleroz için bilinen cerrahi dışı bir yöntem bulunmamaktadır. İşitme aletleri ile amplifikasyon sağlandığı için işitmeye yardımcı olabilir.

Cerrahi Tedavi

İletim tipi işitme kaybı olgularında cerrahi olarak stapedektomi önerilebilir. Stapedektomi; sabitleşmiş stapesin, alt yapılarının çıkarılarak yerine doku grefti ve bir protez konulmasıdır. Bazı cerrahlar sadece stapezin tabanından küçük bir miktarı çıkarmayı (stapedotomi) tercih ederler. Hangi yöntem kullanılırsa kullanılsın, protez takılması ile incus ve iç kulak arasındaki uçuruma bir köprü sağlanmış olmakta ve böylece daha iyi ses iletimi sağlanmaktadır.

Ancak iki kulak aynı anda ameliyat edilemez. Öncelikle işitmesi daha kötü olan kulak ameliyat edilir. Altı ay sonra diğer kulak ameliyat edilir. Stapez cerrahisi, işitmenin geliştirilmesinde oldukça başarılı bir ameliyattır. İşitme aleti kullanılması yerine stapedektomi yapılması hastalar tarafından daha tatminkar bulunmaktadır. Bu cerrahi işlem acil değildir. Hasta ne zaman isterse ameliyat olabilir. Bu ameliyat lokal veya genel anestezi altında yapılabilir. Kulak zarı nazikçe açılır. Hastalıklı, yapışmış, sabitleşmiş stapes çıkarılır. Yerine bir protez konulur. Kulak zarı absorbe olan iplikle dikilir. (Şekil 51.7). Ameliyat genellikle 1,5 saat sürer. Hasta anesteziden uyandıktan sonra odasına alınır ve ertesi akşam taburcu edilir. ameliyat sonrası erken devrede hastanın aksırması, sümkürmesi engellenir ve tamamen iyileşene kadar kulak ıslatılmaz. Ameliyattan bir iki gün sonra hastalarda sersemlik olabilir. Taburcu olduktan bir hafta sonra hasta işinin başına dönebilir. Ameliyattan üç gün sonra uçağa binebilir.

Normalde orta kulağın etrafında dolaşan dilin önündeki tat alma alanlarını destekleyen küçük bir sinir (chorda typani) mevcuttur. Bu ameliyatta bazen daha iyi cerrahi açıklık sağlamak amacıyla bu sinir çıkarılabilir. Bu durumda hastanın ağzında metal tadı olabilir. Hastaların %90'ında ameliyatla işitme düzeltilir.

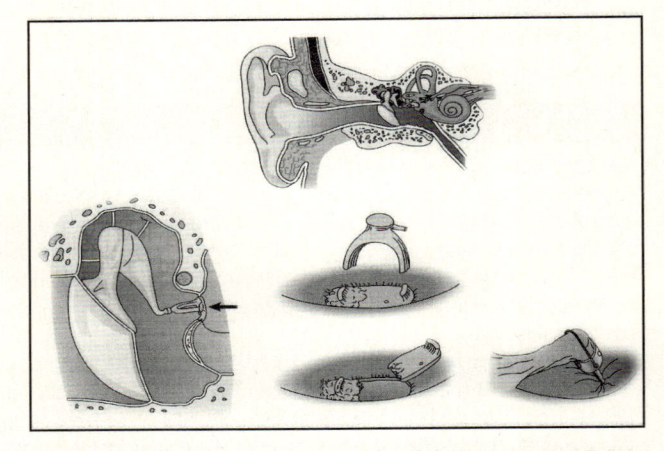

Şekil 51.7: Otosikleroz için yapılan stapedektomi. A: Normal anatomi. B: Oklar stapezin tabanında sklerotik oluşumu gösterir. C: Stapes cerrahi olarak hastalıklı kısmından ayrılır. Tabanındaki delik bir enstrümanla tutulmasına olanak verir. D: Stapes çıkarılır. E: Çelik protez yerleştirilir.

II-f Orta Kulak Kitleleri

Kolesteatama dışında orta kulakta kitle görülmesi nadirdir. Glomus jugulare tümörleri jugulo-timpanik paragangliyondan çıkan tümörlerdir. Bu tümörler komşu nörolojik bölgelere doğru yayılarak, otolojik, nörolojik ve servikal olmak üzere üç çeşit belirti ve bulgu ortaya çıkarır. Otolojik olarak; iletim tipi işitme kaybı, tinnitus, hafif vertigo, bazen kulak ağrısı, nörolojik olarak; IX, X, XI kafa çiftleri ile ilgili paraliziler, intrakraniyal yayılım arttıkça baş ağrısı ve papilla stazı görülür. Servikal bölgenin üst kısımları ve kulak altı bölümlerinde yumuşak, pulsatil ya da kitle şeklinde bulgusu olabilir. Otoskopide kırmızı ve hemorajik burjonlu yapı görülür. Glomus tümörleri için cerrahi tedavi uygulanır. Yalnız klinik durumu iyi olmayan hastalarda radyasyon tedavisi uygulanır. Fasiyal sinir nöroması, yedinci kraniyal sinir olan fasiyal sinirin tümörüdür. Bu tip tümörler otoskop ile görülemezler. Fasiyal parezili hastalarda bu tümörden kuşkulanılır ve X ray ışınları ile sinir boyunca tümör olduğu saptanır. Tedavi cerrahi olarak tümörün çıkarılmasıdır.

III- İç Kulak Patolojilerinin Neden Olduğu Durumlar

İç kulaktaki denge ve vestibüler sisteme bağlı olarak gelişen düşmeler sonucu pek çok yaşlı bireyde kalça kırığı olmaktadır. Dengesizlik (dizzines) hastanın boşluktaki oryantasyonunun değişmesidir. Vertigo ise çevredeki objelerin veya bireylerin hareketlerinin yanlış algılanması veya illüzyonudur. Yani hastanın kendisinin veya etrafındaki objelerin dönmesidir. Buna baş dönmesi denir. Hastaların çoğu etrafındaki eşyaların döndüğünü ifade ederler. Ataksi ise kas koordinasyonunda yetersizlik olmasıdır. Senkop, bayılma ve bilinç kaybı vertigonun formlarından biri olmadığı gibi, kulak sorunlarıyla da ilgili değildir. Nistagmus, gözlerin istemsiz olarak kasılmasıdır. Nistagmus hareket eden aracın veya trenin pencere tarafında oturan bireylerde normal olarak görülür. Buna karşın vestibüler disfonksiyon ile birlikte patolojik olarak görülen bir oküler rahatsızlıktır. Nistagmus, yatay, dikey veya dönel olabilir ve santral veya periferik sinir sisteminden kaynaklanabilir.

III-a Meniere Sendromu (Endolenfatik Hidrops)

Endolenfatik kanaldaki emilim bozukluğu nedeniyle anormal iç kulak sıvısı birikmesidir. Daha sonra endolenfatik boşluk genişler. Sistemdeki artmış basınç veya iç kulak membranındaki yırtılma Meniere sendromuna yol açmaktadır. Meniere sendromu;
- Nörosensoriyel işitme kaybı
- Tinnitus
- Vertigo
- Kulakta dolgunluk hissi (fulnes) ile belirgindir.

Etiyoloji:
- Sistemik vasküler bozukluklar
- Hipertansiyon
- Arteriyoskleroz
- Hepatik ve endokrin bozukluklar
- Sempatik sinir sistemi irritasyonları
- Psikolojik sorunlar etiyolojide rol oynayan faktörlerdir.

Patofizyoloji

Hastalığın nedeni ve patogenezi tam olarak açıklığa kavuşturulamamıştır. Hastalığa ilişkin bilinen iç kulakta anormal sıvı (endolenfatik hidrops) olduğudur. Endolenfatik alanda basınç artışının nedeni, endolenfanın emilimindeki bozukluktur. Basınç nedeniyle endolenfa ve perilenfayı ayıran membran yırtılır ve sıvı birbirine karışır. Hidropsa bağlı olarak denge ve korti organında sensörinöral hücrelerde beslenme bozukluğu gelişir. Genellikle 20-50 yaşlarda ve tek taraflı olur.

Klinik Belirti ve Bulgular

Meniere sendromunun özelliklerinden biri de, hastalığın seyrindeki belirsizliktir. Rotasyonel vertigo atakları denge bozukluğu, işitme kaybı, kulak çınlaması ve etkilenen kulakta dolgunluk hissi vardır. Bir kaç krizden sonra düzelen ve işitme kaybı olmadan hafif seyreden tipinin yanı sıra, yıllar boyu değişen ataklarla seyreden gittikçe ağırlaşan tipi de vardır. Ayrıca bir kaç krizden sonra tam bir işitme kaybı ve denge bozukluğuna neden olan tipi de vardır. Ataklar sırasında kişi ev veya iş yaşamına devam edemez.

Kriz anında sıklıkla nistagmus vardır. Rinne testi pozitiftir ve Weber testinde sağlam tarafa kayma vardır. Kriz yaklaştıkça kulakta dolgunluk hissi artar. Vertigo nöbetleri yirmi dakika ile yirmi dört saat arasında değişir. Hastalık genellikle tek kulağı tutar. Hastalığın başlangıcında düşük volümlü sese karşı aralıklı işitme kaybı vardır. Fakat tam işitme kaybı zamanla gelişir. Gürültülü sesler rahatsız edicidir. Tinnitus ve dolgunluk hissi işitmedeki değişikliklerle birlikte gelip geçici ya da sürekli olabilir.

Tanı Yöntemleri

Öykü alınır. Atakların sıklığı, süresi, şiddeti, işitme kaybı vb araştırılır. Ataklar dışında kulak, burun, boğaz ve diğer yapıların fiziksel incelemede genellikle normal olduğu görülür. Etkilenen kulakta odyometrik incelemede (işitme testi) sensörinöral tip işitme kaybı vardır. Bu hastalarda konuşmanın ayırt edilme yeteneği azalmıştır. Hastalar "fit" kelimesini "sid" diye anlayabilirler.

Denge fonksiyonlarının anlaşılması için ENG (electronystagmograph) çekilebilir. Bu inceleme karanlık bir odada yapılır. Gözlere yakın elektrot yerleştirilir.

Elektrotlar kalp monitörüne benzer bir makineye bağlanır. Ilık ve soğuk su nazikçe her iki kulak yoluna verilir. Sinir sisteminde gözler ve kulaklar koordine çalıştığı için göz hareketlerinden denge ölçülmeye çalışılır. Etkilenen kulakta denge fonksiyonu azalmıştır.

Tıbbi Tedavi

Hastaların çoğu diyet ve ilaç tedavisiyle iyileşmektedir. Diyette tuz ve su kısıtlanır. Kafein, sigara ve alkolden uzak durulmalıdır. Düzenli beslenme ve uyuma önerilir. Vertigonun önlenmesi için hasta yatak istirahatine alınmalı ve başını hareket ettirmemelidir. Fiziksel olarak aktif bir yaşam olmalı, fakat aşırı yorucu olmamalıdır. Stres vertigo ve tinnitusu şiddetlendirebilir. Uyarıcı bulgu olmaksızın vertigosu başlayan hastalar araba kullanmamalıdır. Çizelge 51.3'te vertigolu hastada Hemşirelik Bakım Planı Örneği yer almaktadır.

İlaç tedavisinde vestibüler sistemi baskılayan antihistaminikler, vertigoyu kontrol etmek için trankilizanlar, bulantı ve kusmayı önlemek için antiemetikler kullanılabilir. Bazen de endolenfatik sistemdeki basıncı azaltmak amacıyla diüretikler önerilebilir.

Cerrahi Tedavi

Hastalar genellikle tıbbi tedavilerden sonra iyileşmektedir. Ancak bazı hastalarda vertigo ısrarlı bir şekilde devam eder. Bu durum hastanın yaşam kalitesini ileri derecede bozuyor ise elektif cerrahi uygulanabilir. Fakat cerrahi tedavi sadece vertigoyu tedavi etmeye yöneliktir bu nedenle cerrahi sonrası işitme kaybı, tinnitus, ve dolgunluk hissi devam eder. Cerrahi tedavi yöntemleri aşağıda verilmiştir.

1. Endolenfatik shunt veya dekompresyon: Postaurikular bir insizyon ile endolenfatik kanala bir dren yerleştirilir veya shunt yapılır. Bu işlem günübirlik cerrahi uygulamaları kapsamındadır. Güvenli ve kolay bir yöntemdir. Genellikle iyileşme sağlanır.

2. Orta ve içkulak perfüzyonu: Streptomisin, gentamisin gibi ototoksik ilaçlar orta ve iç kulağa verilir. Bu ilaçlar vestibular fonksiyonu ve vertigoyu azaltmak için kullanılır. Vertigoyu azaltmada başarı oranı yüksek (%85) olduğu halde ciddi derecede işitme kaybı riski vardır. Hastaların bir gece hastanede kalmaları gerekir. Hastalar işlemden sonra birkaç hafta süren denge sorunu yaşarlar.

3. Selektif vestibüler nörektomi: İç kulak ile beyin arasında olan denge sinirinin kesilmesidir. Vertigonun tedavisinde en başarılı (%98) yöntemdir. İşitme kaybının derecesine bağlı olarak; translabirentin yaklaşımı (işitme mekanizması aracılığı) veya işitme korunarak (suboksipital, orta kraniyal fossa aracılığı ile) yapılır. Sinirin kesilmesiyle, beynin semisirküler kanallardan veri alması engellenmiş olur. Hastaların kısa bir süre hastanede kalmaları gerekir.

III-b Labirentit

Labirentit, iç kulağın bakteriyel veya viral kaynaklı enflamasyonudur. Bakteriyel labirentit genellikle otitis medyanın komplikasyonu olarak görülür. Enfeksiyon oval ve yuvarlak pencere membranını yırtarak iç kulağa girer. Viral labirentit ise kabakulak, kızamık, kızamıkçık ve influenza nedeniyle olmaktadır.

Klinik Belirti ve Bulgular: Dayanılamayan, ani başlangıçlı vertigo, bulantı, kusma, çeşitli derecelerde işitme kaybı, ve tinnitus başlıca bulgulardır. Genelde ilk atak en kötüsüdür. Birkaç hafta, birkaç ay sonra olan sonraki ataklar ise daha hafiftir.

Tedavi: Bakteriyel labirentit, intravenöz antibiyotik, sıvı replasmanı, vestibüler fonksiyonu baskılayıcı ve antiemetik ilaçlar ile tedavi edilir. Viral labirentit de ise hastanın semptomlarına yönelik tedavi uygulanır.

III-c Ototoksisite

Koklea, vestibüler merkez ve VIII. Kafa siniri üzerinde yan etkisi olan bir çok ilaç vardır. Bunlardan aspirin ve kinin gibi bazıları, geri dönüşü olmayan işitme kaybına yol açarlar. Yüksek dozlarda aspirin aynı zamanda tinnitusa yol açar. İntravenöz ilaçlar, özelikle aminoglikozidler ototoksisitenin en yaygın nedenlerindendir ve korti organının siliyar hücrelerini hasara uğratır. İşitme ve denge kaybının önlenmesi için ototoksik ilaç kullanan hastalar, ilaçların yan etkileri hakkında danışmanlık almalıdır. İlaçların kan düzeyleri izlenmeli, uzun süre intravenöz antibiyotik alan hastaların tedavileri süresince, haftada iki kez odyogramları yapılmalıdır. Ototoksik ilaçlar aşağıda verilmiştir.

Diüretikler; etakrinik (ethacrynic) asid, furosemid, acetazolamide.
Kemotöropetik ajanlar; sisplatin, nitrojen mustard.
Antimalaryal ajanlar; kinin, klorokinin.
Antienflamatuar ajanlar; asetil salisilik asit (aspirin), endomethasin.
Kimyasallar; alkol, arsenik.
Aminoglikozid antibiyotikler; amikasin, gentamisin, kanamisin, netilmisin, neomisin, streptomisin, tobramisin.
Diğer antibiyotikler; eritromisin, minosilin, polimiksin B, vankomisin.
Metaller; altın, civa, kurşun.

51. İşitme ve Denge Sorunu Olan Hastanın Yönetimi

Çizelge 51.3: Vertigolu Hastada Hemşirelik Bakım Planı Örneği

Hemşirelik Girişimleri	Amaç	Beklenen Sonuçlar
Hemşirelik Tanısı: Yürüyüş bozukluğu ve vertigoya bağlı değişmiş mobilite ile ilişkili yaralanma riski. **Hedef:** Dengesizlik veya düşmeye bağlı yaralanmanın olmamasını sağlamak.		
1. Vertigonun öyküsü, başlangıcı, atakların tarifi, süresi, sıklığı ve kulak semptomları (işitme kaybı, tinnitus, kulak dolgunluğu) tanımlanır. 2. Günlük yaşam aktivitelerini yerine getirememe derecesi belirlenir. 3. Vestibüler/balans terapisi önerildiği şekilde öğretilerek, hasta terapiye cesaretlendirilir. 4. Hekim önerisi doğrultusunda antivertigo ve vestibüler sedasyon ilaçları verilir. Nasıl kullanılacağı, etkileri ve yan etkileri öğretilir. 5. Hastanın başı döndüğünde oturması için cesaretlendirilir. 6. Hareketini kısıtlamak için başın her iki tarafına yastık yerleştirilir. 7. Hastaya, aurasını (nöbetin geleceğini gösteren koku vb.) belirlemede yardımcı olunur. 8. Vertigo sırasında hastanın yatağa uzanarak, gözlerini açık tutması ve direk karşıya bakması önerilir.	1. Girişimlerin planlanması için temel oluşturmayı sağlar. 2. Bu derece, düşme riskini gösterir. 3. Labirentin kompensasyonunu hızlandırarak vertigo ve denge bozukluğunun azalmasını sağlar. 4. Vertigonun akut semptomlarını hafifletir. 5. Düşme ve yaralanma olasılığını azaltır. 6. Vertigonun şiddetlenmesini azaltır. 7. Atak öncesi ilaçların alınmasını ve atakları daha hafif atlatmayı sağlar. 8. Vertigonun azalmasını sağlar.	• Denge bozukluğu nedeniyle düşme yaşanmamalı. Korku ve anksiyete azalmış olmalı. • Reçete edilen ilaçları uygun şekilde alıyor olmalı. • Önerilen egzersizleri yapıyor olmalı. • Reçete edilen ilaçları uygun şekilde alıyor olmalı. • Vertigo olduğunda güvenli pozisyon alıyor olmalı. • Vertigo olduğunda başını sabit tutabiliyor olmalı. • Atak tamamen başlamadan önce kulaktaki dolgunluk ve basınç hissini tanımlayabiliyor olmalı. • Vertigoyu azaltan önlemleri anlamış ve uyguluyor olmalı.
Hemşirelik Tanısı: Vertigonun ne zaman olacağı bilenemediği için değişen yaşam şekline uyum sağlanamaması. **Hedef:** Yaşam şekli değişikliğine uyum sağlayarak, kronik vertigo sınırları içinde bağımsızlığın arttırılması ve maksimum kontrolün sergilenmesi.		
1. Hasta, mevcut olan güçlü yönlerini ve rollerini belirlemesi için cesaretlendirilir. 2. Vertigo ve beklenenler hakkında bilgi verilir. 3. Rehabilitasyon sürecine aile ve diğer önemli bireyler de dahil edilir. 4. Hasta, bakımında karar ve daha fazla sorumluluk alması açısından cesaretlendirilir	1. Kontrol ve bağımsızlığın yeniden kazanılmasını sağlar. 2. Korku ve anksiyetenin azalmasını sağlar. 3. Hastanın tıbbi protokole uyumunu arttırır. 4. Psikolojik ve sosyolojik yönden olumlu etkileri vardır.	• Vertigo sınırları içinde, çevreyi olabildiğince kontrol ettiğini ve bağımsızlığını gösterebiliyor olmalı. • Durumunu biliyor olmalı. • Aile üyeleri ve diğer önemli bireyler rehabilitasyon sürecinde yer alıyor olmalı. • Güçlü yönlerini ve potansiyelini bağımsız ve yapıcı yaşam değişiklikleri için kullanıyor olmalı.
Hemşirelik Tanısı: Artmış sıvı çıkışına, sıvı alımının değişmesine ve ilaçlara bağlı, sıvı volüm eksikliği riski. **Hedef:** Normal sıvı elektrolit dengesinin sürdürülmesi.		
1. Hemşire veya hasta hastanın aldığı ve çıkardığını (kusma, sıvı dışkı, idrar ve terleme dahil) değerlendirir. Laboratuar değerleri izlenir. 2. Dehidratasyon değerlendirilir. Kan basıncı, nabız, cilt turgoru, mukoz membranlar ve bilinç düzeyi kontrol edilir. 3. Tolere edebildiği kadar oral sıvı alımı için teşvik edilir. Fakat vestibüler uyarıcı olduğu için kafeinli içecekleri içmemesi belirtilir. 4. Antiemetik veya antidiyareik ilaçlar uygulanır yada uygulanması hastaya öğretilir. Yan etkileri hastaya açıklanır.	1. Kayıtların doğru tutulması sıvı replasmanının temelini oluşturur. 2. Dehidratasyonun anında fark edilmesi erken müdahaleye olanak sağlar. 3. Kayıpları yerine koymak için mümkün olduğu kadar erken dönemde oral sıvı alımına başlanır. Kafein diyareyi arttırabilir. 4. Antiemetikler bulantı ve kusmayı azaltarak sıvı kayıplarını azaltır, oral alıma olanak sağlarlar. Antidiyareik ilaçlar da bağırsak motilitesini ve sıvı kaybını azaltırlar.	• Laboratuar değerleri normal sınırlarda olmalı • Hasta etrafında olan bitenin farkında olmalı • Yaşam belirtileri, deri turgoru, elektrolit değerleri normal olmalı • Mukoz membranları nemli olmalı • Kusma ve diyare durmuş olmalı, ağız yoluyla sıvı/besin alımına başlamış olmalı

Duyu Sistemi

Çizelge 51.3: Vertigolu Hastada Hemşirelik Bakım Planı Örneği (Devamı)

Hemşirelik Girişimleri	Amaç	Beklenen Sonuçlar
Hemşirelik Tanısı: Sağlık durumundaki değişiklikler, tehdit veya vertigonun etkilerine bağlı *anksiyete*. **Hedef:** Daha az anksiyete hissetmek yada hiç anksiyete hissetmemek.		
1. Anksiyete seviyesi kontrol edilir. Hastanın geçmişte başarıyla kullandığı baş etme mekanizmalarını belirlemesine yardımcı olunur. 2. Vertigo ve tedavileri hakkında bilgi verilir. 3. Anksiyete ve vertigo atakları konusunda konuşması için hasta teşvik edilir. 4. Hastaya stres yönetimi teknikleri öğretilir. 5. Konfor sağlanır ve stres yaratan aktivitelerden kaçınması sağlanır. 6. Tedavi protokolü hastaya açıklanır.	1. Öz bakıma ve terapötik girişimlere katılıma rehberlik eder. Önceki baş etme becerileri anksiyeteyi azaltır. 2. Bilginin artması anksiyeteyi azaltır. 3. Anksiyete seviyesi ve davranışlar arasındaki ilişkiyi anlar ve farkına varır. 4. Stres yönetiminin geliştirilmesi vertigo ataklarını ve şiddetini azaltır. 5. Stresli durumlar belirtileri şiddetlendirir. 6. Hastanın bilgisi anksiyetenin azalmasına yardımcı olur.	• Vertigo ataklarına bağlı korku ve anksiyete azalmış yada kalmamış olmalı • Vertigoyla baş etmek için bilgi ve beceriye sahip olmalı • Daha az gerilim ve belirsizlik yaşıyor olmalı • Gerektiğinde stres yönetimi tekniklerini kullanıyor olmalı • Stres verici ortamlardan uzak duruyor olmalı • Verilen açıklamaları tekrar edebiliyor ve tedavi protokolünü anladığını ifade ediyor olmalı
Hemşirelik Tanısı: Bozulmuş denge nedeniyle *travma riski*. **Hedef:** Ev çevresine uyum ve gerektiğinde rehabilitasyon aletlerini kullanarak travma riskini azaltmak.		
1. Anamnez, nistagmus muayenesi, Romberg testinin pozitif olması ile denge bozukluğu değerlendirilir. 2. Gerektiğinde ambulasyonuna yardımcı olunur. 3. Görsel keskinlik ve proprioseptif eksiklik değerlendirilir. 4. Aktivite seviyesi arttırılır. 5. Ev ortamındaki risklerin belirlenmesine yardımcı olunur.	1. Periferal vestibüler bozukluklar bu belirtilere yol açar. 2. Denge bozulması hastanın düşmesine yol açabilir. 3. Denge; görsel, vestibular ve proprioseptif sisteme bağlıdır. 4. Artmış aktivite denge sisteminin yeniden düzenlenmesini sağlar. 5. Ev ortamına uyum sağlandığında rehabilitasyon evresinde düşme riskini azaltır.	• Ev ortamına uyum sağlamış olmalı • Düşmeleri azaltmak için rehabilitasyon gereçlerini kullanıyor olmalı • Gerekli yardımla ayağa kalkabiliyor olmalı • Görme ve proprioseptif sistem değerlendirilmiş olmalı • Aktivite seviyesi artmış olmalı • Ev ortamı risksiz olmalı
Hemşirelik Tanısı: Vertigonun etkileri ve bireysel hassasiyete bağlı *yetersiz baş etme*. **Hedef:** Hassasiyeti ve karşılanmamış gereksinimleri azaltmak için etkili baş etme mekanizması geliştirmek.		
1. Hastalığı doğasını ve baş etme yeteneğini bozan faktörler değerlendirilir. 2. Tedavi ve hastalığın geleceği hakkında gerçekçi bilgiler verilir. 3. Yaşam şeklindeki değişiklikler hakkında karar vermeye hastanın katılımı sağlanır. 4. Hastanın sosyal, eğlence aktivitelerine, egzersizlere katılımı sağlanır. 5. Hastanın stresle baş etmede önceden kullandığı baş etme mekanizmaları ve güçlü yanlarını belirlemesine yardımcı olunur. 6. Gerektiğinde hasta destek gruplarına yada danışmana yönlendirilir.	1. Hastanın kendi imajı ve baş etme becerilerini geliştirir. 2. Yanlış anlama veya karışıklıklar açıklığa kavuşur. 3. Günlük yaşam aktivitelerine katılım ile hasta güç hissini, öz kontrolünü yeniden kazanır. 4. Sosyal izolasyon ve hoş aktivitelerden kaçınma vertigo ile baş etme mücadelesini azaltır. 5. Gelecek ümidinin devamında hastanın gücü arttırılır. 6. Hastanın yalnız kalması ve izolasyonu önlenir.	• Vertigo ile etkili bir şekilde baş ediyor olmalı • Vertigo ile baş etmede bilgi sahibi olmalı • Durum hakkında daha az tehdit hissediyor olmalı • Sosyal aktivitelere katılıyor olmalı • Baş etmede özel stratejilerini belirlemiş olmalı • Uygun koşullarda destek gruplarını, danışmaları kullanıyor olmalı
Hemşirelik Tanısı: Yetersiz aktivite olması nedeniyle *eğlence aktivitelerine katılımda eksiklik*. **Hedef:** Eğlence aktivitelerine katılımı sağlamak.		
1. Uygun aktiviteleri planlamak için aktivitelerin seviyesi ve türü değerlendirilir. 2. Hasta ile alışılmış eğlence kalıpları tartışılır. Anlamlı eğlence aktivitelerine katılım için önerilerde bulunulur.	1. Depresyon ve can sıkıntısı olabilir. Tercih ve toleransın belirlenmesine yardımcı olur. 2. Aktivite seviyesini etkileyebilecek aktüel ve algılanan stresörler hakkında bilgi edinilir.	• Can sıkıntısının azaldığını ifade ediyor olmalı ve hasta daha hareketli, canlı ve uyanık olmalı • Eğlence aktivitelerine katılmak için gerçekçi fırsatlar arıyor olmalı

Çizelge 51.3: Vertigolu Hastada Hemşirelik Bakım Planı Örneği (Devamı)

Hemşirelik Girişimleri	Amaç	Beklenen Sonuçlar
Hemşirelik Tanısı: Beslenme, banyo, hijyen ve giyinmede vertigo ataklarına ve labirent disfonksiyonuna bağlı öz bakım eksikliği. **Hedef:** Kendine bakabilmesini sağlamak.		
1. Vertigoya bağlı bulantı ve kusmayı azaltmak için ilaç verilir ya da ilacın kullanılacağı öğretilir. 2. Vertigosu olmadığında hasta öz bakımı için teşvik edilir. 3. Hasta ve bakım verenleri ile birlikte diyeti gözden geçirilir. Gerektiğinde sıvı önerilir.	1. Antiemetikler ve sedatif ilaçlar serebellumda uyarıları baskılar. 2. Vertigo ataklarının ara süreleri belirli değildir. 3. Sodyum kısıtlaması bazı hastalarda iç kulak sıvı dengesizliğini düzeltmeye yardımcı olarak vertigoyu azaltır. Sıvı dehidratasyonu önler.	• Belirtilerin olmadığı dönemlerde gerekli fonksiyonlarını yerine getiriyor olmalı. • Bulantı ve kusmayı gidermek için ilaçlarını alıyor olmalı • Günlük aktivitelerini yerine getiriyor olmalı • Diyet planını kabul ediyor ve etkilerini bildiriyor olmalı. Yeterli miktarda sıvı alıyor olmalı
Hemşirelik Tanısı: Hastalığa bağlı güçsüzlük ve vertigo/denge bozukluğuna bağlı belirli durumlarda yardımsız kalma. **Hedef:** Vertigo/denge bozukluğuna rağmen yaşam ve aktiviteler üzerinde hasta kontrolünün arttığını göstermek.		
1. Hastanın aktivitelere başlamak için hazır olma durumu, gereksinimleri, değerleri ve davranışları tanılanır. 2. Hastanın kendisi ve hastalığı hakkındaki düşüncelerini anlatmasına olanak sağlanır. 3. Hastanın önceki başarılı baş etme davranışlarını belirlemesine yardımcı olunur.	1. Hastanın bakımına ve aktivitelere katılımı onun becerisini arttırır. 2. Hislerin açıklanması, bireysel baş etme ve savunma mekanizmalarının anlaşılması için gereklidir. 3. Farkındalık, güçsüzlük uyandıran hislerin anlaşılmasını arttırır. Geçmiş başarıların farkına varılması öz güveni arttırır.	• Aktiviteler gereksiz yere kısıtlanmıyor olmalı • Hasta güç ve kontrol hissini kazanmak için pozitif düşüncelerini ifade ediyor olmalı • Önceki başarılı baş etme davranışlarını belirlemiş olmalı

Akustik Nöroma

Akustik nöroma, VIII. Kafa sinirinin yavaş ilerleyen bening tümörüdür. Genellikle tümör, sinirin vestibüler kısmının schwann hücrelerinden köken alır. Akustik tümörlerin çoğu, iç işitme kanalından çıkar ve serebellopontin üçgenine uzanarak, beyne bası yapar. Genellikle orta yaşta ve her iki cinste eşit görülür. Recklinghausen hastalığı (çift taraflı tümör vardır) hariç, genellikle tek taraflıdır.

Klinik Belirti ve Bulgular: Bu hastalarda tek taraflı tinnitus ve işitme kaybı vardır. Bazı hastalarda vertigo ve denge bozukluğu bu duruma eşlik eder.

Tanı Yöntemleri: Odiovestibüler test sonucunda asimetri saptanması, tanı koymak için sonraki çalışmalar açısından önemlidir. Paramanyetik kontras madde ile MRG, eğer bu mümkün değil ise ya da hasta MRG yi tolere edemiyorsa, kontrast boyalı bilgisayarlı tomografi çekilmelidir. Fakat MRG, küçük tümörleri saptamada daha hassastır.

Tedavi: Tümör radyoteraopi ve kemoterapiye yanıt vermediği için, cerrahi en iyi yöntemdir. Bu ameliyatta, Kulak burun boğaz uzmanı ile nöroşirurji uzmanı birlikte çalışmalıdır. Cerrahinin amacı; fasiyal sinir fonksiyonunu bozmadan tümörü çıkarmaktır. Akustik tümörlerin çoğu sinirin koklear alanına zarar verir ve ameliyat öncesi işitme hiç yoktur. Bu hastalarda translabirentin yaklaşımı ile işitme mekanizması yok edilir. Eğer ameliyat öncesi dönemde hala işitme var ise, suboksipital veya orta kraniyal fossa yaklaşımı ile tümör çıkarılır ve işitmenin korunması için ameliyat sırasında VIII. Kraniyal sinir izlenir. Akustik nöroma cerrahisinin komplikasyonları; fasiyal sinir paralizisi, serebrospinal sıvı sızıntısı, menenjit ve serebral ödemdir.

İşitme Rehabilitasyonu

Kalıcı olan işitme kayıplarında, tıbbi ya da cerrahi olarak tedavi edilemeyen ya da cerrahiyi kaldıramayacak olan hastalarda işitme rehabilitasyonu yararlı olabilir. İşitme rehabilitasyonunun amacı, işitmesi bozulan bireyin iletişim becerilerini arttırmaktır. İşitme rehabilitasyonu dinleme eğitimini, konuşma okumayı, konuşma eğitimini, işitmeye yardımcı araçların kullanılmasını içerir.

Dinleme eğitimi, dinleme becerilerini vurgular, bu nedenle işitmesi bozulmuş olan birey konuşmacıya odaklanır. Konuşma okuma (önceleri dudak okuma olarak tanımlanmaktaydı), kaçırılan yerlerdeki boşlukları tamamlamaya, ya da yanlış anlaşılan yerleri düzeltmeye yarar. Konuşma eğitimi ise var olan yetileri korumaya, geliştirmeye ve bozulmayı önlemeye yöneliktir. İşitme rehabilitasyonunda işitme kaybının tipi önemlidir. İletim tipi işitme kayıplarında cerrahi tedavi gereklidir. İşitmeye yardımcı araçların teknolojilerindeki gelişmeler sayesinde sensorinöral işitme kaybı olan hastalar için oldukça yarar sağlamaktadır.

İşitmeye Yardımcı Araçlar

İşitmeye yardımcı olan araçlardır (Şekil 51.8). Bu araç sayesinde konuşmalar ve çevresel sesler bir mikrofon aracılığıyla alınır, elektrik sinyallerine dönüştürülür, büyütülür ve tekrar akustik sinyallere dönüştürülür. Sensorinöral işitme kayıpları için, düşük frekansları veya tonları baskılayan ve yüksek frekansları işitmeyi arttıran pek çok yardımcı araç bulunmaktadır. Genel bir kural olarak 30 dB'i aşan bir işitme kaybı söz konusu ise yardımcı araç kullanılması önerilir. Çizelge 51.4'te yardımcı araçların yerleştiği bölge avantaj ve dezavantajları yer almaktadır.

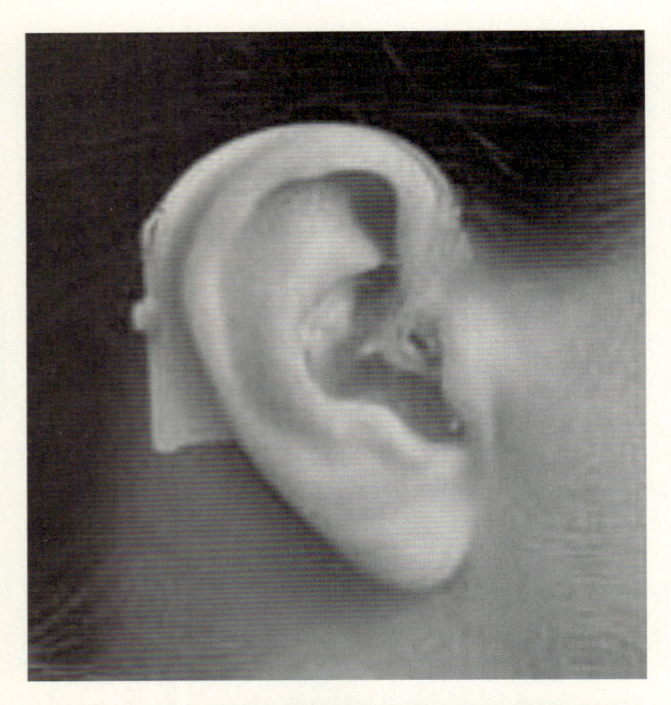

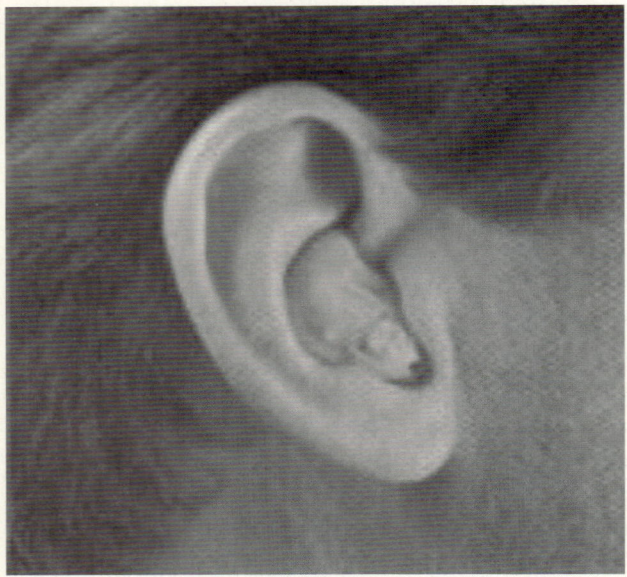

Şekil 51.8: İşitmeye yardımcı araçlar

İşitme Araçlarının Birimleri

Mikrofon, akustik sinyali elektrik sinyallerine dönüştürür ve yükselticiye iletir. Mikrofon kalitesi, temizliği ya da toz, kir, su vb. maddelerle tıkanmış olması, işitme aracının verimli çalışıp çalışmaması üzerinde etkilidir.

Amplifikatör, diğer adıyla yükseltici, gelen sinyalleri güçlendirmekte, yükseltmektedir. Hoparlör, yükselticiden gelen elektrik sinyallerini yeniden sese dönüştürür. Buradaki en küçük arıza, bireye gelen sesin bozuk kalitede gelmesine neden olacaktır. Piller cihaza enerji sağlar. Pil voltajı düşerse, (kullandıkça düşmesi normaldir), işitme cihazından gelen ses, birey için ayarlanan düzeyde değil, daha düşük düzeyde gelecek, bu durumda, birey diğer kaba seslere belki tepki vermeye devam edecek ancak konuşma seslerini anlamamaya başlayacaktır. Bu nedenle pillerin her gün kontrol edilmesi gerekmektedir.

Kulak kalıpları, kulak kepçesi içine yerleştirilen ve bireye özel yapılmış protezlerdir. Temel görevi, işitme aracını sağlam bir şekilde yerine yerleştirmek, işitme cihazının hoparlöründen gelen sesleri bireyin kulak zarı önüne iletmek ve dışarıya da ses kaçmasını önlemektir. Eğer ses kaçarsa, bu rahatsız edici ötme sesi hem bireyin kendisini hem de etrafındakileri rahatsız eder. Bu durumda kulak kalıbının kulak kepçesi ve kanalı içine iyi yerleştiğinin kontrolü gerekir. Eğer araçtan ses gelme durumu devam ediyorsa, bu kalıbın eskidiğini, küçüldüğünü ya da iyi yapılmadığını gösterir.

Elektriksel Uyarım Oluşturan Protezler

İç kulaktaki duyu hücrelerinde çok ileri derecede hasar olduğunda uygulanabilmektedir. Biyonik kulak adı verilen bu protezler, koklear implant ya da iç kulak protezleri adını da almaktadır. Cerrahi yöntemle kokleaya yerleştirilen elektrotlar, bu bölgedeki işitme sinirlerine doğrudan elektriksel uyarımları iletmekte ve konuşma seslerine ilişkin bilgileri vermektedir. Bu bilgiyi sinirlerin sağlıklı bir şekilde beyine ulaştırabiliyor olması gerekmektedir.

Teknolojik gelişmeler sayesinde kulağın arkasına, içine ve kanalın içine olmak üzere çok küçük ve değişik çeşitlerde işitme yardımcıları bulunmaktadır. İşitme aracı hastanın işitme kaybı tipine uyumlu olmalıdır. İşitme yardımcısı sesi yükseltir, hastanın kelimeleri ayırt etmesine veya konuşmayı anlamasına yardımcı olur. Düşük diskreminasyonu olan hastalar (örn; %20) bu araçlardan yararlanamazlar. Bu araçlar arka plandakiler de dahil tüm sesleri büyütür ve bu nedenle kullanan kişiye rahatsızlık verebilir. Bunun yanı sıra, sadece önceden belirlenmiş ses frekansının üzerindeki sesleri büyütebilenleri ya da arka plandaki sesleri engelleyen bilgisayar mekanizmalı araçlar da mevcuttur. İşitmeye yardımcı araçlara bağlı yaşanabilecek sorunlar aşağıda verilmiştir.

Çizelge 51.4: İşitmeye Yardımcı Araçların Yerleştiği Bölge, Avantaj ve Dezavantajları

Yerleştirildiği Bölge / işitme kaybı derecesi	Avantajları	Dezavantajları
Vücut(cep tipi)/ hafif-çok ileri	Alıcı ve mikrofonun ayrılması akustik geribildirimi önler, yüksek amplifikasyon sağlar. Genellikle okullarda kullanılır.	Hacimli ve hantaldır. Kozmetik olarak hoş görünmeyen uzun bir teli vardır.
Kulak arkası / hafif-çok ileri	Geniş boyutlarda, daha güçlü ve daha fazla özellikli bölümleri içerir. Tel gerekmez.	Boyutları geniştir.
Kulak içi / hafif-orta	Tek parçalı, kulağın konturuna sabitlenen, tüpsüz, kablosuzdur. Minyatür mikrofon, kulağa yerleştirilir. Daha doğal, daha kozmetik ve takılıp çıkarılması kolaydır.	Küçük boyutlu olanlar verileri sınırlandırır, artriti ya da el becerileri sorunu olan hastalar cihazı takıp çıkarmada zorluk yaşayabilir, kulak arkasında olan cihazlara göre pilleri daha çok tamir gerektirir.
Kanal içi / hafif-orta	Kulak içinde olan araçlarla aynı olmakla birlikte, daha az görülebilir ve bu nedenle kozmetik olarak daha hoş görünüm sağlar.	Kulak içinde olanlara göre daha fazla el becerisi gerektirir.

Islık şeklinde gürültü
- Kulak kalıbının (mould- cihazın kulak yoluna takılan kısmı) gevşek olması
- Uygun olmayan üretim
- Uygun olmayan yerleştirme biçimi
- Eskimiş araç
- Uygun olmayan araç seçimi
- Mikrofon ve alıcının ayrılmasında uygunsuzluk ve fazla güç gerektirmesi
- Düzgün kullanılmayan açık kalıp.

Yetersiz amplifikasyon
- Pillerin bitmesi
- Kulakta buşon olması
- Kalıpta buşon veya yabancı cisim olması
- Telin veya tüpün işitme aracından çıkması
- İşitme aracının kapalı veya ses ayarının aşırı düşük olması
- Uygun olmayan kalıp
- İşitme kaybı tipine uygun olmayan araç seçimi

Kalıba bağlı ağrı
- Kalıbın yanlış yerleştirilmesi
- Kulak derisi veya kartilajında enfeksiyon
- Orta kulak enfeksiyonu
- Kulak tümörü
- Temporomandibular bileşke, boğaz veya larinks sorunları

Hasta Eğitimi
İşitmeye Yardımcı Araçların Bakımı

Aracın Temizliği
Kulak kalıbı sık sık, gerektiğinde her gün su ve sabunla yıkanabilir. Kulak kalıbı, alıcıya takılmadan önce kurulanmalıdır. Kanül, ucunda tüyleri olan ince fırça biçiminde aletlerle temizlenmelidir.

Aracın Çalışmaması
İşitmeye yardımcı araç uygun işlev göstermiyorsa; yetersiz amplifikasyon, ıslık çalar tarzda gürültü veya kalıptan kaynaklanan ağrı söz konusu olabilir. Bu durumdaki aşağıdaki kontrolleri yapılmalıdır. Düğme açık mı?, pil şarj edilmiş mi? ve doğru yerleştirilmiş mi?. Bu kontrollerin tümü yapıldıktan sonra, eğer hala çalışmıyor ise, araç satıcısına başvurulmalıdır.

Komplikasyonların farkına varma
İşitmeye yardımcı araç ile dış kulak kanalı tıkandığında, kanal nemlenir. İşitmeye yardımcı araç kullanan hastalarda yaygın görülen sorunlar, dış otitis, dış kulak kanalının veya meatusun bası ülserleridir.

İmplante İşitme Araçları
İmplante edilen üç çeşit işitme aracı vardır. Bunlar; koklear implant, kemik iletim aracı ve yarı implante edilen işitme aracıdır. Koklear implant işitmesi oldukça az veya hiç olmayan hastalar içindir. Sesi kafatasından iç kulağa ileten kemik iletim araçları, iletim tipi işitme kaybı olan hastalarda eğer işitmeye yardımcı araçlar kontrendike ise (örn; kronik enfeksiyon) kullanılır. Bu araç postauriküler olarak kafatası derisi altına yerleştirilir ve kulağın üzerine (kanal içine değil) takılan bir dış araç, sesi deri aracılığıyla iletir. Yarı implante edilen işitme araçları henüz Amerikan Gıda ve İlaç Dairesi (Food and Drug Administration-FDA) tarafından onaylanmamıştır. Tamamen implante edilebilecek işitmeye yardımcı araçların üretilmesi için çalışmalar devam etmektedir.

Koklear İmplantlar

Koklear implant, ileri derecede çift taraflı, sensörinöral işitme kaybı olan ve konvansiyonel işitmeye yardımcı araçlardan yarar görmeyen bireylerde kullanılan işitme protezidir. Koklear İmplant sistemi günlük sesleri şifrelenmiş elektriksel uyarımlara dönüştürür. Uyarımlar işitme sinirini uyarırlar ve beyin onları ses olarak algılar. Bir koklear implant sistemi (Şekil 51.10) iki kısımdan meydana gelir.

- Ameliyat ile yerleştirilen iç kısım-implant,
- Konuşma işlemcisi olarak isimlendirilen dış kısım (Şekil 51. 9). Koklear implantlı hastalarda işitme kaybı konjenital veya edinsel olabilir. İmplant normal işitmeyi sağlamaz, yalnız bireyin orta ve yüksek derecedeki iletişim seslerini ve çevresel sesleri tanımasına yardımcı olur. İmplant, iç kulaktaki fonksiyon görmeyen siliyar hücrelerini bypass yaparak (atlayarak), işitme sinirine direk uyarı yapacak şekilde tasarlanmıştır. Mikrofon ve sinyal işlemcisi vücudun dışına takılarak, elektriksel uyarıları vücudun içine, implante edilmiş elektroda iletir. Bu elektrik sinyalleri, işitme sinir fiberlerini ve daha sonra da yorumlandığı yer, yani beyni uyarır.

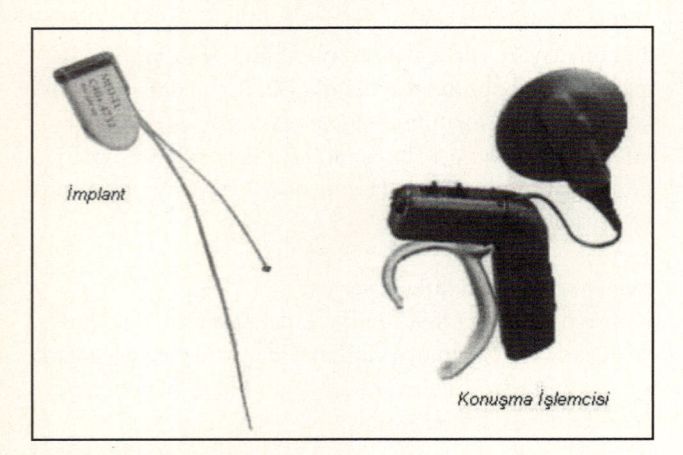

Koklear implant adayları en az bir yaşında olmalı ve otolojik öykü, fiziksel muayene, odyolojik çalışmalar, x-ray ve psikolojik incelemelerden sonra dikkatli bir şekilde seçilmelidir. Koklear implanttan yarar sağlayabilecek erişkinler;

- Her iki kulağında ileri derecede işitme kaybı olan hastalar
- İşitmeye yardımcı araçlar ile konuşmaları iyi duyamayan hastalar
- Genel anestezi ve koklear implant için medikal kontrendikasyonu olmayan hastalar
- İşitmenin hastanın yaşamını arttıracağı düşünülen hastalardır.

Ameliyat, postaurikular insizyon aracılığı ile temporal kemiğe küçük bir alıcı implantı ve iç kulağa elektrot yerleştirilmesi ile yapılır. Mikrofon ve verici, dış birime takılır. Koklear rehabilitasyon hastaları, işitme uzmanı ve konuşma patologu ile multidisipliner olarak tedavi edilir. İşitilen seslerin yorumlanması birkaç ayı alır. Konuşmayı öğrenmeden işitmeyi kaybeden çocuk ya da hastalar için konuşmayı kazanmak daha da uzun süre alır. Ameliyatın başarısı değişmekle birlikte, yararları konusunda bazı çelişkiler de mevcuttur. Koklear implantı olan hastalar manyetik rezonans görüntüleme (MRG) konusunda uyarılmalıdır. MRG, implantın fonksiyonunu bozar.

Şekil 51.9: Koklear implant.

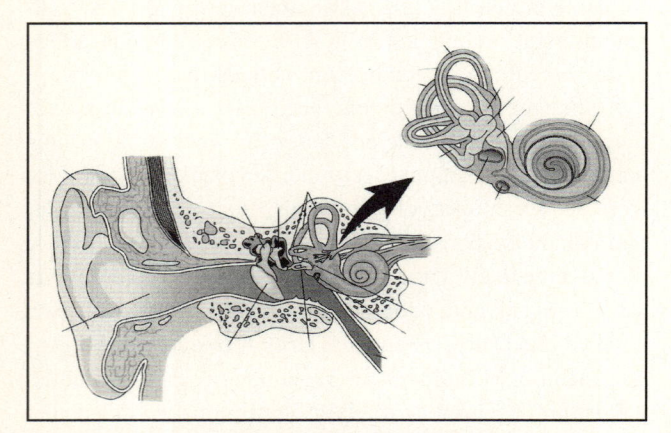

Şekil 51.10: Koklear implantların kulağa yerleştirilmiş hali

ÜNİTE 15

Sinir Sistemi

52. Sinir Sisteminin Tanılama Yöntemleri
53. Bilinç Düzeyi Değişiklikleri
54. Sinir Sistemi Hastalıkları
55. Sinir Sisteminin Dejeneratif ve Onkolojik Hastalıklar
56. Nörolojik Travmalar

spinalkord bel kısmı dışa doğru çıkıntı ⟶ meningosel

embriyonejik gelişme
1) endoderm (akciğer, karaciğer ve visseral organlar)
2) mezoderm (kemik ve kaslar) bağ dokusu
3) ekdoderm (sinir sistemi)   (Dış, deri, saç)

12 yaşında sinirsel gelişiyor

süperego ⟶ vicdan
id ⟶ Ben, saldırgan - öfke
ego ⟶ Akıl - yetişkin

Beyinsel anlamda gelişme yoksa ⟶ ensefali

52.
SİNİR SİSTEMİNİN TANILAMA YÖNTEMLERİ

Prof. Dr. Ayfer KARADAKOVAN

Sinir Sistemi

Sinir sistemi vücudun yapı ve işlevi oldukça karmaşık olan sistemlerinden biridir. Vücudun fizyolojik ve psikolojik işlevlerini önemli ölçüde etkiler. Bir çok işlevin kontrolü ve düzenlenmesinde önemli rol oynar. Bu ünitede sinir sistemi işlevlerinin insan organizması için önemi önemli, sağlık sorunlarına neden olan sinir sistemi hastalıkları ve hemşirelik bakımları tartışılacaktır. Sinir sistemi hastalığı olan hastaya kaliteli hemşirelik bakımı verebilmek için sinir sisteminin yapı ve işlevleri ile hastalıkların gelişme mekanizmalarının bilinmesi gerekmektedir.

Anatomi ve Fizyoloji

Sinir sitemi motor, duyusal, otonom, bilişsel ve davranış ile ilgili işlevlerin kontrolünden sorumludur. Sinir sistemi merkezi sinir sitemi (MSS) ve periferal sinir sistemi (PSS) olmak üzere başlıca iki bölümden oluşmuştur. Merkezi sinir sistemi beyin ve spinal kord, periferal sinir sistemi sinirlerden oluşmaktadır. İç ve dış ortamdan gelen uyarılar yaklaşık on milyon duyu hücresi aracılığı ile beyne gönderilir ve yaklaşık beş yüz bin motor nöron hücresi ile kas ve salgı bezleri kontrolü sağlanır. Beyin yaklaşık yirmi milyar sinir hücresi ile motor ve duyusal yollarla iç ve dış ortamdan gelen uyarılara yanıt verme, vücudun dengesini sürdürme, kimyasal ve elektrik uyarılarla psikolojik, biyolojik ve fizyolojik aktiviteyi sağlama gibi işlevleri yerine getirir.

Sinir Sisteminin Hücreleri

Sinir sisteminin dokuları nöron ve nöroglia olmak üzere başlıca iki tip hücreden oluşmuştur.

Nöronlar: Sinir siteminin temel işlevsel ve anatomik hücresi olan nöronlar sinir uyarılarının iletimini sağlar. Nöron, hücre gövdesi, akson ve dendrit olmak üzere üç bölümden oluşmuştur. Hücre gövdesi nöronun ana bölümüdür. Nöron hücresi hücre membranı, nukleus (çekirdek), dezoksiribonükleik asit (DNA), ribonükleik asit (RNA), endoplazmik retikulum, Nissil cisimcikleri, mitokondriler ve Golgi cisimciğinden oluşmuştur. Hücre gövdesinden kısa uzantılarla devam eden dendiritler uyarıların algılandığı bölgelerdir. Dendiritten daha uzun olan aksonlar, sinir hücrelerinden aldıkları uyarıyı ileten sinir lifleridir. Etrafı miyelin kılıfı olarak adlandırılan bir zarla çevrili olan aksonlar sonlanmadan önce dallara ayrılır. Miyelin kılıfı, kılıf hücreleri tarafından sentez edilen bir lipoprotein olan miyelinden oluşur. Periferik sinir siteminde yer alan aksonlarda bu kılıf Schwann hücrelerinden oluşmuştur. Miyelin kılıfı belirli aralıklarla (1-3cm) boğumlanmalar gösterir. Bunlara Ranvier boğumu denir. İleti bir taraftaki miyelinden diğerine bu boğumlardan atlayarak geçer. Merkezi sinir sisteminde ise bu miyelinizasyonu Schwann hücrelerine benzeyen oligo-dendroglial hücreler sağlar (Şekil 52.1).

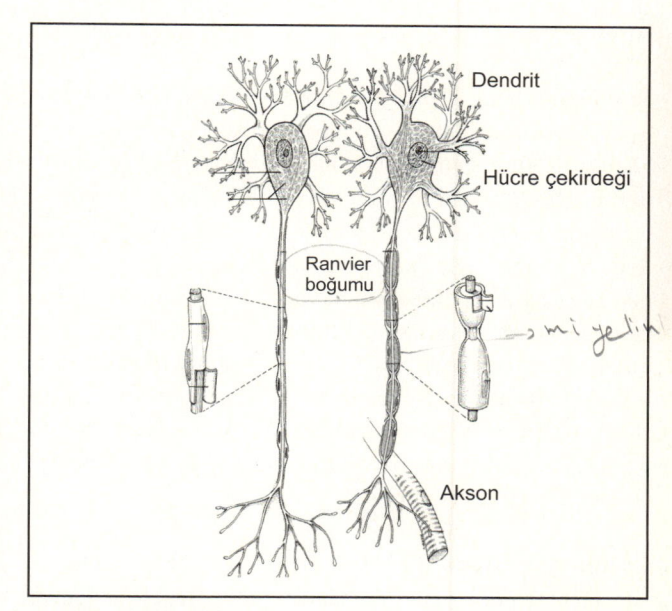

Şekil 52.1: Nöronun yapısı.

Nöroglia: Yunan kökenli bir sözcük olan "glia" yapışkan ya da bir arada tutma özelliği olan anlamındadır. Glia hücreleri nöronlara koruma, beslenme ve yapısal destek sağlar. Nöronlardan beş-on kez fazla sayıda nöroglia hücresi vardır. Beyin ve spinal kord hücrelerinin yaklaşık %40'ı nöroglia hücrelerinden oluşmuştur. Nöroglia hücrelerinin klinik görünüşü önemlidir. Çünkü bu hücreler mitotik bölünmeyle çoğalır ve sinir sitemi tümörlerinin birincil kaynağıdır. Dört tip nöroglia hücresi vardır.

Astrosidler: Kan damarları ve nöronlar arasında yer alır. Fizyolojik rolleri tam olarak anlaşılamamıştır. Uyarıların iletiminde dolaylı rol oynarlar. Beyin yaralanmalarında fagositoz etkisi göstererek doku yenilenmesine destek olurlar.

Oligodendroglialar: Miyelin sentezi yaparlar.

Ependimal hücreler: Beyin boşlukları içinde bulunur ve serebrospinal sıvının oluşumunda rol oynarlar.

Mikroglialar: Fagositoz özelliğine sahip makrofaj tipi hücrelerdir. Beyin dokusunda az bulunur.

Sinirlerin yenilenmesi: Bir sinir hücresi öldüğünde yenilenmesi mümkün değildir. Doğumda vücutta tüm sinir hücreleri vardır. Vücut yeni sinir hücresi yapamaz. Sinir hücrelerinin yalnız aksonu zarara uğradığında hücre kendini yenileyebilir. Tüm sinir hücresi hasara uğradığında ise aksonların zarara uğramış uçlarından çıkan dallar yenilenerek işlev görür. Ancak merkezi sinir siteminde bulunan aksonların yenilebilme özelliği priferal sinir sistemi aksonlarına göre daha azdır. Yenilenen sinir lifleri her gün 4mm kadar büyümektedir.

Beyin ve spinal kord dışındaki yıkıma uğramış periferik sinir sistemi hücreleri destekleyici Schwann hücrelerinin koruyucu miyelin kılıfı içinde büyüyerek yenilenebilirler.

Sinir iletimi: Sinir lifinin ucu ile kas lifi arasındaki bağlantıyı sağlayan oluşuma "nöromüsküler bağlantı" denir. Sinir hücresi ile sinir sonu bağlantılarına sinaps denir. Sinapslar tüm uyarıları sinirler boyunca iletir. Bir sinirin aksonu ile bir başka sinirin dendiriti arsında da sinaps olabilir. Sinir iletisinin olması için aksiyon potansiyelinin gerçekleşmesi gerekir. Aksiyon potansiyeli başladığında bu akson boyunca devam eder. Uyarı sinir liflerinin sonuna doğru ulaştığında nörotransmitter maddelerin sağladığı kimyasal etkileşimle sinir hücreleri arasındaki bağlantıya doğru iletilir. Bu kimyasal etkileşim bir sonraki sinir hücresinde aksiyon potansiyelini oluşturur. Bu durum sinir uyarılarının iletimi tamamlanıncaya kadar devam eder.

Aksiyon potansiyeli: Sinir hücreleri dinlenme evresindeyken hücre içinde negatif bir elektrik şarjı gerçekleşir. Hücre dışında pozitif iyon yüklü sodyum iyonları (Na+), hücre içinde pozitif iyon yüklü potasyum iyonları (K+) yüksek konsantrasyondadır. Hücre içi ve hücre dışındaki bu farklılık hücre membranına karşı bir elektrik şarjı oluşmasına neden olur. Bu *dinlenme membran potansiyeli* olarak tanımlanır. Membran potansiyelini değiştirmek için yeterli büyüklükte bir uyarı olduğunda aksiyon potansiyeli oluşur. Aksiyon potansiyelinde hücre membranın sodyum iyonlarına geçirgenliği fazladır, daha fazla sodyumun hücre içine girmesini sağlar. Bu durumunda hücre membranına karşı bir voltaj değişikliği olur. Buna *depolarizasyon denir.*

Hücre içinde geçici olarak dışarıya göre daha fazla pozitif iyon yükü vardır. Hızla gelişen depolarizasyondan sonra çok kısa süre içinde sodyum kanalları kapanır ve potasyum iyonlarının hücre dışına doğru hızla diffüzyonu normal negatif dinlenme potansiyelinin yeniden oluşmasını sağlar. Buna *membran repolarizasyonu denir*. Sinir hücresi membranındaki depolarizasyon ve repolarizasyon süreci 1-2 milisaniye gibi kısa sürede gerçekleşir. Tekrarlayan aksiyon potansiyeli ile hücrelerde Na+ iyonu birikir. Hücre içindeki aktif metabolik süreç hücre içine K+'un, hücre dışına Na+'un hareket etmesini gerektirmektedir. Bu metabolik süreç adenozin trifosfat (ATP) yıkımından elde edilen enerjiyle sağlanan sodyum-potasyum pompası ile gerçekleşmektedir.

Hücrenin aksiyon potansiyeli için bir kez depolarize olması yeterlidir. Aksiyon potansiyelinin büyüklüğü ile uyarının gücü arasında ilişki yoktur. Bir sinir hücresinin ucundan başlayan aksiyon potansiyeli yoğunluğu azalmadan akson boyunca iletilir.

Yalıtım özelliği nedeniyle aksonların miyelinizasyonu aksiyon potansiyelinin iletimini kolaylaştırır. Periferal sinirlerin bir çoğunda *ranvier düğümü* olarak adlandırılan boğumlar vardır. Aksiyon potansiyeli aksonlardaki bu düğümler arasındaki membran boşluklarından atlayarak geçer. Bu durum *sıçrayıcı iletim* olarak adlandırılır.

Sinaps: İki nöron arasındaki yapısal ve işlevsel bağlantıdır. Sinir uyarısının bir nörondan diğerine ya da nörondan afferent organa (kas lifi, salgı bezi hücresi vb.) iletildiği noktadır. Bu iletinin gerçekleşebilmesi için sinaptik alanda presinaptik uç, sinaptik yarık ve postsinaptik hücre üzerinde reseptör alanı gibi yapıların olması gerekir. Sinir uyarısı aksonun sonuna ulaştığında aksonun son kısmı içinde bulunan kılcal damarlardan nörotransmitter maddeler salgılanır. Bu nörotransmitter madde kalsiyum'a (Ca4++) bağlı olup, sinir uçlarında depolarizasyonu başlatır. Daha sonra bu nörotransmitter madde iki nöron arasındaki sinaptik yarığın karşısına geçerek reseptöre tutunur. Bu sodyum ve potasyum gibi iyonların postsinaptik hücre membranından geçirgenliğinde ve membranın elektrik potansiyelinde değişikliğe neden olur.

Nörotransmitterler: Bir nörondan diğerine ya da nörondan özel hedef dokulara mesajların iletimini sağlayan kimyasal maddelerdir. Sinaptik boşluklarda yapılır ve depolanırlar. Uyarıların sinaptik yarığa geçişini sağlarlar. Salgılanan nörotransmitter maddeler sinaptik yarıktan geçerek postsinaptik hücre membranındaki resptörlere bağlanırlar. Nörotransmitterler hedef hücre işlevini güçlendirme, baskılama ya da azaltama gibi işlevler görürler. Başlıca nörotransmitterler ve işlevleri Çizelge 52. 1'de verilmiştir.

Merkezi Sinir Sistemi

Merkezi sinir sitemi beyin ve spinal korddan oluşur.

Beyin: Beyin serebrum (ana beyin), beyin sapı ve serebellum (beyincik) olmak üzere üç bölümden meydana gelmiştir.

52. Sinir Sisteminin Tanılama Yöntemleri

Çizelge 52.1: Başlıca Nörotransmitterler ve İşlevleri

Nörotransmitter	Kaynağı	İşlevi
Asetilkolin (parasempatik sinir sisteminin başlıca transmitteri-adrenalin)	Beyinde; otonom sinir sisteminde bir çok alanda	Genellikle uyarıcı etki. Bazen parasempatik etkiyi sınırlar (vagal sinirle kalp uyarımı)
Seratonin	Beyin sapı, hipotalamus, spinalkordun arka boynuzu	Sınırlama, ruhsal durum ve uykuyu düzenleme, ağrı iletimini baskılama
Dopamin	Substansiya nigra ve bazal ganglionlar	Genellikle sınırlama, doğru hareketler için kontrol mekanizması, duyuların düzenlenmesi ve emosyonel kontrol
Norepinefrin (sempatik sinir sisteminin başlıca transmitteri-noradrenalin)	Beyin sapı, hipotalamus, sempatik sinir sisteminin post ganglionik nöronları	Korku, utanma gibi durumlarda kan basıncı yükselmesi, taşikardi, periferal vazokonstrüksiyon, iskelet kası damarlarında vazodilatasyon
Gamaaminobutrik asit (GABA)	Spinal kord, serebellum, bazal ganglionlar, kortikal bölgede bazı alanlar, retina	Beyin, spinal kord ve retinada inhibisyon, bol miktarda gri madde üretimi, enerji düzenlemesi
Endorfin	Omurga, beyin sapı, talamus, hipotalamus, hipofiz bezi	Ağrı duyusunun baskılanması, güzel ve hoş duyular, heyecan

Serebrum (ana beyin): Yüz milyondan fazla multipolar nöron ve fibrillerden oluşmuştur. Beyin dokusu jelatine benzer yapıda yaklaşık 1400 gr ağırlığındadır. Ana beyin *longitidunal fissür* olarak adlandırılan yapı ile ayrılarak sağ ve sol iki hemisferden oluşmuştur. *Transvers fissür* olarak adlandırılan enine yarık ise serebrumu serebellumdan ayırır. Serebrumun en dışında *serebral korteks* bulunur. Serebral korteks 2-5 mm kalınlığında olup, alt kısmında *korpus kallosum* olarak adlandırılan beynin iki hemisferini birbirine ve serebrumu beynin diğer bölümlerine bağlayan miyelinli liflerden oluşan yapı bulunur. Taşınan bilgiler duyu, bellek ve öğrenilmiş davranış bilgilerini içerir. Sağ ve sol elini kullanan bireylerde konuşma, dil bilgisi, hesap yapma ve analiz etme işlevleri sol lob tarafından kontrol edilir. Geometrik algılama, görme, öğrenilmiş davranışlar ve müzik yetisi baskın olmayan hemisfer tarafından yönetilir. Serebral korteksi oluşturan gri madde beyin kıvrımları içinde yer almaktadır. Sinir sistemindeki sinir hücrelerinin yaklaşık %75'i korteksde bulunmaktadır. Beyin kıvrımları arasında yarıklar *sulkus* olarak tanımlanmaktadır.

Serebral hemisferlerin tabanında bulunan *bazal ganglionlar* subkortikal gri madde hücrelerinden yapılmış hücre kümeleridir. Bazal ganglionlarda bulunan yapılar eller ve alt ekstremitelerin motor hareketlerinden sorumludur. Beyin hemisferlerinin her ikisi de *frontal, pariyetal, temporal ve oksipital loblar* olmak üzere dört lobdan oluşmuştur. (Şekil 52.2.)

Frontal loblar: En büyük lobdur. Frontal lobdaki motor korteks alanları istemli motor hareketlerin kontrolünden sorumludur. Premotor korteks N.Okülomotoryus, N.Troklearis, N.Abdusens, N.Glassofaringeus, N.Vagus ve N.Spinal aksesoryus'un inerve ettiği alanları kontrol eder. Premotor korteksdeki *Broka* alanında konuşma merkezi bulunur. Broka alanı pirimer motor önüne lateral silkusların üzerine uzanır. Bu hücreler ağız, dil, larinks ve konuşmayı sağlayan karmaşık kas aktivitelerini koordine eder. Bu alanla ilgili patolojilerde hasta akıcı konuşma yeteneğini kaybederek, yalnız "evet" "hayır" şeklinde konuşur. Buna *ekspressif (motor) afazi* denir.

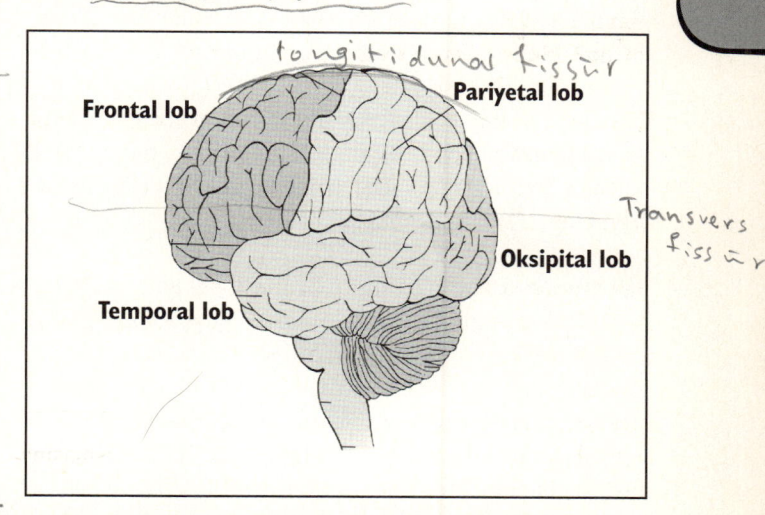

Şekil 52.2: Beyin lobları, serebellum ve beyin sapının dış görünüşü.

Frontal lobun prefrontal alanları dikkat, güdüleme, amaç oluşturma, sentez yapabilme, bir eyleme başlama, sürdürme ve sonlandırma, geri bildirimde bulunmayı koordine eder.

Pariyetal loblar: Yüzeyel ve derin duyuların algılanmasından sorumludur. Talamusdan alınan uyarılar primer duyu korteksine ulaşarak analiz edilir. Cisimlerin, büyüklüğü, biçimi, ağırlığı, yapısı ve yoğunluğunun, ağrı, ısı, dokunma ve basınç duyularının algılanmasını sağlar. Sağ pariyetal alan mekan oryantasyonu, hacim, büyüklük ve vücut bö-

Sinir Sistemi

lümlerinin algılanması, sol pariyetal alan sağ- sol yön ayrımı ve hesap yapabilme yeteneğinde yardımcı işlev görür.

Temporal loblar: İşitme ile ilgili *Wernike* alanı bu lobda bulunur. Bu alan genellikle baskın olan hemisferde daha geniştir. Davranış ve duyuların kontrolü, görsel ve işitsel algılama alanları da burada bulunur. Müzik, değişik hayvan sesleri, gürültü gibi işitsel bilgiler sol temporal lobda işitsel alanda depolanır. Bu alanda meydana gelen patolojilerde birey yazılı ve sözel ifadeleri anlama, müzik ve çevredeki diğer sesleri ayırt etme yetisini yitirir. Birey kendisine söylenenleri duyar, ancak anlamlandıramadığı için uygun olmayan biçimde yanıtlar verir. Sözcükleri bir birine bağlayamaz ve bir çok hata yapar. Buna *reseptif (duyusal) afazi* denir.

Oksipital loblar: Görme ile ilgili birincil alandır. Bu lobda visüel reseptör alanı ve visüel birleşme alanı bulunur. Görsel bellek, bireyin çevresini tam olarak algılamasını sağlar. Bu alanda meydana gelen patolojiler körlüğe neden olmaz. Birey etrafını net olarak görür. Ancak gördüklerini tanıyamaz.

Diensefalon: Beyninin en alt bölümüdür. Talamus ve hipotalamus olmak üzere iki bölümden oluşmuştur.

Talamus: Serebral hemisferler ile beyin sapı arasında üçüncü ventrikülün yanında bulunur. Koku dışındaki tüm duyular buradan geçer. Bellek, duyu ve ağrı gibi tüm uyarılar serebral korteks ulaşmadan buradan geçer.

Hipotalmus: Diensefalonun tabanında bulunur ve üçüncü ventrikülün alt kısmını oluşturur. Optik kiazma, koku refleksi ve kokuya yanıt veren hücreler burada bulunur. Isı kontrolü, antidiüretik hormon (ADH) salınımı ile sıvı-elektrolit dengesi, idrar atımının kontrolü ve hipofiz hormonlarının salgılanması gibi salgı işlevleri, kalp hızı, kan basıncı mide-bağırsak hareketleri, pupilla dilatasyonu ve konstrüksiyonu, iştahın kontrolü, strese yanıt olarak ortaya çıkan yüz kızarması, ağız kuruluğu, ellerde titreme, uyku-uyanıklık döngüsünün düzenlenmesi hipotalamus tarfından kontrol edilir.

Beyin sapı: Beyin sapı orta beyin, pons ve bulbus (Medulla oblangata) olmak üzere üç bölümden oluşmuştur. Beyin sapı diensefalonun bir uzantısıdır.

Orta beyin: Pons ve serebellum ile serebral hemisferlere bağlanır. İşitme ve görme reflekslerinin merkezi olarak işlev görür. Aynı zamanda duyusal ve motor ileti yoludur. III. ve IV. Kraniyal sinirler orta beyinden kaynaklanır.

Pons: Orta beyin ile medulla arasında yer alır ve V. ve VII. Kraniyal sinirler beyinle bağlantısını burada yapar. Ponsda motor ve duyusal ileti yolları da vardır. Kalp, solunum ve kan basıncını kontrol eder.

Bulbus (Medulla oblangata): Foramen magnumda spinal kord boyunca devam eder ve bir kıvrımla ponsda birleşir. Beyinden spinal korda motor lifleri ve spinal korddan beyne duyusal lifleri taşır. Piramidal ve kortikospinal bölgeden gelen sinir lifleri burada çaprazlaşır. Bu nedenle beyinin sağ hemisferi vücudun sol tarafını, sol hemisferi sağ tarafını kontrol eder. IX, X, XI ve XII. kraniyal sinirlerin beyinle bağlantısı burada gerçekleşir.

Serebellum (Beyincik): Posterior fossada yer alır. Oksipital lobun altında beyin sapı boyunca devam eder. Gri ve beyaz maddeden yapılmıştır. Pons, medulla oblangata ve orta beyine üç çift serebellar çıkıntı ile bağlanmıştır. Serebellum üç bölümden oluşmuştur.

1-Korteks: En dıştaki gri tabakadır.

2-Beyaz madde: MSS'nin diğer kısımlarındaki afferent ve efferent uyarıların serebellumla bağlantısını sağlayan bölümdür.

3-Dört çift serebellar nukleus. Serebellar çıkıntılar spinal kord ve beyin sapından aldıkları uyarıları serebellar nukleus ve serebellar kortekse taşırlar. Serebellumun başlıca işlevleri şunlardır:

a- Agonist ve antogonist kas gruplarının hreketlerinin koordinasyonu,
b- Beceri gerektiren hareketlerin kontrolü,
c- Hareketlerin koordinasyonunun kontrolü,
d- Dengenin sağlanması,
e- Doğru hareketler için feedback mekanizmasının kontrolü.

Beyni Koruyan Yapılar

Kafatası: Beyin sert kemik yapıdan oluşan kafatasının içinde bulunur. Bu kemik yapı beyni dış ortamdaki travma ve yaralanmalardan korur. Kafatası başlıca dört büyük kemikten oluşmuştur. Bunlar frontal, temporal, pariyetal ve oksipital kemiklerdir. Bu kemikler bir biriyle *sutür* adı verilen yapılarla birleşmektedir.

Meninksler: Beyin ve spinal kordu saran bağ dokusundan oluşmuş *meninks* adı verilen zarlar beyin ve spinal korda koruma ve destek sağlarlar. Meninksler dıştan içe doğru üç tabakadan oluşmuştur. Bunlar dura, araknoid ve piya tabaklarıdır (Şekil 52.4).

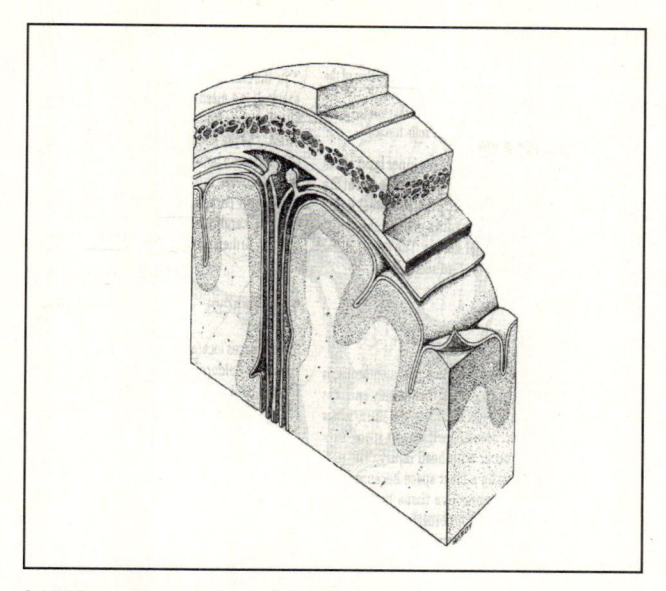

Şekil 52.4: Meninkslerin yan kesitten görünümü

Dura tabakası: Beyin ve spinal kordu saran en dış tabakadır. Beyaz, sert, fibröz, elastik olmayan çift katlı bir tabakadır. Kafa tasında bulunan sinir kılıflarının geçtiği delikler bu tabaka ile kaplıdır. Kafa tasında dura ile kaplı beyni koruyan ve destekleyen dört yarık vardır. Bunlardan falks serebri, beynin iki hemisferi arasında bulunur; tentoryum hemisferlere destek olur, falks serebelli serebellumun lateral lobları arasında bulunur, diyafragma sella ise sella tursikanın çatısını oluşturur.

Araknoid tabaka: Ortada yer alan araknoid tabaka çok ince ve hassas bir bağ dokusu tabakasıdır. Örümcek ağına benzer bir yapıda olduğu için bu ad verilmiştir. Bu tabaka serebrospinal sıvının yapımını sağlayan damar yapısı zengin ağ tabakadan oluşmuştur. Burada oluşan serebrospinal sıvı duranın içine doğru uzanan parmak şeklinde araknoid villi olarak tanımlanan çıkıntılarla emilime uğrar. Sağlıklı bir erişkinde günde yaklaşık 500ml serebrospinal sıvı üretilir. Bu sıvının 125-150ml'si bu çıkıntılardan emilime uğrar. Travma ya da hemorajik şok sonucu serebrospinal sıvıya kan karıştığında villus adı verilen çıkıntılar tıkanarak ventriküllerin içinde serebrospinal sıvının hacminin artmasına ve hidrosefali gelişimine neden olur. Dura ile araknoid tabaka arasında ve araknoid tabaka ile piya tabakası arasında bulunan subaraknoid boşlukta serebrospinal sıvı bulunur.

Piya tabakası: *En altta bulunan piya tabakası ince ve transparan bir membrandır. Beynin iç yüzeyini, spinal kordu ve gri maddeyi örten bir tabakadır.*

Serebrospinal sıvı (Beyin omurilik sıvısı-BOS): Beyin boşluklarını, beyin ve spinal korddaki araknoid boşlukları dolduran berrak, kokusuz bir sıvıdır. Beyin ve spinal kordu yaralanmalara karşı korur. Serebrospinal sıvının içeriği diğer ekstrasellüler sıvılar gibidir. İçeriğinde su, az miktarda protein, oksijen ve karbondioksit, sodyum, potasyum, klorid ve glkioz bulunur. Nadiren beyaz kan hücresi bulunur. Normalde kırmızı kan hücresi bulunmaz. (Çizelge 52.2). Serebrospinal sıvı lateral, üçüncü ve dördüncü ventriküllerdeki koroid pleksus adı verilen ağ tabakadan üretilir.

Serebrospinal sıvının basıncı normalde yan yatar pozisyonda 60-180mmH2O, oturur pozisyonda 350-400mmH2O'dur. Kan-beyin bariyeri: Kan-beyin arasında üç bariyer vardır. Bunlar:1-Kan-beyin bariyeri, 2-Kan-MSS bariyeri, 3-Beyin-MSS bariyeridir. Kan-beyin bariyerinin birincil işlevi sinir hücreleri için en üst düzeyde kimyasal dengenin sağlanması ve sürdürülmesidir. Bu bariyerler beyin kapillerlerindeki endotel hücrelerden oluşmuştur. Serebro-spinal sıvıya geçen tüm maddeler bu endotellerden filitre edilerek geçer. Kan-beyin bariyerleri hem fiziksel hem de bölümler arasında iyon hareketlerini düzenleyerek glikoz, aminosidler, yağda eriyen maddeler, ilaçlar vb'nin geçişini kontrol eder. Travma, beyin ödemi, beyin hipoksemisi bu bariyerlerin işlevini bozar.

Çizelge 52.2:	Serebrospinal Sıvının İçeriği
İçerikte bulunan madde	**Normal değer**
Na^{++}	148 mmol/L
K^+	2.9 mmol/L
Cl^-	125 mmol/l
HCO_3	22.9 mmol/L
Açlık glikoz	50-75 mg/100ml
PH	7.3
Protein	15-45 mg/100/ml
-Albümin	% 80
-Gama globulin	% 6-10
Kan hücreleri	
-Kırmızı kan hücreleri	0 mm^3
-Beyaz kan hücreleri	0-4 mm^3

Spinal Kord

Veretebral kanalın içinde yer alan, vertebral kanalın üçte iki üst bölümü boyunca uzanan spinal kord aynı zamanda medulla spinalis ya da omurilik olarak da adlandırılır. 1.servikal vertebranın üst kenarından, 1.lumbar vertebranın altına kadar uzanır. Spinal kordun alt kısmı koni biçiminde sonlanır. Periferal sinirlerden beyne, beyinden alt motor nöronlara uyarıyı iletir. Beden ve ekstremite kaslarının çalışmasını düzenler, refleks yanıt oluşumunu sağlar. Uzunluğu erişkin bir bireyde yaklaşık 45 cm, kalınlığı bir parmak kadardır. Spinal kord boyunca iki tarflı olmak üzere 31 çift spinal sinir çıkar. Bu sinirler ön kök ve arka kök olarak çıkar ve çıktıkları vertebralara göre isimlendirilirler. Bu sinirlerin 8'i servikal, 12'si torasik, 5'i lumbar, 5'i sakral, 1'i koksigeal sinir çiftleridir.

Sinir Sistemi

Beyinde olduğu gibi spinal kord da beyaz ve gri maddeden oluşmuştur. Spinal kordun enine kesitinde görülen kelebek ya da H harfi biçimindeki gri madde miyelinli ve miyelinsiz beyaz madde ile çevrilidir. Beyaz madde MSS dışında beyin ve hücreler arasında sinir uyarılarını ileten inen ve çıkan yollardan oluşmuştur. Beyaz maddedeki yollar posterior, lateral ve anterior olmak üzere üç bölümde yer almaktadır.

1-Çıkan (duyusal) yollar: Derideki bazı özel alanlarla duyuların beyne iletimini sağlar. Tendonlar ve eklemlerden ağrı, ısı, titreşim ve dokunma gibi uyarıları taşıyan genel somatik duyusal yollar ve iç organlardan gelen uyarıları taşıyan genel visseral duyusal yollar olmak üzere iki çeşit duyusal yol vardır. Duyusal yollar serebral ve serebellar korteksde sonlanır.

2-İnen (motor) yollar: Spinal kord ile vücut arasındaki motor uyarıları taşır. İstem dışı çalışan çizgili kaslar ve aksonlardan gelen motor uyarıların iletimini yapan genel somatik yollar ve düz kasları, kalp kasını ve iç salgı bezlerinin çalışmasını düzenleyen genel visseral yollar olmak üzere iki çeşit duyusal yol vardır.

3-Refleks yol: İç ve dış uyarılara istemsiz olarak verilen yanıtlar refleks olarak tanımlanır. Refleksler spinal kord da oluşmasına karşın refleksleri düzenleyen tek yol spinal kord değildir. Kalp ve solunum hızı, kan basıncı, aksırma, öksürme, kusma gibi refleks mekanizmalarının çoğu beyin sapında bulunmaktadır. Spinal korddaki refleks mekanizması vücut postürü için temel oluşturan kas tonüsünün sürdürülmesinde önemli rol oynar. Refleks yanıt serebral korteksin yükünü hafifletir. Refleksler derin tendon ya da kas gerilimi refleksleri, yüzeyel refleksler ve patolojik refleksler olarak üç gruba ayrılır. Bir refleks yanıt oluşması için; 1-Duyu reseptörü, 2-Bu duyuyu taşıyan duyusal sinir, 3- Bağlantıyı sağlayan uyarılar, 4-Motor yanıtı ileten motor sinir, 5- Refleks yanıtı oluşturacak bir organ gereklidir (Şekil 52.5).

Spinal kemikler (Vertebra-Omurga): Spinal kordun çevresinde bulunan ve ona koruma sağlayan esnek nitelikte kemik yapıdır. 7 servikal, 12 torasik, 5 lomber, 5 sakral, 4 koksigeal olmak üzere 33 vertebradan oluşmuştur. Vertebraların her birinde gövde ve kemer olmak üzere iki bölüm, iki artiküler, iki transvers, bir spinos çıkıntı olmak üzere yedi bölüm vardır. Vertebra gövdesi, kemeri, sap şeklindeki uzantısı ve zarı ile vertebral kanalı oluşturur.

Periferik Sinir Sistemi

Kraniyal sinirler, spinal sinirler ve otonom sinir sisteminden oluşmuştur.

Kraniyal Sinirler

Oniki çift kraniyal sinir vardır. Sinir uyarılarını özel ve genel duyuları göz, ağız, yüz, farinks, larinks ve dil kaslarına iletirler. Ana beynin hemen altında uzanan olfaktor ve optik sinirlerin çekirdekleri dışında tüm kraniyal sinirlerin çekirdekleri beyin sapı içinde yer alır. Kraniyal sinirler duyusal, motor ve otonom sinirler olarak sınıflandırılır. Çizelge 52.3'de kraniyal sinirler ve işlevleri verilmiştir.

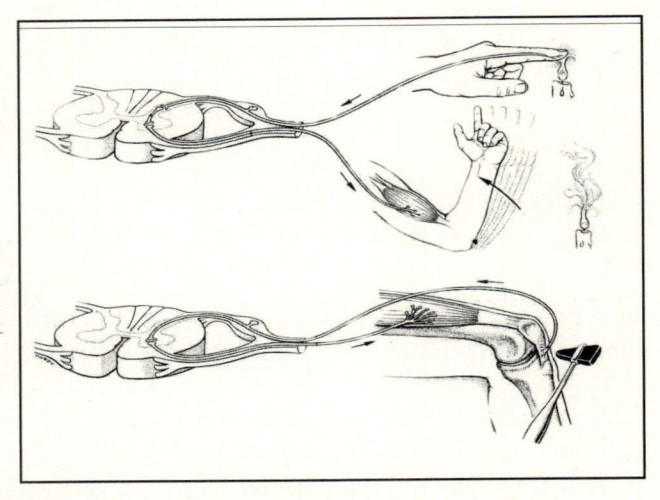

Şekil 52.5: Refleks yanıtın oluşması

Spinal sinirler: 8 servikal, 12 torasik, 5 lumbar, 5 sakral, 1 koksigeal olmak üzere 31 çift spinal sinir vardır. Her bir spinal sinirin arka ve ön kökleri vardır. Arka kök duyusal sinir köklerinin çıktığı yerdir ve ağrı, ısı, dokunma, eklem, kiriş ve vücut yüzeyindeki ya da organlardaki duyuların iç organlara iletilmesini sağlar. Ön kök motor sinir köklerinin çıktığı yerdir ve spinal kord ile vücut arasında motor iletilerin taşınmasını sağlar. Visseral motor sinir lifleri kalp kasını ve iç salgı bezlerinin salgılarının kontrolünü sağlar.

Otonom sinir sistemi: Kalp, akciğerler, damarlar, sindirim sistemi ve salgı bezlerinin çalışmasını düzenler. İç dengenin düzenlenmesi ve sürdürülmesinden sorumludur. Sempatik ve parasempatik sinir sitemi olmak üzere ikiye ayrılır.

I- Sempatik sinir sistemi: Korku, kavga, saldırı, ağrı gibi strese neden olan durumlarda işlev görür. Sempatik sinir sisteminin preganglionik ve postganglionik kolinerjik liflerinden asetilkolin, postganglionik adrenerjik liflerinden norepinefrin (noradrenalin) adı verilen nörotransmitterler salgılanır. Vücuttaki kızarma, avuç içerindeki terleme gibi stres yanıtlarının oluşmasından salgılanan bu nöro-ransmitterler sorumludur.

52. Sinir Sisteminin Tanılama Yöntemleri

Çizelge 52.3: Kraniyal Sinirler ve İşlevleri

Adı	Tipi	İşlevi
I. N. Olfaktoryus	Duyusal	Burun boşluğunda koku uyarılarını almayı sağlayan epitel tabakası aracılığı ile koku duyusunu almayı sağlar.
II. N. Optikus	Duyusal	Göz küresinde retinadan kaynaklanır. Görme keskinliği, görme alanı kontrolünü sağlar
III. N. Okülomotoryus	Motor-Parasempatik	Göz küresinin hareketlerinden sorumlu olan altı kastan dördünün çalışmasını sağlar.
		Ekstraoküler göz kaslarının hareketi, göz kapağının kaldırılması, pupilin kontraksiyonunu sağlar
IV. N. Troklearis	Motor	Göz küresinin superior oblik kasının çalışması, göz küresinin dışarıya ve aşağıya doğru hareketinin sağlanması
V. Trigeminus	Motor-Duyusal	Ağrı, ısı, dokunma gibi duyuların algılanması, kornea refleksi
	Oftalmik dalı (duyusal)	Yüz, ağız boşluğu, dilin 2/3 ön bölümü ve dişin somatik duyusunun kontrolünü sağlar
	Maksiller dalı (duyusal)	Yüzün alt kısmının somatik duyusu ve çiğneme kasının ve çene refleksinin kontrolünü sağlar
	Mandibular dalı (duyusal motor)	Motor kısmı temporal kasın, çiğneme kasının hareketi, çene refleksi kontrolünü sağlar
VI. N. Abdusens	Motor	Göz küresinin lateral rektus kasının çalışmasının kontrolünü sağlar
VII. Fasiyalis	Motor	Gülümseme, ıslık çalma, dişlerin gösterilmesi, kaşların kaldırılması, gözlerin kapatılması, yüzün buruşturulması gibi yüzün mimik kaslarının kontrolünü sağlar
	Duyusal	Dilin 2/3 ön bölümünün kontrolü, tat duyusunun algılanmasını sağlar
	Parasempatik	Göz yaşı ve tükürük salgısının kontrolünü sağlar
VIII. N. Akustikus	Duyusal Koklear dalı	İşitme duyusunun kontrolünü sağlar
IX. N. Glossofaringeus	Vestibüler dalı Duyusal	Denge kontrolünü sağlar Farinks ve dilin arka kısmının tat duyusunun kontrolünü sağlar
	Motor	Yumuşak damak ve uvula hareketlerinin kontrolü, öğürme refleksi, yutkunma, gırtlakdan ses çıkarma ve dilin damağa dokunması ile oluşan sesin çıkarılmasının kontrolünü sağlar
	Parasempatik	Karotid refleksi
X. N. Vagus	Duyusal	Farinks, larinks kaslarının duyuları ve dış kulak yolu duyusunun kontrolünü sağlar
	Motor	Yutkunmanın kontrolünü sağlar
	Parasempatik	Toraks, mide, ince bağırsak salgıları, peristaltik hareketler, bronş kaslarının istemsiz hareketleri ve kalbin çalışmasının kontrolünü sağlar
XI. N. Spinal aksesoryus	Motor	Trapezius ve sternokloidomastoid kasının kontrolünü sağlar
XII. N. Hipoglossus	Motor	Dilin motor kasının hareketi, konuşmanın ve yutmanın kontrolünü sağlar

2- Parasempatik sinir sistemi: Parasempatik sinir sisteminin preganglionik lifleri III, VII, IX ve X. kraniyal sinirlerin çalışmasını düzenlediği için aynı zamanda kraniyosakral sistem olarak da adlandırılır. En önemli işlevi iç organların kontrolünün sağlanmasıdır. Sakin ve stressiz durumlarda parasempatik sistemin preganglionik ve post ganglionik liflerinden asetilkolin salgılandığı için bu sistem aynı zamanda kolinerjik sistem olarak da adlandırılır. Otonom sinir sisteminin sempatik ve parasempatik etkilerinin vücut sistemleri üzerindeki etkileri Çizelge 52.4'de özetlenmiştir.

Sinir Sisteminin Tanılanması

Sinir sistemi hastalığı olan hastanın tanılaması hekim, hemşire ve diğer sağlık ekibi üyelerinin birlikte yapacakları değerlendirme ile hastaya ve hastalığa ilişkin temel verilerin toplanmasını sağlar. Bu temel veriler hastanın tanılaması, var olan ya da olası sağlık sorunlarının saptanması, hastanın bakım ve tedavisinin planlanması, sürdürülmesi ve sonuçların değerlendirmesi için karşılaştırma yapmada kullanılır. Sinir sistemi oldukça karmaşık bir sistem olduğu için hasta değerlendirmesinde bazı işlevler hekim merkezli bazıları hemşire ve hekimin birlikte yapacakları değerlendirmeleri kapsar. Sinir sisteminin tanılanmasında üç temel değerlendirme vardır:

Çizelge 52.4: Otonom Sinir Sisteminin Vücuttaki Etkileri

Organ/işlev	Parasempatik etki	Sempatik etki
Göz		
Pupiller	Daralma	Genişleme
Dolaşım sistemi		
Kalp hızı ve gücü	Azalma	Artma
Damarlarda		
- Kalp kası damarları	Daralma	Genişleme
- İskelet kası damarları	Direkt etkisi yok	Genişleme
- Karın içi organlar ve deri damarları	Direkt etkisi yok	Genişleme
- Kan basıncı	Azalma	Artma
Solunum sistemi		
Bronşlarda	Daralma	Genişleme
Solunum hızı	Azalma	Artma
Sindirim sistemi		
Sindirim kanalının peristaltik hareketleri	Artma	Azalma
Sindirim kanalı sfinkterlerinde	Gevşeme	Kasılma
Tükürük bezi salgısı	Akışkan kıvamlı sulu tükürük	Koyu kıvamlı, yapışkan tükürük
Mide, ince bağırsak ve pankreas salgıları	Artma	Azalma
Karaciğerde glikojenin glikoza dönüşümü	Direkt etkisi yoktur	Artma
Genitoüriner sistem		
Mesane		
- Kasları	Kasılma	Gevşeme
- Sfinkterleri	Gevşeme	Kasılma
Uterus kasları	Gevşeme	Menstürasyon ve gebelik dönemlerinde kasılma
Dış genital organ damarları	Genişleme	Direkt etkisi yoktur
Deri		
Ter salgısı	Direkt etkisi yoktur	Artma
Pilomotor kaslar	Direkt etkisi yoktur	Kasılma (Tüylerin diken diken olması)
Böbrek üstü bezi	Direkt etkisi yoktur	Epinefrin ve norepinefrin salgılama

Kaynak: Hickey J (1986). Clinical practice of neuruological and neurosurgical nursing. 2nd.edit. Philadelphia:Lippincott Wiliams&Wilkins.ss.48.

1-Kapsamlı hasta öyküsü alma,
2-Fizik değerlendirme,
3-Genel ve sinir sistemine özgü tanı yöntemleri.

Sinir sistemi hastalığı olan bireyde hekim daha çok hastalığın organizmadaki etkilerine yönelik değerlendirme yapar. Hastalığın anatomik yerleşimi, klinik belirti ve bulguları gibi hastalık tanısı koymayı ve tedaviyi planlamayı sağlayacak veriler toplar. Hemşirenin değerlendirmesi ise hem anatomik hem işlevsel duruma yöneliktir. Hemşire hastasını sürekli izleyerek temel bulgulardaki değişiklikleri karşılaştırır. Nörolojik değişikliklerin bir çoğu belirsiz olarak meydana geldiği için sürekli değerlendirme yapmak özel bir dikkat gerektirir. Hemşire aynı zamanda hastanın kendi bakımını yapabilme becerisi gibi fiziksel işlevleri ve konfüzyon, problem çözme becerisi gibi akıl sağlığı ile ilgili işlevleri hakkında da veri toplamalıdır.

Sinir sistemi hastalıkları oldukça ciddi seyreden ve sonuçları bireyin yaşamını büyük ölçüde etkileyen hastalıklar olduğu için hemşire hasta ve ailesinin hastalıkla baş etmelerine yardımcı olabilmeleri için gerekli bakım ve desteği sağlayabilecek yetilere sahip olmalıdır.

1-Öykü alma: Sinir sistemi hastalığı olan hastanın değerlendirmesinde öykü alma önemli bir adımdır. Öykü alma; hastanın o anda var olan hastalığı, hastalığın neden olduğu yakınmaları, geçmiş sağlık öyküsü, aile öyküsü, psikososyal öyküsü ve sistemik bulgularını kapsayacak şekilde yapılmalıdır. Hasta öykü veremeyecek durumda ise ailesi ve yakınlarından öykü alınır. Öykü alma sırasında hemşire gözlem yolu ile hastanın fizik görünümü, deformiteleri, postürü, yetersizlikleri ile ilgili verileri de değerlendirebilir. Öykü almaya ilişkin alanlar ve değerlendirmeler Çizelge 52.5'de verilmiştir.

2-Fizik değerlendirme: Sinir siteminin işlevleri ile ilgili normal dışı bulguları saptamak amacıyla aşağıda verilen sıralama doğrultusunda fizik değerlendirme yapılır:

a- Yaşamsal bulgular
b- Mental durum
c- Baş, boyun ve sırt
d- Kraniyal sinirler
e- Motor işlevler
f- Duyu işlevi
g- Refleksler
h- Otonom sinir sistemi

a-Yaşamasal bulgular: Sinir sitemi hastalıkları yaşamsal önemi olan değişikliklere neden olabilir. Spinal kord yara-

52. Sinir Sisteminin Tanılama Yöntemleri

Çizelge 52.5: Sinir Sistemi Hastalıklarında Hasta Öyküsü Alanları ve Değerlendirmeleri

Hasta öyküsü
Demografik veriler
- Görüşme tarihi
- Yaş
- Cinsiyet
- Eğitim
- Doğum yeri
- Medeni durumu
- Varsa çocuk sayısı
- İşi

Geçmiş sağlık öyküsü
- Geçirmiş olduğu hastalıklar
- Çocukluk dönemi hastalıkları
- Büyüme gelişme öyküsü
- Gebelikte annenin geçirdiği hastalıklar, maruz kaldığı riskler (sigara, alkol, ilaç, radyasyon vb.)
- Psikolojik öyküsü
- Kaza, yaralanma, ameliyat öyküsü
- Allerji öyküsü
- Var olan hastalıkları (Diabetes Mellitus, kanser, pernösiyöz Anemi, hipertansiyon, enfeksiyon vb. sinir sisteminde değişikliğe neden olabilecek hastalıklar)
- Alışkanlıkları (sigara, alkol, madde/ilaç bağımlılığı)

Aile öyküsü
- Ailede sinir sistemi hastalığı öyküsü
- (ALS, epilepsi, kas hastalığı, huntington hastalığı, hipertansiyon, SVH, mental gerilik, psikiyatrik hastalık vb.)

Psiko-sosyal öykü
- Hastadaki bireysel değişiklikleri anlamaya yardımcı olabilecek eğitim, günlük yaşamdaki değişikliklerle baş edebilme durumu
- Uyku alışkanlığı
- Egzersiz
- Boş zaman/eğlence aktiviteleri
- Algılanan stresörler
- Seksüel alışkanlıklar ve performans

Çevre öyküsü
- Haşere ilacı, boya, kimyasal, yapıştırıcı madde, gaz ya da kimyasal madde maruziyeti
- İş ve ev ortamını havalandırması ve çevresel risk faktörleri

---

lanması olan bireylerde hipotansiyon, bradikardi ve hipotermiye bağlı olarak sempatik sinir sitemi işlevlerinde kayıplar olabilir. Hipotansiyona bağlı yaşamsal organların kanlanması bozulabilir. Kafa içi basıncı artışının ileri dönemlerinde yaşamsal bulgularda değişiklik olabilir. Kafa içi basıncı artışına karşı vücut beyne yeterli oksijen ve glikoz sağlayabilmek için beyin kan akımını arttırır. Buna bağlı olarak sistolik kan basıncı artışı, nabız basıncı artışı ve bradikardi gelişir. Kafa içi basıncı artışının beyin sapına etkisine bağlı olarak solunum hızı ve ritmi değişebilir.

b-Mental durum: Mental durumun değerlendirmesine hastanın dış görünüşü, davranışları, giysileri, bireysel görünümü, postürü, yüz ifadesi ve hijyeni gözlenerek başlanır. Daha sonra yüksek serebral işlevlerin değerlendirilmesi yapılır. Bunun için bilinç düzeyi, oryantasyonu, belleği, mizaç ve duygu durumu, entelektüel ve karar verme yetileri, konuşma ve iletişim durumu değerlendirilir. Hastanın sinir sitemindeki değişikliklerin en önemli göstergesi olan bilinç durumunun değerlendirilmesinde hastaya verilen sözel ya da fiziksel uyarılara alınan yanıtlar değerlendirilir.

Bilinç durumunun değerlendirilmesinde kullanılan Glaskow Koma Ölçeği (GKS) ve bilinç düzeyi değişiklikleri bilinçsiz hasta bakımında açıklanmıştır. Bilinci açık olan hastada hastanın zamana, yere, bireye ve olaylara oryantasyonu ilgili sorularla değerlendirilir. (Örn: Adı-soyadı, nerede olduğu, günün tarihi vb.). Kayıt belleği, yakın ve uzak döneme ilişkin belleğin değerlendirilmesinde ilgili soru ve ölçeklerle (Mini mental durum değerlendirme ölçeği vb.) değerlendirme yapılır.

Mizaç ve duygu duruma ilişkin değerlendirme hastanın apatik, ajite ya da depresif olup olmadığı değerlendirilir. Entelektüel performans için basit hesap yapma becerileri değerlendirilir.

Karar verme kavrama durumunun değerlendirmesi için sorulan sorulara mantıklı yanıt verme, basit sorunların çözümü için uygun çözümler üretebilme yeteneği değerlendirilir. Konuşma ve iletişimin değerlendirilmesi için konuşmaya başlayabilme, konuşmanın akıcılığı, ses tonu, tutarlılığı değerlendirilir.

c-Baş boyun ve sırt: Baş, boyun ve vertebral kolon inspeksiyon, palpasyon, perküsyon ve oskültasyon yöntemleri ile değerlendirilir. İnspeksiyonla ilgili yapılar büyüklük, biçim, simetri, palpasyonla ele gelen kitle, anormal yapılar, kaslarda sertlik ve spastisite, perküsyonla vertebralar üzerine yapılan hafif perküsyonla ağrı ve duyarlılık artışı, oskültasyonla boyundaki büyük damarların değerlendirilmesi yapılır.

d-Kraniyal sinirler: Kraniyal sinirlerin değerlendirmesi yüzün ve boynun her iki tarafında işlevler karşılaştırılarak yapılır. Kraniyal sinirlerin değerlendirme yöntemleri Çizelge 52.6'da verilmiştir.

e-Motor işlevler: Motor işlevlerin değerlendirmesi kas kitlesi, gücü ve tonüsünün değerlendirilmesi, denge ve kordinasyon değerlendirilmesi, yürüyüş ve postür değerlendirmesi ile yapılır.

Kas kitlesi, gücü ve tonüsünün değerlendirmesi: Gövde, karın ve interkostal kaslar gibi büyük kas kitlelerinin iki taraflı simetrisi, büyük kas gruplarının dirence karşı kas gücü değerlendirilir. Kas gücü değerlendirmesi tüm ekstremite kasları için ayrı ayrı yapılıp karşı taraf ekstremitesi ile karşılaştırılır. Kasların gücü tek tek normal, hafif, orta, ileri de-

Çizelge 52.6:   Kraniyal Sinirlerin İşlevlerinin Değerlendirilmesi

Kraniyal sinir	Değerlendirme yöntemi	Normal dışı bulgular
I.N.Olfaktoryus	Hastanın gözleri kapalıyken kahve, tütün, tarçın vb. kokular her iki burun deliğindende ayrı ayrı koklatılır	**Anosmi:** Kokunun tanınamamasıdır **Parosmi:** Kokunun yanlış tanınmasıdır **Neden:** Burun boşluğu enflamsyonu, hipofiz yada frontal lobda tümör, hidrosefali, menenjit, post travmatik beyin sendromu.
II.N.Optikus	Snellan çizelgesi ile görme keskinliği; görme alanı ve oftalmaskop ile göz dibi muayenesi	Göz küresinde travma, multipl skleroz, diyabetik retinopati, temporal, pariyetal lobda tümör ya da kanama, KİBAS, sifilis, menenjit gibi patolojik durumlarda normal dışı bulgular saptanır.
III.N.Okülomotoryus IV.N.Troklearis VI.N.Abdusens	Bu üç kraniyal sinir göz bebekleri ve göz kaslarını çalıştırdıkları için üçünün değerlendirmesi birlikte yapılır. Hasta sırasıyla sağ ve sol y ana, yukarıya, aşağıya baktırılır,her iki göz küresinin birlikte hareket edip etmediği, pupillerin ışığa reaksiyonu ve göz kapağı hareketleri kontrol edilir.	Horner sendromu, Myastenia Gravis, vb. durumlarda göz bebeklerinin hareketleri, pupillerin ışığa reaksiyonunda bozulma ve göz kapağında düşme (pitozis) gibi normal dışı bulgular saptanır.
V.N.Trigeminus	Duyusal bölüm: Hastanın gözleri kapalıyken bir pamuk parçası ile alın, yanak ve çeneye dokunularak dokunma duyusunun algılanması, sıcak ve soğuk su dolu tüpler yüzün iki tarafına değdirilerek ısı duyusunun algılanması, künt ve sivri uçlu bir cisimle dokunularak basınç ve ağrı duyusunun algılanması kontrol edilir. Her iki gözün korneasına bir pamuk parçası ile hafifçe dokunularak kornea refleksi kontrol edilir. Gözlerin kapatılması ve göz yaşarması beklenen normal yanıttır. Motor bölüm: Hastanın çenesini iki yana doğru hareket ettirmesi ve çiğneme hareketini yapması istenir. Çiğneme ve temporal kasların gerginliği kontrol edilir. Normalde bu hareketleri tam olarak yapması ve her iki taraf kaslarının gerginliğinin tam ve eşit olması beklenir.	Beyin tabanında tümör yada travma, orbita kırığı ve trigeminal nevraljide normal dışı bulgular saptanır.
VII.N.Fasiyalis	Duyusal bölüm: Hastadan gözleri kapalıyken dilini dışarıya çıkarması istenir.Dilin her iki tarafı ayrı ayrı kontrol edilir. Hastaya bir yudum su içirildikten sonra tatlı, tuzlu, acı, ekşi yiyecekler tattırılarak bunları tanıması istenir. Motor bölüm: Hastadan gülümseme, yanaklarını şişirme, kaşlarını çatma ve yukarı kaldırma, alnını kırıştırma, gözlerini sıkıca kapatma, ıslık çalma, dişlerini gösterme gibi hareketleri yapması istenerek bu hareketlere yüzün her iki tarafında simetrik katılım olup olmadığı kontrol edilir.	Burun ve dudak kıvrımlarında bozulma, göz kapatma ve kırpma refleksinde bozulma, yüzde asimetri, sekresyonların yutulmasında güçlük, göz yaşı kaybı, dilin 2/3 ön kısmında tat duyusu kaybı saptanabilecek patolojik bulgulardır. **Neden:** Temporal kemik kırığı, merkezi sinir sistemi tümörleri, parotid bezi tümörü, yüz felci vb. (Bell paralizisi/fasiyal paralizi).
VIII.N.Akustikus	Koklear dal: Hastanın arkasına geçerek değişik uzaklıktan değişik tonlarda fısıltı, parmak hışırtısı gibi seslerle işitme keskinliği, Weber testi ve Rinne testi ile anatomik kusurlar, hava ve kemik yolundaki normal dışı bulgular kontrol edilir. Vestibüler dal: Vestibüler sinir göz, boyun, gövde ve ekstermite kaslarının düzenli çalışmasını sağlayarak dengenin korunmasına yardımcı olur. Denge için Romberg testi (gözler kapalıyken ayakta dengede durabilme), okülovestibüler refleks için kolorik test (her iki dış kulak yolunu sıcak ve soğuk su ile yıkayıp okülovestibüler refleks kontrolü)	İşitme ile ilgili patolojiler, dengede duramama, kalorik testte nistagmus ve anormal göz hareketleri saptanması normal dışı bulgulardır. **Neden:** Meniere sendromu ve akustik sinir nöromasıdır.
IX.N.Glassofaringeus ve X.N.Vagus	Bu iki sinirin duyusal ve motor dalları vardır. Farinks uyarılarının kontrolünü sağladıkları için ikisinin değerlendirmesi birlikte yapılır.	Beyin sapı travması ve tümörü, boyun travması, inme, ses tellerinin paralizisi gibi durumlarda normal dışı bulgular saptanır.

Çizelge 52.6: Kraniyal Sinirlerin İşlevlerinin Değerlendirilmesi (Devamı)

	Duyusal bölüm: XI. Kraniyal sinir dilin dilin 1/3 arka bölümünün duyularını kontrol ettiği için bu bölümle ilgili tat duyusu kontrolü yapılır. Motor bölüm: Dilin arka bölümünde farinkse dil basacağı ile dokunarak Gag-öğürme refleksi kontrolü (damağın iki taraflı olarak yukarı kalkması), az miktarda su içirilerek yutma refleksi kontrolü, hastanın ağzını açıp "aa"demesi istenerek yumuşak damağın pozsiyonu ve hareketinin kontrolü, hastadan konuşması istenerek sesin niteliği, ses kısıklığı olup olmadığı ve dizartri kontrolü yapılır.	
XI.N.Spinal Aksesoryus	Sternokloidomastoid kasını kontrol eden bölümünün değerlendirilmesi için hastanın başı bir yana döndürülerek muayene eden bireyin eliyle yaptığı dirence karşı çenesini itmesi, başının karşı yana döndürmesi istenir ve kas palpe edilerek gerginliği değerlendirilir. Trapezius kasının değerlendirilmesi için hastadan muayene eden bireyin omzuna uyguladığı dirence karşı omzunu kaldırması istenir. Bu değerlendirmeler her iki yanda simetrik olarak yapılır.	Kas gücünde azalma, kas atrofisi, uygulanan dirence karşı beklenen yanıtın alınamaması saptanabilecek normal dışı bulgulardır. **Neden:** Boyun travması, radikal boyun cerrahisi, tortikolisdir.
XII.N.Hipoglossus	Hastadan ağzını açarak dilini çıkarması ve sağa - sola, içeriye –dışarıya doğru hızla hareket ettirmesi istenir. Hastanın dilini yanağına dayaması istenerek üzerine dışardan basınç uygulanıp, dilini geri çekme gücü değerlendirilir.	Dilde atrofi, deviasyon, istem dışı kasılma saptanabilecek normal dışı bulgulardır. **Neden:** Büyük damarlardaki hasarlanmaya bağlı boyun travmasıdır.

recede güçsüz olarak değerlendirilebildiği gibi beş dereceli değerlendirme de yapılır. Beş dereceli değerlendirmede;

0= Kas kasılması ve hareket yok
1= Minimal düzeyde hareket
2= Yer çekimi kaldırıldığında hareket
3= Yalnız yer çekimine karşı hareket
4= Yer çekimi+ dirence karşı hareket
5= Tam kas gücü

Kas tonüsü; çizgili kasların dinlenme durumunda hafif bir gerginlik göstermesidir. kas tonüsü değerlendirmesi için hasta rahat bir pozisyonda iken alt ve üst ekstremite eklemleri fleksiyon ve ekstansiyona getirilerek tonüs kontrolü yapılır. Kas tonüsü ile ilgili görülebilecek normal dışı bulgular Çizelge 52.7' de verilmiştir.

Denge ve koordinasyonun değerlendirmesi: Hastaya yapılacak değerlendirme ve nasıl yapılacağı konusunda eğitim verildikten sonra bir noktadan bir noktaya dönme, hızla değişen ardı sıra hareketleri yapma, denge ve baş pozisyonunu koruması değerlendirilir. Koordinasyon kontrolü için hızlı değişen hareketler testi, parmak-burun testi, diz-topuk testi, tandem yürüyüşü, denge kontrolü için Romberg testi, gövde denge testi yapılabilir. Hızlı değişen hareketler testi: Hastadan her bir parmağı ile süratle baş parmağına dokunması istenir. Ya da hastadan önce avuç içi sonra elinin sırtı ile uyluk bölgesine tekrarlayan hareketlerle vurması istenir.

Parmak-burun testi: Muayene eden birey işaret parmağını yukarıya kaldırır, hastadan önce onun parmağıyla, daha sonra kendi parmağı ile tekrarlayan biçimde burnuna dokunması istenir.

Diz-topuk testi: Hastadan bir ayağının topuğu ile diğer bacağında dizden bileğe kadar tibyanın ön yüzünden topuğunu aşağıya doğru kaydırması istenir.

Tandem yürüyüşü: Ayak-ayak önüne koyarak tek çizgi üzerinde de yürümesi istenir.

Romberg testi: Hasta iki ayağını birleştir kollarını iki yana açarak önce gözleri açık daha sonra gözleri kapalıyken 20-30 saniye dengede durması istenir. Muayene eden birey hastayı hafifçe iter, hastanın hafifçe sallanması normaldir. Hasta dengesini koruyamaz ve düşerse Romberg testi pozitif olarak değerlendirilir.

Gövde denge testi: Hasta oturur pozisyonda iken dengede durup duramadığı, desteksiz dik oturup oturamadığı, hafifçe eğildiğinde tekrar dik pozisyona gelip gelemediği kontrol edilir. Serebellar ya da arka kordon lezyonlarında denge ve koordinasyon ile ilgili ataksi, nistagmus, oküler dismetri gibi patolojiler görülebilir.

Yürüyüş ve postür değerlendirmesi: Yürüyüş ve postür değerlendirmesinde öncelikle hasta oda içinde ileri-geri yürütülerek postürü, vücut bölümlerinin hareketi ve adım atışları gözlenir. Bu değerlendirme güçsüz ve dengesini sağlamada güçlük yaşayan hastaları düşme ve yaralanmalardan koruyucu önlemler alınarak yapılmalıdır. Yürüme ve bozuklukları ve nedenleri Çizelge 52.8'de verilmiştir.

f-Duyu işlevleri: Duyusal işlevlerin değerlendirilmesinde elde edilecek verilerin doğru ve yararlı olması için hastanın bilincinin açık olması, uyanık ve sorulara yanıt verebilecek durumda olması gereklidir.

Sinir Sistemi

Çizelge 52.7: Kas Tonüsü Değerlendirmesinde Normal Dışı Bulgular

Normal dışı bulgu	Tanım
Atetoz	Genellikle hemipleji sonrası eller el ve parmaklarında daha belirgin olmak üzere yüz ve vucutta da görülebilen sürekli istem dışı hareketler.
Hipotoni	Kas tönüsünün ileri derecede azalması.
Spastisite	Kas tönüsünün ileri düzeyde artması.
Tremor (Titreme)	Vucudun bir bölümünün sabit bir nokta çevresinde az veya çok ritmik titreşimi.
Miyoklonus	Belli bir kas grubunda aniden gelişen epileptik ya da epileptik olmayan kısa ve şiddetli kas kasılmaları
Distoni	Uzamış kıvrılma, bükülme hareketi.
Kore	Yüz ya da distal eklemler gibi bazı kas veya kas grublarında istem dışı düzensiz kıvrılma, bükülme hareketleri
Ballismus	Korenin bir türüdür. El ve ayak kaslarının proksimal uçlarının kasılması ile oluşan sıçrama tarzında güçlü istemsiz hareketler.
Tik	Fiziksel ya da pisikolojik kökenli olarak vücudun herhangi bir yerinde, özellikle yüz kaslarında görülen tekrarlayıcı istemsiz kas hareketleri.
Rijidite	Ekxtermitelerin ekstantör ve fleksör kaslarındaki tonüs artışı

Çizelge 52.8: Yürüme Bozuklukları ve Nedenleri

Bozukluk	Tanım	Neden
Ataksik yürüyüş	Yürürken sendelenme, sallanma ve dengeyi sağlayamama nedeniyle bacakları iki yana açıp yalpalayarak yürüme	Serebellar işlev bozukluğu, serebellum tümörü, multipl sklerozun serebellar tutuluş yapması
Hemiplejik/oraklayarak yürüyüş	Vücudun bir yarısındaki dirsek, bilek, kol ve parmaklar yarı fleksiyonda, kol hareketsiz, ayak aşırı ekstansiyonla yarım daire çizerek ve ayak parmakları hafifçe yere değerek yürüme	Hemiplejiye neden olan serebral bozukluklar
Makaslayarak yürüyüş	Kısa ve yavaş adımlarla ve adımların bir birine çaprazlaşması ile yürüme	Bacaklardaki adduktor kasların iki taraflı şiddetli spastisitesi
Ditsrofik/Ördekvari yürüyüş	Lomber lordozun artması, karnın dışarıya çıkması, iki yana yalpalayarak yürüme	Gluteal kaslar, vertebranın iki yanındaki kaslar ve karın kaslarında güçsüzlüğe neden olan miyopatiler ve kalça çıkıkları
Düşük ayak yürüyüşü	Yürürken ayaklarını yukarıya doğru kaldırıp, dizleri bükme ve adım atarken ayağın aniden yere düştüğü yürüyüş	İkinci alt motor nöron hastalıkları (poliomyelit, ilerlemiş polinöropati), kaslarında gevşeme ve ayak düşmesi
Topuklayarak yürüyüş	Ayağı gereğinden fazla kaldırıp, topuğu ile yere vurarak yürüme	Medulla spinalisin arka kordon dejenerasyonu
Spastik yürüyüş	Bacaklar aşırı ektansiyonda, bükülmeden, sert, kısa adımlarla, kalçalar ve dizleri bükerek yürüme	Kortikospinal bölgenin iki taraflı tutuluşu, serebral palsi
Parkinson yürüyüşü	Öne eğik pozisyonda, kalça ve dizler hafif fleksiyonda, küçük adımlarla, ayağını kaldırmadan hızla yürüme ve vücudunu bütünüyle hareket ettirerek heykel gibi dönme	Bazal ganglionları tutan parkinson hastalığı

Duyu işlevlerinin değerlendirmesinde;
1- Birincil duyular ve
2- Kortikal duyuların değerlendirmesi yapılır.

I-Birincil duyular

-Yüzeysel dokunma: İlk önce değerlendirilen duyu budur. Hastanın gözleri kapalıyken muayene eden birey bir pamuk parçası ile hastanın dört ekstremitesine sırayla dokunarak hissedip hissetmediğini söylemesini ister.

-Ağrı ve ısı: Bu iki duyunun kontrolü hastanın gözleri kapalıyken yapılır. Ağrı duyusu kontrolü için toplu iğne gibi sert bir cismin sivri ucu ve keskin olmayan arka ucu ile hastanın vücudunun iki tarafına simetrik olarak dokunularak künt ve batıcı duyuları algılayıp algılamadığı kontrol edilir. Isı duyusu için sıcak ve soğuk su dolu tüpler hastanın vücuduna aynı şekilde dokundurularak ısıyı algılaması değerlendirilir.

-Titreşim: Mekanik bir duyu olan titreşimin değerlendirmesi için hastanın gözleri kapalıyken diyapozonla hastanın parmaklarına, el, ayak ve bacaklarının kemik yüzeylerine titreşim verilip, hastaya "titreşim" ya da "vızıltı" hissedip hissetmediği sorulur. Hissettiğini söyleyen hastadan hissettiği yeri göstermesi istenir.

-Pozisyon (Topagnozi): Hastanın gözleri kapalıyken baş parmak ve işaret parmağı ile hastanın işaret parmağı ya da ayak baş parmağı tutularak parmak yavaşça yukarıya ya da aşağıya hareket ettirilir. Hastadan hangi pozisyonun verildiğini bilmesi istenir. Pozisyon değerlendirilmesinde kullanılan bir başka yöntem de daha önce anlatılan Romberg testidir.

2-Kortikal duyular

-İki nokta ayrışımı: Hastanın gözleri kapalıyken iğne gibi iki ayrı sivri uçlu cisimle el veya ayak parmağı pulpasına dokunularak aradaki duyarlılığı bildirmesi istenir. Periferal sinir hastalıkları ve duyu korteksi hastalıklarının değerlendirmesinde yaralı bir yöntemdir.

-Grafestezi: Hastanın avucuna yazılan bir sayıyı ya da şekli tanıması kontrol edilir.

-Sterognozi: Hastanın avucuna herkesin kolayca tanıyabileceği madeni para, anahtar gibi bir cisim koyularak tanıması değerlendirilir.

g-Refleksler: Bilinçli ve bilinçsiz hastada merkezi sinir sisteminin durumunu değerlendirmede refleksler önemli belirleyici rol oynar. Refleksler duyusal ve motor iletilerin bütünlüğü hakkında bilgi verir. Reflekslerin değerlendirilmesi ile sinir sistemi hastalıklarının özellikleri, yerleşimi ve ilerlemesi konusunda veri elde edilir. Refleksler; derin tendon refleksleri, yüzeyel refleksler ve ilkel refleksler olarak gruplanabilir.

I.Derin tendon refleksleri (DTR): Derin tendon refleksleri refleks çekici ile ilgili tendona vurularak değerlendirilir. DTR'leri aşağıda belirtildiği gibi derecelendirilir:

   0: Yanıt yok
   1+: Azalmış yanıt
   2+: Orta/normal yanıt
   3+: Ortadan daha canlı, sert yanıt. Bu tür yanıt bireye göre normal olabileceği gibi hastalık belirtisi de olabilir.
   4+: Çok canlı, hiperaktif yanıt. Kasta kontraksiyonlarla birlikte olabilir. Çoğunlukla hastalık belirtisidir.

-Biseps refleksi: Kol dirsekten yarı fleksiyona getirilir, muyene eden kişi bir kolu ile hastanın kolunu destekleyip refleks çekici ile biseps tendonuna vurduğunda normal yanıt dirseğin fleksiyonu ve biseps kasının kasılmasıdır (Şekil 52.6.A).

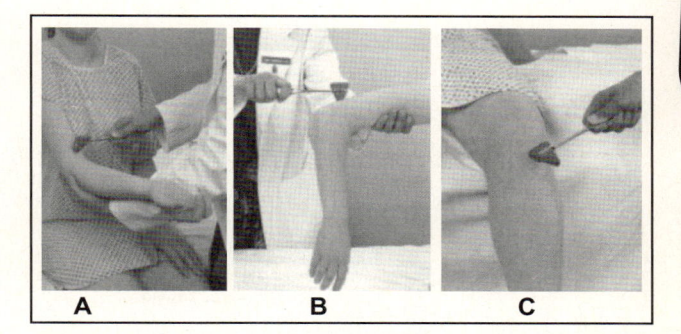

Şekil 52.6: Reflekslerin kontrolü, a-Biseps refleksi, b-Triseps refleksi, c-Patella refleksi

-Triseps refleksi: Kol dirsekten fleksiyona getirilip aşağıya doğru pozisyonda tutulur. Muayene eden kişi hastanın kolunu bir eliyle alttan destekletip dirseğin 2.5-5 cm üzerinde triseps kasını palpe edip, refleks çekici ile triseps tendonu üzerine vurduğunda normal yanıt dirsekte ekstansiyon ve trispeps kasında kasılma meydana gelmesidir (Şekil 52.6.B- 52.7).

-Brakioradyal refleks: Hastanın kolu karın üzerinde gevşek olarak tutulup, bileğin 2.5- 5 cm üzerinde radiusun stiloid çıkıntısına refleks çekici ile vurulduğunda normal yanıt ön kolun dirsekten fleksiyon ve içe rotasyon yapmasıdır.

-Patella refleksi: Hasta yatar ya da oturur pozisyonda bacaklarını yataktan aşağıya sarkıtır. Dizin altında patella tendonuna refleks çekici ile vurulduğunda kuadriseps kasında kasılma ve ve dizde ekstansiyon meydana gelmesi normal yanıttır. Bu refleks hasta yatar pozisyonda iken yapılacaksa muayene eden kişi hastanın bacağını alttan destekler. (Şekil 52.6.C).

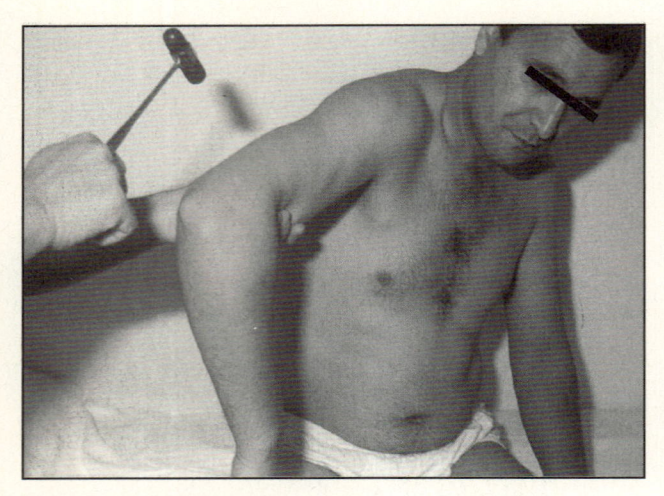

Şekil 52.7: Triseps refleks kontrolü

-Aşil refleksi: Ayak dorsofleksiyona getirilip aşil tendonuna refleks çekici ile vurulur. Normal yanıt ayak tabanında fleksiyondur (Şekil 52.8).

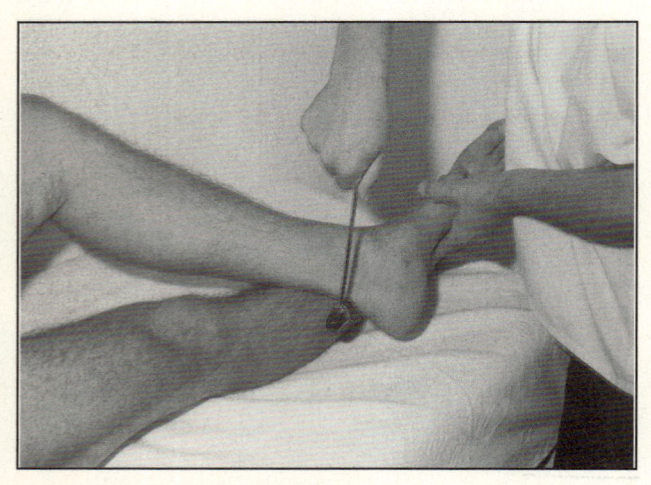

Şekil 52.8: Aşil refleks kontrolü

2. Yüzeyel refleksler: Deri ya da müköz membranların ışık, dokunma ya da sert bir cisimle hasara neden olmayacak şekilde uyarılmasına alınan yanıtla değerlendirilir. Refleks yanıtın alınması (+), alınmaması (-) olarak değerlendirilir. Refleks yanıtın alınamaması piramidal bölge ile ilgili patoloji bulgusudur.

-Kornea refleksi: Temiz bir pamuk parçasıyla her iki gözün sklerasına dış tarafından hafifçe dokunulduğunda hastanın gözünü kırparak yanıt vermesidir. Bilinçsiz hastada kornea hasarını önlemek için muayene eden kişi hastanın göz kapağını eliyle kaldırıp, steril serum fizyolojik damlatarak bu refleksi kontrol edebilir. Komadaki hastalarda ve serebrovasküler hasarı olan hastalarda bu reflekse yanıt alınamayabilir.

-Öğürme (farinks) refleksi: Pamuk uçlu bir aplikatörle farinksin arka bölümünde önce bir tarafa sonra diğer tarafa dokunulduğunda her iki taraftaki yumuşak damağın eşit şekilde yukarıya kalkması ve hastanın öğürmesidir. Refleks yanıtın alınamaması serebrovasküler hasar bulgusudur ve hastanın yutkunma güçlüğü ve aspirasyon riski açısından değerlendirilmesini gerektirir.

-Karın cildi refleksi: Refleks çekicinin sapıyla ya da bir başka sert cisimle karnın dört kadranına ayrı ayrı hafifçe dokunulduğunda göbek deliği dokunulan tarafa doğru kayar. Piramidal bölge patolojilerinde bu refleks alınamayabilir. Aşırı şişman ya da çok doğum yapmış kişilerde piramidal patoloji olmadan da bu refleks alınamayabilir.

-Plantar refleks: Hastanın ayak tabanın dış kenarı künt bir cisimle topuktan parmaklara doğru çizilir. Normal yanıt iki yaşından büyük çocuklarda ve erişkinlerde parmaklarda kontarksiyon ve fleksiyondur. Parmaklarda yelpaze gibi açılma pozitif Babinski bulgusudur ve patolojiktir.

-Kremaster refleksi: Erkek hastalarda testisler görülebilecek durumda sırt üstü yatar pozisyonda iken uyluğun iç yüzü künt bir cisimle çizildiğinde aynı taraftaki testisin yukarıya doğru çekilmesi normal yanıttır. Yaşlılarda, hidrosel ya da orşit yakınması olan hastalarda sinir sistemiyle ilgili bir patoloji olmadan da bu refleks alınamayabilir.

-Anal refleks: Perianal bölge deri ve mukozasının eldiven giyerek parmakla sıkıştırılması ya da künt bir çizimle hafifçe uyarılmasıyla anüs dış sfinkterinin kasılmasıdır.

3. Patolojik refleksler: Normal sağlıklı bireylerde alınmayan spinal kord ve üst motor nöron hastalıklarında ortay çıkan reflekslerdir.

-Babinski refleksi: Ayak tabanının topuktan yukarıya doğru ayak dış kenarına parelel olarak künt bir cisimle çizilmesine yanıt olarak ayak baş parmağında dorsofleksiyon diğer parmaklarda yelpaze gibi açılma şeklinde yanıt oluşmasıdır. İki yaşına kadar olan çocuklarda normal olarak değerlendirilen bu refleks, daha büyük çocuk ve erişkinlerde merkezi sinir sitemi, özellikle piramidal sinir sistemi patolojisi göstergesidir (Şekil 52.9).

-Yakalama refleksi: Avucuna bir cisim konulduğunda hastanın bunu istemsizce yakalamasıdır. Yeni doğanda normal olan bu refleks dördüncü aydan sonra kaybolur. Erişkinde görülmesi çoğunlukla frontal, bazen oksipital lop hastalıklarının, iki taraflı serebral atrofik hastalığın (Alzheimer hastalığının bulgusudur).

52. Sinir Sisteminin Tanılama Yöntemleri

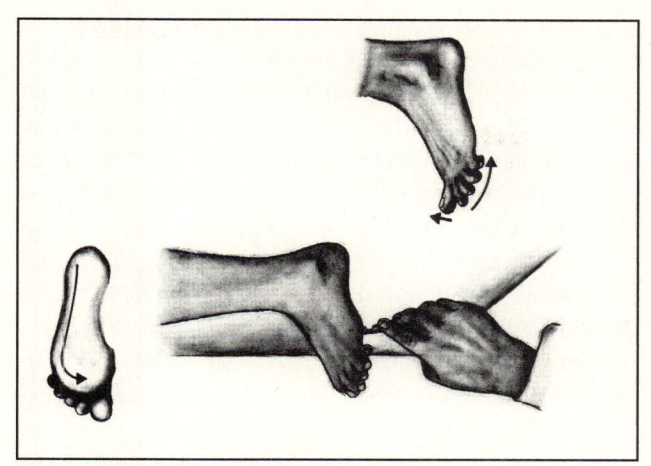

Şekil 52.9: Babinski refleksi kontrolü

-Emme refleksi: Hastanın dudak çevresine dokundurulan bir cismi dil, dudaklar ve çenesi ile yakalamaya çalışmasıdır. Yeni doğanda normal olan bu refleksin bir yaşından sonra ve erişkinde görülmesi patolojiktir.

-Çene refleksi: Hastanın ağzı açıkken alt çenenin aşağıya doğru çekilmesiyle ağzını refleks olarak kapatmasıdır. Spinal kord lezyonlarının patolojisini gösterir.

-Palmar refleks: Avuç içinin gıdıklanmasıyla parmaklarda fleksiyon oluşması.

-Hoffman refleksi: Hastanın eli el bileğinden itibaren gevşek tutularak orta parmak ve işaret parmağının distal falanksı aniden kıvrıldığında diğer parmaklar ve baş parmak pençe gibi kıvrılarak yanıt verir. Piramidal sistem hastalıklarının patolojisini gösterir.

h-Otonom sinir sistemi: Otonom sinir siteminin işlevleri ile ilgili değerlendirmeler her bir sistem içinde ayrı ayrı yapılamaktadır. Sinir sistemi işlevleri açısından;
1- Terleme,
2- Vücut ısının düzenlemesinde değişim(hipotermi, hipertermi),
3- Nabız hızında değişiklikler,
4- Pilomotor kasların yanıtının değerlendirmesi,
5- Deri ve tırnaklarda atrofik değişiklikler,
6- Sindirim sistemi ile ilgili bağırsak ve mesane gerginliği, poliüri, ve motilite değişiklikleri değerlendirilir.

3-Genel ve sinir sistemine özgü tanı yöntemleri: Sinir sistemi hastalıklarının tanısı için yapılacak incelemelerde hemşire hastanın yapılacak girişimler hakkında eğitilmesi, desteklenmesi, işlem öncesi hazırlık ve işlem sonrası izlenmesinde sorumluluk üstlenir. Hastanın bilinç durumundaki değişiklikler ve bilişsel yetersizliği gibi durumlarda bu konularda aile yakınlarına bilgilendirme ve destek sağlanır. Sinir sistemi hastalıklarının tanısında sıklıkla kullanılan tanı testleri aşağıda açıklanmıştır.

Girişimsel Olmayan Tanı Testleri

Kafatası ve spinal kord radyografisi: Kafa tası ve spinal kanalla ilgili kemik yapıların biçim ve boyutlarını, yeni doğanda stürların yapıları, kemik kırıkları ve defektleri gibi patolojileri incelemek amacıyla uygulanır. İşlemden önce hastanın saçlarının toplanması, görüntüyü bozabilecek saç tokası ve diğer metal cisimlerin çıkarılması gerekir.

Bilgisayarlı tomografi (BT): Bilgisayarlı tomografi ile dokuların yoğunluğu, intrakraniyal kanama ve lezyon bölgeleri, serebral ödem, yer kaplayan oluşumlar vb. tespit edilir. Çoğunlukla radyoopak madde kullanılmadan uygulanır. Hasta sırtüstü pozisyonda işlemin uygulanacağı masaya başı hareket etmeyecek şekilde yatırılır. Dairesel dönüşle hareket eden tarama sistemi hastanın başının etrafında dönerek değişik açılardan tarama yapar.

BT işlemi sırasında hastanın işleme hazırlanması ve izlenmesinde hemşire; hastayı işlem hakkında bilgilendirme, işlem sırasında hareket etmeden durmasının gerekliliği ve önemi konularında eğitmelidir. Klostrofobisi olan hastalar için relaksasyon sağlamada yardımcı olmalıdır. Aşırı huzursuz ve bilinç bulanıklığı olan hastalar için gerekiyorsa sedasyon uygulanabilir. Sedasyon uygulanan hastaların izlenmesi hemşirenin sorumluluklarındandır. Radyoopak madde kullanılacağı zaman hastaya iyod allerjisi olup olmadığı sorulmalı ve İV girişim için hazırlık yapılmalıdır. Solunum ya da İV yolla radyoopak madde verilen hastalar işlem sırasında ve sonrasında kızarıklık, bulantı, kusma gibi yan etkiler yönünden izlenmelidir.

Manyetik Rezonans Görüntüleme(MRG): Güçlü manyetik alanlarla vücudun değişik bölümlerinin incelenmesidir. Diğer tanı testlerine göre beyin dokusu ile ilgili anomalileri saptamada daha etkin bir yöntemdir. Hücrelerdeki kimyasal değişiklikler hakkında bilgi sağlaması hastanın tümör dokusunun izlenmesi için de yol gösterici olur. Radyoopak madde kullanımını gerektirmeden beyin damarlarının yapısı ile ilgili görüntüleme olanağı sağlaması bu yöntemin bir başka avantajıdır. MRG ağrısız bir işlemdir. Ancak hasta manyetik alandan gelen yüksek frekanslı sesler duyar.

MRG işleminden önce hemşire hastaya relaksasyon tekniklerini uygulamasını, işlem sırasında tarayıcının içine yerleştirilen bir mikrofon aracılığı ile işlemi uygulayan kişiyle sürekli iletişimini sürdürebileceğini açıklamalıdır. Bazı MRG tarayıcılarında kulaklık takarak işlem boyunca hastanın müzik dinleme olanağı vardır. Bu konuda hasta bilgilendirilmelidir. İşlem odasına girmeden önce üzerindeki metal eşyaları, manyetik alandan etkilenebilecek kredi kartı vb. çıkarması gerektiği söylenmelidir. Vücudunda kalp pili, ortopedik çivi, klips, yapay kalp kapağı gibi gereçler olan kişilerde MRG uygulaması oldukça pahalı ve yaşamsal önemi olan bu gereçlerin manyetik alan nedeniyle bozulmasına ya da yerinden oynamasına neden olabileceği için bu konuya özel dikkat gösterilmelidir.

Positron Emisyon Tomografi(PET): Bilgisayar temelli nükleer görüntüleme yöntemidir. Organların işlevleri hakkında bilgi verir. Serebral kan akımı, beyin dokusunun yapısı, beyin metabolizması ve indirekt olarak beyin işlevlerinin değerlendirilmesini sağlar. Beyin metabolik işlevlerde önemli rol oynayan bir organ olarak glikoz metabolizmasının %80'ninden sorumludur. PET ile beyindeki özel alanlar ve glikoz kullanımı değerlendirilebilir. Alzheimer hastalığı gibi beyindeki metabolik değişiklikler, beyindeki lezyonlar ve epileptik odakların yerleşimi, inmeli hastaların beyin kan akımı ve oksijenlenmesinin değerlendirilmesi, beyin tümörlerine uygulanan yeni tedavi yöntemlerinin değerlendirilmesi, mental hastalıklardaki biyokimyasal anormalliklerin değerlendirilmesinde yararlanılan bir yöntemdir.

Hemşirenin hasta ve yakınlarına işlemin amacı, işlem sırasında bazı sesler duyulacağı, hastanın işlem sırasında yapması gerekenler konularında bilgi verir. PET, BT ve MRG'e göre daha sessiz bir yöntemdir. Hastaların işlemden dört saat önce aç kalmaları gerekir. Diabetes Mellitusu olan hastaların kan şekerinin 150g/dl altında tutulmasına dikkat edilir. Huzursuz hastalara gerekirse hekim önerisi doğrultusunda sedasyon uygulanabilir.

Elektroensefalografi(EEG): Serebral korteksin elektriksel aktivitesinin kafa derisine yerleştirilen elektrotlar yardımıyla ölçüm yöntemidir. Özellikle organik beyin sendromu ve epilepsi tanısı ve izleminde yararlanılan bir yöntemdir. EEG ile merkezi sinir sistemi hastalıkları, sistemik hastalıkların merkezi sinir sistemine olan etkileri, metabolik bozukluklar, ilaç toksikasyonları ve beyin ölümü değerlendirmesi de yapılır.

Hemşire işlemden önce hasta ve yakınlarını işlemin ağrısız olduğu, elektriksel şok tehlikesi olmadığı, hastanın elektriksel beyin aktivitelerinin ölçüleceği, zeka düzeyinin ölçülmediği, mental hastalık araştırması yapılmadığı ve bu işlemin bir tedavi yöntemi olmadığı konularında bilgilendirmesi gerekir. İşlemden önce uygun bir şampuanla saçların yıkanması, yıkadıktan sonra elektrotların yapışmasını engelleyebilecek, krem, jöle, sprey vb. kullanılmaması konusunda uyarılır. Hastanın korku ve endişelerini açıklamasına izin verilerek, rahat ve sakin olmaması durumunda değerlendirmenin sağlıklı olmayabileceği konularında uyarılır.

Hastanın önceden kullandığı antidepresan, antikonvülzan, uyarıcı ve trankilizan ilaçlar, kola, çay kahve gibi uyarıcı içecekler beyin dalgalarının değişmesine neden olabileceği için işlemden 24-48 saat önce kesilmesi gerekir. İşlemden önceki gece hastanın geç uyuyup, sabah erken uyanması sağlanarak işlem sırasında uyuması kolaylaştırılmalıdır. Hasta işlemden önce normal yemeğini yiyebilir. İşlem sırasında sakin ve rahat olması için çocukların bir gece önceden uyutulmaması ve gerekli durumlarda hipnotik ve sedatiflerle uyutulması istenebilir.

İşlem için hasta rahat bir yatağa yatırılır ya da oturtulur. Başına elektrotlar yerleştirilerek işlem uygulanır. İşlem yaklaşık 40-60 dakika sürer.

İşlemden sonra elektrotlar çıkarılıp, yapıştırıcı maddeler temizlenir, saçlar yıkanır. Hastanın nörolojik ve yaşamsal bulguları izlenir. Önceden kullandığı işlem öncesi kesilen ilaçlara tekrar başlanır.

Evoked potansiyel (EP)incelemeleri: EP incelemeleri hastaya çeşitli uyarılar verilirken beyin dalgalarının incelendiği bir EEG inceleme yöntemidir. Serebral hemisferler ve beyin sapının işlevlerini değerlendirmede kullanılır. Ani ışık, fısıltı, periferal sinir uyarılması gibi işitsel, görsel ya da somatik uyarılar kullanılarak görme, işitme ve beyin sapı yaralanmaları değerlendirilir. İşlem için hazırlık ve işlem sonrası izlem EEG'de olduğu gibidir.

Nöropsikoljik incelemeler: Kortikal işlevleri, işlev bozukluğu olan alanların yerleşimini, işlev bozukluğunun şiddetini, iyileşme ya da kötüleşme durumunu değerlendirmede yararlanılan motor, algılama, dil, görsel ve bilişsel işlev değerlendirmesini sağlayan bir dizi inceleme yöntemidir.

Girişimsel Tanı Testleri

Lomber ponsiyon(LP): Aseptik teknikle lomber subaraknoid aralığa içi boş mandrenli bir iğneyle girilerek yapılan bir inceleme yöntemidir. Erişkinlerde LP için lomber 3 ve 4 ya da 4 ve 5. veretebralar arası kullanılır.

LP tanı ve tedavi amaçlı olarak uygulanır.
Tanı amaçlı LP;
1- BOS basıncını ölçmek
2- BOS'da kan olup olmadığını incelemek
3- Laboratuvar incelemesi için BOS örneği almak
4- Sinir sisteminin görülebilen bölümlerine radyolojik olarak radyoopak madde, hava ya da oksijen vermek
5- BOS akışında bir engelleme olup olmadığını değerlendirmek

Tedavi amaçlı LP;
1- Bazı cerrahi girişimlerde spinal anestezi için
2- Antibakteriyel, sitostatik ya da diğer ilaçların intratekal yolla verilmesi için uygulanır.

LP; tümörler, subaraknoid kanama, multipl skleroz, menenjit ve merkezi sinir sistem diğer hastalıklarının tanısında uygulanır. LP beyinde yer kaplayan oluşum öyküsü olan hastalarda kafa içi basıncının artmasına ve herniasyonlara neden olabileceği için sakıncalıdır. Uygulamada bu konuya dikkat edilmelidir. Girişim yapılacak alanda deride ya da kemik yapıda enfeksiyon olması LP için kontrendikasyondur. Antikuagülan kullanan hastalarda kanama riski nedeniyle dikkatli olmak gerekir.

İşlemden önce hazırlık: Hastanın mesanesi boşaltılır. Yapılacak işlem hakkında ve işlemin uygulanması sırasında sakin olması ve hareket etmemesinin önemi konusunda hastaya bilgi verilir. Hastanın yazılı izni alınır.

İşlemin uygulanışı: LP işlemi için hasta sırtı hekime dönük olarak yatağın kenarına yan yatırılır. Dizlerini büküp, göğsüne doğru çeker ve çenesi göğsüne değecek şekilde sırtında kavis meydana getirecek pozisyon alır. Bu pozisyon vertebralar arasında en üst düzeyde açıklık sağlayan, LP uygulaması için en uygun pozisyondur. Bu pozisyonda iğne lomber aralığa daha kolay girer ve travma olasılığı azalır.

Hastanın başının altına ve bacaklarının arasına üst bacağın kayarak hareket etmesini önlemek için yastık yerleştirilebilir. Hemşire hastanın ani hareket etmemesi için yardımcı olmalıdır. Hastaya kendini rahat bırakması ve normal solunumunu sürdürmesi söylenir. Hiperventilasyon basınç yükselmesine neden olabileceği için bu uyarı önemlidir. Hemşire adım adım yapılacak işlemi hastaya açıklar. İşlemin uygulanacağı alandaki deri antiseptikle temizlendikten sonra lokal anestezi uygulanır. Daha sonra mandrenli iğne ile lomber aralığa girip BOS basıncı ölçülür, üç tüp BOS örneği alınarak laboratuvara gönderilir. Tedavi amaçlı yapıldıysa önerilen tedavi uygulanır. İğne çıkarılıp girişim yapılan alan küçük bir tamponla kapatılır.

İşlem sonrası izlem: Hasta 2-3 saat yan yatar pozisyonda tutulur. Daha sonra yatağında 6-24 saat sırt üstü pozisyonda yatırılarak baş ağrısı yönünden izlenir. Baş ağrısı olasılığını azaltmak için bol sıvı alımı önerilir. Hasta nörolojik ve yaşamsal bulgular yönünden izlenerek sırt ağrısı, sırtın alt kısmında ve uylukta spazm, geçici kusma ve beden ısısında artış gibi herhangi bir yan etki geliştiğinde hekime haber verilir (Şekil 52.10).

Miyelografi: Spinal korda bası yapan fıtık, tümör, kist ve diğer lezyonların saptanmasında kullanılır. LP işlemi ile lomber aralığa girip radyoopak madde vererek spinal kord ve veretebral kanalın radyografisinin çekilmesi işlemidir. Miyelografide su bazlı ajanların yan etkisi az olduğu için yağ bazlı ajanlara göre daha fazla tercih edilmektedir. BT ve MRG ile daha duyarlı sonuçlar elde edildiği için miyelografinin tanı amaçlı kullanımı daha azdır. Miyeolgrafi işlemi öncesi hasta normal yemeğini yiyebilir, gerekli durumlarda sedatifler uygulanabilir ve hasta LP'de olduğu gibi hazırlanır.

İşlemden sonra hasta başı 30-45° yükseltilerek yatakta yatırılır. Hastaya yaklaşık 3 saat bu pozisyonda kalması önerilir. Hasta baş ağrısı olasılığını azaltmak ve kaybolan BOS'nı yerine koymak için sıvı alımı konusunda uyarılır. Kusma, kan basıncı, nabız ve solunum hızı ve beden ısısı yönünden izlenir. Myelografi işlemi sonrası baş ağrısı, beden ısısı artışı, boyun sertliği, foto fobi, nöbet geçirme gibi belirti ve bulgular kimyasal ya da bakteriyel menenjit bulgularıdır.

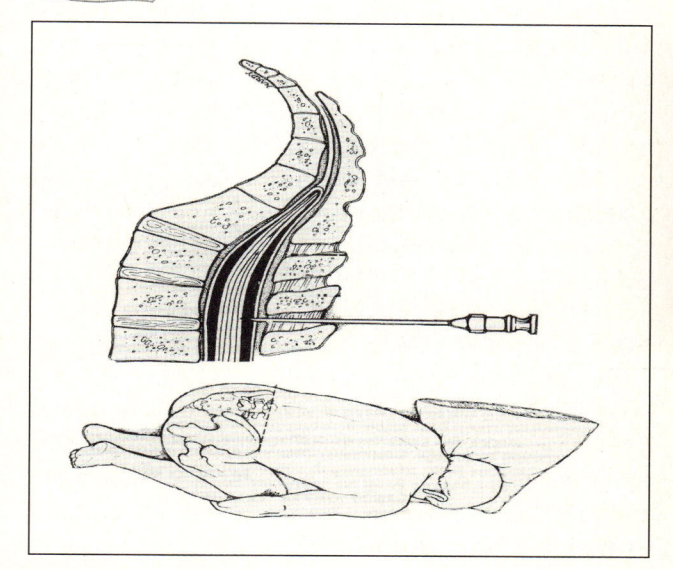

Şekil 52.10: Lomber Ponksiyon

Beyin anjiyografisi: İntrakraniyal ve ekstrakraniyal damarlardaki anevrizmaları, damar lezyonlarını, areriovenöz malformasyonları, tümör, daralma ve tıkanıkları saptamak amacıyla uygulanan bir işlemdir. Çoğunlukla femoral arterden uygulanır. Karotid arter, vertebral arter ve brakiyal arterler de işlem için tercih edilebilecek diğer arterlerdir.

İşlemden önce hazırlık: İşlemden önce hastaya işlemin amacı, uygulama yöntemi, riskleri ve işlem sırasında uyması gereken kurallar açıklanarak yazılı izni alınır. Hastanın işlemle ilgili merak ettiği soruları sorması için uygun ortam hazırlanarak kaygıları giderilir. Hasta işlemden önce 6-8 saat aç bırakılarak işlem sırasında kusma riski en aza indirilir. Kusma hastanın hareket etmesiyle istenmeyen sonuçlara neden olabilir. Hastaya işlem sırasında hareket etmemesinin önemi, işlem sırasında radyoopak madde verilirken yüzünde ve gözlerinde sıcaklık duyusu olabileceği, çenesinde, dişlerinde, dudaklarında sıcaklık, dilinde metalik bir tat duyusu olacağı konularında bilgilendirilir. Aşırı huzursuz hastalara işlemden önce hekim önerisi doğrultusunda sedasyon uygulanabilir. Hastanın girişim uygulanacak bölgesi tıraş edilip, ağrı ve kas spazmını azaltmak için lokal anestezi uygulanır.

İşlemin uygulanışı: Hasta işlemin yapılacağı masaya sırt üstü pozisyonda yatırılıp, kateter yerleştirilir. Radyoopak madde verilerek beyin arter ve damarlarının görüntülemesi yapılır. Kateter çıkarılarak üzeri tamponla kapatılır.

İşlem sonrası izlem: Hasta odasında 24 saat süreyle yatak istirahatına alınarak, serebral dolaşım değişikliği bulguları yönünden izlenir. İşlem sonrası emboli, tromboz ya da kanamaya bağlı olarak bilinç düzeyi değişiklikleri, vücudun bir tarafında güçsüzlük, motor ya da duyusal yetersizlik, konuşma bozukluğu gibi nörolojik bulgular görülebilir. İşlemin uygulandığı ekstremite nabız, renk ve ısı yönünden izlenir. İşlemin uygulandığı alan kanama bulguları yönünden gözlenerek, işlemden hemen sonra ağrı, ödem ve kanama olasılığını azaltmak için lokal buz ve basınç uygulaması yapılabilir.

Elektromiyografi (EMG): İskelet kaslarına elektriksel uyarı verilerek kasların ve sinirlerin bu uyarıya yanıtının değerlendirilmesi yöntemidir. Alt motor nöronu etkileyen nöromüsküler hastalıkların ve miyoptilerin tanısında kullanılan bir yöntemdir. Periferik sinir sisteminin patolojilerinden kaynaklanan nöropatilerdeki güçsüzlüğün tanılanmasında da yardımcı bir yöntem olarak yararlanılır. İncelenecek kasa bir iğne ve deriye elektrot yerleştirilerek verilen elektriksel uyarı ile kasın kasılma ve gevşeme durumu osiloskop yardımı ile değerlendirilir. İşlemden önce hastaya işlemin amacı açıklanarak, iğnenin kasa yerleştirilmesi sırasında intramüsküler enjeksiyon ağrısına benzer ağrı, elektriksel uyarı verildiğinde ve işlem bittikten sonra değerlendirme yapılan kasta kısa süreli ağrı olacağı konusunda bilgilendirilir. İşlemden sonra iğnenin çıkarıldığı alan kanama ve enflamasyon yönünden gözlenir.

Kalorik test: Okülovestibüler refleks olarak da tanımlanan kalorik test yöntemi VIII. Kraniyal sinirin dengeyle ilgili bölümünün işlevlerinin incelenmesi amacıyla yapılır. Beyincik ve beyin sapı lezyonlarının tanısında da yardımcı bir yöntemdir. Bilinçsiz hastalarda beyin sapı işlevlerinin olmadığını doğrulmak için kullanılır. Önce kulak zarının normal olup olmadığı kontrol edilir.

Kulak zarı rüptürü, Meniere' hastalığı gibi akut labirent hastalığı olanlara bu test uygulanmaz. Sıcak ve soğuk su ile dış kulak yolu yıkanarak okülovestibüler refleksi değerlendirilir. Sıcak su ile dış kulak yolu yıkandığında normalde yıkama yapılan taraftaki gözde yatay nistagmus meydana gelir. Soğuk su ile yıkama yapıldığında yıkama yapılan tarafın karşı tarafına doğru gözde nistagmus meydana gelmesi normal yanıttır ve beyin sapı hasarı olmadığının göstergesidir. Kalorik testte pupil bulgularının yanı sıra göz hareketleri de hasarlı alanların lokalizasyonun belirlenmesinde yardımcı olur.

Damar yapısı ile ilgili bozuklukları belirlemek için yapılan incelemeler:

Oftalmodinamometre: Her iki gözdeki retinal arterlerin incelenmesi işlemidir. Oftalmaskop ile retina incelenip, göz küresine dinamometre ile basınç uygulanarak ekstrakraniyal kanamaların tanılanması sağlanır.

Dopler ultrasonografi: Subaraknoid alandaki kan akımını değerlendirmek için yapılan bir incelemedir. İnternal karotid arterdeki tıkanıklık ya da daralma supraorbital arterdeki kan akımını değiştirir. Dopler ultrasonografi ile bu kan akımı değişikliği saptanabilir.

Dopler tarama: Dopler ultrasonografi ile ekonun birlikte kullanıldığı inceleme yöntemidir. Kan akımının görsel olarak incelenmesini sağlar.

Kantitatif ışınsal fonoanjiyografi: Karotid bifurkasyon bölgesinden çıkan hırıltı sesinin ışınsal olarak incelenerek karotid arterdeki daralmanın çapını değerlendirmede kullanılan bir inceleme yöntemidir. Bu bölümde bilinç düzeyi değişikliği olan, kafa içi basıncı artışı olan, cerrahi girişim uygulanacak olan, nöbet/epilepsi ve baş ağrısı yakınmaları olan hastalar ve bakımları tartışılacaktır.

53. BİLİNÇ DÜZEYİ DEĞİŞİKLİKLERİ

Prof. Dr. Ayfer KARADAKOVAN

Bilinç Düzeyi Değişiklikleri

Bireyin kendisinin ve çevresinde olan olayların farkında olması olarak tanımlanan bilinç; dış görünüş ve davranışların subjektif değerlendirmesine dayanır. Bilinç düzeyi bireyin sinir sistemindeki değişikliklerle ilgili değerli veriler sağlayan ilk ve en duyarlı bulgudur. Bilinç düzeyi değişikliği günler ya da haftalarca süren uzun süreli bir süreç olabileceği gibi birkaç saat ya da birkaç dakika gibi kısa sürede de gelişebilir. Bilinç düzeyindeki değişiklikler beyin ve ilgili yapılardaki hasaralanmanın bulgusudur.

Etiyoloji: Bilinç düzeyi değişikliğine neden olan faktörler üç grupta incelenebilir:

1- Beyin, beyin sapı, kraniyumda basıncı arttıran retiküler aktivatör sistemde hasara neden olan yer kaplayan lezyonlar.

Supratentoryal Lezyonlar (Beyin Sapının Üst Bölümünde İşlev Bozukluğuna Neden Olurlar)
- Beyin tümörleri
- Beyin apseleri (nadiren)
- Serebral hemorajiler
- Serebral enfarktüsler (geniş alanlara yayılmış)
- Epidural hematomlar
- Subdural hematomlar

İntratentoryal lezyonlar (retiküler aktivatör sistemi baskılar ya da harap ederler)
- Serebellar apseler
- Enfarktüs
- Pons ya da serebellar hemorajiler
- Tümörler

2- Kan akımı ve oksijenlenmeyi azaltan ya da metabolik artıkların birikimine neden olarak beyin ve beyin işlevlerini bozan metabolik nedenler.
- Nöron hastalıkları
- Metabolik ansefalopati

- Karaciğer, akciğer, endokrin bezler, böbrekler gibi diğer organların hastalıkları
- Alkol, ilaç ve diğer nedenlerle ortaya çıkan zehirlenmeler
- Sıvı-elektrolit, asit-baz dengesizlikleri
- Travma ve nöbet sonrası durumlar
- Enfeksiyonlar
- Beslenme yetersizliği
- Hipoglisemi
- Anoksi ya da iskemi
- Isı düzenleme mekanizması bozuklukları

3- Psikojenik nedenler
- Histeri
- Katatoni

Patofizyoloji: Bilinç düzeyi değişikliği bir hastalık olmayıp, bir çok patofizyolojik belirti ve işlevin bulgusudur. Bilinç düzeyi değişikliğine neden olan patolojiler beynin temel işlevsel birimi olan nöronların ya da nörotransmitter maddelerin uyarıları iletimindeki yetersizlik nedeniyle beyin ve beyinle bağlantılı diğer vücut bölümlerinin iletişiminde bozulmaya neden olur. Beyin işlevlerinin tam olarak sürdürülebilmesi için anatomik yapıların bütünlüğünün korunması ve sürdürülmesi gereklidir. Travma, ödem, tümör ve diğer nedenlerle basınç artışının neden olduğu beyin kan akımındaki azalma ya da BOS dolaşımındaki bozulma, metabolik nedenlerle nöronlarda meydana gelen hasar anatomik yapılarda bozulmaya ve beyin işlevlerinin bozulmasına neden olur.

Klinik belirti ve bulgular: Klinik belirti ve bulgular bilinç düzeyi değişikliğinin nedeni ve süresine göre değişir. Bu nedenle nörolojik işlev bozukluğu olan hastada öncelikle bilinç düzeyi değişikliklerini tanımlamak gerekir.

Tam bilinç: Hasta uyanıktır, normal iletişimini sürdürebilir. Zamana, yere ve bireye oryantasyonu tamdır. Yazılı ve sözlü uyarıları anlayabilir ve yanıt verebilir.

Konfüzyon: Hasta uyarıları yanlış yorumlayabilir ve bir konuya dikkatini verme süresi kısalabilir. Hastada şaşkınlık ve sersemlik hali vardır, belleği zayıflamıştır, kendisine yapılan uyarıları yanıtlamada güçlük çeker. Gündüz uykuya olan eğilim durumu gece ajitasyona dönüşür.

Disoryantasyon: Bilinç kaybının başlangıç bulgusudur. Önce zamana, daha sonra yere, kendisine ve diğer bireylere oryantasyonu bozulur.

Laterji: Hasta verilen uyarılarla sınırlı düzeyde aktivite gösterir. Sözel ya da fiziksel uyarılara güçlükle ve azalmış yanıt vardır. Uyarı olmadığı zaman uyur.

Sinir Sistemi

Obtundasyon: Uyanıklılık yeteneği azalmıştır ve çevre ile iletişim sınırlıdır. Konuşma ya da dokunma gibi uyarılar olmadığı sürece hasta uyur. Sözel uyarılara ya inilti ya da başıyla yanıt verir.

Stupor: Derin uyku durumudur. Hasta uyarılara yanıt vermez ya da şiddetli ve tekrarlayan bazen ağrılı uyarılara organizmayı korumaya yönelik kısa süreli motor yanıt verir.

Koma: Şiddetli ağrı, çekme ve diğer sert motor ve sözel uyarılara hastanın yanıt vermemesi durumudur. Bilinç düzeyi değişikliği olan hastada klinik belirti ve bulgular Çizelge 53.1'de özetlenmiştir.

Tanı yöntemleri: Bilinç düzeyi değişikliği olan hastada bilinç düzeyi değişikliğine neden olan faktörlerin en kısa zamanda saptanması ve hastanın bilincinin düzeltilmesi için öncelikle uygun yöntemlerle tanının konması ve tedavin uygulanması gerekir. Bilinç düzeyi değişikliği olan hastada tanı için kullanılan yöntemler aşağıda verilmiştir.

-Laboratuvar incelemesi: Açlık kan şekeri, sodyum, potasyum, kalsiyum, fosfor, magnezyum gibi serum elektrolit ve kan biyokimyası değerlendirmeleri, arteriyel kan gazı değerlendirmeleri yapılır.

-BT ve MRG: Bilinç düzeyi değişikliğine neden olan yapısal tümör ve kanama gibi nedenlerin saptanmasında kullanılır.

-LP: BT ve MRG ile saptanamayan olgularda geniş bir alana yayılmış KİBAS yok ise LP uygulanır. KİBAS'lı hastalarda fıtıklaşma riskini arttıracağı için dikkatli olmalıdır. Kanama ve enfeksiyon gibi etiyolojk nedenlerin saptanmasında yardımcı bir yöntemidir.

-EEG: Tekrarlayan nöbetlerde yardımcı bir yöntem olarak kullanılabilir. Ancak metabolik ve yapısal bozuklukların neden olduğu bilinç düzeyi değişiklikleri nedeniyle tanıda kesin yararlanılabilecek bir yöntem değildir.

Anormal Reflekslerin İncelenmesi:

Okülosefalik refleks yanıt: *"Taş bebek refleksi"* de denilen bu refleksin muayenesi için hastanın başı muayene eden kişi tarafından hızla sağa ve sola döndürülür. Normal sağlıklı bireylerde hastanın gözleri başın döndürüldüğü tarafa doğru hareket eder. Ancak komadaki hastalarda başın hareket ettirilmesine rağmen gözler hareket etmez ve aynı noktada hareketsiz kalır. Okülosefalik refleks yanıtın alınamaması beyin ölümü tanı kriterlerinden biridir.

Okülovestibüler refleks yanıt: Okülosefalik reflekse yanıt alınamıyorsa bu refleksin kontrolü yapılır. Bunun için hastanın sağ ve sol dış kulak yolu sırayla soğuk su ile yıkandığında gözlerinin yıkama yapılan tarafa doğru hareket etmesidir. Gözler yıkama yapılan tarafa doğru hareket etmiyorsa bu anormal yanıt olarak değerlendirilir. Otoksik,

Çizelge 53.1:	Bilinç Düzeyi Değişikliğinde Klinik Belirti ve Bulgular
• Göz hareketleri	• Göz kaslarının çalışmasından sorumlu III, IV ve V. Karaniyal sinirlerin bir ya da birden fazlasının hasarına bağlı; gözün açılıp kapatılması, yukarıya, aşağıya, sağa, sola hareketlerinde bozulma, nistagmus
• Pupil değişiklikleri	• Serebral kanlanmanın bozulmasına bağlı; pupillerde fiksasyon ve dilatasyon • Beynin bir hemisferini etkileyen lezyonlarda tek taraflı, iki hemisferini etkileyen lezyonlarda iki taraflı olarak pupillerin ışığa yanıtında azalma ya da kaybolma
• Solunum	• Hava yolu tıkanıklığı ve aspirasyon riski nedeniyle gaz değişiminde bozulmaya bağlı; karbondioksit retaansiyonu, vazodilatasyon, serebral ödem, kafa içi basınç artışı (KİBAS) • Arteriyel oksijenlenmenin bozulmasına bağlı beyin oksijenlenmesinin bozulması ve KİBAS nedeniyle; CheyneStokes solunum, hiperventilasyon, apne
• Motor yanıt	• Beyinde ciddi işlev bozukluğuna neden olan orta beyin, pons ve kraniyumda yer kaplayan lezyonlar, fıtıklaşmalar yada metabolik komanın neden olduğu reflekslerde artışa bağlı; ağrılı uyarana anormal fleksiyon ve ekstansiyon yanıtı • KİBAS'ın korteksi etkilediği durumlarda; kollarda, bileklerde ve el parmaklarında anormal fleksiyon, omuzlarda addüksüyon, bacaklarda ekstansiyon ve içe rotasyon ve ayak parmaklarında fleksiyonla karakterize dekortike postür yanıtı • KİBAS'ın ponsun üzerindeki yapıları etkilediği durumlarda; kollarda ve ellerde aşırı derecede katılık ve addüksuyyon, bacaklarda anormal ektansiyonla karakterize deserebe postür yanıtınme, spinal kord yaralanması ve beyin ölümü durumlarında; şiddetli ağrılı uyaranlara kas tonüsü yada motor yanıtın olmadığı flaksidite. • Serebral hemisfer hasarına bağlı diğer motor yanıtlar; emme ve yakalama gibi ilkel refleksler, elde güçlü yakalama refleksi, huzursuzluk, pasif hareketlere direnç, hemipleji, hemiparezi, inme
• Yaşam bulgusu değişiklikleri	• Bilinç düzeyi değişikliği olan hastada bazısı doğrudan bilinç düzeyi ile ilişkili, bazısı etiyolojik faktör, tedavi, hareketsizlik gibi nedenlere bağlı olarak gelişen yaşam bulgusu değişiklikleri olabilir. Bunlar; şok, kalp atım bozukluğu, sıvı-elektrolit dengesizliği, hipertansiyon, vücut ısının düzenlenmesinde bozukluk (hipotermi/hipertermi)

barbiturat, sedatif, antidepresan türü ilaç kullanımı ve Menier hastalığında da bu refleks alınamayabilir. Bu faktörler olmadan okülovestibüler refleksin alınamaması beyin ölümü tanısını destekleyen bir kriterdir.

Glaskow Koma Ölçeği (GKÖ): Hastanın bilinç düzeyinin kısa sürede doğru olarak değerlendirilmesinde objektif bir değerlendirme yapabilmek için standart gözlem ve değerlendirme yapmayı sağlayan bir ölçektir. Glaskow Üniversitesinde 1974 yılında geliştirilmiş olan GKÖ göz hareketleri, sözel yanıt ve motor hareketleri değerlendiren üç bölümden oluşmaktadır. Her bir bölüm için ayrı ayrı değerlendirme yapılıp sayısal değerlerle puanlanır. Toplam puana göre hastanın bilinç düzeyi belirlenir. Toplam puan 3 ila 15 arasında değişir. Aşağıda Çizelge 53.2'de GKÖ'de değerlendirme yapılan alanlar ve puanlar verilmiştir.

15 puan: Hasta oryante, gözlerini kendiliğinden açıyor ve kendisine söylenenleri yapabiliyordur. Tam bilinçli

Çizelge 53.2: Glaskow Koma Ölçeği

Değerlendirilecek alan	Puan
Göz hareketleri	
Kendiliğinden gözlerini açma	4
Sesli uyarı ile gözlerini açma	3
Ağrılı uyarı ile gözlerini açma	2
Yanıt yok	1
Motor yanıt	
Sözel uyarılara uyma	6
Ağrılı uyarı tanıyarak yanıt verme	5
Ağrılı uyarana fleksiyon ve geri çekme yanıtı verme	4
Ağrılı uyarana fleksiyon / dekortikasyon yanıtı verme	3
Ağrılı uyarana ekstansiyn /deserebrasyon yanıtı verme	2
Yanıt yok	1
Sözel yanıt	
Oryante sözel iletişim	5
Konfüze	4
Uygun olmayan yanıtlar verme	3
Anlaşılmaz (inilti vb.) sesler çıkarma	2
Yanıt yok	1

7 puan: Koma
3 puan: Hasta ağrılı uyaranlara yanıt vermez, gözlerini açmaz ve kaslarda flaksidite vardır.

GKÖ iletişim kurabilen hastalara uygulanır. Aşağıdaki durumlarda uygulanması bilinç düzeyi değerlendirmesi için uygun değildir:
1- Entübe edilmiş ve konuşamayan hastalar
2- Gözlerini kapatmada güçlüğü olan hastalar
3- Konuşulan dili anlayamayan hastalar
4- İşitme kaybı olan hastalar
5- Kör/görme kaybı olan hastalar
6- Afazisi olan hastalar
7- Paralizisi olan hastalar
8- Four ölçeği

Hemşirelik yönetimi: Bilinç düzeyi değişikliği olan hastada hemşirelik yönetiminde önce hastanın hemşirelik tanılaması yapılır.

Hemşirelik tanılaması: Öncelikle hastanın yere, zamana, kişiye oryantasyonunu değerlendirecek sorular sorularak oryantasyonu değerlendirildikten sonra Çizelge 53.4'de verilen değerlendirmeler yapılır. Bu değerlendirmeden sonra olası hemşirelik tanıları belirlenerek bunlara yönelik amaç ve girişimler planlanır.

Hemşirelik tanıları: Hemşirelik tanılamasına dayanarak saptanabilecek hemşirelik tanıları aşağıda verilmiştir:
- Bilinç düzeyi değişikliğine bağlı *hava yollarının temizlenmesinde yetersizlik*
- Bilinç düzeyi değişikliğine bağlı *yaralanma riski*
- Ağızdan sıvı alımının yetersizliğine bağlı *sıvı volüm yetersizliği*
- Ağız solunumu, farinks refleksi kaybı ve sıvı alımındaki değişikliğe bağlı *oral mukoz membranlarda bozulma*
- Hareketsizliğe bağlı *deri bütünlüğünde bozulma riski*
- Kornea refleksinin azalması ya da kaybına bağlı *doku bütünlüğünde bozulma riski*
- Hipotalamusun hasarına bağlı *ısı düzenlemesinin bozulması*
- Nörolojik duyu kusuru ve kontrolün bozulmasına bağlı *idrar boşaltımında bozulma (inkontinans ya da retansiyon)*
- Nörolojik duyu kusuru ve kontrolün bozulması ve beslenme yöntemi değişikliğine bağlı *bağırsak inkontinansı*
- Nörolojk bozukluğa bağlı *duyuların algılanmasında bozulma*
- Sağlık durumundaki bozulma nedeniyle *aile sürecinde bozulma*

Olası komplikasyonlar:
- Solunum güçlüğü ya da yetersizliği
- Pnömoni
- Aspirasyon
- Basınç ülserleri
- Derin ven trombozu

Planlama/amaçlar:
Bilinç düzeyi bozukluğu olan hastada bakım; hastanın hava yolu açıklığını sürdürmek, yaralanmalardan korumak, sıvı-volüm dengesi sürdürmek, oral muköz membranların bütünlüğünü korumak ve sürdürmek, deri bütünlüğünü korumak ve sürdürmek, korneanın zarar görmesini önlemek, etkili ısı düzenlemesini ve idrar boşaltımını sağlamak amaçlarına yönelik olarak planlanır.

Bilinç bozukluğu olan hastada koruyucu bazı reflekslerin bozulması ya da kaybı nedeniyle hastanın bilinci nor-

Sinir Sistemi

Çizelge 53.4: Bilinç Düzeyi Değişikliği Olan Hastanın Hemşirelik Değerlendirmesi

İncelenecek alan	Klinik tanılama	Klinik önemi
Bilinç ya da yanıt düzeyi	-Gözlerin açılması; sözel ve motor yanıt; pupiller (büyüklüğü, eşitliği, ışığa reaksiyon)	-Uyarılara uyması ve istenen yanıtı vermesi bilinç düzeyinin düzeldiğinin bulgusudur.
Solunum biçimi	-Cheyn-Stokes solunum	-Her iki hemisferde de derin lezyonlar, bazal ganglion ve beyin sapı üst bölümünde lezyonların bulgusudur.
	-Hiperventilasyon	-Beyin ya da beyin sapında metabolik sorun olduğunu gösterir.
Gözler	-Derinliği ve hızı düzensiz ataksik solunum	-Medulladaki harabiyetin bulgusudur.
Pupiller	-Eşit ve normal yanıt veren pupil -Büyüklüğü eşit ya da eşit olmayan pupil -İlerleyici dilatasyon -Fiks dilate pupil	-Toksik ya da metabolik kökenli koma bulgusudur. -Lezyonun yerini belirlemeye yardımcı olur. -KİBAS bulgusudur. -Orta beyin düzeyindeki hasaralanmanın bulgusudur.
Göz hareketleri	-Gözlerin her iki tarafa normal hareket etmesi	-Beyin sapının yapısal ve işlevsel olarak bütünlüğünün korunduğunu gösterir.
Kornea refleksi	-Korneya temiz bir pamuk parçası ile dokunulduğunda normal göz kırpma hareketinin olması	-V. ve VII. Kraniyal sinir işlevlerinin kontrolünü, tek taraflı lezyonların lokalizasyonunu sağlar; derin komada olmadığının bulgusudur.
Yüzde simetri	Asimetri(mimiklerde azalma)	Paralizi bulgusudur.
Yutkunma refleksi	Sekresyonlarının kolayca yutulması	Komada olmadığının bulgusudur.
Boyun	-Katılık	-X. ve XII. Kraniyal sinir paralizisi -Subaraknoid kanama, menenjit
	-Spontan boyun hareketlerinin olmaması	-Servikal omurlarda kırık yada hasar bulgusudur.
Ağrılı ya da travmatik uyarı-lara ekstremite Yanıtı	-Alt ve üst ekstremitelerin eklemlerinde katılık -Spontan hareketlerin olması	-Paralizinin asimetrik yanıtı -Derin komada olmadığının göstergesidir.
Derin tendon refleksleri	Patella ve biseps reflekslerinin alınması	-Canlı yanıt normal olarak değerlendirilir. -Asimetrik yanıt paralizi bulgusudur. -Derin komada olmadığının göstergesidir.
Patolojik reflyeksler	Babinski refleksinin pozitif olması	-Kortikospinal bölge hasarı bulgusudur. -Beyindeki lezyonun yerini belirlemeye yardımcı olur.
Anormal postür	-Spontan ve travmatik uyarılara postür yanıtı gözlenir	-Derin ve yaygın beyin lezyonunun
	-Flaksidite motor yanıtın olmadığını gösterir -Dekortike postür	-Serebral heimsferlerin patolojisi ve beyinde metabolik işlev bozukluğunun
	-Deserebre postür	-Dekortike postüre göre daha kötü prognozun göstergesidir.

mal düzeye döndüğünde en az zarar görerek yaşam kalitesini sürdürmesi için öksürme, göz kırpma ve yutkunma gibi temel reflekslerin sürdürülmesi için hemşirelik bakımının planlamasında bu konuya özel dikkat gerekir.

Hemşirelik Girişimleri:
I-Hava yolu açıklığını sürdürmek: Bilinç düzeyi değişikliği olan hastada epiglot ve dilin orofarinksi tıkması ya da hastanın kusmuğunu ya da nazofarenks salgılarını aspire etme olasılığı hava yollarının tıkanmasına neden olabilir. Hastanın başını 30 cm yükselterek yatırmak, hastayı yan ya da yarı yan yatar pozisyonda tutmak dilin geriye kaçarak hava yollarının tıkanmasını ve sekresyonların aspire edilme olasılığını önler. Uygun pozisyon vermenin yanı

sıra ağızda ve farinksin arkasında ve trakeada biriken sekresyonların aspire edilmesi gerekir. Hipoksiyi önlemek için aspire etmeden önce ve aspire ettikten sonra oksijenlenmenin sağlanmasına dikkat etmelidir. Kateteri çekerken baş parmak ve işaret parmağı ile bükme manevrası ile çekmek irritsyonu önler. Bunların yanı sıra hasta için sakıncası yoksa akciğerlerin temizlenmesi için postural drenaj ve göğüs fizyoterapisi de uygulanabilir. En az sekiz saatte bir oskültasyonla solunum seslerinin kontrolü yapılmalıdır.

Mekanik ventilatöre bağlı hastalarda ya da trakeostomi açılmış hastalarda sık aralıklarla ağız bakımı yapılması, kan gazı değerlerinin kontrolü ve ventilatörün etkin çalışıp çalışmadığının kontrolü de hemşirelik bakım işlevlerindendir.

2- Hastanın korunması: Hastanın yatağının kenarındaki parmaklıkların sürekli olarak kaldırılmış pozisyonda tutulmasına dikkat etmelidir. Hasta için yaralanma ve travmaya neden olmayacak bir yatak düzeni sağlanmalıdır. (Çarşafların gergin ve temiz olması, drenler ve tüplerin neden olduğu yaralanmalardan korunması).

Bilinç düzeyi değişikliği olan hastanın onurunun korunması da hemşirenin dikkat etmesi gereken konulardandır. Hastaya yapılan işlemler sırasında onunla nazik ve olumlu konuşmak, hastanın durumu ve prognozu hakkında olumsuz konuşmalar yapmamak gerekir. Hafif komadaki hastaların işitme yeteneğini yitirmediğini unutmamak gerekir.

3-Sıvı dengesinin ve besleme gereksinimlerinin sürdürülmesi: Hastanın hidrasyonunu değerlendirmek için doku ve mukoz membranların turgorunun kontrolü ve laboratuvar verilerinin değerlendirilmesi gerekir. Başlangıçta sıvı gereksinimi İV sıvılarla karşılanır. Ancak KİBAS'ı olan hastalarda sıvı ve kan transfüzyonun yavaş yapılmasına dikkat etmelidir. Hastanın durumunda düzelme olmaz ve beslenmesi için yeterli sıvı ve kalori gereksinimi ağız yoluyla alamazsa beslenme tüpü ile beslenmeye geçilir.

4-Ağız bakımı verme: Ağızda kuruluk, enflamasyon ve kabuklanmalar olup olmadığı kontrol edilir. Bilinç bozukluğu olan hastada düzenli ağız bakımı yapılmaması parotit riskine neden olur. Ağızdaki sekresyonlar ve kabuklar dikkatle temizlenmeli ve ağız mukozasının nemliliği sağlanmalıdır. Dudaklar ince bir vazelin tabakası ile nemliliği sağlanarak kuruma ve çatlamalardan korunur. Hastada endotrakeal tüp varsa günlük ağız bakımı sırasında tüpün yeri değiştirilerek ağızda ve dudaklarda ülserasyon oluşması önlenir.

5-Deri ve eklem bütünlüğünü sürdürmek: Bilinç bozukluğu olan hastada düzenli pozisyon değişikliği sağlanarak uyarı yetersizliği nedeniyle deri bütünlüğünde bozulma ve nekroz önlenmelidir. Hastaya yapılacak pozisyon değişikliği aynı zamanda hareket duyusu, pozisyon duyusu ve denge ile ilgili uyarıların ve farkındalığın sağlanmasına da yardımcı olur. Her pozisyon değişikliğinden sonra basınç altında kalan alanların iskemik nekroz yönünden gözlenmesi ve pozisyon değişikliğinde sürtünme ile derinin zarar görmesinden kaçınılması gerekir.

Doğru vücut postürünü sürdürmek ve ekstremitelere pasif egzersiz yaptırmak kontraksiyonları önlemek için çok önemlidir. Ayak düşmesini önlemek, basıncı azaltmak, kalça ve diğer eklemlerin desteklenmesi için uygun materyallerin kullanılması gereklidir.

6- Korneanın bütünlüğünün korunması: Bilinç bozukluğu olan bazı hastaların gözleri açıktır, kornea refleksleri azalmış ya da kaybolmuştur. Bu nedenle korneada irritasyon ve ülserasyon gelişme olasılığı artar. Gözler serum fizyolojik ile ıslatılmış bir pamuk parçası ile temizlenebilir. Önerilmiş ise iki saate bir yapay göz yaşı ile nemliliği sağlanır. Kafa tası ile ilgili cerrahi girişimlerden sonra göz çevresinde ödem olmuşsa korneaya temas ettirmekten kaçınarak soğuk kompres uygulanabilir. Korneada hasarı önlemek için göz bir ped ile kapatılabilir. Bu amaçla hazırlanmış gözün nemliliğini koruyan ve buharlaşmayı önleyen özel örtülerden yararlanılabilir.

7- Isı düzenlemesini sağlamak: Bilinç bozukluğu olan hastalarda solunum ya da üriner enfeksiyon, ilaç reaksiyonu ya da hipotalamusda ısı düzenleme mekanizmasın bozulması nedeniyle beden ısısında artış görülebilir. Dehidratasyon da hafif düzeyde ısı artışına neden olabilir. Hastanın bulunduğu oda ve yatak örtüleri beden ısısına uygun şekilde düzenlenmelidir. Yaşlı hastalar için sıcak bir ortam hazırlanmalıdır.

- Beden ısısı yükselmesi inatçı ve klinik olarak enfeksiyon bulgusu saptanamıyor, beyin sapı hasarı düşünülüyor ve prognoz kötüyse aşağıdaki uygulamalar yapılır:
- Hastanın üzerindeki tüm giysiler çıkarılarak ince bir çarşafla örtülür,
- Önerilen ateş düşürücü ilaçlar verilir,
- Soğuk su ile ıslatılmış tamponlarla vücut silinir, ortamın soğuk hava ile havalandırılması sağlanır,
- Soğutucu battaniyeler kullanılır.

8. Üriner retansiyonun önlenmesi: Bilinç bozukluğu olan hastada üriner inkontinans ve retansiyon gelişebilir. Palpas-yonla mesanede retansiyon olup olmadığı kontrol edilir. İdrar retansiyonu inkontinansa neden olabilir. Retansiyon durumunda kateter takarak idrar boşaltımı sağlanabilir. Ancak kateterin enfeksiyon gelişimi için bir risk faktörü olduğunu unutmamak, hastayı bu yönden izlemek önemlidir. Gereklilik ortadan kalktığında kateter hemen

Sinir Sistemi

çıkarılmalıdır. İnkontinansı olan bilinçsiz erkek hastalara kondom kateter, kadın hastalara emici pedler kullanılır. Bu hastaların deri bütünlüğünün koruması ve temizliğine dikkat etmelidir. Bilinç düzeyinde düzelme başlar başlamaz mesane eğitim programına başlanmalıdır.

9. Bağırsak işlevlerinin sürdürülmesi: Karında gerginlik ve bağırsak sesleri kontrolü yapılarak bağırsak işlevleri değerlendirilir. Enfeksiyon, antibiyotik kullanımı ve hiperosmolar sıvıların kullanımı diyareye neden olabilir. Hareketsizlik ve yeterli lifli gıda alınmaması konstipasyona neden olabilir. Hemşire bağırsak hareketlerini, dışkılama sıklığını ve rektumda fekal tıkaç bulguları olup olmadığını kontrol etmelidir. Önerilen bağırsak yumuşatıcı ve lavmanlar öneriler doğrultusunda kullanılabilir. Ancak KİBAS'lı hastalarda lavman basınç artışına neden olabileceği için dikkatli olmak gerekir.

10-Duyusal uyarı sağlanması: Hastanın gece ve gündüzün farkında olması için önceki alışkanlıklarına göre uyku ve diğer aktivitelerini düzenlemeli, hastaya yapılacak girişimler sırasında hastaya dokunma ve konuşma gibi iletişim yöntemleri uygulanmalı, bunu yapmaları için aile üyeleri ve yakınlarını da yönlendirmelidir. Hastanın yanında olumsuz konuşmalardan kaçınmalıdır.

Hastanın evinde ya da işyerindeki sesler kaydedilerek hastaya dinletilebilir, yakınlarından sevdiği kitapları okumaları, radyo, televizyon programlarını dinletmeleri istenebilir.

11-Ailenin gereksinimlerinin karşılanması: Bilinç bozukluğu olan hastanın ailesi ani bir kriz durumuyla karşılaştıkları için şaşkınlık, öfke, gerginlik, ümitsizlik gibi duygular yaşayabilirler. Aile üyelerine hastanın durumuyla ilgili gerçekçi bilgiler verilmeli ve bakıma katılımları sağlanmalıdır. Durumu kritik olan hastaların yakınlarına beyin ölümü teriminin ne olduğu açıklanmalıdır.

12-Olası komplikasyonların izlenmesi ve yönetimi: Pnömoni, aspirasyon, solunum yetersizliği gibi olası komplikasyonlar bilinç bozukluğu olan hastalarda gelişme olasılığı yüksek komplikasyonlardır. Hastanın bu yönden izlenmesi ve bu komplikasyonlar geliştiğinde gerekli hemşirelik bakımının yapılması önemlidir.

Aynı zamanda deri bütünlüğünün sürdürülmesi ve basınç ülserlerinin gelişmesi durumunda uygun bakımın yapılması gerekir. Alt ekstremitelerde kızarıklık ve ödem gibi derin ven trombozu bulgularının gözlenmesi hemşirelik bakımında oldukça önemlidir. Derin ven trombozu gelişimi pulmoner emboli riskine neden olur. Önerildiği şekilde SC heparin uygulaması, elastik bandaj ve çorap kullanımı derin ven trombozu riskini önlemde uygulanabilecek yöntemlerdir.

Değerlendirme:
Beklenen sonuçlar:
1- Hava yolu açıklığı sürdürülüyor ve hasta normal solunum yapabiliyor olmalı
2- Kaza ve yaralanma olmamalı
3- Yeterli sıvı alımı sağlanmalı/sürdürülmeli
   a) Dehidratasyon belirti ve bulgusu olmamalı
   b) Serum elektrolit düzeyleri normal sınırlarda olmalı
   c) Aşırı sıvı yüklenmesi belirti ve bulguları olmamalı
4- Ağız mukozası sağlıklı olmalı/bütünlüğü sürdürülmeli
5- Deri bütünlüğü sürdürülmeli
6- Korneada irritasyon olmamalı
7- Isı düzenlemesi sağlanmalı/sürdürülmeli
8- Diyare ya da fekal tıkaç olmamalı
9- İdrar retansiyonu olmamalı
10- Duyu algılaması normal olmalı
11- Aile üyeleri kriz durumu ile baş edebilmeli
   a) Korku ve kaygılarını sözel olarak ifade edebilmeli
   b) Hasta bakımına katılmalı, konuşma ve dokunma gibi uyarılar verebilmeli
12- Komplikasyonlar olmamalı
   a) Arteriyel kan gazı değerleri normal sınırlarda olmalı
   b) Pnömoni belirti ve bulguları olmamalı
   c) Basınç altında kalan bölgelerde deri bütünlüğü korunuyor olmalı
   d) Derin ven trombozu gelişmemiş olmalı

54.
SİNİR SİSTEMİ HASTALIKLARI

Prof. Dr. Ayfer KARADAKOVAN

Kafa İçi Basınç Artışı Sendromu (KİBAS)

Beyin, kan ve BOS kafa içi basıncını oluşturan temel yapılardır. Normalde beyin dokusu 1400 gr ağırlığında olup, sinir sisteminde dolaşan kan hacmi 75 ml, BOS hacmi 75 ml'dir. Bu üç temel yapı dengeli bir şekilde kafa içi basıncını oluştururlar. Normalde lateral ventriküllerden ölçülen kafa içi basıncı 10-20 mm Hg'dır. Temel yapılardan biri bozulduğunda kafa içi basıncı artarak normal değerlerin üzerine çıkar ve bu durum KİBAS olarak tanımlanır. Öksürme, aksırma, gerilme gibi toraks içi basıncını arttıran durumlar, pozisyon değişikliği, kan basıncı, sistemik oksijen ve karbondioksit düzeyi değişikliği gibi kan hacmi ve BOS hacminde değişikliğe neden olan durumlarda kafa içi basıncında meydana gelen değişiklikler önemli nörolojik işlev bozukluğuna neden olmazlar. Ancak serebral kanlanma ve oksijenlenmeyi önemli derece etkileyen değişiklikler nörolojik işlevlerde önemli değişikliklere neden oldukları için sinir sistemi hastalıklarının hemşirelik bakımını planlama ve uygulamada KİBAS değerlendirmesi oldukça önemlidir.

Etiyoloji ve risk faktörleri: KİBAS'ta rolü olan etiyolojik ve risk faktörleri aşağıda verilmiştir.

1- Beyin tümörü, kafa travması ya da diğer nedenlerle gelişen subaraknoid kanama ve apse gibi yer kaplayıcı lezyonlar

2- BOS'un salınım, dolaşım ve emilim mekanizması bozukluğu nedeniyle meydana gelen hidrosefali durumları

3- Beyinde yer kaplayan lezyonların çevresinde meydana gelen ödem, beyin hipoksi ve anoksisi, menenjit, ensefalit gibi enfeksiyonlar, kurşun, kalay vb. nedenlerle meydana gelen entoksikasyonlar, üremi, karaciğer yetersizliği gibi metabolik bozukluklar, beyin venöz dönüşünün engellendiği damar yapısı bozuklukları ve enfarktüs gibi beyin ödemine neden olan durumlar

4- Bebeklik döneminde kafa tasındaki sütürların normalden erken kapanması.

Patofizyoloji: Monro-Kellie hipotezine göre kafa içi basıncını oluşturan yapılardan birinde hacim artışı olduğunda diğer iki komponentinin hacmi azalarak bu durum kompanse edilmeye çalışılır. Beyin dokusu değişikliklere karşı sınırlı değişim gösterebilen bir yapı olduğu için kompanzasyon serebral kan akımını azaltma ya da BOS emilimini arttırma ile gerçekleştirilmeye çalışılır. BOS basıncı 15 mm Hg altında tutulabildiği sürece bu kompanzasyon mekanizması ile KİBAS belirti ve bulguları görülmeyebilir. Ancak basınç 15 mm Hg üzerine çıktığında doku hipoksisi ve beyin dokusundaki hacim artışına bağlı olarak nöronlara ve özellikle beyin sapına olan baskı sonucu nörolojik belirtiler ortaya çıkar.

Klinik belirti ve bulgular: KİBAS'ın beyin işlevlerinde bozulmaya neden olması nedeniyle ortaya çıkan ilk belirti bilinç düzeyi değişikliği ve bunu izleyen solunum ve vazomotor işlev bozukluklarıdır. Hastada birden ortaya çıkan bilinç bozukluğu, huzursuzluk, konfüzyon, motor yanıtta bozulma, pupillerde dilatasyon, solunum ritmi ve biçiminde değişiklik KİBAS'ın erken evre bulgularıdır. Baş ağrısı, diplopi, bulanık görme, bulantı, fışkırır biçimde kusma, Cheyne-Stokes tipi solunum, başlangıçta hipotalamusun etkilenmesine bağlı beden ısısında artış, daha sonra düşme KİBAS'da görülebilecek diğer bulgulardır. Bradikardi, nabız basıncıda artma ve sistolik basınçta artma bulgularının birlikte görüldüğü Kuşing triadı bulguları KİBAS'lı hastalarda otoregülasyon mekanizmasının bozulduğunu gösteren geç bulgulardır. KİBAS uzun süre devam eder ve müdahale edilmezse tentoryum ya da foramen magnumda ölümle sonuçlanabilen fıtıklaşmalara neden olabilir.

Tanı yöntemleri: Tanı çalışmaları KİBAS'a neden olan faktörün belirlenmesi ve tedavi edilmesine yönelik yapılır. Beyin anjiyografisi, BT, MRG ya da PET sıklıkla kullanılan tanı yöntemleridir. Serebral kan akımını değerlendirmek için Transkraniyal dopler ya da elektrofizyolojik kan akımı incelemesi yapılabilir. İşitsel, görsel ve duyusal uyarılara yanıtı değerlendirmek için evoked potansiyel uyarılma yöntemi ile sinir dokularının yanıtı değerlendirilebilir. KİBAS'lı hastalarda fıtıklaşma riskini arttırabileceği için LP uygulamasından kaçınılmalıdır.

Tedavi: KİBAS acil bir durum olduğu için uygun tedaviye hemen başlanması önemlidir. İlk yapılacak girişim girişimsel yöntemlerle kafa içi basıncının izlenmesidir. Aynı zamanda kafa içi basıncında artışa neden olan serebral ödemin azaltılması, BOS hacminin azaltılması ve serebral kan akımı azaltarak serebral kanlanmanın sürdürülmesi, nöbet oluşumunun önlenmesi önemlidir. Bu amaçla ozmo-

ÜNİTE 15

1127

Sinir Sistemi

tik diüretikler ve kortikosteroidler, antikonvülzanlar kullanılır, sıvı alımı kısıtlanır, BOS drenajı arttırılır, beden ısısı kontrol altına alınır, sistemik kan basıncı ve oksijenlenme normal düzeyde sürdürülür, hücrelerin metabolik gereksinimi azaltılır, hiperventilasyon kontrol altına alınır.

-Kafa içi basıncın izlenmesi: İntraventriküler kateter, subaraknoid bağlantı, epidural ya da subdural kateter ya da fiberoptik kateterlerin subdural aralık ya da ventrikül içine yerleştirilmesi yöntemi ile kafa içi basıncı sürekli olarak izlenir. Ventriküllere yerleştirilen kateterler aynı zamanda BOS drenajını da sağlayarak tedaviye yardımcı olur. Kateter aracılığı ile intraventriküler ilaç uygulanmasına, ventrikülografi işlemi için radyopak madde verilmesine olanak sağlanır. Ventriküler enfeksiyon, menenjit, ventriküler kollaps, beyin dokusu ya da kanla kateterin tıkanması gibi komplikasyonları vardır.

Subaraknoid bağlantı kraniyal subaraknoid aralığa yerleştirilir. Ventriküler girişim yapılmasına gereksinim olmaması avantajlı yönüdür. Tıkanma olasılığı vardır. Epidural kateterde elektrik bağlantısına gerek olmadan izleme yapılabilmektedir. Enfeksiyon ve diğer komplikasyonların gelişme olasılığı daha düşüktür.

-Serebral ödemin azaltılması: Serebral ödemi azaltmak beyin dokusunda dehidratasyon sağlamak amacıyla ozmotik diüretikler (mannitol) kullanılabilir. Ozmotik diüretikler membranlardan sıvı emilimini arttırarak beyindeki ve ekstrasellüler sıvıdaki hacmini azaltır. Hastaya idrar kateteri takılıp idrar çıkışı izlenerek diüretiklerin etkisi değerlendirilir. Kortikosteroidler (Örn.Dexamethazone) beyin tümörleri ve beyin tümörlerinin neden olduğu ödemi azaltmada yardımcı olur.

Beyin ödemini azaltmanın bir diğer yöntemi de sıvı kısıtlamasıdır. Beden ısısını düşürerek beyin dokusunun oksijen ve metabolik gereksinimini azaltmanın da beyin ödemini azaltmada etkili olduğu ileri sürülmektedir. Ancak bu yöntemin etkinliğini kanıtlamaya yönelik çalışmaların yapılmasına gereksinim vardır ve bu tür uygulamalarda doğru girişim ve izlem için iyi bir hemşirelik bilgisi ve uygulaması gerekir.

-Serebral dolaşımın sürdürülmesi: Sıvı tedavisi ve inotropik tedaviyle kalp atım hacmin arttırılması beyin dolaşımının düzenlenmesinde yardımcı olur.

-BOS ve kafa içi kan hacminin azaltılması: BOS drenajının arttırılması kafa içi basıncında hızla azalmayı sağlar. Ancak aşırı drenajın kollaps riski yaratacağını unutmamalı ve bu konuda gerekli dikkat gösterilmelidir. KİBAS'lı hastalarda vazokonstrüksiyon etkisi nedeniyle hiper ventilasyon yöntemi yıllardır kullanılan bir yöntemdir. Ancak yapılan son çalışmalara göre hiperventilasyonun tek başına yararlı bir yöntem olmadığı kanıtlanmıştır. İskemi, hipoksi ve beyin laktat düzeyini arttırarak PaCO düzeyini azaltmaktadır. PaCO2 30-35 mm Hg düzeyinde tutmak yararlı olur. Diğer tedavi yöntemlerine yanıt vermeyen KİBAS'lı hastalarda hiperventilasyona baş vurulmalıdır. Ancak dikkatli olmalıdır.

-Beden ısısının kontrol altında tutulması: Beden ısısında yükselmenin kontrol altında tutulması önemlidir. Beden ısısındaki yükselme beyin metabolizmasını arttırarak beyin ödemi gelişimini arttırır. Önerilen ateş düşürücüler ve soğuk uygulama yöntemleri ile beden ısısının düşürülmesi hemşirelik bakımında önemli uygulamalardır.

-Oksijenlenmenin sürdürülmesi: Sistemik oksijen gereksinimini ve yeterliliğini değerlendirmek için kan gazı değerlerinin izlenmesi önemlidir.

-Metabolik gereksinimlerin azaltılması: Uygulanan tedaviye yanıt vermeyen hastaların metabolik gereksinimlerinin azaltılması için barbituratlar kullanılabilir. Hasta hareketlerini sınırlayıcı ilaç tedavisi uygulayarak da hastanın metabolik gereksinimleri azaltılabilir. Ancak her iki tedavi yöntemi uygulanan hastaların kardiyak monitorizasyon, edotrakeal entübasyon, mekanik ventilasyon, kafa içi basıncı izlemi ve arteriyel basınç izlemlerinin ve serum barbiturat düzeyi izlemlerinin dikkatle yapılması gerekir.

-Nörolojik izlemde yenilikler: Beyin iskemisini erken dönemde saptayabilmek için venöz juguler venlerde oksijen yoğunluğunun izlenmesi önemli bir değerlendirme aracıdır. Özellikle serebral iskemi riski yüksek olan hastalar için uygulanması önemlidir.

Hemşirelik yönetimi: KİBAS'lı hastada hemşirelik yönetiminin amaçları;
1- İkincil beyin hasarını önlemek
2- Sinir sistemi işlevlerini en üst düzeyde sürdürmesini sağlamak
3- Bilinç düzeyi değişikliği ve hareketsizliğe bağlı olarak gelişebilecek komplikasyonları önlemektir.

Bu amaçlar doğrultusunda yapılacak hemşirelik yönetiminin adımları aşağıda verilmiştir.

Hemşirelik tanılaması: KİBAS'lı hastanın hemşirelik tanılaması için hastanın aile üyeleri ve yakınlarından alınacak ayrıntılı öykünün yanı sıra daha önce bilinç düzeyi değişikliği olan hastada yapılan hemşirelik tanılamasında olduğu gibi GKÖ kullanılarak bilinç düzeyi değerlendirilip, hemşirelik tanıları konularak yapılacak hemşirelik girişim-

54. Sinir Sistemi Hastalıkları

lerinin planlaması, uygulaması ve değerlendirmesi yapılır.

Tanılama aşamasında başlangıçta hastanın durumu stabil oluncaya kadar 15 dakikada bir, daha sonra her iki saatte bir yaşam bulguları izlenir. Özellikle beden ısısında yükselme ya da düşme, solunum ritiminde ve biçiminde değişimin izlenmesinin KİBAS'lı hastanın durumundaki ani değişikliğin bulgusu olduğunu unutmadan bu konuda gerekli önemi göstermek gerekir.

-Hemşirelik tanıları: KİBS'lı hastada tanılama doğrultusunda saptanabilecek hemşirelik tanıları aşağıda verilmiştir:

- Serebral doku kanlanmasında bozulmaya bağlı kafa içi basınçta artma
- Bilinç düzeyi değişikliğine bağlı hava yollarının temizlenmesinde yetersizlik
- Bilinç düzeyi değişikliğine bağlı yaralanma riski
- Hareketsizlik, girişimsel kateterler ve kortikosterid kullanımının immün sitemi baskılamasına bağlı enfeksiyon riski
- Ağız solunumu, farinks refleksi kaybı, ve sıvı alımındaki değişikliğe bağlı oral müköz membranlarda bozulma
- Hareketsizliğe bağlı deri bütünlüğünde bozulma riski
- Hipotalamusun hasarına bağlı ısı düzenlemesinin bozulması
- Nörolojik duyu kusuru ve kontrolün bozulmasına bağlı idrar boşaltımında bozulma (inkontinans ya da retansiyon)
- Bilinç düzeyinde değişiklik, metabolik gereksinimleri azaltmak için barbiturat kullanımı ve hareket kısıtlılığı nedeniyle kendine bakımda/günlük yaşam aktivitelerini (GYA) yerine getirmede yetersizlik
- Hastalık ve prognoza ilişkin bilgi yetersizliği nedeniyle aile üyeleri ve yakınlarında anksiyete
- Sağlık durumundaki bozulma nedeniyle aile sürecinde bozulma

Planlama: KİBAS'lı hastanın hemşirelik bakının planlanmasında bilinçsiz hastanın bakımındaki planlamaların yanı sıra kafa içi basıncının izlenmesi ve kafa içi basıncının artışına bağlı olarak gelişebilecek bulantı, kusma, baş ağrısı, serebral ödem gibi bulguların kontrol altına alınmasına yönelik hemşirelik girişimlerinin planlanması ve uygulanması gerekir.

Hemşirelik Girişimleri

Bilinç düzeyi değişikliği olan hastanın bakımında uygulanacak hemşirelik girişimlerinin yanı sıra KİBAS'lı hastaya yönelik hemşirelik girişimleri aşağıda verilmiştir:

- Serebral ödemi azaltmak ve nöbetlerin oluşumunu kontrol altına almaya yönelik olarak önerilen ozmotik diüretik, kotikosteroid ve antikonvülzan tedaviler önerildiği şekilde uygulanarak etkileri gözlenir. Tedaviye karşın hastanın kafa içi basıncıda düzelme olmaz, nöbet geçirirse tedavinin tekrar düzenlenmesi için hekime haber verilir.
- Hastada kafa içi basıncında artışa neden olabilecek konstipasyon ve gerginliği önleyecek ilaç tedavisi uygulama konusunda hekimle işbirliği yapılır.
- Hastanın pozisyonu değiştirilirken kafa içi basıncında artışa neden olabilecek şiddetli döndürme, boynunu fleksiyona getirme gibi hareketlerden kaçınılır. Karın içi ve göğüs kafesindeki basıncı arttırarak kafa içi basıncında artışa neden olabileceği için kalçanın aşırı fleksiyonundan da kaçınılmalıdır.
- Hava yollarının tıkanıklığını gidermek için aspirasyon uygulaması kafa içi basıncında artışa neden olabileceğinden; aspirasyondan önce, aspirasyon arasında ve sonra hastaya oksijen vermek, aspirasyon işlemini on saniyeden uzun süre uygulamamak gibi ilkelere dikkat edilmelidir.
- Beden ısısında yükselmenin kafa içi basıncı artışının erken bulgusu olduğunu unutmamalı ve bu konuda izlem ve beden ısısı yükselmesi durumunda hekime bildirme konusunda gerekli dikkat gösterilmelidir.
- Kafa içi basıncın girişimsel yöntemlerle izleminde, drenaj torbalarının ve kateterlerin değiştirilmesi sırasında steriliteye dikkat ederek enfeksiyon gelişimi önlenmelidir.

Değerlendirme/Beklenen sonuçlar

Bilinç düzeyi değişikliği olan hastada beklenen sonuçların yanı sıra KİBAS'lı hastanın hemşirelik bakımında beklenen sonuçlar aşağıda verilmiştir:

1- GKÖ puanlarının normal sınırlarda olmalı
2- Kafa içi basıncı 15 mm Hg olmalı
3- Serebral dolaşım normal düzeyde sürdürülmeli
4- Yaşam bulguları stabil olmalı, beden ısısında artma ya da düşme olmamalı
5- Baş ağrısı, bulantı, kusma olmamalı
6- Nöbet geçirmemeli/nöbetler kontrol altına alınmış olmalı
7- Huzursuzluk, ajitasyon olmamalı
8- Kuşing triyadı bulguları olmamalı
9- Solunum düzensizliği olmamalı
10- Enfeksiyon belirti ve bulguları olmamalı

Epilepsi/Nöbetler

Beyinde ani ve anormal elektrik deşarjına bağlı olarak duyu, hareket, algılama, bilinç ya da davranış değişikliklerine neden olan durumlar *nöbet*, kronik tekrarlayıcı nöbetler *epilepsi* olarak tanımlanmaktadır.

Epilepsi Yunanca kökenli bir sözcük olup, ele geçirme,

Sinir Sistemi

elde tutma anlamına gelmektedir. Önceleri bir akıl hastalığı olarak kabul edilen epilepsinin kökeninde beyinle ilgili elektrik deşarjlarının rolünün olduğu ilk kez 1870 yılında Jakson tarafından bildirilmiştir. Elektroensefalografinin (EEG) 1929 yılında tanı aracı olarak kullanılmasıyla epilepsi ve EEG bulguları arasındaki ilişki ortaya konmuştur.

Epilepsi merkezi sinir sisteminin uyarılabilirliğinde artış ve işlev bozukluğuna bağlı olarak beyin dokusunda tekrarlayan şiddetli nöbetlerle karakterize kronik bir sendromdur. Nöbetler sırasında hastada konvülzyon ile birlikte ya da konvülzyon olmaksızın duyu, hareket, algılama, davranış ya da bilinç düzeyi değişikliklerinin de görülmesi nedeniyle epilepsi bir sendrom olarak tanımlanmaktadır. Nöbetler her hasta için değişik özellikte, genellikle kendiliğinden ya da tetikleyen bir etmene bağlı olarak tekrarlar. Nöbet aralıkları ve tipleri çok farklı olmakla birlikte aynı hastada genellikle aynı tipte bir ya da birden fazla belirli nöbet tipleri tekrarlayabilir.

İnsidans: Epilepsi insidansı toplumlara göre farklılıklar göstermekle birlikte genellikle yıllık insidansın yüz binde 20-50, aktif epilepsi prevalansının binde 4-10 olduğu bildirilmektedir. Bazı hastalarda epilepsi nöbetleri geçici özellik gösterdiği için kümülatif insidans %3 olarak saptanmaktadır. Epilepsi çoğunlukla çocukluk döneminde 0-2 ve 5-7 yaş grubunda, özellikle kız çocuklarında erken puberte döneminde görülmektedir. Epilepsi hastalarının yaklaşık %90'ı ilk nöbeti 20 yaşından önce geçirmektedir. Erişkinlerde epilepsi görülme sıklığının beyin damar hastalıklarından sonra ikinci sırada yer aldığı bildirilmektedir.

Epilepsi nöbeti görülme sıklığı 5 yaşın altında ve 65 yaşın üzerindeki bireylerde fazladır. Epilepsi görülme sıklığının 65 yaşın üzerindeki bireylerde artmasının nedenleri arasında yaşın ilerlemesine paralel olarak serebrovasküler hastalık, tümör, Alzheimer tipi demans, enfeksiyon, travmaların birikmiş etkisi, kronik alkolizm ve yaşlanma sürecinin kendisinin rolü olduğu düşünülmektedir.

Etiyoloji ve risk faktörleri: Sinir hücresi membranında bozulmaya yol açan herhangi bir faktör epilepsi etiyolojisinde rol oynar. Epilepside etiyoloji ve risk faktörleri serebral, biyokimyasal, posttravmatik ve idiyopatik olarak gruplanmaktadır.

I-Serebral faktörler: Travma, anoksi, perinatal sarılık, enfeksiyon, ilaç kullanımı, radyoaktif ışınlara maruziyet, toksikasyon gibi antenatal faktörler, menenjit, ensefalit, beyin apsesi ya da yüksek ateş gibi beyin dokusunu ilgilendiren enfeksiyon hastalıkları, subaraknoid kanama, felç, hipertansif ansefalopati, vazospazm ve damar yapısı ile ilgili anomalilerin neden olduğu beyin dolaşım bozuklukları, beyin ve ilgili yapılarının travması sonucu oluşan epidural, subdural, intraserebral kanamalar, birincil ya da metastaik beyin tümörleri.

2-Biyokimyasal faktörler: Biyokimyasal faktörlerden Wilson hastalığı gibi bazıları genetik kökenli olmakla birlikte, çoğunda genetik faktör söz konusu değildir. Alkol ve ilaç zehirlenmeleri, bazı ilaç ve organik olmayan bileşikler, elektrolit dengesizliği, vitamin yetersizliği, diabetes mellitus ve karbonhidrat metabolizmasıyla ilgili hastalıklar, karbonmonoksit ve kurşun zehirlenmeleri, gebelik ve menstruasyon dönemlerindeki hormonal değişiklikler epilepsi etiyolojisinde rolü olan biyokimyasal faktörler arasında sayılabilir.

3-Posttravmatik faktörler: Genç yetişkinlik döneminde epilepsi etiyolojisinde rol oynayan en önemli faktörlerden biri kafa travmasıdır. Kaza ve yaralanmaların neden olduğu kafa travmaları, doğum travmaları posttravmatik faktörlerdir. Posttravmatik nedene bağlı epilepsi nöbetleri genellikle travmayı izleyen 6 ay-2 yıl içinde ortaya çıkmaktadır.

4-İdiyopatik epilepsiler: İdiyopatik epilepsiler çoğunlukla 20 yaşından önce başlar. Nadiren 30 yaşından sonra başlar. Bu tür epilepsiler yeni doğan ve infantlarda konjenital beyin defektleri, beyin yaralanmaları ya da hipoksi, hipoglisemi ya da hipokalsemiye bağlı metabolik nedenlerle ortaya çıkar. İdiyopatik epilepsilerde neden olan faktörler genellikle perinatal döneme ilişkin olmasına karşın nöbetler bazen doğumdan yıllar sonra çoğunlukla puberte döneminde görülür.

Nedeni bilinmeyen epilepsiler ise *sekonder epilepsi* olarak tanımlanmakta olup 20 yaşından sonra görülen epilepsilerde genellikle neden olan faktör bilinmemektedir. Epilepsi olgularının yaklaşık üçte ikisi idiyopatik, üçte biri sekonder epilepsi olarak gruplanmaktadır.

Epilepsili hastalarda bazı uyarıların nöbetlerin ortaya çıkmasını tetiklediği bilinmektedir. Epilepside risk faktörler ve bunlara ilişkin korunma düzeyleri Çizelge 54.1'de verilmiştir.

Patofizyoloji: Epilepside nöbetler epileptojenik odaklar olarak bilinen serebral korteks ve limbik merkezlerdeki nöronların duyarlılığının bozulması sonucu gelişir. Uykunun belli evrelerinde, aşırı duyarlıkta, hiponatremi, hipoglisemi, hipoksi ve hipertermi durumlarında hücre membranı geçirgenliği artar. Geçirgenliği artan hücrelerde sıklığı ve genişliği artan deşarjlar başlar. Uyarılmaların eşiği artınca deşarjlar serebral korteks, bazal ganglionlar ve beyin sapı gibi normal sinir hücrelerine de yayılmaya başlar. Bu anormal deşarjlar normal baskılanmayı engelleyerek sürekli hale gelir ve geri bildirim mekanizmasını bozar.

1130

54. Sinir Sistemi Hastalıkları

Çizelge 54.1: Epilepside Risk Faktörleri ve Korunma Düzeyleri

Risk faktörleri
- Beyin tümörü, kanama, apse gibi yer kaplayan oluşumlar
- Menenjit, ansefalit gibi enflamatuar hastalıklar
- Üremi, karaciğer yetmezliği, kurşun zehirlenmesi, alkol, yüksek dozda ve uygun olmayan ilaç kullanımı nedeniyle merkezi sinir sisteminin etkilenmesine bağlı metabolik bozukluklar
- Beyin hipoksisi, hiperkapniye neden olan durumlar ve kafa travması

Korunma düzeyleri
Birincil korunma
- Gerekli durumlarda başı koruyucu kask, baret vb. giyilmesini önerme
- Aşırı alkol, özellikle reçete edilmiş ilaç kullanan bireylerde uygun olmayan ve aşırı dozda ilaç kullanımından, reçete edilmemiş ilaç kullanımından kaçınma konusunda uyarma. İlaç kullanımı konusunda mutlaka hekime danışmasını teşvik etme
- Alkollüyken araç kullanmama konusunda uyarma
- Çocukları aydınlatılması uygun olmayan ortamlarda, iyi ayarlanmamış TV izleme ve bilgisayar oyunlarından kaçınmaları konusunda uyarma
- Uykusuzluk, yorgunluk, hipoglisemi, konstipasyon, duygusal stres, elektrik şoku, bazı kokular, yüksek sesli müzik dinleme, ateşli hastalık, hiperventilasyon ve fazla miktarda su içme gibi nöbetleri tetikleyen faktörlerden kaçınması konusunda uyarma

İkincil korunma
- Nöbetlerin ortaya çıkmasını tetikleyici faktörlerin kontrol altına alınması
- KİBAS'lı hastaların hemşirelik bakımında gereksiz bakım uygulamalarından kaçınma
- Antikonvülzan ilaçların plazma düzeylerini düzenli olarak izleme, doz atlanması durumunu hekime bildirme
- Bireydeki hipoksi bulgularını izleme, görülmesi durumunda hekime haber verme
- Yatak kenarlarındaki koruyucu parmaklıkları yumuşak dolgu malzemeleri ile (pamuk, sünger vb.) kaplayarak kafa travmalarını önleme
- Aspirasyon sırasında oksijenizasyonu sağlama

Üçüncül korunma
- İkincil korunmadaki tüm girişimleri uygulama
- Gastrostomi tüpü ile beslenen hastalarda dahil olmak üzere hastanın önerilen toplam antikonvülzan dozunu aldığından emin olma
- En az üç ayda bir hastanın plazma antikonvülzan düzeyini kontrol için hekime danışma

---

Beyin sapındaki elektrik deşarjı kaslarda kasılmaya ve bazen bilinç kaybına neden olur. Hücrelerdeki uyarılma spinal korda kadar yayılır. Korteks, talamusun ön yüzü ve bazal ganglionlardaki baskılayıcı nöronlar nöronlarda uyarılmayı yavaşlatır. Bu baskılayıcı mekanizma nöbetleri keser, aralıklı kasılma- gevşeme evreleri oluşur. Epileptojenik nöronlardaki boşalma ve baskılayıcı mekanizmalar nöbetleri durdurur. Daha sonra merkezi sinir sistemi işlevlerinde ve bilinç düzeyinde düzelmeler meydana gelerek hasta uyur, konfüzyon ya da yorgunluk yaşar.

Bu evre *postiktal evre* olarak tanımlanır. Nöbet evresinde vücudun adenozin trifosfat gereksinimi %250, beyin oksijen gereksinimi %60 artar. Acil olarak glikoz ve oksijen verilmesi gerekir. Bu gereksinimleri karşılamak için nöbet sırasında beyin kan akımı %250 artar. Eğer nöbetler *status epileptikus* olarak tanımlanan tekrarlayıcı nöbetler şeklinde devam ederse ciddi hipoksi ve laktik asidoz gelişir. Bu durumda beyin dokusunda yıkım olabilir.

Epilepsilerin sınıflandırması /klinik belirti ve bulguları: Epilepsiler nöbetlerin ortaya çıkış yaşı, nedenleri, köken aldığı alan, EEG'deki anormallikler ve nöbetin klinik tipine göre sınıflandırılır. Nöbetlerin klinik tipleri, nöbetlerin olduğu iktal evre ve nöbetler arasındaki intraiktal evreye göre sınıflandırılır Uluslararası Epilepsi Nöbetleri Sınıflandırma sistemine göre yapılan sınıflandırma ve klinik bulgular Çizelge 54.2'de verilmiştir.

Tanı yöntemleri: Epilepsi tanısı ve etiyolojik faktörleri belirlemede fizik ve nörolojik muayenenin yanı sıra ayrıntılı öykü, laboratuar incelemeleri, EEG, BT, PET, single foto emisyon bilgisayarlı tomografi (SPECT) gibi yöntemlerden yararlanılır.

Öykü: Epilepsi tanısı koymada hastanın perinatal öyküsü, gelişme evreleri, intoksikasyon öyküsü, ailede epilepsi öyküsü ve diğer risk faktörlerini içeren ayrıntılı öyküsü alınır. Nöbetlerin özelliklerini belirleyebilmek için aşağıdaki sorular sorulmalıdır:
- İlk nöbet yaşı
- Hastalığın seyrinin nasıl olduğu
- Nöbetler sırasında bilinç yitimi olup olmadığı
- Nöbetle ilgili objektif ve subjektif bilgiler
- Nöbetlerin süresi ve sıklığı
- Aura olup olmadığı
- Nöbetleri tetikleyen faktörlerin olup olmadığı
- Nöbet sonrası davranışlar
- Nöbet sırasında travma yaşanıp yaşanmadığı

Sinir Sistemi

Çizelge 54.2: Epilepsilerin Sınıflandırması/Klinik Belirti ve Bulgular

I. Tonik-klonik (Grand mal) nöbetler

Tüm nöbetlerin %10'nu oluşturur. Nöbet öncesinde hasta huzursuzdur ve miyoklonik sıçramalar gibi bulgular olabilir. Nöbet öncesinde hastada aura olarak tanımlanan uykusuzluk, iştahsızlık, huzursuzluk gibi haberci bulgular olabilir ya da bu bulgular olmadan nöbet aniden başlar. Tonik kasılma evresinde hastada güçlü kas kasılmaları olur ve aniden bilincini yitirerek kasılmış şekilde yere düşer. Dişleri kenetlenmiştir ve siyanoz gelişebilir. Yaklaşık bir dakika sonra klonik evre olarak tanımlanan evrede konvülzyonlar başlar, ekstremitelerde kesik kesik kasılmalar olur ve hasta bir çığlık sesi çıkarır, üst solunum yollarında biriken salgılar nedeniyle hırıltılı solunum vardır, ağızdan köpük gelir, dilini ısırabilir, idrar ya da gaitasını kaçırabilir. Nöbet iki-beş dakika içinde sonlanır. Hasta nöbetten sonra sersemlemiş haldedir ve saatlerce uyuyabilir. Refleksler azalmıştır ve Babinski pozitiftir. Hasta nöbetten sonra uyandığında şaşkın olabilir (postiktal konfüzyon).

II. Absans nöbetleri (Petit mal)

Genellikle puberteye erişmemiş dört yaşın altındaki çocuklarda görülür. Puberteden sonra giderek azalır. Nöbetler hastanın yaptığı bir aktivitenin birden kesilmesi, kısa süreli bilinç kaybı, ritimik göz kırpma hareketleri şeklindedir. Dışarıdan bakıldığında çocuk uyukluyor ya da hayal kuruyor gibi görülebilir. Nöbetten sonra çocuk önceden yaptığı aktiviteye (yemek yeme, yazı yazma vb.) kaldığı yerden devam edebilir.

III. Miyoklonik nöbetler

Erken çocukluk döneminde gelişen bir ya da birden fazla ekstremitede ya da tüm vücutta birden ortaya çıkan fleksiyon ya da ekstansiyon şeklinde kasılmalarla karakterizedir. Çoğunlukla sabahları ya da gece uykuda görülür. Ekstremitelerdeki şiddetli atma, fırlatma hareketleri nedeniyle hasta kendine zarar verebilir.

İdiyopatik jeneralize epilepsiler

Lokal başlangıçlı olmayan iki taraflı nöbetlerdir. Epilepsi nöbetlerinin yaklaşık 1/3'ünü jeneralize nöbetler oluşturur.

Lokalizasyona bağlı epilepsiler

Nöbetler tümör, travma ya da inmeye bağlı nedbe dokusundan kaynaklanan bir aktivite odağından başlar ve yayılır. Jeneralize tonik-klonik nöbetlere neden olabilirler. Nöbetlerin şekli lezyonun yerine göre değişir. Epilepsi olgularının yaklaşık %60'ından fazlası bu gruba girer.

I. Fokal motor nöbetler

Motor korteksten köken alırlar ve yüz, el gibi lokalize kas gruplarında klonik hareketlerle başlar. Saatlerce devam edebilir (epilepsia partialis continua). Nöbetten sonra etkilenen bölgelerde kısa süreli olarak güçsüzlük olabilir (todd parezisi).

II. Fokal duyusal nöbetler

Duyusal korteksten köken alır. Etkilenen alanda lokal ya da yaygın parestezi, etkilenen tarafın karşı tarafında gözde parlak ışık, ışık çakması, konuşma güçlüğü gibi bulgulara neden olabilir.

III. Temporal lob nöbetleri

Bellek ve beş duyu ile ilgili halüsinasyonlar ortaya çıkar. Bunlar kötü koku, tat, açlık ya da susuzluk duyusu, baş dönmesi, bilinç bulanıklığı, işitme ya da görme ile ilgili halüsinasyonlar olabilir. Hastanın bilinci açıktır ancak bulanıktır ve normal aktivitelerine devem edebilir. Nöbet bittikten sonra hasta olayları hatırlamaz.

Laboratuvar incelemeler: İdrar incelemesi, tam kan incelemesi, açlık kan şekeri, üre, kalsiyum ve elektrolitlerin kandaki düzeyi ve karaciğer fonksiyon incelemeleri. Bunların yanı sıra akciğer grafisi ve EKG çekilerek incelenir.

EEG: Tek başına EEG bulgusu ile tanıya gidilmez. Toplumun yaklaşık %10-15'inde EEG bulguları bozuk olabildiği gibi, epilepsili hastaların da %15'inde epilepsiye özgü EEG bulguları olmayabilir.

BT/MRG: Yaşamın ileri yıllarına başlayan fokal nöbetlerde tümör saptanmasında yararlanılır.

PET/SPECT: Epileptik odağın belirlenmesinde ve cerrahi girişim uygulanması düşünülen hastalarda beyin kan akımını değerlendirmede yararlanılan bir yöntemdir.

Tedavi: Epilepsi tedavisinin amacı ;
1- Epilepsiye neden olan ya da tetikleyen faktörleri kontrol altına almak
2- Hastanın fiziksel ve mental sağlığını düzeltmek
3- Epilepsiye özgü tedaviyi uygulamak
4- Gerekli ve uygun hastalar için cerrahi girişim uygulamak amaçlarına yöneliktir.

Bu tedavilerin ana amacı epileptik nöbetleri önlemek/kontrol altına almaktır. Bu amaçlara yönelik olarak uygulanan tedavi yöntemleri aşağıda verilmiştir.

İlaç tedavisi: Nöbetleri kontrol altına almanın birincil yolu antikonvülzan ya da antiepileptik ilaçlar olarak adlandırılan ilaçların kullanımıdır. Antiepileptik ilaçların en az yan etkiyle nöbetleri tam olarak kontrol altına alabilmesini sağlamak için olabildiğince düşük dozda başlanıp gerekliliğine göre doz giderek arttırılır. Genellikle tek ilaçla tedaviye başlanır, gerekliliğe göre kombine tedaviye geçilir. Phenytoin (Epdantoin, epanutin), phenobarbital (Luminal), carbamezapine (Tegretol), valporik asit (Depakin) ve primidone (Mysoline) sıklıkla kullanılan ilaçlardır. İlaç tedavisi sırasında hasta ve yakınlarının ilacın etkilerini ve yan etkilerini izlemesi, bu dönemde nöbet geçirip geçirmediğini ve sıklığını kaydetmesi, ilaçların düzenli kullanımı, hekime danışmadan ilacı kesmemesi, alkol kullanmaması, önerildiği şekilde düzenli aralıklarla kan düzeylerinin kontrolünü yaptırması konularında eğitilmesi gerekir.

54. Sinir Sistemi Hastalıkları

İlaç tedavisi hastada iki-üç yıl hiç nöbet geçirmeyinceye kadar devam edilip, daha sonra doz yavaş yavaş azaltılarak kesilir. İlacın birden kesilmesinin status epileptikusa neden olabileceği unutulmamalıdır.

Antiepileptik ilaçların yan etkileri ve toksisiteleri şunlardır:

-Akut doza bağımlı toksisite: Spesifik olmayan ansefalopati şeklinde görülür. Nistagmus, ataksi, dizartri, konfüzyon, sersemlik gibi bulgular vardır. Doz azaltımı ile giderilebilir yan etkilerdir.

-Akut idiyosenkratik toksisite: Doza bağımlı olmadan gelişir. Stevens Johnson sendromu, döküntülü dermatit, hepatit gibi bulgular vardır.

-Kronik yan etkiler: Yüksek doz ve kombine ilaç kullanımına bağlı olarak tüm sistemleri etkileyen yan etkiler ortaya çıkabilir. Bulantı, kusma, midede rahatsızlık duyusu, uyuklama, uyuşukluk, baş dönmesi, sersemlik, lataerji, solunum güçlüğü, baş ağrısı, bulanık görme gibi bulgular vardır.

Cerrahi tedavi: Epilepside ilaç tedavisi ile %75 oranında nöbetler kontrol altına alınır. Geri kalan %25'lik grupta nöbetler devam eder. Hastaların %5'inde nöbetleri kontrol altına almak için cerrahi yönteme baş vurulur. Cerrahi tedavide çoğunlukla ön temporal lobun kortikal olarak çıkarılmasına baş vurulur.

Diyet: Hasta ve yakınları dengeli beslenme, alkol kullanmama konularında eğitilmelidir.

Hemşirelik yönetimi: Epilepsili hastalar, tanı koyma, tedavinin planlanması ve nöbetlerin kontrol altına alınması sürecinde hastanede yatırılıp daha sonra tedaviyi evinde sürdürür. Hastanede yatma sürecinde ve evde tedavinin sürdürülmesi sürecinde hastalık, tedavisi, ilaç kullanımı, tetikleyici faktörler, uyması gereken ilkeler konusunda hasta ve yakınlarının konuyla ilgili bilgilendirilmesinde hemşirenin önemli sorumlulukları vardır. Hastanede yatan hastalarda nöbet sırasında hastayı kaza ve yaralanmalardan korumak için alınması gereken önlemler, nöbet sırasında ve sonrasında hastanın izlenmesi hemşirenin sorumluluklarındandır.

Bu amaçlar doğrultusunda yapılacak hemşirelik yönetiminin adımları aşağıda verilmiştir.

-Hemşirelik tanılaması: Epilepsili hastanın hemşirelik tanılamasında prenatal, doğum ve gelişimsel öykü, aile öyküsü, ilk nöbet yaşı, kafa travması ve hastalık öyküsü, nöbetlerin oluşumu, sıklığı, tetikleyen faktörler ve aura olup olmadığını kapsayan ayrıntılı öykü alınır. Daha sonra subjektif ve objektif verilerle hastanın değerlendirmesi yapılır.

Nöbet sırasında hastanın aktivitelerinin gözlenmesi, aura ya da diğer haberci bulguların olup olmadığının gözlenmesi subjektif veriler sağlar. Nöbetler sırasında hastanın solunum, kaslarda sertlik ve gevşeme, göz ve başının pozisyonu, çığlığa benzer ses çıkarıp çıkarmadığı, idrar ya da gaita inkontinansı olup olmadığı, nöbetlerin evrelerinin ve toplam nöbetin süresi, nöbet sırasında bilinç yitimi olup olmadığının kontrolü gözlenerek objektif veriler olarak kaydedilir. Nöbet evresinden sonra postiktal evredeki bulgular gözlenerek kaydedilir. Bunlar objektif veri sağlayan diğer verilerdir. Bu evrede kol ve bacaklarda paralizi, konuşma güçlüğü, nöbet sonrası uykuya dalma, uykudan uyanmada güçlük, konfüzyon gibi bulgular olup olmadığı gözlenerek kaydedilir. Hastanın yaşam bulgularında değişiklik, yaralanma, kullandığı ilaçlar ve yan etkilerinin de hemşirelik tanılaması kapsamında değerlendirilmesi gerekir.

Epilepsili hastada hemşirelik bakım planı örneği verilmiştir. Epilepsi nöbeti geçiren hastalarda hasta güvenliği için önlemler Çizelge 54.3'de, hasta ve yakınları için yapılması gereken eğitimin kapsamında yer alması gerekenler Çizelge 54.4'de verilmiştir.

Baş Ağrıları

Yaygın bir ağrı tipi olan baş ağrıları organik bir hastalık olmadan ya da ciddi hastalıkların belirtisi olarak ortaya çıkar. Toplumun %90'ı yaşamının bir döneminde baş ağrısı deneyimleyebilir. Kafatasındaki tüm yapılar ağrıya duyarlı değildir. Ağrıya duyarlı olan yapılar venöz boşluklar, beynin en büyük kan damarlarının olduğu dura, kafa tasındaki damarlar, I., II., III.Kraniyal sinirler, trigeminal (V.Kraniyal sinir) sinirin üç bölümü, fasiyal sinir(VII.Kraniyal sinir), glassofaringeal sinir(IX.Kraniyal sinir) vagus siniri (X. Kraniyal sinir)'dir. Çoğunlukla geçici, orta şiddette ya da hafif olan baş ağrıları bazı kronik durumlarda aylar ya da yıllarca tekrarlayıcı nitelikte olabilir.

Etiyoloji: Baş ağrısı etiyolojisinde rol oynayan faktörler;
1- Kafa içi tümörler ve enfeksiyonlar
2- Bakteriyal ya da viral menenjitler
3- Akut sistemik enfeksiyonlar
4- Baş yaralanmaları
5- Beyin hipoksisi
6- Şiddetli hipertansiyon
7- Akut ve kronik göz, kulak, burun ve boğaz hastalıklarıdır

Baş ağrılarının sınıflandırılması:

Baş ağrıları baş ve yüz ağrısının özelliklerine göre sınıflandırılır. Baş ağrılarının bir çok sınıflandırması vardır. Uluslararası literatürde geçerliği olan " Ad Hoc Committe of National Institute of Neurological Disordeers and Blindness" komitesinin yaptığı baş ağrısı sınıflaması Çizelge 54.5'de verilmiştir.

Sinir Sistemi

Çizelge 54.3: Epilepsi Nöbetinde Hasta Güvenliği İçin Önlemler

Hasta yataktaysa
- Yatak kenarlıklarının kaldırılmış olmasını sağlayınız
- Yaralanmaları önlemek için yatak kenarlıklarını battaniye ya da benzeri maddelerle örtünüz

Hasta yatakta değilse
- Hastayı yavaşça yere yatırınız
- Hastanın yakınında bulunan yaralanmasına neden olabilecek eşya ve araç gereci kaldırınız Hastanın başının altına yastık, havlu, battaniye gibi yumuşak bir şey yerleştiriniz

Hasta yatağında ya da yatağında değilse
- Hastayı asla yalnız bırakmayınız
- Hastaya zorlayıcı hareket uygulamayınız
- Nöbet başladıktan sonra hastanın ağzına bir şey koymaya çalışmayınız
- Hastanın boynunu sıkan giysileri gevşetiniz
- Hastanın başını yana çeviriniz
- Nöbeti baştan sona izleyiniz ve nöbetin başladığı ve bittiği zamanı kaydediniz

Nöbet sonrası
- Hastaya adıyla sesleniniz ve basit komutlar vererek yapmasını isteyiniz
- İki sözcük söyleyip tekrarlamasını isteyerek hastanın belleğini kontrol ediniz
- Hastaya nöbet öncesi aura deneyimleyip deneyimlemediğini sorunuz
- Ağız boşluğunu özellikle dilde yaralanma olup olmadığı yönünden kontrol ediniz
- Korku ya da sıkıntı yaşamış olabileceğini düşünerek hastaya rahat ve güvenli bir ortam sağlayınız
- Gözlemlediğiniz her şeyi kaydediniz

Bu sınıflandırmayı esas alarak baş ağrıları *birincil ve ikincil* baş ağrıları olarak incelenebilir. *Birincil* baş ağrıları organik bir nedene bağlı olmayan migren, gerilim tipi ve küme tipi baş ağrılarıdır. *İkincil* baş ağrıları ise beyin tümörü, anevrizma, menenjit, subaraknoid kanama, inme gibi organik nedenlere bağlı baş ağrılarıdır. Birincil tip baş ağrılarının karşılaştırması Çizelge 54.6'da verilmiştir. İkincil tip baş ağrılarına neden olan faktörlere göre ilgili bölümlerde değinilecektir. Burada birincil tip baş ağrısına neden olan migren, gerilim tipi ve küme baş ağrıları ve hemşirelik bakımlarına değinilecektir.

Migren: Toplumun %10'da görülen migren kadınlarda erkeklere göre biraz daha fazla görülür (1.5/1). Hastaların yaklaşık %75'i ilk ağrıyı 20 yaşından önce deneyimler. Hastaların %65'de ailede migren öyküsü vardır.

Patofizyoloji: Migrende ağrı nöbetlerinin mekanizması tam olarak anlaşılamamıştır. Ancak serebral kan akımında azalmanın auraya neden olduğu bilinmektedir. Bu durumu serebral kan akımında artma ve vazodilatasyon evresi izler ve bu evrede baş ağrısı yaşanır. Bu mekanizmanın temelinde seratonin, östrojen diyetle alkol alımının rolü olduğuna ilişkin kanıtlar vardır. Hastanın duygu durumu, yorgunluk, hormonal değişiklikler, mevsimsel değişiklikler, parlak ışık, ses gibi çevresel uyaranlar da bu mekanizmanın oluşmasında rol oynamaktadır.

Klinik belirti ve bulgular: Migren auralı ve aurasız migren olarak iki şekilde görülür. Aurasız migren daha yaygındır. Auralı migren tüm migrenlerin %10'u oluşturur. Auralı migrende baş ağrısından önceki 24 saatlik dönemde esneme, öfori, depresyon, bazı yiyeceklere karşı aşırı iştah ya da iştahsızlık gibi haberci bulgular olur. Bunu baş ağrısından önce yaklaşık 30-60 dakika süren ağız çevresi ya da ellerde paresteziler, gözünde ışık parlamaları, zikzaklı çizgiler gibi aura bulguları izler. Baş ağrısı genellikle tek taraflı zonklayıcı niteliktedir. Genellikle gün içinde başlar. Baş ağrısıyla birlikte bulantı-kusma, diyare, ürperme, ödem, bayılma duyusu gibi bulgular olabilir. Fotofobi ve sonofobi olabilir. Ağrı genellikle hareketle şiddetlenir ve 24-48 saat sürer.

Gerilim tipi baş ağrısı: Oldukça sık rastlanan baş ağrısı tipidir. Genellikle orta yaşlı kadınlarda görülür. Hastaların %40'da aile öyküsü vardır.

Patofizyoloji: Kafa tası ve boyun kaslarının gerginliğine bağlı olarak geliştiği ileri sürülmektedir. Ancak tüm gerilim tipi baş ağrılarında bu mekanizmayı destekleyen kanıtlar yoktur. Geçerli olan görüş beyin sapında sinir duyarlılığında artış ve ağrıyı kolaylaştıran mekanizmalardan kaynaklandığıdır.

Klinik belirti ve bulgular: Ağrı genellikle oksipital bölge ve ensede başlar, başın üst bölümüne yayılır. Sıkışma, basınç ya da ağırlık duyusu şeklinde tekrarlayıcı niteliktedir. Ağrı aralıklı olarak haftalar, aylar hatta yıllarca sürebilir. Ağrıyla birlikte bulantı ve kusma olabilir. Ancak migren baş ağrısına göre daha geç bir bulgudur.

Küme baş ağrısı: Genellikle erişkin yaşta (30-60 yaş) başlar. Erkeklerde kadınlardan 10 kez fazla görülür. Baş ağrıları genellikle gece olur ve tek göz etrafında çok şiddet-

54. Sinir Sistemi Hastalıkları

Epilepsili Hastada Hemşirelik Bakım Planı Örneği

Hemşirelik tanısı: Tonik- klonik kas kasılmalarının solunum kaslarını etkilemesine bağlı mukus birikimi nedeniyle hava yolu açıklığında yetersizlik
Hedef: Hastanın nöbet sırasında etkin hava yolu açıklığını sürdürmek, etkin solunum yapmasını sağlamak

Hemşirelik Girişimleri	Amaç	Beklenen Sonuçlar
1. Hastanın tonik-klonik kasılmaları izlenir ve yan yatar pozisyona getirilir 2. Hastanın yatağının yanında kullanıma hazır aspiratör bulundurulur 3. Deri rengi, solunum hızı ve derinliği izlenir 4. Gerekiyorsa önerildiği şekilde oksijen tedavisi uygulanır 5. Hastanın çenesi kilitlenmemişse oral airway yerleştirilir	1. Sekresyonların drenajını ve hava yollarının açıklığını sağlar 2. Gerektiğinde aspire ederek hava yollarının açıklığını sürdürmeyi sağlar 3. Siyanoz, etkin solunum ve hava yolu açıklığının değerlendirilmesini sağlar 4. Siyanozu gidermeye ve solunuma yardımcı olur 5. Solunum ve oksijenlenmeye yardımcı olur ve nöbet sırasında dilin ısırılmasını engellemeyi sağlar	*Sekresyonlar nedeniyle hava yollarının tıkanması önlenmiş olmalı *Siyanoz, hırıltılı solunum olmamalı, solunum hızı ve derinliği normal sınırlarda olmalı *Nöbet sırasında dilin ısırılması önlenmiş ve hava yolu açıklığı sağlanmış olmalı

Hemşirelik tanısı: Nöbet sırasında yaralanma riski
Hedef: Nöbete bağlı yaralanmalar olmamalı

Hemşirelik Girişimleri	Amaç	Beklenen Sonuçlar
1. Yatak kenarlıkları kaldırılır 2. Yatak kenarlıkları koruyucu petler ya da battaniyelerle sarılır 3. Ayakta ya da yatar durumdayken nöbet geliştiğinde hasta sırt üstü yatar pozisyona getirilir, kasılmaları önlemek için ekstremitelere müdahale edilmez 4. Boynunu sıkan giysiler ve takı vb. gevşetilir/çıkarılır 5. Nöbet geçtikten sonra hasta yan yatar pozisyona getirilir 6. Sakin ve sessiz bir ortam sağlanır 7. Dilinde ısırma bulguları, kemiklerde kırık, vücutta ezilme ve çürük olup olmadığı kontrol edilir	1. Yatak kenarlıkları kaldırılır 2. Yatak kenarlıkları koruyucu petler ya da battaniyelerle sarılır 3. Ayakta ya da yatar durumdayken nöbet geliştiğinde hasta sırt üstü yatar pozisyona getirilir, kasılmaları önlemek için ekstemitelere müdahale edilmez 4. Boynunu sıkan giysiler ve takı vb. gevşetilir/çıkarılır 5. Nöbet geçtikten sonra hasta yan yatar pozisyona getirilir 6. Sakin ve sessiz bir ortam sağlanır 7. Dilinde ısırma bulguları, kemiklerde kırık, vücutta ezilme ve çürük olup olmadığı kontrol edilir	1. Yatak kenarlıkları kaldırılır 2. Yatak kenarlıkları koruyucu petler ya da battaniyelerle sarılır 3. Ayakta ya da yatar durumdayken nöbet geliştiğinde hasta sırt üstü yatar pozisyona getirilir, kasılmaları önlemek için ekstemitelere müdahale edilmez 4. Boynunu sıkan giysiler ve takı vb. gevşetilir/çıkarılır 5. Nöbet geçtikten sonra hasta yan yatar pozisyona getirilir 6. Sakin ve sessiz bir ortam sağlanır 7. Dilinde ısırma bulguları, kemiklerde kırık, vücutta ezilme ve çürük olup olmadığı kontrol edilir

Hemşirelik tanısı: Tekrar nöbet geçirme olasılığının neden olduğu anksiyete ve kendini algılamayla ilgili başa çıkmada yetersizlik
Hedef: Hasta nöbet geçirme ile ilgili sıkıntılarını sözel olarak ifade edebilmeli ve etkili başa çıkma yöntemlerini kullanabilmeli

Hemşirelik Girişimleri	Amaç	Beklenen Sonuçlar
1. Hastanın korku ve kaygılarını açıklamasına izin verilir 2. Etkin baş etme yöntemleri öğretilir 3. Etkin baş etme yöntemleri için psikiyatri kliniğinden destek alınır	1-2-3. Hastanın korku ve kaygılarını gidermeyi ve etkin baş etme yöntemlerini kullanmasını sağlar	*Hasta sözel olarak korku ve kaygılarının giderildiğini ve etkili baş etme yöntemlerini kullandığını ifade edebiliyor ve davranışlarıyla gösterebiliyor olmalı

Hemşirelik tanısı: Hastalık, ilaç tedavisi ve tetikleyen faktörler konusunda bilgi eksikliği
Hedef: Hasta ve yakınları hastalığın doğasını, ilaç tedavi programını, tetikleyici faktörleri ve korunma yöntemlerini öğrenmiş Olduğunu ifade edebilmeli ve uygulayabilmeli

Hemşirelik Girişimleri	Amaç	Beklenen Sonuçlar
1. Hasta ve yakınlarına gereksinimleri doğrulusunda bireyselleştirilmiş kapsamlı eğitim programı hazırlanır ve uygulanır	1. Hasta ve yakınlarının hastalığı, ilaç tedavi programını, yan etkileri, nöbetleri tetikleyen faktörleri ve koruyucu önlemleri öğrenmelerini sağlar	*Hasta ve yakınları konuyla ilgili yeterli bilgileri olduğunu sözel olarak ifade edebiliyor ve davranışları ile gösterebiliyor olmalı

Hemşirelik tanısı: Hastalık tanısı ve nöbet geçirme olasılığı nedeniyle sosyal izolasyon
Hedef: Hastanın sosyal aktivitelere katılım gösterebiliyor olması

Hemşirelik Girişimleri	Amaç	Beklenen Sonuçlar
1. Hastanın sosyal aktivitelere katılımla ilgili kaygılarını giderici eğitim ve danışmanlık programı hazırlanır ve uygulanır	1. Hastanın sosyal aktivitelere katılımla ilgili kaygılarının giderilmesini ve sosyal aktivitelere katılımını cesaretlendirmeyi sağlar	*Hastanın bu konudaki kaygıları giderilmiş ve sosyal aktivitelere katılımı sağlanmış olmalı

Çizelge 54.4: Epilepsili hasta/yakınlarının eğitimi için öneriler

İlaç kullanımı
- Nöbet geçirmese bile önerilen ilaçları, önerilen dozda almasının gerekliği ve önemi
- Epilepsi tedavisinde yaygın kullanılan Phenytoin (Dilantin)'nin diş etlerinde hiperplaziye neden olabileceği bu nedenle günde iki-üç kez diş fırçalamasının önemi ve 6-12 ayda bir dişeti kontrolü yaptırmasının gerekliliği
- Bir başka hastalık nedeniyle antiepileptik ilaçları alamayacaksa hekimine danışması
- İlaçların yan etkisi olması durumunda hekimine danışmadan ilaç alımını kesmemesinin önemi
- Hekime danışmadan reçetesiz ilaç kullanmaması gerektiği
- İlaç kullanımına karşın nöbetleri devam ediyorsa hekimine danışmasının gerekliliği
- Önerildiği sıklıkta ilacın kan düzeyindeki kontrolünü yaptırmasının gerekliliği ve önemi
- Hastalığı, kullandığı ilaçların adı, dozu, kullanım sıklığı, hekiminin adı ve telefon numarası bilgilerini içeren tanıtıcı kart ya da künyeyi her zaman yanında taşımasının önemi ve gerekliliği

Diyet
- Her türlü alkollü içki kullanımından kaçınmasının gerekliliği
- Yeterli ve dengeli beslenmesinin önemi
- Uyarıcı etkisi nedeniyle kafeinli içecek alımının sınırlanmasının önemi
- Günlük sıvı alımını 1500 ml' den fazla olmamasının önemi

Nöbeti tetikleyen faktörler
- Konstipasyon
- Mensturasyon
- Aşırı yorgunluk/uykusuzluk
- Aşırı emosyonel stres
- Elektroşok
- Ateşli hastalık
- İyi aydınlatılmamış ortamda bulunma ve iyi ayarlanmamış TV izleme
- Aşırı parlak ışık ve gürültünün nöbetleri tetiklediği ve bunlardan korunmasının önemi

Nöbet yönetimi
- Nöbet öncesi nöbet sırasında ve sonrasında hastayı kaza ve yaralanmalardan korumak için alınacak önlemler
- Nöbetlerin 10 dakikadan fazla sürmesi durumunda bir başka nöbet olasılığı, solunum güçlüğü, bilinç yitimi olasılığı ve nöbet geçiren hasta gebe ise ambulansla sağlık kuruluşuna ulaştırmanın önemi

Fiziksel ve günlük yaşam aktiviteleri
- Normal aktiviteleri sürdürmesinin önemi
- Dağcılık, paraşütle atlama vb. zorlayıcı aktivitelerden kaçınmasının önemi
- Yakınında nöbet sırasında yapılması gerekenleri bilen arkadaş/yakınları olduğu taktirde yüzmesinin sakıncalı olmadığı
- Normal günlük yaşam aktivitelerini sürdürmesinde sakınca olmadığı
- Banyo yaparken su ile doldurulmuş küvette banyo yapma yerine duş şeklinde banyo yapmanın güvenlik açısından önemi

İş ve sosyal yaşam
- Kendisinin ya da başkalarının yaralanmasına neden olabilecek işlerde çalışmamasının gerekliliği
- Örneğin ; pilotluk, ateşli silah, iş makinesi kullanımı, vardiyalı çalışma gibi işler yapmasının sakıncalı olduğu
- Sürücü belgesi alma ve araç kullanmada ülkenin yasaları doğrultusunda davranılmasının gerekliliği
- Epilepsili çocukların eğitimlerine kısıtlama olmadan devam edebilecekleri
- Epilepsili hastaların askerlik görevinden muaf tutulabileceğinin askeri hekim tarafından izlenerek karar verilebileceği
- Epilepsi hastalarının evlenmesinde sakınca olmadığı

Gebelik
- Epileptik kadınların gebe kalmaya karar vermeden önce ilaç kullanımı, ilaçların ve gebelikte geçirilebilecek nöbetlerin risklerini hekimine danışmasının önemi

---

lenir. Aile öyküsü yoktur. Bir-üç aylık dönemler halinde her gün tekrarlayan ağrı nöbetleri 30-120 dakika sürer. Her ağrı nöbetinden sonra tam düzelme olur. Bir sonraki ağrı nöbeti 1-2 yıl sonra olabilir.

Patofizyoloji: Patolojisi tam olarak bilinmemektedir. Trigeminal sinirin uyarılması ile bazı vazoaktif maddelerin salınımının arttığı ve ağrıyı uyardığı, alkol alımı ile ağrının tetiklendiği bilinmektedir.

Klinik belirti ve bulgular: Yüz, çene, omuz ve enseye yayılabilen ağrıyla birlikte gözde sulanma ve kızarma görülebilir. Burun tıkanıklığı, burun akıntısı, miyozis, pitozis gelişebilir. Olguların %5'inde kalıcı Horner sendromu gelişebilir. Alkol, nitrit ya da kalsiyum kanal blokerlerinin alınması atakları tetikleyebilir.

Tanı yöntemleri: Baş ağrıları tanısında öykü önemli bir rol oynar. Bunun yanısıra fizik ve nörolojik değerlendirme yararlı veriler sağlar. Direkt kafa tası grafisi, beyin anjiyografisi, lomber ponksiyon, BT, MRG, EMG gibi tanı yöntemleri ve tam kan sayımı, eritrosit sedimantasyon hızı, elektrolitler, açlık kan şekeri, kreatinin ve tiroit hormon düzeyi gibi laboratuvar yöntemler tanıya yardımcı yöntemler olarak baş vurulabilecek diğer tanı yöntemleridir.

Öykü: Baş ağrısına ilişkin öyküde aşağıdaki sorular sorulur:
Ağrının;
- Tipi

54. Sinir Sistemi Hastalıkları

Çizelge 54.5: Baş Ağrısı Sınıflandırması

1- Migren tipi vasküler baş ağrıları
- Klasik migren
- Adi migren
- Küme baş ağrısı
- Hemiplejik-oftalmoplejik migren

2- Kas gerilimi baş ağrıları

3- Kombine baş ağrıları (vasküler ve kas gerilimi baş ağrısının birlikte olduğu baş ağrıları)

4- Burun ile ilgili vazo motor reaksiyonların neden olduğu baş ağrıları

5- Psikolojik kökenli baş ağrıları (Histeri, hipokondriazis vb. durumlarda)

6- Migren dışı vasküler baş ağrıları
- Ateşli sistemik enfeksiyonlar
- Sistemik toksik reaksiyonlar (Karbondioksit toksikasyonu, alkol ve kafein toksikasyonu)
- Hipoksi, hipoglisemi, hiperkapni gibi metabolik sorunlar
- Histamin, nitrit, nitrat gibi vazodiladatör ilaçların kullanımı
- Akut serebrovasküler yetersizlik
- Hipertansiyona bağlı sabahları erken saatlerde görülen baş ağrıları
- Nöbetlerden sonra görülen baş ağrıları

7- Traksiyon (gerilme) baş ağrıları
- Meninksler, beyin ve damarların birincil ya da metastatik tümörleri
- Ekstradural, subdural, intraserebral hematomlar
- Meninks ve beyin apseleri
- Serebral ödem, sinüs trombozu gibi nedenlerle kafa içi basıncı artması durumları
- Lomber ponksiyon sonra sızıntıların neden olduğu kafa içi basıncı azalması durumları

8- Kraniyal enfeksiyonların neden olduğu baş ağrıları
- Meninks irritasyonuna neden olan menenjit, ansefalit, subaraknoid kanama, arterit, flebit gibi intrakraniyal enflamasyonlar
- Arterit ve sellülit gibi ekstrakraniyal enflamsyonlar

9- Göz, kulak burun, sinüsler, dişler, boyun, boğaz ile ilgili yapılar ve komşu dokuların neden olduğu baş ağrıları

10- Kraniyal kemik lezyonları ya da enflamsyonu nedeniyle kraniyal kemiğin periostunun gerilmesine bağlı ortaya çıkan baş ağrıları

11- Trigeminal ya da glassofaringeal nevralji gibi kraniyal sinir nevraljilerinin neden olduğu baş ağrıları

12- Posttravmatik nedenlerle ortaya çıkan baş ağrıları

13- Sınıflandırılamayan baş ağrıları

- Başlangıcı
- Sıklığı
- Yeri
- Şiddeti ve niteliği
- Haberci bulguların olup olmadığı
- Eşlik eden belirtilerin olup olmadığı
- Tetikleyen faktörlerin olup olmadığı
- Uyku düzeni
- Emosyonel faktörler
- Aile öyküsü
- Hastalık, ameliyat ve doğum öyküsü
- Alerji öyküsü
- Kullandığı ilaçlar ve tedavi öyküsü
- Öykü alındığı zaman kullandığı ilaç öyküsü

Fizik değerlendirme
- Yaşam bulguları
- Baş değerlendirmesi
- Göz değerlendirmesi
- Kulak-burun-boğaz değerlendirmesi
- Yüz değerlendirmesi
- Boyun değerlendirmesi

Nörolojik değerlendirme
- Kraniyal sinirlerin değerlendirmesi
- Motor işlevlerin değerlendirmesi
- Duyu incelemeleri
- Refleksler (Kemik-tendon refleksleri, patolojik refleksler)
- Serebellar değerlendirme

Tedavi: Birincil baş ağrılarının tedavisi Çizelge 54.7'de verilmiştir.

Hemşirelik yönetimi: Baş ağrısı yakınması olan hastanın hemşirelik yönetimi ağrıyı azaltmaya ve hastanın ağrı yönetimine yardımcı olmaya odaklanır. Baş ağrısı deneyimleyen hastanın tanısı için alınan öyküde belirtildiği gibi sorular sorularak, fizik ve nörolojik değerlendirme yapılarak hastaya ilişkin objektif ve subjektif veriler toplanır. Bu veriler doğrultusunda ağrının öncelikle ilaç dışı yöntemlerle tedavisi, daha sonra tekrarlayıcı ağrı nöbetlerini

Sinir Sistemi

önlemek için gerekli ilaç tedavisi uygulanarak etkileri gözlenir. Toplanan veriler doğrultusunda hemşirelik tanıları belirlenerek bunlara yönelik girişimler planlanır, uygulanır ve sonuçları değerlendirilir. Ağrıyı önlemeye yönelik girişimler, evde ağrı yönetimi, yaşam biçimi ve alışkanlıklarına ilişkin değişiklikler, ağrı günlüğü tutması, ilaç tedavisini içeren eğitim verilir. Baş ağrısı yakınması olan hastada saptanabilecek hemşirelik tanıları, girişimleri ve beklenen sonuçlar aşağıda verilmiştir.

Çizelge 54.6. Gerilim tipi, migren ve küme baş ağrılarının karşılaştırması

Özellik	Gerilim tipi	Migren	Küme
Yerleşim yeri	Yüzde ya da kafa tasında ya da her ikisinde birlikte iki taraflı kuşak biçiminde	%60 tek taraflı, genellikle başın ön tarafında	Tek taraflı bir gözün altına ya da üstüne yayılan
Niteliği	İnatçı, sıkıştırıcı gerginlik	Zonklayıcı	Şiddetli, kemik basısı yapar biçimde
Sıklığı	Yıllarca sürer	Periyodik, belirli aralıklarla aylar ya da yıllarca tekrarlar	Ağrı nöbetleri arasında aylar yada yıllar olabilir. 4-8 haftalık sürelerle günde üç ya da daha fazla ağrı nöbeti olur
Süresi	Aylar ya da yıllarca aralıklı	Saatler ya da günlerce sürer	30-90 dakika
Zaman ve ortaya çıkış yöntemi	Zamanla ilişkisi yoktur	Haberci bulgular olabilir; uyandıktan sonra sabahları ortaya çıkıp, uyuyunca geçebilir	Genellikle kişiyi uykudan uyandırır
Birlikte görülen bulgular	Palpasyonla boyun ve omuz kaslarında sertlik ve gerginlik	Bulantı, kusma, ödem, huzursuzluk, terleme, foto fobi gibi haberci bulgular yada özellikle aile öyküsünde migren olanlarda psikotik bulgular	Yüzde kızarma yada solgunluk, tek taraflı göz yaşarması, pitozis ya da rinit gibi vazomotor bulgular

Çizelge 54.7: Baş Ağrılarında Tedavi

Baş ağrısının tipi

Migren

Önleyici tedavi:
* Baş ağrısını tetikleyen faktörler biliniyorsa bunlardan kaçınması konusunda uyarı (alkol, peynir, Kako, turunçgiller)
* Beta blokerler, propronalol (Inderal), metoprolol (Lopressor) gibi vazodiladatörler
* Kalsiyum antagonistleri (verapamil HCl), amitriptilin HCl (Elavil) nitrit, nitrat ve histamin
* Amitriptilin gibi antidepresanların kullanımı
* Ergotamin tartarat, lityum, naproksen (Naprosin), methysergide (Sansert) gibi preperatların ağrı ataklarını önlemede %20-40 etkili olduğu bilinmektedir
* Yoga, meditasyon, biyofedbek, elekriksel uyarılma gibi alternatif yöntemler

Semptomatik tedavi:
* Aspirin, asetaminofen gibi narkotik olmayan analjezikler
* Imitreks, Amerge, Maksalat, Zoming gibi seratonin reseptör agonistleri
* Ergotamin tartarat gibi alfa-adrenerjik blokerler
* İsomeheptene gibi vazokonstürüktörler
* Deksamethazone gibi kortikosteroidler

Gerilim tipi baş ağrısı

Önleyici tedavi:
* Amitriptilin, Doksepin gibi antidepresanların kullanımı
* Propronalol (Inderal)
* Biyofedbek, kas gevşetme eğitimi, psikoterapi

Semptomatik tedavi:
*Aspirin, asetaminofen, ibuburufen gibi narkotik olmayan analjezikler
* Fiorinal gibi analjezik kombinasyonları
* Kas gevşeticiler

Küme baş ağrısı

Önleyici tedavi:
* Ergotamin tartarat gibi alfa adrenerjik blokerler
* Methylsergisde gibi seratonin antogonistleri
* Prednisone gibi kortikosteroidler
* Nifedipine gibi kalsiyum kanal blokerleri

Semptomatik tedavi:
* Ergotamin tartarat gibi alfa-adrenerjik blokerler
* Vazokonstürüktörler
* Oksijen tedavisi

54. Sinir Sistemi Hastalıkları

Baş Ağrısı Eğitiminde Hemşireler İçin Rehber

Migren
- Bir baş ağrısı ve migren günlüğü tutması
- Tetikleyici faktörlerden kaçınması
  * Çikolata, şarap, şarküteri ürünleri, peynir, turunçgiller, kahve, alkol gibi gıdalar
  * Menstruasyon
  * Stres/yorgunluk/uykusuzluk
  * Aç kalma
  * Parlak ışık, uzun süre bilgisayar kullanımı
  * Rüzgarlı hava
- Önleyici tedavi ve ağrı tedavisi için önerilen ilaçların düzenli kullanımı
- Menstruasyon ve ovulasyon dönemlerinde ağrı tetikleniyorsa bu dönemde ilaç dozu konusunda hekime danışma
- İlaçların etki ve yan etkilerinin değerlendirilmesi ve hekime bildirilmesi
- Baş ağrısını gidermede etkin olan meditasyon, yoga, gevşeme teknikleri, başa soğuk uygulama, başı elevasyona alma, karanlık ve sessiz bir ortamda dinlenme gibi yöntemler konusunda bilgilendirme

Gerilim tipi baş ağrısı
- Kaslardaki gerginliği azaltıcı biyofedbek, meditasyon, gevşeme yöntemleri, Akupunktur, hipnoz gibi alternatif tedavi Yöntemleri
- Kas gerginliğini azaltıcı doğru pozisyon ve egzersizler
- Gergin olan kasa masaj ve sıcak uygulama
- Önerilen ilaçları önerildiği doz ve sürede kullanma konusunda bilgilendirme

Migren günlüğü

Gün	Ağrı (+)	Başlama saati	Süre (Saat)	Şiddet (*)	Aldığı ağrı kesici, adı, kaç tane alındığı, alındığı saat	Menstruasyon (kadınlar için)	Işıktan rahatsızlık	Sesten rahatsızlık	Bulantı/ kusma	Hareketle artış	Şehir dışı seyahat
1	+	9.00	3	Orta	Migren ilacı (saat 9.00'da bir tane	+	+	+	+	+	+
2											
3											
4											
5											
6											
7											
8											
9											
10											

(*) **Şiddet:** *Hafif*=Günlük işlerime engel değil, *Orta*=Günlük işleri güçlükle sürdürüyorum, **Şiddetli**= Hiçbir iş yapamıyor ya da çok zor

Hemşirelik Tanıları
- Sürekli, zonklayıcı, ezici nitelikte akut ağrı
- Ağrının etiyolojisi, tedavisi, baş ağrısı ile birlikte görülen kalp atım hızı artışı, uykusuzluk, titreme, umutsuzluk, konsantrasyon güçlüğü konusunda bilgi eksikliğine bağlı anksiyete
- Kronik ağrı ile baş etme yetersizliği
- Kronik ağrı, yaşam biçimi değişikliği, etkin olmayan tedavi yöntemlerine bağlı umutsuzluk/çaresizlik
- Ağrı nedeniyle uyku alışkanlığında değişiklik/uykusuzluk

Planlama:
- Ağrıyı azaltmak / gidermek
- Konforunu arttırmak/anksiyetesini azaltmak
- Tetikleyici faktörler ve tedavi yöntemlerini anlamasını sağlamak
- Kronik ağrıyla başa etmede pozitif baş ateme yöntemlerini kullanmasını sağlamak amaçlarına yönelik olarak hemşirelik girişimleri planlanır

Hemşirelik Girişimleri:
- Uygun girişimler için ağrının yoğunluğu, özellikleri, yeri ve süresi değerlendirilir
- Baş ağrısını tetikleyen faktörler belirlenerek kontrol altına almada uygun yöntemler öğretilir
- Hasta yoga, meditasyon, biyofedbek, kas gevşetme yöntemleri konusunda bilgilendirilerek uygulaması için cesaretlendirilir
- Stresi azaltmak için danışmanlık ya da psikoterapi için yönlendirilir
- Ağrı gidericiler verildikten sonra etkileri ve yan etkileri izlenir

- Baş ağrısını tetikleyen uyarıların azaltılması için sessiz, sakin bir ortam sağlanır
- Kas gerginliğini azaltmak ve gevşemeyi sağlamak için boyun ve omuzlara masaj uygulanır
- Uygun girişimleri belirleyebilmek için anksiyete düzeyi değerlendirilir
- Sorunlarını sözel olarak ifade etmesi için cesaretlendirilir
- Kaslarda gevşeme ve anksiyeteyi azaltmak için gevşeme teknikleri öğretilir
- Baş ağrısının ve eşlik eden bulguların nedenleri, tanı ve tedavi yöntemleri konusunda bilgi verilir
- Öz bakım yetersizliği, ağrı ile baş etme yetersizliği değerlendirilir
- Akut ya da kronik ağrı ile baş etmesini engelleyen fonksiyonel kapsitesi değerlendirilir
- Baş ağrısının iş ve sosyal yaşamını nasıl etkilediği tartışılır
- Uygun girişimleri belirleyebilmek için hastanın umutsuzluk düzeyi belirlenir
- Yapılan girişimlerin uygunluğu ve gerekliliğini belirleyebilmek için hastanın kendisinin uyguladığı ağrı giderme yöntemleri ve yaşam biçimi değişiklikleri belirlenir
- Korku ve kaygılarını açıklamasına izin verilir, yanlış bilinenler düzeltilir
- Destek sistemlerini tanıması için gerekli bilgilendirme yapılır
- Uygun girişimlerin belirlenmesi için hastanın alışılmış uyku düzeni öğrenilir
- Uyumayı güçleştiren çevresel uyaranlar azaltılır
- Gevşeme ve uyumayı kolaylaştırma için gevşeme yöntemleri ve masaj uygulanır
- Yatmadan önce ağrıyı uzun süreli kontrol altına alacak analjezik tedavi programı hazırlanır ve uygulanır

Değerlendirme/Beklenen sonuçlar
- Ağrı giderilmiş ve hasta ağrının giderildiğini olumlu olarak ifade edebiliyor olmalı
- Ağrıyla başa çıkmada etkin baş etme yöntemlerini kullanabiliyor olmalı; anksiyete azaltılmış ve hasta psikolojik olarak rahatlamış olmalı
- Baş ağrısı yanıtında uygun davranışlar gösterebiliyor, bireysel güçlüklerini tanımlayabiliyor olmalı
- Baş ağrısı deneyimlemesine karşın işlevlerini güvenle yapabiliyor ve aktiviteleri artmış olmalı
- Uyuyabilmek için yeni yöntemler deneyebiliyor ve yeterli uyuduğunu ve dinlendiğini ifade edebiliyor olmalıdır.

Baş ağrısı deneyimleyen hastanın eğitiminde hemşirelerin kullanabileceği bir rehber ve migren tipi baş ağrılarında hastaların migren günlüğü tutması için örnek bir migren günlüğü verilmiştir.

Serebrovasküler Hastalıklar (SVH)

Serebrovasküler hastalıklar beyin kan akımının bozulması sonucu gelişen merkezi sinir sisteminin bilişsel, duyusal, motor ve emosyonel işlevlerinde bozulma ile karakterize bir hastalık tablosudur. Aynı zamanda inme olarak da tanımlanan SVH'lar tıkanıklık ve kanama gibi başlıca iki nedenle meydana gelmektedir. SVH insidansı 100.000'de 150 olup, yaşın ilerlemesine paralel olarak artar ve 75 yaşında 100.000'de 1000'e ulaşır. İnme genellikle ileri yaş hastalığı olarak bilinmekte ve tüm inme olgularının %60-75'i 65 yaşın üzerindeki bireylerde görülmektedir. Küresel bakış açısıyla toplumların yaşlanmasına paralel olarak inme giderek önemi artan bir sağlık sorunudur. İleriye yönelik öngörülerde 2030 yılında 18 yaş ve üzerinde 3.4 milyon yeni inme olgusu ve 2012 yılına göre %20.5 artış olması beklenmektedir.

Koruyucu önlemlere karşın ölüme yol açan hastalıklar sıralamasında kalp hastalıkları ve kanserden sonra üçüncü sırada yer almaktadır. Gelişmiş ülkelerde 65 yaş üzeri nüfusta kalp-damar hastalıklarından sonra ikinci ölüm nedenidir. Ölüm hızı yüksek olmasına karşın bir çok hasta inme sonrası bazı yetersizliklerle yaşamını sürdürmek ve bakım için başkalarının desteğini almak durumundadır. İnmeden sonra hayatta kalan hastların %30-50'i orta derecede yetersizlik yaşamakta ve bir başkasının bakımına gereksinim duymaktadır.

Framingham çalışmasına göre 45-74 yaş grubunda inmeli hastaların 20 yıllık izlenmesinde %31'nin öz bakım için yardıma gereksinim duyduğu, %20'sinin ayağa kalkmak için yardıma gereksinim duyduğu, %71'nin işiyle ilgili yetersizlikler yaşadığı ve %16'sının kurum bakımına gereksinim duyduğu saptanmıştır. İnme uzun süreli bakım gereksinimi ve iş kayıpları nedeniyle aile ve toplum ekonomisine önemli yük getiren bir hastalıktır. İnmeli hastaların akut evrede ve uzun süreli bakımında yetersizlikleri en aza indirme ve hastanın yaşamını bir başkasının bakımına en az gereksinim duyacak şekilde sürdürmesinde hemşirelik bakımının önemli rolü vardır. İnmeler kanlanmanın azalmasına neden olan tıkanıklıklara bağlı iskemik inme (%80), kanamaya bağlı inme (%15) olarak iki ana başlıkta gruplanabilir. Bu iki grubun yanı sıra %5 oranında da subaraknoid kanama (SAK) yer almaktadır. Her iki gruptaki inmelerde benzerlikler olmasına karşın etiyoloji, patoloji, tıbbi ve cerrahi tedavi ve hemşirelik bakımında farklılıklar vardır.

İskemik inme

Beyin kan akımının birden bozulması sonucu ani bilinç kaybı ile karakterize "serebrovasüler atak" ya da "beyin

54. Sinir Sistemi Hastalıkları

atağı" olarak da tanımlanan durumdur. Ani gelişen bu bozukluk uzun süreli kalıcı SVH'a neden olur. Beyin atağı teriminin kullanılması sağlık personeli ve halkın kalp krizinde olduğu gibi erken girişimde bulunmasını sağladığı için önerilmektedir. Erken girişimle birkaç bulgu ve düşük düzeyde işlev kaybıyla hastanın tedavi edilebilme olasılığı vardır. İskemik inmeli hastaların yalnızca %8'i inmeden sonraki 30 gün içinde kaybedilmektedir.

Etiyoloji ve risk faktörleri: İskemik inme etiyolojisinde rol oynayan faktörler tromboz ve emboli olmak üzere temel iki nedene bağlı olarak gelişir. İnme sınıflamsı ve etiyolojik etkenler Çizelge 54.9'da verilmiştir. Bunlar görülme sıklığına göre;

- Büyük arter trombozları (%20)
- Küçük arter trombozları (%25)
- Kardiyojenik embolik inmeler (% 20)
- Nedeni bilinmeyen inmeler (%30)
- Diğer nedenler (%5) olarak sınıflandırılabilir.

Büyük arter trombozlarının neden olduğu inmelerde ateroskleroz plaklarının karotid arter ya da dallarından birinde meydana getirdiği tıkanmaya bağlı olarak bu bölgede iskemi ve enfarktüs gelişmektedir. Küçük arter trombozları laküner inme olarak da tanımlanır. Genellikle pons, bazal ganglionlar ve talamus yakınındaki küçük damarlarda meydana gelen tıkanmaya bağlı olarak gelişir. Kardiyojenik embolik inmelerde kardiyak ritim bozuklukları genellikle atriyal fibrilasyon vardır. Kalpten köken alan emboli beyin kan akımına geçerek inmeye neden olur. Atriyal fibrilasyonlu hastalarda antikuagülan tedaviyle embolik inmelerin önlenmesi olasıdır. Nedeni bilinmeyen ve diğer grupta yer alan inmelerde ise pıhtılaşma bozuklukları, migren, kokain kullanımı, karotid arter ya da vertebral arterin kendiliğinden yırtılması gibi nedenler rol oynamaktadır. Risk faktörleri aşağıda Çizelge 54.8'de verilmiştir.

Patofizyoloji: Beyin beslenmesinde beyin kan akımı önemli rol aynar. Beyin kan akımının damarlardaki herhangi bir tıkanmaya bağlı olarak bozulması iskemik beyin atağına neden olur. Diğer vücut dokularında oksijen ve glikoz desteği bozulduğunda anaerobik metabolizma harekete geçer. Ancak iskemik durumlarda beyin dokusunda iskeminin süresine göre geçici ya da kalıcı ataklar olur. Kısa süreli iskemiye bağlı olarak geçici iskemik atak (GİA), uzun süerli iskemiye bağlı kalıcı iskemik atak ve kalıcı hasar meydana gelir. Beyin işlevlerinin tam olarak yerine getirilebilmesi için beyin kan akımının 750-1000ml/dak. olması gerekir. Semptomları geçici olan (<24 saat) fokal arteriyel iskemi, patoloji veya görüntülemede infarkt kanıtı olmayan durumlar GİA olark tanımlanır. GİA'da geri dönüşü vardır, kalıcı nörolojik yetersizlik yoktur.

Çizelge 54.8: İnme İçin Risk Faktörleri

Majör risk faktörleri	• Hipertansiyon
	• Atriyal fibrilasyon
	• Önceden geçirilmiş geçici iskemik atak (GİA)
	• Diabetes Mellitus
	• İskemik kalp hastlaığı (özellikle ön yüz Mİ)
	• Periferik damar hastalığı
	• Romatizmal kalp hastalığı
	• Oral kontraseptifler
Diğer risk faktörleri	• Sigara
	• Obezite
	• Aşırı alkol tüketimi
	• Polisitemi
	• Arterit
	• Kanama bozuklukları
	• Hiperlipidemi(*)
	• Düşük kolesterol(**)
	• Yüksek kolesterol(***)

(*) Serebral enfarktüs ile ilişkili
(**) Serebral kanama ile ilişkili olabilir
(***) İskemik inme ile ilişkili olabilir

Beyin kan akımı 25 ml/100g/dak. altına düştüğünde ilk 30 saniyede nöron metabolizması değişir, iki dakika içinde metabolizma bozulur ve beş dakika içinde hücre ölümü meydana gelir. Bir nöron öldüğünde bir başka beyin bölümü ölen nöronun işlevlerini yerine getiremez ve o nöronun işlevi kaybolur. Beyin kan akımı tromboz, emboli, vazokonstürüksiyon gibi lokal nedenlerle ya da akciğer, kalp hastalığı gibi genel nedenlerle bozulur. Aterosklerotik hastalıklar beyin kan akımını sağlayan damarlarda ve beyinin kanlanmasında bozulmaya neden olurlar. Aterosklerozda damarların intima tabakasında oluşan plaklar arter duvarında kalınlaşmaya neden olarak kan akımın engellemesinin yanısıra bu plaklardan kopan parçalar kan akımına karışarak emboli oluşumuna ve beyin kan akımının bozulmasına neden olurlar. Aterosklerozda bağlı olarak beyin kan akımında azalma durumunda kollateral damarların desteği ile beynin kanlanması sürdürülür. Ancak bu destek bireysel farklılıklar gösterir ve uzun süreli olamaz. Serebral kan akımı 10 ml/100g/dak'ın altına düştüğünde ölümle sonuçlanabilmektedir. Erken dönemde serebral perfüzyonun tekrar sağlanması durumunda etkilenmiş olan serebral hücreler yenilenerek tekrar işlev görmeye başlar. İskemik alanın hücre yenilenmesini sağlayabilen bu alanı penumbra bölgesi olarak tanımlanır. Penumbra bölgesinin işlevselliğinin kazandırılabilmesi için olabildiğince en kısa zamanda (yaklaşık üç saat içerisinde) serebral dolaşımın tekrar sağlanması için tromboembolik tedaviye başlanması önemlidir. Bu süreden sonra serebral alanda nekroz gelişir ve geri dönüş olmayan hasarlanmalar olur. Kafa içi basıncının artması beyin kan akımının bozulmasına neden olan bir başka faktördür. Kafa içi basıncı artışına bağlı olarak

1141

Sinir Sistemi

Kafa içi basıncı artışına bağlı olarak beyin dokusu baskılanmakta, beyin kan akımı azalmakta ve beyin enfarktüsü gelişebilmektedir.

Klinik belirti ve bulgular: İskemik inmede tıkanmanın oluştuğu damarın yerleşim yerine, kanlanmanın bozulduğu alanın büyüklüğüne ve kollateral dolaşımın miktarına bağlı olarak değişik nörolojik bozukluklar görülür. Hastalarda görülebilecek belirti ve bulgular aşağıda verilmiştir:

- Özellikle vücudun bir tarafında yüz, kol ya da bacakta duyu kaybı ya da güçsüzlük
- Konfüzyon ya da mental durumda değişiklik
- Konuşma güçlüğü ya da konuşmanın anlaşılamaması
- Görme bozuklukları
- Yürüme güçlüğü, baş dönmesi
- Denge ya da koordinasyon kaybı
- Ani başlayan şiddetli baş ağrısı

Motor, duyusal, karaniyal sinir işlevleri, bilişsel ve diğer işlevlerde bozulmalar ve bunlara ilişkin belirti ve bulgular görülebilir.

Motor kayıplar: Üst motor nöronlarda inme lezyonu geliştiğinde lezyonun olduğu tarafın karşı tarafındaki vücut yarısında istemli motor hareketlerde kayıp gelişir. En yaygın görülen motor kayıp vücudun bir yarısında görülen *hemipleji*dir. Vücudun bir yarısında kas gücü kaybı ya da *hemiparezi* olarak adlandırılan bulgu en yaygın görülen bir başka klinik bulgudur. İnmenin erken evresinde gevşek paralizi ve derin tendon reflekslerinde kayıp ya da azalma görülebilir. Derin tendon refleksleri ile ilgili patolojik durum 48 satten uzun sürerse etkilenen taraftaki kaslarda *kas tonüsünde anormal artış/spastisite* görülür.

İletişimde bozulma: İnmeli hastalarda *afazi* sık görülen bir bulgudur. Konuşma ile ilgili en sık görülen bozukluklar şunlardır:

Dizartri (konuşma güçlüğü): Konuşmayı sağlayan kasların paralizisine bağlı olarak gelişir.

Disfazi/afazi (konuşma kusuru ya da kaybı): Ekspresif afazi, reseptif afazi ya da miks(global) afazi şeklinde gelişir.

Ekspresif (Motor) afazi: Bireyin kendisine söyleyenleri anlayabildiği, ancak akıcı konuşma yeteneğinin bozulduğu afazi türü.

Reseptif (Duyusal) afazi: Bireyin kendisine söylenenleri anlama yetisinin bozulduğu, ancak anlamsız ve akıcı konuşmayı sürdürebildiği afazi türü.

Miks (Global) afazi: Reseptif ve ekspresif afazinin birlikte görüldüğü afazi türü.

Apraksi (daha önce öğrenilmiş davranışların yapılamamsı): Hastanın çatal, kaşık kullanamaması, tarakla saçını tarayamaması, gömlek ya da pijamasının düğmelerini ilikleyememesi gibi basit işlevleri yapamadaki kayıplar.

Algısal bozukluklar: Hastanın duyu algılaması bozulur. İnme görme-algılama ve işlevlerinin bozulmasına ve duyu kaybına neden olur. Görme korteksi ile göz arasındaki duyu yolunun bozulması *hemianopsi* olarak tanımlanan görme alanının yarısının kaybına neden olur. Hemianopsi inmeli hastalarda paralizinin olduğu tarafta geçici ya da kalıcı olabilir. Bir başka kayıp görsel-uzaysal algının bozulmasıdır. Ayni ortamda gördüğü iki ya da daha fazla objeyi ayırt etmede bozulma olur. Bu durum daha çok sağ beyin yarısı ile ilgili hasarlarda görülür.

Duyu kayıpları: Vücut bölümlerini ve pozisyonunu algılama ile ilgili hafif ya da şiddetli duyu kayıpları, dokunma, görme, işitme kayıpları görülür.

Bilişsel bozukuluklar ve psikososyal etkiler: Frontal lob ile ilgili lezyonlarda öğrenme, bellek ve diğer yüksek kortikal entelektüel işlevlerde bozulmalar olabilir. Bu işlevlerin bozulması dikkatte azalma, algılama güçlüğü, unutkanlık ve motivasyon azlığı gibi bulgularla kendini gösterir. Bu durum hastalarda depresyona yol açabilir. Duygu durum değişikliği, saldırganlık, sinirlilik, alınganlık hastalarda görülebilecek diğer psikolojik sorunlardır. Beynin sağ ve sol yarısında meydana gelen inme lezyonlarında klinik bulgular Çizelge 54.9'da verilmiştir.

Tanı yöntemleri: İnme sonrası inmenin nedenini saptamak ve buna göre tıbbi ya da cerrahi tedaviye karar vermek için bir çok inceleme yapılır.

Laboratuvar İncelemeler

- Tam kan sayımı: Polistemi ya da trombositopeni
- Koagülasyon incelemesi: Kanama bozuklukları
- Sedimentasyon hızı: Dev hücreli arterit
- Kan şekeri: Hiper ya da hipoglisemiye bağlı bilinç bozukluklarını ayırt etmek için
- Sifiliz serolojisi

Akciğer flimi: Birincil tümör, sol atriumda genişlemenin eşlik ettiği stenoz.

Diğer incelemeler

- BT: İlk iki hafta içerisinde yapılırsa iskemik ya da hemorajik inme ayrımında yaralıdır. İskemik inmelerde neden olan faktörün tromboz ya da emboli mi olduğunun belirlenmesini sağlar.

54. Sinir Sistemi Hastalıkları

Çizelge 54.9: Beynin Sağ ve Sol Yarısında Meydana Gelen İnme Lezyonlarının Klinik Bulguları

Beynin sağ yarısı	Beynin sol yarısı
• Sol tarafta paralizi ya da güçsüzlük • Sol taraf görme alanında bozulma • Uzaysal-algısal bozulma • Davranış biçimi: Çabuk, ani davranışlar ve karar verme güçlüğü • Bellek bozukluğu: Performansla ilgli • Yetersizliklerinin farkında olma güçlüğü • Sol tarafta paralizi ya da güçsüzlük • Sol taraf görme alanında bozulma	• Sağ tarafta paralizi ya da güçsüzlük • Sağ taraf görme alanında bozulma • Sol beyin yarısı dominantsa afazi (ekspresif, reseptif ya da global) • Davranış biçimi: Yavaş ve dikkatli • Entellektüel yeteneklerde değişiklik • Yetersizliklere bağlı gerginlik ve depresyon

- **Karotid arter anjiyografisi:** Geçici iskemik inmelerde intrakraniyal ve servikal damarların kan akımının değerlendirilmesi ve tıkanıkların görüntülenmesini sağlar.
- **MRG:** İskemik ya da hemorajik inmelerin ayırd edilmesinde yararlanılır.
- **PET:** Beynin kimyasal işlevlerinin belirlenmesi ve inmeye bağlı doku hasarının görüntülenmesini sağlar.
- **LP:** Beyin herniasyonu ve kafa içi basınç artışına neden olabileceği için dikkatle yapılması ya da hastanın risk durumunun değerlendirerek yapılması gerekir.

Tedavi: Atriyal fibrilasyon ya da tromboz /emboliye bağlı GİA ya da orta derecede inme deneyimleyen hastalarda tıbbi tedavi uygulanır. Bu amaçla uygulanan tedaviler aşağıda verilmiştir:

Trombolitik tedavi: İskemik inmelerde kanın pıhtılaşmasını azaltarak beyin kan akımını sürdürmek amacıyla uygulanır. İnmeden sonraki üç saat içinde hızla tanı konup tromboembolik tedaviye başlanan hastalarda inmeye bağlı gelişen lezyonun küçülmesi ve inmeden sonraki üç ay içinde en üst düzeyde işlevlerde düzelme sağlanması olasıdır. Tromboembolik tedaviye başlamanın gecikmesi nekrotik dokunun kanlanmasını geciktirerek beyin ödemi ve kanama riskini arttırır.

Yükleme dozu olarak toplam dozun %10'u bir dakika içinde verilip, kalan miktar İV yol ile bir saat içinde verilir. Dozun tamamı verildikten sonra İV yol 20 ml serum fizyolojik ile yıkanıp, diğer tedavilerin uygulanmasına hazır hale getirilir. Tromboembolik tedavide aspirin, dipiridamol (Trombolit Drisentin), ticlopidine (Ticlid) gibi ajanlar kullanılır. En yaygın kullanılan ve maliyet etkin tromboembolik tedavi seçeneği aspirin 50mg/d ve dipiridamol 400mg/d'dir.

Trombolitik tedavinin yan etkileri: Kanama en yaygın yan etkisidir. Bu nedenle hastalar intrakraniyal, IV girişim yeri, idrar kateteri, endotrakeal tüp giriş yerleri, idrar, gaita, kusmuk ve diğer vücut sekresyonlarında kanama bulguları yönünden dikkatle izlenmelidir. İntrakraniyal kanama hastaların yaklaşık %6.5'da görülen en yaygın yan etkidir. Trombolitik tedavi yapılan hastaya tedaviden sonra damar yolu açılması kanama olasılığı nedeniyle sakıncalıdır. Bu nedenle nazogastrik ya da idrar kateteri takılması ve diğer girişimsel işlemler tedaviden önce yapılmalıdır. Tromboembolitik tedavi uygulanması için ölçütleri Çizelge 54.10'da verilmiştir.

Trombolitik tedavi dışındaki tedaviler: İskemik inme geçiren hastaların tümüne tromboembolik tedavi uygulanmaz. IV heparin ya da düşük moleküler ağırlıklı heparin gibi antikuagülan tedaviler iskemik inme tedavisinde kullanılan diğer tedavi seçenekleridir. Beyin kan akımının ve kafa içi basıncı artışı bulgularının yakından izlenmesi tedavi ve hasta izleminde dikkat edilmesi gereken konulardır. Bu dönemde ozmotik diüretikler (Örn:Mannitol) kullanma, PaCO2'yi 30-35 mm/Hg düzeyinde sürdürme,

Çizelge 54.10. Tromboembolitik Tedavi Ölçütleri

- Hastanın 18 yaş ve üzerinde olması
- Üç saat ya da daha kısa süre inme meydana gelmesi
- Sistolik kan basıncının 185, diyastolik kan basıncının 95mm/Hg altında olması
- Warfarin (Coumadin) kullanmıyor olması
- Protrombin zamanının 15/saniye altında olması
- Son 48 saat içerisinde heparin kullanmamış olması
- Trombosit sayısının 100.000 üzerinde olması
- Kan glikoz düzeyinin 50-400 mg/dl olması
- Akut MI geçiriyor olmaması
- Daha önce intrakraniyal kanama, kötü huylu tümör, arteryovenöz malformasyon ya da anevrizme öyküsü olmaması
- Son 14 gün içinde büyük cerrahi operasyon geçirmemiş olması
- Son 3 ay içinde inme ya da kafa travması öyküsünün olmaması
- Son 21 gün içinde GIS ya da üriner sistem kanaması öyküsünün olmaması
- Son 30 gün içinde doğum yapmamış olması ve emzirme öyküsünün olmaması

[Handwritten notes at top: "Akut bakım: Sinir Sistemi — Entübe, yaşam bulguları saatlik nörolojik değerlendirme, o duruma göre kafa elevasyonu, trombü çözücü ilaç takibi"]

hipoksiye neden olabilecek pozisyonlardan kaçınma gibi kafa içi basıncını azaltıcı girişimlerde bulunma uygulanabilecek diğer tedavilerdir. Diğer tedavi yöntemleri aşağıda verilmiştir:

- Venöz drenajı sağlamak ve kafa içi basıncını azaltmak için başın elevasyona alınması
- Gerekliyse hava yolu açıklığını sağlamak için endotrakeal tüp yerleştirilmesi
- Hemodinamik ölçütlerin sürekli izlenmesi. Olası kanama ve iskemik hasar riski tekarını azaltmak için sistolik kan basıncının 180mm/Hg, diyastolik kan basıncının 100mm/Hg olarak sürdürülmesi
- Antikuagülan tedaviye bağlı kanama ya da ilaçlara bağlı gelişebilecek bradikardinin neden olabileceği hipotansiyon, kardiyak outputta ve beyin kanlanmasında azalma gibi riskleri ve inmeye bağlı gelişebilecek diğer komplikasyonları belirleyebilmek için nörolojik değerlendirme yapılması.

[Handwritten: "Mannitol", "PaCO2 dezeyi: 30-35 mmHg sürdürme"]

Olası komplikasyonların yönetimi: Beyin oksijenlenmesi için beyin kan akımının normal düzeyde sürdürülmesi önemlidir. Beyin kan akımı yetersizliğinde beyin oksijenlenmesinin bozulması doku iskemisine neden olur. Bunun için kardiyak outputun 4-8 l/dak ya da daha fazla olması beyin kan akımı ve oksijenlenmesi için gereklidir. Yeterli oksijenlenme için akciğer işlevlerinin korunması ve sürdürülmesi esastır. Bu işlevler hava yolu açıklığının sağlanması, gereksinim doğrultusunda oksijen tedavisi uygulanması ile korunabilir ve sürdürülebilir. Özellikle yaşılılarda yeterli oksijenlenmenin sağlanamaması pnömoni gelişimine ve gaz alış verişinin bozulmasına neden olur. İskemik inmede oksijen tedavisi satürasyon %94'ün altına indiğinde dakikada 1-2 litre gidecek biçimde uygulanır.

Bir başka önemli olası komplikasyon, motor hareketlerde azalma ve duyu kusuruna bağlı olarak gelişebilecek kas, eklem komplikasyonları ve deri bütünlüğünün bozulması riskidir. Bu komplikasyonların önlenmesi ve yönetimi hemşirelik yönetimi kapsamında tartışılacaktır.

İnmeli hastanın tedavisi Çizelge 54.11'de verilmiştir.

Hemşirelik yönetimi: İskemik inmeli hastada ilk bir-üç gün hastalğın akut evresidir. Bu evrede hastanın bakım gereksinimlerinin karşılanmasının yanısıra tüm vücut sistemlerinin izlenmesi gereklidir. İnmeli hastalar hastalığının yanısıra kas iskelet sorunları, yutma güçlüğü, bağırsak ve mesane işlev bozukluluğu, bireysel bakımını yerine getirememe ve deri bütünlüğünde bozulma gibi riskler taşımaktadırlar. İnmenin akut evresi geçtikten sonra ise hemşirelik yönetimi yetersizliklerin rehabilitasyonuna odaklanır.

Değerlendirme: Akut evrede hastanın klinik durumunu belirlemeye yönelik nörolojik değerlendirmeler yapılır. Bu kapsamda;

- Bilinç düzeyinde ve hareketlerinde değişiklikler, pozisyon değişikliğine direnç, uyarılara yanıt verme, zamana, yere ve bireye oryantasyonu
- Ekstremitelerde istemli ve istemsiz hareketlerin varlığı, kas tonüsü, vücut postürü ve başının pozisyonu
- Boyunda sertlik ya da gevşeklik
- Göz açıp kapama, pupillerin eşit hareket edip etmediği, pupillerin ışığa reaksiyonu ve oküler kasların hareketi
- Yüz ve ekstremitelerde derinin rengi, ısısı ve nemi
- Nabız ve solunumun niteliği ve ritmi
- Arteriyel kan gazı değerleri, vücut ısısı ve arteriyel basınç
- Konuşma yeteneği
- Aldığı- çıkardığı sıvı değerlendirmesi
- Kanama olup olmadığı
- Kan basıncının normal değerlerde sürdürülüp sürdürülmediği değerlendirilir.

Çizelge 54.11: İnmeli Hastanın Tedavisi

Önleme

Trombolitik inme
- Hipertansiyonun kontrol altına alınması
- DM'un kontrol altına alınması

Kardiyojenik kökenli embolik inme
- Atriyal fibrilasyonlu hastalar için antikuagülan tedavisi
- Altta yatan nedenin tedavisi

İntraserebral hemoraji
- Hipertansiyonun kontrol altına alınması
- Kanama riski olan anevrizmalı hastalarda cerrahi tedavi

Akut evre tedavisi

Trombolitik tedavi
- Antikuagülasyon
    - Trombosit agresyonunu önleyici tedavi
    - Endarterektomi (Enfarktüse neden olan plağı karotid arterden çıkarma)
    - Ekstrakraniyal /İntrakraniyal bypass

İlerlemiş inme
- Antikuagülasyon (hemorajik inme dışında)

Tamamlanmış ve miks nörolojik bozukluk olan inmeler
- Beyin ödeminin tedavisi

Kardiyojenik kökenli embolik inme
- Altta yatan nedenin tedavisi

İntraserebral hemoraji
- Beyin ödeminin tedavisi, endikasyon varsa cerrahi tedavi

Subaraknoid hemoraji
- Hemorajinin yerleşimi ve büyüklüğüne göre cerrahi tedavi

54. Sinir Sistemi Hastalıkları

Akut evreden sonra hemşire hastanın bellek, spontan dikkat, algılama, oryantasyon, duygu, konuşma/dil gibi mental durum, ağrı ve ısı algılama duyusunda azalma, üst ve alt ekstremitelerin motor hareketlerinin kontrolü, çiğneme yeteneği, beslenme ve sıvı alma durumu, deri bütünlüğü, aktivite intoleransı, bağırsak ve mesane işlevlerini değerlendirir. Hemşirelik değerlendirmesinde hastanın inmeden sonraki yaşam kalitesini etkileyebilecek günlük yaşam aktivitelerini sürdürebilme durumunun değerlendirmesi de önemlidir.

Tanılama: Hemşirelik değerlendirmesine dayanarak inmeli hastalarda saptanabilecek hemşirelik tanıları şunlardır.

- **Hemiparezi**, koordinasyon ve denge kaybı, spastisite ve beyin hasrına bağlı *fizik hareketlerde bozulma*
- Hemipleji ve kullanmamaya bağlı *akut ağrı (omuz ağrısı)*
- Paraliziye bağlı *yaralanma riski*
- İnmeye bağlı *bireysel bakım gereksinimlerini karşılamada yetersizlik*
- Duyuların alınması, iletimi ve/veya entegrrasyonunun bozulmasına bağlı *duyu algılamasının bozulması*
- Çiğneme yeteneğinin bozulmasına bağlı *beslenmede değişiklik/beden gereksiniminden az beslenme*
- Mesane kaslarında gevşeme, detrusor kasların yetersizliği, konfüzyon ve iletişimin bozulmasına bağlı *inkontinans*
- Beyin hasarı, konfüzyon ve uyarıları izleme yeteneğinin bozulmasına bağlı *düşünce sürecinde değişiklik*
- Beyin hasarına bağlı *sözel iletişimde bozulma*
- Hemiparezi/hemipleji ya da azalmış aktiviteye bağlı *deri bütünlüğünde bozulma riski*
- Hastalık ve bakım vericilerin zorlanmasına bağlı *aile sürecinde bozulma*
- Nörolojik bozukluk ya da yetersizlik korkusuna bağlı *cinsel işlev bozukluğu*

Olası komplikasyonlar

- Kafa içi basıncının artmasına bağlı beyin kan akımında bozulma
- Beynin oksijenlenmesinde bozulma
- Pnömoni

Planlama/amaçlar

İnmeli hastalarda rehabilitasyonu ilk günden itibaren başlatmak için ekip çalışmasına gereksinim vardır. Rehabilitasyonu sağlayacak ekibin hastanın önceki hastalıklarını, yeteneklerini, mental ve duygusal durumunu, davranışlarını ve günlük yaşam aktivitelerini öğrenmesi gerekir. Bu doğrultuda yapılacak hemşirelik girişimlerini planlamada hasta ve aileye yönelik ana amaçlar;

- Hareketliliği sağlama
- Omuz ağrısını giderme
- Kendine bakımı sağlama
- Duyusal-algısal bozulmayı düzeltme
- Aspirasyonu önleme
- Derin ven trombozunu (DVT) önleme
- İdrar ve gaita inkontinansını düzeltme
- Düşünme sürecini düzeltme
- İletişimi sağlama
- Deri bütünlüğünü sürdürme
- Aile işlevlerini düzeltme
- Cinsel işlevleri düzeltme
- Komplikasyonları önlemedir.

Hemşirelik Girişimleri: İnmeli hastalarda hemşirelik bakımının önemli rolü vardır. İnmeye bağlı olarak bir çok vücut sisteminde bozulma meydana gelebileceği için dikkatli bakım ve zamanında yapılan girişimlerle komplikasyonların gelişmesi önlenebilir. Akut evreden sonra hemşirelik girişimleri tamamıyla kişiye odaklanmalıdır. Fiziksel bakımın yanısıra hemşire hastayı dinleyerek, sorularını uygun şekilde yanıtlayarak hastayı söylenenleri yapmaya ve bakıma katılmaya yönlendirmelidir. Bu amaçlar doğrultusunda yapılacak hemşirelik girişimleri aşağıda verilmiştir:

Hareketliliği sağlamak ve eklem deformitelerini önlemek: Hemiplejik hastaların fleksör ve ekstansör kaslarında istemli kas hareketlerinin kaybına bağlı olarak etkilenen taraftaki kolda addüksüyon ve içe rotasyon, dirsek ve bilekte fleksiyon, bacakta dışa rotasyon, kalça ve diz ekleminde fleksiyon, ayak bileğinde dışa dönme ve plantar fleksiyon gelişebilir. Kontraksiyonları önlemek için doğru pozisyon verme, basınç azaltıcı matarayaller kullanma, postür değişikliğine yardımcı olma ve nöropatileri önlemeye yönelik girişimler önemlidir. Fleksör kaslar ekstansör kaslara göre daha güçlü oldukları için geceleri etkilenen ekstremiteye fleksiyonu önleyecek ve uykuda doğru pozisyonu sürdürmeyi sağlayacak destekler kullanılmalıdır.

Kan basıncı izlemi: İskemik inmeli hastada kan basıncı 220/120 mmHg üzerine çıkmadıkça müdahale edilmesi önerilmez. Hastanın kan basıncı ilk 24 saat, saatte bir, tromboliz tedavisi uygulanan hastada daha sık kontrol edilmelidir.

Omuz addüksüyonunu önlemek: Etkilenen taraftaki koltuk altı bölgesine bir yastık yerleştirip omuzun dışa rotasyonu sınırlandırılır. Bu pozisyon kolu gövdeden uzaklaştırır. Bu pozisyonda dirsek omuzdan ve bilek dirsekten daha yüksek pozisyona getirilerek doğal pozisyonunda tutulur. Bu pozisyon ödemi ve kolunun kontrolünü sağlayamadığı için eklem açıklığı (EAE) egzersizlerini sınırlı olarak yapan hastalarda eklemlerde fibrozis oluşmasını önler. (Şekil 54.1)

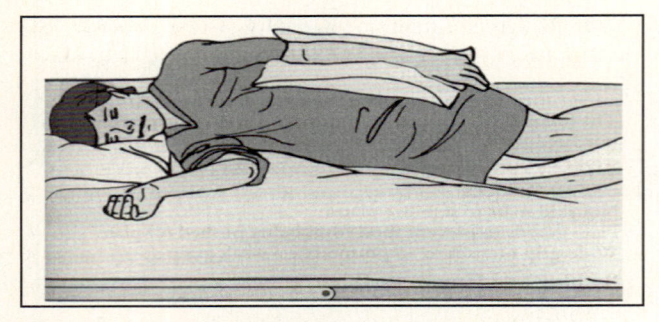

Şekil 54.1: Omuz addüksüyonunu önlemek için doğru pozisyon

El ve parmakların pozisyonunu sağlamak: Etkilenen taraftaki el avuç içi yukarıya bakacak şekilde hafif yan poziyona getirilir. Üst ekstremitelerde flaksidite varsa bilek ve elin doğru pozisyonda tutulması için destekleyiciler kullanılır. Üst ekstremitelerde spastisite varsa yakalama refleksini uyaracağı için avuç içine rulo sargı uygulamasından kaçınmalıdır. Bu durumda bileğin sırtına destek uygulaması parmakların basınç altında kalmasını ve ödemi önler.

Posizyon değişikliği: Hastanın pozisyonu iki saate bir değiştirilmelidir. Hastayı yan yatar pozisyona getirmeden önce venöz dönüşü sağlamak ve ödemi önlemek için bacaklarının arasına bir yastık yerleştirilmelidir. Hastanın pozisyon değişikliğinde etkilenen tarafta uzun süre yatmamasına dikkat etmelidir. Bu tarafta duyu kaybı nedeniyle daha fazla hasar meydana gelebilir.

Sakıncası yoksa hastayı gün içerisinde birkaç kez yüz üstü yatar pozisyona getirmelidir. Yüz üstü yatar pozisyona getirildiğinde kalça ekleminin aşırı ekstansiyonunu önlemek için pelvis altına bir yastık ya da destek yerleştirilmesi gerekir. Bu pozison bronş sekresyonlarının drenajına yardımcı olur. Aynı zamanda dizlerin ve omuzun kontaraksiyonunu önler. Pozisyon değişikliğinin yanısıra basınç ülserlerini önlemek için basınç azaltıcı mataryallerin kullanılması da önemlidir.

Uygun egzersiz programı oluşturma: Etkilenen ekstremitelere günde dört beş kez EAE egzersizlerinin yaptırılması eklem hareketliliğini sürdürmeyi, motor kontrolü sağlamayı, kontraktürleri önlemeyi, nöromüsküler sistemin oryantasyonun sağlanmasını ve dolaşımın arttırılmasını sağlar. Egzersiz venöz göllenmeyi önleyerek tromboz ve pulmoner emboliyi de önler. Egzersiz sırasında hastanın solunum güçlüğü, göğüs ağrısı, siyanoz ve nabız basıncında artma gibi pulmoner emboli ve kalp yükü artışının göstergesi olan komplikasyonlar açısından izlenmesi ve bu komplikasyonların gelişmesi durumunda egzersizin bırakılması gerektiğini unutmamak gerekir. Egzersizi iyi tolere eden hastalara etkilenen tarafın karşısındaki vücut yarısında da egzersizleri gün içerisinde aralıklı olarak uygulaması ve uygulanacak egzersiz programı için basılı döküman verilmesi yararlı olur.

Yataktan kalkmaya hazırlama: Özellikle tromboza bağlı hemipleji gelişen hastaları bilinç durumu düzeldikten sonra olabildiğince erken yataktan kalkmaya cesaretlendirmek gerekir. Ancak hemorajik inmeli hastalarda kanamanın durduğu kanıtlanmadıkça yataktan kaldırmak durumunu tetikleyebileceği için sakıncalıdır. Hasta yataktan kaldırılmadan önce yatak içerisinde oturtularak dengesini sağlaması ve daha sonra kaldırılarak ayakta dengede durup duramadığının kontrol edilmesi gerekir. Hasta ayakta dengede durmakta güçlük çekiyorsa destekleyici araçlar kullanmak özellikle uzun süre yatağa bağımlı hastalarda gelişebilecek ortostatik hipotansiyonu önlemek için yararlı olur. Hasta tekerlekli iskemle kullanacaksa iskemlenin iki tarafına kilitlenebilir koruyucular yerleştirilmesi hasta güvenliği için önemlidir. Dengesini sürdürebilen hastalar ilk kez yürütüleceği zaman paralel yürüme kolları kullanımı hastanın güvenliği ve kendisini güvende hissetmesi için yararlı olur. İlk kez yürütülen hastalarda ani baş dönmesi ve güçsüzlük gelişme olasılığına karşı hastanın yakınında bir iskemle ya da tekerlekli iskemle bulundurulması yararlı olur.

Omuz ağrısını önleme: İnmeli hastların %70'de omuz ağrısı yakınması olur. Bu yakınma hastanın dengesini sürdürme, yeni durumuna uyum ve kendine bakım işlevlerini yerine getirmesini engeller. Omuzla ilgili üç tip sorun gelişebilir: Ağrılı omuz, omuz ekleminin kısmen yerinden çıkması ve omuz-el sendromu. Omuz eklemi flaksiditesi olan hastada hastanın pozisyon değişikliği sırasında omuzun aşırı zorlanması omuz ağrısına neden olabileceğinden hemşire bu konuda dikkatli olmalıdır.

Hastanın inmeden sonraki erken evrede hareket ettirilmesi sırasında paralizili kolda omuz ekleminin kısmen yerinden çıkması olasılığı vardır. Bu durum şiddetli ağrıya da neden olur. Bu nedenle erken evrede hareket ettirilirken bu konuya dikkat edilmelidir. Omuz- el sendromu; omuz ağrısı ve elde yaygın ödemle karakterizedir. Omuz- el sendromu omuzda hareketsizlik ve subkutan dokuda atrofiye bağlı olarak gelişen omuz ekleminde sertlik ve ağrıya neden olan bir durumdur.

Omuzla ilgili bir çok sorun uygun pozisyon ve hareketlerle önlenebilir. Flaksidite olan kol oturur pozisyonda iken bir yastıkla ya da yemek masasıyla desteklenebilir. (EAE) egzersizlerinin omuz ağrısını önlemede önemli rolü vardır. Kolun ve elin elevasyona alınması ödemi önlemede yararlı olur. Ağrıyı gidermek için önerilen ağrı gidericiler kullanılabilir.

Bireysel bakımını sağlama: Hasta hareket edebilir duruma gelir gelmez bireysel bakımını sağlamak için cesaretlendirilmelidir. Önce etkilenmeyen tarafıyla bakım işlevlerini yapması istenir. Bunlar saç tarama, diş fırçalama, elektrikli makinayla tıraş olma, banyo yapma ve yemek yeme gibi işlevlerdir. Etkilenen tarafla işlevlerini yerine getirebilmesi için hastanın gereksinimleri doğrultusunda Çizelge 54.12'de verilen gereçlerin sağlanması hastaya yardımcı olur. Banyodan sonra kurulanma için küçük havlu kullanımı, rulo tuvalet kağıdı yerine kutu tuvalet kağıdı kullanımı hastanın işlevlerini kolaylaştırır.

Algısal sorunlar nedeniyle hastanın giysilerini çıkarıp giymesi güç olabilir. Hemşire giyinme ve soyunma işlemi sırasında yapılacakları adım adım hastaya anlatmalı, yardımcı olmalı ve gerekirse bir ayna karşısında uygulayarak hastanın anlamasını kolaylaştırmalıdır. Giyinme-soyunma işlevine önce etkilenen taraf ekstremitesinden başlanmalı ve işlem sırasında aralıklarla hastanın dinlenmesine izin verilerek işlem tamamlanmalıdır. Hastanın bireysel bakımını yerine getirebilmesi için moralinin düzgün olması ve istekli olması çok önemlidir. Bu konuda aile ve yakınlarının desteğini almak hasta için yararlı olacaktır.

Duyusal-algısal güçlüklerin yönetimi: Görme alanı bozulan hastada saat, takvim, TV vb. tüm görsel uyaranlar görme alanının bozulmadığı tarafa yerleştirilmelidir. Hasta başını etkilenen tarafın aksi yönüne çevirerek görme alanı ile ilgili yetersizliğini gidermeye çalışabilir. Hemşire hastayla iletişiminde hastanın etkilenen tarafında göz teması kurarak hastanın başını bu tarfa çevirmesine ve bu tarafın işlevsel hale gelmesine yardımcı olmalıdır. Hasta ayağa kalkarak oda içinde dolaşması için cesaretlendirilmeli, görmeye yardımcı olacak ek aydınlatma ve gözlük gereksinimi karşılanmalıdır.

Disfaji yönetimi: İnmeye bağlı olarak ağız, dil, damak, larinks, farinks ya da özefagusun üst bölümünün etkilenmesi yutma güçlüğüne neden olabilir. Hasta tekrarlayan öksürme nöbetleri, yiyecekleri ağzının bir tarfında biriktirme, yiyecekleri ağızda uzun süre tutma ya da sıvıların yutulması sırasında nazal regürjitasyon bulguları yönünden gözlenmelidir. Yutma güçlüğü hasta için aspirasyon, pnömoni, dehidratsyon ve malnütrisyon riskine neden olur.

Konuşma terapisti tarafından hastanın öğürme refleksi ve yutma yeteneği değerlendirilmelidir. Yutma yeteneği kısmen bozulan hastalarda zamanla bu durum düzelir. Hastanın yutma işlevleri düzelinceye kadar küçük porsiyonlar halinde, yutması kolay ya da sıvı gıdalarla beslenmesi gibi alternatif yöntemler uygulanmalıdır. Yemek yerken hastanın yatakta oturur pozisyona getirilmesi ya da olanak varsa iskemleye oturulması ve aspirasyonu önlemek için çenesini göğsüne doğru eğerek çiğnemesi ve yutması konusunda eğitilmesi gerekir. Yutma sorunu devam eden hastalar için gastrointestinal tüp yerleştirilerek beslenme yolu alternatifi değerlendirilir.

Tüple beslenme yönetimi: Mide ya da duedonuma yerleştirilen enteral tüp aspirasyon riskini azaltır. Enteral tüple beslemede aspirasyon riskini önlemek için hastanın başının yataktan en az 30 derece elevasyona alınması, beslemeye başlamadan önce tüpün yerinde olup olmadığının

---

Çizelge 54.12: İnmeli Hastaların Bireysel Bakımı İçin Yardımcı Detekleyici Gereçler

İnme ya da diğer nörolojik bozukluğu olan hastalarda aşağıdaki gereçlerin kullanımı bireysel bakımlarını sağlamada kolaylaştırıcı olacaktır.

Beslenme gereçleri
- Tabakların kaymasını önleyici kaymaz materyaller
- Gıdaların tabaktan dökülmesini önleyici tabak koruyucular
- Kavraması kolay kaplar ve gereçler

Banyo ve ve temizlik gereçleri
- Uzun saplı banyo süngeri
- Banyoda tutunma kolları, kaymayan el duşları, kaymayı önleyici paspaslar
- Başı 90 derece dönebilen elektrikli tıraş makinası
- Sabit ya da tekerlekli duş ya da küvetler

Tuvalet gereçleri
- Klozeti yükseltilmiş tuvaletler
- Tuvaletin yakınında tutunma kolları

Giyinme gereçleri
- Kolay giyilebilir bol giysiler
- Elastik ayakkabı bağları
- Uzun saplı ayakkabı çekeceği

Hareket/yürüme gereçleri
- Baston, yürüteç, tekerlekli iskemle
- Taşıma kemeri ya da kaldıraçları

kontrol edilmesi, trakeostomi tüpü olan hastalarda tüpün kuff'nın şişirilmiş olduğundan emin olma ve tüple beslemeyi yavaşça yapma hemşirenin sorumluluğudur. Enteral belenme tüpü düzenli olarak aspire edilerek besinlerin mideye gittiğinden emin olunmalıdır.

Bağırsak ve mesane kontrolünün tekrar kazandırılması: İnmeden sonraki dönemde hastalar konfüzyon, iletişimin bozulması ve motor kontrolün bozulması gibi nedenlerle geçici idrar inkontinansı yaşarlar. Genellikle inmeden sonraki dönemde mesanede atoni gelişir ve mesane dolma duyusu kaybolur. Bu dönemde aralıklı steril kateterizasyon uygulaması yapılır. Kas tonüsü arttığında, derin tendon refleksleri geri döndüğünde mesane tonüsü ve kasılma gücü arttığında yatakta sürgü/ördek kullanarak idrar yapması için bir düzenleme yapılır. Erkek hastaların bu işlem için dik oturur ya da ayakta durur pozisyona getirilmesi boşaltımı kolaylaştırır. Hastalarda bağırsak kontrolü sorunları ve genellikle konstipasyon gelişebilir. Konstipasyon sorununu gidermede bir başka sakıncası yoksa bol lifli gıdalar alması, 2-3 l/gün sıvı alımması, alışılmış dışkılama alışkanlıklarına uygun olarak (örn; kahvaltıdan sonra) dışkılama zamanı düzenlenmesi gibi uygulamalar yapılabilir.

Düşünce sürecinin düzeltilmesi: İnme geçiren hastalarda beyin hasarına bağlı olarak bilişsel, davranış ve emosyonel bozukluklar gelişebilir. Bazı sorunlar beyindeki hasara göre değişmekle birlikte geri dönüşü olan sorunlar olmasına karşın bazıları kalıcı olabilir. Hastanın bilişsel-algısal, oryantasyon, görme vb. sorunlarının giderilmesinde tedavisini yürüten hekimi, psikiyatrist, hemşire ve diğer sağlık ekibi üyeleri işbirliği ile bir eğitim programı düzenler. Burada hemşire destekleyici rol üstlenir. Hemşire hastaya uygulanan nöropsikolojik testleri inceleyerek hastanın performans düzeyini, durumundaki düzelmeleri izleyerek hastaya olumlu geri bildirimde bulunarak güven ve umut verir.

İletişimin sağlanması: Afazi hastanın kendisini ifade etmesini güçleştirir. Konuşma merkezinin bulunduğu Broca alanı sol motor kortekse yakındır ve bu alanla ilgili hasarlarda hastanın konuşması etkilenir. Bu nedenle vücudun sağ yarısında paralizi olan hastaların konuşmaları bozulur. Konuşma treapisti hastadaki bozukluğu değerlendirerek uygun iletişim yöntemlerinin yapılandırılmasını sağlar. Afazisi olan hastaların çoğu konuşamadıkları için depresyona girebilir. Telefonla konuşamama, sorulan sorulara yanıt verememe, tartışmalara katılamama hastayı öfkeli, sinirli ve ümitsiz yapar. Hastanın duygularına saygı gösterme ve gereksinimlerini anlamaya çalışma hemşirenin sorumlulukları kapsamındadır. Alternatif iletişim yöntemleri ile hastanın iletişimini sürdürmesine yardımcı olunmalıdır.

Afazisi olan hastaya bakım veren hemşire günlük bakım aktiviteleri sırasında hastayla konuşması gerektiğini unutmamalıdır. Bu hemşirenin hastayla sosyal temasını sürdürmeyi sağlar. Çizelge 54.13'de afazili hastayla iletişimde dikkat edilmesi gerenler verilmiştir.

> **Çizelge 54.13:** Afazili Hastayla İletişim
>
> - Hastanın yüzüne bakınız ve göz teması kurunuz
> - Normal hız ve ses tonunda konuşunuz
> - Kısa ifadeler kullanınız ve her bir ifadeden sonra hastanın söylediklerinizi anlaması için süre tanıyınız
> - Pratik ve somut nesnelerle iletişim sağlayınız
> - Mimikler, resimler ve objelerle iletişiminizi zenginleştiriniz
> - Hastanın eline objeler vererek bunun ne olduğunu söylemesini isteyiniz
> - Hastaya eğitim verirken ya da soru sorarken birbiriyle uyumlu mimik ve sözcükleri kullanınız
> - Çevredeki ses ve gürültüleri en aza indiriniz. Çevredeki istenmeyen yüksek sesler hastanın söyleneleri anlamasını

Deri bütünlüğünün sürdürülmesi: İnmeli hastalarda duyu algılamasının bozulması ve hareketsizliğe bağlı olarak deri ve doku bütünlüğünde bozulma riski vardır. Bu nedenle risk altındaki hastaların deri ve doku bütünlüğü yönünden sık sık değerlendirilmesi, özellikle kemik çıkıntıları üzerindeki alanlara dikkat edilmesi, hastalığın akut evresinde hasta hareketli duruma geçinceye kadar basınç azaltıcı maryaller ve havalı yatak kullanılması gereklidir. Hastanın en az iki saatte bir pozisyonunun değiştirilmesi, pozisyon değiştirirken sürtünme ve firiksiyondan kaçınılması, hastanın derisinin temiz, kuru tutulması, nemliliğinin sağlanması, kızarıklık olmayan sağlıklı deri bölgelerine dikkatle masaj uygulanması ve yeterli ve dengeli beslenmenin sağlanması gibi girişimler uygulanır.

Ailenin başetme yeteneğinin arttırılamsı: İnmeli hastanın iyileşmesinde aile desteğinin önemli rolü vardır. Ailenin hastanın yeni durumunu ve yetersizliklerini kabullenmesi güç olabilir. İnmeli hastanın ailesine hastanın rehabilitasyonun sürecinin aylarca sürebileceği, düzelmenin yavaş olabileceği bu nedenle sabırlı olmaları gerektiği konularında doğru bilgiler verilmelidir. Ailelerin bir çoğu hastalığın neden olduğu fiziksel yetersizliklerden çok emosyonel durum değişikliğine odaklanırlar. Hastanın gereksiz yere ağlaması ya da gülmesi, kolayca sinirlenmesi, deprese ya da konfüze olması aile üyelerinin umutsuzluğuna ve tükenmişliğine neden olabilir. Hemşire duygusal durumla ilgili değişikliklerin zamanla düzelebileceği ve bu konuda anlayış ve sabır göstermeleri konusunda ailelere gerekli bilgiyi ve desteği sağlamalıdır.

Hastanın cinsel işlev bozukluğu ile baş etmesine yardım etme: İnmeli hastalarda hastanın yaşı ve inme nedeniyle cinsel işlev bozukluğu gelişebilir. Uygun girişimlerin planlanması için hastanın inmeden önceki evrede ve inme sonrası cinsel işlevlerine ilişkin ayrıntılı öykü alınmalı ve değerlendirme yapılmalıdır. Hasta ve cinsel yaşamını paylaştığı eşine birlikte uygun danışmanlık, eğitim, güven verme, önerilen ilaç tedavisi, baş etme yöntemleri, alterenatif poziyonlar konusunda eğitim, cinsel doyumla ilgili duygularını açıklayabilmeleri için uygun ortam ve girişimler sağlanmalıdır.

Evde bakımın sürdürülmesine ilişkin eğitim ve danışmanlık sağlama: İnmenin nedenini, risk faktörlerini, koruyucu önlemleri ve rehabilitasyon sürecini anlayabilmeleri için hasta ve aileye yapılacak eğitim çok önemlidir. Akut bakım ve rehabilitasyon uygulamaları hastanın kendi bakımını sürdürebilmesini öğrenmesine odaklanmalıdır. Bunun gerçekleştirilmesi hastaya yardımcı gereçlerin sağlanması ve ev ortamının hastaya uygun şekilde düzenlenmesi ile olasıdır. Çizelge 54.13'de belirtilen yardımcı gereç ve düzenlemler konusunda meşguliyet terapistinin hasta ve ailesine gerekli destek, danışmanlık ve yönlendirmeyi yapması sağlanmalıdır.

İnmeli hastanın bakım ve iyileşme süreci uzun olabileceğinden hemşire hastanın bakımını üstlenen aile üyeleri ya da bakıcısına hastanın emosyonel, fiziksel durumuyla ilgili gerekli eğitimleri yapmalı, toplumda var olan destek gruplarına katılımlarını sağlamalı, gerekli kontroller için sağlık kuruluşlarına yönlendirme ve bakım vericilerin ve aile üyelerinin hastalıkla başedebilmeleri için gerekli destek ve danışmanlığı sağlamalıdır.

Beklenen Sonuçlar:
1. Hastanın hareketliliği sağlanmış olmalıdır.
   - Deformite ve kontraktürler olmamalı
   - Önerilen egzersiz programını uyguluyor olmalı
   - Dengesini sağlayarak oturabiliyor olmalı
   - Hemiplejik tarafın işlev kaybını sağlıklı tarafını kullanarak idare edebiliyor olmalı
2. Omuz ağrısı olmamalı
   - Omuzunu hareket ettirebilmeli ve omuz egzersizlerini yapabiliyor olmalı
   - El ve kol belirli arlıklarla elevasyona alınıyor olmalı
3. Bireysel bakımını, hijyenini yapabiliyor ve yardımcı gereçleri kullanabiliyor olmalı
4. Karşısındaki bireye ya da gösterilen objeye başını döndürebiliyor olmalı
5. Yutkunma işlevi düzelmiş olmalı
6. Bağırsak ve mesane boşaltımı normal olmalı
7. Bilişsel işlevlerin düzeltilmesi için hazırlanan programlara katılıyor olmalı
8. İletişimi düzelmiş olmalı
9. Deri bütünlüğünü bozulma olmaksızın sürdürebiliyor olmalı
   - Deri turgoru normal olmalı
   - Pozisyon değiştirme ve döndürme işlevlerine katılıyor olmalı
10. Aile üyeleri olumlu davranış gösteriyor ve baş etme yöntemleri kullanabiliyor olmalı
    - Hastayı egzersiz programına katılmaya cesaretlendiriyor olmalı
    - Rehabilitasyona aktif katılım gösterebiliyor olmalı
    - Alternatif bakım yardımı ya da diğer aile üyelerinin bakım konusunda desteğini alabiliyor olmalı
11. Cinsel işlevlerle ilgili değişikliklere olumlu davranış gösterebiliyor olmalı.

Hemorajik inme: Hemorajik inmeler SVH'ların yaklaşık %15'i oluşturur ve çoğunlukla 50 yaşın üzerindeki bireylerde görülür. İskemik inmelere göre daha fazla yetersizliğe yol açar ve daha uzun rehabilitasyon sürecine gereksinim duyulur. İntraserebral hemorajiye bağlı gelişen inmelerde hastaların yaklaşık %50'i inmeden sonraki ilk üç gün içinde beyinde gelişen fıtıklaşmaya bağlı olarak kaybedilir.

Etiyoloji ve risk faktörleri: Hemorajik inmeler beyin damarlarının rüptürüne bağlı olarak beyin dokusu, ventriküller ve subaraknoid aralığa kanama şeklinde gelişir. Etiyolojik faktörler aşağıdaki gruplarda incelenebilir:
- Birincil intraserebral hemoraji: Yaklaşık %80 hipertansiyon ve ateroskleroza bağlı olarak damar yapısındaki bozulmalar sonucunda küçük damarlardaki rüptüre bağlı kanamalardır.
- İkincil intraserebral hemoraji: Arteriyovenöz malformasyonlar (AVM), intarkraniyal anevrizmalar, antikuagülan, amfetamin gibi bazı ilaçlara bağlı olarak gelişir.

Patofizyoloji: Patoloji neden olan faktörlere bağlıdır. Anevrizma ya da AVM'nin büyüklüğü ve kanamanın kraniyal sinirler ya da beyin dokusuna yaptığı basıya göre bulgular ortaya çıkar. Kanamaya bağlı olarak meydana geldiğinde subaraknoid boşluğa kan birikerek kafa içi basıncını arttırır ve beyin dokusuna baskı olur. ya da subaraknoid kanamayla birlikte oluşan vazo spazm ve basınç beyin kanlanmasını bozarak beyin dokusunda iskemiye neden olur.

İntraserebral hemorajide hastaların hipertansiyon ya da serebral ateroskleroz nedeniyle damar yapılarındaki dejeneratif değişiklikler damar rüptürüne neden olmaktadır. ya da etiyolojide belirtilen bazı ilaçların kullanımı, beyin tümörleri gibi nedenler damar yapısını bozabilmektedir. Genellikle arteriyel kanama olmakta ve kanama çoğunlukla beyin loplarında, bazal ganglionlarda, talamusada, beyin sapında ponsda ve serebellumda görülmektedir. Nadiren yan ventrikül duvarında olan rüptürlere bağlı kanamalar gelişebilmekte, bunlar ventrikül içi kanamaya neden olmakta ve çoğunlukla ölümle sonlanmaktadır.

İntrakraniyal ya da serebral anevrizmalar serebral arter duvarlarının güçsüzlüğüne bağlı olarak gelişmekte olup nedenleri tam olarak bilinmemektedir. Konuyla ilgili çalışmalar sürmektedir. Konjenital defekt, hipertansiyon, kafa travması, ateroskleroz ve ileri yaşın anevrizmaya nedeni olabileceği bilinmektedir. Anevrizma internal karotid arteri, anteriyor ve posteriyor serebral arterleri etkileyebilir. Birden fazla arterde anevrizma görülmesi yaygın değildir.

AVM'ler embriyonal gelişim sırasında arter ve venlerde karışık yapılanmaya ve beyin kapiller yatağının olmamasına neden olmaktadır. Beyin kapiller yatağının olmaması arter ve venlerde genişleme ve rüptüre neden olarak intraserebral hemoraji patolojisinde rol oynamaktadır. Özellikle genç yaşlarda görülen kanamaların nedeni buna bağlıdır.

Subaraknoid kanamalar (SAK) çoğunlukla AVM'ler, intrakraniyal anevrizmalar, travma ve hipertansiyona bağlı olarak subaraknoid boşluğa olan kanamalardır.

Klinik belirti ve bulgular: Hemorajik inmelerde iskemik inmelere benzer bir çok belirti ve bulgu ortaya çıkmaktadır. İskemik inme belirti ve bulgularına ek olarak AVM ve anevrizmalarda ani başlayan şiddetli baş ağrısı ve değişik sürelerde devam eden bilinç kayıpları görülmektedir. Sırt ve boyunda ağrı ve sertlik, vertebrada meninks irritasyon bulguları olabilir. Okülomotor siniri etkileyen anevrizmalarda görme kaybı, diplopi, pitozis gibi görme kusurları gelişebilir. Kulak çınlaması, sersemlik ve denge kaybı, hemiparezi görülebilecek diğer belirti ve bulgulardır.

Anevrizma ya da AVM'ye bağlı olarak kanama alanında oluşan pıhtılar hastada çok az nörolojik bozukluğa neden olur. Ancak serebral arterlerdeki hasara bağlı olarak gelişen ciddi kanamalarda hızla koma gelişebilir ve ölümle sonlanabilir.

Prognoz: Hastanın nörolojik durumu, yaşı, birlikte var olan diğer hastalıkları, intrakraniyal anevrizmanın yerleşimi ve büyüklüğüne bağlı olarak değişir. Anevrizmadan kaynaklanan SAK önemli bir morbidite ve mortalite nedenidir.

Tanı yöntemleri: BT ile kanamanın büyüklüğü ve yerleşimi, ventriküllerde kanama olup olmadığı ve hidrosefali olup olmadığı saptanabilir. İntrakraniyal anevrizma ya da AVM tanısında anjiyografi ve BT'den yararlanılır. BT sonuçları negatif ve kafa içi basınç artışı yoksa SAK'ı doğrulamak için LP uygulanabilir. Ancak LP'nin kafa içi basıncı artışına neden olarak beyin sapı fıtıklaşmasına ve kanamanın tekrarlamasına neden olabileceği olasılığı unutulmamalıdır.

Tedavi:

Tıbbi tedavi: Hemorajik inmelerde tıbbi tedavinin amacı; kanamanın durdurularak beyin dokusunun iyileştirilmesi, tekrar kanma riskinin önlenmesi ya da en aza indirilmesi ve komplikasyonların önlenmesi ve tedavisidir. Sedasyon ve stres yaratabilecek uyaranları kontrol altına alarak yatak istirahatının sağlanması, vazospazmın yönetimi, kanamanın tekrarlamasını önlemeye yönelik tıbbi ya da cerrahi tedavi uygulanması hasta yönetiminde temel girişimlerdir. Baş ve boyun ağrısı için kodein ya da asetaminofen gibi analjezikler ve yatak istirahatına bağlı gelişebilecek derin ven trombozunu önlemeye yönelik elastik bandaj uygulaması tedavide uygulanması önerilen diğer yöntemlerdir.

Komplikasyonlar: Kanamanın tekrarlaması, serebral iskemiye bağlı serebral spazm, akut hidrosefali ve nöbet geçirme kanamaya bağlı olarak gelişebilecek komplikasyonlardır.

Serebral hipoksi ve kan akımının azalmasının yönetimi: Serebral hipoksiyi kontrol altına almak için hemen uygun şekilde oksijen tedavisine başlanmalıdır. İV sıvı tedavisi ile kanın vizikozitesinin azaltılması ve serebral kan akımının düzeltilmesi sağlanır. Kan basıncında ani yükselme ve düşmeler serebral kanlanma için risk faktörü olacağından kaçınılmalıdır. Serebral kan akımının azalmasına bağlı olarak hemorajik inmeli hastaların %5'de nöbetler gelişebileceği için bu konuda gerekli dikkat ve izlem yapılmalıdır.

Vazospazm: Serebral vazospazm hemorajiye bağlı inme geçiren ve hayatta kalan hastalarda %40-50 morbidite ve mortalite nedenidir. Şiddetli baş ağrısı, bilinç düzeyi değişiklikleri (konfüzyon, laterji, oryantasyon bozukluğu), afazi, hemiparezi gibi ek nörolojik bozukluklar vazospazm bulgusu olabileceği için bu bulgular yönünden hastanın izlenmesi önem taşır. Vazospazm yönetiminde kalsiyum kanal blokerlerinin (Nimotop, Isoptin vb.) kullanımı, kan basıncının normal sınırlarda tutulması ve kanın akışkanlığının arttırılmasına yönelik tedaviler uygulanır.

KİBAS yönetimi: Daha önce anlatılan KİBAS'lı hastanın yönetiminde uygulanan tedavi ve izlem uygulanır.

Hipertansiyon yönetimi: Hemorajik inme yönetiminde sistemik HT yönetimi yaşamsal önem taşır. Amaç sistolik kan basıncını yaklaşık 150 mm/Hg düzeyinde tutmaktır. Önerilen antihipertansif tedavi uygulamasının yanısıra kan basıncı yükselmesine neden olabilecek konstipasyonun önlenmesi önemlidir.

Cerrahi tedavi: Kanama alanı çapı 3 cm'den fazla olan ve GKÖ puanı 14'ün altında olan hastalarda cerrahi girişim uygulamasının gerekliliği değerlendirilerek karar verilir.

Hemşirelik Yönetimi:

Değerlendirme: Hastayla ilk karşılaşıldığında nörolojik tanılama yapılarak daha sonra hastanın durumunu değerlendirmek için aralıklı olarak tekraralanır. Değerlendirme aşağıdaki doğrultuda yapılır:

- Bilinç durumundaki değişiklik
- Pupillerin reaksiyonu
- Motor ve duyusal işlev bozukluğu
- Pitozis, ektra oküler kasların hareketi gibi kraniyal sinir bozuklukları
- Konuşma ve görme ile ilgili bozukluklar
- Baş ağrısı, boyun ve sırt rijiditesi ve diğer nöroljik bozukluklar.

Hemorajik inmeli hastaların tümü yoğun bakım ünitesinde izlenmeli ve nörolojik değerlendirme bulguları kaydedilmeli, hastanın durumuna göre belirlenecek sıklıkta tekrarlanıp bir önceki bulgularla karşılaştırılmalıdır. Hemorajik inmeli hastada bilinç düzeyi değişikliği oryantasyon bozukluğunun erken bulgusudur. Bu nedenle hemşire hastasını bu yönden sık sık gözlemeli ve değerlendirmelidir.

Tanılama: Hemorajik inmeli hastalarda değerlendirmeye dayanarak saptanabilecek başlıca hemşirelik tanıları şunlardır:

- Kanamaya bağlı *serebral doku perfüzyonununda bozulma*
- Tıbbi tedaviye bağlı sınırlamaların (anevrizma önlemleri) neden olduğu *duyu algılamasının bozulması*
- Tıbbi tedaviye bağlı sınırlamalar (anevrizma önlemleri) ve /veya hastalığa bağlı *anksiyete*

Olası komplikasyonlar:

- Vazospazm
- Nöbet gelişimi
- Hidrosefali
- Kanamanın tekrarlaması

Planlama/amaçlar:

- Serebral doku perfüzyonunu düzeltme
- Duyusal algılama bozukluğunu azaltma
- Anksiyeteyi azaltma
- Komplikasyonların gelişimini önleme

Hemşirelik girişimleri:

- Her saat başı KİBAS bulguları, tekrar kanama bulguları ve vazospazm bulguları yönünden hastanın izlenmesi
- Görmenin bozulmadığı tarafa geçerek hastaya bakım uygulanması ve iletişim kurulması, hastanın ışıklı çağırma zilinin ve telefonun olduğu yöne yatırılması, iletişim için sesiz ve sakin bir ortam sağlanması, hastaya yapacağı aktivitelerin sırasının yavaş yavaş ve basit uyarılarla açıklanması
- Komplikasyonların gelişiminin önlenmesi ve yönetimi için tıbbi tedavide önerilen uygulamaların yapılması

Beklenen sonuçlar:

- Hastada KİBAS, baş ağrısı, bilinç düzeyi değişiklikleri bulguları olmamalı
- Hasta duyusal algısal bozukluk bulguları olmadan GYA'ni yerine getirebiliyor ve çevresel uyaranları algılayabiliyor olmalı
- Anksiyete belirti ve bulguları olmamalı
- Olası komlikasyonlar gelişmemiş/yönetimi sürdürülebilyor olmalı

Sinir Sisteminin Enfeksiyon, Otoimmün Hastalıkları ve Kraniyal Sinir Hasarı
Sinir Sisteminin Enfeksiyon Hastalıkları

Sinir sisteminin enfeksiyon hastalıkları menenjitler, beyin apseleri, ensefalitler, Creutzfeldt Jacob ve yeni varyant Creutzfeldt Jacob hastalığıdır. Klinik bulguları, değerlendirmesi, tanı, tedavi ve hemşirelik yönetimi enfeksiyona özgüdür. MSS enfeksiyonlarına bağlı mortalite oranı yüksektir. Sağ kalan hastaların %50'i uzun süreli nörolojik bozukluklar yaşamaktadır. Bu nedenle tanının hızlı konulması tedavi ve bakımın hemen başlanması olası nörolojik bozuklukları en aza indirmek için önem taşımaktadır.

Menenjitler

Menenjit beyin ve omuriliğin etrafında bulunan koruyucu membranlar olan meninkslerin enflamasyonudur. Menenjit enfeksiyonları tüm yıl boyunca görülebilir. Ancak kış ve ilkbahar aylarında insidansı artar.

Etiyoloji ve risk faktörleri: Menenjitler aseptik ve septik menejit olmak üzere iki gruba ayrılır. Aseptik menenjitlerde neden olan etken viral enfeksiyonlar ya da lösemi, lenfoma ya da beyin apsesi gibi ikincil nedenlerdir. Septik menenjitler genellikle Neisseria menengitidis, Hemophilus influenza ve Streptokokus pnömoniae'nın neden olduğu bakteriyel menenjitlerdir. Bakteriyel menenjitlerde sigara alışkanlığı, viral nedenli üst solununum yolu enfeksiyonları, immün sistem yetersizliği, orta kulak iltihabı, mastoid kemiğin iltihabı risk faktörleridir.

Neisseria menenjiti ve Hemophilus influenza menenjiti genellikle okul, kışla vb. toplu yaşanan yerlerdeki çocuk ve erişkinlerde, pnömokok menenjiti ise 40 yaşın üzerinde ve immün sistem yetersizliği olan bireylerde daha fazla görülür. Erkeklerde görülme sıklığı kadınlara göre biraz daha fazladır. Bakteriyel ya da meningokoksik menenjitler bazı hastalarda immün sistem yetersizliğine bağlı fırsatçı hastalıklar ya da bazı hastalıkların komplikasyonu olarak geişebilir. Çizelge 54.14'de menenjitlerin görüldüğü özel hasta grupları verilmiştir.

Patofizyoloji: Menejit enfeksiyonunda etken genellikle iki yolla meninikslere ulaşır. Diğer enfeksiyon odaklarından kan yoluyla ya da travma, invaziv girişimler gibi nedenlere bağlı olarak doğrudan bulaşma olur. Etken olan mikroorganizma kan dolşımına girdiğinde kan-beyin bariyerini aşıp MSS yerleşen bakteriler burada savunma mekanizmasında rol oynayan özgül antikor ve komplemanlar bulunmadığı için hızla çoğalmaya başlar ve meninkslerde enflamasyona neden olur. Kan-beyin bariyerinin bozulması ile fibrinojn ve diğer serum proteinleri subaraknoid boşlukta ve pia materde birikerek kafa içi basıncının artmasına neden olur. Bu durum hidrosefali, fıtıklaşma, venöz ve arteriyel tromboz, kraniyal sinir felçleri ve miyopati gibi komplikasyonların gelişmesine neden olur.

Prognoz: Bakteriyel menenjitlerde prognoz etken olan mikroorganizmaya, hastalığın ve enfeksiyonun şiddetine ve tedaviye başlama zamanına göre değişir. Yenidoğan ve yaşlılarda ölüm oranı daha fazladır. Bakteriyel menenjtlerde uygun antibiyotik tedavisi ile ölüm oranı %15'in altındadır.

Komplikasyonlar: Akut hızlı gidişli menenjitlerde adrenal hasar, dolaşım kollapsı, endotel tabakası hasarı ve bakterinin damarlarda nekroza yol açmasına bağlı olarak yaygın hemorajiler (Waterhouse-Frederichsen Sendromu) gelişebilir. Gelişebilecek diğer komplikasyonlar görme bozukluğu, sağırlık, nöbet geçirme, paralizi, hidrosefali ve septik şoktur.

Klinik belirti ve bulgular: Baş ağrısı ve ateş sıklıkla görülen başlangıç bulgularıdır. Ateş genellikle hastalık süresince yüksek olarak devam eder. Meninks irritasyonuna bağlı gelişen baş ağrısı oldukça şiddetlidir. Meninks irritasyonuna bağlı olarak gelişebilecek diğer bulgular şunlardır:

- Ense sertliği ilk bulgulardandır. Boyun kaslarının spazmı nedeniyle boynun fleksiyona getirilmesi zordur ve boynun zorlayıcı fleksiyonu şiddetli ağrıya neden olur.
- Pozitif Kernig bulgusu: Hasta sırtüstü yatar poziyonda iken kalçanın karına doğru 90 derecelik açı ile fleksiyonu şiddetli ağrıya neden olur. (Şekil 54.2-a)
- Pozitif Brudzinski bulgusu: Hastanın boynu fleksiyona getirildiğinde dizler ve kalçada fleksiyon meydana gelir. (Şekil 54.2-b).
- Fotofobi: Menenjitli hastalar ışığa karşı aşrı duyarlılık gösterirler. Çok yaygın olan bu bulgunun nedeni tam olarak bilinmemekedir.
- Genellikle N.Menengitidis menenjitinde deri ve müköz membranlarda peteşi, purpura ve ekimoz gibi deri lezyonları gelişebilir.
- Hastalığın erken evresinde oryantasyon ve bellek bozukluğu gelişir. Bu bulgular hastalığın şiddeti ve hastanın hastalığa psikolojik yanıtına göre değişir. Hastalığın ilerlemesine paralel olarak laterji, uyarılara yanıt vermeme ve koma gelişebilir.

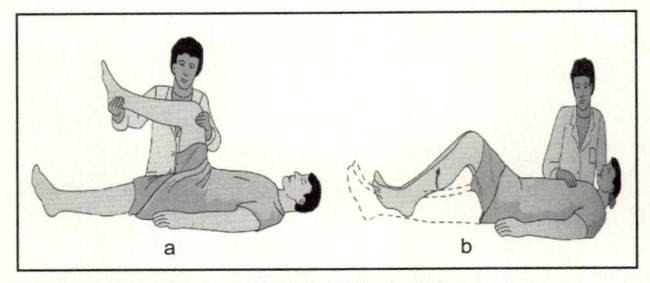

Şekil 54.2: Meninks irritasyon bulguları (a)Kerning bulgusu, (b)Brudzinzski bulgusu.

Çizelge 54.14: Menenjitlerin Görüldüğü Özel Hasta Grupları	
AİDS'l i Hastada Menenjit	**Lyme Hastalığında Menenjit**
• Aseptik, kriptojenik ve tüberküloz tipi menenjitler. • Aseptik menenjitin akut ve kronik biçimi görülür. Her iki biçiminde de baş ağrısı bugusu vardır. Meninks irritasyon bulguları genellikle akut biçiminde görülür • Asptik menenjitte kraniyal sinir paralizileri görülür. • AİDS'e neden olan HIV'in BOS'da saptanması nedeniyle HIV'in menejitle doğrudan ilşkili olduğu düşünülmektedir • AİDS'li hastalarda kriptokakal menenjit MSS'nin yaygın olarak görülen mantar enfksiyonudur. Hastaların %50-60'nın durumunu kötüleştirir. Hastalarda baş ağrısı, bulantı, kusma, nöbet geçirme, konfüzyon ve laterji gibi bulgular görülebilir. • Tedavide İV amphotericin B ve fuconazole uygulanır • İmmün sistem baskılanması olan bazı hastlarda bazı bulgular görülebilir ancak enflamatur yanıt belirgin değildir	• Lyme hastalığı bir sipiroket olan Borrelia burgdorferi'nin neden olduğu bir multisistem hastalığıdır. • Nörolojik bulgular hastalığın ikinci yada üçüncü evresinde görülür. İkincici evrede ya da 1-6 ay içinde yaygın döküntüler görülür • Aseptik menenjit, kronik lenfatik menenjit ve ensefalitde görülen nörolojik bulgular vardır. • Bell paralizisi ve diğer periferal nöropatiler gibi kraniyal sinir enlamasyonları görülür. • Hastalığın başlangıcından yıllar sonra başlayan kronik biçimi üçüncü evredir. Bu evrede artiritler, deri lezyonarı ve nörolojik bozukluklar görülür • İkincici ve üçüncü evredeki hastaların büyük çoğunluğu penisilin G ya da diğer antibiyotiklerle tedavi edilir • Baş ağrısı gibi bazı bulgular haftalarca inatçı olarak sürmekle birlikte meninks irritasyon bulguları ve sistemik bulgular birkaç gün içinde düzelmeye başlar

- KİBAS'a bağlı olarak nöbetler görülebilir. KİBAS'ın ilk bulguları bilinç düzeyi değişikliği ve motor güçsüzlüktür. Kontrol altına alınmadığında beyin sapında yaşamı tehdit edebilecek herniasyonlar meydana gelebilir. Beyin sapı herniasyonu kraniyal sinirlerin işlevini bozar, yaşamsal önemi olan merkezleri baskılayarak yaşamı tehdit eder.
- Meningokoksik menenjitli hastların %10'da septisemi gelişebilir. Yüksek ateş, yüz ve ekstremitelerde yaygın purpura lezyonları, şok gibi yaygın damar içi pıhtılaşma (DIC) bulguları vardır. Hasta birkaç saat içinde kaybedilir.

Tanı yöntemleri: Hastanın klinik belirti ve bulguları, fizik muayenesi ve öyküsünün yanı sıra etken olan mikroorganizmanın saptanması gereklidir.

Etken olan mikroorganizmayı belirleyebilmek için LP yapılarak BOS görünümü ve basıncı değerlendirilir, BOS ve kanda kültür incelemesi yapılır. BOS bulanık görünümde ve basıncı artmıştır (BOS basıncı 180mmHO) BOS'da lökosit ve glikoz düzeyi artmıştır. BOS'da polisakkarit antijeninin saptanması bakteriyel menenjit tanısını destekler. BOS, kan, burun ve boğaz sürüntüsü kültüründe etken olan mikroorganizmanın saptanması, radyolojik olarak kafatası ve sinüslerin incelenmesi diğer tanı yöntemleridir.

Tedavi: Tedavinin başarısı etkenin kan-beyin bariyerini geçip subraknoid boşluğa geçmesini önlemek için erken antibiyotik tedavisine başlanmasına bağlıdır. Ampicillin, piperacillin gibi penicillin grubu atibiyotikler ya da cefatoxime sodyum gibi sefalosporin grubu antibiyotikler tedavide kullanılır. Dirençli olgularda Vancomycin hidrolorid tek olarak ya da Rifampin ile birlikte kullanılır. Antibiyotik tedavisi yükek dozlarda İV yolla uygulanır. Antibiyotik tedavisinin yanı sıra destekleyici ve semptomatik tedavi uygulanır. Dehidratasyon ve şoku tedavi etmek için sıvı ve elektrolit desteği, nöbetler için antiepileptik tedavi, baş ağrısı için ağrı gidericiler, KİBAS için KİBAS'lı hastanın yönetiminde uygulanan tedaviler uygulanır.

Hemşirelik yönetimi: Menejitli hastanın hemşirelik bakımında uygulanacak hemşirelik girişimleri hastanın yaşamsal önemi olan kritik durumu nedeniyle hekim, solunum terapisti ve diğer sağlık ekibi üyelerinin işbirliği ile planlanır ve uygulanır. Hemşirelik bakımında aşağıdaki değerlendirme ve girişimler uygulanır:
- Hastanın nörolojik durumu ve yaşam bulguları sık sık değerlendirilir. Kafa içi basıncındaki ani artışın beyin sapında baskı yaratarak neden olabilceği solunum yetersizliğine hemen girişimde bulunup solunum desteği sağlamak için pulse oksimetri ve kan gazı değerleri izlenir. Gerekli durumlarda endotrakeal tüp yerleştirerek ya da trakaesotomi açılarak mekanik solunumla doku oksijenlenmesi sağlanır.
- Kardiyak ya da solunum yetersizliğinin belirleyicileri olan kan gazı değerleri izlemi yapılır.
- Yüksek ateş kalbin yükünü ve serebral metabolizmayı arttırır. Serebral metabolizmanın artışı KİBAS'a neden olacağından vücut ısısının olabildiğince çabuk düşürülmesi önemlidir.
- Özellikle uygunsuz antidiüretik hormon salınımı kuşkusu varsa hastanın vücut ağırlığı, serum elektrolit düzeyleri, idrar atım ve ozmolalitesi dikkatle izlenmelidir.
- Bilinç düzeyindeki değişiklikler ve nöbetler nedeniyle hasta olası travmalardan korunmalıdır.
- Hareketsizliğe bağlı gelişebilecek basınç ülseri ve pnömoni gibi komplikasyonlar önlenmelidir.
- Antibiyotik tedavisine başlanmasından sonraki 24 saat süresince hastanın damlacık yolu ile bulaştırıcılığı süreceğinden gerekli koruyucu önlemler alınmalıdır. Bu evrede ağız ve burun sekresyonları bulaştırıcıdır.
- Ani gelişen ve yaşamı tehdit eden bir durumla karşılaşan hasta ailesi ve yakınlarının bilgilendirilmesi ve başa çıkma için desteklenmesi gereklidir.

Beyin Apseleri

Beyin apseleri vücutta bir başka hastalık ya da tedavinin immün sistemi baskılamasına bağlı olarak nadir görülür.

Etiyoloji:
- Paranazal sinüs ve kulak enfeksiyonları
- Akut bakteriyel endokardit
- Pelvik enfeksiyonlar, osteomyelit, diş apsesi gibi lokal apseler (nadiren)
- Travma ve intrakraniyal cerrahi girişimler (%10)

Patofizyoloji: Beyin apselerinde etken travma, kemik enfeksiyonları, akciğer apseleri ve bronşektazi ya da cerrahi girişim yolu ile doğrudan, beyin dokusuna komşu doku ya da organlardaki enfeksiyonların (kulak, diş apsesi vb.) yakın ilişki yolu ile ya da uzak enfeksiyon odaklarından kan yolu ile beyin dokusuna gelerek enfeksiyon gelişimine neden olur.

Klinik Belirti ve Bulgular:
Beyin apselerinde klinik bulgular kafa içi denegelerin bozulması sonucu gelişen ödem, enfeksiyon ya da absenin yerleşimine bağlıdır. Özellikle sabahları görülen baş ağrısı, kusma, güçsüzlük, görme bozukluğu, nöbet geçirme gibi nörolojik bulgular olabilir. Laterji, oryante olmayan davranışlar, huzursuzluk ve konfüzyon gibi davranış değişiklikleri olabilir. Yüksek ateş olabilir ya da olmayabilir. Çizelge 54.15'de beyin apselerinin yerleşim yerine göre görülebilecek bulgular verilmişir.

Viral Ensefalit Etiyolojisinde Yer Alan Etkenler:	
Virüsler	**Aşılar**
• Kızamık • Kabakulak • Kuduz • Polio • Su çiçeği • Herpes zoter • Herpes simpleks • Koksakivirüs • Enfeksiyöz mononükleoz	• Kızamık • Kızamıkçık • Kabakulak • Kuduz

Çizelge 54.15: Beyin Apselerin Bulguları

Frontal lob
- Hemiparezi
- Afazi(ekspesif)
- Nöbet
- Frontal baş ağrısı

Temporal lob
- Lokalize baş ağrısı
- Görme değişiklikleri
- Yüzde güçsüzük
- Afazi

Serebellar apseler
- Oskipital baş ağrısı
- Ataksi
- Nistagmus?

Tanı yöntemleri: Apsenin yerleşimini değerlendirebilmek için sık aralıklarla nörolojik inceleme ve izlem gerekir. BT ile apsenin yerleşimi ve cerrahi girişim için uygun zamanın belirlenmesi olasıdır. MRG beyin sapı ve posterior fossadaki apselerin saptanmasında yaralanılabilecek yöntemdir.

Tedavi: Beyin apselerinde tedavi yöntemleri, antibiyotik tedavisi, apse drenajı ve cerrahi girişimdir. Kapsüllü apselerde BT ile izleyerek lokal anestezi altında apse drenajı uygulanır.

Penicilin G (20 milyon U) ve kloranfenikol (4-6g/gün İV) anerobik stereptokok enfeksiyonlarında yaygın olarak kullanılan antibiyotiklerdir. Cerrahi girişim öncesi kan-beyin engelini geçip apseye ulaşılabilmesi için yüksek dozda antibiyotik kullanılır ve post operatif dönemde de antibiyotik tedavisine devam edilir. Nörolojik bozukluğu olan hastalarda serebral ödemi kontrol altına alabilmek için kortikosteroid tedavisi önerilebilir. Nöbetleri önlemek için önerilen antiepileptikler kullanılır.

Hemşirelik yönetimi: Hemşirelik bakımı nörolojik değerlendirme, önerilen ilaç tedavisini uygulama, tedaviye yanıtı değerlendirme ve destekleyici bakıma odaklanır.
- Sürekli nörolojik değerlendirme yaparak KİBAS bulgularını değerlendirmek ve gerekli durumda acil girişim uygulamak
- İlaç tedavisini önerilen şekilde uygulayarak hastanın tedaviye yanıtını değerlendirmek
- Kortikosteroid kullanan hastalarda özellikle kan glikoz ve serum potasyum düzeyi olmak üzere kan değerlerinin izlemini yapmak
- Bilinç düzeyi değişikliği, motor güçsüzlük ve nöbete bağlı olarak hastanın travma ve yaralanma olasılığını göz önünde bulundurarak güvenlik önlemleri almak ve hastayı yakından izlemek
- Apsenin tedavi edilmesinden sonra gelişebilcek hemiparezi, nöbet geçirme, görme kusuru, kraniyal sinir pralizileri gibi yetersizliklerle baş etmede hasta ve yakınlarına destek olmak hemşirelik bakımı kapsamında yapılması gereken uygulamalardır.

Ensafalitler

Beyin dokusunun akut enflamatuar hastalığı olan ensefalitler, çoğunlukla virüslere bağlı olarak gelişir. Aynı zamanda bakteri, mantar ve parazitler de etiyolojide rol oynayabilir.

Burada viral ensefalitler içerisinde en fazla görülen herpes simpleks virüs ensefaliti işlenecektir.

Herpes simpleks virüs (HSV) ensefaliti: Herpes simpleks virüs enfeksiyonu tüm Dünya da mevsimlerle ilişkili olmadan, her mevsimde ve her yaş grubunda sporadik olarak en fazla görülen beyin dokusunun akut bir enflamatuar reaksiyonudur.

Patofizyoloji: HSV'nin HSV-1 ve HSV-2 olarak iki çeşidi vardır. HSV-1 virüsü insanda ağız mukozasında yaygın olarak bulunur ve ağız ve dudaklarda herpes (uçuk) lezyonlarına neden olur. Virüsün beyin dokusunda inaktif durumda bulunduğu ve ateşli hastalık, stres, enfeksiyonlar gibi etkenlere bağlı olarak aktif hale geçtiği ve ensefalite neden olduğu kabul edilmektedir. Ağız mukozasında bulunan virüsün trigeminal sinir yoluyla beyin dokusuna ulaşarak ensefalite neden olduğu da kabul edilmektedir. Virüs çoğunlukla temporal ve pariyetal loblarda yerleşerek ödem, kanamalı ya da kanamasız nekrotik doku oluşumu ve KİBAS'a neden olabilir.

Klinik belirti ve bulgular: Başlangıçta ateş, baş ağrısı, konfüzyon ve davranış değişikliği gibi bulgular vardır. Daha sonra nekrotik alan ve serebral enflamasyon alanlarına bağlı olarak nöbet, davranış bozukluğu, disfazi, hemiparezi ve bilinç düzeyi değişiklikleri gelişir. Nörolojik bulgular enfeksiyonun oluşumun izleyen yedi gün içerisinde başlar ve 14-21 günde ilerler. Hasta 24-72 saatlik akut dönemde temporal lob herniasyonuna bağlı olarak kaybedilebilir.

Tanı yöntemleri: Hastanın klinik bulguları, ayrıntılı anamnez ve fizik muayenenein yanı sıra LP ile BOS alınarak incelenmesi tanıda baş vurulan ilk girişimlerdir. BOS basıncı artışı, BOS'da lekosit ve proteinlerin artışı, glikoz düzeyinin düşmesi tanıyı destekler. Viral kültür incelemeleri genellikle negatifdir. Beyin dokusu biyopsisi ve EEG kesin tanı için yardımcı yöntemlerdir. Beyin biyopsisi uygulanan HSV enefalitli olguların %66'da EEG de dalga değişiklikleri görülür. Ensefalit tanısında 1996 yılından bu yana polimeraz zincir reaksiyonu (PCR) yöntemi kullanılmaktadır. Bu yöntemle HSV'ye özgü DNA bantları saptanmaktadır. Özellikle bulguların ortaya çıktığı üç-on günlük dönemde PCR yüksek tanı koydurucu özelliğe sahiptir.

Tedavi: HSV tedavisinde Acyclovir (Zovirax) gibi antiviral ajanlar kullanılır.Tekrarlama olasılığına karşı tedavinin üç hafta sürdürülmesi önerilir. İlacın idrarda kristalleşme yapmasını önlemek için bir saat içinde yavaş olarak verilmelidir. Hastanın böbrek sorunu varsa doz azaltılması gerekebilir. Aynı zamanda serebral ödemi kontrol altına almak için kortikosteridler, ozmotik diüretikler, nöbetleri kontrol altına almak için antikonvülzanlar, ağrı ve ateşi gidermek için analjezik ve antipretikler kullanılır.

Hemşirelik yönetimi: Hastalığın gidişini değerlendirebilmek için sık sık nörolojik değerlendirme yapılması hemşirelik bakımının temelini oluşturur. Loş, gürültüsüz bir ortam sağlanması, analjezik tedavisi ile baş ağrısının giderilmesi ve hastanın rahatının sağlanması gerekir. Opioid analjezikler nöolojik bulguları maskeleyebileceği için kullanımında dikkatli olunmalıdır. Hastanın güvenliğinin sağlanması, hasta ve ailenin anksiyetesinin giderilmesi, kan değerlerinin izlenmesi, asyclovir tedavisinin böbreklerde neden olabileceği komplikasyonlar açısından idrar miktarının kontrolü hemşirelik bakımı kapsamında yapılması gereken girişimlerdir.

Creutzfeld-Jakob Hastalığı(CJH) ve Yeni-Varyant Creutzfeld-Jakob Hastalığı(nvCJH)

CJH ve nvCJH prion adı verilen protein yapısında virüsden daha küçük enfeksiyöz ajanların neden olduğu nörodejeneretif bir enfeksiyon hastalığıdır.

Epidemiyoloji: Kontamine gıdaları tüketen bireylerede sporadik olgular şeklinde görülür. Genellikle orta yaşlarda görülür. Hastalığın enfazla göüldüğü yaş grubu 20-70 yaş grubu, özellikle 50 yaş civarıdır. İngiltere'de 1980-1990 yılları arasında salgınlara neden olmuştur. İlk olgu 1986 yılında İngiltere'de görülmüştür. Bu olgular enfeksiyon etkenini sindirim yolu ile alan olgulardır. Prionların lenfoid doku ve kanda da görüldüğü saptandıktan sonra 1998 yılında tüm kan ürünlerinin alımı ve kullanımında güvenlik uygulamaları başlatılmıştır.

Patofizyoloji: Prionlar normal hücre proteinlerinin çevresinde yerleşerek glialarda ve nöronlarda harabiyete neden olur. Gri madde süngerimsi bir hal alır ve işevleri bozulur.

Bulaşma:
1. Doğrudan bulaşma: Enfekte hayvan ve ürünleri ile insanın doğrudan teması (%15)
2. İyatrojenik bulaşma: Beyin cerrahisinde kullanılan araçlar, kan transfüzyonu, kadavradan elde edilmiş büyüme hormonlarının kullanılması (%5) ile olur.

Klinik belirti ve bulgular: Bir çok hastada başlangıçta CJH'nın nöroljik bulguları belirsizdir. Davranış değişiklikleri, demans, görme bozukluğu, konuşamama, denge ve hareket bozukluğu, uykusuzluk, miyoklonik kasılmalar etkilenen beyin bölgesine göre görülebilecek bulgulardır.

Bulgular ilerlediğinde hastanın çevreyle iletişimi tamamen bozulur ve yatağa bağımlı hale gelir. Etkeni aynı tipte olmasına karşın nvCJH'de prion proteinine reaksiyon olarak beyin ve beyincik dokusunda daha fazla sayıda süngerimsi plak olduğu için farklı klinik bulgular görülebilir. Anksiyete, depresyon ve davranış değişiklikleri nvCJH başlanıç bulguları olarak görülür. Ataksi, miyoklonus tanı konduğunda var olan bulgulardır. Daha sonra bellek ve bilişsel bozulmalar görülür.

Tanı yöntemleri: Öykü ve klinik bulguların yanı sıra EEG kesin tanı koymada yaralanılan yöntemdir. LP ile BOS alınarak poliklonal antikorlar (protein 14-3-3) ve nöron hasarını gösteren enzimlerin saptanması ile tanının doğrulanması sağlanır. BT'nin tanıda önemli yeri yoktur. Bazal ganglionlardaki lezyonların saptanmasında MRG'dan yararlanılabilir. Kesin tanı beyin biyopsisi ve otopsi ile konur.

Tedavi: İlk nörolojik bulguların görülmesinden sonra hastalık hızla ilerler. Etkin bir tedavi yöntemi yoktur. Destekleyici ve palyatif bakım uygulanır. Bakımda hareketsizliğe bağlı gelişebilecek komplikasyonların önlenmesi, hastanın rahatının sağlanması, aileye eğitim ve destek olunması amçlanır. CJH' de hastalığın süresi 4-5 ay, nvCJH'da 16 ay kadardır. Hastalar solunum yetersizliği ve sepsis nedeniyle kaybedilir.

Hemşirelik yönetimi: Tıbbi tedaviyle paralel olarak hemşirelik yönetimi de destekleyici ve palyatiftir.Hasta ve ailenin gereksinimleri doğrultusunda hastalığa ilişkin bilgilendirilmesi, psikolojik ve emosyonel destek sağlanması, ölüm ve kayıp konusunda aileye destek olunması hemşirelik bakımının kapsamında uygulanabilecek girişimlerdir.

Hemşirelik bakımında hastalığın bulaşmasını önlemeye yönelik girişimler önemlidir. Hastanın izolasyonuna gerek yoktur ancak satandart koruyucu önlemler uygulanmalıdır. Kan ve kan ürünleri, vücut sıvıları ile temasta kurumun kurallarına uyulmalı, kontamine gereçlerin dezenfeksiyonu sağlanmalıdır. Prionlar bilinen sterilizasyon yöntemleri ile etkisiz hale getirilememektedir. Hastalık kontrol merkezi (CDC) WHO'nun önerilerini dikkate alarak prionun sterilizasyonu için daha etkin sterilizasyon yöntemleri kullanılmasını önermektedir.

Otoimmün Hastalıklar

Sinir sisteminin otoimmün hastalıkları multipl skleroz, miyastenia gravis ve Guillain-Barré sendromudur.

Multipl Skleroz (MS)

Multipl skleroz (MS) MSS'deki nöronların miyelin kılıflarını etkileyen kronik, ilerleyici ve dejeneratif bir hastalıktır. Beyin ve omurilikteki sinir liflerinin çevresini kaplayan lipid ve protein yapısındaki miyelin kılıfının bozularak demiyelinizasyon oluşumuna ve bu nedenle sinir uyarılarının iletiminin bozulmasına neden olur.

İnsidans ve prevalans: MS çoğunlukla 20-40 yaş grubunda genç erişkinlerde görülmektedir. Bulgular 21-25 yaş grubunda en üst düzeyde görülmekte olup, 41-45 yaş grubunda bulgularda daha az düzeyde artış olmaktadır. Hastalığın 10 yaşından önce ve 60 yaşından sonra görülmesi nadirdir. Kadınlarda görülme sıklığı erkeklere göre daha fazladır. Kadın-erkek oranı 1.4/3.1'dir. Hastanın birinci derece akrabalarında hastalığın görülme sıklığı toplumdaki genel poülasyondan onbeş kez fazladır. MS'li hastaların çocuklarında insidans yaklaşık %30-50'dir. Bu durum hastalıkta genetik yatkınlığın söz konusu olduğunu göstermektedir. MS prevalansı tüm Dünya da değişkenlik gösterir ve soğuk bölgelerde prevalans artar.

Epidemiyolojik araştırmalar esas alınarak dünya; düşük prevalans 0-10/100.000, orta prevalanas 11-50/100.000, yüksek prevalans 51-100 ve^/100.000 risk alanlarına ayrılmaktadır. Yüksek ya da düşük risk alanlarından birinden diğerine 15 yaşından önce yapılan göçler MS prevalansını etkilemekte ve bu durum puberte öncesi dönemde çevresel etmenlerin MS gelişiminde önemli rolü olduğunu göstermektedir. Kuzey Amerika, Kuzey Avrupa, Kanada'nın güneyi ve Avusturalya'nın güneyinde hastalığın insidansı fazladır. Kuzey Amerika'da yaklaşık 300.000, Türkiye'de 20.000-30.000 MS hastası olduğu bildirilmektedir. İngiltere'de MS prevalansı 100.000'de 100, Dünya da MS insidansı %0.1'dir.

Etiyoloji ve risk faktörleri: MS etiyolojisinde rolü olan nedenler tam olarak bilinmemektedir. Bu konuda araştırmalar devam etmektedir. Otoimmün nedenlerle miyelin kılıfında demiyelinizasyon olduğu bilinmektedir ancak özel bir antijen saptanamamıştır. Otoimmün yanıtı başlatan bir çok faktör vardır.

Hücre duvarında insan lökosit antijeninin (HLA) özel bir kümesinin (haplotip) genetik olarak yatkınlığa yol açtığı bildirilmektedir. Bu haplotipin oluşmasında virüsler gibi bazı etkenlerin otoimün yanıtı tetikleyerek MS oluşmasına neden olduğu bildirilmektedir. Otoimmün yanıtı başlatabilecek özel bir virüs saptanamamıştır. Virüsün DNA'nın amino asit benzeri etki yaratarak sinirlerin miyelin kılıfında immmün reaksiyonunu başlattığı kabul edilmektedir. MS'de risk faktörleri ve korunma düzeyleri aşağıda Çizelge 54.16'da verilmiştir.

Patofizyoloji: Beyin ve omurilikteki aksonların etrafında bulunan koruyucu miyelin kılıfı, yüksek düzeyde iletkenlik özelliğine sahip lipid ve protein yapısındadır ve akson boyunca sinir iletilerinin taşınmasını sağlar. Yatkınlığı olan bireylerde immünolojik reaksiyonu başlatan bir sürece bağlı olarak (çoğunlukla viral bir enfeksiyon) duyarlılığı artmış T hücreleri kan-beyin bariyerini aşıp MSS'e geçerek yıkıma neden olurlar.

Bu durum MSS'de miyelin kılıfının harabiyeti ve oligodendroglial hücrelerin üretilmesine yol açar. Miyelin kılıfının yapısının bozulduğu aksonlarda sklerotik plaklar oluşarak uyarıların iletimi kesintiye uğrar. Miyelin kılıfı yenilenebilir yapıda olduğu için başlangıçta uyarıların iletilmesi ile ilgili patolojik bulgular reversibl özelliktedir. Tekrarlayan ataklarla sinir liflerindeki harabiyet kalıcı nörolojik bulgulara neden olur. Nörolojik bulgular etkilenen sinir hücrelerinin bulunduğu alana bağlı olarak değişir. Çoğunlukla etkilenen alanlalar optik sinir, beyin, beyin sapı ve beyinciktir.

Klinik belirti ve bulgular: MS'de klinik belirti ve bulgular etkilenen alana göre farklıdır. Hastada bir ya da birden fazla bulgu birlikte görülebilir. MS'de klinik gidiş aşağıda Çizelge 54.17'de verilmiştir. MS'de klinik belirti ve bulgular skleroze lezyonların bulunduğu alan ve lezyonların sayısına bağlı olarak çok çeşitli ve çok sayıdadır.

Birincil bulgular: Yorgunluk, depresyon, güçsüzlük, parestezi, koordinasyon güçlüğü, denge kaybı ve ağrıdır. Optik siniri tutan lezyonlarda bulanık görme, diplopi, skotom ve tam körlük biçiminde görme kusurları gelişir. Hastalığın ilerlemesi ile yorgunluk hastanın tüm işlevlerini etkiler. Ateşli hastalıklar, çevre ısısının yükselmesi, sıcak banyo ve öğleden sonra normal vücut ritim değişikliğine bağlı olarak vücut ısısının artması yorgunluğu arttırır.

Hastaların %66'da ağrı liflerinin miyelin kılıfının bozulmasına bağlı olarak, kaslar, kemikler ve eklemlerde

54. Sinir Sistemi Hastalıkları

Çizelge 54.16: Multipl Sklerozda Risk Faktörleri ve Korunma Düzeyleri

Risk faktörleri
- 15 yaşın altında soğuk iklimde yaşama
- Yüksek sosyo-ekonomik düzeyde olma
- 20-40 yaş grubunda olma
- Ailede MS öyküsü olması
- Cinsiyet: Kadın olma
- Irk: Beyaz ırktakiler zencilerden, zenciler Asyalılar'dan daha fazla risk altındadır
- İmmün reaksiyona neden olabilecek viral enfeksiyonlara maruz kalma

genetik

Korunma düzeyleri
Birincil korunma
- Bilinmiyor

İkincil korunma
- Enfeksiyondan korunma önlemlerinin alınması konusunda eğitim
- Etkili stres yönetim tekniklerinin kullanılmasının öğretilmesi
- Gebeliğin riskleri ve korunma önlemleri konusunda eğitim
- Sıcak ortamlardan kaçınması konusunda eğitim

Üçüncül korunma
- 2000 ml/gün sıvı alımının sürdürülmesi
- Uyanık olduğu saatlerde her üç saatte bir idrar boşaltımının sağlanması
- Yüksek lifli diyet alımı
- Aktivite ve dinlenme sürelerinin dengelenmesi
- Günlük EAE egzersizleriyle kas gücünün korunması
- Strese reaksiyonun en aza indirilmesi konularında eğitim

Çizelge 54.17: MS'de Klinik Gidiş

Tip I. İyileşme-kötüleşme evreleri ile seyreden tip (%85)
Akut ataklardan sonra tam iyileşme yada hafif düzeyde nörolojik bozuklukla belirgindir. Atak evreleri arasında hastalıkta ilerleme olmaz.

Tip II. Birincil ilerleyici tip (%10-20)
Hastalığın oluşumu ile birlikte nörolojik bozukluk/kayıplarda çok belirgin olmayan artış ve ataklardan sonra hafif düzelme vardır.

Tip III. İkincil ilerleyici tip
Hastalık I. Tip olarak başlayıp değişik düzeylerde ilerlemeler olur. Alışılmış kötüleşme ve hafif düzeyde iyileşmeler görülür.

Tip IV. İlerleyici tip
Hastalık başlangıcından itibaren hızla ilerler ve belirgin düzelme olmadan kötüleşme evreleri birbirini izler. Kudrıparezi, bilişsel işlev bozukluğu, görme kaybı ve beyin sapı tutuluşu bulguları hızla ilerler.

---

yorgunluğun neden olduğu mekanik gerilim ve tedaviye bağlı olarak ağrı yakınması görülür. Ağrı hastaların yaklaşık %50'de görülen bir yakınmadır. MS'li hastalarda trigeminal nevralji gene popülasyondan üçyüz kez daha sık görülür. Omuriliğin ana motor iletim yollarının etkilenmesine bağlı olarak abdominal reflekslerde kayıp, ekstremitelerde tremor ve spastisite gelişir. Yüz ve çene kaslarındaki spastisite disfajiye neden olur. Omuriliğin etkilenmesine bağlı olarak mesane ve bağırsak boşaltımında bozulmalar ve cinsel işlev bozukluğu görülür. Mesane işlev bozukluğu hastaların %50-75'de görülür ve %10'da ilk bulgudur.

Etkilenen sinir yoluna bağlı olarak inkontinans, retansiyon, sık idrara çıkma gibi değişik biçimlerde görülebilir. Bağırsak boşaltım bozukluğu gaita inkontinansı ya da konstipasyon şeklinde görülür.

Bağırsak işlev bozukluğu omuriliği çevreleyen miyelin kılıfının harabiyetinin yanısıra hareketsizlik, dehidratsyon, yetersiz beslenme ve ilaç tedavisine bağlı olarak da gelişebilir. Cinsel işlev bozukluğu erkeklerde impotans, kadınlarda cinsel istekte azalma, vajinal sıvının azalması, ağrılı cinsel ilişki ve orgazm güçlüğü biçiminde görülür. Duyu ileten aksonların iletiminin bozulmasına bağlı olarak paresteziler, kulak çınlaması ve işitme kaybı, serebellumun etkilenmesine bağlı nistagmus, dizartri, baş dönmesi, koordinasyon güçlüğü ve ataksi gelişir. Dizartri başlangıçta geveleyerek konuşma biçimindedir. Daha sonra patlayıcı, kesik ve anlaşılmaz nitelik kazanır. Yavaş ve heceleyerek konuşma MS'in karakteristik bulgusudur.

MS'da nistagmus, tremor ve dizartri bulgusu "Charcot triyadı" olarak tanımlanan üçlü bulgudur.

İlerleyen evre bulguları: Hastalığın ilerleyen dönemlerinde başlangıç bulguları şiddetlenerek hastanın günlük yaşamını, iş ve sosyal yaşamını olumsuz yönde etkiler. Fokal ya da jeneralize nöbetler, tetaniler, yorgunluk ve güçsüzlükde artışın yanısıra korteks ve bazal ganglionlar arasındaki iletimin bozulmasına bağlı duygu durum değişiklikleri, emosyonel dengesizlik, öfori, huzursuzluk, apati, dikkat kaybı ve depresyon gelişebilir.

Depresyon hastalığın patofizyolojisi ya da hastalık tanısına reaksiyon olarak gelişebilmektedir. MS tanısı konmuş hastalarda intihara bağlı ölüm toplumda aynı yaş grubundaki bireylerle karşılaştırıldığında yedibuçuk kez fazladır. Frontal ya da pariyetal lobu etkileyen lezyonlarda hastala-

1157

rın yaklaşık yarısında bellek kaybı, konsantrasyon güçlüğü gibi bilişsel işlevlerde bozulma görülebilir. Daha az olarak da ilerleyici mental hastalık gibi şiddetli demans bulguları görülür. Ağrı, ısı ve dokunma duyusu algılaması bozulur.

Tanı yöntemleri: Hastanın ayrıntılı öyküsü ve klinik bulgularının yanı sıra SLE, primer Sjögren sendromu gibi diğer enflamatuar bozukluklardan ve kitle ve vasküler hastalıklardan ayırt edilmesi gerekir. Tanıda kullanılan yöntemler;

LP: LP ile alınan BOS'da protein ve IgG antikorlarında, lenfosid ve monositlerde artış saptanır. Oligoklonal bantlar MSL'li hastaların %90'da görülür. Ancak MS'e özgü olmayıp birçok enflamatuar ve enfeksiyon hastalığında da saptanabilir.

MRG: Kesin tanıda yaralanılan bir yöntemdir. Skleroze plakların görüntülenmesini sağlar.

Evoked potansiyel (EP) incelemeleri: Optik sinir tutuluşunda bu test ile yapılan uyarı yanıtı gecikir.

Tedavi: MS'in kesin tedavisi yoktur. Tedavi hastaya özel olarak bulguların kontrol altına alınması, akut atakların tedavisi, sürekli destek sağlanması, bilişsel işlevlerle ilgili kayıplar için destek sağlanması amaçlarına yönelik olarak planlanır.

Atak tedavisi: Antienflamatuar ve immünosüpresif etkileri olan kortikosteroidler MS ataklarının tedavisinde yaygın olarak kullanılmaktadır. Akut atak tedavisinde Metilprednizolon İV yolla verilip daha sonra oral prednizolon ile tedaviye devam edilir.

İmmünoterapi: Otoimmün nedenli bir hastalık olduğu için MS tedavisinde immünosüpresif ajanlar atakları kontrol altına almak, yeni lezyon oluşumunu önlemek ve lezyonların sayısını azlatarak atak sıklığını azaltmak amacıyla kullanılır. Bu amaçla kullanılan ilaçlar aşağıda verilmiştir:

İnterferon beta-1 a (Avonex), İnterferon beta-1 b (Betaseron): Atakların görülme sıklığını %30 ve yeni lezyonların görülmesini (MRG ile saptanan) %80 azaltır. İnterferon beta-1 a (Avonex) haftada bir kez İM olarak uygulanır. İnterferon beta-1 b (Betaseron) gün aşırı SC olark uygulanır.

Glatriamer acetate (Capoxone): Antijene özel T-hücrelerinin aktivasyonunu baskılar. Her gün SC olarak uygulanır.

Rebif: Kullanım onayını 2002 Mart ayında alan dördüncü immünposüpresif tedavi ajanıdır. Haftada üç kez SC olarak uygulanır.

İnterferon tedavisi uygulanan hastaların %75'de gribal enfeksiyon bulgularına benzer bulgular, enjeksiyon bölgesinde enflamasyon, yorgunluk ve baş ağrısı gibi yan etkiler görülebilir. Bu yan etkiler için NSAID ilaçlar kullanılarak sorun tedavinin başlamasından sonraki birkaç ay içerisinde giderilir.

Lösemi ve lenfoma tedavisinde kullanılan antineoplastik ajanlardan Mitoxantrone (Novantrone) immünosüpressif etkisi nedeniyle ilerleyici MS tedavisinde 2000 yılından bu yana kullanılan ilaçlardandır. Bu tedavinin uygulandığı hastaların lökopeni ve kardiyak toksisite bulguları yönünden labotratuvar bulguları düzenli olarak izlenmelidir.

Semptomatik tedavi: Spazmların tedavisinde Baclofen (Lisoreal) oral ya da intratekal yolla uygulanabilir. Benzodiazepinler (Valium), tizanidine (Zanaflex)de spazm tedavisinde kullanılabilen ajanlardır. Bazı hastlarda spazm ve kontraktürlerin giderilmesinde sinir blokajı ve cerrahi girişim uygulanabilir. GYA'ni engelleyen yorgunluğun giderilmesinde amantadine (Symmetrel) ya da fluoxetine (Prozac) kullanılabilir. Ataksi çoğunlukla tedaviye dirençlidir. Genellikle beta-adrenerjik blokerler (Inderal), nöbet önleyici ajanlar (Neurontin), benzodiazepinler (Klonopin) bu amaçla kullanılır.

Ağrıyı gidermede ağrının tipine göre bir çok yöntem kullanılır. Akut ağrı antidepresanlar ve opioidlerlerle tedavi edilebilir. Ağrı iletim yollarını keserek cerrahi tedavi uygulanabilir. Subakut ya da kronik ağrıda nonsteroid antienflamatuar ajanlar (NSAID) kullanılabilir.

Postür bozukluğu ve gerginliği gidermede fizik tedavi ve egzersiz uygulanır. Bağırsak ve mesane kontrolünün sağlanmasında antikolinerjikler, alfa-adrenerjik-blokerler ve antis-pazmodikler kullanılabilir. Aynı zamanda ilaç dışı uygulamalarla etkin mesane ve bağırsak kontrolünün sağlanmasında hemşirelik girişimleri uygulanır. İdrar yolu enfeksiyonu gelişen hastalarda idrarı asitleştirici ajanlar ve önerilen antibiyoıtik tedavsi uygulanır. Erektil disfonksiyon için erkek hastalara intrakorporeal papaverine tedavisi uygulanabilir.

Hemşirelik Yönetimi

Değerlendirme: MS'li hastanın değerlendirmesi var olan ve olası nörolojik sorunları, komplikasyonları, hastalığın hasta ve ailesine olan etkileri göz önünde bulundurularak yapılır. Değerlendirme hasta herhangi bir işlevi yaparken ve dinlenirken yapılır. Bu değerlendirmede elde edilen objektif ve subjektif verilere göre hemşirelik tanıları belirlenerek gerekli girişimler uygulanır.

Subjektif veriler: Hastanın kendi ifadesiyle belirttiği öyküsü, atakların sıklığı, iyileşme dönemleri ve bulgularıdır. Görme ile ilgili bozukluklar, diplopi, güçsüzlük, yorgunluk, bağırsak ve mesane boşaltım sorunları, cinsel işlev bozukluğu, emosyonel sorunlar, baş dönmesi, dengesizlik,

54. Sinir Sistemi Hastalıkları

postür bozukluğu, üriner inkontinans ya da retansiyon, konstipasyon, konuşma ve yutma güçlüğü gibi bulgular subjektif veri sağlar.

Objektif veriler: Nörolojik inceleme ve gözlemle elde edilen postür, spastisite, ataksi ve diğer nörolojik bulgulardır.

Hemşirelik tanıları: Hemşirelik değerlendirmesinde elde edilen verilere dayanarak saptanabilecek hemşirelik tanıları şunlardır:

- Güçsüzlük, parezi ve spastisiteye bağlı fiziksel hareketlerde bozulma
- Ataksi, koordinasyon bozukluğu, duyu ve görme ile ilgili bozukluklara bağlı yaralanma riski
- Kas spazmları ve nörolojik yetersizliğe bağlı öz bakımda yetersizik
- Güçsüzlüğe bağlı aktivite intoleransı
- Mesane ve bağırsakların sinir uyarılarının bozulmasına bağlı idrar ve gaita boşaltımında bozulma
- İdara retansiyonu ya da inkontinansa bağlı enfeksiyon riski
- Beslenmede değişiklik, hareket kısıtlılığı ya da hastalık sürecine bağlı konstipasyon
- Kraniyal sinirlerin etkilenmesine bağlı konuşma ve yutmanın bozulması
- Serebral işlevlerin bozulmasına bağlı düşünce sürecinde bozulma(bellek kaybı, demans, öfori)
- Hastalık süreci ve yaşam biçimi değişikliğne bağlı bilgi eksikliği
- Hastalığın prognozuna bağlı bireysel başetmede yetersizlik
- Hastalığın neden olduğu fiziksel, psikolojik ve sosyal sınırlamalar nedeniyle evde bakımın sürdürülmesinde yetersizlik
- Bağımsızlık kaybı ve yetersizlik korkusuna bağlı benlik saygısında bozulma
- Omurilik tutuluşu ya da hastalığın psikolojik etkisine bağlı cinsel işlevlerde bozulma riski

Planlama/amaçlar: Hemşirelik bakımının planlanmasında temel amaçlar fiziksel hareketliliğin sağlanması, yaralanmaların önlenmesi, mesane ve bağırsak kontrolünün sağlanması, konuşma ve yutma işlevlerinin sağlanması, bilişsel bozuklukların düzeltilmesi, mesane ve bağırsak işlevleriyle ilgli komplikasyonların önlenmesi, bireysel bakımın ve evde bakımın sürdürülmesi ve cinsel işlevlerin sürdürülmesi ve adaptasyonuna yönelik olmalıdır.

Hemşirelik girişimleri: Hemşirelik girişimleri hastayla yüz yüze görüşerek bireysel gereksinimleri esas alınarak fizik tedavi, rehabilitasyon, eğitim ve emosyonel destek konularını kapsamlıdır. Bu kapsamda yapılacak hemşirelik girişimleri şunlardır.

- Hastanın motor işlevlerini 4-24 saate bir değerlendirerek, 8 saatte bir aktif ve pasif ROM egzersiz programlarının uygulanması için fizyoterapist ve hekimle işbirliği yapılması
- Yatağa bağımlı hastalarda yatağa bağımlılığın neden olabileceği komplikasyonların önlenmesine yönelik hemşirelik girişimlerinin uygulanması
- Yaralanmaların önlenmesi için hastanın yataktan kaldırılması ve yürütülmesinde yardımcı gereçlerin kullanılması, hastanın yataktan kalkmaya ve hareket etmeye cesaretlendirilmesi
- Mesane ve bağırsak boşaltım sorunlarının değerlendirilerek, başlangıçta 1,5-2 saatte bir, daha sonra giderek daha uzun aralıklarla idrar boşaltımı programı yapılarak uygulanması, yeterli sıvı alımının sağlanması, mesane spastisitesini gidermek için önerilen ilaçların alımının sağlanması, konstipasyon sorunu için yeterli lif ve sıvı alımının sağlanması ve bağırsak eğitim programlarının uygulanması
- İdrar inkontinansı nedeniyle kateterizasyon uygulanan hastaların enfeksiyonlardan korunması için gerekli asepsi- antisepsi kurallarına uyulması
- Yutma ve konuşma sorunu olan hastalarda konuşma terapisti ile işbirliği yapılarak etkin iletişim ve yutmanın sağlanması. Konuşma güçlüğü olan hastanın iletişim kurması için cesaretlendirilmesi, hastaya sabır ve anlayışla yaklaşılması, yutma sorunu olan hastanın aspirasyon riski yönünden izlenmesi, aspirasyon durumunda kullanılmak üzere kullanıma hazır aspiratör bulundurulması, tüple beslenme için hekim ve diyet uzmanıyla işbirliği yapılması
- Bilişsel ve emosyonel sorunların giderilmesi için hasta ve ailesine psikolojik destek sağlanması, hastalık ve hastalığa bağlı yaşam biçiminde yapılacak değişiklikler için hasta ve ailesine doğru bilgiler verilmesi ve destek sağlanması
- Etkin başetme yöntemleri konusunda hasta ve aileye psiyatrik destek sağlanması
- GYA'ni yerine getirebilmesi için hastaya destek olunması ve gerekli düzenlemelerin yapılması, yemek yemeye yardımcı gereçler, klozetin yükseltilmesi, banyo yapmak için yardımcı gereçler vb. sağlanması ve kullanımı konusunda destek olunması
- Kas güçsüzlğü ve yorgunluğu arttırabilecek aşırı sıcak ve spazmlara neden olabilecek aşırı soğuktan kaçınması için hasta ve ailenin eğitilmesi
- Cinsel işlev bozukluğu için danışmanlık ve destek sağlanması
- Evde bakımın sürdürülmesi için hasta ve aileye eğitim programı hazırlanması ve uylanması. Çizelge 54.18'de MS'li hasta ve ailesinin evde bakıma ilişkin eğitim ve izleme programı örneği verilmiştir.

1159

Çizelge 54.18: MS'li Hasta ve Yakınları İçin Evde Bakım Eğitim ve İzleme Programı

Evde bakım eğitimi tamamlandıktan sonra hasta ve ailesi aşağıda önerilenleri yapabiliyor olmalıdır:
- Baş vurabilecekleri destek grupları ve kurumları öğrenmiş olmalı
- MS'in klinik gidişini öğrenmiş olmalı
- Ağrı, bilişsel değişiklik, yutma güçlüğü, tremor, görme bozukluğu gibi bulgularla nasıl baş edilebileceğini öğrenmemiş olmalı
- Basınç ünseri, pömoni, depresyon gibi komplikasyonlarla nasıl baş edebileceğini öğrenmiş olmalı
- Hastalıkla baş etme yöntemlerini öğrenmiş olmalı
- Yorgunluğu en aza indirmeyi öğrenmiş olmalı
- Yaralanmaları nasıl önleyebileceğini anlatabiliyor olmalı
- Cinsel işlev değişikliğine uyum sağlama yollarını öğrenmiş olmalı
- Mesane ve bağırsak işlev bozukluğunu kontrol altına alma yöntemlerini öğrenmiş olmalı
- Uyum egzersiz ve fizik aktiviteleri öğrenmiş olmalı
- Hareketsizlik ve spastisiteyi en aza indirmeyi öğrenmiş olmalı
- İlaç tedavisini ve olması yan etkilerini öğrenmiş olamlı

Beklenen sonuçlar:
- Fiziksel hareketlilik sağlanmış olmalı
  - Hasta rehabilitasyon ve egzersiz programlarına düzenli katılım gösteriyor olmalı
  - Dengeli egzersiz ve dinlenme programını uyguluyor olmalı
  - Yardımcı gereçleri doğru ve güvenli kullanıyor olmalı
- Yaralanma ve kaza olmamalı
- Mesane ve bağırsak kontrolü sağlanmış ve sürdürülüyor olmalı
- Üriner enfeksiyon gelişmemiş olmalı
- Konuşma ve yutma güçlüğü giderilmiş olmalı
  - Konuşma terapistinin önerdiği konuşma egzersizlerini uyguluyor olmalı
  - Aspirasyon olmadan yeterli beslenmeyi sürdürebiliyor olmalı
- Düşünme sürecindeki değişikliklere uyum sağlamış olmalı
  - Bellek kaybı için not tutma ve diğer hatırlatıcıları kullanıyor olmalı
  - Aktivitelere katılım gösterebiliyor olmalı
- Etkin baş etme yöntemlerini kullanabiliyor olmalı
  - Yaşam biçiminde uygun değişiklikler yapmış olmalı
  - Evde bakımın sürdürülebilmesi için uygun bakım yönetimi sağlanmış olmalı
  - Bağımsızlığını sürdürebilmek için kendisine uygun olan bakım yöntemlerini kullanabiliyor olmalı
- Hastalığı şiddetlendirebilecek durumları öğrenmiş ve korunma önlemlerini uygulayabiliyor olmalı
- Cinsel işlev değişikliğine uyum sağlamış olmalı
  - Sorununu cinsel eşi ve sağlık personeli ile tartışabiliyor olmalı
  - Alternatif yöntemleri öğrenmiş ve uygulayabiliyor olmalı

Miyastenia Gravis (MG)

Miyastenia Gravis (MG) sinir-kas iletim kavşağında sinir uyarılarını iletiminin bozulması nedeniyle istemli kaslarda aşırı güçsüzlük ve yorgunlukla karakterize ilerleyici bir hastalıktır.

Epidemiyoloji: Hastalık her yaşta görülebilir ancak 20-30 yaş grubunda ortaya çıkışı daha fazladır. On yaşından küçük çocuklarda ve 70 yaşından sonra görülmesi nadirdir. Kadınlarda görülme sıklığı 40 yaşına kadar daha fazla olmasına karşın 40 yaşından sonra kadın ve erkekelerde görülme sıklığı eşittir. Erkeklerde 50 yaşından sonra görülme sıklığı artmaktadır. Hastalığın toplumdaki insidansı 0.4/100.000, prevalansı 0.5-5.0/100.000'dir. MG'li anneden doğan bebeklerin yaklaşık %15'de kas güçsüzlüğü, güçsüz ağlama, emme güçüğü, pitozis ve solunum güçlüğü gibi miyasteni bulguları görülebilir. Ancak MG'de genetik geçiş yoktur. Uygun tedavi ile bebeklerde 8-12 hafta içinde tam düzelme sağlanabilir.

Etiyoloji: Otoimmün sürece bağlı olarak asetilkolin (ACh) reseptörlerine karşı üretilen antikorlar ve sinir-kas iletim kavşağında asetilkolin antikorlarında azalma etiyolojide rol oynayan temel nedendir. Otoimmün süreci başlatan immün sistemde önemli rolü olan timüs bezi patolojileridir. MG'li hastaların %80'de timüsde hiperplazi, %15'de timoma öyküsü vardır. Hipertoidizm, romatoid artirit ve SLE'da etiyolojide rol oynayan faktörler arasında sayılabilir.

Patofizyoloji: Normalde sinir-kas iletim kavşağı olarak bilinen alandan asetilkolin salınımının uyarılması için kimyasal uyarılar gerekmektedir. Normal uyarılma ile salgılanan asetilkolin motor alanlara ulaşarak kaslarda kontraksiyon oluşmasını sağlar. Kas kontarksiyonlarının sürekliliği için bu salınımın da sürekli ve düzenli olması gerekir. MG'li

54. Sinir Sistemi Hastalıkları

hastalarda otoantikorlar asetilkolin reseptörlerin sinir-kas kavşağına iletimi sağlamasının bozulmasına neden olur. Az sayıda reseptörle sürdürülmeye çalışılan bu iletim özellikle sürekliliği olan aktivitelerde istemli kaslarda güçsüzlüğe neden olur. MG'li hastaların %80-90'nın serumunda bu antikorlar saptanır.

Klinik belirti ve bulgular: MG'de ilk bulgu herhangi bir aktivite sırasında iskelet kaslarındaki yorgunluktur ve yorgunluk dinlenme ile geçer. Göz kapağı hareketlerini sağlayan kaslar, çiğneme, yutma, konuşma ve solunum kasları en fazla etkilenen kaslardır. Bu kasları inerve eden sinir hücreleri beyin sapında bulunur. Sabahları daha güçlü olan kaslar günün ilerleyen saatlerinde aktivitelere bağlı olarak güçsüzleşir ve günün sonunda kas güçsüzlüğü artar. Hastalığın şiddeti ve bulguları farklıdır.

I. Grup-Oküler miyasteni: Hastaların %90'da miyasteni göz kaslarını etkiler. Bu grup hastalarda diplopi ve pitozis başlıca bulgulardır.

II. Grup-Jeneralize miyasteni: Yüz, boyun, iskelet ve solunum kasları etkilenir. Bu grup hastalarda yüz kaslarının tutuluşuna bağlı "miyastenik sırıtma", larinks tutuluşuna bağlı olarak disfoni (özellikle uzun süreli konuşmada hastanın sesinin kısılması), çiğneme ve yutma güçlüğüne bağlı yemek yerken çabuk yorulma, boğulma ve aspirasyon riski söz konusudur. Boynun ekstansör ve fleksör kaslarının tutuluşuna bağlı başın öne düşmesi, başını dik tutmaya çalıştığında boyun ağrısı gibi yakınmalar olur. Omuz kaslarındaki güçsüzlüğe bağlı kolunu yukarıya kaldırma, saçını tarama gibi işlevler yorgunluğa neden olur. İnterkostal kasların tutuluşu vital kapasite azalmasına ve solunum yetersizliğine neden olur.

Komplikasyonlar: MG'li hastalarda gelişebilecek en önemli komplikasyonlar çiğneme ve solunum kaslarının tutuluşuna bağlı gelişebilecek aspirasyon, solunum yetersizliği, solunum sistemi enfeksiyonu, miyastenik ve kolinerjik krizdir.

Prognoz: Hastalığın seyri oldukça farklıdır. Bazı hastalarda kısa süreli iyileşmeler görülebilir, bazı hastaların durumu stabildir, bazılarında hızlı ve şiddetli bir ilerleme olabilir. Genellikle erkeklerde görülen oküler miyasteni iyi gidişlidir. Emosyonel stres, gebelik, menstürasyon, ikincil hastalıklar, travma, aşırı sıcak, hipokalemi, sinir-kas iletimini baskılayan ilaçlar ve cerrahi girişimler hastalığı tetikleyen faktörlerdir.

Tanı yöntemleri: Tanı hastanın öyküsü ve klinik bulgularına dayanarak yapılacak incelemelere göre konur. Oküler miyastenide hastanın 2-3 dakika yukarıya doğru bakması istenir ve göz kapağındaki pitozis değerlendirilir. Tek bir ekstemitedeki güçlüğün değerlendirmesinde EMG incelemesinden yaralanılabilir.

Endrophonium (Tensilon) testi kesin tanı koymada yaralanılan güvenilir bir inceleme yöntemidir. Bir antikolinesteraz olan bu ilaç MG'li hastada sinir-kas iletimini arttırır. İlacı vermeden önce olası komplikasyonlara acil müdahale için kardiyak monitorizasyon ve resüsitasyon olanakları sağlanmalıdır.

Test için 10 mg'lık endrophonium'dan 2 mg İV yolla verilip 3-4 dakika beklenir. Bu ilaç kas gücünü 3-4 dakikada arttırır. Güçsüzlük, kalp atım hızında artma, bulantı ve karın krampları gibi yan etkiler gelişmezse ilacın kalan 8 mg'lık kısmı da verilerek kas gücündeki düzelme izlenir. Bu ilaçla kas gücünde düzelme sağlanması MG tanısnı doğrulamada yardımcı olur.

Bu inceleme aynı zamanda MG'li hastalarda gelişebilecek komplikasyonlardan olan kolinerjik kriz ile miyatenik krizi ayırt etmede de yardımcı olur. Bu ilacın uygulanması ile kas güçsüzlüğünün artması olasılığına karşı hastaya acil olarak uygulanmak üzere atropin bulundurulması gerekir. Tanıda yaralanılan bir başka ilaç testi de Neostigmine methylsülfate (Prostigmin)'dır. Daha uzun sürede etkisi görülen bu inceleme daha az kullanılır. MG kuşkulu hastalara 2mg Neostigmin'in İM uygulamasından 1-2 saat sonra kas gücü artışı tanıya yardımcı olur. Bu ilacın uygulamasından önce de olası komplikasyonlara karşı önlemler alınmalıdır. Bunların yanısıra hastanın serumunda asetilkolin antikorlarının saptanması tanıda yardımcıdır. Ancak her hastada bu antikorlar saptanamayabileceği için kesin tanı koydurucu değildir.

Tedavi: MG'de tedavi güçsüzlüğü ve dolaşımdaki antikorları azaltmak ya da ortadan kaldırmaya yönelik olarak planlanır.

İlaç tedavisi: MG'in ilaçla tedavisinde antikolinesteraz ve kortikosteroid grubu ilaçlar kullanılır. Pyridostigmine bromide (Mestinon) ve neostigmine bromide (Prostigmin) sinir-kas iletim kavşağında asetilkolin artışı sağlayarak bulguları kontrol altına almayı sağlar. İlacın dozu beklenen en üst düzeyde etkiye ulaşılıncaya kadar yavaş yavaş arttırılır ve istenen düzelme sağlandıktan sonra doz yavaş yavaş azaltılır. Kas gücünü arttırmada antikolinesterazların önerilen zamanda verilerek kandaki düzeylerini korumaları büyük önem taşır. İlaçların veriliş zamanının geciktirilmesi güçsüzlüğün aşırı artışına ve hastanın ilacı oral yoldan alımın olanaksız hale gelmesine neden olabileceğinden hemşirenin bu konuda son derece dikkatli olması gerekmektedir. Antikolinesteraz ilaçların gerekli dozdan fazla alınması sinir-kas iletiminde depolarizasyon bloğuna neden olarak hastanın kaybedilmesine neden olabileceği için aşırı doz konusunda dikkatli olmak gerekir.

Bu durum kolinerjik kriz olarak tanımlanır. Antikolinesteraz tedavisi uygulanan hastalarda olası yan etkiler yönünden hastanın izlenmesi önemlidir.

Antikolinesterazların olası yan etkileri Çizelge 54.19'da verilmiştir.

MG'in ilaçla tedavisinde kullanılan bir başka ilaç grubu da kortikostroidlerdir. İmmünosüpresif etkileri amacıyla kullanılan kortikosteroidler hastanın immün yanıtını baskılayarak antikor oluşumunu engeller. Bu amaçla dozu yavaş yavaş arttırarak gün aşırı prednison kullanılır ve hastada istenen düzeyde kas gücü artışı sağlandığında yavaş yavaş azaltılarak ilaç kesilir. Bunların yanısıra MG'deki etki mekanizması tam olarak bilinmiyorsa da azathioprine (Imuran), cyclophosphamide (Cytoxan) gibi sitotoksik ilçların serum antiasetilkolin reseptör antikor düzeyini düşürdüğü saptanmış olduğu için kullanımı önerilmektedir. Ancak önemli yan etkileri nedeniyle diğer tedavilerden yanıt alınamayan hastalar için kullanımı önerilmektedir. MG'li hastlarda antibiyotikler, kardiyovasküler sitem ilaçları, morfin, beta blokerler ve kas gevşeticilerin kullanımı hastanın durumunu kötüleştirebileceği için kontrendikedir.

Plazmaferez: MG'li hastalarda miyastenik kriz ataklarını önlemede hastadan alınan plazmanın plazmaferez tekniği ile ayrıştırılarak hastaya verilmesi yöntemidir. Hastaların %75'de bulgularda azalma sağlar. İV immünglobülin (IVIG) tedavisi de plazmafereze benzer etki göstererek bulguları kontrol altına almayı sağlamaktadır. Ancak bu tedavilerin hiç biri asetilkolin antikor reseptörlerinin yapımını engellememektedir.

Çizelge 54.19: Antikolinesteraz İlaçların Etkileri

MSS	GIS
• Huzursuzluk	• Karın krampları
• Anksiyete	• Bulantı
• Uykusuzluk	• Kusma
• Baş ağrısı	• Diyare
• Senkop	• İştahsızlık
• Nöbet	• Tükürük salgısında artma
• Koma	
• Terleme	**Kas-iskelet**
Solunum	• Spazmlar
• Bronşlarda relaksasyon	• Seyirmenler
• Bronş sekresyonlarında artma	• Güçsüzlük
	Genitoüriner
Kardiyo-vasküler	• Sık idrara çıkma
• Taşikardi	• Sıkışma hissi
• Hipotansiyon	
	Genitoüriner
	• Döküntü
	• Kızarıklık

Cerrahi tedavi: Cerrahi yöntemle timusun çıkarılması özel antijenin üretimini baskılayarak klinik bulguları düzeltmektedir. Bu yöntemle ilaç kullanımı azaltılabilir ya da ilaca gereksinim kalmayabilir.

Hemşirelik yönetimi: MG kronik bir hastalık olduğu için hastaların çoğu hastane dışında yaşamlarını sürdürürler. Bu nedenle hemşirelik yönetimi hasta ve ailesinin eğitimine odaklı olmalıdır.

Değerlendirme: Hemşirelik değerlendirmesinde subjektif ve objektif veriler değerlendirilir.

Subjektif veriler: Hastanın kendisinin ifade ettiği kas güçsüzlüğü, yorgunluk, olası çiğneme ve yutma güçlüğüdür.

Objektif veriler: Hemşirenin hastasını değerlendirerek ve gözleyerek elde edeceği verilerdir. Göz, yüz, boyun, göğüs kaslarının etkilenme düzeyi hastada diplopi, pitozis, yüzde asimetri olup olmadığı, çiğneme ve yutma güçlüğü, ses tonu ve solunum sesleri değerlendirilerek elde edilir. Kol ve bacaklarda güçsüzlük ve solunum kaslarının etkilenme durumu değerlendirilip kaydedilir. Tanı testleri sonuçları incelenir.

Hemşirelik tanıları: Hemşirelik değerlendirmesine dayanarak saptanabilecek hemşirelik tanıları şunlardır:

- Sinir-kas iletiminin bozulmasına bağlı *etkin olmayan solunum*
- Motor gücün azalmasına bağlı *bireysel bakımda yetersizlik (beslenme, hijyen, tuvalet vb. gereksinimleri karşılayamama)*
- Kas güçsüzlüğüne bağlı *hareketlerde bozulma*
- Kas güçsüzlüğüne bağlı *aktivite intoleransı/çabuk yorulma*
- Yutma güçlüğü nedeniyle *aspirasyon riski*
- Çiğneme güçüğüne bağlı *beslenmede değişklik/gereğinden az beslenme*
- Larinks kaslarındaki güçsüzlüğe bağlı *sözel iletişimde bozulma*
- Fiziksel ve bireysel değişikliklere *bağlı kendini algılamada değişiklik*
- Hastalık, tedavisi, kontrol yöntemleri ve evde bakımın sürdürülmesine ilişkin *bilgi eksikliği*

Planlama/amaçlar: Hemşirelik girişimleri hastadaki yetersizlikleri ve riskleri enaza indirmeyi, komplikasyonları önlemeyi, hasta ve yakınlarının evde bakımı uygun şekilde düzenleme ve yürütmesini sağlayacak doğrultuda planlanır.

Hemşirelik Girişimleri:
- Hastanın solunumu her 2-4 saatte bir değerlendirilerek hastaya derin soluk alma ve öksürme egzersizleri yaptırılır

- Hastaya etkin solunumu sürdürebilecek pozisyon verilir
- Aspirasyon olasılığına karşı kullanıma hazır aspiratör ve trakeostomi seti bulundurulur
- Gerektiğinde isteme uygun oksijen tedavisi uygulanır ve ventilatör desteği sağlanır
- Beslenme, temizlik vb. bakım gereksinimlerini yerine getirebilmesi için hastaya destek olunur ve cesaretlendirilir
- Hastanın aktivite planı yorgunluğu önleyecek ve yeterli dinlenme sağlayacak şekilde düzenlenir
- Çiğneme ve yutması kolay, yeterli/dengeli beslenmeyi sürdürecek beslenme planı için diyet uzmanı ile işbirliği yapılır
- Hastanın yorulmasına neden olmayacak ve etkin iletişimi sağlayacak alternatif iletişim yolları sağlanır
- Hastanın bakıma katılımı, işlev ve fiziksel hareketleriyle ilgili bozulmalar nedeniyle kendini olumlu algılayabileceği emosyonel destek sağlanır
- Hasta ve aileye hastalık, bakım, hastalığın kontrolü, evde bakımın sürdürülmesi konusunda gereksinimleri doğrultusunda bilgi verilir ve soru sormaları için uygun ortam sağlanır.

Beklenen Sonuçlar

- Hastanın solunum sesleri, solunum hızı ve ritimi normal olmalı
- Bireysel bakımını yerine getirebiliyor olmalı
- Hereket güçlüğü olmamalı
- Aktivitelerini yorulmadan yerine getirebiliyor olmalı
- Aspirasyon riski yaşamamalı
- Yeterli ve dengeli beslenmeyi sürdürebiliyor olmalı
- Uygun iletişim kurabiliyor olmalı
- Kendini olumlu algılayabiliyor olmalı
- Hasta ve yakınları hastalık ve bakımı konusunda yeterli bilgi edinmiş olmalıdır.

Guillain-Barre' Sendromu(GBS)

Akut postenfeksiyöz polinöropati olarak da bilinen Guillain Barré sendromu periferal sinirlerin ve bazı kraniyal sinirlerin miyelin kılıfında dejenerasyona neden olan otoimmün kökenli bir hastalıktır.

Epidemiyoloji: Dünya da her yaş grubunda, kadın-erkek ve ırk ayrımı olmaksızın her mevsimde görülen bir hastalıktır. Hastalığın yıllık insidansı 0.6-1.9/100.000'dir. Polionun eredike edildiği ülkelerde trava dışı nedenlere bağlı nöromüsküler parazilerin en yaygın nedenidir. GBS'lu olguların %85'i çok az bulgu kalarak iyileşmekte, %10'da ciddi kalıcı yetersizlikler görülmektedir. Kalıcı yetersizlikler daha çok hastalığın seyrinin hızlı olduğu mekanik ventilasyon desteği gereken ya da 60 yaşın üzerindeki bireylerde görülmektedir.

Etiyoloji: Olguların %66'da solunum, GIS, deri enfeksiyonları, aşılama, gebelik ve cerrahi girişimlerin tetikleyici faktör olduğu bildirilmektedir. Sitemegalovirüs, Ebstein-Barr virüsü, Mycoplasma pneumoniae, Salmonella typhosa, Campylobacter jejuni gibi enfeksiyonlardan etkenlerinin etiyolojide rol oynadığı saptanmıştır. GBS olgularda HIV pozitifliği de saptanmış olup, GBS'lu hasataların HIV pozitifliği yönünden de incelenmesi önerilmektedir.

Patofizyoloji: Etken olan miroorganizmanın aminoasitleri periferal sinirlerin protein yapısındaki miyelin kılıfının yapımından sorumlu Schwann hücrelerinin harabiyetine neden olarak miyelin kılıf dejenerasyonuna neden olmaktadır. Otoimmün yetersizlik nedeniyle immün sitem bu iki protein arasındaki ayrımı yapamamakta ve miyelin kılıfı yapımı bozulmaktadır. Otoimmün saldırıda makrofajlar ve diğer immün mekanizmayı düzenleyici etkenler miyelin kılıfı içerisine girerek periferal sinir köklerinde ödem, enflamsyon ve yıkıma neden olmaktadır.

Klinik belirti ve bulgular: GBS üç evrede incelenir. Akut evre bir-üç hafta sürer, plato evresi birkaç gün ile iki hafta arasında değişir, miyelin kılıfının yenilenmesini içeren iyileşme evresi iki yıl kadar sürer. Hastalık genellikle akut başlangıçlıdır. Kaslarda paresteziyi izleyen simetrik güçsüzlük ve alt ekstremitelerde refleks yanıtta azalma ya da kayıplar başlar. Kasların sıkıştırılması ağrıya neden olur. Kraniyal sinir tutuluşu olan olgularda tutulan sinire özgü bulgular ortaya çıkar.

Optik sinir tutuluşu körlüğe, glassofaringeal ve vagus sinirlerinin tutuluşu yutma ve skresyonların atımında bozulmaya neden olur. Vagus tutuluşuna bağlı kardiyovasküler sistemle ilgili taşikardi, bradikardi, hipertansiyon ya da ortostatik hipotansiyon gibi bulgular görülebilir. Refleks yanıtta azalma ya da kayıp ve kas güçsüzlüğü hızla ilerleyerek kuadriplejiye neden olabilir. Diyafragma ve interkostal sinirlerin tutuluşuna bağlı olarak nöromüsküler solunum yetersizliği gelişebilir. Solunum yetersizliği gelişen hastaların %25'i mekanik solunum desteğine gereksinim duyarlar.

Tanı yöntemleri: Hastanın yakın zamanda geçirdiği enfeksiyon öyküsü, simetrik motor güçsüzlük, reflekslerde azalma gibi bulgular tanıda yol göstericidir. Vital kapasitede azalma solunum güçlüğü tanıyı destekleyici bulgulardır.

BOS'da diğer hücrelerin sayısında artış ya da azalma olmaksızın protein düzeyinde hafif bir yükselme (10g/L) vardır. EMG ve Evoked potansiyel (EP) incelemeleri tanıya yardımcı yöntemlerdir.

Tedavi: Destekleyici tedavi uygulanarak bulguların hafifletilmesi ve komplikasyonların önlenmesi amaçlanır. Hızla ilerleyip solunum yetersizliği ve tam inme gelişme riski nedeniyle hastaların yoğun bakımda izlenmesi gerekir. Solunum yetersizliği gelişme riskine karşı oksijen tedavisi ve mekanik solunum için hazır olunması, hareketsizliğe bağlı gelişebilecek komplikasyonların önlenmesi için gerekli önlemlerin alınması ve uygulanması, kardiyovasküler tutulum olasılığına karşı sürekli monitorizasyon sağlanması destekleyici tedavide uygulanabilecek yöntemlerdir.

GBS tedavisinde dolaşımdaki antikorların azaltılmasına yönelik plazmaferez ve IVIG tedavisinin GBS'da hastanın hareketsizlik süresini en aza indirmede ve solunum desteği gereksinim süresini azaltmada etkili olduğu kanıtlanmıştır. Düşük dozda antikuagülan tedavi hareketsizliğe bağlı gelişebilecek tromboflebitleri önlemede kullanılabilmektedir. Ani solunum yetersizliği gelişen hastalarda cerrahi girişimle trakeostomi açılması gerekebilir.

Hemşirelik yönetimi: Hemşirelik yönetimi desetleyici ve komplikasyonları önlemeye yöneliktir.

Değerlendirme: Hastalık hızla ilerleme gösterip yaşamsal tehdit oluşturabileceğinden hemşirelik değerlendirmesi sürekli olmalıdır. Hasta solunum yetersizliği, kardiyak ritim bozuklukları, derin tendon reflekslerinde kayıp gibi bulgular yönünden değerlendirilmeli, hemşire hasta ve ailesinin başa çıkma yöntemlerini değerlendirmelidir.

Hemşirelik tanıları: Değerlendirmeye dayanarak saptanabilecek hemşirelik tanıları aşağıda verilmiştir:
- Kas güçsüzlüğünün hızla ilerlemesi ve solunum yetersizliğine bağlı *gaz alış verişinde değişim/etkin olmayan solunum*
- Paraliziye bağlı fiziksel *hareketlilikde bozulma*
- Yutma güçlüğüne bağlı *beslenmede değişiklik/beden gereksiniminden az beslenme*
- Kraniyal sinir işlevlerinin bozulmasına bağlı *sözel iletişimde bozulma*
- Kontrol kaybı ve paraliziye bağlı *korku ve anksiyete*

Olası komplikasyonlar:
- Solunum yetersizliği
- Otonom işlevlerde bozulma

Planlama/amaç: Hemşirelik bakımını planlamada temel amaçlar; solunum işlevlerini düzeltmek, hareketliliği arttırmak, beslenme durumunu düzeltmek, etkili iletişimi sağlamak, korku ve anksiyeteyi gidermek ve komplikasyonların oluşumunu önlemektir.

Hemşirelik Girişimleri:
- Etkin solunumu sağlamak ve sürdürmek için; göğüs fizyoterapisi ve sipirometre ile akciğer kapasitsini korumak, solunum yetersizliği bulguları yönünden hastayı izlemek, mekanik solunum desteği gereksinimi ve uygulamsı konusunda hasta ve ailenin onayını almak, hava yolu açıklığını sürdürmek
- Fiziksel hreketliliği sağlamak için; paralizili ektremiteye uygun pozisyon verilmesi ve günde en az iki kez önerilen ROM egzersizlerinin uygulanması, tromboemboliyi önlemek için önerilen antikuagülanların ve elastik bandajların uygulanması, basınç ülserlerinin önlenmesi için hastanın pozisyonun sık aralıklarla değiştirilmesi, hava değişimli yatak kullanılması, hastanın yeterli beslenme ve sıvı alımının sağlanması, hastanın laboratuvar sonuçlarının izlenmesi
- Yeterli beslenmenin sağlanması için; hasatanın paralitik ileus gelişme olasılığı yönünden bağırsak seslerinin izlenmesi, önerilen IV ve PA sıvıların önerildiği şekilde verilmesi, oral beslenmeden önce öğürme refleksinin kontrol edilmesi
- İletişimin sağlanması için; resimli kartlar, şekiller, yazılı materyaller kullanarak iletişimin sağlanması, hastaya özgü konuşma terapisi için konuşma terapisti ile iş birliğine gidilmesi
- Korku ve anksiyenin azaltılması için; hastalık, hastalığın gidişi ve sonuçları hakkında hasta ve ailenin gereksinimi olan bilgilerin verilmesi, yalnızlık ve izolasyon duygusunun azaltılması için hastanın aktivitelere katılımı, ziyaretçi desteği vb.'nin sağlanması, hasta ve ailenin etkin gevşeme ve baş etme yöntemlerini kullanması için multidisipliner destek sağlanması
- Olası komplikasyonların önlenmesi ve izlenmesi için; solunum işlevlerinin düzenli aralıklarla izlenmesi, solunum yetersizliği durumunda acil girişim için gerekli trakeostomi seti ve mekanik solunum desteği gereçlerinin kullanıma hazır bulundurulması, trakeostomi açılan hastalarda enfeksiyon gelişimi ve diğer komplikasyonların önlenmesi için uygun hemşirelik bakımının sağlanması, kardiyak monitorizsayon sağlanması
- Evde bakım için hasta ve ailenin eğitilmesi için; hasta ve ailesinin ani gelişebilecek komplikasyonlar ve koruyucu önlemler, etkin baş etme yöntemleri konusunda bilgilendirilmesi.

Beklenen Sonuçlar:
- Hava yolu açıklığı ve etkin solunum sürdürülebiliyor olmalı
- Hastanın hareketliliği artmış ve rehabilitasyon programına aktif katılım gösteriyor olmalı
- Yeterli sıvı ve besin alımını sürdürebiliyor olmalı

- Konuşmasında düzelme olmalı ve etkili iletişimi sürdürebiliyor olmalı
- Korku ve anksiyetesi azalmış ve bunu ifade edebiliyor olmalı
- Olası komplikasyonlar gelişmemiş olmalı
- Hasta ve ailesi evde bakımı nasıl sürdürebileceğini öğrenmiş ve davranışlarıyla gösterebiliyor olmalıdır.

Kraniyal Sinir Hastalıkları

Sinir sistemi işlevlerinden sorumluolan 12 çift kraniyal sinir, periferal sinirler olarak tanımlanmaktadır. Kraniyal sinirlerle ilgili hastalıklar genellikle tek bir sinirin motor /veya duyusal her iki işlevinde bozulmayla karakterize mononöropatiler biçiminde görülmektedir. Kraniyal sinir hastalıklarına neden olan faktörler tümörler, travmalar, enfeksiyonlar, enflamatuar olaylar ve nedeni bilinmeyen idiyopatik faktörler olarak sayılabilir. Kraniyal sinir hastalıkları içerisinde en yaygın olanlar trigeminal nevralji ve akut periferal yüz felci (Bell paralizisi) dir.

Trigeminal Nevralji (Tıc Doulourux): V. Kraniyal sinir N. Trigeminusun üç dalının inerve ettiği alanlarla ilgili tekrarlayıcı ağrılarla karakterize bir hastalıktır.

Epidemiyoloji: Çoğunlukla yaşlılarda ve kadınlarda görülen trigeminal nevraljinin yıllık insidası 4.3/100.000'dir. MS'li hastalarda trigeminal nevralji görülme sıklığı genel nüfustan dörtyüz kez daha fazladır. MS'li erkek hastalarda ağrı MS'li kadın hastalara göre daha fazla tekrarlayıcıdır ve etkisi daha fazladır.

Etiyoloji: Trigeminal nevraljinin nedeni tam olarak bilinmemektedir. Trigeminal sinir ya da ganglionlarda kronik baskı ya da dejenerasyonların, herpes virüs enfeksiyonlarının, diş ya da çene kemiği enfeksiyonlarının ve beyin sapı enfartüsünün patolojik süreci başlattığı ileri sürülmektedir.

Patofizyoloji: Trigeminal nevraljide trigeminal sinirin inerve ettiği oftalmik, mandibular ve maksillar dallarından çoğunlukla mandibular ve maksillar dallar etkilenir. Neden olan etkeni tetikleyici bir faktör ağrıyı başlatır.

Klinik belrti ve bulgular: Trigeminal sinirin inerve ettiği dudakar, üst ve alt çene, frontal bölge ve burun kenarı gibi duyu alanlarında saplayıcı, yanıcı, şimşek çakar gibi başlayan ağrı atakları vardır. Hastaların %96'da ağrı tek tarflıdır. İlk ağrı atakları genellikle 50 yaş civarında başlar ve genellikle hafif ya da orta derecededir. Dakikalar, saatler, günler ya da daha uzunsürelerle ağrısız dönemler vardır. İlerleyen dönemlerde ağrı ataklarının sıklığı artar ve dayanılmaz olur. Hastalar ağrı ataklarını yaşama korkusu içindedir. Ağrı atakları yüz yıkama, tıraş olma, diş fırçalama, yemek yeme, bir şey içme, yüzün bir tarafının sıcak ya da soğuk havaya maruz kalması, esneme ve konuşma gibi tetikleyici faktörlerle başlayabilir. Ağrı atakları tek taraflı olarak iki-üç dakika kadar sürer. Hasta ağrı nedeniyle yüzünü buruşturur. Bu nedenle hastalık "tic douloureux" olarak da adlandırılmaktadır. Hasta ağrı nedeniyle hijyenik bakım, yemek yeme, başından geçirilerek giyilen giysiler giyme, kişiler arası iletişim kurma gibi aktivitlerden kaçınır ve daha fazla uyuyarak ağrıyla baş etmeye çalışır. Tedavi edilmeyen olgularda ataklar hastada fiziksel ve psikolojik yıpranmayla yaşam kalitesini bozarak intihar girişimine neden olabilir.

Tanı yöntemleri: Hasta öyküsü ve klinik bulgular tanı için önemli ip uçları sağlar. Bunun yanı sıra kesin tanıda beyin BT'si, EMG, arteriyografi, posteriyor miyelografi, MRG yaralanılabilen yöntemlerdir.

Tedavi: İlaç tedavisi, sinir blokajı ve cerrahi tedavi seçenekleri hastanın durumuna göre uygulanabilecek tedavi seçenekleridir.

İlaç tedavisi: Pheyntoin (Dilantin), carbamezepin (Tegretol) gibi antiepileptik ilaçlar bazı sinir uçlarına uyarıların gitmesini engelleyerek ağrıyı azaltmada etkili olmaktadır. Bu ilaçların kemik iliğini baskılayıcı ve toksik etkileri nedeniyle bulantı, baş dönmesi, sersemlik ve aplastik anemi bulguları yönünden izlenmesi ve ilaçların serum düzeylerinin belirli aralıklarla kontrol edilmesi gerektiği unutulmamalıdır. Ağrıyı kontrol altına almak için gabapentin (Neurontin) ve beclofen (Lioresal) tedavide kullanılabilecek diğer ilaçlardır.

Sinir blokajı: Alkol ya da fenol bileşiklerinin etkilenen inire enjekte edilerek sinirin bloke edilmesi ağrıyı kontrol altına alamada uygulanabilecek tedavi seçeneklerindendir. Bu yöntemle geçici olarak 6-18 ay süresince ağrı kontrol altına alınır. Sinir rejeneerasyonu oluştuğunda ağrı atakları başlar. Bu yöntem genellikle yaşlı bireyler tarafından iyi tolere edilmektedir.

Cerrahi tedavi: Diğer yöntemlerle ağrı kontrol altına alınamazsa hastanın tercihine ve sağlık durumuna göre seçilebilecek cerrahi yöntemler uygulanır. Trigeminal sinirin duyusal kökünün kesilmesi ya da bir ya da iki dalına Glycerol enjekte ederek kimyasal yöntemle ağrının kontrol altına alınması sağlanır.

Hemşirelik Yönetimi:

Değerlendirme: Ağrı ataklarını tetikleyen faktörlerin neler olduğu, atak sıklığı, ağrının niteliği, hastanın yaşamına etkileri, emosyonel durumu, kişilerarası ilişkileri, ilaç kullanım öyküsü, beslenme durumu, oral hijyen aklışkanlığı hemşirelik değerlendirmesinde önemli noktalardır. Bu değerlendirmelere dayanarak saptanabilecek hemşirelik tanıları aşağıda verilmiştir.

Hemşirelik Tanıları:
- Trigeminal sinir basısı ya da eflamsyonuna bağlı *ağrı*
- Yemek yemenin ağrıyı tetikleyeceği korkusu nedeniyle *beslenme alışkanlığında değişiklik/beden gereksiniminden az beslenme*
- Ağrının başlama zamanı, süresi, tetikleyici faktörler, ağrı gidericilerilerin etkinliği ve diğer tedavi seçenekleri konusunda bilgi yetersizliğine bağlı *anksiyete*
- Ağrıyı başlatacağı korkusuyla oral hijyen uygulamaktan kaçınmaya bağlı *oral mukoz membranlarda değişiklik riski*
- Ağrıyı başlatacağı korkusu ya da çevresel uyaranları kontrol altına alma isteği nedeniyle *sosyal izolasyon*

Planlama/amaç: *Hemşirelik girişimleri; ağrıyı azaltmak, yeterli beslenme ve oral hijyeni sürdürmek, anksiyeteyi azaltmak, sosyal aktivitelere katılımı sağlamaya yönelik olarak planlanır.*

Hemşirelik Girişimleri:
- Öneren ilaç tedavisinin önerildiği şekilde uygulanarak ağrının kontrol altına alınması
- İlaçlara yanıtın ve yan etkilerin izlenmesi
- Ağrıyı tetikleyebilecek çevresel etmenlerin kontrol altına alınması, yapılan hemşirelik uygulamalarında ağrıyı uyarabilecek dokunma vb. girişimlerden kaçınılması
- Beslenme, hijyen ve ağız bakımının önemi konusunda hastanın eğitilmesi, yüz temizliğinde ılık su ve yumuşak bir bez ya da pamuk ile nazikçe silme, ağız bakımında diş fırçalama yerine ılık su ile ağız çalkalama, çiğneme işlemini etkilenmeyen tarafıyla yapması, yumuşak ve başından geçirmeden giyebileceği bol giysiler kullanma gibi alternatifleri uygulama ve kendisinin uygulaması konusunda eğitilmesi, bakım gereksinimlerinin ağrı kesicilerin etkisinin en fazla olduğu zamanda uygulanması
- Yüksek protein ve kalori içeren yumuşak ve ılık gıdalarla beslenmesinin sağlanması
- Ağrı nedeniyle konuşmaktan kaçınan hasta için alternatif iletişim yöntemleri geliştirilmesi
- Kronik ağrıya bağlı anksiyete, depresyon, uykusuzluk için kronik ağrı deneyimleyen hastalarda uygulanan hemşirelik girişimlerinin uygulanması
- Ağrıyı tetikleyebilecek faktörler ve bunları nasıl kontrol altına alabileceği konusunda eğiterek sosyal akivitelere katılımın sağlanması

Beklenen Sonuçlar:
- Ağrı azalatılmış ya da kontrol altına alınabilmiş olmalı
- Hasta ağrıyı tetikleyebilecek faktörler ve kontrol yöntemlerini öğrenmiş ve uygulayabiliyor olmalı
- Bireysel gereksinimlerini uygun yöntemlerle sürdürebiliyor olmalı
- İletişimini sürdürebiliyor ve sosyal aktivitelere katılım gösterebiliyor olmalı
- Anksiyetesi giderilmiş ve uygun baş etme yöntemlerini uygulayabiliyor olmalıdır.

Yüz Felci (Bell Paralizisi)
VII.Kraniyal sinir N.fasiyalis'in tek taraflı enflmasyonuna bağlı olarak yüzün etkilenen tarafıda ki kaslarda motor güçsüzlük ya da paralizi gelişmesidir.

Epidemiyoloji: Hastalığın yıllık insidansı 13-34/100.000'dir. Her yaşta görülebilir ancak 20-60 yaş grubunda ve kadınlarda gebeliğin üçüncü trimestrinde görülme sıklığı artar.

Etiyoloji: Nedeni tam olarak bilinmemektedir. İskemi, herpes simpleks, herpes zoster gibi viral enfeksiyonlar, otoimmün hastalıkar ve tüm bu faktörlerin birlikteliğinin etiyolojide rolü olduğu kabul edilmektedir.

Patofizyoloji: Yüz felci aynı zamanda akut iyi gidişli kraniyal polinörit ya da Bell paralizisi olarak da tanımlanmaktadır. Bir tür basınç paralizisi olarak kabul edilen yüz felcinde enflamasyon ve ödeme bağlı olarak sinire bir noktadan basınç oluşmakta ya da tıkanan damardaki kan dolaşımın bozulması sinirde nekroza neden olarak sinirin motor işlevini bozmaktadır.

Klinik belirti ve bulgular: Etkilenen taraftaki yüz kaslarında motor işlev bozukluğuna bağlı ağız etkilenen tarafa doğru kayar, etkilenen taftaki göz yukarıya doğru bakmakta zorlanır, göz kapağının kapatılmasında güçlük olur, göz yaşı salgısında artma ya da azalma, burun kenarındaki çizgi düzleşme, gülümseme, kaş çatma, ıslık çalma gibi işlevler bozulma olur. Duyusal olarak yüzde, kulağın arkasında ve gözde hassasiyet vardır. Hasta konuşma ve etkilenen tarafıyla yemek yeme güçlüğü yaşayabilir.

Tanı yöntemleri: Klinik belirti ve bulgular, hasta öyküsü tanı koydurucudur. Bunun yanı sıra perkutan sinir uyarılması yöntemi de tanıya yardımcı olur.

Tedavi: Tedavi yüz kaslarının gücünü korumak ve sinir hasarını en az düzeye indirmek amacına yönelik olarak planlanır. Enflamasyon ve ödemi kontrol altına almak için erken dönemde kortikosteroid (Prednisone) tedavisine başlanması damarlara olan basıyı azaltmada ve dolaşımı sağlamada etkili olur. Kortikosteroid tedavisine hemen başlanması hastalığın şiddetini ve ağrıyı, sinir hasarını azaltır ya da önler.

Hastada düzelme başladıktan sonra yalaşık iki hafatada azaltılarak tedavi sonlandırılır. Ağrıyı gidermede analjezik tedavisi, etkilenen taraftaki yüz kaslarında dolaşımı arttırmak ve hastanın rahatını sağlamak için lokal sıcak uygulama, kas atrofisini önlemek için dikkatli masaj uygulaması ve elektriksel uyarı verilmesi uygulanabilecek diğer tedavi yöntemleridir.

Konservatif yöntemlere çoğunlukla iyileşme sağlanır. Anak tümör basısısı ya da cerrahi girişim sonrası sinire bir bası olduğundan kuşku duyuluyorsa cerrahi yönteme baş vurulur.

Prognoz: Erken dönemde tedaviye alınan hastalarda üç-dört ayda %85 tam iyileşme sağlanır. Çok az sayıda hastada kalıcı olumsuz etkiler görülür. İnme gelişmeyen hastaların çoğunda tedavi edilmeden üç-beş hafta içeriside kendiliğinden iyileşme görülür.

Hemşirelik Yönetimi:

Değerlendirme: Yüz felcinin erken evrede tanılanması önemlidir. Hastanın yüz kaslarındaki güçsüzlük ve duyu hassasiyeti değerlendirilir.

Hemşirelik tanıları: Hemşirelik değerlendirmesine dayanarak saptanabilecek hemşirelik tanıları aşağıda verilmiştir:
- VII. Kraniyal sinir enflamasyonuna bağlı *ağrı*
- Kas güçsüzlüğü nedeniyle çiğneme güçlüğü ve tat alma duyusunda bozulmaya bağlı *beslenmede değişiklik/beden gereksiniminden az beslenme*
- Kas güçsüzlüğüne bağlı *ağız mukozasının bütünlüğünde bozulma riski*
- Gözün kapatılmasındaki güçlüğe bağlı *kornea hasarı riski*
- Kas güçsüzüğünün neden olduğu konuşma güçlüğüne bağlı *iletişimde bozulma*
- Yüz kaslarındaki güçsüzlüğün dış görünümünde meydana getirdiği değişikliğe bağlı *beden algısında bozulma*
- Yüz kaslarındaki güçsüzlüğün dış görünümünde meydana getirdiği değişikliğe bağlı *anksiyete ve sosyal izolasyon*.

Planlama/amaç: *Hemşirelik girişimleri; ağrıyı azaltmak, yeterli beslenme ve ağız mukozasının ve bütünlüğünü korumak, kornea hasarını önlemek, olumlu beden algısı kazandırmak, anksiyeteyi azaltmak, sosyal aktivitelere katılımı sağlamaya yönelik olarak planlanır.*

Hemşirelik Girişimleri:
- Ağrıyı gidermek için önerilen analjeziklerin, masaj, lokal sıcak uygulama gibi alternatif yöntemlerin uygulanması
- Hastanın etkilenmeyen tarafıyla çiğnemesi konusunda eğitilmesi ve kolay yutabileceği uygun besinlerin seçilerek yeterli beslenmesinin sağlanması
- Duyu kusuru nedeniyle ağız mukozasının bütünlüğünü bozacak sert, aşırı sıcak gıdalar ve içeceklerden kaçınılması ve bu konuda hastanın bilgilendirilmesi
- Hastanın konuşmaya ceasretlendirilmesi ve sabırla yaklaşılması
- Kornea hasarını önlemek için yapay gözyaşı, koyu renk camlı gözlük, geceleri nemlendirici pomad ve bandaj kullanımının sağlanması, hastanın bu konuda eğitilmesi
- Hastanın olumlu beden algısı kazanması, anksiyetesini azaltması ve sosyal aktivitelere katılımını desteklemek için uygun destek ve gerekli psikolojik yardımın sağlanması

Beklenen sonuçlar:
- Ağrı azlatılmış ve hastanın rahatı sağlanmış olmalı
- Hasta uygun gıdalarla yeterli beslenmesini sürdürebiliyor olmalı
- Hasta yeterli iletişimi sürdürebiliyor olmalı
- Motor güçsüzlük ve duyu kusuruna bağlı komplikasyonlar gelişmemiş olmalı
- Hasta olumlu beden algısı kazanmış ve sosyal aktivitelere katılım gösterebiliyor olmalı
- Anksiyetesi giderilmiş olmalı

55. SİNİR SİSTEMİNİN DEJENERATİF VE ONKOLOJİK HASTALIKLARI

Prof. Dr. Ayfer KARADAKOVAN
Doç. Dr. Türkan ÖZBAYIR

Sinir Sisteminin Dejeneratif Hastalıkları

Merkezi ve periferal sinir sisteminin dejeneratif hastalıkları Parkinson hastalığı, Huntington hastalığı, Amiyotrofik lateral skleroz, Alzheimer hastalığı, muskuler distrofiler ve dejeneratif disk hastalıklarıdır.

Parkinson Hastalığı(PH)

Parkinson hastalığı beyinde substansiya nigrada yer alan dopamin nöronlarının dejenerasyonunun neden olduğu bradikinezi, rijidite, tremor ve postural reflekslerde bozulma ile ortaya çıkan progresif nörodejeneratif bir hastalıktır.

Hastalık ilk kez 1817 yılında İngiliz hekim James Parkinson tarafından "shaking palsy" (titrek felç) adıyla tanımlanmıştır.

Epidemiyoloji: Parkinson hastalığının prevalansının değişik toplumlarda yaklaşık olarak 100.000'de 150-300 olduğu bildirilmiştir. ABD'de birbuçuk milyondan fazla parkinson hastası olduğu, 50 yaşın üzerindeki Amerikalıların % 1'nin parkinson hastalığından etkilendiği bildirilmektedir. Ancak hastalığın erken bulguları hastaların % 10'da 60 yaşından önce görülmemektedir. Olguların % 5'i 40 yaşından önce başlamaktadır. 70 yaşında her ikiyüz kişiden birinde Parkinson görülür.

Türkiye'de ortalama yüz bin parkinson hastasının olduğu tahmin edilmektedir. Parkinson hastalığının görülme sıklığı açısından cinsiyet, sosyo-ekonomik ve kültürel farklılığın söz konusu olmadığı bildirilmektedir. Ancak erkeklerde kadınlardan daha fazla görüldüğü ve erkek-kadın oranının 3:2 olduğu bildirilmektedir. Erkek kadın arasındaki fark erkeklerin toksinlere ve kafa travmalarına kadınlardan daha fazla maruz kalmaları, kadınlarda östrojen hormonun koruyucu etkisi ile ilişkilendirilmektedir.

Etiyoloji ve Risk Faktörleri: Parkinson hastalığı etiyolojisinde bir çok faktör rol oynar. Çevresel ve genetik faktörlerin hastalığın oluşumunda önemli rolü vardır. Genetik olarak kromozom 2, kromozom 4 ve kromozom 6 üzerindeki belirli genler sorumlu tutulmaktadır. Toplumda 80 yaş üzerinde Parkinson hastalığı gelişme riski %2 iken, anne, baba ya da kardeşinde PH olanlarda risk %5-6, anne, baba'dan birinde ve aynı zamanda kardeşte hastalık olması durumunda risk %20-40 olabilmektedir. Çevresel faktörler olarak enefalitis laterji veya tipA ensefalitis olarak bilinen enfeksiyonlar ve bazı toksik ajanlar ileri sürülmektedir. Ancak 1920'li yıllardan itibaren enfeksiyonların etkin tedavisi ile postensefalitik parkinsonizim giderek azalmıştır. Bilinç kaybına neden olan kafa travmalarının PH riskini arttırdığı bildirilmektedir. Etiyolojide rol oynayan faktörlere göre parkinson hastalığı aşağıdaki şekilde sınıflandırılmaktadır.

A-Primer parkinsonizm: Parkinson hastalığının bu türünde neden tam olarak bilinmemekte, etiyolojide bazı virüslerin rol oynadığı ileri sürülmektedir. Genellikle 50 yaşın üzerindeki bireylerde %1 oranında görülmekte olup, 50 yaşın altındaki bireylerde görülmesi nadirdir. Hastalık 15-20 yılda yavaş bir seyir izlemektedir.

B-Sekonder parkinsonizm: Hastalığın etiyolojisinde travma, hemoraji, iskemi, neoplazmlar, nerosifiliz, tüberküloz gibi faktörler rol oynar.
- Postensefalitik parkinsonizm
- İyatrojenik parkinsonizm: Antipsikotik, fenotiazin grubu ilaçlar neden olur
- Parkinsonizm plus: Diğer dejeneratif hastalıklarla birliktedir
- Juvenil parkinsonizm: En önemli neden karaciğer hasarıdır (Wilson hastalığı). 40 yaşın altında görülür.

C-Pseudoparkinsonizm: Parkinson hastalığında ileri yaş, cinsiyet, ırk, toksik ajanlar ve travma risk faktörleri arasında sayılabilir. İleri yaş ve erkeklerde kadınlardan daha fazla görülen Parkinson hastalığının beyaz ırkta daha fazla görüldüğü bildirilmektedir. Japonya, Çin ve Afrika'da görülme oranı düşük, Kuzey Amerika ve Avrupa'da yüksektir. Karbonmonoksid, manganez, meperidine (MTPP) gibi kimyasal maddeler parkinson hastalığı oluşumunda rol oynadığı ileri sürülen toksik ajanlardır. Özellikle boksörlerde kafa travmalarının substansiya nigrada dejenerasyona neden olarak (Darbe sarhoşu sendromu) parkinson hastalığı etiyolojisinde rol oynadığı bildirilmektedir.

Patofizyoloji: Parkinson hastalığında orta beyinde substansiya nigrada dopamin üreten nöronlarda dejenerasyon olmaktadır. Normalde bazal ganglionlardaki dopaminle asetilkolin arasında bir denge vardır. Asetilkolin miktarında artma veya dopamin miktarında azalma dengenin bozulmasına neden olarak parkinson bulgularının ortaya çıkmasına neden olmaktadır. Dopamin, postürün, dengenin ve istemli hareketlerin sürdürülmesi gibi ekstra piramidal motor sistemin normal fonksiyonlarının sürdürülmesinde rol oynayan temel nörotransmiter maddedir.

Parkinson hastalığında dopamin sentezini sağlayan enzimler ve metabolitlerde, substansiya nigra ve bazal ganglionlarda norepinefrin, searatonin ve γ-aminobutric asit (GABA) miktarında azalma meydana gelmektedir. Parkinsonlu hastalarda yapılan otopsilerde orta beyinde substansiya nigrada normal melanin miktarında ve nöronlarda da azalmalar olduğu saptanmıştır.

Klinik belirti ve bulgular: Parkinson hastalığında bulguların ortaya çıkışı yavaş seyirlidir ve uzun yıllar alır. Parkinson hastalığında tipik bulgular kısaca TRAP (tremor, rijidite, akinezi/bradikinezi, postüral denge bozukluğu) olarak tanımlanmaktadır. En az iki ölçütün varlığı klinik tanı için yeterlidir. (Şekil 55.1)

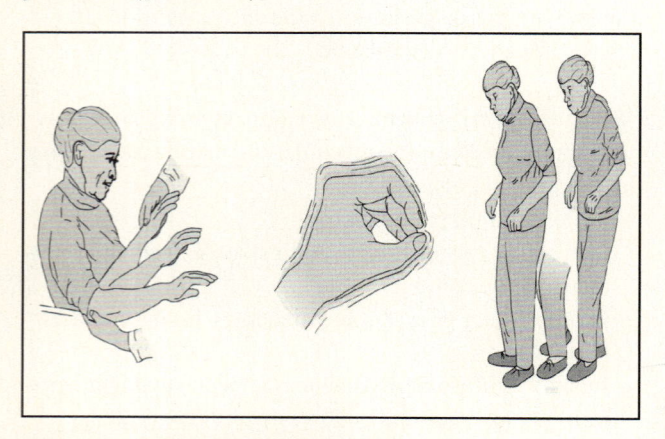

Şekil 55.1: Parkinsonlu hastada bulgular

Tremor: Parkinsonda tremor hastalığın genellikle ilk belirtisidir. Hastanın hekime başvurması genellikle bu belirti ile olur. Parkinson tanısı konan hastaların %70'inde tek taraflı tremor vardır. Tremorun özelliği stres, anksiyete ve mental aktiviteyle artması, istirahatte belirgin olup, uykuda kaybolmasıdır. Tremor nedeniyle hastanın el yazısı bozulur. Ellerdeki tremor baş parmak ve işaret parmağında hap yapma, para sayma hareketi şeklindedir. Tremor diyafragma, dil, dudaklar ve çeneyi de etkileyebilir. Nadiren başın aşağı-yukarı hareketi şeklinde baş tremoru da görülebilir. Baş tremoru veya ses tremoru genellikle esansiyel tremorda görülür. Ancak nadir olarak parkinson hastalığı ve esansiyel tremoru birlikte olan hastalarda görülür.

Rijidite: İkinci önemli belirti olan rijidite ekstremitelerde pasif hareketlere karşı oluşan dirençtir. Agonist ve antagonist kas gruplarında eş zamanlı olarak tonus artması (katılık) boyun, ekstremiteler ve sırt kaslarında fizik muayene sırasında saptanır. Fizik muayenede el bileği ve dirsek eklemleri pasif hareket ettirilmek istendiğinde gözle görülmeyen tremorun rijiditeye eklenmesiyle "dişli çark" bulgusu olarak adlandırılan pasif harekete kesintili direnç oluşur.

Rijiditenin neden olduğu kas kontraksiyonları kaslarda hassasiyet ve acı, yorgunluk ve sızlama duyusuna ya da baş, vücudun üst kısmı, omuzlar ve bacaklarda ağrıya neden olur. Rijidite kas gruplarında kasılma ve gevşemeyi engellediği için hareketlerde yavaşlamaya neden olur.

Bradikinezi/akinezi: Santral sinir siteminde ekstrapiramidal bölge ile ilgili yapıların ve bazal ganglionların kimyasal ve fiziksel olarak etkilenmesi sonucu otomatik hareketlerin yavaşlaması ile karakterize olan "bradikinezi" parkinson hastalığında en temel belirtilerdendir. Bradikinezi, harekete başlama zamanının uzamasına, pozisyon değiştirmede güçlüğe neden olur. Hasta bir harekete başlayacağı zaman tutukluk yaşar.

Harekete başlamakta tereddüt ediyormuş gibi bir görünümü vardır. Bu durum "akinezi" olarak tanımlanır. Hastada "hipokinezi" olarak tanımlanan bulgular da tipiktir. Bunlar yüzde mimik kasların hareketlerinin kaybolması ile karakterize "maske yüz" olarak adlandırılan donuk yüz ifadesi, göz kırpma, yürürken kolları sallama, konuşurken el hareketlerini kullanma, otururken pozisyonunu düzeltme gibi hareketlerdir. Bunlar kaybolur. Hastalar uzun süre hareket etmeden ve gözlerini kırpmadan otururlar.

Postüral denge bozuklukları: Parkinson hastalığında reflekslerde bozulma başlangıçta hafiftir. Hastada postüral dengenin kontrolü için yapılan geriye itme testinde, hasta geriye doğru itildiğinde bir ya da birkaç adım atarak düşmeyi önler. İleri evredeki hastalar ise muayene eden kişi tutmazsa kolaylıkla düşebilir. Postüral reflekslerin ileri derecede kaybı durumunda ise ayakta desteksiz duramama, düşmeler ve zamanla tekerlekli sandalyeye bağımlı olma durumu gelişir.

Yürüme bozukluğu ve pozisyon değişiklikleri: Parkinson hastaları küçük adımlarla, ayaklarını sürüyerek yürürler. Kollar vücuda yapışık, hareketsiz dirseklerden itibaren semifleksiyonda, el parmakları metakarpofaringeal eklemden fleksiyondadır ve postür hafifçe öne eğiktir. Bir tarafa döneceği zaman yavaş ve vücut bir bütün halinde döner. Hastalığın ileri evrelerinde hastalar yürürken kontrolsüz şekilde hızlanır ve öne doğru düşerek yaralanabilir. Durdurulmak istendiğinde hemen duramazlar.

Donma ve kilitlenme (freezing gait) parkinson hastalarında görülen bir başka yürüme bozukluğudur. Hasta düzgün biçimde yürürken aniden ayakları yere yapışmış gibi bulunduğu yerde kalır. Özellikle dar yerlerden, kapı eşiğinden geçerken ve dönüşler sırasında olan kilitlenmeler çok şiddetli olduğu taktirde dengenin bozulması ile düşmelere neden olabilir.

Konuşma bozukluğu: Parkinson hastalarında göğüs kaslarındaki rijidite ve yavaşlama nedeniyle ses tonunda değişiklikler olur. Hastalar yavaş ve monoton bir ses tonuyla konuşurlar. Konuşurken ses tonunda yükselme ve alçalma gibi konuşmaya doğal müzikalite sağlayan ses tonlarının kaybı "monoton konuşma" olarak adlandırılır. Bazı hastalar hem yumuşak, hem de monoton ve hızlı tonda konuşurlar; kelimeler bir birinin içine girer ve konuşmaları anlaşılmaz olur. Çok sık olmamakla birlikte parkinson hastalığında "palilali" olarak adlandırılan, belli bir hecenin kelimenin tam ortasında ya da sonunda bir çok kez tekrar edilmesi görülebilir.

Hastanın el ve yüz kaslarındaki hareketlerin yapılmaması ve konuşma ile ilgili bozukluklar iletişimi güçleştirir.

Bilişsel bozukluk: Parkinson hastalığında hastalığın ileri dönemlerinin bulgusu olarak % 10-30 oranında demans gelişir. Başlangıçta yakın döneme ilişkin bellek kaybı ve yeni öğrenilenlerin anımsanmasında güçlük vardır. Düşünme sürecinde yavaşlama, yürütücü işlevlerde azalma sonucu pasiflik, planlama ve amaca yönelik düşünme işlevleri bozulur.

Emosyonel ve psikolojik bozukluklar: Parkinson hastalığında fizik görünüm ve postürün bozulması, konuşma ve mimik hareketlerin bozulmasına bağlı iletişim sorunları hastada utanma, sıkılma, sinirlilik, değişken ruh hali ve depresyona (% 40) neden olabilir. Ani kilitlenme durumlarının neden olduğu anksiyete ve panik ataklar, hastalığın erken döneminde halüsünasyon ve paranoya gibi psikolojik bozukluklar görülebilir.

Yutma güçlüğü: Parkinson hastalarında bradikineziye bağlı yutma ve çiğneme işlevleri yavaşlar. Aşırı sekresyon artışı ve sekresyonların yutulmasının güç olması nedeniyle ağızdan salya akması, sıvı ve katı gıdaların yutulmasında güçlükler görülür. Bu durum malnütrisyon ya da aspirasyona yol açabilir.

El yazısının bozulması: Bradikineziye bağlı olarak parkinsonlu hastalarda el yazısı bozulur. Harflerin şekilleri bozulmaksızın giderek küçülür ve okunmaz hale gelir. Bu durum "mikrografi" olarak adlandırılır. Bradikinezinin yanı sıra tremoru olan hastalarda harfler titrek ve okunaksız olur.

Otonom Fonksiyon Bozukluklarına İlişkin Belirtiler:

Postural hipotansiyon: Postural reflekslerin kaybı ve tedavide kullanılan bazı ilaçlara bağlı olarak parkinson hastalarında postüral hipotansiyon görülebilir.

Konstipasyon: Parkinsonlu hastalarda hareketlerdeki yavaşlamanın, bağırsak hareketlerini de etkilemesi, yutma güçlüğü nedeniyle beslenme ve sıvı alımındaki yetersizlikler ve tedavide kullanılan bazı ilaçlar konstipasyona neden olabilir.

Üriner sorunlar: Genel güçsüzlük ve bradikineziye bağlı mesanenin yeterince boşalmaması pollaküri ve noktüriye neden olabilir. Bu durum üriner bölge enfeksiyonlarının gelişmesine yol açabilir.

Cinsel işlev bozuklukları: Dopaminerjik sistemin libido düzenlemesindeki önemli rolü nedeniyle parkinson hastalarında libido kaybı görülebilir. Hastada depresyon ve anksiyetenin bulunması ve bunların tedavisi için kullanılan antidepresan, anksiyolitik, miyorelaksan ve uyku ilaçlarının kullanılması cinsel fonksiyon bozukluğuna neden olabilir.

Seboreik dermatit: Derideki yağ bezlerinin sekresyonlarındaki artış özellikle, saçlı deri, burun kenarları, kaşlar, göz kapakları, kulakların arkası ve göğüste kırmızı, kabuklu ve kaşıntılı lezyonlara neden olur.

Aşırı terleme: Ter bezleri kontrolünün bozulmasına bağlı olarak, vücudun bir yarısında, tek bir alanda veya yaygın olarak normal ortam ısısında ani ter boşalması şeklinde terlemeler görülebilir. Hastalığın tedavisinin yeterli olmadığı durumlarda aşırı terleme yakınması daha fazladır.

Siyalore: Yutma işlevinin azalması ve parasempatik hiperfonksiyona bağlı olarak ağızda aşırı tükürük birikimi söz konusudur. Yutulamayan tükürük ağız kenarlarından akabilir ve konuşmayı anlaşılmaz hale getirebilir.

Uyku bozuklukları: Şiddetli tremor ve bradikinezi, kullanılan ilaçlara bağlı gelişen halüsünasyonlar, pollaküri, noktüri ve depresyon gibi nedenlerle uyku bozuklukları görülür.

Gözlerde konjoktuvit: Parkinson hastalarında göz kırpma hareketlerinin azalması göz kapaklarının gözü fiziksel ve kimyasal zararlılardan temizleme fonksiyonunun bozulmasına yol açar. Bu nedenle gözlerde kızarıklık, yanma ve kaşıntı gelişir.

Ağrılar ve duyusal yakınmalar: Rijiditeye bağlı kaslardaki kontraksiyonlar ve tremor nedeniyle sürekli kas faaliyeti kaslarda ağrıya neden olabilir. Hastanın postürüne bağlı sırt ve bel ağrısı yakınmaları olabilir. Parkinsonlu hastalarda vücudun değişik bölgelerinde üşüme veya sıcaklık hissi, uyuşukluk, parestezi gibi duyusal bozukluklar olabilir.

Gastrointestinal sorunlar: Gastrik boşalma, hipersalivasyon ve bağırsak motilitesinde azalma ile ilgili sorunlar olabilir.

Hastalığın Evreleri

Parkinson hastalığında hastadaki klinik bulgular ve hastalığın seyrine göre beş evre vardır.

I.Evre: Orta derecede tremor ve rijidite vardır. Etkilenen taraftaki kol yarı fleksiyondadır ve hastanın postürü etkilenen tarafa doğru meyillidir.

II.Evre: İki taraflı tutuluş vardır. Hastanın yürüyüşü yavaş ve adımları küçüktür.

III.Evre: Postür bozukluğu artmıştır, orta derecede özürlülük vardır. Ciddi düzeyde tremor, rijidite ve/veya bradikinezi vardır.

IV.Evre: Önemli derecede özürlülük vardır. Hasta yürüteç yardımıyla yürür. V.Evre: Tamamen fonksiyon kaybı, ileri derecede bradikinezi, bağımsız fonksiyonların kaybı vardır. Tekerlekli iskemle ya da yatağa bağımlıdır.

Tanı yöntemleri: Parkinson hastalığında hastanın genel yakınmaları, fizik bulgular ve öyküsünün yan ısıra aşağıdaki laboratuar ve tanı testleri kesin tanı koymada yardımcı yöntemlerdir.

Bos: Genellikle normal sınırlar içindedir. Protein düzeyi hafif derecede yükselmiş olabilir.

Serum: Ilımlı düzeyde mikrositer anemi olabilir

Gastrointestinal sistem: Mide-bağırsak motilitesinde azalma ve mide boşalmasında gecikme, değişik düzeylerde bağırsak distansiyonu olabilir.

EEG: Çok hafif düzeyde yavaşlama/normal olabilir. Demans ve bradikineziye bağlı önemli ya da orta düzeyde yavaşlama ve/veya bozulma olabilir.

Tedavi: Parkinson hastalığının tedavisi aşağıdaki ana başlıklar altında planlanır ve uygulanır.
- İlaç tedavisi (Levadopa)
- Cerrahi tedavi
- Sıvı-elektrolit dengesinin sürdürülmesi
- Beslenme yönetimi
- Fizyoterapi
- İş-uğraş tedavisi
- Konuşma tedavisi

İlaç tedavisi: Parkinson hastalığında ilaç tedavisinin amacı;1-Dopaminerjik aktiviteyi arttırmak, 2-Kolinerjik nöronların aktvitesini azaltarak dopaminerjik-kolinerjik dengeyi sağlamak, 3- Nörotransmitter yolu aktif hale getirmekir. Parkinson tedavisinde kullanılan başlıca ilaçlar, etkileri ve yan etkileri Çizelge 55.1'de verilmiştir.

Cerrahi tedavi: Parkinson hastalığında ilaç tedavisi ile semptomlar yeteri kadar kontrol altına alınamıyorsa veya ilaç tedavisinin komplikasyonları önlenemiyorsa cerrahi tedaviye baş vurulur. Cerrahi tedavi genç yaş grubundaki hastalarda daha iyi sonuç vermektedir. Cerrahi tedavi uygulanacak hastaların bellek sorunları veya başka bir nörolojik ya da sistemik hastalıklarının olmaması gereklidir. Cerrahi tedavi yöntemleri aşağıda verilmiştir:

Sterotaktik Girişimler

Talamotomi: Talamustan girerek sinir iletim yolunu engelleyici girişim uygulanması yöntemidir. Bu yöntemle hastanın tremoru kontrol altına alınır.

Pallidotomi: Bradikinezi ve levadopa'ya bağlı gelişen motor komplikasyonları kontrol altına alır.

Derin beyin stimülasyonu: Talamus, pallidum veya subtalamik nukleusa bir elektrot yerleştirilir. Bu elektrotun göğüs derisi altına yerleştirilen stimülatörle bağlantısı sağlanarak yüksek frekanslı akım uygulanır. Bu yöntem parkinsonun tüm semptomlarını ve levadopa'ya bağlı motor komplikasyonları kontrol altına alır.

Nöron transplantasyonu: Korpus striatuma normal dopamin salınımını sağlayacak adrenal medulla dokusu yerleştirilmesidir. Ancak bu yöntemin yüksek morbidite ve mortaliteye neden olduğu ve Parkinson bulgularını altı ay gibi kısa bir süre kontrol altına aldığı kanıtlanmıştır.

Sıvı-elektrolit dengesinin sürdürülmesi: Parkinsonlu hastalarda yutma güçlüğü nedeniyle sıvı gıdaların ağızdan dökülmesi, inkontinanas nedeniyle sıvı alımının bilinçli olarak azaltılması ve psikolojik bozukluklar nedeniyle yeterli sıvı alınmaması gibi sorunlarla karşılaşılabilir.

Tedavide kullanılan ilaçların yan etkisi olarak ağız kuruluğu görülebilir. Parkinsonlu hastaların bir başka sakıncası yoksa 6-8 bardak/gün sıvı alımının sağlanması, alınan sıvı gıdaların ağızdan dökülmesini önlemek için az miktarda ve sık aralıklarla sıvı alımı, sıvı alımını takiben dudakların kapatılması konusunda hastanın eğitilerek sıvının dökülmesi önlenebilir.

55. Sinir Sisteminin Dejeneratif ve Onkolojik Hastalıkları

Çizelge 55.1: Parkinson'un Semptomatik Tedavisinde Kullanılan İlaçlar

İlaç	Endikasyon	Yan Etkiler / Uyarılar
Dopaminerjik -Levadopa (L-dopa)	Bradikinezi, tremor, rijidite	*Bulantı, diskinezi, hipotansiyon, palpitasyon, ritim bozukluğu, ajitasyon, halüsünasyon, konfüzyon (yaşlı hastalarda) *Vitaminlerle ve yüksek oranda B6 vitamini içeren diyetle kullanımından kaçınmalıdır (levadopanın etkisini olumsuz etkiler) *Dar açılı glakomda kontrendikedir
-Levodopa/carbidopa (Sinemet)	Bradikinezi, tremor, rijidite	*Bulantı daha azdır. Ancak diskinezi, konfüzyon, halüsünasyon daha fazladır *Düzenli olarak BUN, AST, lökosit, Htc kontrolü yapılmalıdır *Melanom, dar açılı glakom öyküsü olanlarda kontendikedir *MAO inhibitörleri, reserpine methyldopa ve antipsikotiklerle birlikte kullanılmamalıdır
-Bromocriptine mesylate (Parlodel)	Bradikinezi, tremor, rijidite Yukarıdaki etkilerle aynı	*Ortostatik hipotansiyon, bulantı, kusma, toksikpsikoz, ekstremite ödemi, flebit, huzursuzluk, baş ağrısı, uykusuzluk
-Pergolide (Permax)		*Yukarıdakilerle aynı
-Amantadine (Symmetrel)	Rijidite, akinezi	*Sinirlilik, uykusuzluk, konfüzyon, halüsünasyon, ağız kuruluğu, bulantı, ödem, ortostatik hipotansiyon
Antikolinerjik -Trihexphenidyl (Artane) -Cyrimine (Pagitane) -Procylidine (Kemadrin) -Benztropine -Mesylate (Cogentin) -Biperidine (Akineton)	Tremor	*Ağız kuruluğu, bulanık görme, konstipasyon, deliryum, anksiyete, ajitasyon, halüsünasyon *Antihistaminikler, antispazmodikler, trisiklik antidepresanlarla birlikte kullanımından kaçınmalıdır
Antihistaminik -Diphenhydramine (Benadryl) -Orphenadrine (Dispal) -Chlorphenoxamine (Phenoxene) -Phenindamine (Thephorin)	Tremor, rijidite	*Sedasyon *Antikolinerjiklerle kullanımında gerekli önlemler alınmalıdır.
Monoamine Oxidase-B İnhibitörleri -Seleiline (Eldepryl)	Bradikinezi, rijidite, tremor	Dopaminerjik ilaçlarla kullanımında gerekli önlemler alınmalıdır

Beslenme yönetimi: Parkinsonlu hastalarda beslenme yönetimi önemli bir sorundur. İlaçların yan etkisine bağlı ağız kuruluğu, bradikinezi, tremor, rijidite, yutma ve çiğneme güçlüğü nedeniyle hastalar beslenme ile ilgili sorun yaşarlar. Yetersiz beslenme malnütrisyon ve konstipasyonun en önemli nedenidir. Konsantrasyon bozukluğu, boğulma, aspirasyon riski beslenmeyi olumsuz etkileyen diğer faktörlerdir. Parkinsonlu hastalarda diyeti düzenlerken yeterli lif içeren besinler, küçük parçalara bölünerek, yemeğin sıcaklığını koruyan tabaklarda sunulmalıdır. Üç büyük öğün olarak değil, altı küçük öğünde beslenme düzeni sağlanmalıdır.

Hastanın yemek yemesi için acele edilmeden yeterince zaman ayrılmalı ve hasta cesaretlendirilmelidir. Hastalığın ileri evrelerinde yemek zamanı ve ilaç alma zamanının planlanması önem taşır. Levadopa'nın yemeklerle birlikte alınması bulantıyı hafifletir. Yüksek proteinli gıdalarla Levedopa'nın birlikte alınması ilacın emilimini olumsuz yönde etkileyebilir.

Fizyoterapi: Parkinsonlu hastalar başlangıçta ince hareketleri yapmakta güçlük çekerken zamanla giyinme, yemek yeme, tuvalete gitme, banyo yapma gibi günlük yaşam aktivitelerinin yapılması da güçleşir. Bu nedenle parkinsonlu hastalarda ilaç tedavisinin yanı sıra fizyoterapi ve egzersiz gibi rehabilitasyon programlarının başlangıçtan itibaren uygulanması, özürlülüğün en aza indirilmesi ve yaşam kalitesinin yükseltilmesini sağlar. Bu amaçlarla planlanan rehabilitasyon programlarının hedefleri şunlardır:

- Motor güç, hız ve harekete başlama gibi istemli hareketleri geliştirmek
- Eklem hareket açıklığını aktif ve pasif germe teknikleri ile korumak ve arttırmak
- Kontraktür ve ağrı gibi immobilizasyonun olumsuz etkisini önlemek
- Yatakta, otururken ve ayakta dururken doğru postürü hastaya öğretmek
- Solunum egzersizleri ile göğüs kafesinin hareketliliğini arttırmaktır.

İş-uğraş tedavisi: Parkinsonlu hastalar; hareket sorunları, koordinasyon güçlüğü,güçsüzlük, iletişim bozukluğu, ulaşım güçlüğü, depresyon, yetersizlik, işverenin tutumu ve korkuları nedeniyle çalışma yaşamı ile ilgili sorunlar yaşarlar. Bir iş ve uğraşı sürdürebilme bireyin hem ekonomik gereksinimlerinin karşılanması hem de bellek ve akıl sağlığının korunması gibi yararlar sağlar. Parkinsonlu hastalar için bir işte çalışma; bir işe yaradığı duygusunu geliştirir, ekonomik gereksinimlerini karşılama ve topluma ait olduğu duygusunu yaşatır. Bu nedenle parkinsonlu hastaların tedavi ve bakımını üstlenen ekip hastanın rehabilitasyon programı çerçevesinde;

- Hastanın uygun işte çalıştırılması
- Belirli bir çalışma süresi ve işin bitirilmesi zorunluluğu olmaması
- İş stresinin az olması
- Uygun dinlenme periyotları olan iş olanakları sağlanması konusunda girişim ve planlamalar yapmalıdır.

Konuşma terapisi: Konuşma terapisi ile hastanın sesi, sözcükleri telaffuzu ve yutkunma konusunda eğitim yapılır.

Hemşirelik Yönetimi
Değerlendirme: Hastalığın hastanın günlük yaşam aktivitelerine, diğer işlevlerine etkisi değerlendirir. Hastalar sürekli izlenerek yetersizlikleri, işlevsel değişiklikleri ve tedaviye yanıtları değerlendirilir. Değerlendirmede sübjektif ve objektif hasta verilerine dayanarak yapılır.

Subjektif Veriler:
- Hastanın öyküsü: Merkezi sinir sistemi travması, SVH, sifiliz, maruz kaldığı kimyasal maddeler, karbonmonoksid zehirlenmesi, ensefalit gibi hastalık ve risk öyküsü, haloperidol, fenotiazin, reserpine, metildopa gibi ilaç kullanım öyküsüne ilişkin veri toplanır.
- Fonksiyonel sağlık örüntüleri:

Sağlığı algılama ve sağlık yönetimi: Yorgunluk
Beslenme-metabolizma: Aşırı tükürük salgısı, yutma güçlüğü, aşırı terleme, kilo kaybı
Eliminasyon: Konstipasyon
Aktivite-egzersiz: Hareketlere başlamada güçlük, sık düşme, beceriksizlik, el yazısının bozulması
Bilişsel-algısal: Bacaklarda, omuzlarda, boyun, sırt ve kalçada yaygın ağrı, kaslarda acı ve kramplar
Kendini algılama-benlik kavramı: Depresyon, duygu durum dalgalanması değerlendirilir.

Objektif Veriler
Genel durum: Maske yüz, yavaş ve monoton konuşma, göz kırpma hareketlerinin azalması
Deri: Seboreik

Kardiyovasküler: Postüral hipotansiyon
Gastrointestinal: Aşırı tükürük sekresyonu
Nörolojik: İstirahat tremoru, hap yapma ya da para sayma şeklinde parmak tremoru, daha ileri evrelerde bacaklar, kollar, yüz ve dilde tremor, stresle tremorda artış, uykusuzluk, gizli depresyon
Kas-iskelet: Dişli çark rijiditesi, dizartri, bradikinezi, kontraktürler, postür bozukluğu hastanın durumuna ilişkin objektif veriler sağlar.

Hemşirelik Tanıları
- Rijidite, tremor ve bradikineziye bağlı fiziksel hareketlerde bozulma
- Rijidite, tremor ve motor işlevlerde bozulmaya bağlı bireysel bakımını gerçekleştirmede yetersizlik
- İlaçlar ve aktivite azalmasına bağlı konstipasyon
- Tremor, yavaş yemek yeme, çiğneme ve yutma güçlüğüne bağlı beslenmede yetersizlik/beden gereksiniminden az beslenme
- Rijiditenin neden olduğu kas krampları ve tremor nedeniyle aşırı kas faaliyetine bağlı ağrı
- Hareket kısıtlılığı, malnütrisyon, göz kırpma hareketlerinin azalmasına bağlı doku bütünlüğünde bozulma riski
- Konuşmada yavaşlama, ses tonunda bozulma, yüz kasları hareketlerinin güçlüğü ve el yazısının bozulmasına bağlı sözel ve yazılı iletişimde bozulma
- Hastalığın ilerlemesine bağlı işlev kaybı ve depresyona bağlı baş etmede yetersizlik
- İlaçların yan etkisi, anksiyete, rijidite ve kaslardaki rahatsızlığa bağlı uyku biçiminde bozukluk/uykusuzluk
- Dopaminerjik aktivite bozulmasının neden olduğu libido kaybı ve ilaçlara bağlı cinsel işlev bozukluğu
- Rijidite, tremor ve motor işlevlerde bozulmaya bağlı travma riski
- Alışılmış sosyal ve eğlence aktivitelerinin yapılamamasına bağlı boş zamanları değerlendirme/eğlence aktivitelerinde eksiklik /Sosyal izolasyon
- Fiziksel yetersizlikler, depresyon, güçsüzlüğe bağlı bireysel algılamada bozulma
- Ailedeki rol değişimi, olası maddi sorunlar, etkin olmayan iletişim vb. nedenlerle aile sürecinde değişim
- Hastalık ve evde bakımın sürdürülmesine ilişkin hasta ve yakınlarının bilgi eksikliği

Planlama/amaç: Hemşirelik bakımı hastanın işlevsel hareketlerini düzeltme, GYA lerini bağımsız olarak yerine getirebilmesini sağlama, yeterli dışkılamayı sağlama, yeterli beslenmeyi sağlama, etkin iletişimi sürdürme, yeterli ve nitelikli uyku sağlama, etkin baş etme yöntemleri kullanmayı sağlama, pozitif beden algısı geliştirme, hastalık ve evde bakım konusunda hasta ve ailesini bilgilendirmeye yönelik olarak planlanır.

Hemşirelik Girişimleri

- Eklem hareketliliğini sürdürmek, atrofiyi önlemek ve kasların tonüsünü korumak için EAE egzersizlerinin yaptırılması
- Günlük yaşam aktivitelerini kolaylaştırmak ve güvenli hareket etmesine yardımcı olmak için fizyoterapist ve meşguliyet terapisti ile iş birliği yapılması
- Hastanın gerginliğini azaltmak için incelik gerektiren ve kaba aktivitelerde yardımcı olunması
- Hastanın yürürken donma (akinezi) yaşamaması için hastaya düz bir çizgi üzerinde yürüdüğünü farz ederek yürümesi, bir taraftan diğer tarafa dönerken bacaklarını kaldırarak hareket ettirmesi konusunda eğitim yapılması
- Hastanın bağımsızlığını sürdürmek için hareket sınırlılıkları içinde GYA'ni yerine getirmesi için cesaretlendirilmesi
- Rijiditenin neden olduğu hareket yavaşlamasını dikkate alarak hastanın bireysel bakımını yerine getirebilmesi için yeterli zaman ayıracak planlama yapılması
- Hastanın gereksinimlerini karşılaması için gerekli yardım sağlanarak sinirlilik ve gerginliğinin en aza indirilmesi
- Kronik dejeneratif bir hastalık olan parkinson hastalığı ile baş edebilmesi için hastaya emosyonel destek sağlanması
- Hastanın sinirliliğini /gerginliğini azaltmak için iletişime yeterli zaman ayrılması, diyafragmatik konuşma konusunda yardımcı olunması, konuşma terapisti ile iş birliği yapılması, resimli kitaplar veya parlak renkli kart ve objeler gibi materyaller kullanarak alternatif iletişim yöntemleri sağlanması, kas relaksasyonunu sağlayıp konuşmayı kolaylaştırmaya yardımcı olması için yüz ve boyun masajı uygulanması
- Hangi GYA'nin ağrıyı arttırdığı ve azalttığı belirlenerek gerekli düzenlemeler yapılması, ağrıyı gidermek için sırt, yüz, boyun ve omuzlara masaj uygulanması, bir başa sakıncası yoksa lokal sıcak uygulama yapılması, önerilen ilaç tedavisinin uygulanması, gereksiz hareketlerden kaçınmasının sağlanması
- Ağrıya neden olan rijidite ve tremorun kontrol altına alınması için uygun tedavi programı konusunda hekim ve fizyoterapistle iş birliği yapılması
- Uykunun bölünmesini önlemek için sessiz ortam sağlanması, kaslardaki hassasiyet ve bradikineziye bağlı postür değişikliğinin güç olmasının uykuyu olumsuz etkilemesi nedeniyle hastaya rahat uyuyabileceği bir pozisyon verilmesi
- Hastanın kaliteli bir gece uykusu uyuyabilmesi için, gün içinde olabildiğince uyanık tutulmaya çalışılması, hafif şekerlemelerden kaçınılması için gerekli düzenlemelerin yapılması
- Halüsünasyon deneyimleyen hastalarda anksiyeteyi azaltmak, halüsünasyona neden olabilecek levadopa dozunu yeniden düzenlemek için hekim ile iş birliği yapılması
- Hastanın fiziksel ve emosyonel yanıttaki güçlüklerinin belirlenerek aktivitelerinin değerlendirilmesi
- Hastanın bireysel gereksinimleri göz önünde bulundurularak yapmak istediği boş zaman aktivitelerinin belirlenmesi
- Yeni aktivitelere başlanırken hastanın sınırlılıklarının göz önünde bulundurulması. Örn: Hasta uzun süreli okuma gibi aktivitelerde aynı performansını sürdüremeyebilir
- Yeterli ve dengeli beslenmenin sürdürülmesi. Pozitif nitrojen dengesini sağlamada protein ve karbonhidrattan zengin diyet için diyet uzmanıyla iş birliği yapılması
- Olası konjoktuvite karşı korneanın korunması (yapay gözyaşı kullanımı vb), hastanın olabildiğince hareketliliği sağlanarak doku bütünlüğünde bozulmanın önlenmesi
- Cinsel işlevlerle ilgili danışmanlık ve eğitim sağlanması
- Hastalık, evde bakımın sürdürülmesi, GYA'i kolaylaştıracak düzenlemeler konusunda hasta ve ailenin bilgilendirilmesi

Beklenen Sonuçlar

- Hasta günlük egzersiz programlarına katılım gösteriyor olmalı
- Önerilen tedavi programına uyguluyor olmalı
- Bireysel bakım işlevlerine katılım gösteriyor olmalı
- Yeterli sıvı ve önerilen lifli gıdaları alıyor ve normal dışkılamayı sürdürebiliyor olmalı
- Aspirasyon, yutma güçlüğü ve ağrı deneyimlemeden yeterli ve dengeli beslenmeyi sürdürebiliyor olmalı
- Yeterli ve etkili iletişimini sürdürebiliyor olmalı
- Hastalıkla etkin baş etme yöntemerini öğrenmiş ve uygulayabiliyor olmalı
- Yeterli uyuduğunu ve dinlendiğini ifade edebiliyor olmalı
- Doku bütünlüğü korunuyor olmalı
- Cinsel işlev bozukluluğu ile ilgili sorunun giderildiğini sözel olarak ifade edebiliyor olmalı
- Ağrısının azaldığını ve GYA'ni ağrı deneyimlemeden yapabildiğini sözel olarak ifade edbiliyor ve yapabiliyor olmalı
- Aile hastayla yeterli iletişimi sürdürebiliyor ve aile sürecindeki değişimle ilgili sorunlarını gidermiş olmalı
- Hasta ve ailesi hastalık ve evde bakım konusunda yeterli bilgileri olduğunu sözel olarak ifade edebilmeli ve uygulayabiliyor olmalıdır.

Parkinsonlu hasta ve yakınlarına evde bakımın sürdürülmesine ilişkin eğitimde verilmesi gereken konu başlıkları Çizelge 55.2'de verilmiştir.

Huntington Hastalığı

Huntington hastalığı sinir sisteminin ilerleyici istemsiz koreik hareketler ve demansla karakterize kronik, ilerleyici, genetik kökenli bir hastalığıdır.

Epidemiyoloji: Otozomal dominant geçiş gösteren Huntington hastalığının görülme olasılığı anne babasında hastalık olan çocuklarda %50'dir. Her cins ve ırkda görülebilir. Genellikle 35-45 yaş grubunda görülür ancak hastaların %10'u çocuklardır.

Etiyoloji: Yapılan çalışmalar glutamin olarak bilinen proteinin hücre çekirdeğinde birikerek hücre ölümüne neden olduğunu göstermektedir.

Patofizyoloji: Temel patolojik olay bazal ganglionlarda hareketleri kontrol eden merkezlerde prematüre hücre ölümüdür. Aynı zamanda düşünme, bellek, algılama ve karar verme işlevlerinde rolü olan korteks hücrelerinde kayıp ve istemli kas hareketlerini düzenleyen serebellumda hücre kaybı vardır. Hücre yıkımı protein yapısındaki glutaminin hücre çekirdeğinde birikmesinin sinir işlevlerini baskılayan gamma-aminobutrik asid (GABA) ve asetilkolin gibi nörotransmitterlerin yetersizliğine neden olmasına bağlı olarak meydana gelmektedir.

Klinik belirti ve bulgular: Başlıca klinik bulgular korea olarak tanımlanan anormal istemsiz kas hareketleri, entellektüel işlevlerde bozulma ve emosyonel bozukluklardır. Hastalığın ilrlemesiyle istemsiz hareketler tüm vücudu etkiler. Hasta bu hareketleri kontrol altına alamaz. Yüz kaslarında tik benzeri seyirmeler görülür. Konuşma patlayıcı biçimde ve anlaşılmaz olur. Çiğneme ve yutma güçlüğü aspirasyon ve boğulma riskine neden olur. Koreik hareketler şiddetlidir. Ancak uykuda biraz azalır.

Hastanın postürü ve bağımsız olarak dolaşması güçleşir. Hastalığın ilerlemesiyle tekerlekli sandalyeye ve giderek yatağa bağımlı hale gelebilir. İdrar ve dışkı kontrolü kaybolur. Hastalığın ilerlemesiyle hasta ve ailenin emosyonel dengesi bozulur. Hastada sinirlilik, huzursuzluk ve davranış bozukluğu vardır. Başlangıçta öfke, depresyon, apati, anksiyete, psikoz ya da öfori vardır. İleri evrelerde yargılama güçlüğü ve bellek bozukluğu ve demans gelişebilir. Halüsünasyonlar, delüzyonlar ve paronoid düşünceler olabilir.

Tanı yöntemleri: Hastanın klinik bulguları ve ailede hastalık öyküsü tanı için temel oluşturur. Bunun yanı sıra BT ve MRG gibi görüntüleme yöntemleri ile hücre çekirdeğinde atrofilerin saptanması da tanıya yardımcı olur. Rekombinan DNA incelemeleri ile Huntington hastalığının genetik markerları belirlenebilir.

Tedavi: Hastalığın kesin tedavisi yotur. Palyatif tedavi uygulanır. Palyatif tedavide thiothixene hidroklorid (Navane) ve haloperidol deconate (Haldol) dopamin reseptörlerini bloke ederek koreik hareketleri kontrol altına almada yararlı olabilmektedir. Bazı hastalarda parkinsonizme benzeyen hipokineziler görülebilir. Bu hastalarda rijiditeyi azaltmak için levadopa gibi parkinson ilaçları yararlı olabilir. Özellikle depresyon gelişen hastalarda antidepresan ilaçlar yararlı olabilmektedir. Hastalarda intihra eğilim olabilir. Antipsikotik ilaçlar anksiyeteyi azaltarak yararlı olabilir. Yapılan çalışmalar Huntingtonlu hastalara uygulanacak motivasyon tedavisi ve çevresel uyaranların arttırılmasının fiziksel, mental ve sosyal işlevlerde düzelme sağladığını göstermiştir. Cerrahi olarak sinir nakli tedavisinin etkinliği denenmektedir.

Hemşirelik yönetimi: Hemşirelik yönetimi hastanın gereksinimlerini ve yeterliliklerini belirleyerek bunlara yönelik bakımın planlanmasına odaklanır. Hasta ve ailenin eğitim gereksinimleri hastalığın doğası ve şiddetine göre belirlenir. Hasta ve aile üyeleri ilaçlar, doz değişimi, koreik hareketler, yutma sorunları, hareket kısıtlamaları, idrar ve dışkı

Çizelge 55.2: Parkinsonlu Hasta ve Yakınları İçin Evde Bakım Eğitim İçeriği

- Hastalığın tanımı ve uzun dönem etkileri
- İlaç tedavisi, etki ve yan etkileri, önlemler
- Travma ve yaralanma riskinin önlenmesi için evde yapılacak düzenlemeler ve yardımcı gereçler
- Beslenme gereksinimi, diyet sınırlamaları, disfaji yönetimi, aspirasyonun önlenmesi
- Düzenli dışkılamanın sürdürülmesi
- İdrar inkontinansı ve retansiyonu (gerekli durumlarda foley kateter bakımı)
- Hareketsizliğin olumsuz etkileri ve önlenmesi
- Günlük egzersiz programının önemi
- Güvenli yürüme ve dengenin sağlanması
- Konuşma ve solunum egzersizlerin önemi ve uygulanması
- Enfeksiyon belirti ve bulgularının neler olduğu ve gelişmesi durumunda sağlık kuruluşuna baş vurmanın önemi
- Bireysel bakım aktiviteleri ve bağımsızlığın sürdürülmesi için öneriler
- Toplumda var olan destek grupları ve katılımın önemi

kontrolünün kaybı gibi konularda eğitilir. Konuşma güçlüğü olan hastalar için konuşma terapsiti desteği sağlanır. Hasta ve yakınlarına genetik danışmanlık sağlanır. Hastada görülebilecek emosyonel, entellektüel değişiklikler nedeniyle aile üyelerine danışmanlık ve baş etme yöntemleri konusunda destek sağlanır.

Amiyotrofik Lateral Skleroz (ALS)

Motor nöron hastalıkları(MNH) grubunda yer alan amiyotrofik lateral skleroz (ALS) korteks, medulla ve omurilikteki motor nöronlarda dejenerasyonla belirgin bir hastalıktır.

Epidemiyooji: Hastalık çoğunlukla 40-70 yaş grubunda görülmekte olup, erkeklerde görülme sıklığı kadınlara göre 1.6:1'dir. Hastalığın toplumdaki insidansı 1-2/100.00, prevalansı yaklaşık 6/100.00'dir. Hastalık ilk kez 1874 yılında Charcot tarafından tanımlanmış ve 1940'lı yılların başında ünlü bir beyzbol oyuncusu olan Lou Gehrig'te saptanmıştır. Bu nedenle hastalığı ilk kez tanımlayan Charcot ve hastalığın ilk kez saptandığı Lou Gehrig'in adıyla da tanımlanmaktadır.

Etiyoloji: Hastalığın etiyolojisi tam olarak bilinmemektedir.
Etiyolojide otoimmün nedenler ve serbest radikal hasarının rolü olduğu ileri sürülmektedir. Sinir hücrelerinin nörotransmitter glutamatla aşırı uyarılmasının hücre hasarı ve sinir dejenerasyonuna yol açtığı yapılan çalışmalara dayanarak ileri sürülen teorilerdendir. Etiyolojide genetik etkenlerin yanı sıra, oksidatif stres ve esitoksisitenin rolü olduğu bildirilmektedir.

Patofizyoloji: Sinir hücrelerindeki dejenerasyona bağlı olarak alt ve üst motor nöronlarda hücre ölümü ve kas liflerinde atrofik değişiklikler meydana gelmekte ve elektriksel ve kimyasal uyarıların kaslara ulaşması engellenerek motor işlevler bozulmaktadır.

Klinik belirti ve bulgular: Kaslarının inervasyonu özel sinir hücreleri tarafından sağlandığı için klinik bulgular da etkilenen motor nöron alanına göre değişmektedir. Başlıca bulgular yorgunluk, ilerleyici kas güçsüzlüğü, kaslarda seyirmeler ve hareketlerde koordinasyon bozukluğudur. Önce el, kol ve bacak kaslarında başlayan güçsüzlük ve atrofiler daha sonra omuz, boyun ve tüm vücut kaslarını etkiler. Derin tendon reflekslerinde artış ve spastisite vardır.
Genellikle mesane, rektum kaslarını inerve eden spinal sinirler korunduğu için mesane ve rektal sfinkterlerde işlev bozukluğu olmaz. Hastaların %25'de kraniyal sinirlerin inerve ettiği kaslarda güçsüzlüğe bağlı olarak konuşma, yutma ve bazen solunum kasları da etkilenir. Bulbar ALS olarak tanımlanan bu durumda konuşma, gülme, öksürme, ağız sekresyonlarının kontrolü, burnun temizlenmesi, sıvıların yutulması gibi işlevlerde bozulma olur. Burundan konuşma ve patlayıcı konuşma nedeniyle hastanın iletişimi bozulabilir. Hastada bazı emosyonel değişiklikler olabilir ancak entelektüel işlevlerde bozulma olmaz.

Prognoz: Prognoz MSS'de etkilenen alana ve hastalığın hızına göre değişir. Hastalık tanı konulmasından sonra yaklaşık üç yıl içerisinde ölümle sonlanmaktadır. Daha az sayıda hasta 10-20 yıl gibi daha uzun süre yaşayabilmetedir. Ölüm genellikle enfeksiyon, solunum yetersizliği ya da aspirasyona bağlı gelişmektedir.

Tanı yöntemleri: ALS'de tanı hasta belirti ve bulgularına dayanmakta olup hastalığa özgü klinik ve laboratuar incelemeler yoktur. EMG motor işlev bozukluğunun düzeyini belirlemede ve MRG motor nöron bozukluğunu saptamada yardımcı olur.

Tedavi: ALS'de kesin bir tedavi yoktur. Tedavi bulguların giderilmesi ve hastanın olabildiğince uzun süre bağımsızlığını sürdürmesini sağlamaya yönelik olarak planlanır. Glutamate antogonisti olan riluzole (Rlutek)'un motor nöronların bozulmasını yavaşlattığı saptanmıştır. Hastanın yaşam kalitesini arttırmaya yönelik olark semptomatik tedavi ve rehabilitasyon tedavisi planlanır. Baclofen (Lioresal), dantrolene sodyum (Dantrium) ya da diazepam (Valium) hastadaki spastisiteyi gidermede yardımcı olarak ağrının azaltılması ve bireysel bakımın sürdürülmesinde yardmcı olur. Kas kramplarını gidermede kinidin, artan ağız sekresyonlarının kontrolünde trihexphenidyl hidroklorid (Artane) ya da amitriptyline hidroklorid (Elavil) kullanılabilir. Hastaya çiğnemesi ve yutması kolay besinlerden oluşan bir beslenme düzeni sağlanmalı, çiğneme ve yutma güçlüğü fazla olan hastalarda enteral beslenmeye geçilmelidir. Solunum güçlüğü olan hastlarda mekanik ventilasyon desteği sağlanması, idrar yolu ve akciğer enfeksiyonu bulguları yönünden izlenerek gerekli girişimlerin uygulanması destekleyici ve koruyucu bakım kapsamında dikkate alınması gereken uyulamalardır. Hastayı olabildiğnce hareket etmeye cesaretlendirmek, ROM egzersizlerinin düzenli yapılması, meşguliyet tedavisi, konuşma tedavsi konusunda hasta ve ailesine destek ve danışmanlık sağlamak rehabilitasyon kapsamında değerlendirilip uygulanacak tedavi programlarıdır.

Hemşirelik yönetimi

Değerlendirme: Hastanın değerlendirilmesinde subjektif ve objektif veriler hemşirelik bakımını planlamada yardımcı olur.

Sinir Sistemi

Subjektif veriler: Hasta ve aile üyelerinin emosyonel durumu ve hastalığa ilişkin bilgileri değerlendirilerek elde edilir. Hastanın çiğneme ya da yutma güçlüğü, dispne ve güçsüzlük yakınmaları elde edilebilecek subjektif verilerdir.

Objektif veriler: Kas güçsüzlüğü, kas atrofisi, üst ekstremitelerdeki spastisite, gevşek paralizi, çiğneme ve yutma güçlüğü, solunumu objektif değerlendirme ile elde edilecek verilerdir.

Hemşirelik tanıları:

- Kas atrofisi, güçsüzlük ve spastisiteye bağlı *fiziksel hareketlerde bozulma*
- Fiziksel hareketlerde bozulmaya bağlı *yaralanma riski*
- Kaslardaki spastisite ve kramplara bağlı *rahatta değişiklik/ağrı*
- Çiğneme ve yutma güçlüğüne bağlı *beslenmede değişiklik/beden gereksiniminden az beslenme*
- Konuşmayı sağlayan kaslardaki güçsüzlüğe bağlı *sözel iletişimde bozulma*
- Solunum kaslarındaki güçsüzlüğe bağlı *etkin olmayan solunum biçimi*
- Çiğneme ve yutma güçlüğüne bağlı *aspirasyon riski*
- Fiziksel bağımlılık ve ölümcül bir hastalık olmasına bağlı *yaşamı ile ilgili kontrolü kaybetme*
- İlerleyici ve kronik hastalığa bağlı *aile sürecinde değişim*
- Hastalık, prognozu ve evde bakıma ilişkin *bilgi eksikliği*

Planlama/amaç: Hemşirelik bakımı hastanın sınırlılıkları içerisinde ağrısının giderilerek, yaralanmaya maruz kalmadan en üst düzeyde fiziksel hareketliliğini sürdürmesi, etkin solunum ve aspirasyon riski yaşamadan yeterli ve dengeli beslenmesini sürdürmesi, sözel ya da alternatif iletişim yöntemleri ile iletişimini sürdürmesi, hasta ve yakınlarının hastalık, tedavi ve bakım konusunda bilgilendirilmelerine yönelik olarak planlanır.

Hemşirelik girişimleri:

- Günde en az iki kez aktif ve pasif ROM egzersizleri yapmasının sağlanması
- Hastanın hareket ettirilmesinde kas gücünü korumak ve kontraktürleri önlemek için yardımcı gereçlerin kullanımının sağlanması
- Hareketsizliğe bağlı gelişebilecek, solunum seslerinin bozulmasına yol açan konjesyon, deri bütünlüğünde bozulma ve tromboflebit bulguları yönünden hastanın sık sık gözlenmesi ve iki saatte bir pozisyon değişikliğinin sağlanması
- Spastisiteye bağlı ağrının giderilerek hastanın rahatının sağlanması için önerilen tedavi ve gerekli durumlarda ağrılı kaslara masaj uygulaması
- İletişimin sürdürülmesi için konuşma terapisti desteği sağlanması, alternatif iletişim yöntemlerinin sağlanması
- Aspirasyon riskine neden olmayacak yumuşak ve çiğnememesi kolay gıdalarla yeterli ve dengeli beslenmenin sağlanması
- Ağızdan beslenme güçlüğü olan hastalar için enteral beslenme konusunda hekim ve diyet uzmanı ile iş birliği yapılması
- Solunum seslerini 4-8 saatte bir değerendirerek, gerekli durumlarda mekanik ventilasyon desteği için hekimle iş birliği yapılmsı
- Aile sürecinde değişimle baş edebilmeleri için hasta ve aile üyelerine emosyonel ve sosyal destek sağlanması
- Hasta ve ailesine hastalık, prognozu, evde bakım ve alteranatif bakım seçenekleri konusunda danışmanlık ve detek sağlanması

Beklenen sonuçlar:

- Hasta sınırlılıkları ölçüsünde en üst düzeyde fiziksel hareketlerini sürdürebiliyor olmalı
- Hareket sınırlılığına bağlı yaralanma ve komplikasyon gelişmemiş olmalı
- Kas krampları ve spastisieye bağlı ağrısı giderilmiş olmalı
- Yeterli ve dengeli beslenmesini sürdürebiliyor olmalı
- Yeterli ve etkin iletişimini sürdürebiliyor olmalı
- Yeterli ve etkin solunumu sürdürebiliyor olmalı
- Hasta ve ailesi etkin baş etme yöntemlerini öğrenmiş olmalı ve davranışları ile bunu gösterebilmeli
- Hasta ve yakınları hastalık ve bakım konusunda yeterli bilgileri olduğunu sözel olarak ifade edebilmeli ve bakım uygulamaları ile gösterebilmeli

Alzheimer Hastalığı

Alzheimer hastalığı ya da Alzheimer tipi senil demans bellek, algılama ve bireysel bakım yeteneğinin bozulmasına yol açan beyin hücrelerinde dejenerasyonla belirgin kronik, ilerleyici bir hastalıktır.

Epidemiyoloji: Alzheimer hastalığı, demansa neden olan hastalıklar içinde prevelansı en yüksek olanlarından biridir ve yaşlılarda görülen demans olguların %50'den fazlasını oluşturmaktadır. Tüm Dünya da 20-25 milyon Alzheimerli hasta olduğu bilinmektedir. Alzheimer hastalığı 65 yaşın üzerindeki bireylerin %10'da, 85 yaşın üzerindeki bireylerin %45'de görülür. Kadınlarda görülme sıklığı erkeklere göre daha fazladır. Hastalığın insidansı 9/100.000'dir.

A.B.D'de 2050 yılında hasta sayısının 13.5 milyonu bulacağı öngörülmektedir. Türkiye'de yaklaşık 600 bin Alzheimer hastası olduğu tahmin edilmektedir. Ortalama yaşam süresi ve refah düzeyinin artmasına paralel ola-

organizmanın strese verdiği

Stres (Tra...

→ Alarm re...
  (algılama

sempato adrenal medullar tepki
↓
sempatik sinir sistemi
↓
Adrenal   Medulla
↓   ↘
Norepinefrin↑   Epinefrin↑
↓
Periferal
Vazokonstrüksiyon
↙   ↘
Soğuk, Soluk cilt   **KB↑**   **Taşikardi, myokard kontraktilitesi↑** (kasılması)
kan büyük   kan hayati   **kan şekeri↑**
damarlara   organlara
gider   gider (kalp   ACTH↑
             beyin)
↓
Böbreğe kan akımı ↓ %20
↓
Renin Salgılanır   mekanizmayı
↓   uyarır
Anjiotensinojen
↓
Anjiotensin 1
↓
Vazokonstriksiyon ← Anjiotensin 2

aktive olması

Endokrin tepki:

(yan. esi)

→ Arka hipofiz
↓
ADH ↑
↓
Hipotalamus
↓
Ön hipofiz
↓
ACTH ↑ → stres hormon
↓ uyarır
Adrenal korteks
↓
Glukokortikoidler ↑

- depodaki glikozu kana verir
- glikojeni glukoza çevirir
- O₂ yok, enerji gerekli, depo kullanır ④
- kortizon hormon ← Protein katabolizması ↑ (yıkım) ②
- Glukoneogenezis ③ ↑
- T, B lenfosit baskılanır
- lizozom çevirir } immun tepki etkilenir ⑤
- Antikor ve antijen birleşmesinde engelleme
- fibroblastlarda azalma (yara iyileşme gecikme)

→ Aldosteron ↑ K⁺ atar ① → ödem olabilir
↓
Na⁺ tutulması
↓
Su tutulması
↓
kan volümü ↑
böbreğe giden kan
→ **Oligüri**
24h idrar 400 ml ↓

serum ozmolaritesi ↑ ←
↓
Hipotalamus
↓
arka hipofiz
↓
ADH ────┘

rak hastalığın görülme sıklığı tüm Dünya da artmaktadır. Ülkemizde de ortalama yaşam süresinin artmasına paralel olarak etkilenen hasta sayısının da artması beklenmektedir.

Etiyoloji ve risk faktörleri: Hastalığın nedeni tam olarak bilinmemekte bazı faktörlerin rolü olduğu ileri sürülmektedir. Genetik, viral, toksik, immünolojik, travmatik, biyokimyasal ya da beslenmeyle ilgili bazı faktörlerin rolü olduğu konusunda hipotezler vardır. Biyokimyasal olarak asetilkolin üretiminde rol oynayan asetilkolin transferaz enziminin yetersizliğinin rolü ile ilgili kanıtlamış çalışmalar vardır. Glikoz metabolizması bozukluğunun hücrelerin asetilkolin salınımını engelleyerek hücre ölümüne yol açtığı bildirilmektedir. Alzheimer hastalığı için risk faktörleri Çizelge 55.3'de verilmiştir. APO E2 alleli, eğitim düzeyi, NSAI ilaçlar (Aspirin), östrojen replasman tedavisi (tartışmalı) ve statinlerin alzheimerdan koruyucu faktörler olduğu ileri sürülmektedir.

Patofizyoloji: Biyokimyasal ve yapısal değişikliğe bağlı olarak frontal lobda ve temporal lobun orta bölümlerindeki nöronlarda protein birikimine bağlı plaklar ve nörofibriler yumaklar meydana gelmekte ve bu nedenle sinir uyarılarının hücrelere iletimi bozulmakta beyin dokusunda atrofi meydana gelmektedir. Bu değişiklikler aynı zamanda korteksde limbik sistemin öğrenme, bellek ve duyguların yönetiminde rolü olan hipokampus alanındaki hücrelerde de meydana gelmekte ve bu işlevlerin bozulmasına neden olmaktadır. Bu hücreler bir nörotransmitter olan asetilkolini en fazla kullanan hücrelerdir. Otopsi yapılan hastaların beyin dokusunda alüminyum birikimleri saptanmıştır.

Klinik belirti ve bulgular: Alzheimer hastalığında klinik belirti ve bulgular hastalığın evrelerine göre değişmektedir. Hastalığın evreleri ve bu evrelere ilişkin klinik bulgular Çizelge 55.4'de verilmiştir. Alzheimer hastalığının her

Çizelge 55.3: Alzheimer Hastalığı İçin Risk Faktörleri

- Yaş
- Cinsiyet (Kadın/erkek 2/1)
- Aile öyküsü (tartışmalı)
- Düşük eğitim düzeyi (tartışmalı)
- Kafa travması (tartışmalı)
- Sigara
- Apo E4 (Apo E 4 alleli)
- Down sendromu
- Diğer nedenler
    - Hiperkolesterolemi
    - Homosistein
    - Arteriosklerotik kalp hastalığı, MI, atrial fibrilasyon, HT
    - Tip 1 DM

Çizelge 55.4: Alzheimer Hastalığının Evreleri ve Bulguları

Evre	Klinik bulgular
Evre I. (Erken)	Hasta tarafından gizlenebilen ya da yönetilebilen dalgınlık ve unutkanlık Çevreye, olaylara karşı umursamazlık ve ilgisizlik, sosyal aktivitelere katılımda azalma Yeni bilgilerin öğrenilmesinde, yeni durumlara uyumda güçlük Spontan aktivitelerde ve yargılama gücünde azalma Durgunluk, konsantrasyon güçlüğü Ev ve iş yaşamını sürdürmede güçlükler Unutkanlıkta artma, yakın arkadaşlarının ve aile üyelerinin adını anımsamada güçlük
Evre II. (Orta/ilerleyici)	Eşyalarını kaybetme eğilimi Konfüzyon Korkusuzluk, umursamazlık Kolay sinirlenme ve öfkelenme Eşyaları saklama ve biriktirme Basit hesapları yapmada güçlük Basit uyarıları izlemede güçlük Bireylere karşı öfkeli ve kuşkulu tutumlar Anlamsız dolaşma ve tekrarlayıcı fiziksel hareketler Uyku alışkanlığında değişiklik/geceleri uykudan uyanıp dolaşma Beslenme alışkanlığında değişiklik/doyduğunun farkına varmama yada aşırı yemek yeme GYA yerine getirme ve bireysel hijyenini sağlamada yetersizlik İdrar ve dışkı alışkanlığında değişiklik ve giyinme güçlükleri Güvenliğini sağlamada yetersizlik/kaybolma Soyal ilişkilerde bozulma Paranoid düşünceler
Evre III.(İleri/geç)	İletişimde bozulma Yemek yeme güçlüğü Hızlı ve belirgin kilo kaybı İdrar ve dışkı inkontinansı Emme, yakalama gibi ilkel reflekslerin ortaya çıkması Aile üyeleri ve arkadaşarını tanıyamama Yatağa bağımlılık

evresindeki klinik belirti ve bulguların sayısı ve evrelerin süresi bireysel farklılıklar gösterir.

Prognoz: Hastalık genellikle ilerleyici bir seyir göstererek hastalığın beyinde etkilediği alana bağlı olarak 5-15 yıl içinde ölümle sonuçlanır. Genellikle dehidratasyon, beslenme bozukluğu gibi nedenlere bağlı sistemik bozukluklar ya da enfeksiyon ölüme yol açar.

Tanı yöntemleri: Alzheimer hastalığında tanı hem hasta hem de hekim için güçtür. Hastalığın tanısında basit bir değerlendirme yöntemi yoktur. Tanıda hastadaki klinik bulgular ve Alzheimer hastalığı bulgularına benzer bulguları olan diğer faktörlerin dışlanması önemlidir. Aşırı dozda ilaç kullanımı, metabolik bozukluklar, depresyon, tiroit bozuklukları, beyin tümörleri gibi durumlar Alzheimer hastalığındaki bulgulara benzer bulgulara neden olabileceğinden dışlanması gerekir. Laboratuvar bulguları olarak BOS'da eta amiloid düzeyinde azalma ve tau düzeyinde yükselme olabilir. Beyin BT'si ve MRG gibi görüntüleme yöntemleri beyindeki atrofilerin saptanmasında yardımcı olur. Hastalığın ileri evrelerinde EEG'de beyin dalgalarında yavaşlama saptanabilir.

ICD-10, DSMIV, NINCDS-ARDRA Uluslarası kabul edilen Alzheimer tanı kriterleridir. Hastaların bilişsel durumunu değerlendirmede mini mental durum değerlendirmesi (MMSE) ve saat çizme testinden (SÇT) yararlanılabilir. Kesin tanı otopside beyin biyopsisi yapılarak beyindeki atrofik lezyonların saptanması ile konur.

Tedavi: Alzheimer hastalığının kesin tedavisi yotur. Tedavi bulguların kontrol altına alınması ve hastalığın ilerlemesini kontrol altına almaya yöneliktir. Davranışsal bulguların tedavisinde antipsikotikler, sedatifler, anksiyete giderici ilaçlar ve antideperesanlar kullanılabilir. Bir antikolinesteraz olan Tacrine hidroklorid (Cognex) bilişsel işlevlerde düzelme sağlar. Karaciğer toksisitesi, bulantı, kusma, diyare, karın krampları ve deri döküntüleri gibi yan etkileri vardır. Donepezil (Aricept) bilişsel işlev bozukluğunu kontrol altına almada önerilen bir başka ilaçtır.

Tacrine'den daha az yan etkisi olduğu bildirilmekteir. Rivastigmin tartarate (Exelon) bir başka antikolinesteraz inhibitörüdür ve hastaların bilişsel düzeyi ve GYA yerine getirebilme yetisini geliştirmektedir. Bulantı, kusma, iştahsızlık ve kilo kaybı gibi yan etkileri vardır. Beyindeki nikotinik reseptörlere etkili olan bir başka antikolinesteraz inhibitörü olan Galantamine hidrobromid (Reminyl) hastanın GYA yetisi ve bilişsel düzeyinde düzelme sağlayan en yeni ilaçtır. Bu ilacın da bulantı, kusma, iştahsızlık, diyare ve kilo kaybı gibi yan etkileri vardır. Hiperaktif hastaların beslenmesinde yüksek kalorili diyetle sık ve küçük öğünlerle beslenmenin sağlanması ve kostipasyonu önlemek için bol lifli gıdalar önerilmelidir.

Hemşirelik Yönetimi

Değerlendirme: Değerlendirmede subjektif ve objektif verilerden yararlanılır.

Subjektif veriler: Hastanın bireysel sağlık ve hastalık öyküsü, uyku ve yemek yeme alışkanlıkları, hastalığa ilişkin belirti ve bulgularının verileri hasta yakınları ile yapılan bireysel görüşmelerle elde edilir.

Objektif veriler: Hastanın bellek, algılama, yargılama ve düşünme sürecinde değişimle ilgili veriler hastanın nörolojik incelemesi ile elde edilir. Objektif değerlendirmede hastanın yemek yeme alışkanlığı, idrar ve dışkı kontrolü, saldırgan tutumları, depresyonu, hareketliliği, ajitasyonu, huzursuzluğu, uyku alışkanlığı, işitme ve görme duyuları değerlendirilir. Hastanın bireysel bakımını yapabilme yetisi, mali işleri yürütebilme yetisi, yemek hazırlama, telefon ve ev gereçlerini kullanabilme, ev işlerini yapabilme durumu, iletişim ve çevreyi algılama durumu değerlendirilmesi gereken objektif veri kaynaklarıdır. Aile, destek gruplar ve bakım vericiler için bakımı kolaylaştıracak ve yardımcı olabilecek alternatif bakım seçenekleri de değerlendirilmelidir.

Hemşirelik tanıları: Hemşirelik değerlendirmesiyle elde edilen subjektif ve objektif verilere dayanarak saptanabilecek hemşirelik tanıları aşağıda verilmiştir:

- Algılama, yargılama, güçsüzlük ve konfüzyon nedeniyle çevredeki tehlikeleri algılama güçlüğüne bağlı *yaralanma riski*
- Nöronlardaki dejenerasyon ve uyku bölünmelerine bağlı *düşünme sürecinde değişim*
- Oryantasyon bozukluğu ve huzursuzluk nedeniyle *uyku alışkanlığında değişim/uykusuzluk*
- Bilişsel süreçde bozulmaya bağlı *bireysel bakımını sürdürmede yetersizlik*
- Bilişsel süreçde bozulmaya bağlı *çevreyi algılamada bozulma*
- Bilişsel süreçde bozulmaya bağlı *sözel iletişimde bozulma*
- Bilişsel süreçde bozulmaya bağlı *beslenmede değişiklik/gereğinden az ya da çok beslenme*
- Bilişsel süreçde bozulmaya bağlı *idrar ve dışkı inkontinansı*
- Uzun süreli bakım gereksinimi nedeniyle *aile içi baş etmede yetersizlik riski*

Planlama/amaç: Hemşirelik girişimleri hastanın kendisine olan saygısının ve itibarının korunması, hastanın yaralanma yaşamadan güvenli bir çevrede yaşaması, yaşam kalitesini en üst düzeyde sürdürmesi, olabildiğince uzun süre bakımına katılımının sağlanması, yeterli iletişimin sürdürülmesi, yeterli ve dengeli beslenmenin sürdürülmesi, yeterli uyku ve dinlenmesinin sağlanması, hastalıkla birlikte ortaya çıkabilecek sorunların en aza indirilmesi, hastanın bakımında aile üyelerinin daha fazla rol almasının sağlanması, hasta ve ailesine evinde destek olunması amaçlarına yönelik olarak planlanır.

Hemşirelik Girişimleri
- Hastanın kendine bakım aktivitelerine katılımının desteklenmesi
- Basit günlük aktiviteleri yapabilmesi için plan yapılması, aktivitelerin yapılabilmesi için sabırla yaklaşılması ve zaman tanınması, yapması gerekenlerin gerektiğinde tekrar tekrar hatırlatılması
- Hastanın iletişim düzeyine göre iletişim yöntemlerini belirlemesi, hastaya ismiyle hitap edilmesi, açık, net, anlaşılabilir, kısa ve basit sözcüklerle, alçak ses tonuyla konuşulması, aynı anda birden fazla soru sorulmaması
- İleri evrelerde alternatif iletişim tekniklerinden yararlanılması
- Belleği güçlendirici girişimler ve güçlendirme aktivitelerine katılımının sağlanması
- Günlük olaylar, geçmiş yaşamı anımsamaya yardımcı olacak fotoğraf albümü gibi hatırlatıcıların kullanılması
- Günlük işlerde düzen sağlayarak bellek kaybı artışının engellenmesi ve anksiyetenin azaltılması
- Saat, takvim, yön gösteren işaretler, renkli bantlar, yemek saatleri, yemek listesi, mevsim, hava durumu gibi bilgilerin büyük harflerle yazılarak kolayca okunabilecek bir yere asılması
- Stresden uzak, çevresel uyaranların sınırlı olduğu ortam sağlanması
- Kurumda kalan hastaların özel eşyalarını (saat, battaniye, fotoğraf vb.) yanında getirmesine izin verilerek yabancılık yaşamasının engellenmesi
- Sade, karışıklığa neden olmayacak, az sayıda eşya ve renk içeren, aydınlatması iyi ayarlanmış ortam düzenlenmesi
- Kendisine ve çevresine zarar vermemesi için güvenli çevre sağlanması
- Yangın alarmı, telefon, televizyon gibi ajitasyona neden olabilecek gürültü kaynaklarından uzak bir oda sağlanması
- Kaygan zemin, keskin objeler, sıcak su, toksik maddeler açısından güvenli bir ortam sağlanması
- Yeterli aydınlatma, kapı ve pencere güvenliğinin sağlanması
- Merdiven ve çıkış kapısından uzak, hemşire deskinden kolayca gözlenebilecek bir oda sağlanması
- Bulunduğu yerden izinsiz çıkmasını önleyici önlemler alınması, tanıtıcı kimlik kartı ya da künyesi sağlanması, bir fotoğrafının dosYa da bulundurulması
- Ajitasyonu arttıracağından yatağa tespit etmekten kaçınılması
- Görme, işitme duyularının kontrolünün yapılması
- Daha önceki tuvalet alışkanlığının değerlendirilmesi ve düzenli aralıklarla tuvalete götürülmesi ya da gitmesinin hatırlatılması
- Sallanma, kıvranma, elbisesini kaldırma gibi tuvalet gereksinimi ip uçlarının değerlendirilmesi
- Tuvaletin yönünü belirten renkli bantlar, dikkat çekici işaretler kullanılması, tuvalete giden koridorların aydınlatılması ve güvenliğinin sağlanması
- Gece inkontinansını önlemek için akşam sıvı alımının kısıtlanması
- Fermuar, düğme, dar giysiler gibi tuvalet gereksinimini karşılamayı güçleştirecek kıyafetlerin kullanımından kaçınılması
- Tuvalete gitmekte direnç gösteren hastanın zorlanmaması
- İnkontinansı olan hastların ıslak kalmaması ve hijyenine dikkat edilmesi
- Gerekmedikçe kateterizasyondan kaçınılması
- Bilişsel yetilerin bozulması, çiğneme sorunları (eksik diş, uygun olmayan protez), yutma güçlüğü gibi beslenme değişikliğine neden olan etmenlerin belirlenmesi
- Sessiz ve sakin bir yemek ortamı sağlanması, görüntüsü hoş ve iştah açıcı yemek sunumunun sağlanması
- Küçük lokmalarla beslenmesi, boğulmayı önlemek için lokmaların yutulup yutulmadığının kontrol edilmesi, yutması kolay olan sıvı ve yarı katı gıdaların verilmesi
- Yeterli sıvı alımının sağlanması, yanıkları önlemek için sıcak yiyecek ve içeceklerin verilmesinden sakınılması
- Yemek için yeterli zaman ayrılması, acele edilmemesi
- Çatal, kaşık kullanamayan hastanın elle yemek yemesine izin verilmesi, elle yenmesi uygun olan yiyeceklerin sunulması
- Kendisini ve etrafını kirleteceği endişesiyle kendisinin yemek yemesine engel olunmaması
- Yediği öğünün hangisi olduğunun, yemekte neler olduğunun ve gerekiyorsa yemek yeme adımlarının hatırlatılması ve gösterilmesi
- Aile üyeleri ve bakımını üstlenen bireylere destek ve danışmanlık sağlanması, destek gruplara katılım, alternatif sağlık bakım kuruluşları ve etkin baş etme yöntemlerinin öğretilmesi

Beklenen sonuçlar
- Hasta kaza ve yaralanma yaşamadan güvenli bir ortamda yaşamını sürdürebiliyor olmalı
- Bilişsel işlevlerini en üst düzeyde sürdürebiliyor olmalı
- Kendi bakımına en üst düzeyde aktif katılımı sürdürebiliyor olmalı
- Yeterli ve dengeli beslenebiliyor olmalı
- Yeterli uyuyabiliyor ve dinlenebiliyor olmalı

- Yeterli ve uygun iletişimi sürdürebiliyor olmalı
- İdrar ve dışkılama gereksinimleri uygun şekilde sürdürülebiliyor olmalı
- Aile ve bakımın üstlenen bireyler evde bakımı uygun şekilde sürdürebiliyor ve destek alabiliyor olmalı

Alzheimerlı hastanın kurum ve evde güvenli bakımı için öneriler Çizelge 55.5'de verilmiştir.

Müsküler Distrofiller

Müsküler distrofiler iskelet kasları ve istemli kaslarda yetersizlik ve ilerleyici güçsüzlükle karakterize bir grup kronik kas hastalığıdır. Çoğu kalıtımsal özellikte olan bu grup hastalıklardan en fazla bilinen Duchenne tipi müsküler distrofidir. X'e bağlı resesif geçiş gösterir. İnsidansı erkeklerde 25/100.000'dir. Bağ dokusu ve kas liflerinde dejenerasyona bağlı kaslarda ilerleyici güçsüzlük ve kreatin kinaz olarak bilinen kas enzimlerinin serumdaki düzeyinde yükselme, EMG ve kas biyopsiside normal dışı bulgular vardır.

Genellikle erken yaşlarda yürümede beceriksizlikve merdiven çıkmada güçlükle kendini gösterir. Hastanın muayene bulgularında lomber lordozda artış ve ördekvari yürüyüş saptanır. Baldır kaslarında hipetrofi vardır. Hastalığın prognozu bireysel farklılılar gösterir. Ancak bu hastaların erişkinlik dönemine ulaşması güçtür. Genellikle 20 yaş civarında pnömoni gibi araya giren bir başka hastalığa bağlı olarak ölümle sonlanır. Tedavi destekleyici bakım ve komplikasyonların önlenmesine yöneliktir. Destekleyici bakımda hastanın olabildiğince aktif olması ve işlev kaybının en az düzeyde tutulmasına yönelik egzersiz programı uygulanır ve geceleri yatarken kas gerginliğini koruyucu yardımcı gereçler kullanılır.

Beyin Tümörleri

Merkezi sinir sisteminin iyi ya da kötü huylu tümörlerinin bazıları, sinir sisteminden kaynaklanan primer tümörler olup, bazıları metastatik veya sekonder tümörlerdir. Bu bölümde beyin tümörleri, spinal tümörler ve hasta bakımları tartışılacaktır.

Epidemiyoloji

Beyin tümörleri, merkezi sinir sisteminin en kötü lezyonları olup, hasta ve aile için kabul edilmesi zor ve uğraştırıcı hastalıklar arasında yer almaktadır. Beyin tümörleri tedavi edilmezlerse, iyi veya kötü huylu, beynin dışında veya içinde, hızlı veya yavaş büyüyen, yayılan veya yayılmayan tipte olsalar bile, kafatası içinde büyüyerek beyine baskı uygularlar ve öldürücü olabilirler. Beyin tümörleri köken aldıkları hücre gruplarına göre primer ve sekonder tümörler olmak üzere iki temel grupta incelenirler. Primer beyin tümörleri, beyin parankimi veya beyni çevreleyen leptomeninkslerden gelişirken, sekonder beyin tümörleri, kafatasına komşu yapılardan foromenler yoluyla veya uzak bölgelerden özellikle, kan yoluyla beyin ve beyni örten meninkslere yayılım gösteren metastatik lezyonlardır.

Beyin tümörü tanı ve tedavisinde güçlükleri olan bir hastalıktır. Beyin tümörleri çocukluk çağı tümörleri arasında ikinci, 50 yaşından sonra özellikle başka organ kanserlerinin beyine olan yayılımıda göz önüne alındığında üçüncü en sık görülen tümör gurubunu oluşturur.

Amerika Birleşik Devletlerinde 2003 yılında 190.600 beyin tümörü vakası tanılanmıştır. Vakaların 40.600'ü primer, 150.000'i metastatik ya da sekonder tümörlerdir. Amerikan Kanser Derneği 2008 kayıtlarına göre; beyin ve diğer sinir sistemi kanseri olarak tanılanan yeni vaka sayısı 21.810 (erkeklerde 10.730, kadınlarda 8.090), ölüm 12.820 (erkeklerde 7.260, kadınlarda 5.550) olarak bildirilmektedir.

Türkiye'de TC Sağlık Bakanlığı İstatistiklerine göre; beyin kanseri erkeklerde, %3.40, kadınlarda, %3.52 olarak saptanmıştır. Beyin tümörlerindeki artışın toplumun konuyla ilgili bilinçlenmesinden ve gelişmiş tanı yöntemlerinin kullanılması ile tanılamanın erken yapılmasına bağlı olduğu düşünülmektedir.

Bütün kanserler %20 oranında beyni etkilemesine karşın, bunların %2'si beyinden kaynaklanmaktadır. Beyinde bir yılda gözlenen tüm kanser olgularının yaklaşık %1.5-2'si doğrudan veya dolaylı olarak beyine yerleşirler. Beyin tümörleri tüm yaşlarda kadın erkek hastalar arasında eşit oranda görülmektedir.

Çizelge 55.5: Alzheimer'lı Hastanın Kurum ve Eve Bakımında Güvenli Çevre Sağlanması İçin Öneriler

- Mobilyaların yerini değiştirmeyiniz
- Bulunduğu ortamda karışık desen ve renkler kullanmaktan, karışıklığa neden olabilecek fazla eşya kullanımından kaçınınız
- Hastanın bulunduğu ortama uyumunu sağlayınız ya da ona uygun değişiklikler yapınız
- Yer döşemelerinin kaygan olmamasına dikkat ediniz ve sabitleyiniz
- Yeterli aydınlatma sağlayınız
- Ajitasyona neden olabilecek yüksek ses ve alarmlardan kaçınınız
- Kullandığı su ve yiyeceklerin sıcaklığını kontrol ediniz
- Dışarıya çıkıp kaybolmasını önleyecek düzenlemeler yapınız
- Makas, bıçak gibi kesici aletler, sıcak su ve su ısıtıcısı kullanımı, zehirlenmelere neden olabilecek boya, ilaç, temizlik malzemesi, böcek ilacı kullanımı, silah, elektrikli gereçler gibi kaza ve yaralanmalara neden olabilecek gereçlerin kullanımını engelleyecek önlemler alınız

Tüm beyin tümörlerinin %50'ni gliomalar, (%20)'ni menenjiomalar, (%10)'nu hipofiz adenomları, (%8)'ni nörinomalar, (%53)'nü medulloblastomalar, (%3)'nü kraniyofarinjiomalar, (%0.4)'nü pineal tümörler oluşturur.

Etiyoloji
Primer beyin tümörlerin etiyolojisi tam olarak saptanmamıştır. Ailesel eğilim, kalıtım, immunosupresyon ve çevresel faktörlerin beyin tümörlerinin etiyolojisinde etkili olduğu düşünülmektedir. Beyin tümörleri, koruyucu engel hasara uğramadıkça vücudun başka bir bölgesine metastaz yapmayabilir. Primer ve sekonder beyin tümörleri için koruyucu önlemler yoktur. Sekonder beyin tümörlerini önlemek için yapılan agresif tedaviler, beyin metastazını önleyebilmesine karşın, hastalar bu tedaviyi tolere edemiyebilirler veya bazen yapılan tedaviler başarılı sonuç vermeyebilir. Deneysel çalışmalar, sistemik kanser tedavisi için verilen kemoterapotik ajanların kan-beyin bariyerinde tutulduğunu göstermektedir. Bu hastalarda koruyucu bariyerde bozulma sonucunda metastatik tümörlerin gelişebildiği belirtilmektedir. Kan-beyin bariyerindeki değişiklikler nedeniyle bu tümörler, beyin içine hızla yayılmaktadır. Üçüncül önlemler, tıbbi girişimin lokalizasyonuna, tipine ve yoğunluğuna bağlı olarak çeşitli nörolojik hasarlar oluşturabilir.

Patofizyoloji
Beyin tümörleri *"yer kaplayan oluşumlar"* olarak adlandırılmaktadır. Tümör normal dokuyla veya normal doku alanlarıyla yer değiştirerek yayılır. Primer beyin tümörlerinin, anormal Deoxyribo Nucleic Acid (DNA) hücrelerin, koloni veya tek hücresinin durdurulmasından kaynaklandığı düşünülmektedir. Anormal DNA, hücrelerde kontrolsüz bölünmeye neden olur. İmmun sistem, hücrenin kontrolsüz büyümesine ve dokunun kendini yenilemesine yardımcı olamaz ve yüzeyi kaplayan tümörler serebral ödeme neden olur. Beyin dokuları baskılandığında, fonksiyon yapamaz ve nekroza uğrar. Beyin tümörleri tedavi edilmediği durumlarda, kafa içinde basınç artışına ve herniasyona neden olur. Basınç artışı, kan basıncı, nabız, solunum gibi önemli merkezleri olumsuz etkileyerek ve ölüme neden olabilir.

Beyin Tümörlerinin Sınıflandırılması
Beyin tümörleri, serebrovasküler olaylardan sonra en sık görülen nörolojik patolojiler içinde yer alır. Beyin tümörleri, kapsüllü, kapsülsüz veya invaziv olabilir. Temelde köken aldıkları hücre tipine, histolojik yapılarına göre sınıflandırılmakta ve isimlendirilmektedir. Biyopsi veya eksizyon durumuna göre de, evrelendirilmektedir. Beyin tümörleri ile ilgili ilk olarak, Bailey ve Cushing tarafından ortaya konulan sınıflama günümüzde Dünya Sağlık Örgütü (DSÖ) tarafından 1993 yılında geliştirilmiş ve evrensel olarak kabul edilmiştir. Buna göre beyin tümörleri 11 ana grupta yerleşik ve herbiri kendi içinde tekrar bölünme gösteren alt gruplara toplanmış ve Çizelge 55.6'da gösterilmiştir.

Çizelge 55.6 Yetişkinlerde Beyin Tümörü Sınıflaması

I. İntraserebral Tümörler

A. Glioma – Beynin herhangi bir bölümüne infiltrasyonu; en sık görülen beyin tümörleri

    1. Astrositoma (Evre I ve II)

    2. Glioblastoma Multiform (Astrositoma Evre III ve IV)

    3. Oligodendrositoma (düşük ve yüksek evre)

    4. Ependidoma (Evre I ve IV)

    5. Medulloblastoma

II. Destek Yapılardan Kaynaklanan Tümörler

    A. Menenjioma

    B. Nöroma

    C. Hipofiz Adenomu

III. Gelişimsel Tümörler

    A. Anjioma

    B. Dermoid, Epidermoid, Teroma, Kraniofranjioma

Smeltzer S.C, Bare B.G, Hinkle J.L, Cheever K.H (2010) Neurologic Function, Brunner & Suddarth's Textbook of Medical Surgical Nursing, 12th Edition, Philadelphia: Lippincott Williams & Wilkins; Volume I, P:1976.

Dünya Sağlık Örgütü (DSÖ) Ölçütlerine Göre Klinikte Sık Karşılaşılan Beyin Tümörleri

Glial tümörler

Genel olarak intraaksiyal yerleşimli, kapsülsüz ve diffüz büyüme özelliği gösteren, beyaz cevherde uzun traktüsler boyunca yayılan ve komissural lifler boyunca karşı hemisfere geçebilen tümörlerdir. Tek tip hücreden gelişebildikleri gibi karışık yapılanmada gösterirler.

Astrositoma

Genel olarak intraaksiyal yerleşimli, kapsülsüz ve diffüz büyüme özelliği olan, beyaz cevherde uzun traktüsler boyunca karşı hemisfere geçen tümörlerdir. Glial tümörler tüm beyin tümörlerinin %45-55'ni oluşturur. Tüm glial tümörlerin yaklaşık %55-80'i astrositlerden köken alır ve *astrositoma* olarak adlandırılır. Astrositomalar, en sık frontal lobda görülür. Genellikle ilk klinik görüntü, mental değişiklikleri izleyen nöbettir. Evre I ve evre II genellikle, iyi huylu tümörler olup gençlerde sık görülür, evre III ve evre IV *gliomablastoma multiforme* olarak adlandırılır ve MSS kanserleri içinde en yaygın ve öldürücü olanıdır. Tedavide ilk basamak cerrahi olup, amaç nörolojik fonksiyon kaybı oluşturmadan dekompresyon sağlamaktır. Cerrahi girişim, kemoterapi, radyoterapi kombinasyonlarında bile yaşam şansı, birkaç ay ile birkaç yıl arasında sınırlıdır. (Şekil 55.2)

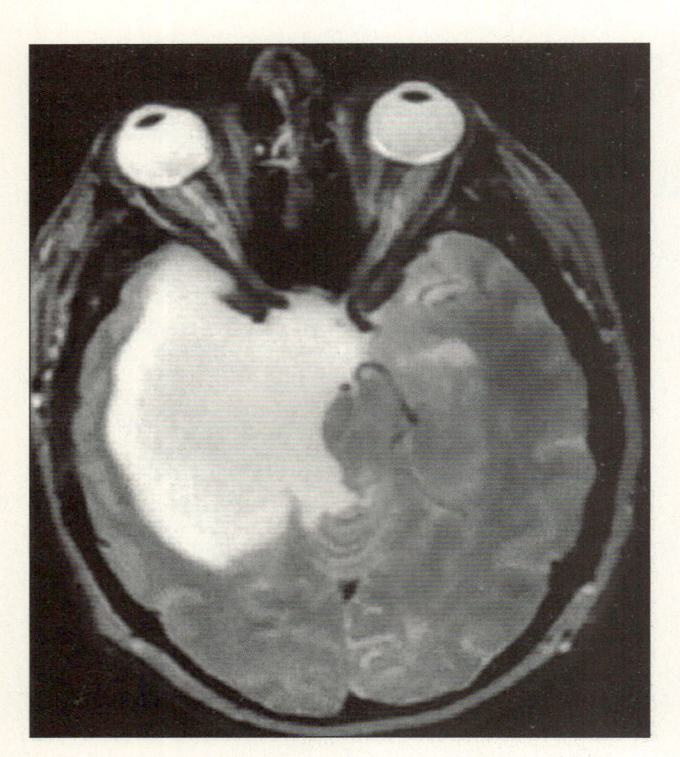

Şekil 55.2: Astrositoma
Kaynak: http://rad.usuhs.mil/rad/who/Astro.html

Oligodendroglioma

Beyin tümörlerinin %4-5'ni oluşturur ve sıklıkla orta yaş grubunda, 30-50 yaşlarında görülür. Miyelin üreten hücreler, beynin beyaz hücrelerinden kaynaklanır. Beynin korteks, frontal ve pariyetal loblarından kaynak alırlar. Kalsifiye ve oldukça yavaş büyüyen tümörler olup, X-Ray ile tanılanabilmektedir. Erken belirtiler, baş ağrısı, nöbet, klinik değişiklikler ve papil ödemi (optik diskde hiperemi)'dir. Bazı olgulara kemoterapi, radyotarapi veya bunların kombinasyonu ile tedavi uygulanmaktadır.

Epandimoma

Genellikle ventrikül içine yerleşen bu tümörler, tüm primer beyin tümörlerinin %1-3'nü oluşturur ve çocukluk çağında erişkinlerden daha sık saptanır. Hastada ventrikül tıkanması nedeniyle, baş ağrısı, bulantı, çift görme, ataksi, baş dönmesi ve görme değişiklikleri vardır. Cerrahi tedaviye ek olarak radyoterapi uygulanarak tedavi edilirler.

Ganglioglioma

Genelde nadir görülen ve serebral hemisferlerde, özellikle temporal lobda yerleşme eğiliminde olan mikst/karışık hücresel yapıya sahip tümörlerdir, 10-30 yaşlar arasında klinik bulgu verirler. Birincil tedavi seçeneği radikal cerrahi olup, tamamen çıkarılamayan ve/veya anaplastik yapılanma gösteren tümörlerde erken radyoterapi endikasyonu vardır. Yaşam şansı %80'den fazladır.

Beyin Sapı Gliomaları

Genellikle 20 yaşından önce klinik bulgu veren, % 70 oranında çocukluk çağında görülen yerleşimi ve ilerleyici karakteri nedeniyle prognozu kötü olan tümörlerdir. Bu tümörler birden fazla kraniyal sinir tutulumu ve buna bağlı ekstraoküler kas paralizileri, fasiyal paralizi, yutma güçlüğü, hemiparezi ve kuadriparezi, ataksi, vertigo ve hidrosefaliye bağlı KİBAS belirti ve bulgularına neden olurlar. Diffüz gliomların cerrahi tedavisi mümkün olmayıp, amaç; doku tanısı ve varsa nekrotik bölümün dekompresyonunu sağlamaktır.

Sellar ve Parasellar Tümörler
Hipofiz Adenomları

Hipofiz adenomları (pitütier adenomlar); yavaş büyüyen, hipofiz bezinin ön yüzünde endokrin hücrelerden kaynaklanan veya III. ventrikül içine genişleyen iyi huylu, küçük, kapsülsüz tümörlerdir. Hipofiz adenomları kafa içi tümörlerin % 10' nu oluştururlar, çoğunlukla 30-40'lı yaşlarda görülürler. Kadın ve erkeklerde rastlanma oranı aynıdır. Belirti ve bulgular Hastalarda hipofizin fonksiyonlarında azalma, görme kusurları, mensturasyon düzensizliği veya olmaması, infertilite, libido kaybı, impotans, vücut kıllarında azalma, troid ve adrenal fonksiyonlarda azalma görülür. Adenomların hemen hemen yarısı hormonaktif tümörlerdir. Tümörler büyüyüp komşu dokulara yayıldığında, komşu dokularda basıya neden olurlar. Pitüiter adenomlar genellikle ya bezin hormon salgılamasındaki bozulmaya bağlı endokrinolojik bir bozukluk sonucu ya da tümörün kendisinin, hipofize komşu oluşumlar üzerine kitle etkisi oluşturması sonucu ortaya çıkarlar.

Bu ikinci olasılıkta tümör ancak belli bir büyüklüğe ulaştıktan sonra çevre yapılar üzerinde kitle etkisine neden olur. Daha nadir olarak da tümör içine kanama ile ortaya çıkmaktadır. Tanı kan veya hormon incelemesi ile konur. Bazen hipo ve hiper sekresyon birlikte görülür.

Tedavi

Pituiter adenomların cerrahi tedavisi tümörün intrasellar-parasellar yerleşimi, biçimi, hastanın klinik durumu, beklenen rezeksiyon derecesi gibi kriterler gözönüne alınarak transsfenoidal veya transkraniyal olmak üzere iki temel yaklaşım yolu ile yapılır.

Hipofiz cerrahisinin en yaygın yan etkisi, antidiyüretik hormon (ADH) sekresyonunun azalmasına bağlı olarak, geçici diabetes insiputus (DI) gelişmesidir. DI' lu hastalar büyük miktarda(2-15L/gün) dilüe idrar çıkartırlar. Bu hastaların kan serum ve idrar serum osmalaritesi değerlendirilmelidir. Kayıplar oral ve IV sıvı tedavileri ile yerine konulursa hipovolemik şok ve hipertonik ensefalopati önlenebilir. Genellikle IV vazopressin (pitressin) veya desmopressin inhalasyonu (DDAVP) ile tedavi edilir. DI için bu ajanların uzun etkili olanları kullanılır.

Kraniofarangioma

Tüm beyin tümörlerinin yaklaşık %2.5-4'nü oluştururlar. Çoğunlukla 5-15'li yaş grubunda daha sık görülmelerine karşın, 50 -60'lı yaşlar arasında klinik bulgu verirler. İntraaraknoidal, ekstrapiramidal (ekstaraaksiyal) tümörlerdir. Tanı endokrin fonksiyonlarla (libido azalması, impotans, infertilite, sekonder amonere, galaktore) ile ilgilidir. Çocuklarda gelişme geriliği, erişkinlerde seksüel, menstrual disfonksiyon görülür. Bilgisayarlı tomografide tipik olarak parasellar yerleşimli yer yer kalsifiye, kistik görünüm vardır. Kraniofarangiomalar histolojik olarak iyi huylu tümörler olup, birincil tedavi tümörün cerrahi olarak total çıkarılmasıdır. Bu hastaların yaklaşık %15-25'de eşlik eden hidrosefali nedeniyle ventrikülo-peritoneal (V-P) şant takılması gerekebilir.

Teratoma

İki ay altındaki infantlarda tüm beyin tümörlerinin %50'ni ve tüm çocukluk çağı tümörlerin %2'ni oluştururmaktadır. Bilgisayarlı tomografide polikistik, diş ya da kemik dokusu içeren ve solid komponenetli ileri derecede kontras lezyonlar saptanır. Tedavisi cerrahi olup, anaplastik değişiklikler içeren teratomlarda, radyoterapi ve/veya kemoterapi uygulanması gerekebilir. İmmatür ve kötü huylu olanlarda yaşam süresi nadiren beş yıla kadar ulaşır.

Destek Yapılarının Tümörleri
Meningioma

Meningiomalar, meninkslerin araknoid hücrelerinin yaygın iyi huylu tümörleridir. Görülme sıklığı ortalama 100.000'de 2.3-5.5 olup, artan yaşla bu oran yükselir. Genellikle orta yaşta görülen, yavaş büyüyen tümörlerdir. Etiyolojide; travma, virüs, radyasyon, ve bazı kansorejenler hazırlayıcı faktörler arasında bulunmaktadır. Tanı, direkt grafi, bilgisayarlı tomografi ve komşu venöz sinüslerdeki akımın görüntülenmesinde kullanılan manyetik rezonans görüntüleme, anjiyografi ve venografi ile konulabilir. Bulunduğu yere göre belirti ve bulgu verirler. Tedavide, mümkün olduğu kadar total eksizyon amaçlanmalı ve hasta cerrahi tedaviden sonra sürekli izlenmelidir. Sterotaktik radyoterapi özellikle çapı 3 cm'nin altındaki lezyonlarda sıklıkla başvurulan tedavi yöntemidir.

İntraventriküler Tümörler

İntraventriküler tümörler tüm merkezi sinir sistemi tümörlerinin yaklaşık % 8-10'nu oluştururlar. Ventrikül içinde sıklıkla astrositomalar, menengiomalar, epandimomalar, kolloid kist, kraniofarangiomalar, koroid pleksus tümörleri görülür. Tedavide tümörün tipine, hücrenin yapısına, rezeksiyonun derecesine ve diğer tedavilere duyarlılığa göre cerrahi, radyoterapi ve kemoterapi uygulanır.

Pineal Bölge Tümörleri

Pineal bez erişkinde 3. ventrikülün tavanının en üst dorsalinde yer alan ve ağırlığı 100-800 mg (ortalama 140 mg) arasında değişen, 8-12 mm uzunluğunda nörosekretuar bir organdır. Bez solid yapıda olup sentezlenen ürünler doğrudan vasküler sisteme verilir. Pineal bez sekresyonları fizyolojik olarak, indol aminler (melatonin ve seratonin) ve pineal peptidler olmak üzere iki gruba ayrılırlar. Melatoninin immün sistemi uyarıcı, aktive edici etkisi vardır. Melatonin bazı tümörlerin büyümesini tetikleyebilir. Pineal kitle lezyonları sıklıkla erken pübertede gözlenir. Nedeni tam olarak bilinmemesine karşın, bu tümörlerin follikül uyarıcı hormon (FSH) ve lüteinizan hormon (LH) benzeri etki yapan B-HCG'nin salınımına bağlı olduğu düşünülmektedir. Melatonin uyku-uyanıklık siklusunda, üreme ve yaşlanma süreçlerinde rol oynarlar.

Belirti ve Bulgular

Pineal bölgede yer alan lezyonların başlıca etkisi komşu anatomik yapılara bası olup, buna bağlı hidrosefali,

KİBAS, letarji, bellek bozuklukları, infantlarda baş çevresinde artış, hipopituiterizm, diabetes insipitus, çift görme ve spinal metastaz sonucu radikülopati ve myelopati belirti ve bulguları vardır.

Tanı: Radyolojik inceleme (BT, MRG) ile tanılanırlar.

Tedavi: Pineal bölge tümörlerinin tedavisi tümörün histolojisine göre cerrahi, radyoterapi ve kemoterapi seçeneklerinin birinin ya da birkaçının birlikte uygulanmasını gerektirir.

Ponto-Serebellar Açı Tümörleri

Ponto-serebeller açı terimi, serebellum ve ponsun birleşim bölgesinin üç boyutlu konfigürasyonunun aksine gerçekte iki hattın birleşimi ile oluşan geometrik yapıyı ifade etmektedir. Ponto-serebeller açı, sebellumun ön yüzünün pons ile birleştiği bölge olup, V. VII. VIII. IX. XI. XI. kraniyal sinirler bu bölgeyi birbirine paralel bantlar oluşturarak çaprazlarlar. Ponto-serebeller açı tümörleri tüm intrakraniyal tümörlerin %5-10'nu oluşturur ve bu tümörlerin %85-92'si vestibulokoklear sinirden gelişen *akustik nörinoma*'lardır. Bu tümörler yavaş gelişirler ve erken dönemde belirti vermezler.

Akustik Nörinoma (Nörilemmoma, Perinöral Fibroblastoma, Vestibüler Schwannoma)

Erişkin insanda akustik sinir, 18 mm uzunluğunda olup bunun proksimal 8-12 mm'si nöroglialar, kalan kısmı ise schwann hücreleri tarafından desteklenir. Akustik nörinomalar, ventriküler sinirlerin Schwann hücrelerinin tümörleridir. Hastalarda kulak çınlaması, baş dönmesi, baş ağrısı, tek taraflı işitme kaybı (%67), tümör çapı ileri derecede artığında hidrosefali ve KİBAS bulguları vardır. Tümör büyürse (IV.-X. Kraniyal Sinir) ve beyin dokusu içine yayılır. Tanı Özel tanı yöntemleri (saf ton odiyometri, konuşmayı ayırt etme testi, vestibüler incelemeler ve uyarılmış işitsel beyin sapı cevabı) ve radyolojik incelemelerile konulur. Tedavi Kraniyal sinirleri koruyarak yapılan cerrahi rezeksiyondan iyi sonuç alınır. Buna karşın hastaların

Çizelge 55.7: Tümörlerin Yerleşim Yerlerine Göre Klinik Belirti ve Bulgular

Yerleşim yeri	Klinik belirti ve bulgular
Frontal lob	Mental durumda değişme, apati, davranış bozukluğu, deman s, depresyon emosyonel labilite, konsantrasyon bozukluğu, sosyal uyum bozukluğu, bilinç kaybı, konuşma bozukluğu, idrar veya gaita inkontinansı, motor bozukluklar, yürüme bozuklukları, paralizi, nöbet
Temporal lob	Kavrayış afazisi, genel psikomotor nöbetler, görme değişiklikleri, kişilik bozuklukları, ataksi, baş ağrısı, kafa içi basıncının artmasına bağlı olarak gelişen bulgular, yakın bellek kaybı
Paryetal lob	Duyu eksikliği, nöbet, agnozi, hiperestezi, parastezi, disleksi, baş ağrısı, sağ-sol oryantasyon bozukluğu
Oksipital lob	Baş ağrısı, kafa içi basınç artmasına bağlı belirti ve bulguler, görme agnozisi, körlük, halusinasyon, nöbet
Serebellar	Yürüme bozukluğu, düşme, ataksi, koordinasyon bozukluğu, titreme, baş dönmesi, nistagmus, hidrosefali
Beyin sapı	Vertigo, baş dönmesi, kusma, III-XII kraniyal sinirlerde fonksiyon bozukluğu, nistagmus, kornea refleksinin azalması, yürüme bozukluğu, baş ağrısı, kusma, motor ve duyusal kayıplar, sağırlık, kardiyak ve solunum yetmezliğine bağlı ani ölüm
Hipofiz/hipaotalamus	Görme eksikliği/kaybı, baş ağrısı, hormonal bozukluk, uyku bozukluğu, sıvı dengesizliği, ısı değişikliği, yağ ve karbonhidrat metabolizmasında dengesizlik, Cushing sendromu
Ventriküler	SSS dolaşımında tıkanma, hidrosefali, kafa içi basıncının ani artması, postural baş ağrısı

çoğu, geçici kulak çınlaması, denge sorunları, fasiyal sinir güçsüzlüğü yaşayabilirler.

Metastatik Beyin Tümörleri

Metastatik beyin tümörlerinin yıllık insidansı tüm primer beyin tümörlerine eşit olup, Amerika Birleşik devletlerinde her yıl 18.000 hastada soliter veya yaygın beyin metastazına rastlanmaktadır. Metastatik beyin tümörleri akciğer, meme, böbrek, malign melonom gibi tümörlerin beyine metastaz yapması sonucu görülen, araknoid üstünde beynin içinde yer alan tümörlerdir.

Klinik belirti ve bulgular: Başağrısı, bulantı, kusma, KİBAS belirtileri, ekstremitelerde motor güçsüzlük, kraniyal sinir tutulumuna bağlı fasiyal güçsüzlük, ataksi, tremor ve konuşma bozukluklarıdır.

Tanı: Sistemik kanser tanısı alan hastada nörolojik belirti ve bulguların gözlenmesi halinde bilgisayarlı tomografi ve manyetik rezonans görüntüleme ile tanı konur.

Tedavi: Tedavide cerrahi ve radyoterapiden yaralanılır. İntrakraniyal soliter lezyon sayısı, lezyonun büyüklüğü, beklenen yaşam süresi ve kalitesi cerrahi tedavi endikasyonunu belirleyen kriterlerdir. Prognoz, sistemik yayılımın derecesi, metastatik lezyonların sayısı, sistemik kanser tanısı ile intrakraniyal metastaz tanısı arasındaki sürenin uzunluğu ve tümörün biyolojik yapısına bağlıdır.

Çocukluk Çağında Görülen Tümörler

Çocukluk çağı beyin tümörleri, bu yaş grubunda görülen lösemilerden sonra ikinci sırada yer alırlar. En sık, astrositomalar, kraniyofarangiomalar, terotamalar, medulloblastomlara rastlanır.

Klinik belirti ve bulgular: Baş ağrısı, dengesizlik, çift görme, ataksi, lateral bakışta nistagmus, hidrosefaliye bağlı papil ödemi, 6. kraniyal sinir paralizisi ve menenjiyal yayılıma bağlı ense sertliği vardır.
Tanı: Manyetik Rezonans Görüntüleme (MRG)'de hidrosefali ve ventriküler dilatasyon saptanır.
Tedavi: Radikal cerrahi rezeksiyon ve sonrasında kemoterapi ya da radyoterapi uygulanır.

Beyin Tümörlerinde Belirti ve Bulgular

Son derece hassas ve gelişmiş cihazlara karşın, erken belirti ve bulgu vermemeleri nedeniyle beyin tümörlerinin tanısında geç kalınabilmektedir. Kafa içi basıncını artması en önemli klinik bulgudur. Kafa içi basıncını artması veya ödeme bağlı olarak baş ağrısı, kusma, papilödem ve serebral fonksiyonlarda değişme görülür.

Baş ağrısı
Frontal veya oksipital bölgede genel veya lokal, aralıklı baş ağrısı vardır. Baş ağrısının yoğunluğu zorlanma veya postür değişimine bağlı olarak değişir. Baş ağrısı sabahları daha sık görülür. Baş ağrısının şiddetinin artması bulantıya neden olur. Kusma merkezinin uyarılması sonucu hasta kusar ve bu evreden sonra baş ağrısının şiddeti azalır.

Bulantı ve kusma
Medulladaki kusma merkezine yerleşme ve tümörün ilerlemesine bağlı olarak geç meydana gelebilir. Bulantı ve kusma; beyin şişmesi, beyin ödemi, artan baş ağrısı ve/veya kemoemetik tetik alanının (Chemoemetic Trigger Zone/CETZ) stimülasyonu ile ilgilidir. Kusma, bulantı olmadan fışırır biçimde oluşur ve yemeklere ilgili değildir.

Papil ödemi
İyi veya kötü huylu tümörün invazyonu veya bası sonucu görülür. Papilödem'in patofizyolojisi kesin belli değildir. Merkezi retinal venlerde basınç artması, venöz dönüşte tıkanma oluşturur."Choked disc" olarak da bilinen papil ödemi, beyin tümörlerin en yaygın ve en sık rastlanan ilk bulgusu olabilir. Erken papiödemi, görmede değişiklik oluşturmaz ve gözün muayenesi sırasında ortaya çıkabilir. Uzamış papil ödemi, optik atrofi ve görme keskinliğinde azalma meydana getirir.

Nöbet
Beyin tümörlü hastalarda özellikle, serebral hemisfer tümörlerinde lokal veya yaygın nöbetler oluşabilir. Baş dönmesi nöbetin ilk bulgusu olabilir.

Baş dönmesi
Kraniyal sinirler üzerine bası veya intra kraniyal dolaşımda hasar nedeniyle meydana gelir.

Mental durum değişiklikleri
Letarji, uyuşukluk, konfüzyon, oryantasyon bozukluğu, kişilik değişiklikleri görülebilir. Diğer bulgular beyinde yerleşime göre değişir.

Lokal belirtiler
Beyin içinde tümörün oluşturduğu harabiyet, bası ve kan akımının engellenmesi sonucu, lokal zayıflık (hemiparezi), his kaybı (anestezi), anormal duyu (parestezi), duysal bozukluklar, konuşma bozuklukları, görme bozuklukları (momopia, diplopi, hemianopia), koordinasyon bozukluğu görülebilir. Çizelge 55.7'de tümörlerin yerleşim yerlerine göre klinik belirti ve bulgular görülmektedir.

Tanı Yöntemleri

Fizik muayene yapılıp, hastalık ve aile öyküsü alınmalıdır. BT, MRG, X-Ray, PET scan sıklıkla kullanılan yardımcı tanı yöntemleridir. Ayrıca EEG, radyonükleit scan, anjiyografi ve lomber ponksiyonla diğer bozukluklar saptanabilir. Stereoataktik biyopsi, tanıyı doğrulamak, kemoterapi, radyoterapi tedavisini planlamak, ayrıca beyin tümörünün yerleşimini saptayıp, rezeksiyonun planlanmasında yardımcı tanı yöntemidir.

Tedavi

Tedavi, hastanın durumuna ve intrakraniyal tümörün yerine ve tipine bağlıdır. Hastalığın yönetimi interdisipliner ve hastanın bakımda yer alan ekibin desteğiyle oluşturulur. Tıbbi bilgiler ve teknoloji, malign tümörün tamamının çıkarılması için kullanılır. Klinik seyir, tümörün tipi, özelliği ve hastanın genel durumuyla paralel seyreder. Örneğin, erken evrede rastlanan gliomalarda parsiyel eksizyonu izleyen radyasyon tedavisi ile yaşam şansı, 5-15 yıl olmasına karşın, glioblastoma multiform tipli tümörler hızlı büyüdüğü için radyasyon tedavisine karşın, hasta 6 ay-1 yıl içerisinde kaybedilebilir.

Kemoterapi

Beyin tümörlerinin tedavisinde kemoterapi, cerrahi ve radyoterapiyi tamamlayıcı olarak uygulanır. Kemoterapi, beyin tümörünün tipine göre seçilir. Kemoterapi; cerrahi debulking *(geniş eksizyonu olanaksız tümörlerde, dokunun mümkün olduğunca çıkarılması)*'den hemen sonra radyasyon terapisi ile birlikte, radyasyon tedavisi tamamlandıktan sonra ve tümör nüks ederse uygulanır. Kemoterapi aynı zamanda çok seçenekli yaklaşımla ameliyattan önce, ameliyat sırasında ve diğer tedavilerden sonra uygulanabilir.

Kemoterapi uygulanmadan önce, hastanın yaşı, nörolojik durumu, tümörün tipi ve evresi değerlendirilir, kemoterapi için gerekli olan testler yapılır ve uygunsa tedavi planlanır. Çoğu kemoterapotik ajanlar kan-beyin bariyerinden geçemez. Bu nedenle kemoterapinin beyin tümörlerinde etkisi sınırlıdır. Kemoterapi oral, IV solüsyonlar içinde, intraarteriyel, intraventriküler, intratümoral ve epidural yolla verilir. İntraventriküler yolla yapılan kemoterapi uygulamasında, ventrikül içine *kateter* yerleştirilir ve kemoterapi ilacı doğrudan kateter içine enjekte edilir.

Kortikosteroidler serebral ödemi azaltmak, mannitol kan-beyin bariyerini engellemek amacıyla kemoterapotik ajanlarla birlikte kullanılırlar. Son zamanlarda tedavide bazı alkilleyici ajanlar, antimetabolitler, doğal ürünler de tedavide kullanılmaktadır.

Stereotaktik nörolojik cerrahi

Sterotaktik kelimesi yunanca stereo (üç boyutlu) ve latince tactic (dokunuş) kelimelerinin birleşiminden meydana gelir. Stereotaktik cerrahi, beyinde ulaşılması zor ve özellikle derin yerleşimli bölgelere geniş bir kraniotomi yapılmadan ve hedef noktayı çevreleyen beyin dokusuna zarar verilmeden ulaşılmasını sağlayan minimal invaziv bir nörolojik cerrahi yöntemidir. Stereotaktik cerrahi uygulanarak yapılan işlemler iki grupta incelenir.

1. Morfolojik stereotaktik cerrahi; derin yerleşimli küçük beyin tümörlerinden biopsi alınması, enfeksiyon (abse, ensefalit) kist, hematom aspirasyonu; kist veya tümör içine ilaç, kateter yerleştirilmesi, derin yerleşimli küçük beyin tümörlerinin stereotaktik yöntemler rehberliğinde kontrollü çıkarılması gibi uygulamalarda kullanılmaktadır.

2. Fonksiyonel stereotaktik cerrahi; Parkinson ve diğer hareket bozukluklarının tedavisine yönelik talamus ve bazal ganglion cerrahisi, psikiyatrik bozukluklara yönelik singulotomi, ağrıya yönelik singulat girus veya periakuaduktal gri cevher manipulasyonlarında uygulanmaktadır.

Stereotaktik nörolojik cerrahide yaygın yöntem; Kartezien (x,y,z) koordinat sisteminin kullanılmasına olanak sağlayan stereotaksi sistemleri ile beyindeki bir noktanın yerinin milimetrenin altındaki hata payı ile bulunması ve bu noktaya ulaşılmasıdır.

Bu amaçla, önce lokal anestezi ile hastanın başına metal çerçeve vidalar ile fikse edilir, ardından çerçevenin üzerine magnetik rezonans görüntüleme (MRG) ile ölçümler yapılmasına olanak sağlayan MR endikatör kutusu takılır ve hastaya MRG tetkiki yapılır. MR görüntüleri ve stereotaktik atlaslar kullanılarak hedef "xyz" şeklinde hesaplanır. Ameliyat odasına alınan hastanın başındaki çerçeve sistemine 180 derece ark sistemi takılır. Amaç, hedef noktanın bu ark sisteminin merkez noktasına yerleştirilmesidir. Lokal anestezi altında açılan bir dril deliği kullanılarak planlanan biyopsi alınması veya nörofizyolojik girişim uygulanır.

Stereotaktik radyasyon cerrahisi

Sterotaktik radyasyon cerrahisi (radyo cerrahi); koordinatları belirlenmiş hastalıklı beyin dokusunun anatomik seçim ile radyoaktif enerji kullanarak tedavi edilmesini sağlayan yöntemlerin genel adıdır. Radyocerrahi, radyasyon vermede kullanılan doğrusal hızlandırıcıdır. Sistem, radyasyonun beyin dokularına ve vücudun diğer bölgelerine hasar yapmasını engeller. Yöntem temel olarak, küresel yerleşimli ayrı kaynaklardan (Gamma knife) gelen ya da dairesel yörüngede ayrı kaynaktan (modifiye LINAC yüklü parçacık yöntemi) gelen ışınların bir noktada (hastalıklı beyin dokusunda) birleşerek yüksek dozda radyoaktif enerjiyi hastalıklı dokuya aktarması ve yarattığı biyolojik değişikliklerle yok etmesi ya da etkisiz hale getirmesi prensibine dayanır. Bu kaynak, tümörü odaklayan ve hastanın başının etrafını başlık gibi saran bir alet yardımıyla uygulanır. Milimetrik düzeyde nöroanatomik özelliği nedeniyle radyoterapiden prensip olarak farklılık gösteren bir yöntemdir. Genellikle Arteriyovenöz malformasyon (AVM) tedavisinde, metastatik tümörlü hastalarda ve kronik ağrı sendromunda kullanılır.

Brakiterapi (internal radyasyon)
Kapsüllü radyoaktif izotopların vücut boşluklarına ya da doğrudan tümörün içine kalıcı ya da geçici bir süre için, ameliyatla ya da floroskop altında yerleştirilmesidir. Bu maddeler, sağlıklı beyin dokusunda radyasyonun etkisini önlemek amacıyla yaklaşık 2 gün sonra çıkarılırlar. Bu tekniklerde kemoterapi ve radyasyon tedavisinin komplikas-yonları, diğer tip kanserlerde uygulanan tekniklerdeki komplikasyonlara benzerler. (Şekil 55.3)

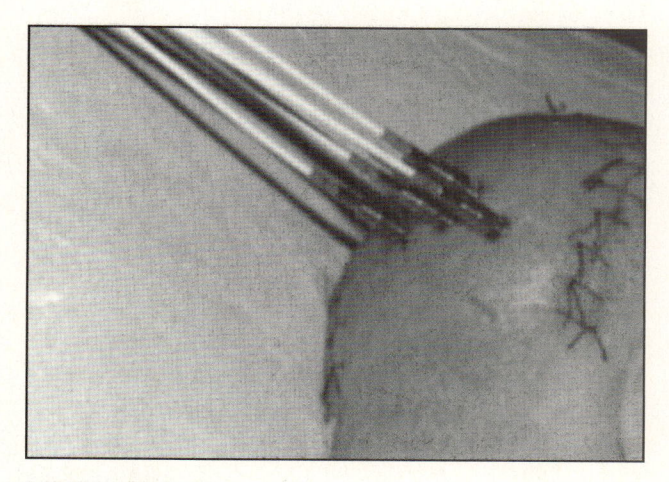

Şekil 55.3: Brakiterapi

Hemşirelik yönetimi
Hastanın durumu temel nörolojik tanılama kriterlerine göre değerlendirilir. Hastalar sürekli izlenerek, hastalığın günlük yaşam aktivitelerine etkisi ve tedaviye yanıtları değerlendirilir. Bulgular temel bulgularla karşılaştırılır. Radyoterapi ve kemoterapi alan beyin tümörlü hastaların hemşirelik yönetimi radyoterapi ve kemoterapi alan diğer hastalar gibidir. Hasta kafa içi basınç artması, serebral ödem, nöbet yönünden izlenmelidir.

Hemşirelik tanıları;
- Serebral ödemin durayı germesi sonucu ağrı
- Tümörün büyümesi ve bası nedeniyle motor fonksiyonlarda azalmaya bağlı öz bakımda yetersizlik
- Beyin tümörünün tedavisi ve sonucun belirsizliğine bağlı anksiyete
- Nöbet sırasında düşme, yaralanma riski
- Ölüm korkusu
- Kafa içi basıncının artmasına bağlı serebral doku perfüzyonunda değişme.

Planlama/amaçlar, Hemşirelik Girişimleri, Değerlendirme, Beklenen Sonuçlar
Bilinç düzeyi değişikliği olan hastanın bakımı ve inmeli hastanın bakımındaki adımlarla aynıdır. (Bkz. İnmeli ve bilinç düzeyi değişikliği olan hastanın hemşirelik yönetimi)

Cerrahi Yönetim
KİBAS tedavisinde farklı cerrahi yöntemler uygulanır. Serebro spinal sıvının dolaşımı tıkanma nedeniyle engellenmişse *ventrikulo-peritoneal şant* uygulanır.

Dekompresyon cerrahisi bir başka tedavi yöntemidir. Bazı beyin dokuları çıkarıldığında *(temporal lobun bir kısmı)* kalan dokuların genişlemesi için yer açılır. Beyin dokusunu geri kazanmak için kemik flebi çıkartılır, daha sonra defekt yeri tamir edilir. Ameliyat sonrası bakımı kraniotomi'li hasta bakımı gibidir.

Kraniotomi
Kraniotomi; kafatasının cerrahi girişimle açılması işlemidir (Resim). Kraniotomi; supratentoriyal alanda tentoriumun üstünde (supratentoriyal kraniotomi) ve tentoriumun altındaki alanda posterior fossada (infratentorial kraniotomi) olmak üzere iki şekilde uygulanır.

Kraniektomi ise; kafatasının bir bölümünün çıkarılması işlemidir. Kraniektomi; dekompresyon, beyin dokularına olan basıncı önlemek ve kalan dokuların genişlemesi için yer kazanmak amacıyla uygulanır. Genel anestezi altında yapılır. Beynin ağrı reseptörleri olmadığı için, açma kapama işlemi sırasında hafif anestezi verilir. (Şekil 55.4)

Ameliyat sırasında hastanın başı özel çerçevelerle desteklenir. Hastanın başında, boyun kaslarında, yüzünde meydana gelen ödem nedeniyle çerçevenin, basınç yarası oluşturmaması için hasta gözlenmelidir. Ameliyatın tipine bağlı olarak lazer veya ultrasonik aspiratörler kullanılır. Bu aspiratörler beyin dokularında travmayı en aza indirir. Bazı kraniyektomi ameliyatlarından sonra methyl methacrylateden yapılma koruyucu protez yerleştirilir.

Tümör veya büyük hematomlar çıkarıldıktan sonra fazla sıvı ya da kanın drenajı için ventrikül içine ya da ameliyat alanına *Jackson-Pratt drenaj sistemi* yerleştirilir. Beyin dokusu ameliyat sırasında ödemli olduğu için dura kapatılmayabilir ya da bazı zamanlar ödemli beynin genişlemesi için kemik flepi çıkartılır. Çok sık olmamakla bazen tümör büyüdüğünde, beynin alanını genişletmek için küçük bir alandan kraniyektomi yapılabilir.

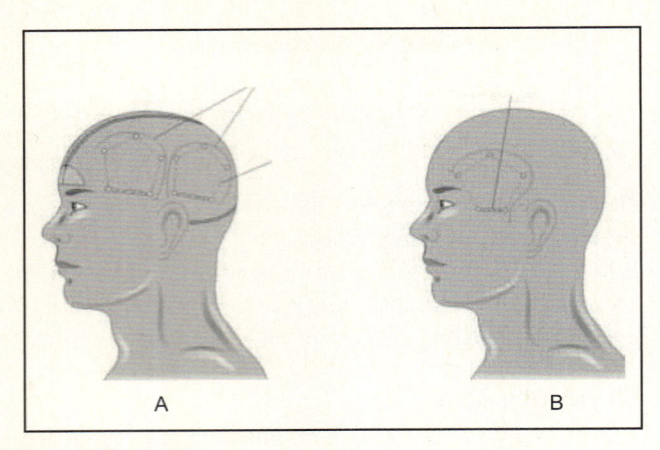

Şekil 55.4: Kraniotomi
Kaynak: http://www.healthatoz.com/healthatoz/Atoz/images/ency/00043014.jpg.

Transfenoidal hipofizektomi

Bu ameliyatta özel bir spekülumla burun içinden girilerek sfenoid sinüs açılır, sella tursika tabanına ulaşılır ve tümör dokusu çıkarılır (Şekil 55.5). Tümör dokusu çıkarıldıktan sonra sella tabanı kemik ile onarılıp burun tamponları yerleştirilir. Son yıllarda endoskopik endonazal transsfenoidal hipofiz cerrahisi yöntemi uygulanmaktadır. Bu yöntemde; burundan rijid endoskop ile girilir ve mikrocerrahi aletleri ile tümör çıkartılır. İnsizyon yarası yoktur ve spekulum uygulanması sonucu gelişebilen olası burun kırıkları önlenmiş olur.

Ameliyat sırasında hastaya kanama kontrolü için basınçlı burun tamponu uygulanacağından ameliyat öncesi dönemde hastadan burnunu kapatarak, ağızdan nefes alma egzersizleri öğretilir. Ameliyattan sonra hastaya baş yukarıda olacak şekilde pozisyon verilir.

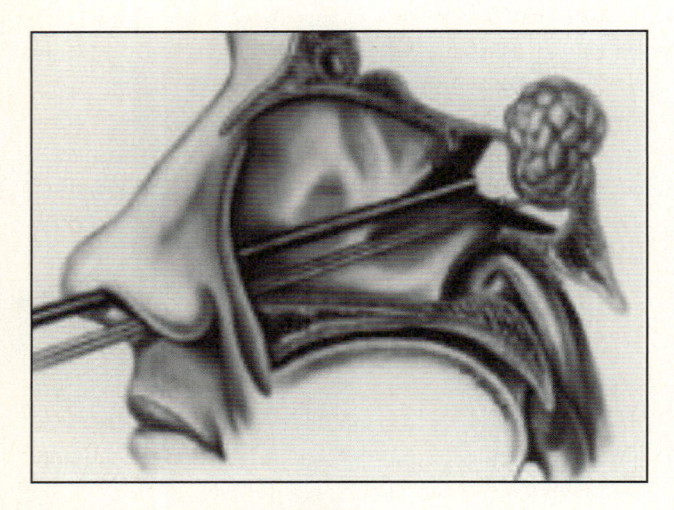

Ameliyat sonrası genizden ve burun kenarından akıntı gelebilir. Hasta burun yolu ile nefes alamadığı için ağız bakımı verilmelidir. Hipofiz cerrahisinin en yaygın yan etkisi, antidiüretik hormon sekresyonu (ADH)'nun azalmasına bağlı olarak, geçici Diabetes insiputus (DI) gelişmesidir. Hastada; çok su içme, çok idrara çıkma bulgu ve belirtileri vardır. Hastaların saatlik aldığı- çıkardığı sıvı miktarı izlenmelidir. Bu süre uzun sürerse kronik DI tedavisi uygulanabilir. Günlük kan serum ve idrar yoğunluğu değerlendirilmelidir. İdrar volümü 250ml/saat den az olmalı, yoğunluk; 1.005 den yüksek olmalıdır.

Kayıplar ağızdan ve damardan sıvı tedavileri ile yerine konulur. Yaklaşık 1 hafta sonra taburculuk işlemlerine başlanılır. Hipofiz/pituiter bezler fonksiyonlarını kaybetmişse bazı hastalar ameliyat sonrası pituiter hormon replasmanı tedavisine gereksinim duyarlar.

Taburculuk öncesi hastalara transsfenoidal cerrahi sonrası oluşabilecek komplikasyonlar (burundan sıvı gelmesi, çok su içme- çok idrara çıkma, halsizlik, bilinçde bozulma, görme bozuklukları, sinüzit) hakkında bilgi verilip, herhangi bir belirti olduğunda doktora haber vermesi söylenir. Ameliyattan sonra banyo yapabilecekleri ve normal cinsel yaşamlarını sürdürebilecekleri konusunda bilgi verilir. Hasta 1 ay sonra hormon ve kan testleri için, kontrollere gelmelidir. 6 ay sonra görme alanı testi yapılmalıdır. 1 yıl sonra Kraniyal MR çekilmelidir.

Olası komplikasyonlar

İntrakraniyal ameliyatlardan sonra gelişebilecek komplikasyonlar, diğer ameliyatlardan farklı değildir. Ameliyat sonrası; *anestezi ve narkotiklerin depresif etkileri* ve *immobilite* gibi komplikasyonlar meydana gelebilir. İntrakraniyal ameliyatlardan sonra *geçici ekimoz ve periorbital ödem* görülebilir. Bu görüntü aile üyelerinde korkuya neden olabileceği için, ameliyat öncesi hasta ve ailesine açıklama yapılmalıdır. İntrakraniyal ameliyatlardan sonra görülen komplikasyonların bazıları ameliyat ve yapılan işleme bağlıdır. Örneğin;

- KİBAS
- Serebrospinal sıvının sızması
- Bilinç kaybı
- Bazı duyuların kaybı (örn. Körlük)
- Konuşma kaybı
- Mental konfüzyon görülebilir.

Önemli fonksiyonların kaybı nedeniyle hastalar fiziki ve psikolojik yıkıma uğrayabilirler. Ameliyat sonrası meydana gelen kayıplar bazen geçici, bazen kalıcıdır.

İntrakraniyal amaliyatlardan sonra; serebral ödem ve kanamaya bağlı *KİBAS* gelişimi major komplikasyondur.

Şekil 55.5: Transsphenoidal hipofizektomi.
Kaynak: http://www.us.sandostatin.com/images/charts/transsphenoidal.jpg

55. Sinir Sisteminin Dejeneratif ve Onkolojik Hastalıkları

Klinik belirti ve bulgular
- Baş ağrısıyla birlikte bilinç düzeyinde değişme
- Görme ve konuşma bozuklukları
- Kas zayıflığı, paralizi
- Pupil değişiklikleri
- Nöbet
- Kusma, Solunum değişiklikleridir.

KİBAS'nın geleneksel tedavisi, osmotik diüretikler ve kortizondur. Mekanik ventilasyon vazokonstriksiyonu ve KİBA'nı azaltarak kan akımındaki karbondioksiti düşürür ve hipoksiyi önler. Hastanın başının elevasyonu ve serebrospinal sıvının drenajı da KİBA azaltır ve intra kraniyal monitorizasyon, kuşkulu KİBA'nın gözden kaçmasını önler. İntrakraniyal ameliyatlardan sonra kulaktan (*otore*), burundan (*rinore*) ince, berrak, serebrospinal sıvı gelebilir. Serebrospinal sıvının sızması durumunda buruna veya kulağın üzerine steril tampon konulmalı, pansuman kirlendiğinde değiştirilmelidir.

Kulak veya burnun içine sıvı akımını engelleyip, enfeksiyon riski oluşturacağı için basınçlı tampon uygulanmamalıdır. Hasta düz yatmamalı ve başı 20 derece yükseltilip drenajın akması sağlanmalıdır. Serebro spinal sıvının sızması enfeksiyon riskini arttıracağı için gelen sıvı glukoz ve enzimatik test için laboratuvara gönderilmeli ve hastaya antibiyotik tedavisi, yatak istirahati uygulanmalıdır. Hekim izin vermedikçe, kafa travmalı bir hastada *aspirasyon* yapılmamalıdır. Bazı durumlarda ameliyat yerine konulan dren dışından sızma olabilir. Eğer sızıntı yeri kendiliğinden kapanmazsa, tamir için dural yama yapılmalıdır.

İntrakraniyal ameliyatlardan sonra *beden ısısının düzenlenmesinde bozulma olur*. Enfeksiyona bağlı *hipertermi* gelişebilir. Genellikle ameliyat sonrası solunum komplikasyonları, en yaygın hipertermi nedenidir. Hipotalamus ameliyatı veya ameliyat sırasında hipotalalamusa yapılan girişimlere bağlı olarak ısı düzenlenmesinde değişiklikler oluşur.

İntrakraniyal cerrahiden sonra *nöbet* gelişebilir. Yalnız bir veya daha fazla sayıda nöbet olabileceği gibi, zincirleme epilepsi nöbetlerinin görüldüğü (status epileptikus) nöbetler olabilir. Nöbet beyin hasarı ve beynin metabolik gereksinimlerini arttırır. Tedavide profilaktik antikonvülsanlar *(phenytoin)* kullanılır.

Ameliyattan 2-3 gün sonra *menenjit* gelişebilir. Çoğunlukla subaraknoid bölgede hematom veya Enfeksiyon menenjite neden olur. Hastayı izlemek amacıyla kullanılan intrakraniyal monitor cihazlarının uzun süre kullanılması menenjite neden olabilir. Menenjit, hastada titreme, ateş, baş ağrısı, bilinç düzeyinin azalması ve ışığa duyarlılığa neden olur. Hastaya yapılan bütün bakım ve girişimlerde rutin enfeksiyon kontrol önlemleri (asepsi, el yıkama) uygulanmalıdır. Özellikle pansuman değiştirilirken ve monitor cihazlarını uygularken daha hassas davranılmalıdır.

Ameliyat sonrası dönem uzadığında *stres ülserleri*nin görülme sıklığı artar. Mukus yapımında azalma ve gastrik sekresyonda hiperasidite gastrite ve ülsere neden olur. Stres ülserinin gelişmesi bir ya da daha fazla organda yıkıma neden olur.

Psikolojik stres, sempatik sinir sistemini uyarır ve abdominal organlarda kan akımının azalmasına neden olur. Hastaya steroid tedavisi veya mekanik ventilasyon uygulanması ülser oluşmasına zemin hazırlayan faktörlerdendir. Stres ülserinin gelişmesi önlemek için gastrik içerik gözlenmeli, pH 4.5'in üstünde tutulmalı, antiasit ve histamin blokerleri verilmelidir.

Posterior fossa ameliyatı olan hastalar ameliyat sonrası komplikasyon gelişme riski altındadır. Bu komplikasyonlar yaşamsal önemi olan beyin yapılarına uygulanan girişimlere bağlı gelişir. Hastaya oturma pozisyonu verilerek yapılan ameliyatlarda *kardiyak ritim bozuklukları ve hava embolisi komplikasyonlarına* daha sık rastlanır. Diğer komplikasyonlar, VIII-XII kafa çifti fonksiyonlarının bozulması ile ilgilidir. *(işitme kaybı, yürüme güçlüğü, aspirasyon riski)*. KİBA'nın pituiter bez üzerine bası yapması nedeniyle veya doğrudan hipatalamus gibi hormon salgılayan pituiter bezlerin ameliyatı sonucu, diabetes insiputus veya vücutta su tutulmasına ve kanda bazı elektrolitlerin azalmasına neden olan, uygun olmayan antidiüretik hormon salgılanması sendromu gelişir.

Cerrahi Girişim Uygulanan Hastanın Hemşirelik Yönetimi
Ameliyat öncesi bakım

Hastadan daha önce anestezi alıp almadığı ve ameliyat olup olmadığına ilişkin öykü alınır. Anestezi ve ameliyat için fiziksel durumu ve tanı testleri değerlendirilir. Atriyal fibrilasyon, sıvı-elektrolit dengesizliği gibi herhangi bir bozukluk varsa düzeltilmelidir. Hasta ve ailesine ameliyat öncesi ağızdan bir şey almayacağı, yapılacak işlemler, beklentiler konusunda bilgi verilir ve soruları yanıtlanır.

Veri toplama

Hastanın yaşam bulguları, bilinç düzeyi, oryantasyon durumu (kişi, yer, zaman), pupilleri, (eşitlik, ışığa duyarlılık, ekstraoküler hareket), derisi (rengi, ısısı), kraniyal sinir fonksiyonları, kafa içi basıncında artma, Glaskow koma skorunda değişiklikler, kol-bacak hareketleri, sınırlılık, güç (parezi, paralizi), duyu anormallikleri, ödem, deride bası bulguları (irritasyon, sıyrık, hematom), sıvı-elektrolit dengesi ve fonksiyonları değerlendirilir. KİBA ve pulmoner konjesyon belirti ve bulguları varsa hekime haber verilmelidir. Dehidratasyon, nöbet, işitme, görme problemleri, afazi bildirilmesi gereken diğer normal dışı bulgulardır. Hastada, ameliyat öncesi bu verilerin toplanması, hastanın ameliyat sonrası durumu (düzelme, kötüleşme, değişiklik) ile karşılaştırma yapmayı sağlar.

Tanı, planlama, uygulama
Genellikle, durumu stabil ve acil olmayan ameliyatlar hariç, planlı intrakraniyal cerrahi için ameliyat öncesi hazırlık, bütün ameliyatlar için yapılan hazırlıktan farklı değildir. Nörolojik değerlendirmeye ek olarak, intrakraniyal ameliyatlar için hastanın psikososyal olarak hazırlanması gerekmektedir. Hastaya ameliyat öncesi rutin premedikasyon uygulanır. Eğer anestezi hekimi narkotiklerin verilmesini önermişse, narkotikler verilmeden önce mutlaka cerraha danışılmalıdır çünkü narkotikler KİBA'lı hastada, hipoventilasyona ve dolaşım depresyonuna neden olurlar. Ameliyat sonrası komplikasyonları önlemek için, ameliyat öncesi profilaktik antibiyotik ve steroidler kullanılır.

Hemşirelik tanıları
- Tanıya bağlı ya da ameliyat riski nedeniyle anksiyete ve korku
- Ameliyat ve ameliyat sonrası dönemle ilgili bilgi eksikliği

Planlama/amaçlar
Bilinen veya kuşkulu beyin tümörlü hastalar beyin ameliyatları için bilinmeyen sonuçlarından kaynaklanan *anksiyete ve korku* yaşarlar.

Hastanın anksiyete *ve korkuları* rapor edilmeli, gerçekçi olmayan beklentileri, umudu, potansiyel ölüm riski ve yaşam kalitesinde değişikler nedeniyle oluşan kuşku, korku ve kaygıları giderilmelidir.

Hemşirelik girişimleri
Anksiyete ve korkuyu gidermek
Hasta ve yakınlarına, nazik, sabırlı ve anlayışlı davranılmalıdır. Hasta ve yakınları ile açık iletişim kurulmalı ve soru sormaya cesaretlendirilmelidir. Hastane veya diğer kaynaklardan manevi inançları doğrultusunda destek sağlanmalıdır. Beyin tümörlü hastalarla ilgili yapılan hemşirelik araştırmalarında hastaların manevi olarak desteklenmeye gereksinimleri olduğu saptanmıştır. Hastaya gerçekçi olmayan umutlar verilmemelidir. Hastalar için ameliyat sırasında saçlarının kesileceği düşüncesi çok büyük travma oluşturur. Saçlarının tekrar çıkacağı konusunda hasta rahatlatılmalıdır. Hasta çok rahatsız oluyorsa, kalan saçlarını istediği boyda kestirmesi, renkli eşarplar bağlaması veya peruk/ek saç kullanması önerilebilir.

Bilgi eksikliği
Hastalar sıklıkla tümörün tipi ve cerrahisi hakkında sorular sorar. Hastanın önceden deneyimi olmadığı için kraniyotomi konusunda bilgi eksikliği vardır.

Planlama/amaçlar
Hastaya planlanan tedavi açıklanmalıdır.

Hemşirelik girişimleri; Hastaya, uygulanacak tedavi konusunda hekim ve sağlık ekibi tarafından gerekli bilgilerin verileceği anlatılır. Sakin, özel bir ortamda, hastanın anlayabileceği biçimde ve soru sormasına fırsat vererek tedavi planı açıklanır. Hastanın, yaşam kalitesi, ölüm riski konularında kaygıları varsa ve tedaviye karar güçlüğü yaşıyorsa hekimden yardım alınmalıdır.

Beklenen sonuçlar
- *Hastanın anksiyete ve stresi azalmış olmalı*
- Hastanın bilgi eksikliği giderilmiş olmalıdır.

Değerlendirme
Beklenen sonuçlara ulaşılamazsa, bakım planı tekrar gözden geçirilmeli ve sonuçlar tekrar değerlendirilmelidir.

Ameliyat sonrası bakım
Hasta ameliyattan sonra yoğun bakım ünitesine alınır. Hastanın nörolojik durumu sık değerlendirilir. Hastanın genel durumu bozulabileceği için, yaşam bulguları ve bilinç durumu, ekstremitelerinin hareketi, konuşması; ilk 1 saat onbeş dakikada 1, 2. saatte otuz dakikada 1 durumu stabil oluncaya kadar değerlendirilir. Hastanın kan basıncı normal sınırlarda tutulmalıdır.

Vazoaktif tedavi gerekebilir. Sıvı giriş-çıkışı dikkatli izlenmeli, elektrolitler, özellikle kan şekeri, sodyum, potasyum, ozmalite, ve hemotokrit izlenmelidir. Sıvı-elektrolit dengesi normal sınırlarda tutulmalı, eksiklikler giderilmelidir. Kanama veya serebrospinal sıvının sızması olasılığına karşı pansuman gözlenmelidir. Sıvının, karakteri, miktarı kaydedilmelidir. Hastanın sargı/pansumandan rahatsız olup olmadığı sorulmalı, sargı/pansumanın başı, kulakları veya gözün üstünü fazla sıkması önlenmelidir. Hastanın ameliyata yanıtı değerlendirilmelidir. Hasta özellikle, tümör kötü huylu ise ve ameliyat sonrası nörolojik hasar meydana gelmişse çok stresli olabilir. Gerekli açıklamalar yapılarak hastanın stresi giderilmelidir.

Hemşirelik tanıları
- Afazi ve dizartriye bağlı *sözel iletişim bozukluğu*
- Fiziksel harekette bozulmaya bağlı *kontraktür riski*
- Kavramsal bozukluk/zayıflık ile ilgili *öz-bakım eksikliği*
- Nöbete bağlı *düşme, yaralanma riski*

Planlama/amaçlar
Beyin yaralanmaları ve komadaki hastanın bakımı gibidir.

Hemşirelik girişimleri

Ameliyat sonrası profilaktik antikonvülsan ilaçlar verilir. Hastada lokal veya yaygın nöbet belirtileri izlenmelidir. Devamlı nöbet beyinde hasar oluşturacağı ve fonksiyonlarını durduracağı için mümkün olduğu kadar seri hareket etmeli ve hekime hemen rapor verilmelidir. Nöbet sırasında hastanın hareketleri sınırlanmamalı, fiziksel güvenliği sağlanmalıdır. Menenjit ve diğer enfeksiyonlar önlenmelidir. Çoğu beyin cerrahı, intrakraniyal ameliyattan sonra uygulanan ilk baş pansumanının değiştirilmesini ister. Bazı cerrahlar ise; serosenginöz akıntı ile bulaşan pansumanın değiştirilmeyip, güçlendirilmesini isterler.

Sonraki pansumanları, kurum politikasına göre hekim ya da hemşire yapar. Dren ve kateterin etrafı korunarak insizyonun üstüne temiz, kuru hacimli bir ped konularak pansuman yapılır. Pansuman değiştirilirken dikişlerin ve kateterin etrafı, ödem ve enfeksiyon bulguları yönünden değerlendirilir. Ameliyat sonrası ödem azalmış ve yara iyileşmişse dikişlerin üstüne, küçük pansuman materyali uygulanır. Örneğin; dikiş yeri tampon ile kapatılıp üzeri elastik bandaj/stokinet ile sarılır. Saçlı deride pullanma, döküntü varsa, saçlı deri, bebek yağı veya gliserin ile yağlanmalı, daha sonra sabunlu su ile nazikçe yıkanıp kurulanmalıdır. Dikişler üzerinde zorlama yapılmamalıdır. Yara bakımı yapılırken yara yeri iyileşme ve enfeksiyon belirti ve bulguları yönünden değerlendirilmelidir. Dikiş yerinde ayrılma/açıklık veya diğer komplikasyonlar kayıt edilmelidir.

Hemşirelik tanıları

- KİBA, serebral ödem, olası kanamalar nedeniyle *serebral doku perfüzyonunda artma riski*
- Yapılan ameliyata göre ameliyat sonrası verilecek *pozisyonlarla ilgili riskler*
- Bilinç düzeyi değişikliğine bağlı *hava yollarının açıklığında yetersizlik*
- Ağızdan sıvı alımının yetersizliğine bağlı *sıvı volüm eksikliği*
- Bilinç düzeyi değişikliği ve beslenme değişikliğine bağlı *vücut gereksiniminden az beslenme*
- Beden bilincinde bozulmaya bağlı *benlik saygısında azalma*
- *Düşünme sürecinde değişiklik*
- *Ameliyat yerinde ağrı*
- Bakım verici rolünde zorlanma *aile içi başetmede yetersizlik*
- *Toplumsal başetmede güçlük*
- *Serebral doku perfüzyonunda artma: KİBA, serebral ödem, olası kanamalar serebral doku perfüzyonunda artmaya neden olur.*

Planlama/amaçlar

Hastanın KİBA'nın ve serebral doku perfüzyonunun normale dönmesi sağlanmalıdır. Glaskow koma skalasına göre bilinç düzeyi, huzursuzluk, pupil değişikliği, nöbet, kan basıncı, solunum, hipertansiyon ve bradikardi değerlendirilmesi yapılmalıdır.

Hemşirelik girişimleri

Hastanın bilinç durumu ve diğer verileri sürekli değerlendirilip, ameliyat öncesi durumu ile karşılaştırılmalıdır.

Hemşirelik uygulamaları KİBAS'lı hastanın hemşirelik yönetimi bölümünde anlatılanlar doğrultusunda yapılır. Önerilen diüretik tedavisi uygulanarak drenaj izlenmelidir. İntrakraniyal ameliyatlardan sonra akut evrede hasta bakımında KİBA'yı ve ameliyat yerine basıyı önlemek için hastaya doğru pozisyon verilmesi önemlidir. Juguler ven akımının devamlılığı, doku perfüzyonu ve bası yaralarını önler. KİB kritik sınırların üstünde (20 mmHg) artarsa, hastanın nörolojik durumu stabil değilse, hasta düz pozisyonda yatmamalıdır.

Hastanın başı yükseltildiğinde baş desteklenmelidir. Baş dönmesi varsa; hastanın başı küçük yastık veya servikal boyunluk ile desteklenerek venöz akımın azalması önlenmelidir. Hasta yan yattığında dizlerinin arasına yastık konulup dizler basıdan korunmalıdır.

Kalça keskin fleksiyonda iken intraabdominal basıncın artmasına bağlı olarak KİB artar. Kalça keskin fleksiyondan korunmalıdır. Ameliyattan sonra hastaya özel pozisyon verilir. Kuşkulu durumlarda hastanın pozisyonu değiştirilmeden önce, hekim istekleri iki kez kontrol edilmelidir. İntrakraniyal ameliyatlardan sonra hastaya yanlış pozisyon verilmesi ölümle sonuçlanabilecek ciddi komplikasyonlara neden olabilir. Hastanın başının hangi ameliyatlardan sonra yüksekte veya düz pozisyonda tutulması gerektiği bilinmelidir. Kemik flepi olmayan hastalar ameliyattan sonra o tarafa, yatırılmamalıdır.

Yapılan ameliyata göre ameliyat sonrası verilecek pozisyonlarla ilgili riskler

Bazı ameliyatlardan sonra hastalara verilmesi gerekli pozisyonlar:

Supratentoriyal (beynin tentoriyumunun üstünde kalan) ameliyatlardan sonra, juguler venlere doğru venöz akımı ilerletmek için, hastanın başı 30 derece yükseltilmelidir. Hemodinamik monitorizasyon için bir merkezi venöz kateter varsa, her 2 saatte bir pulmoner arter ve merkezi venöz basınç değerlendirilmelidir. Basınç hastanın başı yüksekte iken ölçülmüşse pozisyon ve sonuç kaydedilmelidir. Kronik subdural hematomun boşaltıldığı ameliyatlardan sonra, hematom çıkarıldığında dura ile beyin arasında geniş bir alan kalabilir. Yaşlı hastalarda beyin daha az genişlediği için ve kronik subdural hemotomu olan hastalarda nadiren KİB'da artma olduğu için, bu durumda hekim hastanın başının düz pozisyonda yatmasını isteyebilir. *İnfratentoriyal (beyin tentoriumunun altında, beyin sapı ve serebellum)* ameliyatlardan sonra; ameliyat sonrası hastanın yatak başı, 30-45 derece yükseltilerek veya baş yükseltilmeden düz yatırılır, hasta 2 saatte bir döndürülür. Hasta bilinçsiz ise yan yatması sekresyonların drenajı için uygun olur. İnfratentoriyal ameliyatlardan sonra hekim tarafından önerilmedikçe akut evrede yatağın başı yükseltilmemelidir.

Posterior fossa ameliyatlarından sonra; hasta sırtüstü yatırılmaz, yan pozisyonda yatırılır. Ameliyat yeri/dikiş hattı en küçük gerginlikten korunmalıdır. Ödemli beynin daha iyi genişlemesi ya da dekompresyon için, kemik flepi cerrahi olarak çıkartılmış ise hasta sırtüstü ve ameliyatlı *(kafatası flepinin çıkarıldığı)* yana yatırılmamalıdır.

Hava yollarının açıklığında yetersizlik
Hastada bilinç düzeyinin azalmasına bağlı olarak hava yolu açıklığında yetersizlik riski oluşabilir. Serebral ödem bilinç düzeyi skorunu düşürür, havayolunun tıkanmasını önlemek için hava yolu sekresyondan temizlenmelidir.

Planlama/amaçlar
Hastanın havayolu tıkanıklığına bağlı bulgular olmamalı, akciğerin genişlemesi her iki tarafta tam, eşit ve solunum sessiz olmalıdır.

Hemşirelik girişimleri
Solunum parametreleri değerlendirilip, beynin en üst düzeyde oksijenlenmesi sağlanmalı ve hiperkapni önlenmelidir. Arteriyel kateter veya pulse oksimetre kullanılmalıdır. Aspirasyon sırasında hasar ve serebro spinal sıvı sızması meydana gelebileceği için burundan aspirasyon yapılmamalıdır. Hasta aspirasyondan önce ambu veya ventilatör ile hiperventile edilip, oksijen verilmelidir. Uzayan aspirasyon işlemi intratorasik basıncı arttırıp, venöz dönüşün azalmasına ve KİBA'sına neden olabileceği için, 10 saniyeden uzun süreli aspirasyon yapılmamalıdır.

Sıvı volüm eksikliği riski
Pituiter rezeksiyonu olan ameliyatlardan sonra hastada Diabetes insipitus gelişebilir. Bu durum uygun olmayan ADH sekresyonu sendromu ile ilgili sıvı volüm eksikliği riski olarak tanılanır.

Planlama/amaçlar
Hastanın yeterli sıvı volümü sürdürülmelidir. İdrar volümü 250ml/saat den az olmalı, yoğunluk, 1.005 den yüksek olmalıdır. Hastada susuzluk hissi olmamalı, serum sodyum düzeyi normal sınırlarda olmalıdır. Plazma ozmolaritesi 295mOs/kg **HO** büyük olmalı hastanın kilosu ve kan basıncı stabil olmalıdır.

Hemşirelik girişimleri
Pituiter ameliyatlardan sonra bütün hastalar sıvı-elektrolit dengesi için 2 saatte bir kontrol edilmelidir. Diabetes insipidus gelişirse hasta ve ailesine sıvı dengesi için gereksinimlerinin sağlanması ve tıbbi tedavi ile ilgili bilgi verilmelidir. Bazı hastalar uzun dönem tıbbi tedaviye gereksinim duyabilirler.

Vücut gereksinimlerinden az beslenme
Bilinçsiz, konfüze hasta yemek yiyemez ve verilen sıvı ve yiyecekleri aspire edebilir. Bu durum konfüzyon nedeniyle vücut gereksinimlerinden az beslenme olarak tanılanır.

Planlama/amaçlar
Hastanın yeterli beslenmeli ve kilo durumu izlenmelidir. Hastanın yaşı, kilosu, aldığı-çıkardığı, insizyon veya yara iyileşmesi yönünden 12-14 gün izlenmelidir. Hemoglobin ve lenfosit düzeyi yaş ve cinsiyete göre normal sınırlarda tutulmalıdır.

Hemşirelik girişimleri
İntrakraniyal ameliyatlardan sonra komplikasyon gelişmeyen hastalarda, intravenöz elektrolit tedavisine fazla gereksinim duyulmaz. Yutma refleksi olan hastalar genellikle sıvı gıdayı iyi tolere ederler. Serebral ödemi azaltmak için fazla sıvı alımı önlenmelidir.

Hasta bazen enteral yolla beslenebilir. Nazal irritasyon ve aspirasyon riskini önlemek için, hastalar gastrostomi veya perkütan endoskopik gastrostomi (PEG) yoluyla beslenmelidir. Tüple beslenen hastalarda diyare riskini önlemek için, başlangıçta sulandırılmış enteral gıdalar verilmeli, hasta devamlı damla ve infüzyon pompası ile beslenmelidir. Diyare geliştiyse ve kontrol edilemiyorsa tüple beslemeye ara verilmelidir.

Yeterli hidrasyonu sağlamak için hasta IV yolla beslenmeli ve sıvı kaybı yerine konmalıdır. Sıvı kaybı yerine konulamıyorsa en az düzeyde diyare olsa bile enteral beslenme sonlandırılmalı ve hasta, IV yolla yüksek kalorili ve protein içeren besinlerle beslenmeye başlamalıdır.

Beden bilincinde bozulmaya bağlı benlik saygısında bozulma
Kemik konturunda ve kafatasında görülen değişikliklere, fonksiyonel değişikliklere ve rol değişikliğine bağlı olarak hastada benlik saygısında bozulma meydana gelir.

Planlama/amaçlar
Hasta kendi kendine veya yardım alarak etkili savunma stratejileri geliştirmeli, yaşam stilinde gerekli değişiklikler yaparak yeni vücut imajına alışması sağlanmalıdır.

Hemşirelik girişimleri
Hastayla konuşarak duygularını açıklaması istenmeli, insizyon yerine bakması sağlanmalı, bu sırada yüz ifadesi

mimikleri değerlendirilmelidir. Kafatasından kemik flebi çıkartılacaksa cerrah, ameliyat öncesi hasta ile konuşmalıdır. Bu ameliyatlardan sonra hastada, ameliyatla ilgili korku ve beden imajındaki değişikliğe bağlı olarak depresyon gelişebilir. Psikiyatrik konsültasyon istenerek hasta ve ailesine yardımcı olmalıdır.

Düşünme sürecinde değişiklik
Düşünme çok kompleks nöral bağlantıları gerektiren bir süreçtir. Çok küçük değişiklikler bile düşünme yeteneğini azaltabilir. Kraniyotomi ameliyatından sonra; cerrahi rezeksiyona bağlı beyin dokusunun kaybı, tümör, kanamaya bağlı beyin dokularında hasar, uyku kayıpları, sıvı-elektrolit dengesizlikleri gibi bir çok değişiklikler oluşur.

Planlama/amaçlar
Hastaya önerilen tedaviler uygulanır. Fiziksel aktivite, var olan yetilerin korunması sağlanır ve yeni duruma uyumu için; sorunları giderilir.

Hemşirelik girişimleri
Düşünme sürecine bağlı değişiklikler geçici olabilir. Beyin sistemine bağlı veya uyku sorunları devam ediyorsa bu sorunun çözümü için gerekli girişimler uygulanmalıdır. Beyin fonksiyonunda değişiklikler (verbal/bellek) nöropsikolojik testler ve fonksiyonel yetersizlik ölçütleri ile değerlendirilir.

Ameliyat yerinde ağrı
Beyinde ağrı sensörleri dura ve kafatasındadır. Ameliyat sonrası baş ağrısı insiziyona bağlı olup, orta derecededir.

Planlama/amaçlar
Ağrıdan koruma, uykusuzluk, uyuşukluk ve ağrının kesilmesi için önerilen tedaviler uygulanır.

Hemşirelik girişimleri
Hasta gereksiz hareketlerden korunmalıdır. Hastanın sessiz, sakin ve loş ışıklı bir ortamda dinlenmesi sağlanmalıdır. Ağrı için uygun tedaviler *acetominophen* ya da *kodein* belirlenen miktarlarda verilmelidir. Kodein narkotik olmasına karşın diğer narkotikler gibi solunumu olumsuz etkilemez. KİBAS'lı hastalarda narkotik kullanmama kuralı *"istisna"* bir durumdur. Hastanın ağrı düzeyi değerlendirilmelidir.

Bakım verici rolünde zorlanma *aile içi başetmede yetersizlik*.

Planlama/amaçlar
Aile üyeleri pozitif davranış ve düşünme konusunda cesaretlendirilmeli, sorunları çözmek için yardım ve destek sağlanmalıdır.

Hemşirelik girişimleri
Ailenin önceki savunma davranışları gözlenmelidir. Aile hastanın ameliyat sonrası değişikliklere uyumuna yardımcı olmalıdır. Emosyonel değişiklikler ve bellek kaybı aile üyeleri için kabul edilmesi güç sorunlardandır. Aile dikkatle dinlenmeli, empati ile yaklaşılmalıdır. Ameliyat sonrası sorun oluştuğunda veya ameliyat başarısız sonuçlandığında (paralizi, enfeksiyon, konuşma bozukluğu, kafatası defektleri) aileye destek verilmeli, konu açıklanmalıdır.

Hasta ve aile üyelerine destek verirken, psikiyatrist veya inançları doğrultusunda yardım almaları konusunda cesaretlendirilmelidir. Hastada beklenen sonuçlar düzenli olarak değerlendirilmelidir. Hasta yoğun bakımdan taburcu edilmeden önce sonuçlar (normal kafa içi basıncı, yeterli perfüzyon) değerlendirilmelidir. Konuşma ve kavrama yetilerinin geri dönmesi zaman gerektirir. Hedeflere ulaşma hasta ve aile üyeleri için önemlidir. Hasta bazen uzun süre yoğun bakımda kalabilir ya da servisten tekrar yoğun bakıma geri dönebilir.

Toplumsal başetmede güçlük
Beyin ameliyatlarından sonra hastaların çoğu taburcu olup evlerine dönerler. Hastaların bazıları tam iyileşmek için rehabilitasyona gereksinim duyarlar, bazıları ise beyin dokularında hasar nedeniyle tam iyileşemeyebilirler. Bu hastaların bakımını aile veya bakıcıları sağlarlar. Toplumda beyin hasarlı üyeler için *"aile destek grupları"* oluşturulması hem aile hem de hasta için gereklidir. Hastaların özel rehabilitasyonu için tedaviye katılanlar (nöroşirürji hemşireleri, konuşma terapisti, fizyoterapist, diyetisyen, psikolog) hastanın iyileşmesinde kolaylık ve destek sağlarlar ayrıca hasta ve aile üyelerinin savunma geliştirmelerine ve morallerinin artmasına yardımcı olurlar.

Değerlendirme/ Beklenen sonuçlar
- KİB normal sınırlarda olmalı, yeterli serebral doku perfüzyonu sağlanmalı
- Kaza ve yaralanma olmamalı
- Hava yolu açıklığı sürdürülüyor ve hasta normal solunum yapabiliyor olmalı
- Yeterli sıvı alımı sağlanmalı/sürdürülmeli
- Beslenmesi sağlanmalı/sürdürülmeli
- Beden bilincinde bozulmaya bağlı olarak depresyon gelişmesi önlenmeli
- Düşünme sürecinde değişiklikler devam ediyorsa yardım vermeye devam etmeli
- Ameliyat yerinde ağrı giderilmeli
- Bakım verici rolünde zorlanma aile içi başetmede yetersizlk giderilmeli ya da destek verilmeli
- Toplumsal başetmenin güçlendirilmesi için destek verilmelidir.

Strok = iskemi (kanama, trombus, emboli) nedeniyle beyinin belirli bölgesinde olan kan akımının azalması ya da durması
- trans iskemik atak
- pıhtı hava tıkatıyor → strok

1. Tıkanıklık
2. Kanama

≠ nazal ekspresyon yapılmaz
→ kafa içi basıncını artırır

Fonksiyon kayıpları:
- hareket etme güçlüğü → blokaj
- konuşma-görme kayıpları (bronkomerkezi → konuşma merkezi)
- Emosyonel fonksyon kayıplar

Stroke:
- Çok fazla etki → öbezite, stres, inflamasyon
- Etkileri yaşam boyu → rehabilatasyon gerekiyor
- Etkileri yaşam kalitesini bozar
- Tedavi ve bakım çok büyük ekonomik güç

Stroke'a neden olan risk faktörler:
- Değiştirilmez (nonmodifiye)
  - yaş (Damar elastikiyet azalır
  - cinsiyet (yağın damarı tıkanması) LDL → bayanlarda yağ oranı daha fazla
  - Irk
  - Genetik yapı (diyabet, hipertansyon) Böbrek yetmezliği

- Değiştirebilir (modifiye)
  - Sigara içme (CRP → Damarda pıhtı 'nin vücutta enfeksiyon old yükselen proteindir.)
  - CRP → karaciğerden salınır, Enflamasyon için grekli bir protin, sigaradaki zehiri öldürmek için / artırak, plak oluşumu artar

Fiziksel aktivite azalığı (öbezite)
oral kontraseptif (trombüs oluşumu)
Ağır alkol tüketimi (karaciğer, trombüs, kan)
Diyabet (kanda artan glikoz damar çeperini zedeler (inflamasyon)
Hipertansyon (kan basınçlı gelmesi, plak oluşumuna neden olur)

Stroke oluşmasında en önemli etken sistemik damar yapısının bozulmasıdır
Damar yapısının bozulma süreci (obezite*) → arterosklerozis gelişme)
enfarktüs → myokard enfarktüs (kalpte) → enfarktüs (beyinde)
Az da olsa kan giderse → trans iskemik atak
Tam tıkanma → Stroke
Damar yapısının bozulması kan akımını azalttığı için stroke meydana gelir

Transient iskemik atak = geçici iskemik Atak
- 3 saatten az bir sürede iyileşir
- strokun ön habercisi
Geçici hemiparezi, geçici görme kaybı, ani konuşma kaybı
Hemiplazi
Paroplazi
Quaplazi
Trombotik nekroz
Embolik nekroz
hemorragic nekroz %15 nekroz

56. NÖROLOJİK TRAVMALAR

Doç. Dr. Türkan ÖZBAYIR

Nörolojik Travmalı Hastanın Yönetimi

Nörolojik travmalar; kafa yaralanmaları, spinal yaralanmalar ve periferik sinir yaralanmaları olmak üzere başlıca üç gruba ayrılır. Nörolojik travmalar; mekanik, kimyasal, eletrik ve radyasyon yaralanmaları gibi değişik nedenlerle meydana gelirler.

Travmatik Beyin Yaralanmaları / Kafa Travmaları

Travma sonrası saçlı deri, kafatası ve beyinde meydana gelen yaralanmalara *kafa travması* denir. Travmatik beyin yaralanmaları bireyin fiziksel, entelektüel, emosyonel, ve sosyal yaşamında önemli değişikliklere neden olur. Travmatik beyin hasarı (TBI) Amerika Birleşik Devletleri'nde ciddi bir halk sağlığı sorunudur. Her yıl, travmatik beyin yaralanmaları (TBY)'na bağlı ölüm ve kalıcı sakatlık vakalarında önemli sayıda artış olmaktadır. Her yıl, en az 1.700.000 TBY ya da diğer yaralanmalarla birlikte TBY vakaları görülmektedir.

Kafa travması olgularının %30'u hastaneye ulaşmadan ölümle sonuçlanmaktadır. Yaralananların %20'i sekonder beyin hasarı (hipoksi ve hipotansiyon, kanama ve serebral ödem)'dan kaybedilmektedir.

Travmatik beyin yaralanmalı hastalarda sıklıkla, kalp yaralanması, servikal kırık, abdominal yaralanmalar ve kas-iskelet sistemi yaralanmaları gibi diğer majör hasarlarda meydana gelmektedir. Travma sonucu oluşan yüz kırıkları ve akciğer yaralanmaları solunum sistemini olumsuz etkiler. Hava yolu tıkanıklığı solunum kapasitesinin azalması (pulmoner kontüzyon, yelken göğüs/flail chest, pnomotoraks) beynin ve diğer dokuların oksijenlenmesini azaltır ve beyin ölümü meydana gelir. Yalnız kafa travması gelişen olgularda hemorajik şok görülmesi çok sık değildir. Hemorajik şok daha çok, multipl travmalarda, abdominal organlarda delinme, pelvis veya femur kırığı gibi kas-iskelet sistemi yaralanmalarında meydana gelir. Dolaşım sisteminde kardiyak kontüzyon veya aritmi gelişebilir.

Etiyoloji

Kafa travması doğumdan itibaren her yaş grubunda ve her iki cinsiyette de görülebilir. Doğum sırasında forseps uygulanması, beşikten veya kucaktan düşmeler, yaşın ilerlemesi ile trafik, iş ev ya da spor kazaları kafa travmalarının nedenlerini oluşturur. Kafa travması en sık 15-30 yaşlar arasında görülür. Kafa travmasına kadınlar, erkeklerden üç kez daha fazla dayanıksızdırlar. Kafa travmaları, akşamüstü, gece ve hafta sonları artma gösterir ve motorlu araç kazalarında daha fazla görülmesine karşın, saldırı, düşme ve diğer kazalarla da meydana gelir.

Patofizyoloji

Kafa travmalarının çoğunda iki esas mekanizma vardır. *Hızlanma/hareketlenme (akselerasyon) ve yavaşlama/durma (deselerasyon)* kafa travmasında yaygın mekanizmalardır.

Hızlanma/hareketlenme yaralanmalarında, hareketli obje, hareketsiz başa çarpar. *Akselerasyon-deserelasyon* yaralanması olarak da adlandırılır. Mekanik yönden akserelerasyon-deselerasyon birbirine eşit bir fiziki durumdur ve aralarında sadece yön farkı vardır. Akselerasyon yaralanmaları beynin ve kafatasının farklı hareketi nedeniyle olabilir. Beynin kafatası içinde bir miktar hareket etme yeteneği vardır ve beyin hareketleri arasında kısa bir zaman farkı vardır. Bu hareket nedeniyle beyin yüzeyinde ve subdural venlerde bir gerilme meydana gelir ve çoğunlukla subdural hematomlar bu mekanizma ile oluşurlar.

Yavaşlama/durma yaralanmalarında, baş bir objeye çarpar. Bu yaralanmalar daha çok araç kazalarında meydana gelir. Bu tip yaralanmalar genellikle çarpma sırasındaki kuvvet nedeniyle oluşur. Başın hareketiyle ilgisi yoktur. Çarpmaların çoğunda baş hareketlendiği için, klinikte bu tip travma daha az görülür. Çoğunlukla çarpma yaralanmalarında akselerasyon yaralanmasıda vardır. Durma yaralanmalarında travma yerinde ve travma yerinden uzakta hasar meydana gelebilir ve durma yaralanmaları, lineer ve çökme kırıklarına, epidural hematoma, darbe kontüzyonuna ve kafa kaide kırıklarına neden olurlar.

Kafa travmaları, *künt ve penetre yaralanmalar* ya da *kup* (darbenin geldiği noktanın hemen altında yer alan yaralanma) ya da *kontr-kup* (darbenin ulaştığı noktanın karşı tarafında yaralanma) yaralanmaları olmak üzere iki grupta incelenir.

Künt yaralanmalar

Akserelerasyon ve deselerasyon travmaları sıklıkla künt travmalar sonucu meydana gelir. Kraniyal yapıları, beyin parankimini ve damarları içeren karmaşık travmalardır.

Beyin, kafatası içinde BOS tarafından korunur ve beyin hareket etme yeteneği sayesinde travma meydana geldiğinde beyin dokuları, kafatasının düzensiz çıkıntıları üzerinden sıyrılır ve farklı noktalara itilir. Travma, beyin yüzeyinde küçük kan damarlarında peteşiyel kanamaya ve kraniyal sinirler, sinir sistemi, büyük damarlar ve diğer dokularda gerilmeye veya rotasyona, fonksiyon bozukluklarına neden olur.

Delici/Penetre yaralanmalar

Penetre yaralanmalar, yabancı cisim (bıçak, kurşun, vb.) ya da kafatasının kırılması ve kemiğin parçalanması sonucu oluşan yaralanmalardır, beyin dokularında laserasyon ve ventriküler sistemde hasar meydana gelir. Kan damarlarında yırtılma veya büyük pıhtı meydana gelirse beyin basısına bağlı fıtıklaşma oluşur.

Düşük hızdaki yaralanmalarda izleyen yol sınırlı olduğu için, kanama ve enfeksiyon sorunu vardır. Yüksek hızdaki (kurşun) yaralanmalarında ise, kemik kırıldığı için daha büyük hasar meydana gelir ve meydana gelen basınç değişiklikleri, beyin sapını etkileyerek akut medüller yetmezliğe ve ölüme neden olabilir. Kurşun yaralanmaları, kurşunun girdiği beyin bölgesi, ortaya çıkan hasarı tayin eden faktörlerdir. Giriş yerinde ciltte açık bir yara meydana gelir.

Kafatasına girdiği yerde oluşan kurşun ve kemik parçaları ikinci bir delici cisim olarak beyin dokusuna girebilir. Kurşun serebral dokunun içinde kalabilir, karşı iç tibuladan sekerek serebral doku içinde ikinci bir yaralanma olabilir veya karşı kemik dokusunu delerek kafatasından çıkabilir. Çıkış deliği, giriş deliğinden büyüktür. Kurşun gibi fazla hızlı objeler kafatası ve beyinde şok dalgalarına ve şok dalgaları beyin dokusunda önemli hasara neden olur. Sıklıkla penetre yaralar, kraniyal kavitenin dış çevreye açılmasına neden olur.

Mermi düzensiz olarak ilerleyeceği için çeşitli yollarda şok dalgası ve hasar oluşturur. Kurşun yaralanmalarına bağlı olarak oluşan hematom, beyin şişmesi ve enfeksiyon ölüme yol açan diğer komplikasyonlardır. Travma saçlı deriyi ve kraniyum /kafatasını etkiler.

Primer yaralanma çeşitleri

Primer yaralanmalar doğrudan vurma, çarpma sonucu oluşur. Beyin kontüzyonu, yaygın aksonal zedelenme, kraniyal sinir ve hipofiz sapı zedelenmesi bu gruptadır. Sekonder zedelenmenin esas nedeni intrakraniyal kanama ve bunun sonucunda oluşan hipertansiyon ve serebral herniasyondur. Hipoksi, hiperkapni, KİBA, enfeksiyon ve epileptik nöbetler de sekonder hasara neden olur. Ciddi kafa travması olgularında hipoksi ve hipotansiyon vardır. Bunlar sekonder zedelenmenin önemli iki faktörü olup, çoğunlukla morbitide ve mortaliteye neden olur. Sekonder sorunlar travmadan saatler, günler sonra meydana gelebilir.

Kafa derisi yaralanmaları

Erişkinde yaklaşık 1 cm kadar kalınlığı olan kafa derisi, travma enerjisinin bir kısmını emebilecek elastik bir yapıya sahiptir. Travmayı yapan cismin vurma kuvvetine ve vuruş açısına göre kafa derisinde değişik şekillerde ve derecelerde yüzeyel bir sıyrıktan, ağır laserasyonlara kadar yaralanmalar meydana gelir. Kafa derisi yaralanmalarında yara dudaklarını karşı karşıya getirmek ve böylece hem kanamayı kontrol etmek hem de yara iyileşmesini kolaylaştırmak için dikiş konulması gerekir. Eğer deri altındaki dokular da yaralanmış ve beyin dokusu dış ortama açılmışsa deri hemen steril bir pansumanla kapatılmalı, cerrahi girişim ile anatomik bütünlük sağlanmalı ve antibiyotik tedavisine başlanmalıdır. Kafa derisi yaralanmaları, laserasyon, hematom ve kontüzyona neden olur. Hastada minör travma dışında hasar yoksa hastaneye götürülmesine gerek yoktur.

Kafatası Kırıkları

Kafatası kırıklarında genellikle hem kemikte kırık hem de beyinde yaralanma meydana gelir. Bazı kırıklar semptom vermemesine karşın, bazen çok ciddi beyin hasarına neden olurlar. Çökme kırıkları köntüzyona, intraserebral hematoma, yırtılmaya neden olur.

Kafatası kırıklarının türleri

Linear ve çökme kırıkları olmak üzere iki türü vardır.

Lineer kırık

Linear kırıklar, % 50 pariyetal bölgede ve orta fossanın tabanına doğru yayılırlar. % 50'si frontal ve oksipital bölgelerde görülür. Radyolojik incelemede ince bir çizgi olarak görülür ve tedavi gerektirmezler. Klinik olarak linear kırıklar yol açtıkları komplikasyonlar nedeniyle önemlidirler. Menengeal arterleri ve dural sinüsleri ya da kemik sinüslerini çaprazlayan kırıklar kanamalara, enfeksiyonlara ve dura fistüllerine neden olabilirler. Linear kırıkların en erken komplikasyonu *epidural hematom*'lardır. Duramaterde yırtılma meydana gelirse yavaş yavaş linear kırığın genişlemesine neden olur (*psödoleptomeningeal kist*).

Çökme kırığı

Artan veya azalan hızdaki darbelere, kompresyonlara ya da delici cisimlerle oluşan travmalara bağlı olarak meydana gelirler. Linear kırıklara benzerler, radyolojik olarak görülebilir ve palpe edilebilirler. Çökmenin altında dura ya da beyin dokusu zedelenebilir, kanama ve enfeksiyonlara neden olabilir. Çökme kırığında kırık bölgesinin üzerindeki deri sağlamsa *kapalı çökme kırığı*, deride hasar varsa *açık çökme kırığı* denir. Çöken kemik parçaları dura materi yırtıp, serebral dokuya batmış ise *komplike çökme kırığından*, dura materde yırtılma yoksa, *basit çökme kırığından*

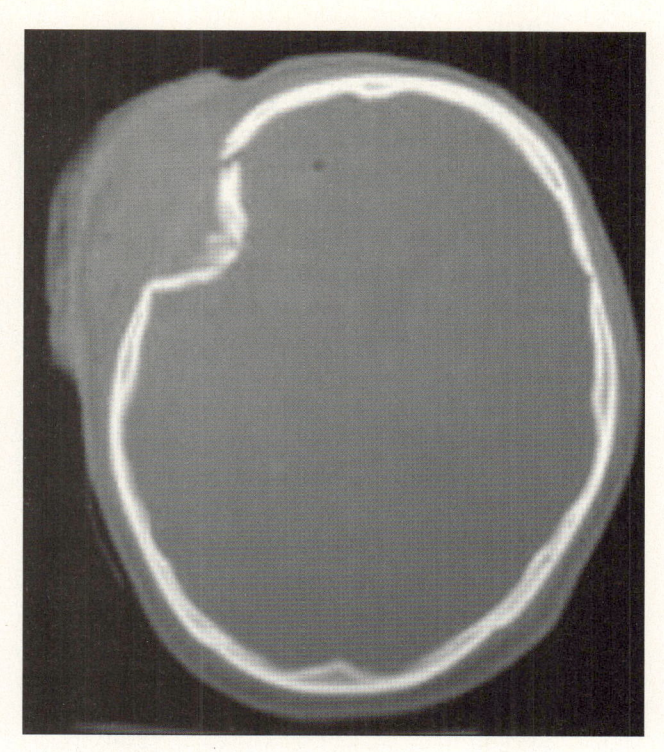

56. Nörolojik Travmalar

- Koku sinirinin hasarına bağlı koklama duyusunun kaybı
- Görme sinirinin hasarına bağlı *göz hareketlerinin kaybı, şaşı* veya *sabit bakış, dilate pupil*
- Yüz sinirinin hasarına bağlı tek yanlı *parezi veya paralizi*
- İç kulak hasarına bağlı *vertigo*
- Vestibüler sistemin hasarına bağlı *nistagmus*

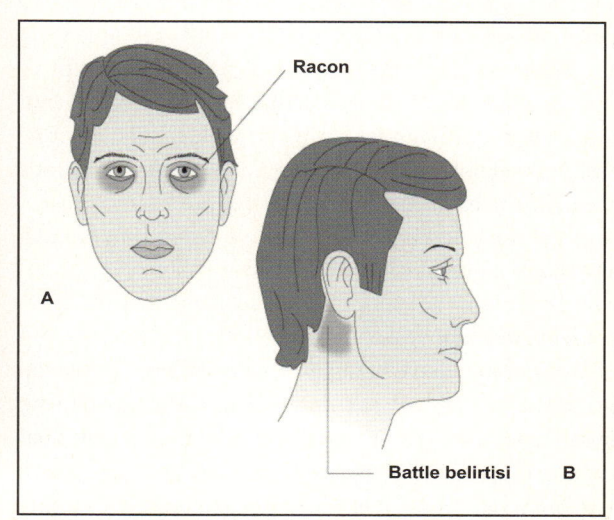

Şekil 56.1: Çökme kırığı.
Kaynak: http://www.emedicine.com/med/images/3912med2894-04.jpg med.ege.edu.tr/~rad-onk/tedavi.htm

Şekil 56.2: Racon, Battle belirtisi
Kaynak: http://connection.lww.com/Products/ timbyessentials/Ch41/jpg/41_004.jpg

bahsedilir. Açık ve komplike kırıklarda cerrahi girişim gereklidir.(Şekil 56.1)

Kafa kaidesi kırıkları

Frontal ve temporal lobların üzerindeki kemiklerde meydana gelir. Perinasal sinüs ve mastoid hava hücreleri bölgesindeki kırıklarda dura materde yırtık nedeniyle *menenjit* ve *beyin apsesi* oluşma riski vardır. Ayrıca kraniyal sinirlerin felci veya arter kanaması da meydana gelebilir.

Klinik Belirti ve Bulgular

Kafatası kırığı olan hastada travma öyküsünden başka belirti olmayabilir. Bu nedenle aşağıdaki belirti ve bulgular dikkatli değerlendirilmelidir.

- Kulaktan veya burundan BOS gelmesi
- Çeşitli kraniyal sinir hasarları
- Kulak zarı arkasında kanama
- Gözlerin etrafında çürük/periorbital ekimoz *"raccoon belirtisi"*
- Mastoid üzerinde çürük *"Battle belirtisi"* (Şekil 56.2)

Kaide kırıkları; radyolojik olarak az görülür. Travmanın başlangıcında veya daha sonra kraniyal sinirlerde ve iç kulakta hasar meydana gelebilir. Aşağıda verilen klinik belirti ve bulgular gelişebilir.

- Optik sinir hasarına bağlı *görme değişiklikleri*
- İşitme sinirinin hasarına bağlı *işitme kaybı*

- Kaide kırıkları, çökme kırıkları ve diğer açık/birleşik kırıklarda beyin dış çevreye açılabilir ve *beyin absesi* ve *menenjit* gelişebilir.

Beyin Dokusu Yaralanmaları

Serebral ya da intrakraniyal yaralanmalar terimleri, beyin dokusu yaralanmalarını ifade eder. Beyin dokusu yaralanmalarında tek bir sınıflama yapmak mümkün değildir. Genellikle, kafa travmasına bağlı beyin dokusu yaralanmalarında *açık, kapalı, konküzyon, kontüzyon* terimleri kullanılır.

a. Konküzyon (beyin sarsıntısı)

Kafa travması sonucu meydana gelen hafif ve geçici fizyolojik serebral fonksiyon bozukluğudur. Bazı yazarlar olayın retiküler aktive edici sistemde ani, geçici metabolik bir bozukluğa bağlı olduğunu bazıları ise, hücresel oksijenin azalması sonucu olduğunu ileri sürerler. Acil serviste görülen kafa travmalarının çoğu bu gruptadır. Yaralıda, yaklaşık 5dk veya daha az süren bilinçsizlik ve geçmişe yönelik bilinç kaybı (retrograd amnezi) vardır. Baş dönmesi ve bulantı sık görülen yakınmalar arasındadır. Kafatası veya durada yırtık yoktur ve hasar BT veya MRG de görülmez.

b. Kontüzyon (ezilme)

Kontüzyon servikal fraktür gibi diğer ciddi yaralanmalarla birlikte görülebilir. Travma beyin dokusunun devamlılığını bozmadan hücresel yapı bozukluğuna neden olur. Damarların çevresinde ve beynin yüzeyel kısımlarında çarpmanın hemen altında kanamalar oluşur. Temporal, oksipital ve frontobazal bölgelerde, sfenoid kanadın, tentoriyumun ve falksın serbest kenarları hizasında beyin dokusunda lezyonlar olur. Ağır kontüzyonlarda beyin sapında kanamalar meydana gelebilir. Kontüzyon bilinç kaybı ve ciddi hasarlara neden olur. KİBAS ve herniasyon sendromu gelişebilir. Nöropatolojik değişikler dönüşümsüz olabilir ve subaraknoid kanamalar ya da beyin dokusunda peteşiyel kanamalar meydana gelebilir.

Kontüzyon ; serebral kontüzyon ve beyin sapı kontüzyonu olarak ikiye ayrılır.

Serebral kontüzyon

Serebral kontüzyonda bulgular serebral hemisfer alanlarındaki hasara bağlı olarak değişebilir. Kafa travmalı bir hastada konfüzyon ve ajitasyon varsa; temporal lob kontüzyonunu, hemiparezi; frontal lob kontüzyonunu, afazi; frontotemporal kontüzyon olasılığını düşündürmelidir Diğer bulgular kontüzyonun diğer alanlarda olduğunu gösterir. Bu bulgular serebral kontüzyonu göstermekle birlikte diğer anormal bulguların (*kitle oluşması veya lezyon*)'da değerlendirilmesi kuralı unutulmamalıdır. Hastanın durumundaki değişiklikler ani tıbbi tedaviyi gerektirebilir. Erken tedavi komplikasyonları önler.

Beyin sapı kontüzyonu

Beyin sapı yaralanmaları çok ciddi kontüzyon türüdür. Beyin sapı kontüzyonu olan hastada koma gelişebileceği için erken girişim gereklidir.

Hastanın bilinç düzeyi sürekli çeşitli aralarla saatlik, günlük veya haftalık değerlendirilmelidir. Hastada yarı bilinçlilik durumu çok kısa sürede komaya dönüşebilir. Geçici komadaki hastada retiküler aktiviter sistemide oluşan hasar yardım gerektirebilir. Diğer nörolojik anormal bulgular genellikle *simetrik* (vücudun her iki yanına yayılmış) olarak vardır ama bazen hematom gibi ikincil bir olay nedeniyle *asimetrik* (vücudun tek bir kısmında) olabilir. Beyin sapı kontüzyonlu hastada, bilinç düzeyinde değişmeye ek olarak, solunum, pupiller, göz hareketleri, motor yanıt anormallikleri her zaman meydana gelebilir. Solunum; normal, periyodik, çok hızlı veya ataksik olabilir. Pupiller, genellikle küçük, eşit ve reaktifdir. Üst beyin sapında (III. Kraniyal sinir) hasar varsa pupillerde anormallik olabilir. Orta beyin ve ponsun üstünden/içinden geçen gözün hareketlerini kontrol eden yollarda hasar varsa, normal göz hareketleri kaybolur.

Hasta ışığa ve uyarana, iterek veya hiç tepki vermeyerek yanıt verebilir. Derin bilinç düzeyi değişimlerinde bile bilinç değerlendirilirken bazen hastanın postüründe, fleksiyon veya ekstensiyon değişikliği olabilir. Beyin sapı kontüzyonunda hasar sadece beyin sapında olmayabilir. Otonom sinir sistemi ve hipotalamusta şişme veya hasardan etkilenebilir. Hastada yüksek ateş, hızlı solunum ve nabız, terleme vardır. İlerleyen saatlerde bu etkiler azalsa bile ciddi komplikasyonlara neden olabilir. Bu klinik belirti ve bulgulardan biri veya birkaçının olması hemotamun geliştiğini gösterir. Hastanın durumun dikkatli değerlendirilmesi ve kayıt, gerekli tedavinin erken uygulanmasını sağlar. Kafatasında kırık ve kanamanın saptanmasında BT, MRG gibi bu tanı yöntemlerinin uygulanması gereklidir. Lomber ponksiyon, subaraknoid bölgedeki kanamaların değerlendirilmesinde kullanılan yardımcı tanı yöntemlerindendir.

c. Laserasyon

Travma beyin dokusunun devamlılığını bozmuşsa laserasyondan sözedilir. Kortikal ve subkortikal bölgelerde damarlar yırtılır ve kanamalar olur. Kanama subaraknoid aralığa geçebilir. İntraserebral hematomlar olabilir. Beyin ödemlidir ve kan dolaşımı bozulmuştur. Laserayonlar çoğunlukla kraniyumun çökme kırıklarında ya da delici travmalarında meydana gelirler. Bu tip travmalarda ölüm riski % 40'ın üzerindedir.

d. Yaygın aksonal hasar/yaralanma

Ciddi kontüzyon durumunda beyaz cevherde anatomik bozulma ile sonuçlanan yaygın aksonal yaralanma meydana gelir (Şekil 56.3) Anormallik çoğunlukla tek bir noktada görülmesine karşın, diğer bölgeler de yaralanabilir. Beyin dokusu yaralanmalarının en ciddi türüdür. Hafif, orta, şiddetli türleri vardır. Hafif aksonal yaralanmalarda 6-24 saate varan bilinç kaybı görülür. Orta yaygın aksonal yaralanmalarda bilinç kaybı 24 saatten önce düzelmez. Ciddi yaygın aksonal yaralanmalarda birincil olarak beyin sapında yaralanma vardır. Yaygın aksonal yaralanmalar hızlı bilinç kaybına, uzayan komaya, anormal fleksiyon-ekstensiyon postürüne, KİBAS'a, hipertansiyona ve yüksek ateşe neden olur.

Patofizyoloji

Beyin dokusu yaralanmalarında *konküzyon (beyin sarsıntısı)* genellikle geri dönüşlüdür. Bazı biyokimyasal ve yapısal değişiklikler mitokondriyal adenozin trifosfat da deplasyon/tükenme ve vasküler permeabilitede değişiklikler meydana gelir. Büyük kafa travmaları beynin parankiminde doğrudan hasar oluşturur ve beyin dokusuna iletilen kinetik enerji, yumuşak dokuda hasara neden olur. Beyin dokusunda yer değiştirme, kan damarlarında kanama ve ödem meydana gelir. Yaygın aksonal hasar, yaralanmaya bağlı olarak ciddi beyin hasarı/serebral konküzyon, beyin ezilmesi/kontüzyon, yaygın nöral hasar ve diğer liflerde gerilme meydana gelir. Yaygın olarak beyaz cevher yaralanmalarında, beyaz cevherbozulmz, nöral fonksiyon bozukluğu ve yaygın serebral ödem meydana gelir. Yaygın aksonal yaralanma mikroskobik lezyon vardır. BT incelemesinde normal veya bazen küçük kanama odağı görülebilir. Otoregülasyonda bozulma hipoperfüzyona ve beyin dokusunda iskemiye neden olur. Serebral perfüzyon yeterliyse beynin kısa aralıklarla ekstra oksijenlenmesi nedeniyle hipoksi mortaliteyi daha az etkiler. Uzamış hipoksi,

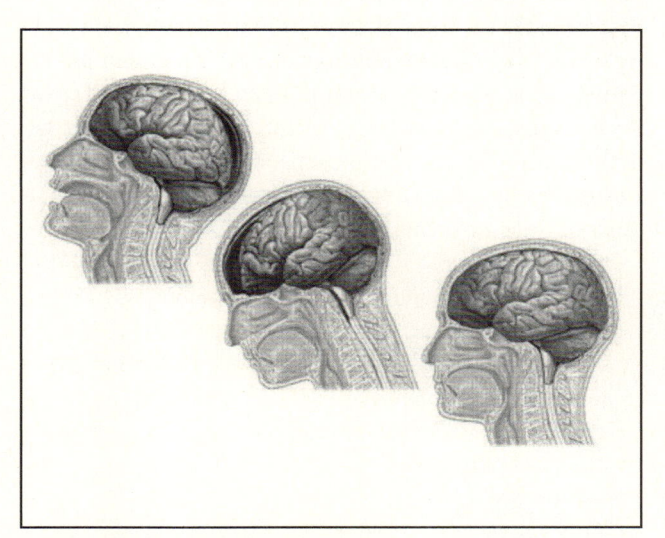

Şekil 56.3: Yaygın aksonal yaralanma.
Kaynak: http://www.newsnet5.com/2006/0209/6867683.jpg

beyin dokusunda iskemiye neden olur. İskemi olduğunda reperfüzyon hasarı meydana gelir ve bu sekonder hasara neden olur.

Reperfüzyon hasarı serbest oksijen radikalleri nedeniyle normal aerobik metabolizmanın genellikle su ve oksijenin içine doğru çökmesine neden olur. Bu radikallerin bozulması sonucu hücre hasarı meydana gelir. Bu birikim nükleik asidin, proteinlerin, karbonhidrat, yağların ve beyin dokusundaki hücre membranının yıkımına/destrüksiyonuna neden olur.

Son zamanlarda yapılan araştırmalarda, sinir koruyucu/nöroprotektif ajanların gelişmesiyle hasarın ilerlemesini engellendiği bildirilmektedir.

Kafa travması olan hastaların yönetimi
Acil yönetim
Hava yolu, solunum ve dolaşımın sağlanmasıdır. Kafa travmasıyla birlikte servikal kırık varsa, hastanın omurgası tespit edilmelidir. Kafa travmalarında olası komplikasyonları önlemek için boyun, boyunluk/collar veya kum torbaları ile desteklenmelidir. Yan servikal omurganın röntgeni çekilirken atel çıkartılmalıdır. Resusitasyon yapılacaksa standart *"başı geriye it, çeneyi yukarı kaldır"* uygulaması daha ileri hasara neden olacağı için yapılmamalıdır. Hastanın saatlik monitorizasyonu yapılmalıdır. Durum değişikliği hemen hekime haber verilmelidir. Yaralanmanın tam öyküsü alınmalı ve hasta hekim tarafından değerlendirilmelidir. Hastanın damar yolu açılıp kan volümü için sıvı verilmelidir. Kafa travmaları tek başına kan kaybına neden olmaz. Eşlik eden kırık veya karın yaralanması varsa sorun olabilir. Kapalı kafa travmalarında kanamayı kontrol etmek için basınçlı pansuman uygulama, çökme veya birleşik kırık durumu saptanmadıkça uygulanmamalıdır. Komplike olmayan kafa derisi yaralanmalarında deri, temizlenmeli ve lokal anestezi uygulanarak dikilmelidir.

Kritik yönetim
Kritik bakım, devam eden KİBA'yı azaltmayı hedeflemelidir. Hastaya ozmotik diüretikler verilip, hiperventilasyon ve yeterli oksijenlenme devam ettirilmelidir. Serebral metabolik oran ve hipotermi, sedatifler, barbituratlar, paralitik ajanlar, antipiretikler kullanılarak azaltılmalıdır. Kodein kafa travmalı hastada iyi bir narkotik ajandır. Sedasyon ve solunum depresyonu oluşturmadan ağrıyı azaltır. Paralitik ajanlar yeterli ventilasyonun devam etmesini sağlar. Verilen bu ajanlar sedatif etkili olmalarına karşın, paralitik ajanların sedatif etkisi yoktur.

Tıbbi yönetim
Ciddi kafa travmalı hastada tıbbi yönetim; tüm organları destekleyen tedaviyi sağlamayı hedeflemelidir. Bunlar: 1. Solunum desteği, 2. Sıvı-elektrolit dengesi ve eliminasyon, 3. Gastrointestinal fonksiyonların devamı ve beslenme ve 4. Daha sonra gelişebilecek olan komplikasyonların önlemektir.

Kafa travması olan hastalarda olası komplikasyonlar
Komplikasyonlar kafa travmasından sonraki saatler ve günler içinde gelişebilir.

Stres ülserleri: Stres ülserine bağlı hasarı önlemek için histamin antagonistleri (cimetidine, ranitidine, vb.) verilmelidir. KİBAS'ı önlemek için osmotik diüretikler ve önerilen antibiyotikler verilmelidir. Başlangıçta barsak peristaltizmi başlayasıya kadar (yaklaşık 5 gün) hasta ağız yoluyla beslenmemelidir. Kafa travmasından sonra metabolik gereksinimler artacağı için hasta enteral yol ile beslenmelidir. Aspirasyon riskini önlemek için hasta enteral yolla beslenirken başı yüksek olmalı ve pulmoner değişiklikler monitorize edilmelidir. Total Parenteral Nütriyon (TPN) bazı hastalarda kullanılır ve solüsyona bağlı olarak hiperglisemi gelişebilir. *Hiperglisemi,* KİBA'yı arttıracağı için, kan şeker düzeyi dikkatli izlenmelidir.

Serebral ödem: Serebral ödem ve beyin şişmesi daima, ciddi kafa travmaları ile birlikte görülür. Şişlik kafatasının küçük alanlarına bile yerleşmiştir. Kitlenin etkisi ve KİBA nedeniyle bütün alanlar dolar. Ödem, yaygın ölüm nedenidir.

Enfeksiyon: Özellikle açık kafa travmasından sonra menenjit ve beyin apsesi gibi enfeksiyonlar gelişebilir.

Akut hidrosefali: Ventriküllerde BOS artması, birikmesi, tıkanmasına ya da emilim bozukluğuna bağlı olarak hidrosefali gelişebilir. BOS yolları travmatik veya enfeksiyöz yollada tıkanabilir. BOS basıncı arttığında KİB artar. Hastaya cerrahi yolla ventrikülostomi veya şant uygulanmalıdır.

Diabetes insipidus: Kapalı kafa travmalı hastada yaygın görülen nörojenik komplikasyonlardandır. Posterior pituiter, antidüretik hormon, hipotalamusun etkilenmesi sonucu Diabetes insipidus görülür. Hastada ADH Yetersizliğine bağlı olarak poliüri ve polidipsi, 9L/gün idrar çıkışı vardır. İdrarın ozmalitesi 100mOsm/kg dır. Hastaya ADH (desmopressin)/DDAVP replasmanı yapılmalıdır.

Uygun olmayan antidiüretik hormon sekresyonu sendromu: Normal fizyolojik uyaranların yokluğunda oligüri ile sonuçlanan ADH salınım seviyesinin yükselmesi ile karekterize bir sendromdur. Pituiter cerrahi ADH serbest bırakır, ama uygun olmayan antidiüretik hormon sekresyonu sendromu, ADH salgılayan bir kanser türünün, ektopik bir tümörün yaygın nedenleri arasındadır. Bazı psikiyatrik hastalıklar ve tedaviler de sendroma eşlik eder.

Ritm bozukluğu: Kafa travmalı hastalarda ritm bozukluğu gelişebilir. İntrakraniyal kitle lezyonları (epidural, subdural hematom) ritm bozukluğuna neden olur. Tanı konulup, tedavi edildikten sonra ritm düzelir.

Nörolojik pulmoner ödem: Ağır kafa travmalı hastalarda yaklaşık 24-48 saat içinde nörolojik pulmoner ödem gelişir. Bu Erişkin Solunum Yetersizliği Sendromu (adult respiratory distress syndrome, ARDS)'na benzer. Bazı otoriteler bunu, ARDS'nin bir türü olarak kabul etmektedir. Tedavisi ARDS'nun tedavisi gibidir.

Arteriyovenöz anevrizmalar: Travma sonucu internal karotis arterinin yırtılması/yaralanması sonucu görülür. Mermi yaralanması veya sfenoid kemiğin kırılması neden olabilir. Hastada klinik bulgu olarak, egzoftalmus, gözün veya periorbital venlerin şişmesi, kraniyal sinir paralizisi vardır. Arteriyel kanın toplanması nedeniyle kavernoz sinusta tansiyon yükselir.

Cerrahi olarak, boyundaki internal karotis arterinin veya intrakraniyal oftalmik arterlerin bağlanması/ligasyonu gereklidir.

Davranış değişikliği: Travmadan sonra bilinçsiz olarak geçirilen günlerden sonra kafa travmalı hasta, genelde kaygılı, huzursuz ve konfüzedir. Bazı hastalarda serebral irritasyon nedeniyle travmatik deliryum gelişir. Geçici olan bu evre süresince, deliryum ataklarında hasta iyi gözlenmeli, korunmalı, rahatlatılmalı, kendine zarar vermesi engellenmelidir. Atak geçince, hasta düzenli olarak konuşabilir ve bazı aktivitelerinde işbirliği yapabilir. Bu durum aile üyelerini üzer ve telaşlandırır, aileye bu konuda bilgi verilip, rahatlatılmalıdır. Bu evre geçtikten sonra hasta, mental yeteneğini tam olarak kazanır. Bu süreçte hasta bireyleri tanıyıp, onlarla işbirliği yapabilir ancak belleği zayıftır. Bu otomatik davranışlar esnasında, hastanın bilinçsi tam net değildir günlerden sonra normal belleği yerine gelebilir.

Postravmatik sendrom (Travma sonrası tepki): Kafa travması sonrası iyileşme süresinde ortaya çıkan komplikasyonlara *Postravmatik sendrom (Travma sonrası tepki)* denir, aylarca veya yıllarca devam edebilir. Bu yanıt genellikle kuşkulu, küçük travma geçiren hastalarda olabilir. *Postravmatik sendrom* düşünülen hastalarda şağıdaki bulgular değerlendirilmelidir.

- Başağrısı,
- Konsantrasyon güçlüğü (okuma ile ilgili)
- Baş dönmesi,sersemlik
- Ani kafa hareketlerinden sonra kafada titreme ya da sallanmanın durmaması
- *Huzursuzluk*
- *Gürültüye duyarlılık*
- *Uykusuzluk*
- *Rahatsızlık*
- *Aşırı terleme*
- *Depresyon*
- *Kişilik değişiklikleri*
- *Sinirlilik*
- *Bellek zayıflığı*
- *Anksiyete*
- *Alkol intoleransı*
- *Kolay yorulma*

Kafa travması geçiren hastaların yarısı bu semptomları orta şiddette ve kısa sürede yaşayabilirler ancak bu klinik belirti ve bulgular hastada haftalar, yıllar boyunca sürerse ancak o zaman *"postravmatik sendrom/travma sonrası tepki"* olarak adlandırılır. Hastada aşağıdaki tipik özellikler görülür.

1. Hastanın durumu daha kötü olur
2. Travmanın ölçüsü, sendromun şiddetiyle uyumlu değildir
3. Kompleks nörolojik ve psikojenik semptomların birlikte aynı anda olması Bu bulguların kafa travmasına bağlı veya psikojenik olup olmadığı tartışma konusudur. Bazen organik nedenler fizik muayene sırasında anlaşılamayabilir ve dikkatli nöroşirürjik incelemeler beyin hasarına bağlı anormallikleri gösterebilir. Hasta ve ailesine kafa travmasından sonra bunların olabileceği söylenmeli, destek tedavisi uygulanmalı ve aile rahatla-

tılmalıdır. Gerekiyorsa psikolojik danışmanlık alınması önerilmelidir. Hastanın belleğinin yenilenmesi ve güçlenmesinde kavramsal/bilişsel tedavi yardımcı olur.

Cerrahi tedavi

Subdural hematom, epidural hematom, çökme kırığı, delici yabancı cisim varsa cerrahi tedavi gereklidir. Ameliyattan önce artan kafa içi basıncı mümkün olduğu kadar düşürülmelidir. Temel nörolojik bulgular kaydedilmelidir. Bilinçsiz hastanın ailesine bilgi verilip, aydınlatılmış onam alınmalıdır. Basit çökme kırıkları, çöken kısmın çıkartılması ve duranın dikilmesi ile tedavi edilir. Saçlı deri, kafatası ve beyin dokusu debride edilip, yara katlarına uygun bir şekilde dikilir. Yabancı cisim, beyin apsesi oluşturabileceği için çıkarılmalıdır. Çökme kırıklarında delici yaranın debritmanı çoğunlukla kozmetik açıdan kötü bir görüntü oluşturur. Eksiklik/defekt daha sonra kraniyoplasti ameliyatı ile düzeltilir.

Ameliyat sonrası hasta bakımı kraniyotomili hasta bakımında anlatıldığı gibidir.

Toplum ve öz-bakım

Hafif kafa travmalı hastalar en az 6 saat (ideal 48 saat) hastanede ekstradural kanama yönünden izlenmelidir. Hasta eve gönderilecekse hasta ve ailesine dikkat edilmesi gereken belirti ve bulgularla ilgili bilgi verilmelidir. Bazı hastalar rehabilitasyon için 28 saatten daha uzun süre hastanede kalırlar. Rehabilitasyon, fiziksel, uğraş, konuşma, kavramsal ve tedaviyi içerir.

Amaç hastanın fonksiyonlarını en üst düzeyde fonksiyonlarını kazanmasıdır. Kafa travmalı hastanın rehabilitasyonunda hemşirenin rolü çok önemlidir. Hastaya tedavi amacıyla beslenme tüpü veya trakeostomi tüpü uygulanabilir. Hasta ve ailesine bakım için yardım edilmelidir. Düzelme mümkün değilse, hasta diğer bakımlarının yapılacağı birimlere transfer edilmelidir. Kafa travmalı hastaların çoğu genç ve daha önceki yaşamlarında sağlıklı bireyler olduğu için hastanın bu durumunu ailenin kabullenmesi zordur. Hasta ve ailesine savunma ve baş etme yöntemleri ile destek ve yardımcı olmalıdır. Kafa travmalı hastanın rehabilitasyonunda; kaybedilen yetilerin yerine konabilecek yeni yetiler kazanması, sosyal beceri, emosyonel destek, boş vakti değerlendirme, fiziksel sağlık, sağlığı koruma gibi interdisipliner teknikler uygulanmalıdır.

Sekonder Beyin Yaralanmaları

Sekonder beyin yaralanmaları, travma sonucu gelişen komplikasyonlardır. Bu komplikasyonlar travmadan sonra gelişebildiği gibi, yıllar sonrada ortaya çıkabilir.

Travmatik hematom

Travmatik hematomlar; epidural ve subdural olarak, intradural olanlarda; subdural ve intraserebral olarak ikiye ayrılır.

Epidural Hematom

Epidural hematomlar ekstradural hematom alarak da adlandırılır. (Şekil 56.4) Şiddetli kafa travması sonrası, olguların %10'unda kafatası kırığı ile birlikte, kafatası ile duramater arasında görülür. Temporal kemiğin inceliği ve bu bölgede menenjiyal arter ve venin iç tubulayla olan ilişkisi nedeniyle, epidural hematomların çoğunluğu temporal bölgede görülür. Ayrıca frontal, oksipital ve posterior fossada da görülebilir. Epidural hematomun patolojik etkisi hematomun ezdiği beyin dokusuna ve daha sonra bu ezilen beyin kısmındaki ödeme ve herniasyona ve artmış KİBA'ya bağlıdır.

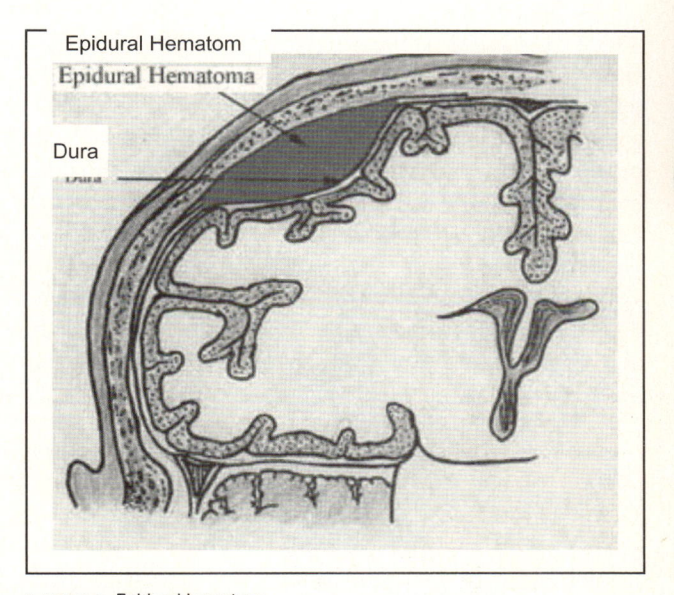

Şekil 56.4: Epidural hematom.
Kaynak: http://www.nebraskabraininjurylawyer.com/images/brainoverviews/hematomas/hematoma.epidural.jpg

Epidural hematomda, ekstraserebral kan damarlarının orta menenjiyal arter ve venlerinde kanama meydana gelir. Kanama arteriyel kaynaklı olduğu için akut bir başlangıç gösterir. Kanama devamlıdır ve dura ile kafatası arasında büyük bir pıhtı oluşur. Klasik epidural hematomda; Kafa travmasından sonra hastada ani bilinç kaybı gelişir. Hastaların %10-15'de sessiz dönem (Lusid aralık) görülür. Kaza esnasında ani gelişen bellek kaybı (konküzyon) daha sonra hastanın belleğini tekrar kazanması, bu sırada başağrısının başlaması ve dakikalar ya da saatler içerisinde belleğini tekrar kaybetmesi şeklinde açıklanan bu klinik tablo epidural hematomun gelişmesi ile oluşan kitle etkisi ve kafa içi basınç artışı sonucu ortaya çıkar. Pupil dilatasyonu, göz hareketlerinde ve hematomun olduğu yönde paralizi, tek taraflı midriaziz vardır. Hasta komaya girer. Hematomun karşı tarafında hemiparazi vardır. Hastanın genel durumu ani olarak bozulur, hematomun beyine yaptığı bası ile bradikardi, kan basıncının yükselmesi, solunumun düzensizleşmesi, KİBA ve tentoriyal hernileşme ve solunum Yetersizliğine bağlı ölüm görülür. Travmanın başlangıcında ekstradural kanamanın tanısı hemen konulamaz. Saatler sonra hastanın durumu kötüleşir ve kaybedilir. Epidural hematomlar genellikle hafif bir kafa travması geçirerek, acil servise başvuran, yapılan fizik incelemeler sonucunda normal bulunup evine gönderilen hastalarda da görülebilir. Ancak bu hastaların yaklaşık %90'da kolaylıkla görülen lineer kırık vardır. Özellikle bu hastaların hastanede izlenmesi gereklidir. Genellikle epidural pıhtı yavaş oluşur ve hastada bulgusuz geçirilen bir hafta veya aydan sonra tanı koydurucu nörolojik değişiklikler meydana gelir.

Epidural hematomun hızlı tanılanması gerekir. Kafa grafisi ve BT incelemesi tanıda yardımcı incelemelerdir. Hastanın nörolojik durumu dikkatli değerlendirilmeli, değişiklikler hemen hekime haber verilmelidir. Hastanın ambu, elle ya da mekanik ventilasyon makinalarıyla hiperventilasyonu sağlanıp, KİBA düşürülmelidir. Epidural hematomların yaklaşı %50'den fazlası ölümle sonuçlanır. Ölümler genellikle gerekli cerrahi girişimlerin zamanında yapılmamasına bağlıdır. Epidural pıhtı, matkap, burr hole veya kraniotomi ameliyatı ile cerrahi olarak boşaltılmalıdır. Ameliyat sırasında kanama boşaltılmalı ve kanayan damar bağlanmalıdır. Ameliyat sonrası bakım; kraniyotomi ameliyatı olan hastanın bakımı gibidir.

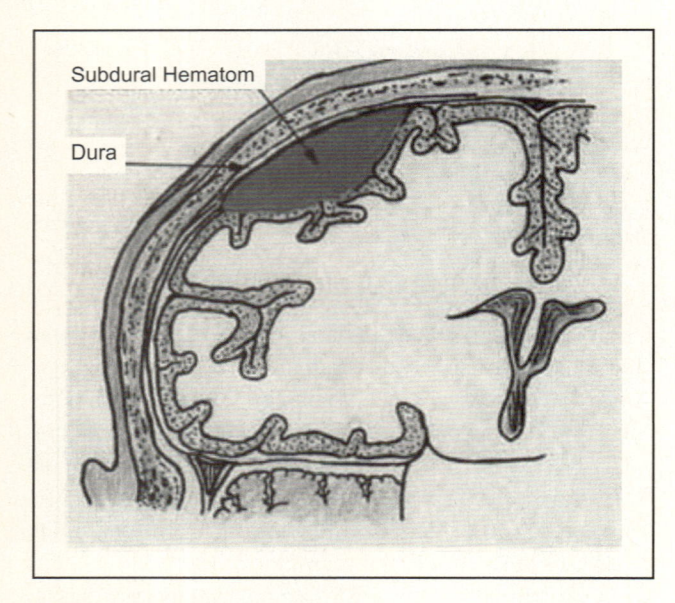

Şekil 56.5: Subdural hematom.
Kaynak: http://www.nebraskabraininjurylawyer.com/images/brainoverviews/hematomas/hematoma.supdural12.jpg

Subdural Hematom

Subdural hematom, subdural alanda (duramater ile araknoid arasında) akut ya da kronik kan toplanmasıdır. (Şekil 56.5)

Subdural hematom çoğunlukla köprü venlerden köken alır. Kanama subdural alana sızar ve absorbe edilmez. Pıhtı kan hücrelerinin membranı içinde sıvının yüksek ozmotik niteliği ile erir. Pıhtı içinde subaraknoid alanı çevreleyen sıvı, intrakraniyal kitleyi arttırır. Büyük pıhtı KİB arttırır, herniasyon ve ölüm meydana gelir. Subdural hematom, akut, subakut, kronik olarak sınıflandırılır. Diğer bir sınıflama, akut, kronik ve akut-subakut formun karışımıdır.

Akut ve subakut subdural hematom

Akut subdural hematom, çoğunlukla frontal ve temporal lobda beyin zarının yırtılması ile oluşur. Akut subdural hematom, beyinde ödem, bası ve hasar oluşturması nedeniyle ciddi bir komplikasyondur ve hızlı tedaviyi gerektirir. Genellikle, araknoidmaterin yırtılması ile sakküler anevrizma veya bir intraserebral kanamanın rüptürü subdural hematomla sonuçlanır. Akut subdural hematom, yaralanmadan sonra 24-48 saat içinde meydana gelir. Akut subdural hematomlu hastaların yaklaşık %24'de ciddi kafa travması vardır.

Belirti ve bulgular

Akut subdural hematomun belirti ve bulguları epidural hematoma benzer. Kanama arteriyel kanamadan çok, çoğunlukla venöz nitelikli olduğu için klinik belirti ve bulgular yavaş gelişir. Subdural hematoma orta ve ciddi kafa travması eşlik ettiği için bulguları tanılamak zordur. Akut subdural hematomda yaralanmadan sonra hastanın bilinç düzeyinde değişiklik yaralanmanın şiddetine bağlıdır. Hastada baş ağrısı, huzursuzluk, konfüzyon ve bilinç düzeyinde değişme gözlenir. KİB artma meydana gelir. Bilinç değişikliğine, hemiparezi, pupil dilatasyonu, ekstra okular göz hareketlerinde paralizi eşlik eder.

Subakut subdural hematomlar, travmadan 4-21 gün sonra görülür. Akut subdural hematoma göre klinik tablo daha hafiftir ve klinik belirti ve bulgular yavaş ortaya çıkar. Hastalarda değişik derecelerde KİBAS bulguları vardır. Subdural aralıktaki hematom, koyu çay rengi görünümdedir. Bunun etrafında herhangi bir zar oluşumu yoktur. İçinde ufak pıhtı parçacıkları olabilir.

Kronik subdural hematom

Kronik subdural hematom, sıklıkla yaşlı ve alkolik bireylerde görülür. Hastanın beyninde atrofi ve venlerde gerilme vardır. Gerilen venler düşme veya diğer nedenlerle yırtılır ve hastada nörolojik bozulma gelişir. Yaşlı veya alkolik, epileptik hastalarda travma bazen çok önemsizdir ve hatırlanmaz. Hastada uykuya meyil, anımsama güçlüğü, kişilik değişiklikleri meydana gelir. Başağrısı en önemli bulgudur.

Kronik subdural hematomun yerleşimine bağlı hemiparezi ve pupil bulguları görülür. Bilinç durumundaki değişiklikler devam eder. Hastaya tıbbi tedavi yapılmalıdır.

Kronik subdural hematomun klinik belirti ve bulguları epidural hematoma benzer. Cerrahi tedavi, burr-hole veya kraniyotomi ameliyatı ile hematomun çıkarılmasıdır. Tedavinin sonuçları, ameliyat öncesi hastanın durumuna ve primer beyin dokusundaki hasara bağlıdır. Boşaltılan kronik subdural hematomun yerine dren yerleştirilir. Hastalar ameliyattan sonra başı düz olarak yatırılmamalıdır. Drenajdan sonra beyin tekrar genişler ve kavitesini doldurur.

İntraserebral hematom

İntraserebral hematom, epidural ve subdural hematomdan daha az sıklıkla meydana gelir (Şekil 56.6) Doğrudan beyin içine kanama vardır. Oluşan hematoma bağlı, KİBA sunucu sorunlar gelişir. Pıhtı oluşmadıkça cerrahi rezeksiyon uygulanmaz, Klinik belirti ve bulgular epidural, subdural hematomdaki gibidir ve intraserebral hematomun lokalizasyonuna bağlıdır. Hemipleji, hemipareziden daha fazla görülür. Kitle etkisiyle KİBA bağlı sekonder komplikasyonlar gelişir. Klinik belirti ve bulgular Tanı diğer hematomlarda olduğu gibidir. İntraserebral hematomun bir başka biçimi, *geçikmiş intraserebral hematom* olarak adlandırılır. Hastalarda yaygın damar içi pıhtılaşma, disseminated intravasculer coagulopathy (DIC), hipotansiyon, alkol kullanımı öyküsü ve hipoksi vardır ve bu hastalarda tanı konulması güçtür. Beyin hasarlı hastalarda hasta ve ailelerinde duygusal tepkiler fazla olur. Bu durumda hasta ya da ailelerine bazı merkezlerde sosyal destek verilmelidir.

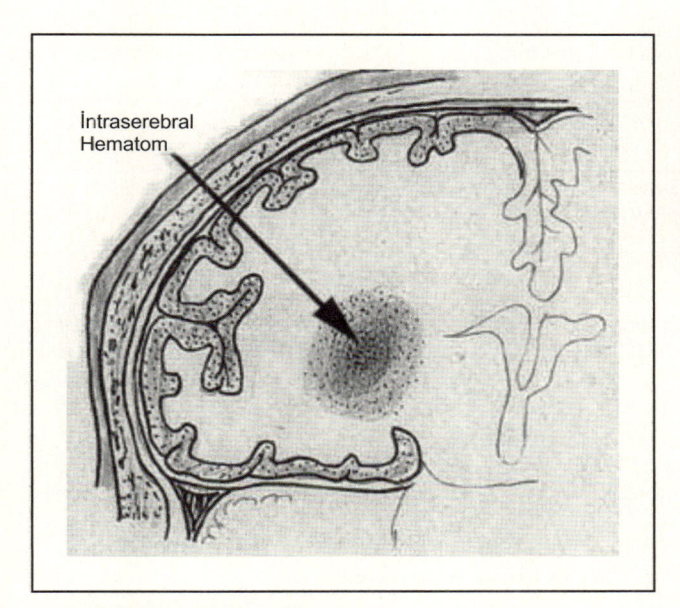

Spinal Travmalar

Spinal travmalar; travmanın şekline ve bu bölgeye transfer edilen enerjinin miktarına göre basit yumuşak doku yaralanmalarından, omurga kırıkları ve omurilik kesilerine kadar geniş bir alanda görülür. Spinal travmaların görülme sıklığı milyonda 15-40 olgu/yıldır ve 2/3'ü servikal bölgede görülür. Bunların yaklaşık %25'i hastaneye ulaşamadan, %8.3'ü hastanede tedavi sırasında öldüğü bildirilmektedir. Erkeklerin 5-35 yaş grubunda olanları, kadınlardan daha fazla travmaya maruz kalmaktadır. Spinal travmalı hastaların çoğu 40 yaşın altındadır.

Amerika Birleşik Devletlerinde her yıl yaklaşık 200.000 kişide spinal travma ve bunlara ilave10.000-12.000 kişide de kuşkulu spinal travma meydana gelmektedir. Kafa travmalı bir yaralıda spinal travmanın da olabileceği düşünülmelidir.

Etiyoloji

İlk sırada motorlu araç kazaları yer alırken, bunu iş kazaları, spor yaralanmaları, düşmeler ve motor kazaları izlemektedir.

Spinal travması olan hastalar genelde birçok sistemde hasarları olan hastalardır. Bu nedenle öncelikle yaşamsal bulgular, hava yolu açıklığı, solunumu, dolaşımı kontrol edilmeli ve uygun tedavi yapılmalıdır. Spinal travmalı hastanın taşınması en az hastalığın tedavisi kadar önemlidir. Spinal travmalı hastada omurilik yaralanması şüpheside olabileceği için, hastalar vertebral kolonunun hareketini önleyecek şekilde tespit edilmeli ve özel sedye ile taşınmalıdır (Şekil 56.7)

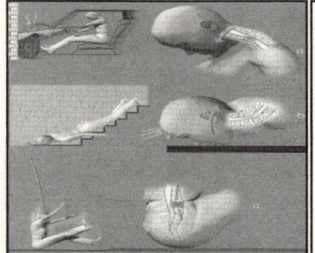

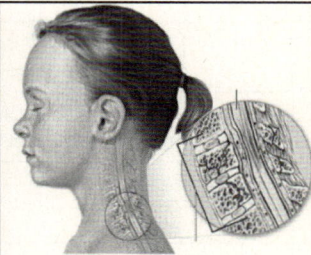

Şekil 56.7: Spinal yaralanmalar

Patofizyoloji

Spinal travma meydana geldiğinde vertebral kolonun üzerinde omurilik hasarı oluşturabilen bir güç vardır. Travmanın olduğu anda omurilikte kompresyon, kontüzyon ve laserasyona bağlı primer yaralanmalar oluşur. Primer yaralanmanın derecesi, yaralanmaya neden olan gücün genişliğine, etki süresine ve omurilik tarfından absorbe edilen enerji miktarına göre değişir. Omuriğin uzun süre baskı altında kalması, nörolojik hasarın büyük ve prognozun kötü olmasına yol açar.

Şekil 56.6: İntraserebral hematom.
Kaynak: www.nebraskabraininjurylawyer.com/how.html

Sekonder yaralanma, primer yaralanmayı izleyen dakikalar, saatler içinde başlayıp haftalarca devam eder. Hastada iskemiye bağlı nöral hasar oluşur. İskemi, dokulara yeterli glukoz ve oksijen sağlanamamasına, dolaylı olarak da enerji yetersizliği ve ATP depolarında azalmaya neden olur. İskemiyi takip eden anaerobik solunum pekçok patolojik sürecin tetiklenmesine yol açar. Hücre içi sodyum ve kalsiyum iyonlarının yoğunluğu artar ve akut hücre şişmesi meydana gelir.

Diğer yandan hücre duvarında araşidonik asit metabolizmasının bozulması mitokondiriyal hasara, serbest yağ radikallerini serbest kalmasınıneden olur. Serbest radikaller hücre ve organel membranındaki doymamış yağ asitleri ile reaksiyona girer ve lipid peroksidasyonu başlar. Serbest kalan (norepinefrin, histamin, dopamin, glutamat, prostoglandin) biyokimyasal değişikliklere neden olur ve laktik asitin yapılıp, oksijenin azalması ve kan damarlarının vazokonstrüksiyonu sonucu iskemi gelişir.

Yaralanmadan hemen sonra spinal kanalda ve gri cevherde mikroskobik kanamalar başlar kanama beyaz cevheride kaplar. Spinal kanaldaki akım azalır ve iskemi meydana gelir. İskeminin geri dönüşü olmazsa ölüm meydana gelir. Spinal travmaya bağlı yaralanma seviyesinin altında motor ve duyusal kayıplar meydana gelir. Ayrıca artan otonomik fonksiyon, kardiyovasküler sistemde bozulmaya, bradikardi, hipotansiyon, venöz staz, ısı kontrolsüzlüğü ve spinal şoka neden olur.

Çizelge 56.1 Spinal Kord Yaralanma Düzeyine Göre Fonksiyonel Yetiler

Seviye	Fonksiyon	ADL	Eliminasyon	Mobilizasyon
C1-C3	Boyun altında hareket ya da duyu kaybı; ventilatöre bağımlı	Bağımlı	Bağımlı	***Ses ya da sip-n-puff (SNP) kontrollü elektrikli tekerlekli sandalye
C4	Baş ve boyunda his ve hareket; diyaframın bazı kısmi fonksiyonu	Bağımlı	Bağımlı	Çene ile hareket edebilen elektrikli tekerlekli sandalye
C5	Baş, boyun ve omuz kontrolü; dirseklerin fleksiyonu	Birinin yardımı ile	Bağımlı	Elektrikli tekerlekli sandalye
C6	Omuz kullanılabilir, el bileğinin ekstansiyonu	Bağımsız ya da birinin yardımı ile	Birinin yardımı ile	Tekerlekli sandalye, bağımsız transfer
C7 ve C8	Dirseklerin ekstansiyonu, el bileğinin fleksiyonu, birçok parmağın kullanımı	Bağımsız	Bağımsız	El ile sürülebilen tekerlekli sandalye
T1-T5	El ve tüm parmakların kontrolü ve göğüs kaslarının kullanımı	Bağımsız	Bağımsız	El ile sürülebilen tekerlekli sandalye
T6-T10	Karın kaslarının kontrolü, iyi denge	Bağımsız	Bağımsız	El ile sürülebilen tekerlekli sandalye
T11-L5	Kalçanın fleksiyonu ve abduksiyonu; dizlerin fleksiyonu ve ekstansiyonu	Bağımsız	Bağımsız	Uzun ya da kısa değnek ya da baston yardımıyla gezmek
S1-S5	Bacakların kontrolü, progresif barsak, mesane ve cinsel fonksiyon	Bağımsız	Bağımsız	Uzun ya da kısa değnek ya da baston yardımıyla gezmek

*** Quadroplejik hastaların kullandığı bir tüp içine nefes alıp-vererek hava basıncı ile komuta edilen tekerlekli sandalye
Burke K.M, Mohn Brown E.L, Eby L (2011) Caring For Clients With Degenerative Neurologic and Spinal Cord Disorders, Medical Surgical Nursing Care, 3th Edition, P: 1007-10.

Çizelge 56.2 Spinal Kord Yaralanmalarının Komplikasyonları

Progresif; Dekübit (Basınç) Ülserler
Nörolojik; Ağrı, Hipotoni, Otonomik Disrefleksi
Kardiyovasküler ve Periferik Vasküler; Spinal Şok, Ortostatik Hipotansiyon, Bradikardi, DVT
Solunumsal; Göğüsün Genişlemesinde Sınırlılık, Pnömoni
Gastrointestinal; Stres Ülserleri, Paralitik İleus, Fekal İmpaksiyon, Fekal İnkontinans
Genitoüriner; Üriner Retansiyon, Üriner İnkontinans, Nörojenik Mesane, Genito Üriner Sistem Enfeksiyonları, Vajinal Kuruluk
İskelet Sistemi; Eklem Kontraktürü, Muskuler Spazm, Muskuler Atrofi, Patolojik Kırıklar, Hiperkalsemi

Burke K.M, Mohn Brown E.L, Eby L (2011) Caring For Clients With Degenerative Neurologic and Spinal Cord Disorders, Medical Surgical Nursing Care, 3th Edition, P: 1007-10.

Çizelge 56.3 Değerlendirme
Spinal Kord Yaralanması Olan Hasta
Objektif Veriler
• Solunum güçlüğü
• Yaralanma seviyesinin altında güç, hareket ya da duyu kaybı
• Ekstremitelerde uyuşma ya da karıncalanma
• Korku, öfke ya da depresyon varlığı
• Geçmişinde travmatik yaralanma öyküsü (kaza / yaralanma)
Objektif Veriler
• Kan basıncı, nabız ve vücut ısısı
• Solunumun hızı, derinliği ve sesleri; öksürme yeteneği; yardımcı kasların kullanımı
• Motor gücü testi
• His değerlendirmesi, vücut bölgelerine dokunarak hissedip hissetmediğini değerlendirmek
• Mesane dolgunluğunu değerlendirmek için palpasyon yapmak
• Barsak seslerini steteskopla dinlemek
• Tanısal testlerin sonuçlarını izlemek ve raporlamak
Burke K.M, Mohn Brown E.L, Eby L (2011) Caring For Clients With Degenerative Neurologic and Spinal Cord Disorders, Medical Surgical Nursing Care, 3th Edition, P: 1007-10.

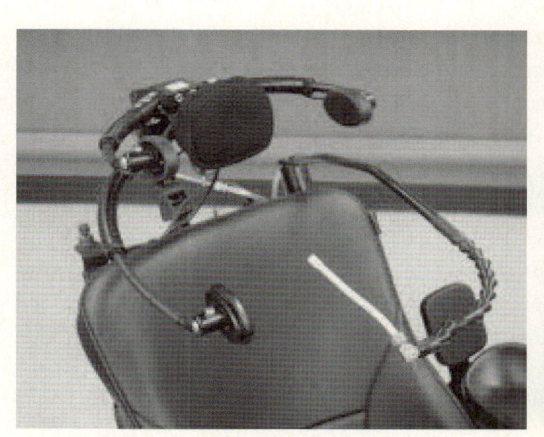

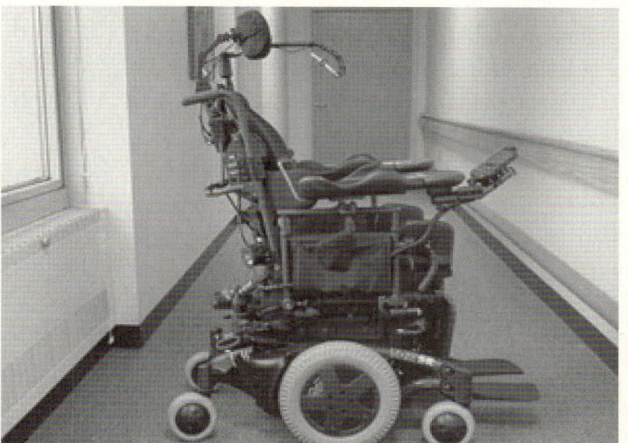

http://sci.rutgers.edu/forum/showthread.php?t=142155

Yaralanma düzeyi

Spinal kord yaralanmaları tam veya tam olmayan yaralanmalar şeklinde olabilir. Amerikan Spinal Yaralanma Derneği, American Spinal Injury Association (ASIA) tarafından bir sınıflandırma sistemi geliştirilmiştir (Çizelge 56.4)

Spinal kord sendromu

Spinal kord sendromu nörolojik fonksiyonların kısmen var olduğu tam olmayan yaralanmaları tanımlamaktadır. Spinal kord sendromu; santral kord sendromu, anterior kord sendromu ve Brown-Séquard sendromu, Conus Medullaris sendromu ve Cauda Equina sendromu olarak beş türde incelenir.

Santral kord sendromu

Genellikle hiperekstansiyon-hiperfleksiyon yaralanmalarında ortaya çıkar ve üst ekstremitelerde kuvvet kaybına neden olur. Santral kord sendromu, el ve kollara giden sinir traktuslarının bulunduğu kordun santral kısmındaki ödem ve kanama nedeniyle gelişir. Omuriliğin gri cevheri hasara uğramıştır. Bu sendrom lezyon seviyesinin altında çeşitli derecelerde duyu kaybı, mesane bozuklukları ile karakterizedir. Alt ekstremitelerin motor, sakral sakral dermatomların duyusal lifleri omurilikte daha periferde yerleştikleri için alt ekstremitelerin özellikle distalindeki hareketler ve perianal bölgedeki duyu korunmuştur.

Anterior kord sendromu

Anterior kord sendromu; akut fıtıklaşmış intervertebral diskin kontüzyonu ya da kompresyonu ile omuriliğin anterolateral bölümünde yerleşen spinotalamik ve kortikospinal traktüslerin hasara uğraması sonucu meydana gelir. Yaralanma seviyesinin altında hipoestezi, hipoaljezi ve tam paralizi vardır.

1207

Sinir Sistemi

> **Çizelge 56.4** ASIA Spinal Kord Yaralanmalarının Sınıflandırılması
>
> **A: Tam yaralanma:** S4-S5 sakral segmentleri dahil yaralanma seviyesinin altında duyu ve motor fonksiyon yoktur.
> **B: Tam olmayan yaralanma:** Yaralanma seviyesinin altında, S4-5 segmentlerine kadar olan alanda bazı duyular vardır, ancak motor fonksiyona ait bulgular yoktur.
> **C: Tam olmayan yaralanma:** Yaralanma seviyesinin altındaki bazı kaslarda motor fonksiyon korunmuştur fakat kas kuvveti 3/5'in altındadır.
> **D: Tam olmayan yaralanma:** Yaralanma seviyesi altındaki kasların çoğunda motor fonksiyon korunmuştur. Kas kuvveti 3/5 veya daha iyi seviyededir.
> **E: Normal:** Yaralanam seviyesinin altında motor ve duyusal fonksiyonlar tamamen normaldir.

Brown-Séquard sendromu

Kurşun bıçak gibi araçların neden olduğu penetran yaralanmalar sonucu omuriliğin bir yarısında hasar meydana gelmesidir. Omuriliğin hemiseksiyonu, lezyon seviyesinin altında ipsilateral kuvvet azalmasına, dokunma, pozisyon ve vibrasyon duyusunun ipsilateral, ağrı ve sıcaklık duyusunun, karşı beden yarısında kaybına neden olur.

Conus Medullaris Sendromu

Spinal korda canus medullaris ve lomber sinir köklerinde hasar sonucu gelişen senroma verilen addır. Bireyin alt ekstremitelerinde, bağırsak ve mesane fonksiyonların kayıp/yeti yitimi vardır.

Cauna Equina Sendromu

Canus medullarisin altında lumbosakral sinir köklerinde hasar sonucu gelişir. Bireyin alt ekstremite, bağırsak ve mesane fonksiyonlarında arafleksi vardır.

Spinal şok

T4-T5 seviyesinin üzerinde spinal kordun tam hasarı spinal şok (sempatik otonomik refleks aktivitesi kaybı) oluşumunu hazırlayıcı faktördür. Venöz dönüş azalır ve hipotansiyon gelişir. Vazokonstrüksiyon nedeniyle hipotalamus beden ısısını kontrol edemez ve metobalizma artar. Spinal şok 1-6 hafta sürebilir.

Tanı

Hasta ile ilk karşılaşmada hasta veya tanıklara kazanın niteliği sorulmalıdır. Hasta değerlendirilirken, inspeksiyonla birlikte sistemik muayenesi yapılmalıdır. Yüz, baş, boyun bölgesinde ezik, yırtık, sıyrık, vertebrada deformite ve ağrı, uyuşukluk, güç kaybı olup olmadığı sorulmalı, hasta bilinçli ise el ve ayak parmaklarını hareket ettirerek güç kaybı kontrol edilmeli ve kol ve bacaklarda duyu kontrolü yapılmalıdır.

Nörolojik muayene

Spinal travmalı hastalar multitravmalı hastalar olduğundan tam bir sistemik ve nörolojik muayeneleri yapılmalıdır. Nörolojik muayenede derin tendon reflekslerini ve patolojik refkesleri içeren motor ve duyusal muayene yapılmalıdır. Bu muayene sırasında en distal segmentte (sakral 4-5) korunmuş duyusal kök bulgusu yaralanmanın tam omurilik kesisi olmadığını ve prognozun daha iyi olduğunu gösterir. Benzer şekilde anal tonus ve reflekslerin ilk 48 saat içinde geri dönmesi de iyi bir bulgudur. Spinal şok oluşan hasara bağlı geçici bir durumdur. Kalan nörolojik kayıplar omuriliğin gördüğü hasara bağlı olarak oluşan kayıplardır ve bir kısmı geri dönüşsüzdür.

Amerikan Spinal Yaralanma Derneği, American Spinal Injury Association (ASIA), omurilik yaralanmalarında standart nörolojik sınıflandırmasına göre önerilen nörolojik muayenenin, duyusal ve motor olmak üzere başlıca iki bölümü vardır. Duyu muayenesinde, dermatomlar üzerinde pamuk parçası ve iğne ucu ile yapılan muayenede hastaların duyu puanları hesaplanır. Buna göre; *0=anestezi, 1=bozulmuş duyu (hipoestezi, hiperestezi, parestezi vb.), 2=normal ve M.E (muayene edilemedi)* anlamını taşır. Motor muayene kas gücüne göre, 5 puan üzerinden yapılır. Alt ekstremitelerde 5, üst ekstremitelerde 5 kas grubunun bilateral değerlendirilmesi yapılır. Her bir kas grubunun 5 puan üzerinden hesaplanan toplam motor nörolojik puan hesaplanır.

Radyolojik incelemeler

Hastanın pozisyonu korunarak, servikal 7-torasik 1 (S7-T1) aralığını gösterecek bir yan servikal grafi çekilir. Yan servikal grafi değerlendirildikten sonra diğer grafiler çekilir. Manyetik rezonans görüntüleme, MRG yumuşak dokular hakkında ayrıntılı bilgiler verir.

Tanı ve tadavi

Hasta hastaneye ulaştığında en kısa sürede damar yolu açılmalı, biyokimya, hemogram, kan grup tayini, sıvı-elektrolit tayini için sonda takılmalı ve hasta aspire edilmelidir. Servikal travmalı hastada, sempatik zincir sinir hasarına bağlı bradikardi ve hipotansiyon gelişir. İnterkostal kasların parezi veya plejisi solunumun yüzeyel ve yetersiz olmasına yol açar. Sonuçta, hasar görmüş ve yüksek miktarda oksijen ve metabolitlere gereksinimi olan omurilikte iskemi ortaya çıkmaya başlar.

Bu nedenle hastaların PaO2 seviyesini 100 torr üzerine çıkarmak ve PaCO2' seviyesini ise 45 torr altına indirmek için önlemler alınmalıdır. Ekstremitelere elastik bandaj sarılmasıve trandelenburg pozisyonu hastanın venöz basıncını düzeltmeye yardımcı olur. Aşırı sıvı yüklenmesi yaşlı hastalarda kalp Yetersizliği belirti ve bulgularının ortaya çıkmasına neden olacağı için dikkatli olmalıdır. Kan değerlerinden hemoglobin 12gr/dl, hematokritin %36'nın altına düşmemesine dikkat etmelidir. Omurilik basısını ortadan kaldırmak için cerrahi tedavi uygulanmalıdır. Cerrahi tedavide amaç, dekompresyon ve tespit/stabilizasyondur.

Hastanın değerlendirilmesi
Hava yolu açıklığının ve solunum değerlendirilmesi
Hastanın öncelikle hava yolu açıklığı, solunum ve nörolojik durumu değerlendirilmelidir. Yüksek seviyeli spinal travmalarda fonksiyonların bozulması daha fazladır. Spinal travmalı hastalarda çoğunlukla solunum sorunları görülür. Göğüs travması nedeniyle diyafragma ve interkostal kasların paralizisi etkisiz solunuma neden olur. Bu nedenle oskültasyonla akciğerin bütün alanları dikkatli dinlenmeli, solunumun hızı, ritmi, derinliği değerlendirilmelidir.

Solunum güçlüğü yaralanma seviyesine (tam-tam olmayan) bağlıdır. Tam yaralanmalarda seviye, S1-S3 düzeyinde ise hasta ventilatöre bağlanmalıdır. S4-S5 düzeyindeki hastalarda frenik sinir hasarı vardır. Yaralanması S5 altında olan hastalarda diyaframatik solunum, interkostal ve abdominal kasların fonksiyonu bozulmamıştır. T1-L2 hasarlarda çeşitli düzeylerde interkostal ve abdominal kasların fonksiyonlarda değişik düzeylerde kayıp vardır. Tam olmayan spinal yaralanmalarda solunumda değişik düzeylerde motor Yetersizlik varsa hasta mekanik ventilatöre gereksinim duyabilir.

Nörolojik değerlendirme
Havayolu ve nörolojik değerlendirme tam olarak yapılmalıdır. Hastada kafa travması da varsa, bütün bölümlerin, motor, refleks, duyusal nörolojik muayenesi yapılmalıdır.

Motor ve refleks değerlendirme
Spinal sinirleri innerve eden major kas gruplarının kitlesi, gücü ve tonüs değerlendirilmesinin yapılması motor fonksiyonların hasarının belirlenmesinde önemlidir. Motor değerlendirmede kas gruplarının gücünün evrelendirilmesi gerekir. Kas gücünün evrelenmesi, (5/5 skalası)'na göre güç-karşı güç olarak değerlendirilir. 5 dereceli değerlendirmede;
0 Kas kasılması ve hareket yok
1 Minimal düzeyde hareket
2 Yer çekimi kaldırıldığında hareket
3 Yalnız yer çekimine karşı hareket
4 Yer çekimi+ dirence karşı hareket
5 Tam kas gücü olarak değerlendirilir.

Kas tonüsü; çizgili kasların dinlenme durumunda hafif bir gerginlik göstermesidir. Kas tonüsü değerlendirmesi için hasta rahat bir pozisyonda iken alt ve üst ekstremite eklemleri fleksiyon ve ekstansiyona getirilerek tonüs kontrolü yapılır.

Derin tendon refleksleri (DTR): Derin tendon refleksleri refleks çekici ile ilgili tendona vurularak değerlendirilir.

(0. refleks yok, 1. hipoaktif, 2. normal, 3. hiperaktif) olarak değerlendirilir.

Duyusal değerlendirme
Duyusal değerlendirmede yüzeyel yanıt keskin, kint, hiperestezi, yok olarak değerlendirilir. Bir spinal segment tarafından sağlanan deri üzerinde duyu aranır. Önkolun yan kısmı, başparmak ve işaret parmağı ile dermatomla test edilir. Test sırasında hastanın gözleri kapalı olmalıdır. Hemşire hastanın baş parmağı veya ayak parmağını yukarı aşağı düz pozisyonda kavrar ve hastaya hangi durumda olduğunu sorar. Bir test tüpü soğuk, diğeri sıcak su işle doldurulup, hastanın derisine dokunulur ve hastadan verilen ısı tam olarak tanılaması istenir. Hastanın saatlik solunum hızı, ritmi, hareket/güç, vücudun tüm yüzeylerine iğne testi ve ısı değerlendirilmesi yapılır.

Hemodinamik değerlendirme
Yaralanmayı izleyen akut dönemde hastanın hemodinamik monitorizasyon yapılmalı ve hastanın gereksinimleri sürdürülmelidir. S5 üstündeki yaralanmalarda sempatik innervasyon kaybına bağlı vazodilatasyon, venöz dönüş azalması ve hipotansiyon vardır. Hastada hipotermi ve hipoksi bradikardiye neden olur. Hasta aspire edilmeden önce oksijen verilmelidir. Vazomotor tonüs ve paraliziye bağlı venöz staz oluşur. Bu bacaklarda ve pelviste trombozve staz riskini arttırır. S5 ve üstü seviyede olan spinal travmalı hastada vücut ısısı düzenlenmesinde bozukluk oluşur. Kan damarları ve hipotalamus arasındaki yollar travma nedeniyle kesildiği için hastanın vücut ısısında çevresel ısıya da bağlı olarak düşme/artma meydana gelir.

Gastrointestinal sistem değerlendirilmesi
Spinal travmalı hastalarda GİS değerlendirilmelidir. Otonomik tonüs kaybına bağlı abdominal distansiyon ve paralitik ileus vardır. Barsak hareketleri geri dönünceye kadar nazogastrik tüp takılır. Stres ülseri meydana gelebilir. Stres ülserinden korunma için H2 reseptör antagonistleri verilir. Akut dönemde uygulanan steroid tedavisi gastrik mukozayı irrite eder. Yaralanma hipermetabolik duruma neden olduğu için GİS değerlendirilmesi önemlidir.

Barsak ve mesanenin değerlendirilmesi
Spinal yaralanmalarda barsak ve mesanede atoni meydana gelir. Detrusor kasların paralizisi nedeniyle mesane kasılamaz. Üriner retansiyon en yaygın sorundur. Hastaya foley kateter uygulanmalıdır. Barsaklarda peristaltik hareketler yoktur ve paralitik ileus oluşması riski vardır.

İlk 72 saatten sonra nazogastrik tüp yerleştirilmeli ve dekompresyonsağlanmalıdır. Hastanın barsak sesleri, gaz, gastrik sekreyonun azalması değerlendirilmelidir.

Reflekslerin artması/Otonomik disrefleksi

T6'nın altında spinal travması olan hastalarda Otonomik disrefleksi meydana gelir. Sempatik sistemde çeşitli uyaranlara (mesane distansiyonu, fekal tıkanma, foley kateterin kıvrılması, barsak ve mesaneye yapılan işlemler) verilen yanıtıdır. Yaygın belirti ve bulgular, ani, şiddetli baş ağrısı, hipertansiyon, nazal konjesyon, yüz ve boyunda kızarıklık ve anksiyetedir. Hipertansiyon tehlikeli düzeyde artar. Tedavi nedene yöneliktir. Acil tedavi gerekir. Bulgular görüldüğünde nitrogliseine, nifedipine, hydralazine ile tedavi yapılır.

Derinin değerlendirilmesi

Dolaşım ve hareket sınırlılığı nedeniyle deride hasar meydana gelir. Derinin bütün yüzeyleri gözlenmelidir. Halo veya tong çivisi uygulandıysa her 8 saatte kızarıklık, drenaj, ağrı, şişlik yönünden gözlem ve bakım yapılmalıdır.

Psikolojik değerlendirme

Yaralanmanın akut evresinde önemlidir. Hastaya önerilen tedaviler uygulanır. Hastanın geriye dönüş/kazanımları doğrultusunda durum değerlendirilir ve bakım planı tekrar düzenlenir. Hasta ailesi başlangıçta durumun ciddiyetine bağlı olaral şok yaşar. Bu evrede hasta ailesinin soruları yanıtlanmalı ve gerekli açıklamalar yapılmalıdır. Hasta ve ailesi için psikiyatrik yardım gerekebilir.

Tıbbi değerlendirme

Temel labaratuvar çalışmaları, tam kan sayımı, protrombin zamanı, kısmi tromboplastin zamanı ve kan gazı değerlendirilmelidir. Yaygın tanısal işlemler antero-posterior ve lateral radyografi, BT, göğüs radyografisi, myelografi, somatosensory-cortical evoked potentials değerlendirilmesidir.

Spinal Travmalı Hastanın
Hemşirelik yönetimi
Hemşirelik tanıları

- Spinal travmaya bağlı *fiziksel hareketlerde bozulma,*
- Yetersiz solunum, diyafragma, toraks, interkostal kaslarda zayıflığa bağlı, (otonomik sinir sistemi) *instabilite*
- Kardiyovasküler instabiliteye bağlı *doku perfüzyonunda değişme (spinal şok)*
- Sempatik innervasyon kaybına bağlı etkisiz termoregülasyon
- Paralitik ileus, stres ülseri, hipermetabolik duruma bağlı *beslenmede değişiklik/gereğinden az beslenme*
- Sıvı yüklenmesi, paralitik ileusla ilgili *sıvı-volüm fazlalığı*
- Üst motor lezyon, atonik mesane ile ilgili *üriner eliminasyonda değişiklik/inkontinans*
- Spinal yaralanmaya bağlı *bağırsak inkontinansı*
- Spinal yaralanmaya bağlı *mesane spazmı, spasitise ile ilgili kronik ağrı*
- Spinal yaralanmaya *bağlı hareketsizliğe bağlı öz-bakım eksikliği*
- Spinal yaralanmaya bağlı *etkisiz savunma mekanizması ve güçsüzlük*
- Spinal yaralanmaya bağlı *beden bilincinde/ imajında bozulma*

Hemşirelik uygulamaları

Hemşirelik uygulamaları, havayolu açıklığının ve solunum sağlanması, spinal kolonun stabilizasyonu, spinal yaralanma ve hareketsizliğe bağlı komplikasyonları önlemeye yönelik olmalıdır.

Tıbbi tedavi

Hastanın hava yolu açıklığı ve etkin solunumu sağlanır. Zorlu solunum varsa hasta ventilatöre bağlanmalıdır. Spinal parçanın çıkık veya kırığında nörolojik hasarı önlemek için iskelet traksiyonu, Halo ceket ile immobilizasyon sağlanır ve traksiyon uygulanır. (Şekil 56.8) Başlangıçta genellikle 5 kg ağırlık kullanılır sonra ağırlık arttırılır. Redüksiyon sağlandıktan sonra halo ring kısmı alt ceket ile birleştirilir. Halo ceketin pekçok avantajı vardır. Boyun radyografisi sırasında ve diğer işlemlerde kolay takılıp çıkarılır. Hastanın erken mobilizasyonu ve ambulasyonu sağlanır. Spinal kord basısına bağlı tıbbi tedavi uygulanır. Amaç, kan basıncını normal sınırlarda tutulmasını sağlamaktır.

Sıvı elektrolit dengesi için pulmoner arter kateter takılabilir. Son yıllarda spinal travmalı hastalarda kortizon tedavisi kullanılmaktadır. Trombüs oluşumunu ve pulmoner emboliyi önlemek için profilaktik antikoagülan tedavisi uygulanır.

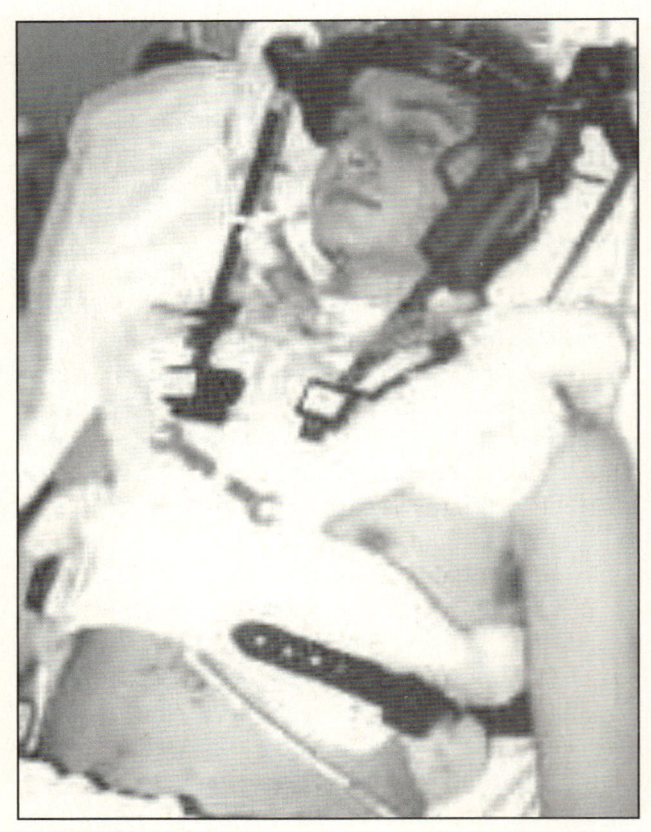

Şekil 56.8: Halo ceket

Kaynak: http://allomorphe.com/Halo-sml.jpg

56. Nörolojik Travmalar

Spinal Kord Yaralanması Olan Hastanın Hemşirelik Bakımı

Hemşirelik tanısı; Spinal kord hasarının tedavisine (halo, traksiyon) ilişkin hareket sınırlılığı
Hedef; Vertebral parçayla ilgili nörolojik fonksiyonların başlangıç düzeyine getirilmesini sağlamak

1. Hastaya immobilizasyonun nedeni ve halo, traksiyonla ilgili açıklama yapılır. 2. Nörolojik değerlendirmede motor, duyusal, refleks fonksiyonlar değerlendirilir. Yetmezlik devam ediyorsa rapor edilir. 3. Baş nötral pozisyonda tutulur. Hastanın döndürülme ve transfer işlemi 5 kişi ile yapılmalı bir kişi başı, boynu ve traksiyonu tutmalıdır. 4. Tedavi yatağı kullanılıyorsa, hastanın güvenliği sağlanır.	1-2. Hastanın konuyla ilgili bilgilenmesini ve durumunun izlenmesini sağlar 3. Tedavinin etkin bir şekilde sürdürülmesini sağlar 4. Kaza ve yaralanmaların önlenmesini sağlar	* Tedavi etkili bir şekilde sürdürülmeli * Tedavi yatağının kullanılması sırasında yaralanma bulguları olmamalı

Hemşirelik tanısı; Diyafragma ve interkostal kaslardaki zayıflığa bağlı etkisiz solunum ve öksürük
Amaç; Etkili havayolu açıklığını sağlama, sürdürme

1. Solunumun sayısı, derinliği, hızı, ritmi değerlendirilir. 2. Hava yolu açıklığının yetersizliğine bağlı huzursuzluk, anksiyete gözlenir, 3. Solunum egzersizleri ve spirometre ile derin solunum sağlanır, 4. Sekresyonlar aspire edilir. 5. Göğüs fizyoterapisi uygulanır, antibiyotik verilir, O2 saturasyonu izlenir, 6. Yetmezlik devam ediyorsa endotrakeal tüp yerleştirilir, trakeostomi açılır, gerekiyorsa hasta ventilatore bağlanır.	1. Etkili havayolunun sürdürülmesini sağlar 2. Solunum yetmezliğinin erken evrede saptanmasını sağlar 3. Atelektazi, pnömoniyi önler 4. Hava yolunun açıklığını sağlar 5. Enfeksiyonu önler, oksijenlenmede olası sorun saptanır 6. Solunum yetmezliğine bağlı komplikasyonları önler.	*Etkili hava yolu sürdürülmeli *Yaşam kapasite 60-65ml/kg olmalı *Atelektazi, pnomoni olmamalı *Akciğerlerin bilateral solunum sesleri olmalı *Huzursuzluk, anksiyete, dizpne, taşipne olmamalı, *Beden ısısı normal olmalı

Hemşirelik tanısı; Sempatik innervasyona bağlı beden ısısında değişme
Hedef; Beden ısısını 37° C de sürdürmeli

1. Çevre ısısı ile, vücut ısısı arasında uygunluk sağlanır. 2. Hipertermi için blanket uygulanıp, antipretik verilir.	1-2. Hastanın vücut ısısının korunmasını sağlar.	1.2. Hastanın vücut ısısı korunur

Hemşirelik tanısı; hipermetabolik durum, paralitik ileus, stres ülserine bağlı vücut beslenmede değişme
Hedef; Hastanın gereksinimlerine uygun olarak beslenmesi sürdürülmeli, stres önlenmeli, eliminasyon sağlamak.

1. Günlük kilo takibi yapılır 2. Nazogastrik tüp takılır, 3. Abdominal bölge, bağırsaksak sesleri ilk 72 saatte saat başı, daha sonra 8 saat ara ile değerlendirilir 4. Gastrik pH<3 ise, antiasit, H^2 Reseptör blokerleri verilir, 5. Hb, Ht izlenir 6. Beslenme değerlendirilir. Gerekiyorsa Parenteral yolla beslenir. Serum albumin ve proteinleri 3 gün arayla değerlendirilir.	1. Karın distansiyonu önler 2. Bağırsakların çalışıp çalışmadığının izlenmesini sağlar 3. Stres ülserinin önlenmesini sağlar 4. Gastrik sekresyon ve gaitada gizli kanın saptanmasını sağlar 5. Hastanın vücut gereksiniminden az beslenmesi önlenir	*Abdominal distansiyon önlenmiş olmalı, bağırsak sesleri alınabiliyor olmalı *Stres ülseri önlenir. *Hastanın normal beslenme gereksinimi karşılanmış olur.

Hemşirelik tanısı; Spinal hasarın neden olduğu fizksel hareketlerde değişime bağlı deri bütünlüğünde bozulma riski
Hedefler; Bası yaralarının ve emboli gelişmesini önlemek

1. Hastaya sık pozisyon değiştirme ve deri bakımının önemi anlatılır. 2. Özel havalı yatak kullanılır. Hasta 2 saat ara ile döndürülür. Deri, nem, idrar ve gaitadan korunur. 3. Ekstremitelerin rengi, ısısı, ölçüsü değerlendirilir. 4. ROM egzersizleri yaptırılır. 5. Emboliyi önlemek için çorap giydirilir. Hekim istemi doğrultusunda Heparin 5000U SC 12 saat ara ile yapılır. 6. Halo ya da diğer traksiyon araçları varsa deri gözlenir, bakımı yapılır.	1-2. Bası yaralarının oluşmasını önler 3-4. Ekstremitelerde ödem, dolaşım bozukluğu ve kontraktür gelişiminin önlenmesini sağlar 4. Kontraktür önlenir 5. Pulmoner ödem önlenir	*deri bütünlüğü sürdürülüyor olmalı *Alt ekstremitelerde ödem olmamalı *Kontraktür olmamalı

ÜNİTE 15

Sinir Sistemi

Spinal Kord Yaralanması Olan Hastanın Hemşirelik Bakımı (Devamı)		
Hemşirelik tanısı; Hareket yetersizliğine bağlı öz-bakım eksikliği **Hedef;** Öz bakımını sürdürmesini sağlamalı		
1. Hastanın yapabileceği öz bakım aktiviteleri saptanır 2. Hastanın öz bakım ve aktivitelere katılmasına izin verilir ve cesaretlendirilir 3. Ailenin bakıma katılması sağlanır	1-2-3-4-5. Hastanın öz bakımını sürdürmesini sağlar, Hasta ve yakınlarının bakım aktivitelerine	*Hasta ve yakınları öz-bakımını aktivitelere katılım gösteriyor olmalı
Hemşirelik tanısı; üst motor lezyonları ve atonik mesaneyle ilişkili ürinmer eliminasyonda değişme **Hedef;** Üriner eliminasyonun sağlanması		
1. Spinal şoklu hastaya hemen mesane kateteri uygulanır, Geniş çaplı Foley kateter kullanılmaz 2. Spinal şoktan sonra, aralıklı kateter uygulanabilir 3. İdrar çıkışı saatlik olarak izlenir 4. İdrar torbası karın seviyesinin altında, döşemenin üstünde tutulur 5. İdrar pH<5.8 olması sağlanır, Vitamin C, elma suyu vb. idrar asitleştirilir 6. İdrar analizi, günlük, 72 saatlik ve haftalık yapılır. Lokosit, White Blood Cells (WBC) monitorize edilir anormallikler kaydedilir.	1-2-3. Hastanın idrar çıkışının kontrolünü sağlar. Rezidü idrarın önlenmesini sağlar 4. İdrarın mesaneye geri dönüşü ve enfeksiyon önlenir 5-6. İdrar yolu ve mesane enfeksiyonlarının önlenmesi ve mesane spazmının önlenmesi sağlanır.	*Hastanın normal idarar çıkşı sağlanmalı, rezidü olmamalı *Enfeksiyon ve mesane spazmı olmamalı
Hemşirelik tanısı; Spinal yaralanmaya bağlı güçsüzlük **Hedefler;** Hastanın güçsüzlüğü ile ilgili sıkıntılarını ifade etme ve başa çıkma yöntemlerini kullanabilmesini sağlamak		
1. Hasta, hastalığı ve kendisi hakkında konuşmaya cesaretlendirilir 2. Güçsüzlüğü nedeni açıklanır 3. Hasta ve ailesine bilgi verilir, soruları yanıtlanır 4. Etkin baş etme yöntemleri açıklanır ve gerektiğinde psikiyatri kliniğinden destek alınır.	1-2-3-4. Aktivitelerin kontrolü sözel olarak ifade edilmesni ve etkin baş etme yöntemlerini kullanmasını sağlar.	*Hasta güçsüzlüğü ile ilgili Duygularını ifade edebilmeli *Güçsüzlükle baş etmede uygun yöntemleri kullanabiliyor olmalı.
Hemşirelik tanısı: (Spinal şok) kardiyovasküler instabilite/dengesizliğe ilişkin doku perfüzyonunda değişim **Hedef;** Normal sinüs rütmini, idrar çıkışını, pulmoner arter basıncını devam ettirebilmesini sağlamak		
1. Yaşam bulguları 1-4 saat ara ile değerlendiriir 2. Öneriler doğrultusunda ilaç tedavisi sürdürülür 3. İntra alveoler basınç (PA) değerlendirilir Emboliyi önlemek için çorap giydirilir 4. İdrar çıkışının 30 ml/saatve üzerinde olması sağlanır 5. Hb, Ht, BUN, Kreatin, elektrolitler	1.2. Normal sinüs ritmi sağlar 3. Pulmoner basınçta artmasının önlenmesini sağlar 4. Normal idrar çıkışı ve kan elemanları ile ilgili eksikliklerin saptanmasını sağlar	*Kardiyovasküler sistemle ilgili Sorun olmamalı

Hasta sonuçları

Son 20 yıldır spinal travmalı hastaların patofizyolojisi dajha iyi anlaşıldığı için, hastalar sağlıklı olarak taburcu olabilmektedir. Aynı zamanda tanı ve tedavi yöntemlerinin, hemşirelik uygulamalarının gelişmesi de hasta sonuçları için olumlu gelişmeler sağlamıştır. (bknz. Spinal yaralanması olan hastanın bakımı s.s.)

Omurganın Dejeneratif Hastalıkları
Periferik Sinir Sistemi Hastalığı Olan Hastanın Yönetimi

İntervertebral diskler (IVD), ikinci servikalden, birinci sakrala kadar vertebra korpuslarının ardışık olarak birbirine bağlayan yarı oynar eklemlerdir. IVD, disk biçimini almış fibröz kıkırdaktan oluşan yastıkçıklardır. Omurga kolonuna binen yüklerin biyomekanik gereksinimlere uygun biçimde emilip dağıtılmasına ve omurganın düzgün olarak hareket etmesine olanak sağlarlar. En kalın diskler bel bölgesinde, en ince diskler ise sırt bölgesinde yer alır. Sağlıklı erişkinlerde omurganın uzunluğunun yaklaşık dörtte birini diskler oluşturur. Yaşlılıkta disklerin yassılaşmasına bağlı olarak bu oran değişir ve boy kısalır.

Bu bölümde beyin ve spinal kordun dışında kalan sinir sistemi hastalıkları tartışılacaktır.

Bel Ağrısı (low back pain, LBP)

Bel ağrısı (low back pain -LBP) son derece yaygındır ve hastalık nedeniyle alınan izin/raporların yaklaşık %15'ini oluşturur. Prevalansı %60-80 arasında değişir ve insidans %5'tir. Bel ağrılarının %1-3'ü cerrahi girişim gerektiren lomber patolojiye sahiptir. Bel ağrısı olgularının çoğunda prognoz iyidir ve iyileşme tıbbi tedavi veya hiçbir müdahale olmaksızın sağlanır. Erkek, kadın oranı eşittir.

Tanımlamalar

Radikülopati: Sinir kökü disfonksiyonu (bulgu ve belirtiler; tutulan sinir kökü alanında ağrı, dermatomal duyu bozuklukları, ilgili sinir kökünün inerve ettiği kasların kuvvetsizliği ve aynı kasların hipoaktif derin tendon refleksleri).

Siyatik: Siyatik sinire katılan bir sinir kökünde radikülopati (L4, L5 veya S1), genellikle alt ekstremitenin posterior ve lateral yüzü boyunca ayağa ve bileğe uzanan belirtiler oluşturur.

Mekanik bel ağrısı: Paraspinal kasların ve/veya ligamentlerin zorlanmasından, faset eklemlerinin irritasyonundan kaynaklanan "kas-iskelet" bel ağrısı; anatomik olarak belirlenebilen nedenler (örn. tümör, disk herniyasyonu) hariç; bel ağrısının en yaygın şeklidir.

Bel ağrısı için risk faktörleri
Bünyesel: Yaş, fiziksel yapı

- Postural/yapısal: Şiddetli skolyoz, bazı konjenital anomaliler, lomber stenoz, spondilolistezis
- Kırıklar
- Birçok seviyede dejeneratif disk hastalığı
- Alışkanlıklar: Sigara içimi
- Meşguliyet: Ağır kaldırma, burkulma, eğilme, yürünen zeminin yapısı, uzun süre oturma, vibrasyon makinalarının kullanılması
- Psikososyal: Anksiyete, depresyon, stres, iş tatminsizliği
- Spor: Golf, tenis, futbol, jimnastik
- Diğer: Çok sayıda doğumlar, gebelik
- Radyolojik bulgular: Disk mesafesinde daralma, osteofitler, faset artropatisi, spina bifida okülta, lumbalizasyon, sakralizasyon

Bel ve/veya bacak ağrısı nedenleri

- Miyeoljenik
- Omurilik tümörleri (epandimom, astrositom, hemanjioblastom)
- Multible skleroz
- Sinir kökü basısı
- Disk hernisi
- Lomber stenoz
- Spondilolistezis
- Spondiloartropati
- Metabolik (osteoporoz, Paget hast, ekstramedüller hematopoesis)
- Omurga tümörleri (metastaz, kordoma, anevrizmal kemik kisti, osteoma, diğer kemik tümörleri)
- Omurga dışı tümörler (nörofibrom, meningiom, epandimom)
- İnfeksiyonlar (brusella, tüberküloz, osteomyelit, diskit)
- Enflamasyon (araknoidit)
- Travma (travma-dislokasyon, epidural hematom)
- Diğer (subaraknoid kanama, perinöral kist)
- Pleksus
- Abdominal tümör
- Endometriosis
- Retroperitoneal hematom, infeksiyon
- Pelviste kırık
- Periferal
- Diabetus mellitus
- Travma
- Tuzaklanma
- Tümör
- Tanı

Radyolojik değerlendirme

Direkt grafiler: Klinik bulgu vermeyen anlamlı çeşitli konjenital anomaliler tespit edilebilir (örn. spina bifida okülta). Spinal malignite, infeksiyon, inflamatuvar spondilit veya klinik olarak anlamlı fraktüre sahip olma ihtimali bulunan hastalar için yararlıdır. Disk hernisi ve spinal stenozun cerrahi endikasyonları direkt grafilerden yapılamaz, ayrıntılı değerlendirme gerektirir.

Disk hastalığını destekleyen bulgular (lordozda düzleşme, skolyoz, intervertebral disk yüksekliğinde azalma) görülebilir. Hareket instabilitesini göstermede yararlıdır. Disk hastalığına ait hiçbir bulgu vermeyebilir.

MRG: İntervertebral diskin yapısı ve spinal kanalın genişliği, spinal tümörler hakkında bilgi verir. Sagital görüntülerde kauda ekuina değerlendirilir. Spinal kanal dışındaki dokular hakkında BT'den daha iyi bilgi sağlar (örn. ekstraforaminal disk herniyasyonu, tümörler...).

BT: Eğer teknik olarak yeterli görüntüler elde ediliyorsa çoğu spinal patolojiyi tanımak için yeterli olabilir. Kemik yapı hakkında daha iyi bilgi verir.

Servikal Disk Hastalığı

Servikal disk hastalığı ve spondilozis erişkinde sık görülen patolojilerdir. Radyolojik olarak 50 yaş grubunda yaklaşık %20-25 ve 65 yaş civarında %70-85 oranında spondilozis görülür.

Epidemiyoloji

Konuyla ilgili yapılan çalışmalarda asemptomatik grupta 60-65 yaş grubundaki erkeklerin %95'de, kadınların ise %70'de en az bir seviyeli servikal disk dejenerasyonu tespit edilmiştir. Servikal disk hernilerinin 4. dekattaki yaş grubunda daha sık görüldüğünü saptamıştır. Hastalığın görülme sıklığında erkek kadın oranını 1.4/1 bildirilmektedir.

Patofizyoloji

Servikal omurga 7 adet omurdan oluşur. 1.ve 2. servikal vertebralar (atlas ve axis) diğerlerinden farklı ve kendilerine özgü anatomik özellik gösterirler. Oksiput S2 eklemleri hariç, servikal vertebralar arasında önde korpuslar arasında intervertebral diskler, arkada bir çift faset eklemi bulunur. Servikal bölgedeki disk hastalıklarında, nadiren tek bir nukleus pulpozusun protrüzyonu şeklinde ortaya çıkar. Birkaç diski birden etkileyen dejeneratif değişikliklere daha sık rastlanır. Servikal bölgedeki sinir kökleri karşılık gelen vertebranın üzerinden çıkarlar örneğin, S5 sinir kökü, S5 pedikülünün üzerinden çıkar. Boyunda 8 adet servikal sinir kökü vardır. En sık S5-6, S6-7 disklerinde herniasyon görülür. Anatomilk özelliklere bağlı servikal disk sendromları aşağıda çizelge 56.5'de gösterilmiştir.

Çizelge 56.5 Servikal Disk Sendromları			
	S4- 5	S5 - 6	S6 - 7
Ağrı, duyu kaybı	Omuz	Kol, önkol radial yüzü, başparmak	İşaret, orta parmaklar
Kuvvet, refleks kaybı	Deltoid	Biseps	Triseps

Akut Disk Hernisi

Genellikle anemnezde bir travma öyküsü vardır, Travmanın arkasından önce boyunda sertlik, daha sonrada merkezi sinir sistemi lezyonuna ait belirtiler görülür. Akut herniasyon merkezi ve lateral yerleşimli olabilir.

Merkezi yerleşimlerde, miyelopati, bacaklarda güç kaybı ve spastisite, bazende üst ekstremitelerde sinir kökü belirti ve bulgularine neden olur. Lateral yerleşimli olanlarda ise, kolun birinde akut sinir kökü basısına bağlı ağrı ve güç kaybı meydana gelir. BT ve MRG ile tanı konulur.

Klinik Belirti ve Bulgular

Servikal disk hernisi veya spondiloziste, klinik belirtiler hastalığın gelişimi sıırasında nöral elemanların tutulumuna bağlıdır. Retikulopati, miyelopati veya radikülomyelepati görülür.

Radiküler sendrom

Boyun ve sinir kökü innervasyonuna bağlı kol ağrısı, en yaygın belirtidir. Sıkışan sinir kökünün innerve ettiği myotomda, kuvvet kusuru ve derin tendon reflekslerinin azalması ve veya kaybolması tipiktir. Atrofi ve fasikülasyonlar sinir kökü basısının kronikleştiği durumlarda görülür.

Miyelopati

Tam bir omurilik lezyonu veya lezyon seviyesinin altında duyu kaybı ile karakterize "fonksiyonel kesi" nadiren görülür. Tam olmayan omurilik hasarına bağlı olarak alt ekstremitelerden daha çok, üst ekstremitelerde kuvvet kaybıyla ortaya çıkan merkezi omurilik sendromunda ellerde motor defisit belirgindir. İdrar retansiyonu akut disk hernisine bağlı ciddi omurilik basısı olan ve myelopatinin eşlik ettiği olgularda sık görülür. Buna karşın, servikal spondilozisli olgularda omurilik basısına bağlı olarak spastik yürüme, elleri kullanmada beceriksizlik ve parestezi ve ileri dönemlerde idrar retansiyonu ortaya çıkar.

Tanı yöntemleri

Anemnez, nörolojik muayene, servikal disk hastalığının tanısında yararlanılan önemli tanı yöntemleridir.

Direkt grafi, servikal disk hernisi ön tanısı alan hastalarda AP, yan ve oblik servikal grafi ilk yapılması gereken radyolojik incelemedir. Bilgisayarlı tomografi, kemiğin anatomisini değerlendirmede iyi bir yöntem olmasına karşın omurilik, sinir kökleri ve diğer yumuşak dokunun görüntülenmesinde yeterli değildir. Manyetik rezonans görüntüleme, servikal miyelopati ve radikülopatili hastalarda ilk tercih edilenincelemelerdir. Özellikle yumuşak disk hernisi saptanan olgularda klinik belirti ve bulgular da uyumlu ise tek başına tanı için yeterlidir.

Tedavi

Akut başlangıçlı merkezi disk protrüzyonlarında erken cerrahi dekompresyon önerilmemektedir. Akut başlangıçlı lateral disk lezyonlarında ise, konservatif tedavi (boyunluk kullanılması ve analjezikler) ile düzelme sağlanabilir. Boyun egzersizleri ve traksiyon gibi yöntemler de oldukça yararlıdır. Eğer bulgular ilerlerse, posterior foraminotomi veya anterior yaklaşımla cerrahi eksizyon uygulanır. Anterior yaklaşımda son yıllarda uygulanan yeni gelişmeler, parsiyel median vertebrektomi ve fibula grefti ile stabilizasyon spondilotik miyelopatiye neden olan tüm segmentlerin dekompresyonuna olanak sağlar. Servikal disk hernisi olgularının %75'e yakın kısmı 10-14 günde iyileşebilir.

Torakal Disk Hernisi
Epidemiyoloji
Torakal disk hernileri, genellikle 3. ve 5. dekadda ve T7 mesafesinin altında görülür. Torakal disk hernileri, torakal bölgenin daha az hareketli bir bölge olması ve bir dereceye kadar kostaların spinal kolona gelen yükü taşımaya yardım etmesi sonucu, klinikte nadir olarak görülmektedir. Cerrahi tedavi gerektiren disk hernileri arasında %4'den az görülür ve tüm popülasyona bakıldığında görülme sıklığı 1/1.000.000 ve kadın-erkek oranı eşittir.

Klinik Belirti ve Bulgular
Torokolomber ağrı, radiküler ağrı ve miyelopati vardır. Ağrı %76 sıklıkta, motor ve duyusal defisit %60, mesane disfonksiyonu %24 sıklıkta görülür.

Tedavi
Ciddi radiküler ağrısı ve miyelopati bulunan hastalarda cerrahi tedavi uygulanır.

Lomber Disk Hernisi/Bel Fıtığı
Lomber disk hernisi bir hastalık değil, patolojik bir süreçtir. Gövdenin ağır yükünü taşıyan alt lomber omurlar sıklıkla dejenere olur ve sonuçta anulusu yırtan nukleus pulpozus, hiç ağrı oluşturmadan herniye neden olur. Bu disk hernisinin ağrıya (bel, bacak) yol açması Lomber disk hastalığı olarak tanımlanır.

Nöroşirürji hastalarının önemli bir kısmını lomber disk hernili hastalar oluşturur ve klinik olarak en sık yapılan nöroşirürjik cerrahi girişim diskektomidir.

Epidemiyoloji
Baş ağrısından sonra en sık karşılaşılan yakınma olan bel ağrısının en sık nedenlerinden birisi, lomber disk hernisidir. Toplumu oluşturan bireylerin yaklaşık %80'i yaşamlarının bir döneminde bel ağrısından yakınırlar. En sık orta yaşlı ve genç hastalarda görülür. Çocukluk çağında da rastlanmaktadır. Yaşlı hastalarda lomber disk hastalığının yanısıra dejeneratif süreç ve omurga tümörleri akla gelmelidir.

Belirti ve bulgular
Duyarlı yapıların irritasyonuna bağlı olarak ağrı ve diğer bulgular ortaya çıkar. Bel ağrısının kökeni, anulus fibrozusun posterior kısmı, faset eklem kapsülü ve periosttur. Herniasyonla anulus fibrozus rüptüre olur ve bu durumda posterior longitudinal ligaman (PLL) gerilir. Lomber disk herniasyonu ile bel ağrısının ortaya çıkmasının nedeni PLL ve anulus fibrozisin etkilenmesidir.

Tanı yöntemleri
Öykü: Lomber disk hernisine bağlı disk hastalığı daha çok genç hastalarda görülür. Hastalar siyatalji gelişmeden önce kısa süreli bel ağrılarından yakınırlar ve ağrı atağı 2-3 hafta içinde spontan olarak kaybolur. Ataklar ilerde kronik bel ağrısına dönüşür.

Lomber disk hernisinden kuşkulanılan hastalarda öykü alınırken;
- Daha önce bel ağrısı öyküsü/atakları
- Daha önce bacak ağrısı öyküsü/atakları
- Ağrının yeri; bel, bacak ağrısı mı daha şiddetli
- Ağrı yatmakla artıyor mu?
- Ağrı yürümekle artıyor mu?
- Ağrı öksürmek/ıkınmakla artıyor mu?
- Ayağında güçsüzlük var mı?
- Ayağında duyu azlığı, uyuşukluk var mı?
- Ayağında soğukluk, karıncalanma var mı?
- İdrar çıkma sayısı artmış mı?
- İdrar kaçırma var mı? sorulmalıdır.

Ağrının süresi, travmanın varlığı (ağır kaldırma, egzersiz, öne eğilme), ağrının yayılması, vücut pozisyonun değişmesi ile ağrının ilişkisi, valsalva menevrası ile ağrının ilişkisi, yaş, meslek sorgulanmalıdır.

Muayene bulguları
Muayeneye inspeksiyonla başlayıp, belin lokal muayenesi ve nörolojik muayene yapılmalıdır.

Lomber disk hernisinde tipik postüral deformiteler olur. Hasta sabit (bazen skolyotik) bir postür alır. Aktif ve pasif bel hareketlerinden kaçınma girişimleri, şiddetli ağrıya neden olur. Şiddetli siyataljisi olan bir hasta hafif antefleksiyonda ve etkilenmiş taraftaki kalça ve diz fleksiyondadır. Belde spinöz çıkıntılara bastırıldığında ağrı artar.

Düz bacak kaldırma (DBK) testi
L5-S1 köklerindeki gerilmeyi gösterir. Başlangıçtan itibaren dizi ekstansiyonda tutarak uyluğun fleksiyonudur. 60 dereceden düşük DBK sırasında diz altında ağrı duymak ve ayak dorsofleksiyonda iken artması veya bacağın dışa rotasyonu ile kaybolması L5-S1 radiks basısını düşündürür.

Laseque testi
Kalça ekleminin 90 derece fleksiyonda iken dizin ekstansiyonudur. Laseque testi, L5-S1 radikslerinin basısı ile pozitif bulunur.

Karşı DBK testi
Karşı bacağın kaldırılması sırasında, ağrılı bacakta ağrı olmasıdır.

Femoral sinir germe testi
Hasta sağlam bacak altta kalacak şekilde yan yatar. Üstteki bacak uyluktan 15 derece fleksiyona getirilir. Bu sırada diz

bükülür. Genellikle uyluk önyüzünde ve dizin medyalinde ağrı oluşursa test pozitiftir.

Kas gücü ölçümü
Parmak ucunda yürüme, topuk üstünde yürüme, yere çömelip kalkma en iyi kas zayıflığını verir.

Atrofi ölçümü
Baldır ve uyluk çevresi bilateral ölçülür İki taraf arasında 2cmden az fark normal sayılır.

Refleksler
Aşil refleksi, S1 radiksini, patella refleksi, L4 radiksini inceler. Babinski varsa üst motor anomaliliğini düşünmelidir.

Duyu muayenesi
Etkilenen radikse göre duyu kusuru, motor kayıplar ve derin tendon reflekslerinin azalması farklılık gösterir. Ayağın medyal yüzü L4, dorsal yüzü, L5 ve lateral yüzü, S1 radiksini gösterir.

Radyolojik incelemeler
Lomber disk hastalığında radyolojik inceleme Kauda basısı veya ciddi motor defisit varsa hemen, sadece ağrı varsa ve ağrı giderici tedavi ile 3-6 hafta düzelmediyse BT veya MRG yapılmalıdır.

Tedavi
Lomber disk hernisi cerrahi ve cerrahi dışı yöntemlerle tedavi edilir.

Yatak istirahati Lomber disk hernisinde uygun pozisyonda yatarakuygulanacak birkaç günlük kesin yatak istirahati önerilen en önemli tedavi yöntemidir. Yalnız bel ağrısı varsa 2-3 gün, siyatalji varsa 7 gün süreli kesin yatak istirahati yeterlidir. En uygun istirahat pozisyonu, diz ve kalçalar fleksiyonda iken sırt üstü yatarak (semi-fowler pozisyonu) olur. Önceden önerilen sert yerde, sert yatakta yatılması günümüzde önerilmemektedir.

İlaç tedavisi
Hafif bel ağrısında ilk tedavide ilaç vermek gereksizdir. Akut başlangıçlı bel ağrısında güçlü analjezikler ve antienflamatuar ilaçlar kullanılmalıdır. İlaç tedavisine kısa süre içinde yanıt alınmadıysa tedavi kesilerek, daha etkin yaklaşımlar önerilir.

Beden mekaniğine uygun hareket
Bele yüklenmeye yol açan aktiviteler ya da bedenin yanlış kullanılması bel ağrılarını arttırır. Bir şey kaldırırken beli bükerek öne, yana eğilmek ağrıyı arttırır.

Yük taşırken taşınan materyal bedene yakın tutulmalı ve uzun süre oturulmamalıdır. Bel, yumuşak bir yastıkla desteklenmeli kol destekleri kullanılmalıdır.

Egzersizler
Başlangıçta aerobik, yürüme, egzersiz bisikleti kullanma, yüzme ve hafif koşma, birkaç hafta sonra gövde kasları için kondisyon egzersizleri önerilebilir. Egzersizin en büyük yararı ağrıyı azaltmasıdır. Bu etki, beta endorfin düzeyinin artması ile oluşur. Özellikle ekstansiyon egzersizleri sinir köküne basıyı azaltır, zayıf kaslar güçlenir ve bele gelen mekanik stres azalarak, fiziksel uyum artar.

Fizik tedavi yöntemleri
Masaj, diatermi, ultrason, laser tedavisi, biyofeedback, TENS, traksiyon gibi fizik tedavi yöntemlerinin akut bel ağrısında bulgularını düzeltmede etkinliği kanıtlanmamış yöntemlerdir. Sıcak ve soğuk uygulama ancak geçici olarak bulguları azaltmada/gidermedeyardımcı olabilir.

Cerrahi tedavi
Lomber disk cerrahisi daima ağrıyı gidermek için yapılmalıdır. Motor defisiti iyileştirme amacı ile cerrahi girişim uygulanması %10-20 olguda yapılmaktadır. Cerrahinin bel ağrısını gidermede etkinliği azdır. Siyataljiyi tedavi eder. Hastaya bel ağrısının tam olarak geçmiyeceği söylenmelidir. Sadece bel ağrısı olan bir hastaya bel fıtığı ameliyatı yapmak büyük bir tıbbi hatadır.

Ağır motor kusur (düşük ayak=ayak dorsal fleksiyonu 0-1/5) acil olarak ameliyat edilmelidir. Bu durumlarda 24 saat içinde ameliyat edilmeyen olgularda prognoz kötüdür. Kauda basısı, sfinkter kusuru olan ve perianal duyu kusuru gelişen olgularda acil ameliyat gereklidir. Siyataljinin cerrahi tedavisi hem şiddetli hemde aktivitenin çok fazla kısıtladığı durumlarda, 4 haftadan uzun süreli olduğunda, görüntüleme yöntemleri aynı düzeyde bir disk hernisi ile spesifik bir radiks basısısını gösteriyorsa uygulanır. Cerrahi tedavinin amacı iyileşmeyi hızlandırmak olmalıdır.

Disk Hernilerinde Hemşirelik Yönetimi
Ameliyat öncesi bakım
Ameliyat öncesi ve sonrası hastanın nörolojik (motor ve duyusal) değerlendirilmesi yapılmalıdır.

Hemşirelik tanısı: Bilgi eksikliği

Girişimler; Ameliyat öncesi hasta ve yakınlarının konu ile ilgili bilgileri tartışılmalıdır. Hasta ve ailesine; cerrahi girişim, ameliyat öncesi hazırlıklar ve ameliyat sonrası uygulamalar güvenli mobilizasyon ve yatağa transfer konusunda bilgi verilmelidir. Ameliyat sonrası ayılma döneminde hastanın sırtı korunmalı ve düz tutulmalıdır.

Hasta bir yandan-diğer yana dönerken (fleksiyon, ekstansiyon, bükme) hareketlerini sınırlamasının ve zorlamasının cerrahi alanın korunmasındaki önemi vurgulanmalıdır. Hastanın dışkılamada zorlanmasını önlemek için yumuşak içerikli gaita yapması sağlanmalı ve diyeti ayarlanmalıdır. Hasta sigara içiyorsa, (sigaranın yara iyileşmesini geciktireceği ve kardiyovasküler komplikasyonlara neden olacağı için) sigarayı bırakması önerilir. Füzyon ameliyatı uygulanacaksa; hastaya kan transfüzyonu uygulanacağını ve 2-3 ünite kana gereksinim duyulacağı ve hastanın bu konuda hazırlıklı olması söylenmelidir. Hastanın evi ve çevresinde düzenleme yapmak gerekebilir. Ambulasyon, tuvalet ve banyo için yardımcı cihazlara gereksinim duyulabilir.

Hemşirelik tanısı; Korku ve anksiyete
Girişimler; Bazı hastalar ameliyat sonrası (ağrı ve paralizi) sorunlar nedeniyle kaygı yaşayabilir.

Hastaya korku ve kaygılarına ilişkin destek olmalı ve savunma mekanizması geliştirmesi sağlanmalıdır. Ameliyat öncesi hasta ve ailesinin eğitimi veya hastanın hekimiyle görüşmesi ile ameliyat ve ameliyat sonrasına ilişkin kaygılar azaltılabilir.

Ameliyat sonrası bakım

Spinal ameliyatları sonrası bakım diğer cerrahi hastalarının bakımına benzer.

Hasta baştan-ayak ucuna kadar değerlendirilir, pansuman ve drenler kontrol edilir. Hastanın ağrısı ve analjeziklere yanıtı değerlendirilir. Bacak hareketi ve nörolojik değerlendirmesi yapılır.

Ağrı ve duyu değişiklikleri saptanır. Sıklıkla ödeme bağlı parestezi gelişebilir. Alt ekstiremitelerde kas güçsüzlüğü, anal sfinkter kaybı veya üriner retansiyon (kauda ekina sendromu) varsa hemen hekime haber verilmelidir. Bu durum acil cerrahi dekompresyonu gerektirebilir. Füzyon ameliyatı uygulanan hastalar daha uzun süreli yatak istirahatine gereksinim duyabilirler. Hasta derin ven trombozu (DVT) riski yönünden izlenmelidir. Venöz dönüşü sağlamak için hastaya antiembolik çorap giydirilmelidir.

Hasta DVT bulguları; Homan's bulgusu, bacakta şişme, solukluk yönünden izlenmelidir. Yara yeri akıntı ve serebrospinal sıvı sızması yönünden değerlendirilmelidir. Ameliyat olan hastalarda ağrı, tedaviye yönelik, seksüel aktivite ve yaşam kalitesinde değişmeye bağlı olarak sorunlar gelişebilir. Hasta ve ailesine psikososyal destek sağlanmalıdır. Disk ameliyatı sonrası üriner ve bağırsak eliminasyonu sorunları sık yaşanır. Hasta ameliyat sonrası erken ayağa kaldırılmalı, hekim istemine göre beslenmede lifli gıdalara yer verilmeli sonuç alınamıyorsa dışkı yumuşatıcılar kullanılmalıdır.

Hemşirelik tanısı: Akut ağrı
Beklenen sonuç: Spinal ameliyatlar sonrası ameliyat yeri ve ödeme bağlı ağrı gelişir. Hastanın ağrısının (ağrı skalası 0-10) 3 düzeyinde olması sağlanmalıdır.

Girişimler;
Disk hernisi ameliyatı olan hastalarda ameliyat yerinde ağrı vardır, bazı cerrahlar ameliyat sırasında disk içine uzun süreli etkili lokal anestezik madde enjekte ederler.

Bu uygulama hastanın ameliyat sonrası ağrı duymasını engellemesine rağmen ağrı, ödeme bağlı olarak tekrar görülür. Ameliyat sonrası akut ağrı, ven içine opioid uygulanması veya hasta kontrollü aneljezi cihazından opioid verilerek önlenmeye çalışılır. Diğer bir yöntem; epidural kateter uygulanarak ve aneljezik madde verilerek yapılır. Hastaya ağrı duyduğunda analjezik maddeyi nasıl uygulayacağı öğretilir. Lomber bölgeye buz uygulanarak ağrı hafifletilebilir. Buz, genellikle kemik grefti yapılan alana uygulanır.

Hemşirelik tanısı: Ağrı, bacakta kas güçsüzlüğü, uzayan hareketsizlik ya da ağrı ve spazma bağlı *yetersiz fiziksel hareket*. Spinal ameliyatlar hastanın rahat hareket etmesini sınırlar.

Beklenen sonuç; Hasta taburcu olmadan önce yatakta dönebilmeli ve hareket edebilmelidir.

Girişimler;
Ameliyat sonrası hasta yardımla/destekle transfer edilmelidir. Transfer, düz ve dikkatli bir şekilde yapılmalı ve sırt korunmalıdır. Lomber diskektomi sonrası hasta bir saat döndürülmemelidir. Daha sonra hasta 2 saat ara ile bir yandan-diğer yana döndürülmelidir.

Ameliyat sırasında durada yırtılma olup, tamir edildiyse serebrospinal sıvı sızıntısını önlemek ve duradaki dikişleri korumak amacıyla hasta düz olarak yatırılmalı ve izlenmelidir. Lomber füzyon ameliyatlarından sonra hasta düz yatırılır ve hasta bir yandan-diğer yana 4 saatte 1 ve daha sonra ve her 2-4 saat ara ile döndürülür. Kalça ve omurganın bükülmesi önlenmelidir. Spinal ameliyatlardan sonra hasta yardımla döndürülmelidir. Hasta döndürülürken ağrı ya da spazm hissediyorsa, döndürülmeden önce analjezik yapılmalıdır.

Hastada hasta kontrollü analjezi uygulanıyorsa döndürülmeden 10 dakika önce analjezik verilmelidir. Döndürme sırasında hastanın sırtı ve iliak çıkıntı battaniye/yastık ile desteklenmelidir. Sırtın zorlanmasını/gerilmesini önlemek için omurga zorlanmamalı, düz tutulmalı bacak arasına battaniye/yastık konulmalı, üstte kalan kol ve omuz yastıkla desteklenmelidir. İliak çıkıntı donör alanında kullanıldıysa, ağrı nedeniyle hasta, o taraf üzerine yatırılmamalıdır. Hastanın başının yükseltilmesi hekimin istemine göre yapılır. Basınç yarasını önlemek için basıyı azaltan yatak kullanılmalı, trapez; hastayı zorlayacağı için kullanılmamalıdır.

Hemşire çağrı zili ya da hasta kontrollü analjezi butonu hastanın erişebileceği yerde olmalı, hastanın uzanması önlenmelidir. İstirahat sırasında bacak ve ayak egzersizlerini yapması için hasta cesaretlendirilmelidir. Hastaya, venöz dönüşü hızlandırmak, stazı önlemek için basınç çorapları giydirilmelidir.

Hasta sırtüstü pozisyonda yatarken, dizler bükülmemeli ve dizlerin altı yastıkla desteklenerek femoral damarlarda tromboflebit gelişmesi önlenmelidir. Hasta genellikle hekim istemine göre, ameliyat sonrası sabah sandalyeye alınır. Hasta ve yakınlarına yardımla ya da yardımsız yatakta dönme, yataktan kalkma veya sandalyeye geçme hareketleri gösterilip, uygulatılmalıdır.

Hemşirelik tanısı: Spinal ameliyatlardan sonra ağrı, spazm ve opioid uygulanmasının yan etkisi nedeniyle *üriner retansiyon* meydana gelebilir. Hastanın zamanında mesanesinin boşalması ve ambulasyonu sağlanmalıdır.

Girişimler
Ameliyattan 8 saat sonra mesane distansiyonu ve ağrı değerlendirilmelidir. Hastanın mesanesi palpasyonda ağrılı ve gergindir. Hasta doğal yolla mesanesini boşaltamıyorsa veya idrar kateteri yoksa, bir kateter yardımıyla mesanesi boşaltılmalıdır.

Hemşirelik tanısı: Paralitik ileus riski
Girişimler: Laminektomi ameliyatı ya da spinal füzyon ameliyatı sonrası paralitik ileus görülebilir. Abdominal distansiyon ve bağırsak seslerinin kaybı, bağırsakları innerve eden parasempatik sinirlerin ani kaybına ve spinal girişimde anterior yaklaşımda bağırsakların manipulasyonuna bağlı olarak gelişir. Hemşire bağırsak seslerini oskültasyonla değerlendirmeli ve hastanın ambulasyonunu sağlamalıdır.

Bulantı, kusma, sert ve gergin ve timpanik karın, bağırsak seslerinin olmaması paralitik ileus belirtileridir. Hastanın bağırsak hareketleri ameliyat sonrası her 4 saatte bir değerlendirilmelidir. Cerrahi girişime bağlı paralitik ileus ya da ileus gelişme riski bekleniyorsa hastaya nazogastrik tüp uygulanmalı, düşük aralıklı aspirasyonu yapılmalı ve hastanın ağızdan sıvı ve yiyecek alması yasaklanmalıdır.

Ameliyat sonrası bağırsakların fonksiyon bozukluğu farklı günlerde opioid analjeziklerin kullanılmasına bağlı olarak gelişebilir. Hastaya bol sıvı alması ve liften zengin yiyecekler yemesi ve hekim istemine uygun gaita yumuşatıcı, laksatif, suppozivar kullanması önerilir veya lavman uygulanır. Hastanın dışkılama yaparken zorlanmasının, kafa içi basıncını arttırabileceği söylenmelidir.

Değerlendirme
Hasta taburcu olmadan ağrısının opioid analjeziklerle azalması, bağırsak ve mesane fonksiyonlarının geri dönmesi ve yürüyebilmesi beklenen sonuçtur.

Öz-bakım
Bel ağrısı, toplumun %80'inde hayatının bir evresinde görülür. Bel ağrısı ve disk hernilerinin %10'u tıbbi tedaviye yanıt verir. Disk hernilerinin toplumda yaygın görülmesi nedeniyle sağlık çalışanlarının bel ağrısı konusunda birey eğitimine yönelik rehberler hazırlaması önerilmektedir.

Servikal disk hernileri: Servikal spazmı ve fonksiyon kaybı görülebilir.
Yönetim
Hastalık başlangıcında; NSAID, uygun beden mekaniklerinin (ROM) egzersizlerinin uygulanması ile tedavi edilir. Hastaya servikal diskleri zorlayıcı hareketler yapmaması söylenir. Boyun, yatarken yastıkla desteklenmelidir. Servikal disk hernilerinde ağrıyı azaltmak amacıyla, boyuna aralıklı traksiyon uygulanabilir.

Çalışırken veya bilgisayar kullanırken postür ayarlanmalı, boyun ve omuzlar zorlanmamalıdır. Servikal disklerde, lomber disklere benzer sorunlar yaşanır. Hastada kol ağrısı, boyun ağrısı varsa; orta derecede disk problemi olan hastalara, yumuşak servikal boyunluk/collar baş ve boynun düz tutulması amacıyla önerilebilir.

Eğer hastada servikal omur kırığı veya servikal disk rüptürü varsa çene ve boynun bükülmesini engelleyen sert boyunluk ya da yumuşak boyunluk kullanması önerilir. Servikal boyunluk hastanın yürüme sırasında görüş mesafesini sınırlayacağı için düşmelere karşı dikkatli olması söylenmelidir.

Cerrahi tedavi
Bazen konservatif tedaviye yanıt alınmadığından, hastanın ameliyat olması gerekebilir. Boyun yaralanmalarında veya kırıklarında kemik parçasının stabilizasyonu gerekir. Hastaya anterior yaklaşımla servikal füzyon ameliyatı uygulanır. Servikal diskektomi ameliyatından sonra sert boyunluk kullandırılır. Servikal ameliyatlardan sonra yumuşak doku hematomu, hava embolisi komplikasyonları görülebilir. Anterior servikal ameliyatlardan sonra laringeal sinir hasarı, karotis arteri, trakea, özofagus ve yumuşak dokularda boyun dikişlerine bağlı hasar görülebilir. Mikrodiskektomi ameliyatından sonra hastanın yatakta otururken/bedenini yükseltirken baş hareketlerinde rahatsızlık görülür. Servikal vertebra füzyon ameliyatı sonrası ödemi azaltmak için hekim hastanın başının yükseltilmesini isteyebilir. Hastanın başı, sırtüstü yatarken veya otururken küçük bir yastıkla desteklenmelidir.

Hastanın nörolojik değerlendirilmesi yapılmalıdır. Anterior servikal diskektomi ameliyatından sonra ilk 24 saat hastanın solunumu, ameliyat bölgesi, yüz boyun bölgesi (şişme) ve laringeal sinir hasarına bağlı hastanın sesinde değişme (boğuk ses) izlenmelidir. Anterior spinal diskektomi ameliyatından sonra kemik greftinin hareketine bağlı gelişen ani ağrı, hastanın tekrar ameliyat edilmesini gerektirir. Ameliyat sonrası spinal kord ödemine bağlı solunum paralizisi gelişme riski nedeniyle trakeostomi açma seti ve gerekli malzemeler hazır bulundurulmalıdır.

Hastada endotrakeal tüpün lokal irritasyonuna bağlı boğaz ağrısı görülebilir. Hastaya yumuşak gıdalar yemesi, lidocain içeren gargaralar kullanması, havayı nemlendirmesi ve az konuşması önerilir. Yara yerinde dren varsa, ameliyat sonrası birinci günde veya ikinci günde drenaj azaldığında dren hekim tarafından çıkartılır. Servikal ameliyat sonrası parasempatik değişikliğe bağlı üriner retansiyon görülebilir.

Öz-bakım

Ameliyat sonrası hastanın hastanede kalış süresi kısadır. Hastalar dikişleri alındıktan sonra taburcu edilirler. Yara yeri kontrol edilmeli ve pansumanları yapılmalıdır. Hasta yürürken, araba kullanırken, merdiven inip-çıkarken yardıma gereksinimi olabilir. Hastaya uzun süre oturmaması ve yatmaması önerilir. Hastaya sırtını ve boynunu zorlamayacak hareketler, 5 kilodan fazla yük taşımama, seyahat, cinsel yaşam, spor, egzersiz ve araba kullanma konusunda bilgi verilir. Sigarayı bırakması önerilir.

Spondilolistezis

Spondilolistezis: Bir omurga cisminin dejenerasyon ya da travma gibi nedenlerle alttaki omurga üstünde kaymasıdır. 5 ana gruba ayrılır (Wiltse ve ark)

- Displastik spondilolistezis (Tip 1): S1 in süperior artiküler çıkıntısı displastik olup L5 in inferior artiküler çıkıntının öne kaymasına yol açar. Genç yaşta görülür.
- İstmik spondilolistezis (Tip 2): Pars interartikülarislerde herediter bir defekt söz konusudur. 2. ve 3. dekatta daha sık görülür.
- Dejeneratif spondilolistezis (Tip 3): Faset eklemlerinde dejenerasyon ve genişlemeye bağlı olarak inferior artiküler çıkıntının süperior artiküler çıkıntı üzerinden öne doğru kaymasıdır. Kadında ve 5. dekatta ve en sık L4-5 (%80)görülür.
- Travmatik spondilolistezis (Tip 4): Şiddetli travma sonucu pediküllerin kırılması sonucu görülür.
- Patolojik spondilolisthesis: Paget, osteogenesis imperfekta, akondroplazi, romatoid artrit, metastaz neden olur.

Belirti ve bulgular

- Bel, kalça ve uyluklarda ağrı
- Tek ve iki taraflı radiküler ağrı
- Nörojenik klodikasyon
- Hasta dizleri bükük şekilde durur

Tanı

- Direkt grafi
- MRG

Tedavi: Cerrahi (redüksiyonlu veya redüksiyonsuz enstrümentasyon ve kemik füzyon).

Spinal Stenoz

Spinal kanal AP çapının, kritik bir değerin altına inecek şekilde daralmasıdır. Kanal genişliğinde azalma; lokal nöral bası ve/veya omurilik veya kauda ekuinanın kanlanmasında bozulmaya neden olabilir.

Stenoz; konjenital, edinsel veya çok sıklıkla konjenital üzerine edinsel eklenmesiyle olabilir. Genellikle osteofitlere ya da faset eklem hipertrofisine bağlıdır.

Konjenital
A. İdiopatik
B. Akondroplazik

Edinsel
A. Dejeneratif
B. İyatrojenik (postfüzyon)
C. Spondilotik (istmik spondilolistezis)
D. Posttravmatik
E. Diğerleri (paget hastalığı, hiperostosis)

Lomber bölgede, nörojenik klodikasyon sendromu yaygın görülür. Servikal bölgede, servikal miyelopati ve ataksi (spinoserebellar traktus basısından) mevcut olabilir. %5'inde lomber ve servikal stenozlar eş zamanlı olarak semptomatiktir. Torakal bölgede stenoz nadirdir.

Ağrı major yakınma olmayabilir. Bunun yerine bazı hastalar yürümekle parastezileri veya alt ekstremite kuvvetsizliği tanımlayabilir.

Hastalarda *"antropoid postür"* geliştirebilirler (artmış bel fleksiyonu, muhtemelen lomber lordozu ve böylece ligamentum flavumun içe doğru bükülmesini azaltır ve faset eklemleri distrakte eder). Hastalar ayrıca özellikle baldırlarda kas kramplarından şikayet edebilirler.

Teşhis: BT lateral reses kemik anatomisini en iyi şekilde tanımlar.

Tedavi: Cerrahi; Posterior yaklaşımla laminektomi, hemilaminektomi veya parsiyel hemilaminotomi.

Spinal Kord Hastalıkları
Siringomiyeli
Omuriliğin santral lezyonu (Siringomiyeli sendromu): Omuriliğin santral ve parasantral bölgesini bir kaç ya da daha çok segment boyunca harap eden lezyonlar tarafından ortaya çıkarılır. Buna hemoraji veya travmaya bağlı kontüzyon gibi akut süreçler ya da tümör, siringomiyeli gibi patolojik oluşumlar neden olur. Bu sendromu oluşturan en sık ve en tipik patolojik süreç olan siringomiyeli daha çok orta-alt servikal bölgede, daha nadir olarak lumbosakral bölgede ve medulla oblongatada (siringobulbi) görülür. Lezyona uğrayan segmentlere ilişkin dermatomlarda (servikal lezyon için her iki üst ekstremitede pelerin şeklinde) ağrı ve ısı duyusu kaybı (o segmentte çaprazlaşan lifler tutulduğu için), yine bu segmentlere ait miyotomlarda simerik ya da asimetrik alt motor nöron tutulması tarzında kuvvetsizlik ve atrofi (spinal ön boynuz hasarına bağlı) ortaya çıkar. Lezyon yanlara doğru genişledikçe inen motor yolların tutulmasına bağlı olarak alt ekstremitelerde üst motor nöron tipinde kuvvetsizlik, tonus ve tendon reflekslerinde artma ve patolojik refleksler gelişir. Derin duyu bozukluğu görülmez. (Şekil 56.9)

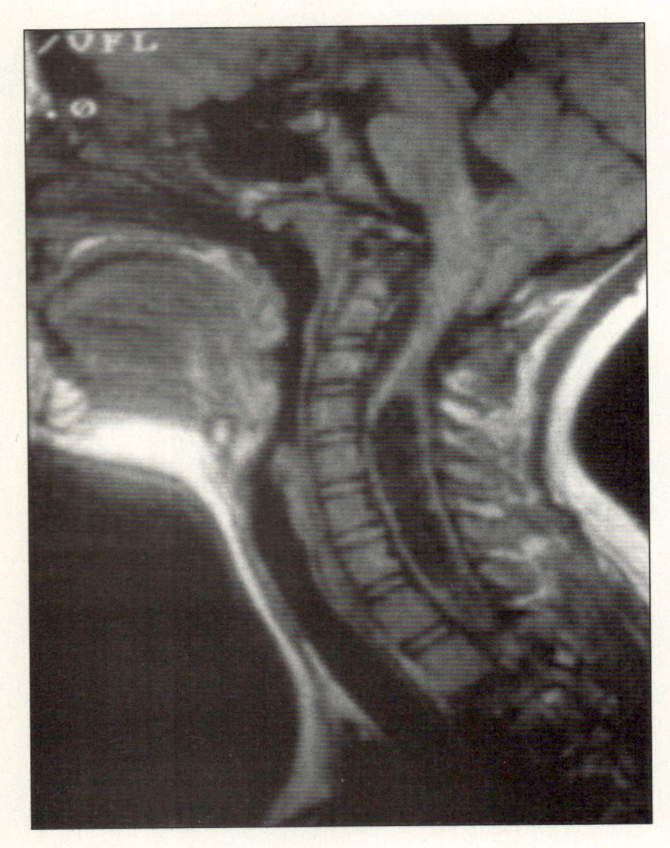

Şekil 56.9: Siringomiyeli.

Kaynak: http://www.childsdoc.org/spring2002/scoliosis3.jpg

Hematomiyeli
Omurilik içine kanama (hematomiyeli) beyin kanamalarına oranla çok daha nadirdir. Hemotomiyeli nedenleri arasında spinal travmalar, vasküler malformasyonlar ve antikoagülan kullanımı gibi kanama eğiliminin arttığı durumlar sayılabilir. Akut yerleşen bir parapleji ve seviye gösteren duyu kusuru söz konusudur. Subdural ve epidural hematomlar da benzer nedenlerle ortaya çıkar ve hemen hemen aynı klinik belirtileri verir. Bunlar hızlı gelişen bir kompressif miyelopatiye yol açtıklarından derhal uygun görüntüleme yöntemleri (anjiyografi, BT, MRG).ile lokalize edilmeleri ve cerrahi olarak boşaltılmaları gerekir.

Spinal Tümörler
Primer spinal tümörler, tüm MSS tümörlerinin yaklaşık %15'ini oluştururlar. Kaynak aldıkları dokuya göre; primer ve metastatik tümörler olmak üzere ikiye ayrılırlar. Sıklıkla torasik bölgede yer alırlar Yapısal olarak daha az görülür ve intrakraniyal tümörlere benzerler. Duramater ve spinal kordla olan ilişkilerine göre sınıflandırılırlar. Spinal tümörler yerleşim yerlerine göre, *ekstradural, intradural, ekstra-medullar ve intramedullar* tümörler olmak üzere sınıflandırılırlar.

Ekstradural tümörler
Epidural dokudan ve vertebradan kaynak alırlar. Primer spinal tümörlerin yaklaşık yarısı, metastatik tümörlerin de %90'ından fazlasının yerleşim yeri epidural bölgedir. En sık spinal metastaz yapan tümörler akciğer ve meme kanseridir.

İntradural, ekstramedüller tümörler
Sinir kökleri ve leptomeninkslerden köken alırlar. Görülme sıklığı açısından, (%40-45), ekstradural tümörlerden sonra ikinci sırada yer alırlar.

İntramedüller tümörler
Omuriliğin nöral, nöroglial veya nörovasküler dokularından köken alırlar. Primer tümörlerin yaklaşık %5'ni intramedüller tümörler tarafından oluşturulur.

İyi Huylu Ekstradural Spinal Tümörler
Osteoid Osteom ve Osteoblastom
Bu iyi huylu lezyonlar özellikle omurgada yerleşir. Osteoid Osteomların %25'i, Osteoblastomların %40'ı omurgada yerleşir. Faset ve pedikül gibi posterior elamanları tutma eğilimindedirler.

Belirti ve bulgular: Hastalar çoğunlukla ağrı yakınması ile başvururlar. Ağrı geceleri daha şiddetli olabilir. Hastalarda ağrı ve asimetrik kas spazmı nedeniyle skolyoz ve tortikollis gelişebilir.

Tanı: Direkt radyografi ile tümör atlanabilir. BT ve MRG tümörle beraber yumuşak dokuları ve epidural basıyı gösterebilir. Radyonükleit kemik sintigrafisi tutuluş yoğunluğu nedeniyle tanıda yararlı olabilir.

Tedavi: Cerrahi olarak tümörün tamamının çıkarılması ve hastaların yakın izlemidir. Cerrahiye karşın tekrarlama oranı yaklaşık %10 dur.

Vasküler tümörler

En sık görülen vasküler tümör hemanjiyomlardır. Yaklaşık %10'u direkt grafilerde görülür.
Belirti ve bulgular: Bazı hastalar ağrı ile çok az olarak da nörolojik Yetersizlik bulguları ile gelirler. Günümüzde anjiyografinin yaygın kullanılması nedeniyle cerrahi öncesi, embolizasyon ile tümörün total çıkarılması güvenli bir şekilde yapılabilmektedir. Benzer bir başka vasküler lezyon ise anevrizmal kemik kistidir. Anevrizmal kemik kistlerinin yaklaşık %80'i 10-20 yaşlardadır. ve anevrizmal kemik kistlerinin yaklaşık %18'i vertebral kolonda görülmektedir. Bazı olgularda tümör disk aralığını geçerek komşu vertabrayı da tutabilir. Lezyonun çapı büyükse; çekme, çökme, foraminal darlıklar oluşturarak vertebral kolonun yapısal düzenini bozarak nörolojik kayıplara yol açar.

Tedavi: Hastalığın primer tedavisi cerrahidir. Lezyonun kanlanmasını azaltmak amacıyla ameliyat öncesi embolizasyon cerrahi sırasında kolaylık sağlar, ancak işlemin spinal nörolojik monitorizasyon altında yapılması önerilmektedir.

Uygulanacak tedavinin şekli lezyonun durumuna ve yaygınlığına göre değişir. İdeal tedavi; tümörün lenfatik yayılım yolları ve lenf nodülleri ile birlikte çıkarılması (en blok rezeksiyon) ve radyoterapidir. Tedaviye karşın hastalığın tekrarlama riski %10'dur.

Dev hücreli kemik tümörleri

En sık 40-50 yaşlarında görülür. Tüm dev hücreli kemik tümörlerinin %2-3 kadarı vertebral kolondadır. Sıklıkla vertabra korpusu tutulur.

Belirti ve bulgular
Hastaların yaklaşık %97'de en sık karşılaşılan belirti ağrıdır. Ağrı başlangıçta dinlenme sırasında azalır ve geçer; ilerledikçe devamlı bir nitelik kazanır. Hastaların bir kısmında ağrıyla beraber tümör bölgesinde lokal şişlik görülebilir, torakal bölge yerleşimli tümörlerde kifoz ön plandadır.

Tanı
Manyetik rezonans görüntüleme tümör, yumuşak doku ayrımını en iyi yapan tanı aracıdır.

Tedavi: Hastalığın tedavisi cerrahidir. Tedavide tümörün geniş en blok rezeksiyonu ve spinal kolonun rekonstrüksiyonu önerilmektedir. Cerrahiye karşın tekrarlama oranı %16-40'dır.

Osteokondroma

Genellikle 20 yaş altında görülür. Tümör genellikle uzun kemikleri tutar. Klinik belirti ve bulgular tümörün yerleşimi ve yayılımı ile değişir.

Klinik belirti ve bulgular: Lokal ağrı ve sinir sıkışması bulgularından myelopatiye kadar değişen belirtiler görülebilir.

Tanı: Direkt grafiler, bilgisayarlı tomografi, manyetik rezonans görüntüleme birarada değerlendirilerek tanı konur. Lezyonlar iyi huylu olduğundan hastanın izlenmesi yeterlidir.
Tedavi: Bası bulguları olan veya semptomatik hale gelen tümörlerde tedavi cerrahi yolla lezyonun çıkarılmasıdır.

Eozinofilik Granülom

Hastalık en sık 5-10 yaşlarında görülür. Retiküloendoteliyal sistemin idiyopatik hastalığı olup, lezyonlar genellikle kafa kemikleri ve uzun kemiklerde görülür. Hastaların yaklaşık %8-15'de vertebra korpusunda tutulum vardır.

Klinik belirti ve bulgular: En sık karşılaşılan belirti ağrıdır. Ağrıya yumuşak dokuda şişlik eşlik edebilir.

Tedavi: Hastalık iyi huylu olduğundan yatak istirahati ve korse ile immobilizasyon ve biyopsi sonucuna göre steroid tedavisi önerilebilir.

Kötü Huylu Ekstradural Tümörler
Multipl myelom
Çoğunlukla 50-60 yaşlarında görülür. Kemik ve omurganın en sık görülen tümörlerinden biridir. Hastalık önce kemik iliğinde başlar, daha sonra çevre kemik dokusuna, diğer kemik yapılarına ve yumuşak dokuya yayılır.

Tanı: Kesin tanı aspirasyon biyopsisi ile konur.

Tedavi: Kemoterapi, radyoterapi ilk tercih edilecek yöntemdir. Hastalarda anemi, böbrek yetersizliği, enfeksiyon, osteoporoz gibi sistemik nedenlerle cerrahi riski yüksektir. Vertebra tutulumu olan olguların bir yıllık yaşam şansı %25'in altındadır.

Ewing sarkomu

Çocukluk ve genç erişkinlik döneminde sık görülen kötü huylu tümörlerdir. Çoğunlukla 5-25 yaşlar arasında sık görülür.

Klinik belirti ve bulgular: Hastalarda lokal ağrı başlıca bulgudur. Diğer bulgular beden ısısında artma, kitlenin hissedilmesi, nörolojik kayıplardır. Direkt grafide tutulan omurgada benek tarzında litik alanlar ve eşlik eden yumuşak doku kitlesi vardır.

Tedavi: Cerrahi olarak tümörün en blok çıkarılmasıdır.

İntradural Ekstramedüller Tümörler
Menenjiom
Sinir kılıfı içinde araknoidden köken alırlar. Genellikle yavaş büyür. %60-70 oranında torakal bölgede görülürler.
Klinik belirti ve bulgular: Hastalarda en sık karşılaşılan bulgu, paraparazi ve kuadriparaziye neden olan piramidal yol bulgularıdır. Ağrı erken ortaya çıkan bulgu olup, geceleri artan niteliktedir. Radyolojik olarak spinal kanalın çapında ve nöral foramenlerde artma görülür.
Tanı: Spinal bilgisayarlı tomografi ve manyetik rezonans görüntüleme yöntemiyle konur.

Tedavi: Cerrahidir. Dekompresyon tümörün mikroskop altında boşaltılması veya ultrasonik aspiratör (*CUSA*) ile de yapılabilir. Olguların %80'de cerrahi sonrası hızlı bir iyileşme görülür.

Schwannoma ve nörofibroma
Sinir kökü kılıfından köken alır. Spinal kılıf tümörleri olarak adlandırılır.
  Çoğunlukla 40-50 yaşlarda nörofibromatozisli hastalarda görülür.

Klinik belirti ve bulgular: Hastalarda en sık karşılaşılan bulgu ağrı ve omurilik basısına bağlı güç kaybıdır. Labratuvar bulgularında BOS incelenmesinde protein yüksekliği saptanır.

Tedavi: Cerrahidir. Tümör yerleşim yerine göre tam olarak çıkartılmaya çalışılır. Genel olarak tedaviden iyi sonuç alınır.

İntramedüller Tümörler
Astrositomalar
Çoğunlukla 30-50'li yaşlarda görülür. En yaygın bulgu ağrıdır. Manyetik rezonans görüntüleme ile tanı konur. Hem tanı hem de tedavi için cerrahi girişim uygulanır.

Epandimomalar
Çoğunlukla 30-50'li yaşlarda görülür. Klinik, radyolojik ve laboratuvar bulguları olarak astrositomalarla benzerlik gösterirler. Tedavisi cerrahidir.

Metastatik spinal tümörler
Kanser olgularının yaklaşık %25-70'i spinal metastaz yapar. Metastazların yaklaşık %70'i torakal bölgede görülür. En çok spinal metastaz yapan kanserler meme, akciğer tümörleri, prostat ve hemopoetik sistem tümörleridir.

Klinik belirti ve bulgular: Spinal metastatik tümörlerde ilk yakınma spinal tümörlerde olduğu gibi ağrıdır. Ağrı hareketle ve valsalva manevrası ile ağrı artar. Metastatik tümörden kuşkulanılan hastalarda öncelikle akciğer grafisi çekilmelidir. Direkt vertebra grafilerinde kemik tutulumu varsa bunu görmek mümkündür. Tümör markerları tanıda yardımcı olabilir.

Tedavi: Hastalığın saptandığı dönemdeki nörolojik ve sistemik tutuluma bağlıdır. Cerrahi, hastanın nörolojik kayıplarını önlemede ve metastaza bağlı ağrının kontrolünde yardımcı olabilir. Hasta ile ilgili diğer ölçütler cerrahi tedaviye karar vermede yardımcı olur. Tokuhashiye göre (*hastanın genel durumu, vertebral metastaz sayısı, iç organ metastazı, primer tümörün yeri, hastanın nörolojik tablosu*), 9 ve üstünde radikal cerrahi, 5 ve altında ise palyatif tedavi uygulanmalıdır. Cerrahi tedaviyi radyoterapi ve/veya kemeterapi izler.

Nörofibromalar ve menenjiyomalar
Nörofibromalar ve menenjiyomalar spinal kordun yaygın tümörleridir. İyi huylu ve ameliyatla çıkarılabilir tümörlerdir. Erken dönemde ameliyat edilirse geçici hasar dışında kalıcı hasar meydana gelmez.

Klinik belirti ve bulgular
Klinik belirti ve bulgular tümörün yerleşim durumuna göre değişir. Spinal kanal kemikle çevrili bir alan olduğundan ve genişleme olanağıolmadığından, spinal tümörlerin hepsi spinal kord basısı belirti ve bulguları verirler. Ekstramedüllar tümörlerde spinal kordun bası altında kalmasıyla ortaya çıkacak erken belirti ve bulgular, ağrı, duyu kaybı, kas güçsüzlüğü ve reflekslerin artmasıdır. Şiddetli kord basısı, spinal kordda hasar oluşturup, parapleji ve kuadropleji gelişimine neden olur. İntramedüller tümörlerde tümörün spinal kord üzerinde kapladığı alanla uyumlu, motor ve duyu değişiklikleri görülebilir. Ağrı duyusu ve ısı duyusu kayıpları, sfinkterlere ilişkin bozukluklar gelişebilir.

Tanı
Tıbbi tanı genel nörolojik muayeneden sonra konur. X-ray, BT, MRG ve miyelografi tanıda yararlanılabilecek inceleme yöntemleridir.

Tedavi

Spinal tümörlere çoğunlukla cerrahi tedavi veya radyoterapi ya da iki tedavi birlikte uygulanır. Spinal korda ve sinir köklerine bası varsa gecikilmeksizin cerrahi tedavi uygulanır. İntramedüller tümörlerin cerrahi girişimle tamamen çıkarılmaları olası değildir. Bu tümörler kısmen çıkarılır ve sonra radyoterapi uygulanır.

Hemşirelik Yönetimi
Hemşirelik tanıları

- Sinir basısı, ödem ve hareketsizliğe bağlı ağrı
- Solunum örüntüsünde değişme
- Hipotansiyon
- Aktivite intoleransı
- Anksiyete
- Doku bütünlüğünün bozulması
- Enfeksiyon riski
- Konstipasyon

Kümülatatif Travma Hastalıkları

Kümülatif travma hastalıkları; baskın kullanılan el, bilek, dirsekte tekrarlayıcı, zorlanmaya bağlı oluşan hasarlardır. Birey hareket/işlev sırasında yorgunluk, ağrı ve sızıdan bahseder. Başlangıçta yorgunluk ve ağrı dinlenme ile geçer. Hastalık ilerlediğinde kronik yorgunluk ve ağrı sonucu ekstremitede zayıflık gelişir. Bunlar karpal tünel sendromu, Dpuytren kontraktürü, Ganglyon kisti gibi hastalıklardır. Kas iskelet sistemi hastalıklarında anlatılmıştır.

Periferik Sinir Tümörleri

Periferik sinirlerde tek bir tümör *(genellikle nörofibromalar)* veya daha yaygın olarak birden fazla tümör görülebilir. Bu durum nörofibromatozis *(Von Recklinghausen's hastalığı)* sendromu olarak bilinir. Periferik sinir tümörleri, otozomal dominant geçer. Kraniyal, spinal sinirler ve diğer sistemler boyunca uzanan çok sayıda tümör vardır. Bu hastalık yaşamı tehdit etmez, tümörler nedeniyle normal aktivite bozuluyorsa cerrahi girişim uygulanır.

Genellikle intrakraniyal ve spinal tümörler çıkartılır. Hasta ameliyat için hastaneye yatmaz, günübirlik cerrahi uygulanır. Ayılma odasında; yaşam bulguları, ekstremitelerin dolaşımı, duyu ve hareketi izlenir, pansuman, drenaj kontrol edilir. Bireye ROM egzersizleri yaptırılır.

Taburculuk öncesi birey ve ailesine; dolaşım, enfeksiyon, ilaçlar, yara yeri bakımı ve pansumanlar konusunda bilgi verilir.

Periferik Sinir Yaralanmaları

Periferik sinir yaralanmaları; mediyan, unlar, siyatik, peroneal ve uzun torasik sinirlere dıştan bası sonucu meydana gelir. Siyatik sinirin son kısmı (peroneal sinirlere) olan basılar diğer sinirlere olan basılardan daha yaygındır. Mediyan sinirlerde; fasyal bandlarda çekilme sonucu bası oluşur. Aksiler sinirlerde; serum uygulanmasına bağlı allerjik reaksiyon oluşması ve koltuk değneği kullanılmasına bağlı olarak sekonder hasar meydana gelir. Siyatik sinirlerde; tıbbi uygulamalar (musküler enjeksiyon) sırasında doğrudan hasar oluşabilir. Periferik sinirlerde ayrıca; kemiğin kırılması, açık yaralanma, ev kazaları (bardağın kırılıp kesmesi) veya motorlu araç kazaları sonucu da hasar oluşur.

Tanı

Yaralanma meydana geldiğinde yaralanan bölge muayene edilir. Hangi sinirde, ne şekilde hasar meydana geldiği saptanır. Motor sinirlerin yaralanması sonucu yaralanan sinirlerin innerve ettiği alanlarda; paralizi, kaslarda hasar ve refleks kaybı oluşabilir ve sinirlerde kısmi veya tam hasar meydana gelebilir.

Tedavi

Geleneksel tedavi; atel, buz uygulaması, yaralanan uzvun elevasyonu, antienflamatuar ve analjezik ilaçların kullanılmasını içerir. Periferik sinirlerde hasar büyükse sinir, cerrahi girişimle uç-uca anastomaz yapılarak iyileşmesi sağlanır. Yalnız sinire olan hasarlarda yaralanan sinirin etrafında orta derecede ödem gelişir ve ödem birkaç gün veya birkaç haftada iyileşir. Ameliyat sonrası bakımda yaralanan bölge elevasyona alınır. Elevasyon, ödem oluşmasını ve venöz dönüşün engellenmesini önler. Yara yeri, sıcaklık, hareket, duyu, kapiller dolma ve güç yönünden değerlendirilmelidir. Fizik tedaviye, ciddi yaralanmalarda birkaç gün sonra başlanmalı ve ciddi yaralanmalarda gerektiğinde psikiyatrik konsültasyon yapılıp, hastanın destek alması sağlanmalıdır.

ÜNİTE 16

Kas İskelet Sistemi

57. Kas İskelet Sistemi Fonksiyonlarının Değerlendirilmesi
58. Kas İskelet Sistemi Hastalıkları
59. Romatizmal Hastalıklar

57. KAS İSKELET SİSTEMİ FONKSİYONLARININ DEĞERLENDİRİLMESİ

Prof. Dr. Meryem YAVUZ

Giriş

Hareket sistemi vücudun iskeletini oluşturan kemikler ile bunların arasında hareketliliği sağlayan eklemler ve hareketin gerektirdiği gücü sağlayan kaslardan oluşmaktadır. Kemikler ve eklemler hareketin pasif öğelerini, kaslar da motor aktif öğelerini oluşturmaktadır.

İskelet Sisteminin Yapısı ve Fonksiyonları

Kemikler insan vücudunda bir bütün halinde iskeleti oluştururlar. İnsan iskeleti, karşımızda ayakta ve yüzü bize dönük biçimde duran, kolları sarkık, avuç içleri öne doğru ve ayakları birbirine paralel durumda bulunan bir bireye göre tarif edilir ve isimlendirilir (Şekil 57.1). Erişkin bir insan iskeletinde 206 kemik bulunmaktadır. Bu sayı çocuklarda, henüz bazı kemik bölümlerin birbirleriyle kaynaşmamış olması nedeniyle, daha fazladır. Örn; Yeni doğan çocuklarda 270 kemik bulunurken, 14 yaşında bir adölasansta 256 kemik vardır. Tüm kemikler vücut ağırlığının yaklaşık %15'i kadar olup, 25-30 yaşlarında toplam ağırlığı 56 kg kadardır. (Şekil 57. 2)

Kemik, kemiğe esnekliğini veren organik maddeler ve sertliğini veren inorganik tuzlar olmak üzere iki ana maddeden oluşmaktadır. Kemik dokusunun %30-40'nı organik maddeler %60-%70'ni inorganik maddeler oluşturur. İnorganik maddelerin içinde en yüksek oranda kalsiyum fosfat (%85) bulunur. Bunun yanı sıra çok daha düşük oranlarda sırasıyla, kalsiyum karbonat (%10) magnezyum fosfat (%1,5) ile kalsiyum florit, kalsiyum klorit ile bazı alkali tuzlar vardır. Röntgen grafisinde kemiklerin az ışın geçiren cisimler olarak belirlenmesinde başlıca faktör kemik dokusu içinde kristaller biçiminde bulunan bu kalsiyum tuzlarıdır. Kristalleşme derecesi kişiye göre değişik olup, elektron mikroskopta yaklaşık 40100 nm uzunluğunda ve 1,56 nm kalınlığında görünmektedir. Kemik dokusunda, dokuyu oluşturan osteositler mezanşimal kaynaklı osteoblastlardan gelişirler. Bir insanda 1 mm3 lük kompakt kemik dokusunda 700900 osteosit bulunmaktadır. Uzun kemiklerin uç kısımlarında bulunan daha taze ve canlı dokuya, epifiz orta kısımlardaki dokuya diyafiz denir (Şekil 57.3).

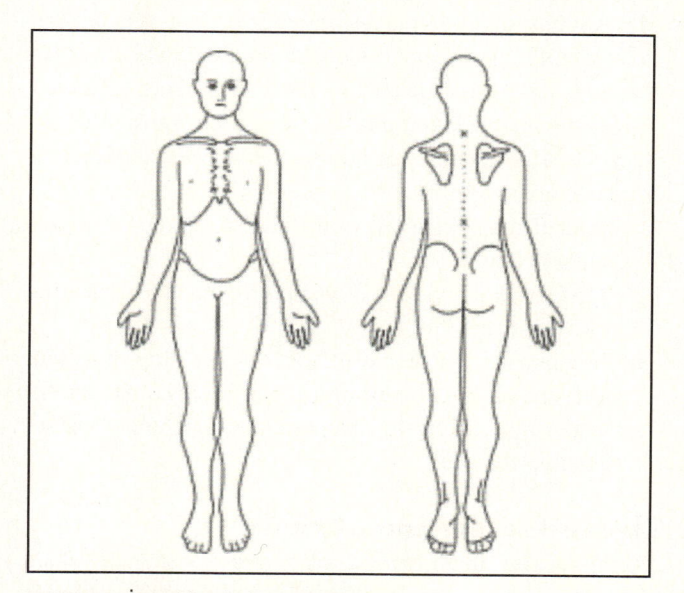

Şekil 57.1: İnsan Vücudu Anatomik Pozisyon
Kaynak: http://www.comp.leeds.ac.uk/royce/research/ugreport/node10.html

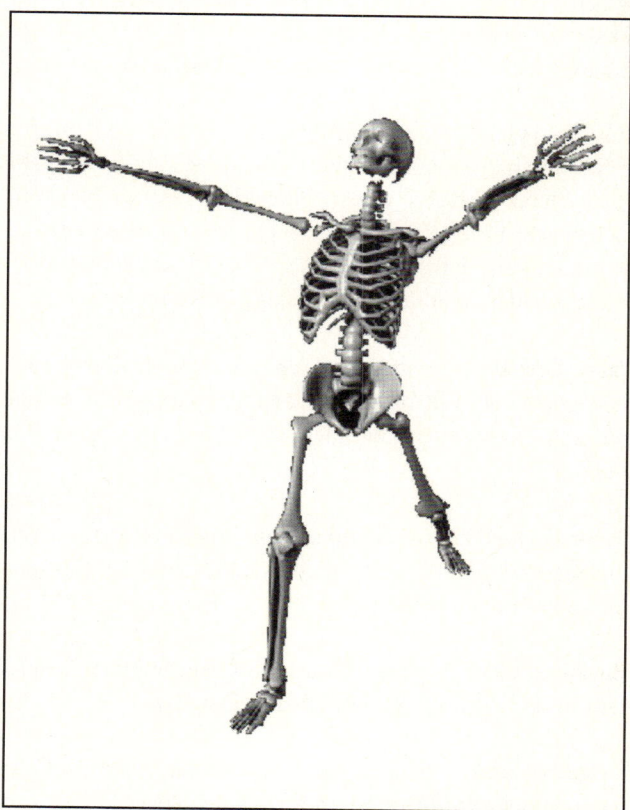

Şekil 57.2: İnsan iskeleti
Kaynak : www.alpslabs.com/html/skeleton.htm

Kas İskelet Sistemi

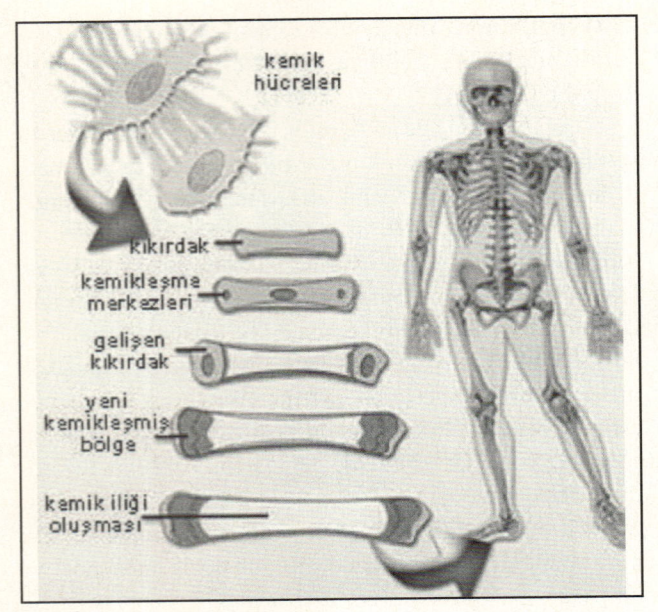

Şekil 57.3: Kemiklerin gelişimi
Kaynak: http://www.biyolojiegitim.yyu.edu.tr/k/Kem/pages/Kemik%202_jpg.htm

Kemiklerin Şekilleri

Kemikler şekillerine göre altı gruba ayrılmaktadır.

Uzun Kemikler: Uzunluğu genişliğinden fazla olan kemiklerdir. Ağırlık taşımalarının yanı sıra, hareket sırasında kaslar için kaldıraç kolu görevi de yaparlar (Örn; Kol ve bacak kemikleri, Humerus ve Femur kemikleri).

Kısa Kemikler: Uzunluğu ve genişliği arasında önemli bir fark bulunmayan kemiklerdir. Genişlik ve kalınlıkları yaklaşık olarak birbirine eşittir. Hareketsiz veya az hareketli eklemlerle birleşerek elastiki sütun ve kubbelerin (ayak kubbesi gibi) yapısına katılırlar. (Örn; El ve ayak bileklerinde yer alan kemikler, karpal ve tarsal kemikler).

Yassı Kemikler: Yassı kemikler genelde hareketsiz eklemlerle birleşerek beyin gibi önemli organları korurular (Örn; Kafa, kaburga kemikleri, skapula, pariyetal ve alın kemiği).

Düzensiz Kemikler: Yukarıdaki sınıflandırmaya girmeyen düzensiz kemiklerdir (Örn; Çene kemiği, omurlar, zigomatik ve maksilla kemikleri).

Havalı Kemikler: İçerisinde hava boşlukları bulunan kemiklerdir (Örn; Elmacık kemikleri, alın kemiği).

Susamsı Kemikler: Kas kirişleri veya bağların içinde bulunan kemiklerdir (Örn; Diz kapağı kemiği (Patella).

İskelet sistemi vücuttaki yaşamsal organları korur, hareket etmeyi sağlar, bazı tuzları ve başka maddeleri depolar, kandaki oksijenin taşınmasından sorumlu alyuvarların üretimini sağlar. İskelet, vücuda dayanıklık ve destek sağlar, kasların hareket etmesini sağlayan altyapıyı oluşturur. Ayrıca göğüs kafesi ve kafatası gibi kemikler iç organları adeta bir kalkan gibi koruma görevini üstlenir. İskeletin fonksiyonları; vücuda biçim vermek, vücut hareketlerini sağlamak, iç organları korumak, kırmızı kemik iliğinde eritrosit yapmak, kalsiyum ve fosfat depolamaktır.

Eklemlerin Yapısı ve Fonksiyonları

Eklemler

Eklemler iki veya daha çok sayıda kemiğin birleşme yerleridir. Eklemlerde iki kemiğin uç noktaları, yumuşak, yoğun, koruyucu ve sürtünmeyi azaltıcı görev üstlenen kıkırdakla kaplıdır. Eklemlerin diğer parçaları sabitliğini ve sürekli kullanımdan oluşabilecek aşınmanın azaltılmasını sağlar. Eklemlerde ayrıca eklem kapsülünü oluşturan bir zar (sinovya zarı) mevcuttur. Sinovyal dokuda bulunan hücreler eklem kapsülünü dolduran bir sıvı (sinovya sıvısı) üretirler. Bu sıvı sürtünmeyi azaltır, kayganlık sağlar, eklem yüzeylerinin hareketini kolaylaştırır.

Bağlar eklemleşen kemikleri birbirlerine bağlayan ve eklemin dayanıklılığını sağlayan yapılardır. Eklem hareketlerini sağlayan kasların kemiklere bağlanması, sağlam lifsi dokular olan tendonlar tarafından sağlanır.

Vücuttaki tüm kemikler birbirlerine eklemlerle bağlıdır. Vücutta 327 eklem bulunmaktadır. Eklemler yapıları ve hareket durumlarına göre sınıflandırılır.

Hareketsiz (Fibröz) Eklemler

Bu tip eklemler yoğun bir fibröz doku kitlesi ile birleştiklerinden fibröz eklemler adını da alırlar. Kemikler birbirleriyle direkt ilişkili olmasından dolayı eklemler hareketsizdir. Kafatası kemikleri arasında bulunan ve sutür adı verilen eklemler bu türdendir. Çocuklukta fibröz doku kısmen harekete izin verirse de erişkin dönemde kafatası kemikleri kaynamıştır ve hareketi imkânsızdır. Eklem kapsülü ve eklem boşluğu bulunmayan bu tip eklemler de, kendi aralarında üç gruba ayrılır.

1. Sutür: Bu tip eklemler, yalnız yassı kafa kemikleri arasında bulunur.
2. Syndesmosis: İki kemik yüzünü ligamentler birbirine sıkıca bağlar.
3. Gomphosis: Syndesmosis'in bir çeşidi olup, bir oyuk içerisine bir koninin girmesi şeklinde oluşur. Bu tür eklemler diş kökleri ile çene kemikleri arasında bulunan eklemlerdir.

Hafif hareketli (Kartilaginöz) Eklemler

Kemikler arasındaki yarı gevşek eklemler kısmen harekete izin vermektedir. Omurga kemikleri arasındaki eklemler bu tip eklemlere verilebilecek örneklerdir. Kemiklerin eklem yüzeyleri, fibrokartilaginöz disklerle birbirinden ayrılır. Her diskin ortasında, kemik yüzeyler için yastık görevi yapan nükleus pulposuslar bulunur.

Eklem yüzleri kıkırdakla örtülü olup iki tipi vardır.
1. Synchondrosis: Geçici bir eklem şeklidir ve erişkinlerde kemikleştiği için görülmez.
2. Symphysis: Bu tür eklemlerde eklem yüzleri arasında, yassı ve geniş fibrokartilaginöz bir diskus bulunur.

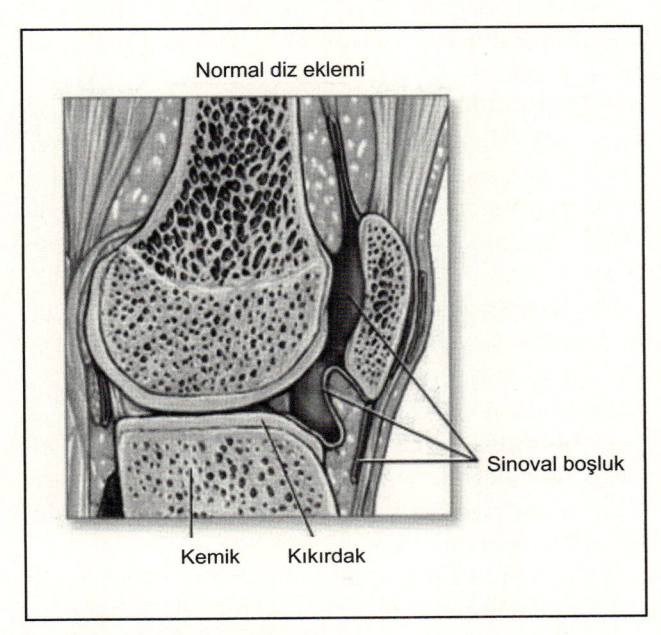

Şekil 57.4: Hareketli Eklem

Kaynak : http://www.medibul.com/images/vucudumuz/dizeklemi.jpg

Hareketli (Sinovyal) Eklemler

Hareketli eklemlerde, kemikler birbirine değmez ve eklem serbestçe hareket edebilir. Kemiklerin eklem yüzleri eklem kıkırdağı ile kaplıdır ve birbirlerinden sinovyal boşluk ile ayrılır. Eklem boşluğu sinovyal zar ile örtülmüştür ve bu boşluğun içinde sinovyal sıvı mevcuttur. (Şekil 57. 4)

Vücuttaki eklemlerin çoğu bu gruptandır. Eller, ayaklar, kollar ve bacaklarda bulunur. Farklı anatomik tipleri vardır.

Hareketli eklemler, hareketin yapıldığı eksenlerin sayısına veya konveks eklem yüzlerinin şekline göre kendi aralarında gruplara ayrılırlar.

Hareketli eklemler eksenlerine göre dört gruba ayrılırlar.
Tek eksenli eklemler: Eksen transvers veya vertikal olur. Bu eklemler yalnız bükülme (fleksiyon) ve gerilme (ekstansiyon) hareketleri yapabilir.

İki eksenli eklemler: Eksenlerden biri transvers diğeri ise sagittal'dir. Transvers eksen etrafında fleksiyon-ekstansiyon, sagittal eksen etrafında ise abdüksiyon-addüksiyon hareketleri yapabilir.

İkiden fazla eksenli eklemler: Transvers, sagital ve vertikal olmak üzere üç ana eksen ve sayısız yan eksen bulunur. Bu tür eklemlerde fleksiyon, ekstansiyon, abdüksiyon, addüksiyon, rotasyon ve sirkumdüksiyon hareketleri yapılabilir. Kalça eklemi (Art. Koksa) bu tür ekleme örnektir.

Belirli bir ekseni olmayan eklemler: Eklem yüzleri düzdür.
Eklemlerde yapılan hareket çeşitleri:

1.Kayma hareketleri: En basit hareket çeşididir. Herhangi bir açısal, rotasyon veya sirkumdüksiyon hareketi olmaksızın bir eklem yüzünün diğer eklem yüzü üzerinde kayması veya hareketi biçiminde olur.

2.Açısal hareketler: Eklemi oluşturan kemikler arasındaki açının önde, arkada veya yanlarda azalıp çoğalması şeklinde olur. Bu hareketlere fleksiyon, ekstansiyon, abdüksiyon ve addüksiyon hareketleri denir.

a.Fleksiyon: Eklemi oluşturan kemikler arasındaki açının önde (veya arkada) azaltılması şeklinde yapılan harekettir (Bükülme).

b.Ekstansiyon: Fleksiyon durumundaki bir eklemin tekrar eski durumuna dönmesi, yani eklemi oluşturan kemikler arasındaki açının büyümesiyle eklemin gergin hale gelmesi şeklinde yapılan harekete gerilme (ekstansiyon) denir. Ekstansiyon yapan bir eklemin 180° den sonraki hareketine hiperekstansiyon denir.

c.Abdüksiyon: Alt veya üst ekstremitenin iç tarafa el veya ayak parmaklarının da elin veya ayağın orta hattan uzaklaştırılması hareketine, abdüksiyon denir. Alt veya üst ekstremitelerin aynı yönde harekete devam ederek karşı tarafa geçmesi hareketine de aşırı abdüksiyon denir.

d.Addüksiyon: Alt veya üst ekstremitenin iç tarafa el veya ayak parmaklarının da elin veya ayağın orta hattına getirilmesi hareketine, addüksiyon denir.

3.Sirkumdüksiyon: Konveks düzlem yüzü küre şeklinde olan eklemlerde yapılır.

4.Rotasyon: Vertikal eksen etrafında yapılan dönme hareketidir. Bu dönme hareketi eklemine göre, içe-dışa veya sağa-sola rotasyon hareketleri olarak adlandırılır.

a.Supinasyon: Arkaya bakan el ayasının ön tarafa getirilmesi esnasında yapılan harekete, supinasyon denilir. Supinasyon yapmış pozisyonda önkol kemikleri birbirine paraleldir ve başparmak dış, küçük parmak iç taraftadır.

b.Pronasyon: Öne bakan el ayası'nın arka tarafa getirilmesi esnasında yapılan harekete, pronasyon denilir. Pronasyon yapmış elde, el sırtı öne başparmak içe bakar ve önkol kemikleri de birbirini çaprazlamış pozisyondadır (Şekil 57.5)

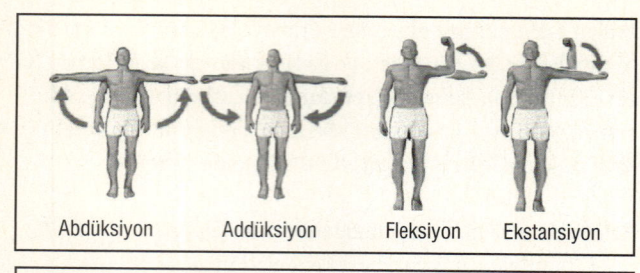

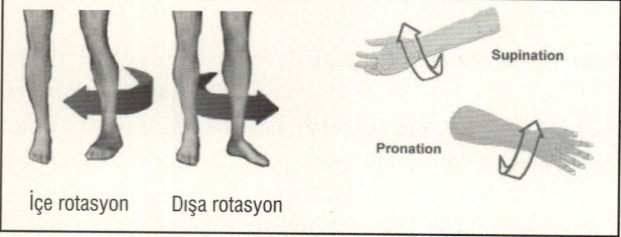

Şekil 57.5: Hareketli (Sinovyal) eklemlerin yapabildiği hareketler
Kaynak: Paramedicine.com(2008) Patient Positioning.
http://www.medtrng.com/posturesdirection.htm

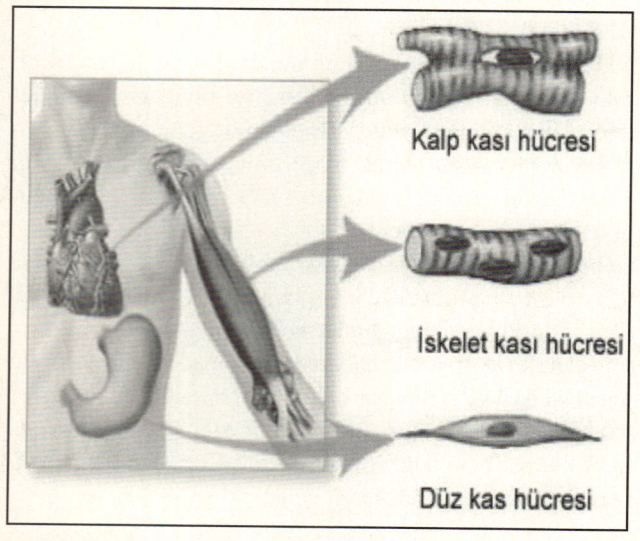

Şekil 57.6: Kaslar
Kaynak: http://www.medibul.com/images/vucudumuz/kaslar.jpg

Hareketli (Sinovyal) eklemlerin yapabildiği hareketler:

Abdüksiyon: Orta hattan uzaklaşma
Addüksiyon: Orta hatta yaklaşma
Extansiyon: Gerilme
Fleksiyon: Bükülme
İnversiyon: İçe doğru dönme
Eversiyon: Dışa doğru dönme
Rotasyon: Dönme
İnternal Rotasyon: İçe dönme
External Rotasyon: Dışa dönme

Supinasyon: Ön kol, el ve ayağın dışa dönmdönmesi
Pronasyon: Ön kol, el ve ayağın içe dönmesi
Sirkümdiksiyon: Bir nokta etrafında dönme

İskelet Kaslarının Yapısı ve Fonksiyonları

İskelet kasları, vücudun en büyük kısmını oluşturan (%40) ve genellikle kas olarak tanımlanan yapılardır. Çizgili iskelet kasları olarak da adlandırılır. (Şekil 57. 6)

Kasların yaklaşık %70-75'i sudan oluşur. İçlerindeki özel protein yapıları nedeniyle doğrudan kasılma (kontraksiyon) işlevine katılırlar. Bu kasılmalar için gerekli enerjiyi Adenozin Tri Fosfat (ATP), fosfokreatin ve glikojen sağlar. Bunlardan fosfokreatin'in parçalanma ürünleri, adenozintri fosfatın yeniden yapılmasında kullanılır. Fosfokreatin'in tekrar oluşması için gerekli enerji ise glikojenin dokularda laktik aside dönüşümü sırasında açığa çıkar.

Bir kas birçok defa arka arkaya uyarılacak olursa bir süre sonra kasılmalarının azaldığı, kasın yorulduğu görülür. Bunun nedeni kas dokusundaki kimyasal olaylar sonucunda oluşan laktik asidin birikmesidir. Masaj ve sıcak banyolar, kan ve lenf akımının hızlandırmak suretiyle bu yorgunluğu gidermeye yardımcı olur. Fazla miktarda laktik asit ve diğer metabolizma artıklarının birikim, genel bir kasılma ve tetaniye neden olur.

Enine çizgili yaklaşık 200 kas lifinden oluşan 1mm² enine kesitli bir kas dokusunda, yaklaşık 600-700 kapiller damar vardır ve bunlar her bir kas lifi etrafında birkaç tane olarak bulunurlar. Düzenli ve devamlı kas çalışması kasların gelişiminde büyük rol oynar. Bunun aşırı haline kas hipertrofisi denir. Eğer hareketsizlik veya kasa gelen sinirlerdeki sorunlar nedeniyle kas çalışmasında bir duraklama olursa, kas dokusunda bir kayıp yani atrofi oluşur.

Kaslar, çeşitli organların veya vücudun tamamının hareketini sağlar. Duruş ve hareketten sorumlu olan iskeletin üzerindeki kaslar, kemiklere bağlıdır ve eklemlerin etrafında toplanan kaslar birbirlerine zıt yönlerde hareket ederler. Örn; dirseğin bükülmesini sağlayan kas (biseps) dirseği geren kas (triseps) ile uyumlu çalışır.

Bağ Dokusunun Yapısı ve Fonksiyonları

Kasların fonksiyonlarının devamı olan ve kaslarda oluşan gücü, tutunma noktalarına ileten bağ dokusu yapıya kiriş veya tendon denilmektedir.

Vücutta kirişlerin ilettiği gücün altında bulunan dokulara zarar görmemesi için bursa denilen keseler oluşur. Genellikle omuz ve diz eklemi etrafında görülen bu yapılar bazen eklem boşluğu ile bağlantısını sürdüren ve iç yüzleri sinovyal zarla kaplanmış yapılar halindedir.

Deri altında bulunan veya kaslar ile diğer organları saran, geniş yaprak şeklinde fibröz bağ dokusuna fasiya (fascia) denir. Yüzeyel fasiya (Fascia superficialis) derinin hemen altında, yağ dokusu ve gevşek bağ dokusundan oluşur. Yüzeyel fasiyanın fonksiyonları; Su ve yağ deposu olarak görev yapmaktadır. Özellikle şişmanlarda vücut yağının büyük bir bölümü burada bulunur. Bir izolatör olarak, vücudun ısı kaybını önler. Vücudu mekanik etkilerden korur. İçerisinde yüzeysel damar ve sinirler bulunur.

Fasiya profunda, sıkı bağ dokusunda oluşan yaprak şeklinde örtüdür. Yüzeyel fasiyanın altında bulunur. Ekstremite kaslarını ve gövde duvarlarını sararak kasları bir arada tutar veya kasları fonksiyonel gruplara ayırır. Kasların serbestçe hareketlerini sağlar. Kan damarları ve sinirleri içerir ve bunları çeşitli vücut bölümlerine taşır. Kaslar arasına girerek bunlara kaynak verir. Fasiyaların birleşme yeri genellikle damarsızdır. Bu nedenle kansız kesi yapılan yerler olarak ameliyatlarda tercih edilir. Yine buralar sağlam yapılı olmaları nedeniyle dikişlerin tutturulacağı yer olarak da tercih edilmektedir.

Kas İskelet Sisteminin Tanılanması
I- Öykü Alma

Hareket sistemini ilgilendiren birçok hastalık doğuştandır ve kalıtsal özellik gösterebilir. Bu nedenle aile öyküsü çok önemlidir. Bunun için şu sorular sorulmalıdır: ailede, anne ve babada, kardeşlerde veya diğer aile bireylerinde, benzer sorunu olan var mıdır? Doğum nasıl gerçekleşmiştir? Anne doğum öncesi herhangi bir hastalık geçirmiş midir? Herhangi bir ilaç kullanmış mıdır? Anne ile baba arasında akrabalık var mıdır?

Akut menisküs yırtıklarında ve bazı travmalarda, romatoid artrit, akut eklem romatizması gibi bazı hastalıklarda, sadece öykü ile tanıya gidilebilir.

Daha önce geçirilmiş hastalıklar, travmalar, alışkanlıklar, kullanılan ilaçlar, meslek, mevcut hastalığın oluşmasında rol oynamış faktörler olabilir.

Ağrı yakınmalarında, ağrının karakterini ortaya koymak gerekir. Bu hem tanıya gitmek için, hem de tanısı konmuş hastalıklarda tedavinin planlanması için çok önemlidir. Bunun için, ağrının başlangıcı, o ana kadarki seyri, gün içindeki seyri, dinlenmeye ağrı kesicilere yanıtı sorulmalıdır. Öykü alırken hastanın gün içindeki aktivitelerini sorgulayarak fiziksel durumu ve hareket yetenekleri hakkında fikir sahibi olmaya çalışılır.

2- Fiziksel Değerlendirme

Hasta, aydınlık bir muayene odasında, gizliliğe saygı göstererek tüm vücudu değerlendirilebilecek şekilde fizik değerlendirme yapılmalıdır. Muayene sistematik olmalıdır.

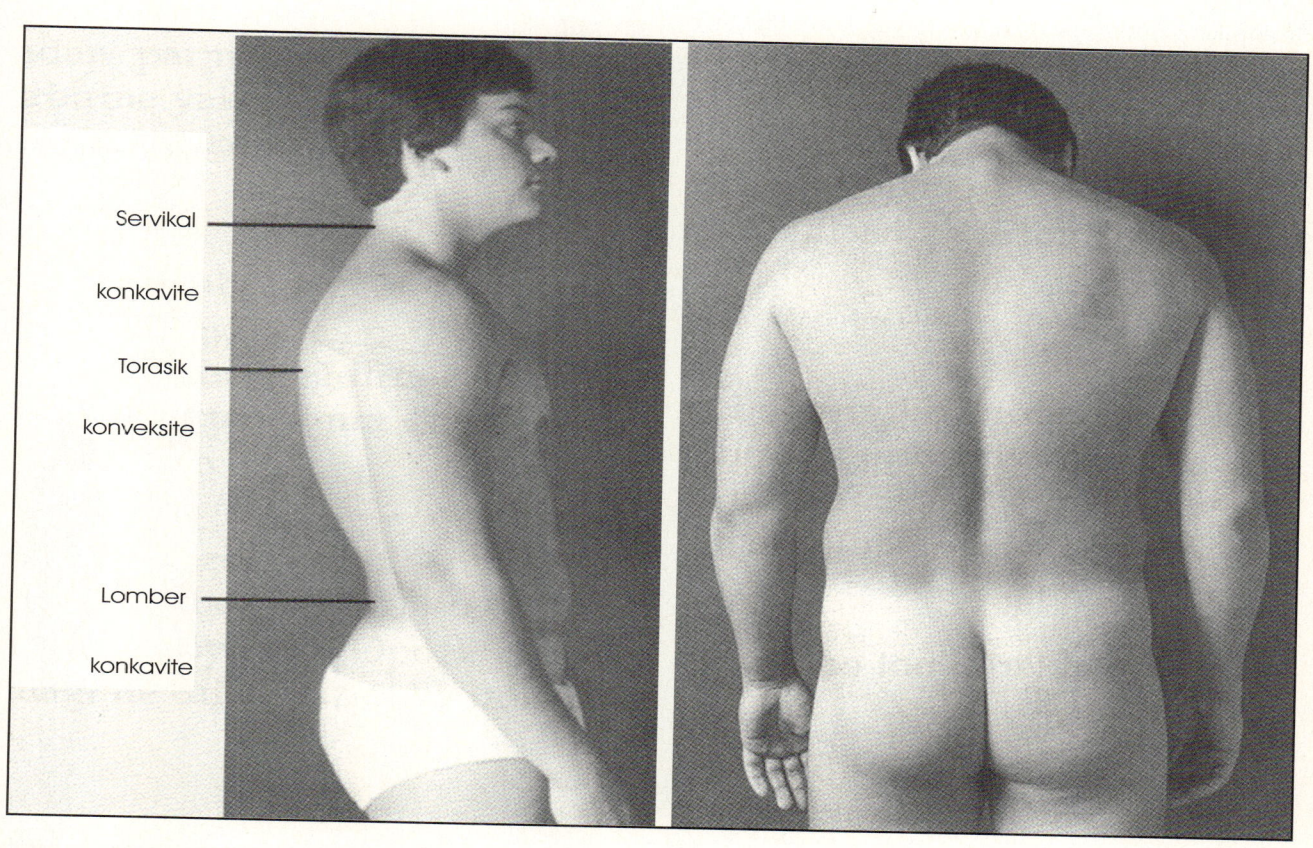

Şekil 57.7: Vertebral kolonun İnspeksiyonu   Yandan   Arkadan

Muayene inspeksiyon, belirli kemik bölgelerinin ve yumuşak yapıların palpasyonu, eklemlerin hareket kabiliyetleri ve bazı hareketleri test eden özel muayene yöntemlerini içermelidir. Birçok hastalık değişik sistemlerde değişik lezyonlarla ortaya çıkabilir. Fizik değerlendirmede aşağıdaki değerlendirmeler yapılır.

İnspeksiyon

Hastanın ilk olarak genel durumuna, vücut bölümlerinin birbirine oranına ve hareket yeteneğine dikkat edilir.

Duruş:

Hastanın başının pozisyonuna dikkat edilir, boyun hareketlerinin düzgün ve koordineli olup olmadığını incelenir ve yürüyüş özelliklerine bakılır. Doğru bir duruşta, yandan bakıldığında, omurganın üç doğal eğriliği korunur. Baş, omuz, kalça ve ayak bileği yaklaşık aynı doğru üzerindedir. (Şekil 57.7)

Hastanın sırtını tam olarak inceleyebilmek için üzerindeki giysileri çıkartılmasını söylenir. Hastayı; ayakları bitişik, kolları vücudun yandan sarkar durumda, dik, nötral pozisyona getirilir. Baş, sakrum ile aynı planda, orta hatta olmalı ve omuzlar ile pelvis aynı hizada bulunmalıdır.

Anomaliler: deformite, tortikollis, skolyoz, kifoz, hiper-lordoz, gibbusite omurgaya ait anamolilerdendir. Genu valgum, genu varum, kübitis valgus, kübitis varus, pes ekinus, pes ekinovarus, pes planus, pes kavus, halluks valgus ekstremitelerdeki anomalilerdendir. (Şekil 57.8)

Omurgaya ve Extremitelere Ait Bazı Anamoliler

Vertebralar ve Gövde

Gibbus, gibbosite: (kamburluk) Kifozun bölgesel ve aşırı miktarda olması.
Hiperlordoz: Özellikle lomber bölgede bulunan fizyolojik lordozun artışı.
Kifoz: Vertebraların arkaya doğru çıkıntı oluşturması.
Lordoz. Vertebraların arkadan öne doğru çukurlaşması.
Pektus ekskavatum: (Kunduracı göğsü) Göğsün içeri doğru çukurlaşması.
Pektus karinatum:(Güvercin göğsü) Göğsün öne doğru çıkıntı oluşturması.
Tortikolis: Boynun yana eğriliği.
Skolyoz: Vetebraların yana eğriliği.

Diz

D-Bacak: Bir dizde ekleminin orta çizgiden uzaklaşması ve diğer tarafın normal olması.
Gene rekurvatum: Diz ekleminin orta çizgiye yaklaşması veya orta hattan daha içeri girmesi, femur ve tibia arasında lateralde açılanmanın gelişmesi.
Gene valgum: Diz ekleminin orta çizgiye yaklaşması veya orta hattan daha içeri girmesi femur ve tibia arasında lateralde açılanmanın gelişmesi.
Gene varum: Diz ekleminin orta çizgiden uzaklaşması, femur ve tibia arasında medialde açılanmanın gelişmesi.
K-bacak: Bir dizde ekleminin orta çizgiye yaklaşması (valgum) bulunması ve diğer tarafın normal olması.
O-bacak: (varum) Her iki dizde ekleminin orta çizgiye uzaklaşması anamolisinin bulunması.
X-bacak: (valgum) Her iki dizde ekleminin orta çizgiye yaklaşması anamolisinin bulunması.

Ayak

Apodia: Doğumsal anomali olarak ayağın gelişmemesi.
Halluks valgus: Ayak başparmağının orta çizgiden uzaklaşması.
Halluks varus: Ayak başparmağının orta çizgiye yaklaşması.
Metatarsus varus: Metatarsların orta çizgiye yaklaşması.
Pes kalkaneovalgus: Kalkaneus ve valgus anamolilerinin birlikte bulunması.
Pes kalkaneus: Ayağın dorsifleksiyonda bulunması.
Pes kavovarus. Kavus ve varus anamolilerinin birlikte bulunması.
Pes kavus: Longitudinal kavsin aşırı belirginleşmesi.
Pes planus: (Düz tabanlık) Longidutinal ayak kavsinin düşüklüğü.
Pes planvolgus: Düz tabanlık yanında topuğun dışa dönüklüğü.
Kemikler: Şekil değişiklikleri, özellikle uzun kemiklerdeki doğrultu (Allignment) değişiklikleri, kısalıklar açısından incelenir.

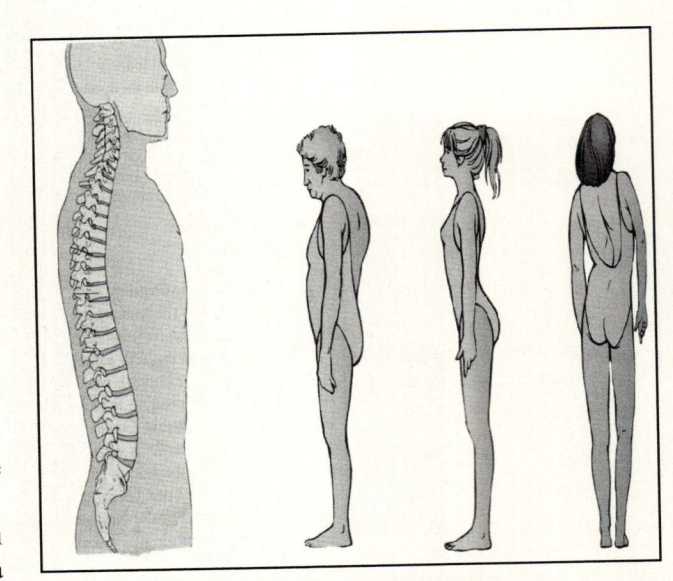

Şekil 57.8: Omurgaya ait anamoliler Kifoz, Lordoz, Skolyoz

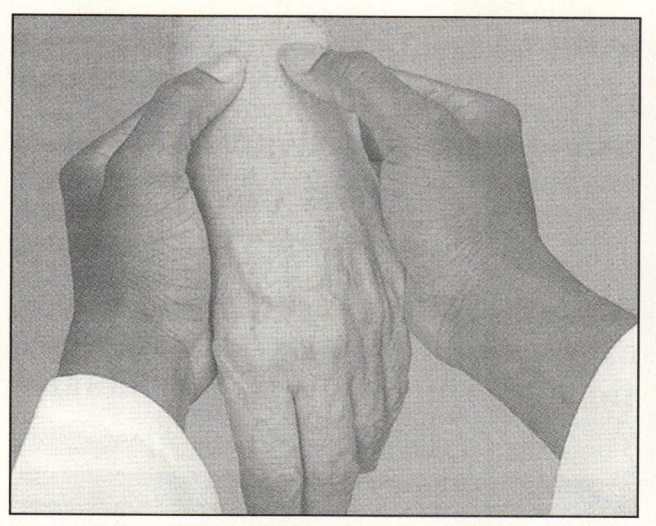

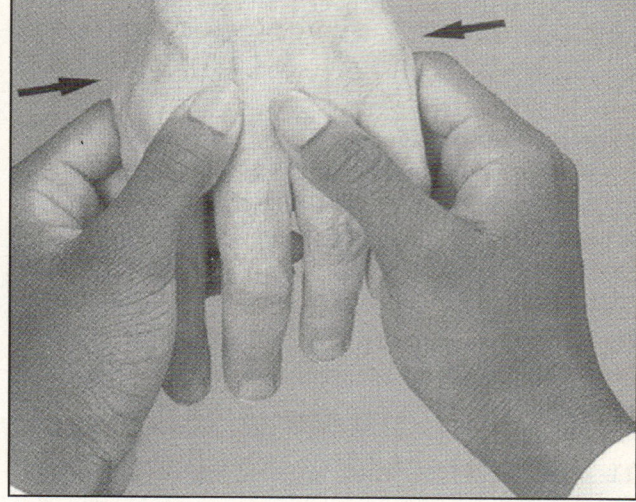

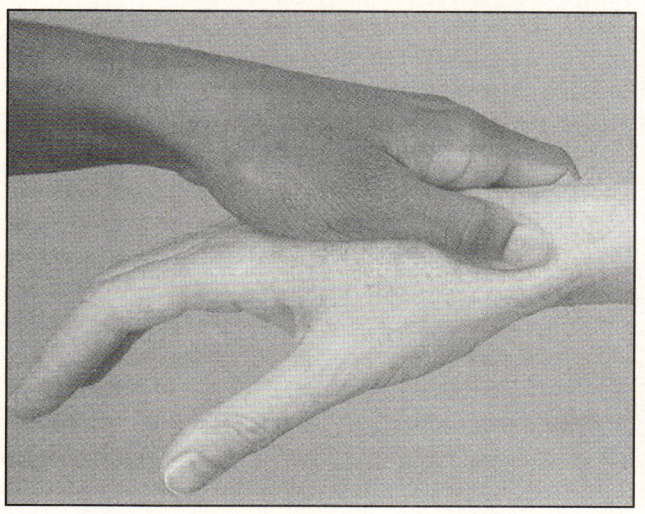

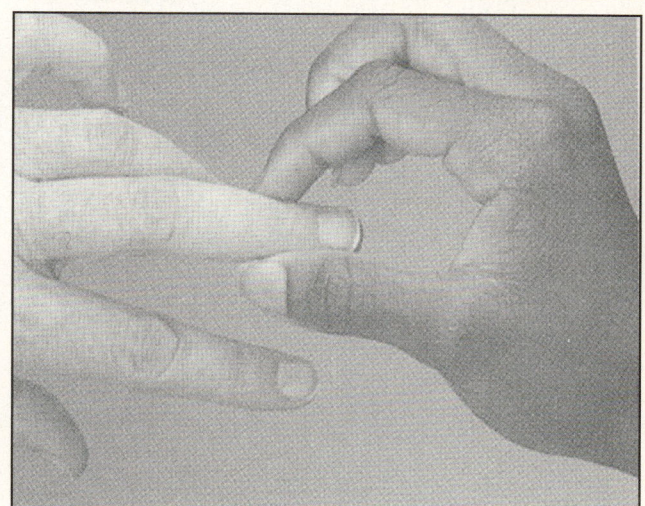

57. Kas İskelet Sistemi Fonksiyonlarının Değerlendirilmesi

Şekil 57.9: Bilekte, radius ve ulnanın distal uçlarının lateral ve medial yüzlerininin palpe edilmesi.

Şekil 57.10: Eklem palpasyonu elin dorsal yüzünden baş parmaklar, palmar yüzünden de diğer parmaklar ile eklemlere baskı uygulanır. Şişlik veya hassasiyet varsa not edilir.

Eklemler: İnspeksiyon sırasında, simetriye ve etkilenen eklem sayısına dikkat edilir. Vücutta meydana gelen değişiklik simetrik mi yoksa tek taraflı mı? Çok sayıda eklem mi etkilenmiş yoksa sadece bir veya iki eklem de mi sorun var? diye dikkat edilir.

Yumuşak dokular: Hipertrofi, atrofi, şişlik bulgularına bakılır.

Ciltte renk değişiklikleri: Kızarıklık, solukluk, siyanoz, ekimoz, pigmentasyon, kıllanma, kıllarda azalma, yara durumu incelenir.

Ciltte skar ve fistül ağızları: Çizgi şeklinde düzgün yara izi (skar), bir ameliyatın düzensiz izi, bir yaralanmanın kaba çevreye yapışıklar gösteren kenarları büzüşmüş izi, akıntılı bir yaranın izleri açısından kontrol edilmelidir.

Palpasyon

Kemikler: Kemiklerin doğal kenarları ve çıkıntıları palpe edilerek değişiklikler saptanır.

Eklemler: Palpasyon ile çevre dokuları inceleyerek deri değişiklikleri, subkutan nodüller ve kas atrofisi olup olmadığını değerlendirilir. Eklemlerde hareket esnasında krepitasyon (palpabl veya sadece kulakla duyulan) olup olmadığına dikkat edilir. (Şekil 57. 9-10)

Eklemlerin hareket yetenekleri kontrol edilmedir varsa hareket kısıtlılıkları veya eklem bağlarının yetersizliğine (ligament laksitesi) bağlı olarak gelişebilen aşırı hareketli veya hareketsiz eklemler belirlenmelidir. Eklemlerde ağrı varsa, hastanın eklemlerini nazikçe hareket ettirilir.

Hastalar, eklemlerini, kendileri hareket ettikleri zaman daha rahat edebilirler. Böyle durumlarda hastanın, eklemlerini kendi kendine hareket ettirmesine izin verilir.

Yumuşak dokular: Kitle saptanabilir. Eğer kitle varsa, kitlenin sertliği, kıvamı, yüzeyinin şekli, cilde yapışıklık olup olmadığı, mobil olup olmadığı, fluktasyon verip vermediği, ağrılı olup olmadığı, pulsasyon verip vermediği araştırılmalıdır.

Cilt ısısı: Enfeksiyonlarda, diğer inflamatuar ve artmış damarsal olaylarda lokal ısı artımı olur. Dolaşım bozukluklarında ise o bölge soğuktur.

Lokal duyarlılık: Duyarlılık artmış (hiperestezi), azalmış (hipooestezi) veya hiç olmayabilir (anestezi) kontrol edilmelidir.

Ölçme: Ekstremitelerin boylarının ölçülmesidir. Hipertrofi ve atrofi, ekstremite çevre uzunlukları karşılıklı olarak ölçülerek herhangi bir fark olup olmadığı saptanır.

Hareket: İki türlü hareket muayenesi vardır. Birincisinde, hasta eklem hareketlerini kendisi yapar (aktif hareket), ikincisinde ise eklem hareketleri hekim tarafından yaptırılır (pasif hareket). Her iki durumda da hareket genişlikleri kaydedilir. İki durumda da hareket yoksa, eklem sertliği söz konusudur. Aktif hareket yok ancak pasif hareket varsa, o zaman, aktif hareket ağrı nedeniyle engellenmektedir veya hareketi gerçekleştirecek kadar kas gücü yoktur.

Hastaya parmaklarını doğal pozisyonuna getirmesini söylenir ve baş parmağını el arasından uzaklaştırmasını (abduksiyon) istenir ardından işlemin tersini (adduksiyon) yapmasını söylenir. O pozisyonu değerlendirmek için hastadan, baş parmağı ile diğer parmaklarının uçlarına dokunmasını istenir.

Hastanın elleri aşağıya sarkık durumda iken bileğininin her iki yana, parmakların fleksiyon-ekstansiyon ve abduksiyon-adduksiyon hareketlerinin kontrol edilmesi.

Kas gücü: Sinir ve kas hastalıklarına, travmaya, sinir hasarına veya kullanılmamaya bağlı olarak kas gücünde azalma meydana gelebilir. Bunu saptamak ve derecesini belirlemek için kas gücü değerlendirmesi yapılır.

Kas gücü değerlendirilmesi

0: Kasılma (kontraksiyon) yok
1: Minimal kasılma, fonksiyon yok.
2: Yer çekimi elimine edildiğinde hareket yaptırılan kas gücü
3: Yer çekimine karşı hareket yaptırabilen kas gücü.

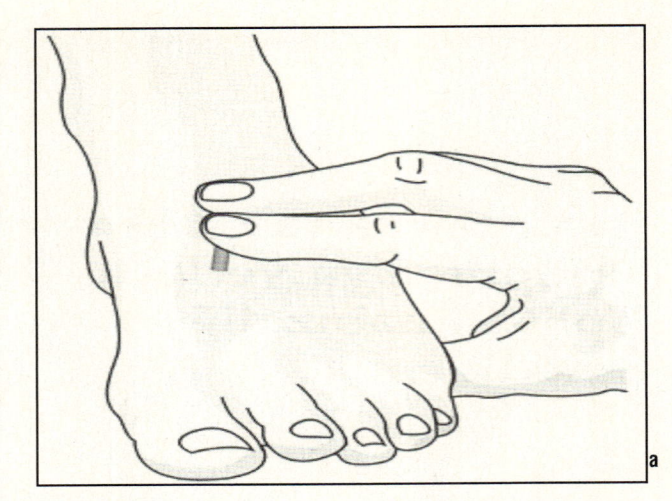

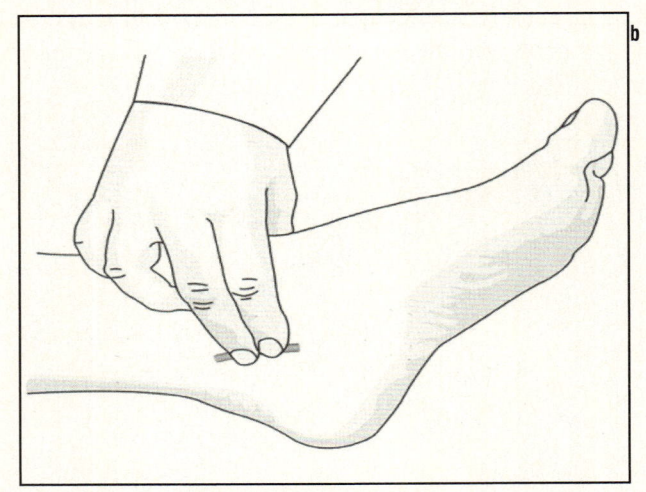

Şekil 57.11: a.Dorsalis pedis nabzı b.Posterior tibial nabız

4: Yer çekimine ve hafif dirence karşı hareket yaptırabilen kas gücü.
5: Tam dirence karşı hareketyaptırabilen kas gücü:Normal kas.

Periferik Dolaşım: Ciltte solukluk, soğukluk, siyanoz, kıllarda azalma, tırnaklarda trofik bozukluklar periferik dolaşım bozukluğunun işaretleri olabilir. Periferik arter atımları kontrol edilmelidir. (Şekil 57. 11)

Yürüyüş muayenesi: İnspeksiyon hasta odaya girdiği sırada yürüyüşüne dikkat edilerek, yürüyüşün her iki fazı da incelenir.

Yere Basma Fazı (Stance) - ayağın yere bastığı ve vücut ağırlığını taşıdığı faz (bir yürüyüş siklusunun %60'ını oluşturur). Yürüyüşü incelerken her fazın ne kadar sürdüğüne, bir adımın mesafesine pelvisin hareketlerine ve dizin fleksiyonuna dikkat edilir. Bir adım (topuktan topuğa) 5-10 cm. uzunluğunda olmalıdır. (Şekil 57. 12)

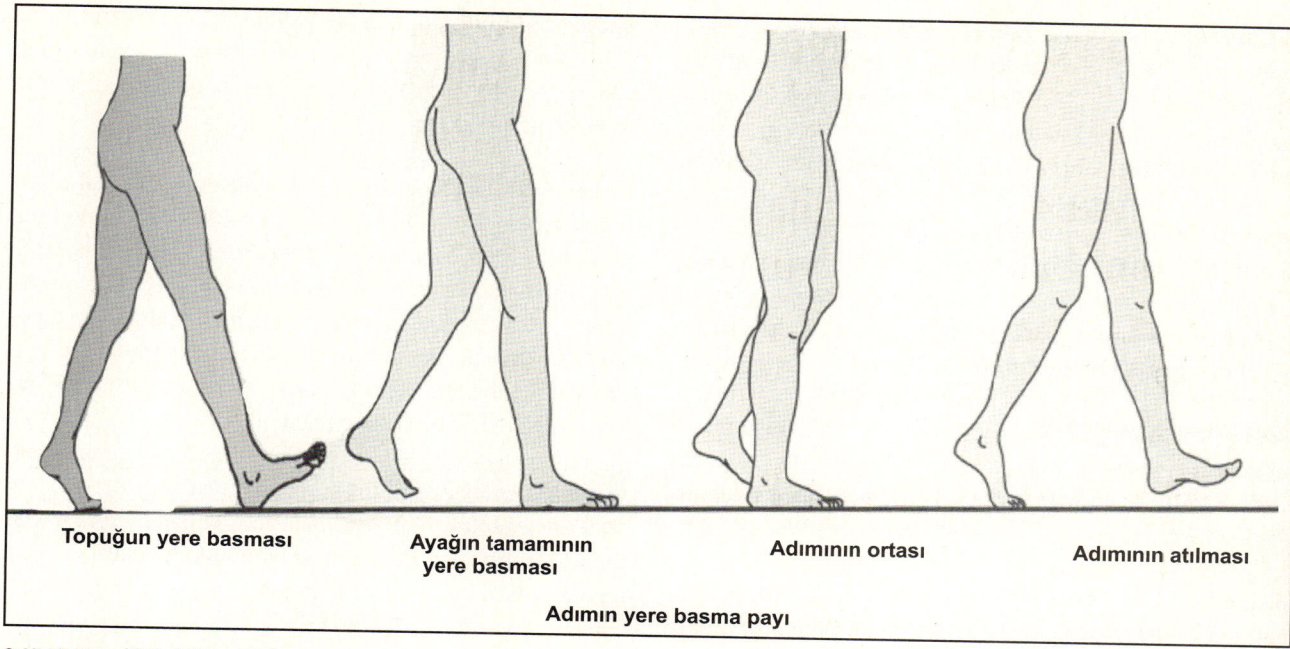

57. Kas İskelet Sistemi Fonksiyonlarının Değerlendirilmesi

Şekil 57.12: Yürüyüşün evreleri

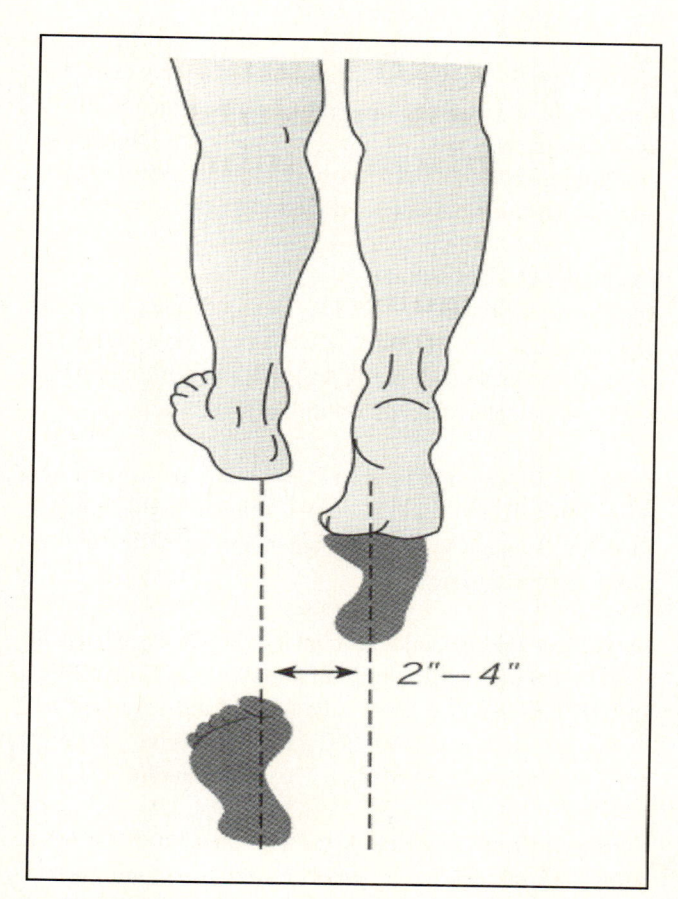

Topuğun yere basması — Ayağın tamamının yere basması — Adımının ortası — Adımının atılması

Adımın yere basma payı

Yürüyüş sırasında ayaklar uyumlu hareket etmeli, yürüyüş devamlı ve ritmik olmalıdır. Yük taşıyan tarafta abduktor kaslar kasılı olmalıdır; bu sayede pelvis stabilize edilir ve diğer kalça da yükseltilerek denge sağlanır. Diz, topuğun yere değdiği an haricinde, yere basma fazı boyunca fleksiyonda olmalıdır. (Şekil 57. 13)

Eğer hasta bir tarafta basma fazını kısaltıyorsa ve hemen diğer ayağı üzerine basma gereği duyuyorsa, bu durumda ağrılı yürüyüşten (antaljik yürüyüş) söz edilir. Bunun dışında birçok patolojik yürüyüş vardır. Örn; pes ekinus'da topuk yere çarpmaz, düşük ayakta parmaklar yerden kalkmaz. İki taraflı kalça çıkığında, hasta iki tarafa yalpalayarak (ördek vari) yürür, spastik paraplejide hasta ayaklarını birbirinin önüne atarak (oraklayarak) yürür. Kuadriseps kas felcinde, hasta dizini önden eliyle destekleyip kilitleyerek yürür.

Nörolojik Muayene: Kas iskelet sisteminin muayenesi mutlaka dikkatli bir nörolojik muayene ile tamamlanmalıdır (Ünite 15).

Özel testler: Kas iskelet sisteminin sorunlarının tanısında birçok özel testten yararlanılır.

Tanı İçin Değerlendirme
Görüntüleme yöntemleri
Anjiyografi: Radyoopak madde verilerek çekilen damar radyografileridir. İncelenen sisteme göre arteriyografi, venegrofi veya lenfanjiyografi adını alır.

Şekil 57.13: Adımlar arası mesafe

1235

Artrografi: Eklem içine yalnızca radyoopak bir sıvı veya radyoopak sıvı ile birlikte karbondioksit (double kontrast) verilerek yapılır. Eklem içindeki yumuşak doku yapıları incelenir. En çok diz ekleminde ve kalça ekleminde, daha sonra, ayak bileği, omuz ve dirsek eklemlerinde kullanılır.

Artroskopi: Endoskopla eklem içindeki oluşumların incelenmesidir. Kesin tanı olanağı verir. Yalnızca tanı amacıyla yapılıyorsa tanısal artroskopi adı verilir. Bazen aynı zamanda özel enstrumanlar ile tedaviye yönelik girişimlerde yapılmasına cerrahi artroskopi denir.

Bilgisayarlı tomografi (BT): Üç boyutlu görüntüleme olanağı tanır. Daha çok kemik yapılar hakkında detaylı bilgiler verir. Özellikle omurga, pelvis ve eklemlerin incelenmesinde kullanılır.

Biyopsiler: Lezyonların kesin tanısı için lezyondan alınan materyalin histolojik ve sitolojik incelenmesi yapılır. Birkaç şekli vardır.
İğne biyopsisi: Lezyondan, bir iğne yardımı ile küçük bir parça kopartılarak incelemeye alınır.
Aspirasyon biyopsisi: Daha çok sıvı karakteri bulunan lezyonlardan sıvı aspire edilerek sitolojik inceleme yapılır.
İnsizyonel biyopsi: Cerrahi ile lezyon açılarak, lezyondan parça alınır ve incelenir.
Eksizyonel biyopsi: Cerrahi ile patolojik dokunun tümü çıkartılarak incelenir. Eksizyonel biyopside hem tanı koyma hem de tedavi amacı vardır.

Diskografi: İntervertabral disk içine radyoopak madde enjekte edilerek çekilen radyografidir. Disk patolojileri hakkında bilgi verir.

Elektromiyografi: Nörolojik lezyonların tespitinde kullanılır. Nörolojik lezyonun seviyesi, şekli, iyileşme gösterip göstermediği hakkında bilgi verir.

Fistülografi: Fistül ağzından radyoopak madde verilerek çekilen radyografilerde, fistülün yolu ve ilişkili olduğu doku ve apse odağı hakkında bilgi sağlar.

Kontrast radyografi: Radyoopak madde kullanılarak çekilen radyografilerdir. Bu amaçla iyot, gaz veya baryum gibi radyoopak maddeler kullanılır.

Manyetik rezonans görüntüleme (MR): Görüntüleme olanakları bilgisayarlı tomografi gibidir. Özellikle yumuşak doku patolojileri hakkında bilgi verir.

Myelografi ve radikülografi: Iyot solüsyonu spinal kanal içine enjekte edilerek çekilen radyografidir. Spinal kanal, sinir kökleri ve bel fıtıkları hakkında bilgi verir.

Radyografi: Mutlaka en az iki yönlü grafi çekilmelidir. Tek yönlü grafi çoğunlukla yanıltıcıdır. Bazen iki yönlü grafi yeterli değildir, oblik veya özel pozisyonda çekilen grafilere gereksinim duyulur..

Sintigrafi: Damar yolu ile vücuda enjekte edilen radyoizotoplar patolojik dokularda normalden farklı biçimde tutulum gösterirler. Bunun özel dedektörlerle görüntülenmesi, lezyonların karakteri hakkında bilgi verir. Özellikle metastatik tümörlerin saptanmasında kullanılır. Kemik ve yumuşak dokuların incelenmesinde farklı radyoizitoplar kullanılır. Technetium 99m kemik incelemelerinde, gallium 67 ise yumuşak doku incelemelerinde kullanılır.

İndium 111 ise lökosit işaretlemesinde kullanılarak lezyonun bir enfeksiyona ait olup olmadığı araştırılır.

Tümör, enfeksiyon, enflamasyon, kollajen doku hastalıklarında, kemik iyileşmesinde patolojik dokularda radyoizotop birikimi olur ve sıcak noktalar olarak görülür. Buna karşılık, avasküler durumlarda ise radyoizotop birikimi olmaz.

Stres radyografileri: Özellikle eklem sabitliği hakkında bilgi almak için yapılır. Eklem sabitliğinde rol oynayan bağlar ve kapsül gerilerek, ortaya çıkan anormal eklem hareketi radyografik olarak belirlenmeye çalışılır.

Ultrasonografi: Doğuştan kalça çıkığının erken tanısında femur başı çekirdeklerinin henüz kemikleşmediği ilk 5 aylık dönem içinde kullanılır. Bunun dışında, büyük kas kitlelerinin ve büyük tendonların incelenmesinde de kullanılabilir. Ortopedi ve travmolojide kullanımı sınırlıdır.

Laboratuar Yöntemleri

Biyokimyasal yöntemler: Kemik metabolizması ile ilgili olarak; serum kalsiyum ve fosfor miktarı, alkalen fosfataz, asit fosfataz düzeyleri, kanda üre, ürik asit, serum proteinleri, protein elektroforezi başvurulan yöntemlerdir.

Hematolojik yöntemler: Eritrosit, sedimantasyon hızı, hemoglabin miktarı, eritrosit sayısı, lökosit sayısı, lökosit formüllü, kanama ve pıhtılaşma zamanı, gerektiğinde kemik iliği incelemesi yapılır.

Serolojik ve bakteriyolojik yöntemler: ASO, lateks fiksasyon testi, C reaktif protein gibi romatolojik testler, Tüberküloz için PPD, brusella ve salmonella için aglutinasyon testleri, kist hidatik için Casoni Weinberg testi, enfeksiyon düşünülen dokulardan bakteryolojik tetkikler yapılabilir.

Hormonal yöntemler: Kemik metabolizmasını direkt veya dolaylı olarak etkileyen parathormon, kalsitonin, tiroid hormonları, kortizon, östrojen gibi hormonların düzeylerinin tespit edilmesi gerekebilir.

Ameliyat öncesi yapılması gereken incelemeler: Tam kan sayımı (Hemoglobini hematokrit, eritrosit ve lökosit sayısı, trombosit sayısı) sedimantasyon hızı, üre ve kan elektrolitleri düzeyi, karaciğer fonksiyon testleri, kan gazları, elektro-kardiyografi, akciğer radyografisi, kanama ve pıhtılaşma zamanı, kan grubu tayini ve kan verilecekse cross match yapılmalıdır. Hemşireler tanı aşamasında, hastanın hikâyesi alınırken sorunlarının saptanmasında hastaya yardımcı olmalı, fizik değerlendirme ve tanı yöntemleri için hastayı hazırlamalıdır. Hemşire, hasta ve ailesine tanı yöntemlerini açıklamalıdır. Olanak varsa kullanılacak araç gereci göstermeli, hasta ve yakınlarının sorularını yanıtlamalı, tanı işlemlerinin ne kadar süreceğini, işlem sırasında ve sonrasında hastanın neler hissedeceğini, rahatsızlık duyup duyma-yacağını, tanı işlemi nedeniyle gelişebilecek yan etkilerin belirtilerinin neler olduğunu, bu belirtiler görüldüğünde hastanın ne yapması gerektiğini anlatmalıdır.

58. KAS İSKELET SİSTEMİ HASTALIKLARI

Prof. Dr. Meryem YAVUZ

Bu bölümde kas iskelet sisteminin doğumsal sağlık sorunları, üst ve alt ekstremitelerin yaygın sağlık sorunları, iskelet sisteminin enfeksiyonları ve tümörleri ve bakımları tartışılacaktır.

Epidemiyoloji: Toplumda kas-iskelet sistemi yaralanmaları ve hastalıkları sık görülen durumlardan biridir. Bu hastalıklar uzun dönem ağır ve fiziksel sakatlıklara neden olmaktadır. Batı toplumlarında travma dışında tüm sağlık harcamalarının %25'i kas-iskelet sistemi ile ilgili sağlık sorunları için yapılmaktadır. Birçok ülkede kas-iskelet sistemi ile ilgili sağlık sorunları hekime başvuru nedenleri arasında ikinci sırada, işgücü kayıpları bakımından ilk sırada yer almaktadır. Erken emeklilik nedenleri arasında %60'la kas-iskelet sistemi rahatsızlıkları ilk sıradadır. Bu demografik özellikler Türkiye için de geçerlidir.

Kas iskelet sistemi hastalıklarında Etiyoloji

Aşağıda belirtilen etiyolojik faktörler kemik ve eklemlerde çeşitli sorunlar oluştururlar.

1. Doğumsal sağlık sorunları: Tek yumurta ikizleri hariç insanlar tıpatıp birbirine benzemezler aralarında bazı farklılıklar vardır. Farklılıkları göze çarpar şekilde belirgin olmayan ve fonksiyon bozukluğu yapmayan değişiklikler, biyolojik varyasyon olarak değerlendirilir. Eğer sapmalar belirgin ve fonksiyon bozukluğu yaparsa buna doğuştan anomali veya özür adı verilir.

Doğumsal özürler: doğuştan uzuv eksiklikleri, gelişimsel kalça çıkığı, çarpık ayak, doğuştan kol felci, yapışık parmak, doğuştan omurga eğrilikleri, doğuştan kas hastalıkları,

2. Üst ve alt ekstremitelerin yaygın sağlık sorunları: Üst ekstemitenin yaygın sağlık sorunlarından bursit, tendinit, de quarvain hastalığı, gangliyon, karpal tünel sendromu, dupuytren kontraktür sık görülenleridir. Alt ekstemitenin yaygın sağlık sorunlarından ayak parmaklarında bükülme (çekiç parmak), halluks valgus (ayak başparmağında çıkıntı), plantar fasit en sık görülen sorunlardan bazılarıdır.

3. Enfeksiyon: Geniş anlamda kemik ve eklemin her çeşit enfeksiyonuna osteomiyelit denir. Enfeksiyon etkenleri kemik ve eklemlere kan akımıyla veya komşuluk yoluyla gelir. Kan akımıyla gelen enfeksiyonlarda vücuttaki primer odakların (Tonsil, diş, kulak apseleri) birinci derecede rolü vardır.

4. Tümörler: Kas iskelet sisteminin benin ve malin tümörleri önemli sağlık sorunlarını oluşturlar.

5. Travma: Ani travmalarda oluşan burkulmalar, çıkık ve kırık, diğer travmatik sorunlar bu grup içinde yer alır.

Kas İskelet Sisteminin Yaygın Doğumsal Sağlık Sorunları

Ortopedik Özürler (Anomaliler): Doğum öncesi, doğum sırası ve doğum sonrası dönemde herhangi bir nedenle, iskelet (kemik), kas ve sinir sistemindeki bozukluklar sonucu, bedensel yeteneklerini çeşitli derecelerde kaybetmesi nede-niyle toplumsal yaşama uyum sağlama ve günlük gereksinimlerini karşılamada güçlükleri olan ve korunma, bakım, rehabilitasyon, danışmanlık ve destek hizmetlerine ihtiyaç duyan kişiye ortopedik özürlü, bu duruma yol açan nedenlere ise ortopedik özür denir.

Doğumsal Özürlerin Nedenleri

Bunları oluşturan nedenler genetik ve genetik olmayanlar olarak ikiye ayrılır.

Genetik Etken: Anne ve babanın biri veya her ikisindeki genetik bir özrün bebekte görülmesidir. Geçiş Mendel kanunlarına bağlıdır. Bu durumdaki aileye genetik danışmanlık hizmeti verilmesi önemlidir. Özellikle akraba evliliklerinin resesif anomalilerin artmasına neden olduğu açıklanmalıdır.

Genetik olmayan nedenler: Beslenme ve endokrin bozuklukları, vitamin eksiklikleri, anoksi, radyasyon ve virütik hastalıklardır.

Sekonder sorunlar: Önceleri normal olan fetüs üzerine anne karnındadır. (intrauterin) yaşam döneminde, embriyon dışında meydana gelen etkilerle oluşmaktadır. Amnion sıvı azlığına bağlı anormal basınçların neden olduğu anormaliler bu gruptadır. Bu etkiler genellikle gebeliğin son altı ayında oluşmaktadır.

Ülkelerin gelişmesiyle insan sağlığına verilen önemin artması rağmen özürlü çocuk oranlarında artış olmaktadır. Teknolojik yeniliklerle bu çocukların daha fazla yaşama şansının artmasıyla beraber kontrolsüz ilaç kullanımı, çevre kirliliği, radyolojik maddeler ve X- ışınlarının günlük yaşamımıza girmesi doğumsal anomalilerin gittikçe artmasının diğer başlıca nedenleridir.

Embriyolojik Travma: Gerek anne, gerekse baba genetik olarak normaldir. Olay fetüsün uterus içindeki gelişmesi sırasında bir dış etkenle ortaya çıkar. Fetüsün gelişmesine etki ederek özürü meydana getiren bu etkenlere teratolojik etken adı verilir. Embriyonel hücrelerden özel doku ve taraf tomurcuklarının geliştiği ilk embriyonel haftalar fetüsün dış etkenlere karşı en duyarlı olduğu dönemdir.

Her dış etken fetüsün o andaki gelişmesine uygun olarak özel bir bölge ve dokuya etki eder. Anomalilerin yaygınlığı etkenin fetüse hangi devrede etki ettiğine, süresine ve şiddetine göre değişir.

Kemik tomurcukları üçüncü haftada belirmeye başlamakta sekizinci hafta sonunda bir kıkırdak model halinde bütün bir iskelet ortaya çıkmaktadır. Geri kalan 32 hafta içinde ise büyüme ve kemikleşme devam etmektedir. Bu nedenle kas iskelet sistemi (ortopedik özürler) anomalileri 38. hafta içinde etki eden teratolojik etkenlerle meydana gelmektedir.

Teratolojik nedenler şu şekilde sıralanabilir.
1. Metabolik nedenler (Hipoglisemi, hiperinsülinemi)
2. Endokrin nedenler (Hormonal bozukluklar, Kortizon)
3. Beslenme yetersizliği (A vitamini, E vitamini, Riboflavin)
4. Kimyasal nedenler (Kurşun bileşikleri, civa bileşikleri, ilaçlar)
5. X- ışınları
6. Enfeksiyon (Su çiçeği, kabakulak, kızamık, viral enfeksiyonlar, toksoplazmozis)
7. Mekanik nedenler
8. Isı değişiklikleri
9. Hipoksi (Plesanta anomalileri)
10. Eritroblastozis fetalis

Ortopedik Özrün Önlenmesi

Birçok özürlülük önlenebilir niteliktedir. Ortopedik özürün önlenmesindeki en önemli faktör toplumun bu konuda bilgi ve bilinç düzeyinin yükseltilmesidir. Bu konuda özürlülükle ilgili; beslenme, gerekli vitamin kullanımı, enfeksiyon hastalıklarına karşı aşılama gibi koruyucu önlemler konusunda yapılacak toplumu bilgilendirici kampanyaların büyük önemi bulunmaktadır.

Doğum öncesi nedenlerin önlenmesi

Kalıtsal Hastalıklar: Özellikle kalıtsal hastalıkları olan akrabalar arasındaki evlilikler sonucu görülür. Bu gibi durumlarda akraba evliliğin yapılmaması ya da genetik danışmanlık hizmeti verilmesi önemlidir.

Kan uyuşmazlığı: Annenin Rh (-), babanın Rh (+) olması durumunda olur. Gebelikte izlenmeli ve gereken önlemler alınmalıdır.

Riskli gebelikler: Anne yaşının 18'den küçük, 35'den büyük olması, iki yıldan daha az doğum aralığı, dörtten fazla çocuk sahibi olma, şeker-tansiyon-kalp-böbrek-kan hastalıkları gibi sistemik bir hastalığa sahip olma ve daha önce düşük doğum yapmış olmak riskli gebelikler grubuna girmektedir. Özürlü çocuk doğma riski artacağından bu durumlar göz önünde bulundurulmalıdır. Bütün bu nedenlerin önlenebilmesi için aşağıdakiler önerilmektedir.

Gebelik takibinin düzenli yapılması, anne adayının düzenli kontrollere gitmesi (kan grubu tayini, RH uyuşmazlığının tespiti, tetanoz aşısı yaptırma, annenin vitamin ve mineral açısından desteklenmesi vs.). Özellikle anne adaylarının bilgilendirileceği birinci basamak temel koruyucu sağlık hizmetlerinin verilmesi (sigara-alkol kullanmanın, radyasyona maruz kalmanın gebelik için risk oluşturacağı, yakın akraba evliliklerin özür oluşturabileceği konusunda anne adaylarına ya da ailelere yeteri ölçüde bilgi verilmesi). Gebelik sırasında anne adayının gerektiği gibi beslenmesi, annenin sinirsel sıkıntılara maruz kalmaması, hamilelikte ateşli, iltihabi veya döküntülü hastalık geçirmemesi, hamilelik süresince kanama geçirmemesi, doktora danışmadan ilaç kullanmaması, kazalara, travmalara maruz kalmaması, annenin radyografi çektirmemesi gerekmektedir.

Doğum sırasındaki nedenlerin önlenmesi: Doğumun mümkünse sağlık personeli tarafından yaptırılması ve hastane şartlarında gerçekleştirilmesi önerilmektedir.

Doğum sonrasındaki nedenlerin önlenmesi: Hekim önerisi olmadan bebeğe sütle geçen ilaç kullanılmaması, yeni doğan bebekte görülen sarılıkta zaman kaybetmeden en yakın sağlık kuruluşuna başvurulmalıdır. Yüksek ateş, havale gibi durumlarda basit yöntemlerle beden ısısısı düşürülerek bebek en yakın sağlık kuruluşuna götürülmelidir. Bebek kafa travmaları ve kazalardan korunmalı, bebeklik ve çocukluk dönemi boyunca yapılması gerekli olan aşılar zamanında yaptırılmalı, trafik kazaları ve ev kazalarından konusunda gerekli önlemler alınmalıdır.

Çevresel etmenlerden ev ortamının sakatlığa yol açmayacak şekilde düzenlenmesi, evdeki soba, ocak, fırın ve tüp gazı gibi araçlara korunma yapmadan yakılmaması, yangın, deprem ve su baskınlarında korunma ve kurtarma konusunda eğitim alınması vb. dir.

İş kazaları ile ilgili olarak; iş yerinde çalışan işçilerin sağlığının daha özenle takip edilmesi, iş kazalarının azaltılması için çalışanların konu ile ilgili hizmet içi eğitim almalarının sağlanması, makine, alet gibi teçhizatların düzenli ve periyodik olarak bakımlarının yapıldığından emin olunması önemlidir.Bu bölümde sık karşılaşılan doğuştan anomaliler incelenecektir.

Tortikolis (Eğri Boyun)

Boyun (Sternokleidomastoid) kasının kısa ve kontrakte olması nedeniyle boyunda gelişen fleksiyon ve rotasyon anamolisine tortikolis denir. Baş kasın kontrakte olduğu tarafa doğru eğilirken, yüz ve çene karşı omuza doğru bakar. Tortikolis doğuştan veya değişik nedenlerle hayatın ileri dönemlerinde de görülebilir. (Şekil 58. 1)

Etiyoloji: Kesin nedeni bilinmemektedir. Başın uterus içinde anormal pozisyonda kalması, doğum öncesi yaralanma, sternokleidomastoid kasının kan dolaşımının bozulması, kas içinde doğum öncesi kaynaklı fibrom bulunması, doğum sırasında kas liflerinin yırtılması, herhangi bir nedenle kas dokusu içinde hematom ve nedbe dokusu oluşumu, servikal vertebraların primer doğumsal anamolisi sayılabilir.

Epidemiyoloji: Doğuştan tortikolis kız çocuklarında daha sık görülür.

Klinik Belirti ve Bulgular: Başlangıçta eğrilik çok azdır. Tedavisiz bırakılan olgularda etkilenen tarafta yüzün küçülmesine ve ileri yaşlarda kemik adaptasyonu ile servikal tortikolis gelişmesine yol açar. Eğrilik iki üç yaşlarında düzeltilirse asimetri zamanla ortadan kalkar.

Tedavi: Tanı konulduğunda hemen tedaviye başlanmalıdır. Erken evrede boyun hareketleri ile kısa ve kontrakte olan kas gerdirilerek uzatılmaya çalışılır. Bu yöntemle düzelme sağlanamayan olgularda ameliyatla tedavi yöntemi tercih edilir. Ameliyattan sonra altı haftalık alçı tespiti ve sonunda altı- sekiz ay kullanmak üzere boyunluk (Collar) verilir.

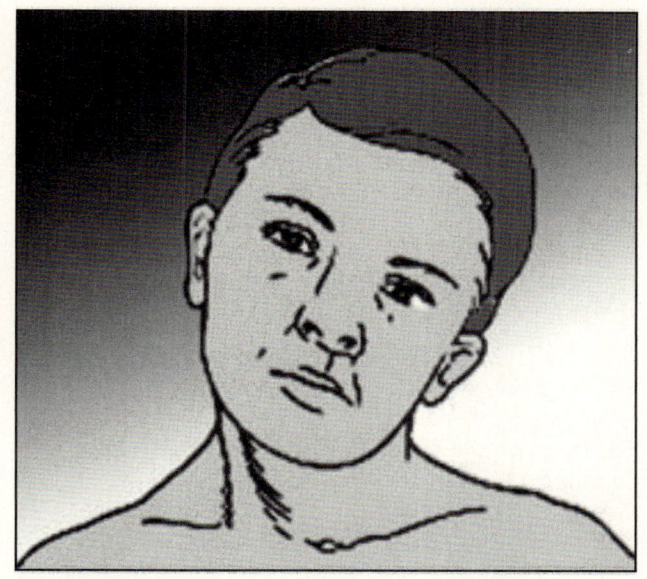

Yine altı-sekiz ay süren aktif, pasif boyun egzersizleri yapılmalıdır. Anomali ameliyata karşın tekrarlayabilir. (Şekil 58. 2)

Skolyoz

Spinal kolonun yana eğriliğidir. Yapısal ve fonksiyonel olarak ikiye ayrılır. (Şekik 58. 3)

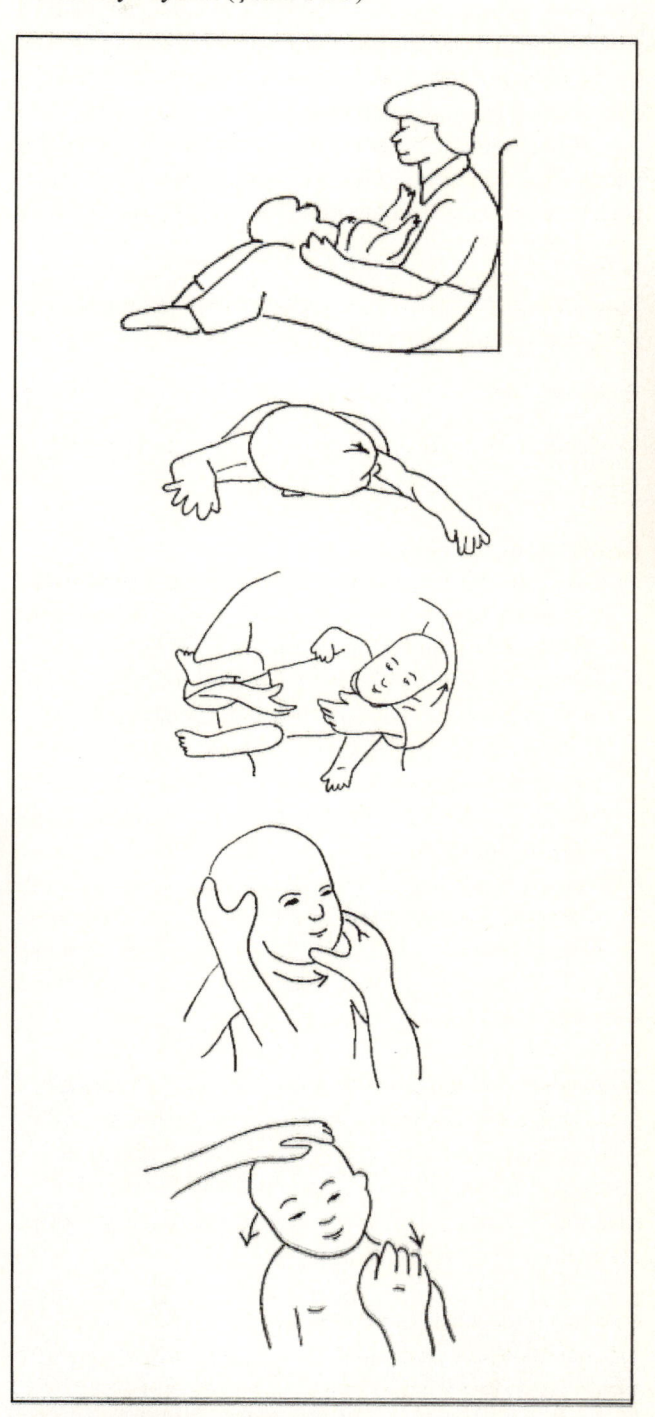

Şekil 58.1: Tortikolis
Kaynak:
http://38.113.97.124/websites/auHealthGuardClinics/default.asp?Type=SYNDICATED&ID=240&PAGETYPE=1

Şekil 58.2: Tortikoliste boyun egzersizleri
Kaynak: http://www.orthoseek.com/articles/ifs-left.html

Fonksiyonel Skolyoz: Spinal kolonun kendisinde bir bozukluk olmadan duruş bozuklukları ile ortaya çıkar. Eğrilik traksiyon ile düzeltilebilir. (Şekil 58. 3)

Yapısal Skolyoz : Spinal kolonun rotasyona uğraması ile ortaya çıkar. Traksiyon ile eğrilik tamamen düzeltilemez.

Tedavi: Skolyozda tedavi eğriliğin yeri, kapsadığı vertebra sayısı, hastanın kemik yaşı tayin edildikten sonra belirlenir. Bebeklik çağındaki skolyoz korse ile tedavi edilir. Korse bebek altı aylık olduktan itibaren kullanılmaya başlanabilir. Korse eğrilik 30 derecenin üstünde ise kullanılır. Skolyoz tedavisinde en fazla yapılan işlem traksiyon (Halo pelvik, halo femoral, halo gövde ve Risser alçısı) ile eğrilik yumuşatıldıktan sonra ameliyatla Harrington enstrümantasyonu ve posterior omurga füzyonu uygulamasıdır.

Bakım

Skolyozda hemşirelik girişimleri hastanın yaralanma riskini ve nörolojik zararı olabildiğince azaltmaya odaklanır.

Yaralanma Riski: Spinal anomalili hastalar ameliyat öncesi ve sonrasında sert destekleyici malzeme kullanılması ve ameliyat sonrası vücut pozisyonu değişikliklerine bağlı olarak yaralanma riskleri artmaktadır.

Hemşirelik Girişimleri

- Tehlikeleri önlemek için hastanın çevresinde alınacak güvenlik önlemleri belirlenmelidir. Spinal sorunu olan hastalarda kullanılan korse (ateller) hastanın omurgasını fleksiyonuna ya da hiper ekstansiyonuna izin vermez. Bu nedenle hastanın pek çok hareketi kısıtlanır. Örn: Hastaya merdivenlerden inerken merdiven korkuluklarının uygun kullanımını açıklanmalıdır. Hasta kaygan zeminde, kilimlerde vb. yürürken gerekli koruyucu önlem alınmalıdır.
- Hastaya korse altında kalan derinin irritasyonunu azaltmanın yolları öğretilmelidir. Korsenin altına yumuşak pamuk t-shirt ya da pamuklu iç çamaşırları giymek derinin zarar görmesini önler. Pamuklu çamaşırların en az günde bir kez değiştirilmesi ve iç çamaşırların yumuşak sabunla yıkanması önerilmelidir. İç çamaşırları sıcak havalarda daha sık değiştirilmeli, losyon ve pudralarından kaçınılmalıdır.
- Hastaya yemek sırasında ve her yemekten sonra ilk 30 dakika korseyi gevşetmesi söylenmedir. Korse sıkıyken hastalar yemek yemekte zorlanırlar. Her yemekten sonra korseyi gevşetmek, yeterli besinin alınmasını ve konforun artmasını sağlar.
- Hastalara beden mekaniğini sürdürmenin önemi konusunda eğitim verilmelidir. Vertebranın iyileşmesi için uzun bir süre gerekir. Uzun süre hareketsiz kalması gereken hastalar en az üç-dört hafta yatak istirahatına alınırlar ve yaklaşık altı ay ila bir yıl süreyle korse giymek zorunda kalabilirler.
- Hastalar çarşafla döndürme tekniği kullanılarak döndürülür. En az iki saatte bir pozisyon değişikliği yapılmalıdır.
- Hastanın boşaltım gereksinimi için kırık sürgüsü kullanılmalıdır. Kırık sürgüsü omurganın düzgünlüğünü en az derecede etkiler ve boşaltım sırasında hastaya rahatlık sağlar.
- Hastalara korseyi nasıl kullanacakları öğretilmeli ve hareket sınırlamaları anlatılmalıdır.
- Yatak istirahatındaki hastaya yatar pozisyondan oturur pozisyona geçmesi konusunda eğitim verilmelidir.

Sindaktili (Yapışık Parmak)

Parmakların doğuştan yapışık olmasıdır. Elde görülen anomalilerin en sık olanıdır. Elde en çok üçüncü-dördüncü parmaklarda, ayakta ikinci-üçüncü parmaklarda görülür.

Etiyoloji: Kesin nedeni bilinmemektedir. Deneysel olarak riboflavin eksikliğinin sindaktili geliştirdiği gösterilmiştir.

Klinik Belirtiler ve Bulgular: Yapışıklık sadece deri ile ilgili olabileceği gibi bazen kemik, tendon ve sinirlerde etkilenmiş olabilir. (Şekil 58. 8)

Tanı yöntemleri: Kesin tanıda direkt radyografiden yararlanılır.

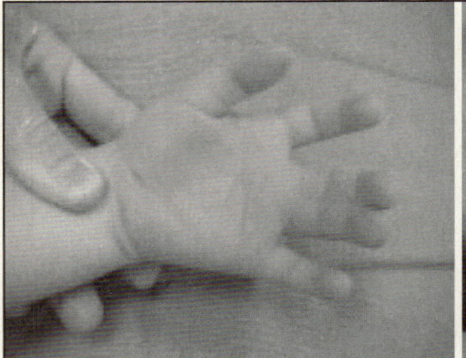

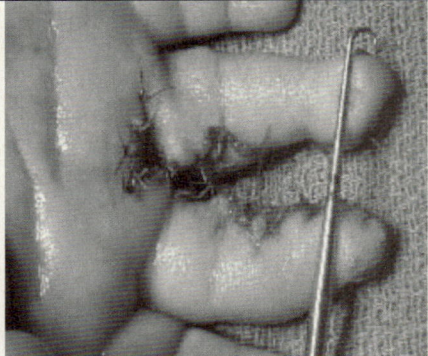

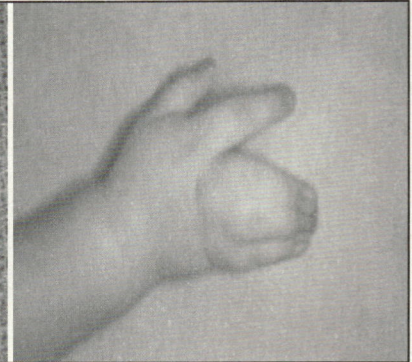

Şekil 58.8: Sindaktili ve ameliyatı

58. Kas İskelet Sistemi Hastalıkları

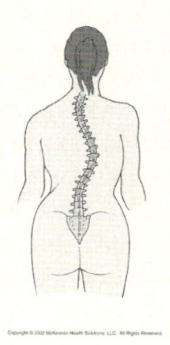

Şekil 58.3: Skolyoz
Kaynak:
http://www.med.umich.edu/pte ducation/links.htm

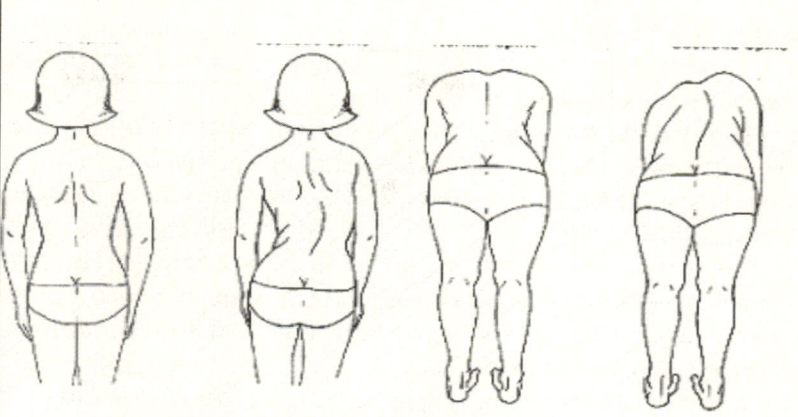

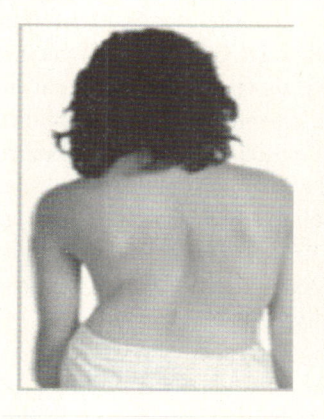

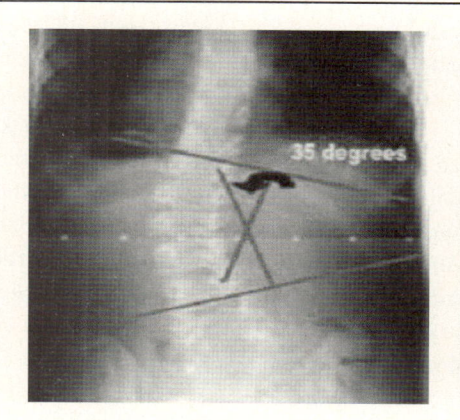

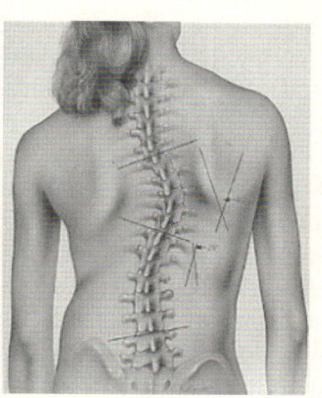

Şekil 58.4: Normal ve Skolyozlu Spinal Kolon

Şekil 58.5: Skolyozda açıların ölçülmesi

Kaynak: Erin S. Hart, Massachusetts General Hospital Department of Orthopaedic Surgery Pediatric Orthopaedic http://www.massgeneral.org/ortho/Scoliosis.htm

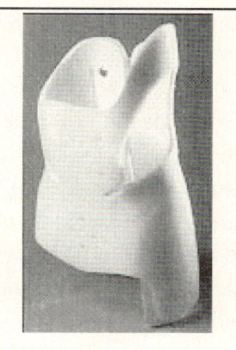

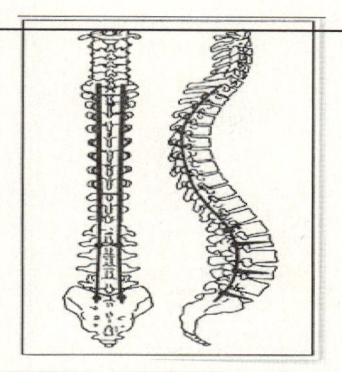

Şekil 58.6: Skolyozda kullanılan korse

Şekil 58.7: Skolyozda uygulanan ameliyat

Kaynak: Erin S. Hart, Massachusetts General Hospital Department of Orthopaedic Surgery Pediatric Orthopaedic http://www.massgeneral.org/ortho/Scoliosis.htm

Kas İskelet Sistemi

Tedavi: Ameliyatla yapışıklıklar açılır.

Polidaktili (Parmak Çokluğu)

Parmak sayısının normalden fazla olmasıdır. Tam gelişmemiş fazla bir parmaktan, tek falanksın ikileşmesine kadar değişik tiplerde olabilir. Çoğunlukla: kemik, tendon, kıkırdağı bulunmayan parmaksı uzantılar, çeşitli şekillerde parmak ikileşmeleri, metakarp ve metatarsi bulunan fazla parmak seklinde görülür.

Tanı yöntemleri: Polidaktilinin tipini belirlemek için radyografiden yararlanılır. Ameliyattan önce iyi bir değerlendirme yapılmalıdır.

Tedavi: Tedavisi ameliyattır.

Gelişimsel Kalça Çıkığı

Kalça ekleminde uyluk kemiğinin (femur) yuvarlak başı kalça kemiğinin asetabulum denen yuvasına oturur ve bu eklem bacağın serbest dönme hareketi yapabilmesini sağlar. Doğuştan kalça çıkığı terimi kalça eklemini oluşturan öğelerin biçim, işlev ve ilişkilerinde bir bozukluğu anlatmaktadır.

Daha önceleri kullanılan **D**oğuştan **K**alça **Ç**ıkığı (DKÇ), doğumda kalçaları normal olan bebeklerin zamanla kalçalarında displazi, subluksasyon ya da dislokasyon gelişmesi üzerine 1989 yılında Klisic'in önerisiyle **G**elişimsel **K**alça **Ç**ıkığı (**D**isplazisi) terimi olarak kullanılmaya başlanmıştır. Dislokasyon; femur başı ile asetabulum arasında hiçbir ilişkinin olmamasıdır. Subluksasyon; femur başı ile asetabulum arasındaki ilişki azalmış ancak devam etmektedir. Displazi; asetabulum gelişimindeki Yetersizliği ifade etmektedir.

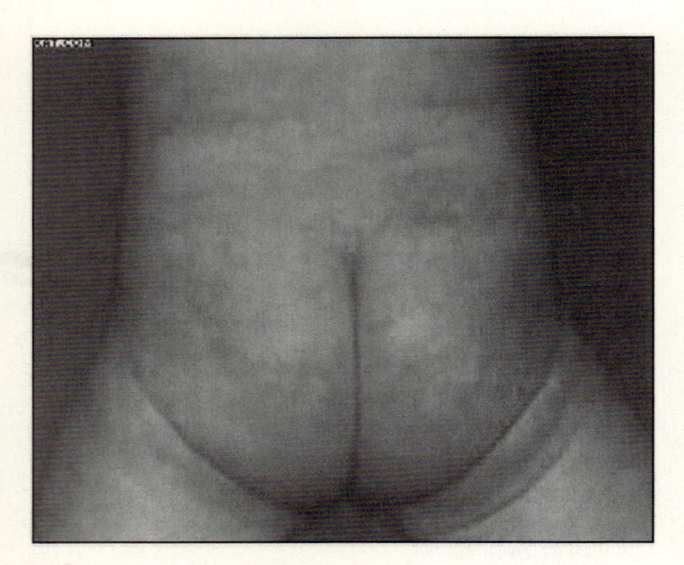

Şekil 58.9: Gelişimsel kalça çıkığında pililerdeki asimetri

Kaynak: tusdata http://www.hastarehberi.com/cocuk/cocukhast4/doumsalkalcacikigi.htm

Epidemiyoloji: Dünya Sağlık Örgütünün yayınladığı istatistiklere göre her yıl dünyaya gelen bin çocuktan ikisinde kalça çıkıklığı görülmektedir. Aile üyelerinden birinin gelişimsel kalça çıkıklı olması görülme oranını beş kez arttırdığı belirtilmektedir. Yeni doğanda kalça çıkığı %0,1 - %01,5 arasında değişmektedir. Kızlarda erkeklere göre daha fazla görülür (kız; %01,1, erkeklerde; %00,12). Coğrafik, bölgesel ve ırksal dağılımlardan etkilenir. İsveç'te %01,7 iken, Eski Yugoslavya'da %0,75'dir. Afrikalı bebeklerde hiç görülmezken, Çinlilerde %0,01, Hindistanlı bebeklerde %2 görülür. Türkiye'de doğuştan kalça çıkığına sık rastlanan yer Karadeniz bölgesidir.

Etiyoloji: Gelişimsel kalça çıkığında bu eklemde görülen bozukluk kalçayı oluşturacak taslağın embriyon döneminde kusurlu gelişmesi ya da tam gelişmemesiyle ortaya çıkar. Kalıtsaldır aynı ailenin değişik bireylerinde ortaya çıkabilir. Bölgeler arasındaki farklılıklar kalıtsal özellikten kaynaklanır. Akraba evliliklerinde görülme sıklığının artması da aynı nedene bağlıdır. Genellikle tek yanlı olmasına karşın her iki kalçayı da etkileyebilir. Doğum sırasında gerçek anlamda çıkık olmayabilir. Kundak önemli çevresel etkendir. Yakın akraba evlilikleri de doğuştan kalça çıkığı olasılığını artırmaktadır. Kızlarda daha fazla görülmesinin nedeni annenin doğum sırasında pelvisinin daha fazla genişlemesini sağlamak üzere salınan relaksin hormonu plasenta yoluyla bebeğe geçer ve bu hormona kız bebeklerin cevabı erkeklerden daha güçlüdür.

Klinik belirti ve bulgular: Elle muayenede uyluk kemiği başının belirgin biçimde yüksek olduğu saptanır. Çıkık kalça tarafındaki bacak kısadır. Hasta sırtüstü yatarken bacakların birlikte bükülmesi kısalığı belirgin hale getirir; bu durumda dizlerin aynı düzlem üzerinde olup olmadığına bakılır. Daha kısa olan bacağın uyluk bölümünde pili adı verilen deri büklümleri veya boğumları fazladır. (Şekil 58.9) Çıkık tarafındaki kalçanın dışa doğru, yani uzaklaşma hareketi (abdüksiyon) sınırlanmıştır. Gelişimsel kalça çıkığında Ortolani belirtisi her zaman olumsuzdur yani uyluk kemiği başının oturma sesi duyulmaz.

Tanı yöntemleri: Yeni doğanda Ortolani, Barlow testleri ultrason ile tanı konur. Radyolojik incelemede öncelikle femur başının asebulumdan uzaklığı ve yüksekliği saptanır, aynı bulgu ultrason da belirgindir. Muayene sırasında çocuk rahat, karnı tok ve ortam sıcak olmalıdır.

Bebeklik döneminde yeni doğan döneminde yerine yerleşemeyen (redükte edilemeyen) kalçalarda ileriki dönemlerde farklı muayene bulguları otaya çıkar. Bunlar; abduksiyon kısıtlılığı, uyluk kısalığı (Galeazzi belirtisi), trokanter majörün proksimale ilerlemesi, pili asimetrisi (çıkık olan tarafta kıvrım sayısı fazladır), kalçanın piston bulgusu, çift taraflı çıkıklarda tanı zorlaşır, en özellikli test Klisic testidir.

Tedavi: Gelişimsel kalça çıkığının tedavisi doğumla birlikte başlar. Erken tanı çok önemlidir.

Doğum iki ay arası: Kalçanın redüksiyonu ve redükte edilen kalçanın sabit pozisyonu olan abdüksiyon, fleksion ve dış rotasyonda tutulmasıdır. Pavlik bandajı yeni doğan gelişimsel kalça çıkığında önerilen tedavidir. Araçlar en az altı hafta süre ile uygulanır. Pavlik bandaj uygulanırken ilk olarak göğüs kuşakları meme başlarının hemen altına yerleştirilir. Daha sonra ayaklar üzengilere yerleştirilir, kalçalar 120 fleksiyonda iken kuşaklar sıkılaştırılır.

Posteriyor kuşaklar bacakların yalnızca yerçekimiyle abdüksiyona gelecek şekilde gevşek bağlanır. Abdüksiyon pavliğin kuşaklarıyla asla zorlu bir şekilde yapılmamalıdır. Kuşaklar sadece nötrale gelecek kadar addüksiyona izin vermelidir. Aşırı kalça fleksiyonundan kaçınılmalıdır, eğer çocuğun büyümesi dikkate alınmadan takip edilirse çocuğun büyümesi ile aşırı fleksiyon oluşacaktır. Hiperfleksiyona bağlı olarak uyluk ve karın arasında femoral sinir sıkışması ile femoral sinir paralizisi gelişebilir. Pavlik bandaj uygulanan kalçalar üç dört hafta sonra yapılan muayenede halen çıkık iseler pavlik bandaja devam edilmez ve anestezi altında muayene edilirler.

Bir-altı ay arası: Bir altı ay arası çocuklarda çıkık ya da yerine oturmamış kalçalarda yeni doğandakine benzer şekilde birinci tercih tedavi seçeneği Pavlik bandajıdır. Gelişimsel kalça çıkığının tedavisinde birçok atel (splint) ve korse (breys) kullanılır. Bu tip bir tedavi yöntemi seçildiğinde ateldeki kalçalar kendiliğinden redükte olmalı, kesinlikle zorlu pozisyonlarda sert olarak immobilize edilmemelidir. Diğer tedavi yöntemlerinden frejka yastığının yan etkilerinden dolayı, üçlü çocuk bezinin de kalçaların pozisyonuna etkili olmamasından dolayı önerilmemektedir.

Altı ay iki yaş arası: Altı ay ile iki yaş arasında başlangıçta araçla tedavi görmüş ya da görmemiş kalça çıkığı olan çocukların tedavileri aynıdır. Amaç femur başına zarar vermeden kalçayı yerine yerleştirmektir. Tedavide iki temel yaklaşım vardır. Bunlar; başlangıçta traksiyonlu ya da traksiyonsuz, kapalı ya da açık redüksiyondur. Asetabulumun gelişme potansiyeli azaldığı 18 aydan sonraki çocuklar için tedavide kemik çatı oluşturma asetabulo plasti ve pelvik asetetomi ameliyatlarına başvurulur. İdeal zaman 18 ay dört yaştır. Daha ileri yaşlarda kalça eklemi ortodezi, total kalça protezi ameliyatları uygulanmaktadır.

Üst Ekstemitenin Yaygın Sağlık Sorunları

Üst ekstremitede omuz dirsek ve elde sık karşılaşılan sağlık sorunları incelenmiştir. Üst ekstemitenin yaygın sağlık sorunları içinde; bursit, tendinit, De quarvain hastalığı, gangliyon, karpal tünel sendromu, dupuytren kontraktürü ve el veya bilek ameliyatı geçiren hastada hemşirelik yönetimi konularını içermektedir.

Bursit
Bursa bir eklemi ya da kemiği kaplayan yumuşak dokunun

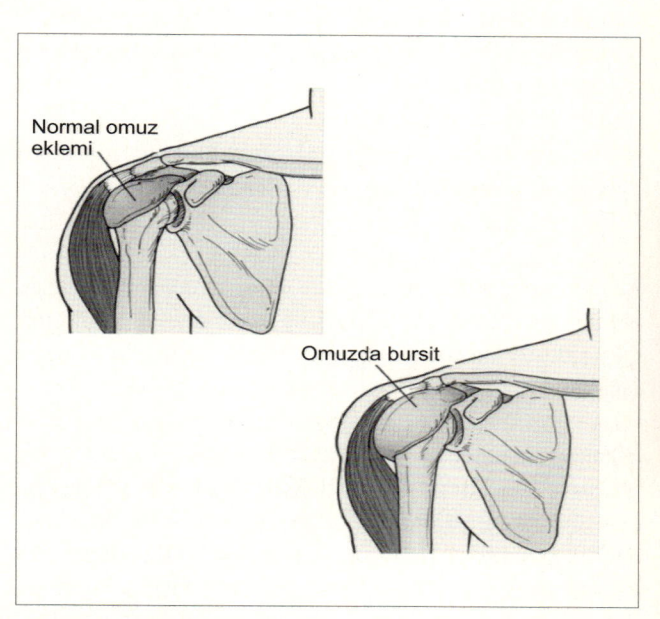

Şekil 58.10: Omuzda bursit

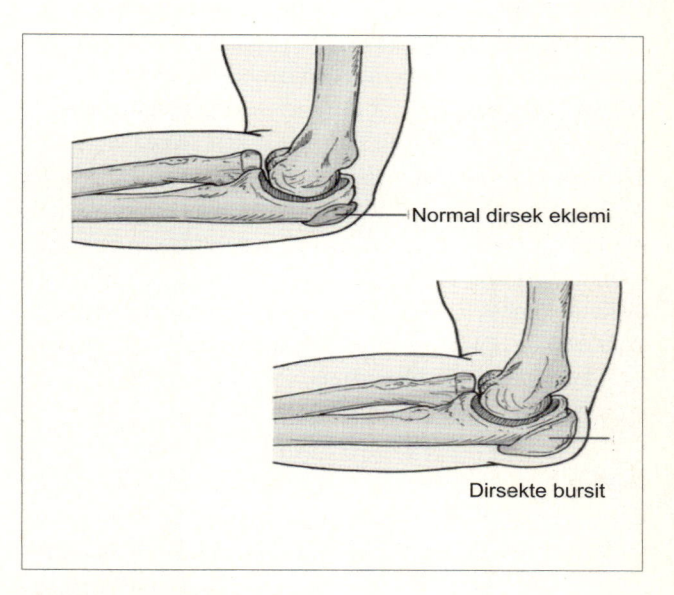

Şekil 58.11: Dirsekte bursit

Kaynak: http://www.med.umich.edu/1libr/sma/sma_olecburs_art.htmhttp://www.med.umich.edu/1libr/sma/sma_shouburs_art.htm Kaynak: Cooper PG (2005) Published by McKesson Provider Technologies.

üzerinde oluşan içi sıvı dolu bir keseciktir. Bursa kas kirişlerinin kemiklere ya da eklemlere yaslandıkları yerlerdeki sürtünmeyi engeller. Diz ekleminin çevresindeki kemiklerde bursalardan on beş tane vardır. Bursit bu keselerden birinin iltihaplanmasıdır. (Şekil 58. 10)

Etiyoloji: Bursa kesesinin iltihaplanma nedenleri tam olarak bilinmemektedir. Sürtünme bursitin ortaya çıkmasına neden olabilir. Bazı meslekler ya da çalışma biçimleri, bursitin gelişmesi için elverişli koşullar yaratabilir. Örn; dirseklerini masaya dayayarak ders çalışan öğrencilerde, dizlerinin ve dirseklerinin üzerinde sürünerek çalışan madencilerde bursit sık görülür. (Şekil 58. 11)

Epidemiyoloji: Bursit, çocuklarda ve erişkinlerde aynı oranda görülür ancak bazı bireylerde bursit eğilimi daha fazladır.

Klinik belirti ve bulgular: Akut bursitlerde kemik ya da eklem üzerinde sıcak, kırmızı ve ağrılı bir şişlik görülür. Çok şiddetli durumlarda belirtilere hareket güçlüğü de eklenebilir. Bursanın şişmesine neden olan sıvı keseyi çevreleyen hücreler tarafından salgılanır. Bu sarı renkli sıvıda iltihaplanmanın etkisiyle kılcal damarlardan sızan kan da bulunabilir. Bakteriyel bir enfeksiyon varsa, kese içi sıvısında bakteriler ve akyuvarlar da görülür. Bunlar kese içinde iltihap oluştururlar. Akut bursitlerin tekrarlanması ya da art arda gelen hasarlanmalar sonucunda bursanın şişmesi kronik bursite neden olur.

Tedavi: Neden belli değilse ya da bursit sürtünme ya da aşırı kullanma nedeniyle ortaya çıkmışsa, hastalıktan etkilenmiş olan eklemin (ya da bölgenin) dinlendirilmesiyle iyileşme sağlanır. Ağrı varsa tedaviye ağrı kesiciler eklenir. Kesedeki şişliği azaltmak için romatizma tedavisinde kullanılan ilaçlardan yararlanılabilir. Bakteriyel bir enfeksiyon varsa antibiyotikler kullanılmalıdır. İltihabı gidermek için soğuk uygulama yapılabilir. Ancak buz torbası kullanırken, etkilenmiş bölgeye hasar verecek kadar soğuk olmamasına dikkat edilmelidir. Buz torbasını kaldırdıktan sonra şişliği azalmış olan bölge yarım saat elastk bandajla sarılmalıdır. Eğer bu yöntemle şişlik azalırsa, her dört saatte bir uygulama tekrarlanmalıdır.

Tendinit

Kası kemiğe bağlayan ve her kasta bulunan sert kollajen yapıda lifler olan bağların (tendonların) iltihaplı hastalığıdır.

Etiyoloji: Zorlayıcı veya tekrarlayıcı travmalar çoğunlukla diz çevresinde tendinit gelişimine zemin hazırlarlar. Ayrıca direkt çarpmalarla veya endirekt yüklenmelerle bağların bağlanma yerlerindeki periostun irritasyonu sonucu travmatik periostit de oluşabilir.

Klinik belirti ve bulgular: Lokal ağrılı bir şişlik vardır. Palpasyonla tendon bölgesinde ağrılı bir duyarlılık artışı ortaya çıkar.

Tedavi: Tedavi için o bölgeyi dinlendirme ile beraber lokal anti enflamatuar kremler ve soğuk uygulama, sistemik ağrı kesici ve anti enflamatuar ilaçlar uygulanır. Bu tedavi ile belirtilerin azaltılması hedeflenir. Bu süreç içerisinde o tendona binen yüklenmenin azaltılması gereklidir. Yakınmaları süren bireylerde hekim önerisi doğrultusunda, lokal anestezik bir ilaçla karıştırılmış hidrokortizon yalnız bir kez o bölgeye uygulanabilir. Fizik tedavi yöntemleri yanında tendon kılıfı çevresine lokal ilaç uygulanması gerekebilir.

De Quarvain Hastalığı

El bileği ve ön kolun başparmak köküne yayılan ağrı ve şişlikle kendini gösteren bir tendon ve tendon kılıfı iltihabıdır. Başparmağı hareket ettiren onu diğer parmaklardan uzaklaştıran (abduktor pollisis longus) ve geriye doğru büken (ekstansör pollisis brevis) kaslarının tendonlarının iltihap-lanmasıdır. Çok sık rastlanan ve kolay tanı konulan bir hastalıktır. Tendonla tendon kılıfı arasında düzensizlik ve şişmeye bağlı tendonla tendon kılıfı arasındaki kayganlık azalır. (Şekil 58. 12)

Etiyoloji: Kavrama, sıkıştırma, sıkma, burkma, daktilo yazma gibi tekrarlayan aktiviteler bu iki kasa ait tendonun geçtikleri kanalda sıkışmasına sebep olurlar. Bu hareketler

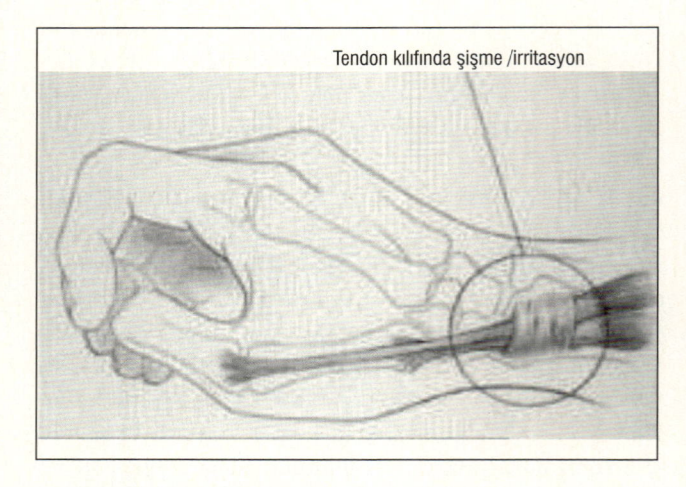

Şekil 58.12: Tendon kılıfının şişme /irritasyon bölgesi

Kaynak: Uslu T.(2005) **De Quarvain Hastalığı.** Romatizmaturk.com
http://www.romatizmaturk.com/modules.php?name=Content&pa=showpage&pid=33

tendon ve tendon kılıflarında yıpranma ve enflamasyona yol açar. Tendon çevresindeki sinoviyal dokuda iltihaplanma ve buna bağlı olarak şişlik oluşur. Bu nedenle tendonun kılıfı içinde kayması ve hareket etmesi zorlaşır. Romatoid artrit ve gut gibi bazı iltihaplı romatizmaların başlangıcında veya seyri sırasında da benzer belirtiler oluşabilir.

Klinik belirti ve bulgular: Ön kolun başparmak tarafında rahatsızlık ve ağrı ilk belirtidir. Ağrı el bileğine ve başparmağa doğru yayılabilir. Başparmağın hareketleri sırasında bu bölgede bir sürtünme sesi duyulabilir. İlerlemiş ve ağır olgularda bu bölgede şişlik ve sıcaklık olabilir. Bu bölge basmakla ağrılıdır. Başparmak avuç içinde sıkıştırılıp, el ağrının olduğu tarafın tersine zorlanırsa ağrı şiddetlenir. (Şekil 58. 13)

Tedavi ve tekrarın önlenmesi
Bu bölgeye lokal anestezik+kortizon enjeksiyonları yapılması hastaların çoğunda rahatlama sağlar. Enjeksiyondan sonra mutlaka istirahat ateli kullanılması önerilmelidir. İyileşmeyen hastalarda ortopedik cerrahi girişim yapılabilir. Tekrarlayan hareketlerden kaçınmak ve bu yapılamıyorsa elin olabildiğince nötral pozisyonda tutulması tekrarları önlemek için gereklidir. Elin atelle dinlendirilmesi yararlıdır. (Şekil 58. 14)

Gangliyon
Eklem çevresinde kapsül ile çevrili yumuşak jöle kıvamında madde içeren benin kitleler gangliyon olarak tanımlanır. Gangliyon "sinoviyal kist" olarak da adlandırılmaktadır.

Etiyoloji: Tam olarak bilinmemektedir. Eklem kapsülleri, bağlar veya kemik kaynaklı olabilirler. Kistin oluşmasında mukoid dejenerasyonun rolü olduğu belirtilmektedir. Kistin oluşmasına neden olan hiyalüronik asit genelde travma sonucu oluşmaktadır. Mikro kistler ameliyat sonrası tekrarları açıklamaktadır. Gangliyonların anatomik lokalizasyona göre sık görülen tipleri: Dorsal gangliyon; el bileği arkasından skafolüner eklem hizasından kaynaklanır. En sık görülen tiptir. Volar gangliyon; el bileği önünden radiyal artere basınç yapar.

Tedavi: Aspirasyon ve cerrahidir. Cerrahi tedavi aspirasyonun başarılı olmadığı ve profesyonel yaşamı etkileyecek derecede belirtileri olan hastalarda uygulanmaktadır. (Şekil 58. 15)

Karpal Tünel Sendromu
Karpal tünel el bileğinin iç tarafında karpal kemikler ve transvers karpal ligaman ile çevrili bir kanaldır. Nervus medianusun karpal tünelde, el bileği seviyesinde, basıya uğraması sonucu ortaya çıkan nöropatidir.

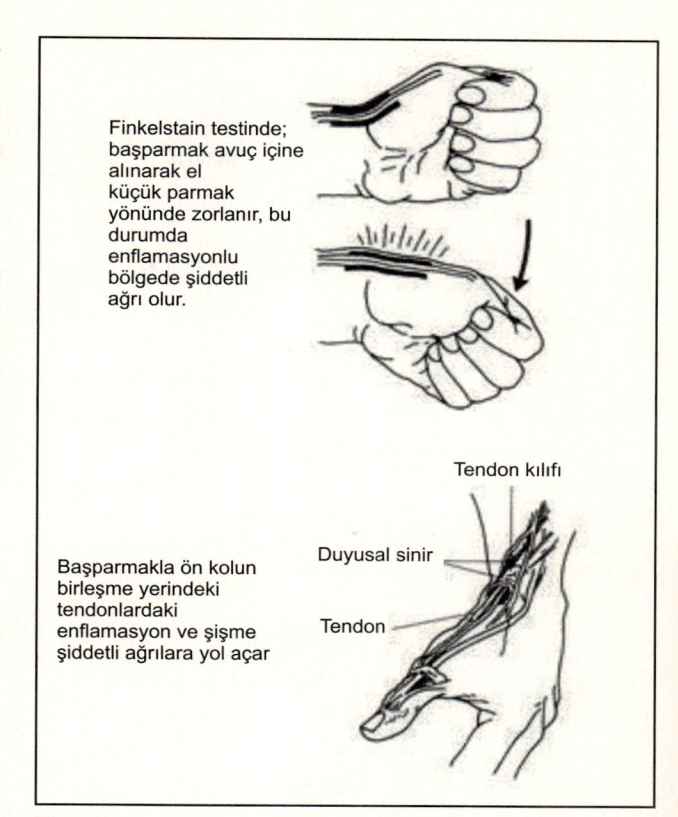

Şekil 58.13: De Quarvain hastalığında fizik muayene
Kaynak: Uslu T. (2005) **De Quarvain hastalığı.** Romatizmaturk.com
http://www.romatizmaturk.com/modules.php?name=Content&pa=showpage&pid=33

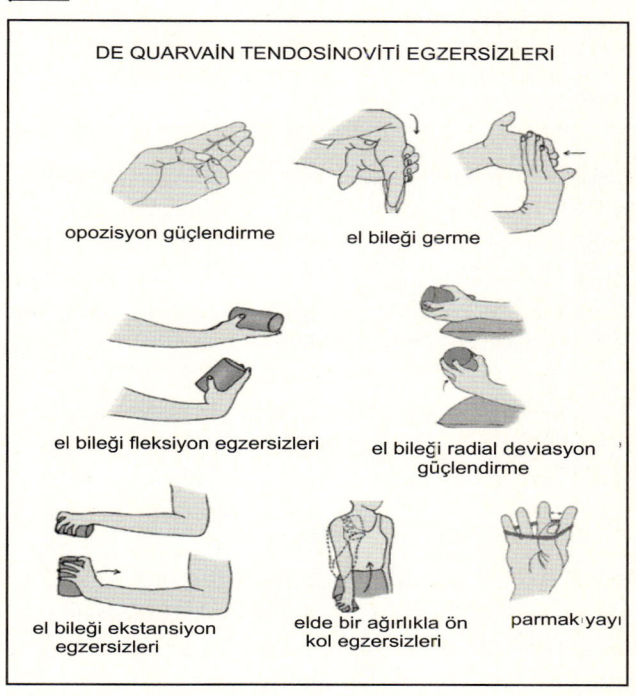

Şekil 58.14: De Quarvain hastalığında egzersizler
Kaynak: Uslu T. (2005) De Quarvain hastalığında egzersizler. Romatizmaturk.com
http://www.romatizmaturk.com/modules.php?name=Content&pa=showpa

Kas İskelet Sistemi

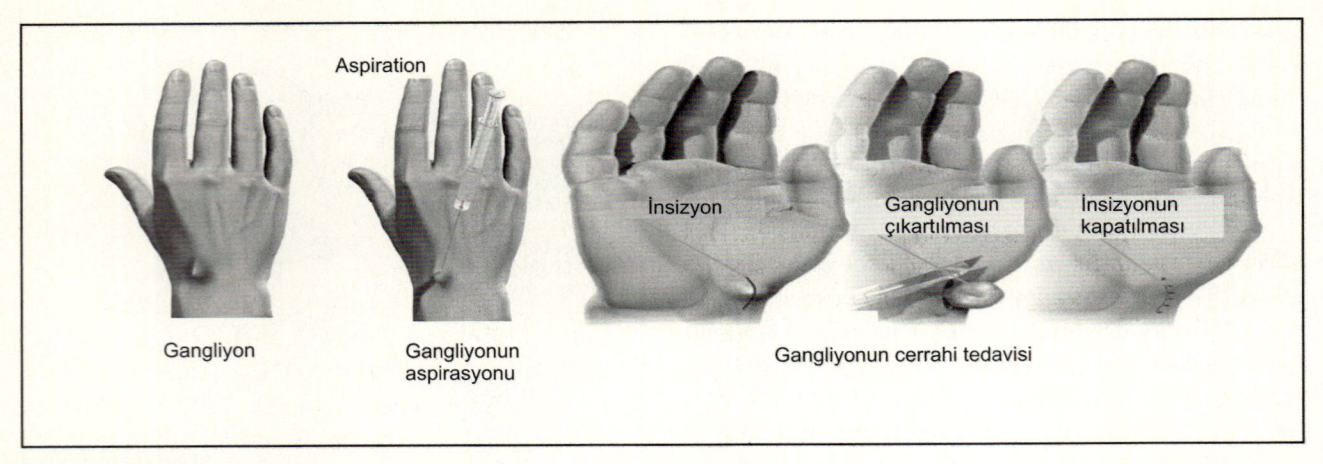

Şekil 58.15: Gangliyon
Kaynak:http://www.vandemarkortho.com/patient/pated/wrist/wrist_ganglion/wrist_ganglion_treatment01.jpg
http://www.vandemarkortho.com/patient/pated/wrist/wrist_ganglion/wrist_ganglion_treatment02.jpg

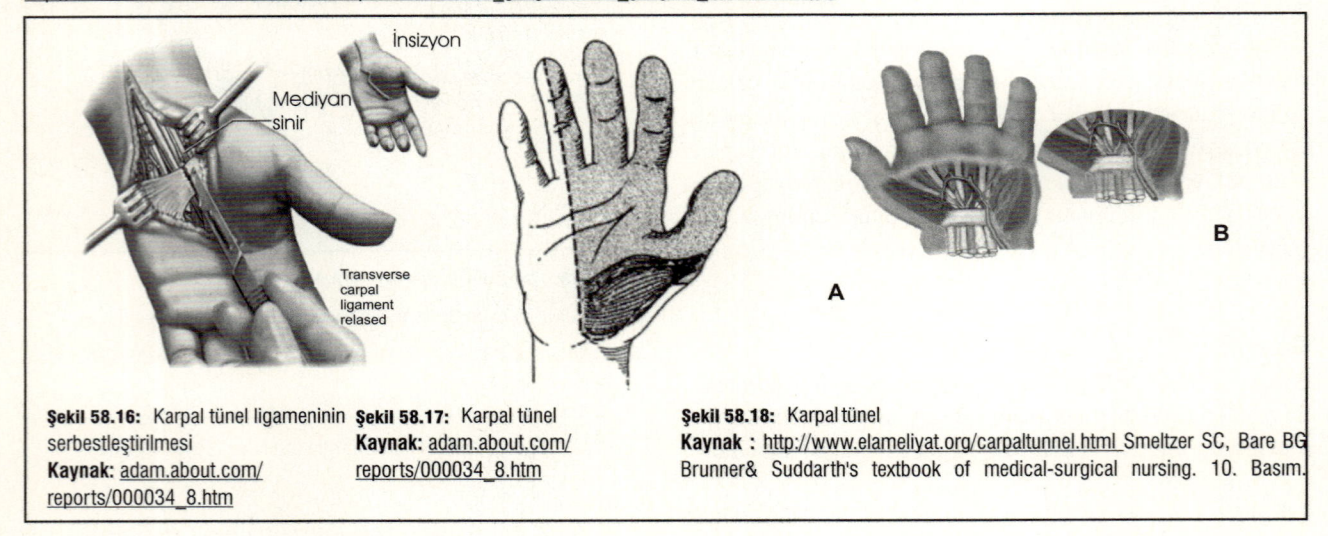

Şekil 58.16: Karpal tünel ligameninin serbestleştirilmesi
Kaynak: adam.about.com/reports/000034_8.htm

Şekil 58.17: Karpal tünel
Kaynak: adam.about.com/reports/000034_8.htm

Şekil 58.18: Karpal tünel
Kaynak : http://www.elameliyat.org/carpaltunnel.html Smeltzer SC, Bare BG Brunner& Suddarth's textbook of medical-surgical nursing. 10. Basım.

Etiyoloji: Menapoz sonrası dönemde hormonal faktörlere bağlı olarak fleksör tendonların çevresindeki sinoviyal dokularda kalınlaşma, non-spesifik sinovit, romatoid sinovit, gut tofüsü, gangliyon, kırıklar (Colles, Smith), gebelik etiyolojide rol oynayan faktörler olarak belirtilmektedir. Hastalık % 80 oranında kadınlarda görülür.

Klinik belirti ve bulgular: Gece oluşan, uykudan uyandıran uyuşukluk, ağrı, yanma, karıncalanma (Nervus medianus alanı), başparmağın opozisyonunda güçsüzlük, tenar atrofidir.

Tanı: Falen testi; dirsekler masa üzerinde iken el bileği fleksiyona getirilir. Bir dakikada elde uyuşukluk oluşması karpal tünel sendromunu gösterir. Tanıda servikal diskopati, servikal kot sendromundan ayırmak önemlidir.

Tedavi: Konservatif tedavide; atel ile immobilizasyon ve kortizon enjeksiyonu uygulanır. Cerrahi tedavide transvers karpal ligaman kesilir. (Şekil 58. 16-17-18)

Dupuytren Kontraktürü

Palmar fasiya ve dijital uzantılarının band ve nodüllerle kalınlaşarak avuç içinde ve parmaklarda ilerleyici fleksiyona neden olmasıdır. (Şekil 58. 19)

Etiyoloji: Tam olarak bilinmemektedir. Epilepsi, sigara, alkolizm, diyabet, koroner Yetersizliğin neden olabileceği belirtilmektedir.

Klinik belirti ve bulgular: Kontraktür en çok yüzük parmağında görülür. İkinci derecede tutulum küçük parmaktır. Nodül ve gergin fibröz bandlar deriye yapışıktır. Zamanla eklemde kontraktür gelişir. Hastanın el fonksiyonları kısıtlanır. Kozmetik ve hijyenik sıkıntıya neden olur.

Tedavi: Kontraktür oluşmadan önceki evrede fizik tedavi uygulanır. Eklemde 30 derece kontraktür oluşması ve ekstansiyon kısıtlılığının başlaması ameliyat endikasyonudur.

Dupuytren kontraktürüne yönelik ameliyatlarından sonra; hematom, ödem, deri nekrozu, enfeksiyon, eklem sertliği, ağrı, hastalığın tekrarlaması gelişebilecek komplikasyonlardır. (Resim 58. 2)

El veya Bilek Ameliyatı Geçiren Hastada Hemşirelik Yönetimi

Hemşirelik Tanılaması: El veya bilek ameliyatları büyük bir travmayla ilişkili değilse, genellikle günübirlik cerrahi işlemidir. Ameliyattan önce hemşire hastanın rahatsızlık derecesi, tipi, dupuytren kontraktürü, karpal tünel sendromu, gangliyon veya elle ilgili diğer fonksiyon kısıtlamalarını değerlendirir.

Hemşirelik Tanıları: Değerlendirme verilerine dayanarak el veya bilek ameliyatı uygulanan hastada saptanabilecek hemşirelik tanıları aşağıda verilmiştir.

- Ameliyata bağlı periferik sinir damar fonksiyon bozukluğu riski.
- Enflamasyon ve şişmeye bağlı akut ağrı
- El veya bilekteki bandaja bağlı bireysel bakımda eksiklik
- Ameliyata bağlı enfeksiyon riski

Planlama: El veya bilek ameliyatı geçiren hastalarda bakımın planlanmasında nörovasküler durumun iyileş-tirilmesi, ağrının azaltılması, hastanın kendine bakabilmesi ve enfeksiyon oluşmaması için gereken hemşirelik işlemleri hastaya özel planlanır.

Hemşirelik Girişimleri
Sinir Damar Fonksiyonunun İyileştirilmesi

Etkilenen parmakların sinir damar değerlendirmesinin ilk 24 saatte saat başı yapılması elin sinirlerinin ve dolaşımının değerlendirebilmesi için gereklidir. Hemşire etkilenen eli etkilenmeyen elle ve aynı elin ameliyat öncesi durumunu ameliyat sonrası durumla karşılaştırır. Hastanın elindeki his durumunu ameliyat sonrası durumla karşılaştırır. Hastanın elindeki duyuları tanımlaması ve parmaklarını oynatması istenir. Tendon tamirleri ve sinir, damar veya deri grefti olanlarda uygun ise motor fonksiyon test edilir. Hemşire elin ısısını da değerlendirmelidir. Pansumanlar destekleyici olmalı şekillendirici olmamalıdır. Ağrı kesiciler ile kontrol edilemeyen ağrı

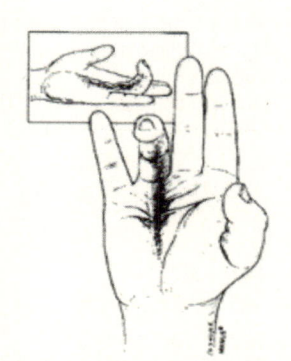

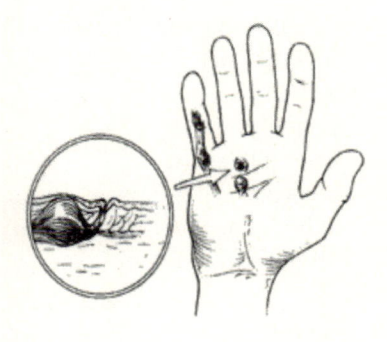

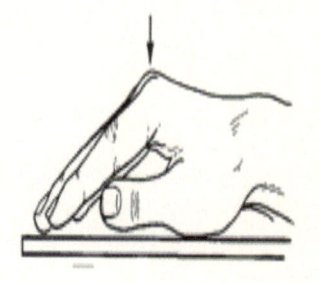

Şekil 58.19: Dupuytren kontraktürü **Kaynak.** Http://www.elameliyat.org

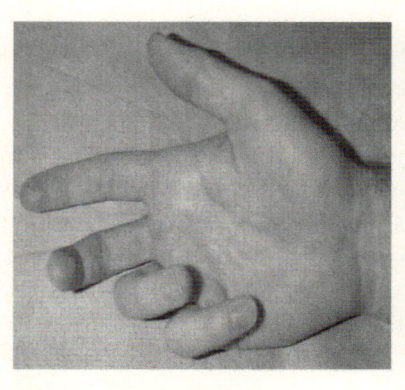

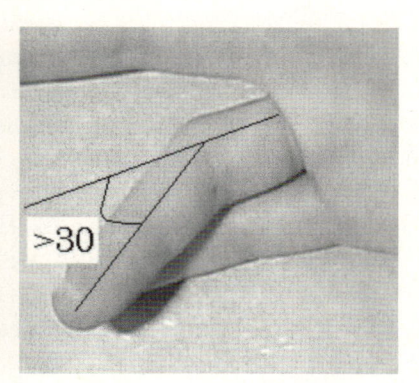

Resim 58.2: Dupuytren kontraktürü

Kaynak. Http://www.assh.org/Content/NavigationMenu/Patients_and_Public/Dupuytrens_Disease/Dupuytrens_Disease.htm

sinir damar fonksiyon bozukluğunun göstergesi olabileceği hatırlanmalıdır.

Ağrının Azaltılması

Ağrı ameliyata, ödeme, hematom oluşumuna veya sıkı bandajlara bağlı olabilir. Ağrı ve rahatsızlığı arttıran şişmenin kontrol edilebilmesi için hemşire eli yastıklarla kalp seviyesine yükseltir. Daha yukarı kaldırılması söylenirse damar içi tedavi için kullanılan bir askı veya boş askıyla kalp seviyesine getirilebilir. İlk 24-48 saatte ameliyat alanına aralıklı buz paketi uygulaması şişmeyi azaltabilir. Eğer herhangi özel bir kısıtlama belirtilmediyse hareket büyük sargılarla sınırlandırılmış olsa bile parmakların aktif ekstansiyonu ve fleksiyonu dolaşımı arttırır. Genel olarak, ağrı ve rahatsızlık ağızdan alınan ağrı kesicilerle kontrol edilebilir. Hemşire hastanın ağrı kesicilere ve diğer ağrı kontrol yöntemlerine verdiği yanıtı değerlendirir. Ağrı kesicilere yönelik hasta eğitimi yapar.

Kişisel Bakımın Sürdürülmesi

Ameliyattan sonraki ilk günlerde hasta günlük yaşam aktivelerinde yardıma gereksinim duyar. Çünkü bir eli bandajlıdır ve günlük yaşam aktivitelerini tek elle yapamayabilir. Hasta yemek yemek, banyo, hijyen, giyinme, ve tuvalet için yardım isteyebilir. Birkaç gün içinde günlük yaşam aktivitelerini tek elle yapmaya alışır. Genellikle daha az yardıma ihtiyaç duyar ve yardımcı araçları fazla kullanmaz. Hemşire eğer herhangi bir kısıtlama önerilmedi ise ve hastayı rahatsız etmedikçe ameliyatlı kolu kullanması konusunda hastayı cesaretlendirir. Fizik egzersizler önerilebilir. Rehabilitasyon ilerledikçe hasta ameliyat olan elini daha fazla kullanır. Hemşire hastanın tedavi planına uyumunu desteklemelidir.

Enfeksiyonun Önlenmesi

Tüm ameliyatlarda olduğu gibi el ameliyatı geçiren hastalarda da enfeksiyon riski vardır. Hemşire hastaya beden ısısını ve diğer enfeksiyon bulgularını izlemesini öğretmelidir. Hastaya pansumanını kuru ve temiz tutmasını, akıntı, kötü koku, ağrı ve şişmede artış olduğunda bunu bildirmesi gerektiği söylenmelidir. Hasta eğitimi aseptik yara bakımından reçete edilen koruyucu antibiyotiklere kadar hastanın gerek-sinimlerine göre değişebilir.

Evde Bakımın Geliştirilmesi

Hastalara Kişisel Bakımın Öğretilmesi: Hemşire el ameliyatı geçiren hastaya, sinir damar durumu ve cerraha bildirilmesi gereken yan etkilere ait bulguları (örn; parestezi, paralizi, kontrol edilemeyen ağrı, parmakların soğuk olması, aşırı şişme, aşırı kanama, cerahatli (pürülan) akıntı, ateş) nasıl izleyeceğini öğretmelidir. Hastaya elini dirsek seviyesinin üzerinde tutması ve şişmeyi önlemek için buz (eğer izin verildiyse) uygulaması konusunda bilgi verilir.

Eğer herhangi bir kısıtlama önerilmedi ise hemşire hastanın dolaşımını arttırmak için parmakların ekstansiyon ve fleksiyonu için cesaretlendirir. Gereksinim doğrultusunda günlük yaşam aktivitelerine yardımcı olabilecek araçlar kullanılması önerilir. Banyo yaparken pansumanın ıslanmaması için plastik bir torbayla örtülmesi önerilir. Genellikle hastanın cerrahla bir sonraki kontrolüne kadar yara yeniden örtülmez. Çizelge de el ameliyatı olan hasta ve hastaya bakım verenlerin yapılan eğitim sonunda yerine getirilmesi beklenen aktiveler aşağıda verilmiştir.

Çizelge 58.1: El Ameliyatı Geçiren Hastanın Evde Bakımı

Evde bakım ile ilgili eğitim sonunda hasta veya bakıcısı şunları yapabiliyor olmalıdır.

- Sinir damar durumun nasıl değerlendirileceğini bilmek
- Anormal bulguları (örn; ağrı, paralizi, parastezi, soğuk parmaklar) hemen hekime bildirmek
- Eli dirseğin üzerine kaldırılarak veya aralıklı buz uygulamasıyla ödemi kontrol etmek
- Enfeksiyon bulgularını tanımlamak (ateş, pürülan akıntı)
- Bir kısıtlama yoksa dolaşımı hızlandırmak için parmak egzersizleri yapmak
- Yara enfeksiyonlarını önlemede uygulanacak yöntemleri tanımlamak (örn; el sargısını kuru ve temiz tutmak)
- İlaçları önerildiği gibi kullanmak
- Gerektiğinde yardımcı araçları kullanmak

Değerlendirme

Beklenen Hasta Sonuçları

1. Periferik doku perfüzyonu sağlanır.
    a. Deri ısısı ve kapiller dolma normal
    b. Duyular normal
    c. Motor fonksiyon kabul edilebilir düzeyde
2. Ağrı kontrolü başarılmış.
    a. Rahatlık artmış
    b. Eli yukarı kaldırarak ödemi kontrol eder
    c. Hareketle ağrı yok
3. Kişisel bakımını kendi yapabilir.
    a. Ameliyat sonrası ilk günlerde günlük yaşam aktiviteleri için yardım alır
    b. Tek elle günlük yaşam aktivitelerine uyum sağlar
    c. Fonksiyonel kapasite sınırlarında ameliyatlı eli kullanır
4. Yarada enfeksiyon yok.
    a. Tedavi protokolü ve önleme stratejileri ile uyumludur
    b. Beden ısısı ve nabız normal sınırlardadır.
    c. Pürülan yara akıntısı yok
    d. Yara enflamasyonu yoktur

Ayağın Yaygın Sağlık Sorunları

Ayak Parmaklarında Bükülme-Çekiç Parmak

Çekiç parmak ayak parmak eklemlerinde görülebilen bükülmelerdir. Bu bükülmeler sonucu parmakların pençe görünümünü alması ve tırnakların hiç görünmesi durumuna kadar ilerleyebilir. (Şekil 58. 20)

Etiyoloji: Çoğu zaman doğuştan olan bu rahatsızlık uygunsuz ayakkabılar ve dokuda sinir hasarı ve dolaşım bozukluklarının etkisiyle de gelişebilir.

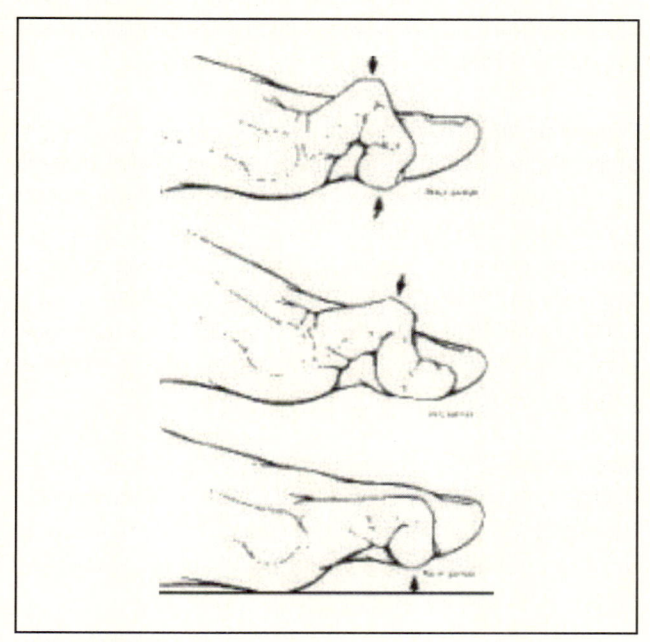

Şekil 58.20: Çekiç Parmak

Klinik belirti ve bulgular: Parmaklar gözle görülür şekilde içe doğru kıvrılır. Bükülen parmağın sırtında zamanla nasır oluşur. Bu durumda ayakta olan bir kişinin parmak uçlarına, parmak tepe noktasına ve metatars başına anormal basınç yüklenir. Bu durum vücut ağırlığını taşıyan ayak noktalarında genel bir dengesizliğe neden olur.

Önleme: Parmakların rahat edeceği genişlikte yumuşak ayakkabılar giyilmesi önerilir. Parmakta oluşan nasırlar için parmak üstü nasır petleri kullanılabilir. Çekiç parmakları düzeltici parmak apareylerinden de yararlanabilinir.

Halluks Valgus (Ayak Başparmağında Çıkıntı)

Genetik olarak ayakta bir ve ikinci tarak kemikleri arasındaki açı fazla olduğunda zamanla başparmak diğer parmaklara yaklaşır ve bu keskin açılanma bir çıkıntı olarak görülür. (Şekil 58. 21)

Epidemiyoloji: Kadınların yaklaşık %40'ında bu yakınma vardır.

Etiyoloji: Halluks valgus oluşmasında %70 oranında genetik yatkınlık vardır. Genetik yatkınlık dışında uzun yıllar topuklu, sivri burunlu ayakkabı giyenlerde de meydana gelebilir. Bu nedenle bu rahatsızlığı olan her on hastadan dokuzu kadındır.

Klinik belirti ve bulgular: Bu çıkıntı ayakkabı içinde sıkışınca ciltte kızarıklık ve ağrı olur. Zaman içinde cilt altındaki "bursa" denilen kesecik su toplar ve ağrı-şişlik artar, yakınmalar daha belirgin hale gelir. Uzun süreli, dinlenme ve ilaçla tedavisi ile geçmeyen, günlük aktiviteleri kısıtlayan ağrı, başparmakta şişlik ve kızarıklık, yandaki parmağın yönünü değiştirecek kadar başparmakta yön değişikliği, başparmakta sertlik, parmakta bükülme ve esneme zorlukları görülür.

Önleme: Halluks valguslu belirtileri yeni başlayan bireylerin büyük kısmı bazı önlemler ile rahatlatılabilir. Öncelikle yakınmaların arttıran dar, sivri burunlu, 5 cm den yüksek topuklu ayakkabılar giyilmemelidir. Ayakkabı alırken başparmak üstünde baskı olmayacak kadar rahat olmalarına dikkat edilmelidir. Ayakkabı içinde başparmak ile ikinci parmak arasında makara biçiminde destekler (parmak arası makarası) kullanılması rahatlık sağlar.

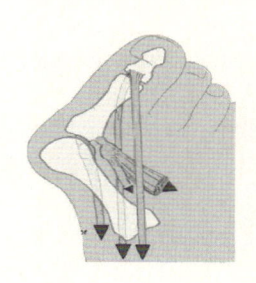

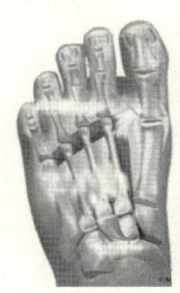

Şekil 58.21: Halluks Valgus
Kaynak: http://www.allaboutmydoc.com/surgeonweb/surgeonId.2729/clinicId.1432/theme.theme3/country.US/language.en/page.article/docId.22008

Kaynak: www.gvle.de/kompendium/fuss/0030/0005.html

Tedavi: Ağrı kesici ve ödem giderici ilaçlar yakınmaların azaltılmasında yararlıdır. Uzun süreli kötü eklem pozisyonu kireçlenmeye neden olur. Bu aşamadan sonra yakınmalar daha çok artar, ilaç ve diğer tedavi yöntemleri yetersiz olur. Tedavinin kireçlenme başlamadan yapılması, tedavi başarısını belirleyen ana faktörlerden biridir. İlerlemiş olgularda cerrahi tedavi uygulanmaktadır.

Cerrahi Tedavi: Halluks valgusta değişik ameliyat türleri uygulanabilir. Hastanın durumuna göre ameliyatın tipine hekim karar verir. Halluks Valgusta yapılan ameliyat çeşitleri aşağıda belirtilmiştir.

Başparmak çevresi tendon ve bağlara yönelik girişimler: Nadiren tek başına kullanılır. Tek başına uygulandıklarında genellikle tekrarlaması sıktır. Genellikle ameliyat sonrası alçı gerekir.

Eklemin dondurulması: Aşınmış eklem yüzeyini ortadan kaldırılarak başparmak tabanındaki eklemi oluşturan tarak kemiği-parmak kemiği uygun pozisyonda birbirine kaynatılır. Özellikle ilerlemiş kireçlenmesi olan olgularda vakalarda tercih edilir.

Çıkıntının alınması: Başparmak dibindeki çıkıntının alınmasıdır. Tekrarlaması sıktır. Ameliyat sonrası alçı gerektirmez.

Eklemin kesilmesi: Aşınmış ve biçimi bozulan eklemin kesilerek çıkarılmasıdır. İleri yaşlarda en sık tercih edilen işlemdir. Alçı gerektirmez. Ancak parmakta kısalmaya neden olur.

Osteotomi: Tarak kemiğinin değişik seviyelerden kesilerek yeniden yönlendirilmesidir. Günümüzde en sık uygulanan cerrahi yöntemdir. Hastalığa neden olan anatomik bozukluğun düzeltilmesini sağlar. Kullanılan kesme ve tespit yöntemine göre alçı gerekebilir veya gerekmeyebilir.

Ameliyat sonrası karşılaşılabilecek sorunlar: Ameliyat sonrası yan etki görülme oranı %10 dur. En sık karşılan yan etki enfeksiyondur. Erken fark edilen ve önlem alınan enfeksiyonlar sorunsuz tedavi edilebilir. Geç kalan olgularda yeni bir ameliyat gerekebilir.

Diğer yan etkiler ameliyat sırasında sinir kesilmesi sonucu başparmakta kalıcı duyu kaybı, devam eden ağrı, çıkıntının tekrarlaması, eklemde kısıtlılık, cerrahi tespit yönteminde yetersizlik olarak sayılabilir. Genelde yeni teknikler, iyi yapılmış ameliyatlar ve sonrası bakım ile % 98 civarında tatmin edici sonuçlar alınmaktadır.

Evde bakım
Hastalara evde dikkat etmesi gereken durumlar hakkında bilgi verilmelidir. Hastalara; pansumanın düşmesi, ıslanması, pansumanın kan veya sızıntı ile kirlenmesi, Ateşin yükselmesi, titremenin olması, yara çevresinde ısı artışı veya kızarıklık durumunda, artan veya azalmayan ağrı, diz altında-ayak üzerinde belirgin bir şişlik olduğunda hemen hekimine haber vermesi gerektiği belirtilir. Ameliyatın başarısı büyük ölçüde hastanın önerilerini ne ölçüde uyguladığını bağlıdır. Özellikle ameliyat sonrası ilk üç hafta çok önemlidir. Evdeki bakımda dikkat edilmesi gerekenler aşağıda belirilmiştir.

Pansuman ve bandajlar: Hastalar hastaneden parmağını doğru pozisyonda tutan bir bandajla çıkar. Hekim hastaya özel bir ayakkabı vermiş veya alçı yapmış olabilir. Bunlar genellikle 6-7 hafta kullanılmaktadır. Dikişler alınıncaya kadar pansuman malzemesinin nasıl korunacağı hastaya açıklanır. Pansumanların ıslatılmaması, pansumanın ıslanması, pansumanın kirlenmesi ve yaradan kötü koku gelmesi durumlarında zaman geçirmeden hekime başvurmak gerektiği belirtilir.

Ayağa basma: Hekimin seçtiği ameliyat tipine göre, ayağa değişik yük verme önerileri olabilir. Hastaya bunlara mutlaka uyulmasının önemi vurgulanmalıdır. Bazı ameliyat tiplerinde mutlaka koltuk değneği kullanmak gerekirken bir kısmında gerek yoktur.

Şişme: Hangi ameliyat tipi seçilirse seçilsin ilk 7-15 gün ayağın yukarıda tutulması çok önemlidir. Bu ödemin hızla azalmasını ve daha iyi bir yara iyileşmesini sağlar. İlk günler her saat başı 15 dakika süreyle buz uygulaması şişlik ve ağrının kontrolünde önemlidir. Yalnız buz su sızdırmayan bir torba içinde olmalı ve bir havlu üzerinden uygulanmalıdır.

Ayakkabı giyme: Dikişler alındıktan, alçı ve bandajlar kaldırıldıktan sonra hastalar spor ayakkabılar, ucu geniş topuksuz ayakkabıları giymeye başlayabilir. Topuklu ve sivri burunlu ayakkabılara altı ay sonra izin verilir.

İlaçlar: Ameliyat sonrası önerilen antibiyotik tedavisi ve ağrı kesicilerin kullanımı konusunda gerekli bilgiler verilmelidir.

Plantar Fasiit
Ayak tabanında deri altında, topuktan başlayıp parmaklara dek uzanan yelpaze biçimindeki kalın lif tabakası plantar fasya olarak adlandırılır. Bu fasyanın iltihabına plantar fasiit denir. (Şekil 58. 22)

Etiyoloji: Her yaşta görülebilir, ayak tabanına gelen ve sık tekrarlayan travma, spor aktiviteleri, aşırı yürüyüş yapan ve ayakta kalmayı gerektiren işlerde çalışanlarda görülebileceği gibi, kilolu ve ileri yaşlardaki kişilerde daha sık ortaya çıkar. Genellikle topuk dikeni ve plantar fassit birlikte görülür.

Klinik belirti ve bulgular: Plantar fasiit gelişen bireylerde uzun bir dinlenme süresinden sonra, örneğin sabah kalktıklarında ilk adımlarını atarken daha fazla olan, yürüdükçe azalan, ancak günün ilerleyen saatlerinde ayakta dururken yine artan topuğun tabanından ayağın iç kısmına doğru yayılan ağrı yakınması vardır.

Tedavi: Topuğa ortası delik tabanlık, eğer ayak tabanında düzlük varsa, plantar fasya üzerindeki gerginliği azaltmak amacı ile özel aletler ve evde plantar fasyaya yönelik germe egzersizleri verilir. Geçmeyen ağrılarda plantar fasya ve topuğa kortizon enjeksiyonu yapılabilir.

Pes Planus (Düztabanlık)
Ayak tabanındaki longitudinal (uzun) kavisin çökmesi ve ayak medialinin düzleşmesi pes planus (düztabanlık) olarak tanımlanır.

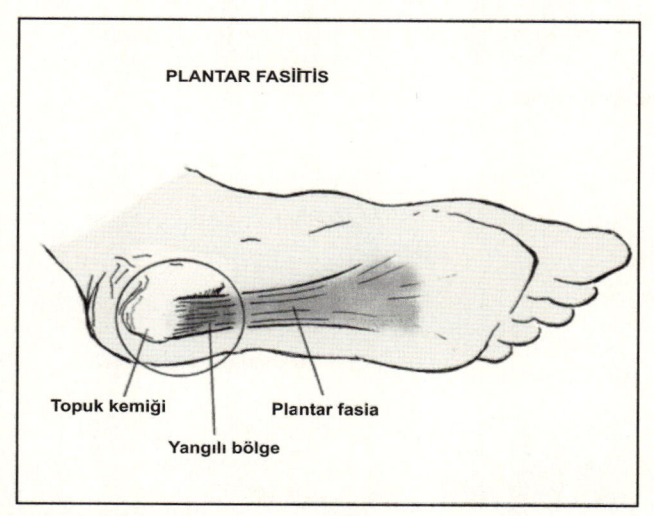

Şekil 58.22: Plantar fasiit
Kaynak: Uslu T.(2005) Romatizmaturk.com http://www.romatizmaturk.com

Pes Kavus
Ayak tabanının longitudinal kavisinin artması ve belirginleşmesidir.

Pesekinüs
Ayağın planter fleksiyonda olmasıdır. Bu durumda çocuk veya yetişkin ayağının ön kısmına (parmak ucuna) basarak yürüyebilir, topuk yere değmez.

Pes Kalkaneus
Normalde yeni doğan bir bebekte ayağın dorsal kısmı tibiaya değmez. Ayak dorsal kısmının tibiaya değişmesine pes kalkaneus denir. Tedavi edilmeden ileri yaşa gelen çocuklar ise topuklarına basarak yürür. Yürüyüş sırasında ayağın ön kısmı ve parmaklar yere değmez.

Ayak Ameliyatı Geçiren Hastada Hemşirelik Yönetimi
Hemşirelik tanılaması: Çekiç parmak, halluks valgus, plantar fasit vb. gibi değişik durumlar ayak ameliyatı gerektirebilir. Genellikle ayak ameliyatı günübirlik cerrahi düzeninde yapılır. Ameliyattan önce hemşire hastanın hareket yeteneğini, dengesini ve ayağın sinir damar durumunu değerlendirir. Hemşire evde yardım sağlanıp sağlanamayacağını, ameliyat sonrası ilk birkaç günde tedavi planlanırken evin yapısını değerlendirmelidir. Bu bilgiler durumun tıbbi yönetimine yönelik genel bilgiyle de birleştirilerek uygun tanı ve tedavi yapılması için kullanılır.

Hemşirelik Tanıları: Değerlendirme verilerine dayanarak ayak ameliyatı geçiren hastaya yönelik saptanabilecek hemşirelik tanıları aşağıda verilmiştir.
- Şişmeye bağlı yetersiz periferik doku perfüzyonu riski
- Ameliyata bağlı akut ağrı, Enflamasyon ve şişme
- Ayak-immobilizasyon cihazına bağlı fiziksel harekette kısıtlama
- Ameliyata/insizyona bağlı enfeksiyon riski

Planlama: Planlamada yeterli doku perfüzyonun sağlanması ve sürdürülmesi, ağrının giderilmesi, hareketin sağlanması ve enfeksiyonun oluşmaması amaçlanır.

Hemşirelik Girişimleri
Doku Perfuzyonunun Arttırılması: Etkilenen parmakların ilk 24 saatte bir-iki saatte bir sinir damar açıdan değerlen-dirilmesi önemlidir. Bu sinirlerin ve doku perfüzyonunun fonksiyonunun izlenmesi için gereklidir. Eğer hasta ameliyattan birkaç saat sonra taburcu edilirse, hemşire hastaya ve ailesine şişmeyi ve sinir damar durumu (dolaşım, hareket, duyu) nasıl değerlendirileceklerini öğretmelidir. Azalmış sinir, damar fonksiyonu hastanın ağrısını arttırabilir.

Ağrının Giderilmesi: Ayak ameliyatı geçiren hastaların hissettiği ağrı, inflamasyona ve ödeme bağlıdır. Hematom oluşumu rahatsızlık yaratabilir. Şişmeyi kontrol etmek için hasta otururken veya yatarken ayak birkaç yastık yardımıyla yukarı kaldırılmalıdır. İlk 24-48 saatte aralıklı uygulanan buz paketleri şişmeyi kontrol etmek ve ağrıyı hafifletmek için önerilir. Aktivite arttıkça hasta ayağının bağımlı pozisyonundan rahatsız olabilir. Ayağı hafifçe kaldırmak rahatsızlığı giderir. Ağrı kontrolü için hekim önerisine göre ağızdan ağrı kesici kullanılabilir. Hemşire, hasta ve ailesine ilaçların uygun kullanımı konusunda bilgi vermelidir.

Kas İskelet Sistemi

PLANTAR FASİİT EGZERSİZLERİ

Havlu ile germe

Ayakta kalf germe

Plantar fasia germe

Statik ve dinamik egzersizleri

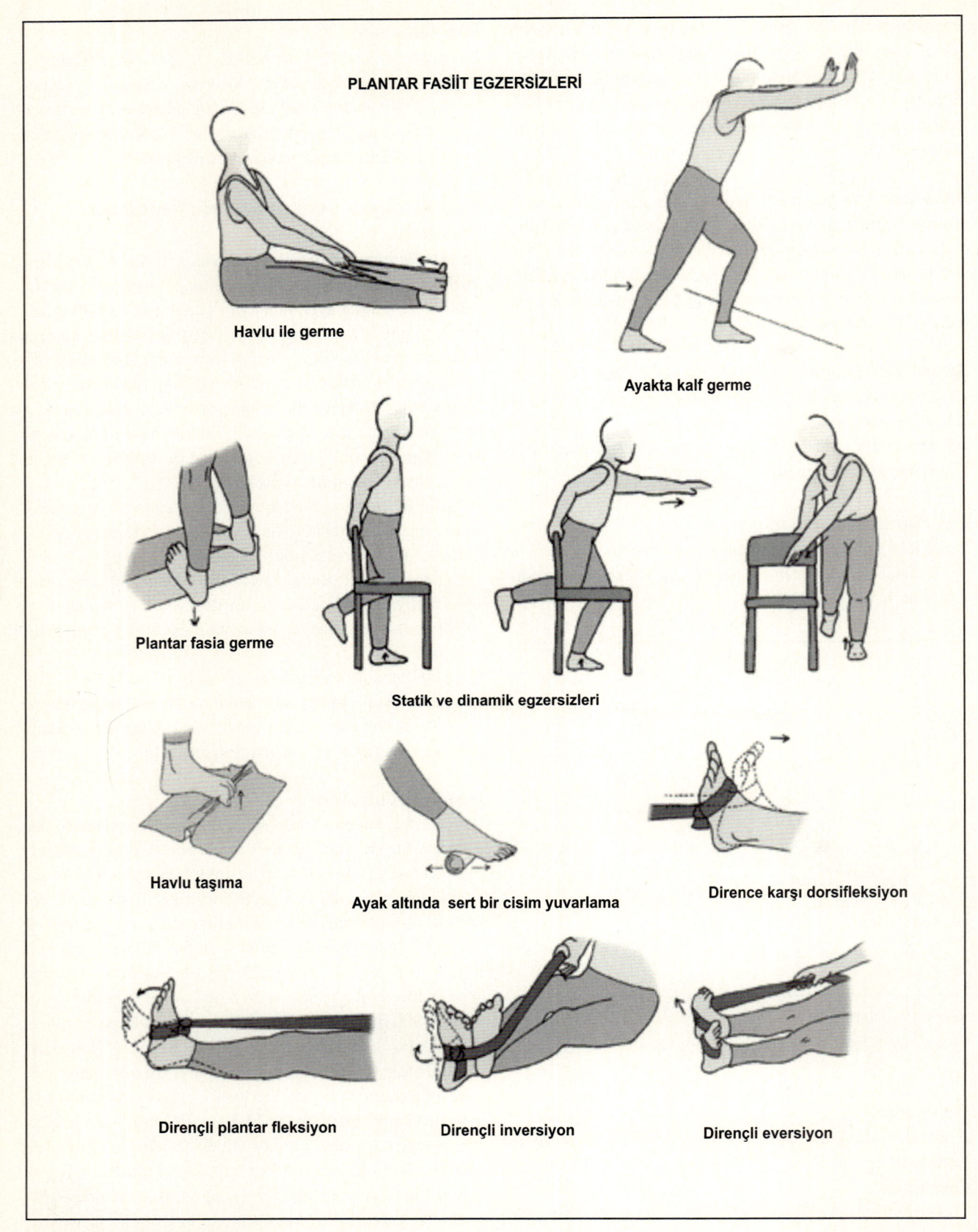

Havlu taşıma

Ayak altında sert bir cisim yuvarlama

Dirence karşı dorsifleksiyon

Dirençli plantar fleksiyon

Dirençli inversiyon

Dirençli eversiyon

Şekil 58.23: Plantar fasit egzersizleri
Kaynak: Uslu T.(2005) Romatizmaturk.com http://www.romatizmaturk.com/

Hareketin Arttırılması: Ameliyattan sonra hastanın ayağı yumuşak bir malzemeyle kaplanarak hafif bir alçıyla veya özel koruyucu bir botla desteklenir. Ayağa binecek yük limitleri cerrah tarafından belirlenir. Bazı hastaların topuk üzerinde yürümesine izin verilir ve tolere ettikçe ağırlık arttırılır. Bazı hastalarda hareket ayağa güç bindirmeyen aktivitelerle sınırlandırılır. Yardımcı araç (örn; baston, yürüteç) gerekebilir. Araç seçimi hastanın genel durumuna, dengesine ve belirlenen ağırlık limitine göre değişir. Yardımcı araçların güvenli kullanımı için taburculuk öncesi eğitim verilmeli ve uygulamalar yaptırılmalıdır. Yardımcı araç kullanarak ev içinde güvenle hareket etmek için dikkat edilmesi gereken noktalar hastayla konuşulmalıdır. Hasta iyileştikçe önerilen sınırlar içinde giderek artan bir hareket yeteneği kazanır. Hemşire hastanın tedavi planına uyumunu kontrol etmelidir. (Şekil 58. 23)

Enfeksiyonun Önlenmesi: Her ameliyat enfeksiyon riski taşır. Ayak ameliyatında kemikleri yerinde tutmak için perkütan çiviler kullanılabilir. Bunlar enfeksiyon için potansiyel risk alanlarıdır. Ayak yere yakın veya direk yerle temas olduğundan nemden ve kirden korunması enfeksiyonun önlenmesinde önemlidir. Hasta banyo yaparken ayağına plastik bir torba geçirerek pansumanın ıslanmasını önleyebilir. Hastaya aseptik yara bakımı ve çivi bakımına yönelik yazılı eğitim materyali verilmesi yararlıdır. Hemşire hastaya enfeksiyon ve vücut ısısını izlemesini öğretmelidir. Akıntı, kötü koku veya artmış şişlik, ağrı enfeksiyon bulgusu olabilir. Hemşire hastaya bu bulguları hemen hekime bildirmesini söylemelidir. Proflaktik antibiyotik önerilmişse uygun kullanım konusunda bilgi verilmelidir.

Evde ve Toplum İçinde Bakımın Yürütülmesi
Hastalara Kişisel Bakımın Öğretilmesi: Hemşire hastaya evdeki bakımını öğretmelidir. Bu bakım sinir, damar durumuna, ağrı yönetimine ve yara bakımına odaklanmaktadır (Çizelge 58.2)

Değerlendirme
Beklenen Hasta Sonuçları
1. Periferik doku perfüzyonu sağlanmıştır.
   a. Deri ısısı ve kapiller yeniden dolma normaldir
   b. Duyular normaldir
   c. Kabul edilebilir bir motor fonksiyon gösterir
2. Ağrı kontrol altına alınmıştır.
   a. Ödemi kontrol etmek için ayağını kaldırır
   b. Ayağa buz uygular
   c. Gereksinim olduğunda önerildiği şekilde ağrı kesici kullanır
   d. Hasta ağrısının azaldığını ve rahatladığını belirtir
3. Hareket artar.
   a. Yardımcı cihazları güvenle kullanır
   b. Gittikçe daha fazla güce dayanabilir
   c. Ameliyat öncesi yapamadıkları azalır
4. Enfeksiyon gelişmez.
   a. Beden ısısı ve nabız normaldir
   b. Pürülan akıntı veya yara Enflamasyon bulguları göstermez
   c. Pansuman temiz ve kurudur
   d. Profilaktik antibiyotik alır

Kas İskelet Sisteminin Enfeksiyon Hastalıkları
Osteomiyelit
Geniş anlamda kemik ve eklemin her çeşit enfeksiyonuna osteomiyelit denir. Kemik ve eklem enfeksiyonları hastalar için çok acı verici durumlardan biridir. Kemiğin fizyolojik ve anatomik özellikleri nedeniyle enfeksiyon hastalıklarının çoğunda antimikrobik ilaçlarla sağlanan başarılı tedavilere kemik ve eklem enfeksiyonlarında ulaşılamamaktadır.

Osteomiyelitin farklı tipleri vardır. Bunlar: Yakın enfeksiyon odağına bağlı oluşan sekonder osteomiyelit (travma, ameliyat veya bir eklem protezinin yerleş-tirilmesinden sonra); damar Yetersizliğine bağlı olan osteomiyelit (diyabetik ayak enfeksiyonlarında); ve hematojen kökenli osteomiyelit olarak sınıflandırılmaktadır.

Epidemiyoloji: Osteomiyelit bütün yaş gruplarını etkiler ancak akut hematojen osteomiyelit daha çok çocukluk çağı hastalığıdır. Erişkinlerde 50 yaşından sonra hafif bir artış görülmektedir. Hematojen osteomiyelitte son yıllardaki azalmaya karşın trafik kazaları ve artan çeşitli ortopedik girişimler nedeniyle direkt osteomiyelitlerde bir artış olmuştur.

Patofizyoloji: Osteomiyelitin gelişmesi konak ve mikrobik faktörler ile bağlantılıdır (Çizelge 58.3). Patojen mikro-organizmalar arasında %80 oranında en sık karşılaşılan etken staphylococcus aureusdur.

Klinik belirti ve bulgular: Hastalar açık bir yaranın bulunduğu kırılmış bir kemikten, ağrısız drene olan bir fistülden, hiçbir deri lezyonunun bulunmadığı ancak klinik bakıda lokal şişliğin ve kemikte ağrılı hassasiyetin olduğu bir duruma dek değişen çeşitli semptomlar gösterebilir. (Şekil 58. 24)

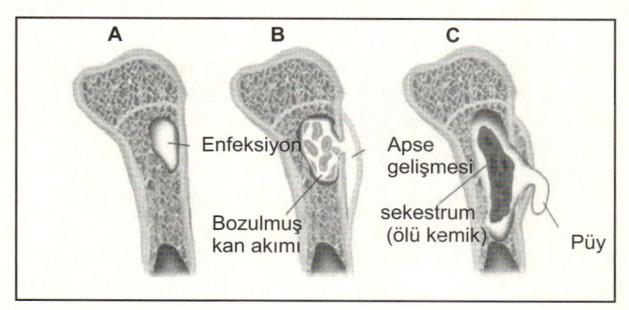

Şekil 58.24: Osteomiyelit

Çizelge 58.2: Ayak Ameliyatından Sonra Kişisel Bakım (Hasta Eğitimi)

Sinir Damar Durumu
Hastaya dolaşım bozukluğu bulgularının öğretilmesi
- Duyu değişikliği
- Parmakları oynatamama
- Ayak veya parmakların soğuk olması
- Renk değişiklikleri

Ağrı Yönetimi
- Hastaya ağrıyı azaltacak yöntemler hakkında bilgi verilmesi
- Ayağı kalp seviyesine kaldırma
- Buz uygulama
- Ağrı kesici ilaç kullanma
- Geçmeyen ağrıyı bildirme

Hareket
- Yardımcı araçların güvenli kullanımı için yönlendirme
- Ağırlık limitlerine uyulmasını sağlama
- Yaranın üzerine koruyucu özel ayakkabı giyilmesi gerektiğini söyleme

Yara Bakımı
- Hastaya pansumanı veya alçıyı temiz ve kuru tutmasını söyleme
- Hastayı yara enfeksiyonu bulguları (ağrı, akıntı, ateş) yönünden uyarma
- Antibiyotik tedavisini tam ve doğru uygulama
- İlk pansuman değişiminin cerrah tarafından yapacağını belirtmektir.

Çizelge 58.3: Osteomiyelitlerin Oluş Mekanizmasına Göre Etken, Hazırlayıcı Faktör ve Tutulan Kemikler

	Yakın Enfeksiyon Odağına Bağlı Osteomiyelit	Damarsal Yetmezliğe Bağlı Osteomiyelit	Hematojen Osteomiyelit
Etken	Genellikle mikst Staff. aureus Gram negatif basiller Anaerop bakteriler	Mikst olabilir Staff. aureus S.epidermidis Enterokoklar Streptokoklar Gram negatif basiller Anaerop bakteriler	S. aureus H.influenzae Gram negatif basiller (E.coli, Klebsiella, Salmonella, Proteus, Pseudomonas)
Hazırlayıcı Faktör	Ameliyat (Açık kırık redüksiyonu) Yumuşak doku infeksiyonu, Bası yarası	Diyabet Periferik damar hastalıkları	Bakteriyemi Travma
Tutulan Kemikler	Femur, Tibia, Kafatası, Mandibula	Ayak	Uzun kemikler (çocukta) Vertebra (yetişkinde)

Çizelge 58.4: Osteomiyelitli Hastalarda Etkene Göre İzole Edilen Mikroorganizmalar

En sık görülen klinik birliktelikler	Mikroorganizmalar
Osteomiyelitin her tipinde sık rastlanan mikroorganizmalar	Staphylococcus Aureus (Metisiline duyarlı veya dirençli)
Yabancı-cisim ilişkili enfeksiyonlar Hastane enfeksiyonlarında sık görülenler Isırıklar, diyabeti kayak yaraları ve bası yaralarıile ilişkili olanlar Orak-hücre hastalığı	Koagülaz-negatif stafilokoklar veya propionibacteriyum suşları Enterobakter, pseudomonas aeruginosa, candida suşları Streptokoklar ve/veya anaerobik bakteriler Salmonella suşları veya Streptokok pnömoni
HIV enfeksiyonu	Bartonella henselae veya B quintana
İnsan veya hayvan ısırıkları	Pasteurella multocida veya eikenella corrodens
İmmün yetmezliği olan hastalar Tüberkülozun sık görüldüğü topluluklar Bu patojenlerin endemik olduğu topluluklar	Aspergillus suşları, candida albincans veya mikobakteri suşları Mycobacterium tuberculosis Brusella suşları, Coxiella burnetii, belirli coğrafi bölgelerde bulunan mantarlar(coccidiodomycosis,blastomycosis,histoplasmosis)

Tanı Yöntemleri: Başarılı tedavinin anahtarı erken tanıdır. Osteomiyelitin tanımlanabilmesi için çeşitli tanı yöntemleri gerekmektedir. Bunlar aşağıda verilmiştir.

Mikrobiyoloji ve histopatoloji: Herhangi bir türdeki osteomiyelitte en önemli adım neden olan mikro-organizmaların izole edilmesidir. Böylece etkin anti-mikrobiyal tedavi uygulanabilir. Genellikle yalnızca hematojen osteomiyelitte kan kültürleriyle veya tutulan kemikten doğrudan biyopsi ile etken saptanabilir.

Laboratuar çalışmaları: Lökosit sayısı güvenilir bir gösterge değildir. Bazen lökosit sayısı enfeksiyon olmasına karşın normal olabilir. Olguların çoğunda eritrosit sedimantasyon hızı yüksektir. Karaciğer tarafından herhangi bir enfeksiyona yanıt olarak sentezi yapılan C-reaktif protein konsan-trasyonları, tedaviye yanıtın izlenmesinde daha güvenilir göstergelerdir.

Görüntüleme yöntemleri: İskelet sistemi enfeksiyonlarının tanısı çeşitli görüntüleme yöntemlerini gerektirmektedir. Normal radyografi hem hastalığın gösterilmesi hem de izlenmesi için gereklidir. Düz grafiler yumuşak dokuda şişmeyi, eklem aralıklarının daralması veya genişlemesini, kemik hasarını ve periost reaksiyonunu gösterir. Kemik hasarı düz grafilerde enfeksiyondan 10-21 gün sonrasına kadar net değildir. Ultrason akut osteomiyelitte erken tanı için veya yumuşak dokuda pürülan sıvı toplanmasının saptanması için yararlı olabilir. Hem Bilgisayarlı Tomografi hem de Manyetik Rezonans görüntüleme mükemmel çözümleme gücüne sahiptir. Kemik sintigrafisi için günümüzde çeşitli radyoopak ilaçlar kullanılmaktadır.

Tedavi: Osteomiyelitin farklı tipleri farklı tıbbi ve cerrahi tedavi stratejilerini gerektirmektedir. Akut osteomiyelit tek başına antibiyotiklere yanıt verebilir. Kronik osteomiyelit kemiğin avasküler nekrozu ve sekestrum (ölü kemik) oluşumu ile birliktedir. Tedavi için antibiyotik tedavisine ek olarak cerrahi debridman gereklidir. Özellikle yumuşak doku kaybı olan karmaşık olgularda olmak üzere ortopedik cerrah, enfeksiyon hastalıkları uzmanı, plastik cerrah, kalp damar cerrahi uzmanlarını içeren multidisipliner bir yaklaşım gerekmektedir. Aşağıda osteomiyelitin evrelere göre tedavisi açıklanmıştır.

Akut evre: Akut evre genel olarak altı hafta sürer. Tedavi edilmeyen olgularda yüksek ateş ve dalgınlık görülebilir. Lokal belirtiler; enfekte olan metafizde ağrı, şişlik, lokal ısı artışı ve kızarıklıktır. Periost altı apsesi deriye açıldığında genel olarak ateş düşer. Osteomiyelitin akut döneminde yapılacak tedavi:

Kesin Yatak İstirahatı: Bunun için hasta taraf atele alınmalıdır. Ekstremitenin atele alınması, hastanın şiddetli ağrısını azaltır ve patolojik kırık olasılığını önler.

Sistemik Tedavi: Hastanın su kaybı ve anemisinin giderilmesine çalışılır. Bu amaçla damar içi sıvı verilmesi, kan transfüzyonu, ateş düşürücü ilaçlar ve buz uygulaması yapılır.

Antibiyotik Tedavisi: Apse bir defa oluştuktan sonra dolaşımdaki antibiyotikler apsenin içine giremeyeceğinden, hastalığın seyrini etkilese bile tamamen durdurmaz.

Cerrahi Tedavi: İlk günden itibaren antibiyotik alan buna rağmen genel ve lokal belirtileri dört beş gün içinde iyiye doğru gitmeyen olgularda ameliyat girişimi gerekebilir.

Subakut evre: Apse dışarıya drene olmuştur. Hastaya bu evrede antibiyotik verilmeye devam edilir. Apsenin kendiliğinden akıntısı yeterli değilse daha iyi drene olması sağlanır. Subakut evre bazen ateş yükselmeleri ile karakterlidir.

Kronik evre: Genel belirtiler tamamen kaybolmuştur. Kemik içinde yer yer apse oluşumu vardır. Bu dönem için karakteristik olan taraf ara ara şiddetli kemik ağrılarının olması, devamlı veya kesik kesik akıntının olması, ara sıra ateş yükselmesidir. Kronik osteomiyelitte genellikle cerrahi yöntem uygulanır. Ameliyatın hedefi canlı damarlanması olan bir ortam elde etmek ve yabancı cisim etkisi gösteren ölü kemiği çıkarmaktadır.

Birçok olguda bu hedefe ulaşmak için canlı kemiğe kadar kökten bir debridman yapılması gerekir. Yetersiz debridman kronik osteomiyelitteki yüksek tekrarlama oranlarının nedenlerinden biridir. Bu nedenle kronik osteomiyelit için yapılan ameliyatlar sekestrumun çıkarılmasını, ve skarlı ve enfekte kemik ve yumuşak dokunun rezeksiyonunu içerir.

Rezidüel evre: Bu evrede deformite, ekstremite kısalığı, deride eski fistül ağızlarına ait nedbe dokularının tedavisi ve düzeltilmesi yapılır. Hem kemik hemde yumuşak doku hasarlarının uygun bir şekilde rekonstrüksiyonu gerekebilir.

Osteomiyelitte Hastada Hemşirelik Yönetimi

Hemşirelik tanılaması: Hasta tekrarlayan enfekte sinüs akıntısı ile ilgili ağrı, şişme ve beden ısısında düşme yakınması bildirir. Hemşire hastayı akut başlangıç bulguları (lokalize ağrı, şişme, ateş ve kızarıklık), risk faktörleri (ileri yaş, diyabet, uzun dönem kortikosteroid tedavisi), önceden geçirilmiş enfeksiyon veya ortopedik ameliyat açısından değerlendirir. Hasta o bölgeye baskıdan kaçınır ve harekete direnir. Akut hemotojen osteomiyelitte hastada enfeksiyonun sistemik reaksiyonlarına bağlı genel halsizlik görülür. Fizik muayenede inflamasyonlu belirgin şiş ve ağrılı bir alan saptanır. Pürülan akıntı olabilir, beden ısısı yüksektir. Kronik osteomiyelitte ısı artışı daha azdır. Isı artışı özellikle akşam üzeri ve akşam olabilir.

Kas İskelet Sistemi

Hemşirelik Tanıları: Hemşirelik tanılaması doğrultusunda osteomiyelitli hastada saptanabilecek hemşirelik tanıları şunlardır.
- Enflamasyon ve şişmeye bağlı akut ağrı
- Ağrıya, immobilizasyon araçlarına ve ağırlık kısıtlamalarına bağlı olarak fiziksel harekette azalma
- Enfeksiyonun yayılma riski, kemik apsesi oluşumu
- Tedavi ile ilgili yetersiz bilgi

Planlama: Bakımın amaçları ağrının azalması, tedavi sınırları içinde fiziksel hareketliliğin arttırılması, enfeksiyon kontrolü, tedavisi ve hastanın tedavi planına yönelik bilgi sahibi olmasıdır.

Hemşirelik Girişimleri?
Ağrının Azaltılması: Etkilenen kısımda ağrıyı ve kas spazmını azaltmak için o bölge immobilize edilebilir. Genelde yaralar çok ağrılıdır ve ekstremite çok nazik tutulmalıdır. Yukarı kaldırma şişmeyi ve buna bağlı rahatsızlığı azaltır. Ağrı ağrı kesici ilaçlar ve diğer ağrı azaltma yöntemleri ile kontrol edilir.

Fiziksel Hareketliliğin Artırılması: Tedavi planı aktiviteyi kısıtlamaktadır. Enfeksiyon sürecinde kemik zayıflamaktadır. Kemik, immobilizasyon araçlarıyla ve kemiğe binecek güçlerden korunmalıdır. Hasta aktivite kısıtlamalarının nedenini anlamalıdır. Etkilenen bölüm üzerindeki ve altındaki eklemler hareket eksenlerinde nazikçe yerleştirilmelidir. Hemşire, genel iyilik halini arttırmak için fiziksel kısıtlamalar sınırlarında günlük yaşam aktivitelerine tam katılımı sağlamaya çalışmalıdır.

Enfeksiyon Sürecinin Kontrolü: Hemşire hastanın antibiyotiğe cevabını izlemelidir. Damar içi (intravenöz) girişim bölgeleri flebit, enfeksiyon veya infiltrasyon açısından izlenmelidir. Hemşire uzun dönem yoğun antibiyotik tedavisi ve süper enfeksiyon bulguları yönünden hastayı izlemelidir (Örn; ağızda veya vajinada mantar, kötü kokulu veya yumuşak dışkı). Ameliyat gerekiyorsa hemşire yeterli dolaşımı sağlamak (sıvı birikimini önlemek için aspirasyon, venöz akıntı arttırmak için yukarı kaldırma, etkilenen bölgeye basınç uygulamaktan kaçınma), gerekli hareket ve ağırlık kısıtlamalarına uyumu sağlamak için önlemler almalıdır. Pansumanları aseptik teknikle değiştirerek bulaşma olasılığını azaltmalıdır. Hemşire hastanın genel sağlık ve beslenme durumunu izlemelidir. Proteinden ve C vitamininden zengin diyet pozitif nitrojen dengesini sağlar. Ameliyat öncesi yeterli sıvı alımı önemlidir.

Evde ve Toplum İçinde Bakımın Sürdürülmesi
Hastalara Kişisel Bakımın Öğretilmesi: Hasta ve ailesi düzenli antibiyotik tedavisinin önemi ve kemik kırıklarıyla sonuçlanacak düşmelerin önlenmesinin gerekliliğini anlamalıdır. Damar içi ilaç eğitiminde; ilacın ismi, dozu, sıklığı, uygulama hızı, uygun saklama koşulları, yan etkileri ve uygun laboratuar kontrolleri anlatılmalıdır. Hasta veya ailesine aseptik pansuman yapma ve sıcak soğuk uygulama yöntemleri gösterilmelidir. Hastaya ve ailesine ateş, akıntı, koku, artmış inflamasyon, yan etkiler ve süper Enfeksiyon bulguları yönünden gözlemi ve bildirilmesi gereken belirtileri anlatmalıdır.

Bakımın sürdürülmesi: Yara bakımı ve damar içi antibiyotik tedavisini içeren osteomiyelit yönetimi genellikle evde uygulanabilmektedir. Antibiyotik tedavisine uyabilmesi için hastanın tıbbi olarak sabit, fiziksel olarak aktif ve motivasyonun yüksek olması gerekir. Ev ortamı sağlığı iyileştirici ve tedavi planının gerekliliklerini sağlar şekilde olmalıdır.

Gerekirse hemşire hastanın ve ailesinin tedaviyi sürdürme yetisini anlamak için ev ortamı değerlendirmelidir. Hastanın evdeki destek sistemi sorgulanabilir düzeydeyse veya hasta yalnız yaşıyorsa damar içi antibiyotik tedavisi için bir ev hemşiresi gerekebilir. Hemşire tedaviye yanıt, süper enfeksiyon bulguları ve beklenmeyen ilaç etkileri açısından hastaya bilgi verir, kontroller konusunda hastayı yönlendirir. (Çizelge 58.5).

Değerlendirme
Beklenen Hasta Sonuçları
1. Ağrı azdır.
    a. Hasta ağrının azaldığını ifade eder
    b. Önceki enfeksiyon bölgesinde gerginlik yoktur
    c. Harekette rahatsızlık yoktur
2. Fiziksel hareket artar.
    a. Kişisel bakım aktivitelerine katılır
    b. Etkilenmemiş ekstremiteleri tam kapasiteyle kullanır
    c. İmmobilizasyon sağlayan ve yardımcı araçları güvenle kullanır
    d. Düşmeyi önlemek için çevresinde dikkatle yürür

Çizelge 58. 5: Osteomiyelitte evde bakım
Evde bakım eğitimi tamamlandığında hasta veya bakıcısı aşağıdakileri yapabilmelidir
Osteomiyeliti tanımlayabilmeli
Ağrının ilaça veya ilaç dışı yöntemlerle giderme yollarını bilmeli
Ağırlık ve aktivite kısıtlamalarını bilmeli
Yardımcı araçları güvenle kullanabilmeli
Reçete edilen ilaçların kullanımlarını bilmeli
Antibiyotik tedavisini uygun biçimde sürdürebilmeli
Aseptik yöntemlerle pansuman yapabilmeli
Uygun yara bakımı yapmalı
Devam eden enfeksiyon veya süper enfeksiyon bulgularını fark ederek bildirmeli

3. Önerildiği şekilde ilaç tedavisini sürdürür.
   a. Enfeksiyon bulgusu göstermez
   b. Vücut ısısı normal
   c. Şişme yok
   d. Akıntı yok
   e. Beyaz kan hücre sayımı (lökosit) ve sedimantasyon normal
   f. Yara kültürleri negatiftir
4. Tedavi planına uyum gösterir.
   a. İlaçlarını önerildiği şekilde kullanır
   b. Zayıflamış kemikler korunur
   c. Uygun yara bakımı yapar
   d. Komplikasyon bulgularını hemen bildirir
   e. Proteinden ve C vitamininden zengin beslenir
   f. Kontrollere gelir
   g. Gücü artar
   h. Vücudun başka bir yerinde ateş, ağrı, şişme ve enfeksiyon bulguları yoktur.

Kemik Tümörleri

Vücut ağırlığının önemli bir kısmını oluşturan kemiklerin tümörleri diğer pek çok organınkilere göre nadirdir. Bunların çok büyük bir kısmını da tümör benzeri lezyonlar ve iyi huylu tümörler oluşturur. Kemik tümörleri kendilerini oluşturan hücrelerin morfolojik olarak benzedikleri normal hücrelerin adlarına göre sınıflandırılırlar. (Çizelge 58.6). Normal bir hücre tipi ile ilişkilendirilemeyen tümör tipleri de vardır.

İyi Huylu (Benin) Kemik Tümörleri
Soliter ve çoğul osteokondroma (Diyafizyal aklazi)

Osteokondroma, enkondral kemikleşmeyle oluşan kemiklerde görülen ve sık rastlanan iyi huylu bir tümördür. Doğrudan kemik üzerinde (sesil) veya bir sapla kemiğe bağlanan (pediküllü) tiplerde olabilir. Bir tür gelişimsel displazi olarak da değerlendirilebilir. Hastalar genellikle kısa boyludur ve iskelet anamolileri ile birlikte erken osteoartrit bulguları vardır. Kalıtım otozomal dominant tiptedir. Kötü huylu değişim riski %1'in altındadır. Lezyon üzerindeki kıkırdak tabaka 2 cm den kalın olduğunda ağrı ve eşlik eden yumuşak doku kitlesi olduğunda kötü huylu değişim düşünülmelidir.

Unikarmaral kemik kisti

Genellikle humerus üst ucu ve femurda görülür. Çocuklarda metafiz kisti olarak ortaya çıkan bir lezyondur. Tedavi gerektiğinde lezyon içine steroid enjeksiyonu veya küretaj ve kemik greftlemesi yapılabilir. Lezyonun doğal seyri, büyümenin tamamlanmasıyla beraber kist gelişiminin durmasıdır. Bazen tanı patolojik kırıkla konulur.

Dev hücreli tümör

Genellikle erişkin çağda görülen ve kemiklerin eklem kıkırdağı yakınında (örn; diz) soliter bir lezyon şeklindedir. Sakrumun dev hücreli tümörleri sorunlu olup, lokal agresif gelişim gösterebilir. Lokal adjuvan kriyoterapi ile birlikte lezyon içi küretaj ve greftleme tercih edilen tedavi yöntemidir.

Çizelge 58.6 : Kemik Tümörlerin Sınıflandırılması

Doku Tipi	İyi Huylu (Benin)	Kötü Huylu (Malin)	Yer	İnsidans
Kondrasit (kıkırdaktan kaynak alan tümörler)	Osteokondrom En yaygın benin tümör Kondrom	Kondrosarkom	Pelvis, skapula, kaburgalar Eller, ayaklar, kaburgalar, omurga, sternum ve uzun kemikler (Femur, pelvis)	Benin tümörler 30-50 yaşındaki erkeklerde yüksek Malin tümörler orta ve ileri yaştaki erkeklerde daha yüksek
Osteosit (kemikten kaynak alan tümörler)	Osteoid Osteom	Osteosarkomen yaygın malign tümör	Uzun kemiklerin boşluklarında, (femur, tibia) Uzun kemikler, diz	Benin tümörler 20-30 yaşındaki erkeklerde yüksek Malin tümörleri 50-60 yaş insanlarda yüksek
Kollasit (kollojenden kaynak alan tümörler)		Fibrosarkom	Femur, tibia	Malin tümörler Genellikle 40-50 yaşındaki bayanlarda meydana gelir
Miyolosit (kemik iliği hücrelerinden kaynak alan tümörler)	Büyük hücreli tümörler		Uzun kemiklerin boşluklarında (femur, tibia, radius, humerus)	

Çizelge 58. 7: İskelet Sistemi Tümörlerinde Yaş Dağılımı

	1-5 Yaş	6-18 Yaş	18-40 Yaş	40 Yaş üstü
Tümör benzeri oluşumlar	Osteomiyelit	Osteomiyelit Fibröz displazi	Brown tümörü (renal osteodistrofi)	
Kötü huylu tümörler	Metastatik hastalık Nöroblastom Lösemi	Ewing sarkomu Osteosarkom	Ewing sarkomu Osteosarkom (ender)	Metastatik hastalık Kondrosarkom Fibrosarkom/malign fibröz histiositm
İyi huylu tümör	Eozinofilik granülom unikamaral kemik kisti "Non-ossifying" fibrom Enkondram Kondroblastom Kondromiksoid Osteoblastom	Dev hücreli tümör		

Kötü Huylu (Malin) Kemik Tümörleri

Primler kemik malinitelerinin yaklaşık %80'ini üç tümör oluşturur. Tümörlerin %45'ini Osteosarkom, %25'ini kondrosarkom, %10'unu Ewing sarkomu oluşturur. (Çizelge 58. 7)

Osteosarkom

Tipik olarak adölesan ve genç erişkin dönemde görülen agresif bir tümördür. Daha ileri yaşlarda paget hastalığıyla birlikte veya radyo terapiye bağlı sekonder osteosarkom olarak ortaya çıkabilir. Tipik lezyon, osteoid oluşturan mezenşimal iğsi hücreler köken alır. Diz çevresi veya humerus üst uç metafizine yerleşir. Kemikte en sık görülen osteosarkomun farklı davranışlar gösteren değişik tipleri vardır. Yüksek evreli lezyonlar, neoadjuvan kemoterapi, ekstremite kurtarıcı ameliyat ile birlikte geniş rezeksiyon ve ameliyat sonrası kemoterapi ile tedavi edilir. Beş yıllık yaşam şansı %50 civarındadır.

Kondrosarkom

Bu kötü huylu tümör kıkırdak hattından kaynaklanır ve osteosarkom'a göre ileri yaşlarda görülür. Tümör genellikle yavaş büyür ve histolojik olarak düşük evrelidir. Kemoterapi ve radyo terapiye iyi yanıt vermeyen kondrosarkomda asıl tedavi ameliyattır.

Ewing sarkomu

Çocukluk çağıında ve genç erişkinlerde görülen kötü diferansiye küçük hücreli bir sarkomdur. Kemik dışı (yumuşak doku) yerleşimi olan tipi de vardır. En sık pelvis ve alt ekstremitede görülür. Kemoterapi ve ameliyatla tedavi edilebilir. Ameliyatla ulaşılamayan (örn; pelvis) lezyonlarda ve yetersiz rezeksiyon yapıldığı durumlarda radyo terapi uygulanır.

Malin fibröz histiyositoma

Fibröz hücre kökenli olan bu tümöre daha yaşlı hasta grubunda rastlanır. Kemik yerleşimi osteosarkoma benzer. Radyolojik olarak osteoid oluşumu olmaksızın litik ve destrüktif bir lezyondur. Beş yıllık yaşam şansı çok düşüktür.

Metastatik Kemik Tümörleri

Kemik metastazları kemikten köken almayıp primer bir tümörün kemiğe yayılması ile olur. Kemik metastazını primer tümörden ayıran kanser hücrelerinin kemiğe yerleşmesidir.

Epidemiyoloji: İskelet sistemi metastazları kemik tümörlerinin en yaygın tipi olup, tüm malin tümörler iskelet sistemine metastaz yapabilir. Ağrı ve fonksiyon bozukluğu en sık rastlanan bulgulardır. En çok iskelet sistemine metastaz yapan tümörler: Meme kanseri (% 47 - 85), prostat kanseri (% 33 - 85), tiroit kanseri (% 28- 60), akciğer kanseri (% 30-64), böbrek kanseri ve sindirim sistemi kanserleridir.

Etiyoloji: En fazla metastaz vertebra, kaburgalar, kafa kemikleri, femur, pelvis kemikleri ve bölge olarakta lumbal bölgede görülür. İskelet sistemine metastaz yapan tümörlerin tamamı osteolitiktir. Sadece prostat kanseri metastazı osteoblastik aktivite gösterir. Metastatik tümörlerde her zaman alkalen fosfataz yükselmesi görülmez. Alkalen fosfataz yükselmesi yaygın tutulum ortaya çıkınca, daha çok geç dönemde olur. Prostat metastazında serum asit fosfataz düzeyi yükselir. Meme kanseri metastazlarının da %10-20'si sklerotik veya blastik görünüm verebilir.

İskelet sisteminde metastatik bir tümör düşünülüyorsa mutlaka radyolojik incelemeden sonra, tüm iskelet sistemi sintigrafisinin yapılması gerekir. Mevcut lezyonun gerçek büyüklüğü ve yayılım sınırlarının saptanması için de Bilgisayarlı tomografi gereklidir. Primer odak bulunamayan durumlarda yeterli büyüklükte kemik lezyonu varsa biyopsi yapılır.

Klinik belirti ve bulgular: Kemik metastazı belirti ve bulguları hastadan hastaya değişmektedir. Bazı hastalarda herhangi bir belirti olmayabilir. Hasta metastaza bağlı belirtilerle doktora başvuruncaya kadar tanı konmayan primer kanser olgularına rastlanmaktadır. Kemik metastazlarının en sık görülen belirtileri arasında kemik ağrısı, kırıklar ve omurilik basısı yer almaktadır.

Tedavi: Kemik tümörlerinin geleneksel tedavi yöntemi tümörün yerleşimine bağlı olarak lezyonun ameliyatla çıkartılmasıdır.

Tümörlerde cerrahi işlemlerin sınıflandırılması

Tümörlerde uygulanan cerrahi işlemler küretaj rezeksiyon ve ampütasyondur. Son zamanlarda kemik ve fasyanın lokal yayılımı engelleyeceği düşüncesiyle geliştirilen ekstremite kompartmanları kavramıyla birlikte ekstremite kurtarıcı ameliyat yaklaşımı geliştirilmiştir. Bu yaklaşımla aşağıdaki girişimler yapılmaktadır.

1. İntralezyonel: İntralezyonel (lezyon içi) girişimde yalancı kapsül içinden geçip doğrudan lezyona ulaşılır.
2. Marjinal: Marjinal girişimde tüm lezyon tek bir parça halinde çıkartılır. Disseksiyon yalancı kapsül ya da lezyonun çevresindeki reaktif alandan yapılır. Bu girişim sakrum için yapılıyorsa geride makroskopik tümör kalır.
3. Geniş kompartman içi: Buna genellikle en blok rezeksiyon denir. Bu girişimle tümör, reaktif alan ve bir miktar normal doku çıkartılır.
4. Radikal kompartıman dışı: Tüm tümör ve lezyonun köken aldığı yapı çıkartılır. Disseksiyon kompartımanı çevreleyen fasya ve kemik sınırlarından yapılır.

Kötü huylu tümörlerde geniş veya radikal işlemler gerekirken, iyi huylu lezyonlar intralezyonal veya marjinal girişimlerle tam olarak tedavi edilebilir. Ameliyat sınırlarını tümörün bulunduğu bölge, lezyonun yayılımı ve tümörün evresi belirler. Bazı kötü huylu lezyonlarda amputasyonun bile yeterli genişlikte eksizyon sağlamayacağı göz önünde bulundurulmalıdır.

Kemik Tümörlerinde Hemşirelik Yönetimi

Hemşirelik tanılaması: Fizik muayenede hemşire kitleyi nazikçe palpe ederek kitlenin boyutunu, yumuşak dokudaki şişme, ağrı ve gerginliği kayıt etmelidir. Nörovasküler durumun ve ekstremitenin hareket edebilirliğinin değerlendirilmesi ileri dönemdeki karşılaştırmalar için veri sağlar. Hemşire hastanın hareketini ve günlük yaşam aktivitelerini ne kadar yapabildiğini değerlendirmelidir.

Hemşirelik Tanıları: Hastaların tanılama verilerine dayanarak, kemik tümörlü bir hastada saptanabilecek hemşirelik tanıları şunlardır.

- Hastalığın süreci ve tedaviye ilişkin *bilgi yetersizliği*.
- Patolojik sürece ve ameliyata bağlı *akut ve kronik ağrı*.
- *Zarar görme riski*. (Tümöre veya metastaza bağlı patolojik kırık)
- Bilinmezlik, hastalık süreci ve yetersiz destek nedeniyle duyulan korkuya bağlı *başa çıkmada yetersizlik*.
- Bir vücut bölümün kaybına veya rol performansında değişikliğe bağlı *kendine saygıda azalma*.

İlişkili sorunlar/olası yan etkiler
- Gecikmiş yara iyileşmesi
- Beslenme yetersizliği
- Enfeksiyon
- Hiperkalsemi

Planlama: Bakımın temel amaçları hastalık süreci ve tedavi planına ait bilgi sağlamak, ağrı kontrolü, patolojik kırıklardan korumak, etkin başa çıkma yöntemlerini kullanmayı öğretmek, hastanın kendine saygısını arttırmak ve olası sorunları önlemektir.

Hemşirelik Girişimleri: Kemik tümörü çıkarılan hastanın bakımı birçok yönden diğer iskelet sistemi ameliyatı geçirmiş hastalarla benzerdir. Hastanın yaşam bulguları izlenir, kan kaybı değerlendirilir, derin ven trombozu, pulmoner emboli, enfeksiyon, kontraktür ve kullanmama atrofisi gibi komplikasyonların gelişip gelişmediği değerlendirilir. Şişmeyi kontrol etmek için etkilenen kısım yukarı kaldırılmalı ve nörovasküler durum değerlendirilmelidir.

Hastalık Sürecinin ve Tedavi Planının Anlaşılması: Hastalık süreci, tanı ile tedavi planı konusunda hasta ve ailesinin bilgilendirilmesi önemlidir. Tanı testleri, tedaviler (örn; yara bakımı) ve beklenen sonuçlar (örn; azalmış hareket, duyarsızlık, vücut hatlarının değişimi) ile ilgili açıklama yapılması, hastanın işlemlerle ve değişimlerle daha kolay başa çıkmasını sağlar. İşbirliği tedavi planına uyumu arttırır.

Ağrının Azaltılması: Ağrı yönetiminin başlangıç noktası ağrının uygun olarak değerlendirmesidir. Ağrıyı azaltmak ve hastanın rahatlık düzeyinin arttırılması için ilaç ve ilaç dışı ağrı kontrol yöntemleri kullanılır.

En etkin yöntemi geliştirmede hemşire hastayla birlikte hareket etmelidir. Hemşire ağrılı işlemler öncesinde hastayı hazırlar ve ağrılı işlemler sırasında destek olur. Erken ameliyat öncesi dönemde damar içi veya epidural ağrı kesiciler kullanılabilir. Daha sonraki dönemlerde opioid veya non-opioid maddeler ağızdan veya transdermal yöntemlerle kullanılabilir.

Patolojik Kırıkların Önlenmesi: Kemik tümörleri kemikleri tek bir noktada zayıflatabilir. Bazen normal aktiviteler veya pozisyon değişiklikleri bile kırıklara neden olabilir. Hemşirelik bakımı sırasında ekstremiteler desteklenmeli ve yavaşça tutulmalıdır. Ek koruma için dış destekler kullanılabilir. Bazen patolojik kırığı önlemek için ameliyat tercih edilebilir (örn; internal fiksasyonla birlikte açık redüksiyon, eklem replasmanı). Önerilen ağırlık limitlerine uyulmalıdır. Hemşire veya fizik tedavi uzmanı hastaya yardımcı araçları nasıl güvenle kullanacağını ve etkilenmemiş ekstremiteleri nasıl güçlendireceğini öğretmelidir.

Başa Çıkma Yeteneklerinin Geliştirilmesi: Hasta malin bir kemik tümörünün şokuyla desteğe ihtiyaç duyar. Hemşire hasta ve ailesinin korkularını, kaygı ve diğer duygularını ifade etmeleri için onlara destek olmalıdır. Şok, umutsuzluk ve suçluluk duyguları görülebilir. Bir psikiyatri hemşiresine, psikolog danışmana veya ruhsal danışmana başvurmak ve duygusal destek almak gerekebilir.

Kendine Değer Vermenini Arttırılması: Tümörü olan bir hasta için bağımlı veya bağımsız olmak önemli bir konudur. Geçici bile olsa yaşam biçimi tamamen değişir. Yapılacak ayarlamalarda aileyi desteklemek önemlidir. Hemşire ameliyata veya olası ampütasyona bağlı vücut görünümündeki değişikliklere karşı hastaya yardımcı olmalıdır. Hasta ile iletişimde geleceğe yönelik gerçekçi bir yaklaşım, güven sağlamada, rol aktivitelerinin geri kazanılmasında, kişisel bakımın ve sosyalizasyonun desteklenmesinde önemlidir. Hastanın günlük aktive planlamasına katılımı sağlanmalıdır. Hemşire hastanın olabildiğince bağımsız olmasını sağlamalıdır. Hasta ve ailesinin tüm tedavi boyunca ortak katılımı, güveni, benlik algısını ve kendi yaşamını kontrol etme duygusunu sağlar.

Olası Yan Etkilerin İzlenmesi ve Yönetimi
Gecikmiş Yara İyileşmesi: Yara iyileşmesi ameliyata, önceki radyasyon tedavisine, yetersiz beslenmeye veya enfeksiyona bağlı olarak gecikebilir. Hemşire dolaşımı arttırmak için yaraya basıyı azaltır. Hastanın pozisyonunun sık sık değiştirilmesi bası yarası riskini azaltır. Deri bütünlüğünün bozulmasını önlemek için geniş alanlara yapılan ameliyatlar ve cilt grefti ameliyatlarından sonra yara iyileşmesini sağlamak için özel yataklar kullanılır.

Yetersiz Beslenme: İştahsızlık, mide bulantısı, kusma kemik tümörleri ve radyo terapinin sık karşılaşılan yan etkileri olduğundan iyileşme için yeterli beslenme önemlidir. Besin desteği veya total parenteral besleme gerekebilir. Bulantı gidericiler ve rahatlama yöntemleri sindirim sistemi reaksiyonunu azaltır. Stomatit ağrı kesici veya mantar önleyici (anti fungal) gargara ile kontrol edilir. Yeterli sıvı alımı önemlidir.

Osteomyelit ve Yara Enfeksiyonları: Osteomiyelit ve yara yeri enfeksiyonunu azaltmak için profilaktik antibiotikler ve aseptik kurallara uygun pansuman uygulanmalıdır. İyileşme sırasında hematojen osteomyelit oluşmaması için diğer enfeksiyonlar (Örn; üst solunum yolu enfeksiyonu) önlenmelidir. Eğer hasta kemoterapi alıyorsa beyaz hücre sayısı (lökosit) izlenmeli ve hastaya enfekte kişilerden uzak durması söylenmelidir.

Hiperkalsemi: Hiperkalsemi (kalsiyum seviyesinin yüksek olması) kemik kanserlerinin önemli bir sorunudur. Belirti ve bulgular izlenmeli ve tedavi hemen başlatılmalıdır. Klinik belirti ve bulgular; kas güçsüzlüğü, koordinasyon bozukluğu, anoreksi, bulantı, kusma, kabızlık, EKG değişiklikleri (Örn; kısa QT ve ST, bradikardi, kalp bloğu) ve mental değişiklikler (Örn; konfüzyon, letarji, psikotik davranışlar) olabilir.

Ev ve Toplum Tabanlı Bakımın Sürdürülmesi
Hastalara Kişisel Bakımın Öğretilmesi: Evde sağlık bakımının hazırlanması ve sürdürülmesi için multidisipliner ekibin koordinasyonuna erken başlanmalıdır. Hasta eğitiminde yer alması gereken konular; ilaçlar, pansuman, tedavi planı ve fiziksel ve mesleki tedavi programlarıdır. Hemşire hastaya ağırlık limitlerini ve patolojik kırıkları önlemek için gereken önlemleri öğretmelidir. Hastanın ve ailesinin olası sorunlara ait bulguları ve bakım için gereken kaynakları bilmesi önemlidir.

Bakımın sürdürülmesi: Hemşire evde hastanın ve ailesinin ihtiyaçları karşılayabilme düzeylerini değerlendirir ve ev bakım servislerine gereksinim olup olmadığını saptar. Hastaya acil durumda başvurabileceği kişilerin telefon numaralarını verir. Tümörün tedavisi veya tekrarının saptanması için uzun dönem danışmanlık ve izlemin önemi vurgulamalıdır. Gerektiğinde hastaneye yatış yapılması konusunda bilgi verilir.

Değerlendirme
Beklenen Hasta Sonuçları
1. Hastalık sürecini ve tedavi planını tanımlar
    a. Patolojik durumu tanımlar
    b. Tedavi planının amaçlarını bilir
    c. Bilgiyi arar
2. Ağrı kontrolünü yapabilir
    a. Önerilen ilaçlar dâhil birçok ağrı kontrol yöntemini kullanır

58. Kas İskelet Sistemi Hastalıkları

b. Günlük yaşam aktiviteleri veya dinlenme sırasında ameliyat bölgesinde ağrı hissetmez
3. Patolojik kırık oluşmaz
   a. Zayıflamış kemiklere güç bindirmekten kaçınır
   b. Yardımcı cihazları güvenle kullanır
   c. Etkilenmemiş ekstremiteleri egzersizle güçlendirir
4. Etkin başa çıkma yöntemlerini kullanır
   a. Duygularını kelimelere döker
   b. Güçlerini ve kabiliyetlerini tanımlar
   c. Kararlar verir
   d. Gerektiğinde yardım ister
5. Kendi ile ilgili olumlu tutum sergiler
   a. Yapılması gereken ev ve aile ilgili sorumlulukları yerine getirir
   b. Kişisel yeteneklerini güvenle sergiler
   c. Değişen vücut görüntüsünü kabullenir
   d. Günlük yaşam aktivitelerinde bağımsızdır
6. Yan etki gelişmez
   a. Yara iyileşmesi iyidir
   b. Deri bütünlüğünde bozulma olmaz
   c. Kilo alır
   d. Enfeksiyon gelişmez
   e. Hiperkalsemi olmaz
   f. Tedaviye bağlı yan etkileri yönetir
   g. Tedaviye bağlı toksisite veya yan etkileri hemen bildirir
7. Evde sağlık bakımını sürdürür.
   a. Reçete edilen tedaviyle uyumludur (ilaçlarını alır, fizik ve uğraşı terapilerine devam eder)
   b. Uzun dönem sağlık danışmanlığı için gereksinimlerini bildirir
   c. Kontrollerine gelir
   d. Yan etki belirti ve bulgularını bildirir.

Çizelge 58.8 : Evde Bakım Listesi

Evde bakım eğitimi sonucunda hasta veya bakıcısı aşağıdakileri yapabilmelidir.
Tümör sürecini tanımlayabilmeli
İlaç ve ilaç dışı yollarla ağrıyı kontrol edebilmeli
Etkilenen iskelet bölgesini destekleyebilmeli
Önerilen ilaçların kullanımını bilmeli
Tıbbi tedaviye uyumlu olabilmeli
Diyetini bilmeli ve uygulayabilmeli
Ağırlık ve aktivite kısıtlamalarını bilmeli
Yardımcı araçları güvenle kullanabilmeli
Etkilenen kemiği patolojik kırıktan koruyabilmeli
Tümöre ve tedaviye bağlı sorunları tanımlayabilmeli
Yan etkilerin belirtilerini hemen bildirebilmeli
Etkin başa çıkma stratejileri kullanabilmeli
Rol performansını sürdürebilmelidir

Kas İskelet Sistemi Hastalıklarında Bakım

Kas iskelet sistemi hastalıklarının tedavisinde alçı, traksiyon, eklem protezleri veya ortopedik cerrahi sıklıkla kullanılan yöntemlerdir. Bu tedavi yöntemleri uygulanacak hastalarda en uygun sonuçları almak için iyi bir hemşirelik bakımı ve hasta eğitimi önemlidir. Hemşire bu bakım yöntemlerinden hangisi gerekiyorsa buna yönelik hastayı hazırlar işlemlere göre hasta bakımını yapar. Hemşirelik bakımı tedavinin etkisini arttırmaya ve komplikasyonları önlemeye yönelik bakım girişimlerini içerir. Hastaya evde kendi bakım gereksinimlerini yapabilmesi için gereken eğitimde verilir. Bu bölümde kas iskelet sistemi hastalıklarının tedavisinde sıklıkla kullanılan yöntemlerden alçı, traksiyon, eklem protezleri veya ortopedik ameliyat olan hastaların hemşirelik bakımları verilmektedir.

Alçılı Hastanın Bakımı

Alçı ve ateller kırık, çıkık, bağ zedelenmesi veya Enflamasyon gibi hareketin sakıncalı ve ağrılı olduğu durumlarda kullanılır. Cerrahi girişimler sonrası pozisyonun korunması ve eklem kontraktürlerini düzeltme amacı ile de kullanılırlar. Alçı; uygulandığı zaman vücudun şeklini alan, sert, dıştan uygulanan, hareket kısıtlama malzemesidir. Alçının amacı vücut parçasını özel pozisyonda tutmak ve yumuşak dokuya eşit miktarda basınç uygulamaktır.

Alçı kırık redüksiyonunda hareket kısıtlaması (immobilizasyon), deformiteyi düzeltmek, yumuşak doku altına eşit basınç uygulamak, destek ve sabitlik sağlamak için kullanılır. Alçı yapılmadan önce alçının ne biçimde yapılacağı, ne kadar malzeme gerektiği, hastaya nasıl bir pozisyon verileceği ve kimin nasıl bir manevra yapacağı önceden planlanır. Hastanın işbirliğini sağlamak amacı ile işlemden önce bilgi verilir, gerekirse sedasyon ve ağrı kesiciler yapılır.

Alçı Malzemeleri

Alçı: Geleneksel alçı malzemesi alçıdır. Alçı, toz alçı taşı veya dehidrate kalsiyum sülfattan meydana gelen bir tozdur. Alçı tozu ıslatıldığında kristalize reaksiyon oluşur ve ısı açığa çıkar. $(CaSO) 2HO + 3HO \rightarrow 2(CaSOx2HO) + $ ısı

Alçılama ve Atelleme Teknikleri: Alçı emdirilmiş rulo halinde paketlenmiş gazlı bezler hazır ürünler su içine serbest olarak bırakılır. Hava kabarcıklarının çıkışı bittikten sonra (yaklaşık dört dakika sürer) her iki ucundan hafifçe sıkılır. Orta kısmından sıkılır ise bir kısım materyal kaybedilir. Reaksiyon sırasında hissedilir bir ısı açığa çıkar. Bu ısı kullanılan alçı miktarına, kullanılan suyun ve ortamın sıcaklığına bağlı olarak değişir.

Özellikle eklem seviyelerinde çıkıntılı noktalara aşırı basınç uygulamasına engel olmak için alçı yapılacak bölgenin altına rulo pamuk ve benzeri destek malzemeler kullanılır. Alçıya bağlı komplikasyonların büyük bölümünde pamuk tabakasındaki katlanmaların rolü vardır. Pamuğu homojen olarak uygulanmak bol pratik yaparak öğrenilir. Pamuğun üzerinde kan olursa, kan kuruduğunda pamuk sertleşir ve sorunlara yol açabilir. Bazı özel durumlarda pamuk sargı olmaksızın alçı uygulanabilir, ancak bunun deneyimli kişilerce yapılması uygundur. Pamuk sargının üzerine alçı çorabı (stokinet) geçirilir. Alçılar amaçlarına göre en sık 5-20 cm arasında hazırlanır. Bir alçının yapımında kullanılacak tüm alçı ruloları, alçının bütünü ile kristalize olmasını sağlamak için aynı anda ıslatılır ve aynı anda sudan alınır. Pamuk sarılmış ve üzerine alçı çorabı geçirilmiş ekstremiteye ıslanmış hazır rulo alçı yaklaşık altı kat olarak sarılır.

Kalın alçıların kuruma dönemi uzun sürer. Bu nedenle kalın alçılar tercih edilmez. Optimal alçı kalınlığı altı kattır. Bu katlar hızla sarılır ve her kat bir önceki üzerine devam edilir. Sudan alındıktan sonra alçı önce kil kıvamına gelir. Bu birinci aşamadır. Bu aşamada alçıya amaçlanan biçim verilir. Daha sonra kristalizasyon başlar. Kristalleşme sertleşme işlemidir, 15-20 dakika sürer. Cinsine göre hızlı sertleşenler iki-dört dakikada, yavaş sertleşenler 10-18 dakikada sertleşir. Kristalizasyon sırasında alçının hareket ettirilmesi alçının bütünlüğünü bozar. Alçı kenarları düzeltilir. Alçı yapıldıktan sonra açık kalan bölgelerdeki alçılar temizlenir.

Alçı yapıldıktan sonra bile hala yaştır ve yumuşaktır. Daha sonra ortam sıcaklığına ve nemliliğine bağlı olarak alçı kurur. Alçının kuruması için 24-72 saat gerekir. Kuru alçı beyaz ve parlaktır. Yaş alçı gri ve kokuludur. Alçı kurumadan yeterli direnci kazanamaz. Bu nedenle üzeri kapatılmaz. Alçı uygulanan hastaya alçının altında kalan dokuda ödemin artmasına bağlı olarak ne gibi belirtiler olabileceği ve bu gibi durumlarda kiminle temas kurulabileceği anlatılır. Şişmeyi azaltmak için kalp seviyesinden yukarı kaldırma (elevasyon) önerilir ve alçı uygulanmasından 24 saat sonra hastalar kontrole çağırılır. Alçının sıkı sarılması daha iyi bir hareket kısıtlaması sağlanması anlamına gelmez. Sıkı bir alçıda kırık hareket ediyor olabilir, fakat üç nokta ilkesine dayalı olarak yapılan daha gevşek bir alçı çok iyi hareket kısıtlaması sağlayabilir. Travma sonrası hemen sirküler alçı uygulamaktan kaçınılmalıdır. Sirküler alçı genişlemesi mümkün olmayan bir hacim yaratır ve eğer travma nedeni ile ekstremitede oluşan ödem artmaya devam eder ise kompartman basıncı yükselerek venöz ve arteriyel dolaşımı bozar. Dolaşımın bozulma olasılığı olan durumlarda önce atel uygulanmalıdır.

Alçı veya atel yapıldıktan sonraki 24 saat içinde lezyonun ciddiyetine göre sıklığı belirlenmek üzere birkaç kez kontrol yapılır. Bu kontrollerde tırnak yatağındaki kapiller dolaşıma, parmaklarda şişlik olup olmadığına, gerekir ise iki nokta ayrımı ve yüzeysel duyuya bakılır. Uçlarda kapiller dolaşım ve arteriyel nabız olsa bile kompartman sendromu gelişebileceği hatırlanmalıdır. Dolaşımın bozulduğunu düşündüren bulgular görülürse alçı ve atel gevşetilir veya çıkartılır. (Şekil 58. 25)

58. Kas İskelet Sistemi Hastalıkları

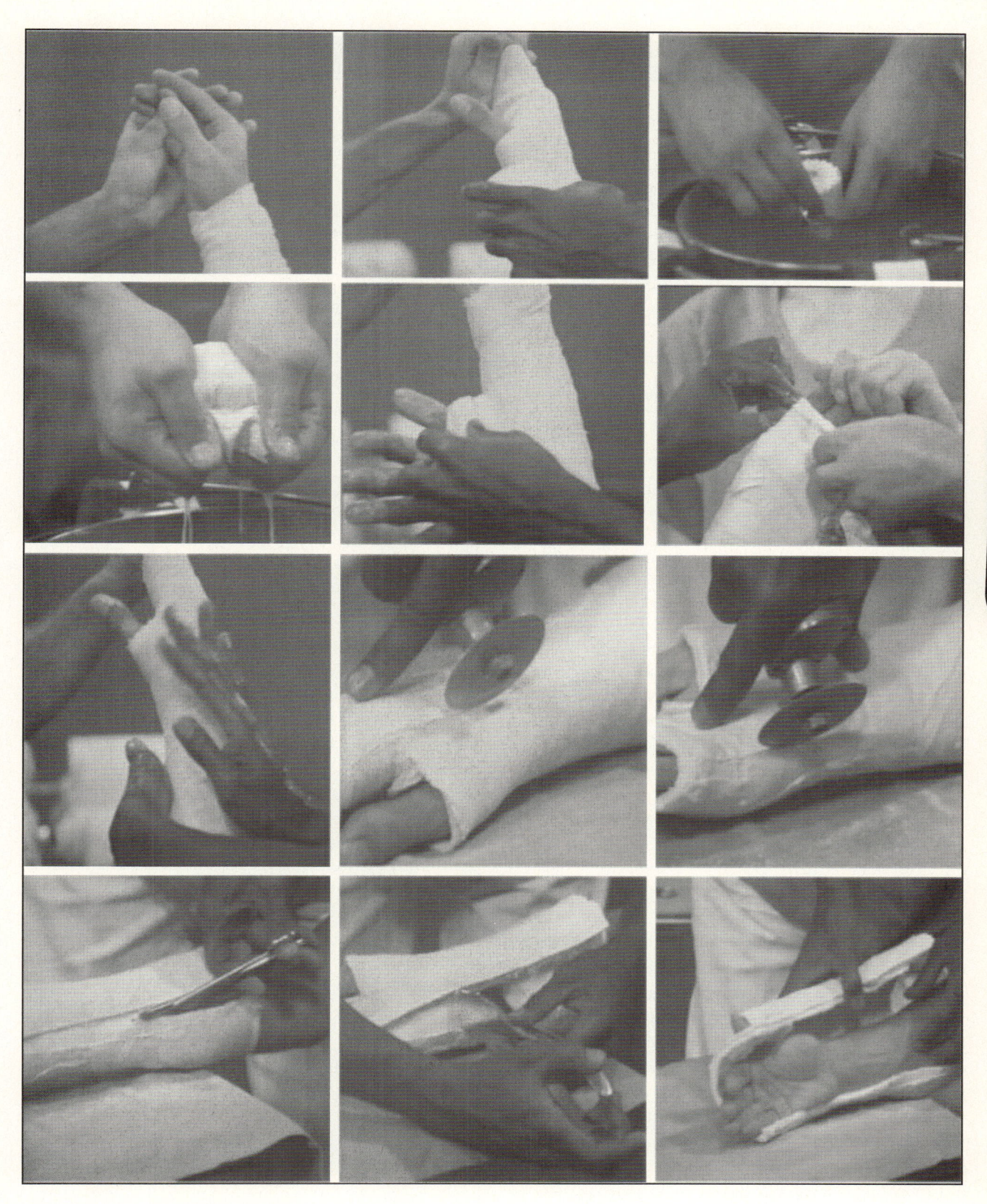

Şekil 58.25: Alçı uygulanması ve çıkarılması

Kas İskelet Sistemi

Çizelge 58.12: Alçının Çıkarılmasında Yapılması Gerekenler
Alçı çıkartırken hekim veya hemşire aşağıdakileri uygulamalıdır.

İŞLEM	AMAÇ
1. Hasta işlemle ilgili bilgilendirilir.	1. İş birliğini arttırır, korkuyu azaltır
2. Elektrikli testerenin veya alçı kesicinin deriyi kesmeyeceği konusunda hastaya bilgi verilir. (Bıçağın alçıyı kesmek için titreştiği ve bu titreşimlerin hissedebileceğine dair açıklamalar yapılır)	2. Anksiyeteyi azaltır
3. Hasta ve işlemi yapan kişiye göz koruyucu takılır.	3. Uçuşan alçı tozlarından gözleri korur.
4. Değişen basınçlar uygulanarak ve hat boyunca lineer hareketlerle alçı ikiye ayırır.	4. Bıçağın pedle olan uzamış temasına bağlı, yanma Hissini önler.
5. Pedler makasla kesilir.	5. Tüm alçı materyallerini rahatlatır.
6. Alçıdan çıkan vücut kısmı desteklenir.	6. Hareketsiz kalan kısımdaki gerilimi azaltır.
7. Hareketsiz kalan kısım dikkatlice yıkanır ve kurulanır. Nemlendirici krem uygulanır.	7. Hareketsiz kalma sırasında biriken ölü deriyi uzaklaştırır. Deriyi nemli tutar.
8. Hastaya deriyi ovalamaması ve kaşımaması söylenir.	8. Derideki çatlakları önler.
9. Fizik tedavi hekimiyle işbirliği yaparak, önerilen tedavi planı sınırlarında alçılanan vücut kısmının hareketlerini geri kazanması konusunda hasta eğitilir.	9. Zayıflamış kısım aşırı gerimden korur. İlerleyici egzersizler katılığı çözer, kas tonüsünü ve fonksiyonunu sağlar.
10. Hastaya elastik bandaj kullanarak veya ekstremiteyi yukarıya kaldırarak şişmeyi kontrol etmesi öğretilir.	10. Dolaşımı iyileştirir. (Venöz dönüşü ve sıvı göllenmesini kontrol eder.)

Hareketsiz olan bir ekstremitede tüm dokularda atrofi gelişir ve ekstremite incelenir. Bu nedenle kontrollerde alçıda gevşeme saptanırsa, alçının yenilenmesi gerekebilir. Alçı odalarında; alçı kovası, eldiven, hastaya alçı yaparken giymek için bir önlük veya benzeri koruyucu bir giysi, alçı bıçağı, alçı makasları, alçı kurutucular, alçı kesiciler, motorlu alçı kesiciler, alçı açıcılar bulunması gereken malzemelerdir. Alçı yapılan oda zeminini kolay temizlenebilir malzemelerden olmalıdır.

Alçı olmayan malzemeler; Genellikle fiberglas veya suda aktive olan poligratan malzemeler alçı uygulanması gereken durumlarda kullanılan alçı olmayan malzemelerdir. Bunlar hem suya dayanıklı, hem de daha hafiftir. Son yıllarda bir reçine matriks içinde fiberglas içeren sargılar sıkça kullanılmaktadır. Bunların başlıca avantajı hafif olmaları, suya ve mekanik etkilere karşı daha uzun dayanabilmeleridir. Bu özellikleri ile özellikle önkol ve bacakta tercih edilirler. Kolay biçim verilmediğinden ortopedik uygulama tekniği yönünden pozisyonun önem taşıdığı durumlarda tercih edilmez. Değişik malzemelerden üretilmiş çeşitleri olduğu için kullanım öncesi üretici firmanın önerileri öğrenilmelidir.

Alçı Tipleri: Travmanın olayın yeri etkisi ve tedavi için uygulanan bölgede değişik uzunlukta alçılar yapılmaktadır. En sık kullanılan alçı tipleri aşağıda verilmiştir.

Kısa Kol Alçısı: Metakarpal başlarından dirseğe kadar uzanan alçı

Uzun Kol Alçısı: Metakarpal başlarından omuza kadar uzanan alçı

Kısa Bacak Alçısı: Ayak parmaklarından dize kadar uzanan alçı

Uzun Bacak Alçısı: Ayak parmaklarından kalçaya kadar uzanan alçı

Yürüme Alçısı: Kısa veya uzun bacak alçısının altında özel lastik tabanlıklar yerleştirilerek yürümeye izin verilen alçıdır.

Omuz Spikası: Kol ve gövdeyi içine alan alçıdır. (Şekil 58. 26)

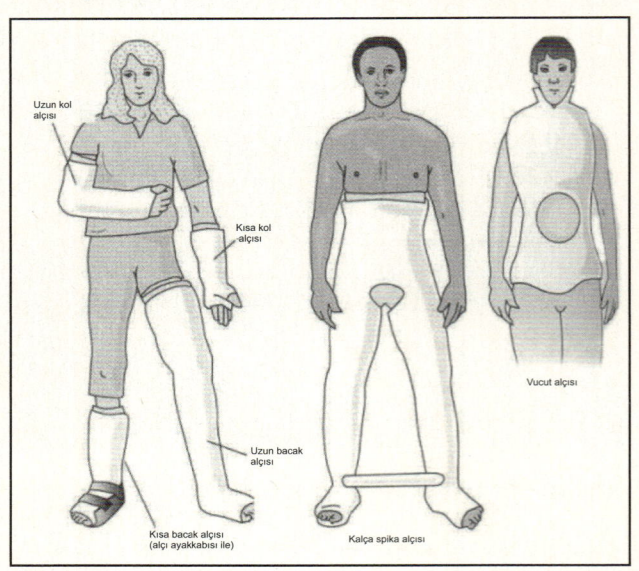

Şekil 58.26: Alçı tipleri

Alçılı Hastada Hemşirelik Yönetimi

Hemşirelik tanılaması: Alçı uygulamadan önce hemşire hastanın genel sağlık durumunu, var olan bulguları, duygusal durumunu, alçının gerekliliği ve alçıda sabitlenecek olan vücut bölümünü değerlendirmelidir. Sabitlenecek kısmın fiziksel değerlendirmesinde o vücut bölgesinin sinir damar durumu (nörolojik ve dolaşım fonksiyonları), şişlik, ezikler, derideki sıyrıklarının yeri ve derecesi içeren bulgular incelenmelidir.

Hemşirelik Tanıları: Değerlendirme verilerine dayanarak, hemşirenin alçılı bir hasta ile ilgili saptayabileceği hemşirelik tanıları aşağıda verilmiştir. Ancak hastanın durumuna göre bunlara ek tanılarda saptanabilir.

Tedavi ile ilgili *yetersiz bilgi*

Kas veya iskelet bozukluğuna bağlı akut *ağrı*

Alçıya bağlı *yetersiz fiziksel hareket*

Bireysel hijyende yetersizlik (Kendine bakamama: duş/hijyen, beslenme, giyinme, tuvalete gidememe)

Laserasyonlara ve abrasyonlara bağlı *deri bütünlüğünde bozulma*

İncinmeye karşı gösterilen fizyolojik yanıta ve alçının basınç etkisine bağlı *periferik sinir damar fonksiyon bozukluğu riski*.

İlişkili sorunlar/Olası yan etkiler: Değerlendirme verilerine dayanarak, gelişebilecek olası yan etkiler sunlardır:
- Kompartıman sendromu
- Basınç yaraları
- Kullanmama sendromu

Planlama: Alçılı bir hastanın bakımının planlanmasında temel amaçlar tedavi planı hakkında bilgiyi arttırma ve bilgi verme, ağrı kontrolünü öğretme, fiziksel hareketi arttırma, en üst düzeyde hastanın kendisine bakabilmesini sağlama, laserasyonların ve sıyrıkların iyileşmesini sağlama, yeterli sinir damar fonksiyonu sağlama ve olası yan etkileri önlemeye yöneliktir.

Hemşirelik girişimleri:

Tedavi planı hakkında bilgi verme: Hasta alçı uygulanmadan önce, kendinde var olan sağlık sorunu ve önerilen tedavinin amacı ve beklenenler ile ilgili bilgiye gereksinim duyar. Bu bilgi hastanın tedavi programına aktif katılımını önemli ölçüde arttırır. Alçı yapılırken beklenen görüntü, ses ve duyularla (Örn; alçının sertleşmesi sırasında sıcaklık hissi hissedileceği) ilgili hastayı önceden hazırlamak önemlidir. Hasta alçı uygulanırken neyle karşılaşacağını ve sonrasında o bölgeyi hareket ettirip ettiremeyeceğini bilmek ister.

Ağrının azaltılması: Hemşire ağrıyı tanıyabilmek için hastadan ağrının tam olarak yeri, karakteri ve yoğunluğunu tanımlamasını isteyerek kas iskelet sistemiyle ilgili ağrıyı dikkatlice değerlendirmelidir. Kas iskelet sistemiyle ilgili birçok ağrı o bölge yukarı kaldırılarak, soğuk uygulanarak ve ağrı kesicilerle kontrol edilebilir.

Hareketin arttırılması: Hareketi kısıtlanmayan her eklem çalıştırılmalı ve normal fonksiyon alanında kullanılmalıdır. Hemşire, hastanın bacak alçısı varsa ayak başparmak egzersizlerini, kol alçısı varsa el parmak egzersizleri yaptırmalıdır.

Derideki sıyrıkların iyileştirilmesi: Alçı uygulanmadan önce, iyileşmenin hızlanması için derideki kesiklerin ve sıyrıkların tedavi edilmesi önemlidir. Hemşire deriyi iyice temizler ve önerildiği biçimde tedavi eder. Yaralı deriyi örtmek için steril pansuman kullanılır. Derideki yaralar çok genişse vücut o bölgesini sabitlemek için alternatif bir yöntem (örn; eksternal fiksatör) kullanılabilir. Alçılı hastalarda hemşire enfeksiyonun sistemik bulguları, alçıdan gelen koku ya da alçıyı boyayan herhangi bir renk değişimi yönünden hastayı gözlemedir. Bu durumlardan biri oluştuğunda hekime haber verilmelidir.

> **Dikkat!:** Geçmeyen herhangi bir ağrı, olası paralizi ve nekrozu önlemek için hemen hekime bildirilmelidir.
>
> Hastalığa bağlı (örn; kırık) ağrı sıklıkla hareketsiz kalınca (immobilizasyonla) rahatlar. Travma, cerrahi veya doku içine kanama nedeniyle oluşan ödeme bağlı ağrılar yukarı kaldırma ve eğer önerilirse soğuk uygulama ile sıklıkla azalır. Bu amaçla buz torbaları (⅓'ü ya da ½'si dolu) veya soğuk uygulama araçları alçıya zarar vermeyecek biçimde alçının iki yanına yerleştirilebilir.
>
> Ağrı yan etkilerinde göstergesi olabilir. Kompartman sendromuyla ilişkili ağrı azalmaz, yukarı kaldırma, soğuk uygulama ve ağrı kesicilerle hasta rahatlayamaz. Bir kemik çıkıntısı üzerine ciddi ağrı, oluşacak basınç yarası konusunda uyarıcıdır. Basınç yarası oluştuğunda ağrı azalır. Deride basınç nedeniyle oluşan rahatsızlık hissi ve ödemi kontrol etmek amacıyla yukarı kaldırmak veya pozisyon değişimi ile basınç oluşan bölgelerini rahatlatmak ile hasta rahatlayabilir. Devam eden ağrı durumunda alçıyı değiştirmek veya yeni alçı uygulamak gerekebilir.

> **Dikkat!:** Azalmış doku perfüzyonu veya basınç yarası oluşması gibi olası sorunlar nedeniyle hemşire alçılı hastanın ağrı yakınmalarını dikkatle değerlendirmelidir.

Yeterli sinir damar (nörovasküler) fonksiyonun sağlanması: Şişme ve ödem dokunun travmaya ve cerrahiye olan doğal yanıtıdır. Hasta alçının çok sıkı olduğunda yakınabilir.

İnmeyen şişliğe bağlı damarlarda Yetersizlik ve sinir basısı kompartman sendromuna neden olabilir. Hemşire dolaşımı, hareketi ve duyuları izleyerek alçılı ekstremitenin (ayak veya el) parmaklarını karşı taraftaki ekstremite ile karşılaştırarak değerlendirir. Biraz şişlik olması, rahatsızlık hissi, pembe renk, ısı artışı, hızlı kapiller dolum yanıtı, normal duyular ve parmak hareketliliği normaldir.

Hemşire, uyanık olduğu her saat başı parmaklarını oynatarak dolaşımı arttırması için hastayı yönlendirmelidir. Sinir ve damar durumun sık ve düzenli değerlendirilmesi önemlidir. Değişen sinir ve dolaşım fonksiyonlarının erken fark edilmesi fonksiyonun korunması için gereklidir. İlerleyen ve geçmeyen ağrı, pasif germe durumunda ağrı, parestezi, motor ve duysal kayıp, soğukluk, solukluk, yavaş kapiller dolum ve gerginlik hissi olası bir kompartman sendromu bulgusu olabilir. Hemşire arteryel perfüzyonu arttıracak biçimde kalp düzeyinden yukarıda olmamak koşuluyla ekstremite pozisyonunu ayarlamalı, ödemi kontrol etmeli ve hemen hekime haber vermelidir.

Potansiyel Komplikasyonların İzlenmesi ve Yönetimi

Kompartman Sendromu: Çizgili kaslar sert ve kompliyansı düşük olan fasyaların oluşturduğu *kompartmanların* içinde bulunur.

Normalde bu mekânların içindeki basınç oldukça düşüktür (0-20 mmHg). Kompartman içi basıncın değişik nedenler ile artarak kan dolaşımını bozması ve buradaki dokuların fonksiyonunu engellemesine "kompartman sendromu" adı verilir. Bu sendrom bir "kas tamponadı" veya ezilme sendromunun lokal formu olarak da algılanabilir. (Şekil 58. 27). Buradaki basınç yükselmesine yol açan neden hem interstisyel sıvı miktarının artışı, hem de hücre ödemidir.

Kompartman içi basıncın (burada asıl ölçülen interstisyel sıvı basıncıdır) 30 mmHg'yi (kapiler perfüzyon basıncını) aştığı andan itibaren kas içindeki damarlar üzerinde anlamlı baskı ortaya çıkar. (Şekil 58. 28) Basınç diyastolik basınç düzeyine eriştiği zaman doku perfüzyonu durur; kasta iskemi, hasar ve nekroz (rabdomiyoliz) gelişir.

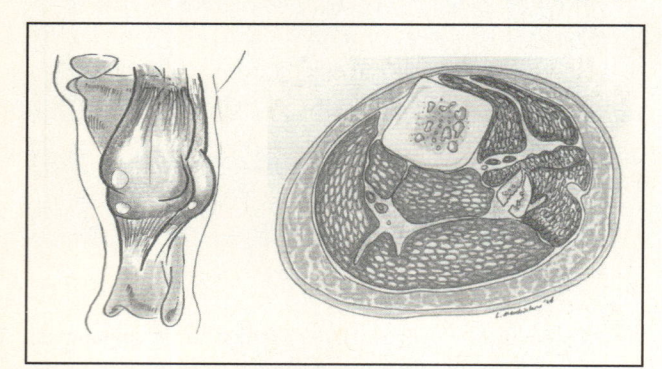

Şekil 58.27: Akut kompartman sendromu
Kaynak: O'Dwyer, H. M. et al.(2006) Am. J. Roentgenol.;187:W67-W76

Ancak bu değer sabit değildir ve değerlendirmenin klinik durum göz önüne alınarak her hasta için ayrı yapılması gerekmektedir. Tipik seyirli bir kompartman sendromunda uçlardaki nabızlar palpe edilebilir. Kompartman sendromunun nedenleri iki alt başlık altında incelenebilir:

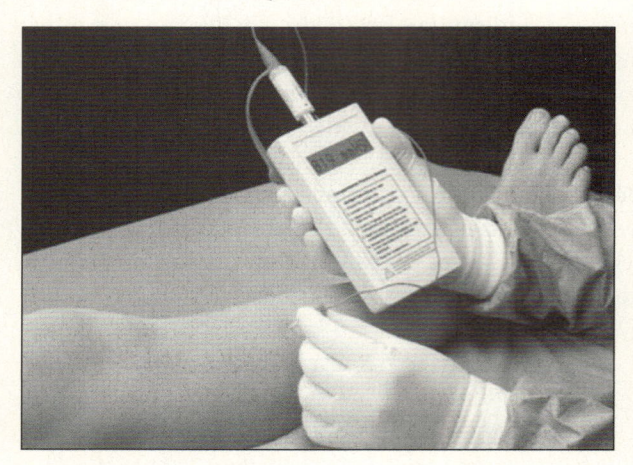

Şekil 58.28: Kompartman sendromu ölçme
Kaynak: http://www.mipm.de/upload/bilder/produkte/cpms_gross.jpg

Kompartman boyutlarında azalma. Çok dar alçı ve bandajların ekstremiteyi sıkıştırması, fasYa daki şekil bozukluklarının cerrahi yolla kapatılması, termal hasarlar, skar oluşumu vb. kompartman hacmini azaltabilir.

Kompartman içeriğinin artması. Bu içerik artışına kaslarda ödem gelişmesi neden olabilir. Ödeme yol açan etkenler; dıştan basılar (örn; enkaz altında kalmak) ya da aynı pozisyonda uzun süre kalmak, arteriyel emboli, tromboz, turnike uygulamalarıdır. Kas içine olan kanamalar da kompartman hacmini artırır. Örn; arter yaralanmaları, kırıklar vb. kompartman sendromu etiyolojisinde rol alırlar.

Alçılı hastalarda kompartman sendromu gelişirse basıncı azaltmak için bir hat belirlenerek alçı rahatlatılmalı (uzunlamasına yarısı kesilerek) ve ekstremite kalp düzeyinin üzerinde olmayacak biçimde yukarı kaldırılmalıdır (Çizelge 58.9). Basınç azalmaz ve dolaşım yeniden sağlanamazsa kas kompartmanı içindeki basıncı azaltmak için fasyotomi gerekebilir. Hemşire, kompartman sendromu

Çizelge 58. 9 : Bir Alçının Yarısı Kesilirken Dikkat Edilmesi Gerekenler;
1. Alçıyı ikiye bölmek için bir alçı kesiciyle uzunlamasına bir kesi yapılır.
2. Alttaki pedler makasla kesilir.
3. Alçı, alçı ayırıcılarla basıncı azaltmak ve kemiğin redüksiyonunu bozmadan deri izlemek ve tedavi etmek için ayrılır.
4. Basınç azaldıktan sonra, hareket kısıtlamasını sağlamak için alçının ön (anterior) ve arka (posterior) kısımları elastik bir bandajla birleştirilir.
5. Şişmeyi kontrol etmek ve dolaşımı sağlamak için ekstremite yukarıya kaldırılır (Bu yükseklik doku perfüzyonu üzerindeki yer çekimi etkisini en aza indirmek için Kalp düzeyini geçmemelidir.

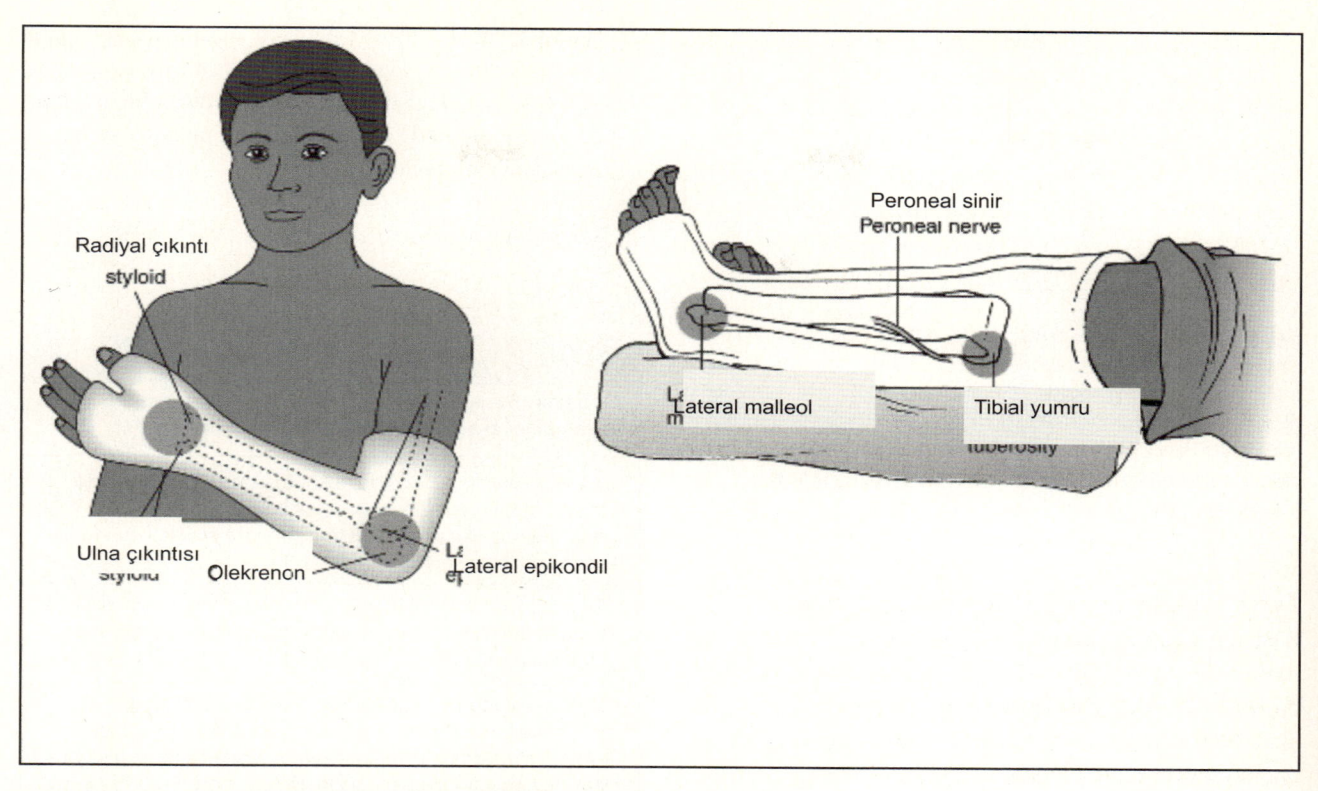

Şekil 58.29: Alçıda sık görülen basınçbölgeleri. Üst ve alt ekstremite Kaynak med surg.

olan hastanın tıbbı ve cerrahi tedaviye yanıtını yakından izlemeli, sinir ve damar yanıtlarını kaydetmeli, değişimleri hekime hemen haber vermelidir.

Basınç yaraları: Alçının yumuşak dokular üzerinde basınç yapması anoksi ve basınç yaralarına neden olabilir. Basınca en duyarlı alt ekstremite bölümleri; topuk, malleol, ayağın üst yüzü, fibula başı ve dizin ön yüzüdür. Üst ekstremitedeki basınç bölgeleri; humerusun yan epikondil ve ulnar stiloiddir. (Şekil 58.40). Genellikle basınç yarası olan bir hasta ağrı ve gerginlik duyusundan yakınır. Alçı üzerindeki sıcak bir alan, altta bulunan eritemi gösterir. Basıya maruz kalan alanın deri bütünlüğü bozulabilir. Akıntı alçıyı boyayabilir ve koku olabilir. Doku yıkımı ve nekrozla birlikte rahatsızlık duyusu olmasa bile geniş bir doku kaybı oluşuyor olabilir. Hemşire alçılı bir hastayı basınçyarası gelişimi riski yönünden izlemeli ve buna ait bulguları hekime bildirmelidir. basınçalanını gözlemek için hekim alçıda kesi yapabilir veya bir pencere açabilir. Pencere açarken alçının bir kısmı uzaklaştırılır. Etkilenen alan gözlenir ve tedavi edilir. Çıkartılan alçı yerine yerleştirilir ve elastik bir bandaj ile yerinde tutulur. Bu altta bulunan dokunun pencereye doğru rahatlamasını sağlar ve kenarlarda basınçalanları oluşmasını engeller.

Kullanmama Sendromu: Alçılı hastanın alçıda olan bölgeyi oynatmadan kaslarını germeyi veya kasmayı (örn; izometrik kas kasılması) öğrenmesi gerekir. Bu kas atrofisini azaltır ve kas gücünü kazandırır. Hemşire bacak alçısı olan bir hastaya dizinden aşağı doğru bastırmasını, kol alçısı olan hastaya da yumruk yapmasını öğretir. Kas egzersizleri (Örn; kuadriseps ve gluteal kas egzersizleri) yürüme için gerekli kasları kazanmada önemlidir (Çizelge 58.10). İzometrik egzersizler hastanın uyanık olduğu her saat başı yapılmalıdır. (Şekil 58. 39)

Çizelge 58.10 : Kas Egzersizleri

İzometrik kas kasılmaları kas kitlesini ve gücünü koruyarak atrofiyi önler.

Kuadriseps Egzersizleri:
* Hasta sırt üstü (supin) pozisyonda bacak ekstansiyonda yatırılır.
* Hastaya ön kalça kaslarını kullanarak dirence karşı dizini geriye doğru itmesi söylenir.
* Hastanın pozisyonu beşon saniye koruması sağlanır.
* Hastaya gevşemesi söylenir.
* Uyanık olduğu her saat başı egzersiz on kez tekrarlatılır.

Kalça (Gluetal) Egzersizler:
* Mümkünse hasta sırt üstü (supin) pozisyonda bacak ekstansiyonda yatırılır.
* Hastaya kalça (gluetal bölge) kaslarını kasmasını söylenir.
* Durumunu beş-on saniye korumasını sağlanır.
* Hastaya gevşemesi söylenir.
* Uyanık olduğu her saat başı egzersizi on kez tekrarlatılır.

Kas İskelet Sistemi

Şekil 58.39: Kuadriseps Egzersizi: Hasta sırtüstü yatar pozisyonda iken ameliyat olan taraf bacağı düz olacak biçimde yere konur. Diz eklemi yere doğru baskı yapacak biçimde kasılır. Diz ekleminin yukarısında kalan kasın (kuadriseps) kasıldığı hissedilmelidir. Kas kasılı biçimde beş saniye beklendikten sonra kasılma sonlandırılır ve beş saniye gevşemiş olarak beklenir. Sonra hareket tekrarlanır. Hekimin önerdiği sayıda yapılmalıdır.
Kaynak: http://lokman.cu.edu.tr/ercan/hastalar/Arthroscopy.htm

Ev ve Toplum Temelli Bakımın Sağlaması

Hastanın Kendine Bakmasının Öğretilmesi: Vücudun bir bölümü hareketsizleştiğinde bireylerin kendilerine bakmasında sorun ortaya çıkar. Hemşire hastanın kişisel bakımına aktif olarak katılmasına ve yardımcı aletleri güvenle kullanmasına yardımcı olmalıdır.

Hemşire hastanın kişisel bakım alanındaki yetersizlikleri tanımlamasına ve günlük yaşam aktivitelerini bağımsız olarak yapabilmesini sağlayacak stratejiler geliştirmesine yardımcı olmalıdır (Çizelge 58.11). Günlük yaşam aktivitelerin planlanması ve uygulanmasına hastanın katılımı kişisel bakım, bağımsızlık, kontrol sağlama ve psikolojik reaksiyonlar (Örn; depresyon) önlenmesi yönünden önemlidir.

Alçılı hasta eğitimi

Hemşire alçılı hasta eğitiminde aşağıdaki konulara yer vermelidir. Hastaya;

- Olabildiğince hareket etmesi ancak ekstremiteyi aşırı kullanmaktan, ıslak ve kaygan zeminde veya kaldırımda yürümekten kaçınması
- Egzersizleri planlandığı biçimde düzenli olarak yapması
- Şişmeyi önlemek için alçılı ekstremiteyi sık sık yukarı kaldırması
- Alçının altındaki deriyi kaşımaktan kaçınması (Kaşıma ile deride sıyrıklar ve yaralar oluşabilir. Kaşınma olduğunda saç kurutma makinesinin soğuk havası kaşıntıyı azaltmada yararlı olur)
- Alçının düzensiz olan kenarlarına koruyucu ped yerleştirmesi
- Alçıyı kuru tutması ancak plastik veya lastikle kaplamaması (Plastik veya naylon ile alçının sarılması yoğunlaşmaya neden olarak alçıyı ve deriyi nemlendirir, nem ıslaklığa neden olur, ıslaklık alçıyı yumuşatır. Islanmış alçıda deri sorunlarını önlenmesi için saç kurutma makinesinin soğuk ayarında kurutulur).

- Hekime haber vermesi gereken durumlar: ağrı kesicilerle geçmeyen ağrı, yukarı kaldırmayla azalmayan şişme, duyu değişiklikleri, parmakları oynatamama, deri ısı ve renginde değişiklik, sıcak noktalar ve basınç alanlarında oluşacak kokular.
- Alçıda kırık oluştuğunda sağlık kurumuna gelmesi, kendisinin onarmaya çalışmaması konularında eğitim yapılır.

Çizelge 58.11: Alçılı Bir Hastanın Evdeki Bakımı İçin Rehber

Ev bakımı ile ilgili eğitim programı tamamlandığında hasta veya bakıcı aşağıdakileri yapabiliyor olmalıdır.
• Alçı kurumasını hızlandırıcı teknikleri tanımlıyor olmalıdır (örn; üzerini örtmeme, açık havada bırakma, alçı ıslandığında elin ayasıyla tutma ve alçıyı keskin kenarlara veya sert yüzeylere dayamama)
• Ağrı ve şişme kontrolüne yaklaşımları tanımlayabilmeli (alçılı ekstremiteyi kalp düzeyine kaldırma, aralıklı buz torbasını uygulama, önerildiği biçimde ağrı kesici kullanma)
• Ağrı kesicilerle ve alçılı ekstremitenin kaldırılmasıyla geçmeyen ağrıyı bildirmesi gerektiğini öğrenmiş olmalı (yetersiz doku perfüzyonunu kompartman sendromu veya basınçyarasının göstergesi olabilir)
• Yer değiştirme becerisini kazanmış ve davranışlarında gösterebilmeli (Örn; yataktan sandalyeye geçme)
• Harekete yardımcı araçları güvenle kullanabilmeli
• Hasar görmüş ekstremiteyi fazla kullanmaktan kaçınabilmeli, ağırlığa dayanma sınırlarını gözleyebilmeli
• Alçıya bağlı oluşabilecek küçük irritasyonlarda gerekli önlem ve girişimleri öğremiş ve yapabiliyor olmalı (örn; alçının kenarlarında oluşabilecek deri iritasyonlarında kenarları pedlerle destekleme, kaşıntı için saç kurutma makinesinden soğuk hava üfletmek vb.)
• Kullanmama sendromunu en aza indirmek ve dolaşımı sağlamak için önerilen egzersizleri öğrenmeli ve yapabilmeli
• Yan etkiler ile ilgili belirtiler için gerekli izlemi yapabilmeli ve belirtiler görüldüğü zaman hemen hekime haber verileceğini bilmeli (Örn; şişme, ağrı, soğuk ve soluk el ya da ayak parmakları, parestezi, paralizi, alçıyı boyayan akıntı, sistemik enfeksiyon bulguları, alçı kırıkları vb.)
• Alçı çıkarıldıktan sonra ekstremitenin bakımını nasıl yapılacağını bilmeli ve uygulayabilmeli (örn; deri bakımı, kullanılmama sendromundan ektremiteyi korumak için normal aktivitelerin geri kazanılması, şişmenin engellenmesi)

Hemşire sonuçta ne beklediğini açıklayarak alçı çıkarılması veya değiştirilmesi için hastayı hazırlar (Çizelge 58.12) Alçı çıkarılacağı zaman titreşimli bir alçı kesici ile kesilir. Hasta bu sırada titreşimi ve basıncı hissedebilir. Kesici hastanın derisine zarar verecek kadar derine gitmez. Alçı altındaki pedler makasla kesilir. Alçılı vücut bölümü sert, kullanılmamaya bağlı zayıf ve atrofik görülebilir. Birkaç haftalık hareketsizlik sonrası bile aşırı katılık oluşabilir. Birikmiş ölü deri nedeniyle pul pul olan ve kuruyan deri kaşınmayla kolayca zedelenebilir. Deri dikkatlice yıkanır ve yumuşatıcı bir losyonla nemlendirilir. Hemşire ve fizik tedavi uzmanı önerilen tedavi planı kapsamında aktivitelerini büyük ölçüde geri kazanmayı hastaya öğretir. Hastanın eklem hareketlerini yeniden kazanmasına yardım edecek egzersizler açıklanır ve gösterilir. Kaslar kullanılmamaya bağlı zayıf olduğundan, alçıda kalan kısım normal streslere hemen karşı koyamaz. Ek olarak, hemşire alçı çıkarıldıktan sonra ekstremitesinde şişme devam eden hastaya normal kas tonüsünü kazanıncaya kadar ve şişme kontrol edilinceye kadar ekstremiteyi yukarı kaldırmasını söylemelidir.

Değerlendirme / Beklenen Hasta Sonuçları
1. Tedavi planını anlamış
   a. Etkilenen ekstremiteyi kaldırıyor
   b. Anlatılan biçimde egzersiz yapıyor
   c. Alçıyı kuru tutuyor
   d. Gelişen herhangi bir sorunu bildiriyor
   e. Kontrollere düzenli gidiyor.
2. Daha az ağrı bildiriyor
   a. Alçılı ekstremiteyi kaldırıyor
   b. Kendine pozisyon verebiliyor
   c. Duruma göre ağızdan ağrı kesici kullanıyor
3. Hareketlerini arttırabiliyor
   a. Yardımcı araçları güvenle kullanıyor
   b. Kas gücünü arttırmak için egzersiz yapıyor
   c. Sık sık pozisyon değiştiriyor
   d. Alçılı olmayan eklemleri hareket sınırları dahilinde çalıştırıyor
4. Sıyrık ve yaraları iyileşiyor
   a. Lokal enfeksiyon bulgusu görülmüyor (Örn; lokal rahatsızlık, akıntı, alçıda lekelenme ya da kötü koku)
   b. Enfeksiyona ait sistemik bulgu göstermiyor
   c. Alçı çıkarıldığında deri sağlam ve iyi durumda
5. Etkilenen ekstremite için yeterli sinir ve damar fonksiyonu sağlıyor.
   a. Deri rengi ve ısısı normal
   b. Şişme çok az
   c. Kapiller yeniden dolum testi tatmin edici
   d. Alçılı bölge altında aktif parmak hareketi var
   e. Alçılı vücut bölümüyle ilgili normal duyular mevcut
   f. Ağrı kontrol edilebilir düzeyde
6. Yan etki gelişmemiş.
   a. Alçılı ekstremitenin sinir damar durumu normal basınç yaraları oluşmamış
   b. Kas kaybı minimal

7. Kendisine bakabiliyor
   a. Çok az yardımla veya bağımsız olarak günlük bakımını yapabiliyor
   b. Günlük aktiviteleri çok az yardımla veya bağımsız yapabiliyor
   c. Önerilen egzersiz planını uygulayabiliyor.

Özel Alçı Uygulamalarında Hemşirelik Yönetimi
Kol Alçılarında Hemşirelik Yönetimi
Kol alçısı uygulanan hastada şişme ve ödemi kontrol altına almak için hemşire alçıda olan kolu kalp düzeyinde yukarı kaldırır. Hasta hareket etmeye başladığında kol askısı kullanılabilir. Kol askısı boyun ve omurga sinirleri üzerinde gerilimi önlemek için taşıdığı yükü ensenin arkasına değil geniş bir alana yaymalıdır. Hemşire hastayı kolunu askıdan çıkararak sık sık kaldırması konusunda yönlendirmelidir.

Şişme, morarma (siyanoz) ve parmakları oynatamama gibi yakınmalar eldeki dolaşım bozukluğunun bulguları olabilir. Koldaki azalmış dolaşımın ciddi bir etkisi bir tür kompartman sendromu olan Wolkman sendromudur. Önkola ve ele gelen arteriyel kan akımının azalması sonucu parmaklarda ve bilekte kontraktür gelişir. Hasta parmaklarını açamaz, geçmeyen ağrı, pasif gerilimle oluşan ağrı tanımlar ve elde dolaşım bozukluğu yakınmaları olur. Gerekli girişim hemen yapılmazsa birkaç saat içinde kalıcı hasar gelişebilir.

Bu ciddi yan etki dikkatli hemşirelik bakımı ve uygun hasta izlemi ile önlenebilir. Hemşire sinir ve damar durumunu sık sık kontrol etmeli, gerektiğinde alçı ve sargıları rahatlatmak için alçıyı keserek kompartman sendromunu önlemedir. Damar durumunu iyileştirmek için fasyotomi gerekebilir.

Bacak Alçılarında Hemşirelik Yönetimi
Bacak alçısının uygulanması hastada bir dereceye kadar hareketsizlik yaratır. Bacağa uygulanan alçı dize kadar uzanan kısa bir bacak alçısı veya kalçaya uzanan uzun bir bacak alçısı olabilir. Taze alçı üzerinde çentik veya bozulma oluşturmayacak biçimde tutulmalıdır. Bacak alçısı uygulanan hastada hemşire şişmeyi kontrol etmek amacıyla hastanın bacağını yastıkla destekleyerek kalp düzeyine yükseltir. Kırık bölgeye bir-iki gün boyunca buz paketleri ile soğuk uygulama yapar. Hastaya oturduğunda bacağını kaldırmasının gerekliliği anlatılır.

Ayrıca venöz dönüşü sağlamak ve şişmeyi kontrol emek için hastaya gün içinde sırtüstü yatması ve bacağını yukarı kaldırması söylenir. Hemşire hastanın parmaklardaki dolaşımını renk, ısı ve kapiller dolumu kontrol ederek değerlendirir. Hastanın parmaklarını oynatabilme yeteneği gözlenerek ve ayaktaki duyusal değişiklikler kontrol edilerek fonksiyonlar değerlendirilir. Fibula başına uygulanan basınç sonucu perineal sinir hasarına bağlı duyu azalması, sızlama ve yanma olabilir.

Vücut Alçısı veya "8" Tipi Alçılarda Hemşirelik Yönetimi

Vücudu ve ekstremitelerin bir veya iki bölümünü kaplayan "8" tipi alçılar özel cerrahi işlemlerden sonra kullanılır. Vücut alçıları genellikle omurgayı sabitlemek için kullanılır. Kalça "8" tipi alçıları bazı femur kırıkları ve kalça eklemi ameliyatlarından sonra kullanılır. Omuz "8" tipi alçıları ise bazı humerus boynu kırıklar için kullanılır. Vücut ve "8" tipi alçılarda hemşirenin sorumluluğu hastayı hazırlamak, pozisyon vermek, deri bakımı, günlük bakıma yardım etmek ve hastaya alçı uygulandıktan sonra yakından

> **Dikkat!:** Basınç sonucu oluşan perineal sinir hasarı düşük ayağa neden olur. Buna bağlı olarak hasta ayağını sürüyerek yürür.
>
> Hemşire alçı sert ve kuru olduğunda, hastaya nasıl yer değiştireceğini ve yardımcı araçları (Örn; koltuk değneği, yürütücü) nasıl güvenle kullanacağını anlatmalıdır. Önerilecek yürüyüş şekli hastanın ağırlığa dayanıp dayanamayacağına göre değişir. Eğer alçı üzerinde ağırlığa izin verilirse vücut ağırlığına dayanacak biçimde alçı güçlendirilir. Alçılı ayağa giyilecek bir alçı botu geniş ve kaymayan bir yürüyüş yüzeyi sağlar.

izlemektir. Büyük bir alçının içine girmekle ilgili hastanın korkularını azaltmak için işlemin açıklanması yararlıdır. Hemşire hastaya uygulama sırasında birçok kişinin yardımcı olacağı, incinen alana yeterli desteğin sağlanacağı ve olabildiğince nazik ve yumuşak davranılacağı konusunda bilgi vermelidir. Bilgilen-dirme ve uygun ağrı kontrolü alçı uygulanırken hastanın da işleme katılımını sağlar.

Alçının kırılması veya çentiklenmesi hastanın yumuşak bir zemin ve yumuşak su geçirmez yastıklarla desteklenmesiyle önlenir. Hemşire yastıkları yan yana dizer, yastıklar arasındaki boşluklar ıslak alçının sarkarak zayıflamasına ve olasılıkla kırılmasına neden olur. Vücut alçısı olan bir hastanın başının ve omuzlarının altına yastık konulmamalıdır. Yastıklar alçı kururken göğüs kafesi üzerinde basınca neden olabilir. Hemşire basıncı azaltmak ve alçının kurumasını sağlamak için hastayı bir bütün olarak incinmeyen tarafa doğru iki saatte bir çevirir. Hastanın alçı içindeki vücut bölümünü kıpırdatmamak önemlidir. Hasta çevrilirken yeterli sayıda personel (en az üç kişi) gereklidir. Böylece hassas noktalardan kırılmayı önlemek için ıslak alçıya el içi ile yeterli destek sağlanabilir. Hemşire kısıtlanmadığı sürece bir trapez veya yatak çerçevesi kullanarak hastanın pozisyonunu değiştirmesine yardım eder. Vücut alçısı içine yerleştirilen sabitleyici abdüksiyon çubuğu dönerken kullanılmamalıdır. Hemşire vücutta basınçalanları yaratmayacak biçimde yastıklarla destek sağlamalıdır.

Hasta tolere edebilirse, bronşiyal sekresyonların postural akıntı sağlamak ve sırta binen basıncı azaltmak için hastayı yüzüstü pozisyona döndürülür. Karın altına yerleştirilen küçük bir yastık rahatlığı arttırır. Ayak parmaklarının baskıya uğramasını engellemek için ayakların altına uzunlamasına bir yastık yerleştirilebilir veya ayaklar yatağın ucunda askıya alınacak biçimde yerleştirilebilir.

Hemşire, irritasyon bulguları açısından alçının kenarlarını sık sık kontrol etmelidir. Alçı altındaki deriyi izlemek için alçı biraz çekilebilir veya ışık kullanılabilir. Parmaklar ile alçı altındaki deriye masaj yapılabilir. Yeterli günlük temizliğin sağlanabilmesi için perineal açıklık yeterince büyük olmalıdır. Alçının kirlenmemesi için hemşire alçının altına plastik bir örtü yerleştirilebilir. Dışkılama ve idrar yapmada kırık sürgüleri normal sürgülere göre daha kolay kullanılabilir.

Büyük alçılar içinde hareketsiz kalan hastalarda alçı sendromu gelişebilir yani kısıtlılığa gösterilen psikolojik ve fizyolojik tepkiler olabilir. Psikolojik tepki klastrofobik bir reaksiyona benzer. Hasta davranış değişiklikleri ve otonom tepkilerle (örn; solunum hızında artma, diaforez pupil dilatasyonu, kalp hızında artma, tansiyonun yükselmesi) karakterize bir akut anksiyete reaksiyonu gösterebilir. Hemşire bu bulguları iyi değerlendirmeli ve hastanın kendisini güvende hissedeceği bir ortam hazırlamalıdır.

Fizyolojik tepkiler alçı içindeki hareketsizliğe bağlıdır. Azalan fiziksel aktiviteyle birlikte sindirim sisteminde motilite azalır, bağırsaklarda gaz birikir, bağırsak içi basınç artar ve ileus oluşabilir. Karında gerginlik (distansiyon) bulantı kusma görülebilir. Diğer ileus nedenlerinde olduğu gibi, hasta dekomprasyonla (aspirasyona bağlı nazogastrik tüp) ve damar içi sıvı verilmesiyle tedavi edilir. Alçı karnı sınırlıyorsa karın penceresi genişletilmelidir. Bağırsak sesleri geri döndükten sonra hasta yavaş yavaş oral alıma geçebilir. Çok sıkolmamakla beraber gerginlik süperior mezenterik arter üzerinde traksiyon uygulayarak barsak beslenmesini bozabilir. Bu durum süperior mezenterik arter sendromu olarak tanımlanır. Bağırsakta kangren olabilir ve cerrahi girişim gerekebilir. Hemşire büyük bir vücut alçısı olan hastanın bağırsak seslerini dört-sekiz saatte bir izleyerek kaydetmeli ve gerginlik, bulantı ve kusmayı hekime bildirmelidir.

Vücut veya "8" tipi alçısı olan hastalar çoğunlukla evde izlenir. Hemşire hasta bakımı konusunda aile üyelerine bilgi vermelidir. Bu kapsamda günlük temizlik, deri bakımı, uygun pozisyon, yan etkileri önleyecek ve tanımayı sağlayacak bilgiler verilmelidir. (Şekil 58. 41)

Fiksatörü ve Kuşağı Olan Hastanın Hemşirelik Yönetimi

Fiksatör istenen vücut bölümünü fonksiyonel bir pozisyonda sabitlemek ve desteklemek için kullanılmaktadır. Alçıdan veya katlanabilir, biçimlendirilebilir termoplastik materyallerden oluşan fiksatörler, sert, hareket gerekmeyen, şişmenin beklendiği, özel deri bakımı gerektiren hastalarda kullanılabilir. Basınç yaralarını, deri sıyrılmalarını ve kesilerini önlemek için altına ped yerleştirilmedir. Üzeri spiral biçimde ve basıncı eşit dağıtıp dolaşım engellemeden elastik bandajla sarılır. Fiksatör uygulanan hastalarda hemşire sık sık sinir damar durumunu değerlendirmeli ve deri bütünlüğünü kontrol etmelidir. Yaralanan vücut kısmının sabitlenmesinde yumuşak fiksatörler kullanılabilir. Genellikle ekstremite elastik bandajla sarılır ve bir pedle birlikte fiksatör yardımıyla sabitlenir. Sert immobilizasyon uygulanmaz. Hemşire deri bakımı yapar ve şişmeye yönelik önerilerde bulunur.

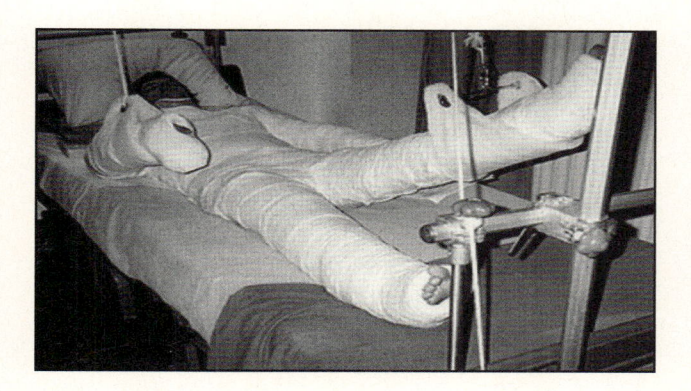

Şekil 58.41: Tüm vücut alçısı
Kaynak:http://www.anatomorphex.com/picts/makeup/MU026_FULL_BODY_CAST.jpg

Kuşaklar (ortezler) destek ve kontrollü hareket sağlamak ve ek incinmeyi önlemek için uzun dönem kullanımda kullanılır. Kuşaklar plastikten, çadır bezinden, deri veya metalden yapılabilir. Pozisyona, harekete ve uygulanacak bölgeye göre ayarlanabilir. Hemşire kuşağın uygulanmasında ve derinin irritasyon ve yaralanmasını önlemesinde hastaya yardım eder. Hemşire ayrıca sinir damar durumunu ve deri bütünlüğünü değerlendirmelidir. Hastanın kuşağı önerildiği biçimde takmasını sağlamalı ve kuşağın ortez protez uzmanı tarafından ayarlamasının rahatlığı arttıracağını ve uzun dönem kullanımda çıkabilecek sorunları azalttığını hastaya anlatılmalıdır. (Şekil 58. 43)

Dışarıdan (Eksternal) Fiksatörü Olan Hastanın Hemşirelik Yönetimi

Dışarıdan (eksternal) fiksatörler yumuşak doku hasarı olan açık kırıklarda kullanılır. Ciddi parçalı kırıklar için destek sağladığı gibi yaralanan yumuşak dokunun da aktif tedavisine olanak sağlar. Humerus, önkol, femur, tibia ve pelvisin komplike kırıkları eksternal fiksatör ile tedavi edilir. Kırık kemiğe konulan vidalarla kırığın hareketi önlenir.

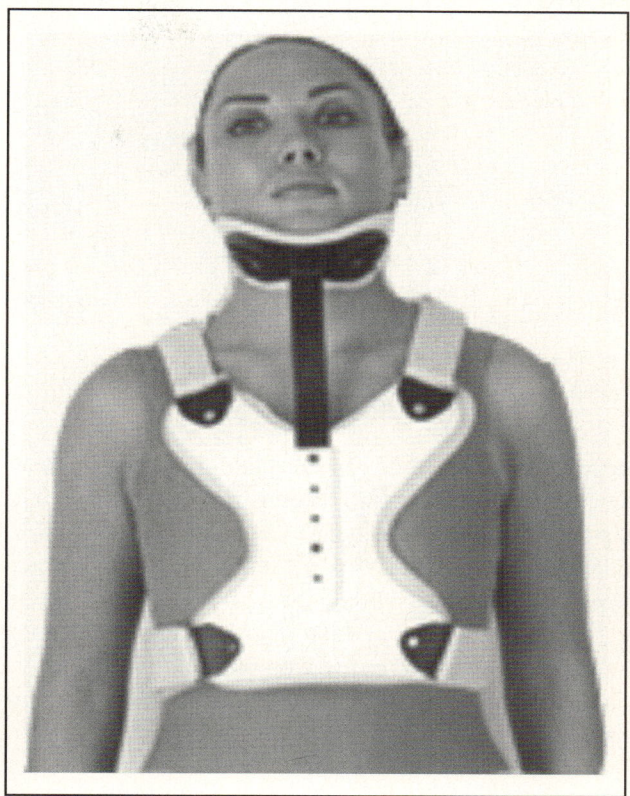

Şekil 58.42: Ortez
Kaynak:http://www.tunctibbiurunler.com.tr/korse/250.jpg

Vida pozisyonu bağlı olduğu taşınabilir bir çerçeve ile hareketsizleştirilir. (Şekil 58.43)

Dışarıdan fiksatörü olan hastanın rahatlığını erken hareket ve komşu eklemlerin erken hareketini hızlandırır. Yanlış kullanıma ve hareketsizliğe bağlı yan etkiler en alt düzeydedir. Dışarıdan fiksatör uygulamasından önce hasta psikolojik olarak hazırlanmalıdır. Araç hastayı korkutabilir. Araçla ilgili rahatsızlığın çok az olacağı ve erken hareket etmenin sorunları azaltacağı yönündeki destek aracın kabullenilmesini kolaylaştırır.

Dışarıdan fiksatör uygulandıktan sonra şişmeyi azaltmak için ekstremite kalp düzeyine kaldırılır. Fiksatörde veya vidalarda keskin noktalar varsa buralar kaplanarak yaralanma engellenir. Hemşire ekstremitenin sinir ve damar durumunu her iki-dört saatte bir izlemeli ve vida bölgelerini kızarıklık, akıntı, gerginlik ağrı ve vida gevşemesi açısından değerlendirmelidir. Vida bölgelerinden biraz seröz akıntı olabilir. Hemşire aracın deri, sinirler

> **Dikkat!:** Hemşire dışarıdan fiksatöre hiçbir zaman klemp koymaz. Bunu yapmak hekimin görevidir.

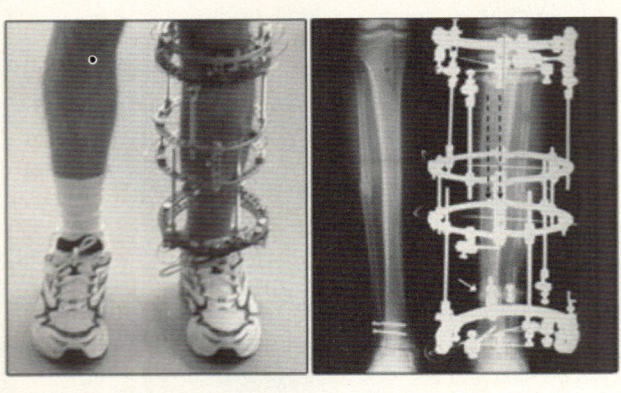

Şekil 58.43: Eksternal fiksatör
Kaynak: http://www.osteomyelitis.com/images/tibia_lengthen.jpg

veya damarlar üzerinde basıya bağlı oluşturacağı sorunlar açısından dikkatli olmalı ve kompartman sendromu gelişip gelişmediğini izlemelidir. Vida çevresi enfeksiyonunu önlemek için hemşire vida bakımını önerildiği biçimde yapar. Steril saline solüsyonuyla pamuk aplikatörler ile ayrı ayrı günde üç kez vidaları temizler. Vida alanlarında kabuk oluşmamalıdır. Enfeksiyon bulguları varsa, vida ya da klemplerde gevşeme varsa hemşire hekime haber vermelidir.

Hemşire hastaya belli sınırlar içinde izometrik ve aktif egzersizler yaptırır. Şişme azaldığında hemşire hastanın önerilen ağırlık limitleri içinde hareket etmesine yardımcı olur. Ağırlık yönergelerine uymak kemiğe gerginlik uygulandığında vidaların gevşemesi riskini en alt düzeye indirir. Yumuşak doku iyileştikten sonra fiksatör çıkartılır. Kırığın iyileşmesi için alçı veya kuşakla ek bir fiksasyon gerekebilir.

İlizarov eksternal fiksatör'ü angülasyonu ve rotasyon defektlerini düzeltmek, ayrılmaları tedavi etmek (kemik parçalarında iyileşme defekti) ve uzuvları uzatmak için kullanılan özel bir araçtır. Kablolar teleskop çubukları ile birleştirilerek fiksatör halkalara bağlanır. Kemik oluşumu günlük uygulanan teleskop çubuklarıyla hızlandırılır. Bunların nasıl uygulanacağını ve deri bakımını hastaya anlatılmalıdır. Genellikle hemşire ağırlık uygulamasına yardımcı olur. İstenen düzeltme yapıldıktan sonra ek bir ayarlama yapılmaz ve kemik iyileşene kadar fiksatör yerinde bırakılır (Şekil 58.45).

Ev Ve Toplum Temelli Bakımın Sağlanması

Hastaya kendine bakımının öğretilmesi: Hemşire hastaya önerilen biçim ve protokole uygun vida bölgesi bakımı yapmayı, kızarıklık, ağrı, akıntıda artmayı, ateş gibi enfeksiyon bulgularının hemen bildirmesi gerektiğini anlat-malıdır. Hasta ve ailesinin sinir damar durumu izlemelerini ve değişimleri hemen hekime bildirmeleri gerektiği konusunda bilgi vermelidir. (Çizelge 58.12)

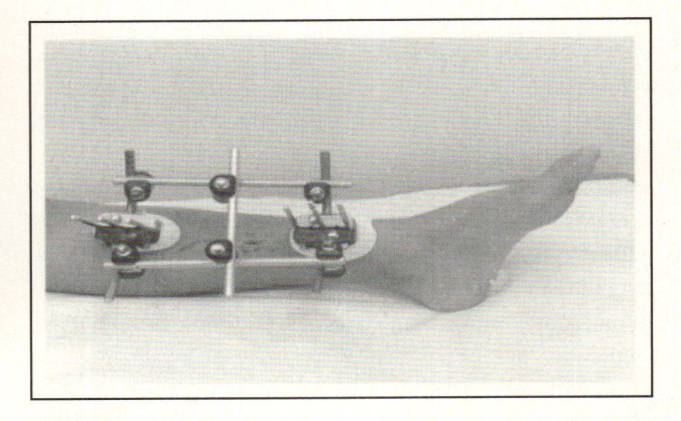

Şekil 58.44: Fiksatör
Kaynak: http://www.rch.org.au/emplibrary/limbrecon/Hoffman_fixator.jpg

Hasta veya aile üyelerinden birinin fiksatör bütünlüğünü her gün izlemesi ve gevşeyen vida veya klempleri bildirmeleri istenir. Hastanın nasıl yer değiştireceği, yardımcı araçları nasıl kullanılacağı ve ağırlık dayanma limitlerine göre nasıl ayarlanıp yürüyüş şekline adapte edileceği konusunda fizik tedavi yardımcı olabilir.

Traksiyondaki Hastanın Bakımı

Traksiyon kırık redüksiyonunu sağlamak için vücuda mekanik çekme işleminin uygulanmasıdır. Traksiyon kas spazmını azaltmak, kırıkları düzeltmek, kırık kemik uçlarının hareketini önlemek (immobilize etmek), şekil bozukluğunu azaltmak, eklem içindeki ters yüzeyler arasındaki boşluğu arttırmak için kullanılır. Traksiyon ile bir vücut bölümüne güç uygulanır. Traksiyon tedavi edici etkiyi sağlamak için istenilen yönde ve büyüklükte uygulanabilir. (Şekil 58. 46) Traksiyonun etkili olabilmesi için uygun yönde ve güçte uygulamalıdır. Bazen istenen çekme yönünün yakalanması için birden fazla yönde traksiyon uygulanması gerekebilir. Bu durumda bir çekme yönü diğerini dengeler. Bu çekme yönleri güç vektörleri olarak bilinir. Gerçek çekme yönü, her iki çekme hattının ortasındadır (Şekil 58.45).

Traksiyonun etkinliği radyografi ile değerlendirilir ve gereken ayarlamalar yapılır. Kas ve yumuşak dokular rahatladıkça istenen etkinin sağlaması için uygulanan ağırlık ayarlanabilir. Traksiyon, dış ya da iç fiksatör gibi diğer tedavi yöntemlerine geçinceye kadar uygulanan kısa süreli bir girişimdir. Traksiyon kullanmama sendromunu azaltır ve hastanede kalma süresini kısaltarak hastanın evde bakılmasına olanak sağlar. Traksiyonun etkili olabilmesi

58. Kas İskelet Sistemi Hastalıkları

Çizelge 58.12: Dışarıdan Fiksatör'lü Hasta İçin Evde Bakım Rehberi

Evde bakım eğitiminden sonra hasta veya bakıcısı aşağıdakileri yapabiliyor olmalıdır
▶ Çivi bölgelerinin bakımını yapabilmeli
▶ Çivi bölgelerinde enfeksiyonu bulgularını saptayabilmeli (kızarıklık, ağrı, akıntıda artma) ve gerektiğinde bildirilmesi gerektiğini bilmeli
▶ Şişmeyi ve ağrıyı kontrol altına alabilecek yaklaşımları tanımlayabilmeli (ekstremiteyi kalp düzeyine kaldırmak, ağrı kesici almak)
▶ Yukarı kaldırma ve ağrı kesicilerle geçmeyen ağrıyı bildirmesi gerektiğini bilmeli (yetersiz doku perfüzyonunu, kompartman sendromu ya da vida enfeksiyonunun belirtisi olabilir)
▶ Güvenli bir biçimde yer değiştirebilmeli
▶ Yardımcı araçları uygun bir biçimde kullanabilmeli
▶ Ekstremiteleri aşırı kullanımından kaçınmalı, önceden saptanan ağırlık limitlerine uymalı
▶ Gerektiğinde hekime bildirmesi gereken yan etki bulgularını bilmeli ve saptayabilmeli (aşırı şişme, ağrı, soğuk ve soluk parmaklar, parestezi, paralizi, akıntı, sistemik enfeksiyon bulguları, vida ve klemplerin gevşemesi)
▶ Fiksatör çıkarıldıktan sonra ekstremitenin bakımını yapabilmeli (ekstremiteyi fiziksel etkenlerden korumak için normal aktivitelerin kısıtlanması)

köpük koyarak hastanın topuğunun köpük kalıbın topuk kısmına denk gelmesini sağlar. Sonra hemşire bacağın çevresini özel sargı veya elastik bandaj ile sarar. Köpük bot yerine elastik bandajla spinal olarak sarılmış traksiyon bandı da kullanılabilir. Uygulama sırasında basınçyaralarını ve sinir hasarını önlemek için malleol ve proksimal fibula üzerine baskıdan kaçınılır. Hemşire daha sonra ayak tabanına bağlı ipi yatağın ucuna bağlı makaraya geçirerek ağırlığa bağlar. Ağırlık cildin dayanabileceği kadar olmalıdır. Ekstremiteler için en fazla iki-üç kg. kullanılır. Pelvik

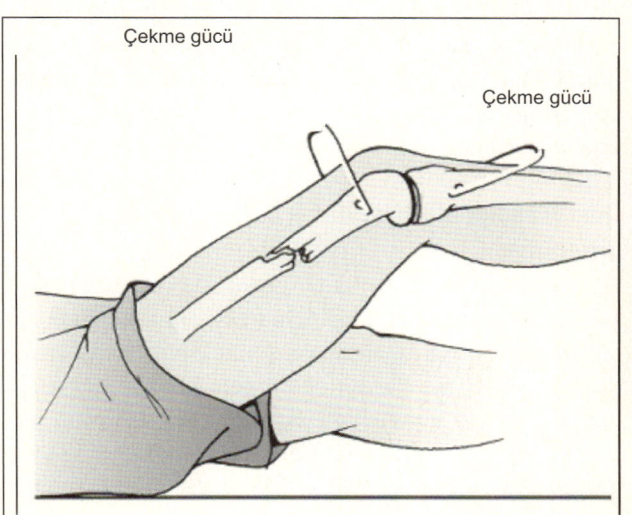

Şekil 58.45:
Şekil 59.46: Traksiyonda geçme güçleri

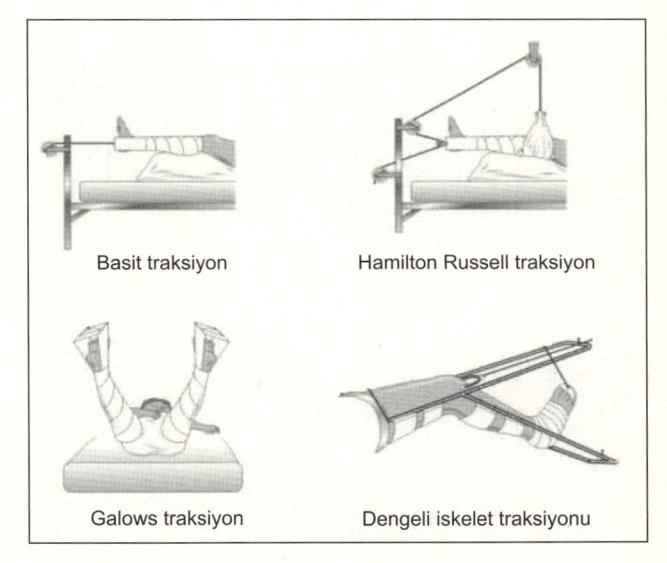

için kontraksiyonda (counter traksiyon) uygulanmalıdır. Kontraksiyon ters yönde uygulanan kuvvettir. Genellikle hastanın vücut ağırlığı ve yataktaki pozisyonu gerekli kontraksiyon kuvvetini sağlar.

•İpteki düğümler yatağın ucuna ya da deriye değmemelidir

Traksiyonun birçok tipi vardır. Düz veya sürekli traksiyon'da hasta yatakta uzanırken düz bir hat boyunca güç uygulanır. Buck'un ekstansiyon traksiyonu düz hat traksiyonuna örnektir. (Şekil 38. 47) Dengeli süspansiyon traksiyonu etkilenen ekstremiteyi yataktan kaldırır ve çekme hattını etkilemeden hastanın sınırlı hareketine olanak verir.

Traksiyon deriye veya direk olarak kemiğe uygulanabilir. Uygulama biçimi traksiyonun amacına bağlıdır. Traksiyon elle uygulanabilir. (manüel traksiyon). Bu alçı uygularken yapılan geçici bir traksiyon'dur. Kalıbı ile deri desteklenirken traksiyon araçları da ayarlanır.

Deri Traksiyonu

Deri (cilt) traksiyonu kas spazmlarını azaltmak ve ameliyat öncesi deri alanının hareketini kısıtlamak için kullanılır. Deri traksiyonu deriye bağlı bir traksiyon bandı ya da köpüğünün ağırlık yardımıyla çekilmesiyle yapılır. Uygulanacak güç derinin dayanma gücünü aşmamalıdır. (Şekil 58.48)

Buck traksiyonu uygulamak için bir hemşire ekstremiteyi kaldırıp desteklerken diğer hemşire de bacağın altına

Şekil 58.46: Traksiyon çeşitleri
Kaynak: http://www.healthatoz.com/healthatoz/Atoz/images/ency/00042922.jpg

1275

traksiyon için ise 4,5-9 kg. kullanılır. Ayrıca ağırlık hastanın kilosuna bağlı olarak değişebilir.

Olası yan etkiler: Deri traksiyonu sonucunda; deride yaralanma, sinir basısı ve dolaşım Yetersizliği gibi yan etkiler gelişebilir. Derideki ayrılma cilde uygulanan güçler ile irritasyon sonucu oluşan değişimin etkileşimin nedeniyle olur. Hassas ve kırılgan deri yapıları nedeniyle yaşlılar bu duruma daha yatkındırlar. Sinir basısı, periferik sinirler üzerindeki basınçtan kaynaklanır. Dizin hemen altında fibula boynunu geçtiği yerde perineal sinire uygulanacak basınçdüşük ayağa neden olabilir. Dolaşım Yetersizliği deride soğukluk, azalmış periferik nabızlar, kapiller dolma zamanın uzaması ve deride morumsu renk gibi bulgular ortaya çıkar. Ciddi bir dolaşım yetersizliği olan derin ven trombozu baldırda ağrı, şişme ve pozitif Human's bulgusu ile ortaya çıkar.

Deri traksiyonlu hastalar için hemşirelik girişimleri

Etkili Traksiyon'dan emin olma: Deri traksiyonun etkili olduğundan emin olmak için traksiyon bandajının katlamamasına, kaymamasına ve kontraksiyon uygulamaya dikkat edilmelidir. Bacağı nötral pozisyonda tutmak için uygun pozisyon verilmelidir. Kemik uçlarının birbiri üzerinde hareket etmesini engellemek için hasta yan dönmemelidir. Ancak yavaşça hafif olarak pozisyon değiştirebilir.

Olası yan etkilerin izlenmesi

Deri Yaralanması: Hemşire ilk değerlendirmede derinin hassasiyetini değerlendirmelidir. Hemşire aynı zamanda bant veya köpük ile temas eden derideki reaksiyonu yakından izleyerek uygulanan gücün dengeli olduğundan emin olmalıdır. Derinin, ayak bileğinin ve aşil tendonun gözlenmesi için köpük botlar günde üç kez çıkartılmalıdır. Bu işlem sırasında ikinci bir hemşireye gereksinim vardır. Traksiyon bantların altındaki gerginlik palpe edilerek her gün izlenmelidir. Özellikle sırt üstü pozisyonda yatmak zorunda olan hastalar basınç yarası yönünden risk altındadır. basınç yaralarının gelişmesini önlemek için her iki saatte bir pozisyon değişimi ve basıncı azaltan ve ya da gideren özel yataklar kullanılmalıdır.

Sinir Basısı: Deri traksiyonu periferik sinirler üzerinde basınç yaratabilir. Traksiyon alt ekstremiteye uygulandığında, dizin hemen altında fibula boynunu dolaştığı noktada perineal sinire basınç yapılmamaya dikkat edilmelidir. Bu noktadaki bir basınç düşük ayağa neden olabilir. Hemşire hastada duyu kontrolü yapar, ayak parmaklarını ve ayağını oynatmasını ister. Ayağın dorsi fleksiyonu perineal sinirin çalıştığının göstergesidir.

Dorsi fleksiyonun veya ayak hareketinin zayıflığı ve ayağı saran perineal sinir basısına işaret eder. Plantar fleksiyon tibial sinir fonksiyonunu gösterir. Traksiyondaki bir hastanın sinir basısı ile ilgili izleminde dikkat edilmesi gereken noktalar; duyu ve hareket düzenli olarak değerlendirmeli, traksiyon botu veya bandajı altındaki herhangi bir yanma duyusu hemen değerlendirilmeli, motor veya duyu değişiklikleri hemen hekime bildirilmelidir.

Dolaşım yetersizliği: Deri traksiyonu uygulandıktan sonra, hemşire 15-30 dakika içinde el veya ayak dolaşımını değerlendirir. Dolaşım değerlendirmesinde; periferik nabız, renk, kapiller dolum ve parmak uçlarının ısısı, baldır

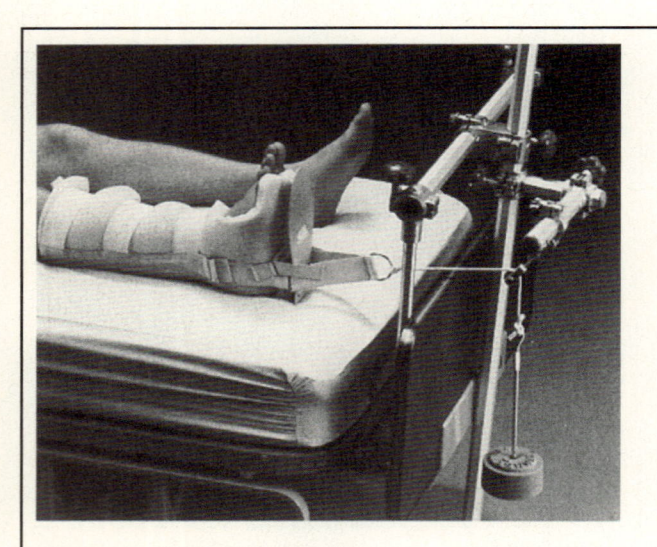

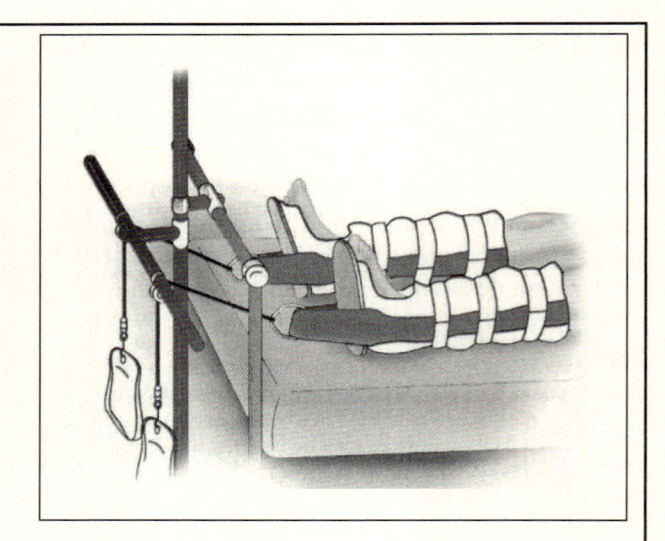

Şekil 58.47: Buck'un eksternal traksiyonu

ağrısı, şişme ve pozitif Human's bulgusu (ayak dorsi fleksiyona zorlandığında oluşan baldır ağrısı) gibi derin ven trombozu bulguları değerlendirilmelidir. Hemşire hasta uyanık olduğu zamanlarda saat başı aktif ayak egzersizleri yapmasını sağlamalıdır.

Kemik Traksiyonu

Kemik (iskelet) traksiyonu direk olarak kemiğe uygulanır. Bu traksiyon yöntemi femur, tibia ve servikal vertebra kırıklarının tedavisi için kullanılır. Traksiyon sinirlere, damarlara, kaslara, bağlara ve eklemlere dikkat ederek kırığın distaline yerleştirilen bir metal vida veya tel (Steinman çivisi, Kirschner teli) ile direk olarak kemiğe uygulanır. Başa uygulanan maşalar (Gardner-wells veya Vinke maşaları) servikal kırıkların hareketini engellemek ve traksiyon uygulamak amacıyla kafatasına fikse edilir. Ortopedik cerrah iskelet traksiyonu'nu cerrahi asepsi ile uygular. (Şekil 58. 48)

Giriş bölgeleri povidone iyot solüsyonu ve benzeri bir cerrahi temizleme solüsyonuyla silinerek hazırlanır. Giriş bölgesi ve periosta lokal anestezi uygulanır. Cerrah küçük bir deri kesisi yapar ve steril vida veya teli kemikten geçirir. Hasta işlem sırasında basınç ve periostan geçirirken biraz ağrı hisseder. Traksiyon takıldıktan sonra çivi veya tel traksiyon oku veya pergeline sabitlenir. Telin uçları hastaya veya bakım veren kişiye zarar vermemesi için bir mantar veya bantla kapatılır. Ağırlıklar vida veya telin tutunduğu kemiğe ip ve makara sistemi aracılığı ile bağlanarak yeterli miktarda ve uygun yönde etkili traksiyon sağlanır. Kemik traksiyonunda tedavi edici etki için sıklıkla 7-12 kg gereklidir. Başlangıçta uygulanan ağırlıklar kas spazmlarının azaltılmasını sağlamalıdır. Kaslar gevşedikçe kırık kaymasını (dislokasyonun) engellemek ve iyileşmeyi hızlandırmak için ağırlık azaltılır.

Kemik traksiyonu çoğunlukla etkilenen ekstremiteyi destekler, sınırlı hasta hareketine izin verir, etkili traksiyon sağlandığında hasta bağımsızlığını az da olsa sürdürür. femur kırıklarında uygulanan kemik traksiyonunda Pearson sabitlemesi ile birlikte Thomas desteği sıklıkla kullanılır Genelde hastaya hareket kolaylığı sağlamak için traksiyon yataklarına yatak üstü çerçeve kullanılır. Kemik traksiyonu çıkarıldığında, ağırlıklar kaldırılırken ekstremite yavaşca desteklenmelidir. Traksiyon çivileri hekim tarafından çıkarılır. İyileşmeyi desteklemek ve sabitlemek için daha sonra iç fiksasyon, alçı veya diğer destekler kullanılır.

Kemik traksiyonlu hastalar için hemşirelik girişimleri

Etkili Traksiyonun Sağlanması: İskelet traksiyonu uygulandığında hemşire aletleri inceleyerek iplerin makaralarda yerlerinde olup olmadığını, yıpranıp yıpran-madıklarını, ağırlıkların serbestçe asılı olup olmadığını ve düğümlerin güvenli olup olmadığını kontrol etmelidir. Hemşire hastanın pozisyonunu da kontrol etmelidir. Yataktaki kaymalar traksiyonun etkisini kaybetmesine neden olabilir.

Pozisyon verilmesi: Etkin bir çekme hattı oluşması için hemşire hastanın traksiyonun altındaki vücut pozisyonunu kontrol edip düzeltmelidir. Hastanın ayağının pozisyonu düzelterek ayak düşmesini (plantar fleksiyon), içe dönmesi (inversiyon) ve dışa dönmesi (eversiyon) engellemelidir. Hastanın ayağı ortopedik araçlar kullanılarak (ayak destekleri) nötral pozisyonda desteklenmelidir.

Deri yaralanmalarının önlenmesi: Hasta dirseklerinden güç alıp pozisyon değiştiriyorsa sıklıkla hastanın dirsekleri sıyrılır ve sinir hasarı oluşabilir. Hastalar genelde sağlam bacaklarının topuklarına basarak kendilerini yükseltirler. Yatak içinde topuğun batması yaralanmaya neden olabilir. Bu nedenle hemşire dirsek ve topukları korumalı, basınç alanlarını gözlemelidir. Dirsek ve topuk kullanmadan hareketin sağlanması için hastanın kolay ulaşabileceği bir

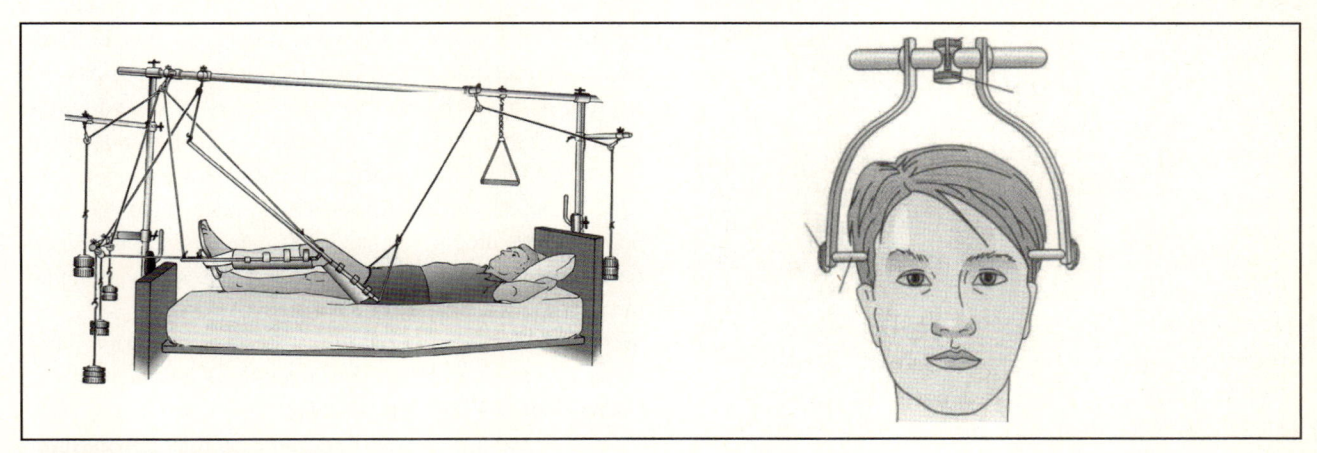

Şekil 58.48: Başa traksiyon uygulaması
Kaynak: Med surg http://connection.lww.com/Products/smeltzer10e/documents/Ch67/jpg/67_005.jpg

> **Dikkat!** Yaşamı tehdit yaratan bir durum oluşmadıkça hemşire kemik traksiyonundaki ağırlıkları çıkarmamalıdır. Ağırlıkların çıkarılması hastaya zarar verebilir.

çerçeve yatağın üzerine asılabilir. Bu araç hastanın yatakta daha rahat hareket etmesini sağlar. basınç oluşabilecek noktalar; kızarıklık ve deri bütünlüğünde bozulma bulgusu yönünden değerlendirilmelidir.

Alt ekstremiteye uygulanan traksiyon aracına bağlı basınca duyarlı bölgeler iskial tübeoasitas, popliteal boşluk, aşil tendonu ve topuktur. Hastanın yana dönmesine izin verilmiyorsa, hemşire sırt bakımı konusunda özel çaba göstermeli, yatağı kuru ve çarşafın kıvrımlarının düzeltilmiş olmasına dikkat etmelidir. Hasta başının üzerindeki trapezi tutarak ve kalçasını yataktan kaldırarak yardımcı olabilir. Hasta bunu yapamıyorsa, hemşire yatağa bastırarak sırta ve kemik çıkıntılar üzerine binen basıncı azaltır ve ağırlık merkezlerini değiştirir.

Havalı veya yüksek dansiteli köpük yataklar basınç yarası riskini azaltır. Yatak değiştirilirken hasta vücudunu kaldırır ve bu sırada yatak örtüsü değiştirilir. Hasta sırtüstü yattığında yatağın ayakucunun örtüsü düzeltilir. Hastanın üzeri ise traksiyonu engellemeyecek biçimde örtülür.

Sinir damar durumun izlenmesi: Hemşire hareketsiz ekstremitenin sinir damar durumunu başlangıçta her saat, daha sonrasında dört saatte bir değerlendirmelidir. Değerlendirmenin sağlıklı olabilmesi için tüm duyusal veya hareket sınırlılıklarını veya değişimlerini bildirmesi gerektiği hastaya söylenmelidir. Hareketsiz hastalar için derin ven trombozu önemli bir risktir. Hemşire venöz stazı azaltmak için hastanın fleksiyon-ekstansiyon egzersizlerini ve baldır kaslarının izometrik kasılma hareketlerini her saat başı on kez yapmasını sağlamalıdır. Tromboz oluşumunu önlemek için elastik çoraplar (varis çorapları), kompresyon araçları ve antikoa-gulan tedavi uygulaması yardımcı olur. Sinir damar sorunlarının gelişiminin hızla tanınması önemlidir.

Çivi bölgesinin bakımı: Çivi giriş yerindeki yara özel bakım gerektirir. Amaç enfeksiyonu ve osteomiyelit gelişimini önlemektir. Başlangıçta alan steril pansuman ile örtülür. Sonraki bakım bireysel olarak ayarlanır ve günde üç kez uygulanır. Hemşire bu bölgeyi temiz tutmalıdır. Biraz seröz akıntı olabilir ancak kabuklanma engellenmelidir. Hemşire çivi bölgesini değerlendirmede; kızarıklık, ağrı, akıntı gibi enfeksiyon bulgularını araştırmalıdır. Desteklenmeyen bir kas nedeniyle deride traksiyona bağlı ağrı hissedebilir.

Dikkat! Hemşire çivi bölgesini en az sekiz saatte bir izlemeli ve Enflamasyon ve enfeksiyon yönünden kontrol etmelidir. Kemik traksiyonu çivisi veya dış fiksatör çivisi olan hastalarda çivi bölgesinde enfeksiyon gelişmesini önlemek hemşirelik bakımı için önemlidir. Çivi bölgesi enfeksiyonları hastada osteomiyelit, gecikmiş kırık iyileşmesi, ağrı ve hastanede kalma sürenin uzamasına neden olur. Günümüzde enfeksiyonları önlemede etkinliği kanıtlanmış standart bir çivi bölge bakımı tanımlanmamıştır. Hemşirelik ve tıp kaynak-larının incelendiği bir çalışmada aşağıdaki sonuçlar önerilmiştir. Çalışmalara göre önerilen uygulamalar şunları içermektedir:

a) Temizlik solüsyonu olarak serum fizyolojik kullanılması
b) Temizlik sonrası bakım için merhem kullanılmasından kaçınılması
c) Yara kabuğu varsa kaldırılması
d) Pansumanda hastanede yatan hasta için steril teknik, taburcu olan hastalar için temiz teknik kullanılması
e) Çivi bölgelerine sargı uygulanması
f) Akıntı varsa günde üç kez, akıntı yoksa günde bir kez çivi bakımı yapılması önerilmektedir. (Şekil 58. 49)

Egzersiz yaptırılması: Traksiyonun izin verdiği ölçülerde egzersiz kas tonüsünün ve dolaşımın sağlanmasında yardımcı olur. Aktif egzersizler arasında yatak çerçevesine asılmak, ayağın ekstansiyon ve fleksiyonu, etkilenmeyen eklemlerin ağırlık-direnci ve hareket sınırı egzersizleri yer alır. Hareketsiz ekstremitenin izometrik egzersizleri (gluteal ve kuadriseps egzersizleri) hareketi sağlayan büyük kaslarının gücünün sağlanmasında önemlidir. Egzersiz yapılmazsa hastada kas kitlesi ve gücü kaybı olur, iyileşme süreci büyük ölçüde uzar.

Traksiyondaki Hastanın Hemşirelik Yönetimi

Hemşirelik tanılaması: Hemşire kas iskelet sorunları olan hastada traksiyonun ve hareketsizliğin yarattığı fizyolojik etkiyi değerlendirmelidir. Traksiyon hastanın hareketini ve bağımsızlığını kısıtlar. Aletin görüntüsü sıklıkla hastalarda korku yaratır. Bu nedenle hemşire hastanın anksiyete düzeyini değerlendirmeli ve traksiyona verdiği psikolojik tepkileri izlemelidir. Traksiyona alınacak vücut bölümünün ve sinir damar durumunun değerlendirilmesi (renk, ısı, kapiller dolum, ödem, nabız, hareket yeteneği ve duyular) ve diğer ekstremiteyle karşılaştırılması önemlidir. Hemşire deri bütünlüğünü de kontrol etmelidir. Traksiyondaki hastayı hareketsizlikle ilişkili sorunlar; basınç yaraları, staz pnomonisi, kabızlık, iştahsızlık, üriner staz, idrar yolu enfeksiyonu ve venöz staz yönündende sürekli değerlendirme gerekir.

Hemşirelik Tanıları: Hemşirelik değerlendirmelerine dayanarak saptanabilecek hemşirelik tanıları şunlardır:

Tedavi planına ilişkin yetersiz bilgi,
- Traksiyon aracı ve sağlık durumuyla ilişkili *anksiyete*
- Kas iskelet hastalığına bağlı akut *ağrı*

- Kendine bakamama: Beslenme, banyo/hijyen, giyim, tuvalet. *Bireysel bakımda yetersizlik.*
- İskelet-kas bozukluğuna ve traksiyon'a bağlı *yetersiz fiziksel hareket*

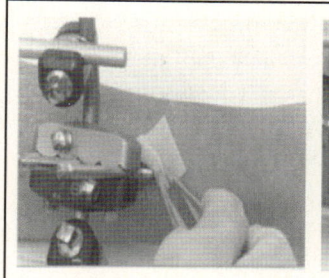

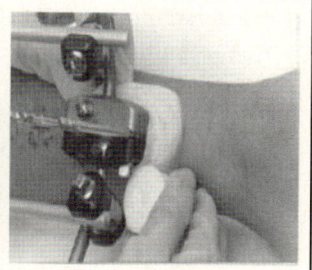

Şekil 58.49: Çivi bölgesi bakımı
Kaynak:http://www.rch.org.au/emplibrary/limbrecon/PIN-SITE_CARE.jpg

İlişkili Sorunlar/Olası Yan etkiler:
- Basınç yarası
- Pnömoni
- Kabızlık
- Anoreksia
- Üriner enfeksiyon ve staz
- Derin ven trombozu ile birlikte venöz staz

Hemşirelik Planlanması: Traksiyondaki hastanın bakımının planlanmasında temel amaçlar; tedavi planının anlaşılması, anksiyetenin giderilmesi, en üst düzeyde rahatlık ve bakım, hareket yeteneğinin en üst düzeye getirilmesi ve yan etkilerin azaltılmasıdır.

Hemşirelik Girişimleri:
Tedavi planının anlaşılması: Hasta tedavi edilen sorunu anlamalıdır. Hemşire gerekirse bilgileri tekrarlamalıdır. Tedavi daha iyi anlaşıldıkça hasta tedaviye daha aktif katılır.

Anksiyetenin giderilmesi: Traksiyondan önce hasta bu işlemin amacı ve aşamalarıyla ilgili bilgilendirilmelidir. Hemşire tedaviyi etkileyecek noktalarda verilecek kararlara hastanın da katılmasını sağlamalıdır. Hastanın kontrol duygusunun artması ilgiyi çeker ve işleme katılımı arttırır. Hemşire traksiyonlu hastayı sık sık ziyaret etmesi ile hastanın izolasyon ve tecrit duyguları hafifler. Aynı nedenle aile ve arkadaşlar da sık ziyarete gelmesi önerilmektedir. Hastalara traksiyon sınırlar içinde olmak şartıyla yatak içi hareketlerini attırmaları konusunda destek sağlanır.

Konforun sağlanması: Hasta yatakta hareketsiz olduğundan yatak yumuşak olmalıdır. basınç yaralarını en aza indirmek amacıyla üretilmiş özel yataklar veya basıncı azaltan yatak üstü özel malzemeler traksiyon'dan önce yatağa yerleş-tirilmelidir. Hemşire traksiyon sınırları içinde hastayı çevirerek ve pozisyon vererek ve çarşafın kuru ve kıvrımsız olduğundan emin olarak basıları azaltabilir.

Dikkat! : Hemşire traksiyon'daki hastanın her türlü rahatsızlık yakınmasını dikkatle incelemelidir.

Bakımın sağlanması: Hastanın başlangıçta kendine bakabilmek için yardıma gereksinimi olabilir. Hemşire hastanın günlük bakımına, yemeğe, banyo, giyim ve tuvalet gereksinimlerini karşılamaya yardımcı olur. Yardımcı araçlar (Örn; yatak üstü çerçeve) hastanın kendi bakımına katılımında yararlıdır. Hasta günlük bakım aktivitelerine katılımı arttıkça kendini daha az bağımlı ve daha fazla güvenli hissedecektir. Hemşire tüm süreçte hastanın gereksinim olduğu her zaman ona destek vererek hastanın bağımsızlığını kazanmasında rol alır.

Traksiyonda hareketin sağlanması: Traksiyon tedavisi sırasında traksiyonda olmayan eklem ve kasların çalıştırılması sağlanmalıdır. Fizik tedavi uzmanı tarafından hastaya uygun, kas gücü kaybını en aza indirecek yatak içi egzersizler ayarlanır. Hemşire, hastanın egzersiz sırasında traksiyon gücünün etkili ve pozisyonunun yan etkileri önleyecek biçimde ayarlanmış olmasını kontrol etmelidir.

Olası yan etkilerin İzlenmesi ve Yönetimi

Basınç Yaraları: Hemşire hastanın derisini basınç veya sürtünme belirtileri yönünden izlemeli ve kemik çıkıntıları üstündeki bölgelere dikkat etmelidir. Hastanın pozisyonunu gündüz 2 saatte bir değiştirmek ve basıncı azaltmak için koruyucu araçlar (Örn; dirsek koruyucular) kullanmak yararlıdır. Basınç yarası gelişme riski fazla olan hastalarda (örn; multipl travmalı veya yaşlı hasta) basıncı azaltan veya gideren özel destek yüzeylerin kullanılması yararlıdır.

Pnömoni: Hemşire solunum durumunu değerlendirmek için her dört-sekiz saatte bir hastanın akciğer seslerini dinlemelidir. Hastaya derin solunum ve öksürme egzersizlerini öğreterek akciğerlerin genişlemesi ve sekresyonların atılımı sağlanmalıdır. Hasta öyküsü ve temel veriler solunum sorunu gelişimi için yüksek riski işaret ediyorsa, özellikli tedaviler (Örn; spirometre) kullanılabilir. Solunum sorunu gelişirse önerilen tedavinin hemen uygulanması gerekir.

Kabızlık, Anoreksi: Sindirim sisteminde azalmış motilite konstipasyon ve anoreksiye neden olur. Mide motilitesinin arttırılması için liften ve sıvıdan zengin diyet önerilir. Kabızlık gelişirse dışkı yumuşatıcılar (laksatifler), fitiller ve lavmanlar uygulanabilir. Hastanın iştahını arttırmak için hastanın yiyecek tercihlerini öğrenilerek tedavi sınırları içinde bunların sağlanmasına yardımcı olunmalıdır.

Üriner Staz ve Enfeksiyon: Yataktaki pozisyona bağlı olarak mesanenin tam boşalamaması üriner staz ve enfeksiyona neden olur. Yatağa bağımlı hastalar genelde idrara çıkma sıklığını azaltmak için sıvı alımını kısıtlayabilir. Hemşire hastanın sıvı alımını ve idrar çıkışını izlemelidir. Hemşire hastaya yeterince sıvı almasını ve üçdört saatte bir idrar yapmasını söylemelidir. Hemşire hastayı idrar yolu enfeksiyonu bulguları yönünden izlenmeli, belirtiler görüldüğünde hekime haber verilmelidir.

Venöz Staz (göllenme birikme) ve Derin ven trombozu: Venöz staz hareketsizliğe bağlı oluşur. Dehidrasyona bağlı olarak stazı arttıran hemo konsantrasyonun önlenmesi için hasta bol sıvı alması yolunda yönlendirilmelidir. Hemşire derin ven trombozunu önlemek için hastaya traksiyon sınırları içinde ayak ve bilek egzersizleri yapılmasını öğretmeli ve her bir-iki saat arayla yapmasını sağlamalıdır. Hemşire baldır ağrısı, sıcaklık, kızarıklık ve baldır çevresinde şişmede artış ile Human's bulgusu (ayak dorsi fleksiyona zorlandığında oluşan baldır ağrısı) belirtilerini izleyerek derin ven trombozu araştırır. Bulgular varsa hekime haber verilir. (Şekil 58. 50)

Değerlendirme / Beklenen Hasta Sonuçları

Beklenen hasta sonuçları şunlardır:
1. Hasta traksiyon tedavisine ait bilgilere sahiptir.
    a. Traksiyonun uygulanma amacını tanımlar.
    b. Bakım planına katılır.
2. Anksiyetesi azalmıştır
    a. Rahatlamış görünür.
    b. Etkin mücadele mekanizmaları kullanılır.
    c. Duygu ve kaygılarını ifade eder.
    d. Eğlenceli aktivitelere katılır.
3. Rahatladığını ifade eder.
    a. Daha seyrek ağrı kesici ister.
    b. Pozisyonunu sık sık değiştirir.
4. Kendisine bakabilir.
    a. Beslenme, banyo/hijyen, giyim ve tuvalet için çok az yardım ister.
    b. Yardımcı araçları güvenle kullanır.
5. Hareketlerde artma vardır.
    a. İstenen egzersizleri yapar.
    b. Traksiyon sınırları içinde kendi pozisyonunu değiştirir.
6. Komplikasyon yoktur.
    a. Derisi sağlam
    b. Akciğerler temiz
    c. Nefes darlığı yok
    d. Öksürüğü yok
    e. Bağırsak boşaltımı düzenli
    f. İştahı normal
    g. Yeterli miktarda berrak sarı idrar yapar.
    h. Venöz staz bulguları yoktur

Eklem Protezleri

Ciddi eklem ağrısı veya hareket kaybı olan hastalara eklem protezi ameliyatı uygulanmaktadır. Hastaların eklem ağrılarının giderilmesi yönünde protez ameliyatları ile çok iyi sonuçlar alınmaktadır. Cerrahi teknolojide, anestezide, anestezik ilaçlarda, protezlerde olan gelişmeler sonucunda eklem protezi sık yapılan ortopedik ameliyatlardandır.

En fazla protez yapılan eklemler; kalça, diz (Şekil 58.51) ve parmak eklemleridir. Daha az sıklıkla yapılan eklemler omuz, dirsek, bilek eklemleridir. Protez ameliyatları elektif cerrahi olarak yapılır. Hastanın eski hareket ve fonksiyona geri dönmesi ameliyat öncesi yumuşak doku durumuna, reaksiyonlara ve genel kas gücüne bağlı olarak değişmektedir. (Şekil 58. 52)

Total Kalça Protezi

Total kalça protezi, ciddi olarak zedelenmiş kalçanın yapay bir eklemle değiştirilmesi ameliyatıdır. Total kalça protezi dejeneratif eklem hastalığı, romatoid artrit, femur boyun kırığı ve gelişimsel kalça çıkığının ileri yaşlarında uygulanan cerrahi tedavi yöntemidir. Birçok çeşit kalça protezi vardır. Bir çoğunda femur başı ve ona oturan plastik bir asetabular cebe bağlı yuvarlak top bulunur Cerrah hastaya en uygun protezi seçerken hastanın iskelet yapısını ve aktivite düzeyini göz önünde bulundurur. Hastalar genellikle 60 yaş civarı ve üzerindedir. Geri dönüşü olmayan kalça eklemi hasarı ve giderilemeyen ağrı yakınması vardır. Gelişmiş protez materyalleri ve ameliyat yöntemleriyle protezlerin ömrü uzatılmıştır. Günümüzde ciddi hasar görmüş, ağrılı kalça eklemleri olan genç hastalara da total kalça protezi uygulanmaktadır.

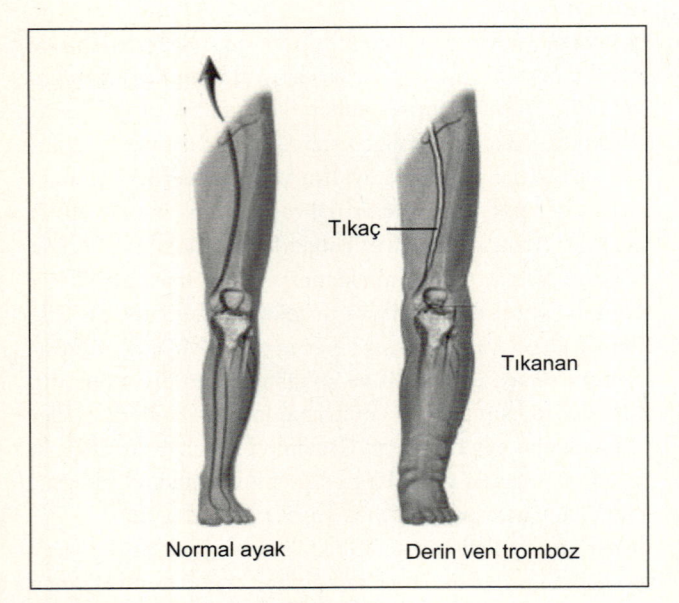

Şekil 58.50: Derin ven trombozu
Kaynak: http://services.epnet.com/GetImage.aspx/getImage.aspx?ImageID=5051

58. Kas İskelet Sistemi Hastalıkları

Hastanın ameliyat için değerlendirmesindeki amaç ameliyat sırası ve sonrasında hastanın sağlığının en uygun koşullarda sağlanmasıdır. Ameliyat öncesi kalp, damar, solunum, böbrek ve karaciğer fonksiyonların değerlendirilmesi önemlidir. Ameliyat öncesi yaş, şişmanlık, bacak ödemi, derin ven trombozu öyküsü, variköz venler, ameliyat sonrası derin ven trombozu ve pulmoner emboli riskini arttırır. Bu etkenler altmış yaşından sonra total kalça protezi yapılan hastalarda ameliyat sonrası ölümü arttıran nedenlerdir. Ameliyat öncesi eklem protezi yapılacak ekstremitelerin sinir ve damar durumunun değerlendirilmesi önemlidir. Değişimleri ve eksiklikleri değerlendirmek için ameliyat öncesi ve ameliyat sonrası değerler karşılaştırılır.

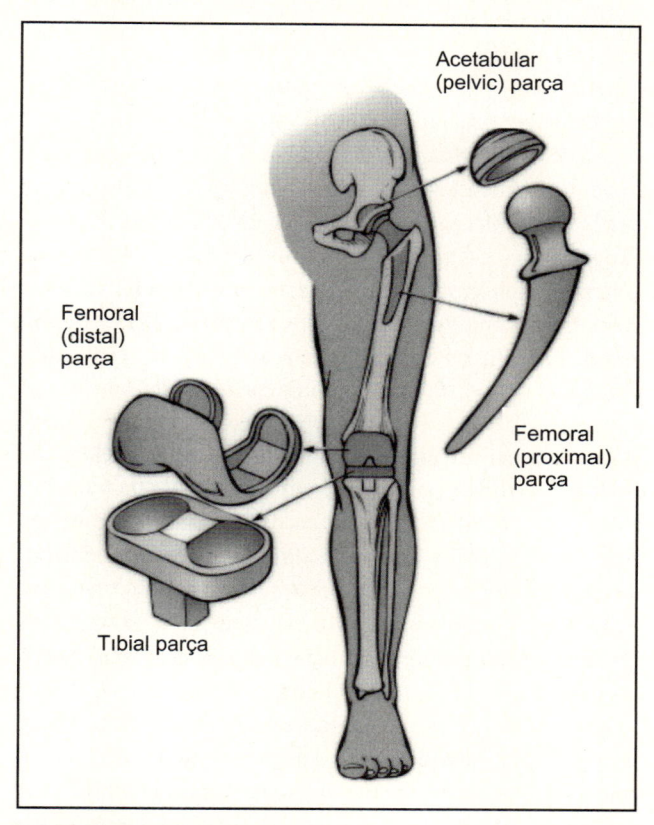

Şekil 58.51: Kalça ve diz protezi
Kaynak: http://connection.lww.com/Products/smeltzer10e/documents/Ch67/jpg/67006.jpg ss2031

Enfeksiyonun Önlenmesi: Ameliyat sonrası enfeksiyon riski açısından, hasta ameliyat öncesi idrar yolu enfeksiyonu dahil tüm enfeksiyonlar yönünden değerlendirilmelidir. Ameliyat için planlanan tarihten iki-dört hafta önceye oluşan enfeksiyonlar ameliyatın ertelenmesine neden olabilir. Ameliyat öncesi deri hazırlığı sıklıkla cerrahiden biriki gün önce başlar. Ameliyat sırasında hava yoluyla yaraya ulaşan bakterilerin enfeksiyona neden olduğu belirtilmektedir. Ameliyathanede eklem protezi yapılan salonlarda laminar hava akımı olması önerilmektedir. Protez ameliyatlarında aseptik ilkelere titizlikle uyulmadır. Ameliyat sırasında antibiyotik tedavisi başlamadan önce eklem kültürünün alınması sonraki enfeksiyonların tanımlanmasını ve tedavisini kolaylaştırabilir. Ameliyat sırasında tek doz veya ameliyat sonrası en kısa sürede profilaktik antibiyotik uygulanır. Protez ameliyatı sonrasında osteomiyelit gelişirse tedavisi zordur. Protez alanındaki tekrarlayan enfeksiyon protezin çıkarılması ve eklemin yeniden yapılandırılmasını (revizyonunu) gerektirir. Bu yeniden yapılandırma işlemi sonrası her zaman fonksiyonel bir eklem elde edilemez.

Hareketin sağlanması: Total kalça veya diz protezi yapılan hastalar ameliyattan bir gün sonra yürütücü veya koltuk değneğiyle dolaşmaya başlarlar. Ameliyat sonrası ilk günlerde hemşire ve fizik tedavi uzmanı hastanın bağımsız dolaşmasına yardımcı olurlar. Başlangıçta hasta ortostatik hipotansiyon nedeniyle kısa bir süre ayakta kalabilir. Proteze binecek ağırlığın limiti hastanın genel durumuna, yapılan ameliyat tipine ve fiksasyon yöntemine bağlı olarak cerrah tarafından belirlenir. Genellikle tutkallı protezi olan hastalar tolere edebildikleri kadar ağırlık taşıyabilir.

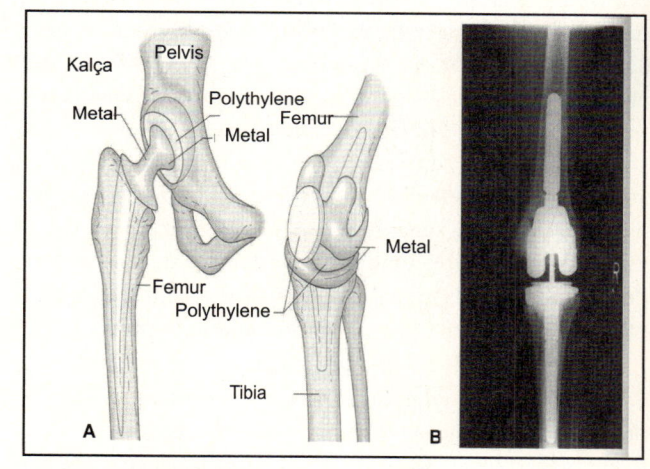

Şekil 58.52: Kalça ve diz protezi

Kemiğin içine oturan tutkalsız protezi olan hastada protezdeki çok küçük kaymaları en aza indirmek için ameliyat sonrasında ağırlık kaldırma kısıtlanır. Hemşire, hastanın gücüne bağlı olarak kısa mesafeler ve bir süre sandalyeye oturarak dinlenme ve giderek daha fazla yol yürümesi konusunda hastayı destekler.

Olası yan etkilerin izlenmesi ve yönetimi: Hemşire total kalça protezine bağlı oluşabilecek yan etkileri izlemeli ve erkenden fark etmelidir. Bunlar; protezinin kayması (disklokasyonu), aşırı yara akıntısı (drenaj), tromboemboli, enfeksiyon ve topukta basınç yarasıdır. Hemşirenin izlemesi gereken diğer olası yan etkiler; hareketsiz kalmaya bağlı olanlar, periprostatik alanda kemik oluşumu, avasküler nekroz ve protezin kaybıdır.

Protezinin kaymasının önlenmesi: Asetabular yuva içinde femur parçasının sürekliliği çok önemlidir. Hemşire hastaya bacağını abdüksiyona nasıl getireceğini öğreterek protezin kaymasını önlemeye yardımcı olur. Hastanın bacaklarının arasına yastık yerleştirmek kalçayı abdüksiyonda tutar (Şekil 58.53).

Hemşire hastayı yatakta çevirirken de ameliyat olan kalçanın abdüksiyonda tutmasına dikkat etmelidir. Cerrahın tercihine göre bazı hastaların ameliyatlı tarafa dönmelerine izin verilmez, bazılarına verilir. Hastanın kalçası asla 90°'den fazla fleksiyona getirilmez. Kalça fleksiyonunu önlemek için hemşire yatağın başını 60°'den fazla kaldırmaz. Hemşire hastanın boşaltım gereksinimi olduğunda; kırıklarda kullanılan kırık sürgüsü kullanarak hastanın etkilenmeyen kalçasını fleksiyona getirmesini ancak etkilenen kalçayı fleksiyona getirmeden yatak başı askısını kullanarak sürgüye oturmasını sağlamalıdır. Hasta transferler sırasında ve otururken sınırlı fleksiyon yapabilir. Hasta başlangıçta yataktan kalkmaya çalışırken bir abdüksiyon desteği olmalı veya yastıklar bacaklar arasında kalmalıdır. Hemşire hastaya etkilenen kalçayı ekstansiyonda nasıl tutacağını, etkilemeyen bacağından nasıl destek alacağını anlatır ve uygular. Bu sırada hemşire ameliyatlı kalçayı abdüksiyondan, flek-siyondan, internal veya eksternal rotasyondan ve aşırı güç binmesinden korur.

Kalça eklemi fleksiyonunu en aza indirmek için yüksek koltuklu (ortopedik) sandalyeler, arkaya yarım olarak dayanan tekerlekli sandalyeler ve yükseltilmiş tuvalet oturakları kullanılabilir. Otururken hastanın kalçaları dizlerden daha yukarıda olmalıdır. Hastanın ameliyatlı bacağı otururken kaldırılmamalıdır. Hasta dizini kıvırabilir.

Hemşire hastaya koruyucu pozisyonları anlatmalıdır. Koruyucu pozisyonlar, abdüksiyonun sağlanması, internal ve eksternal rotasyondan, hiperekstansiyondan ve akut fleksiyondan uzak durulması konularını içerir. Bacağı rotasyondan korumak ve topuğu yataktan kaldırarak destekleyip basınç yarası gelişimini önlemek için koruyucu bir bot kullanılabilir. Hasta sırt üstü pozisyondan yan yatış pozisyonuna dönerken bacaklarının arasında yastık kullanılmalıdır. Hemşire hastaya cerraha sormadan ameliyat yapılan tarafa dönerek uyumamasını söylemelidir. Hasta hiçbir zaman bacak bacak üstüne atmamalı, çorap ve ayakkabı giymek için eğilmemelidir. Fizik tedavi uzmanları tarafından hastanın belden aşağısının giydirilmesi için özel araçlar kullanılması sağlanır. Kalçaya ait uyarılar ameliyat sonrası dört ay geçerlidir.

Protezin sınırlarını aşan hareketlerde kayma oluşabilir. Hemşire protezin kayma belirtilerine karşı dikkatli olmalıdır. Bunlar;
- Ameliyat alanında ağrı, şişme ve hareketsizlikte artış
- Ameliyatlı kalçada akut kasık ağrısı veya artmış rahatsızlık
- Bacağın kısalması
- Ayağın içe ya da dışa anormal dönmesi
- Bacağı oynatabilme yeteneğinde kısıtlılık
- Kalçada "fırlama" duygusu

Evde veya hastanede bakımı sürdürülen hastanın protezinin yerinden çıkması durumunda hemen cerrah haber verilmelidir. Bacağın dolaşım ve sinir bütünlüğü için kalçanın yerine oturtulması gereklidir. Kapalı redüksiyondan sonra yeniden kaymanın oluşmasını engellemek için kalça Buck traksiyonu veya bir kelepçe ile sabitleştirilir. Kas ve eklem kapsülü iyileştikçe kayma şansı azalır. Yeni kalça eklemi ilk altı ay tüm dış etkenlerden korunmalıdır.

Yara akıntısının izlenmesi: Ameliyat bölgesinde biriken sıvı ve kan genellikle portatif vakum aracıyla (hemovak) boşaltılır. Bu, rahatsızlığı ve enfeksiyon riskini arttıran sıvı birikimini önler. İlk 24 saatte 200-500 ml akıntı beklenir, ameliyat sonraki 48. saatte, saatte 30ml ye kadar azalır ve daha sonra hemovak çıkarılır. Beklenenden fazla akıntı olduğunda hemşire cerraha haber vermelidir. Total eklem protezi ameliyatında fazla kan kaybı bekleniyorsa, homolog kan transfüzyon ihtiyacını azaltmak için bir oto transfüzyon drenaj sistemi (akan kan filtre edilir ve ameliyat sonrası dönemde hastaya yeniden verilir) kullanılabilir.

Derin ven trombozunun önlenmesi: Kalça ameli-yatlarından derin ven trombozu ameliyattan sonra beş-yedinci günlerde görülür ve görülme oranı %45-70'tir. Derin ven trombozlu hastaların yaklaşık %20'sinde pulmoner emboli geliştirir, bunların da 2/3'ü bu yan etkiler sonucu kaybedilebilir. Hemşire derin ven trobozu ile ilgili koruyucu önlemleri dikkatle uygulamalı, hastayı derin ven trombozu ve pulmoner emboli yönünden izlemelidir.

Derin ven trombozu bulguları baldır ağrısı, şişme ve gerginliktir. Hemşire hastanın yeterli sıvı almasını, uyanık olduğu her saat başı ayak ve bilek egzersizleri yapmasını, elastik çoraplar, belli aralıklarla basınç uygulayan bandaj kullanmasını, uygunsa ameliyat sonrası birinci günde ya-

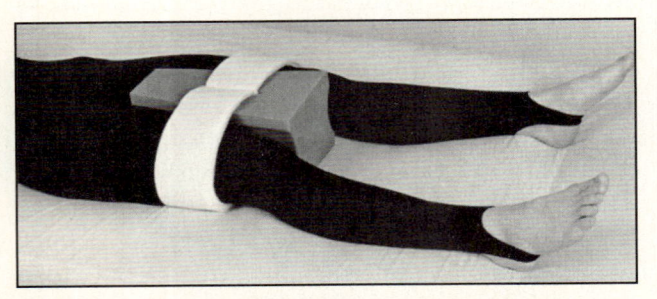

Şekil 58.53: Total kalça protezinde protezin kaymasını önlemek için pozisyon verme

taktan yardımla kalkmasını ve dolaşmasını sağlamalıdır. Kalça protezi ameliyatlarından sonra derin ven trombozu profilaksisi için düşük doz heparin, fraxiparine veya enoxaparin ve benzeri ilaçlar hekimin önerisi doğrultusunda kullanılabilir.

Enfeksiyon önlenmesi: Total kalça protezinin en ciddi yan etkilerinden biri enfeksiyondur ve protezin çıkartılmasına neden olabilir. Yaşlı, şişman, iyi beslenmemiş, diyabet, romotoid artrit, eş zamanlı enfeksiyon (örn; idrar yolu enfeksiyonu, diş absesi) ve büyük hemotomları olan hastalar enfeksiyon için risk altındadır. Total eklem enfeksiyonları çok ağır sonuçlara neden olduğundan önlenmeleri önemlidir. Olası enfeksiyon odaklarından uzak durulması, önleyici antibiyotikler uygulanması, idrar sondası varsa en kısa zamanda çıkartılması önerilir. Akut enfeksiyonlar ameliyattan sonra ilk üç ay içinde oluşabilir, ilerleyici yüzeysel enfeksiyonlar veya hematoma bağlı enfeksiyonlardır. Geç enfeksiyonlar ameliyattan 4-24 ay sonra oluşabilirler. Belirtisi kalçada rahatsızlık hissidir. Ameliyattan iki yıldan fazla zaman geçtiğinde oluşan enfeksiyonların kan yolu ile vücudun başka bir yerinden geldiği düşünülür.

Evde Bakımın Geliştirilmesi
Hastaya Kişisel Bakımın Öğretilmesi: Hemşire hastaneden eve gitmeden önce hastaya tedavi planına ve rehabilitasyon sürecine aktif katılımı sağlamak amacıyla yapılacak işlemleri açıklamalıdır. (Çizelge 58.13). Hemşire günlük egzersizlerin kalça ekleminin hareketi üzerindeki fonksiyonu önemini ve abdüktör kasların güçlenmesindeki rolünü hastaya anlatılmalıdır. Hastaya kas gücünün geri kazanılmasının zaman alacağı söylenmelidir. Yardımcı araçlar gereksinim olduğu kadar kullanılır. Ağrısız normal yürüyüş sağlanınca, kas güçlenince bu araçlar bırakılır. Genellikle hastalar her ay artacak biçimde günlük yaşam aktivitelerini daha bağımsız olarak yapabilirler. Merdiven çıkmak ilk üç-altı ayda sınırlıdır. Bu hastalarda yürüyüş ve yüzme kalça egzersizleri için mükemmeldir. Yeni kalçanın aşırı abdüksiyonundan ve fleksiyonundan kaçınmak için seksüel aktiviteler ilk üç-altı ayda bağımlı pozisyonda (sırt üstü düz) yapılmalıdır. İlk dört ay hasta kesinlikle bacak bacak üstüne atmamalı ve kalça eklemini 90° den fazla fleksiyona getirmemelidir. Ayakkabı ve çorap giymekte yardım alınabilir. Hasta alçak sandalyede ve bir kerede dört dakikadan uzun oturmaktan kaçınmalı normalde yüksek sandalyede oturmalıdır. Bu önlemler kalçanın fleksiyonunu, protezin kayma riskini, kalça katılaşması ve kontraktürleri en aza indirir. Sık pozisyon değiştirilmesini engelleyecek uzun yolculuklar, sıcak banyolar, ağır kaldırma, aşırı eğilme, dönme ve eklemi zorlayacak hareketlerden kaçınılmalıdır.

Evde bakımın sürdürülmesi: Hemşire olası sorunları değerlendirmek ve yara iyileşmesini izlemek için ev ziyareti yapabilir (Çizelge 58.13). Hemşire fizik tedavi uzmanı veya mesleki tedavi uzmanı hastanın iyileşmesini etkileyebilecek fiziksel engeller açısından ev ortamını incelemelidir. Ayrıca hemşire veya fizik tedavi uzmanı hastanın yardımcı araçları seçmesi ve temini konularında da yardımcı olurlar. Başarılı ameliyattan ve rehabilitasyondan sonra, hasta büyük oranda ağrısız, sabit, iyi hareket eden, normal veya normale yakın hareket sağlayan bir ekleme sahip olabilir.

Total Diz Protezi
Diz, vücudumuzun ağırlığını taşıyan, ayakta durma, çömelme, yürüme, koşma ve atlama gibi çeşitli hareketleri sağlayan, üzerine en fazla yük binen, kemik, bağ, çevre kasları ve menisküsler ile stabilizasyonu sağlanan vücudun en büyük eklemidir.

Total diz protezi (TDP); romatoid artrit, osteoartrit, posttravmatik artrit ve diğer nonspesifik artritler sonucu dejenere olmuş, şiddetli ağrı, fonksiyon bozukluğu gibi şikayetlere neden olan eklem yüzeyinin (tibial, femoral ve pateller eklem yüzeyleri) metal ve plastikten hazırlanmış protezlerle değiştirilmesidir.

Total diz protezinde amaç; ağrıyı gidermek, deformiteyi düzeltmek, stabil ve fonksiyonel bir hareket genişliği sağlamaktır. Total diz protezi; inflamatuar artritler (osteoartroz, romatoid artrit v.b), dejeneratif artritler (villonodüler sinovit gibi sinovyal patalojiler sonucu gelişir), metabolik artritler (osteonekroz, gut ya da yalancı gut v.b), travma sonrası artrit durumlarında yapılmaktadır.

Hastalıklar erken dönemde yakalandığı zaman tıbbi tedavi, fizik tedavi, artroskopik debritman ile tedavi edilmeye çalışılır. Ağrı, hareket kısıtlığı, deformite, instabilite nedeniyle günlük aktiviteleri kısıtlanmış hastalarda konservatif tedavi yöntemleri ile beklenen düzelme sağlanamamış ise veya artroskopik debritman diz çevresi osteotomileri gibi cerrahi girişimler ile sonuç alınamamış ise bu hastalar total diz protezine aday olabilir. Total diz protezi yapılacak hastalar konu hakkında yeterince aydınlatılmalıdır.

Özellikle dejeneratif artritli yaşlı hastalar bilmelidir ki, tek bir eklemin rekonstrükte edilmesi tüm eklemlerin fonksiyonel kayıplarını karşılamaz. Çok iyi yerleştirilmiş bir diz protezi hiçbir zaman normal bir diz gibi fonksiyon görmez ve durmaz. Bu açıdan özellikle genç hastalar dizin fazla ve kötü kullanılmaması konusunda uyarılmalıdır.

Total Diz Protezi Öncesinde Ameliyat Öncesi Hasta Bakımı
Kas-iskelet sistemine ilişkin cerrahi girişimler, genellikle acil olmayan, planlanmış girişimlerdir. Hastanın fizyolojik ve psikolojik hazırlığı için yeterli zaman vardır. Bu

Çizelge 58.13: Kalça Protezi Sonrası Ev Bakımı İle İlgili Hasta Eğitimi

Dikkat edilmesi gerekenler
- Ağrı yönetimi
- Yara bakımı
- Hareket
- Kendine bakabilme (günlük aktivitelerde)
- Olası sorunlar

Hemşirelik Girişimleri
- Ağrıyı azaltacak yöntemler
- Düzenli dinlenmenin sağlanması
- Gerginliği rahatlatma yöntemleri
- İlaç tedavisi (Örn; nonsteroid ağrı kesiciler, opioid ağrı kesiciler) etkileri, uygulamaları, tedavi planı, yan etkiler konusunda bilgi verilir

Hastaya yapması gereken işlemleri söylenmesi;
- Ameliyat yarasının kuru ve temiz tutulması
- Yara bakımının iyi yapılması, pansumanların düzenli değiştirilmesi
- Yara enfeksiyonu bulgularının tanınması (ağrı, şişme, akıntı, ateş)

Ameliyat dikişlerinin ameliyattan sonra ne zaman (10-14 gün sonra) alınacağını söylenmelidir.

Hasta eğitim konuları;
- Yardımcı araçların güvenli kullanımı
- Ağırlık kaldırma limitleri
- Nasıl pozisyon değiştirileceği
- Kalça fleksiyonu ve abdüksiyonu ile ilgili sınırlar (örn; akut fleksiyondan ve bacak bacak üstüne atmaktan kaçınılması)
- Kalçayı akut olarak fleksiyona getirmeden nasıl ayağa kalkılacağı
- Alçak sandalye kullanımından kaçınılması
- Uyurken abdüksiyonu önlemek için bacaklar arasına yastık yerleştirilmesi
- Aktivitelerin ve önerilen hareket planının giderek arttırılması

Ev ortamının fiziksel engeller açısından değerlendirilmesi;
- Hastaya yükseltilmiş tuvalet oturağı kullanması ve giyinirken yardım alması gerektiği konusunda bilgilendirme
- Erken dönemde hareket ve kas gücünü geri kazanıncaya kadar günlük yaşam aktiviteleri sırasında yardım alma konusunda eğitim
- Hastanın güçlüklerini veya hastalıklarını izlemek için düzenli olarak kontrollerine gelmesi

Olası sorunların gelişimi açısından hastanın değerlendirilmesi ve bildirmesini gereken bulgular konusunda eğitim
- Protez kayması (artmış ağrı, bacakta kısalma, bacağı oynatamama, kalçada oynama hissi, anormal dönme)
- Derin ven trombozu (baldır ağrısı, şişme)
- Yara enfeksiyonu (şişme, pürülan akıntı, ağrı, ateş)
- Pulmoner emboli (ani dispne, taşipne, göğüs ağrısı)

---

dönemde hemşirenin görevi; hastanın gereksinimlerini belirlemek, gerektiğinde yardım ederek hasta-ailesi ve sağlık ekibi ile işbirliği içinde bakımın sürekliliğini sağlamaktır.

Hastalar ameliyatın bir taraftan ağrılarını gidereceği, hareketsizliği önleyeceğini ümit ederken, diğer taraftan sorunların artmasından korkarlar. Hemşire ve hekimler, planlanan ameliyatı hasta ve yakınları ile gerçekçi bir yaklaşım ile tartışılmalı, hasta ve yakınlarına; ameliyatın avantajları ve dezavantajları, riskleri (enfeksiyon, teknik, anestezi ile ilgili) ve ameliyatın sağlayacağı yararlar anlatılmalıdır. Bazı hastalar ameliyattan mucize sonuç beklerler. Oysa ameliyatlar, türlerine göre değişen derecelerde yarar sağlarlar. Bunu hastaya anlatmak, ameliyattan beklentisinin sınırlı olmasını sağlamak gerekir. Her şeyi tozpembe göstermek ne kadar yanlışsa, hastayı uyarmanın dozunu kaçırarak korkutmak da sakıncalıdır.

Kemik dokusu, enfeksiyona yumuşak dokulardan daha fazla duyarlıdır. Hastanın ameliyat öncesi hazırlığında, enfeksiyonu önlemeye yönelik girişimler önemlidir. Tüm cerrahi girişimlerde olduğu gibi total diz replasmanı olacak hastalar da enfeksiyona yönelik önlemler alınmalıdır. Ayrıca ameliyat bölgesinin ameliyata hazırlanması amacı ile traş edilmesi ameliyat sonrası enfeksiyon riskini artırdığı için deri hazırlığı aseptik ilkelere uyularak ve doku travmatize edilmeden sağlık personeli tarafından yapılmalıdır.

Total Diz Protezi sonrası ortaya çıkabilecek derin ven trombozu ve bazen ölümcül olabilen akciğer embolisi komplikasyonunu önleyebilmek için ile düşük dozlarda heparin, walfarin hatta aspirin antikoagülan kullanılmaktadır. Erken mobilizasyon ve hastanede kalış süresinin bu tür hastalarda derin ven trombozu görülme sıklığını azaltmaya yardımcıdır. Ayrıca trombo emboliye engel olmak için uzun bir varis çorabı önerilmektedir. Heparin ve warfarin kullanılan hastaların kanama kontrollerinin çok iyi yapılması gerekmektedir.

Ağrıyı azaltmak için fiziksel, farmakolojik ve psikojik ağrı kontrol tekniklerini, akciğer komplikasyonlarını, venöz stazı önlemek solunumu iyileştirmek ve kas tonüsünü arttırarak iyileşme dönemini kısaltmak amacı ile yatak

58. Kas İskelet Sistemi Hastalıkları

Total Kalça Protezli Hastada Hemşire Bakım Planı Örneği

Hemşirelik girişimleri	Amaç	Beklenen sonuçlar
Hemşirelik Tanısı: Total kalça proteziyle ilişkili ağrı **Hedef:** Ağrının giderilmesini sağlamak		
1. Standart bir ağrı ölçeği ile hastanın ağrısı değerlendirilir. 2. Hastadan rahatsızlığını tanımlaması istenir. 3. Hastaya ağrının olabileceği söylenir, ağrı kesici ve kas geçşetici ilaçlarla ilgili bilgi verilir 4. Ağrıyı gidermek için uygun yöntemler kullanılır. Ağrı kesiciler Önerilen limitler içinde pozisyon değiştirme Çevreyi değişikliği Sürekli ağrı varlığında cerrahı bilgilendirin 5. Hastanın uygulanan ağrı kontrol yöntemlerinin etkinliğini değerlendirilir ve kaydedilir.	1. Cerrahi travma ve doku yanıtı nedeniyle cerrahi işlem sonrasında beklenen ağrının değerlendirmesi sağlanır. 2. Rahatsızlığın nedenini saptarken ağrı özellikleri yardımcı olur. Ağrı komplikasyonlara (hematom, enfeksiyon, protezin kaymasına) bağlı gelişebilir. Ağrı bireysel bir tecrübedir. Herkes farklı algılar. 3. Hemşire ağrıyla mücadele yollarını ve yalnız olmadığını hastaya anlatarak gerginliği azaltabilir. 4. İlk 2448 saatte hastanın opiodlere ihtiyacı olur ve daha sonra ağızdan ağrı kesiciler ile devam edilir. Kemik çıkıntılara düşen basıncı azaltmak için özel basıncı azaltan yatak veya yastık kullanmak ağrıyı azaltır. Hastanın ailesi ile etkileşimi, çatışmalar, duygusal yüklenme veya çöküntü ağrı hissini etkiler. Ağrı hemotoma veya aşırı ödeme bağlıysa cerrahi girişim gerekebilir. 5. Yapılan girişimler uygun ölçütlerle kontrol edilip değerlendirilmesi ağrının giderilmesi hakkında bilgi verir.	* Hasta ağrı yakınmasını uygun biçimde tanımlar. * Ağrı kontrol yöntemleri ile rahatladığını ifade eder. * Ağrının azaldığını söyler, ağrı değerlen dirme puanları düşer * Rahat görünür. * Fiziksel, psikolojik ve farmakolojik ölçütler kullanarak ağrı ve rahatsızlığı gidermede başarı sağlanır.
Hemşirelik Tanısı: Kalça protezi sonrası, pozisyon, ağır kaldırma ve aktivite kısıtlamalarına bağlı **fiziksel harekette azalma** **Hedef:** Kalça ekleminde ağrı, fonksiyonel yetersizlik, protezde kayma olmaması		
1. Kalça eklemine uygun pozisyon verilir (abdüksiyon, nötral rotasyon, sınırlı fleksiyon) 2. Topukta basınç oluşumu önlemek için uygun hasta yatağı seçimi ve basıncı azaltan girişimler yapılır 3. Pozisyon değişimleri ve transferlere yardımcı olunur 4. İzometrik kuadrisept ve kalça egzersizleri önerilir 5. Fizik tedavisi uzmanı ile birlikte ağırlık kaldırma sınırları içinde ilerleyen güvenli hareket ve yer değişimine yönlendirin. 6. Egzersiz planlarını önerin ve yüreklendirin 7. Yürümeye yardımcı araçların güvenli kullanımı için yönlendirin	1. Kalça protezinin kaymasını (dislokasyonunu) önler. 2. Topukta basınçyarası gelişmesini önler 3. Kaymayı önlemek için hastanın aktif katılımını sağlar 4. Bu egzersizler yürüyüş kaslarını güçlendirir. 5. Ağırlık kaldırma sınırı hastanın durumuna ve protezine göre değişir. Ağırlıksız veya kısmi ağırlıklı yer değişimi için yardımcı araçlar önerilir. 6. Yeniden şekillendirme egzersizleri rahatsız edici ve yorucu olabilir. Yüreklendirme hastanın bu egzersizlerin yapmasını kolaylaştırır.	*Önerilen pozisyon sağlanır. *Topuğa basınç uygulanmaz. *Pozisyon değişikliklerine yardımcı olur. *Transferde bağımsızlığı artmıştır. *Önerilen egzersizleri yapar. *Egzersiz programında ilerleme gösterir. *Egzersiz planlarına aktif katılır. *Doğru ve güvenli bir biçimde yardımcı yürüyüş araçlarını kullanır.
Hemşirelik Tanıları: Kanama, sinir damar durumunda kötüleşme, protez kayması, derin ven trombozu, cerrahi enfeksiyon **Amaç:** Komplikasyon oluşmaması		
Kanama 1. Yaşam bulgularını kontrol ederek şoku gözlenmeli. 2. Akıntının miktar ve özellikleri kayıt edilmeli	1. Nabız, Tansiyon arteriyel ve solunum değişiklikleri şoku gösterebilir. Kan kaybı ve cerrahi stres şokun gelişimini arttırabilir. 2. Vakum araçındaki kanlı akıntı 48 saat içinde 2530 ml saatte inmelidir. Aşırı akıntı (cerrahiden sonraki ilk 8 saatte >250 ml) veya açık kırmızı akıntı aktif kanamayı gösterebilir.	*Vital bulgular normal sınırlarda kalır *Akıntı azalır * Parlak kırmızı akıntı olmaz *Kan değerleri normal sınırlarda kalır

ÜNİTE 16

Total Kalça Protezli Hastada Hemşire Bakım Planı Örneği (Devamı)

3. Hastada şok veya aşırı kanama gelişirse cerraha haber verilir ve sıvı kan ve ilaç uygulamalarına hazırlanır. 4. Hemoglobin ve hematokrit değerlerini izlenir.	3. Uygun Girişimler gereklidir. 4. Kan kaybına bağlı anemi gelişebilir. Kan ve demir desteği gerekebilir.	
Sinir damar fonksiyon bozukluğu (Disfonksiyon) 1. Etkilenen ekstremite renk ve ısı açısından değerlendirilir. 2. Kapiller yeniden dolma cevabı açısından parmak uçlarını değerlendirilmeli. 3. Ekstremiteyi ödem ve şişme açısından izlenmeli. Bacak ağrısı yakınmasını hemen bildirilmeli. 4. Ekstremiteyi kaldırın (sandalyedeyken bacağı kalçadan aşağıda tutun)	 1. Etkilenen ekstremite renk ve ısı açısından değerlendirilir. 2. Kapiller yeniden dolma cevabı açısından parmak uçlarını değerlendirilmeli. 3. Cerrahi travma ödem yapabilir. Aşırı şişme ve hemotom dolaşımı ve fonksiyonu engelleyebilir. 4. Bağımlı ödemi azaltır.	* Renk normal * Ekstremite sıcak * Normal kapiller dolma * Orta derecede ödem ve şişme; doku gergin değil * Ağrı kontrol edilebilir düzeyde * Pasif dorsofleksiyonla ağrı yok * Duyular normal * Parastezi yok * Normal motor yetenek * Parazi veya paralizi yok * Nabızlar güçlü ve eşit
5. Derin ven trombozu ve ödem açısından değerlendirilmeli. 6. Ayağın pasif fleksiyonundaki ağrıyı izlenmeli. 7. Duyularda ve dokunmadaki değişiklikleri değerlendirilmeli. 8. Ayak ve parmakları oynatabilme kabiliyetini izlenmeli.	5. Cerrahi ağrı kontrol edilebilir, sinir damar bozukluğa bağlı ağrı tedavi ile geçmez. 6. Sinir iskemisiyle birlikte, pasif gerimde ağrı olur. Ek olarak ağrı Derin ven trombozunu gösterebilir. Homan's bulgusu pozitiftir. 7. Azalmış ağrı ve duyu fonksiyonu sinir hasarını gösterebilir. Baş ve ikinci parmak arasındaki perdenin duyusu-perineal sinir, ayağın tersinin duyusu tibial siniri gösterir. 8. Ayak bileğinin dorsi fleksiyonu ve parmakların ekstansiyonu perineal sinir fleksiyonunu gösterir. Plantar fleksiyon ve parmakların fleksiyonu tibial sinir fleksiyonunu gösterir.	* Hasta ağrı yakınmasını uygun biçimde tanımlar. * Ağrı kontrol yöntemleri ile rahatladığını ifade eder. * Ağrının azaldığını söyler, ağrı değerlendirme puanları düşer * Rahat görünür. * Fiziksel, psikolojik ve farmakolojik ölçütler kullanarak ağrı ve rahatsızlığı gidermede başarı sağlanır.
9. Her iki ayakta dorsalis pedis nabızları değerlendirilmeli. 10. Sinir damar durum bozuksa cerraha haber verilmeli. **Protez Kayması (Dislokasyonu)** 1. Hasta önerildiği biçimde yerleştirilmeli. 2. Pozisyonu sağlamak ve ekstremiteyi desteklemek için abdüktor destek veya yastıklar kullanılmalı. 3. Bacak desteklenmeli ve hasta dönerken ve yan yatarken bacaklar arasına yastık koyulmalı; etkilenmeyen tarafa yatırılmalı.	9. Ekstremite dolaşımını gösterir. 10. Ekstremite fonksiyonu ko-runmalıdır. 1. Kalça bölümünün pozisyona sokulması gerekir. (Femoral parça asetabular parça içinde) 2. Dislokasyonu önlemek için kalçayı abduksiyonda ve m-nötral rotasyonda tutulur. 3- Kaymayı önleyin.	 * Protezin kayması engellenir

Total Kalça Protezli Hastada Hemşire Bakım Planı Örneği (Devamı)

4. Kalçanın akut fleksiyonundan kaçınılmalı (yatağın başı 60° veya daha az).		*Elastik çorap giyer. Kompresyon aracı kullanır.
5. Hastanın bacakları çapraz yapılmamalı.		* Deride açılma yok
6. Protez kayma açısından değerlendirilmeli (ekstremite kısalır, internal ve eksternal rotasyon olur, ciddi kalça ağrısı ve hareket kaybı olur).	6. Bulgular protez dislokasyonunu gösterebilir	* Nabızlar eşit ve güçlü
		* Deri ısısı normal
7. Olası kayma belirtisi cerraha bildirilmeli.	7. Protez kaymaları ekstremite fonksiyonunu ve sinir damar durumu riske sokar.	* Human's bulgusu yok
		* Yardımla pozisyon değiştirir
Derin Ven Trombozu		* Egzersiz planına katılır
1. Elastik çoraplar veya aralıklı baskı uygulama araçları kullanılmalı.	1. Venöz kanın dönüşüne ve stazın engellenmesine yardım eder.	
2. Çorapları günde 2 kez 20 şer dakika çıkartarak deri bakımı yapılmalı.	2. Açılmayı önlemek için deri bakımı gereklidir. Çoraplar çok uzun zaman çıkarılırsa anlamsız olur	
3. Popliteal, dorsalis pedis ve post tibial nabızlarını değerlendirilmeli.	3. Nabızlar ekstremitenin perfüzyonunu gösterir.	
4. Bacakların alt ısısını değerlendirilmeli.	4. Lokal inflamasyon lokal ısıyı arttırır.	
5. 8 saatte bir Homan's bulgularına bakılmalı.	5. Ayak bileğinin dorso fleksiyonun da ağrı derin ven trombozunu gösterebilir.	
	6. Damar basını kan akımını azaltır	
	7. Aktivite dolaşımı arttırır, stazı azaltır.	
	8. Kas egzersizi dolaşımı hızlandırır da ağrı derin ven trombozunu gösterebilir.	
1. Aletlerin veya yastıkların popliteal damarlara basıdan kaçınılmalı.	1. Damar basını kan akımını azaltır	* Bol sıvı alır.
2. Önerildiği biçimde pozisyon değiştirin ve aktiviteyi arttırılmalı.	2. Aktivite dolaşımı arttırır, stazı azaltır.	*Göğüs ağrısı yok; oskültasyonda akciğerler temiz; pulmoner emboli bulgusu yok
3. Her saat başı bilek egzersizi yapılmalı.	3. Kas egzersizi dolaşımı hızlandırır	
4. Vücut ısısını gözlenmeli.	4. Isı inflamasyonda artar.	* Yaşam bulguları normal
5. hastaya bol sıvı almasını soylenmeli.	5. Dehidratasyon kan viskositesini arttırır.	*Akıntı veya aşırı enflamatuar reaksiyon olmayan iyi yaklaştırılmış yara yeri
Enfeksiyon		* Minimal rahatsızlık, kanama yok
1. Vital bulguları izlenmeli.	1. Isı, nabız, solunum enfeksiyona cevap olarak artar (Yaşlı hastada cevap çok fazla olmayabilir)	* Antibiyotik tedavisi sürdürülüyor
2. Dreni ve pansumanı değiştirirken aseptik teknik kullanılmalı.	2. Organizma girişini önler.	
3. Yara görünümünü ve akıntı özellikleri değerlendirilmeli.	3. Kırmızı, şiş akıntı olan bir insizyon yeri enfeksiyonu gösterir.	
4. Ağrı yakınması değerlendirilmeli.	4. Ağrı hematoma, enfeksiyon odağına bağlı olabilir, cerrahi işlem gerekebilir.	
5. Reçete edildiyse antibiotik uygulanmalı, yan etkileri izlenmeli	5. Protez enfeksiyonunu önler.	

Total Kalça Protezli Hastada Hemşire Bakım Planı Örneği (Devamı)

Hemşirelik Tanısı: Total kalça protezine bağlı olarak yeterli ve etkili sağlık hizmeti sağlayamamaya yönelik riskler
Amaç: Evde kendine bakabilmesi

1. Taburculuk planlanırken ev ortamını değerlendirilmeli.	1. Fiziksel engelliler (özellikle basamaklar, banyo hastanın dolaşma ve kendisine bakma kabiliyetini sınırlayabilir)	*Taburcu sırasında ev hasta için uygundur.
2. Evde bakım konusunda hastanın kaygılarını dinlenmeli; sorunun olası çözümlerini birlikte araştırılmalı.	2. Hastanın çözülmeyi bekleyen özel sorunları olabilir.	*Hasta rahatlamış görünür ve sorunlara yönelik stratejiler geliştirir
3. Bakım için fiziksel destek olup olmadığını araştırılmalı.	3. Hareket kısıtlılığı nedeniyle rutin bakım aktivitelerinde hasta yardıma gereksinim duyabilir.	* Kişisel destek vardır
4. Bakıcıya ev bakım planını anlatılmalı.	4. Rehabilitasyon planının anlaşılması uyum için gereklidir	*Tedavi edici öneriler dahilinde hasta gerekli desteği alabilir
5. Hastaya hastane sonrası bakımla ilgili söylenecekler: a) Aktivite kısıtlamaları (Kalça uyarıları, ağırlık limitleri) b) Egzersiz uyarıları c) Yardımcı yürüme araçlarının güvenli kullanımı d) Yara bakımı e) İyileştirmeyi hızlandırıcı ölçütler f) Gerekirse ilaç g) Olası sorunlar h) Sağlık bakım danışmanlığına devam	5. Bilgi eksikliği ve ev bakımına yetersiz hazırlık, hastanın anksiyete, güvensizlik ve uyumsuzluk hissetmesine neden olur.	*Hasta ev bakım programına uyum sağlar *Hasta takip randevularını aksatmaz

içi ayak egzersizleri, derin solunum ve öksürme tekniklerini ameliyat öncesi dönemde göstermek ve uygulatmak, rehabilitasyon programı hakkında bilgi vermek, ameliyat sonrası için yararlıdır. (Bu konuda ayrıntılı bilgi hasta klinik rehberde verilmiştir).

Protez Seçimi

Günümüzde en yaygın olarak kullanılan başlıca iki tip protez vardır. Birincisi arka çapraz bağı koruyan, ikincisi ise arka çapraz bağı korumayan protezlerdir. Arka çapraz bağ; dizin fleksiyonu ile birlikte femurun arkaya yuvarlanmasını da sağlayan femoratibial sıkışmayı önler ve 90-100 dereceden sonraki fleksiyona izin verir. Arka çapraz bağın kesilerek, onun yerine herhangi bir mekanizmanın konulmadığı protezler bugün yaygın bir kullanıma sahiptir.

Bu protezle ilgili olarak karşılaşılan sorunlar; arka çapraz bağ foksiyonunun olmaması nedeni ile gelişen tibianın öne subluksasyonu sonucu başarısızlık ve sınırlı (genellikle 100 dereceden daha az) hareket genişliğidir. Bu da merdiven inme, sandalyeden kalkma gibi günlük aktivitelerde zorluk oluşturur.

Total Diz Protezi Ameliyatı Sonrası Hasta Bakımı

Tüm ameliyatlarda olduğu gibi kas-iskelet sistemi ameliyatlarından sonra da komplikasyonların önlenmesi ya da erken devrede tanınması çok büyük önem taşımaktadır. Komplikasyonları önlemeye yönelik girişimlerin pek çoğu hemşirelerin uygulama alanına girmektedir. Etkin bir hasta bakımı, hemşirelerin komplikasyonların fizyolojisi ve erken bulguları konusunda bilgi sahibi olması ve uygun girişimleri yapabilmesi ile mümkündür. Komplikasyonların önlenmesi ya da erken devrede tanınması, ortopedi hastalarının hemşirelik bakımında anahtar role sahiptir.

Ameliyat sonrası erken dönemde dikkat edilmesi gereken en önemli konular yara bakımı ve trombo embolidir. Ameliyattan sonra dizde uygun bir biçimde basınç yapan bir bandaj bulunacaktır. Ameliyattan sonra trombo emboli riskini azaltmak için, bacağın kalp seviyesinden yukarda kalacak biçimde elevasyona almak amacı ile bacağın altına bir yastık konulabilir ya da yatağın ayak kısmı kaldırılabilir. Hastanın yemek yediği zamanlar dışında yatağın baş kısmı kalkmamalıdır. Hemşire hastayı derin ven trombozunun belirtileri; ekstremitede ağrı, hassasiyet, ödem ve kızarıklık, Pulmoner emboli; dispne, göğüs ağrısı ve anksiyete belirtileri yönünden izlemelidir. Venöz stazı önlemek amacı ile elastik bandaj, çorap ve ayak egzersizlerden yararlanılmaktadır.

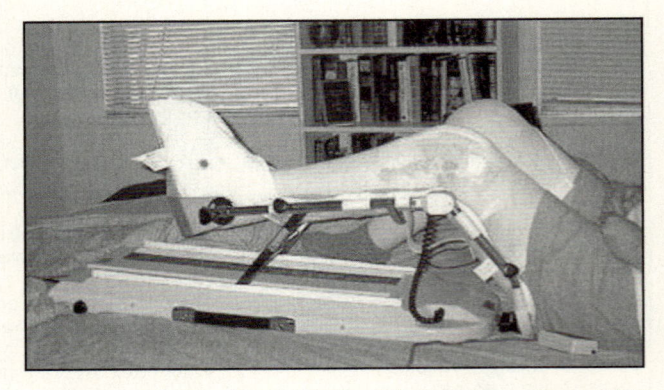

Şekil 58.54: Sürekli Pasif Hareket Makinesi (Continue Passive Motion (CPM)

Total Diz Protezi Klinik Rehber

	Kliniğe Kabul	Ameliyat Öncesi	Ameliyat Günü	Ameliyat Sonrası 1.Gün	Ameliyat Sonrası 2. Gün
Konsültasyonlar		Anestezi	Fizyoterapist	Fizyoterapist	Fizyoterapist
Testler	_ Laboratuar _ EKG _ Diz X-Ray	Hastanın anestezi tarafından istenen testlerinin tamamlanması	İhtiyaç olduğunda	_ Diz X-Ray _ Laboratuar testleri	İhtiyaç olduğunda
İlaçlar	Hastanın Rutin olarak kullandığı ilaçlar	Hastanın Rutin olarak kullandığı ilaçlar	IV antibiyotik _ Ağrı ve bulantı için ilaç _ İhtiyaç varsa laksatif	IV antibiyotik _ Ağrı ve bulantı için ilaç _ İhtiyaç varsa laksatif	IV antibiyotik _ Ağrı ve bulantı için ilaç _ İhtiyaç varsa laksatif
Aktiviteler		Duş ya da banyo	_ Derin solunum ve öksürük egzersizleri _ Post- op bacak egzersizleri _ CPM	_ Derin solunum ve öksürük egzersizleri _ Post- op bacak egzersizleri _ CPM _ Yardımla ayağa kaldırma ve sandalyeye oturma	_ Derin solunum ve öksürük egzersizleri _ Post-op bacak ve dizi kıvırma egzersizleri _ CPM _ Yardımla walker ile yürümesini sağlama
Beslenme	_ Testler için aç kalması gerekmiyorsa normal diyet	_ Ağızdan hiçbir şey almayacak	_ Ameliyattan sonra önerilen saatte sıvı	_ Tolere edebildiği diyet	_ Normal diyet
Eğitim	_ Hasta eğitim kitapçığı verilecek _ Klinik rehber için tanıtım bilgisi	Derin solunum ve öksürük egzersizleri _Bacak ve ayak bileği hareketleri _ Kişisel bakım için gerekli olacak bilgiler _ Ameliyat öncesi hazırlıklarla ilgili bilgiler _ Ağrı kontrolü ile ilgili bilgi	_ Derin solunum ve öksürük egzersizleri _Bacak ve ayak bileği hareketleri _ Ağrı kontrolü ile ilgili bilgi _CPM ile ilgili bilgilendirme	_ Derin solunum ve öksürük egzersizleri _Bacak ve ayak bileği hareketleri (Gözden geçirme) _ Ayağa kalkma ve sandalyeye oturma _ Kabızlığın önlenmesi içi gerekli bilgiler _ Walker güvenli kullanımı ile ilgili bilgiler	_Bacak ve ayak bileği hareketleri (Gözden geçirme) _ Yara bakımı ve normal olmayan işaret ve belirtiler konusunda bilgilendirme
Taburcu Planları	_ Evde yapması gereken hazırlıklarla ilgili bilgilendirme				

	Ameliyat Sonrası III. Gün	Ameliyat Sonrası IV. Gün	Ameliyat Sonrası V. Gün	Ameliyat Sonrası VI. Gün	Ameliyat Sonrası VII. Gün
Konsültasyonlar	Fizyoterapist	Fizyoterapist	Fizyoterapist	Fizyoterapist	Fizyoterapist
Testler	İhtiyaç olduğunda	İhtiyaç olduğunda	İhtiyaç olduğunda	İhtiyaç olduğunda	İhtiyaç olduğunda
İlaçlar	_ Ağrı ve bulantı için ilaç _ İhtiyaç varsa laksatif	_ Ağrı ve bulantı için ilaç _ İhtiyaç varsa laksatif	_ Ağrı ve bulantı için ilaç _ İhtiyaç varsa laksatif	_ Ağrı ve bulantı için ilaç _ İhtiyaç varsa laksatif	_ Ağrı ve bulantı için ilaç _ İhtiyaç varsa laksatif

Kas İskelet Sistemi

	Total Diz Protezi Klinik Rehber				
	Kliniğe Kabul	Ameliyat Öncesi	Ameliyat Günü	Ameliyat Sonrası 1. Gün	Ameliyat Sonrası 2. Gün
Aktiviteler	_ Post-op bacak ve dizi kıvırma eg-zersizleri _ CPM _ Yardımla walker ile yürümesini sağlama	_ Post-op bacak ve dizi kıvırma eg-zersizleri _ CPM _ Yardımla walker ile yürümesini sağlama _ Koltuk değneği ile yürüme _ Merdiven inip çıkma egzersizlerine başlama	_ Post-op bacak ve dizi kıvırma eg-zersizleri _ CPM _ Yardımla walker ile yürümesini sağlama _ Koltuk değneği ile yürüme _ Merdiven inip çıkma egzersizlerine başlama	_ Post-op bacak ve dizi kıvırma eg-zersizleri _ CPM _ Yardımla walker ile yürümesini sağlama _ Koltuk değneği ile bağımsız olarak yürüme _ Merdiven inip çıkma egzersizleri	_ Bacak ve dizi kıvırma egzersizleri _ Merdiven inip çıkma egzersizleri
Beslenme	_ Normal diyet	_ Normal diyet	_ Normal diyet	_ Normal diyet	_ Normal diyet
Eğitim	_ Koltuk değneğinin güvenli kullanımı ile ilgili bilgilendirme, gözlemleme ve gerektiğinde açıklamalar yapma+ teşvik _ Merdiven inip çıkma egzersizleri konusunda bilgilendirme	_ Kişisel bakımı için (Tuvalet ve banyo) gerekli olan işlemlerin uygulanarak öğretilmesi	Uygulamaların gözlemlenmesi ve gerektiğinde yardım _ Koltuk değneği kullanımı _ Merdiven inip çıkma _ Kişisel bakım _ Yara bakımı		_ Kişisel bakımı için gereli olan işlemlerin tekrarlanması ve uygulanması
Taburcu Planları	_ Evde yapması gereken egzersizlerle ilgili bilgi			_ Evde bakımı için gereken hazırlıklar ve evde yapması gereken egzersizlerle ilgili bilgilerin gözden geçirilerek eksik bilgilerin tamamlanması	

Kaynak: Ter N. Yavuz M. (2007) Total Diz Protezi İçin Klinik Rehber Örneği. 1.Ulusal Ortopedi Hemşireliği Sempozyumu 26 Ekim 2007 Ankara (Poster Bildiri)- Acta Orthopedica Et Traumatologica Turcica Supp. III. Vol: 41. Ss: 269.

Hasta yatarken fleksiyon kontraktürünü önlemek amacı ile diz ekstansiyonda tutulmalıdır. Ameliyat bölgesindeki şişmeyi önlemek amacı ile buz uygulanabilir.

Ameliyat bölgesinden akıntının aşırı gelip gelmediği kontrol edilmelidir. Ameliyat bölgesinde biriken kanın dışarıya hareketini sağlamak amacı ile hemowak yerleştirilir. Akıntı 8 saat içinde 300 ml'yi geçmemeli, ameliyat sonrası 48 saattede 25-30 ml'den az olmamalıdır. Drenlerin 24 saat sonra çekilmesi hem dren yoluyla oluşabilecek kontaminasyona izin vermeyecek, hem de erken harekete kolaylık sağlayacaktır.

Ameliyattan sonraki birinci gün ayak bileğinin fleksiyon, dorsofleksiyon, dairesel hareketlerine ve kuadriseps germe egzersizlerine başlanır. Fibula başına ya da aşil tendona pansumanın yarattığı basıdan dolayı peroneal sinir basısı, ayağın fleksiyon yeteneğinde azalma ve güçsüzlük görülebilir. Kuadriseps yeteri kadar kuvvetlenince düz bacak kaldırma hareketlerine başlanır. Daha sonra aktif ekstansiyon hareketleri ile devam edilir. Hastaların çoğu ameliyatın birinci gününde yatağında oturur ve tolere edebiliyorsa birinci ve ikinci günde ayağa kaldırılarak yürüme araçları yardımı ile tam ağırlık vermeye hemen başlanır. Bu dizin tam ekstansiyonunun erken dönemde kazanması için önemlidir. Yürüme egzersizlerine geçildiğinde amaç topuğun tam olarak yere temas etmesinin sağlanmasıdır. Parmak ucu ile yürüme dizde fleksiyon kontraktürüne neden olacağından kaçınılmalıdır. Hasta egzersizlerinde belli bir güven sağlandıktan sonra merdiven çıkma ve inme hareketlerine geçilir. Dengesini sağlayabilen hastalarda 36 hafta içinde sağlam tarafta kullanılan dirsekten destekli bir baston ile yürümeye geçilir.

Sürekli pasif hareket aracı (CMP) ile hareket tartışmalı olmakla beraber bazı hastanelerde kullanılmaktadır. Fleksiyonun daha çabuk kazanıldığı, derin ven trombozu riskini azalttığı, hastanede kalış süresini kısalttığı belirtilmektedir. Fakat aracın fibula başına basınç yaparak fibular sinir komplikasyonlarına yol açması, dizde ekstansiyonun tam olarak saptanamaması, kuadriseps gücünün erken dönemde kazanılmasına engel olması gibi nedenlerden dolayı sınırlı olarak kullanılmaktadır. Bu makine dizin yumuşak bir şekilde değişmeyen bir hızla kıvrılıp, düzelmesini ve yavaş yavaş hareket etmesini sağlar. Ameliyattan sonra dizin hareket miktarını artırmak için, bacağın katılığını azaltmak ve bacağı güçlendirmek amacı ile bükme dereceleri ilerleyici olarak arttırılarak kullanılmaktadır. (Şekil 58. 54)

Eğer hasta dizini uygun biçimde kıvırmayı başaramıyorsa (yaklaşık 14. gün 60 derece kadar) genel anestezi altında elle yapılmalıdır. Hasta taburcu olmadan önce yapılması gereken egzersizler öğretilmeli ve yazılı olarak verilmelidir. Ameliyat sonrası 6. haftada çağrılan hasta ilk 6 ay için aylık kontrollerle poliklinikte izlenmelidir. Genelde sorunsuz olarak eski günlük aktivitelerine dönüşleri 3-6 ay içinde olmaktadır.

Total diz protezi olan hastalar için hazırlanan klinik rehber örneği verilmiştir. Burada hastanın kliniğe yatış sından taburcu oluncaya kadar geçen sürede yapılan işlemlerin zamanlaması verilmiştir.

Artroskopi

Artroskopi (Arthroscopy) büyük eklem yaralanmalarının tanı ve tedavisinde kullanılan bir yöntemdir. Cerrah artroskop denilen altı mm çapındaki optik bir aleti küçücük bir kesiden diz eklemi boşluğuna yerleştirir. Böylece bir monitör yardımı ile diz eklemi içi tamamen görülebilir hale gelir. Tüm diz içi sorunlar bu biçimde görülüp tanı konulabilir. Aynı anda tedavisi de yapılabilir. Ameliyat sonu cilde dikiş konulmaz. Atroskopi hastaya zarar vermeyen (minor surgical procedure) küçük cerrahi işlem olarak sınıflandırılmaktadır. İşlem günübirlik cerrahi olarak yapılmaktadır. (Şekil 58.55)

Egzersiz Programı: Fizik tedavi yürüme, germe, eklem hareket açısını arttırmaya yöneliktir. Fizik tedavi cerrahi sonrasında çok önemlidir. Kas güçlerinin geri kazanılması, oluşabilecek cerrahi yapışıklıkların önlenmesi açısından önemlidir. Direk ameliyatın sonucunu etkileyecek faktörlerden birisidir. Hekimin tavsiyeleri doğrultusunda yapılmalıdır. En sık kullanılan egzersizler Quadriceps Egzersizi ve Düz Bacak Kaldırma egzersizleridir.

Quadriceps Egzersizi: Sırtüstü yatar pozisyonda iken ameliyat olan taraf bacağı düz olacak biçimde yere konur. Diz eklemi yere doğru baskı yapacak biçimde kasılır. Diz ekleminin yukarısında kalan kasın (quadriceps) kasıldığı hissedilmelidir. Kasılı biçimde 5 saniye beklendikten sonra kasılma sonlandırılır ve 5 saniye gevşemiş olarak beklenir. Sonra hareket tekrarlanır. Günde 4 kez hekimin tavsiye ettiği sayıda yapılmalıdır. (Şekil 58.56)

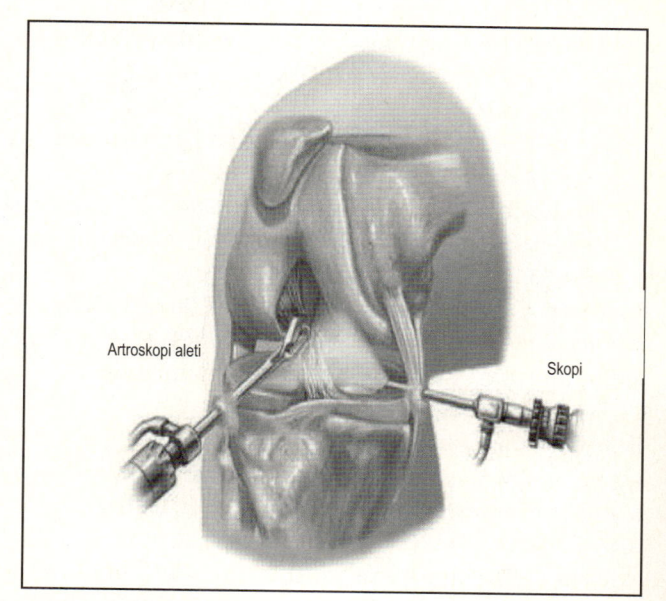

Şekil 58.55: Artroskopi

Ortopedik Cerrahi Yapılacak Hastanın Ameliyat Öncesi Hemşirelik Yönetimi

Hemşirelik tanılaması: Hasta değerlendirmesi sıvı durumu, mevcut tıbbi hikaye ve olası enfeksiyon üzerine odaklanır. Ortopedik hastalar için yeterli sıvı çok önemlidir. Hareketsizlik ve yatak istirahati, derin ven trombozu, üriner staz, mesane enfeksiyonu ve böbrek taşı oluşumu için risk yaratır. Yeterli sıvı alınması kan vizkozitesini ve venöz stazı azaltır ve yeterli idrar çıkışını sağlar.

Ameliyat öncesi sıvı durumunu saptamak için hemşire deri ve mukozaları, temel yaşam bulgularını, idrar çıkışını ve labaratuvar değerlerini değerlendirir. Hastaların ilaç alma hikayesi sorulur. Kronik hastalıkları olan hastalar (örn; romotoid artrit, multiply skleroz, kronik akciğer hastalığı, alerjiler) sıklıkla korikosteroid almış olurlar. Adrenal Yetersizliğin önlenmesi için bu hastalara ameliyat esnası ve ameliyat sonrası kortikosteroid verilmelidir. Antikoagülanlar, kalp damar ilaçları veya insülin gibi diğer ilaçların kullanımı da bilinmeli ve cerrah-anestezist işbirliği ile ayarlamalıdır.

Hemşire ameliyattan önceki iki hafta içinde üşütme, diş ile ilgili sorunları, idrar yolu enfeksiyonları ve diğer oluşmuş enfeksiyonlar açısından hastayı sorgular. Kan yolu yayılımla osteomiyelit oluşabilir kemiğin veya eklemin içinde oluşursa, enfeksiyon kalıcı hasar yapabilir. Elektif ortopedik cerrahi uygulamadan önce mevcut enfeksiyonlar tedavi edilmelidir. Diğer girişimler genel ameliyat öncesi değerlendirme ve işlemleri içermektedir.

Hemşirelik Tanısı: Hemşirenin değerlendirme verilerine dayanarak koyacağı tanı şunları içerebilir.
- Aktivite, ortopedik soruna, şişme veya inflamasyona bağlı akut *ağrı*.
- Şişmeye, sıkıştırıcı araçlara veya yetersiz venöz dönüşe bağlı *periferik sinir damar disfonksiyon riski*.
- *Yetersiz bilgi*
- Ağrıya, şişmeye ve sabitleyici araç varlığına bağlı *fiziksel harekette azalma*
- Duruma bağlı *benlik saygısında azalma riski*: İskelet-kas bozukluğuna bağlı bozulan vücut görüntüsü ve/veya fonksiyonel yetersizlik nedeniyle

Planlama: Ortopedik cerrahi öncesi ana amaçlar ağrının azalması, yeterli sinir damar fonksiyon, sağlıklı ilerleme, artmış mobilite ve kendine güvenin iyileştirilmesidir.

Hemşirelik Girişimleri

Ağrının azalması: Ameliyat öncesi dönemde ağrı kontrolü için fiziksel, farmakolojik ve psikolojik stratejiler faydalıdır. Kırık bir kemiğin veya incinmiş inflamasyonlu bir eklemin ağrısı immobilize edilerek azaltılır. Ödemli ekstremitenin yukarı kaldırılması venöz dönüşü arttırır ve ağrıyı azaltır. Buz uygulaması şişmeyi azaltır ve sinir uyarılarını azaltarak ağrıyı direk azaltır. İskelet kas hasarını ve onunla ilişkili kas spazmının neden olduğu ağrıyı azaltmak için analjezikler sıklıkla kullanılır. Erken ameliyat öncesi dönemde analjezik ilaç uygulaması için hemşire cerrah ve anestezist ile konuşmalıdır. Ağrı algısını azaltmak için alternatif metodlar (traksiyonun azaltılması, odaklanma, yönlendirilmiş biçimleme, sessiz çevre, sırt masajı) uygulanabilir.

Yeterli sinir damar fonksiyonu sağlanması: Travma, ödem veya hareket kısıtlayan araçlar doku perfüzyonunu etkileyebilir. Hemşire ekstremitelerin sinir damar durumunu sık sık değerlendirmeli (Örneğin, renk, ısı, kapiller donma, nabız, ödem, ağrı, duyu hareket) ve bulguları kaydetmelidir. Eğer dolaşım azaldıysa hemşire yeterli dolaşımı sağlayacak ölçütleri uygular. Bunlar hemen hekime haber vermek, ekstremiteyi kaldırmak, kısıtlayıcı aletleri veya alçıları rahatlatmaktır.

Sağlığın İyileştirilmesi: Cerrahi dönemde sağlığı iyileştirici aktivitelerde hemşire hastaya yardım eder, beslenme ve sıvı durumunu değerlendirir. Ameliyat öncesi beslenme planı genellikle iyi tolere edilir.

Hasta diabetikse, yaşlı veya zayıfsa ya da multipl travma kurbanıysa özel sıvı ve besin desteği gerekebilir. Hemşire sıvı alımını, idrar çıkışını, idrar tahlili bulgularını ve idrarda yanma şikayetlerini izler. Bazı hastalar yatak bezlerinin değişimini azaltmak için sıvı alımlarını kısıtlayabilirler. Küçük bir bez hasta için daha kullanılabilir olabilir. İdrar Yolu Enfeksiyonu (İYE) riskini azaltmak için sadece gerekli olduğunda bir kateter kullanılabilir.

İYE idrar yolu enfeksiyonu varsa ameliyattan önce saptanmalıdır. Ameliyat öncesi olarak öksürmek, derin nefes alma ve spirometre kullanımı gibi egzersizler yapılır. Ameliyat öncesi öğretim ameliyat sonrası uyumu arttırır. Optimal solunum fonksiyonu için ameliyat öncesi dönemde sigara bırakıl-malıdır. Hemşire basınç noktalarına dikkat ederek deri bakımını yapar. Deri yaralanması için yüksek risk altındaki hastalara cerrahiden önce basınç azaltıcı yüzeylerin (örneğin, özel destekler) kullanılması önemlidir.

Enfeksiyon riskini en aza indirmek için, hemşire cerrahiden önceki gün dikkatlice ve yavaşça cildi su ve sabunla yıkar. Cerrahi elektif ise, cerrah hastaya hastaneye yatmadan önce dezenfektan sabunlar kullanılmasını söyler. Hemşire hastayla ve ailesiyle iyileşme döneminde tanışır ve böylelikle taburcu sonrası hastaya yeterli desteğin sağlandığından emin olur. Cerrahi sonrası hastanın değişmiş olan hareketi dengelemek için ev ortamı değiştirebilir. Ev bakımına geçişte bir sosyal görevliye ve vaka yöneticisine danışabilir.

Hareketin arttırılması: Ameliyat öncesi dönemde, hastanın hareketi ağrı, değişiklik veya sabitleyici araçlar (alçı, destek, traksiyon) nedeniyle azalmış olabilir. Hemşire ödemli ekstremiteyi kaldırmalı ve yastıklarla yeterince desteklemelidir. Yaralanan bölge hareket ettirmeden önce ilaçla ve

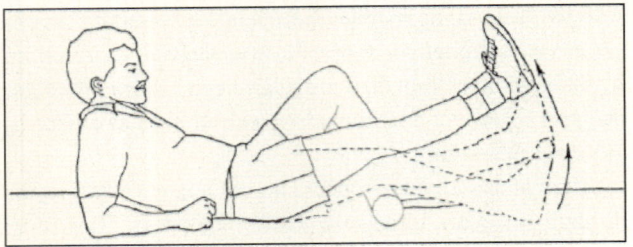

Şekil 58.56: Quadriceps egzersizleri
Düz Bacak Kaldırma: Sırtüstü yatar pozisyonda iken ameliyat olan taraf bacağı düz olacak biçimde yere konur. Yavaşça yerden 20-30 cm yukarı kaldırılır. 5 saniye kadar yukarıda tutulduktan sonra yavaşça yere indirilir. 5 saniye beklendikten sonra hareket tekrarlanır.
Kaynak: http://lokman.cu.edu.tr/ercan/hastalar/Arthroscopy.htm

desteklerle ağrı kontrol edilmelidir. Hemşire tedavi edici hareket kısıtlamaları sınırları dahilinde harekete izin verir.

Etkilenmeyen eklemler için hasta eklem sınırlarını zorlamadan egzersizler yapmalı ve eğer kontrandike değilse hareket için gereksinim duyulacak olan gl uteal kaslarda izometrik egzersizler yapılmalıdır. Ameliyat sonrası yardımcı araç kullanılacak hastalar üst ekstremite ve omuzlarını güçlendirmelidir.

Yardımcı araç (örneğin, koltuk değneği, yürütücü, tekerlekli sandalye) kullanımı düşünülüyorsa, hemşire hastanın bunları ameliyat öncesi kullanmasına yardımcı olarak güvenle kullanımlarını sağlar.

Hastanın kendine güven kazanmasına yardımcı oluması: Ameliyat öncesi olarak ortopedik hastalar beden görünüşlerindeki değişimi, azalmış güveni veya rol ve sorumluluklarını yerine getirememeyi kabullenmek için yardıma gereksinim duyulabilir. Bu alanda gerekebilecek yardımın derecesi çok çeşitlidir. Hastane öncesi oluşan olaylara, planlanan cerrahiye ve rehabilitasyona ve sorunların kalıcı veya geçici olup olmamalarına göre değişir. Hemşire güven ilişkisi kurarak hastaların kaygı ve endişelerini dile getirmelerini ve kendilerindeki değişimlerin farkına varmalarını sağlar. Hemşire, hastaların yanlış anlaya-bilecekleri konuları tanımlar ve fiziksel kapasite değişimine adapte olmak ve kendine güveni yeniden kazanmak yolunda hastalara yardımcı olur.

Değerlendirme: Beklenen Hasta Sonuçları:
1. Ağrının rahatladığını söyler.
   a. Ağrıyı azaltmak için birçok yaklaşım kullanır.
   b. Ağrının azaltılmasında ilacın etkili olduğunu söyler.
   c. Daha rahat hareket eder.
2. Yeterli sinir damar fonksiyon gösterir.
   a. Deri rengi normaldir
   b. Deri ısısı normaldir
   c. Kapiller dolma cevabı normaldir
   d. Duyu ve eklem hareketi normaldir
   e. Şişme azalmıştır.
3. Sağlığı daha iyidir.
   a. Beslenme gereksinimlerini karşılayacak biçimde dengeli yer
   b. Yeterli sıvı alımı yapar
   c. Sigarayı bırakır
   d. Solunum egzersizleri yapar
   e. Deri basısını engellemek için kendi pozisyonunu ayarlar
   f. Güçlendirici ve koruyucu egzersizler yapar
   g. Evde iyileşme dönemindeki yardımcı ihtiyacını planlar
4. Tedavi sınırları içinde maksimum hareket yapar.
   a. Hareket ederken yardım ister
   b. Yer değişimi sonrası ödemli ekstremiteyi kaldırır
   c. Önerildiği biçimde sabitleyici ve yardımcı araçları kullanır
5. Kendine güvenin arttığını söyler.
   a. Vücut görüntüsündeki arttığını söyler
   b. Rol değişimlerini tartışır
   c. Bakımla ilgili kararlara katılır

Ortopedik Cerahi Yapılacak Hastanın Ameliyat Sonrası Hemşirelik Yönetimi

Hemşirelik tanılaması: Ortopedik cerrahi sonrasında, hemşire ameliyat öncesi bakım planına devam ederek hastanın mevcut ameliyat sonrası durumuna göre plan yapar. Hastanın ağrısı, sinir damar durumu, genel sağlığı, hareket ve kendine güveni açısından durumunu yeniden değerlendirilmelidir. İskelete yapılan travma ve kemik, kas veya eklemlere uygulanan cerrahi özellikle ameliyat sonrası bir ve ikinci günlerde ciddi ağrı oluşabilir.

Doku perfüzyonu yakından izlenmelidir. Doku içinde kanama ve ödem dolaşımı bozarak kompartman sendromuna neden olur. Hareketsizlik venöz staza ve dolayısıyla derin ven trombozuna yol açabilir. Genel anestezi, analjezi ve hareketsizlik solunum, sindirim ve üriner sistemlerde değişiklikler yapabilir. Hemşire hareket ile ilgili önerilen limitleri kayıt eder ve hastanın bu sınırları anlayıp anlamadığını değerlendirir. Bakım planını hastayla tartışır ve plana aktif katılımı sağlanır. Hemşire hastanın ameliyata bağlı olası sorunlarını değerlendirir ve izler. Yaşam bulguları, bilinç düzeyi, sinir damar durumu, akıntı, solunum sesleri, sıvı dengesi ve ağrının sık sık değerlendirilmesi olası gelişebilecek komplikasyonları hemşireye veri sağlar. Anormal bulgular hemen hekime bildirir.

Büyük ortopedik ameliyatlarda kan kaybına bağlı hipovolemik şok riski vardır. Hemşire hipovolemik şok bulguları açısından dikkatli olmalıdır. Hastanın kalp ve solunum hızı ile rengindeki değişiklikler akciğer veya kalp damar komplikasyonlarına işaret edebilir.

Doğal olmayan pozisyonlarda idrar yapmak (sürgü) idrar retansiyonuna neden olabilir. Yaşlı erkeklerde genellikle bir dereceye kadar prostat büyümesi olur ve idrar yapmakta zorlanırlar. Bu nedenle idrar çıkışını izlemek önemlidir. İlk 48 saatte oluşan ateş yüksekliği sıklıkla atelektaziye veya başka bir solunum sorununa bağlı gelişir. Sonraki yükselmeler ise idrar yolu enfeksiyonuna bağlıdır. Yüzeysel yara enfeksiyonların gelişmesi dört altıncı günler olur. Flebit nedeniyle ateş genellikle ilk haftanın sonu ve ikinci haftada oluşur. Ortopedik hastalarda ameliyat sonrası oluşabilecek komplikasyonların en sık ve en tehlikeli olanı tromboembolik hastalıktır. İleri yaş, venöz staz, alt ekstremite ortopedik cerrahisi ve hareketsizlik belirgin risk faktörleridir. Hemşire hastayı baldır şişmesi, gerginlik, ısı artışı, kızarıklık ve pozitif Homan's bulgusu açısından günlük olarak izler. Hemşire yağ embolisinin bulguları olan solunum, davranış ve bilinç değişiklikleri konusunda uyanık olmalıdır. Hemşire bulguları hekime bildirir.

Hemşirelik Tanıları: Tüm değerlendirme verilerine dayanarak ortopedik ameliyat geçiren hastalarda tanılar şunları içerebilir:
- Cerrahi işleme, şişmeye ve hareketsizliğe bağlı *akut ağrı*.
- Şişme, kısıtlayıcı araçlar veya yetersiz dolaşıma bağlı *periferik sinir damar fonksiyon bozukluğu riski*.
- *Yetersiz bilgi*.
- Ağrı, ödem veya kısıtlayıcı araca bağlı *azalmış fiziksel hareket*.
- Duruma bağlı *kendine güven kaybı riski:* Kas iskelet sorununa bağlı bozulmuş vücut görüntüsü veya rol performansı.

İlişkili sorunlar/Olası yan etkiler: Değerlendirme verilerine dayanarak olası komplikasyonlar şunlar olabilir.
- Hipovolemik şok
- Atelektazi, pnömoni
- Üriner retansiyon
- Enfeksiyon
- Venöz staz ve derin ven trombozu

Planlama: Ortopedik cerrahi sonrasında hasta için temel amaçlar ağrının azaltılması, yeterli sinir damar fonksiyon, sağlığın iyileştirilmesi, artmış hareket, güvenin artırılması ve komplikasyon yokluğudur.

Hemşirelik Girişimleri

Ağrının azaltılması: Ortopedik cerrahi sonrasında ağrı olabilir. Ödem, hematom ve kas spazmları ağrıyı arttırır. Bazı hastalar ağrının ameliyat öncesi döneminkinden de az olduğunu ifade edebilir ve çok az analjezik gerekebilir. Hemşire hastanın ağrı düzeyini yakından izler ve ağrıyı azaltmak için gereken girişimleri uygular. Ağrı yönetimi için çok çeşitli farmakolojik yaklaşımlar vardır. Ağrı kontrolü için hasta-kontrollü analjezi (HKA) ve epidural analjezi önerilebilir. Eğer ağrı kesiciler gerektiğinde kas içi (intramusküler) veya ağızdan verilmek üzere reçete edilirse ağrı şiddetlenmeden önce bildirmesi konusunda hemşire hastayı uyarmalıdır. Alternatif olarak hemşire belli aralıklarla ilacı önerebilir. Ameliyat yapılan kalça ve uyluk dışındaki intramüsküler enjeksiyon bölgeleri sürekli değiştirilir. Ağrının başlangıcı öngörülebilirse (örn; transfer veya egzersiz gibi bir planlanan aktiviteden 30 dakika önce) hemşire ilacı önlem olarak önerilen saatten önce yapabilir. Ağrı kontrolündeki farmakolojik yaklaşımlara ek olarak eğer önerilirse, ameliyat edilen ekstremitenin kaldırılması ve soğuk uygulama ödem ve ağrıyı kontrol etmeye yardımcıdır. Yaraya yerleştirilen dren sıvı birikimini ve hemotom oluşumunu engeller. Yeniden pozisyon vermek, rahatlatmak, traksiyonu azaltmak ve yönlendirilmiş hayal gücü hastanın ağrısını azaltmaya yardım eder. Artan ve kontrol edilemeyen ağrı cerraha bildirilmelidir. Başlangıçtaki ameliyat sonrası dönemden sonra ağrı hızla azalmalıdır. Birçok hasta iki-üç gün sonra kas spazmı ve sızlamalar için yalnızca arada bir alınacak ağızdan ağrı kesiciler yeterli olmaktadır.

Yeterli sinir damar fonksiyonun sağlanması: Hemşire ameliyat öncesi bakım planını devam ettirmelidir. Etkilenen beden kısmının sinir damar durumunu izler. Azalmış doku perfüzyonu varlığında hekime hemen haber verilmelidir. Hastaya kas hareketlerini, bilek ve baldır egzersizlerini saat başı yaparak dolaşımı hızlandırması hatırlatılır.

Sağlığın sürdürülmesi: Ameliyat sonrası tedavi planına hastanın katılımını sağlamak önemlidir. Yara iyileşmesi için yeterli protein ve vitamin içeren dengeli bir diyet gerekir. Hasta mümkün olan en kısa sürede normal diyetine döner. Yatak istirahatı olan ortopedik hastalara fazla süt verilmemelidir. Çünkü bu vücut kalsiyum deposuna katılır, böbreklere kalsiyum yükü getirir ve böbrek taşı riskini arttırır. Hemşire basınç yarası açısından hastayı izlemelidir.

Bu durum yatakta uzun zaman geçiren veya yaşlı, beslenme bozukluğu olan veya yardım almadan hareket edemeyen hastalar için önemli bir tehdittir. Pozisyon verme, deri bütünlüğünün kontrolü, deri bakımı ve kemik çıkıntılar üzerindeki basıncın azaltılması deri yaralanmasını önlemek için gereklidir.

Fiziksel hareketinin arttırılması: Hastalar ameliyat sonrasında hareket etmeye sıklıkla isteklidirler. Planlanan ameliyat sonrası tedavi planı ile ilgili ameliyat öncesi eğitim hastaların fiziksel aktivitelere katılımını arttırır. Genellikle hasta hareketin tedavi edici sınırları içinde olacağına, hemşirenin yardım edeceğine ve ağrının kontrol edileceğine inandığında daha fazla hareket eder.

İnternal fiksasyon için kullanılan metal çiviler, vidalar, çubuklar ve plakalar kemik oluşumuna kadar kemiği sabit tutmak için tasarlanmıştır. Ağırlık limitlerini saptamada kemiğin tahmini gücü, kırığın stabilitesi, redüksiyon ve fiksasyon ile iyileşen kemik miktarı önemli kriterlerdir. İnsizyon iyileşmiş gibi görünse de alttaki kemik iyileşmek ve eski gücünü kazanmak için daha fazla zamana gereksinim duyar. Bazı ortopedik işlemler ağırlık kısıtlamalarını gerektirir. Bu kısıtlamaları cerrah belirler.

Fizik tedavi uzmanı hastanın gereksinimlerine göre bireysel olarak egzersizi programını ayarlar. Amaç mümkün olan en kısa zamanda hastanın en yüksek fonksiyon düzeyine çıkartılmasıdır. Rehabilitasyon hastanın aktivitelerinde ilerleyen bir artışa neden olur. Yardımcı araçlar (koltuk değneği, yürütücü) ameliyat sonrası hareket için kullanılabilir. Aletlerin ameliyat öncesi kullanımının gösterilmesi ameliyat sonrası kullanımı kolaylaştırır. Hemşire hastanın bu araçların güvenle kullandığından emin olmalıdır.

Kendine güvenin kazanılması: Hemşire ve hasta gerçekçi amaçlar belirler. Tedavi planının sınırları dahilinde yapılacak kendine bakım aktiviteleri ve rollerin geri kazanılması farkındalığı arttırarak kendine güveni, kişisel kimliği ve rol performansı arttırır. Hemşirenin, ailenin ve diğerlerinin desteğiyle ve hasta değişen beden görüntüsünü de kabullenir.

Olası komplikasyonların izlemesi ve yönetilmesi

Hipovolemik şok: Ameliyat sırasında veya sonrasında oluşacak aşırı kan kaybı şokla sonuçlanabilir. Hemşire hipovolemik şok bulguları açısında hastaya izler. Artmış kalp hızı, düşük kan basıncı, <30ml/saat ten az idrar çıkışı, huzursuzluk, mental değişiklik, susuzluk, hemoglobin ve hemotokrit azalması bulguları cerraha bildirilir.

Atelektazi ve Pnömoni: Hemşire hastanın solunum seslerini izler ve derin solunum ve öksürme egzersizleri yaptırır. Akciğerlerin tam genişlemesi pulmoner sekres-yonların birikimini, atelektazi ve pnömoni gelişimini azaltır. Eğer önerilirse spirometre kullanılır. Solunum sorunu ile ilgili bulguları gelişirse (Örn; artmış solunum hızı, öksürük, azalmış veya değişmiş solunum sesleri, ateş) hemşire cerraha haber verir.

Üriner retansiyon: Ameliyat sonrasında hemşire hastanın idrar çıkışını yakından izler. Üriner retansiyonu ve mesane distansiyonunu engellemek için hastaya 3-4 saatte bir idrar yapması söylenir. Tuvalette iken kişisel gizliliğe saygı önemlidir. Yatağa bağımlı hastalarda kırık sürgüsü kullanmak daha rahat olabilir. Hasta idrar yapamıyorsa aralıklı idrar sondası önerilebilir. Sürekli idrar sondası ancak gerekli olduğunda kullanılır ve en kısa zamanda çıkartılmalıdır.

Enfeksiyon: Enfeksiyon herhangi bir ameliyat sonrasında risktir. Osteomiyelit riski nedeniyle ortopedi hastası için ayrıca önemlidir. Bu nedenle ameliyathanede ve erken ameliyat sonrası dönemlerde genellikle profilaktik sistemik antibiyotik uygulanır. Hemşire hastanın antibiyotikleri zamanında uygular ve hastanın cevabını değerlendirir. Hemşire hastanın yaşam bulgularını, ve enfeksiyon bulgularını izler.

Venöz staz ve derin ven trombozu: Derin ven trombozunun önlenmesi için bilek ve ayak egzersizleri, elastik çoraplar ve aralıklı kompresyon araçlarını kullanımı gerekir. Yeterli sıvı alımı ve erken hareket eşit derecede önemlidir. Profilaktik warfarin, dozu ayarlanmış heparin veya düşük molekül ağırlıklı heparin (enox aparin sodyum) verilebilir. Hemşire hastayı derin ven trombozu bulguları yönünden izler ve bulguları hekime bildirir.

Evde ve toplum temelli bakımın sağlanması

Hastaya kendisine bakmasın öğretilmesi: Ameliyattan sonra hastanede yatış süresi genellikle bir haftadan kısadır. İyileşme ve rehabilitasyon dönemi evde veya akut olmayan bakım ortamlarında geçer. Hemşire hastaya ve ailesine hemen bildirilmesi gereken komplikasyonların bulgularını söylemedir. Hasta ilaçların kullanımı anlamalıdır. Hasta fiziksel aktivitelerini yavaş yavaş geri kazanır ve ağırlık limitlerine uymalı, yardımcı araçları güvenle kullana-bilmelidir. Hastanın alçısı veya diğer bir kısıtlayıcı aracı varsa aile bireylerine hastaya nasıl güvenle yardım edecekleri anlatılmalıdır.

Bakıma devam edilmesi: Evde bakım için özel donanım veya ev ayarlamaları gerekiyorsa, bunlar taburculuk öncesi yapılmalıdır. Hemşire fizik tedavi uzmanı ve sosyal danışman hastaya ve ailesine gereksinimlerin tanımlanmasında ve ev bakımına hazırlıkta yardım ederler. Evde bakım ve fizik tedavi taburcu planının bir parçasıdır. Hemşire ev ziyaretlerinde mevcut sorunları saptar, hastanın ilerleyişini değerlendirir ve olası komplikasyonların varlığını araştırır. (Çizelge 58.14).

Değerlendirme: Beklenen Sonuçlar
Hastaya ait beklenen sonuçlar aşağıdadır.
1. Ağrının azaldığını söyler.
   a. Ağrıyı azaltmak için birçok yaklaşım kullanır.
   b. Rahatsızlığı kontrol etmek için duruma göre ağızdan ilaç alır.
   c. Ödem ve ağrıyı kontrol etmek için ekstremiteyi kaldırır.
   d. Daha rahat hareket eder.
2. Yeterli sinir damar fonksiyonu gösterir.
   a. Normal deri rengi ve ısısına sahip
   b. Cildi sıcak
   c. Kapiller dolması normal
   d. Duyusal ve motor fonksiyonu normal
   e. Şişlik azalmış
3. Sağlığı devam ettirir.
   a. Beslenme gereksinimleri için uygun diyeti alır.
   b. Yeterli sıvı alır
   c. Sigarayı bırakır
   d. Solunum egzersizleri yapar

e. Deriye basıncı engellemek için kendi pozisyonu değiştirir
f. Güçlendirici ve koruyucu egzersizler yapar.

4. Tedavi edici sınırlara uygun hareket yapar.
a. Hareket ederken yardım ister
b. Transfer sonrası ödemli ekstremiteyi kaldırır
c. Önerildiği biçimde kısıtlayıcı araçları kullanır
d. Ağırlık kısıtlamalarına uyumludur

Çizelge 58. 14 : Ortopedik Ameliyat Geçiren Hasta İçin Evde Bakım Listesi,

Evde bakım önerilerinin sonunda hasta veya bakıcısı şunları yapabiliyor olacaktır

* Yara bakımını tanımlamak

* Yara enfeksiyonu bulgularını tanımak (kızarıklık, şişme gerginlik, pürülan akıntı, ateş)

* Yara ve kemik iyileşmesi için sağlıklı diyet uygulamak

* Dolaşımı ve hareketi arttırmak için önerilen egzersiz planına uymak

* Yardımcı araçları güvenle kullanmak

* Önerilen ağırlık ve aktivite sınırlarına dikkat etmek

* Önerilen ilaçları almak (Örn; antibiyotikler, antikoagülanlar, ağrı kesiciler)

* Hekime hemen bildirilecek komplikasyon bulgularını tanımak (Örn; kontrol edilemeyen ağrı ve şişme; soğuk soluk Parmaklar; parastezi, paralizi, pürülan akıntı, sistemik enfeksiyon bulguları derin ven trombozu veya pulmoner emboli bulguları)

*Rehabilitasyon ve iyileşme sırasında bağımsız ve güvenli bir çevre yaratmak için yapılacak değişimleri tanımlamaktır.

---

5. Kendine güvenir.
a. Vücut görüntüsündeki kalıcı veya geçici değişimleri tartışır.
b. Rol performanslarını tartışır.
c. Kendisini "sorumluluk alabilir" olarak görür.
d. Tedavi planına ve bakım planına aktif katılır.
6. Komplikasyon yaşamaz
a. Şok oluşmaz
b. Yaşam bulguları normal
c. Akciğer sesleri normal
d. Yara iyileşmesi iyi
e. Üriner retansiyon oluşmaz
f. İdrar açık berrak renkli
g. Derin ven trombozu bulguları göstermez.

Travmalar

Travma kaza, deprem, terör, savaş, spor gibi olaylar esnasında oluşabilen yaralanmalara ilişkin her konuda kullanılan bir terimdir. Travma yaralanmaya ve ölüme yol açabilen durum olduğu gibi ortaya çıkan sağlık sorunlarını da tanımlayabilen bir anlam genişliği içermektedir. Türk Dil Kurumuna göre travma " bir doku veya organın yapısını, biçimini bozan ve dıştan mekanik bir tepki sonucu oluşan yerel yara" olarak tanımlanmaktadır.

Travma beklenmeyen bir anda oluşan hem yaralanan kişi hem de sağlık bakımı verenler için önemli durumlardan biridir. Travma tüm Dünya da bir ile 45 yaş grubunda ölüm ve sakatlık nedenleri arasında birinci olup, tüm yaş gruplarında ise üçüncü ölüm nedenidir.

Travmaya yol açabilen enerjinin şiddetine göre travmalar yüksek enerjili yaralanmalar ve düşük enerjili yaralanmalar olarak ikiye ayrılabilmektedir. Örneğin bir ateşli silah yaralanması, trafik kazası veya yüksekten düşme yüksek enerjili bir yaralanmayı ve çoğu kez de ölüm riskini beraberinde getirmektedir. Spor yaralanması veya evde basit bir düşme düşük enerjili bir yaralanmaya örnektir. Kas iskelet yaralanmaları her yaş grubunda ve her ortamda oluşabilecek bir durumdur. Çocuklarda ev kazaları, okul çağında spor ve trafik kazaları, ileri yaşta yine ev kazaları sık görülmektedir. Özellikle travmaya maruz kalan çocuklar ile yaşlılarda ölüm riskini arttırmaktadır. En büyük travma nedenini trafik kazaları oluşturmaktadır. Trafik kazalarına yol açan nedenler incelendiğinde tüm trafik kazalarının üçte birinde alkol kullanımı, diğer bir üçte birinde ise aşırı hızlı gitme sorumludur.

Kas-iskelet sistemi yaralanmaları kontüzyon, kramplar, spazm, gerilme, burkulma, çıkıklar (luksasyon), kırık olarak değişik şekillerde meydana gelebilir.

Kontüzyon (Ezilme): Kontüzyon cilt bütünlüğü bozulmadan oluşan yaralanmadır. Direkt bir travma karşısında cilt altında dokuların aşırı derecede ezilmesidir. Kılcal (kapiller) damarlardaki kan cilt altında şişlik yapacak tarzda toplanır (hematom) ve ekimoz (ciltte morarma) oluşur. Trafik kazası gibi travmalarda kas ezilmeleri görülmektedir.

Kas gerilmesi (Strain): Aşırı gerilmenin neden olduğu kas, bağ ve tendonun gerilmesidir. Özellikle de kas-tendon bağlantı bölgelerinde daha fazla görülmektedir. Kas gerilmesi genellikle geri dönüşü olan (reversibl) işlevsel kas yaralanmasıdır. Kas gerilmesi kas liflerine paralel meydana gelir. Kas hareketi ile kasın boyunun uzadığı ve kas elastikiyetinin sınırına ulaşıldığı fakat bu sınırın aşılmadığı bir durum söz konusudur. Bu sınırın aşıldığı noktada kas zorlanması veya parsiyel kas yırtılması meydana gelebilir.

Burkulma: Bir eklemin taşıyabileceği yükün üzerinde zorlanması ile eklemi çevreleyen yumuşak dokunun zarar görmesine burkulma denir. Burkulmada bağlar, kaslar, kirişler ve kan damarları gerilmiş veya yırtılmıştır. Burkulan organların başında el ve ayak bilekleri, parmaklar ve dizler gelir.

Belirtileri: Eklem çevresinde şişme, hassasiyet, hareket sırasında ağrı, morarmadır.

Tedavi: Ekstremite (kol veya bacak) hareket ettirilmez, dinlendirilir. Ekstremite kalp seviyesine kaldırılır. Morarma ve şişliği önlemek üzere soğuk uygulama yapılır. Olayın üzerinden birkaç saat geçmişse, şişlik, morluk ve ağrıyı azaltmak için sıcak uygulama yapılabilir.

Soğuk uygulama için: Buz torbasına veya sağlam bir plastik torbaya buz parçaları konup, havluya veya bir yastık kılıfına sarıldıktan sonra burkulan kısma yerleştirilir.

Sıcak uygulama için: Derin bir kaba ılık-sıcak arası su konur ve burkulan kısım içinde 15 dakika kadar bekletilir. Günde birkaç kez yapılacak bu uygulama hasta iyileşene kadar tekrarlanabilir. Sıcak su içinde ıslatılmış sıkılmış havlu ile bölge sarılır hemen soğumaması için üzerine naylon örtülebilir. Varsa sıcak su torbası (termofor) uygulanabilir.

Çıkık: Bir eklemi oluşturan parçaların yer değiştirme sonucu normal eklem ilişkisinin bozulmasına çıkık (Luksasyon) denir. Çıkıkta eklem bağları ve eklem kapsülü yaralanması olur. (Şekil 58.57)

Etiyoloji: Çıkıklar genellikle düşme ve sert bir cisimle vurma sonucu meydana gelir.

Çıkık en çok parmaklarda (özellikle başparmakta), omuzda ve bileklerde olur.

Klinik belirtileri: Ağrı, şişlik, morluk, hareket kısıtlığı, şekil bozukluğu, hassasiyet, hastanın duruşunun değişmesidir. Eklem yüzeyleri birbirinden tamamen ayrılmış kemik uçları değişik pozisyonlarda kilitlenmiş olabilir. Herhangi bir hareket hem çok güçtür hem de ağrılıdır.

İlkyardım: Çıkık kemik yerine yerleştirmeye çalışılmamalı, çıkık eklem bulunduğu pozisyonda sabitlenmeli, bölge mümkünse kalp seviyesinin üzerine kaldırılmalıdır. Ağrı kesici verilebilir. Yaralı en kısa zamanda hastaneye götürülmelidir.

Spor ile ilgili yaralanmalar

Sporun zihin ve fizik yapıyı geliştirmekte olduğu her geçen gün daha iyi anlaşılmaktadır. Yeterince ön hazırlık yapmadan egzersizlerde aşırı zorlamalar, dikkatin azalmasına, kazalara ve yaralanmalara yol açabilmektedir. Spor yaralanmalarının oluşmasında kişisel (internal) ve çevresel (eksternal) nedenler olarak iki grupta toplanmaktadır.

Kişisel nedenler: Fiziksel eksiklikler, fiziksel uygunluk (aerobik dayanıklılık, kuvvet, sürat, beceri, çeviklik), psikolojik faktörler (yoğunlaşma, riski kabullenme), fiziksel yapı (boy, kilo, eklem stabilizesi, vücut yağ dokusu yüzdesi), yaş, cinsiyet olarak belirtilmektedir.

Çevresel nedenler: Sporun tipi, sportif aktivite süresi, hadisenin yapısı, rakibin ve takım arkadaşlarının rolü, zeminin durumu, ışık, emniyet tedbirleri, yavaşlama için yeterli mesafe, malzemeler, iklim koşulları (ısı, nem, rüzgâr) çalıştırıcı ve maç yönetimidir (kurallar ve hakemlerin kuralları uygulaması).

Kas Zorlanmaları (Çekmeleri): Tek bir kas grubunun gerilebilme sınırından daha fazla zorlanmasıdır. Etiyolojisi yetersiz kondisyon, antrenman, gerdirmelerinin uygun olarak yapılmaması ve magnezyum alımında yetersizliktir. Belirtileri kas ağrılarıdır. Tedavide basınçlı bandaj iyileşmeyi hızlan-dırabilir. Sonraki birkaç gün ise zedelenen kas mümkün olduğunca sık gerdirme egzersizleriyle esnetilmeye, yumuşatılmaya çalışılmalıdır. İlk birkaç gün içinde masaj yapılmamalıdır. Antrenman ve yarışmalar öncesinde kasların uygun ısınma ve gerdirme egzersizlerinin yapılması önleme açısından büyük önem taşımaktadır.

Rotator Cuff: Rotator cuff tendonları omuz etrafına yapışan dört kası içine alan kas grubuna verilen isimdir. Bu kaslardan supraspinatus kası omuzu kaldırma, subscapular kas omuza internal rotasyon yaptırma (içe doğru dönme), infrasupinatus ve teres minor kasları ise omuza eksternal rotasyon yaptırma (dışa doğru dönme) hareketinde görev alırlar. Omuzun ağırlıklı kullanıldığı spor dallarında aşırı kullanımlar sonucu rotator cuff tendiniti (tendonun iltahabı) veya zorlanması sonucu tendonun yırtığı sık rastlanan sorunlardandır. Omuz kuvvetindeki yetersizlik sıklıkla rotator cuff'ın yırtılması ile sonuçlanır. (Şekil 58. 58)

Etiyoloji: Sporcuların aktivite yoğunluğu ve hızı arttıkça veya çok uzun süreler aynı aktivite yapılınca, kas ve tendon guruplarında şişmeler olabilmekte, bunun sonucunda da ağrı, hassasiyet, omuz hareketlerini yapamama durumu ortaya çıkmaktadır.

Belirtiler: Üst kol dış yan ağrısı vardır. Ağrı sıklıkla gece ve baş üzerinde yapılan omuz aktivitelerinde artar. Omuzda tıkırdama tarzı ses duyulabilir.

Tanı: Muayene ve MRI (Manyetik Rezonans görüntüleme) tanıda önemli bir yere sahiptir.

Tedavi: Hastaların %70'i cerrahi gerektirmeden tedavi edilebilir. Tedavi sürecince omuzu zorlayıcı aktivitelerden kaçınılması önerilmektedir. Şişme genellikle dinlenme, soğuk uygulama ve hekimin önereceği ilaçlar ile kontrol altına alınabilmektedir. Hekimin önerisi doğrultusunda anti-enflamatuar ilaç, soğuk uygulama ilk yapılacak şeyler arasında yer alır. Ağrı belirli bir oranda azaldıktan sonra hekim önerisi ile rotator cuff rehabilitasyon egzersizlerine başlanabilir. Birincil amaç sağlam kalan dokuyu güçlendirmektir. Beraberinde skapular (kürek kemiği) kasları da güçlendirmek gerekir. Tedaviden sonuç almak için fizik tedavi yöntemlerinin de tedaviye eklenmesi gerekebilir. Yapılan ciddi reha-bilitasyona rağmen sonuç alınamıyorsa kortizon enjeksiyonu yapılabilir. Cerrahi girişim iki-üç aylık tedavi sonucunda sonuç alınamıyor ise düşünülebilir. Ameliyatı takiben uzman hekim kontrolünde rehabilitasyona hemen başlanılması gerekir.

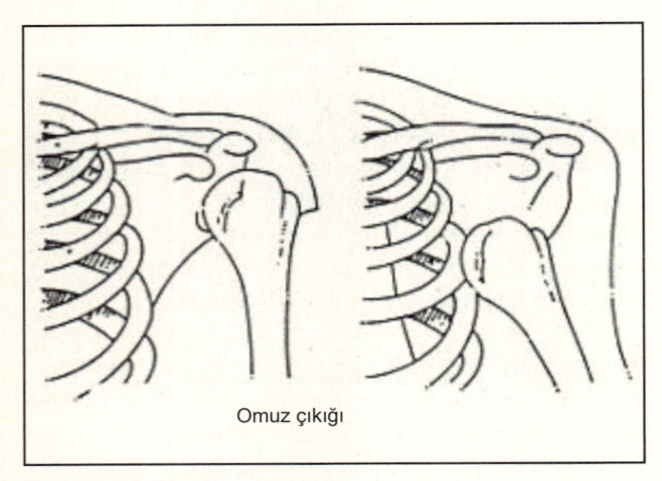

Şekil 58.57: Omuz çıkığı
Kaynak: Us AK (2005)

Tenisçi Dirseği (Lateral Epicondylitis): Dirsek eklemindeki kaslar ve kemikleri etkileyen bu duruma tenisçi dirseği (lateral epicondylitis) epikondilit adı verilmektedir. Aşırı ekstansor aktivite sonucu humerus lateral (yan) epikondilde hassasiyet ve ağrı meydana gelmesidir. (Şekil 58. 59)

Etiyoloji: Tenisçi dirseğinin oluşmasına tendonlarda ve kas kenarlarındaki minik kesikler veya yırtılmalar sebep olmaktadır.

Belirtileri: Kolun üst kısmında dirseğin hemen dış ve alt kısmında oluşan ağrı ve dirsekten kol boyunca bileğe doğru vuran ağrı altı ile 12 hafta arasında sürebilir. Rahatsızlık hissetme ise üç haftadan birkaç yıla kadar sürebilmektedir. Bir şeyler kaldırırken veya kol bükülüyken veya bir şeyleri kavrarken (kahve fincanı gibi küçük şeyleri bile) ağrı hissedilmektedir. Kolun dirsekten alt kısmını iyice gerinerek ileriye doğru uzatmada zorluk yaşanmaktadır. (dirsek iç kısmındaki kas, tendon ve iç bağlarda oluşan ısı artması, kızarıklık ve şişme gibi vücut reaksiyonlarından dolayı).

Tedavi: Kasları kemiklere bağlayan tendonlar kasların aldığı miktarda kan ve oksijen alamazlar. Bu yüzden iyileşmeleri de daha uzun süre alır. Bazı tenisçi dirseği rahatsızlıklarının düzelmesi yıllarca sürebilir. Ama vücut reaksiyonundan oluşan kızarıklık ve şişlik genelde altı ile 12 hafta içinde normale döner. Önce konservatif tedavi uygulanır. Hastaların % 5 - 10'unda cerrahi tedavi uygulanır. Ameliyatta ölü dokular çıkarılır. Tedavide dinlenme, sıcak uygulama, anti enflamatuar ilaçlar, önkol ve el kaslarını güçlendirme programı, destek splinti, spazm oluşmuş kasa masaj, lokal enjeksiyonlar (en fazla iki kez), TENS, Ultrasondur. (Şekil 58. 60)

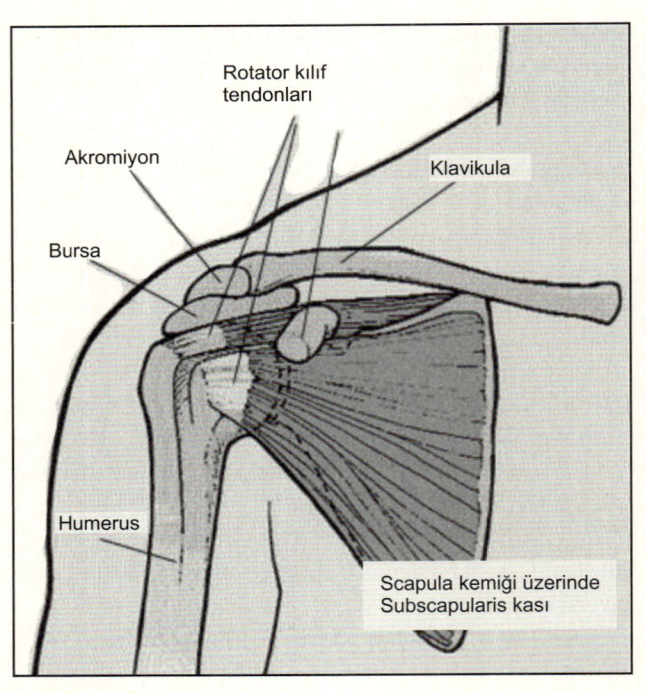

Şekil 58.58: Rotator kılıf
Resim: http://www.masatenisi.org/turkish/sakatlik2.htm

Menisküs

Diz eklemi vücudumuzun büyük eklemlerindendir. Eklem üç kemikten oluşur. Üstteki parça uyluk (Femur) kemiği, alttaki parça bacak (Tibia) kemiği, öndeki parça diz kapağı (Patella) kemiğidir. Eklem yüzleri birbirlerine çok uygun olmadığı için eklem yardımcı dokularla güçlendirilmiştir. Bunlar diz eklemi **bağları** (Ligament'ler) ve çukur şekildeki kıkırdaklar (**Menisküs**'ler) dır. Dize destek sağlayan dört ana bağ vardır: Ön Çapraz Bağ **(ACL),** Arka Çapraz Bağ **(PCL),** İç Yan Bağ **(MCL),** Dış Yan Bağdır **(LCL).** (Şekil 58.61)

Menisküs yırtığı: Diz eklemi boşluğunda uyluk kemiği ile bacak kemiği arasında yüzeylerin birbirine daha uyumlu olabilmesini sağlayan ve yastık görevi gören kıkırdak yapısında sağ ve solda iki adet menisküsler bulunmaktadır. Bunlar: iç menisküs, dış menisküs olarak adlandırılmaktadır. Zorlamalar sonucunda bunlarda çeşitli yırtıklar oluşmaktadır. Ağrı, şişlik, takılma hissi, dizde kilitlenme

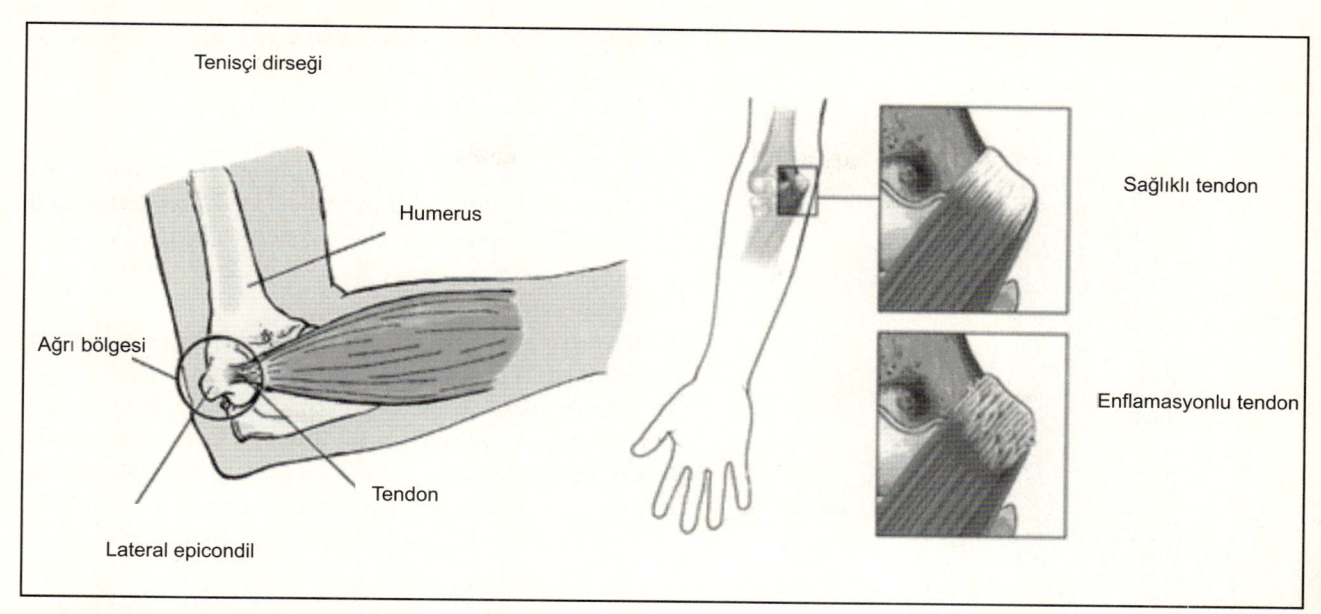

Şekil 58.59: Tenisçi dirseği
Kaynak : http://www.ergoworks.com.au/sydneysports/sports_injuries.htm

oluşabilmektedir. Çeşitli yöndeki kuvvetlerin etkisi altında kalan dizde kıkırdak yapısındaki menisküsler yırtılabilir. Sadece sporcularda değil dizini herhangi bir şekilde zorlamış olan herkes de görülebilir (Örn; diz çöküp yer silen hanımlarda).

Bu yırtıklar bazen yaşlanma veya yapısal bozukluklar sonucunda kendiliğinden de gelişebilir. Menisküsler kıkırdak yapısında oldukları için kan damarlarından yoksundurlar. Bu nedenle oluşan yırtıklar iyileşmezler. Yırtığın olması dizde çeşitli şikâyetlerin oluşmasına neden olur. Uzun dönemde ise bu yırtığın kalması dizin kendi içinde bozulmaya yol açar. Bu nedenle bu durumun tedavisi cerrahidir. **Menisküs ameliyatı** zorlamalar sonucunda yırtılan iç veya dış menisküsün artroskopik olarak tamiri veya temizlenmesidir.

Aşil Tendonu Zorlanması (Çekmesi): Aşil Tendonu ayağığın arka kısmında, ayak bileğinin arkasında yer alır. Baldır kasının devamı olup kasın ayak topuğuna bağlanan kısmıdır. (Şekil 58. 62)

Etiyoloji: Ani ve kuvvetli zorlanma veya direkt fiziksel travmadır.

Klinik Belirtiler: Egzersiz sırasında topuk ve tendon bölgesinde hareketi engelleyici tipte deliniyor hissi veren ağrı meydana gelmektedir.

Tedavi: Destekleyici bandaj ve ağrı kesici kremler uygulanmaktadır. Baldır kasları için gerdirme egzersizleri yapılmalıdır.

Önlem: Kas oluşumlarının korunması için düzenli olarak magnezyum preparatlarının alınması önerilmektedir.

Aşil Tendonu Kopması

Etiyoloji: Koordine olmayan kas gerilmesi (iç travma) veya direk fiziksel etki ile ani ve aşırı zorlama sonucu oluşabilir.

Klinik Belirtiler: Diz-dirsek pozisyonunda, her iki ayak muayene masası kenarında serbest olarak sarkarken, baldır kavrama testinde sağlam tarafta ayak parmaklarında kopan tarafta hareket yoktur. Tendon üzerinde (bir parmak kadar genişlikte) bir çukur izlenir.

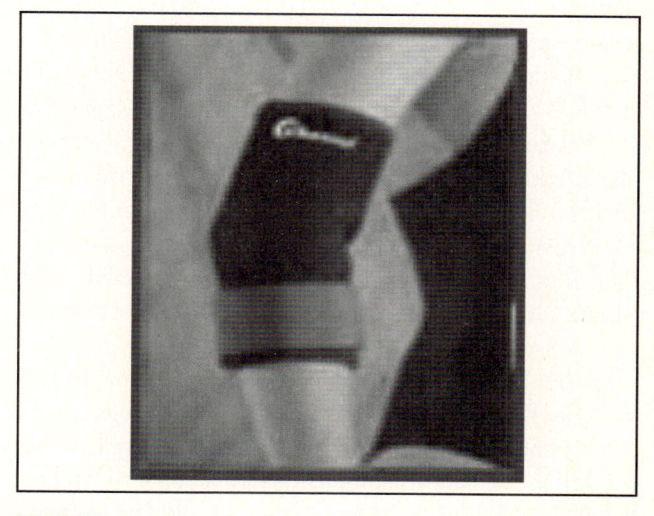

Şekil 58.60: Dirseğe destek sağlama http://www.chantal.com.br/neo_msup.asp

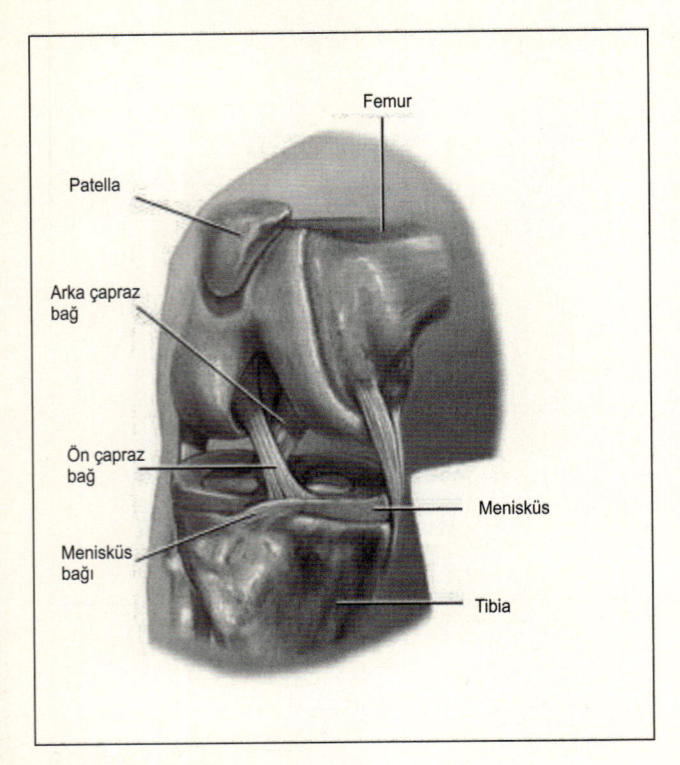

Şekil 58.61: Menisküs

Tedavi: Mutlaka cerrahi onarım gereklidir. Kısa süreli olarak ameliyata kadar alçı ile tespit yapılabilir. Eklem fonksiyonunu korumak için erken dönemde egzersizlere başlanmalıdır. Yetkili uzman gözleminde gerdirme egzersizleri yapılmalıdır.

Önlem: Yaralanan bölgede oluşan yeni doku koordine olmayan kas kasılmalarına yol açabileceği için aşırı yüklenmelerden sakınmalıdır.

Kırıklar

Kemik veya artiküler kartilaj bütünlüğünün bozulmasına kırık denir. Kırık ve tedavisi ortopedi ve travmatolojinin en temel konularından birisini oluşturmaktadır. Kırık tedavisi hastanın yaşamsal sorunlarının tedavisi ile eşzamanlı olarak başlayan bir süreci oluşturmaktadır. Tedavide temel amaçlar erken dönemde hastanın ağrısının giderilmesi ve süreç içerisinde kırığın kaynamasının sağlanması ile birlikte normal fonksiyonlara sahip bir ekstremitenin elde edilmesidir. Tedavi hasta, kırık ve içinde bulunulan şartlara göre konservatif veya cerrahi olabilir.

Kırığı oluşturan sebepler ile kırık lokalizasyonları yaşlara göre farklılıklar gösterir. Yeni doğanlarda doğum travmasına bağlı olarak en çok klavikula, femur cismi, humerus kırılır. Çocuklarda humerus suprakondiler kırıkları başta olmak üzere dirsek çevresi ve önkol kemikleri ile femur cismi en çok kırılır. Genç ve orta yaşlarda tibia, femur ve radius distali en çok kırılan bölgelerdendir. İleri yaşlarda femur boynu, trokanterik bölge, humerus proksimali ve radius distali en çok kırık görülen bölgelerdendir. Çocukluk yaş grubu içerisinde görülen kırıkların tedavi özelliklerinin erişkinlerden farklı olduğu ve tedavi yaklaşımlarının değişiklikler gösterebileceğinin bilinmesi önemlidir.

Kırıkları oluşturan nedenler

Travmatik yolla oluşan kırıklarda görülen en sık karşılaşılan nedenler: Trafik kazaları (araç içi veya araç dışı), düşme, çarpma, yüksekten düşme, ev içi kazalar, iş kazaları, spor kazaları ve yaralanmaları, göçük altında kalma (deprem, maden kazaları vb), üzerine bir şey düşmesi, ateşli silah yaralanması, kesici delici alet yaralanması, darba maruz kalma ve dövülme ve yeni doğanlarda görülen doğum travmalarıdır.

Patolojik kırıklarda kemikte bir hastalık mevcuttur ve kırık çoğu zaman basit travmalarla veya bazen travma olmaksızın kendiliğinden meydana gelir. Altta yatan hastalık benin tümör, primer veya sekonder malin tümör, osteoporoz, osteomalazi, enfeksiyon vb olabilir.

Stress kırıklarında ise sürekli tekrarlayan zorlamalar ve yorgunluk sonucunda bariz bir travma olmadan fissür ya da tam kırık gelişebilir. Örneğin eğitimi yeterli olmayan askerlerde uzun yürüyüşler sonucunda metatars yorgunluk kırıkları görülebilir.

Kırık oluş mekanizması

Normal anatomi ve fizyolojiye sahip bir kemikte dıştan etki eden kuvvetler ve vücut ağırlığının taşınması ile kas ve ligamentlerin çekmesi gibi vücudun içinden etki eden kuvvetlerin şiddeti, doğrultusu, hızı ve etkileme süresine göre kırıklar meydana gelir (Şekil 58.63).

Tanılama: Kırıkları doğru teşhis edebilmek için, yaralının hızlı, dikkatli ve sistematik olarak anamnezini almak, soruşturma yapmak, belirti ve bulguları ortaya koymak bunun için de sistemik ve lokal fizik muayenesini yapmak ve radyolojik bulgu ve belirtileri değerlendirmek gerekir.

Hasta öyküsü: Bilinci yerinde olanların kendisinden veya bilinci yerinde olmayanların çevresindekilerden bazı sorulara cevap aranmalıdır:

- Ne şikâyeti var? (Ağrı, hareket kısıtlılığı, şişlik, morarma vb)
- Ne oldu? (Düşme, yüksekten düşme, kaza vb)
- Nasıl oldu? (Nereden düştü?, ne kazası?, nasıl yaralandı?, neyle yaralandı?)
- Ne zaman olduğu? (Yaralanmadan sonra geçen zaman!)
- Nerede oldu? (Yolda, evde, işte vb)
- Ne yapıldı? (Bilinçsizce yapılmış bir girişim var mı?)

58. Kas İskelet Sistemi Hastalıkları

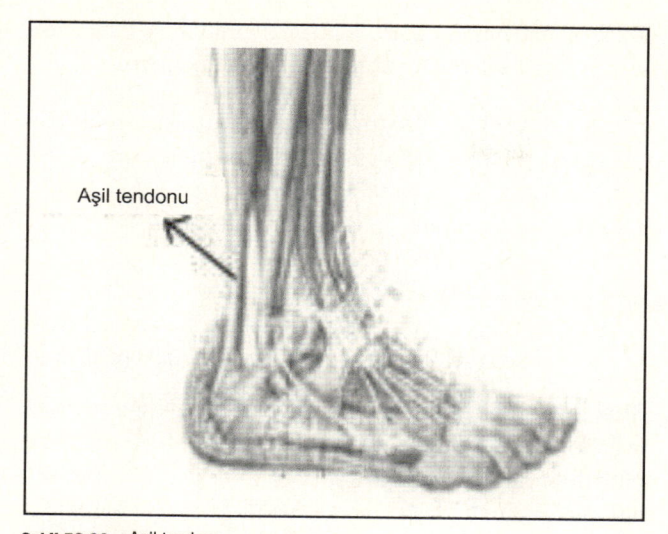

Şekil 58.62: Aşil tendonu
Kaynak: http://www.sakintaekwondc.com/taek-giris/Saglik/ayakrahatsizlik.htm

Yaralanmanın şekli, oluşabilecek kırıklar hakkında çok önemli ipuçları verir. Örneğin yüksekten düşme sonucu, kalkaneus kırığı, lomber vertebra kompresyon kırığı ve el bileğinde Colles kırığı oluşabilir.

Klinik Belirti ve bulgular: Kırıkla beraber etrafındaki kas ve tendonlarla, onu örten fasya ve cilt de yaralandığı için belirtilerin bir bölümü kırığa özellikli olmayıp, bu belirtiler aynı tür travmaların kırık oluşturmaksızın meydana getirdikleri yumuşak doku lezyonlarında da görülürler. Kırık olduğu zaman ise bazı belirti ve bulgular sadece kırığa özgüdür. Bu nedenle kırıklarda görülebilecek tüm belirtiler:

Travmaya ait genel belirtiler ve kırığa özgü belirti ve bulgular diye iki aşamada değerlendirilir.

Kırıkların büyük bir çoğunluğunda, bulgu ve belirtiler o kadar belirgindir ve kolaylıkla tanı konulabilir.

1. Travmaya ait belirtiler,
   a. Ağrı
   b. Duyarlılık
   c. Hematom-ekimoz
   d. Fonksiyon kaybı
2. Sadece kırığa ait belirtiler (Asıl kırık belirtileri)
   a. Anormal hareket
   b. Krepitasyon
   c. Duruş ve şekil bozukluğu (deformite)

I. Travmaya Ait Belirtiler

a. Ağrı: Hasta bilinçsiz değilse, kırıkta genellikle ağrı vardır. Ancak ağrının şiddeti kırığın yeri, derecesi şekline ve yaşa göre çok değişik derecelerdir. Örneğin; vertebraların hafif (minör) kompresyon kırıklarında ağrı çok şiddetli değildir. Yaşlıların kollum femoris kırıklarında da ağrı çok azdır. Bu nedenle hasta hastaneye gitmeden bu kırıkları geçiştirebilir. Diğer yandan el bileği naviküler kemik kırıklarında ve yorgunluk kırıklarında ağrı ve hassasiyet tek belirti olabilir. Ağrı tüm travmalarda vardır. Kırıkta ağrı yaralanma anında ve yaralanmadan bir süre sonra başlar. Dinlenme halinde de ağrı vardır, fakat hafiftir (spontan kırık ağrısı). Kırık bölgesinin hareketiyle ağrı artar.

b. Duyarlılık: Her kırıkta duyarlılık vardır. Duyarlılık kişiye kırığın yeri, derecesi ve şekline, yaralanmadan sonra geçen zamana göre değişir. Yaralanmış olan bir hastanın muayenesinde; hastayı sarsmadan ve yumuşak manevralarla yapılacak bir el muayene (palpasyon) kırık bölgelerinde olan hassasiyeti meydana çıkarabilir. Kırık olduğu tahmin edilen yerden uzak alandan başlanarak, parmak ucu ile deri üzerine nazik olarak kemiğe doğru bastırılır, kırık olduğundan kuşkulanan yere doğru bu işleme devam edilerek akut duyarlılık bulunur. Bu duyarlılık yaralanma yerinde dar bir çizgi şeklindedir.

c. Hematom-Ekimoz: Kırık bölgesinde yırtılan kan damarlarından dışarı çıkan kan ve serumun dokular içinde toplanması ile oluşur. Hematom kırık bölgesi deriye yakın olan bölgelerde belirgin olarak görülür. Ciltte morluk (ekimoz) şeklinde kendini gösterir. Kırığın etrafını geniş yumuşak dokunun sardığı durumlarda (femur üst uç, pelvis ve omurga gibi derindeki kemiklerin kırıklarında) hematom dikkat çekmez.

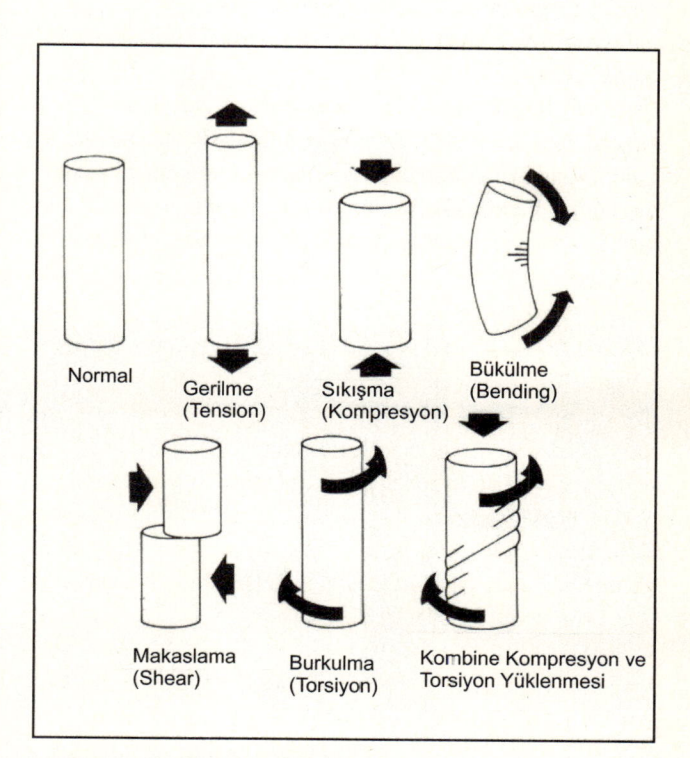

Şekil 58.63: Kırık oluşma mekanizmaları.
Kaynak: Us AK (2005)

d. Fonksiyon Kaybı: Hastanın daha önce yapabildiği bir fonksiyonunu travmadan sonra yapmaması fonksiyon kaybı olarak tanımlanır. Fonksiyon kaybı olup olmadığı, hasta öyküsünden anlaşılır. Muayene ile de fonksiyon kaybının derecesi anlaşılır. Fonksiyon kaybının derecesi, kırktan kırığa değişir. Ağrı ve kaldıraç (manivela) kolunun, mekanik desteğinin kaybından dolayı, birçok kırıkta fonksiyon kaybı olur. Fonksiyon kaybı, yumuşak doku travmalarında da görülebilir, bu nedenle kırık tanısı için yanıltıcı olabilir. Femur boynunda kırığı olan bir hasta yürüyebilirken, basit bir yumuşak doku kontüzyonu olan bir hasta yürüyemeyebilir.

2. Kesin Kırık Belirtileri

a. Anormal hareket: Bir ekstremitenin bir bölgesinde veya normalde olmayan bir yönde hareketin ortaya çıkmasına veya çıkarılmasına anormal hareket denir. Anormal hareket varsa bu kesin bir kırık belirtisidir. Kırık anormal hareketin merkezindedir. Anormal hareket, genellikle hastanın taşınması ve muayene esnasında kendiliğinde görülür. Ancak şüpheli durumlarda aramak gerekebilir. Bunun için kırık bölgesinin proksimalindeki kemik parçası bir elle sabit olarak tutulur. Kırığın distalindeki kemik parçası diğer elle tutularak, teleskop hareketi yana kayma ve rotasyon hareketleri nazik manuplasyonlarla yapılır. Böyle bir hareket esnasında krepitasyon (çıtırtı) da alınabilir.

b. Krepitasyon: İki pürtüklü ucunun birbirine sürtünmesi ile oluşan bir gıcırtı sesi hissedilebilir ve duyulabilir. Kan koagülasyonu, eklem yüzey düzensizliği, tenosinovit, amfizemde de krepitasyon olur ve kırık krepitasyonunu taklit edebilir. Ancak bu muayene yöntemi ağrılıdır ve zararlı da olabilir bu nedenle yapılmamalıdır. Diğer bulgularla tanı konan olgularda krepitasyon aranmaz. Anormal hareketin aranması esnasında kendiliğinden krepitasyon alınması kırık için tanı koydurucudur. Bazı kırıklarda krepitasyon olmaz ve aranmaz (kafatası kırıkları, belkemiği kırıkları, iç içe geçmiş kırıklar, tam olmayan kırıklar, pelvis kırıkları gibi).

c. Duruş ve Şekil Bozukluğu (deformite): Kırılan kemiklerin yer değiştirmesine bağlı olarak şekil bozuklukları (deformite) meydana gelir. Kırıklarda genellikle;
1. Dönme (Rotasyon)
2. Açılanma (Angulasyon)
3. Kısalma deformiteleri meydana gelir.

Kırık nedeniyle meydana gelen doku içi kanama (hematom ve ekimoz) ve ödem deformitenin görüntüsünü arttırır.

Kırık İyileşmesi: Kırık iyileşmesi, kırığın olduğu an başlar ve kırık uçlarının olgun organize kemik dokusu ile bütünleşmesine kadar devam eder. Dolaşımı iyi olan kemik dokusunun iyileşme potansiyeli son derece yüksektir. Mezenşimal dokular içinde kendisini aynı yapabilen tek doku kemik dokusudur. Kırıkların iyileşmesinde kırığın durumu kadar çevre dokuların durumunun da önemi vardır. Kırık meydana geldiğinde, öncelikle kırık bölgede kemikten, periostan, çevre yumuşak dokulardan gelen kan birikir (kırık hematomu) ve bu kan pıhtılaşır.

Çevre dokularda hematom içine giren damarlar fibrolastik bir hücre aktivitesi yaratır. Böylece kırık hematomunun yerinde, fibrovasküler doku (kallus) yer alır. Kollajen lifler uzar ve mineraller depolanır. Periosttan gelişen hücreler, kırık çevresini bir yaka şeklinde sarar (subperiostal kemik). Bu olaylar ile birlikte medüller kanaldan gelişen yeni kemikleşme (endostral kallus) kırık iyileşmesi süresince devam eder. Kemik uçları, içteki internal ve eksternal kallus gelişmesiyle, birbirine tamamen birleşir ve giderek sağlamlaşarak kaynar ve iyileşirler. Kırık iyileşmesi genel olarak üç evreye ayrılmaktadır. Bu üç dönem biri bitmeden diğeri başlayarak devam eder. Enflamasyon (hematom) evresi, tamir (kallus) evresi, yeniden şekillenme (remodelizasyon) evresi olarak incelenmektedir. (Şekil 58. 64)

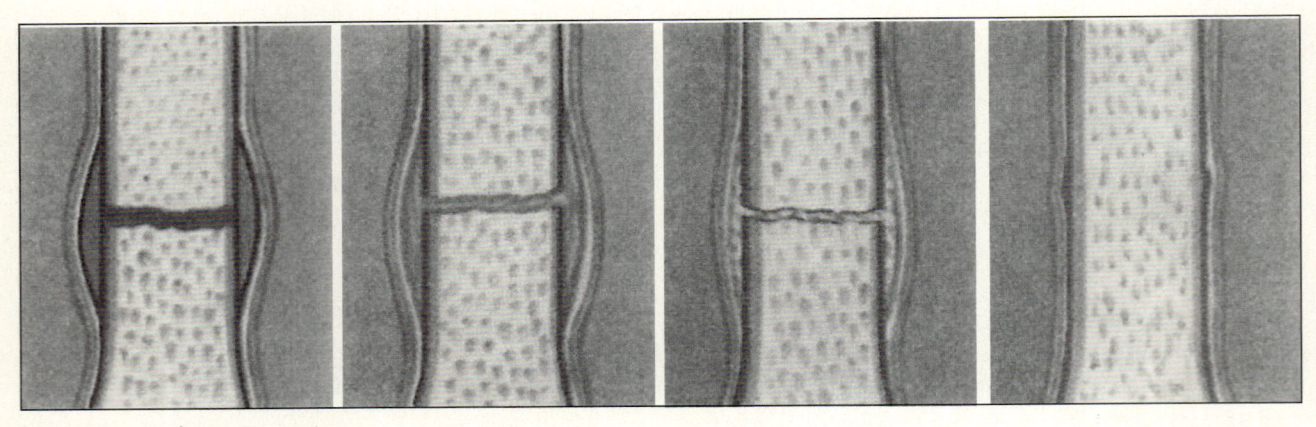

Şekil 58.64: Kırık İyileşmesi
Kaynak: The Internet Encyclopedia of Science (2008) Fractures and dislocations
http://www.daviddarling.info/encyclopedia/F/fractures_and_dislocations.html

58. Kas İskelet Sistemi Hastalıkları

Kırıkların Sınıflandırılması			
Kemik doku sağlamlığına göre	Travmatik kırık	Normal kemikte	
	Patolojik kırık	Kemikteki herhangi bir hastalık nedeniyle kemik yapısının zayıflaması sonucu, zorlayıcı bir kuvvet olmadan kendiliğinden oluşan kırıklardır (Kemik kisti, paget`s hastalığı, kemik metastazı).	
	Stress (Yorgunluk) kırığı	Tekrarlayan travmaların oluşturduğu kırıklardır. Sıklıkla metatars boyunları, femur boynu ve tibia proksimalinde görülür.	
Dış ortamla ilişkiye göre	Kapalı Kırık	Cilt bütünlüğünde bozulma yoktur.	
	Açık Kırık	Kırık uçlarının cildi delmesi sonucu kemik ve cildin bütünlüğünün bozulmasıdır.	
Kırık derecesine göre	Tam Kırık	Kemiğin bütün (tam) kesitinin ortadan kırılmasıdır. Kırık hattı kemiği tamamen ayırmıştır.	
	Tam Olmayan Kırık	Kemiğin sadece bir kısmında meydana gelen kırıktır	
	Çatlak (fissür, linear kırık)		
	Yeşil Dal Kırığı	Kemiğin bir tarafı kırıktır, diğer tarafı bükülmüştür (kavislidir).	
	Torus kırığı	Kafatasına geniş bir darbe geldiğinde tam kırık olmaması, travma yerinin çökmesidir.	
Tam Olmayan Kırık Çeşitleri	Çökme Kırığı	Kafatasına geniş bir darbe geldiğinde tam kırık olmaması, travma yerinin çökmesidir	
	Kompresyon (sıkışma) kırıkları	Bası (sıkışma) sonucu meydana kırık türüdür. (En sık vertabralarda görülür	
	Dişlenmiş (impakte) kırıklar	Kırığın bir parça kemik içine girmesi	
	Epifizin ayrılmamış kırıkları	Kemiğin epifiz bölgesinde oluşan kırıktır.	
	Transvers Kırık	Kemik tam ortasından kırılmıştır.	
Tam Kırık Çeşitleri	Oblik (Eğik) Kırık	Kemiğin ortadan açı yaparak kırılmasıdır.	

1303

Kas İskelet Sistemi

Kırıkların Sınıflandırılması (Devamı)

	Spiral (Helezon) Kırık	Kemiğin gövdesi etrafında bükülerek oluşan kırık türüdür.
	Avulsiyon (Kopma) Kırığı	Bir ligament veya tendonun yapışma yerinde çekme sonucu bir kemik parçasının ayrılmasıdır.
	Parçalı Kırık	Kemiğin birkaç parçaya ayrıldığı kırık türüdür. Üç ve veya daha fazla parçalıdır.
Kemikteki Anatomik Loka-lizasyonuna Göre:	Proksimal bölge kırıkları	Proksimal epifizer ve metafizer bölge ; trokanterik, femur boynu, tibia kondil, kollum şirurjikum vb.
	Cisim (shaft) kırıkları	Diafiz bölgesi; 1/3 üst, 1/3 orta, 1/3 alt bölge olarak ifade edilir.
	Distal bölge kırıkları	Distal epifizer ve metafizer bölge; suprakondiler, malleoler, pilon, Colles vb
	Epifiz bölgesi kırıkları	Çocuklarda fizisler kapanmadan önceki dönemde fizis hattını etkileyen epifiz ve metafiz kırıkları anlaşılır.
	Kırıklı - çıkıklar	Kırıkla birlikte kırığın olduğu kemiğin katıldığı eklemde de çıkık olmasıdır.
Kemiğin Histolojik Yapısına Göre	Spongiöz bölge kırıkları	
	Kortikal bölge kırıkları	
Oluş Mekanizmasına Göre	Direkt kırıklar	Darbenin kemiği etkilediği kısımda oluşan kırıklar.
	İndirekt kırıklar	Kırığı oluşturan darbenin, dolaylı olarak kemiğe ulaşması ile oluşan kırıklar.
Kırığın Eklemle ilişkisine Göre	Artiküler kırık (Eklem kırığı)	Kırık eklem yüzündedir.
	Ekstrakapsüler kırık	Kırık ekleme yakındır.
	Intrakapsüler kırık	Kırık eklem kapsülündedir.

Enflamasyon (hematom) evresi: Enflamasyon evresi kırık oluştuğu andan sonra hemen başlar. Bu dönem ilk üç-dört günlük süreyi kapsar. İlk iki gün içinde, kırık bölgede, kemikten, periosttan ve çevre yumuşak dokulardan gelen kan birikir ve bu kan pıhtılaşır. İki-beşinci günler arasında kırık uçları arasında fibrin içeren bir granülasyon dokusu (organize hematom) oluşur. Oluşan bu hematom kırık iyileşmesi açısından son derece önemlidir ve kırık hematomunun boşalması bazı sorunlara neden olabilir. Kırık hematomu oluşturduğu gerginlikle kırık uçlarını bir arada tutma görevini de kısmen üstlenir. Kırık uçlarda 1-5 mm arasında nekroz gelişir. Nekrotik kemik uçlarından ve kırık hematomunda bulunan ölü hücrelerden salınan inflamatuvar mediatörler kapiller membran permeabilitesini artırarak inflamatuvar hücrelerin kırık bölgesine gelmesine yol açarlar (polimorf çekirdekli lökositler, makrofaj ve lenfositler).

Tamir (Kallus) Evresi: İnflamatuvar hücreler nekrotik dokuları rezorbe ederken fibroblastlar bölgeye gelerek *tamir dönemini* başlatırlar. Tamir döneminde ilk 48 saat içinde periost, endeost ve kırığa yakın yerlerdeki havers kanallarının tabakalarından hücre proliferasyonu başlar, kırık hattı boyunca rezorbsiyon devam eder. Hücre proliferasyonu sonucu kırık uçlardaki boşluklar hücrelerle dolar. Kırık hattına dolan hücreler kemiğin hücresel devamlılığının onarımına yardım eder. Proliferasyonla birlikte kondroblastlar ve osteoblastlar gelişerek kıkırdak ve kemik doku oluşur.

Osteoblastlar osteosite dönüşerek (intramembranöz) veya enkondral kemikleşmeyle kemik devamlılık sağlanır. Nekrotik kemik rezorbe olur ve yerini yeni kemik dokusu alır. Kemik uçları devamlılığını kaybetmiş ise; köprü (yumuşak) kallusu oluşur (enkondral ossifikasyon). Yumuşak kallusun büyüklüğü; kırık uçlarına yansıyan etkilerle ilgilidir. Kırık uçlarında hareket olursa, meydana gelen kallus da o kadar büyük olur. Plak veya çivi ile rijid internal fiksasyon uygulanan kırık olgularında dıştan kallus gelişmez. Medüller (sert) kallus ise, geç ve yavaş oluşarak bu ilk dokuyu destekler. Sert kallus gelişimi için; osteoid dokunun mineralizasyonu (kalsiyum ve fosfat birikimi) gerekir.

Tamirin bu döneminde; kırık uçları arasında kemik miktarı artarak, fuziform bir kallus kitlesiyle kırık aralığı örtülür (osseöz kallus). Bazı yazarlar birinci haftada fibröz doku, ikinci haftada; kıkırdak kallus, üçüncü haftada kemik (osseöz) kallusun gelişmeye başladığını belirtmektedirler. Tamir döneminde hematom içine yayılan makrofajlar ve osteoklastlar ölü kemiğin ortadan kaldırılmasını sağlar ve osteoblastlar kemik oluşumunu sağlar.

Yeniden Şekillenme (Remodelizasyon) Evresi: Kırık iyileşmesinin en son ve en uzun süren evredir. Kemik ve kallusun yavaş yavaş şekil değiştirmesi ile karakterizedir. Bu devrede; kemik orijinal şeklini almaya başlar. Fazla kallus rezorbe olur. Kapanmış olan modüller kanal giderek açılır ve şekillenir. Kırık yerinin yeniden şekillenmesi çok uzun zaman alabilir (6-9 yıl kadar sürebilir). Kemik bu evrede; fizyolojik yükler altında normal yapısına kavuşur.

Kaynamakta olan uzun bir kemikte (femur, tibia) açılanma deformitesi varsa; açılanma olan yerin konkav kısmında, kemik uçları kompresyon güçleri ile sıkışır ve burada kemikleşme artar. Konveks kısmında ise; gerilme ve rezorpsiyon olayları sonucu, kemik düzgün bir duruma gelir ve kırık olmadan önceki orijinal şeklini alır. Bundan sonra bir-iki sene içerisinde yeniden şekillenme *Remodelizasyon* olur, kırık çevresindeki kemik dokusu rezorbe olur, medüller kanallar açılır ve normal kemik yapısı kazanılır.

Remodelizasyon tamir döneminin sonlarına doğru başlayıp, kırık kaynadıktan sonra yıllarca devam edebilir. Remo-delizasyonla çocuk kırıklarında 15-20ye kadar açılanmalar düzelebilir. Fakat rotasyon düzelmez. Ayrıca erişkinlerde açılanmalar daha zor düzelir; fakat sonuçta iş görür bir kemik haline tekrar gelir.

Kırık İyileşme şekilleri: Kırık iyileşirken kallus görülmeden iyileşmesine; "direkt" veya "primer" kırık iyileşmesi, kırık yerinde kallus görülmesine, "indirekt" veya "sekonder" kırık iyileşmesi denir. Primer (direkt) iyileşme

Günler	Olaylar
2 5 günler arasında	Kırık uçları arasında fibrin içeren bir granülasyon dokusu (organize hematom) oluşur.
4–12. günler arasında	Oluşan ilk kallusun yeni kapillerler ile tamamlanması oluşur
7–40. günler arasında	Trabeküler kemik, kıkırdak hücreleri ve fibroblastların bir araya gelmesi ile kallus oluşur.
2–42 günler arasında	Kırık uçlar arasında ve çevresinde sert osteoid doku gelişir. Kallus oluşumu hem subperiosteal hem de endeosteal gelişim gösterir.
40–80 günler arasında	Kemikleşme olur, kırık uçları arasında sert bir köprü oluşur ve mekanik zorlamalara oldukça dayanıklıdır.
25–100. günler arasında,	Yapısal trabeküler kemik oluşmaya başlar.
80–180 günler arasında	Kallus dokusu olgunlaşır.
180–365 günler arasında	Parçalar arası kortikal kaynama tamamlanır.
6–9 yıl	Kırık yerinin yeniden şekillenmesi tamamlanır

anatomik redüksiyon yapılmış ve rijid internal fiksasyon (oynama göstermeyen), ameliyatları uygulanmış kırık olgularında ve tam olmayan (fissür şeklinde) kırıklarda görülür. Sekonder (indirekt) iyileşme ise kapalı yöntemle ameliyatsız tedavi yapıldığında görülmektedir.

Kırık iyileşmesini olumsuz etkileyen faktörler: Yüksek enerjili travmalar ve geniş yumuşak doku hasarı bulunması, kırık uçların birbirinden ayrılması, araya yumuşak dokuların girmesi (interpozisyon), besleyici damarların hasar görmesi, cerrahi redüksiyon yapılmışsa aşırı diseksiyon ve yumuşak doku hasarı olması, kırığın transvers, parçalı veya segmenter olması (spiral ve oblik kırıklar daha çabuk kaynar), açık kırık olması (hematomun boşalması, kontaminasyon ve enfeksiyon olasılığı ve aşırı yumuşak doku hasarı nedeniyle), redüksiyonun başarısızlığı, iyi stabilizasyon yapılmaması, yeterli süre immobilizasyon yapılmaması, kırık yerinde enfeksiyon olması, hastanın ileri yaşta olması, eklem içi kırık olması (sinovyal sıvının kırık iyileşmesini bozucu etkisi nedeniyle), kemikte önceden var olan patolojik bir durum olması, spongioza içermeyen veya kortikal kemik içeriği yüksek kırık olması, beslenme ve sağlıklı metabolizmayı etkileyen her türlü sistemik hastalık (diyabet, kanser, sistemik enfeksiyonlar, anemiler vb), kemoterapi, radyoterapi, sigara bağımlılığı (nikotin) ve kortikosteroidler kırık iyileşmesini olumsuz etkiler.

Kırık iyileşmesini olumlu etkileyen faktörler: Kırık parçaların hareketsiz olması, kırık parçaların iyi iletişimi, yeterli kan akımı, düzenli beslenme, egzersiz, hormonlar (büyüme hormonu, troid, kalsitonin, parathormon, prostoglandinler, insulin) A1 ve D vitaminleri, anabolik steroidler, kemiğin ortasındaki elektriksel potansiyel, BMP (Bone morphogenetic protein), ameliyatla uygulanan kemik grefti ve demineralize kemik matriksi, hiperbarik oksijen uygulamaları, elektrik akımları, manyetik alan, ultrason, düşük kuvvette lazer uygulaması, gen tedavisi olumlu etkileyen faktörlerdir.

Kırıkların Tedavisi

İlk yardım: İlk yapılacak şey hastayı çok hızlı bir şekilde değerlendirmek ve temel ilk yardım önlemlerini almaktır. Genel vücut travması geçirmiş bir hastada ilk yardımın ABC kuralına uygun bir şekilde davranılır. A (Airway) İlk iş olarak hastanın solunum yolu kontrol edilir. Herhangi bir engel varsa (Kan, takma dişler, sekresyon, vb) çıkarılır veya dil arkaya kaymışsa bu durum çene yukarıya ve baş hafifçe arkaya getirilerek düzeltilir. Solunum yolunun kapanması engellenir. B (Breathing) Hastanın solunumu kontrol edilir. Solunum yetersizse nedeni hızlı bir şekilde aranır ve buna yönelik acil müdaheleler yapılır, varsa maske ile oksijen verilmelidir. Solunum yoksa hemen solunum desteğine başlanır. C (Circulation) Dolaşım Kardiyovasküler sistem süratle kontrol edilir ve desteklenir. Kanama varsa basınç veya bandaj uygulayarak durdurulur. Kardiyak arrest varsa kalp masajına başlanır. Yaralı en kısa zamanda en yakın sağlık kuruluşuna götürülmelidir.

Acil bakım: Kırık tedavisinde amaç erken hareket ve fonksiyonların tam olarak kazanılmasıdır.

Kırık Tedavisinde Bakım İlkeleri

1) Redüksiyon: Kırık kemiklerin parçalarının normal anatomik durumlarına dönmelerini sağlamaktadır. (Onarmak, eski haline getirmek).

Kemik Redüksiyonunu Sürdürmek İçin Kullanılan Yöntemler

1) Alçı veya atel (Alçı destek)
2) Kemik sarmaya yarayan küçük tahtalar (splints)
3) Devamlı traksiyon
4) Internal fiksasyon malzemeleri
   a) Tırnaklar
   b) Madeni Levha
   c) Vidalar
   d) Teller
   e) Çubuklar
5) External fiksasyon malzemeleri
6) Protezler

2) İmmobilizasyon (Hareket kısıtlaması): İyi bir kemik iyileşmesi için, kırık uçlarının uygun pozisyonda birleştirilip, tespit edilerek hareketsiz tutulması gerekir. Buna tespit veya immobilizasyon denir. Eğer kemik uçlarında hareket var ise bu damarlanmaya engel olur. Bu nedenle kırık iyileşmesinde çağdaş görüş sert immobilizasyona dayanır. Anatomik olmayan redüksiyonlarda ekstremite fonksiyon ve estetik defekti olabileceği gibi, gerginliğe bağlı olarak kan dolaşımı azalır. Eklem içi kırıklar mutlaka anatomik olarak redükte edilir ve erken dönemde fonksiyonel hareketlere başlanır. Periosteal kan dolaşımının bir bölümü çevre kaslardan sağlandığı için ekstremitenin fonksiyonel olarak kullanılabilmesi kemik dokusunun kan akımını arttırarak kemiğin iyileşmesini hızlandırır. Bu nedenle immobilizasyon gereği olmayan eklemler immobilize edilmemelidir.

3) Rehabilitasyon: Etkilenen bölümün düzgünlüğünü ve normal fonksiyonunu yeniden kazanmasını sağlamaktadır.

Kırık komplikasyonları: Erken komplikasyonlar (şok, yağ embolisi, kompartman sendromu, derin ven trombozu), geç komplikasyonlar (gecikmiş kaynama veya kaynamama, avasküler nekroz, internal fiksasyon aletlerine reaksiyon, bölgesel ağrı sendromu) görülebilmektedir.

Enfeksiyon

Kırık bölgesinde dolaşım problemi olursa akut ve kronik enfeksiyonlar için son derece elverişli bir ortam oluşur. Bu nedenle kırık tedavisinde en önemli temel ilke kemik dokusunda kan dolaşımının düzenlenmesidir. Kırıkların cerrahi metodlar ile tedavisinde de endosteal ve periosteal kan akımının korunması esastır. Kemik iyileşmesi sırasında kemik uçlarından endosteal ve periosteal damarlar kırığın karşı ucuna köprüler yapar. İnfeksiyon, kırık tedavisinin en korkulan komplikasyonlarından biridir. Enfeksiyona bağlı olarak gelişen eksidasyon ve püy oluşumu nedeni ile kemik içi basınç artar ve kan dolaşımı engellenir. Ayrıca ağrı nedeni ile oluşan refleks vazospazm da kan dolaşımını engeller. Enfeksiyon nedeni ile yapılması gereken sık pansumanlar sırasında kırık mobilize olabilir. Tüm bu faktörler enfekte kemik dokusunun iyileşmesini geciktirir. Tüm yaralarda ve hatta hangi koşullarda yaptığı bilinmeyen cerrahi kesilerde tetanoz profilaksisi yapılmalıdır.

Ampütasyon

Ampütasyon, bir ekstremite parçasının kemiği ile birlikte bir kısmının veya tamamının cerrahi yolla vücuttan uzaklaştırılmasıdır.

Ampütasyon hasta dokuların uzaklaştırılması, kalan ekstremitenin dolaşımını sağlamak, ağrıyı gidermek, fonksiyonel protez kullanımına olanak sağlayacak iyi bir güdük oluşturmak amacıyla gerçekleştirilmektedir. Ampütasyon kelimesi insan beyninde negatif bir anlam bıraksa da gerçekte pozitif bir adımdır. Ampütasyon rekonstrüktif bir ameliyattır ve hastanın yaşam kalitesini arttırmaktadır. Günümüzde mikrovasküler ameliyat girişimlerde replantasyonda başarılı sonuçlar alınmasına rağmen yine de çeşitli nedenlerle ampütasyon uygulanmaktadır.

En yaygın ampütasyon nedenleri arasında; arteriyel ve venöz dolaşımın kaybı, periferik damar vasküler hastalıklar; (diyabet, arteriyoskleroz, burger hastalığı vb.) şiddetli travmalar, sepsis, gangren yer almaktadır. Daha az nedenler arasında sık sık tekrarlayan osteomyelit, kas ve iskelet sistemine ait tümörler, doğumsal anomaliler, yanık ve donmalar, kas paralizisinden kaynaklanan şiddetli ağrılar sayılabilmektedir.

Tüm ampütasyonların %85'i alt ekstremitede %10'unu üst ekstremitelerde yapılmaktadır. Ampütasyon yapılırken göz önüne alınan noktalar, ekstremite uzunluğunu yeterince korumak, ekstremitenin geri kalan bölümünü hızlı bir şekilde iyileştirerek bireyi tüm olarak rehabilite edip protez kullanmaya başlamasını sağlamaktır. Mümkünse eklemler korunmalıdır. Çünkü eklemler ekstremitelerin geniş açılarda fonksiyonuna izin vermektedir. Üst ekstremite ampütasyonu seviyeleri arasında, bilek disarkülasyonu, dirsek altı ampütasyonu, dirsek disarkülasyonu, dirsek üstü ampü-tasyonu, omuz disartikülasyonu ve parmak ampütasyonu yer almaktadır. Alt ekstremite ampütasyon seviyelerinde; ayak ampütasyonu, Syme's ampütasyonu, diz altı ampütasyonu, disartikülasyonu, diz üstü ampütasyonu, kalça disar-tikülasyonu, hemipelvektomi yer almaktadır (Şekil 58. 65).

Ampütasyon ameliyatından sonra yumuşak ve sert pansuman olmak üzere iki tip pansuman uygulanmaktadır. Yumuşak pansuman ameliyatlı ekstremitenin gözlenmesi gerektiği zaman kullanılır. Bu tip pansuman değişmesi ve yara kontrolü daha kolay olduğu için tercih edilmektedir. Sert pansuman daha çok kontraktürlerin önlenmesinde, ciddi ağrı kontrolünde ve yumuşak dokuyu desteklemek amacıyla kullanılır. Sert pansuman ameliyat sonrası hemen uygulanır. Hazır pansuman kullanılabilir veya o anda hazırlanabilir. Yaklaşık 10-14 gün içinde alçı değiştirilir. Ampütasyon sonrasında hasta; kanama, hematom, ağrı, ödem, enfeksiyon, deri problemleri, fantom duygusu veya ağrısı, kontraktür, nöroma, psikososyal sorunlar, hareketsizlik, yeni beden imajında uyum sorunları ve protez kullanımında güçlükler gibi sorunlarla karşı karşıya kalabilmektedir.

Ampütasyon Uygulanan Hastalarda Hemşirelik Yönetimi

Hemşirelik tanılaması: Hemşire ameliyattan önce hastanın hikâyesi ve fizik muayene ile birlikte ekstremitenin sinir damar ve fonksiyonel durumunu değerlendirmelidir. Eğer hasta travmatik bir ampütasyona maruz kaldıysa, hemşire kalan uzvun durumunu ve fonksiyonunu değerlendirmelidir. Etkilenmeyen ekstremitenin dolaşım durumu ve fonksiyonu da göze alınmalıdır. Enfeksiyon veya gangren gelişirse, hastanın enfeksiyon adenopatisi ve pürülan akıntısı olabilir. Hemşire hastanın beslenme durumunu da

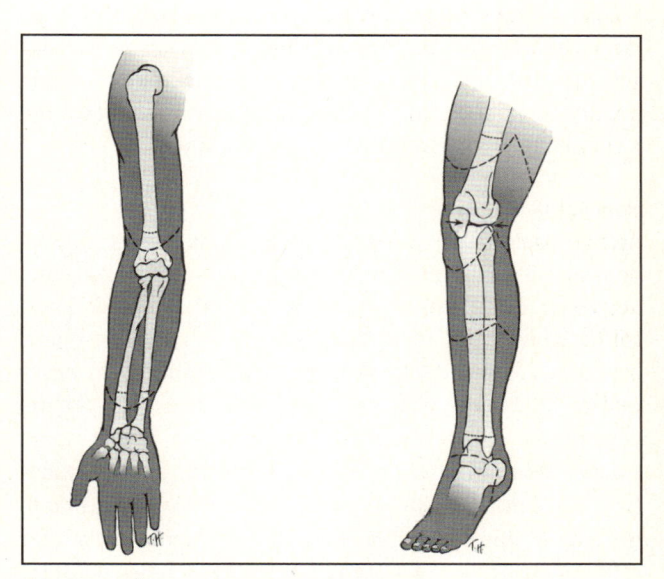

Şekil 58.65: Üst ve alt ektremitelerde ampütasyon seviyeleri

değerlendirmeli ve gerekiyorsa bir beslenme planı hazırlamalıdır. Yara iyileşmesi için yeterli protein ve vitaminleri içeren dengeli bir diyet önemlidir. Sağlık ile ilgili herhangi bir problem (örn; dehidrasyon, anemi, kalp yetersizliği, kronik solunum problemleri diyabet) tanınmalı ve tedavi edilmelidir. Kortiko steroidlerin antikoagülanların, vazokonstrüktör veya vazodilatatörlerin kullanımı yara iyileşmesini etkileyebilir. Hemşire hastanın psikolojik durumunu da değer-lendirilmelidir. Hastanın ampütasyona gösterdiği duygusal reaksiyonun saptanması hemşirelik bakımı için önemlidir. Vücut görünümündeki bir değişime olumsuz tepki normaldir. Yeterli destek ortamı ve profesyonel danışmanlık hastanın ampütasyon ameliyatıyla başa çıkmasına yardımcı olur.

Hemşirelik Tanıları: Değerlendirme verilerine göre dayanarak, hastanın temel hemşirelik tanıları şunları içerebilir; fakat bunlarla sınırlı değildir.
- Ampütasyona bağlı *akut ağrı*
- *Duyusal algılamada bozulma riski* (Ampütasyona bağlı uzuv ağrısı (fantom ağrısı))
- *Ampütasyona bağlı cilt bütünlüğünde bozulma*
- *Vücut görüntüsünde bozulma çıkmada yetersizlik*
- *Bir vücut bölümünü kaybetmeyi kabullenememeye bağlı başa çıkmada yetersizlik*
- *Kendine bakamama: yemek, banyo/hijyen, giyim-/süslenme, tuvalet*
- *Ekstremite kaybına bağlı fiziksel harekette yetersizlik*
-

İlişkili Sorunlar/Olası Komplikasyonlar
- *Ameliyat sonrası kanama*
- Enfeksiyon
- *Cilt bütünlüğünde bozukluk*

Planlama: Temel amaçlar ağrının azalması, duyusal algıların yokluğu (fantom hassasiyeti), yara iyileşmesi, değişen vücut görüntüsünün kabullenilmesi, suçluluk sürecinin atlatılması, kişisel bakımda bağımsızlık, fiziksel hareketin kazanılması ve komplikasyon oluşmamasıdır.

Hemşirelik Girişimleri
Ağrının Azaltılması: Ameliyat ağrısı opioid analjeziklerle, non-farmakolojik girişimlerle veya oluşan bir hematomun veya sıvı birikiminin boşaltılmasıyla etkin olarak kontrol edilebilir. Ağrı insizyona, inflamasyona, enfeksiyona, hematoma veya kemik çıkıntıya bağlı olabilir. Kas kasılmaları rahatsızlığı daha da arttırır. Hastanın pozisyonunu değiştirmek veya kas spazmını azaltmak için kopan uzvun kalan kısmının altına bir askı yerleştirmek hastayı rahatlatır. Hastanın ağrısını ve yapılan kontroller ile cevabının değerlendirilmesi ağrı yönetiminde hemşirenin önemli bir rollerinden biridir. Ağrı üzüntünün ve değişen vücut görüntüsünün bir yansıması da olabilmektedir.

Değişen Duyusal Algıları En Aza İndirilmesi: Ampütasyon yapılan hastalar ameliyattan hemen sonra veya iki-üç ay sonra çok ciddi ağrı duyabilirler. Bu özellikle diz üstü ampütasyonlarda sık görülmektedir. Hasta ağrı hisseder, küntlük gıdıklanma veya kas kramplarından yakınır. Hasta ekstremitenin hala yerinde olduğunu (fantom ağrısı) yaralanmış veya normal bir pozisyona dönmüş gibi hissettiğini ifade eder. Hasta çok büyük ağrı veya duyulardan yakındığında hemşire bu duyguları algılar ve hastaya bunları dönüştürmesinde yardımcı olur. Duyular zamanla azalır. Bu durumun nedeni bilinmemektedir. Hastayı aktive etmek bu ağrıların oluşumu azaltır. Erken yoğun rehabilitasyon ve masajla birlikte güdük (stumpf) rahatlama sağlar. Bazı hastalar transkurtanöz elektriksel sinir uyarımı (TENS), ultrason veya lokal anestetikler ile rahatlama sağlayabilir. Beta-blokerler yanma hissini rahatlatabilir, nöbet önleyici ilaçlar titreyen ve kramp veren ağrıları önler.

Yara İyileşmesinin Hızlandırılması: Geriye kalan uzuv bölümü nazikçe tutulmalıdır. Pansuman her değiştirildiğinde yara enfeksiyonunu ve olası osteomyeliti önlemek için aseptik teknik kullanılmalıdır. Protez uyumu için geride kalan uzuv parçasının şekillendirilmesi önemlidir. Uzuv parçasını elastik bandajla sarılması konusunda hasta ve ailesi uyarılır (Şekil 58. 66). İnsizyon iyileştikten sonra hemşire uzuv parçasının bakımı konusunda hastayı eğitmelidir.

Vücut Görünümünü İyileştirilmesi: Ampütasyon hastanın vücut görüntüsünü yeniden düzenleyen bir işlemdir. Hasta ile güvenli bir ilişki kurabilen hemşire ampütasyon geçiren hasta tarafından daha kolay kabullenilir. Hemşire hastayı önce kalan uzva bakmak, onu hissetmek ve sonra bakımını yapmak için cesaretlendirilmelidir. Hastanın gücünün ve reha-bilitasyonu sürdürmesine yardımcı olacak kaynakların tanımlanması önemlidir. Hemşire hastanın travma öncesindeki bağımsız fonksiyon görebilme düzeyine ulaşmasına yardımcı olmalıdır. Bir bütün olarak algılanacak hasta, kendisine karşı sorumluluğunu daha kolay kazanır, benlik algısı iyileşir ve vücut görünümü daha kolay kabullenir. Motivasyonu yüksek hastalarda bile bu süreç aylar alabilir.

Kayıp Duygusunun Aşılmasına Yardım Edilmesi: Ameliyat öncesinde hazırlanmış bir hasta için bile bir ekstremitenin (veya bir bölümünün) kaybı şok yaratabilir. Hastanın davranışı (örn; ağlama, geri çekilme, apati, kızgınlık) ve ifade edilen duygular (örn; depresyon, korku, yardım istememe) hastanın kayıpla nasıl başa çıkmaya çalıştığını ve kayıp sürecinin nasıl geçirdiğini ortaya koyacaktır. Hemşire hastayı dinleyerek ve destek vererek konu hakkında fikir sahibi olur. Hemşire, hasta ve ailesinin duygularını ifade ederek paylaştığı ve bu süreçte aktif çalıştığı, güvenli ve destekleyici bir ortam oluşturmalıdır. Aile ve arkadaşlardan gelecek destek hastanın kaybı kabullenmesini kolaylaştırır. Bu konuda yapılan çalışmalarla ampütasyonlu hastalarda aile ve arkadaş desteğinin önemini vurgulamaktadır. Hemşire hastanın anlık gereksinimlerle başa çıkabilmesine, rehabilitasyon amaçlarına gerçekçi olarak inanmasına ve gelecekteki bağımsız fonksiyonlar için çalışmasına yardım eder. Mental (ruhsal) sağlık ve destek için grup terapileri faydalı olabilir.

Bağımsız Kişisel Bakımın Sağlanması: Bir ekstremitenin ampütasyonu hastanın yeterli kişisel bakım yapmasını etkiler. Hasta kişisel bakımda aktif katılımcı olması için desteklenir. Bunun için hastanın zamana ihtiyacı vardır ve acele ettirilmemelidir. Rahat bir ortamda sürekli sağlanan destekleyici danışmanlık, hastanın kişisel bakım yeteneklerini arttırabilmesini sağlar. Hemşire ve hasta olumlu bir ilişki oluşturulmalı ve öğrenim sürecindeki bitkinliği ve hayal kırıklığını en aza indirmeye yardımcı olmalıdır. Giyinme, tuvalet ve banyo konularındaki bağımsızlık aktivitelerdeki dengeye hareket kabiliyetine ve psikolojik toleransa bağlıdır. Hemşire hastaya kişisel bakım aktivitelerini öğretmek ve hastayı yönlendirmek için bir fizik tedavi uzmanı ile birlikte çalışır. Üst ekstremite ampütasyonu geçiren hastanın beslenme, banyo ve giyinme konularında kişisel bakım problemleri olabilir. Yalnızca gerektiğinde yardım edilir, hemşire gerektiğinde yemek ve giyim yardımları vererek hastanın bu konularda fikir sahibi olmasını sağlar. Hastanın maksimum bağımsızlığına ulaşabilmesi için hemşire fizyoterapistler ve protez uzmanı birlikte çalışırlar.

Hastanın Fiziksel Hareketliliğini Kazanmasına Yardım Edilmesi: Alt ekstremite ampütasyonundan bir hastada pozisyon vermek kalça veya diz eklemindeki kontraktürleri önlemeye yardımcı olabilir. Hastada abdüksiyon, eksternal rotasyon ve fleksiyondan pozisyonlarından kaçınılır. Cerrahın seçimine göre ekstremite parçası ameliyattan sonra kısa bir süre ekstansiyon pozisyonunda ve yukarı kaldırılmış olarak durabilir. Ekstremite parçasını kaldırmak için yatağın ayakucu yükseltilir. Hemşire hastayı bir yandan diğerine dönmesi ve yüzüstü (prone) pozisyonda yatması ve eğer mümkünse fleksör kaslarını gererek fleksiyon kontraktürünü önlemeye çalışılması konusunda yönlendirir. Hasta fleksiyon kontraktürünü engellemek amacıyla uzun süre oturmamalıdır. Abdüksiyon deformitesi engellenebilmesi için bacaklar birbirine yakın olmalıdır. Ameliyat sonrası EAE (Eklem Açıklığı Egzersizi) erken başlanmalıdır. Çünkü kontraktür deformiteleri çok hızlı gelişebilir. EAE diz-altı ampütasyonları için kalça ve diz egzersizlerini, diz-üstü ampütasyonlar için kalça egzersizlerini içermektedir. Hasta kalan ekstremite parçasını hareket ettirmenin önemini kavraması gerekir.

Üst ekstremiteler gövde ve abdominal kaslar çalıştırılır ve güçlendirilmelidir. Koltuk değneği ile yürürken kolun ekstensör kasları ile omuzun depresör kaslarının önemli rolü vardır. Hasta pozisyon değiştirmek ve bisepsleri güçlendirmek için yatağın baş üstü askısını (trapezi) kullanır. Hasta ağırlıkları tutarken kollarını fleksiyona ve ekstansiyona geçirebilir. Otururken itme egzersizi yapılması trisepsi kaslarını güçlendirir. Bir fizik tedavi uzmanı danışmanlığında yapılacak güdüğün hiper ekstansiyonu gibi egzersizler dolaşımı arttırdığı ödemi azalttığı ve atrofiyi önlediği gibi kasları da güçlen-dirmektedir. Bir üst ekstremite ampütasyonu olan kişi protez için her iki omzunu da kullandığından her iki omuz kasları da çalıştırılır. Dirsek

> **Dikkat!** Alçı veya elastik bandaj açılırsa, hemşire uzuv parçasını hemen elastik bandajla sarmalıdır. Bu yapılmazsa kısa zamanda aşırı ödem gelişerek rehabilitasyonu geciktirir. Eğer alçı çıkarsa hemşire cerrahı hemen uyararak yeni bir alçı yapılmasını sağlamlıdır.

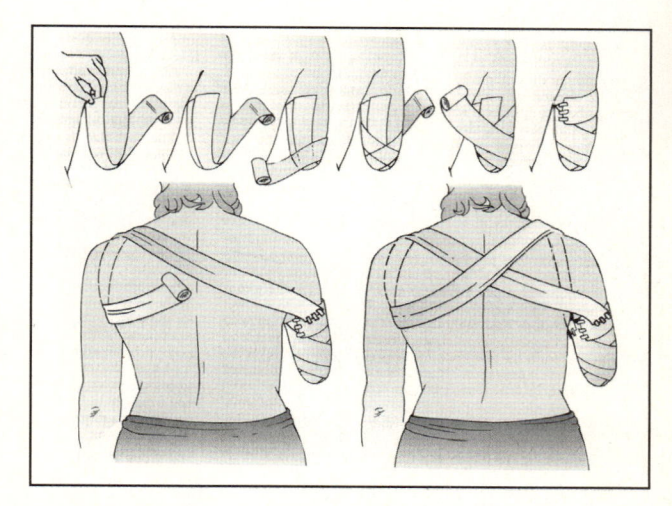

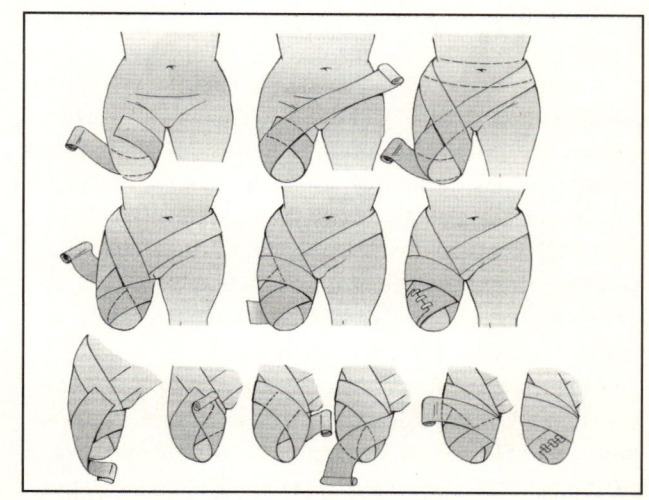

Şekil 58.66: Uzuv parçasını elastik bandajla sarılması

üstü veya omuz disartikülasyonunu içeren bir ampütasyonu olan kişi ampüte ekstremitenin ağırlığının kaybına bağlı denge bozukluğunda oluşur. Dengeyi sağlamak için pozisyon egzersizleri yararlıdır.

Egzersizler için hastanın güç ve dayanma sınırı değerlendirilmelidir. Halsizliği önlemek için aktiviteler yavaş yavaş arttırılmalıdır. Hemşire, hastaya tekerlekli sandalyeyi, yardımcı cihazları veya protezleri kullanmaya başladıkça, güvenlik konularında bilgi vermelidir. Çevresel engeller (örn; basamaklar, inişler, kapılar, ıslak yüzeyler) tanımlanır ve bunları aşacak yöntemler belirlenir. Harekete yardımcı araçların kullanımına bağlı problemleri (örn; koltuk değneğinin aksillaya basıncı, tekerlekli sandalyeye bağlı ellerde cilt irritasyonu, proteze bağlı güdüğün irritasyonu) tanımlamak ve bakımını yapmak önemlidir. Bacak ampütasyonu ağırlık merkezini değiştirir, bu nedenle hasta pozisyon değişimlerini çalışabilir (örn; otururken ayağa kalkmak, tek ayak üstünde durmak). Hastaya yer değiştirme teknikleri öğretilir ve yataktan kalkarken iyi bir pozisyon alması hatırlatılır. Hasta özel ve ayağa iyi oturan bir ayakkabı giymelidir.

Pozisyon değişimleri sırasında hasta korunmalı ve düşmenin önlemesi için bir transfer kemeri ile kullanılmalıdır. Alt ekstremite ampütasyonu geçiren bir hasta paralel demirler yardımıyla ayakta tutulur. Ameliyattan ne kadar sonra hastanın yapay ayağı üzerine basacağı hastanın fiziksel durumuna ve yara iyileşmesine bağlıdır. Sertlik arttıkça ve denge sağlandıkça paralel demirler veya koltuk değnekleri aracılığıyla harekete başlanır. Hasta koltuk değnekleri ile yürürken güdüğü ileri ve geri hareket ettirerek normal yürüyüş gibi kullanmayı öğrenir. Kalıcı fleksiyon deformitelerinin önlenmesi için güdük ekstremite parçası fleksiyon pozisyonunda tutulmalıdır.

Üst ekstremite ampütasyonu olan bir hastaya günlük yaşam aktivitesini tek kolla nasıl yürüteceği öğretilir hasta tek elle yapılacak kişisel bakım aktivitelerine bir an önce başlamalıdır. Üst ekstremite ampütasyonu olan bir hasta cilt ve protez arasındaki teması önlemek ve terin emilmesini sağlamak için bir T-shirt giyebilir. Protez uzmanı protezin yıkanabilir kısımlarıyla ilgili bilgi verir. Protez periyodik olarak potansiyel problemler açısından incelenir. Protez için tam uyum, maksimum rahatlık ve fonksiyon için güdük konik şekle sokularak yerleştirilmelidir. Elastik bandajlar ekstremite parçasının şekillendirilmesi için kullanılabilir; hemşire hastaya ve/veya aile bireylerinden birisine doğru bandajlama şeklini öğretir.

Bandajlama ekstremite parçası bağımsız pozisyondayken yumuşak dokuyu destekler ve ödem oluşumunu en aza indirir. Bandaj uygulanırken geriye kalan kaslardan protezi çalıştıracak alanlar iyi durumda kalırken kullanılmayacakların atrofiye uğramasını sağlar. Uygun yapılmayan bir elastik bandaj dolaşım problemlerine ve ekstremite parçasında şekil bozukluklarına yol açabilir.

Etkin protez bakımı, protezin iyi oturması için önemlidir. Bu süre içinde protezin oturmasını geciktirecek büyük problemler; fleksiyon anomalileri, ekstremite parçasının şişliğinin inmemesi, kalçanın abdüksiyon deformiteleri olabilir.

Genelde ekstremitenin protezden önce bazı aktiviteler önerilir. Hasta önce ekstremiteyi yumuşak bir yastığa bastırarak işe başlar, daha sonra daha sert ve en sonunda çok sert bir yüzeye bastırır. Ameliyat kesi hattının yerini değiştirebilmek, gerginliği azaltmak ve damarlanmayı arttırmak için hastaya ekstremite masajı yapması öğretilir. Masaja iyileşme oluştuğunda başlanır ve ilk kez fizik tedavi uzmanı tarafından yapılır. Cildi gözleme, kontrol ve bakım öğretilir. Protez soketi protez uzmanı tarafından ekstremiteye göre ayarlanır.

Protezler genellikle hastalarını yapabildiklerine ve özel aktivite düzeylerine göre tasarlanır. Protez tipleri; hidrolik, pnömatik, bio-geri bildirim kontrollü, myoelektrik kontrollü ve sentez protezlerdir. Ameliyattan sonraki altı ay bir yıl içinde ekstremiteden oluşabilecek değişimler nedeniyle protez soketinin ayarlamaları protez uzmanınca yapılır. Hasta kalıcı protezini kullanmaya başlamadan önce ödemi sınırlamak için hafif bir plastik alçı, elastik bandaj veya sıkı çorap kullanılabilir. Bazı hastalar proteze aday değildirler ve bu nedenle ampütasyon bölgeleri hareketsizdir.

Protez kullanımı mümkün değilse, bağımsız hareket için hastaya tekerlekli sandalye önerilir. Öndeki ağırlık kaybına bağlı hasta oturduğunda tekerlekli sandalye arkaya doğru devrilebilir. O nedenle ampütasyonlu hastalar için özel sandalye yapılması önerilir. Bu özel sandalyelerde arka aks 5 cm geriye alınır.

Olası Komplikasyonların İzlenmesi ve Öğretilmesi: Herhangi bir ameliyattan sonra hemostazı sağlamak, ameliyata, anesteziye ve hareketsizliğe bağlı problemleri önlemek için çaba sarf edilir. Hemşire hareketsizlikle ilgili problemler (örn; pnömoni, anoreksi, kabızlık, üriner staz) açısından vücut sistemlerini (solunum, sindirim sistemi, genito üriner sistemler) değerlendirilmeli ve uygun tedavileri yapmalıdır. İyileşme sürecinde amaç, hareketsizlikle ilgili problemleri önlemek ve fiziksel aktiviteyi yeniden sağlamaktır. Hastanın temel yaşam bulgularını ve yara bölgesindeki akıntıları gözlemek önemlidir. Hemşire kanama bulguları açısından hastayı izler. Gevşeyen bir dikişe (sütüre) bağlı aşırı kanama en korkutucu problemlerdir.

Enfeksiyon ampütasyonunun sık karşılaşılan komplikasyonlarından biridir. Travmatik ampütasyon olan hastaların yaraları genellikle kontaminedir. Hemşire reçete edildiği şekilde antibiyotikleri uygular. Kesi hattının, pansumanı ve akıntısını izlemek enfeksiyon bulgularının (örn; renk, koku ve akıntıda değişiklik, artan rahatsızlık hissi) yakalanması açısından önemlidir. Hemşire ayrıca sistemik enfeksiyon bulguları (ateş) açısından da dikkatli olmalı ve bulguları hemen cerraha bildirilmelidir. Hareketsizliğe veya çeşitli nedenlerle oluşan basıya, proteze bağlı deri yaralanması gelişebilir. Deri irritasyonunu, enfeksiyonu ve açılmayı önlemek için dikkatli deri bakımı çok önemlidir. İyileşen ekstremite günde en az iki kez yıkanır ve yavaşça kurulanır. Deri basınç alanları, dermatitler ve büller açısından izlenir. Genellikle terin emilmesi ve deri ile protez soketinin direk temasının önlenmesi açısından bir çorap kullanılır. Çorap her gün değiştirilir ve katlanmaların yapacağı irritasyon oluşmaması nedeniyle düz olarak yerleştirilmelidir. Protez soketi hafif bir deterjanla yıkanır ve temiz bir bezle kurulanır. Hemşire hastaya kullanmadan önce protezin iyice kurulanması gerektiğini anlatır.

Ev veToplum-Temelli Bakımın Sağlanması

Hastaya Kişisel Bakımın Öğretilmesi: Hemşire hasta ve ailesine ev veya bir rehabilitasyon merkezine taburcu edilmeden önce, bakım sürecine aktif katılması konusunda önerilerde bulunur. Hasta ve ailesinin uygun şekilde cilt bakımı ekstremite bakımı ve protez kullanımı konularında bilgilerini kontrol eder. Hasta nasıl yer değiştireceği ve yardımcı cihazları nasıl kullanacağı konularında sürekli öneriler ve uygulama dersleri alır. Hemşire hastaya ve ailesine doktora bildirilmesi gereken komplikasyon bulgularını açıklar (Çizelge 58.8).

Evde ve Toplum İçinde Bakımın Sürdürülmesi: Hastada fizyolojik hemostaz sağlandıktan ve ana amaçlara ulaşıldıktan sonra, bir rehabilitasyon kurumunda veya evde rehabilitasyona devam edilir. Ev hemşiresinin desteği ve danışmanlığı gereklidir. Hasta taburcu edilmeden önce, hemşire ev ortamını değerlendirmelidir. Hastanın sürekli bakımı, güvenliği ve hareketliliği açısından değişiklikler yapılır. Değerlendirme sırasında saptanamayan problem-lerin ortaya çıkarılması için evde bir gecelik veya haftalık deneme yapılabilir. Fizik ve mesleki tedavi evde veya ayaktan hasta düzeninde devam edebilir. Hastanın kontrollerine geliş ve gidişleri ayarlanmalıdır. Hastanenin sosyal hizmet birimi veya toplum kuruluşları tarafından hastaya yardım edilmesi ve taşıma hizmetlerinin sağlanması çok önemlidir. Kontrollerde hemşire hastanın fiziksel ve psikososyal durumunu ve uyumunu değerlendirmelidir. Sıklıkla hasta ve ailesi bir ampütasyon destek grubuna katılmayı faydalı bulurlar; burada problemleri paylaşabilir, çözümler ve kaynaklar üretebilirler. Benzer bir problemle başarılı bir şekilde başa çıkmış birisiyle konuşmak hastanın çözüm üretmesini kolaylaştırır. Ampütasyondan sonraki ilk 12-18 ay

> **Dikkat!** Alt ekstremite ampütasyonlarında güdük ekstremite parçası kalçada fleksiyon kontraktürünü önlemek için bir yastık üzerine konulmamalıdır.

rezidüel ekstremite hacim değişiklikleri nedeniyle hastanın sık görülmesi ve gerekli protez modifikasyonlarının yapılması gerekmektedir. Bu dönem içinde üç ayda bir kontrol önerilir. Ekstremite küçülmesi sabit hale geldikten sonra yıllık izlemler yeterli olabilmektedir. Hasta ve aile bireyleri ile sağlık hizmeti sunanlar en belirgin ihtiyaç ve konulara odaklandıklarından, hemşire sağlık izleme ve iyileştirme uygulamalarına (örneğin, düzenli fizik muayene, tanısal tarama testleri) devam etmenin önemini hasta ve ailesine vurgular. Geçmişte bu uygulamalara katılmamış hastalara bunun önemi anlatılır ve uygun yerlere yönlendirilirler.

> **Dikkat!** Gevşeyen bir sütüre bağlı aşırı kanama ameliyattan hemen sonra yavaş yavaş veya aniden başlayabilir. Büyük bir turnike hastanın yatağının başucunda hazır bulunmalıdır. Aşırı kanama durumlarında hemşire hemen cerraha haber vermelidir.

Çizelge 58.14 : Ortopedik Ameliyat Geçiren Hasta İçin Evde Bakım Listesi.

Evde bakım önerilerinin sonunda hasta veya bakıcısı şunları yapabiliyor olacaktır

* Yara bakımını tanımlamak

* Yara enfeksiyonu bulgularını tanımak (kızarıklık, şişme gerginlik, pürülan akıntı, ateş)

* Yara ve kemik iyileşmesi için sağlıklı diyet uygulamak

* Dolaşımı ve hareketi arttırmak için önerilen egzersiz planına uymak

* Yardımcı araçları güvenle kullanmak

* Önerilen ağırlık ve aktivite sınırlarına dikkat etmek

* Önerilen ilaçları almak (Örn; antibiyotikler, antikoagülanlar, ağrı kesiciler)

* Hekime hemen bildirilecek komplikasyon bulgularını tanımak (Örn; kontrol edilemeyen ağrı ve şişme; soğuk soluk Parmaklar; parastezi, paralizi, pürülan akıntı, sistemik enfeksiyon bulguları derin ven trombozu veya pulmoner emboli bulguları)

*Rehabilitasyon ve iyileşme sırasında bağımsız ve güvenli bir çevre yaratmak için yapılacak değişimleri tanımlamaktır.

59. ROMATİZMAL HASTALIKLAR

Prof. Dr. Sakine BOYRAZ

Giriş

Romatizma sözü ilk kez 1642 yılında, Fransız Dr.G. Baillou tarafından kullanılarak literatüre girmiştir. Özellikle hareket sistemini tutan hastalıkları inceleyen bilim dalına ise "Romatoloji" denmektedir.

Romatizmal hastalıklar, sık görülmeleri ve yol açtıkları komplikasyonlar nedeni ile toplum açısından son derece önemlidir. Bu hastalıklar tüm Dünya da yaygındır ve bütün iklimlerde görülür. Dünya da her yedi insandan birini etkilemekte; eklemlerde, kaslarda, tendonlarda, sırtta ve boyunda ağrı ve sertliğe neden olmaktadır. Romatizmal hastalıkların, hareket sistemi yanı sıra diğer sistemleri de etkilemeleri, yani multisistemik olmaları, bu hastalıklara ayrı bir önem kazandırmaktadır.

Romatolojik hastalıklarda erken tanı ve doğru bakımla ciddi sakatlıkların önlenmesi genellikle mümkündür. Ancak bu hastalıkların değerlendirilmesi, tanılanması, tedavi ve bakımında romatizmanın etkilediği dokuların fonksiyonel anatomisi ve kas iskelet sisteminin yapısının bilinmesi çok önemlidir.

Romatoloji Hastasının Değerlendirilmesi

Kas iskelet yakınması olan hastanın yakınmalarını iyi belirlemek için dikkatli bir öykü almak, tutulan anatomik yapıların belirlenmesi için eklemlerin, ekleme komşu diğer yapıların ve kasların dikkatle değerlendirilmesi oldukça önemlidir. Diğer değerlendirme yöntemleri fizik muayene, laboratuvar çalışmaları ve radyolojik incelemelerdir.

Öykü Alma

Romatolojik yakınmaları olan hastanın dile getirdiği yakınmalar dikkatle değerlendirilmelidir.

Ağrı: Romatolojik hastalığı olan bireylerin en önemli yakınmalarından birinin *ağrı* olduğu unutulmamalıdır. Ancak ağrı subjektif bir bulgudur. Kişinin yaşı, kültürel durumu, algılama ve değerlendirme yetisi ile dikkat, zihinsel aktiviteleri ağrı algısını büyük ölçüde etkilenmektedir.

Bu nedenle hastanın ağrısı değerlendirilirken *ağrının yeri* sorulmalı ve hatta göstermesi istenmeli, ağrının *ne zaman* hissedildiği sorulmalıdır. Özellikle gece hissedilen ağrılar hastanın uykusu üzerinde olumsuz etki yapabilir. Ağrının günlük yaşam ritmi ile nasıl bir ilişki gösterdiği sorgulanmalıdır. Sabahın erken saatlerinde hastayı uykudan uyandıran ağrı inflamatuar patolojilerde sık görülmektedir. Şiddetli osteoartroz ve yumuşak doku romatizması ise, gece ağrıya neden olmaktadır. Hastaya ağrıyı *arttıran faktörlerin* neler olduğu sorulmalıdır. Isı değişiklikleri, sıklıkla romatolojik yakınmaların ağırlaşmasından sorumludurlar. Diğer yandan mekanik zorlanmalarda ağrıyı başlatabilir. Mekanik bir iş veya ağırlık taşımaya başlama ile oluşan ağrı dejeneratif eklem hastalığı için tipik olabilir. Omurganın dejeneratif lezyonlarında görülen ağrı, tipik olarak yanlış pozisyonda oturma, uzanma veya yatma gibi mekanik faktörlerle uyarılmaktadır. Ağrının *şiddeti* de sorgulanmalıdır. Bu amaçla ağrı değerlendirme ölçekleri kullanılmalıdır.

Sabah Tutukluğu: Romatizmal hastalıklarda sık görülen bir diğer semptom **sabah sertliği** (Sabah tutukluğu) *dir*. En çok sabahları uykudan uyanıldığında ve enflame bölge hareketsiz kaldıktan sonra göze çarpar. Sabah tutukluğu yavaş yavaş azalarak kaybolan bir gerginlik durumudur. Bu nedenle sabah sertliğinin şiddeti ve süresi lokal enflamasyonun derecesini gösteren önemli bir bulgudur. Sabah tutukluğu romatoid artrit tanısının önemli bir kriteridir.

Sıcaklık ve Kızarıklık: En önemli Enflamasyon belirtilerinden biri olan *sıcaklık artışı ve derideki kızarıklık* bursalardan, tendon kılıflarından ve eklemlerden kaynaklanıyor olabilir. Akut artritlerde sıklıkla şiş ve ağrılı eklem üzerindeki deride kızarıklık vardır.

Hassasiyet: Hastaların yakındıkları bir başka sorun ise *hassasiyettir*. Hassasiyet, bütün eklem kenarına yayılmış durumda ise kapsülle ilgili bir hastalığın işareti olarak değerlendirilir. Periartiküler hassasiyet ise genellikle bursit belirtisi olabilir.

Hareket Sınırlaması: Sinovit büyük oranda *hareket sınırlaması*na neden olmaktadır. Bir çok vakada, eklem hareketini büyük oranda azaltır ya da tümüyle ortadan kaldırır. Tenosinovit ve periartiküler lezyonlar genellikle tek bir düzlemde hareketi sınırlar. Hareketinin ortaya çıkardığı ağrının seyri tanıda önem taşımaktadır.

Fizik Muayene

Romatizmal hastalıklar kas iskelet sistemi yanında, deri, göz, kalp ve sinir sistemi gibi sistemleri de etkileyebildikleri için hastanın genel bir sistem muayenesinin yapılması çok önemlidir. Romatolojik hastalıkların tanılanmasında iyi bir fizik muayene çok anlamlıdır.

Laboratuvar Testleri
Romatizmal hastalıklarda sık kullanılan laboratuvar testlerinden bazıları aşağıda anlatımıştır.

Tam Kan Sayımı
Romatizmal hastalıklarda demir eksikliği anemisi, otoimmün hemolitik anemi, lökopeni, lökositoz, trombositopeni ve trombositoz gibi hematolojik bulgular sık görülür.

Reaktif Protein (CRP)
CRP, insan akut faz proteinlerinin prototipi ve en çok çalışılmış olanıdır. (Akut faz ise, inflamatuvar uyaranla karşılaşmayı takiben saatler içinde ortaya çıkan bazı sistemik ve metabolik değişikliklere verilen genel isimdir). CRP, hasara uğramış hücrelerin ve patojenlerin tanınmasında ve temizlenmesinde önemli rol oynar. CRP normalde plazmada eser miktarda bulunur.

Ancak akut inflamatuvar uyarıyı takiben konsantrasyonu birkaç saat içinde yükselir ve 2-3 gün de en yüksek seviyeye ulaşır. CRP düzeyindeki artma inflamatuvar uyaranın şiddeti ile doğru orantılıdır. Şiddetli uyaran ile daha yüksek ve daha uzun süreli CRP yüksekliği ortaya çıkar ve uyaranın ortadan kalkmasından sonra konsantrasyon düzeyi hızla düşer. Sağlıklı kişilerde CRP düzeyi 0.2 mg/dl olarak bulunur. CRP düzeyinin 1-10mg/dl olması orta derecede ve 10mg/dl'nin üzerinde olması şiddetli yükselme olarak kabul edilir. CRP belirli bir hastalığa spesifik değildir, sadece inflamatuvar bir olayı ve bunun derecesini gösterir. Şiddeti CRP yükselmesi, akut bakteriyal infeksiyonlarda (%80-85), majör travmalarda ve sistemik vaskülitlerde görülmektedir.

Eritrosit Sedimentasyon Hızı (ESH)
ESH; 0.4 cc sitrat ile 1.6 cc kanın karıştırılması ve bu karışımdaki eritrositlerin bir saatin sonunda ki (Westergreen tüpünde) çökme hızının belirlenmesidir. Erkeklerde normal değeri 1-15mm/1saat, kadınlarda ise 1-20mm/1saat normal kabul edilmektedir. ESH, akut faz proteinlerdeki yükselmeyi indirekt olarak gösterir. Temel olarak fibrinojen düzeyindeki artış, eritrositlerin çökme hızında önemli oranda artışa neden olur. ESH'deki artış sadece akut faz cevabında olmaz, diğer bir çok nedenle de (polisitemia vera, orak hücre hastalığı, gebelik, yaşlılık gibi) gelişebilmektedir. Bu nedenle ESH, tıpkı CRP'de olduğu gibi romatolojik hastalıkların tanısından daha ziyade hastalık aktivitesinin takibinde yararlı olur.

ASO
Streptokokların ekstrasellüler-O proteinine karşı gelişen antikorları saptayan bir testtir. ASO, bir kişinin romatizma olduğunu, olacağını veya geçirdiğini göstermez, yalnızca geçirilmiş streptokok enfeksiyonunu belirlemede kullanılır. Streptokok enfeksiyonu sonrası yükselen antikor değerleri 4. haftada düşmeye başlar. ASO titresi, yalnızca akut romatizmal ateşin tanısında minör kriterlerden birini oluşturur.

Romatoid Faktör (Rf)
IgG'nin Fc kısmına karşı oluşmuş antiglobülin antikorlardır. Romatoid faktörler, IgM, IgG veya IgA yapısında olabilirler. IgM romatoid faktörün varlığı, Romatoid Artrit tanısında önemli bir kriterdir ve bu hastaların %70-80'inde bulunur. Normalde %2-4 oranındadır, yaşlılarda bu oarn %10'lara çıkmaktadır.

Ürik Asit
Normal değeri yaşa ve cinsiyete göre değişiklik gösterir. Erişkin kadın için 6mg/dl ve erkek için 7mg/dl üzerindeki değerler yüksek kabul edilir. Gut artritinin tanısında kullanılır ancak, gut artriti demek için eklem sıvısında monosodyum ürat kristallerinin bulunması gerekir.

Kas Enzimleri
Kreatin fosfokinaz (CPK), laktat dehidrogenaz (LDH), ve aldolaz kas enzimleridir. İnfeksiyöz miyozitlerde, dermatopolimiyozitte kas enzimleri yükselebilir.

Seroimmünolojik Testler
Genellikle otoantikorların saptanması amacıyla kullanılırlar. Bunlar, kuşkulu bir tanının doğrulanması, hastalığın aktivitesini, şiddetini, prognozunu ve tedaviye yanıtını izlenmek amacıyla kullanılmaktadırlar.

Sinovyal Sıvı Analizi
Bir iğne ile eklem boşluğuna girme işlemine artrosentez denir. Romatolojik hastalıkların tanı ve ayırıcı tanısında sinovyal sıvı incelenmesi çok önemlidir. Normal eklemlerde ki fizyolojik sinovyal sıvı, azdır. Ancak artrit varlığında, sinovyal sıvı artar ve tanı için çok önemlidir. Sinovyal sıvının alınma işlemi (artrosentez) steril koşullarda yapılmalıdır. Alınan sıvının rengi, görünümü, viskozitesi, glikoz içeriği ve lökosit sayısı gibi özellikleri dikkatle değerlendirilir. Bu özelliklere göre üç grupta toplanır. Bunlar;
- Yangısal olmayan tipte sinovyal sıvı (non-inflamatuar); osteoartrit ve travmatik artrit'lerde görülür.
- Yangısal tipte sinovyal sıvı; romatoid artrit, sistemik lupus eritematoz, spondilartritler, sistemik vaskülitler ve bazı enfeksiyöz artritler de görülür.

- Pürülan sinovyal sıvı; özellikle bakterial septik artritlerde görülür. Akut gut ve ailesel Akdeniz ateşi artritinde de sinovyal sıvıda lökosit sayısı çok yüksek bulunmaktadır.

Radyolojik İncelemeler

Romatizmal hastalıkların değerlendirilmesinde öykü, fizik muayene ve laboratuvar testlerinin yanı sıra çeşitli tanısal görüntüleme yöntemleri kullanılmaktadır. Bunlar hastalığın tanısını koymada veya tanısı konmuş hastalığın yaygınlığını ve ciddiyetini değerlendirmek amacıyla kullanılmaktadır. En sık kullanılan görüntüleme yöntemleri, düz radyografi, bilgisayarlı tomografi, manyetik rezonans görüntüleme, ultrasonografi, kemik sintigrafisi, artrografi ve anjiografidir.

Romatizmal Hastalıkların Sınıflandırılması

Romatolojik hastalıkların çoğunun etiyolojisi bilinmediğinden sınıflandırılması oldukça güçtür. Romatolojik hastalıklar genellikle yaygın klinik ve laboratuvar görünümleri ile ve altta yatan şüpheli patogenetik mekanizmaların, etkilenen anatomik yapıların ve genetik faktörlerin benzerliği ve hastalığın doğası göz önüne alınarak kombine bilgilerle sınıflandırılmaya çalışılmıştır. En yaygın kullanılan sınıflandırmalardan biri Amerikan Collage of Rheumatology (1983) tarafından yeniden düzenlenen sınıflandırmadır (Çizelge 59. 1).

I. Romatoid Artrit

Romatoid artrit (RA) özellikle eklemleri ve eklemlerin yanı sıra bir çok organı da tutabilen, özellikle 30-50 yaşlarındaki kadınlarda sık görülen sistemik, inflamatuar bir hastalıktır.

Hastaların çoğunluğunda kronik olarak seyreder. Erken ve iyi tedavi edilmediğinde eklemlerde erozyon ve hasara, iş ve gelir kaybına ve kalıcı şekil bozukluklarına yol açar.

Hastalık, iyilik ve alevlenmelerle seyreder, ancak hastalığın gidişi bireysel farklılıklar gösterir. Değişik popülasyonlarda yapılan çalışmalarda prevelansı %0.5 ile %1 oranında bulunmuştur.

Etiyoloji

Romatoid artritin nedeni kesin olarak bilinmemektedir. Hastalığın oluşumunda birden fazla mekanizmanın rol oynadığı tahmin edilmektedir. RA'de genetik bir etki olduğu kabul edilmekte, ancak bunun hastalığın başlamasında değil de, hastalığın hafif ya da ağır seyri ile ilgili olduğu düşünülmektedir.

RA hastalarının birinci derece akrabalarında görülme riski 16 kat artmış olarak bildirilmektedir. Bu genetik faktörlerin 6'ncı kromozomda bulunan HLA sistemi genlerine bağlı olduğu ve bir tek genetik bozukluktan çok birkaç genin RA'i etkilediği düşünülmektedir.

RA'de bir bakteri ya da virüsün genetik yatkınlığı olan kişilerde hastalığa neden olduğu düşünülmekle beraber bunu kanıtlayacak bir delil bulunamamıştır. Bu nedenle de, RA'in tek bir sebebi olmayabilir ve hastalık bir çok faktörün bir araya gelmesi ile gelişebilir.

Patofizyolojisi

Primer Enflamasyon eklem içinde sinoviyumda görülür. Öncelikle sinoviyal mikrodolaşımda tıkanma, hücre şişmesi ve hücrelerarası mesafe artışı görülür. Daha sonda T hücrelerinin ağırlıkta olduğu bir hücre artışı başlar. Hastalığın ilk dönemlerinde bol bulunan T hücreleri daha sonraki dönemlerde azalır.

Bunu takiben makrofaj ve dendritik hücre akını ve bunların salgıladığı sitokinlerde artış görülür. Bu sitokinler inflamasyonun şiddetinin artmasına sebep olurlar. Bu durum sinoviyumu hipertrofik bir hale getirerek yavaş yavaş kıkırdağı aşındırmasına neden olmaktadır. Eğer Enflamasyon süreci durdurulamazsa "*pannus*" olarak adlandırılan kalın bir skar dokusu gelişir. (Şekil 59.1) Pannus, kıkırdağın eklem yüzüne yapışır ve sonuçta kemiğe ilerleyerek kemik erozyonlarına neden olur. Kemiklerdeki hasarın ilk iki yılda oluştuğuna inanılmaktadır. (Çizelge 59.2) Bu nedenle RA'in erken tanı ve tedavisi önemlidir.

Klinik Belirtiler

Romatoid artritin başlama şekli hastadan hastaya farklılıklar gösterir. Hastaların yaklaşık %70'inde birkaç hafta veya aya yayılmış sinsi bir başlangıç vardır. Bu sürede hastalarda hafif bir ateş, halsizlik, yorgunluk, kilo kaybı ve bir ya da birkaç küçük eklemde ağrı vardır. Ayrıca uyku veya uzun süren bir istirahat sonrası, eklemler veya eklemlerin çevrelerinde oluşan ve sabah tutukluğu olarak tanımlanan sertlik hissidir. Hastalığın aktif döneminde bir saatten uzun sürer, hatta daha uzunda sürebilir. Hastalar giderek günlük işlerini yapmakta aşırı zorlandıklarını ve eklem fonksiyonlarının azaldığını fark ederler.

Eklem Bulguları

RA'in tuttuğu eklemlerde ağrı, şişlik ve bir miktar sıcaklık olur ancak kızarıklık yoktur. Elin parmak eklemleri (%35-40), el başparmak eklemi (%25-30), el bileği (%12-18), ayaklar, dirsek ve diz eklemleri en çok tutulan eklemlerdir. Eklem tutuluşu simetriktir.

Eller; hastalık en karakteristik değişikliklerini el ve el bileklerini simetrik tutması sonucu yapar. Erken dönemde; proksimal interfalangeal eklemlerin iğ şeklinde (fusiform) şişmeleri, ulnar stiloid çevresinin şişmesi ile bu bölgenin düzleşmesi görülür. Bir diğer erken bulgu, karpal

tünel sendromudur (parmaklarda yanma, karıncalanma). Hastalığın ilerlemesi ile geç dönem belirtileri gelişir.
Bunlar;
- El sırtının kas atrofisi sonucu iç bükey bir görünüm kazanması
- Parmakların metokarpofalangeal eklemlerden itibaren ulnar tarafa doğru çarpılmaları (ulnar deviasyon),
- Kuğu boynu deformitesi veya bunun tersi düğme iliği deformitesi,
- Baş parmakta Z deformitesi olarak tanımlanan şekil bozukluğu,
- Ekstansör tendonlarda gevşeme veya kopma sonucu düşük parmaklar görülebilir. (Şekil 59.2)

Eklem Dışı Belirtiler
Halsizlik, hafif ateş, kilo kaybı gibi genel belirtiler hastalığın ilk dönemlerinden itibaren ve bazen de eklem belirtilerinden daha ön planda olarak görülebilirler. RA eklem dışı diğer organ tutuluşlarıda yapabilir. Bunlar:

Deri altı nodülleri; ağrısız, sert ve birkaç mm'den, birkaç cm'ye kadar değişen boyutta ve sıklıkla alttaki perioasta yapışık bazen hareketli şişliklerdir. Dirseğin ön yüzü, el sırtı, oksipital bölge, sakrum ve aşil tendonu gibi bası noktalarında daha sık bulunmaktadır.

Visseral nodüller; Başta akciğer, larenks ve kalp olmak üzere bir çok organda görülebilirler.

Kalp tutulumu; kalp tutulumunun en sık görülen şekli perikardittir. Genellikle asemptomatik seyreder ve hastalık süresi ile ilişkisi yoktur.

Akciğer tutulumu; plörezi en sık görülen akciğer tutulum şeklidir ve genellikle asemptomatiktir. RA süresi ve şiddeti ile ilişkisi yoktur ve spontan olarak gerileyebilir.

Göz tutulumu; kuru göz şeklinde kendini belli eden "keratokonjonktivitis sicca" en sık rastlanan göz bulgusudur. Hastalığın geç dönemlerinde görülür ve hastalık şiddeti ile ilişkisizdir. Semptomatik tedavi edilir. RA'in tedavisinde kullanılan ilaçların bazıları göz üzerinde olumsuz etkiler (katarakt ve glokom gibi) yapabilmektedirler.

Nörolojik tutulum; RA'de görülen nörolojik belirtilerin dört ana sebebi vardır. (1) Servikal vertebra tutulumu, (2) Tuzak nöropatisi, (3) Periferik nöropati ve (4) vaskülite bağlı gelişen mononörotis multipleksdir.

Romatoid vaskülit; geç dönemde ortaya çıkan bir komplikasyondur. Erken dönemde görülmesi kötü prognozu işaret eder. En sık olarak tırnak dibi kapillerlerinde tromboz, parmak uçlarında yaralar ve bacak ülserleri görülebilir.

Felty sendromu; klasik olarak ağır RA, dalak büyümesi (splenomagali) ve lökopeni olarak tanımlanırsa da bacak ülserleri, hepatomegali, lenfadenopati, trombositopeni görülebilir. Bu hastalarda infeksiyonlara eğilim vardır. Bunların dışında; karaciğer, kas, böbrek tutulumu ve kemik erimesi hem hastalığa hem de bu hastalığın tedavisinde kullanılan ilaçlara bağlı olarak karşımıza çıkmaktadır.

Laboratuvar Testleri
RA özgü belirli bir laboratuvar testi olmamasına karşılık, tanıyı desteklemede veya hastalığın gidişini değerlendirmede kullanılır.

İmmünolojik Testler; RA hastaların %85'inde IgG'nin Fc parçasına karşı oluşmuş, çoğunlukla IgM yapısında olan ve romatoid faktör (RF)olarak adlandırılan otoantikor bulunur. RF, bu hastalığın tanı kriterlerinde yer alan tek laboratuvar testidir. Buna rağmen bu test sadece bu hastalığa özgü değildir. Diğer romatolojik hastalıklarda (sistemik lupus eritematozus, sistemik sikleroz vb), kronik bakteriyal enfeksiyonlar (tüberküloz, sifiliz vb), kronik karaciğer hastalıkları ve ilerleyen yaşa bağlı olmak üzere normal kişilerde de tespit edilmektedir. RF'ün yüksek titrede pozitif bulunduğu bireylerde hastalığın daha ağır seyrettiği ve eklem dışı belirtilerin daha sık görüldüğü bildirilmiştir.

Hematolojik Bozukluklar; eritrosit sedimentasyon hızında artma, serum globülinlerinde yükselme ve CRP pozitifliğidir. RA'li hastalarda eklem tutulumunun şiddeti ile ilişkili olan ve bir çok nedene bağlı olan anemi görülür. Buna tedavide kullanılan immünosüpressif ilaçların kemik iliğini baskılaması neden olmaktadır. Hastalığın aktivitesi ile ilişkili trombositoz romatoid artritte sık görülür.

Görüntüleme; el bilekleri ve ellerin düz filmleri hastalığın tanısını koyma ve gidişini göstermede önem taşırlar.

Tanı Yöntemleri
Hastalığın erken dönemlerinde tanı, çoğunlukla diğer hastalıkların dışlanması ile konur. Her ne kadar simetrik eklem tutulumu ve romatoid faktör pozitifliği ayırıcı tanıya yardımcı olsa da diğer bazı hastalıklarla karıştırılabilir.

RA tanısına ilişkin kriterler Amerikan Romatizma Derneği (ARA=American Rheumatism Association) tarafından saptanmıştır (Çizelge 59.3). Tanının kesinlik derecesi bulunan kriterlerin sayısı ile belirlenmektedir. Buna göre;
a) Klasik RA'de 7 kriter bulunmalı,
b) Kesin RA'de 5 kriter bulunmalı,
c) Olası RA'de 3 kriter bulunmalıdır.

Tedavi

Son 10 yılda daha iyi anlaşılmıştır ki; RA erken tedavi edilmediği sürece kalıcı eklem hasarına yol açmaktadır. Bu nedenle üç nokta önem kazanmıştır. Bunlar;
1) Erken tanı,
2) Prognozu etkileyen faktörlerin belirlenmesi,
3) Erken ve agresif tedavidir.

RA'de tedavinin amacı; (a) Ağrıyı dindirmek, (b) Eklem harabiyetini ve diğer komplikasyonları önlemek, (c) Hastaların günlük aktivitelerini sürdürmesini sağlamaktır.

Bu amaçlara ulaşmak için, sadece ilaç tedavisi yeterli değildir. Hasta ve ailenin eğitilmesi, düzenli kontrollerin sağlanması ve multidisipliner bir ekip yaklaşımı gerekmektedir.

Kesin olarak RA tanısı alan bir hasta için önerilen tedavi yöntemleri;
1) Fizik tedavi (soğuk uygulama, fizyoterapi, sabitleme, masaj ve elektroterapi)
2) İlaç tedavisi (non-steroid anti-enflamatuvar ilaçlar, kortikosteroidler, hastalık modifiye edici ilaçlar, sitotoksik ve immünosüpresif ilaçlar, topikal ajanlar ve enjeksiyon tedavisi)
3) Diğer önlemler (bandajlar, uğraş tedavisi, ortozler ve psikoterapi)
4) Cerrahi (sinovektomi, palyatif/rekonstrüktif cerrahi).

Fizik Tedavi

Bireyin eklem hareketlerini sürdürmesine yardımcı olacak hareketleri sağlamada yardımcıdır. Yardımcı araçlardan (ör; atel, baston) deforme eklemleri desteklemede ve eklem fonksiyonlarını arttırmada yararlanılmaktadır. Ağrı ve inflamasyonu azaltmak için hasta dinlenmeye teşvik edilir, ancak sürekli hareketsizlikten de kaçınması gerekir. Çünkü eklemlerin kullanılmaması sonucu eklem hareket alanı daralır, kas atrofileri ve kontraktürler gelişir. Eklemleri ve enerjiyi koruma yöntemlerinin ve güçlendirici egzersizlerinin öğretilmesi eklem fonksiyonlarını sürdürme hedefine ulaşmada önemlidir. (Çizelge 59.4)

İlaç Tedavisi

RA'de erken tanı ve uygun ilaç tedavisiyle (özellikle ilk 2-3 ay içinde) kalıcı eklem hasarı engellenebilmektedir. Tanı kesinleştikten sonra hasta ve yakınlarına açık ve anlaşılır şekilde gerekli bilgi verilmelidir. Tedavi ile hastalığın seyrinin değişebileceği ancak bunun uzun zaman alacağı sabırlı olmaları gerektiği anlatılmalıdır. Özellikle ilk iki yılın tedavi açısından önemli olduğu vurgulanmalıdır.

RA tedavisinde kullanılan ilaçlar kabaca, birinci ve ikinci basamak ilaçlar olarak ayrılmaktadır. Hangi ilaç grubunun kullanılacağı hastanın durumuna göre belirlenmektedir. Hastanın durumunu olumsuz etkileyen bazı faktörler vardır. Bunlara "kötü prognostik faktörler"de denir. Bunlar; hastalığın birçok eklemde birden başlaması, eklem dışı belirtilerin olması, yüksek titrede romatoid faktör bulunası, HLA-DR4 genetik yatkınlığın olması ve ilk yıl içinde erozyon oluşmasıdır. Bu faktörler göz önüne alınarak RA'li hastalar üç gruba ayrılırlar. (Çizelge 59.5)

RA Tedavisinde Kullanılan İlaçlar

a) Non-steroid anti inflamatuar ilaçlar (NSAii)

Hastalığın seyrini değiştirmezler. İnflamasyona neden olan prostaglandin sentezini önleyerek, Enflamasyon ve ağrıya karşı etkilidirler. Bu grupta yer alan bazı ilaçlar; asemetasin, diklofenak, ibuprofen, naproksen, piroksikam ve COX-2'dir.

b) Hastalık seyrini değiştiren ilaçlar (Disease-modifying drugs=DMARD)

Bu ilaçlar, hastalığın seyrini değiştirerek, hastalığı kontrol altına almak ve radyolojik erozyon gelişimini önlemek amacıyla kullanılmaktadır. Bu gruba giren ilaçlar;
1) Antimalaryeller (klorakin ve hidroksiklorokin),
2) Altın tuzları,
3) D-penisilamin,
4) Sulfosalazin,
5) İmmünosüpresifler (metotreksat, azatiyoprin, siklofosfamid vs) ve
6) Tümör nekrozis faktör (TNF)dür.

Bu grup ilaçların bir kısmında etki yavaş başlar ve aylar sonra etkisi görülür. Ciddi yan etkileri olan bu grup ilaçlar kesilse bile etki ve yan etkileri uzun süre devam edebilir. Bu ilaçlardan immünosupresif ve sitotoksik olanlar kemik iliğine etkili olduğundan bu ilaçları kullanan hastaların ayda bir kan sayımı yapılmalı ve hasta anemi, lökopeni ve trombositopeni yönünden izlenmelidir.

c) Kortikosteroidler

Böbrek üstü bezinden salgılanan glukokortikoidler (pratikte kortikosteroid, glukokortikoid ve steroid eş anlamlı kullanılmakta) içinde en önemlisi kortizol (hidrokortizon) dur. Günlük yapımı 5-25 mg/dl seviyesinde sabittir.

Glukokortikoidlerin farmakolojik etkileri;
(a) anti-inflamatuvar,
(b) immünosüpresif,
(c) anti-allerjik ve
(d) diğer etkiler olarak belirlenir.

Anti-inflamatuar etki, başta lipokortin olmak üzere bazı proteinlerin sentezinin artışı ile olur. Lipokortin yapımının artışı sonucu proinflamatuvar sitokinlerin (ör. IL-1, IL-2, IFN-α, TNF) yapımları azalır. Bunun sonucu iltihabın dört önemli belirtisi (sıcaklık, kızarıklık, şişlik ve ağrı) azalır. Periferik kanda, T ve B lenfosit, monosit, bazofil ve eozinofil sayıları düşer ve nötrofil sayısı artar.

Kas İskelet Sistemi

Çizelge 59.1: Romatizmal Hastalıkların Sınıflandırılması

I. Diffüz bağ dokusu hastalıkları
  A. Romatoid artrit (IgM RF pozitif ve negatif)'
  B. Juvenil artritler
  C. Lupus eritematozus (LE)*
  D. Skleroderma
  E. Polimiyozit / dermatomiyozit
  F. Nekrotizan vaskülitler ve diğer vaskülopatiler
  G. Sjögren sendromu
  H. Overlap sendromlar
  İ. Diğerleri

II. Spondilitle birlikte olan artritler
  A. Ankilozan spondilit*
  B. Reiter sendromu
  C. Psöriyatik artrit
  D. Kronik inflamatuvar barsak hastalığına bağlı artrit

III. Dejeneratif eklem hastalığı (Osteoartrit)
  A. Primer*
  B. Sekonder

IV. İnfeksiyöz ajanlara bağlı artrit, tenosinovit, bursit
  A. Direkt (Bakteriyel, viral, fungal, parazitik)
  B. İndirekt (Reaktif)

V. Metabolik ve endokrin hastalıklara bağlı
  A. Kristal artritleri*
  B. Biyokimyasal anormallikler
  C. Endokrin hastalıklar
  D. İmmün yetmezlikler
  E. Diğer herediter hastalıklar

VI. Neoplazmlar
  A. Primer
  B. Metastatik
  C. Multipl miyelom
  D. Lenfoma, Lösemi
  E. Villonodüler sinovit
  F. Osteokondromatozis
  G. Diğerleri

VII. Nöropatik hastalıklar
  A. Charcot eklemi
  B. Kompresyon nöropatileri (karpal tünel sendromu gibi)
  C. Refleks sempatik distrofi
  D. Diğerleri

VIII. Kemik, periost ve kıkırdak hastalıkları
  A. Osteoporoz*
  B. Osteomalazi
  C. Hipertrofik osteoartropati
  D. Diffüz iskelet hiperosteozisi
  E. Osteitis
  F. Osteonekroz
  G. Osteokondritis
  H. Kemik ve eklem displazileri
  İ. Kostokondrit
  J. Osteomiyelit

IX. Eklem dışı romatizmalar
  A. Fibromiyalji
  B. Miyofasiyal ağrı sendromları
  C. Bel ağrıları ve intervertebral disk hastalıkları
  D. Tendinit ve bursitler
  E. Ganglion kistleri
  F. Fasiitisler
  G. Kronik ligament ve kas zorlanmaları
  H. Vazomotor hastalıklar (Eritromelalji, Raynaud)

X. Sınıflandırılamayan çeşitli hastalıklar
  (Travmalar, sarkoidoz, palindromik romatizma, intermitan hidroartroz, hemofili vb)

* Bu hastalıklar aşağıda ayrıntılı olarak tartışılmıştır. Apraş Ş, Çobankara V (2000). Romatizmal hastalıkların sınıflandırılması. Ertemli İ (Ed.) Romatizmal Hastalıklara Giriş. Ankara: MD Yayıncılık, s:12-14'den uyarlanmıştır.

İmmünosüpresif etki ise, kortikosteroidler T lenfositlerin mitojenlere, spesifik antijenlere ve allo-antijenlere karşı cevabını inhibe ederler ve antikor yapımını azaltırlar. Romatoid artritte düşük doz kortikosteroid (10-15 mg/gün) tedavisi sık kullanılmaktadır. Özellikle, hastalık seyrini değiştiren ilaçlarla birlikte başlanması gerekir. Bu ilaçların etkisi ortaya çıktıkça kortikosteroid dozu (5 mg/gün ve sabah) azaltılır.

Kortikosteroidlerin sistemik kullanımlarından başka, eklem içi kullanımları da vardır.

Glukosteroidler uzun süre kullanıldıklarında çok çeşitli yan etliler ortaya çıkmaktadır. Sık görülen bazı yan etkiler; iştahın açılması ve şişmanlama, hipertansiyon, gövdede şişmanlık, ay dede yüz, yara iyileşmesinde gecikme, yüzde eritem, akne, hiperglisemi, sodyum retansiyonu, hipopotasemi, infeksiyona eğilim, aseptik kemik nekrozu gibi sıralanmaktadır.

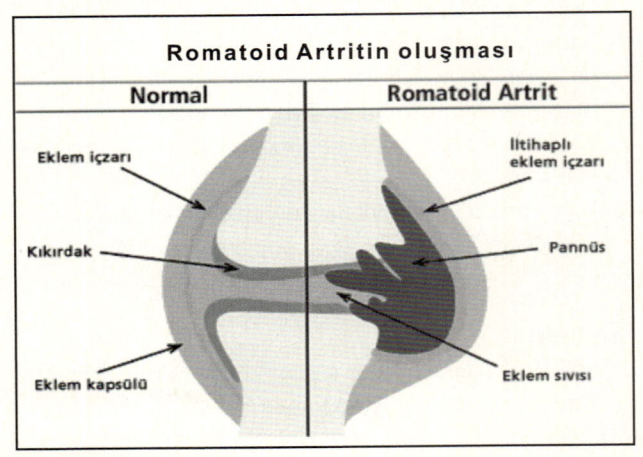

Şekil 59.1: Romatoid artrit oluşumu
Kaynak: www.rheumatoide-arthritis.de/ tr/zytokine/

Bakım

Romatoid artritli hastanın bakımında temel amaç, birey için olası en sağlıklı yaşamı sağlamaktır. RA'li hastaya bakım veren hemşirenin; tanılamada, hasta ve ailenin eğitiminde, tedavilerin koordinasyonunda, evdeki uyumu planlamada ve hastanın düzenli olarak değerlendirilmesinde önemli rolleri vardır.

Tanılama

Hemşire, hasta ile görüşme sürecinde;
- Hastanın kas-iskelet sistemindeki değişikliklerini,
- Bu değişiklikle ilgili duygu ve algılamalarını,
- Hastanın yorgunluk, halsizlik, sabah tutukluğu, ateş, iştahsızlık gibi yakınmalarını,
- Etkilenen her bir eklemdeki ağrı ve şişlik durumunu,
- Kaslardaki renk, görünüm ve simetrisini gözlemeli,
- Kas gücünü ve simetrik farklılık olup olmadığını,
- Hastanın beceri ve hareket yeteneğini (yemek yeme, banyo yapma ve giyinme gibi) değerlendirir. Bunları

59. Romatizmal Hastalıklar

bu amaç için geliştirilmiş olan ölçeklerden yararlanarak yapar.

- Diğer yandan fiziksel sınırlamalar, hastanın aile içindeki rolünü, iş hayatını, sosyal yaşantısını, cinsel yaşam yetisini ve benlik saygısını olumsuz yönde etkilemektedir. Hasta bu yönlerden de değerlendirilmelidir. (Çizelge 59.6)

2) Sistemik Lupus Eritematozus

Sistemik lupus eritematozus (SLE); birden çok sistemi etkileyen, otoimmün ve inflamatuvar bir hastalıktır. SLE insidansının 100.000'de 10-50 arasında olduğu bildirilmektedir. Dünyanın her yerinde, her yaşta ve cinste insanda görülebilir. Ancak en sık 15-40 yaşları arasındaki *kadınlarda* erkeklere oranla 6-10 kat fazla görülmektedir.

Çizelge 59.2: Eklemlerdeki Değişiklikler ve Bunlara İşaret Eden Klinik Bulgular

1.safha Enflamatuvar hastalık eklem kapsülünde başlar. Lökositler, fibrin sızıntısı eşliğinde, sinovyal membranın bağ dokusuna ve eklem aralığına doğru göç ederler. Sızan fibrinin neden olduğu iritasyon, sinovyal hücrelerin çoğalmasına (proliferasyonuna) ve kalınlaşmasına masına yol açar.	• Eklem şişliği • Pigmentasyon • Sabah serliği • Eritrosit sedimentasyon hızında artış
2.safha Sinovyum ile kemiğin birleşme yerindeki "pannus" büyümesi, süngerimsi kemikte ve ardından da kıkırdakta yıkıma yol açar. Ortaya çıkan sinovit genellikle inatçıdır. Bilekler ve metakarpofalangial eklemlerdeki şişlik, kemikler arasındaki kasların atrofisiyle birlikte, el sırtında tipik deformasyonlara yol açar.	• İlerleyici eklem tutulması • Kas atrofisi • Romatoid nodüller ve tenosinovitler ortaya çıkabilir • Romatoid faktör artan biçimde pozitiftir
3. safha Doku proliferasyonu tendonlara ve ligamentlere doğru ilerledikçe, fibrozis ve kontraksiyon süreci, çıkıklara (subluksasyon) yol açar. Buna eniyi örnek; ulnar yönünde çekilen tendonların neden olduğu metakarpallarla bağlantılı olarak, parmaklardaki sapma, kas atrofisi ve eklem yıkımıdır.	• Yaygın kas atrofisi • Eklem dışı yumuşak dokuda subkütan nodüller • Ulnar sapma ve/veya hiperekstansiyon • Sedimentasyon yükselmesiyle birlikte a,b veya g-globülinlerde artış • Romatoid faktör %80 olguda pozitif
4. safha Bu safha eklemin tam hareketsizliği ile karekterizedir. Eklemin tüm yüzeyi pannus ile örtüldüğünde, önce fibröz ve ardından kemiksel ankiloz gelişir. Bu son safhada şişlik nadiren görülür. Hastalığın gelişimi duraklamış gibi görünse de yayıldığı eklemlerde şiddetlenmeler görülebilmektedir.	• Daha dikkat çekici işlev kaybı ile birlikte diğer belirtiler 3. Safhada olduğu gibidir.

Etiyoloji

SLE etiyolojisinde, *genetik, immünolojik, hormonal ve çevresel* faktörlerin rolü vardır. Bunlardan belirleyici olanın genetik faktörler olduğu, diğerlerinin ise hastalığın başlamasını tetiklediği veya seyrini etkilediği bilinmektedir.

Bunlar:

Enfeksiyonlar: Enfeksiyonların, SLE'yi tetiklediği ve klinik tabloyu alevlendirdiği bilinmektedir. Ancak SLE'ye yol açan özgün bir enfeksiyon ajan saptanamamıştır.

Güneş ışınları (UV): SLE'de UV ışınlarının deri lezyonlarını ve belli oranda da hastalığı aktive ettiği bilinmektedir.

Psikolojik stres veya fiziksel travma: Olguların %15'inde tetiği çeken faktördür. Hastalığı alevlendirebilir.

Hormonal faktörler: SLE'nin kadınlarda erkeklere göre çok daha sık olması, gebelikte ya da doğum sonrasında hastalığın alevlenmesi, hormonal faktörlerin önemli olduğunu düşündüren bulgulardır.

Lupus genetiği: Henüz SLE kalıtımından sorumlu bütün genler bulunamamıştır. SLE'ya yatkınlık sağladığı bilinen genler HLA-DR2 ve DR3'dür.

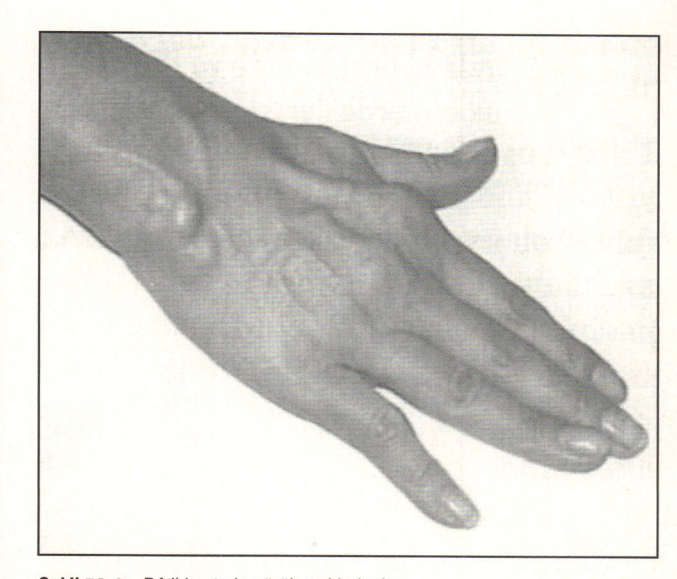

Şekil 59.2: RA'li hastada görülen el bulguları

Patofizyoloji

SLE'nin patolojik bulguları tüm vücutta görülür. Hem hücresel hem de hümoral immünitede çeşitli anormallikler ve aşırı oto-antikor üretimiyle karakterizedir. Patojenik oto-antikorlar ve immün kompleksler doku yıkımına yol açmaktadır. İmmün komplekslerin birikimi ve vaskülitler görülür.

SLE'de en çok böbrek tutulumu gerçekleşir. Böbreklerde mezangial hücre ve mezangial matriks artışı, Enflamasyon ve hücre artışı ile birlikte bazal membran defektleri ve immün kompleks birikimi görülür. Diğer organlarda ise, Enflamasyon belirtileri ve damar değişiklikleri gözlenir.

Belirti ve Bulgular
İmmün sistemin kendi doku ve organlarına verdiği zarar sonucunda çeşitli klinik bulgular ortaya çıkmaktadır.

Bunlar:
Sistemik Bulgular: Ateş, halsizlik, yorgunluk, iştahsızlık, kilo kaybı, lenf bezi büyümesi, tekrarlayan spontan düşükler ve prematüre doğum,

Dermatolojik bulgular: Malar raş (yüzde kelebek şeklinde kızarıklık) (Şekil 59.3), diskoid lezyonlar, fotosensitivite (ışığa duyarlılık), ağız, burun ve genital yaralar, makülopapüler döküntü, pannikülit, saç dökülmesi, ürtiker,

Böbrek Bulguları: Glomerülonefrit, proteinüri veya nefrotik sendrom, hematüri,

Gastrointestinal sistem: Pankreatit, karın ağrısı, diyare, disfaji, bulantı-kusma, hepatomegali,

Vasküler: Raynaud fenomeni, arteryal veya venöz tromboz, vaskülit (her yerde),

Hematolojik sistem: Hemolitik anemi, lökopeni, lenfopeni, trombositopeni, splenomegali,

Kas iskelet sistemi: Artrit, artralji, miyozit, sinovit,

Santral Sinir sistemi: İnme, psikoz, nöbetler, depresyon, bilişsel bozulma, baş ağrısı, periferik nöropati,

Kardiyopulmoner sistem: Perikardit, endokardit, miyokardit, plevrit, alveolar kanama, pulmoner emboli, pulmoner hipertansiyondur.

Tanı
SLE'nin tanısı anamnez, fizik muayene ve laboratuvar bulgularına dayanılarak konur. Ancak, Amerikan Romatizma Derneği (ACR) tarafından 1997'de yenilenen SLE sınıflama kriterleri tanıda kullanılmaktadır (Çizelge 59.7). Çizelgede bulunan ölçütlerden dört veya daha fazlası bulunanlar SLE tanısı almaktadır.

Tedavi
I) Farmakolojik Tedavi
a) Ateşi, artriti, az miktarda perikard ve/veya plevral efüzyonu, döküntüsü, baş ağrısı, halsizlik ve yorgunluğu olan hastalarda öncelikle "aspirin" veya "non-steroid anti-inflamatuar" ilaçlardan yararlanılmaktadır.

b) Cilt döküntüsü ve mukoz membran tutulumunda "anti-malaryal" ve bazı hastalarda "kortikosteroidler" eklenmektedir.

c) Masif plevral ve/veya perikard effüzyonları, böbrek tutulumu, hemolitik anemi, trombositopenik purpura, vaskülit ve miyokardit olan hastalarda ise "sistemik kortikosteroid tedavisi" kullanılmaktadır. Hastanın durumuna göre 1mg/kg/gün şeklinde ya da bolus (1000mg/gün aşırı) olarak kullanılmaktadır.

d) Majör organ tutulumlarında "siklofosfamid" (yüksek doz İ.V.bolus şeklinde) kullanılmaktadır.

2) Non-Farmakolojik Tedavi: Öncelikle hasta eğitimi büyük önem taşımaktadır. Bu amaçla;

- Güneşe hassas olan hastaların güneşten korunması önerilir,
- Kortikosteroid ve sitotoksik tedavi alan ve böbrek Yetersizliği olan hastalar infeksiyonlara yatkındırlar. Bu hastalar, ateş yükselmesini ihmal etmemeli, hasta Enfeksiyon yönünden değerlendirilmelidir.
- Aktif SLE'li kadın hastalarda özellikle nefriti olanlarda, anti-malaryal ve sitotoksik ilaç kullananlarda doğum kontrolü önemlidir. Hamilelik annede SLE'yi alevlendirirken, kullanılan ilaçlar bebek için tehlike oluşturmaktadır.
- Anti-SSA antikorları yüksek olan hamilelerde, antikorlar bebeğe geçerek neonatal lupus oluşturabilirler. Annelerde döküntü, kardiyak aritmi ve tam kalp blokları gelişebilir. SLE'lu gebelerin antikor seviyeleri takip edilir.

Çizelge 59.3: RA Tanı Kriterleri* (ARA) (1987)

1) Sabah tutukluğu	• Eklemler ve çevrelerinde en az 1 saat sürmeli
2) Üç veya daha fazla Eklemde artrit	• Bir hekim tarafından tespit edilen, en az 6 haftadır süregelen eklem şişliği veya sıvısı
3) El eklemlerinde artrit	• El bileği metokarpofalangeal ve proksimal interfalangeal eklemlerinde en az altı haftadır Olan şişlik
4) Simetrik artrit	• Vücudun her iki yanındaki eklemlerde simetri gösteren ve en az 6 hafta-dır süren tutulma
5) Romatoid nodül	• Eklem kenarları ve temas bölgelerin-de bir hekim tarafından tespit edilen deri altı nodülleri
6) Romatoid faktör	• Normal kontrollerde %5'den daha az pozitif bulunan bir yöntemle bakılmalıdır
7) Radyolojik değişiklikler	• Ön-arka planda çekilmiş düz el grafilerinde görülen erozyonlar ve periartiküler osteoporoz

* Tanı için en az dört ve daha fazla kriterin bir arada bulunması gereklidir.

Hemşirelik Tanıları
1) Hastalık süreci ile ilişkili *"Yorgunluk"*
2) Hastalık süreci ile ilişkili *"Ağrı"*
3) Fiziksel görünümdeki değişiklikle ilişkili *"Beden İmgesin de Değişiklik"*
4) Işığa duyarlılık, ciltte kızarıklık ve saç dökülmesi ile ilişkili *"Cilt Bütünlüğünde Bozulma"*
5) Eklem ağrısı, halsizlik ve yorgunlukla ilişkili *"Aktivite İntoleransı"*
6) İştahsızlık, halsizlik, yorgunluk, ağız ülserleri, bulantı, kusma ve immünsüpresif tedavi ile ilişkili *"Beslenmede değişiklik: Beden gereksiniminden az beslenme"*
7) Hastalık yönetimindeki bilgi eksikliği ile ilişkili *"Tedavi Rejimini Etkisiz Yönetme Riski"*

3) Ankilozan Spondilit
Ankilozan spondilit (AS), spondilartritler grubu hastalıkların prototipini oluşturan (ilk örnek), kronik, progresif ve inflamatuar bir romatizmal hastalıktır. Sıklıkla 15-35 yaş arasında başlar ve erkeklerde kadınlara göre 3-4 kat daha sık rastlanmaktadır.

Etiyoloji
AS'in etiyolojisi kesin olarak bilinmemektedir. Ancak, "İnsan Lökosit Antijeni" **HLA-B27** pozitifliği etiyopatogenezde önem kazanmaktadır. Hastalık özellikle sakroiliyak eklem ve aksiyel tutulum ile seyreder. Ancak diz ve kalça gibi eklemlerde tutulmaktadır.

Klinik Belirtiler
Hastalık sinsi başlar ve hastalar yakınmalarının yerini ve zamanını tam olarak belirleyemezler. Sık görülen bulgular şunlardı:

Bel Ağrısı ve Tutukluğu: AS'nin en önemli bulgusudur. Bel ağrısı 40 yaşından önce ve sinsi başlar, üç aydan uzun sürer, sabah tutukluğu ile birliktedir ve egzersiz ile geriler. Uzun süre hareketsiz kalındığında bel ve sırt ağrıları artar. Sabahları bel-sırt tutukluğu kötüdür ve bazen 3-4 saat kadar sürebilir. Hareket ve sıcak duş rahatlama sağlayabilir. Bel ağrısı başlangıç dönemlerinde çok şiddetli olup gluteal bölgenin derinliklerinde hissedebilirler. Hastalar bu ağrının, uyluğun önünden ve arkasından dize kadar yayıldığını belirtirler. Bazen hapşırma ve öksürme ağrının artmasına neden olabilir.

Göğüs Ağrısı: Kostokondral ve kostovertebral eklemlerin tutulumuna bağlı olarak göğüs ağrısı olur.

Eklem Tutulumları: Özellikle alt taraf eklemlerinde asimetrik tarzda tutuluş sık görülür. Kalça, diz ve omuz eklemi en sık tutulan eklemdir.

Çizelge 59.4: Küçük Eklemleri Koruyucu Egzersizler

- Kötü pozisyonlamadan sakınmalı
  - Dizlerinin altına yastık konulmaz
- Herhangi bir iş için kullanabildiği en güçlü eklemi tercih etmeli
  - Sandalyeden kalkacağı zaman, parmaklarından daha çok avuç içini kullanmalı
  - Çamaşır sepetini, parmaklarından daha ziyade iki eliyle taşımalı
- Ağırlığı birkaç eklem yerine birçok ekleme dağıtmalı
  - Objeleri kaldırarak taşımak yerine kaydırarak taşımalı
- Sık sık pozisyon değiştirmeli
  - Uzun süre direksiyon kullanmamalı ve kitap taşımamalı
  - Uzun süre sebze kesmemeli veya kalem tutmamalı
- Tekrarlayan hareketlerden kaçınmalı
  - Uzun süre örgü örmekten kaçınmalı
  - Elektrik süpürgesi kullanırken bir odadan diğerine geçerken dinlenmeli
- Eklemleri zorlayacak ev işlerinden kaçınmalı
  - Ağır işlerden kaçınmalı
  - Ayakta durmak yerine iskemleye/tabureye oturmalı

Çizelge 59.5: Hasta Grupları, Klinik Özellikleri ve Tercih Edilen İlaçlar

Hasta grubu	Klinik özellikleri	Tercih edilen ilaçlar
1) Hastalığı hafif olduğu ve kötü prognostik faktörün bulunmadığı hastalar	• Eklemlerinde hafif inflamasyon • 20 dk civarında sabah sertliği • Çok az fonksiyonel etki • Hafif bir sedimantasyon yükselmesi	1) Non-Steroid Anti İnflamatuar İlaç (NSAİİ) (+) 2) Hastalığın Seyrini Değiştiren İlaç (DMARD)
2) Hastalığın hafif/ağır olduğu ve bazı kötü prognostik faktörlerin bulunduğu hastalar	• Daha fazla eklem inflamasyonu • Eklem hareket azalması • 1 saatten fazla sabah sertliği • Halsizlik • Romatoid nodüller • Sedimantasyon yüksekliği • Anemi	1) NSAİİ (+) 2) Sitotoksik ilaçlar (ör. metotreksat) Kortikosteroid (kısa süreli)
3) Ağır seyreden ve kötü prognostik faktörleri olan hastalar	• Ağır eklem inflamasyonu • Gün boyu süren sabah sertliği • Eklem dışı tutulum • Yüksek sedimantasyon • Ağır anemi	1) NSAİİ + 2) DMARD (Seçilen ilaçlar en kısa zamanda en uzun süreli etki eden ilaçlar olmalıdır)

Eklem Dışı Bölgelerde Hassasiyet: Aşil tendonu, interkos-tal kas bağlantılarında, iliak kristada, büyük trokanterde ağrı ve hassasiyet görülmektedir.

İskelet Dışı Bulgular
a) Hafif ateş, halsizlik, yorgunluk ve kilo kaybı gibi genel semptomlar oldukça sık görülür.
b) Hastaların %25'inde üveit (gözde üveal yol inflamasyonu) gelişebilir. Üveit, HLA-B27'si pozitif olanlarda daha sık gelişir.
c) Aortit, aort yetersizliği, ileti bozuklukları, kardiyomiyopati ve perikardit görülebilir
d) Servikal vertebraların inflamasyonu ve fraktürü sonucu nörolojik bulgular görülür. En sık tutulan iki eklem C5-6 ve C6-7'dir

Fizik Muayene ve Laboratuvar Bulguları
- Bel hareketlerindeki kısıtlılık en önemli bulgudur.
- Servikal vertebraların tutulumu boyun hareketlerinde kısıtlılığa neden olur.
- Hastalık ilerledikçe boyun öne doğru eğilir. Hasta ayakta dik dururken oksipital bölgesini duvara değdiremez.
- Zamanla torasik kifoz oluşur ve karın öne doğru çıkar.
- Hastaların %75'inde eritrosit sedimentasyon hızı artar.
- Hafif bir anemi görülebilir.

Tedavi
AS'in tedavisinde amaç:
- Ağrının ve tutukluğun giderilmesi,
- Postürün korunması,
- Fiziksel ve psikolojik fonksiyonların korunması,
- Deformitelerin önlenmesi,
- İnflamasyonun kontrolü olarak sıralanabilir.

Bu amaçlara ulaşabilmek için;

Non-Farmakolojik Tedavi
- Hasta hastalığı ve tedavileri konusunda bilgilendirilmelidir.
- Egzersiz çok önemlidir, tedavinin temelini oluşturur. Ilık bir duş alındıktan sonra, sırt ekstansiyonunu sağlayacak egzersizler yapılmalıdır. Yüzme, voleybol ve yürüme özellikle önerilen spor aktiviteleridir. Ancak, özellikle osteoporozu olan hastaların kırık riski nedeniyle ağır sporlardan uzak durmaları gerekir.
- Günde iki üç kez yüzü koyun yatmak bel tutukluğu ve ağrı nedeniyle oluşan kifozun önlenmesinde yararlıdır.
- Hastaların sert yatakta ve yastıksız (veya ince bir yastıkla) yatmaları önerilmektedir.

2) Farmakolojik Tedavi
- Nonsteroid anti-inflamatuar ilaçlar; ağrı ve tutukluğun giderilmesinde son derece etkilidir.
- Kortikosteroidler; AS'de sistemik steroid kullanımı önerilmemekte, ancak dirençli vakalarda kullanılmaktadır.
- Sulfosalazin; AS inflamatuvar bağırsak hastalığı ile birlikteyse ve beraberinde kalın bağırsakta bir patoloji varsa sulfosalazin kullanımı önerilmektedir.
- Metotreksat; özellikle periferal eklem tutulumu olanlarda, haftalık düşük dozlar şeklinde kullanımı önerilmektedir.

Bakım
Ankilozan spondilitli hastanın hemşirelik yönetimi romatoid artritli hastanın bakımına benzerlik (değerlendirme, hemşirelik tanıları, beklenen hasta sonuçları, hemşirelik girişimleri) göstermektedir.

4) Osteoartrit (Dejeneratif Eklem Hastalığı)
Osteoartrit (OA), en sık rastlanan eklem hastalığıdır. OA, yavaş ilerleyen, inflamasyonsuz, eklem harabiyeti yapan ve sistemik olmayan bir hastalıktır.

"Osteoartrit", "osteoartroz" ve "dejeneratif eklem hastalığı" aynı anlamda kullanılan terimlerdir.

OA, eklem kıkırdağı ve subkondral kemikte yıkım ve tamir olayları arasındaki normal dengenin bozulması sonucu gelişen dinamik bir hastalıktır. OA en sık 40 yaşlarında ki obez kişilerde görülmektedir. Yaşla birlikte görülme sıklığı artar ve 65 yaş üstü bireylerde %70-90 oranında görülür. OA oluşumunda yaşlanma önemli bir faktör olmasına karşın, günümüzde bu hastalığın basit bir yaşlanma-yıpranma süreci olmadığı bir hastalık olduğu kabul edilmektedir.

Etiyoloji
OA, primer ve sekonder olmak üzere ikiye ayrılır. **Primer osteoartrit**'te bilinen bir neden yoktur. **Sekonder osteoartritin** nedeni, daha önceden oluşmuş bir eklem yıkımıdır.

OA gelişimde etkili olduğu bilinen risk faktörleri;
a) *Yaş:* Yaş ile OA arasında kuvvetli bir ilişki vardır. OA 35 yaşın altında %0.1 görülürken, bu oran 65 yaşından sonra %80'lere çıkmaktadır.
b) *Cinsiyet:* Kadınlarda daha fazla osteoartrit gelişmektedir. 55 yaş üstü kadınlarda erkeklere göre daha sık OA geliştiği saptanmıştır. Nedeni tam olarak bilinmemekle birlikte hormanlar ve genetik yapının etkili olduğu düşünülmektedir.
c) *Obezite:* Osteoartroz için değiştirilebilir bir risk faktörüdür. En fazla diz ekleminde hasar oluşumuna neden olmaktadır.
d) *Mesleki Zorlanmalar:* Eklemlerin aşırı yüklenmesi ve zaman içinde tekrarlayan eklem travmaları OA yol açmaktadır. Bazı mesleklerde çalışanlarda (Ör: dokuma işçilerinde dizde, montaj fabrikalarında çalışanlarda el parmağında) daha sık OA karşılaşılmaktadır.
e) *Spor Aktiviteleri:* Bazı sporların bazı eklemlerde zorlanmaya neden olarak OA geliştirdiği gözlenmiştir. Bunlar; güreşin servikal vertebraları, diz ve dirseği zorladığı, futbolun diz, ayak bileği ve ayakları zorladığı ve boksun el eklemlerini zorladığı bilinmektedir.
f) *Eklem Bozuklukları ve Önceki Hasarlar:* Ligaman ve menisküslerde önceden oluşmuş hasarların ve bu bölgelerde geçirilmiş ameliyatların dizde OA gelişimini arttırdığı saptanmıştır.
g) *Kas Güçsüzlüğü:* Kuadriseps kasındaki zayıflığın bazı bireylerde diz OA başlamasında ve hızlanmasında etkili olduğu bulunmuştur.
h) *Fiziksel Egzersiz Yapılmaması*
i) *Genetik Faktörler:* OA'in bazı alt gruplarında daha etkili oldukları bildirilmiştir.

59. Romatizmal Hastalıklar

Çizelge 59.6: Romatoid Artritli Hastanın Bakımı

Girişimler	Amaç	Beklenen Sonuçlar
Hemşirelik Tanısı: İnflamasyon, hastalığın alevlenmesi ve doku hasarındaki artış veya toleransın azalmasına bağlı *"Akut ve Kronik Ağrı"* **Hedef:** Günlük yaşamda ağrı yönetimi tekniklerini kullanarak, hastalık aşamalarını rahat geçirme. 1) Hastanın rahat etmesi sağlanır a) Sıcak veya soğuk uygulama b) Köpük yatak, destekli yastık, atel c) Dinlenme teknikleri, dikkati başka yöne çekecek aktiviteler 2) Antienflamatuar, analjezik ve yavaş etkili antiromatizmal ilaçlar verilir 3) Hastanın ağrısını giderecek bireysel ilaç programı düzenlenir 4) Hastalığın ilerleyişi ve ağrı ile ilgili duygularını dile getirmesi için cesaretlendirilir 5) Romatoit artrit ve ağrının patofizyolojisi öğretilir ve ağrı ile ilgili kanıtlanmamış tedavi yöntemlerini tanıması için hastaya yardım edilir 6) Denenmemiş tedavi metotlarını bile kullanmayı gerektiren ağrıyı, tanımlaması için hasta desteklenir 7) Hastanın ağrısındaki değişiklikler değerlendirilir.	1. Eklemi koruma, egzersiz, dinlenme ve termal uygulamalar gibi farmakolojik olmayan yöntemlerle ağrı giderilebilir 2. Bireysel veya kombine medikal tedavi ile romatoit artritte ki ağrı önlenir 3. Önceki ağrı ve bunu giderme yolları bu inatçı ağrının giderilmesinde etkili olmayabilir 4. Hastalığın üstesinden geldiğini sözcüklerle ifade eder. 5. Romatoit artrit ve ağrısını bilir, hastanın etkin ve güvenilir olmayan terapilerden kaçınmasına yardım eder. 6. Ağrının bireysel yaşama etkisi çoğunlukla, ağrı ve ağrı giderici teknikler hakkındaki yanlış anlamalara bağlıdır. 7. Kişinin ağrı duyusunu tanımlaması; vital bulgularındaki değişiklikler, vücut hareketleri ve yüz ifadesi gibi objektif ölçülerden daha güvenilir bir göstergedir.	- Ağrıyı iyileştiren veya kötüleştiren faktörler tanımlanmalı - Ağrı yönetim stratejileri tanımlanmalı ve kullanılmalı - Ağrının azaldığı sözcüklerle ifade edilmeli - İlave problemleri önlemek için tedavi metodunun yan etkilerini gösteren belirti ve bulgular zamanında rapor edilmeli - Romatoit artritin karakteristik ağrısını açıklamalı - Ağrıya yönelik hedefler gerçeğe uygun tanımlanmalı. - Kanıtlanmamış ve geleneksel olmayan tedavi yöntemlerinin kullanımının ağrı üzerine etkisi sözle ifade edilmeli - Ağrının yoğunluğundaki ve niteliğindeki değişiklikler tanımlanmalı.
Hemşirelik Tanısı: Hastalık aktivitesi, ağrı, yetersiz uyku/dinlenme, yetersiz kondüsyon, yetersiz beslenme ve emosyonel stres/depresyoa bağlı *"Yorgunluk"* **Hedef:** Yorgunluğu gidermek için gerekli olan günlük aktivite stratejilerini birleştirmek 1. Yorgunluk hakkında bilgi verilir a) Hastalık aktivitesi ile yorgunluk arasındaki ilişki tanımlanır b) Rahatlaması sağlanır ve bunun derecesi belirlenir c) Uyku düzeni geliştirilir ve bunu sürdürmesi için cesaretlendirilir (uykuyu kolaylaştıran gevşeme teknikleri ve sıcak banyo yapma ile). d) Dinlenmenin, emosyonel stres ve eklemlerdeki sorunları sistematik olarak azaltıcı etkisi açıklanır e) Enerji koruma tekniklerini nasıl kullanacağı açıklanır (yürüyüş, öncelikli işler, katılım) f) Yorgunluğa neden olabilecek fiziksel ve emosyonel faktörler tanımlanır 2. Uygun aktivite / dinlenme programı geliştirmesi sağlanır 3. Tedavi programını sürdürme konusunda cesaretlendirilir 4. Kondisyon programı önerilir ve cesaretlendirilir 5. Demir içeren yiyecekler ve yeterli beslenme konusunda desteklenir	1) Hastanın, yorgunluğun aktivitelere olan olumsuz etkisini anlaması sağlanır a) Yorgunluğun derecesi, hastalığın aktivitesi ile doğrudan ilişkilidir b) Rahatsızlığı giderme, yorgunluğu azaltır c) Düzenli uyku, iyileştirici uykuyu geliştirir (hücre yenilenmesi derin uykuda olur) d) Yorgunluğu gidermede, farklı dinlenme yöntemlerine ihtiyaç duyulur e) Enerjiyi korumak için farklı önlemler alınır f) Yorgunluğun çeşitli nedenleri olduğunun farkında olur 2. Dinlenmeye enerji koruyucu aktiviteler dönüşümlü olarak yapılır 3. Hastalığın kontrol altına alınması, yorgunluğu azaltabilir. 4. Hareket kısıtlılığına bağlı kondüsyon yetersizliğinin ve hastalık sürecinin yorgunluğu arttırdığı bilinir 5. İyi beslenme yorgunluğun giderilmesine yardımcı olabilir	- Yorgunluk değerlendirilmeli ve izlenmeli - Yorgunluk ile hastalık aktivitesi arasındaki ilişki sözle ifade edilmeli - Rahatlama derecesi uygun yöntemlerle ölçülmeli - Devamlı ve etkin bir uyku düzeni sağlanmalı - Çeşitli yardımcı aletlerin kullanılması (atel, baston) ve bazı uygulamalar (yatak istirahati, dinlenme teknikleri) ile yorgunluk giderilmeli - Günlük aktivitelerde zaman yönetimi stratejileri kullanılmalı - Fiziksel ve emosyonel yorgunluğu engellemek için uygun derecelendirmeler kullanılmalı - Olumlu gelişme sağlayan, iyi bir terapötik aktivite programı kabul edilmeli - İlaç tedavi programını düzenli uygulamalı - Hasta için planlanan ağrılıklı yaşam programı takip edilmeli - Uygun yiyecek gruplarından, günlük alınması gereken vitamin ve minerallerin alınması sağlanmalı

ÜNİTE 16

Kas İskelet Sistemi

Hemşirelik Tanısı: Kas güçsüzlüğü, hareketle oluşan ağrı, yardımcı aletlerin olmaması ya da uygunsuz oluşu, hareket alanının azalmasına bağlı *"Fiziksel Mobilitede Bozulma"*
Hedef: Optimal fonksiyonel hareketliliğe ulaşma ve koruma

1.Hareketlilik sınırını sözle ifade etmesi konusunda desteklenir	1.Hareket ille de deformiteyle ilişkili değildir. Ağrı, sertlik ve yorgunluk geçici olarak hareketi kısıtlayabilir. Hareketin derecesi ile bağımsızlığın derecesi eş anlamlı değildir. Hareketlilikte ki azalma, kişinin kendini toplumdan izole etmesini ve düşüncelerini etkileyebilir.
2.Fizik tedavisi veya meşguliyet tedavisi konsültasyonu ile ihtiyaçları değerlendirilir, a.Etkilenmiş eklemlerin hareket artıkları (ROM) değerlendirilir, b.Yardımcı araçların kullanımına teşvik edilir c.Uygun/güvenli ayakkabı kullanımı açıklanır d.Kişiye uygun pozisyon / postürün belirlenir	2.Tedavi edici egzersizler, uygun ayakkabı seçimi ve /veya yardımcı araçlar hareketi düzeltebilir. Doğru postür ve pozisyon optimal hareketliliğin devamı için gereklidir.
3.Çevresel engelleri tanımlanmasına yardımcı olunur	3.Mobilya ve mimari yapı değişikliği hareketliliğin arttırılmasında yardımcı olabilir.
4.İhtiyacı kadar yardım almaya ve bağımsız hareket etme konusunda cesaretlendirilir a.Aktivite için yeteri kadar zaman tanınır b.Aktivite sonrasında dinlenme sağlanır c.Eklem koruyucu ve çalışmayı kolaylaştırıcı davranışlar desteklenir	4.Hareketlilikteki değişiklik, kişisel güvenlikteki azalmanın sonucu olabilir. 5.Hareketliliğin derecesi, müdahaleleri yavaşlatabilir veya azaltabilir
5.Toplum sağlığı birimlerine yönlendirilir	–Hareketliliği engelleyen faktörler tanımlanmalı –Hareket kaybını engellenmek için ölçüler kullanılmalı ve tanımlanmalı –Optimal hareketlilikteki çevresel engeller (ev, okul, iş, toplum) tanımlanmalı –Hareke yardımcı ekipmanlar ve/ veya uygun teknikler kullanılmalı –Hareket azlığını gidermede ulaşılabilecek toplum kaynakları tanımlanmalı

Hemşirelik Tanısı: Kontraktürler, yorgunluk veya hareket kaybına bağlı *"Öz Bakım Eksikliği"*
Hedef: Kaynakların kullanılması ile veya bağımsız olarak öz bakımın sağlanması

1.Öz bakım yetersizliğini ve öz bakımını engelleyen faktörleri tanımlamasında hastaya yardım edilir 2.Hastanın algı ve önceliklerine temellenen bir plan geliştirilir. a.Uygun yardımcı araçlar sağlanır b.Yardımcı araçların doğru ve güvenli bir biçimde kullanması öğretilir c.Öz bakım aktivitelerinin zamanını planlamada hastaya izin verilir. d.Zor işleri yapabilmenin farklı yolları ve diğer insanlardan yardım istemenin yöntemleri hastaya açıklanır 3.Kişinin öz bakımında da yetersizlikler varsa, özellikle güvenliğe ilişkin, toplum sağlığı birimleri ile işbirliği yapılır	1.Öz bakım aktivitesi, hastalığın alevlenmesi, ağrı, sertlik, yorgunluk, kas güçsüzlüğü, hareket kaybı ve depresyondan etkilenir 2.Yardımcı aletler, öz bakım yeteneğini artırabilir. Etkili bir planlama yapılırken hasta bu plana dahil edilir. 3.Öz bakım aktivitelerini yapma yeteneği ve istekliliğinde bireysel farklılıklar vardır. Bu farklılıklar kişisel güvenliğin azalmasına neden olabilir.	–Öz bakım aktivitelerinin uygulanmasını engelleyen faktörler tanımlanmalı –Öz bakım ihtiyaçlarını karşılamak için alternatif metodlar tanımlanır –Öz bakım ihtiyaçlarını karşılamak için alternatif metodlar kullanılır –Öz bakım gereksinimlerinin karşılanması için, sağlık bakım kaynakları kullanılır ve tanımlanır

59. Romatizmal Hastalıklar

Hemşirelik Tanısı: Kronik hastalığın neden olduğu bağımlılık, fiziksel ve psikolojik değişikliklere bağlı *"Beden İmgesinde Rahatsızlık"*
Hedef: Romatoit artritin neden olduğu fiziksel ve psikolojik değişikliklere adaptasyonun sağlanması

1. Hastalığın semptomlarını ve tedavisini etkileyen unsurları tanımlanmasında hastaya yardım edilir
2. Hasta, duygularını, beklentilerini ve korkularını sözle ifade etmesi için cesaretlendirilir
  a. İçinde bulunduğu durumu ve problemlerini tanımlanmasında yardımcı olunur
  b. Geçmişteki etkili baş etme mekanizmalarını tanımlamada yardımcı olunur
  c. Etkin baş etme mekanizmalarını tanımlamada yardımcı olunur
	1. Hastalık veya hastalığın tedavisine ilişkin bireysel görüşü değişir
	2. Kişisel baş etme yöntemleri, kişisel kavramlarının gücünü yansıtır
		−Kişisel kavramlarındaki değişikliğin romatoid artrite karşı normal bir tepki olduğunu sözle ifade etmeli
		−Kavramlarındaki değişme ile baş etme mekanizmalarını tanımlamalı

Ortak Problemler: İlaç Tedavisinin etkisi ile oluşan sekonder komplikasyonlar
Hedef: Komlikasyonların olmaması veya çözümlenmesi.

1. Laboratuvar bulguları ve klinik değerlendirmeler periyodik olarak izlenir 2. Periyodik değerlendirmenin önemi ve yan etkilerin doğru yönetimi hakkında bilgi verilir 3. Semptomların yönetimi ve yan etkilerin azaltılmasına yönelik değişik metotlar ile ilgili önerilerde bulunulur 4. Eğer komplikasyonlar gelişirse, hekimin belirlediği ilaç doz değişiklikleri dikkate alınır	1. İyi bir değerlendirme ile, ilaç yan etkilerini gösteren bulgular erken saptanır ve önlenir 2. Hasta, ilaçlar ve yan etkileri konusunda doğru bilgilenir 3. Doğru tanımlama ve erken müdahale ile komplikasyonlar minimuma indirebilir 4. Değişiklikler, diğer komplikasyonların ve yan etkilerin minimuma indirilmesinde yardımcı olabilir.	−Yan etkilerin azaltılması ve prosedürlerin izlenmesine uyum sağlanmalı. −Önerilen ilaçlar alınmalı ve potansiyel yan etkiler listelenmeli −Yan etkilerin yönetimi veya azaltılmasındaki stratejilerin tanımlanmalı −Komplikasyonlar önlenmeli ve yan etkiler kaydedilmeli

ÜNİTE 16

1325

Patofizyoloji

Son yıllarda osteoartritin patogenezi konusunda önemli gelişmeler olmuş, olayın yaşlanmaya bağlı kıkırdak yıpranmasından öte başta kıkırdak ve kemik doku olmak üzere tüm eklem yapılarını etkileyen dinamik bir süreç olduğu anlaşılmıştır. OA, sinovyal eklemi oluşturan kıkırdak, subkondral kemik, sinovyal doku, bağlar, kapsül ve kaslar gibi bütün elemanları tutmasına rağmen primer değişiklikler eklem kıkırdağının kaybını, kemiğin şeklinin bozulmasını ve osteofitlerin gelişimini (kemik eklem ara yüzlerinde gelişen kemiksi yapılar) içermektedir.

Kıkırdak "yapım ve yıkım" dengesi geri dönüşümsüz şekilde bozulur. "İnterlökin-1" ve "tümör nekroz faktör-α"nın eklem kıkırdağındaki yapım-yıkım dengesinin bozulmasını en fazla etkileyen sitokinler olarak saptanmıştır. (Şekil 59.1)

Klinik Belirtiler

Osteoartrit başlangıçta yavaş ve sinsi seyirlidir. Hastalık semptom vermeye başladığında görülen bulgular şöyle özetlenebilir:

Ağrı: En önemli ve en erken ortaya çıkan bulgudur. Ağrı tipik olarak; derinden gelen ve rahatsız edici özelliktedir. Başlangıçta, ilgili eklemin kullanılması ve zorlanmasıyla başlayan dinlenmekle geçen bir ağrıdır. OA'de hissedilen ağrı; subkondral kemik ve kemik içi basıncındaki artış, eklem kapsülü ve ligamanların gerilmesi, bursit ve sinovite bağlı geliştiği düşünülmektedir. Hastalık ilerleyip kıkırdak tamamen yok oldukça **ağrı,** dinlenme sırasında da hissedilmeye, eklem hareketlerini kısıtlamaya ve bireyi uykudan uyandırmaya başlar. Hava durumuna bağlı eklem şikayetlerinde artış görülür.

Sabah Katılığı: Hareketsizlik sonrası eklem katılığı, özellikle el parmak osteoartritinde sık rastlanan bir bulgudur. Eklemdeki bu katılık 30 dakika içinde geçer, ama hareketsiz kalınca yeniden başlar.

Hareket Kısıtlılığı: Etkilenen eklemde hareket kısıtlılığı gelişir. Hareket kısıtlılığına; osteofitlerin, eklemlerdeki yeniden yapılanmanın ve eklem kapsülündeki kalınlaşmanın neden olduğu düşünülmektedir. Tutulan eklem işlevini yaparken ciddi zorlanmalar (Ör. Merdiven inip çıkma, çömelme ve yürüme gibi aktiviteleri yaparken zorlanma veya yapamama) olur.

Eklem Şişliği ve Krepitasyon: Eklem sınırlarında kemiksi şişlikler ele gelebilir ve bunlar ağrılıdır. Özellikle ellerin distal interfalanjeal (DİF) eklemlerde "Heberden nodülleri" ve "proksimal interfalanjeal (PİF) eklemlerde "Bounchard nodülleri" gelişmektedir (Şekil 59.4-59.5). OA'li eklemin hareketi sırasında ses duyulur, buna krepitasyon denir. Diz ekleminde çok belirgindir. Bunun nedeni, eklem yüzeyindeki kabalaşmanın ve kenarlardaki kemiksi çıkıntıların eklem yüzleri arasındaki yumuşak hareketi bozması ile ilişkilidir.

Boşalma duygusu: Özellikle dizde, "boşalma duygusu" şeklinde tanımlanan şikayetler görülebilir. Bunun nedeni eklem çevresindeki kasların atrofisine bağlı olduğu düşünülmektedir.

Tanı

OA'in tanısı öykü, fizik muayene ve karakteristik radyolojik özelliklerle konur. Fizik muayenede; Heberden nodülleri, Bounchard nodülleri, krepitasyon, dizlerde genu varum, genu valgum, kare el ve etkilenen eklemin hassasiyeti önemlidir. OA tanısını koyduran spesifik bir laboratuvar bulgusu yoktur. Primer OA'li hastaların; eritrosit sedimentasyon hızı, C-reaktif protein, tam kan sayımı, idrar tetkiki ve kan biyokimyası normaldir. Sinovyal sıvıda bir özellik saptanmaz.

OA tanısında radyolojik değerlendirme önemlidir. Çekilen direkt grafide; osteoartritin varlığını gösteren kıkırdak kaybı, eklem aralığı daralması, osteofit oluşumu gibi belirtiler aranır.

Tedavi

OA hastanın tedavisinde amaç;
- Ağrının ve diğer semptomların kontrolü ile hayat kalitesinin arttırılması,
- Eklem fonksiyonlarının iyileştirilmesi,
- Kas kuvvetinin korunması,
- Sakatlıkların önlenmesi veya düzeltilmesi,

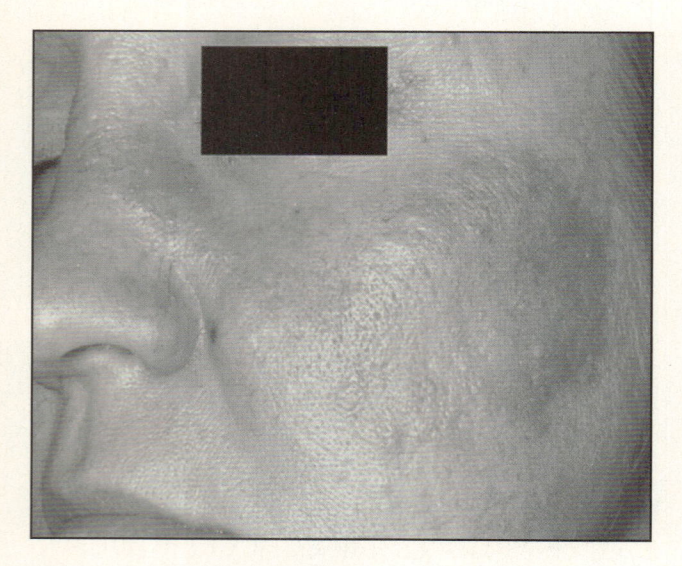

Şekil 59.3: Malar Raş Görüntüsü
Kaynak: www.merck.com/mrkshared/ mmanual/plates/50pla1.jsp

59. Romatizmal Hastalıklar

Çizelge 59.7: ACR'nin SLE Sınıflama Kriterleri

Kriter	Tanımlama
Kelebek döküntü	–Yanaklarda ve burun sırtında düz veya kabarık, nazo-labial olukları koruyan sabit eritem
Diskoid döküntü	–Keratotik skarlar ve foliküler tıkaçlar gösteren, deriden kabarık eritemli plaklar
Fotosensitivite	–Güneş ışığına reaksiyon olarak gelişen döküntü ve/veya hastalık belirtilerinde ağırlaşma
Oral ülser	–Ağrısız, oral veya nazofarengiyal ülserasyon
Artrit	–İki veya daha fazla eklemde erozyon oluşturmayan artrit
Serozit	–Plörit: Tipik plöretik ağrı veya plöral frotman veya plöral efüzyon
	–Perikardit: Perikard frotmanı veya EKG /EKO bulgusu
Renal tutuluş	–Günde 0.5gr üzerinde veya 3+'den fazla persistan proteinüri veya hücresel silindirler (eritrosit, Hb, granüler, tübüler veya karışık)
Nörolojik tutuluş	–Konvülsiyonlar (metabolik bozukluğa veya bir ilaca bağlı olmamalı)
	–Psikoz (metabolik bozukluğa veya bir ilaca bağlı olmamalı)
Hematolojik tutuluş	–Hemolitik anemi veya lökopeni (en az iki kez <4000) veya Lenfopeni (en az iki kez < 1500) veya trombositopeni (<100.000, ilaca bağlı olmamalı)
İmmünolojik anormallikler	–Anti-ds DNA pozitifliği veya
	–Anti-Sm pozitifliği veya
	–Anti-fosfolipid antikorlarının pozitifliği
ANA pozitifliği	–1/80 ve üzerindeki titreler. ANA pozitifliği yapabilecek bir ilaç olmamalı

- Bireyin diğer sağlık sorunlarının tedavi edilmesi ve tedavinin bireyselleştirilmesi,
- Tedaviye bağlı komplikasyonların engellenmesidir.

Tedavi seçenekleri üç başlık altında toplanabilir.

Bunlar;
1. İlaç dışı tedavi yaklaşımları
   a) Hasta eğitimi
   b) Fizik tedavi, iş tedavisi ve yardımcı araçlar
   c) Egzersiz
   d) Kilo verme
2. İlaç tedavisi
   a) Semptomlara yönelik
   b) Kondroprotektif ilaçlar
3. Cerrahi tedavi

I. İlaç Dışı Tedavi Yaklaşımları

Hasta eğitimi çok önemlidir. Hastalara; hastalığın doğası, egzersizin önemi, ilaçlar, diğer tedavi yöntemleri, yaşam tarzı değişiklikleri ve hangi durumlarda hekime gitmesi gerektiği öğretilmelidir. Bu eğitimle hastanın kendine güveni ve tedavinin başarısı artar. Hasta eğitiminde; bu amaca yönelik hazırlanmış broşür, CD ve kurslar yararlıdır.

Fizik tedavi, iş tedavisi ve yardımcı araçlar, diz ve kalça OA'i olan hastalar bazı günlük yaşam aktivitelerini (yürüme, giyinme, oturma-kalkma, banyo ve merdiven inip çıkma gibi) yaparken sorun yaşarlar. Bu hastaların kas gücünü, eklem stabilitesini ve hareketliliğini değerlendirdikten sonra hastaya uygun bir planlama yapılmaktadır. Burada amaç, kas gücünü arttırmak, eklem hareket aralığını düzeltmek ve yaşam kalitesini arttırmaktır. Bu amaçlara ulaşmak için hastaya uygun egzersizler (kuvvetlendirici, egzersizler, germe egzersizleri ve aerobik egzersizleri) planlanır. Bu egzersizlere başlamadan önce sıcak uygulama yapılması önerilmektedir. Sıcak uygulama kas spazmını azaltarak ağrı eşiğini yükseltir. Sıcak uygulama yüzeyel ve derin olabilir.

Yüzeyel sıcak uygulama sıcak su torbaları (termofor), sıcak pedler, parafin banyosu veya hidroterapi (kaplıca) şeklinde kullanılmaktadır. Sıcak su torbası ve sıcak ped uygulaması 20 dakikayı geçmemelidir.

Bu hastaların hareketini kolaylaştırmak için yardımcı araçlar önerilmektedir. Yük taşıyan ekleme daha az yük binmesini sağlamak için hastaya baston, koltuk değneği kullanması önerilebilmektedir.

Diğer yandan hastanın yaşadığı ve çalıştığı ortamlarda değişiklikler yapması gerekir. Oturması için sağlam, kollu ve boyuna uygun sandalye sağlanması gerekir. Tuvalet olarak alafranga tuvalet kullanmalı ve tuvaletin boyu hastanın boyuna göre yükseltilmeli, yanlarına tutacağı kollar yapılmalıdır.

Egzersiz, diz OA'i olan hastalarda kuadriseps kasında zayıflık sık görülmektedir. Bu zayıflığı gidermede, kuadrisepsi güçlendirici egzersizlerin ve aerobik egzersizlerin yararlı olduğu kanıtlanmıştır.

Diz OA'li hastalara yüzme, bisiklete binme ve yürüme önerilmektedir. Bu egzersizler ekleme yük bindirmeden kasları güçlendirmektedirler.

Ancak bu hastaların tırmanma, merdiven çıkma, koşma ve ağır kaldırma gibi ekleme aşırı yük bindiren egzersizleri yapması önerilmemektedir.

Kilo verme, diz osteoartritinin en risk faktörü şişmanlıktır. Diz OA'i olan hastaların çoğunun şişman olduğu, hipertansiyon, hiperlipidemi, koroner arter hastalığı ve diabeti olduğu bildirilmiştir. Hastanın kilo vermesinin diz eklemine binen yükü azaltmasının yanında diğer sağlık sorunlarına da olumlu katkıları olacaktır. Kilo verme dizdeki semptomları azaltmanın yanında, hastalığın ilerlemesini de yavaşlatıcı etkisi olduğuna inanılmaktadır. Hastanın kilo vermesi için uygun bir beslenme programı planlanır ve buna uymasının getireceği yararlar anlatılır.

2. İlaç Tedavisi; OA'li hastalarda kullanılan ilaçlar ve veriliş yolları çizelge 59.8'de özetlenmiştir. Hastalarda görülen şiddetli ağrının tedavisinde kullanılan non steroid antiinflamatuar ilaçların (NSAİİ) gastrointestinal yan etkileri (ülser, kanama) olduğu bilinmektedir. Özellikle 65 yaş ve üzerindeki hastalarda, oral glukokortikoid kullananlarda, önceden mide ülseri olanlarda, önceden mide kanaması geçirenlerde, sigara ve alkol kullananlarda Gİ kanama riski artmaktadır.

3. Cerrahi Tedavi; İlaç tedavisine cevap vermeyen, şiddetli semptomlar nedeniyle günlük yaşam aktivitelerini sürdüremeyen hastalar cerrahi tedavi açısından değerlendirilir. OA'te cerrahi yaklaşım, eklemin replasmanı, eklem içi debridman ve lavaj olarak sayılabilir.

Diz ve kalça total eklem replasmanı, ağrının hafifletilmesi ve işlevin arttırılması açısından oldukça etkili yöntemlerdir. Ancak sonuçta yapay eklemin ömrü kısa olduğundan bu yöntem son dönem diz ve kalça OA'i olan hastalarda kullanılmaktadır.

Hemşirelik Tanıları

1) Artritik eklem değişikliği ile ilişkili *"Akut veya Kronik Ağrı"*
2) NSAİİ ile bitkisel ürünler arasındaki etkileşim potansiyeli ile ilişkili *"Bilgi Eksikliği"*
3) Yardımcı bir aletle yürüme çabaları ve kas-iskelet sistemindeki bozukluklarla ilişkili *"Fizik Mobilitede Bozulma"*
4) Ağrı, eklem fonksiyonlarındaki azalma, beden imajı değişiklikleri ile ilişkili *"Cinsellik Örüntülerinde Etkisizlik"*
5) Uzun süren hareketsizlik ve kronik hastalığın psikolojik etkileri ile ilişkili *"Yorgunluk"*
6) Eklem hareket alanındaki sınırlılıklar ve ağrı ile ilişkili *"Öz-Bakım Eksikliği"*

5) Kristal Artritler

Sinovyal sıvı veya kıkırdak dokuda kristallerin birikmesi ile ortaya çıkan artropatiler gut ve psödogut olarak karşımıza çıkmaktadır.

Gut

Gut, hiperürisemi, yineleyen akut artrit atakları ve dokularda monosodyum ürat kristallerinin depolanması ile karakterize herediter bir hastalıktır. Eklem, yumuşak doku, kemik ve kıkırdakta kristal birikimi sonucu tofüsler meydana gelir.

Epidemiyoloji

Gut, orta ve ileri yaştaki (40-65 yaş) erkeklerde ve daha az bir oranda da postmenepozal kadınlarda görülür. Gut, 45-64 yaşındaki erkeklerin %3.4'ünde ve 65 yaş üstündekilerde %5'inde görülürken, 45-64 yaş arası kadınların %1.4 ve 65 yaş üstünde ise %1.9 oranında görülmektedir. ABD'de erkeklerde 13.6/1000, kadınlarda 6.4/1000 oranında olduğu bildirilmektedir. Premenepozal kadınlarda ve çocuklarda gut görülmez. Ailevi yatkınlık %20 civarındadır.

Etiyoloji

Normal ürik asit düzeyi erkeklerde 5.1±1 mg/dl, kadınlarda 4±1 mg/dl'dir. Monosodyum ürat kristallerinin plazma çözünürlük oranı (37 derecede) 6.7 mg/dl olarak bildirilmektedir. Bunun üzerindeki konsantrasyonlar dokuya oturup iltihaba yol açabilir.

Risk faktörleri: Şişmanlık, yüksek pürinli diyet ve yüksek sosyal sınıf risk faktörleri olarak bildirilmektedir.

Gut nedenleri üç temel başlık altında toplanır. Bunlar.
1. *Ürik Asit Atılımının Azalması*; vakaların dörtte üçünde görülmektedir.
a) Primer hiperürisemi (İdyopatik)
b) Sekonder hiperürisemi (azalmış böbrek fonksiyonu, tübüler ürat sekresyonunun inhibisyonu [ketoasidoz, laktik asidoz])
c) Azalmış tübüler ürat reabsorbsiyonu, dehidratasyon, diüretik kullanımı
d) Hipertansiyon, hiperparatroidizm, çeşitli ilaçlar (etambütol, siklosporin gibi)
e) Kurşun nefropatisi
2. *Ürik Asit Sentezinin Artması*; vakaların dörtte birinde görülür.

a) Enzim anormallikleri
b) Nükleoprotein yıkımında artış
c) Pürinli gıdaların fazla alınması

3. **Hem Ürik Asit Yapımında Artışa Hem de Atılımında Azalmaya Neden Olan Faktörler;**
a) Etanol
b) Hipoksi
c) Glukoz 6 fosfataz eksikliği

Gut, primer ve sekonder olarak iki grupta incelenir.

1) *Primer Gut:* Gut tanısı alan hastaların %90 bu gruptandır. Belirgin kalıtsal özelliği vardır. Olguların çoğunda ürik asitin böbreklerden atılımı azalmıştır.
2) *Sekonder Gut:* Olguların %10'u bu gruptandır. Miyeloproliferatif hastalık gibi bir nedene bağlı olarak gelişir.

Klinik Belirtiler
Gut dört farklı klinik evreye ayrılır. Bunlar.

1) Aseptomatik Hiperürisemi Dönemi: Serum ürik asit düzeyi normalden yüksektir, ama klinik bulgu yoktur. Tek başına hiperürisemi ile hiçbir zaman gut tanısı konmaz. Artritin ortaya çıkması ile tanı kesinleşir.

2) Akut Gut Artriti Dönemi: Çoğunlukla tek bir eklemin akut iltihaplanması ile başlar. Bu akut atağı tetikleyen risk faktörleri (travma, ameliyat, ağır egzersiz, alkol, püriden zengin gıdaların aşırı tüketimi ve enfeksiyonlar) vardır. Akut gut artritinde, monosodyum ürat kristallerinin ekleme çökmesidir. Kristale bağlanan IgG'nin Fc reseptörlerine nötrofiller bağlanır ve inflamatuvar mediatörler salınır. Eklemden seruma geçen IL-1, IL-6 ve TNF-a gibi mediatörler ateş ve lökositoz gibi sistemik etkiler yaparlar. Akut gut artritinin başlıca özellikleri:

a) Artrit %90 vakada tek bir eklemde başlar ve bu ilk tutulan eklem genellikle birinci metatarsofalangiyal (MTF) eklemdir. Burada oluşan şişliğe podogra denir. Diğer yandan ayak sırtı, ayak bileği, topuk, dizde de tutulma sık görülür.
b) Artrit genellikle sabaha karşı ve hızlı bir şekilde başlar.
c) Tutulan eklemin derisi gergin, parlak, kızarık, sıcak ve aşırı ağrı vardır. Ağrı çok şiddetlidir ve hasta ekleme çorap bile dokunmasını istemez. İyileşme döneminde deri soyulabilir.
d) Hastalar genellikle 40 yaş üstündedir.
e) Hiç tedavi edilmese bile 2-3 gün ile 1-2 hafta arasında geçer.

3) Ara Dönem: Bu evrenin özelliği hastanın gut tanısı kesinleşmiştir ve ara ara oluşan akut gut atakları ve sessiz dönemler bu evrenin özelliğidir. Hastalık eskidikçe gut ataklarının arası sıklaşır ve sonra kronikleşir.

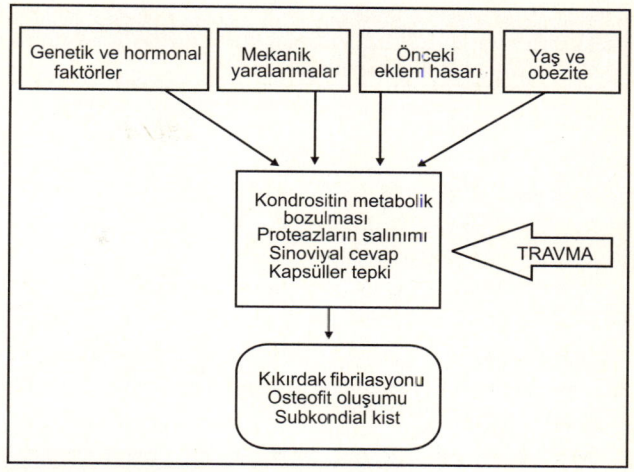

Şekil 59.1: Osteoartritin Oluşum Şema Özeti

4) Tofüslü Kronik Gut Dönemi: Tofüs, üstteki deriye kirli sarı bir görünüm veren, ağrısız, yumuşak kıvamda, içinden tebeşir veya püre kıvamında, ürat kristallerinden oluşmuş bir materyalin çıktığı deri altı nodülleridir. Tofüs bu dönemin en önemli bulgusudur. Genellikle ilk akut gut artriti görüldükten sonra tofüsün oluşması için ortalama 10 yıl geçmesi gerekir. Tofüs en çok 1'inci MTF eklemlerde olmak üzere "podogra" denir (Şekil 59.6), dirsekte olekranon bursalarında, kulak kepçelerinde ve parmakların dorsal yüzeyine yerleşir.

Tanı
Gut tanısı; klinik bulgular, hiperürisemi ve inflamasyonlu eklemden alınan sinovyal sıvıda ürik asit kristallerinin bulunması ile konur. Kan ürik asit seviyesi 7mg/dl üzerinde ise yüksek olarak değerlendirilir. Akut dönemde eritrosit sedimentasyon hızı ve lökosit miktarı yüksek bulunur. 24 saatlik idrarda ürik asit seviyesi yüksek bulunur. Röntgende, eklemlerdeki ürat birikimi görülebilir.

Tedavi
Akut atağın tedavisinde tutulan eklem istirahate alınır, dış etkilerden korunur. Ağrı ve inflamasyonun kontrolü için zaman geçirilmeden ilaç tedavisine başlanması gerekir. Bu amaçla; a) Kolşisin, b) NSAİİ'lar veya c) kortikosteroidler kullanılır. Akut atak döneminde allopurinol (ksantin oksidaz inhibitörleri) veya ürikozürik ilaçlar kesinlikle kullanıl-mamalıdır. Bu ilaçlar gut nöbetini şiddetlendirir.

Yeni gut ataklarını engellemek için "Kolşisin" kullanılır. Ayrıca aşırı pürin içeren gıdaların (kırmızı et, sakatat, baklagiller, pırasa, kereviz, ıspanak) ve alkol yasaklanır. Hastanın günlük protein ihtiyacı 1gr/kg olarak karşılanır. Yağlı diyet ürik asitin atılımını azalttığı için ve hastaların çoğu şişman olduğu için yağın kısıtlaması uygun olur.

Tofüslü gut döneminde; diyet, antihiperürisemik ilaçlar ve kolşisin kullanılmaktadır.

Kas İskelet Sistemi

Çizelge 59.8:	Osteoartritli Hastalarda Farmakolojik Tedavi
Veriliş yolu	Kullanılan ilaçlar
Oral yol	• Parasetamol (Asetaminofen) • COX-2 spesifik inhibitör • Non-selektif NSAİİ + proton pompa inhibitörü • Nonasetile salisilatlar • Diğer pür analjezikler • Tramodal • Opioidler
İntra-artiküler	• Glukokortikoidler • Hiyaluronan
Topikal	• Kapseisin • Metil salisilat

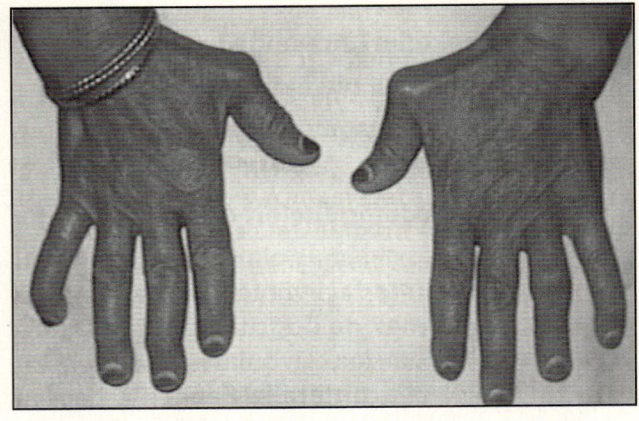

Şekil 59.4: OA'li hastada birinci karpometakarpal eklem tutulumu ile kare el görünümü

Hemşirelik Tanıları

Hastanın bakım planı hazırlamadn önce, akut gut episodu ile etkilenmiş olan eklemi klasik gut belirtileri yönünden değerlendirmek önemlidir. Hastanın hissettiği ağrı düzeyi belirlenmelidir. Gutlu hastalarda sık karşılaşılan hemşirelik tanıları:

1) Eklemin inflamasyonu ile ilişkili "Akut Ağrı"
2) Hastalık, nedenleri, prognozu, tedavi rejimi hakkında ki bilgi eksikliği ile ilişkili "Terapötik Rejimi Etkisiz Yönetme"

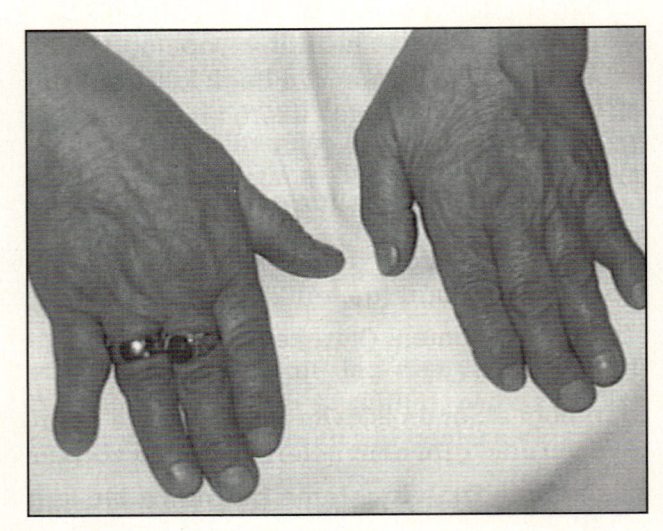

Şekil 59.4: Heberden ve Bouchard nodülleri

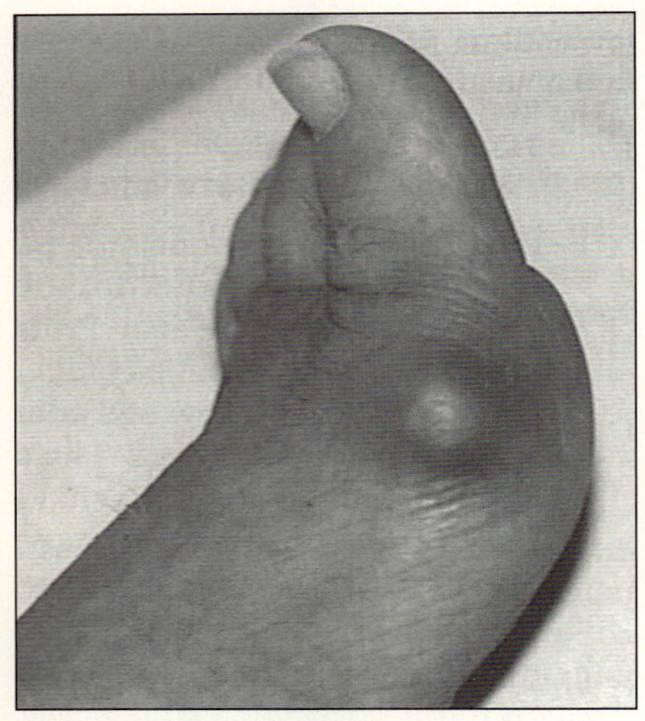

Sonuç olarak, romatizmal hastalıklar, sık görülmeleri ve yol açtıkları komplikasyonlar nedeni ile toplum açısından son derece önemlidir. Bu hastalıkların, hareket sistemi yanı sıra diğer sistemleri de etkilemeleri, yani multisistemik olmaları, bu hastalıklara ayrı bir önem kazandırmaktadır.

Romatolojik hastalıklarda erken tanı ve doğru bakımla ciddi sakatlıkların önlenmesi genellikle mümkündür. Ancak bu hastalıkların değerlendirilmesi, tanılanması, tedavi ve bakımında romatizmanın etkilediği dokuların fonksiyonel anatomisi ve kas iskelet sisteminin yapısının bilinmesi çok önemlidir.

Şekil 59.6: Gutlu Bir Hastada "Podogra"

Kaynaklar

1. Abioye IA, Omotayo MO, Alakija W. (2011). Socio-demographic determinants of stigma among patients with pulmonary tuberculosis in Lagos, Nigeria, African Health Sciences, 11(S1), S. 100-104
2. Acar, K., Acar, H., Demir, F., Eti Aslan, F. (2016). Cerrahi sonrası ağrı İnsidansi ve Analjezik Kullanım Miktarının Belirlenmesi, Acıbadem Üniversitesi Sağlık Bilimleri Dergisi, 2: 85-91.
3. ACE/AACE Diabetes Road Map Task Force (2007). Road maps to achieve glycaemic control in type 2 diabetes mellitus. Endocrine Practice 13:261-9.
4. Adams KE, Rasmussen JC, Darne C, et. all. (2010) Direct Evidence Of Lymphatic Function İmprovement After Advanced Pneumatic Compression Device Treatment Of Lymphedema, Published online 2010 July 15. doi: 10.1364/BOE.1.000114,http://europepmc.org/articles/PMC3005162/reload=0;jsessionid=B60wXoJ806e0Y3GydO9M.16 (Erişim tarihi: 01 Nisan, 2013)
5. Akdeniz EB. (2012). Meme Kanseri Olan Evli Kadın Hastaların Eşler Arası Uyum ve Baş Etme Biçimleri Arasındaki İlişkinin İncelenmesi, Psikiyatri Hemşireliği Dergisi,;3(2):53-60
6. Akıncı AÇ, Pınar R. (2012). Kronik Obstrüktif Akciğer Hastalığı Olan Hastalarda dispne Rehabilitasyonu, Cumhuriyet Hemşirelik Dergisi,1, 24-29.
7. Akyıldız T. (2005). ERCP ve Hemşirelik Hizmetleri. Güncel Gastroenteroloji, 9;1, 87-91.
8. Akyolcu N, Altun Uğraş G. (2011). Kendi Kendine Meme Muayenesi: Erken Tanıda Ne Kadar Önemli?, Meme Sağlığı Dergisi, , Cilt:7, Sayı:1, 010-014.
9. Akyolcu N. (2008) Meme Kanserinde Cerrahi Girişim Sonrası Cinsel Yaşam. Meme Sağlığı Dergisi, 4(2):77-83
10. Al B, Yıldırım C. (2008). Biliyer sistem hastalıkları. Klinik Gelişim, 21;4,130-136.
11. Altun İ. (2012). Etik ve Değerler (İçinde) Aştı T, Karadağ A. (ed). Hemşirelik Esasları Akademi Basın ve Yayıncılık, İstanbul.
12. American Cancer Society, Cancer facts & figures (2012) Atlanta, http://www.cancer.org/acs/groups/content/@epidemiologysurveilance/documents/document/acspc-031941.pdf. Erişim tarihi: 3 Mart, 2013.
13. American Diabetes Association (2013). Clinical practice recommendations. Diabetes Care 36:S1-S110.
14. Austin Community College, (2009) Fluid/Electrolyte Balance, Associate Degree Nursing Physiology Review, http://www.austincc.edu/apreview/EmphasisItems/Electrolytefluidbalance.html#bodyfluids. Erişim tarihi: 01 Nisan, 2013.
15. Avdal ÜE, Kızılcı S, Demirel N. (2011). The effects of web-based diabetes education on diabetes care results. Computers, Information, Nursing (CIN) 29(2): 29-34.
16. Aygın D, Eti Aslan F. (2008), Meme Kanserli Kadınlarda Cinsel İşlev Bozukluklarının İncelenmesi, Meme Sağlığı Dergisi Cilt:4 Sayı:2, 105-114.
17. Azak A, Taşcı S. (2009). Clinical Decision Making and Nursing: Review, Turkiye Klinikleri J Med Ethics, 17(3): 176-183.
18. Basavanthoppa BT. (2009) Neurosurgical Nursing, Medical Surgical Nursing, 2 Edition, Jaypee Brothers Medical Publishers Ltd, New Delh, Ahmedebod, Begaluru.
19. Bayık Temel A, Yakıncı C (Ed)(2015) Hemşirelik terimleri sözlüğü. (Türk Dil Kurumu yayınları, Ankara.
20. Bedük T(Ed).(2016) İç Hastalıkları Hemşireliği Akıl Notları. Güneş Tıp Kitabevleri, Ankara.
21. Black JM, Hawks JH. (2005). Medical Surgical Nursing, Clinical Management for Positive Outcomes, Seventh Edition, Copyright by Elseiver, İnc. St. Louis.
22. Boggatz T. (2003). Health education and tuberculosis control around 1990. Pflege. 16:6. 331-336.
23. Bopp AJ. (2007). Fluid Electrolyte and Acid Base İmbalances, (içinde) Lewis S, Heitkemper MM, Dirksen SR, O'Brien PG, Bucher L(ed.), Medical Surgical Nursing, Assesment and Management of Clinical Problems, Seventh edit., MosbyElsevier, Missorui.
24. Boron WF, Boulpaep EL. (2012). Medical Physiology: A Cellular and Molecular Aproach. The gastrointestinal system. 2nd. Edition, Saunders Elsevier Inc, Philadelphia.
25. Britton B. (2009) Understanding breast cancer-related lymphoedema, Surgeon. Apr;7(2):120-4.
26. Brown, N T., Flanigan, L M., McComiskey, C A., Pieper, P. (2015). Nursing Care of the Pediatric Surgical Patient. Bolışık, Z B., Yardımcı, F., Akçay Didişen, N. (Çev.) Nobel Kitabevleri, Ankara.
27. Bunn HF, Aster JC. (2013). Kan Hastalıklarının Patofizyolojisi. T. Soysal, H. Ören. M. Demir, İ.C. Haznedaroğlu, F. Özkalemkaş, Z. Bolaman, M. Sönmez (Çev. Ed.), Medikal Yayıncılık, 1. baskı, 2. İstanbul.
28. Burke KM, Mohn Brown EL, Eby L. (2011). Caring For Clients With Degenerative Neurologic and Spinal Cord Disorders, Medical Surgical Nursing Care, 3th Edition St.Louis.

Kaynaklar

29. By Mayo Clinic staff (2011) Hyponatremia, http://www.nlm.nih.gov/medlineplus/fluidandelectrolytebalance.html. Erişim tarihi: 17 Nisan, 2013.
30. Can G. (2007). Onkoloji Hemşireliğinde Kanıta Dayalı Semptom Yönetimi, Pharma Publication Planning, İstanbul.
31. Can G. (2010). Onkoloji Hemşireliğinde Kanıta Dayalı Bakım, Nobel Tıb Kitabevi, İstanbul.
32. Canadian Diabetes Association. (2008) Clinical Practice Guidelines for the Prevention and Management of Diabetes in Canada. Canadian J Diabetes 32(Suppl. 1):1-215
33. Cancer and Treatment Related Anemia, National Comprehensive Cancer Network (NCCN), Version 3, 2007. www.nccn.org
34. Carpenito-Moyet LJ. (2005). Hemşirelik Tanıları El Kitabı. Erdemir F (Çev.) Nobel Tıp Kitabevleri Ltd. Şti. İstanbul.
35. Center For Disease Control And Prevention 2013 - http://www.cdc.gov/ 2013 Erişim Tarihi: Nisan 2013.
36. Cimete G, Kuğuoğlu S. (2006). Grief responses of Turkish families after the death of their children from cancer. Journal of Loss and Trauma 11:1, 31-52.
37. Copel LC. (2004). Homeostasis, Stres and Adaptation. Smeltzer SC, Bare BG (ed). Brunner & Suddarth's Textbook of Medical-Surgical Nursing. 10 edition, Philadelphia, Lippincott Williams – WilkinsA Wolters Kluwer Company
38. Çakır, M., Eti Aslan, F., Alhan, H C. Determination of Factors that Couse Noise in Intensive care Unit Environment, Türkiye Klinikleri Dergisi, 8(3): 197-203.
39. Çalungu S, Sıva A, Tuzcu M. (2008) Cecil Essential of Medicine Türkçesi 7 th Ed., Nobel Tıp Kitabevleri, İstanbul.
40. Çavdar İ. (2006) Meme Kanserli Hastalarda Cinsel Sorunlar. Meme Sağlığı Dergisi. 2(2):64-66
41. Çelik S. (2006). Mekanik Ventilasyonda Hasta Bakımı, Yoğun bakım Hemşireliği Dergisi, 10(1- 2), 19- 25.
42. Çınar D, Kardakovan A. (2016). Yoğun Bakım Ünitelerinde Hasta ve Çalışan Güvenliği" Yoğun Bakım Hemşireliği Dergisi. 20(2): 116-125.
43. Çınar N, Akduran F, Aşkın M, Altınkaynak S. (2012). Hemşirelik bölümü öğrencilerinin eleştirel düşünme düzeyi ve eleştirel düşünmelerini etkileyen faktörler. Türkiye Klinikleri Hemşirelik Bilimleri Dergisi, 4(1): 8-14.
44. Çil A, Olgun N. (2005). KOAH (Kronik Obstrüktif Akciğer Hastalığı)'nın Pulmoner Rehabilitasyon ile Yönetimi, Ege Üniversitesi Hemşirelik Yüksek Okulu Dergisi, 21(1), 103-113.
45. Çil A, Olgun N. (2005). Tüberküloz algısı ve tedaviye uyum, Ege Üniversitesi Hemşirelik Yüksekokulu Dergisi, 21 (2), 209-218.
46. De Coninck C, Frid A, Gaspar R, Hicks D, Hirsch L, Kreugel G, Liersch J, Letondeur C, Sauvanet JP, Tubiana N, Strauss K. (2010). The 2008-2009 Insulin Injection Technique Questionnaire Survey: results and analysis. J Diabetes. 2:168-79.
47. Demirelli F.H. (2005) Hedefe Yönelik Kanser tedavisi ve Monoklonal Antikorlar, ANKEM Dergisi, 19 (EK:2): 123-125
48. Demir Korkmaz, F., Okgün Alcan, A., Eti Aslan, F., Çakmakçı, H. (2015). Koroner Arter Bypass Greft Ameliyatı Sonrası Yaşam Kalitesinin Değerlendirilmesi, Türk Göğüs Kalp Damar Cerrahisi Dergisi, 23(2): 285-294.
49. Dodd MJ, Cho MH, Cooper BA, Miaskowski C. (2010). The Effect Of Symptom Clusters On Functional Status And Quality Of Life İn Women With Breast Cancer. Eur J Oncol Nurs; 14(2): 101–110.
50. Doenges ME, Moorhouse MF, Murr AC. (2010). Nursing Care Plans. Guidlines for individualizing client care across the life span. 8th Edition, F.A. Davis Company, Philadelphia.
51. Dolar E. (2005) İç Hastalıkları Nobel Tıp Kitapevleri, İstanbul.
52. Durmaz Akyol A. (2013). Kan Hastalıkları ve Hemşirelik Bakımı. 1. Baskı, Meta Basım Matbaacılık, İzmir.
53. Durna Z. (2012). Kronik hastalıklar ve bakımı. Durna Z (Ed.). Birinci Baskı, Nobel Tıp Kitabevleri, İstanbul.
54. Dünya Kanser Raporu (2008) http://whqlibdoc.who.int/publications/2009/9789283204237_tur_p1-104.pdf. Erişim tarihi: 10 Mayıs, 2013.
55. Early detection of cancer greatly increases the chances for successful treatment.World Health Organization Cancer Control Programme Department of Chronic Diseases and Health Promotion (CHP) Avenue Appia 20 CH - 1211 Geneva 27 Switzerland WHO 2011 http://www.who.int/cancer/detection/en/. Erişim tarihi: 12 Mart, 2013.
56. Ecder T. (2006). Böbrek Yetersizliği ve Diyalizde Sıvı-Elektrolit Asit-Baz Dengesi ve Bozuklukları, Türkiye Klinikleri Dahili Tıp Bilimleri; 2(18):29-39.
57. Effective Health Care Program (2012). Noninvasive Positive-Pressure Ventilation (NPPV) for Acute Respiratory Failure, Comparative Effectiveness Review, 68, 1-24 http://effectivehealthcare.ahrq.gov/ehc/products/273/1181/CER68_NPPV_ExecutiveSummary_20120706.pdf. Erişim Tarihi: Nisan 2012 .

58. Eliopoulous C. (2014). Gerontolgical Nursing. Lippincott Williams &Wilkins; Philadelphia.
59. Erdemir F, Uysal G. (2010). Genetik, Genomik bilimi ve hemşirelik. *DEUHYO*, 3(2): 96-101.
60. Erzurumlu K. (2008) Genel Cerrahiye Giriş. Nobel Kitabevleri, İstanbul.
61. Esen, Ş. (2013). Uygun Olmayan Dezenfeksiyon Uygulamaları ve Hastane İnfeksiyonları. ANKEM Dergisi: 27(Ek 2):69-74.
62. Eti Aslan, F. (Ed.) (2014). Ağrı Doğası ve Kontrolü. Akademisyen Tıp Kitabevi, Ankara.
63. Eti Aslan, F. (Ed.) (2017). Cerrahi Bakım Vaka analizleri İle birlikte. Akademisyen Tıp Kitabevi, Ankara.
64. Eti Aslan, F. (Ed.) (2017). Sağlığın Değerlendirilmesi ve Klinik Karar Verme. Akademisyen Tıp Kitabevi, Ankara.
65. Eti Aslan, F., Olgun, N. (2016). Yoğun Bakım Seçilmiş semptom ve Bulguların Yönetimi. Akademisyen Tıp Kitabevi, Ankara.
66. Eti Aslan, F., Olgun, N. (2017). Fizyopatoloji. Akademisyen Tıp Kitabevi, Ankara.
67. Eti Aslan, F., Şahin, G. (2015). Kraniotomili Hastaların Bakımı: Primer Beyin Tümörlerine Yönelik Rehber Doğrultusunda, Türkiye Klinikleri Dergisi, 1(2): 48-55.
68. Eti Aslan F (2005). Ağrı: Doğası ve Kontrolü. Eti Aslan F (Ed) 1.Baskı, Avrupa Tıp Yayıncılık, İstanbul.
69. Eti Aslan F, Olgun N, İnanır İ. (2010). Asepsi, Espas Matbaası. İstanbul.
70. Eti Aslan F. (2009) . Cerrahi hemşireliğinin tarihçesi. Atatürk Üniversitesi Hemşirelik Yüksekokulu *Dergisi,* 12 (1): 104-113.
71. Ganapathy S, Thomas BE, Jawahar MS, Arockia Selvi KJ, Subramaniam S, Weiss M. (2008). Perceptions of Gender and Tuberculosis in a South Indian Urban Community Indian Journal of Tuberculosis, 55, 9-14.
72. Gebremariam MK, Bjune GA, Frich JC. (2011). Lay beliefs of TB and TB/HIV co-infection in Addis Ababa, Ethiopia: a qualitative study. BMC Research Notes, 4, 277.
73. Gilliss, C., M. Fuchs. (2007). Reconnecting nursing education and service: Partnering for success. Nursing Outlook, 55(2):61−62.
74. Global Initiative for Chronic Obstructive Pulmonary Disease (2013). At-A-Glance Outpatient Management Reference for Chronic Obstructive Pulmonary Disease (COPD) Based on the Global Strategy for Diagnosis, Mahnagement and Prevention of COPD (www.goldcopd.org).
75. Guyton AC, Hall JE. (2007). Tıbbi Fizyoloji. H. Çavuşoğlu, B. Çağlayan Yeğen (Çev. Ed.) Türkçe 11. baskı, Yüce Yayınları AŞ. ve Nobal Tıp Kitabevleri Ltd. Şti. , İstanbul.
76. Gülbay BE, Erkekol FÖ, Önen ZP, Tarakçı N, Gürkan ÖU, Acıcan T. (2011). Aktif Akciğer Tüberküloz Tanısında; Semptomlar, Semptom Süresi ve Akciğer Grafisinin Yeri, Türk Toraks Dergisi, 12, 57-61.
77. Güner Ş. (2008). Meme kanseri ve eşlerin desteği, Gaziantep Tıp Dergisi, 15:46
78. Güran Ş. (2005). Kanserden Korunma Gülhane Tıp Dergisi; 47: 324-326
79. Gürsoy AA. (2005). Meme Kanseri Tedavisine Bağlı Lenfödem Ve Hemşirelik Bakımı. C. Ü. Hemşirelik Yüksekokulu Dergisi. 9(2).
80. Gysels MH, Higginson IJ. (2009). Self-management for breathlessness in COPD: the role of pulmonary rehabilitation, Chronic Respiratory Disease 6(3), 133-140.
81. Hançerlioğlu S, Karadakovan A. (2016). Yaşlıya Bakım Verme İstekliliği Ölçeğinin Türkçe'ye Uyarlanması, Geçerlik Ve Güvenirliiği. e-Sağlık Hemşirelik Dergisi, 5:(19):8-16.
82. Harmer V. (2009). Breast cancer-related lymphoedema: risk factors and treatment. Journal: Br J Nurs. Feb 12-25;18(3):166-72.
83. Honrubia T, García López FJ, Franco N, Mas M, Guevara M, Daguerre M, Alía I, Algora A, Galdos P. (2005). Noninvasive vs conventional mechanical ventilation in acute respiratory failure: a multicenter, randomized controlled trial, Chest, 128(6), 3916-24.
84. http://www.cancer.gov/cancertopics/understandingcancer/angiogenesis/ANGIOGEN.PDF . Erişim tarihi: 08 Şubat, 2013.
85. http://www.cancer.gov/cancertopics/understandingcancer/cancer/UNDERCAN.PDF Erişim tarihi: 08 Şubat, 2013.
86. http://www.cdc.gov/traumaticbraininjury/ Erişim Tarihi: 08.2. 2013.
87. http://www.tuik.gov.tr/UstMenu.do?metod=temelist: Genel Nüfus Sayımı sonuçları, 1935-2000 ve Adrese Dayalı Nüfus Kayıt Sistemi sonuçları, 2007-2016(Erişim tarihi: 31.01.2017)
88. http://www.idf.org/diabetesatlas/5e/the-global-burden. Erişim tarihi: 26.07.2013.
89. http://www.kalite.saglik.gov.tr/content/files/guvenli_cerrahi_2011/guvenli_cerrahi_kontrol_listesi.pdf Erişim tarihi: 26.07.2011
90. Institute of Medicine (IOM) (2010). The future of nursing: Leading change, advancing health. Washington, DC: The National Academies Press.
91. Jemal A, Bray F, Melissa M. Ferlay J et all (2011), Global Cancer Statistics, Cancer J Clın,;61:69–90, http://globocan.iarc.fr/ .

92. Kanan N. (2012) Sıvı Elektrolit ve Asit Baz Dengesizlikleri, içinde: Aksoy G, Kanan N, Akyolcu N, Cerrahi Hemşireliği, Nobel Tıp Kitabevi, İstanbul.
93. Karaaslan Y, Oksel F. (2003). Romatizmal Hastalıklar Tedavi El Kitabı.: MD Yayıcılık, Eğitim, Sağlık, Araştırma Tic. Ltd. Şti., Ankara.
94. Karadakovan A. (2014). Hemşire Gözüyle Deliryum. Geriatrik Olgularda Deliryum. Geriatrik Sendromlar Dizisi 6.(Ed. Ahmet Turan Işık).Bassaray Matbaası. İzmir.
95. Karadakovan A. (2015). Yaşlı Bakım Hemşireliği (Çev Edit) Nobel Akademik Yayıncılık Eğitim Ve Danışmanlık Tic.Ltd Şti.,Ankara.
96. Karadakovan A. (2016) Yaşam Kalitesi Ölçekleri (içinde) Geriatri Pratiğinde Ölçekler-Geriatrik Sendromlar Serisi 8 (Ed. Ahmet Turan Işık, Pınar Soysal) İstanbul Tıp Kitabevleri, İstanbul.
97. Karadakovan A. (2016). Böbrek-İdrar Yolları Hastalıkları Ve Hemşirelik Bakımı (İçinde) İç Hastalıkları Hemşireliği Akıl Notları (Ed. Tülin Bedük) Güneş Tıp Kitabevleri, Ankara.
98. Karadakovan A (2008).Geriatri hemşireliği. Geriatri (içinde)(Ed. Refik Mas ve diğerleri) CII.1. basım. Ankara: Fersa Matbaacılık.1423-1451.
99. Karadakovan A. (2016).(Çev ed.).Böbrek Hastalıklarında Hemşirelik Bakımı. Nobel Akademik Yayıncılık,Ankara.
100. Karadakovan A.(2013). Geriatric Nursing. New Horizons in Geriatric Medicine, Vol 2(içinde) (Ed. Ahmet Turan Işık, M. Refik Mas, M. Akif Karan, George T. Grossberg)..Nova Science Publishers, Inc. New York. 319-340.
101. Karadakovan A.(2014).Yaşlı sağlığı ve bakımı. Akademisyen Tıp Kitapevleri, Ankara.
102. Karadakovan, A., Eti Aslan, F.(2014). Dahili ve Cerrahi Hastalıklarda Bakım (Geliştirilmiş 3. Baskı). Akademisyen Tıp Kitabevi, Ankara.
103. Karadakovan A, Eti Aslan F (2011): Dahili ve Cerrahi Hastalıklarda Bakım. Geliştirilmiş 2. Baskı, Nobel Kitabevi, Adana.
104. Karakoç E. (2007). Temel Mekanik Ventilasyon Modları ve Ayarlamalar, Yoğun Bakım Dergisi, 7(3), 317-321.
105. Karamanoğlu AY, Özer FG. (2008). Mastektomili Hastalarda Evde Bakım. Meme Sağlığı Dergisi 2008; 4(1): 3-8.
106. Karayurt Ö, Zorukoş SN. (2008). Meme Kanseri Riski Yüksek Olan Kadınların Yaşadıkları Duygular ve Bilgi Destek Gereksinimlerinin Karşılanması, Cilt:4, Sayı:2, 056-061.
107. Karayurt Ö. Meme Kanseri Ve Yaşam Kalitesi, Cerrahi Bakım ve Yaşam Kalitesi, Sempozyum Kitabı, 04 MAYIS 2012 Manisa, ss:29-32, http://www.bayar.edu.tr/~saglikyo/sempozyumkitap.pdf. Erişim tarihi: 3.3. 2013.
108. Kaufman G. (2011). Asthma: pathophysiology, diagnosis and management. Nursing Standard. 26, 5, 48-56.
109. Kelso T, French D, Fernandez F. (2005). Stres and coping in primary caregivers of children with a disability: a qualitative study using the Lazarus and Folkman Process Model of Coping. Journal of Research in Special Educational Needs, 5(1): 3-10.
110. Kement M, Gezen C, Aşık A, Karaöz A ve ark. (2011). Meme Kanserli Türk Kadınlarında Meme Koruyucu Cerrahi Ve Modifiye Radikal Mastektomi; Yaşam Kalitesine Yönelik İleriye Dönük Bir Analiz. Turkiye Klinikleri J Med Sci; 31(6): 1377-84.
111. Kern WF. (2005). PDQ Hematoloji. Ferhanoğlu B (Çev.) 1. Baskı, İstanbul Medikal Yayıncılık, İstanbul.
112. Kılıçkap S, Aksoy S, Çelik İ. (2006). Kanserde Birincil Korunma. Dahili Tıp Bilimleri Dergisi; 13(2): 57-71
113. Kilbreath TS, Sullivan G, Refshauge KM, Beith JM. (2010). Patient Perceptions Of Arm Care And Exercise Advice After Breast Cancer Surgery. Oncol Nurs Forum. Jan;37(1):85-91.
114. Koçyiğit E. (2007). Kronik Obstrüktif Akciğer Hastalığı Tedavisi, Nobel Med, 3(1), 4-11.
115. Koyuncu, A., Eti Aslan, F., Yava, A., Çınar, D., Olgun, N. (2016). Kalp Damar Cerrahisi Yoğun Bakım Ünitesinde Tedavi Gören Terminal Dönemdeki Hastaların Yakınlarının Hasta Ziyaretinden
116. Koyuncu A, Yava A, Kürklüoğlu M, Güler A, Demirkılıç U. (2011). Mekanik ventilasyondan ayırma ve hemşirelik, Türk Göğüs Kalp Damar Cerrahisi Dergisi, 19(4), 671-681.
117. Lacasse Y, Goldstein R, Lasserson TJ, Martin S. (2006). Pulmonary rehabilitation for chronic obstructive pulmonary disease, Cochrane Database Syst Rev. 18, (4), D003793.
118. LeMone, P., Burke, K., Bauldoff, G. (2011). Medical-Surgical Nursing Critical Thinking in Patient Care Fifty Edition (Cilt 1). Pearson, United States of America.
119. LeMone, P., Burke, K., Bauldoff, G. (2011). Medical-Surgical Nursing Critical Thinking in Patient Care Fifty Edition (Cilt 2). Pearson, United States of America.
120. Lewis SL, Dirksen SR, Heitkemper MM Bucher L, Camera IM. (2011) Medical-Surgical Nursing: Assessment and Management of Clinical Problems International Eight Ed. Mosby Elsevier, St.Louis.

121. Lipsky BA, Berendt AR, Cornia PB et al. (2012). 2012 Infectious Diseases Society of America Clinical Practice Guideline for the Diagnosis and Treatment of Diabetic Foot Infections. Clinical Infectious Diseases 2012;54(12):132–173

122. Lymphedema, Preview of the Medifocus Guidebook on: Updated October 5, 2009, www. Medifocus.com. Erişim tarihi: 20 Şubat, 2013.

123. Male Breast Cancer, Last modified on October 27, 2012, http://www.breastcancer.org/symptoms/types/male_bc. Erişim tarihi: 01 Nisan, 2013.

124. Munro SA, Lewin SA, Smith HJ, Engel ME, Fretheim A. (2007) Patient Adherence to Tuberculosis Treatment: A Systematic Review of Qualitative Research. PLoS Med 4(7): e238.

125. Mutlu N, Bolat R, Yorulmaz F, Uysal S, Yüksel O, Oğuz D. (2006). Endoskopik Retrograd Kolanjio Pankreatografi (ERCP). Güncel Gastrenteroloji, 10;1, 120-122.

126. National Institute for Health and Clinical Excellence (2008). Respiratory tract infections - antibiotic prescribing: Prescribing of antibiotics for self - limiting respiratory tract infections in adults and children in primary care, NICE Clinical Guideline 69.

127. Neoplazi. http://w2.anadolu.edu.tr/aos/kitap/EHSM/1215/unite06.pdf. Erişim tarihi: 15 Temmuz, 2013.

128. New York State Department of Health (2008). Clinical Guideline for the Diagnosis, Evaluation and Management of Adults and Children with Asthma, New York.

129. Onkoloji Hemşireliği Derneği Kemoterapi Hemşireliği Kurs Kitabı(2007), Ankara

130. Özmen V. (2008), Breast Cancer In The World And Turkey, Meme Sağlığı Dergisi, Cilt 4, Sayı 2,sayfa 7-12.

131. Öztekin D. (2006) Meme Kanserinde Tanı Ve Tedavi Sürecinde Karşılaşılan Sorunlarla Mücadele Yolları. Meme Sağlığı Dergisi, 2(2):67-70.

132. Perioperative Standards and Recomended Proches for Inpatient and Ambulatory Settings (2013), AORN.

133. Pollock R.E, Doroshow J.H., Khayat D., Nakao A., Sullivan'O B. (2007). Kanserin Doğal gidişi ve byolojisi içinde UICC Klinik Onkoloji. Sekizinci Baskı, Alp Ofset Matbaacılık.

134. Produced by Klinic Community Health Centre (2010). Stress & Stress Management, 2-29. http://hydesmith.com/de-stress/files/StressMgt.pdf

135. Putman-Casdorph H, McCrone S. (2009). Chronic Obstructive Pulmonary Disease, Anxiety, and Depression: State of the Science, Heart Lung, 38, 34-47.

136. Quality Of Life İn Women With Breast Cancer. Eur J Oncol Nurs 2010; 14(2): 101–110.

137. Redeker NS, McEnany GP. (2011). Sleep Disorders and Sleep Promotion in Nursing Practice, Springer Publishing Company, New york.

138. Roberts NJ, Partridge MR. (2011). Evaluation of a paper and electronic pictorial COPD action plan, Chronic Respiratory Disease, 8(1), 1 31-40.

139. Rothrock JC. (2011) Alexander's Care of the Patient in Surgery, 14th Edition, Mosby. Philadelphia.

140. Sağlık Bakanlığı Kanserle Savaş Dairesi Başkanlığı Türkiye' de Kanser Kayıtçılığı, Ankara-2011

141. Sağlık Bakanlığı Temel sağlık Hizmetleri Müdürlüğü (2011).Türkiye Kronik Havayolu Hastalıklarını Önleme ve Kontrol Programı. Göğüs Hastalıklarında Evde Sağlık Hizmeti Sunumu, Anıl Matbaacılık, Ankara (http://sbu.saglik.gov.tr/Ekutuphane/kitaplar/gogushasatliklarisunumugard.pdf).

142. Salmanzade Ş, Yönem Ö, Bayraktar Y. (2006). Safra taşı hastalığı. Hacettepe Tıp Dergisi, 37;2, 65-71.

143. Satman I, Omer B, Tutuncu Y, Kalaca S, Gedik S, Dinccag N, Karsidag K, Genc S, Telci A, Canbaz B, Turker F, Yilmaz T, Cakir B, Tuomilehto J. TURDEP II Study Group. (2013). Twelve-year trends in the prevalence and risk factors of diabetes and prediabetes in Turkish adults. Eur J Epidemiol. 28:169-80.

144. Sayer AA, Robinson SM, Patel HP, et al.(2013). New horizons in the pathogenesis, diagnosis and management of sarcopenia. Age Ageing .

145. Schulman-Green D, McCorkle R, Cherlin E et. all. (2005). Nurses' communication of prognosis and implications for hospice referral: a study of nurses caring for terminally ill hospitalized patients. Am J Crit Care., 14: 1, 64-70.

146. Seven G, Karayalçın S. (2009). Kolanjiokarsinomlar. Güncel Gastrenteroloji, 13;1, 56-64.

147. Smeltzer SC, Bare BG, Hinkle JL, Cheever KH. (2010). Intraoperative Nursing Management, Brunner & Suddarth's Textbook of Medical Surgical Nursing, 12th Edition, Philadelphia: Lippincott Williams & Wilkins, Philadelphia.

148. Smeltzer SC, Bare BG., Hinkle JL ve Cheever KH. (2008). Brunner & Suddarth's Textbook Of Medical Surgical Nursing. Eleventh Edition, Lippincott Williams& Wilkins, Philadelphia.

149. Songur A, Çağlar V, Gönül Y, Aslan-Özen O. (2009). Safrakesesi ve safra yolları anatomisi. Cerrahi Sanatlar Dergisi, 2;2, 12-19.

150. Sophie B, Sedgwick R. (2013) Decreasing the risk of iatrogenic lymphoedema after axillary surgery: a threefold intervention, BMJ Qual Improv

Report2013;2: doi:10.1136/bmjquality.u579.w176, http://qir.bmj.com/content/2/1/u579.w176.full, (Erişim tarihi: 01 Nisan, 2013)

151. Springer LB. (2012). Does nursing have a future? Journal of the Associaton of Nurses in AIDS Care, 23(2): 95-96.
152. Şişman, H., Eti Aslan, F., Özgen, R., Alptekin, D., Akıl, Y. (2016). Vadility and Reliability Study of the Baxter Animated Retching Faces Nausea Scale, Journal of Pediatric Surgical Nursing, 5(4):98-106.
153. Tanrıverdi, G. (2016). Hemşirelerde Kültürel Yeterliliği Geliştirme Yaklaşım ve Önerileri. Pozitif Matbaa, Ankara.
154. T.C. Sağlık Bakanlığı Tedavi Hizmetleri Genel Müdürlüğü. Antineoplastik (Sitotoksik) İlaçlarla Güvenli Çalışma Rehberi http://www.saglik.gov.tr/sb/extras/birimler/tedavi /antineoplastik_rehber.pdf. Erişim Tarihi:25.06.2015.
155. Timby BK, Smith NE. (2010). Perioperative Care, Introductory Medical Surgical Nursing, 10th, Point, P:155-156
156. Topçuoğlu MA, Durna Z, Karadakovan A(2014). Nörolojik Bilimler Hemşireliği. Kanıta Dayalı Uygulamalar. Nobel tıp kitabevleri, İstanbul.
157. Toren O, Wagner N. (2010). Applying an ethical decision-making tool to a nurse management dilemma. Nurs Ethics, 17: 393-402.
158. Towmnsend CM, Beauchamp RD, Evers BM, Mattox KL. (2008). Sabiston Textbook of Surgery. The biological basis of modern surgical practice. 18th Edition, USA: Saunders Elsevier Inc.
159. Troosters T, Casaburi R, Gosselink R, Decramer M. (2005). Pulmonary Rehabilitation in Chronic Obstructive Pulmonary Disease, American Journal of Respiratory and Critical Care Medicine, 172(1), 19-38.
160. Tschudin V. (2010). Nursing ethics: The last decade. Nursing Ethics, 17: 127–131.
161. Tuncer M. (2009). T.C. Sağlık Bakanlığı Kanserle Savaş Dairesi Başkanlığı Ulusal Kanser Programı 2009-2015, Bakanlık Yayın No:760, Ankara.
162. Türk Hemşireler Derneği (THD). Hemşireler için etik ilke ve sorumluluklar http://www.turkhemsirelerdernegi.org.tr/hemsirelik-meslegi-etigi/hemsireler-icin-etik-ilke-ve-sorumluluklar.aspx. Erişim: 01 Nisan, 2013.
163. Uçar T, Uzun Ö. (2008). Meme Kanserli Kadınlarda Mastektominin Beden Algısı, Benlik Saygısı Ve Eş Uyumu Üzerine Etkisinin İncelenmesi, Meme Sağlığı Dergisi, Cilt 4, Sayı 3, 162-168.
164. Usta Yeşilbalkan Ö, Karadakovan A.(2016). Nörolojik Değerlendirme. Türkiye Klinikleri İç Hastalıkları Hemşireliği Özel Dergisi, 2(2):1-9.
165. Üçok K, Mollaoğlu H, Genç A, Akkaya M, Şener Ü. (2010). Safra Sistemi Fizyolojisi. Cerrahi Sanatlar Dergisi, 3;1, 1-8.
166. Ünalp-Vedat Ö, Erol V, Yeniay L, Demir B, Çoker A. (2011). Şiddetli pankreatit ve tedavi yaklaşımları: Mevcut sınıflamalar yeterli mi? Akademik Gastroenteroloji Dergisi, 10;1, 9-13.
167. Varvogli L, Darviri C. (2011). Stress Management Techniques: evidence-based procedures that reduce stress and promote health. Health Science Journal, 5(2), 74-89.
168. Volmink J, Garner P. (2009). Directly observed therapy for treating tuberculosis. The Cochrane Collaboration, John Wiley & Sons Ltd.
169. Weber J, Kelley J. (2007) Health Assesment in Nursing, Weber J, Kelley J (Eds) 3rd edition, Lippincott William&Wilkins, Philadelphia.
170. Williams ME. (2005).Assesment of geriatric patient:Initial. Clinical update. June:2005.http://www.medscape.com. (Erişim tarihi:27.01.2017).
171. Workman ML. (2006). Altered Cell Growth and Cancer Development. Edit (Ignatavicius, D.D., Workman M.L.). In Medical- Surcigal Nursing, Critical Thinking for Collobrative Care. Fifth Edition. Elsevier Saunders Company. St.Louis
172. Yardan T, Genç S, Baydın A, Nural M.S, Aydın M, Aygün D. (2009) Acil serviste akut pankreatit tanısı alan hastaların değerlendirilmesi. Fırat Tıp Dergisi, 14;2, 124-128.
173. Yıldırım B, Özkahraman Ş. (2011). Critical thinking in nursing process and education. International Journal of Humanities and Social Science:1(13)
174. Yıldırım ÖB. (2011). Sağlık Profesyonellerinde Eleştirel Düşünme. (İçinde) Ay FA (ed). Sağlık Uygulamalarında Temel Kavramlar ve BecerilerNobel Tıp Kitabevleri, İstanbul
175. Yılmaz, S., Eti Aslan, F., Vatansever, N., Akansel, N. (2016). Hegzan Gazına Bağlı Gelişen % 80 Yanıklı Bir Hastanın Akut döneminde Hemşirelik bakımı: Olgu Sunumu, Journal of Contemporary Medicine, 6(Case Reports): 44-49.

Sözlük

Açlık plazma glikozu (Fasting Plasma Glucose: FPG): Kan glikozunun 8 saatten daha fazla sürede aç iken laboratuarda saptanmasıdır. Tanı kriterlerinde plazma seviyeleri spesifik olmasına karşın plazma seviyesinden bira daha yüksek olan kan glikoz seviyeleri daha yaygın olarak kullanılır.

Adacık hücre transplantasyonu: İnsülin salgılamak ve tip 1 diyabeti tedavi etmek amacıyla kadavra donörlerden alınan temizlenmiş adacık hücrelerinin karaciğerin portal sistemi içine enjekte edildiği bir araştırma sürecidir.

Adaptasyon/Uyum: Kronik bir duruma vücudun ve aklın yanıtıdır.

Adaptasyon: Stresle bozulan iç dengenin yeniden düzeltilmesi ve uyum sağlanmasıdır.

Addison hastalığı: Adrenal bezin ikincil harabiyetine bağlı kronik adrenokortikal Yetersizlik. *aldosteron*

Addison krizi: akut hipotansiyon, siyanoz, ateş, bulantı ve kusma, ağır vakalarda şokla karakterize akut adrenokortikal Yetersizliktir. Tedavi amacıyla verilen glukokortikoidlerin ani olarak kesilmesi veya stres nedeniyle oluşabilir.

Adenozin trifosfat (ATP): Hücre fonksiyonları için gerken enerji kaynağı.

Adjuvan kemoterapi: Hücrelerin mikroskobik kalıntı veya metastazlarının yok edilmesi amacıyla kemoterapinin cerrahi veya radyoterapiye ilave olarak kullanılmasıdır.

adjuvan tedavi: meme kanserinde ameliyat sonrası hastalığın aynı bölgede veya uzak organlarda (karaciğer, akciğer, kemik, vs) nüksetme riskini azaltmak amacı ile yapılan tedavi.

Adrenokortikotropik hormon (ACTH): Ön hipofiz bezinden salgılanır. Temelde büyüme ve gelişmeyi sağlar.

Adrenokortokotropik hormon ACTH): Hipofiz ön lobundan salgılanır ve böbrek üstü bezinin korteksini uyarır.

Adrenolektomi: Cerrahi olarak bir ya da her iki adrenal bezin çıkartılması

afaki: Gözde, lensin olmaması.

Afazi: Baskın hemisferde bulunan konuşma işlevi ile ilgili merkezlerin değişik organik lezyonlarla tutuluşuna bağlı ortaya çıkan konuşma bozuklukları.

Afoni: Sesin kaybı.

Aftöz stomatit; Yaygın adıyla "pamukçuk" aftöz stomatitin neden olduğu küçük, tekrarlayan ülserlerdir.

Aglutinasyon: Bir sıvı içinde dağılmış taneciklerin bir araya gelerek küme oluşturması; kümeleşme.

Aglütinojen: İnsan eritrosit zarında bulunan kan grubu antijenleri.

Agnozi: Algılama yeteneğinin kaybı; işitme, duyma, tat alma, görme ve dokunma duyuları ile ilgili izlenimleri algılayamama.

Agrafi: Yazı yazma yeteneğinin kaybı.

Akalazya: Alt özofagus sifinkterinin gevşeyememesi ve özofagus düz kas peristaltik hareketlerinin azalması veya kaybolması ile karakterize bir motilite bozukluğu

Akalkuli: Basit aritimetik işlemleri yapma yeteneğinin bozulması.

Akantolizis: Epidermal hücreler arası bağların kaybı sonucu spinozum tabakasındaki epidermal keratinosidlerin birbirinden ayrılması, vezikül ve büllerin oluşması.

Akciğer Ödemi: İnterstisyel ve/veya alveolar alana sıvı birikimi sonucu gelişen acil durum.

akomodasyon: Yakındaki objelerin görüntülerinin retina üzerine düşmesini sağlamak amacıyla gözün ön bölmesinin refraksiyon gücünün arttırılması işlemidir.

Akromegali: Erişkinlerde Büyüme hormonunun aşırı salgılanması sonucu ortaya çıkar. Kemiklerde kalınlaşma ve yumuşak dokuda hipertrofi vardır. Vücudun uç kısımları, yaygın olarak el, ayak, baş, yüz, özellikle burun ve çene büyür.

Aktif transport: Hücre zarında molekül veya iyonların kimyasal ve elektriksel bir güce karşı geçmesine denir.

Akustik nörinoma/ Schwannoma: Ventriküler sinirlerin Schwann hücrelerinin tümörü.

Akustik nörinoma/ Schwannoma: Ventriküler sinirlerin Schwann hücrelerinin tümörü.

Akut tübüler nekroz: Böbrek tübüllerinin hasarına bağlı böbrek Yetersizliği.

Akut tübüler nekroz: Böbrek tübüllerinin hasarına bağlı böbrek Yetersizliği.

Albüminüri: İdrarda albümin bulunması.

Aldosteron: Böbrek üstü korteksinden salgılanan mineralokortikoid grubu hormonlardan biri. Böbreklerden potasyum ve hidrojen iyonlarının idrarla atılımını kolaylaştırır. Böbreklerde sodyum geri emilimine neden olur. *K⁺↓ Na⁺ tutulur*

Alerjen: Bireyde orta düzeyde aşırı duyarlılığa neden olan bir madde.

Alerjik: 1.alerji ile ilgili. 2.alerjenin neden olduğu. 3.Belli bir şeye karşı duyarlılık gösteren birey.

Alfa glikozidaz inhibitörleri: Tip 2 diyabetin tedavisinde post prandial (yemek sonrası) kan glikoz düzeylerini düşürmek için karbonhidratların emilimini geciktirmede kullanılan oral antidiyabetik ilaç grubudur.

Sözlük

Allogreft (homogreft): Bir insanın kalp kapağından alınarak yapılan kalp kapak replasmanı.

Alopesi: Saç dökülmesidir.

Alopesi: Vücudun normalde kıllı olan bölgelerinde kılların kaybı. saç dökülmesi

ambliyopi: Gözde belirli bir bozukluk olmaksızın oluşan görme tembelliği.

Ameliyat öncesi (pre operatif) evre: Ameliyat kararı verildiği anda verildiğinde başlayan hastanın ameliyathaneye gönderildiği zamana kadar geçen süre

Ameliyat öncesi testler: Ameliyat olmadan önce yapılması gereken testler

Ameliyat sonrası (post operatif) evre: Hastanın anestezi sonrası bakım birimine alınmasıyla başlayan hasta iyileşinceye kadar klinikte veya evde yapılan değerlendirmeleri içeren süre

Ameliyathane (intra operatif) evresi: Hastanın ameliyathaneye gelmesiyle başlayan anestezi sonrası bakım birimine alınmasına kadar geçen süre

Amiyotrofi: Değişik nedenlere bağlı olarak oluşan kas dokusu atrofisi.

Amnezi: Belli bir döneme sınırlı bellek bozukluğu.

Anafilaktik şok: Allerjik reaksiyon sonucu gelişen şok.

Anaflaksi: Antijen niteliğinde belli bir yabancı protein veya ilaca karşı önceden ürtiker, kaşıntı, ödem gibi orta derecede aşırı duyarlılık belirtileri gösteren bireyin aynı antijenin ikinci kez verilmesi sonucu şok, vasküler kollaps, solunum sıkıntısı gibi anaflaktik aşırı duyarlılığının olması.

Anamoli: Belli bir ölçüye, belli bir kurala uymama durumu, psikolojide ise hastalık niteliğinde olmamakla birlikte normalden, belirgin ölçüde sapma gösterme

Anaplazi: Şekil ve yapısı farklı ve normal hücre özelliğinde olmayan hücrelerdir. Genellikle anaplazi hücreleri malingdir. Anaplazik hücre morfolojik veya fizyolojik olarak kendisinden beklenen görüntüyü ve işlevi veremez.

Androjenital sendrom: Adrenokortikal hormonların özellikle androjenlerin aşırı sekresyonu sonucu erkeklerde feminizasyon (kadınlaşma), kadınlarda maskülinizasyon (erkekleşme) ya da çocuklarda erken seksüel gelişim olur.

Androjenler: Adrenal korteks tarafından salgılanan hormonlardır. Erkek seks organlarının gelişmesi ve aktivitelerini uyarır. Protein sentezini uyarır.

Anemi: Hemoglobin veya hematokrit değerinin geçerli referans aralığının altında olması.

Anevrizma: Damar duvarının bir bölgede genişlemesine bağlı şişkinlik, kese.

Angelchick protez ameliyatı; GÖRH hastalarında, laparotomi ile sentetik C-şeklindeki protezin distal ozofagusun çevresine yerleştirilmesi.

Anizokori: Pupillerin çaplarının birbirinden belirgin derecede farklı olması.

Anjiyom: doğumda ya da kısa süre sonra ortaya çıkan dermis ya da subdermis damarlarının hiperplazisi sonucu oluşan koyu kırmızı, düz ya da deriden kabarık damarsal tümörler.

Anjiyonörotik ödem: Deri, müköz mebranlar ve iç organlarda ürtiker ve ödem gelişmesi

Annuloplasti: Bir kalp kapağının dış halka ile tamiri.

Antidiüretik hormon: Hipofis arka lobundan salgılanır ve böbrek tubuluslarından suyun geri emilimini sağlar.

Antidiüretik: İdrar oluşmasını azaltan.

Antijen: Vücutta kendisine karşı antikor oluşmasını uyaran madde.

Antikonvülzan: Konvülzyonların oluşmasını önleyen ya da durduran ilaç/yöntem.

Antikor: Antijenin girişi ile sağlanan uyarı ile başlatılan ve gösterilebilen yollarla antijenle özel olarak reaksiyon veren madde veya hücre.

Antikor: Bir antijene karşı vücutta oluşan bağışıklık cisimciği.

Anüri: Böbreklerden idrar atımının durması. Günlük idrar miktarının 50-100ml'den az olması.

Aortik kapak: Sol ventrikül ve aort arasındaki ayrım ay şeklindeki kapaktır.

Apandisit: Apandiks vermiformisin (ince bağırsağın karın bağırsakla birleştiği yerde bağırsağın uzantısı) iltihabı.

Apikal Alan: Sternumun solu, beşinci interkostal aralık ile klavikula orta çizgisinin kesiştiği nokta.

Apne: Solunumun geçici olarak durması

Apoptoz: Programlanmış hücre ölümü.

Apraksi: Anlama kusuru, motor güç kaybı, duyusal bozukluk ve koordinasyon bozukluğu olmaksızın; önceden öğrenilmiş olan amaçlı ve beceri gerektiren hareketlerin yapılma yeteneğinin bozulması.

Ard Yük (Afterload): Sistolün başlamasıyla birlikte miyokard kasının karşı karşıya kaldığı basınç, güç ya da strestir. Sol ventrikül ard yükünü sistemik damar direnci, sağ ventrikül ard yükünü pulmoner vasküler direnç belirler.

Ard Yük (Afterload): Sistolün başlamasıyla birlikte miyokard kasının karşı karşıya kaldığı basınç, güç ya da strestir. Sol ventrikül ard yükünü sistemik damar direnci, sağ ventrikül ard yükünü pulmoner vasküler direnç belirler.

Arter Kan Basıncı: Ventriküllerin sistol ve diyastolünde arterlerin duvarında oluşan basınç.

Arteriyoskleroz: Yaşlanmaya bağlı olarak damarlarda elastin kaybı ve bağ dokusu artışına bağlı olarak elastikiyet kaybı olması.

Sözlük

Arteryal örümcek: Kılcal damarların belirginleşmesi

Artralji: Artrit olmaksızın eklem ağrısı olmasına artralji denir.

Artrit: Eklem iltihabına denir. Eklemde ağrı, şişlik, duyarlılık, lokal ısı artışı veya kızarıklık ile ortaya çıkar.

ASA: Amerikan Anestezistler Birliğinin hastaların tıbbi yönden uygunluğuna karar vermede önerdiği fiziksel durum sınıflaması

Asistoli: Miyokardda elektriksel aktivitenin olmaması sonucu depolarizasyonun oluşmaması.

ASO: Anti-streptolizin O, beta hemolitik streptokokların hücre duvarında bulunan bir antijene karşı oluşan antikordur.

Aspirasyon: Yiyecek veya içeceklerin birdenbire trakea ve akciğerlere kaçması

Asteriks: flaping tremor gibi ellerin titremesi

astigmatizma: Gözün farklı akslarda farklı kırıcılıkta olmasıdır, hem uzak hemde yakın görüş bozulur.

Astrositoma: Genel olarak intraaksiyal yerleşimli, kapsülsüz ve diffüz büyüme paterni gösteren, beyaz cevherde uzun traktüsler boyunca karşı hemisfere geçen beyin tümörü.

Astrositoma: Genel olarak intraaksiyal yerleşimli, kapsülsüz ve diffüz büyüme paterni gösteren, beyaz cevherde uzun traktüsler boyunca karşı hemisfere geçen beyin tümörü.

Ataksi: Kasların uyumsuz kasılması sonucu istemli hreketlerde ortaya çıkan düzensizlik.

Atelektazi: Akciğerin veya bir kısmının solunuma katılmaması.

Atheroskleroz: Arter duvarlarının intima tabakasında lipidlerin birikimi ile başlayan, kronik düşük düzeyli Enflamasyon bir yanıt oluşumu sonucu plak oluşumu ile sonuçlanan süreç.

Atım Hacmi (Stroke Volüm): Sağ ve sol ventrikülden bir defada pompalanan kan miktarı.

Atım Hacmi: Sağ ve sol ventrikülden bir defada pompalanan kan miktarı.

atipik hiperplazi: meme dokusunun spesifik bir alanında hücre sayısının anormal artışı.

Atoni: Kas tonusunun tamamen ortadan kalkması.

Atopi: Bazı alerjenlere karşı doğuştan ya da sonradan vücutta gelişen Tip I aşırı duyarlılık reaksiyonu.

Atopi: Sık maruz kalınan çevresel faktörlere karşı aşırı Ig E üretimi ve değişmiş özgün olmayan reaksiyon sonucu, deri ve mükoza bulgularına yol açan kalıtımsal yatkınlık.

Atriyal Fibrilasyon (AF): Atriyumdaki bir çok ektopik odaktan dakikada 450-700 uyaranın çıktığı düzensiz ve hızlı ritim.

Atriyal Flatter: Atriyumlardaki ektopik bir odaktan dakikada 250-450 uyaranın çıktığı düzenli ve hızlı ritim.

Atriyal Taşikardi: Atriyumlardaki ektopik bir odak-/ odaklardan kaynaklanan, en az üç atriyal vurunun dakikada 100'ü aşacak şekilde ardı ardına gelmesi ile oluşan hızlı ritim.

Atriyoventriküler Nodal Re-entran Taşikardi: Atriyoventriküler kavşaktan kaynaklanan ve AV düğümde çift ileti yolu olan hastalarda görülen çok hızlı ve düzenli ritim.

Atrofi: Beslenme yetersizliği, trofik bozukluk ya da bilinmeyen nedenlerle bir organ ya da dokunun normal anatomik yapı ve görünümünü kaybetmesi.

Aura: Özellikle epilepsi hastalarının nöbetin geleceğine ilişkin; halisünasyonlar gibi öncül belirtilerinin olduğu dönem.

AV Kavşak ritim: Sinus ve atriyumların herhangi bir yerinden uyarı çıkmadığı ya da geçiktiği zaman, pasif mekanizma ile kavşaktan peş peşe üç ya da daha fazla kavşak kaçış vurusunun birbirini izlemesi ile ortaya çıkan ritim.

Azotore (Azotorrhea): Dışkı ile fazla miktarda azotlu bileşiğin dışarı atılışı.

B lenfosit: Dolaşımdaki antikorları üreten sıvısal bağışıklıkta rol oynayan hücreler.

Bakteriemi: Dolaşan kanda yaşayan bakterilerin varlığı.

Bakteriüri: İdrarda bakteri bulunması. (İdrarda 100.000/ ml'den fazla bakteri kolonisi olması).

Ballismus: Ekstremitelerin proksimal kaslarının kasılmaıyla oluşan sıçrama tarzında güçlü hareketler.

Balon tamponadı: Kanamayı durdurmak için özofagus içine tüp yerleştirilmesidir.

Barret özofagusu; kronik gastroözofagiyal reflünün bir komplikasyonudur. Çok katlı yassı epitelin yerini endoskopik olarak saptanabilen herhangi bir uzunluktaki kolumnar epitelin alması ve histolojik olarak goblet hücresi ve intestinal metaplazinin varlığını göstermesi.

basit mastektomi: memenin çevresindeki yağ dokusu ve üzerindeki deri ile beraber çıkarılması.

Basit diffüzyon: Maddelerin hücre zarındaki porlar ya da boşluklardan geçmesidir.

Battle belirtisi: Kafa travması sonucu mastoid kemik üzerinde çürük oluşması.

Battle belirtisi: Kafa travması sonucu mastoid kemik üzerinde çürük oluşması.

Bazal hücreli karsinom; Başlangıçta küçük ülser ile başlayıp, inci gibi karakteristik sınıra sahip olup, daha sonra yayılan ve kabuklu yaraya dönüşen dudağın primer ve oral kavitenin sekonder tümörü.

1339

Sözlük

Bazal metabolik hız: Vücutta dinlenme anında oluşan kimyasal reaksiyonlar Siroz: Normal karaciğer dokusunun fibrozla kaplı bir doku şeklini almaıyla ortaya çıkan kronik bir hastalıktır.

Bellek: Hafıza. Kişinin geçmiş deneyim ve bilgileri akılda tutma ve gerektiğinde hartırlama yeteneği.

Benign (selim: iyi huylu) tümörler: Sınırlı bir büyüme potansiyelleri olup, bulundukları bölgede büyüyerek genişlerler ve metastaz yapmazlar.

Benign prostat hipertrofisi (BPH): Prostatın kanser olmaksızın büyümesi.

Beta Blokerler: Sempatik sinir sisteminin beta adrenerjik reseptörlerini etkileyerek kalp hızını, AKB'yi düşürür, AV iletiyi yavaşlatır ve miyokard kontraktilitesini azaltarak miyokardın oksijen istem ve sunumunu dengeleyen ilaçlar.

Beyaz Gömlek Hipertansiyonu/İzole Ofis Hipertansiyonu: Hastane ortamı ya da hekim ofisinde ölçülen kan basıncının yüksek bulunmasına karşın, günün diğer saatlerinde evde ve klinik dışında yapılan ölçümlerin normal bulunması.

Beyin ölümü: Serebral ölüm, geri dönüşümsüz koma. Organik bir hastalık nedeniyle beyin ve beyin sapının harap olması sonucu, beyin ve beyin sapına ait tüm işlevlerin durduğu, solunumun dışarıdan destekle sağlanabildiği, sadece kalp çalışmasının söz konusu olduğu, geriye dönüşümsüz koma tablosu.

bifokal : İki farklı odaktan oluşan, okuma ve uzak düzeltici merceklerin bir arada bulunduğu gözlükler.

Bigemine: Uyarıların bir sinus bir ektopik odaktan çıkması.

Bilateral: İki Yanlı

Bilgilendirilmiş onam: Hastanın cerrahi bir işlem geçirmek için verdiği otonom karar

Bilgisayarlı Tomografi (BT): Karın içi organların ve yapıların farklı, kesitsel görüntülerinin sağlanması.

Billroth I (gastroduodenostomi) ameliyatında midenin antrumunuda kapsayan kısmı çıkarılır kalan kısım duodenuma anastomoz edilir.

Billroth II (gastrojejunostomi) ameliyatında, subtotal gastrektomi yapılır kalan kısım jejunuma anastomoz edilir.

binoküler görme: Her iki göz birlikte kullanıldığı halde beyinde tek bir görüntü oluşturma mekanizmasıdır.

Biot Solunum: Düzensiz solunum tipidir. En sık menenjitte görülür.

Birinci Derece AV Blok: SAD'den çıkan bütün uyarıların ventriküllere gecikerek iletildiği ve PR aralığının 0.20 saniyeden uzun olduğu ritim.

Birinci Kalp Sesi (S): Atriyoventriküler kapakların (mitral ve trikuspid) kapanması ile oluşan ve sistolün başladığını gösteren kalp sesi.

Biyopsi: Doku örneği alınması.

blefaritis: Göz kapaklarının, özellikle kenar bölümlerinin iltihabı.

BMI: Beden kitle indeksi

Bozulmuş açlık glikozu (Impaired Fasting Glucose: IFG): Normal glikoz dengesi ve diyabet arasında metabolik bir evredir. Kendine özgü klinik özellikleri yoktur ancak ileride diyabet ve Kardiyovasküler hastalıklar için risk oluşturur.

Bozulmuş glikoz toleransı (Impaired Glucose Tolerance: IGT): Bozulmuş açlık glikozu değerlerine (100-125mg/dl) yapılan OGTT sonucu kan glikozunun 140-199mg/dl arasında olması.

Bradikardi: Kalbin uyarı hızının dakikada 60'ın altında olması.

Bradikinezi: Genellikle ekstrapiramidal sistem hastalıklarında görülen, hastaların istemli hareketlerinin yavaşlaması durumu.

Bradikinin: Sinir liflerini uyaran ve ağrıya neden olan bir polipeptit.

Bradipne: Solunumun anormal sayıda yavaşlaması, dakikada 10'u altına inmesidir. Beyin kanaması, beyin tümörler, Kafa İçi Basıncın Artması Sendromu (KİBAS), anestezik ve hipnotik ilaç kullanımı sonrası görülür.

Brakiterapi (internal radyasyon): Kapsüllü radyoaktif izotopların vücut boşluklarına ya da doğrudan tümörün içine kalıcı ya da geçici bir süre için, ameliyatla ya da floroskop altında yerleştirilmesidir.

Brakiterapi (internal radyasyon): Kapsüllü radyoaktif izotopların vücut boşluklarına ya da doğrudan tümörün içine kalıcı ya da geçici bir süre için, ameliyatla ya da floroskop altında yerleştirilmesidir.

Brakiterapi: Doğrudan internal implantlarla radyasyon tedavisinin verilmesidir.

BRCA1: 17 numaralı kromozomda bulunan, östrojen reseptör aktivitesini düzenleyen, meme dokusunda proliferasyona neden olan, östrojeni kontrol eden, DNA hasarlarını onaran ve kromatinin yeniden şekillenmesini sağlayan gen.

BRCA2: 17 numaralı kromozomda bulunan, DNAyı onaran ve kromatinin yeniden şekillenmesini sağlayan gen.

Bulbar paralizi: Medulla oblangatanın tutuluşuna bağlı bu bölgedeki kraniyal sinirlerin inerve ettiği kaslarda güçsüzlük.

Bursit: Bursa enflamasyonuna denir.

Candiyazis; Oral kavitenin normal florasında bulunan Candida albicans adı verilen mantarın neden olduğu yanağın iç kısmında, dilde, dişetlerinde görülen "peynir" görüntüsünde lezyonlardır.

Cerrahi hemşireliği: Cerrahi deneyimin başladığı ameliyat öncesi, ameliyat ve ameliyat sonrası evrelerdeki hemşirelik bakımı

Cheyne-Stokes Solunum: Birbirini izleyen apne-hipoventilasyon-hiperventilasyon-apne periyodlarından oluşur. Yaşlılarda, kalp hastalıklarında, morfin kullanımı, hipnotik ilaç zehirlenmeleri, ağır pnömoni ve KİBAS durumlarında görülür.

Chromoscopy; Erken mide kanserlerinin tanısının konması için endoskopiye yardımcı olarak uygulanan boyama yöntemi.

Chvostek belirtisi: Fasiyal sinirin zigomatik dalı üzerine parmak ucuyla küçük darbeler yapılmasıyla ortaya çıkan kas seyirmesidir.

Chvostek bulgusu: Kulağın önüne paratiroit bezin önündeki fasiyal sinir üzerine (zigomatik kemik üzerine) perküsyon çekici veya parmakla vurulursa, yüzün o tarafı kasılır. Ağız, burun ve gözlerin seğirmesi veya kasılmanın nedeni hipokalsemili hastalarda gizli tetanidir.

Cross-match: Çapraz karşılaştırma

Cushing Sendromu: Adrenal korteksten dolaşıma serbest aşırı kortizol verilmesiyle oluşan semptom grubudur. Trunkal obezite, aydede yüz, akne, abdominal strialar ve hipertansiyon oluşumuyla karakterizedir.

Çil: Güneşe açık deri bölgelerinde görülen açık kahverengi maküller.

Çomak Parmak(Clubbing): Kronik hipoksemiye bağlı tırnağın parmak ile yaptığı açının kaybolması.

dakriyosistit: Gözyaşı kesesi iltihabı.

Debritman: Mekanik ya da cerrahi girişimlerle ölü ya da nekrotik dokunun çıkarılması işlemi.

Debritman: Sağlıklı dokuyu çıkarmak için etraftaki ölü doku ve yabancı materyallerin temizlenmesi

Defekasyon: Sindirim ve emilimden sonra geriye kalan atık maddelerin anal yoldan dışarıya atılması

Defibrilasyon: Ventriküler fibrilasyon ve nabızsız ventriküler taşikardiyi sonlandırmak defibrilatör ile acil olarak uygulan direk akım şoku.

Deformite: Şekil bozukluğu.

Değerlendirme: Hastadan ne öğretildiğine ait geri bildirim edinmeyi ve kazanılan bilgiyi, etkili öğrenmenin gerçekten olup olmadığını belirlemek için kullanmayı kapsar.

Dehidratasyon: Vücudun aşırı su kaybetmesi.

Dekalsifikasyon: Kemik dokusundan kalsiyum tuzlarının kaybedildiği patolojik bir durum.

Deliryum: Organik beyin hastalıklarında ortaya çıkan huzursuzluk, taşkınlık, hezeyanlar, dış uyaranlara karşı dikkatini sürdürememe, organize olmamış düşünmeyle karakterize akut, reversibl organik mental durum.

Deliryum: Organik beyin hastalıklarında ortaya çıkan huzursuzluk, taşkınlık, hezeyanlar, dış uyaranlara karşı dikkatini sürdürememe, organize olmamış düşünmeyle karakterize akut, reversibl organik mental durum.

Demand Nabız Jeneratörü: Pacemaker hastanın kendi vurularını algılar ve belirlenen bir zamanda QRS oluşmaz ise pacemaker devreye girerek uyarı vermesi.

Demans: Bellek, yargılama, kısa süreli düşünme, oryantasyon bozukluğu ve kişilik değişikliği gibi entelektüel yetilerin kaybıyla karakterize organik mental sendrom.

Denkleyici Duraklama: Erken vurudan önceki atım ile erken vurudan sonraki atım aralığı toplamının iki normal atım aralığı toplamından kısa olması.

Dermatit: Deride enflamsyon

Dermatoz: Deride herhangi bir anormal durum.

Dermis: Derinin en üst tabaka olan Epidermis'in altındaki tabaka

Diabetes İnsipidus: Vazopresin üretimindeki Yetersizliği sonucuyla oluşan aşırı miktarda idrar çıkarmadır

Diabetes mellitus: insülin sekresyonu, insülin etkisi veya her ikisinin birden bozukluğu sonucu ortaya çıkan hiperglisemiyle karakterize metabolik bir grup hastalıktır.

Diapedez: Nötrofil ve monositlerin endotel hücrelerinin arasından geçerek kapiller duvarını aşıp dokulara geçmesi

Diffüz spazm: Özofagusun motor hastalıklarından olup disfaji, odinofaji ve göğüs ağrısı ile karakterize bir hastalık.

Diffüzyon: Moleküllerin ve iyonların çok yoğunlukta olduğu alandan az yoğunlukta olduğu alana doğru hareketidir.

Dikkat: Dikkat, öğrenenin öğretilen materyale odaklanmasına ve materyali kavramasına izin veren ruh hali.

Dilüsyonel Hiponatremi: SIADH (uygun olmayan ADH salınımı) lı hastalarda aşırı ADH sekresyonuyla ilişkili sıvı retansiyonu sonucu gelişen sodyum eksikliğidir.

Diplopi: Çift görme. Bir objenin görüntüsünün iki obje şeklinde ortaya çıkması.

Diplopi: Değişik nedenlere bağlı (şaşılık ve şaşılık operasyonları, kas felçleri, optik nöropatiler, papilla ödemi, travma ve nörolojik hastalıkları gibi) cisimleri çift görme.

Disfaji: Besin maddelerinin farinksten mideye ulaşıncaya kadar herhangi bir noktada yarattığı takılma hissi.

Disfaji: Besin maddelerinin farinksten mideye ulaşıncaya kadar herhangi bir noktada yarattığı takılma hissi.

Disfaji: Yutma güçlüğü.

Disfoni: Değişik nedenlerle sesin boğuk şekilde çıkması ya da alçak sesle fısıltı şeklinde konuşmayla karakterize bir konuşma bozukluğu.

Diskektomi: Nuklear disk materyalinin çıkartılması.
Diskektomi: Nuklear disk materyalinin çıkartılması.
Diskinezi: İstemsiz hareketler için kullanılan genel bir terim. İstemli hereketlerde bozulmayı ifade eder.
Displazi: Aynı tipteki dokunun diğer hücrelerinden büyüklük, şekil ve diziliş bakımından farklı olarak oluşan garip hücre büyümesidir.
Dispne: Solunumun az ya da zorlukla sürdürülmesi.
Dispne: Zorlu ve güç harcanarak yapılan solunum şeklidir. Egzersiz sırasında oluşursa normal kabul edilebilir.
Disritimi/Aritimi: Kalpteki ritim ve ileti bozuklukları.
Distrofi: Büyümede anormalllik, yanlış gelişme.
Diüretik: İdrar çıkışını artıran maddeler.
Divertikül: Bağırsak duvarının dışarıya doğru kesecik şeklinde çıkmasına denir.
Divertikül; Özofagusun bir ya da birden fazla tabakasının dışa doğru kese şeklinde itilmesidir.
Divertikülit: Divertikül iltihabı.
Divertikülöz: Çok sayıda divertikül bulunma hali.
Diyabetik ketoasidoz (DKA): Tip 1 diyabette insülin eksikliği sonucu ortaya çıkan metabolik bir düzensizliktir. Asidozu ortaya çıkaran keton cisimleri oluşur, genellikle insülin rejimine uyumsuzluk, tekrarlayan hastalık ve enfeksiyonlar sonucu oluşur ve tedavi için genellikle hastaneye yatırmak gerekir.
Diyaliz: Kanın yabancı maddelerden arıtılması amaçlı diyaliz makinesi ile yapılan fizikokimyasal süreçlere dayanan bir yöntem.
Diyare: Feçesin kalın bağırsak boyunca hızlı ilerlemesi sonucu, sık (günde üçden fazla) ve fazla miktarda defekasyon yapma.
Diyare: Sulu, fazla miktarda ve sık defekasyon yapma, ishal.
Diyoptri: Bir optik sistemin kırma gücü.
Dizartri: Merkezi ya da periferik sinir sitemini tutan değişik hastalıklarda, konuşmayı sağlayan kasların çalışması ya da kontrolündeki bozukluklar nedeniyle ortaya çıkan konuşma bozuklukları.
Dizüri: Ağrılı ve güç idrar yapma.
Doğumda beklenen yaşam süresi: Doğumdan itibaren beklenen ortalama yaşam süresi.
Dokuzlar kuralı: Yanık alanının hesaplanmasında vücudun dokuzar dilimlere bölünerek hesaplanması
Dönor: Verici kan ve kan ürünleri, organ veya doku vericisi
Dördüncü Kalp Sesi (S): Ventriküllerin geç doluş döneminde oluşan ilave kalp sesi.
Duktal karsinoma: meme kanallarındaki epitel dokudan kaynaklanan kanser.
Dumping sendromu; Mide ameliyatlarından sıklıkla Billroth II ameliyatından sonra pilorun kesilmesi ya da by pass edilmesi sonucunda mide içeriğinin jejunuma hızlı, sürekli ve kontrolsüz boşalmasıdır.
Dwarfizm: Çocukluk sırasında büyüme hormonunda veya beraberinde diğer hormonlarda azalma vardır. Orantılı bir küçüklük söz konusudur.
Ejeksiyon Fraksiyonu: Sol ventrikülün sistol sırasındaki hacminin diyastol sonundaki hacmine oranıdır. Normal değeri, %50-70'tir.
Ejeksiyon Fraksiyonu: Sol ventrikülün sistol sırasındaki hacminin diyastol sonundaki hacmine oranıdır. Normal değeri, %50-70'tir.
Ekimoz: Deri ve mkozlarda geniş alnları kaplayan kırmızı ya da mor renkli maküler lezyonlar.
Ekokardiyografi: Yüksek frekanslı ses dalgalarının göğüs duvarından kalbe gönderilmesi ve bu dalgaların geri dönmesi sırasında oluşan görüntünün kaydedilmesi yöntemi.
Eksizyon: Dokunun cerrahi olarak çıkarılması
Ekspansiv Gelişme: Tümörün bütünü ile büyümesidir. Benign tümörler sadece ekspansiv olarak gelişirler.
Ekstra sellüler sıvı: Hücre dışı sıvı.
Ekstradural tümörler: Epidural dokudan ve vertebradan kaynaklanan spinal tümörler.
Ekstradural tümörler: Epidural dokudan ve vertebradan kaynaklanan spinal tümörler.
Ektopik Odak: Sinoatriyal düğüm dışında uyarı üreten odak.
Ektropion: Göz kapaklarının serbest kenarlarının dış tarafa kıvrılmaları.
Ekzantrasyon: Göz kapakları ile birlikte orbitadaki tüm yumuşak dokuların çıkarılması.
Ekzoftalmi: Genellikle hipertiroitizm nedeniyle bir veya iki göz küresinin anormal olarak dışarıya çıkmasıdır.
Ekzokrin: Eksternal bir kanal yoluyla hormonların salgılanmasıdır.
Elektrofizyolojik Çalışma: Kalbin elektriksel aktivitesinin değerlendirilmesi için perkütan girişimsel tekniklerle kalbin değişik yerlerine yerleştirilen elektrodlar aracılığıyla EKG kaydı alınıp ileti sistemin haritasının çıkarılması için kullanılan invazif yöntem.
Elektrokardiyograf: Kalpten vücut yüzeyine ulaşan ve bir amplifikatör ile güçlendirilen elektrik akımının iki ayrı elektrod arasındaki potansiyel farkının kaydedilmesi sağlayan alet.
Elektrokardiyografi: Kalpten vücut yüzeyine ulaşan ve bir amplifikatör ile güçlendirilen elektrik akımının iki ayrı elektrod arasındaki potansiyel farkının kaydedilmesi yöntemi.
ELISA (enzyme-linked immünuosorbent assay): Kan ya da tükürükte HIV antikorlarının arandığı tanı testi.
Emetropi: Gözde kırma kusurunun olmaması(normal görme).

Sözlük

Emilim (absorbsiyon): Sindirim işleminin bir fazı olup, su, vitamin, mineral gibi küçük moleküllerin ince ve kalın barsak duvarından kana geçmesi.

Endokard: Kalbin en iç tabakası.

Endokrin: Hormon salgılayan bezin sekresyonunu doğrudan kana vermesidir.

Endoskopik işlemler: Fiberoptik cihazlarla görüntü veren, tanı ve tedavi amacıyla kullanılan işlemlerdir. Sindirim sistemini değerlendirmek için kullanılan endoskopik yöntemler; Fibroskopi/özofagogastroduodenoskopi, anoskopi, proktoskopi, sigmoidoskopi, kolonoskopi ve ince barsak enteroskopisi.

Engrafman: Kök hücrelerinin kemik iliğinde gelişip yeni kan hücreleri oluşturması

Enteral beslenme; Normal ya da normale yakın çalışan gastrointestinal sistem (GİS) aracılığı ile beslenme desteğinin sağlanmasına denir.

Enükleasyon: Göz küresinin optik sinirle birlikte cerrahi olarak tamamen çıkarılması.

Epandimoma: Genellikle ventrikül içine yerleşen beyin tümörü.

Epidermis: Cildin en üst tabakası

Epididimit: Üriner sistemin ya da prostatın enfeksiyonuna bağlı gelişen epididim enfeksiyonu.

Epidural hematomlar, ekstradural hematom alarak da adlandırılır. Kafatası kırığı ile birlikte %10 oranında şiddetli kafa travması sonrası, kafatası ile duramater arasında görülür.

Epidural hematomlar, ekstradural hematom alarak da adlandırılır. Kafatası kırığı ile birlikte %10 oranında şiddetli kafa travması sonrası, kafatası ile duramater arasında görülür.

Erektil disfonksiyon: Empotans olarak da adlandırılan penisin yeterli ereksiyonunun olmaması durumu.

Eritem: Kapiller dilatasyona bağlı deride meydana gelen kızarıklık.

Eritema Nodozum: Histopatolojik olarak septal pannikülittir. Özellikle tibia ön yüzünde yerleşir. Deri altında 0.5-2cm boyutlarında ağrılı, sert, üzeri kızarık ve sıcak nodüller şeklinde kendini gösterir.

Eritroplaki; Kırmızı, kadife görünümlü, sukuamöz hücreli karsinomun erken evresinde görülen lezyondur.

Eritropoetin: Kemik iliğinde kırmızı kan hücrelerinin yapımın düzenleyen, böbreklerde özelleşmiş hücreler tarfından sentez edilen glikoprotein yapısındaki hormon.

Eritropoietin: Eritrosit üretimini uyaran hormon

Eritrosit (Red Blood Cells = RBCs): Kırmızı kan hücresi

fonasyon: sesinin oluşması

Eskar: Yanığa bağlı oluşan doku hasarı

Eskarotomi: Tam kalınlıktaki doku yarıklarında derin fasyaları içerecek biçimde bistüri ile ekstremitelerin yan ve orta kenarlarından kesilmesi

Eşlenme Aralığı (coupling invertal): Bir erken vurunun ardından gelen normal vuru ile arasındaki mesafe.

Eviserasyon: Beden içindeki organın insizyon yerinden dışarı çıkmasıdır.

Evisserasyon: Sklera bırakılarak tüm gözün çıkarılması.

Fagositoz: Mikroorganizma ya da hücre parçalarını içine alarak yok etmek.

Fakoemülsifikasyon: Kataraktlı göz merceğinin ultrasonik dalgalarla parçalanarak çıkarılması şeklinde yapılan katarakt ameliyatı tekniği.

Fasyatomi: Artmış kompartman içi basıncını düşürmek amacıyla fasyanın cerrahi olarak kesilmesi işlemi

Fekal inkontinans: Feçesin rektumdan istemsiz çıkışı

Fekal: Feçes (dışkı) ile ilgili

Feokromasitoma: adrenal medullada lokalize olan genellikle iyi huylu tümördür. Hipertansiyon, ciddi baş ağrısı, aşırı terleme, görme bulanıklığı, anksiyete ve bulantıya neden olan katekoleminlerin sekresyonuyla karakterizedir.

Fetor hepatikus: Nefeste amonyak kokusu

Fibrinolizis: Fibrin pıhtısını çözen fizyolojik mekanizma

Fibroskopi: Fiberskop adı verilen fiberoptik lensli, esnek bir alet ile yapılır. Üst sindirim sistemi fibroskopisi ile özofagus, mide ve duodenum mukozası değerlendirilir.

Filtrasyon basıncı: Hidrostatik ve kolloid osmotik basınç arasındaki farktır.

Fleb: Aynı birey üzerinde alınan parçanın dolaşımı bozulmaksızın alıcı yatağa yerleştirilmesi

Fonofobi: Gürültüden ya da yüksek sesten korkma.

Fotofobi: Gözlerin ışığa karşı aşırı duyarlı olması durumu.

Fotofobi: Işıktan ya da aydınlıktan rahatsız olma.

Friksiyon: İki yüzeyin bir birine karşı sürtünme hareketi.

Fulminan karaciğer Yetersizliği: karaciğer fonksiyonlarında ortaya çıkan ani ve aşırı bozukluk

Furonkül: Kıl follikülünden köken alan enfeksiyon.

Ganglioglioma: Genelde nadir görülen ve serebral hemisferlerde, özellikle temporal lobda yerleşme eğiliminde olan mikst/karışık hücresel yapıya sahip beyin tümörü

Ganglioglioma: Genelde nadir görülen ve serebral hemisferlerde, özellikle temporal lobda yerleşme eğiliminde olan mikst/karışık hücresel yapıya sahip beyin tümörü

Gangliyon: Eklem çevresinde kapsül ile çevrili yumuşak jöle kıvamında madde içeren benin kitle

Gastrik: Mide

Sözlük

Gastrit: Mide mukozasının inflamasyonu

Gastroözofagiyal reflü hastalığı (GÖRH); Özofagusta reflüye neden olan sendrom.

Gastroözofagiyal reflü; mide içeriğinin özofagusa geri dönmesidir.

Geriatri: Yaşlılık devresi, bu devrede meydana gelen değişiklikler, yaşlılığa bağlı sorun ve hastalıkların tedavisi ile ilgili tıp dalı, yaşlılık bilimi.

Geriatrik: Yaşlının bakım ve tedavisi ile ilgili.

Gerontolji/geriatri hemşireliği: Yaşlının tüm bakım kurumlarında değerlendirme, tanılama, planlama, uygulama ve sonuçların değerlendirmesinin yapıldığı hemşirelik alanı.

Gerontoloji: Yaşlı birey ve çevresinin biyolojik, psikolojik ve sosyolojik olarak birlikte değerlendirildiği bilim dalı.

Glikozillenmiş hemoglobin (HbA1c): Glikoz hemoglobinin yaşam süresince (120 gün) üzerinde taşındığından kan glikozunun daha uzun süreli kontrol edilmesini sağlar. Diyabet tedavisini amacı glikozillenmiş hemoglobinin (HbA1c) diyabetli olmayan bireylerle aynı, normal ya da normale yakın seviyelerde tutulmasıdır.

Glikozüri: İdrada glukoz miktarının artması.

Globülinüri: ?drarda glob?lin bulunmas?.

Glokom: Göz içi basıncının(GİB) yükselmesi ve periferik görme alanında ilerleyici kayıplar ile karakterli bir hastalıktır.

Glucose SMBG: Bir glukometre aracılığı ile hastanın parmağından alınan bir damla kan ile yapılan kapiller kan glikoz testi yöntemidir.

Glukokortikoidler: Adrenal kortekste ACTH' ya yanıt olarak üretilen kortizol, kortizon ve kortikosteron gibi steroid hormonlardır. Karaciğerden glikojen yapımını arttırır ve kan glikozunun yükselmesini sağlar.

Gluten intoleransı: Buğday, arpa, çavdar ve yulaf unu gluten içerir. Bu unlardan yapılmış ürünlere karşı reaksiyon olması (Çöliak hastalığı)

Göreli Refrakter Dönem: Miyokardın aksiyon potansiyeli oluşumu sırasında, faz 3'ün eşik potansiyelinin 65-90 dolaylarına eriştiği ve kuvvetli bir uyarıya miyokard hücresinin yanıt verebildiği dönem.

Görme keskinliği: Gözün uzak ve yakını görme yeteneğinin ölçülmesidir.

Graft: 1.Bir yerden alınarak bir başka yere eklenen canlı doku parçası. 2.Bir yerden alınan canlı doku parçasını vücudun diğer tarafına eklemek.

Graves hastalığı: Diffuz guatr ve ekzoftalmiyle karakterize olan hipertiroitidir.

Greft: Vücutta herhangi bir defekte konmak üzere vücuttan tüm bağlantısı kesilerek alınan doku parçası

Guatr: Tiroid bezinin büyümesidir. Genellikle diyette iyot eksikliği nedeniyle oluşur.

Günübirlik cerrahi: Hastaların ameliyat olacakları gün içinde hastaneye kabul ve taburcu edildikleri 23 saati kapsayan cerrahi

Halisünasyon: Olamayan bir duyunun algılanması.

Halitozis: Ağız kokusu

Halo ceket: Spinal kord yaralanmalarında hastanın erken dönemde hareketini sağlayabilmek amacıyla uygulanan cihaz.

Halo ceket: Spinal kord yaralanmalarında hastanın erken dönemde hareketini sağlayabilmek amacıyla uygulanan cihaz.

Hapten: Antikorla birleşebilen ancak vücutta antikor yapımını uyarma niteliği taşımayan madde.

Hasta Eğitimi: Sağlığı iyileştirmek amacıyla hasta davranışlarını etkileyerek bilgi, beceri ve tavırlarını değiştirmek.

Haşimota Hastalığı: Genellikle kronik lenfositik tiroititis ya da otoimmün tiroititis olarak da bilinir. Antimikrosomal antikorların yüksek seviyede olmalarıyla karakterize tiroititistir.

Hazımsızlık: Üst karın bölgesinde hissedilen rahatsızlık veya yemekle birlikte olan bir rahatsızlık

Hemanjiyom: Arteriyel ve venöz sistemler

Hematemez: Üst sindirim sistemi kanamalarında, kahve telvesi şeklinde kanın kusulması

Hematemez: Üst sindirim sistemi kanamalarında, sindirilmemiş kan kusma

Hematokesya: Rektal ve anal kanamalarda kanın feçes içinde değil çevresinde bulunması.

Hematopoez: Kan yapımı

Hematüri: İdrarda kan bulunması.

Hemiparezi: Bir vücut yarısında , özellikle kol ve bacakta güç azalması ve bunun sonucu o tarfata istemli hareketlerin azalması durumu.

Hemipleji: Bir vücut yarısında, özellikle kol ve bacakta felç oluşması.

Hemodinamik Monitorizasyon: Özel kateterler aracılığı ile kan damarları ve kalp bölümlerinde oluşan basınçların, sıvı dolu tüpler yolu ile basınca duyarlı transduserlere yansıtılarak düşük voltajlı elektrik sinyallerine çevrilmesi ve monitör aracılığı ile izlenmesi.

Hemoglobinüri: İdrarda serbest hemoglobin bulunması.

Hemoliz: Eritrositlerin retiküloendoteliel sistemde veya kan damarlarında ki erken yıkımıdır.

Hemoptizi: Akciğerlerden kan gelmesidir.

Hemoraji: Kanama.

Hemoroid: Anüs çevresinde genişlemiş venlerin meydana getirdiği meme şeklinde oluşum, basur.

Sözlük

Hemostaz: Hasara uğramış kan damarlarının duvarlarında pıhtı oluşumu ve kan kaybının önlenmesi işlemi

Hemotoraks: Plevra boşluğu içinde kan birikmesi

Hepatik ensefalopati: Karaciğer koması

Herpes simpleks stomatit; Herpes simpleks virüsünün neden olduğu yangı ve ülserasyondur.

Heterogreft (xenogreft): Bir hayvan kalp kapağı dokusundan yapılan kalp kapak replasmanı

Heterotopik transplantasyon: Alıcının kalbinin yerinde bırakıldığı ve vericinin kalbinin onun sağ ve önüne greft yapıldığı işlem; hastanın iki kalbi vardır.

Hızlanmış AV Kavşak ritim (Paroksismal Olmayan AV Lead: Elektriksel uyarıyı nabız jeneratöründen kalbe taşıyan ve kardiyak depolarizasyonu algılayan yalıtılmış tel.

Hızlanmış İdyoventriküler ritim: Üstteki odaklardan uyarı çıkmadığı durumlarda ventriküllerin herhangi bir yerinden kaçak olarak çıkan ritim.

Hiatal herni (diyafragmatik herni); Kardiyak sfinkterin genişleyerek midenin torasik boşluğa/kaviteye doğru itilmesidir.

Hidrofilik: Nemi emen madde.

Hidronefroz: İdrar birikimi nedeniyle böbrek pelvisinin genişlemesi.

Hidrostatik basınç: Kapillerdeki kan hücrelerinin ve plazmanın basıncıdır. Sıvıyı damar dışına iten güçtür.

Higroskobik: Havadaki nemi emen madde.

Hill ameliyatı; Özefagus anteriorundaki doku ve frenik ligamanın preaortik fasyaya ve median arkuat ligamana tespit edilerek yapılan ameliyat.

Hiperestezi: Hastanın, uyarıları olduğundan daha şiddetli algılaması.

Hiperglisemi: Kan glikoz seviyesinin açlıkta 110mg/dl (6.1mmol/L) yemekten 2 saat sonra 140mg/dl (7.8mmol/L) üzerine çıkmasıdır.

Hiperglisemik hiperozmolar nonketotik sendrom (HHNS): Tip 2 diyabetlilerde tekrarlayan hastalıkların poliüri ve ciddi dehidratasyona bağlı insülin gereksinimini arttırmasıyla oluşan rölatif insülin eksikliği sonucu ortaya çıkan metabolik bir bozukluktur.

Hiperkapni: Kanda aşırı miktarda karbondioksit birikmesi.

Hipermetropi: Kornea ve mercekte kırılan ışınların izafi olarak retina üzerinde görme merkezine değil de daha ilerde bir yere odaklanmasıyla gözün yakını net görememesi.

Hiperplazi: Hücrelerin sayıca artmasıdır.

Hiperplazi: Yeni hücre sayısındaki artışa denir.

Hiperpne: Solunum derinliğinin artması.

Hipersensitivite: Bir uyarana ya da alerjene karşı aşırı duyarlılık gösterme.

Hipertansiyon: Sistolik kan basıncının 140, diyastolik kan basıncının 90 mmHg ve üzerinde bulunması ya da kişinin antihipertansif ilaç kullanıyor olması.

Hipertoni: Kas tonusunda artma.

Hipertrofi: Hücrelerin boyutlarının büyümesidir.

Hipertrofik skar: Kişilerde derinin travmaya karşı aşırı doku reaksiyonu şeklinde gelişen benin fibröz büyümeler

Hipervolemi: Hücre dışı sıvı volümünün artmasına bağlı olarak gelişen durum

Hipofiz Adenomu: Hipofiz bezi ön yüzünde veya III. ventrikül içine genişleyen iyi huylu, küçük, kapsülsüz tümörlerdir.

Hipofiz Adenomu: Hipofiz bezi ön yüzünde veya III. ventrikül içine genişleyen iyi huylu, küçük, kapsülsüz tümörlerdir.

Hipofizektomi: Hipofiz bezinin bir kısmının ya da tamamının cerrahi olarak çıkarılmasıdır.

Hipoglisemi: Kan glikoz seviyesinin 60mg/dl (2.7mmol/L) nin altına inmesidir.

Hipoksemi: Arter kanında gerçek oksijen miktarında azalma

Hipoksi: Hücre fonksiyonları için yetersiz oksijen sağlanması

Hipovolemi: Dolaşımdaki etkin sıvı volümünün azalmasıyla ortaya çıkan bozukluktur.

Hiptoni: Kas tonusunda azalma.

Histamin: alerjik reaksiyonlarda salgılanan madde.

HLA: Human lökosit antijenleri

Homan Bulgusu: Bacak dizden hafifçe kıvrılıp, ayak dorsifleksiyon pozisyonuna getirildiğinde baldırda ağrı olması.

Homeostazis: Tüm yaşam olaylarına ve çeşitli faktörlere rağmen iç ortamın dengede ve değişmez tutulması olgusudur.

Homolog: Birbirine benzeyen.

Hormonlar: Bir organ veya vücudun bir parçasında üretilen, kan yoluyla diğer hücre ya da organlara taşınan ve özel düzenleyici etkileri olan kimyasal transmiter maddelerdir. Örneğin hipofiz tiroit bezleri gibi endokrin bezler tarafından üretilirler.

Hospis: Terminal dönemdeki hastalara bakım veren kurumdur.

Hospis: terminal hastaların bakım verildiği kurumlar

İdrar sedimenti: İdrarın santrifüje edilmesi sonucu dibe çöken madde kümesi.

İdyoventriküler ritim: SAD veya AV kavşaktan uyaran çıkmadığı zaman, ventriküllerdeki herhangi bir odaktan pasif olarak üç ya da daha fazla ventriküler kaçak vurunun ard arda gelmesi ile ortaya çıkan yavaş ritim.

İkinci Derece AV Blok Tip 1/Mobitz 1/ Wenckebach: PR aralığının normal veya uzun başlayıp, giderek uzadığı, sonunda P dalgasından sonraki QRS kompleksinin düştüğü blok tipi.

İkinci Derece Tip 2 AV Blok/Mobitz 2: PR aralığının normal veya uzun olarak başladığı ve değişmediği, ancak bazı P dalgalarının düzenli ya da düzensiz olarak ventriküllere iletilmediği blok tipi.

İkinci Kalp Sesi (S): Aort ve pulmoner kapağın kapanması ile oluşan ve diyastolün başladığını gösteren kalp sesi.

İleostomi: İleumun karın duvarına ağızlaştırılması.

İmmün: 1.Enfeksiyona karşı korunmuş. 2.Bağışıklık sistemi ve bağışık yanıtla ilgili.

İmmünglobulin: Antikor olarak görev yapan glikoproteinler.

İmmünite: Bağışık olma durumu;bağışıklık.

İmmünoterapi: Aktif ve pasif bağışıklama, hiposensitizasyon.

İmplant: Doku genişletici bir protez yardımıyla 26 ay içinde genişletildikten sonra silikon ya da serum fizyolojik içeren ikinci ve son protez yerleştirilmesi

İnervasyon: Belirli bir organ ya da bölgenin sinir siteminin organizasyonu.

İnfiltrate: Bir yapıya küçük deliklerden girme; dokulara geçen madde.

İnfiltratif Gelişme: Motilite, fagosiztoz, preteolitik enzim salgılama özelliklerine sahip olan kanser hücrelerinin doku aralıklarına ilerlemesidir. Malign tümör hücreleri hem ekspansiv hem de infiltratif olarak gelişir.

İnkontinans: Dışkı veya idrarın tutulamaması, istemsiz olarak yapılması

İnme: Bir beyin damarının tıkanması ya da kanaması nedeniyle ani olarak vücudun bir yarısı ya da bölümünde işlev bozukluğu ya da felç gelişmesi.

İnsitu: Sınırlı evre

İnsülin: Pankreasın Langerhans adacıklarının beta hücreleri tarafından salgılanan bir hormondur. Karbonhidrat, yağların metabolizması için gerekir ve insülin eksikliğinde diyabet oluşur.

İnterferon: Hücrenin viral enfeksiyonlara karşı koruyucu olmasını sağlayan hücrede viral RNA'yı ve proteinlerin sentezini önleyen glikoprotein yapısında bir madde.

interstisyel sıvı: Hücrelerarası sıvı.

İntradermal: Deride, deriye uygulanan, deri yoluyla verilen ilaç.

İntradural, ekstramedüller tümörler: Sinir kökleri ve leptomeninkslerden köken alan spinal tümörler.

İntradural, ekstramedüller tümörler: Sinir kökleri ve leptomeninkslerden köken alan spinal tümörler.

İntralezyonel: Lezyon içine direky ilaç ya da madde enjeksiyonu

İntramedüller tümörler: Omuriliğin nöral, nöroglial veya nörovasküler dokularından köken alan spinal tümörler.

İntramedüller tümörler: Omuriliğin nöral, nöroglial veya nörovasküler dokularından köken alan spinal tümörler.

İntrasellüler sıvı: Hücre içi sıvı.

İntraserebral hematom: Doğrudan beyin içinde kanama meydana gelmesi.

İntraserebral hematom: Doğrudan beyin içinde kanama meydana gelmesi.

İntrensek faktör: Mide mukozasından salgılanır ve vitamin B12' nin emilimini sağlar.

İrritable bağırsak sendromu (İBS): Bağırsak alışkanlıklarında değişiklik ve karın ağrısı ile karakterize bir sindirim sistemi hastalığı.

İskemi: Bir dokudaki beslenme bozukluğu.

İskemi: çoğunlukla aterom plağının ya da başka faktörlerin damar lümenini daraltması sonucu, arter kan akımının sekteye uğramasıyla, ilgili damarın kanlandırdığı bölgede oluşan beslenme bozukluğudur.

İzokori: Pupilların çaplarının bir birine eşit olması.

İzole Sistolik Hipertansiyon: Sistolik kan basıncının 160 mm Hg ya da daha fazla olmasına karşın diyastolik kan basıncının 90 mmHg'nın altında olması.

İzostenüri: İdrar yoğunluğunun plazmayala eşit, 1010 civarında olması.

Jigantizm: Büyüme hormonunun fazla salgılanmasının aşırı anabolik etkisi sonucu vücutta fiziksel değişiklikler ve aşırı boy uzamasıdır.

Jinekomasti (gynecomastia): erkekte, memenin kadın memesinde olduğu gibi şekil ve boyut yönünden büyümesine denir.

Jinekomasti: Memelerin büyümesi

Jukstaglomerüler: Böbrek glomerüllerine yakın ya da bitişik.

Kadrigamine: Uyarıların üç sinus bir ektopik odaktan çıkması.

Kallus: Fizk, basınç, sürtünme gibi travmalar sonucunda epidermisin korneum tabakasında lokalize kalınlaşma , hiperkeratoz gelişimi.Nasır.

Kalp Debisi (output): Sağ ve sol ventrikülden bir dakikada pompalanan kan miktarı. Atım hacmi ile dakikadaki atım sayısının çarpımı ile bulunur. Normal değeri, 4-8 L/dk.

Kalp Debisi: Sağ ve sol ventrikülden bir dakikada pompalanan kan miktarı. Atım hacmi ile dakikadaki atım sayısının çarpımı ile bulunur. Normal değeri, 4-8 L/dk.

Sözlük

Kalp devinimi (siklusu): Bir kalp vurusu sonucu, ardı sıra gelişen elektriksel ve mekanik olayların tümü.

Kalp Kateterizasyonu: Kalp hastalıklarının tanı ve tedavisi amacı ile arter ya da ven yoluyla kalbe gönderilen bir kateter ile kontrast madde verilerek kalp odacıkları, basınçları ve koroner arterlerin floroskop altında görüntülenmesi için kullanılan invazif yöntem.

Kalp Tamponadı: Seröz perikardın pariyetal ve viseral tabakaları arasında tolere edilemeyecek kadar sıvı ve kan birikmesi sonucu ortaya çıkan acil durum.

Kalsemi: Kandaki kalsiyum miktarı.

Kalsitonin: Tiroid bezinin parafolliküler hücrelerinden salgılanır ve kalsiyum regülasyonuna katılır.

Kalsiyum Kanal Blokerleri: Miyokard hücresinin depolarizasyonu sırasında hücre membranından kalsiyum girişini engelleyerek koroner arter düz kaslarını gevşeterek dilatasyon oluştururan,AV iletiyi yavaşlatarak kalp hızını ve periferik arterlerde dilatasyon yaparak önyükü azaltan ilaçlar.

Kanser: Latince "cancer" Yunanca "corcinos" sözcüklerinden gelen "kanser" yengeç anlamına gelmektedir. Kanser epitelyum kökenli malign(kötü huylu: habis) tümörlere (urlara) verilen addır.

Kantus: Üst göz kapağı iç ve dış köşesinde yer alan deri kıvrımları arasındaki açı.

Kapak replasmanı: Yetersizlik gösteren kalp kapağının yerine suni kapak yerleştirme; kapak değiştirme.

Kararlı Angina Pektoris: Aktivite ve egzersiz gibi miyokardın oksijen tüketiminin arttığı durumlarda daralmış olan koroner arter, miyokardın gereksinimini karşılamak üzere kan akımını arttıramadığı durumlarda ortaya çıkan göğüs ağrısı.

Kararsız Angina Pektoris: Günlük yaşam aktivitelerini kısıtlayan, bir iki sokak yürümekle ya da bir kat merdiven çıkmakla ya da istirahat halinde bile ortaya çıkan, yaklaşık iki aylık ağrı epizoduna göre sıklığı ve şiddeti artmış, dinlenme ya da dil altı nitrogliserin kullanımı ile geçmeyen göğüs ağrısı.

Kardiyojenik Şok: Ciddi sol ventrikül pompa yetersizliğine bağlı olarak gelişen ağır doku hipoperfüzyonu.

kardiyojenik şok: Kardiyak outputun yeterli doku perfüzyonu sağlayamadığı durumlarda gelişen şık tipi.

Kardiyomiyopati: Kalp kası hastalığı.

Karın germe (Abdominoplasti): Karın bölgesindeki kilo vermeye dirençli fazla yağ ve derinin cerrahi olarak alınıp kasların gerginleştirilmesi ve karın duvarının yeniden

Karsinogenezis: malign hücreler içinde normal hücreye dönme süreci

Katyonlar: Pozitif yüklü iyonlar.

Kavşak Taşikardisi): AV kavşağın herhangi bir yerinden kaynaklanan 60-130/dk hızında düzenli ritim.

Keloid: yara iyileşmesinin aşırı fibröz doku ile sonlanmsına bağlı serti hipertrofik skarlar.

Kemotaksi: Kanda pasif olarak dolaşan nötrofillerin Enfeksiyon bölgesine doğru çekilmesi

Kemoterapi: Tümör hücrelerini öldürmek için kullanılan ilaçlar

Kendi kendine meme muayenesi (KKMM): bir kadının memesindeki oluşumları veya değişimleri kontrol etmek için kullandığı yötem.

Keratin: Saç, tırnak ve derinin başlıca proteini.

Keratolitik: Keratini eriten, derinin boynuzsu tabakasında deskuamasyon ve yumuşamaya yol açan maddeler.

Kesin Refrakter Dönem: Miyokard hücresinin faz 0, faz 1, faz 2 ve faz 3'ün bir bölümünde eşik potansiyel değere ulaşmadığı için uyarılamadığı dönem.

Keton: İnsülin yokluğunda karaciğerin serbest yağ asitlerini parçaladığı zaman oluşan asidik maddelerdir. Sonuçta diyabetik ketoasidoza yol açarlar.

Ketonüri: İdrarda keton cisimlerinin bulunması.

kimozis: Konjonktivanın ödemi.

Klirens: temizleme, temizlenme.Bir maddenin böbrek aracılığıyla kandan temizlenmesi.

Klonus: Bir kas ya da kas grubunda istem dışı kasılma ve gevşeme hareketlerinin bir biri ardına olmasıyla ortaya çıkan bulgu.

Koagülasyon:

Kolaylaştırılmış diffüzyon: Maddelerin taşıyıcı bir proteine bağlanarak hücre zarından geçmesidir.

Kolloid osmotik basınç: Plazma proteinlerinin yarattığı basınçtır. Sıvıyı damar içinde tutmaya çalışan güçtür.

Kolostomi: Kolonun karın duvarına ağızlaştırılması.

Koma: Her türlü uyarana karşılık hiçbir motor yanıtın alınamadığı, yalnızca bazı reflekslerin alınabildiği uyanıklık hali.

Kombine kemoterapi: kemoterapinin tek bir ilaç yerine birden fazla ilaçla yapılmasıdır.

Komisürotomi: Yapışmış kalp kapak yaprakçıklarını ayrılması.

Kompleman: Antijen antikor kompleksi ile birleşerek bakterilerin erimesine yol açan ve serumunda bulunan vücut bağışıklık mekanizmasında önemli rol oynayan madde.

Konfüzyon: Kişide düşüncülerin birbirine karışması nedeniyle zeka ve algılama güçlüğü çekmesiyle karakterize durum.

Konfüzyon: Kişinin uyanık olmasına karşın;oryantasyon, bellek, dikkat ve diğer bazı işlevlerinin bozulmasıyla karakterize tablo.

Sözlük

Konküzyon/kommozyo serebri (beyin sarsıntısı): Kafa travması sonucu meydana gelen hafif ve geçici fizyolojik serebral fonksiyon bozukluğudur.

Konstipasyon: Feçesin kalın bağırsaklarda yavaş ilerlemesi ve düzensiz dışkılama alışkanlığı, kabızlık.

Konstipasyon: Feçesin kalın barsaklarda yavaş ilerlemesi ve düzensiz dışkılama alışkanlığı, kabızlık

Kontinent ileostomi (rezervuar ileostomi, Kock pouch): Bağırsak içeriğinin sızıntısını ve devamlı torba kullanılmasını önlemek için geliştirilmiş bir yöntemdir. Distal ileumda rezervuar meydana getirilip, bir kapak sistemi yapılarak sıvıların karın duvarına sızması önlenir. Rezervuar günde birkaç kere stomadan sokulan kateter ile boşaltılır.

Kontraktür: Yanık ve doku kaybına neden olan yaraların iyileşmesi ile o bölgenin ileri derecede büzüşmesi Terimler

Kontr-kup: Kafa travmalarında darbenin ulaştığı noktanın karşı tarafında yaralanma.

Kontr-kup: Kafa travmalarında darbenin ulaştığı noktanın karşı tarafında yaralanma.

Kontüzyon/kontüzyo serebri (ezilme): Travmanın beyin dokusunun devamlılığını bozmadan hücresel yapı bozukluğuna neden olması.

Kontüzyon/kontüzyo serebri (ezilme): Travmanın beyin dokusunun devamlılığını bozmadan hücresel yapı bozukluğuna neden olması.

Konverjans: Yakındaki objeyi odaklayabilmek amacıyla göz kürelerinin yavaşça içe doğru dönerek her iki görüntünün retina üzerinde aynı noktalara düşmesi.

Kordoplasti: Atriyo ventriküler kapak yaprakçıklarının serbest kenarlarını papiller kaslara bağlayan liflerin onarılması.

Kore: Değişik ekstrapiramidal sistem hastalıklarında görülen, çoğunlukla ekstremiteleri tutmakla birlikte gövde, yüzün mimik kasları ya da dili de tutabilen, kısa süreli, ani ve sıçrayıcı özellikte istemsiz hareketler.

Kortikosteroidler: Adrenal korteksten üretilen veya sentetik olarak dışarıdan verilen hormonlardır. Aynı zamanda adrenal-kortikal hormonlar ve adrenakortikosteroidler olarak isimlendirilirler; glikokortikoid, mineralokortikoid ve androjenleri içerirler.

Kraniektomi: Kraniumun bir kısmının çıkarılması işlemidir.

Kraniektomi: Kraniumun bir kısmının çıkarılması işlemidir.

Kraniofarangioma: İntraaraknoidal, ekstrapramidal (ekstara-aksiyal) tümörlerdir.

Kraniofarangioma: İntraaraknoidal, ekstrapramidal (ekstaraaksiyal) tümörlerdir.

Kraniyotomi; Kafatasının cerrahi girişimle açılması işlemidir.

Kraniyotomi; Kafatasının cerrahi girişimle açılması işlemidir.

Kreatinin Kinaz: Beyin, miyokard, iskelet kası ve az miktarda düz kaslarda bulunan hücre içi enzimi.

Kreatinin: Kas metabolizmasının ürünü.

Kretenizm: Konjenital hipotiroitizmin bir sonucu olarak yaşamın ilk yılında görülen büyüme geriliğidir.

Kriptorşidizm: Testislerin skrotuma inmemesi ile karakterize doğumsal defekt.

Kristalüri: İdrarda kalsiyum okzalat ve kalsiyum pirofosfat gibi kristallerin bol miktarda bulunması.

Kronik durumlar: Genellikle yavaş yavaş nadiren de ani olarak gelişen uzun dönem bakım geeketiren, tıbbi nedenlerle ya da semptomlarla ilişkili sağlık sorunlarıdır.

Kuadripleji(Tetrapleji): Dört ekstremiteyi birden tutan felç durumu.

Kup: Kafa travmalarında darbenin geldiği noktanın hemen altında yer alan yaralanma.

Kup: Kafa travmalarında darbenin geldiği noktanın hemen altında yer alan yaralanma.

Kussmaul Solunum: Birbirine eşit, derin inspirasyon, ekspirasyon hareketlerinin bulunduğu, ortaderecede ya da hızlı, düzenli bir solunum şeklidir. Hasta genellikle solunum sıkıntısından yakınmaz. Asidoz bulunan dekompanse diyabet, böbrek

Laktos intoleransı: Sindirim enzimlerinden olan laktazın eksikliğine bağlı olarak sütün parçalanamaması

Laminektomi ya da hemilaminektomi: Laminananın tümünün çıkarılması ya da lsminsnın diskin herniye olduğu kısımdaki parçasının çıkartılması.

Laminektomi ya da hemilaminektomi: Laminananın tümünün çıkarılması ya da lsminsnın diskin herniye olduğu kısımdaki parçasının çıkartılması.

Laporoskopi: Özel fiberoptik laparoskop ile, karın içindeki doku ve organların direkt görüntüleri elde edilir.

Laserasyo serebri: Travma beyin dokusunun devamlılığını bozması

Laserasyo serebri: Travma beyin dokusunun devamlılığını bozması

Lazer Anjiyoplasti: Koroner arterlerdeki darlıkların excimer lazer kullanılarak açılması yöntemidir.

Lenfödem: koltukaltı lenf bezlerinin çıkarılmasından sonra, kolda doku aralığında bulunan proteinden zengin lenf sıvısının birikmesi sonucunda oluşan şişkinlik.

Lentigo: Deride yaşla ve güneşe maruz kalmayala artan düz, pigmente lekeler.

Letarji: Kaslarda tam gevşeme ve duyunun ortadan kalkması ile ortaya çıkan derin uyuşukluk durumu.

Lezyon: Dokudaki patolojik ya da travmatik değişiklik.

Linear kırık: Kafatasında, radyolojik incelemede ince bir çizgi olarak görülen ve tedavi gerektirmeyen kırık türü.

Linear kırık: Kafatasında, radyolojik incelemede ince bir çizgi olarak görülen ve tedavi gerektirmeyen kırık türü.

Liposakşın (Liposuction): Yağları alma kilo vermeye dirençli, istenmeyen yağların emilerek vücudun şekillendirilmesi

Lobuler karsinoma: memenin lobüllerinden veya asinilerden (süt üreten kanallar) kaynaklanan kanser.

Lökopeni: Lökositlerin normal sayılarının altına düşmesi

Lökoplaki; Ağzın herhangi bir bölgesinde görülen sarı-yeşil, gri-beyaz prekanseröz lezyondur.

Lökosit (White Blood Cells=WBCs): Beyaz kan hücresi

Lökositoz: Lökositlerin normal sayılarının üstüne çıkması

Lumpektomi: yalnızca tümörün ve çevresindeki meme dokusunun çıkarılması.

Magnetik Resonans (MR): Bu teknikte, manyetik alan ve radyo dalgaları ile görüntü elde edilir.

Magnezemi: Kandaki magnezyum miktarı.

Malabsorbsiyon: Besinlerin bağırsaklardan kusurlu ya da yetersiz emilmesi, emilim bozukluğu.

Malar Raş: Yüzde kelebek tarzında bir kızarıklık. SLE'lu hastaların %30-60'ında görülür.

Malign (habis: kötü huylu) tümörler: Hızla yayılıp çevre dokulara infiltre olurlar. Uzak organlara kan ve lenf yoluyla metastaz yaparlar.

Malignant Hipertansiyon: Sistolik kan basıncının ani olarak 200 mmHg, diyastolik kan basıncının 140 mmHg, ortalama arter basıncının 150 mmHg'nın üstüne çıkması.

Mammografi: memedeki oluşumların erken tanısında oldukça yaygın kullanılan bir görüntüleme yöntemi.

Mammoplasti: küçük gelişmemiş veya atrofiye olmuş memeleri büyütmek, aşırı büyük veya sarkık memeleri küçültmek, mastektomi geçiren kadınlarda rekonstrüksiyon sağlamakamacıyla yapılan cerrahi uygulama.

Marjinal ülser; Mide ameliyatında anastomoz yerinin gastrik asitle teması sonucu anastomoz hattında ya da jejunumda tekrarlayan ülserdir.

Maserasyon: Dokunun yumuşaması, özellikle su ve sabunla derinin korneum tabakasının ödemi ve yumuşaması. materyalin yağlı, parlak görünüşü.

Mastalji: meme ağrısı.

Mastitis: memenin enfeksiyonu veya enflamasyonu.

Melena: Kanlı, koyu siyah renkte, pis kokulu dışkı

Melena: Pis kokulu, katran renginde kanlı dışkı

Membran Dinlenme Potansiyeli: Hücrenin dışında ve içinde bulunan iyonların yüklerinin farkına membran potansiyeli denir.

Menengioma: Meninkslerin araknoid hücrelerinin yaygın iyi huylu tümörleridir.

Menengioma: Meninkslerin araknoid hücrelerinin yaygın iyi huylu tümörleridir.

Menetrier hastalığı; Menetrier hastalığı, mide yüzey ve foveola epitelinin hiperplazisine bağlı olarak mide pililerinin dev görünüm kazanması, aşırı mukus sekresyonuyla gelişen hipoalbüminemi ve hipoklor hidri ile karakterize bir gastropatidir.

Metabolik alkoloz: Vücutta plazma bikarbonat düzeyinin artması ya da hidrojen iyonlarının kaybına bağlı olarak gelişen durum.

Metabolik asidoz: Plazma bikarbonat yoğunluğunun düşmesiyle birlikte hidrojen iyon yoğunluğunun artması ve pH'nın düşmesiyle karakterize asit-baz dengesi bozukluğudur.

Metaplazi: Olgun bir hücrenin yerini bir başka hücre türünün almasıdır.

Metastatik beyin tümörleri: Akciğer, meme, böbrek, malign melonom gibi tümörlerin beyine metastaz yapması sonucu görülen, araknoid üstünde beynin içinde yer alan tümörlerdir.

Metastatik beyin tümörleri: Akciğer, meme, böbrek, malign melonom gibi tümörlerin beyine metastaz yapması sonucu görülen, araknoid üstünde beynin içinde yer alan tümörlerdir.

Metastaz: Ana tümörden ayrılan hücre veya hücre topluluklarının taşındıkları alanlarda tutunup kalması değil aynı zamanda çoğalarak yeni tümör oluşturmasıdır. Negatif yüklü iyonlar.

Meteorizm: Barsaklarda gaz birikmesi sonucu karında gerginlik, şişkinlik olması

Mikro Albuminüri: Böbreklerden günde 20 mg dan fazla protein atılımı.

Mikrografi: Parkinson hastalığında görülen hastaların harfleri küçük ve titrek olarak yazması bulgusu.

Miksödem: Subkutan dokuda ve diğer intertisyel dokuda mukopolisakkaritlerin birikmesiyle karakterize hipotiroidizmin ciddi bir şeklidir. Maskeye benzer ifade, apati, letarji, unutkanlık, depresyon, saçlarda kuruma ve seyrekleşme görülür. Ses kalın ve dil büyüktür.

Minerolakortikoidler: Sodyum ve potasyuma etki eden adrenal korteksin steroididir.

Mitral kapak: Sol atriyum ve sol ventrikül arasındaki atriyoventriküler kapak

Miyoglobinüri: İdrarda miyoglobülin bulunması.

Sözlük

Miyokard: Kalbin kas tabakası.

Miyopi: Uzaktaki cisimlerden gelen paralel ışınların retinanın önünde, yakındaki cisimlerden gelen diverjan ışınların retina üzerinde odaklaştığı durumdur. Bu durumda uzaktaki objeler bulanık, yakındaki objeler net olarak görülür.

Modifiye radikal mastektomi: meme kanserinde en yaygın yapılan ameliyattır. Tüm memenin, aynı taraftaki koltuk altı lenf bezleri, göğüs kaslarını saran ince zar ve bazen de göğüs duvarı kaslarının da bir bölümü ile birlikte çıkarılması.

Monometrik testler: Sindirim sistemindeki kas hareketlerinin düzenini ve damar, barsak gibi organların içindeki basıncı ölçmek için kullanılan test

Monomorfik: Tüm QRS komplekslerinin aynı biçimde olması

Mononöropati(Mononörit): Belirli bir etiyolojik nedene bağlı olarak bir tek periferik sinirin hastalanması.

Monoparezi: Bir tek ekstremiteyi tutan kas gücü azalması.

Monopleji: Bir ekstremitede felç oluşması.

Morbit Obezite: BMI 40' dan fazla olması

Motilite bozuklukları: Hareket edebilme yeteneğinde bozukluk.

Motivasyon: Motivasyon, kişinin harekete geçmesine neden olan içsel bir dürtü.

Motor nöron: Hareket ile ilgili uyarıların doğduğu ve/veya iletildiği sinir hücresi.

Multipar: Birden çok doğum yapan.

Nabız Basıncı: Sistolik kan basıncı ile diyastolik kan basıncı arasındaki fark.

Nefron: Böbreğin glomerül, Bowman kapsülü ve tübüllerden oluşan yapısal ve işlevsel birimi.

Nefropati: Diyabetin böbrek hücrelerinin hasarına yol açan uzun dönemli komplikasyonudur. Erken dönemde mikrobüminüri ve geç dönemde böbrek Yetersizliği ile karakterizedir.

Nefropati: Herhangi bir böbrek hastlığı.

Nefroskleroz: Böbreğin interstisyel bağ dokusundaki artışa bağlı sertleşmesi, böbrek sklerozu.

Nefrotoksik: Böbreklere zararlı olan, böbrekleri harap edici.

Negatif feedback: Madde üreten organların fonksiyonlarında artma veya azalmasıyla maddenin artış ya da azalmasını kontrol eden düzenleyici mekanizma

Nekroz: Hücre ölümünü ifade eden morfolojik değişiklik.

Neoadjuvan kemoterapi: Cerrahi veya radyoterapiden önce uygulanan kemoterapidir.

Neoplazi: Yeni ve anormal gelişme demektir. Kontrolsüz şekilde hücre büyümesi olarak da tanımlanır.

Nevralji: Genellikle belirli bir sinirin duyusal alanında hissedilen, ani olarak ortaya çıkıp, kısa süren, tekrarlayan, yanıcı, batıcı ya da yakıcı karakterde şiddetli bir ağrı.

Nissen fundoplikasyon; Midenin üst bölümünün yemek borusunun (özofagus) arkasından geçirildikten sonra, çepeçevre özofagusun alt ucuna sarılarak yapılan ameliyat.

Nistagmus: Bir ya da iki göz küresinin horizontal, vertikal ya da rotatuar düzlemlerde istem dışı ve ritimik hareketleri.

Nitratlar: Damar düz kaslarını gevşeterek SVB'yi (önyük) ve doza bağlı olarak sistemik vasküler direnci (ardyük) azaltarak miyokarda kan akımını artıran ilaçlar.

Noktüri: Gece idrara çıkma

Noktüri: Gece idrara çıkma.

Nörojenik şok: Sempatik tonüsün kaybı sonucu kan damarlarının konstrüksiyon yeteneğinin azalmasın ve vazodilatasyon gelişmesine bağlı oluşan şok.

Nöropati: Nöronun periferik uzantısının hastalığına verilen ad.

Nöropati: Sinir hücrelerinin hasarı sonucu oluşan diyabetin uzun dönemli komplikasyonudur.

Obezite: İdeal vücut tartısına göre vücut ağırlığının fazlalığı

Odinofaji: Özofagusun organik bir hastalığına bağlı olarak yutma sırasında substernal bölgede duyulan ve oral alımı kısıtlayan ağrı

Oftalmopleji: Göz kaslarının paralizisi nedeniyle ortaya çıkan klinik bulgu. Çoğunlukla göz kürelerinin hareketlerini sağlayan 3. 4.ve 6. kraniyal sinirlerin bir ya da birden fazlasının felci sonucu gelişir.

Oksitosin: Hipofizin arka lobundan sekrete edilen hormondur. Uterus kontraksiyonlarını uyarır ve emzirme sırasında süt salgılanmasında rolü vardır.

Oligodendroglioma: Beynin beyaz hücrelerinden kaynaklanan, myelin üreten, kalsifiye ve oldukça yavaş büyüyen beyin tümörü.

Oligodendroglioma: Beynin beyaz hücrelerinden kaynaklanan, myelin üreten, kalsifiye ve oldukça yavaş büyüyen beyin tümörü.

Oligüri: Günlük idrar miktarının 400ml'nin altında olması.

Orbita: Göz küresinin yerleştiği çukur.

Orşiektomi: Testislerin tek taraflı ya da iki taraflı cerrahi olarak çıkarılması

Orşitis: Testislerin enflamasyonu

Ortopne: Dik oturma ve ayakta durma dışındaki poziayonlarda görülen solunum güçlüğü.

Ortopne: Sırt üstü yatar pozisyonda solunum sıkıntısı olması.

Ortopne: Sırt üstü yatar pozisyonda solunum sıkıntısı olması.

Ortotopik transplantasyon: Alıcının kalbi çıkarılır, aynı bölgeye vericinin kalbi greft yapılır; hastanın tek kalbi vardır.

Oryantasyon: Kişinin yer, zaman ve kişileri bilinçli olarak doğru tanıması.

Otogreft: Hastanın kendi kalp kapağından yapılan kalp kapak replasmanı (örn; pulmoner kapak kesilir ve aort kapağı olarak kullanılır).

Otore: Kulaktan ince, berrak, serebrospinal sıvı gelmesi.

Otore: Kulaktan ince, berrak, serebrospinal sıvı gelmesi.

Ozmol: Bir solüsyonda çözünen aktif partiküllerin gram olarak ağırlığıdır (ozmotik basınç ünitesi).

Ozmolalite: Her litre idrarda bulunan partikül sayısı. İdrar yoğunluğu.

Ozmolorite: Bir litre suda çözünmüş partiküllerin osmotik yoğunluğudur

Ozmotik basınç: Yoğunluğu fazla olan tarafa net su geçişini engellemek için uygulanan basınçtır.

Öğrenme Çevresi: Öğretimin yer aldığı fiziksel çevredeki faktörleri.

Öğretim Planı: Saptanan verileri analiz etme, davranışsal hedef ya da amaçlar kurma ya da en iyi zamanda ve en etkili şekilde hastanın bu amaçlara ulaşmasına yardımcı olmak için bir plan yaratma.

Öğretme: Birisini öğrenmeye yönlendirme süreci.

ön kamara: Gözde; önde kornea, arkada iris ve pupille sınırlanmış boşluk.

Ön yük (Preload): Ventriküllerin diyastol sonundaki duvar basıncı, gerilimi, stresi. Diyastol sonu ventrikül hacmi.

Ön yük (Preload): Ventriküllerin diyastol sonundaki duvar basıncı, gerilimi, stresi. Diyastol sonu ventrikül hacmi.

Öpne: Normal solunum

Ötenazi: İyileşme umudu olmayan hastaların kendi istekleri ile ölüm hakkı

Özefagoenterostomi (kolon interpozisyonu/ replasmanı); özegagus çıkartılır ve yerine inen kolon takılır.

Özefagogastrostomi; Özofagusun alt kısmının çıkartılıp, midenin kalan kısmına anastomoz edilir.

Özefajektomi; özofagusun bir kısmının ya da hepsinin çıkartılması.

Pace Dikeni (Spike): Her pace vurusuna karşılık olarak pace makerin uyarı verdiği kalp bölümünü yansıtan dalga önünde görülen çizgi.

Palilali: Sıklıkla Parkinson hastalığında görülen bir bulgu olup, hastanın konuşma sırasında bazı hece, sözcük ya da cümleleri istemsiz olarak tekrarlaması.

Palmar eritem: Avuç içlerinde kızarıklık

Palsi: Felç anlamına gelir. İlgili ekstremite ya da organda istemli hareketler yapılamaz.

Palyatif bakım: Destekleyici bakım

Pan: Hepsi, tamamı anlamına gelen önek.

Pannus: Prolifere sinoviumun özellikle monosit ve T hücreleri olmak üzere mononükleer hücrelerle infiltre olmasına denir.

Papilödemi: Merkezi retinal venlerde basınç artması, venöz dönüşte tıkanmaya bağlı gelişen ve beyin tümörlerin en sık rastlanan ilk bulgusu.

Papilödemi: Merkezi retinal venlerde basınç artması, venöz dönüşte tıkanmaya bağlı gelişen ve beyin tümörlerin en sık rastlanan ilk bulgusu.

Parakeratoz: Epidermisin korneum tabakası hücrelerinin çekirdeklerini kaybetmesi durumu.

Parapleji: Her iki alt ekstremitenin felci.

Parenteral beslenme: Besin gereksiniminin intravenöz yolla sağlanması yöntemi

Parenteral beslenme: Besin gereksiniminin intravenöz yolla sağlanması yöntemi

Parestezi: Herhangi bir dış uyaran olmaksızın belirli bölgede; uyuşma, karıncalanma ya da yanma şeklinde hissedilen subjektif duyu bozukluğu.

Parkinsonizm: Değişik etiyolojik nedenlerle ekstrapiramidal sistemin işlevlerinin geçici ya da kalıcı olarak olumsuz etkilenmesine bağlı olarak oluşan; statik tremor, bradikinezi ve rijidite ile karakterize bir sendrom.

Paroksismal Noktürnal Dispne: Geceleri uykudan uyandıran hava açlığı ve solunum sıkıntısı hissi.

Paroksismal Noktürnal Dispne: Geceleri uykudan uyandıran hava açlığı ve solunum sıkıntısı hissi.

Parotit; Parotis bezlerinin yangısıdır.

Parozmi: Bir kokunun olduğundan değişik olarak algılanması.

Pekiştirme: Bir tepkinin olasılığını artıran bir uyaran kullanma.

Perikard Efüzyonu: Seröz perikardın pariyetal ve viseral tabakaları arasında sıvı birimesi

Perikard: Kalbin en dış tabakasıdır. Seröz perikard dışta pariyetal, içte visseral olmak üzere iki tabaka halindedir.

Perikart Frotmanı: Perikard yapraklarının birbirine sürtünmesi ile oluşan ilave kalp sesi.

Peristalsiz: Kanal şeklindeki organların duvar kaslarının birbiri ardına kasılıp gevşemesi sonucu, içeriğin ileriye doğru göderilmesini sağlayan dalga şeklindeki hareket

Peristaltik: Peristalsiz ile ilgili, peristalsiz gösteren

Peritonit: Karın zarı iltihabı.

Sözlük

Perkütan Transluminal Koroner Anjiyoplasti: Femoral arter ya da ven yolu ile koroner anjiyografi yapılarak plakların yer aldığı bölümlerin saptanması ve uygun ise kateterin balonunun belirli bir basınçla şişirilip indirilerek plak üzerine basınç oluşturma yolu ile parçalanması için uygulanan invazif girişim yöntemi.

pH: Bir solüsyonun hidrojen iyon yoğunluğunu anlatabilmek için kullanılan kısaltma

Pineal bez: Erişkinde 3. ventrikülün tavanının en üst dorsalinde yer alan ve ağırlığı 100-800 mg (ortalama 140 mg) arasında değişen, 8-12 mm uzunluğunda nörosekretuar bir organdır.

Pineal bez: Erişkinde 3. ventrikülün tavanının en üst dorsalinde yer alan ve ağırlığı 100-800 mg (ortalama 140 mg) arasında değişen, 8-12 mm uzunluğunda nörosekretuar bir organdır.

Pitozis: Göz kapağının düşüklüğü.

Pitozis: Gözkapağının düşük olması.

Piyüri: İdrarda iltihap ya da iltihabi hücre varlığı.

Pleji: Felç.

Pnömotoraks: Plevra boşluğu içinde hava birikmesi.

Polifarmasi: Bir çok ilacın bir arada kullanımı.

Polinöropati: Polinörit Belirli bir etiyolojik nedene bağlı olarak vücutta çok sayıda ya da tüm periferik sinirlerin hastalığı.

Poliüri: İdrar miktarında artış. Günde 2500-3000ml idrar çıkarılması.

Pollaküri: Sık ve az idrar yapma.

Pomat: Merhem. Koyu kıvamlı, yağ içeriği fazla preperatlar.

Ponto-serebeller açı: Serebellum ve ponsun birleşim bölgesinin üç boyutlu konfigürasyonunun aksine, gerçekte iki hattın birleşimi ile oluşan geometrik mimariyi ifade eden anatomik yapı.

Ponto-serebeller açı: Serebellum ve ponsun birleşim bölgesinin üç boyutlu konfigürasyonunun aksine, gerçekte iki hattın birleşimi ile oluşan geometrik mimariyi ifade eden anatomik yapı.

Portal hipertansiyon: Portal sistem basıncının artması

Postüral Hipotansiyon: Pozisyon değişikliğine bağlı olarak arter kan basıncın

Pozitron Yayıcılarla Tomografi: Siklotron teknolojisi kullanılarak miyokard perfüzyonu ve canlılığının değerlendirilmesi yöntemi.

Prekanseröz lezyon: Kansere dönüşebilecek lezyonlar

Primer/Esansiyel Hipertansiyon: Nedeni kesin olarak bilinmemekle birlikte genetik bir yatkınlık ve buna eklenen çevresel faktörlerin neden olduğu yüksek kan basıncı.

Prolapsus (bir kapağın): Atriyoventriküler kalp kapağı yaprakçığının sistol esnasında atriyuma doğru sarkması

Prostatit: Prostat bezinin enflamasyonu.

Proteinüri: İdrarda protein bulunması.

Prozis: Mide içeriğinin özofagusa reflüsü sonucunda substernal bölgede oluşan ve bazen boğaza kadar yayılan yanma hissi.

Pruritik: Kaşıntı ile karakterize.

Pulmoner kapak: Sağ ventrikül ve pulmoner arter arasındaki semilunar kapak

Pulmonik Alan: Sternumun solu ikinci interkostal aralık.

Pulsus Alternans: Atım hacmindeki değişikliklere paralel olarak dolgun ve zayıf atımların birbirini izleyen normal hızdaki nabız şekli.

Pulsus Paradoksus: İnspirasyon ile ekspirasyon sırasında ölçülen sistolik kan basıncı değerleri arasında 10 mmHg'dan fazla fark olması.

Raccoon belirtisi/ periorbital ekimoz: Kafa travması sonucu gözlerin etrafında çürük, meydana gelmesi.

Raccoon belirtisi/ periorbital ekimoz: Kafa travması sonucu gözlerin etrafında çürük, meydana gelmesi.

Radikal boyun diseksiyonu; Mandibulanın inferior sınırından klavikulaya, strap kasların lateral sınırından trapezius kasının anterior sınırına kadar boyunun tek tarafında bulunan tüm lenf nodu içeren dokuların en bloc olarak çıkarılması. Spinal accesorius siniri, v. jugularis interna ve SCM kası da spesimene dahildir.

Radiküler ağrı: Kök ağrısı. Medulla sipinalisde bir arka kökün basısına bağlı, belli bir bölgeye lokalize olan, öksürme, ıkınma ile artan, keskin ve batıcı karakterde ağrı.

Radyofrekans Ablasyon Tedavisi: Çok yüksek olmayan ısılarla, küçük bir alanda hasar yaratarak bu bölgedeki elektriksel aktiviteyi ortadan kaldıran tedavi yöntemi.

Radyografi: Radyopak maddeler (baryum sulfat vs.) verildikten sonra sindirim sisteminin floroskopi altında izlenmesi ve x-ray ile görüntülenmesi

Radyoimmünoassay: Radyoizotop etiketlenmiş antijenleri kullanılarak hormon ya da diğer maddelerin ölçülmesidir.

Reflü: Geri dönüş, geri akım.

Refraksiyon: Işık dalgalarının göze girerken kırılması.

Regürjitasyon: Kanın kalp kapağından geriye doğru akışı

Regürjitasyon: Mide veya özofagus içeriğinin spontan olarak ağıza gelmesi.

Rekürrens: Nüks

Replasman: yerine koymak

Retinopati: Gözün mikrovasküler olarak hasarına yol açan diyabetin uzun dönemli komplikasyonudur.

Rijidite(Rigor): Çoğunlukla ekstrapiramidal sistem hastalıklarında görülen bir tonus artışı türü. Tutulan ekstremite ya da ekstremitedeki agonist ve antagonist tüm kaslarda tonüs artışı olması.

Rinore: Burundan ince, berrak, serebrospinal sıvı gelmesi.

Rinore: Burundan ince, berrak, serebrospinal sıvı gelmesi.

Rolling ya da paraözofagiyal (tipII) herni; Gastroözofagiyal birleşme noktası diyafragmanın altındadır fakat, midenin tamamı ya da bir kısmı toraks içine itilir.

Romatoid faktör: IgG'ye karşı oluşmuş otoantikorları tanımlar.

Romatoid nodül: Özellikle RF'ü pozitif olan romatoid artritli hastalarda ön kol ekstansör yüz ve diğer basıya maruz kalan bölgelerde gelişen sert, sınırları iyi belirlenen, fazla duyarlı olmayan ve bazen perioste yapışık olabilen nodüler lezyonlardır.

Sağlığı Koruma: Bir davranışı yapmama ve sakınmayı ifade eder.

Sağlığın Geliştirilmesi: Halkın, kendi sağlığını geliştirme ve kendi sağlığı üzerindeki kontrolünü arttırma gücünü kazanma süreci.

Sağlık Eğitimi: Kişilere sağlıklı yaşam için alınması gerekli önlemleri benimsetmeye ve uygulamaya inandırmak, kendilerine sunulan sağlık hizmetlerini doğru olarak kullanmaya alıştırmak, sağlık durumlarını ve çevrelerini iyileştirmek amacıyla, birey olarak ya da topluca karar aldırmak.

Sağlık İnancı: Hasta ve yakınlarının sahip olduğu sağlık ve hastalık hakkındaki düşünceleri.

Salvo (couplet): . Ard arda iki ektopik vuru oluşumu.

Sebore: Deride sebase bez aktivitesinin artışı, sebase

Sediment: Bir sıvının bekletilmesi ya da santrifüje edilmesi sonucu dibe çöken madde.

Sefalji: Baş ağrısı.

Segmental mastektomi: memedeki kitlenin çevresindeki meme dokusu ile beraber ve tümörün altındaki göğüs kaslarını saran ince zarla birlikte çıkarılması .

Sekestrum: Kemik enfeksiyonunda ölü kemikte olan abse boşluğu

Sekonder Hipertansiyon: Saptananmış ve düzeltilebilen bir nedeni olan yüksek kan basıncı.

Senilite: İleri yaşa bağlı fiziksel ve ruhsal yaşlanma. İleri yaş.

Senkop: Beynin geçici olarak kansız kalması nedeniyle ortaya çıkan geçici bilinç kaybı durumu.

Senkronize Kardiyoversiyon: Supraventriküler taşikardi (SVT), atriyal fibrilasyon (AF) ve nabız alınabilen ventriküler taşikardiyi sonlandırmak için defibrilatör ile acil ya da planlı olarak uygulan direk akım şoku.

Septik şok: Özellikle gram (-) mikroorganizmaların, stafilokok ve enterokokların, neden olduğu bakteriyemi, yetersiz doku perfüzyonu, düşük kan basıncı, damar kollapsı ve böbrek Yetersizliği ile seyreden şok.

Septisemi: Dolaşan kanda mikroorganizmaların çoğalmasıyla oluşan sistemik hastalık.

Serebral: Beyinle ilgili.

Sessiz İskemi: EKG ya da egzersiz stres testinde iskemiyi gösteren objektif bulgular olmasına rağmen hasta göğüs ağrısı yaşamadığı durum.

Silendirüri: İdrarda protein yapısındaki silendirlerin bulunuşu.

Sindirim: Alınan yiyeceklerin sindirim enzimi ve sekresyonları ile karıştıktan sonra protein, yağ ve şekerin küçük moleküllere parçalanması

Sinovit: Klinik olarak belirgin sinovyal membran enflamasyonudur.

Sintigrafi: Teknisyum, iyod gibi radyoaktif isotopların kullanıldığı bir görüntüleme yöntemidir

Sinus Aritimisi: Sinus düğümünden kaynaklanan dakikada 60-100 arasında düzensiz ritim.

Sinus Bradikardisi: Kalp atım hızının dakikada 60'ın altında olduğu, sinus düğümünden kaynaklanan düzenli yavaş ritim.

Sinus Çıkışlı Blok: Sinus düğümünden çıkan uyaranların atriyumlara ve ventriküllere iletilememesi.

Sinus Duraklaması/Durması: Sinoatriyal düğümde uyarı oluşumundaki yetersizlik sonucu depolarizasyonun sağlanamaması. Duraklama süresi normal PP aralığının 2 katından az ise duraklama fazla ise durma denir.

Sinus ritimi: Sinoatriyal düğümden çıkan ve dakikada 60-100 arasında, her P dalagasını bir QES dalgasının izlediği, PR ve QRs aralığının normal sürede olduğu düzenli ritim.

Sinus Taşikardisi: Kalp atım hızının dakikada 100'ın üzerinde olduğu sinus düğümünden kaynaklanan düzenli ve hızlı ritim.

Sistektomi: Mesanenin cerrahi olarak çıkarılması.

Sistit: Mesane enflamasyonu.

Skleroterapi: Özofagus varislerinin içine sklerozan madde uygulanması

Skolyoz: Spinal kolonun yana eğriliği

Skuam: Korneum tabakasının yassı pullar veya lameller halinde dökülmesi ile oluşan kuru ya da yağlı keratin kitleler

Sliding herni; Midenin üst kısmı (proksimal bölümü) ve gastroözofagiyal bileşke hiatus yolu ile arka mediasten içine, yukarıya doğru yer değiştirmesi.

Solunum alkolozu: $PaCO_2$'nın 38 mm Hg'nın altında, arteriel pH'nın 7.45'in üzerinde olduğu bir durumdur.

Solunum asidozu: Alveolar hipoventilasyon veya pulmoner dolaşım bozuklukları nedeniyle, $Pa CO_2$ nin 42 mm Hg'nın üzerinde, pH'nın 7.35'in altında olduğu bir tablo.

Somnolans: Letarji. Hafif düzeyde bir bilinç bozukluğu durumu. Kişide uykuya eğilim durumu vardır.

Spastisite: Bir tür hipertoni olup, sıklıkla piramidal yol lezyonlarında ortaya çıkar. Üst ekstremitedeki fleksor, alt ekstremitedeki ekstansor kas gruplarında tonus artışı vardır.

Spazm: Herhangi bir nedenle bir kasın ya da kas gruplarının ani, istemsiz ve ağrılı kasılması.

Spermatogenezis: Testislerde sperm üretimi

Steatore: Dışkıda yağ bulunması (Fekal yağ oranının 24 saatte 10 gr' dan fazla olması malabsorbsiyon hastalıklarını düşündürür)

Stenoz: Bir kalp kapak deliğinin daralması ya da tıkanması

Stereotaksik biyopsi: memedeki kitlenin yerinin stereotaksi cihazıyla saptanıp, kitleden doku örneği alınması.

Stereotaksik işaretleme: stereotaksik yöntemle kitle görüntülenip, lokalizasyonu yapılarak içinde klavuz tel bulunan bir iğne ile kitlenin işaretlenmesi. Cerrah, biyopsi esnasında bu kılavuz teli takip ederek palpe edilemeyen kitleye kolayca ulaşarak kitleyi çıkarır.

Sterotaktik radyasyon cerrahisi: Koordinatları belirlenmiş hastalıklı beyin dokusunun anatomik seçim ile radyoaktif enerji kullanarak tedavi edilmesini sağlayan yöntemlerin genel adıdır.

Sterotaktik radyasyon cerrahisi: Koordinatları belirlenmiş hastalıklı beyin dokusunun anatomik seçim ile radyoaktif enerji kullanarak tedavi edilmesini sağlayan yöntemlerin genel adıdır.

Stomatit; oral kavitenin yangısıdır.

Stres Ekokardiyografi: Hastaya aşamalı olarak ilaç verilerek stres yaratılıp sol ventrikülün stres altındaki hareketlerinin incelenmesi yöntemi.

Stres: Organizmanın bedensel ve ruhsal sınırlarının tehdit edilmesi ve zorlanması ile ortaya çıkan ve bireyin fizyolojik ve psikolojik dengesini tehdit eden bir durumdur.

Stresör: Organizmaya içerden ya da dışardan gelen, onu tehdit eden ve organizmada bir seri reaksiyon başlatan uyaranlara denir.

Stupor: Hastanın sesli uyaranlara cevap vermeyip, ancak ağrılı uyaranlara cevap verdiği bilinç bozukluğu çeşidi.

Subdural hematom: Subdural alanda duramater ile araknoid arasında kan toplanmasıdır.

Subdural hematom: Subdural alanda duramater ile araknoid arasında kan toplanmasıdır.

Sukuamoz hücreli karsinom; mukoz membran sınırlarında küçük yassı sukuamoz hücrelerde ince bir tabaka halinde uzayıp, büyüme gösteren malign tümör.

Sulfonilüre: Tip 2 diyabetlilerde insülin salınımı ve insülinin etkisini arttıran oral antidiyabetik ilaç grubudur.

Sürekli subkutan insülin infüzyonu (Continuous Subcutane Insuline Injection CSII): İnsülinin bazal insülin olarak küçük bir araç yardımıyla 24 saat boyunca verilmesi; aynı zamanda hasta tarafından yemek öncesi normal pankreas fonksiyonunu taklit eden bir bolus dozu verilir

Sürekli VT: Kalp atım hızının dakikada 100'ün üstünde ve VT süresinin 30 sn'den daha fazla olduğu ventrikül taşikardisi.

Süreksiz (Non-Sustained) VT: Üç ya da daha fazla VEV'in peş peşe gelmesi ve VT süresinin 30 sn'nin altında olduğu ventriikül taşikardisi.

SVP: Santral venöz basınç

Şok: Vücudun bütün sistemlerini hücresel düzeyde etkileyen, kan akımının ve doku perfüzyonunun yetersizliği durumudur.

T Üzerinde R Fenomeni: Ektopik odaktan çıkan erken vurunun normal vurunun T dalgasının üzerine gelmesi.

Taburcu olma kriterleri: Hastanın taburcu olmaya hazır olup olmadığı konusunda fikir veren ölçütler

Takipne: Solunumun anormal sayıda hızlanması, dakikada 24'ün üzerine çıkmasıdır.

Talyum Miyokard Perfüzyon Sintigrafisi: İntravenöz olarak talyum-201 verilerek, gamma kamera ile miyokard hücrelerinin görüntülenmesi yöntemi.

Tamoksifen: meme kanseri tedavisinde ve meme kanserinin oluşmasını önlemede kullanılan antiöstrojen

Taş bebek gözü hareketi: Okülosefalik bir refleks. Bilinç bozukluğu olan hastada başının aniden bir yana çevrilmesiyle gözlerin birlikte aksi yöne doğru hareket etmesi. Bilinç bozukluğu olan bir hastada bu refleksin alınması beyin sapının sağlam olduğunu düşündürür.

Tedaviye Dirençli Hipertansiyon: Diüretiklerle birlikte üçlü antihipertansif tedaviye rağmen kan basıncının 140/90 mmHg'nın, yaşlı hastalarda 160 mmHg'nın altına düşürülemediği durum.

Tek Foton Yayan Bilgisayarlı Tomografi: Technetium99m kullanılarak üç boyutlu kesitsel görüntü elde edilerek miyokard perfüzyonunun değerlendirilmesi yöntemi.

Tendinit: Kas tendonların inflamasyonu

Teratoma: Büyük çoğunlukla infantta görülen beyin tümörü.

Teratoma: Büyük çoğunlukla infantta görülen beyin tümörü.

Tersiyer İyileşme: İnfekte ve evisere yaralarda görülen iyileşme şeklidir. Bunlar parçalı ve derin yaralardır.

Sözlük

Testosteron: Testislerden salgılanan erkek cinsiyet hormonu.

Thiazolidinedione: Doğrudan insülin sekresyonunu arttırmaksızın hedef dokularda insülin direncini azaltan oral antidiyabetik ilaç grubudur.

Tip 1 diyabet: Beta hücrelerinin otoimmün harabiyeti sonucu İnsülin üretimi ve sekresyonunun yokluğu ile karakterize metabolik bir bozukluktur.

Tip 2 diyabet: İnsülin üretiminin rölatif azlığı, azalmış insülin aktivitesi ve artmış insülin direnciyle karakterize metabolik bir bozukluktur.

Tiril: Kan akımının oluşturduğu titreşimlerin palpasyonla hissedilmesi.

Tiroid Krizi: Yaşamı tehdit eden hipertiroitizmdir. Stres başlatabilir, genellikle ani başlar. Yüksek ateş, aşırı taşikardi ve mental durum değişikliği ile karakterizedir.

Tiroid Sitümülan Hormon (TSH): Hipofiz bezinden salınan ve tiroit bezinin uyarılmasına ve buradan T3-T4 salınımına yol açan bir hormondur.

Tiroidektomi: Tiroid bezinin tamamı ya da bir parçasının cerrahi olarak çıkarılmasıdır.

Tiroiditis: Tiroid bezinin enflamasyonudur. Kronik hipotiroitizm veya spontan olarak oluşur.

Tiroidotironin (T3): Tiroid hormonudur ve tiroitte depolanır. Daha küçük miktarlarda depo edilir. Biyolojik olarak tiroksinden daha aktiftir ve etkisi daha çabuk başlar. Hücresel metabolizma üzerine etkilidir ve her büyük organ sistemini etkiler.

Tiroksin (T4): Aktif iyot bileşeni hormondur ve tiroitte depo edilir. Metabolizmanın dengede kalmasını sağlar.

Tirotoksikoz: Tiroid hormonunun aşırı üretimi veya dışardan verilmesiyle oluşan durumdur.

Titubasyon: Çoğunlukla serebellar lezyonlarda ortaya çıkan, baş ya da gövdenin üst bölümünü tutan tremor.

Tonisite: Bir solüsyonun ozmotik basıncını plazmanın ozmotik basıncı ile karşılaştırmak için kullanılan terimdir.

Torsades de Pointes: Ventriküler depolarizasyonun geç döneminde oluşan bir ventriküler erken vuru tarafından başlatılan ve sıklıkla kendiliğinden sonlanıp birkaç saniye ya da dakika sonra kendiliğinden tekrar başlayabilen bir VT çeşidi.

Tortikolis: boyunda gelişen fleksiyon ve rotasyon anamolisi

Total yapay kalp (total artificial heart): Fonksiyonu bozulmuş olan kalbe sağ ve sol ventrikülleri destekleyerek yardımcı olmak için kullanılan mekanik araç.

Transfenoidal hipofizektomi: Hipofiz/Pituiter tümörlerin tedavisinde, damak ya da burun yoluyla kraniyuma girilerek yapılan ameliyat.

Transfenoidal hipofizektomi: Hipofiz/Pituiter tümörlerin tedavisinde, damak ya da burun yoluyla kraniyuma girilerek yapılan ameliyat.

Transmiyokardiyal Revaskülarizasyon: İlaç tedavisine yanıt vermeyen, primer koroner anjiyoplasti ya da koroner arter bypas ameliyatı yapılamayan kronik anjinası olan hastalarda soğuk karbondioksit lazer kullanılarak kanallar açılması yöntemi.

Transozofajiyal EKO: Hastaya bilinçli sedasyon uygulayarak özofagusa yerleştirilen bir transduser aracılığı ile yapılan ekokardiyografi yöntemi.

Tremor: Titreme. Değişik nedenlere bağlı olarak ortaya çıkan, agonist ve antogonist kas gruplarının sırayla kasılmasıyla oluşan, en sık elleri tutmakla birlikte ayaklar, baş, dil ve hatta tüm gövdeyi de tutabilen, istirahatte ya da hareket etmekle ortaya çıkan ya da sürekli olan, ince ya da kaba istemsiz hareketler.

Triküspid kapak: Sağ atriyum ve sağ ventrikül arasında yerleşmiş olan atriyoventriküler kapak.

Triküspit Alan: Sternumun solu dördüncü ve beşinci interkostal aralık arası.

Tripleji: Herhangi bir hastalığa bağlı olarak üç ekstremitede birden felç gelişmesi.

Trousseau belirtisi (karpopedal spazm): Tansiyon aletinin manşonu üst kola bağlanıp, sistolik kan basıncının 20 mmHg kadar üzerindeki bir basınçta şişirilerek 2-5 dakika bekletildikten sonra iskemiye bağlı ortaya çıkan karpal spazmdır.

Trousseau Bulgusu: Trousseau bulgusunu değerlendirmek için, tansiyon aleti manşeti humerus üzerine yerleştirilip sistolik basınç radyal nabzın kaybolduğu noktadan sonra 30 mm Hg üstüne kadar şişirilir ve üç dakika beklenir. Kullanılan elde "ebe eli" şekli oluşursa "trousseau bulgusu pozitif" denir ve hastada gizli tetani olduğu düşünülür. Ebe eli meydana gelir. Eğer parmaklar sert ve açılmıyorsa (+) denir. Trousseau bulgusu (+) ise hastada gizli tetani vardır.

Tümör: Şişlik veya ur olarak da tanımlanır. Anormal bir doku kitlesidir.

Ultasonografi (US): Yüksek ses dalgalarının vücudun iç organlarına yayılması ve ultrasonik yansıma ile görüntü elde edilen, invaziv olmayan bir tanı tekniği

Uygun olmayan Antidiüretik Hormon Sekresyonu (SIADH): Antidiüretik hormon (ADH) üreten akciğerin hücre karsinomu ve diğer malignant tümörler olmaksızın oluşan serum ozmoloritesinde düşüklüğe karşın hipofiz bezinden aşırı ADH sekresyonu olmasıdır.

Üçüncü Kalp Sesi (S): Ventriküllerin hızlı doluşu sırasında oluşan ilave kalp sesi.

Üfürüm: Kan akımının oluşturduğu türbülans sonucu kalp odacıkları ya da damarlarında duyulan ses.

Sözlük

Ülser: Lokal defekt veya aktif Enflamasyon sonucu mide ve/veya duedonumda mukoza ve submukoza bütünlüğünün bozulması

Üremi: Kanda üre, kreatinin ve protein metabolizmasının diğer ürünlerinin artması durumu.

Üremik kırağı: Belirgin azotemisi olan hastlarda terin buharlaşması ile yüz ve boyunda beyazımsı renkte kristal birikimi.

Üreterosigmoidostomi: Üreterlerin sigmoid kolona transplante edilerek idrarın kolon ve rektuma doğru akışını sağlamak.

Üretrit: Uretranın enflamasyonu.

Üriner diversiyon: Radikal sistektomi sonrası idrarın dışarı boşaltılması için oluşturulan yol

Üveit: Gözde üveal yol inflamasyonuna üveit denir.

Vagotomi; gastrik hücrelerden asit salgılanmasını uyaran nervus vagusun dallarının kesilmesidir. Üç tip vagotomi vardır. 1. Trunkal vagotomi; Nervus vagusun tamamının kesilmesidir. 2. Selektif vagotomi; Hepatik ve çöliyak dalların korunarak mideye giden vagusun kesilmesi. 3. Proksimal vagotomi; antrum ve pilorun innervasyonu korunarak, pariyatal hücrelere giden vagusun kesilmesidir.

Valvüloplasti: Fonksiyon bozukluğu gösteren (stenoz ya da regürjitasyon) herhangi bir kalp kapağı üzerinde yapılan ameliyat. Komisürotomi, anüloplasti, yaprakçık onarımı, kordoplasti ya da bu işlemlerin kombinasyonu olabilir.

Variant /Prinzmetal Anjina: Koroner arterlerde spazma bağlı olarak oluşan, ağrı sırasında çekilen EKG'de ST bölümü ve T dalgası değişiklikleri görülen, ağrının ortadan kaybolması ile birlikte EKG değişiklikleri de normale dönen angina tipi.

Vasküler Brakiterapi: Anjiyoplasti ya da stent uygulamasından sonra stent uygulanan bölgede tekrar tıkanmayı önlemek amacı ile ya da stent içinde oluşmuş olan tıkanıklığı açmak amacı ile radyasyon uygulanması.

Vazopresin: Posterior hipofizden salgılanan antidiüretik hormondur. Düz kaslarda özellikle de kan

Ventilasyon: Havanın hava yollarından içeri ve dışarı hareketi.

Ventriküler destek aracı (ventricular assist device): Sağ ya da sol ventrikül yetersizliğinde kullanılan mekanik araç.

Vertigo: Hastanın baş dönmesi olarak tanımladığı, çevresini ya da kendisini dönüyormuş gibi hissettiği ya da dengesizlik olarak algılanan subjektif yakınma. Merkezi sisnir sistemi ya da iç kulak hastalıkları başta olmak üzere değişik nedenlere bağlı olarak ortaya çıkar.

Vincent anjini (Akut nekrotizan ülseratif jinjivit); Normal boğaz florasında bulunan anaerob bakteriler ile birlikte spiroket ve aerob bakterilerin neden olduğu jinjivanın nekrotizan anjinidir.

Vitiligo: Deride ve saçlarda nedeni bilinmeyen, primer pigmentasyon kaybı.

Vulgaris: Sık görülen.

Wood ışığı: Bir filtre kullanılarak çoğu görünen ışınlardan oluşan radyasyon kaynağı. Deride melanin pigmentinin gösterilmesinde kullanılır

Hipovolemik şok: İntravesküler volümün azalmasına bağlı gelişen şok tipidir.

Konküzyon/kommozyo serebri (beyin sarsıntısı): Kafa travması sonucu meydana gelen hafif ve geçici fizyolojik serebral fonksiyon bozukluğudur.

Yaprakçık onarımı (leaflet repair): Bir kalp kapağının hareketli yaprakçıklarının tamiri

Yara açılması: Cerrahi girişim sonrası yaranın birleşim yerinde bir açıklık olmasıdır.

Yas tutma: Ölenin arkasından yakınlarının duyduğu üzüntünün dile getirilmesi

Yayılma: Tümörün gelişmesi sonucu daha çok yer kaplaması, aynı zamanda da tümörden ayrılan hücre veya hücre topluluklarının başka alanlara taşınmasıdır.

Zenker divertikülü/Faringoözofageal Divertiküller); özofagus divertikülleri arasında en sık rastlanan ve cerrahi tedavi gerektiren divertiküllerdir.

İndeks

A

Abdüksiyon 1229, 1230, 1309
Addison hastalığı 159, 772
Adrenal medulla 829
Adrenerjikler 974
Aftöz stomatit 637
Aglütinasyon 571
aglütinojenler 573
Ağrı Değerlendirilmesinde Kullanılan Ölçekler 137
Ağrı Kontrolünü Güncelleştiren Nedenler 142
Ağrı Tedavisi 142
Ağrı Tipleri 129, 131
Ağrının Etkileri 136
Ağrının Özellikleri 135
Ağrının Şiddeti 135
Ağrının yeri 135, 139, 393, 656, 847, 1313
Ağrıyı Azaltan/Arttıran Durumlar 136
AIDS 12, 92, 228, 616, 664, 673, 675, 680, 702, 723, 952, 956, 957, 958, 959, 961, 962, 978, 1011
Akalazya 628
Akciğer Absesi 349
akciğer kanseri 350, 355, 356, 358, 835, 1260
Akciğer Tüberkülozu 345
Akne Vulgaris 999
Akustik nörinoma 1084, 1186
akut ağrı 129, 131, 134, 150, 289, 461, 493, 687, 753, 757, 863, 896, 1012, 1015, 1033, 1054, 1090, 1139, 1145, 1217, 1249, 1253, 1258, 1267, 1278, 1292, 1294, 1308
Akut İnflamatuar Bağırsak Hastalıkları 683
Akut Mastitis ve Apse 928
akut pankreatit 249, 675, 755, 756, 757, 758, 759, 760
Akut Respiratuar Distres Sendromu (ARDS) 351
Albümin 160, 161, 231, 565, 676, 710, 711, 718, 729, 730, 731, 757, 758, 790, 793, 806, 843, 868, 869, 873, 877
Alçılı Hastanın Bakımı 1264
Alerjik 179, 228, 254, 255, 258, 334, 335, 336, 338, 340, 372, 373, 444, 638, 674, 838, 947, 951, 955, 962, 966, 971, 972, 973, 974, 975, 978, 979, 980, 981, 1005, 1007, 1086, 1088
Alerjik reaksiyon 949, 978
Alerjik Rinit 335
Alfa hücreleri 754
Alzheimer hastalığı 1118, 1169, 1178, 1179, 1180
Ameliyat Dönemi 223, 241, 454
Ameliyat öncesi bakım 667, 1191, 1216
Ameliyat Sonrası Bakım 223, 1048
Ameliyathane 231, 233, 239, 241, 244, 251, 253, 255, 258, 259, 260, 263, 266, 276, 314, 430, 750, 1091

Amiyotrofik Lateral Skleroz (ALS) 1177
Ampiyem 334, 345, 378, 379
Ampütasyon 95, 1307, 1308, 1310, 1311
Anemiler 499, 577, 583, 584, 586, 1306
Anestezi 129, 131, 142, 149, 178, 225, 227, 228, 230, 231, 233, 238, 239, 240, 241, 242, 243, 245, 246, 247, 248, 249, 250, 252, 257, 258, 259, 260, 261, 266, 267, 269, 281, 282, 283, 291, 299, 300, 303, 304, 309, 310, 311, 312, 313, 314, 315, 316, 317, 322, 332, 334, 344, 351, 377, 383, 407, 422, 448, 449, 451, 453, 454, 459, 460, 478, 479, 480, 482, 495, 497, 522, 530, 534, 574, 611, 615, 620, 632, 633, 634, 637, 640, 673, 685, 702, 703, 740, 746, 748, 749, 750, 752, 792, 794, 798, 799, 800, 859, 883, 895, 898, 909, 942, 993, 1118, 1119, 1120, 1154, 1187, 1188, 1189, 1190, 1191, 1192, 1201, 1208, 1234, 1245, 1277, 1284, 1291, 1293, 1068, 1069, 1073, 1075, 1086, 1088, 1089, 1090, 1092, 1100, 1018, 1029, 1051, 1052, 1053
Angina Pektoris 438
anjiyografi 334, 353, 407, 439, 448, 531, 1076, 1150, 1185, 1188, 1220
Antiasitler 643
Antihistaminikler 336, 731, 781, 952, 974, 979, 998, 1005, 1094
Antikorlar (İmmünoglobulinler) 571
Antrektomi 665
Anüloplasti 478, 480
Aort anevrizması 405, 406, 434, 477, 512, 529, 632
Aort Darlığı 477
Aort Regürjitasyonu (Aort Yetersizliği) 477
Aortit 527, 1321
Aplastik anemi 574, 582, 616, 619, 978, 1165
Aritmiler 179, 247, 305, 405, 414, 424, 426, 427, 444, 448, 460, 478, 491, 499, 501, 510, 511, 731, 748, 838
Aritmilerin Sınıflandırılması 413
Artroskopi 1236, 1291
Asit Baz Dengesi Bozuklukları 166
Aspirasyon 155, 158, 163, 167, 215, 275, 277, 282, 283, 338, 344, 349, 354, 358, 363, 364, 365, 375, 376, 377, 378, 379, 380, 382, 383, 384, 385, 387, 430, 471, 472, 497, 645, 648, 649, 651, 653, 667, 669, 671, 672, 689, 717, 729, 740, 746, 748, 752, 756, 757, 758, 763, 765, 799, 873, 927, 1033, 1054, 1055, 1086, 1116, 1126, 1129, 1147, 1159, 1161, 1162, 1173, 1176, 1178, 1191, 1194, 1221, 1258
Assit 151, 715, 730
Astım 97, 227, 246, 366, 372, 373, 374, 380, 949, 965, 972, 973, 974, 975, 978, 980

1357

İndeks

Astigmatizma 1070
Astrositoma 1184
Aşil tendonu 1278, 1316
Atelektazi 235, 289, 331, 343, 740, 875, 1294, 1295, 1034
Atopik dermatit 972, 975, 979, 1005, 1006

B

Barret Özofagusu (BÖ) 648
Basit pnömotoraks 360
Baş ağrıları 831, 1133, 1134
Benign Prostat Hiperplazisi (BPH) 904
Beta blokerler 340, 410, 414, 416, 418, 421, 439, 497, 502, 554, 555, 557, 772, 786, 1005, 1162
Beyaz kan hücreleri 947, 949, 971
Beyin tümörleri 1128, 1130, 1149, 1180, 1182, 1183, 1187
Bikarbonat Karbondioksit Tampon Sistemi 166
Bilinç düzeyi 284, 288, 300, 407, 506, 597, 1111, 1120, 1121, 1122, 1123, 1127, 1128, 1130, 1150, 1151, 1153, 1154, 1189, 1191, 1193, 1194, 1200, 1293
Bilirubin 565, 584, 586, 616
Bilirubin 710, 711, 714, 719, 724, 729, 731, 735, 743, 756
Binoküler Görme 1060
Böbrek nakli 228, 898
Böbrek Tümörleri 897
Brakiterapi 448, 640, 1189
Bronşektazi 331, 349, 1153
Bronşlar 327, 328, 979, 1011
Burford Ağrı Termometresi 137, 139
Burkulma 1213, 1296
Bursit 1239, 1245, 1246, 1313, 1326

C

Cantor tüp 669
Cauna Equina Sendromu 1208
Cerrahi El Yıkama 263
Cerrahi hemşireliği 142
Creutzfeld-Jakob Hastalığı(CJH) 1155
Cushing sendromu 772, 787, 809, 834, 836

Ç

Çökme kırığı 1198

D

De quarvain hastalığı 1239
Debritmanı 1203
Defibrilasyon 401, 421, 423, 427, 428, 429, 430, 512
Deformite 73, 332, 362, 795, 797, 1043, 1081, 1208, 1232, 1257, 1283, 1301, 1302
Dejeneratif 248, 569, 777, 1066, 1149, 1156, 1169, 1175, 1213, 1214, 1215, 1280, 1283, 1313, 1322
Delta hücreleri 754

Derin ven trombozu 296, 302, 534, 535, 536, 538, 1005, 1123, 1126, 1279, 1280, 1282, 1296
Dermatolojik 273, 985, 988, 989, 991, 995, 996, 997, 1000, 1006, 1011
Diabetes insipitus 811, 1194
Diabetes Mellitusun Fizyolojisi ve Fizyopatolojisi 767
Diffüz Spazm 653
Diffüzyon 154
Disfaji 341, 628, 643, 649, 652, 653, 654, 1147
Divertikül 646, 647, 648, 686, 687
Diyaliz 156, 158, 163, 167, 172, 472, 495, 511, 534, 800, 826, 868, 873, 874, 877, 878, 879, 880, 882, 883, 884, 885
Diyare 82, 155, 157, 158, 163, 167, 174, 175, 344, 440, 503, 555, 581, 628, 629, 632, 633, 665, 666, 669, 671, 672, 676, 679, 680, 681, 682, 683, 685, 686, 687, 693, 694, 698, 700, 703, 718, 730, 779, 799, 818, 819, 832, 834, 848, 857, 865, 872, 873, 876, 884, 887, 953, 956, 958, 979, 1000, 1134, 1180, 1194, 1320
Donma 1170
Doppler Ultrason 518
Dupuytren kontraktürü 1245, 1249
Düşünme Stratejileri 35

E

Edinsel Kapak Hastalıkları 475
Eklem protezleri 1264
Ekstansiyon 410, 1115, 1200, 1216, 1229, 1234, 1248, 1250, 1275, 1278, 1290, 1309
Ekzojen lipoid pnömoni 379
Elektrokardiyografi 411, 435, 442, 501, 788, 831
Elektrolitler 152, 360, 407, 449, 505, 552, 563, 757, 787, 800, 838, 844, 845, 878, 879, 884, 1136, 1192
Elektronistagmografi 1083
Enfeksiyon 11, 28, 83, 92, 159, 164, 173, 177, 178, 227, 231, 248, 249, 251, 253, 256, 261, 271, 272, 297, 316, 337, 340, 350, 409, 472, 473, 478, 481, 484, 486, 488, 490, 491, 492, 502, 516, 525, 527, 530, 538, 540, 541, 545, 569, 574, 585, 589, 590, 592, 596, 611, 620, 628, 637, 638, 642, 644, 647, 651, 674, 679, 685, 686, 698, 702, 703, 720, 728, 729, 780, 783, 801, 809, 836, 848, 859, 860, 861, 862, 863, 864, 865, 866, 868, 869, 871, 872, 873, 874, 877, 878, 879, 885, 894, 896, 897, 899, 902, 903, 904, 912, 933, 938, 940, 941, 947, 951, 956, 957, 958, 959, 961, 975, 976, 989, 991, 998, 999, 1000, 1001, 1002, 1006, 1009, 1012, 1013, 1015, 1027, 1030, 1033, 1036, 1044, 1047, 1052, 1053, 1054, 1055, 1066, 1072, 1073, 1074, 1075, 1077, 1078, 1087, 1088, 1089, 1090, 1091, 1099, 1119, 1122, 1125, 1128, 1129, 1130, 1151, 1152, 1153, 1155, 1156, 1158, 1159, 1160, 1163, 1164, 1177, 1180, 1188, 1191, 1193, 1195, 1198, 1221, 1223, 1236,

1240, 1246, 1249, 1250, 1253, 1255, 1257, 1258, 1259, 1261, 1271, 1274, 1278, 1279, 1281, 1282, 1283, 1284, 1291, 1295, 1300, 1306, 1307, 1311, 1319

Enfeksiyöz atık 256
enfektif endokardit 488, 489, 531
Enflamatuar yanıt 947, 949
Engelli Hastalar 231
Ensafalitler 1154
Enzim defektleri 584
Enzimatik 271, 540, 893, 1029, 1030, 1191
Eozinofiller 569, 947
Epandimoma 1184
Epidural anestezi 249, 895
Epifrenik Divertiküller 646
Epilepsi 97, 282, 349, 611, 1118, 1120, 1129, 1130, 1131, 1191
Episdadias 911
Epistaksis 339, 603
Eritroplaki 639
eritrosit sedimantasyon 1136, 1257
Eritrositler 566, 567, 577, 584, 585, 586, 587, 615, 618, 710, 711, 866, 868
Eskartomi 1028
Estetik cerrahi 1047
Evde bakım 5, 15, 22, 25, 26, 27, 28, 29, 30, 31, 32, 50, 94, 98, 102, 219, 220, 287, 315, 448, 473, 482, 506, 522, 686, 700, 718, 737, 738, 759, 764, 765, 1034, 1038, 1043, 1044, 1074, 1075, 1175, 1178
Evsel nitelikli atıklar 256
Ewing sarkomu 1221, 1260

F

Faringoözofageal Divertiküller 646
Fekal inkontinans 681
Feokromasitoma 554, 771, 772
Fibrinojen 403, 710
Fibroadenom 926, 927
Fibröz 391, 424, 434, 483, 511, 520, 521, 538, 585, 693, 755, 759, 760, 782, 868, 917, 940, 949, 1005, 1059, 1079, 1080, 1107, 1212, 1228, 1230, 1248, 1260, 1305
Fimozis ve Parafimozis 912
Fiziksel Sağlık 6
Fleksiyon 1113, 1115, 1117, 1145, 1152, 1200, 1209, 1216, 1229, 1234, 1241, 1245, 1276, 1277, 1278, 1282, 1290, 1309, 1310
Flep 545, 943, 1047, 1048, 1049, 1050, 1051, 1054
Fluoressein Anjiografi 1064
Folik Asit (=Folat) Eksiklikleri 583
Fosfat Tampon Sistemi 166
Fotokemoterapi (PUVA) 998

G

Ganglioglioma 1184
Gangliyon 1223, 1247
Gastrik Asit Stümülasyon Testi 634
Gastrit 628, 655, 660, 661, 664, 666, 716, 730, 818, 835
Gastroenterostomi 665
Gastroözofagiyal reflü hastalığı (GÖRH) 643
Gestasyonel Herpes 1009
Glaskow Koma Ölçeği (GKÖ) 1123
Globülin 565
Glokom 1071, 1072, 1077
Glukagon 754, 768, 786
Glukokortikoidler 829, 830
Gonyoskopi 1063
Göğüs ağrısı 349, 373, 393, 395, 396, 407, 440, 441, 442, 443, 444, 471, 472, 494
Görsel kıyaslama ölçeği 137, 288
Granülositler 569, 947, 949, 950
Greftler 1048
Guatr 808, 813, 815, 817, 818, 821, 822
Guillain-Barre' Sendromu(GBS) 1163
Günübirlik cerrahi 22, 225, 229, 230, 239, 281, 309, 310, 311, 312, 313, 314, 315, 316, 317, 322, 323, 980, 1015, 1068, 1070, 1094, 1223, 1249, 1253, 1291

H

Halitosis 628
Halo ceket 1210
Haluks Valgus 1251
Haris tüp 669
Hasta eğitimi 50, 52, 54, 232, 313, 348, 667, 700, 864, 957, 1250, 1327
Hasta ve Sağlık Bakımı 4
Hava Pletismografi 519
havayolu açıklığı 360
Hazımsızlık 64, 347, 395, 438, 442, 627, 628, 645, 662, 730
Hematom 289, 302, 526, 527, 952, 1203, 1204, 1253, 1301
Hematom-ekimoz 1301
Hematopoez 565
Hemodilüsyon 611
Hemodinamik 155, 156, 172, 173, 176, 178, 243, 281, 288, 307, 383, 408, 414, 427, 430, 443, 459, 478, 482, 491, 496, 520, 521, 740, 757, 868, 882, 1022, 1029, 1032, 1209
Hemodinamik izlem 427
Hemodiyaliz 160, 162, 722, 726, 728, 878, 882, 883, 980, 1018
Hemoglobin 166, 296, 568, 584, 585, 588, 618, 619, 716, 717, 778, 1194
Hemoglobin Tampon Sistemi 166
Hemolitik Anemiler 584, 586, 587

İndeks

Hemoptizi 331, 347, 348, 477, 596
Hemorajik inme 558, 1142
Hemostaz 572
Hemşirelik 3, 4, 5, 8, 11, 15, 18, 19, 20, 21, 22, 25, 26, 27, 28, 29, 30, 31, 32, 34, 35, 36, 37, 38, 39, 40, 41, 44, 45, 51, 53, 54, 56, 63, 73, 77, 78, 79, 83, 84, 85, 86, 88, 89, 90, 95, 98, 99, 100, 101, 103, 115, 132, 134, 142, 143, 146, 150, 175, 218, 225, 229, 230, 231, 233, 239, 240, 241, 242, 243, 288, 289, 310, 313, 314, 316, 317, 374, 444, 446, 452, 453, 454, 461, 482, 486, 487, 489, 496, 503, 522, 526, 541, 577, 591, 637, 641, 644, 646, 647, 689, 696, 700, 753, 757, 816, 819, 843, 851, 859, 863, 865, 867, 868, 869, 871, 874, 882, 886, 887, 898, 903, 917, 921, 938, 941, 956, 962, 973, 975, 976, 978, 979, 980, 981, 985, 987, 988, 990, 995, 998, 999, 1000, 1002, 1006, 1007, 1009, 1012, 1015, 1026, 1033, 1034, 1038, 1042, 1051, 1054, 1071, 1079, 1089, 1103, 1123, 1124, 1125, 1126, 1127, 1128, 1129, 1133, 1134, 1137, 1138, 1139, 1140, 1144, 1145, 1151, 1153, 1154, 1155, 1158, 1159, 1162, 1164, 1166, 1167, 1177, 1180, 1189, 1192, 1193, 1212, 1242, 1245, 1249, 1253, 1258, 1261, 1264, 1267, 1271, 1276, 1277, 1278, 1288, 1308, 1322, 1330
Hepatit A Virüsü 719, 720, 727
Hepatit B Virüsü (HBV) 719, 722
Hepatit C Virüsü (HCV) 255, 719, 726
Hepatit D Virüsü (HDV) 719, 727
Hepatit E Virüsü (HEV) 719, 727
Hepatoselüler Sarılık 714
Herpes zoster 993, 1001, 1002
Heterogreftler 481
Heterotopik 484
Hiatal herni 643, 645, 648
Hiatal Hernide Tıbbi ve Cerrahi Yönetim 646
Hiperkalemi (Potasyum Fazlalığı) 159
Hiperkalsemi (Kalsiyum Fazlalığı) 162
Hipermetropi 1064, 1065, 1070, 1074
Hiperpne 332
Hipertansiyon 64, 92, 93, 95, 227, 246, 248, 249, 283, 311, 330, 338, 339, 352, 367, 384, 400, 405, 409, 410, 416, 434, 437, 438, 452, 461, 477, 481, 483, 485, 499, 500, 502, 521, 530, 532, 538, 540, 547, 548, 549, 550, 551, 552, 553, 554, 555, 556, 557, 558, 611, 615, 617, 651, 679, 714, 717, 731, 739, 767, 773, 775, 790, 792, 793, 810, 818, 830, 831, 833, 835, 838, 846, 864, 866, 867, 868, 874, 876, 877, 878, 895, 897, 898, 974, 981, 1047, 1062, 1076, 1133, 1149, 1150, 1163, 1193, 1198, 1210, 1318, 1328
Hipofosfatemi (Fosfor Eksikliği) 164
Hipokalemi (Potasyum Eksikliği) 158
Hipokalsemi (Kalsiyum Eksikliği) 160

Hipoparatiroitizm 160, 827
Hipopotasemi 167, 422, 789, 833, 1318
Hipospadias 902, 1047
Hipotalamusun Anatomi ve Fizyolojisi 805
Hipotansiyon 136, 155, 158, 178, 216, 228, 248, 249, 269, 283, 285, 296, 300, 351, 353, 363, 366, 384, 398, 414, 420, 439, 440, 443, 444, 460, 461, 485, 492, 495, 502, 503, 508, 512, 533, 554, 555, 611, 615, 617, 633, 666, 680, 683, 697, 704, 716, 730, 739, 746, 752, 756, 787, 789, 794, 795, 799, 814, 815, 816, 830, 832, 833, 834, 837, 965, 980, 981, 1111, 1144, 1163, 1171, 1174, 1197, 1198, 1205, 1206, 1208, 1209, 1281
Hipotermi 132, 149, 178, 259, 284, 299, 333, 401, 421, 422, 449, 472, 497, 512, 737, 814, 816, 1007, 1027, 1117, 1201, 1209
Hipovolemik şok 176, 758, 899, 1022, 1185, 1293, 1295
Hodgkin hastalığı 582, 597, 600
Homogreftler 481, 1030
Hospis Bakımı 99, 220
Huntington hastalığı 1169, 1176
Hücre Düzeyinde Stres 67
Hücresel bağışıklık 570, 948, 950
Hümoral Bağışıklık 570

İ

ilk yardım 382, 1306
İmmobilizasyon 1258, 1306
İmmün Sistem Hastalıkları 945, 955
İmmünolojik yanıt 65, 947
İmpetigo 865, 1001
İnsan iskeleti 1227
İntradermal test 972
İntraoperatif kan desteği 611
İntraserebral hematom 1205
irritabl bağırsak sendromu 680
İskemik inme 1140, 1143

K

Kafa İçi Basınç Artışı Sendromu (KİBAS) 1127
Kafa travması 290, 349, 673, 809, 990, 1127, 1133, 1150, 1197, 1198, 1203, 1204, 1209
Kallus 794, 1302, 1305
Kalorik Test 1084
Kalp sesleri 305, 366, 399, 400, 421, 452, 460, 483, 486, 497, 511, 1037
Kalp tamponadı 359, 360, 461, 492, 493, 494, 496, 497, 511
Kalsitonin 160, 812, 814, 826, 1236, 1306
Kalsiyum (Ca+) 152, 160
Kan bağışı 611
Kan Gazı Analizi 168
Kan glikozu 510, 771, 778, 781, 786, 802

Kan Grupları 573
Kandiyazis 638
Kanser ağrısı 129, 131, 148
Kanser hastaları 673
Karaciğer tümörleri 731, 736
Kardiyak arrest 248, 453, 1306
Kardiyojenik şok 176, 283, 441, 444, 494, 504, 510, 511
Kas iskelet sistemi 1223, 1239, 1264, 1320
Katarakt 792, 1069, 1070
Kemik iliği 574, 577, 590, 595, 601, 603, 604, 619, 620, 621, 947, 949, 953
Keratin 985
Keton Ölçümü 778
Kimyasal ajanlar 254
Kistik fibrozis 374
Kleoidler 1031
Kobalamin (=Vitamin B12) Eksiklikleri 583
Kolelitiazis 744, 747
Kolesintigrafi 745
Kolesistektomide 752
Kolesistit 743
Kolesistografi 745
Kolinerjikler 644
Kolonoskopi 633, 700
Komissürotomi 479
Kompleman sistemi 950
Kondrosarkom 1260
Konküzyon 1199
Konstipasyon 144, 438, 628, 629, 672, 679, 682, 698, 817, 1148, 1171, 1174, 1223
Kontraktürler 1032, 1042, 1043
Kontüzyon 363, 896, 1200, 1296
Kordaplasti 480
Kornea 1059, 1066, 1068, 1116, 1123, 1167
Koroner arter hastalığı 400, 404, 405, 433, 499, 657, 659, 716, 810
Kortikosteroidler 369, 374, 499, 595, 616, 739, 837, 838, 839, 972, 974, 1068, 1128, 1188, 1317, 1322
Kraniektomi 1189
Kraniotomi 1189
Kraniyal sinirler 1106, 1108, 1110, 1111, 1133, 1187
Krepitasyon 1301, 1302, 1326
Kritik düşünme 35, 36, 244
Kronik ağrı 131, 1139
Kronik durumlar 91, 92, 94, 95, 96, 97, 100, 104
Kronik Lenfosıtik Lösemi (KLL) 594
Kronik lösemiler 594
Kronik pankreatit 682, 759, 760
Kronik Sinüzit 336
Kronik subdural hematom 1204

Kültür 7, 11, 62, 77, 78, 79, 80, 89, 134, 333, 346, 540, 993, 1030, 1033
Kültürel şok 84
Kültürün özellikleri 77

L
Labirentit 1084, 1094
Laparoskopi 277, 633, 634, 713
Larenks 328, 334, 340, 341, 376, 382, 596, 626, 1021, 1316
Larenks ödemi 1021
Laringofarenks 328
Laserasyon 360, 896, 1198
Lateks alerjisi 254, 980
Lazer 251, 252, 253, 254, 278, 309, 334, 448, 632, 633, 641, 649, 695, 702, 703, 736, 747, 791, 792, 895, 1047, 1065, 1076, 1084, 1189, 1306
Lenfanjiyografi 1235
Lenfatik sistem 545, 919
Lenfoma 162, 366, 520, 577, 592, 602, 619, 664, 680, 823, 959, 960, 998, 1001, 1151, 1158
Lenfomalar 597, 601, 832, 959, 998, 1075
Lenfositler 1305, 570, 571, 595, 736, 837, 947, 948, 949, 950, 951, 955, 957, 980, 986, 988
Lipitler 710, 711
Lokal infiltrasyonla blok 248
lökopeni ve nötropeni 577
Lökositler 489, 568, 593, 609, 615, 741, 947, 1018, 1305
Lökositoz 472, 568, 591, 735, 789
Lösemi 591, 592, 593, 594, 596, 619, 1158

M
Magnetik resonans 630
Magnezyum (Mg+) 152
Malabsorbsiyon sendromu 631, 633, 672, 765
Malabsorbsiyon sendromu
Malign hipertermi 246, 259, 260, 299
Malignant hipertansiyon 547
Mammografi 921, 941
Mammoplastiler 941
Mantar enfeksiyonları 1000, 1002
Mantar enfeksiyonları 1087, 955, 958, 975
Marjinal ülser 666
Meme Hastalıkları 915, 926
Meme muayenesi 9, 48, 920, 921, 922, 927, 940
Menenjitler 1133, 1151
Menisküs yırtığı 1298
Mesane 82, 131, 214, 245, 261, 284, 288, 289, 300, 306, 748, 789, 793, 843, 844, 846, 847, 857, 858, 859, 860, 861, 863, 864, 883, 893, 897, 899, 904, 957, 959, 1117, 1126, 1144, 1145, 1148, 1149, 1157, 1158, 1159, 1177, 1207, 1208, 1209, 1210, 1215, 1218, 1291, 1295

İndeks

Metabolik alkaloz 167, 426, 554, 835
Mide kanseri 635, 659, 661, 664
Mide ülseri 660
Migren 1134, 1140, 1141
Mineralokortikoidiler 829, 830
Mitral kapak prolapsusu 416, 420, 421, 442, 475, 490
Mitral regürjitasyon 475, 476, 479
Mitral stenoz 475, 476, 531
Miyeloma 162
Miyeloma 577
Miyoglobin 401, 442, 1022
Miyokard rüptürü 441, 444, 497
Miyokardit 401, 405, 414, 415, 418, 420, 421, 424, 488, 489, 491, 492, 1320
Miyopi 1060, 1064
Monositler 569, 572, 837, 947, 949
Monositler/Makrofajlar 947
Multpl Skleroz 1156

N
Nazal polip 336, 340
Nazofarenks 248, 283, 380, 1124
Nazogastrik, Nazoenterik Nütrüsyon 668
Nebülizasyon 344
Nefrotik sendrom 1320, 793, 830, 865
Nikotinik asit 772
Nissen fundoplikasyon 644
Nitratlar 439, 443, 503, 587, 653, 654
Noncapture 426
Norolojik 216
Nöroglia 1103
Nörojenik Mesane 860
Nörojenik Şok 178
Nörolojik Travmalar 1101
Nörotransmitterler 1104
Nötrofil 130, 569, 589, 590, 592, 597, 655, 837, 947, 1317

O
Obezite 70, 437, 485, 521, 547, 550, 648, 657, 772, 835, 1322
Obstrüktif Sarılık 714
Odinofaji 341
Odinofaji 627, 643, 653, 654
Odiyometrik Testler 1083
Oftalmoskopi 1063
Okluziv Sargılar 1028
Okülovestibüler 1084, 1120, 1123
Oligodendroglioma 1184
Onkoloji 86, 488, 726
Onkolojik 271, 507, 668
Orak hücreli anemi 344, 352, 584, 1077
Oral Antidiyabetik Tedavi (OAD) 778

Orofarenks 328, 344, 382
Orşitis 908
Ortez 1273
Osteoartrit 1259, 1283, 1314, 1322
Otitis 338, 589, 1082, 1084, 1086, 1087, 1088, 1089, 1094, 1099
Otogreftler 481
otoimmün hastalıklar 71, 815, 827, 949, 955, 956
Otolog bağış 611
Otoskleroz 1082, 1084, 1092
Oversensing 426

Ö
Öksürme egzersizleri 234, 364, 384, 471, 472, 645, 816, 934, 1162, 1295
Ölüm Tanımı 213
Özofagus kanserleri 630
Özofagus varis kanamaları 651, 716

P
Pacemaker 177, 403, 414, 415, 416, 417, 420, 421, 422, 423, 424, 425, 426, 427, 428, 460, 492, 512, 631, 633
Pacemakeri 424, 427
Paget hastalığı 931
Palpasyon 40, 241, 332, 382, 399, 501, 528, 538, 543, 851, 922, 923, 953, 989, 990, 1111, 1301
Pankreas 166, 484, 583, 625, 626, 627, 631, 643, 665, 666, 682, 683, 736, 743, 754, 755, 756, 757, 758, 759, 760, 763, 764, 765, 768, 780, 797, 799, 835, 959, 981
Pankreatit 160, 249, 396, 611, 630, 668, 675, 680, 682, 755, 756, 757, 758, 759, 760, 763, 768, 835, 895, 1018
Pansuman/Yara Örtüleri 297
Papil ödemi 1184, 1187
Papiller dermis 986
Parabronşial (orta özofageal) Divertiküller 646
Paranazal Sinüsler 327
Paratiroit Fonksiyonu 824
Parkinson 94, 847, 1169, 1170, 1171, 1175, 1176
Patch (yama) testi 953
Patolojik Atık 256
Pediküllü 1050, 1051, 1259
Pemfigus vulgaris 998
Penetran Travmalar 364
Penil Protezler 903
Peptik ülser 162, 395, 438, 442, 481, 656, 665, 755, 827, 838
Peridontitis 637
Periferik sinir 161, 300, 714, 1093, 1104, 1197, 1249, 1267, 1292, 1294
Periferik sinir bloğu 248
Perikardit 395, 401, 405, 416, 418, 442, 489, 492, 493, 621, 729, 873, 876, 1321

Periton diyalizi 98, 878, 885, 886, 971, 1018
Peritonit 685, 687, 697, 730, 756, 884, 885, 887
Pes kalkaneus 1232
Pes planus 1232
Piyelonefrit 860, 862, 864, 894
Plantar fasit 1239, 1253
Plazma 72, 146, 151, 152, 154, 155, 156, 157, 158, 159, 160, 161, 162, 163, 164, 165, 166, 167, 168, 173, 179, 255, 283, 351, 363, 402, 403, 476, 515, 520, 521, 536, 550, 563, 565, 569, 570, 571, 572, 573, 577, 587, 592, 604, 605, 606, 609, 610, 615, 655, 710, 714, 715, 729, 739, 768, 772, 781, 787, 789, 799, 806, 808, 811, 812, 829, 830, 832, 833, 835, 836, 869, 870, 949, 950, 955, 986, 1018, 1328
Plazma proteinleri 515, 563, 565
Plazmaferez 867, 1009, 1162, 1164
Plevral efüzyon 334, 343, 350, 351, 470, 741, 755, 757
Plörezi 331, 349, 442
Pnömotoraks 167, 330, 331, 334, 351, 359, 360, 362, 364, 365, 366, 470
Polidaktili 1047
Polisitemiler 587
Portal hipertansiyon 352, 651, 714, 717, 731, 739
Posttravmatik faktörler 1130
Postüral hipotansiyon 155, 158, 398, 799, 1171
Potasyum (Ka+) 152
Presbiyopi 1060
Proksimal vagotomi 665
Pronasyon 1229, 1230
Protein Tampon Sistemi 166
Protez kapak 480, 489, 491
Protezle (implant) 1052
Pseudoparkinsonizm 1169
Psoriazis Vulgaris 1005
Pulmoner arter 174, 176, 283, 352, 377, 391, 400, 403, 408, 409, 410, 420, 451, 460, 461, 470, 475, 494, 500, 502, 505, 510, 511, 555, 617, 740, 1027, 1033, 1035, 1036, 1037, 1193, 1210
Pulmoner emboli 288, 302, 311, 350, 351, 353, 402, 406, 416, 422, 470, 472, 497, 499, 500, 502, 534, 535, 536, 751, 869, 1126, 1146, 1261, 1281, 1282, 1320
Pulmoner hipertansiyon 338, 367, 409, 410, 477, 500
Pulmoner kontüzyon 360, 363, 1197
Pulmoner Ödem 1035
Pulmoner Rehabilitasyon 369, 370
Pupiller Refleksler 1062

R
Radyasyon güvenliği 253
Raynaud Hastalığı 533
Reaktif protein (CRP) 434, 439

Redüksiyon mammoplasti 941
Reflü 378, 514, 538, 628, 634, 643, 645, 646, 648, 655, 657, 666, 860, 861, 862, 864
Regürjitasyon 475, 476, 477, 479, 480, 491, 627, 645, 647, 649, 653, 1147
Rehabilitasyon 31, 95, 98, 369, 370, 446, 447, 1037, 1203, 1250, 1295, 1306
Remodelizasyon 1302
Reseptörler 174, 330, 503, 846
Resüstatif 1020
Retiküler dermis 987
Retina dekolmanı 1065, 1069, 1073
Retinoblastoma 1075
Retrosternal Yanma (Pirozis) 628
Rinit 335, 336, 338, 373, 972, 973, 974, 975, 980, 1088
Rinne Testi 1082
Ritim ve İleti Bozuklukları 389, 413
Romatizmal endokardit 477, 489
Romatoid artrit 582, 603, 1247, 1315
Romberg Test 1083
Rotasyon 236, 439, 783, 1034, 1115, 1145, 1229, 1241, 1274, 1297, 1302, 1305, 1309
Rotator Cuff 1297
Ruhsal sağlık 9

S
Safra kesesi 267, 396, 438, 625, 628, 630, 632, 634, 743, 744, 745, 746, 747, 748, 749, 752, 757, 759, 765, 799
Sağlığı geliştirme 9, 14, 21, 22, 28, 32, 48, 784
Sağlığın Ölçülmesi 6
Sağlık Bakımında Kalite 15
Sağlık eğitimi 22, 30, 31, 47, 99, 1015
Saman nezlesi 973, 974
Sarkoidoz 340, 424, 483, 510, 865, 978
Sayısal ölçekler 135
Seboreik dermatit 1005, 1086
Sepsis 170, 177, 178, 216, 349, 351, 364, 379, 409, 416, 470, 656, 668, 695, 697, 736, 752, 755, 800, 838, 859, 862, 864, 882, 896, 897, 956, 1012, 1027, 1033, 1055, 1155, 1307
Septik şok 177, 752, 758
Serebral ödem 728, 1117, 1129, 1189, 1190, 1193, 1197, 1201
Serebrovasküler Hastalıklar 1140
Serebrum 1104
Sinaps 1104
Sindaktili 1242
Sinir sistemi 8, 64, 65, 161, 164, 168, 170, 174, 247, 249, 282, 391, 397, 421, 461, 490, 494, 499, 507, 513, 514, 516, 626, 654, 673, 745, 746, 805, 808, 814, 831, 846, 847, 947, 952, 958, 959, 974, 1030, 1093, 1103, 1104,

1108, 1109, 1110, 1115, 1116, 1117, 1118, 1127, 1131, 1174, 1185, 1198, 1200, 1210, 1213, 1214, 1313
Sinovyal 151, 306, 1229, 1230, 1283, 1306, 1314, 1315, 1326, 1329
Sintigrafi 813, 823, 909
Siyalore 649
Skiaskopi 1063
Sklera 1062, 1075, 1077
Skolyoz 331, 1213, 1220, 1232, 1242
Skrotum 869, 902, 908, 909, 910, 911, 958, 987
Skuamoz hücreli karsinom 1013, 1014, 1015
Solunum asidozu 351, 363
Somatostatin 716, 754
Sosyal Sağlık 7
Sözel Kategori Ölçekleri 138
Spinal anestezi 178, 248, 249, 283, 317, 685, 798, 895, 1118
Spinal kord 101, 178, 248, 291, 351, 359, 629, 681, 846, 859, 903, 1103, 1104, 1106, 1107, 1108, 1116, 1117, 1119, 1219, 1222
Spinal Stenoz 1219
Spinal şok 1208, 1210
Spinal travmalar 1220
Spirometrelerin Kullanımı 235
Staz dermatiti 1005
Stoma 660, 689, 692, 693, 694, 696, 697, 698, 700
Stres Fonksiyonu 61
Stres Kontrolü 73
Strese Yanıt 62
Stresin Belirti ve Bulguları 66
Subdural hematom 1203, 1204
Subtotal gastrektomi 665
Supinasyon 1229, 1230
Supratentoryal Lezyonlar 1121

Ş
Şalazyon 1066

T
Talasemi 82, 586, 616
Talasemiler 584, 585
Tampon sistemler 165
Temas dermatiti 975
Temel Etik İlkeler 37
Tenisçi Dirseği 1298
Teratoma 1185
Terminal dönem 1042
Testisler 901
Timpanik membran 1079, 1085, 1086
Timpanogram 1083
Timus 63, 570, 813, 948, 951, 955

Tiroiditis 821
Toksik Hepatit 728
Tonsilit ve Adenoidit 337
Topikal anestezi 248, 633
Toraks Tümörleri 354
Torasik 177, 291, 356, 363, 365, 391, 397, 479, 495, 514, 527, 528, 531, 545, 611, 645, 647, 648, 737, 919, 935, 1001, 1107, 1108, 1208, 1220, 1223, 1322
Tortikolis 1232, 1241
Total gastrektomi 581
Total kalça protezi 1245, 1280, 1281
Transkültürel Hemşirelik 11, 59, 84
Transplantasyon 281, 484, 486, 619, 620, 621, 729, 737, 738, 739, 740, 741, 793, 838, 880, 952, 980, 981
Travma 5, 65, 71, 82, 129, 148, 149, 151, 170, 174, 290, 339, 340, 351, 359, 363, 364, 365, 382, 384, 461, 472, 477, 496, 516, 527, 529, 531, 532, 533, 602, 603, 637, 638, 645, 646, 647, 648, 656, 668, 681, 687, 702, 772, 780, 795, 796, 797, 809, 811, 833, 836, 837, 859, 903, 938, 940, 947, 975, 988, 1005, 1006, 1021, 1031, 1043, 1047, 1068, 1073, 1075, 1085, 1086, 1087, 1090, 1106, 1119, 1131, 1150, 1152, 1153, 1154, 1161, 1169, 1174, 1185, 1192, 1197, 1198, 1199, 1202, 1203, 1204, 1205, 1209, 1213, 1214, 1219, 1223, 1239, 1247, 1253, 1255, 1264, 1283, 1292, 1293, 1296, 1299, 1300, 1308, 1319, 1329
Travmatik pnömotoraks 365
Trekeobronşit 380
Trigeminal nevralji 1157, 1165
Trombositler 571, 572, 605
Troponinler 401, 442
Trunkal vagotomi 665
Tümörler 488, 642, 664, 909, 927, 931, 1075, 1084, 1121, 1184, 1185, 1187, 1220, 1221, 1222, 1239
Türkiye'de Evde Bakım 29
Tzanck's smear testi 993

U
Ultrafiltrasyon 878, 880, 883, 884, 885
Uveitis 1069
Uykuda Tıkanma 338

Ü
Üreterler 843, 844, 896
Üretra 843, 844, 863, 897, 911
Ürik asit 347, 438, 503, 552, 563, 588, 596, 845, 868, 870, 1006, 1082, 1236, 1328, 1329
Üriner Diversiyonlar 899
Üriner Retansiyon 859
Üriner Sistem Taşları 893

V

Vagotomi 665
Valvüloplasti 476, 477, 478, 479
Varikosel 910
Vazektomi 911
Vazomotor rinit 973
Venöz staz 267, 296, 461, 534, 538, 543, 959, 1048, 1206, 1209, 1278, 1279, 1293
Venöz Ülserler 540
Venöz Yetersizlik 538
Ventriküler Taşikardi 420
Viral Rinit 336
Viral yükleme testleri 960
Visseral 356, 671, 1033, 1036, 1108, 1316

W

Weber Testi 1082
Western blot testi 960
Wood ışığı testi 993

Y

Yağ grefti 1050
Yama (patch) testi 972
Yara iyileşmesi 227, 297, 308, 510, 639, 642, 651, 798, 932, 991, 1028, 1032, 1033, 1037, 1194, 1261, 1308
Yara iyileşmesini sağlamak 1262
Yaşlı hasta 230, 259, 304, 307, 752, 1260, 1279
Yaşlı İstismarı ve İhmali 108
Yaşlılığın Sosyal Yönü 106
Yelken göğüs 359, 360, 363, 1197
Yoğun bakım 217, 344, 383, 496